MARIO PAZZAGLIA

LETTERATURA ITALIANA

1

DAL MEDIOEVO ALL'UMANESIMO

TESTI E CRITICA CON LINEAMENTI DI STORIA LETTERARIA

TERZA EDIZIONE

Impostazione grafica: *Sergio Salaroli*

Copertina: *Elena Gaiani*

Redazione: *Mirca Melletti*

Prima edizione: marzo 1979

Seconda edizione: marzo 1986

Terza edizione: gennaio 1993

Ristampa:
7 8 9 10 2000 2001 2002

Realizzare un libro è un'operazione complessa, che richiede numerosi controlli: sul testo, sulle immagini e sulle relazioni che si stabiliscono tra essi. L'esperienza suggerisce che è praticamente impossibile pubblicare un libro privo di errori. Siamo quindi grati ai lettori che vorranno segnalarceli. Per segnalazioni o suggerimenti relativi a questo libro l'indirizzo a cui scrivere è:
Zanichelli Editore S.p.A.
Via Irnerio 34
40126 Bologna
tel. 051/293111 - fax 051/249782

Fotocomposizione: Editografica
Rastignano (Bologna)

Finito di stampare
dalla Rotolito Lombarda - Pioltello (MI)
per conto della Zanichelli Editore S.p.A. - Bologna
Via Irnerio 34 - 40126 Bologna

MARIO PAZZAGLIA

LETTERATURA ITALIANA

1

DAL MEDIOEVO ALL'UMANESIMO

TESTI E CRITICA CON LINEAMENTI DI STORIA LETTERARIA

TERZA EDIZIONE

ZANICHELLI

Indice

IL MEDIOEVO

p. 2 Caratteri generali
3 La cultura «clericale»
4 L'universo cristiano
5 La civiltà del libro
6 Alcuni «fondatori»

8 **La mentalità medievale**
8 Tempo, spazio, eternità

9 **Sant'Agostino**
10 Il poema dell'universo
11 L'immagine trinitaria nell'uomo
11 Il tempo
12 L'esperienza dell'eternità

13 **Boezio**
14 Inno a Dio creatore
15 L'universo e l'amore

15 **Dionigi Areopagita**
16 La non esistenza del male

17 La fine del tempo (San Tommaso d'Aquino)

18 **Un'idea di Geografia: l'«Immagine del mondo»**
18 La figura del mondo
19 Asia: il paradiso terrestre
19 India: meraviglie, 2

20 **Una Geografia simbolica: «La navigazione di San Brandano»**
21 L'isola infernale

22 **Una proposta scientifica: la scuola di Chartres**
22 Un commento al «Genesi» secondo la fisica (Teodorico di Chartres)

24 **Estetica e poetica nel Medioevo**
24 Estetica medievale
24 La poesia e l'arte
25 Allegoria e simbolo

26 **L'armonia e la luce**
26 La musica (Boezio)
27 Il simbolismo universale (Alano da Lilla)
27 Un universo trasparente: la luce (Dionigi Areopagita)

28 **Come leggere «il» libro**
29 La «requisizione» dei beni dei Pagani (Sant'Agostino)
p. 30 La provvidenziale difficoltà dei testi sacri (Sant'Agostino)
30 Senso proprio e senso figurato (Sant'Agostino)
31 L'allegoria biblica (San Tommaso d'Aquino)

32 **Ugo di San Vittore: estetica e progetto educativo**
32 I due tipi di scrittura

33 **Cassiodoro**
34 I tre stili

34 **Giovanni di Garlandia**
34 «La Rota Virgili»

35 **Letteratura latina medievale**

36 **L'innografia cristiana**
36 Aeterne rerum conditor (Sant'Ambrogio)
37 Dies irae

38 **La poesia goliardica**
39 Ritorna, desiderata, primavera
39 Nel tempo della dolce primavera
39 Vino buono e soave

40 **Poesia epico-storica**
40 Canto delle scolte modenesi
41 O Roma nobile

42 **L'immagine della società**
42 La società trinitaria (Adalberone di Laon)
43 Verso il Comune (Landolfo Seniore)

45 ***Letture critiche***
45 Tempo, storia, eternità nel medioevo *di E. Gilson*
46 Il simbolismo medievale *di J. Huizinga*
47 I tre ordini *di G. Duby*

50 **Il modello francese: la letteratura feudale**
50 Premessa
50 Le lingue romanze
51 I generi letterari
51 L'ideale cortese
52 L'amor cortese
53 Verso una nuova coscienza letteraria

55 **L'epica**

55 **La «Canzone d'Orlando»**
56 La morte d'Orlando

p. 58 **La lirica dei Trovatori**

59 **Guglielmo IX d'Aquitania**
59 Come il ramo del biancospino

60 **Jaufré Rudel**
60 L'amore lontano

61 **Bertran de Born**
61 Molto mi piace...

63 **La narrativa cortese**

63 Il romanzo di Tristano
64 Dal «Tristano» di Béroul: La condanna e la fuga
66 Dal «Tristano» di Thomas: la morte degli amanti

68 **Il ciclo bretone**

68 **Chrétien de Troyes**
69 Lancillotto al ponte della spada
70 Lancillotto e Ginevra

72 **Chrétien e il mito del Graal**
73 L'iniziazione cavalleresca di Perceval
74 La confessione di Perceval

76 **Andrea Cappellano**
77 Amore è pena
77 Amore si è pena che viene da natura
78 Sull'effetto dell'amore
78 In che modo s'acquisti l'amore
79 La «prodezza di costumi»
80 Dell'amore de' lavoratori
80 Le «regole d'amore»

81 **Il «Roman de la Rose»**

82 **Letteratura franco-italiana**

82 L'«Entrée d'Espagne»
83 Il duello fra Orlando e Pelias

84 **Rambertino Buvalelli**
84 Al cor m'estai l'amoros desiriers

85 ***Letture critiche***
85 L'ideale cavalleresco nell'arte di *A. Hauser*
87 Il «gioco» dell'amor cortese di *G. Duby*
88 Andrea Cappellano e l'amor cortese di *D'Arco S. Avalle*

90 **La civiltà comunale**

90 Premessa
90 L'Italia e l'Impero
91 Il Comune
91 La civiltà del Comune
92 La città
93 Cortesia e borghesia

93 **La vita delle città**
93 Venezia (Martino da Canal)

p. 94 La bella città di Milano (Bonvesin da la Riva)
95 Gli abitanti di Milano (Bonvesin da la Riva)

96 **Salimbene da Parma**
97 I giovani di Pisa
98 L'angoscia delle donne di Pisa
98 I giorni di Federico II: la terra desolata

99 **Le Università e la filosofia del secolo XIII**

100 **San Tommaso d'Aquino**
101 Il problema del male
101 Intelletto e amore

102 **San Bonaventura**
102 La Sacra Scrittura e la storia del mondo

103 **Il volgare**

104 I primi documenti in lingua volgare
104 L'indovinello veronese
105 I placiti cassinesi
105 La postilla amiatina
106 Il Ritmo laurenziano (secolo XII)
106 Il Ritmo cassinese

107 **San Francesco d'Assisi**
108 Il Cantico di Frate Sole (o Laudes creaturarum)

109 ***Letture critiche***
109 Latino e volgare nel Duecento di *B. Migliorini*
110 Gli intellettuali e il comune di *G. Procacci*
111 San Francesco e l'uomo gotico di *G. Duby*
113 Le origini delle Università di *C.H. Haskins*

115 **La letteratura italiana del Duecento**

115 Caratteri generali

116 **La scuola siciliana**

117 **Giacomo da Lentini**
117 Meravigliosamente
118 Amor è uno desio che ven da core
119 Io m'agio posto in core a Dio servire

119 **Guido delle Colonne**
119 Gioiosamente canto

120 **Giacomino Pugliese**
121 Morte, perché m'hai fatta sì gran guerra

122 **Rinaldo d'Aquino**
122 Già mai non mi conforto

123 **Odo delle Colonne**
123 Oi lassa, 'namorata

124 **Anonimo**
124 Quando la primavera

125 **Stefano Protonotaro**
125 Pir meu cori alligrari

p. 126 Il «Contrasto» di Cielo d'Alcamo
128 *Letture critiche*
128 La scuola siciliana di *G. Folena*
129 La lingua dei siciliani di *B. Migliorini*

130 **La scuola toscana**

131 **Guittone d'Arezzo**
132 Con più m'allungo, più m'è prossimana
132 Tuttor ch'eo dirò «gioi'», gioiva cosa
133 Dolente, triste e pien di smarrimento
133 Ahi lasso, or è stagion de doler tanto

135 **Chiaro Davanzati**
136 La splendïente luce, quando apare

136 **Bonagiunta Orbicciani**
136 Voi, ch'avete mutata la mainera

137 *Letture critiche*
137 Il magistero di Guittone di *M. Marti*

138 **Il dolce stil novo**
138 Una nuova «scuola»
138 Un mito poetico
139 Stile e modi della rappresentazione

140 **Guido Guinizzelli**
140 Al cor gentil rempaira sempre amore
142 Io voglio del ver la mia donna laudare
142 Lo vostro bel saluto e 'l gentil sguardo
143 Vedut'ho la lucente stella diana
143 Sì sono angostïoso e pien di doglia
144 Chi vedesse a Lucia un var capuzzo
144 Pur a pensar mi par gran meraviglia

145 **Guido Cavalcanti**
146 Avete 'n vo' li fior' e la verdura
146 Biltà di donna e di saccente core
147 Chi è questa che vèn, ch'ogn'om la mira
147 Voi che per li occhi mi passaste 'l core
147 Tu m'hai sì piena di dolor la mente
148 La forte e nova mia disaventura
149 Perch'i' no spero di tornar giammai
150 Era in penser d'amor quand'i' trovai
151 Guata, Manetto, quella scrignutuzza

152 **Lapo Gianni**
152 Amor, eo chero mia donna in domìno

152 **Cino da Pistoia**
153 La dolce vista e 'l bel guardo soave
154 Ciò ch'i' veggio di qua m'è mortal duolo
154 Io fu' 'n su l'alto e 'n sul beato monte
155 Oïmè lasso, quelle trezze bionde

156 *Letture critiche*
156 Il «Dolce stil novo» di *A. Roncaglia*
157 La figurazione drammatica nel Cavalcanti di *M. Corti*

158 **Poeti comico-realistici**

159 **Rustico Filippi**
159 Quando Dio messer Messerino fece

p. 160 D'una diversa cosa ch'è apparita

160 **Cecco Angiolieri**
161 Tre cose solamente m'ènno in grado
162 La mia malinconia è tanta e tale
162 «Becchin' amor!» «Che vuo', falso tradito?»
163 Per sì gran somma ho 'mpegnato le risa
163 S'i'fosse fuoco, ardereï 'l mondo
164 La stremità mi richer per figliuolo

164 **Folgóre da San Gimignano**
165 Di maggio sì vi do molti cavagli
165 Quando la luna e la stella dïana
166 Cortesia cortesia cortesia chiamo

166 *Letture critiche*
166 L'arte di Cecco Angiolieri di *M. Marti*

167 **Poesia popolaresca e giullaresca**
168 E la mia dona çogliosa
168 For de la bella cayba

168 **La letteratura religiosa del Duecento**
168 Caratteri generali
169 La poesia religiosa umbra
169 La poesia religiosa nell'Italia settentrionale

170 **Jacopone da Todi**
171 Il «Trattato» e i «Detti»
171 O Segnor, per cortesia
172 O corpo enfracedato
173 O papa Bonifazio
174 O iubelo del core
175 Quando t'aliegre, omo d'altura
176 Donna de Paradiso

178 **Bonvesin da la Riva**
179 De quodam monaco qui vocabatur frater Ave Maria
180 La disputa della rosa e della viola

181 **Giacomino da Verona**
182 La città celeste
183 Sarabanda infernale

184 *Letture critiche*
184 Lo stile di Jacopone di *F. Ageno*
185 Letteratura didattica padana di *E. Pasquini*

186 **La poesia didascalica dell'Italia centrale**
186 Caratteri generali

187 **Brunetto Latini**
188 Brunetto nella gran selva
189 Cortesia, lealtà, prodezza

191 **«Il Fiore»**
192 Falsembiante
192 Consiglio della Vecchia

192 **L'«Intelligenza»**
193 Le pietre preziose

p. 193 **La prosa del Duecento**
195 **Guido Faba**
195 **Dai «Parlamenta et epistole»**
196 De Quadragesima ad Carnisprivium (Epistola di Quaresima a Carnevale)
196 Responsiva contraria
196 **Le «Lettere» di Guittone d'Arezzo**
197 Infatuati miseri Fiorentini
198 **La «Rettorica» di Brunetto Latini**
198 La rettorica
199 **Il «Tresor» di Brunetto Latini**
199 Complessione e «umori» dell'uomo
200 **Il «Libro della natura degli animali»**
201 Della natura della serena
201 **Restoro d'Arezzo**
201 Il risveglio della terra a primavera
202 **I «Fiori e vita di filosafi ed altri savi e imperadori»**
202 Papirio
203 **I «Fatti di Cesare»**
203 Catone
203 **La «Istorietta troiana»**
204 Ritratto di Elena
204 Il ratto di Elena
205 **Il «Tristano» e la «Tavola Ritonda»**
205 Il filtro amoroso
206 Il duello di Tristano e Lancillotto
208 **Il «Novellino»**
209 Qui conta d'uno grande moaddo a cui fu detta villania
209 Qui conta come Narcis s'innamorò dell'ombra sua
210 D'una quistione che fu posta a uno uomo di corte
210 Qui conta d'uno uomo di corte che cominciò una novella che non venia meno
210 Qui conta della gran iustizia di Traiano imperadore
211 Qui conta una bella novella d'amore
212 Qui conta come la damigella di Scalot morì per amore di Lancialotto del Lac
212 **Marco Polo**
213 I Tartari
214 La moneta del Gran Khan
215 Il Veglio della Montagna
216 **«La sconfitta di Monte Aperto»**
216 La battaglia
219 ***Letture critiche***
219 Brunetto Latini e la letteratura didattica toscana di *E. Pasquini*
219 La prosa del Duecento di *C. Segre*

p. 222 **Dante Alighieri**
222 La vita
224 **La «Vita nuova»**
224 Il contenuto del libro
225 Significato della «Vita nuova»
226 La «Vita nuova» e il mito medievale dell'amore
226 La coscienza letteraria di Dante
227 Il capitolo I: un proemio
228 Il capitolo II: l'apparizione di Beatrice
229 Il capitolo III: la signoria d'Amore
231 Il capitolo V: la «donna dello schermo»
231 Il capitolo X: la crisi
232 Il capitolo XI: il mirabile saluto
232 *Esercizio di analisi. Il saluto di Beatrice*
234 Il capitolo XIV: a) il «gabbo» di Beatrice
235 Il capitolo XIV: b) il sonetto «Con l'altre donne mia vista gabbate»
236 Il capitolo XVIII: la scoperta dell'Amore
237 Il capitolo XIX : a) la «volontà di dire»
237 Il capitolo XIX : b) la canzone «Donne ch'avete»
239 *Esercizio di analisi. «Donne ch'avete...»*
240 Il capitolo XX: «Amore e 'l cor gentil sono una cosa»
241 Il capitolo XXI: il sonetto «Ne li occhi porta la mia donna Amore»
241 Il capitolo XXIII: la canzone «Donna pietosa»
245 Il capitolo XXV: una poetica
246 Il capitolo XXVI : a) il sonetto «Tanto gentile»
247 *Esercizio di analisi. «Tanto gentile...»*
248 Il capitolo XXVI: b) il sonetto «Vede perfettamente»
249 Il capitolo XXXV: la tentazione
250 Il capitolo XXXVI: la «Donna gentile» e il ritorno di Beatrice
250 Il capitolo XLI: il sonetto «Oltre la spera»
251 Il capitolo XLII: l'epilogo in cielo
252 **Il «Convivio»**
253 L'introduzione al Convivio
254 L'esilio
255 Perché il commento alle canzoni non può essere in latino
256 Le ragioni del volgare
257 I quattro sensi delle scritture
258 Da Beatrice alla Donna Gentile
259 Amor che ne la mente mi ragiona
261 Essere e Amore
262 La congruenza dell'essere
263 Il fondamento della maestà imperiale
265 Il fine della vita umana
265 **La «Monarchia»**
266 Le due autorità supreme e i due fini della vita umana
267 **Il «De vulgari eloquentia»**
268 L'uomo e il suo linguaggio

p. 269 La nascita del linguaggio
270 Volgare e «grammatica»
271 Il volgare illustre
272 Lo stile «tragico»

273 **Le «Rime»: una collezione di «estravaganti»**
274 a) tra «Vita nuova» e «Convivio»
275 Guido, i' vorrei che tu e Lapo ed io
276 Per una ghirlandetta
276 Un dì si venne a me Malinconia
277 Due donne in cima de la mente mia
277 Amor che movi tua vertù da cielo
279 *Esercizio di analisi. «Amor che movi...»*
280 b) lo stile «comico»
281 Ben ti faranno il nodo Salamone
281 c) le «rime petrose»
282 Io son venuto al punto de la rota
284 Così nel mio parlar voglio esser aspro
285 d) fra testimonianza e messaggio
286 Se vedi li occhi miei di pianger vaghi
286 Tre donne intorno al cor mi son venute

289 **Le «Epistole»**
289 All'amico fiorentino
290 L'epistola a Cangrande
292 *Esercizio di analisi. Poetica di Dante: gli stili e la teoria del significato*

293 **La «Divina commedia»**
293 I Caratteri generali
295 Il viaggio di Dante
296 I tre regni d'oltretomba
298 Il personaggio-poeta
299 Personaggi, paesaggi, situazioni
301 *Esercizi di analisi.*
Tre fiorentini di altri tempi (Inf. XVI, 19-87)
304 *Vanni Fucci (Inf. XXIV, 85-151)*
306 *Frate Alberigo (Inf. XXXIII, 91-150)*
307 *La preghiera delle anime (Pur. VIII, 1-18)*
309 *Il sogno in cima al monte (Pur. XXVII, 94-108, 130-142. XXVIII, 1-51)*
312 *Il trionfo di Beatrice (Pur. XXX, 13-48)*
313 *Poesia dell'intelligenza (Par. I, 103-135. VIII, 97-126)*
316 *La resurrezione della carne (Par. XIV, 34-36)*
317 *Poetica della visione (Par. XXXIII, 19-69. XXX, 61-114)*

321 ***Letture critiche***
321 Il «Centro» della «Vita nuova» di *D. De Robertis*
322 Razionalismo e misticismo in Dante di *M. Barbi*
323 La profezia figurale nella «Commedia» di *E. Auerbach*
324 La concezione politica di Dante di *E. Gilson*

IL TRECENTO

p. 328 Caratteri generali
328 Società e cultura nel Trecento
329 Tensioni ideologiche
330 Condizione dei letterati e centri di produzione
331 La letteratura italiana nel Trecento

331 ***Letture critiche***
331 Geografia e storia della letteratura italiana nei primi secoli di *C. Dionisotti*
333 *Esercizio di analisi. Fra storia e geografia della letteratura: un saggio di Carlo Dionisotti*

334 **La storiografia del Trecento**
334 Caratteri generali

335 **Dino Compagni**
336 Apostrofe contro i malvagi cittadini. Bonifazio VIII nomina Carlo di Valois paciere
336 La sconfitta di Dino Compagni
337 Il trionfo dei Neri
340 Arrigo VII ristabilirà la giustizia

340 **Giovanni Villani**
341 Il giubileo del 1300
342 Firenze nel secolo XIV

343 **La «Cronica» dell'Anonimo Romano**
344 Morte di Cola

346 **Anonimo Fiorentino**
346 La disfatta dei Ciompi

348 **I generi letterari del Trecento**
348 La lirica

349 **Giovanni Quirini**
349 Se per alcun puro omo avenne mai

349 **Bindo Bonichi**
349 Un modo c'è a viver fra la gente
350 Sta 'l mercenai' nella casa servente

350 **Pieraccio Tedaldi**
350 El mondo vile è oggi a tal condotto

351 **Pietro dei Faitinelli**
351 S'i' veggio in Lucca bella mio ritorno

352 **Antonio da Ferrara**
352 Se a legger Dante mai caso m'accaggia

352 **Braccio Bracci**
352 El tempio tuo che tu edificasti

353 **Francesco di Vannozzo**
353 El gioco tristo che gli uomini sciochi
353 Contra Fortuna non si puote andare

354 **Simone Serdini**
354 Deh, non v'incresca la spesa e l'affanno

p. 354 **Cantàri epici e leggendari**
355 Dalla «Spagna»: Morte d'Orlando

356 **Franco Sacchetti**
357 Lapaccio e il morto
359 Gonella medico e i gozzuti
361 La tenzone per il cimiero

363 **Le rime di Franco Sacchetti e la poesia per musica**
364 Passando con pensier per un boschetto
365 Inamorato pruno

365 **Letteratura di devozione**
366 **I «Fioretti di San Francesco»**
366 La perfetta letizia
368 San Francesco e il lupo di Gubbio
370 San Francesco e le tortore
370 L'umiltà di frate Masseo

371 **Jacopo Passavanti**
372 Il conte di Matiscona
372 Il carbonaio di Niversa
373 Il cavaliere che rinnegò Iddio

375 **Domenico Cavalca**
375 Vita di Malco monaco

379 **Santa Caterina da Siena**
380 A frate Raimondo da Capua dell'ordine dei Predicatori

381 ***Letture critiche***
381 Poeti minori del Trecento di *N. Sapegno*

384 **Francesco Petrarca**

384 La vita
385 Dante e Petrarca
386 Una nuova figura d'intellettuale
387 Petrarca e i Classici
388 Il dissidio del Petrarca
389 Un'autobiografia per i posteri
392 Petrarca e Dante

394 **Le opere latine in prosa**
394 Gli epistolari
395 Le opere storiche
395 Le opere morali e religiose
396 Cultura e religione
397 Contro Aristotele
398 Difesa della poesia
399 L'ascensione al monte Ventoso
402 L'«otium» di Valchiusa
403 Il «colloquio» coi classici antichi
403 Studia humanitatis
404 La fuga inesorabile del tempo
405 La vocazione

407 **Il «Secretum»**
407 La storia del libro
408 Il dialogo
p. 409 La meditazione della morte
410 L'«accidia»
411 Laura
413 La conclusione del «Secretum»

414 **Le opere latine in versi**
414 Lamento di Magone morente
416 Saluto all'Italia

416 **Il «Canzoniere»**
416 Il libro
418 Un io diviso
419 Uno spazio d'illusione
420 Il «Canzoniere» nella storia della poesia italiana
421 Il 1348: un anno di crisi
423 Una nota ai testi
424 1. Voi ch'ascoltate in rime sparse il suono (I)
424 2. Era il giorno ch'al sol si scoloraro (III)
425 3. Movesi il vecchierel canuto et biancho (XVI)
426 4. Quanto più m'avicino al giorno extremo (XXXII)
426 5. Solo et pensoso i più deserti campi (XXXV)
427 *Esercizio di analisi. «Solo et pensoso...»*
428 6. Ne la stagion che 'l ciel rapido inchina (L)
429 7. Spirto gentil che quelle membra reggi (LIII)
432 8. Padre del ciel, dopo i perduti giorni (LXII)
432 9. Io son sí stanco sotto 'l fascio antico (LXXXI)
433 10. Erano i capei d'oro a l'aura sparsi (XC)
433 *Esercizio di analisi. «Erano i capei d'oro...»*
434 11. Chiare, fresche et dolci acque (CXXVI)
436 *Esercizio di analisi. «Chiare, fresche et dolci acque»*
437 12. Italia mia, ben che 'l parlar sia indarno (CXXVIII)
439 *Esercizio di analisi. «Italia mia...»*
440 13. Di pensier in pensier, di monte in monte (CXXIX)
442 14. Fiamma dal ciel su le tue treccie piova (CXXXVI)
442 15. In qual parte del ciel, in quale idea (CLIX)
443 16. Amor et io sí pien di meraviglia (CLX)
443 17. Or che 'l ciel et la terra e 'l vento tace (CLXIV)
444 18. Per mezz'i boschi inhospiti e selvaggi (CLXXVI)
444 19. Passa la nave mia colma d'oblio (CLXXXIX)
445 20. Rapido fiume che d'alpestra vena (CCVIII)
445 21. Due rose fresche, et còlte in paradiso (CCXLV)
446 22. Solea lontana in sonno consolarme (CCL)
446 Un'«amara dulcedo»
447 23. La vita fugge, et non s'arresta una hora (CCLXXII)
448 24. Se lamentar augelli, o verdi fronde (CCLXXIX)
448 25. Alma felice, che sovente torni (CCLXXXII)
449 26. Gli occhi di ch'io parlai sí caldamente (CCXCII)

p. 449 27. Levommi il mio penser in parte ov'era (CCCII)
450 28. Amor, che meco al buon tempo ti stavi (CCCIII)
450 29. Zephiro torna, e 'l bel tempo rimena (CCCX)
451 *Esercizio di analisi. «Zephiro torna...»*
452 30. Quel rosigniuol che sí soave piagne (CCCXI)
453 31. Tutta la mia fiorita et verde etade (CCCXV)
453 32. E'mi par d'or' in hora udire il messo (CCCXLIX)
454 33. Vago augelletto, che cantando vai (CCCLIII)
454 34. I' vo piangendo i miei passati tempi (CCCLXV)
455 35. Vergine bella, che di sol vestita (CCCLXVI)

458 I «Trionfi»
459 La morte di Laura (vv. 145-172)
460 Trionfo dell'eternità (vv. 70-99 e 121-145)

461 ***Letture critiche***
461 Petrarca e gli antichi di *G. Martellotti*
463 Il cosiddetto «dissidio» e l'elegia del Petrarca di *U. Bosco*
464 La materia poetica delle «Rime» di *N. Sapegno*
465 Preliminari sulla lingua del Petrarca di *G. Contini*

467 **Giovanni Boccaccio**
467 La vita
468 Una vita per la poesia
469 Tra il vecchio e il nuovo
470 Il poeta e la società

470 **Le opere minori del Boccaccio**
470 Il periodo napoletano
472 Il periodo fiorentino

473 Le «Rime»
473 Intorn'ad una fonte, in un pratello
473 Il fior, che 'l valor perde
474 Su la poppa sedea d'una barchetta
474 Vetro son fatti i fiumi, ed i ruscelli
475 Tanto ciascuno ad acquistar tesoro

476 Dal «Filocolo»
476 Innamoramento di Florio e Biancofiore

476 Dalla «Fiammetta»
476 Il tentato suicidio di Fiammetta

478 Dal «Ninfale Fiesolano»
478 Africo e Mensola
479 Nascita di Pruneo - Morte di Mensola
481 Pruneo e i nonni

481 **Il «Decameron»**
481 La struttura e la cornice
483 I temi delle novelle
484 Il «Decameron» e la società del Trecento
p. 485 Lo stile della narrazione
486 La ricezione dell'opera
486 Il titolo
486 Proemio
488 *Esercizio di analisi. Il titolo e il proemio*
489 La Cornice
489 1. La peste a Firenze
491 2. La gentile brigata
493 3. Gli onesti diporti
494 4. Io son sì vaga della mia bellezza (fine della prima giornata)
495 5. La valle delle donne (fine della sesta giornata)
496 6. Dall'introduzione alla quarta giornata: difesa dell'opera
497 Ser Ciappelletto
503 *Esercizio di analisi. Ser Ciappelletto*
504 Melchisedec e il Saladino
506 Andreuccio da Perugia
513 *Esercizio di analisi. Andreuccio*
514 Gerbino
516 Lisabetta da Messina
518 Cimone
522 Pietro Boccamazza e l'Agnolella
525 Nastagio degli Onesti
528 *Esercizio di analisi. Nastagio*
529 Federigo degli Alberighi
532 *Esercizio di analisi. Federigo*
534 Cisti fornaio
536 Chichibío
537 Guido Cavalcanti
538 Frate Cipolla
543 Calandrino e l'elitropia
547 Calandrino e il porco
551 Ghino di Tacco e l'abate di Cligni
553 Re Carlo e le fanciulle
556 La Lisa e il re Piero

560 **Il Boccaccio umanista**
560 Petrarca, Boccaccio e l'Umanesimo
560 Le opere latine del Boccaccio

561 Il «Trattatello in laude di Dante»
562 Fattezze e costumi di Dante

564 Il «Corbaccio»
565 L'amore nemico degli studi
565 «Femine» e Muse
567 Un'acconciatura complicata

568 La «Genealogia deorum gentilium»
569 Essenza, nome e funzione della poesia
570 La nascita della poesia
571 Le «favole» dei poeti
572 Poesia e verità
573 I poeti non sono scimmie dei filosofi
574 La vocazione
575 L'epitaffio del Boccaccio

575 ***Letture critiche***
575 La posizione del «Decameron» di *G. Petronio*
577 L'epopea dei mercatanti di *V. Branca*

p. 578 Gli orientamenti morali del «Decameron» di *M. Baratto*
579 Boccaccio poeta dell'azione di *A. Moravia*

UMANESIMO E RINASCIMENTO

582 Introduzione storica
583 La nuova concezione dell'uomo e della vita
584 Le «humanae litterae»
584 L'umanesimo e la società italiana
586 Centri di cultura umanistica
587 La letteratura umanistica
588 La liberazione dei padri dagli «ergastoli» (Poggio Bracciolini)
589 Dignità dell'uomo (Giovanni Pico della Mirandola)
591 La dignità del corpo (Giannozzo Manetti)
592 L'opera dell'uomo (Marsilio Ficino)
594 Lode dell'eloquenza (Angelo Poliziano)
595 Elogio della lingua latina (Lorenzo Valla)
596 Originalità e imitazione dei Classici (Angelo Poliziano-Paolo Cortese)

597 **Giovanni Pontano**
598 Ariadna
599 Le ninfe
600 Quinta ninna-nanna per Lucio
600 Settima ninna-nanna per Lucio
601 Epitaffio per la figlia Lucia

601 ***Letture critiche***
601 Gli umanisti e la società italiana di *G. Procacci*
602 La concezione umanistica della vita di *E. Garin*
604 La filologia degli umanisti di *E. Garin*
605 Il pensiero di Pico della Mirandola di *E. Cassirer*

606 **L'umanesimo volgare**
606 Cultura e società
606 Il trionfo del volgare e il classicismo
607 Temi, figure e lingua della poesia quattrocentesca

608 **Leonardo Bruni**
609 Sulla poesia volgare e ancora su Dante
611 Difesa del volgare (Leon Battista Alberti)
612 L'armonia del volgare (Lorenzo de' Medici)

614 ***Letture critiche***
614 Gli umanisti fiorentini e il volgare di *H. Baron*

616 **Leon Battista Alberti**
616 La vita

617 **Dal trattato «Della Famiglia»**
617 Fortuna e virtù
619 La natura dell'uomo

p. 621 Elogio della ricchezza
622 La villa

624 **Leonardo da Vinci**
624 La vita
625 Caverna
626 La natura
627 Metodo e scienza
627 Pensieri
629 Favole

630 **Un'idea della pittura**
631 La Pittura
631 La prospettiva
632 Pittura e poesia
633 Il diluvio

634 ***Letture critiche***
634 Arte e pubblico nel Quattrocento di *A. Hauser*
635 Artisti fiorentini del Quattrocento di *H.G. Gombrich*
637 La cosmologia di Leonardo da Vinci di *A. Marinoni*
638 Fortuna e virtù nell'Alberti di *E. Garin*

639 **La cerchia medicea**

640 **Matteo Palmieri**
640 L'unione civile

641 **Alamanno Rinuccini**
641 La libertà calpestata

643 **Marsilio Ficino e il Neoplatonismo**
643 Il platonismo del Ficino e la rinascita platonica
643 Le teorie ficiniane
644 Il Ficino e la cultura rinascimentale
645 La bellezza
646 Il «furore»

648 **Luigi Pulci**
648 La vita

649 **Il «Morgante» e la storia d'un genere letterario**
649 La composizione del Morgante
649 Trama e struttura del poema
650 Il «Morgante» e il poema cavalleresco
651 Caratteri del «Morgante»
652 Orlando, i giganti, Morgante
655 Morgante e Margutte
657 Morgante e Margutte all'osteria
661 Roncisvalle
664 Morte di Baldovino
665 Una lettera a Lorenzo de' Medici

667 **Lorenzo de' Medici**
667 La vita

p. 667 Lorenzo e la cultura fiorentina
668 La produzione letteraria di Lorenzo

670 **Le «Rime» e il «Comento»**
670 Belle, fresche e purpuree viole
671 O sonno placidissimo, omai vieni
671 Cerchi chi vuol le pompe e gli alti onori
671 Ove madonna volge gli occhi belli
672 Io piansi un tempo, come volle Amore

672 **La «Nencia da Barberino»**

676 **Dal «Corinto»**
678 Il «Trionfo di Bacco e di Arianna»

679 **Le «Selve d'amore»**

681 **La «Raccolta Aragonese»**
681 La tradizione «toscana»

683 **Angelo Poliziano**

683 La vita e le opere
684 Il Poliziano e la filologia umanistica
685 Filologia e poesia
686 Da «Nutricia»: Poesia e civiltà

688 **Le «Stanze per la giostra»**
688 L'occasione e la trama
688 Problemi interpretativi
689 La struttura poetica delle «Stanze»
690 La vita felice di Iulio
693 La caccia e l'insidia di Cupido
695 L'incontro di Iulio con Simonetta
698 *Esercizio di analisi. Gli «intarsi» del Poliziano*
700 Il regno di Venere: il giardino
701 Il regno di Venere: la reggia e gl'intagli sulle porte
704 Il sogno e il progetto di Iulio

705 **La «Favola di Orfeo»**

711 **Le «Rime»**
711 I' mi trovai, fanciulle, un bel mattino
712 Chi vuol veder lo sforzo di Natura
712 Deh non insuperbir per tuo' bellezza
713 Ben venga maggio
713 Filologia, filosofia, poesia

715 **Matteo Maria Boiardo**

715 La vita

715 **L'«Orlando innamorato»**
715 Composizione e trama
717 Ispirazione e forma del poema
718 Alcuni proemi
720 La corte bandita di Carlo Magno
721 L'apparizione d'Angelica
724 La fontana dell'odio e la «riviera» dell'amore
725 Il duello di Orlando e di Agricane
730 La morte di Agricane

p. 732 Lo sbarco di Rodamonte in Francia
735 Incontro di Rugiero e Brandiamante

736 **Il Canzoniere («Amorum libri tres»)**
736 Già vidi uscir di l'onde una matina
737 Dàtime a piena mano e rose e zigli
737 Ligiadro veroncello, ove è colei
738 Fior scoloriti e palide vïole
738 Se passati a quel ponte, alme gentile
739 Ne la proterva età lubrica e frale

740 **Jacobo Sannazaro**

740 La vita

741 **L'«Arcadia»**
742 Paesaggio d'Arcadia
743 L'amore di Sincero
744 Ritratto di fanciulla

745 ***Letture critiche***
745 La poesia di Lorenzo il Magnifico di *E. Cecchi*
746 Le «Stanze« del Poliziano di *B. Maier*
747 L'ispirazione del «Morgante» di *G. Getto*
748 Armi e amore nell'«Orlando innamorato» di *D. De Robertis*

750 **I «generi» della tradizione in volgare**

750 Caratteri generali
750 La lirica

750 **Leonardo Giustinian**
751 Non ti ricordi quando me dicevi
751 Ogni notte pur convegno

751 **Domenico di Giovanni detto il Burchiello**
752 La Poesia combatte col Rasoio
752 Sospiri azzurri di speranze bianche
753 Nominativi fritti e mappamondi

753 **Antonio Cammelli detto il Pistoia**
754 Passò il re Franco, Italia, a tuo dispetto

754 **Memorialisti e narratori**

754 **Masuccio Salernitano**
755 L'amalfitano e gli impiccati

756 **Letteratura di devozione**

756 **San Bernardino da Siena**
757 La cicerbita

758 **Feo Belcari**
758 La conversione di Giovanni Colombini

759 **Girolamo Savonarola**
759 La predica delle profezie
761 Il bruciamento delle «vanità»

763 **Bibliografia**

IL MEDIOEVO

Caratteri generali

I secoli dal VI al XIV sono stati per molto tempo soggetti a condanne sommarie e ingiustificate. Nel secolo decimoquinto furono compresi sotto la denominazione negativa di «età di mezzo» (o Medioevo), intesa come età di decadimento e di barbarie fra la grande civiltà greco-romana antica e la sua attuale resurrezione (o «Rinascimento»); nel Settecento furono considerati come un'età di oscurantismo culturale e civile, di ascetismo negatore della dignità dell'uomo e della vita terrena; il Romanticismo stesso (sec. XIX), che pure volle rivalutarli, li concepì come età barbarica e primitiva, anche se li riconobbe ricchi, proprio per questo, di forti passioni e di poesia. In ogni caso, si stabilì una netta frattura fra mondo classico e mondo medievale.

Queste posizioni non reggono al vaglio della storiografia recente. Oggi si riconosce che proprio nel Medioevo ha avuto origine la civiltà europea: dalla fusione delle due nuove forze, il Cristianesimo e il Germanesimo, coi valori espressi dalla civiltà greco-romana. L'individualismo, lo spirito guerriero, il culto della donna e gli altri aspetti del costume germanico si amalgamarono con la grande tradizione giuridica e politica di Roma; la civilizzazione, prima ridotta alla limitata fascia costiera del bacino del Mediterraneo, si estese alle regioni dell'Europa moderna; la cultura classica (filosofica, scientifica e letteraria), componendosi con la spiritualità cristiana, contribuì al costituirsi d'una nuova immagine del mondo e dei rapporti umani.

Nella spiritualità, e quindi anche nella cultura e nella letteratura del Medioevo, ha avuto importanza dominante la concezione cristiana della vita, col suo richiamo alla trascendenza, a una visione provvidenzialistica della storia, a un'analisi approfondita dell'interiorità. Per la cultura e la mentalità dell'epoca, la realtà vera non è quella del mondo, ma quella della vita ultraterrena; l'uomo, corrotto in seguito al peccato originale e continuamente bisognoso, per questo, dell'aiuto della Grazia, compie il doloroso pellegrinaggio terreno alla ricerca d'una propria identità perduta, proteso alla conquista della patria celeste. Tale concezione è profondamente diversa da quella dell'uomo antico. Allora, figura di umanità esemplare era l'*eroe*, l'uomo, cioè, volto alla piena affermazione delle proprie capacità costruttive in questo mondo, sua unica dimora, con una prevalente funzione civilizzatrice; ora, invece, subentra il modello umano del *santo*, inteso alla rinuncia alle seduzioni terrene e alla conquista della perfezione spirituale.

Ogni aspetto della vita, i rapporti fra gli uomini e la cultura gravitano attorno a questa concezione, o cercano di giustificarsi in relazione a essa. Nella vita politica e civile si vagheggia un Impero universale che raccolga in un corpo unitario tutta la cristianità, come fa la Chiesa nel campo spirituale, e le assicuri la pace e la giustizia; la filosofia e la letteratura sono chiamate a sostenere e diffondere le verità della fede; la natura, le cose, gli eventi storici tendono a essere interpretati come manifestazione del divino, acquistano il loro pieno significato in un ordine di valori cristiani.

Quella che abbiamo sommariamente definito è un'interpretazione della realtà, che cerca, non senza contrasti, di comporsi con una travagliata vicenda storica; in un'Europa prima a lungo desolata dalle invasioni barbariche, poi faticosamente rivolta a stabilire i fondamenti d'un nuovo ordinamento economico, politico, sociale e a fondere in una civiltà unitaria popoli diversi per tradizioni, lingua, indole, costumi.

È d'altra parte difficile costringere in una definizione sintetica quasi mille anni di storia. Converrà pertanto procedere a una prima, pur sempre sommaria, bipartizione, distinguendo fra un'Europa prima del Mille e un'Europa dopo tale epoca.

Il primo periodo è caratterizzato dall'irruzione delle masse barbariche e dal costituirsi di nuove realtà politiche e statali nell'Occidente. Nel periodo delle invasioni la civiltà antica appare come travolta: si riscontra un declino quasi totale delle città e uno spostarsi degli insediamenti umani nelle campagne, accompagnato da un forte regresso economico e demografico, per via delle continue guerre e incursioni, cui tengono dietro carestie e pestilenze. Una prima forma di riorganizzazione si ha, a partire all'incirca dal secolo VIII, con gli ordinamenti feudali, che, se assicurano forme più efficienti di governo e di difesa, comportano tuttavia una netta separazione fra le aristocrazie (nobili, alto clero) e le classi produttive (contadini, artigiani).

Il secondo periodo ha inizio, all'incirca, intorno al Mille, quando la fine delle invasioni consente un modello di società più ordinato e più stabile. Si sviluppa la vita economica, si ha un risoluto incremento demografico; dal rinnovamento della vita religiosa, operato da alcuni grandi pontefici e dagli Ordini francescano e domenicano, dalle lotte fra Chiesa e Impero, fra Impero e Comuni emerge una concezione nuova dei rapporti umani. La Chiesa rafforza la propria organizzazione temporale, il pensiero cristiano non appare soltanto rivolto alla meditazione della vita ultraterrena, ma anche alla costruzione d'una nuova città terrena. In quest'età ricca di contrasti, la civiltà «borghese» del Comune (mercanti e imprenditori, alleati alla piccola nobiltà, giuristi, notai e altri professionisti) porta all'affermarsi d'una nuova mentalità realistica, d'una vita attiva e intraprendente, anche se tale borghesia non riesce a sostituirsi pienamente come classe egemonica al mondo feudale. Nel campo delle lettere, delle arti e della cultura, fra il XII e il XIV secolo, si ha il fiorire d'una vita nuova: l'Europa si riveste delle grandi cattedrali romaniche e gotiche, la riscoperta della filosofia di Aristotele riconduce allo studio della natura, a una complessa definizione del rapporto fra fede e ragione, e nascono le nuove letterature nazionali, anch'esse indice di un progressivo diffondersi e laicizzarsi della cultura.

La cultura «clericale»

Fino alla seconda metà del secolo XI la cultura e la letteratura del Medioevo hanno carattere prevalentemente universalistico, e si esprimono in un'unica lingua, il latino, che rimarrà per secoli, anche dopo la nascita delle nuove letterature, la lingua della cultura più elevata, non di rado anche dell'espressione artistica.

La presenza, per secoli, d'una letteratura esclusivamente latina si spiega con la scarsa diffusione della cultura che si ebbe nei tempi più oscuri, quando la Chiesa fu quasi l'unica depositaria del sapere: d'un sapere ricercato soprattutto nell'analisi di due grandi libri tradotti e divulgati in latino, la Bibbia e i Vangeli, concepiti come gli unici depositari della verità. La loro lingua rimase la lingua della Chiesa e d'ogni costruzione dottrinale organica; i *chierici*, cioè gli intellettuali, in grandissima prevalenza ecclesiastici, l'apprendevano studiando gli scrittori antichi, che apparvero sempre più come modello di stile e d'eloquenza, oltre che depositari d'ogni scienza e dottrina, a parte quella religiosa.

Nei grandi monasteri benedettini e irlandesi, che rimasero, nell'alto Medioevo, gli unici centri di alta cultura, si copiavano e tramandavano, oltre agli scrittori cristiani, anche i grandi testi classici, scientifici, filosofici, artistici, le grammatiche e i manuali di retorica o arte dell'espressione, le antiche storie, i testi giuridici. Qualcosa di analogo avveniva, in scala più ridotta, nelle scuole aperte dai Vescovi nelle città per l'istruzione del clero. Fra le masse contadine incolte e l'aristocrazia guerriera, anch'essa, come i suoi capi, generalmente analfabeta, gli uomini di Chiesa restavano i soli depositari della cultura scritta, impiegati, per questo, nei compiti dell'amministrazione civile e politica che richiedono l'uso della scrittura. Era quindi necessaria per loro una pratica di studio e di dottrina che non si limitasse all'aspetto religioso e pastorale.

In tal modo la Chiesa tramandò ai conquistatori barbarici, che si affacciavano allora alla civiltà, e ai popoli conquistati, anch'essi imbarbariti per il crollo della civiltà romana e di quelle aristocrazie che l'avevano impersonata e diffusa, costituendo il ristretto ceto colto del tardo Impero, la nuova idea cristiana del mondo e, nel contempo, un'idea del diritto e dell'organizzazione statale, un modello di vita civile.

Per molto tempo la Chiesa ebbe nelle sue mani l'educazione del popolo, compiuta mediante le prediche e le pratiche religiose collettive. Va però rilevato che si trattò di un'educazione assai elementare, con la quale continuarono per secoli a convivere tradizioni, leggende, usi precristiani: un patrimonio culturale trasmesso oralmente, che lasciò incerte tracce di sé, anche se lo si riconosce, sia pure modificato, in certi temi della letteratura fantastica prodotta, dopo il Mille, nelle nuove lingue della comunicazione orale, quando esse assursero a lingue letterarie affidate alla scrittura.

La Chiesa si occupava anche dell'educazione dei nobili, ai quali impartiva un'istruzione elementare, cercando inoltre di persuaderli a un costume di vita meno barbarico, che al culto della prodezza guerriera unisse quello di una misurata saggezza e civiltà. Da questa collaborazione fra mondo feudale e mondo clericale, nacque, come vedremo, il grande ideale cavalleresco, che permeò per secoli la vita europea.

La civiltà cittadina del Comune portò nuove esigenze di sviluppo culturale del mondo dei laici, soprattutto della borghesia mercantile. Ebbero pertanto incremento le scuole cittadine, mai del tutto tramontate, rivolte a impartire un sapere tecnico e pratico. Soprattutto importante fu la nascita delle grandi università, come quelle di Bologna e di Parigi, sulle quali la Chiesa riuscì ad affermare il proprio controllo. Questo spiega il perdurare, anche nell'ultimo Medioevo, di un'organizzazione gerarchica del sapere che poneva come fondamento e culmine d'ogni scienza la teologia. Ad essa appaiono subordinate e in essa trovano la loro finale giustificazione tutte le scienze e le discipline, dalla Filosofia alla Politica, dalla Medicina alle Scienze della Natura. Il metodo d'analisi è quello deduttivo, che parte dalla verità generale, già data dai testi sacri, per svolgere da essa quelle particolari. Scarso fu pertanto nel Medioevo il progresso scientifico.

I temi centrali della cultura del Medioevo furono lo studio e l'interpretazione della Sacra Scrittura, concepita come il libro per eccellenza, contenente la definitiva interpretazione dell'universo e della realtà umana; lo studio delle potenze dell'anima; il problema del rapporto fra l'uomo e Dio, fra ragione e rivelazione, scienza e fede; l'indagine della struttura dell'universo e del suo significato spirituale; il concetto di Provvidenza, e cioè d'un costante intervento divino nella storia del mondo, che immetteva nella considerazione delle vicende storiche la fiducia in una superiore razionalità. La letteratura riprende dai pensatori dell'epoca l'appassionato interesse per l'analisi dell'interiorità, evidente nella lirica amorosa dalle origini al Petrarca e persino nella fantasiosa letteratura cavalleresca; riprende l'ansia di verità e moralità, la ricerca delle ragioni della vita e del destino dell'uomo, di cui sarà espressione la *Commedia* di Dante.

L'universo cristiano

I pensatori cristiani accolsero l'idea dei classici (Pitagora, Platone, la cosmologia tolemaico-aristotelica) dell'armonia del mondo, quella cioè d'un universo finito e ordinato armonicamente, integrandola con la nuova concezione d'un Dio creatore, Essere supremo che con un atto d'amore dona l'essere alle cose e le conserva ed è il principio e il fine d'ogni vita. Ne risulta l'immagine d'un cosmo pervaso di bellezza, bontà, razionalità, il cui ordine è specchio e immagine della Mente creatrice.

Al centro di esso è la Terra, immobile, intorno alla quale ruotano nove cieli, concepiti come spessori sferici concentrici, che prendono nome tranne il primo, dalla stella o pianeta che contengono (Primo mobile, Cielo delle stesse fisse, Cieli di Saturno, Giove, Marte, Sole, Venere, Mercurio, Luna; cui va aggiunta, più vicina alla Terra, la sfera del fuoco); al di là dei Cieli sta l'Empireo, sede del Paradiso, situato nell'infinità divina.

I cieli piovono influssi che garantiscono l'ordinato svolgersi e rinnovarsi della vita della natura e di quella fisica e psichica dell'uomo (libera dal loro influsso è però l'anima razionale); nove schiere d'Angeli ne regolano movimento e influenze secondo il piano provvidenziale di Dio.

In questo ordine si inserisce il dramma della libertà dell'uomo, che nella regione della corruttibilità e del mutamento, la Terra, percorre il suo itinerario alla riconquista della patria celeste, perduta in seguito al peccato originale, aiutato dalla Rivelazione, dalla Grazia, dai segni del divino che gli vengono da tutte le cose, se contemplate con animo puro. Creatura fatta a immagine e somiglianza di Dio, deve ricostituire in sé quest'immagine ora offuscata, riconoscersi in essa.

Mentre i cieli, con la loro incorruttibilità, il loro splendore, il loro moto circolare e perfetto appaiono immagine e presentimento di eternità, il tempo umano è tempo d'esilio, di difficile edificazione, di smarrimento nella molteplicità delle suggestioni e passioni terrene, di ardua riconquista dell'Uno. È un tempo destinato a finire, come un giorno il mondo, dove solo di rado è dato di godere il tempo vero, che è poi la morte di esso, cioè l'eternità, percepita soltanto negli attimi dell'illuminazione estatica. Accanto a un'idea del tempo come ciclicità e perpetuità dell'ordine che si rinnovella, si ha così un'idea lineare di esso come ferita, come dispersione nel finito e cammino progressivo verso Dio. Fra memoria dell'Eden perduto e attesa del Cielo, il tempo umano diviene tensione interiore, ricerca di autenticità e giustificazione. La prospettiva finale è tuttavia quella del secondo Avvento di Cristo giudicante: d'una fine del mondo che verrà in una pienezza dei tempi stabilita arcanamente da Dio.

Anche lo spazio terreno si carica di significazioni spirituali. Gerusalemme, la città della Redenzione, è posta al centro della terra abitata; nell'emisfero australe ci sono soltanto le acque e, al centro, la montagna del Purgatorio, come mostra di credere Dante, con, in cima, il Paradiso terrestre. E in qualche parte del mondo deve aprirsi l'oscura voragine infernale.

Le cognizioni geografiche si fecero strada lentamente, soprattutto prima del Mille. La scarsità e insicurezza delle strade, le foreste, le ampie zone paludose o incolte, rendevano ogni viaggio un'avventura colma d'ignoto. Soltanto con lo sviluppo, nel Basso Medioevo, dell'attività mercantile e imprenditoriale, comincia a delinearsi una geografia reale e una più attenta misurazione del tempo, collegata ai nuovi ritmi del lavoro nelle città. Resta tuttavia ben viva l'idea fondamentalmente spiritualistica e simbolica dell'universo cui s'è prima accennato, in una civiltà che quanto più avverte dominante il problema della salvazione, tanto più è portata a leggere in ogni forma o aspetto dell'Universo i segni del proprio destino.

La civiltà del libro

Come s'è accennato, il fondamento della cultura medievale è l'interpretazione della Bibbia, che comporta prima di tutto la ricerca di piena concordanza fra Vecchio e Nuovo Testamento. Le difficoltà incontrate indussero a sviluppare e a fissare, con una casistica precisa, i modi di lettura allegorica, rispettosa, tuttavia, del significato letterale e storico. Si instaurò, in tal modo, una lettura a più dimensioni, capace di penetrare le intime sfumature e la pluralità di possibili significazioni di quello che fu il *Libro* per eccellenza (la parola 'Bibbia' deriva dal greco e significa, appunto, 'i libri').

Questo comportò una capacità di analisi dei testi nella loro complessità (a volte, come nel *Cantico dei Cantici* o nei *Salmi*, si trattava di testi poetici veri e propri), con una raffinata forma di tecnica *ermeneutica*, cioè interpretativa. Nello stesso tempo sviluppò una fiducia nel libro e nella tradizione che finì per riflettersi anche su quella non sacrale, e dunque sulle opere tramandate dalla classicità.

In un universo concepito come sistema di segni (le cose, gli eventi), che riflettevano, più o meno direttamente, il divino o ne davano testimonianza, i segni letterari acquistavano un valore nuovo, e così la parola scritta, che in qualche modo era sentita come un riflesso analogico del *Verbo* divino. Ne nasce un gruppo coerente di metafore (*campo metaforico*) legate al libro e alla scrittura: libro è l'universo, che reca inscritta la verità del suo Creatore, libro è la coscienza, o, secondo Dante, la memoria; anzi, per S. Agostino, il cosmo è come un grandioso poema, che unisce bellezza e armonia, vita e significato in un'unità organica e complessa. Ancora nel canto ultimo (XXXIII 85-87) del *Paradiso*, Dante ricorrerà a questa metafora per indicare l'unità del mondo in Dio. E libro chiama il tempo già tutto presente nell'eternità della mente divina (canto XV 50-51).

Nella natura, dunque, come nella storia dell'uomo, è inscritta la verità, che, per i Medievali, non è creazione della mente, ma scoperta. Il conoscere, cioè, è un riconoscere e un riconoscersi nel cuore di questa verità, rivelata nella forma più diretta dal grande Libro della Rivelazione divina nel tempo. Oggetti, cose, eventi, sopportano una lettura profonda che la ritrovi in essi; la realtà diviene una vasta allegoria, non più letteraria, ma, come si disse allora, «*in rebus*», cioè nelle cose, nel senso che oggetti ed eventi vennero considerati segni o manifestazione dello Spirito che li produce e li conserva alla vita.

A noi interessa qui mettere in rilievo il fatto che, come si diceva, questa visione del mondo finì per ispirare anche la cultura non immediatamente religiosa, che, pur chiamata a giustificarsi davanti alle verità della fede, fu considerata anch'essa portatrice di verità umana. Il concetto di autorità (*auctoritas*) coinvolse la cultura del passato; e *auctor* (autore) è, per Dante (*Convivio*, IV VI 4-5), sia colui che lega parole, cioè il poeta, sia, e soprattutto, persona degna di fede e ubbidienza. I libri degli Antichi, copiati, tramandati, e così salvati dei monaci, nei loro «scriptoria», dal naufragio della città antica, divennero ancora fonte di sapere che serviva a sostenere e integrare la cultura cristiana, almeno nella filosofia morale, nelle scienze della natura, nella retorica e nell'idea di letteratura. La quarta delle *Bucoliche*, in cui Virgilio vaticinava, in occasione della nascita del figlio d'un console amico, un'età nuova, simile all'età dell'oro, fu interpretata come profetico preannuncio della nascita di Cristo; e pertanto come un segno evidente di come la mente umana possa, con le sue sole forze, avvicinarsi alla verità, pur avendo la necessità dell'intervento integrativo e conclusivo della Grazia divina.

L'opera di recupero, conservazione e reinterpretazione della cultura classica, sia pure attraverso una lettura storicamente non corretta, ebbe un'importanza decisiva nella costruzione della civiltà europea: ristabilì la continuità storica col passato, contribuì alla fondazione d'una nuova idea del mondo. Il culto dell'*auctoritas* fu poco giovevole nel campo della scienza, dove soverchiò la libera ricerca sperimentale; ma il problema che appassionò il Medioevo fu essenzialmente quello dell'anima: della sua origine, vocazione, destino. E anche qui la grande poesia e la grande filosofia dei Classici portarono un contributo non trascurabile.

Alcuni «fondatori»

Sant'Agostino, Boezio, Dionigi Areopagita furono i primi «fondatori» della mentalità e cultura medievali. A essi possono essere aggiunti altri due dotti, Isidoro di Siviglia (Cartagena 560 circa-Siviglia 636) e San Girolamo (Stridone, Dalmazia, 347-Betlemme 420 ca), traduttore importante della Bibbia, autore di una ricca raccolta di *Lettere*, che attestano il primo definirsi d'una cultura e prassi di vita cristiane. Isidoro fu autore, fra le altre opere, delle *Etimologie*, la prima grande enciclopedia medievale, modello di quelle future fino al XIII secolo, che trattava e definiva lo scibile del tempo prendendo spesso le mosse dall'etimologia dei nomi, che, a suo avviso (ma sarà persuasione anche di Dante) erano strettamente legati all'essenza delle cose nominate.

Si sono ricordati qui, come si vede, personaggi dei primi secoli cristiani. La ragione, oltre la loro dignità culturale e di pensiero, sta nel fatto che si trovarono ad affrontare problemi fondamentali, in primo luogo il rapporto fra cristianesimo e cultura classica, cioè fra religione e cultura, con soluzioni che permarranno in gran parte immutate per tutto il Medioevo, e dunque per quasi un millennio.

Un momento essenziale, e l'inizio di un nuovo atteggiamento di cultura, anche se pur sempre rispettoso dell'antico, si ebbe con la *Scolastica* nei secoli XIII e XIV, e coincise con la rinascita dell'aristotelismo, i commenti al grande filosofo greco, il tentativo di conciliare ragione e fede, con lo sviluppo notevole, sempre per influenza di Aristotele, delle prospettive scientifiche. Ne nacquero le importanti *Summae* teologiche (di Alessandro di Hales, Guglielmo d'Alvernia, Alberto Magno, Tommaso d'Aquino, Bonaventura di Bagnoregio, per fare soltanto alcuni nomi). Esse furono enciclopedie del sapere teologico, inteso come somma e conclusione d'ogni sapere, di cui peraltro trattavano, mantenendolo in una rigorosa subordinazione gerarchica. Ma il termine «scolastica» non deve fare dimenticare la sua origine: esso designa la trasmissione del sapere nelle scuole monastiche e poi cattedrali, e, più tardi (e soprattutto al tempo della Scolastica vera e propria) nelle Università. La riforma degli studi impostata da Boezio, Cassiodoro, e più tardi da S. Gregorio Magno e Isidoro di Siviglia, dopo il tramonto delle scuole pagane, ebbe, prima della rinascita aristotelica, un importante sviluppo nel secolo XII, ad opera, per esempio, di Ugo di San Vittore.

La mentalità medievale

Il tradizionalismo della cultura medievale ci consente di antologizzare qui alcune tematiche trascorrendo per un ampio arco di secoli, puntando essenzialmente su aspetti di mentalità che rimasero sostanzialmente immutati, anche se inseriti in contesti diversi che non è qui possibile seguire nella loro storicità specifica.

Tempo, spazio, eternità

L'idea di tempo e spazio definisce le categorie elementari della percezione del mondo, o della vita; nel nostro caso, l'idea della realtà che si determinò con la rivoluzione ideologica portata dal Cristianesimo.

Questa nuova concezione si può dire fondata sulla fede nella creazione del mondo da parte d'un Dio il cui attributo fondamentale è l'essere, per partecipazione al quale le cose vivono. In tal modo, rispetto alla filosofia antica, il cosmo cristiano è più direttamente unito a Dio, costantemente presente a esso come Provvidenza. Quest'idea provvidenzialistica è applicata dai Medievali anche alla storia; nata, in seguito al peccato originale, come cammino verso la Redenzione, è, ora, attesa del secondo Avvento di Cristo giudicante, e cioè del Giudizio universale.

Da questi concetti deriva un'idea del tempo non più circolare, come quella degli Antichi, che pensavano a grandi cicli cosmici, alla fine di ciascuno dei quali la vicenda storica sarebbe ripresa uguale (età dell'oro e sua decadenza progressiva), ma lineare (da un'attesa a un compimento, a una nuova attesa a un nuovo compimento), anche se entro un ciclo che va dall'eternità all'eternità, dal paradiso perduto al paradiso riacquistato. Un tempo, soprattutto, di pena, ma anche di ardua edificazione dell'individuo e della sua eternità.

Sul piano dell'esperienza immediata, quotidiana, uno storico francese, Jacques Le Goff, ha parlato di un «tempo della Chiesa» e di un «tempo del mercante», il secondo dei quali viene progressivamente acquistando importanza negli ultimi secoli del Medioevo. Il tempo della Chiesa è quello dell'ufficio canonico e della preghiera collettiva, come l'*Angelus*, sancita dal suono della campana che su di essa modula le parti del giorno, col continuo richiamo all'eternità che sta dietro il tempo e lo trascende. Il tempo del mercante è, invece, quello che si scandisce sui ritmi del lavoro come produzione di ricchezza: un tempo che si vende, che ha un valore anche, e prima di tutto, economico.

È chiaro che i due tempi coesistono nella coscienza collettiva, anche se il secondo acquista sempre più importanza quanto più ci si allontana dall'immobilismo della società feudale. Ma il tempo della Chiesa rimase ben vivo nelle coscienze come voce di ciò che è di là da questa vita e la giustifica.

Quanto allo spazio vanno tenute presenti le seguenti considerazioni:

a) – nell'età feudale si ha un'immagine geografica del mondo generica, fondata sull'accettazione acritica dei geografi antichi; essa risponde all'immobilismo economico-sociale;

b) – tale immagine si modifica con la ripresa dell'attività commerciale su scala europea, con le Repubbliche marinare, coi primi viaggiatori, missionari o mercanti.

Le cognizioni geografiche si arricchirono tuttavia lentamente e rimasero vaste zone del mondo conosciute solo attraverso racconti leggendari; di qui l'idea che fossero abitate da mostri o da popoli mostruosi o dalle costumanze strane.

La vera geografia costruita razionalmente fu quella del cielo. Non che anche qui una scienza ancora fanciulla non ammettesse prospettive inaccettabili come il sistema Tolemaico; ma per lo meno continuò uno studio astronomico fondato su principi scientifici di misurazione.

La precarietà delle conoscenze portò alla creazione d'una idea di spazio che potremmo dire simbolico. Di qui la credenza della dislocazione terrena del Purgatorio e dell'Inferno, un'idea di terre arcane che alludevano ad aspetti religiosi o demoniaci, e il modellarsi dei racconti di viaggio sull'*itinerario* cristiano nel mondo e nell'aldilà.

Qualcosa di analogo vale per gli animali favolosi e per la vita della natura, considerata, nel caso migliore, secondo principi filosofici piuttosto che scientifici.

Sant'Agostino

Aurelio Agostino, nato a Tagaste in Numidia (Africa settentrionale) nel 354 d.C., convertito al cristianesimo e battezzato nel 387 a Milano dal vescovo S. Ambrogio, e divenuto poi vescovo di Ippona (presso l'odierna Bona, in Algeria) dal 396 alla morte (430 d.C.), fu uno dei Padri della Chiesa e uno dei maggiori fondatori della cultura medievale. Maestro di retorica, prima di essere ordinato sacerdote, uomo di vasta cultura letteraria e filosofica, compì un'originale sintesi, destinata a una fortuna più che millenaria, fra il pensiero classico, soprattutto platonico e neoplatonico, e la nuova spiritualità. Compose molte centinaia di scritti, fra trattati, omelie e lettere, presenti per secoli alla meditazione cristiana, da S. Tommaso d'Aquino a Francesco Petrarca, a Martin Lutero, a Biagio Pascal.

Tralasciando qui le sue opere sulla Grazia e il libero arbitrio e altre questioni dogmatiche, le polemiche contro le eresie e gli scritti connessi alla sua pratica pastorale, ci limiteremo a una presentazione sintetica di quelle che ebbero un influsso profondo sulla mentalità medievale.

Nel *De musica* e nel *De ordine* Agostino offrì non solo al pensiero, ma anche all'immaginazione, l'idea di un universo concepito nel segno dell'ordine, di un'armonia che rifletteva la presenza dello Spirito creatore e conferiva dignità e significato a ogni forma dell'essere. Questa prospettiva rimase fondamentale anche nell'idea medievale della bellezza.

Nei suoi commenti alla *Genesi* e ai *Salmi*, egli gettava poi il fondamento dell'interpretazione della Bibbia, il libro nel quale il Medioevo ritrovò non soltanto la rivelazione della verità suprema, ma i principi di ogni dottrina.

Altra opera che esercitò un secolare influsso è *Le confessioni*, in cui Agostino instaurava la nuova autobiografia cristiana, rivolta allo scavo della coscienza, alla ricerca di quella verità che, secondo l'autore, abita nell'interiorità dell'uomo. L'attenzione dello scrittore è inizialmente rivolta alla rievocazione della propria vita, dal peccato alla conversione; ma poi protagonisti del libro diventano i suoi pensieri e la sua testimonianza su tempo, memoria, vita, morte, eternità, il suo continuo dialogo con Dio. Con quest'opera e col *De Trinitate*, Agostino fondava la nuova antropologia cristiana: la nuova idea dell'uomo e del significato della sua vita, che è il ritrovamento e la ricostituzione nel proprio animo dell'immagine di Dio.

Almeno un'altra sua opera fondamentale va qui ricordata, il *De civitate Dei* («La città di Dio»), scritta dopo il saccheggio di Roma da parte delle orde di Alarico (410 d.C.). L'Impero di Roma, in Occidente, viveva la sua estrema agonia, e al Cristianesimo, alla distruzione che lo si accusava di aver operato della potenza e dei valori ideali della Romanità, veniva da molti imputata tanta rovina. Agostino rovescia l'accusa, indicando nei culti idolatrici la cagione della decadenza, e traccia inoltre una grandiosa filosofia della storia. L'impero è la massima espressione della potenza mondana, ossia della città terrena, nata dalla ribellione di Satana e di Caino. Sua antagonista è la città celeste, che s'accamperà, trionfatrice in eterno, su quella terrena, e vive già ora, nel mondo, nelle anime dei giusti. Agostino così, oltre a tentare un organico inquadramento ideale di tutta la storia umana, poneva un fondamento ideologico coerente all'interpretazione globale del suo significato. Questa concezione provvidenzialistica ispirerà il pensiero e la storiografia del Medioevo e offrirà un modello anche all'agire politico: alla fondazione, ad esempio, del Sacro Romano Impero.

I passi qui tradotti sono tratti: i primi due dal *De ordine* (I, VIII e II, XVIII; cfr. *Oeuvres de Saint Augustin*, 4, *Dialogues philosophiques*, a cura di R. Jolivet, Parigi, Desclée De Brouwer & C., 1948); il terzo dal *De musica*, di cui cfr. l'edizione, con traduzione, a cura di G. Marzi, Firenze, Sansoni, 1969.

Il poema dell'universo

L'ordine, la coerenza armonica scoperti in ogni aspetto della vita, dal più umile (qui, un combattimento di galli) al più alto (la bellezza e perfezione dei cieli, l'anima umana), appaiono ad Agostino manifestazione e rivelazione dell'unità di Dio, creatore, principio e fine d'ogni cosa. Per questo egli paragona l'universo a un poema, che nella varietà di parole, immagini, suoni, configura un messaggio molteplice e tuttavia unitario.

Nasce da queste pagine la concezione medievale del mondo, reale e, nel contempo, simbolica; secondo la quale ogni cosa esiste in sé, nella sua individuale concretezza e coerenza esistenziale (vedi il secondo passo) ed è, insieme, in quanto partecipe dell'essere, segno e rivelazione dell'Essere supremo, parte essenziale della vita cosmica.

Ordine significa però anche sistema gerarchico degli esseri, come manifestazione della sapienza divina e termine sicuro di orientamento per la vita. Nasce di qui l'esortazione finale a non appagarsi delle cose terrene, ma a tendere direttamente a Dio.

Agostino fonda qui anche l'idea medievale della bellezza come rivelazione sensibile del bene, d'un significato spirituale che sta dietro le cose e conferisce loro una dignità, un posto, una funzione nel grande e armonico poema della vita.

1. Stavamo recandoci al bagno, quand'ecco, davanti all'ingresso, scorgiamo dei galli che stanno iniziando un combattimento accanito. Decidemmo di fermarci a guardare. Dove, infatti, non s'aggirano, dove non penetrano, gli occhi di coloro che l'amano, pur di cogliere un cenno di quella razionale bellezza[1] che regola e governa tutti gli esseri consapevoli e inconsapevoli, che attira a sé i suoi seguaci entusiasti dovunque e in qualunque modo ordini loro di essere ricercata? Infatti, in qual luogo e in qual modo non può non dare un segno di sé? Così, proprio in quei galli era possibile vedere le teste tese, proiettate in avanti, le penne arruffate, i colpi violenti, le schivate abilissime e, in ogni movimento di quegli animali privi di ragione, nulla che non fosse bello: certo perché un'altra ragione, dall'alto, governava il tutto. E si poteva, infine, vedere la legge del vincitore: il canto superbo e le membra raccolte, per così dire, in una ruota; e, al contrario, l'aspetto significativo del vinto: le penne strappate al sommo del capo, e ogni cosa, nella voce e nel movimento, squallida, e per questo stesso, per le leggi della natura, non so come armonica e bella.[2] Molte domande ci ponevamo: perché fan tutti così, per affermare il loro dominio sulle femmine a loro soggette, e ancora perché lo stesso aspetto della battaglia ci conduceva a un certo piacere della vista, di là da questa superiore considerazione, e che cos'era in noi che ricercava tante ragioni remote dai sensi, e, al contrario, che cosa in noi si lasciava attrarre dall'invito proprio dei sensi.[3] Dicevamo a noi stessi: dove non c'è una legge? dove non c'è un comando dovuto al migliore? dove non c'è la manifestazione d'una superiore coerenza? dove non c'è un'immagine di quella bellezza che è anche suprema verità? dove non c'è una misura?

2. Perché un sasso diventasse un sasso, tutte le sue parti e tutte le sue proprietà naturali si sono consolidate in un composto unitario.[4] E l'albero? Non è forse vero che non sarebbe albero se non fosse uno? E le membra di un qualsivoglia animale, i suoi organi interni e tutti gli elementi di cui consta? Certo, se subisse una dissociazione della sua unità, non sarebbe un animale. A che altro sono intesi gli amici se non a essere uno? E quanto più sono uno, tanto più sono amici. Così un popolo è un'unica città, a cui è pericolosa ogni forma di dissenso: ma che altro significa dissentire se non non avere un modo di sentire unitario? Di molti soldati si fa un esercito: non è forse vero che qualsiasi moltitudine è tanto più invincibile quanto più si raccoglie in unità compatta? E l'amore non vuol forse farsi uno con quello che ama, e se vi riesce, non diviene forse uno con esso? Persino il piacere sensuale non per altro

---

1. Razionale è la bellezza (che coincide con l'ordine, l'armonia delle cose) perché è espressione della Mente creatrice e ordinatrice.
2. Anche il brutto, dunque, attinge una sua validità e funzione nell'armonia delle cose.
3. Allude all'anima razionale, che domina l'esperienza sensibile e ne ritrova il significato profondo. Per S. Agostino questa ricerca della verità è connaturata all'uomo, che, fatto a immagine e somiglianza di Dio, ne porta l'impronta e la presenza nell'anima.
4. Qui e negli esempi che seguono, S. Agostino insiste sul fatto che ogni cosa esprime, nel suo essere composta di parti molteplici ma ordinate, una tendenza all'unità: quella stessa che si ritrova contemplando l'insieme del Creato e che fa presentire all'uomo la suprema unità divina.

produce una voluttà così intensa se non perché i corpi che si amano sono da esso spinti a fondersi in uno. E perché il dolore è pernicioso? Perché si sforza di dissociare ciò che era uno. È dunque cagione di molestia e di pericolo unirsi totalmente a cosa da cui si può essere separati.

3. Non invidiamo le cose inferiori a noi e disponiamoci in ordine fra quelle che sono sotto di noi e quelle che sono di sopra, con l'aiuto di Dio, nostro Signore, in modo da non essere danneggiati dalle inferiori e da godere solo delle superiori. Perché il diletto è, per così dire, il peso dell'anima.[5] Come dice infatti Matteo, «Dove sarà il tuo tesoro, ivi sarà anche il tuo cuore»: ma il tesoro è dove è il diletto, e dove è il cuore, ivi è la gioia o il dolore. E quali sono, poi, le cose superiori se non quelle in cui perdura una somma, incrollabile, immutabile eterna eguaglianza? Dove non esiste il tempo, perché non v'è mutamento, e donde vengono formati, ordinati, modificati i tempi, che imitano l'eternità; mentre il moto circolare del cielo ritorna sempre al medesimo punto e ad esso riconduce i corpi celesti, e per mezzo dei giorni, dei mesi, degli anni, dei lustri e degli altri movimenti astrali, obbedisce alle leggi dell'eguaglianza, dell'ordine, dell'unità. Così le cose terrene, soggette alle celesti, associano i circoli dei loro tempi, con una successione armonica, a quello che si potrebbe chiamare il poema dell'universo.[6]

5. Il *diletto* è la ricerca della felicità eterna, che dà un *peso*, cioè una direzione alla vita dell'anima umana. A questo alludono le parole dell'evangelista Matteo citate subito dopo.

6. Diamo l'originale latino del passo (*De musica* VI II 30): «Ita coelestibus terrena subiecta, orbes temporum suorum numerosa successione quasi carmini universitatis associant».

L'immagine trinitaria nell'uomo

Se l'immagine di Dio creatore è implicita nella vita e nell'ordine armonico della creazione, più evidente essa si manifesta nell'anima dell'uomo, fatto, come dice la Bibbia, a immagine e somiglianza di Dio. Memoria di sé, che garantisce il persistere dell'identità della persona nello scorrere del tempo e nella varietà delle vicende; comprensione di sé, che si traduce nella «parola interiore» con cui fondiamo e riconosciamo la nostra identità; volontà o amore di sé, che ci spinge all'attuazione e conservazione dell'io: in queste tre funzioni dell'anima, che coincidono nella sua unità, Agostino vede un'analogia con le tre Persone della Trinità, la sua impronta nella coscienza dell'uomo. Nel *De Trinitate (La Trinità)*, da cui è tratta questa pagina (XVI, 8) l'analogia trinitaria è estesa a tutte le forme della percezione, del nostro rapporto con le cose, con un senso del valore simbolico e sacrale del numero che resterà tipico della cultura e del simbolismo del Medioevo.

Riproduciamo la traduzione di G. Beschin, in S. Agostino, *La Trinità*, Roma, Città nuova, 1973.

Eccoci giunti ora nella nostra ricerca alla fase in cui abbiamo intrapreso a considerare, per scoprirvi l'immagine di Dio, la parte più nobile dello spirito umano, parte con la quale esso conosce o può conoscere Dio. Sebbene infatti lo spirito umano non sia della stessa natura di Dio, tuttavia l'immagine di quella natura che è superiore ad ogni altra deve essere cercata e trovata presso di noi, in ciò che la nostra natura ha di migliore. Anche quando lo spirito è degradato e deforme per la perdita della partecipazione a Dio, resta tuttavia immagine di Dio; perché esso è immagine di Dio in quanto è capace di Dio e può essere partecipe di lui. Ecco dunque che lo spirito si ricorda di sé, si comprende e si ama: se contempliamo ciò, vediamo una trinità, che non è certo ancora Dio, ma già è immagine di Dio.

Il tempo

Riportiamo qui alcune considerazioni sul tempo, dal libro XI delle *Confessioni.* Agostino dichiara che il tempo non ha realtà oggettiva, ma psicologica: si misura nell'animo. Nella coscienza attuale del sentirci qui, ora, noi misuriamo il passato, affidato alla memoria, e il futuro come attesa e progetto. Il tempo cioè è il nostro sentirci vivere nell'attimo presente, col sentimento d'una storia passata che ci costruisce come persone e con l'attesa d'un compimento, che è la felicità cui aneliamo. È dunque continua tensione, appagabile soltanto di là da esso.

A questo punto Agostino introduce il concetto di eternità, che si oppone al tempo e ne rappresenta tuttavia la giustificazione. Il tempo umano nasce dalla caduta dall'eterno presente e dall'unità di Dio nella molteplicità delle cose fuorvianti, nelle occasioni caduche e nella dispersione dell'esistenza terrena. Diviene pertanto momento di rischio, ma anche di edificazione, se l'uomo, «unitariamente concentrato in Dio», cammina verso l'eternità da Lui promessa.

È questo un tema importante della meditazione medievale, e coincide con il concetto della precarietà della vita terrena, ma anche con la rivalutazione di essa come momento di prova in cui l'uomo costruisce il proprio destino eterno.

Riportiamo, con qualche variante, la traduzione di A. Marzullo, in S. Agostino, *Le confessioni*, Bologna, Zanichelli, 1968. Abbiamo unito passi dei capp. 20, 27, 29 del libro XI.

Né il futuro né il passato *sono*, e non si può dire con proprietà: i tempi sono tre, passato, presente e futuro; ma v'è da ritenere che con proprietà si dovrebbe dire: i tre tempi sono il presente del passato, il presente del presente, il presente del futuro. Sono questi i tre determinati momenti che io vedo nell'anima nostra, e altrove non li vedo: presente delle cose passate è la memoria, presente delle cose presenti è quanto noi vediamo, presente delle cose future è quanto attendiamo.

Il tempo null'altro è che un'estensione, ma di qual cosa sia estensione non lo so; però parrebbe strano se non fosse un'estensione dell'anima stessa.

In te, anima mia, misuro il tempo. Non darmi la voce addosso col dirmi ciò che la realtà è. Non darmi la voce addosso con tutti i travagli delle tue impressioni. In te, lo ripeto, misuro il tempo.

L'impressione che le cose, mentre passano, suscitano in te, e che poi, quando sono passate, dura, questa impressione io la misuro quando è presente: non misuro le cose che sono passate in modo da lasciare un'impressione, ma misuro questa impressione, quando misuro il tempo. Per conseguenza, o il tempo consiste in queste impressioni, o io non riesco a misurare il tempo.

Ma poiché «la tua misericordia è migliore, al di sopra delle vite umane»,[1] ecco che la mia vita è una dispersione; però «la destra tua mi ha raccolto», nel nome del mio Signore, Figlio dell'uomo, Mediatore tra te nella tua unità e noi nella nostra pluralità. Mediatore in tante cose e attraverso tante cose, affinché per mezzo di lui io mi leghi a Colui, cui sono già stato legato, e dai vecchi giorni mi raccolga, legandomi a te che sei uno. «Dimentico di tutto il passato», non rivolto a quelle cose che debbono venire e trapassare, ma volto diritto verso le cose che mi sono presenti, non disperso nella mia tensione, ma unitariamente concentrato, non secondo una dispersione, ma secondo una concentrata tensione «tengo dietro alla palma della celeste vocazione», là dove «udrò la voce tua di lode e contemplerò la tua gioia», che né viene né trascorre.

Ora, in realtà, gli anni miei trascorrono in gemiti, e tu, mia consolazione, o Signore, tu, Padre mio, sei eterno; ma io mi sono sperduto nei tempi, il cui ordine ignoro, e le mie riflessioni sono dilaniate da un variare tumultuoso, sino a quando, purificato e disciolto nel fuoco del tuo amore, in te mi riverserò.

1. È citazione biblica (*Salmi*, 62, 4) - Così le altre frasi fra virgolette.

L'esperienza dell'eternità

L'eternità, che sola, per Agostino, può dare senso e giustificazione alla vita dell'uomo, in quanto costituisce il conseguimento della pienezza del suo essere in Dio, non può balenare, qui in terra, se non in attimi brevi di mistica ascesa, quando si sfiora per poco, con tutto lo slancio del cuore, di là da ogni immagine, pensiero, parola, la divina sapienza. Uno di questi attimi è vissuto da Agostino durante il colloquio con la madre Monica, ormai giunta al termine della vita, a Ostia.

Questa pagina rimase esemplare per tutto il Medioevo. Essa preannuncia i *gradi*, i momenti progressivi che conducono all'esperienza mistica, quali verranno codificati in seguito, ad es. da S. Bonaventura (sec. XIII), nel suo *Itinerario della mente in Dio*: dal godimento della bellezza e bontà delle cose alla intuizione di quella di Dio creatore, intuizione ulteriormente approfondita dal riconoscimento dell'impronta di Dio nella nostra anima; e di qui al superamento di ogni «segno» naturale o umano per udire, in un improvviso, totale silenzio dell'anima, la voce divina.

Riportiamo qui la traduz. di A. Marzullo da S. Agostino, *Le confessioni,* cit., IX, 10.

Il nostro discorso volgeva ormai a questa conclusione, che il diletto che può derivare dai sensi carnali, per quanto grande esso sia e di quanto grande luce corporea possa essere illuminato, in rapporto alla felicità di quell'altra vita, non può essere oggetto non dico di un paragone, ma nemmeno di una semplice menzione. Allora noi elevandoci con più ardente slancio verso l'Essere che è sempre lo stesso, trascorrevamo, a grado a grado, tutto il mondo corporeo e lo stesso cielo, donde il sole e la luna e le stelle diffondono luce sopra la terra.

E ancora più ci elevavamo nell'intimo nostro, meditando e discutendo e ammirando le opere tue. E giungemmo all'essenza delle menti nostre e la sorpassavamo per raggiungere la regione di abbondanza che non ha fine, ove «tu pasci Israele in eterno», al pascolo delle verità, ove la vita è sapienza, che è principio di tutte le cose che sono, e di quelle che furono e di quelle che saranno; ed essa non si fa, ma così è, come fu e come sempre sarà.[1]

Ché anzi l'essere stato o il dovere essere non è in essa sapienza, ma l'essere soltanto, poiché essa è eterna; mentre l'essere stato o il dover essere non è eterno.

E mentre ad essa sapienza rivolgevamo le nostre parole e le aspirazioni, la sfiorammo per poco, con tutto lo slancio del nostro cuore. E sospirammo e lasciammo in essa legate «queste primizie del nostro spirito» e ritornammo al brusio della nostra bocca dove ogni parola e comincia e finisce. Ma che mai può essere simigliante al Verbo tuo, al Signore nostro, che in sé permane senza per questo invecchiare, ma che anzi rinnova ogni cosa?

Dicevamo dunque: «Se per un uomo tacesse il tumulto della carne, tacessero le apparisćenze della terra e delle acque e dell'aria, tacessero i cieli, e persino la sua stessa anima in sé tacesse e si elevasse al di sopra di sé senza pensarsi, tacessero i sogni e le rivelazioni della mente, tacesse ogni lingua, ogni segno e tutto quello che nasce in quanto è transeunte; se per un uomo tutto tacesse — perché è pur vero che per chi ascolta, tutte le cose di questo mondo dicono: «Non siamo noi che ci siamo create, ma ci creò Colui che rimane in eterno» —; se, dopo aver detto tutto questo, queste cose ormai si tacessero, avendo esse levato l'orecchio verso Colui che le ha create, se allora Egli parlasse, Egli solo, non attraverso quelle cose, ma attraverso se stesso, tanto che noi potessimo ascoltare il Verbo di lui, non attraverso lingua carnale, né attraverso voce di angelo, né attraverso frastuono di nuvole, né attraverso velame di similitudine, ma piuttosto ascoltassimo Lui, che noi amiamo in tutte queste cose, se noi ascoltassimo Lui solo, senza nessuna di queste cose intermediarie, così come or ora il nostro essere si è proteso oltre i suoi limiti e in uno slancio del pensiero ha toccato la sapienza eterna, che mai muta e rimane al di sopra di tutte le cose; se questo nostro trasumanare si estendesse, e ogni altra visione di ordine inferiore svanisse, e quest'unica visione rapisse e assorbisse e accogliesse, chi l'avesse raggiunta, in una felicità che è tutta in se stessa, tanto da poter dire che la vita eterna altro non è se non ciò che fu questo momento di fugace intuizione, quella vita cui noi tendemmo coi nostri sospiri, non sarebbe questo l'attuarsi del detto: «Entra nella gioia del tuo Signore»?

Ma questo quando avverrà? Forse quando noi «tutti risorgeremo, senza, però, essere tutti trasmutati»?

Tali cose dicevo, seppure non in questo tono e con queste parole. Tu, però, sai o Signore, che in quel giorno, mentre noi discorrevamo di siffatte cose, e questo nostro mondo, nelle nostre parole, svaniva, con tutte le sue attrattive, allora ella mi disse: «Figlio, per quanto mi riguarda, di nessuna cosa ormai sento diletto in questa vita. Che cosa io faccia ancora e perché qui io mi sia, non lo so, perché ormai si è spenta ogni speranza delle cose di questo mondo.

Un solo motivo vi era per cui desideravo di indugiarmi alquanto in questa vita, quello di vedere te cristiano cattolico, prima di morire. Questo il mio Dio mi ha concesso in sovrabbondanza, tanto che ormai ti scorgo servo di Lui, lasciata da parte ogni terrena felicità. Che sto ormai a fare qui?».

1. Agostino e Monica giungono a intuire la sapienza divina che coincide con l'essere di Dio.

Boezio

Nel declino della civiltà romana, mentre l'Italia è preda di successive invasioni e dominazioni barbariche, emergono le due nobili figure di Boezio e Cassiodoro, ultime voci, sotto il regno di Teodorico, della grande cultura classica.

Anicio Manlio Severino Boezio, nato a Roma fra il 480 e il 482 d.C., congiunse allo studio dell'eloquenza quello della dialettica e della filosofia, intesa, quest'ultima, nella sua accezione più vasta, di studio, cioè, di tutto il sapere concernente il mondo della natura e dell'uomo e maestra di moralità e di saggezza. Al fervore culturale unì un serio impegno politico, partecipando all'amministrazione dello stato, fino a che cadde vittima dell'elemento gotico antiromano e fu accusato di tradimento e fatto uccidere da Teodorico nel 524.

I suoi scritti possono essere raggruppati secondo lo schema del *Trivio* (grammatica, dialettica, retorica) e del *Quadrivio* (aritmetica, geometria, musica, astronomia), cioè secondo l'organizzazione enciclopedistica della cultura che, nata nella tarda antichità, dominò tutta la scuola medievale. Con opere come il commento all'*Organon* di Aristotele, la *Institutio arithmetica* e la *Institutio musica*, Boezio si propose di divulgare fra i popoli romano-barbarici dell'Occidente la scienza e la filosofia degli antichi.

L'opera sua più importante, letta per secoli, fino a Dante, con intensa commozione, è il *De consolatione philosophiae* (*La consolazione della filosofia*), scritta in carcere, nell'attesa della morte. È un'opera mista di prosa e di versi, dove Boezio immagina che gli appaia una venerabile matrona, la Filosofia, e lo consoli della sua sventura, invitandolo a sollevarsi dalle meschine cure terrene e a cercare la verà felicità e la pace nella sapienza che conduce a Dio, vero e sommo bene. A questo si uniscono altri temi: il problema del male nel mondo, la fede nella Provvidenza, il problema della prescienza divina e del libero arbitrio dell'uomo; in pratica, i temi fondamentali del pensiero cristiano nel Medioevo. Ma soprattutto colpisce l'affermazione energica della superiore dignità del saggio e del filosofo, il richiamo al culto dei valori spirituali: un messaggio che lo stesso martirio di Boezio ricinge d'una luce eroica.

Per il testo seguiamo l'edizione del Weinberger, nel *Corpus Scriptorum ecclesiasticorum latinorum*, Vienna e Lipsia, 1934. La traduzione è nostra.

Inno a Dio creatore

Le «consolazioni» che la Filosofia rivolge a Boezio sono spesso imperniate su motivi del pensiero classico, soprattutto stoici, platonici e neoplatonici, e l'importanza del libro sta anche in questa sintesi che esso opera fra cultura antica e cultura cristiana. Centrale rimane tuttavia la nuova concezione del divino, che appare in questa poesia (la IX del libro III), fondata sulla fede nella Provvidenza che tutto governa e indirizza al bene e sull'idea d'un universo che, in quanto creato da Dio, ne riflette analogicamente la bellezza e la bontà, diviene, anzi, un libro che riflette lo spirito e l'essenza dell'Autore. Di qui il tono epico di questi versi, la cui tematica riapparirà in tutta la filosofia medievale e nella più alta poesia religiosa dell'epoca.

O qui perpetua mundum ratione gubernas,
terrarum caelique sator, qui tempus ab aevo
ire iubes stabilisque manens das cuncta moveri,
quem non externae pepulerunt fingere causae
5 materiae fluitantis opus, verum insita summi
forma boni livore carens, tu cuncta superno
ducis ab exemplo, pulchrum pulcherrimus ipse
mundum mente gerens similique in imagine formans
perfectasque iubens perfectum absolvere partes [...].
10 Da, pater, augustam menti conscendere sedem,
da fontem lustrare boni, da luce reperta
in te conspicuos animi defigere visus.
Dissice terrenae nebulas et pondera molis
atque tuo splendore mica; tu namque serenum,
15 tu requies tranquilla piis, te cernere finis,
principium, vector, dux, semita, terminus idem.

O tu che con perpetua sapienza governi l'universo, creatore della terra e del cielo, che dall'eternità fai fluire il corso del tempo e, restando immobile,[1] dài moto a tutte le cose; tu, che non cagioni esterne spinsero a plasmare armonicamente la materia informe, ma l'idea in te insita del sommo bene, scevra d'ogni invidia, tu ogni cosa trai alla vita dal superno esemplare che è in te,[2] tu stesso, essendo bellissimo, porti il mondo bello nella tua mente e plasmi quello creato a sua immagine, ordinandogli d'imporre la sua perfezione alle sue diverse parti [...]. Concedi, padre, che la mia mente assurga alla tua augusta dimora, che esplori la fonte del bene,[3] che ritrovi la tua luce e in te figga chiari gli sguardi dell'anima. Dissolvi le nebbie e il peso della terrena mole e rifulgi col tuo splendore; tu infatti sei cielo sereno, tu pace tranquilla ai pii; vedere te è il nostro fine, poiché tu sei per noi, insieme, principio, nocchiero, guida, via e traguardo.

Metro: *esametri*.

1. Dio è motore immobile di tutte le cose, che da Lui hanno vita e a Lui, bene supremo, tendono. Questa vita dinamica che permea l'universo ne garantisce ad ogni istante l'ordine provvidenzialistico e l'armonia.
2. B. cerca qui di conciliare il racconto biblico della creazione con la filosofia di Platone: Dio ha nella sua mente l'immagine, l'idea pura di tutte le cose e le crea secondo questo esemplare; creazione è, dunque, una sorta di riversarsi all'esterno della bontà e sapienza infinita di Dio, in un atto d'amore. Per questo l'universo è visto da B. in una luce di bellezza e bontà: esso riflette analogicamente il suo creatore. Omettiamo qui un gruppo di versi di più ardua materia filosofica.
3. Dio stesso.

L'universo e l'amore

Nato da un Dio che è Amore, l'universo si conserva, nel suo incessante e armonico ritmo vitale, per virtù d'amore, cioè d'un «istinto» impresso da Dio nelle cose, che regola la concordia discorde degli elementi e attua ad ogni istante la legge d'ordine e d'armonia implicita nella Creazione. La visione di quest'ordine consola Boezio delle disarmonie spesso tragiche della vita umana: negli spazi celesti, nel movimento regolato degli astri, nel ritmo delle stagioni, egli legge la certezza d'un piano provvidenziale, d'una giustificazione del vivere. L'amore è anche fondamento del nostro essere, ma mentre nelle cose è istinto, nell'uomo è conquista e ardua scelta morale, soggetta alla deviazione, al peccato, è principio di redenzione o di dannazione. Nasce di qui, per tutto il Medioevo, l'appassionata meditazione di filosofi e poeti sull'origine e natura dell'amore umano, sulla sua dialettica, che riflette esemplarmente la dinamica della vita della coscienza.

Quod mundus stabili fide
concordes variat vices,
quod pugnantia semina
foedus perpetuum tenent,
5 quod Phoebus roseum diem
curru provehit aureo,
ut, quas duxerit Hesperus
Phoebe noctibus imperet,
ut fluctus avidum mare
10 certo fine coerceat,
ne terris liceat vagis
latos tendere terminos,
hanc rerum seriem ligat
terras ac pelagus regens
15 et caelo imperitans amor.
Hic si frena remiserit
quicquid nunc amat invicem
bellum continuo geret
et, quam nunc socia fide
20 pulchris motibus incitant,
certent solvere machinam.
Hic sancto populos quoque
iunctos foedere continet,
hic et coniugii sacrum
25 castis nectit amoribus,
hic fidis etiam sua
dictat iura sodalibus.
O felix hominum genus,
si vestros animos amor,
30 quo caelum regitur, regat!

Se l'universo con stabile legame di fedeltà[1] moltiplica le sue armoniche metamorfosi, se gli elementi opposti osservano una pace eterna fra loro, se Febo[2] apporta sul suo carro d'oro la luce vermiglia del giorno, affinché Diana comandi alle notti che Vespero conduce e il mare avido raffreni con sicuro confine i suoi flutti e le terre non possano andare errando ad estendere all'infinito le loro frontiere, è perché l'amore, che regge le terre e il mare e comanda al cielo,[3] lega e ordina armonicamente queste cose. Se esso lasciasse andare le briglie, tutte le cose che ora reciprocamente si amano si troverebbero subito in guerra e cercherebbero di distruggere la macchina del mondo che ora spingono a moti armonici in amichevole concordia. È l'amore che mantiene anche i popoli uniti in una santa pace, è l'amore che annoda i legami sacri del matrimonio con casto affetto, è l'amore che detta le sue leggi agli amici fedeli. O genere umano, come saresti felice se l'amore dal quale è retto il cielo reggesse le vostre anime!

Metro: *gliconei* (uno spondeo e due dattili). È la poesia VIII del libro II.

1. L'amore è come un patto che lega gli elementi e li accorda in armonia.
2. Apollo; per metafora, il sole. Così, più avanti, Diana è la luna.
3. I cieli, che, secondo le concezioni del tempo, erano spessori sferici che inviavano influssi sulla terra.

Dionigi Areopagita

Di questo che uno studioso inglese, il Lewis, ha considerato uno dei *founders* (fondatori) del pensiero, o meglio, della mentalità medievale, tutto è ignoto, fuorché l'opera: il nome, la patria precisa, la cronologia. Considerato nel Medioevo discepolo di San Paolo, e convertito dalla predicazione di questo nell'Areopago di Atene, è stato invece ricondotto dalla filologia e critica moderne all'epoca fra il V e il VI secolo, e ribattezzato pseudo-Dionigi (sarebbe più giusto, se mai, dirlo pseudo-Areopagita). Il *corpus* dei suoi scritti non è più, pertanto, considerato apostolico, come nel Medioevo, quando ebbe commenti di alcuni fra i maggiori filosofi, da Giovanni Scoto Eriugena a Sant'Alberto Magno a San Tommaso d'Aquino, che attestano la sua dominante presenza culturale per quasi un millennio. Oggi si vedono (ma non tutti gli studiosi sono di questo parere) notevoli influssi nella sua opera del pensiero neoplatonico; comunque sia, lo si colloca fra civiltà cristiana e l'ultima importante filosofia greca.

La produzione di Dionigi rivela una forte tensione mistica. Essa comprende (i testi originali sono in greco): *I nomi divini*, che parla dei vari attributi dati alla divinità, che tutti, peraltro, li trascende; la *Teologia mistica*, che parla dell'unione soprannaturale fra l'anima e Dio; *La gerarchia celeste*, che suddivide le schiere degli Angeli in nove gruppi o cori; *La gerarchia ecclesiastica* che definisce la struttura della Chiesa, dei suoi ministri e della vita sacramentale, sul modello angelico; 10 *lettere*, che sono ulteriore specificazione delle teorie contenute nei testi suddetti.

Per il testo seguiamo: Dionigi Areopagita, *Tutte le opere*, a cura di P. Bellini, traduzione di P. Scazzoso, Milano, Rusconi, 1981.

La non esistenza del male

Fin dalle origini il messaggio cristiano s'incontrò e si scontrò con la grande civiltà classica, con un rapporto dialettico e spesso tormentato, come si vede dalle deviazioni dall'ortodossia o *eresie* che si ebbero fin dai primi secoli. Una delle più ardue da vincere fu quella manichea (legata a filosofie del Medio-oriente), che poneva due principi della realtà, il Bene e il Male: un'eresia duramente avversata da Sant'Agostino. Qui Dionigi sviluppa in forma autonoma le ragioni agostiniane. C'è un solo principio, e positivo, della realtà: Dio, che in sé raduna il Vero, il Bello, il Bene, ma il cui attributo fondamentale è l'Essere («Ego sum qui sum»: così si autodefinisce nella Bibbia), fondatore e creatore dell'essere d'ogni cosa, che risulta pertanto fatta, in qualche modo, a Sua immagine, partecipe, dunque, del Bene. Ne consegue un'idea tutta positiva dell'universo, e della bontà sostanziale d'ogni creatura, d'ogni cosa; il male può essere concepito soltanto come privazione di bene, come essere difettoso, nel senso che non giunge al proprio compimento. Anche i diavoli e i peccatori partecipano di questa legge universale: in quanto sono (cioè esistono) partecipano in qualche modo al Bene. Il male, dunque, non ha consistenza reale o ontologica (da *I nomi divini*).

Ma nemmeno i demoni sono cattivi per natura; se infatti lo fossero per natura, non deriverebbero dal Bene;[1] né sarebbero tra gli esseri né avrebbero mutato la loro condizione buona, se fossero cattivi per natura e da sempre. [...] Come possono essere cattivi i demoni fatti da Dio, dal momento che il Bene produce e fa sussistere il bene? Si dice che sono cattivi, si potrebbe obiettare. Ma lo sono non secondo ciò che sono — perché vengono dal Bene ed hanno ricevuto una natura buona —, ma secondo ciò che non sono, perché, come dice la Scrittura, essendosi indeboliti, non hanno saputo mantenere il loro primato.[2] In che senso, infatti, dimmi, affermiamo che i demoni sono cattivi, se non perché hanno smesso di volere e di compiere i beni divini? D'altra parte, se i demoni sono cattivi per natura, lo sono sempre; eppure il male non è stabile; pertanto, se sono sempre stati nella medesima condizione, non sono cattivi; infatti, è proprio del bene essere sempre il medesimo; se non sono cattivi da sempre, non sono cattivi per natura, ma per l'assenza dei beni propri degli angeli. E non sono completamente privi del bene, in quanto sono, vivono, pensano e c'è in essi in maniera totale un movimento di desiderio; si dice che sono cattivi in quanto non hanno più la forza di agire secondo la loro natura. Il loro male è la falsa conversione,[3] come pure l'allontanamento dalle cose degne di loro e l'incapacità di raggiungerle, l'imperfezione, l'impotenza e la debolezza, e la fuga e la caduta della virtù che salvaguarda in loro la perfezione. E ancora: quale altro male si trova dunque nei demoni? Una collera insensata, un folle desiderio, una pericolosa immaginazione.[4] Ma queste cose, anche se esistono nei demoni, non sono cattive in sé e per sé, né per ogni aspetto né per tutti. Infatti, anche negli altri esseri viventi, non il possesso, ma la perdita di queste cose è una distruzione e un male per il vivente.[5] Il possesso salvaguarda e fa sì che esista la natura del vivente che possiede queste cose. Dunque, la schiera dei demoni è cattiva, non in quanto è secondo natura, ma in quanto non è secondo natura. Né fu completamente alterato il bene loro

1. Tutto ciò che è stato creato, deriva da Dio, e partecipa, in qualche modo, anche se da Lui si è allontanato, del bene. I demoni, dunque, in quanto sono (o esistono) non sono cattivi; il male non è nella natura, ma nei movimenti della volontà. Si tenga presente fin d'ora, che quanto è detto per i demoni vale anche per gli uomini che peccano.

2. **ciò che non sono**: il peccato è un non-essere, un rifiuto della vera vita che è, necessariamente imperniata sul Bene, coincidente, appunto, con l'essere. Il **primato** è la natura angelica che Dio aveva dato in sorte a tutti gli Angeli e dunque anche a quelli che si ribellarono. Essa rimane anche in questi, pur se depravata da un uso cattivo, che non consente di esplicarla pienamente: questa è la loro colpa e la loro pena.

3. **conversione**: indica il volgersi, la tensione del desiderio vitale verso il fine, che è il bene, in quanto, appunto, essere o vita. Anche il peccato è una ricerca, falsata, d'un bene; o meglio, d'un bene inadeguato alla vocazione profonda dell'animo. Questi concetti si ritroveranno in Dante, che però, nel caso dei demoni, insisterà sulla loro attuale depravazione.

4. Per ben comprendere ciò che segue, si tenga conto del fatto che qui la traduzione è fatalmente imperfetta. Dionigi parla di tre potenze fondamentali dell'animo, secondo un principio della filosofia antica (Platone, Aristotele): l'irascibile, il concupiscibile, la mente. Il concupiscibile è la vitalità in sé, che tende alla propria conservazione, senza idea di bene o di male, e si esprime nel desiderio; l'irascibile regola la sensibilità e i moti affettivi, la volontà di affermazione nella vita. La mente è qui caratterizzata dalla sua prima forma, l'immaginazione, che è la traduzione in termini intelligibili della realtà, e offre, in tal modo, la materia necessaria all'esercizio della ragione. È detta qui **pericolosa** in quanto deforma l'oggetto del desiderio o istinto fondamentale del bene, come avviene nell'uomo, quando gli propone come bene o felicità un oggetto peccaminoso, ossia inadeguato alla tensione verso il bene infinito o Dio che caratterizza l'esistere dell'uomo e dell'angelo.

5. Le tre suddette facoltà sono, infatti, necessarie alla vita. Il loro uso cattivo soltanto è, come dice dopo, contro natura.

concesso, ma essi stessi caddero da tutto il bene a loro concesso. E noi diciamo che i doni angelici dati loro non sono mai stati alterati, ma che i demoni sono intatti e splendidissimi,[6] benché essi stessi non vedano tali doni per il fatto che essi hanno accecato le loro possibilità di vedere il bene. Cosicché ciò che sono, lo sono grazie al bene, e sono buoni e aspirano al bello e buono desiderando l'essere, la vita e l'intelligenza delle cose che sono; ma sono chiamati cattivi per la privazione e la soppressione e la caduta dei beni che si addicono loro; e sono cattivi in quanto non sono, e aspirando al non essere tendono al male.[7]

Ma si dice che le anime sono malvagie. Se ciò deriva dal fatto che si congiungono con le cose cattive per provvedervi e per salvarle, questo non è un male; ma è un bene che deriva dal bene capace anche di rendere buono il male.[8] Se invece diciamo che le anime diventano cattive, in che cosa diventano cattive se non nella privazione dei buoni desideri e delle buone opere e nell'incapacità a fare e nella perdita dovuta alla loro propria debolezza? Infatti, noi diciamo che l'aria che ci circonda si oscura per la mancanza e per l'assenza della luce, ma la luce in se stessa è tale sempre e può rischiarare anche le tenebre. Dunque, né nei demoni, né in noi il male è male in quanto essere, ma in quanto è mancanza e assenza di perfezione dei rispettivi beni.[9]

6. **splendidissimi**: Anche nei Vangeli si allude alla luminosità di Satana.
7. Il male è, appunto, il non-essere, anzi, la negazione dell'essere, e dunque il tradimento, della propria essenza vera, nell'angelo come nell'uomo; è difetto o privazione di essere.
8. Lo stare insieme coi malvagi ma per redimerli non è un male, ma un bene.
9. **rispettivi beni**: cioè la loro natura o essenza reale.

La fine del tempo (San Tommaso d'Aquino)

Si riportano qui i momenti conclusivi dell'ultimo capitolo della *Summa contra Gentiles* (e cioè la filosofia completa, e dunque con anche la teologia o scienza del divino, contro i Pagani) di San Tommaso d'Aquino (secolo XIII), di cui parliamo più avanti. Lo sbalzo di secoli, nei confronti dei passi precedenti, è notevole, ma la dottrina è, in questo caso, immutata; cambia se mai, lo stile del ragionamento, giungendo qui a una consequenzialità rigorosa. Il tema è la fine del tempo dopo il giudizio universale; una fine connessa a quella del moto dei cieli che circondano la terra e presiedono, coi loro influssi, al rinnovarsi perpetuo della vita. Questo non sarà più necessario quando la somma dell'umanità, predestinata da sempre da Dio, sarà compiuta; al movimento subentrerà l'immobilità della gloria celeste: la vita in Dio, nell'eternità. Si chiude così il circolo: il ritrovamento da parte dell'uomo della propria identità coincide con la fine del movimento della natura; permarranno gli Angeli, i corpi celesti, creati per la perpetuità, l'uomo (anche il suo corpo, creato direttamente da Dio, come l'anima): nascerà un mondo nuovo. Il fine del tempo terreno, della storia è dunque la loro fine.

La nostra traduzione è compiuta sull'edizione della *Summa contra Gentiles*, Torino, Marietti, 1961.

Compiuto il giudizio finale, la natura umana sarà stabilmente in tutta la sua completezza.[1] Poiché, invero, tutte le cose corporee sono state fatte in qualche modo per l'uomo, conviene che allora la situazione di ogni creatura corporea si muti per essere congruente con lo stato degli uomini che allora saranno. E poiché allora gli uomini saranno incorruttibili, sarà tolto a ogni creatura provvista di corpo lo stato di generazione e corruzione; e questo dice l'Apostolo: «la creatura sarà liberata dalla schiavitù alla corruzione per la libera gloria dei figli di Dio» (S. Paolo, *Ep. ai Romani*, VIII, 21). La generazione, infatti, e la corruzione dei corpi inferiori è causata dal moto dei cieli; perché esse cessino nei corpi inferiori, deve cessare il moto dei cieli e per questo sta scritto «non vi sarà più il tempo» (Apocalisse X, 6). Né deve apparire impossibile che cessi il movimento dei cieli [...] suo fine non può essere infatti il movimento in sé [...]. Dunque come il fine della natura nella generazione non è quello di ridurre la materia dalla potenza in atto, ma qualcos'altro che consegue a ciò, cioè il perpetuarsi delle cose che conferisce loro una similitudine con Dio, così il fine del moto celeste è quello di conseguire un'analogia con Dio, assumendo funzione di causa. Infatti tutte le cose generabili e corruttibili che sono causate dal moto dei cieli, sono in qualche modo ordinate all'uomo come fine. Pertanto il moto del cielo avviene soprattutto per la generazione dell'uomo; in questo consegue, in quanto forza causatrice, la massima similitudine con Dio, poiché la forma distintiva dell'uomo, cioè l'anima razionale, è creata immediatamente da Dio.[2] Ma le anime non possono essere moltiplicate all'infinito, perché l'infinito è contrario alla loro essenza connessa alla finitudine.[3] Non diciamo pertanto nulla di incongruo, affermando che, compiuto un certo numero d'uomini, il moto dei cieli cesserà.

1. Allude essenzialmente alla compiutezza numerica, secondo il piano provvidenziale immanente alla creazione dell'uomo.
2. La perpetuità della generazione garantita dai cieli appare come una similitudine divina, impressa, secondo il pensiero medievale cristiano, in ogni forma di essere; nel caso dei cieli, la loro produzione e riproduzione della vita è in qualche modo analoga alla creazione, da parte di Dio, dell'anima umana, che è forma specifica dell'uomo e sua perfezione o compimento.
3. L'uomo, e così l'umanità, sono contraddistinti dalla finitezza, come ogni altra creatura. L'infinità è solo di Dio.

Al cessare del moto dei cieli e la generazione e corruzione legate all'azione degli elementi, la loro sostanza rimarrà in un essere immoto conferito loro dalla divina bontà. Essa creò infatti le cose perché fossero: pertanto l'essere delle cose che hanno attitudine alla perpetuità rimarrà in eterno. [...] Gli uomini dunque non solo saranno liberati dalla corruzione (corporea), anzi indosseranno la luce della gloria, che anche la creatura dotata di corpo potrà conseguire in un modo a essa riservato.[4] Per questo sta scritto: «Vidi un nuovo cielo e una nuova terra» (*Apocalisse* XXI, 1); e «Io creo nuovi cieli e una nuova terra; e non saranno come quelli che avevate in memoria né superiori al vostro comprendere; ma godrete e sarete esaltati in eterno» (Isaia LXV, 17, 18). Amen.

4. Permarranno dunque eterni anche i cieli e la terra, ma profondamente rinnovati; assunti, come l'uomo nella luce di Dio o «gloria» (che per l'uomo è la vita paradisiaca).

Un'idea di Geografia: l'«Immagine del mondo»

Di fronte al grande sviluppo della filosofia e della teologia si verifica una stasi quasi completa delle scienze naturali, per la mancanza, come s'è visto, del metodo induttivo-sperimentale e dell'osservazione diretta. Per gran parte, i testi scientifici di molti secoli del Medioevo sono compilazioni che si limitano a divulgare il pensiero degli antichi: Aristotele, Plinio il Vecchio, il geografo Solino, l'astronomo Tolomeo. Queste nozioni passano nelle opere di Beda e di Isidoro, e di lì nelle compilazioni posteriori, quasi immutate. Soltanto a partire dal sec. XII si avranno nuovi sviluppi, per merito della scuola di Chartres, che si porrà il problema d'una sintesi di filosofia e scienza; ma un maggiore sviluppo si avrà con la rinascita aristotelica del secolo seguente e coi commenti alla *Fisica* di Aristotele di Alberto Magno, Tommaso d'Aquino e altri. Ma la scienza descrittiva non procederà molto oltre i confini del Medioevo più antico; resterà, almeno in parte, ferma all'*Imago mundi* di Onorio di Autun (sec. XII), di cui si moltiplicheranno per secoli traduzioni e compendi.

Presentiamo qui alcune pagine significative tratte da uno di essi, edito di recente da Francesco Chiovaro (è riportato nel codice Palatino 703 della Biblioteca Nazionale di Firenze). Appartiene al secolo XIV, e fu redatto in area tosco-emiliana; ma sembra risalire a un codice più antico. Raccoglie molte pagine tradotte da Onorio, ma aggiunge altre fonti. È, anche per questo, una compilazione significativa d'un complesso di credenze diffuse fra i dotti, che esso intende comunicare a un pubblico più vasto. Ignoto è l'autore. Il titolo è *L'Ymagine del mondo.*

Per il testo seguiamo: F. Chiovaro, *L'Ymagine del mondo*, Napoli, Loffredo, 1977.

La figura del mondo

Al testo di Onorio viene qui aggiunta un'etimologia di Isidoro, mentre viene tolto il capitoletto sulla creazione del mondo. Riportiamo il testo avvertendo che il segno *&* sta per *e* o *et*, la *ç* vale *z*, *elgli* sta per *egli*, *u*, spesso, per *v*, il verbo *auironare* (o *avironare*) vale *circondare*, *elimenti* vale *elementi*. A parte gli aspetti ortografici, si osserva una notevole affinità fra questo testo trecentesco e la lingua attuale. Conserviamo, qui e nei brani che seguono, i titoli del manoscritto.

I. FORMA DEL MONDO — Mondo uiene tanto a dire come da tutte parti commosso, percio ch'elgli è sempre in mouimento. La ymagine & sembiança del mondo è com'una palla ritonda e a similitudine d'uno huouo; et è diuiso pei suoi elimenti. Che si come l'uouo è coperto & fasciato del guscio & dentro, tutto inchiuso de l'albume, si ui è il tuorlo & in meçço del tuorlo ae altressi come gocciola di sangue appreso; e altressi il mondo ae questa sembiança imperció ch'è auironato da tutte parti del cielo, cosi come l'uouo è auironato dal guscio. Et dentro dal cielo puro, ch'è appellato fuoco, si come il bianco dell'uouo appresso del guscio. Et appresso del fuoco si è l'aere, si come il tuorlo è appresso de l'albume ouero bianco dell'uouo. Et appresso è auironata la terra dell'aere, si come la gocciola uermiglia del sangue è in meçço del tuorlo.

Asia: il paradiso terrestre

L'ignoto, nella «scienza» medievale, è il regno del favoloso, simile alle terre sconosciute che popolano le avventure dei cavalieri di re Artù. Chi si reca in Asia, può dunque trovare il paradiso terrestre, coi suoi quattro fiumi, uno dei quali, il Nilo, non soltanto bagna l'India, ma forma un'isola e, passando sotto il mare, giunge fino all'Etiopia e all'Egitto. Tralasciamo la parte del capitolo relativa agli altri tre fiumi.

VIII. ASIA: IL PARADISO TERRESTRE — Asya fue cosi dinominata per una reina che fue cosi appellata. Et è Asya la prima e la maggior terça parte del mondo. In Asia è il Paradiso Terrestro, il quale è un luogo molto dilectoso e pieno di molto gran deliçie. Et in latino è chiamato paradiso delitianum. Et è un luogo nel quale neuno non puote entrare, impercio che tutto è auironato[1] di muro di fuoco alto infino al cielo. Et in questo luogo è l'albero di vita che chiunque ne mangiasse di quel fructo giamai non morrebbe ma sempre si manterebbe in uno stato.[2] Et nel meçço di quello luogo nasce una fonte de la quale escono quattro fiumi. Il primo a nome Gyon, e 'l secondo Fison, e 'l terço Tigris, e 'l quarto Eufrates.[3]

Fison, ch'è appelato Nylo, se ne uae per la terra d'India & nasce, secondo che si dice, presso del monte ch'è appellato Orcabares e corre contra oriente infino a tanto che entra nel mare ch'è appellato Occeano. Et andando molto uerso il ponente fa ysola in meçço di se chiamata Mereon. Al da seçço piegato in uerso septentrione et cresciuto di tostani crescimenti[4] bagna le pianure d'India. E altri sono ke dicono che presso ad Athalante esce di fonti e incontanente[5] s'atuffa in arene e per quelle passando per piccolo spaçio fa lago. Et quindi allato al mare uerso oriente uae per li diserti d'Etyopia. E anco dal lato manco piegato, uiene ad Egypto. E è cosa uerace che questo fiume è molto grande, il quale è di cotal nascimento e di così lungo corso. Et in ueritade, del Nylo nascono tutte le marauiglie, il quale presso al suo nascimento i barbari l'appellano Dara e tutti gli altri habitatori l'appellano Nylo.

1. **auironato**: circondato.
2. **in... stato**: nella stessa condizione; cioè non invecchierebbe neppure.
3. Sono i quattro fiumi assegnati dalla tradizione al paradiso terrestre.
4. **Al da seçço**: (leggi *sezzo*) Alla fine. **tostani**: rapidi. **crescimenti**: affluenti.
5. **incontanente**: subito.

India: meraviglie, 2

Ancora: l'ignoto è il mostruoso, secondo una costante antropologica riscontrabile in varie culture primitive; e primitiva è quella scientifica medievale, anche se su di essa, in questo caso, agisce il principio dell'*auctoritas* conferito ai libri antichi di cui s'e parlato. Queste tradizioni leggendarie verranno via via dissolte dal progredire dei traffici; ma ancora nel libro d'un viaggiatore come Marco Polo ne permangono.

INDIA: MERAVIGLIE 2. — Douete sapere che ne la terra d'India ae cliiij[1] regioni e molti populi e le selue e li albori del monte sono si altissime ke toccano le nuuole del cielo.

In terra d'India ae una gente ch'è appellata Piccinnaca che sono di statura di lungheçça due cubiti e anno continua battallia con una generatione d'uccelli ke s'appellano grui.[2] E sono ad meçcati di loro etade ne' quattro anni e ne l'ottauo anno sono uecchi.

Appresso costoro nasce il pepe ch'è bianco di colore, secondo che dice il Mappamundi;[3] ma diuenta nero percio che gli abitanti di quel paese quando il uolliono colliere mettono fuoco sotto li albori e selua oue nasce il pepe, allora diuenta nero.

In terra d'India ae un'altra maniera di genti che sono appellati Macabeos e sono lunghi di statura. xij. cubiti e anno continua battalia coi grifoni. Questi grifi anno corpo di leone e ale e unghie come aquila.

Ancora u'ae altre genti che sono appellati Aragocas e Bragmanos. Questi si mettono nel fuoco di lor propia uolunta per amore dell'altra uita.

Ancora u'ae altre genti che uccidono i lor padri quan do sono uecchi e

1. **cliiij**: centocinquantaquattro, secondo la grafia del codice. **ae**: vi sono (= vi hanno). **albori**: alberi.
2. **cubiti**: il cubito è circa mezzo metro. **ad meccati**: a metà. **uecchi**: vecchi. Fin dall'età romana si ha questo scambio grafico fra *u* e *v*. **grui**: gru. È antica tradizione questa della lotta fra Pigmei e gru.
3. **Mappamundi**: descrizione del mondo; una delle fonti geografiche medievali del nostro autore.

fanno de le lor carni grandi conuiti. E quelli che questo non facesse, sarebbe giudicato per crudele e per cosi pessimo come chi tra noi facesse il simigliante.

Ancora u'ae altre genti che manucano i pesci crudi e beono l'acqua del mare salata.

Ancora u'ae altre marauiglie di più di mille maniere. E una di queste marauiglie si è l'una ne le genti e l'altra ne le bestie.

Ancora ae in questa terra d'India altre generationi di genti c'anno i piedi a ritroso e anno in ciascuno piede. viij. dita.

Ancora u'ae altre genti c'anno capi di cane e anno unghie arroncilliate e uestonsi de le pelli de le bestie e latrano e abaiano come cane. [...]

Ancora si u'ae altre genti che sono appellati Monocoli e sono cosi appellati percio ke non anno se non un occhio.

Ancora u'ae altre genti che sono appellati Arismaspi e altre che sono appellati Ciclopes e altri che sono appellati Cenopedes. E questi non anno se non uno piede e corrono come uento e quando si uolliono riposare in terra, leuano il piede e cuopronsi col piede medesimo come d'una targia e fannosi ombra col piede.

Ancora u'ae altre genti che non anno capo e anno gli occhi ne le spalle ouero homeri e anno le nari rileuate in su e anno grandi due pertugi per bocca e anno setole nel petto come bestie e sono appellati Açephalos.

Una Geografia simbolica: «La navigazione di San Brandano»

Il passaggio da una geografia, data come scientifica ma in cui è possibile ritrovare, in una zona imprecisata dell'Asia lontana, il paradiso terrestre, e strani mostri nell'India misteriosa, a un'idea simbolica dello spazio geografico, era abbastanza naturale anzi, a ben vedere, conseguente. È il caso d'un testo latino del X secolo, la *Navigatio Sancti Brendani*, che ebbe larghissima diffusione in Europa, e, in Italia, tra la fine del Duecento e i primi del Trecento, prima nel Nord, poi in Toscana, col titolo di *Navigazione di San Brandano*. Ce ne restano due versioni, una in veneto l'altra in toscano, edite da Maria Antonietta Grignani nel '75.

Vi si parla d'un viaggio compiuto da un monaco irlandese, morto intorno al 578, che va, con un manipolo di compagni, da un porto del sud-ovest dell'Irlanda, verso ponente, alla ricerca del Paradiso terrestre. Riesce a raggiungerlo con un viaggio di sette anni, dopo essere approdato in varie isole sconosciute. Le tappe del viaggio si svolgono su una trama ricorrente, si può dire su un ritmo liturgico, legate come sono alle festività religiose cristiane. La geografia è ridotta ad apparizioni miracolistiche di colonne sul mare, o di uomini (Giuda), o di uccelli parlanti, o di un'isola che si rivela essere un pesce. Diventa simbolo, come lo diventano le avventure ripetitorie del viaggio.

Il libro fonde l'ispirazione delle leggende celtiche irlandesi degli *Imrama*, o avventure di viaggi oceanici, col rituale cristiano: qualcosa di analogo avverrà con la leggenda di Perceval o Parsifal e con altri racconti di eroismo e avventura. Il viaggio si confonde col tema dell'*itinerario*, ossia del cammino terreno diretto verso la patria celeste.

La struttura narrativa permane così elementare: lo spazio è vastissimo (i mari ignoti) e ricco di portenti, ma del tutto vago, indefinito, o meglio interiorizzato, fino a coincidere con la tensione verso la meta, che però non ha uno svolgimento storico, ma una sorta di ciclicità rituale. Il ritmo, insomma, è quello che ispira la tensione medievale verso la verità nelle altre forme della cultura dell'epoca: un conoscere come riconoscere, una «lettura» dei fenomeni per ritrovarvi, dietro la varietà delle forme e dell'apparire, un unico significato; l'avventura conoscitiva come ripetizione, cioè attestazione e fedeltà fuori dello scorrere del tempo: nella fissità e circolarità con cui la liturgia ripropone una rivelazione perenne.

Per il testo seguiamo: *Navigatio Sancti Brendani – La navigazione di San Brandano*, a cura di M.A. Grignani, Milano, Bompiani, 1975. Riportiamo soltanto il testo toscano.

L'isola infernale

Il cammino verso il paradiso terrestre non può prescindere dalla visione dell'Inferno, magari come approdo evitato ma pur sempre minaccioso. Anch'esso fa parte della geografia arcana e simbolica del mare di ponente; e fa parte anche dell'*itinerarium*, tanto è vero che un frate indegno, aggiuntosi all'ultimo momento a S. Brandano e ai suoi, lascerà i compagni per restare nell'isola maledetta, alla pena eterna. Il testo veneto specifica meglio che cosa comporti il lavoro dei fabbri-demoni (che hanno qualche somiglianza coi Ciclopi della mitologia classica); ma il testo toscano lascia pur sempre intravedere che costruiscono strumenti di tortura per usarli contro i dannati. Quanto alla somiglianza dell'episodio con quello di Ulisse e i Ciclopi non deve stupire: l'Irlanda fu nel Medioevo una grande fucina del pensiero e della cultura sia classica sia cristiana.

E avendo detto queste parole, e' venne un gran vento e molto forte, e menò la nave presso a questa isola, e sì come piacque a Dio questa nave passò oltre con salvazione; essendo la nave di lungi un tratto di balestro, e' frati udivano uno ismisurato vento e romore di martelli, e battevano i martelli su per l'ancudini.[1] E udendo San Brandano questo romore e' si comincia a segnare e disse così: «O signore Iddio, debbiaci iscampare da questa isola se a voi piace». E avendo così detto, inmantenente e' venne uno uomo di questa isola inverso loro el quale era vecchio e aveva la barba molto lunga, e nero e piloso a modo d'uno porco, e apuzzava molto forte.[2] E così, tosto come questi servi di Dio ebbeno veduti, questo uomo così tornò subitamente indietro, e ll'abate si segna e racomandasi a Dio e disse così: «O figliuoli miei, levate più alta la vela e navichiamo più forte acciò che noi possiamo fuggire di questa isola, ché c'è male stare».

E avendo detto queste cose, cioè parole, incontanente e' venne uno mal vecchio barbuto in su lo lido del mare e recava in mano una tanaglia e una pala di ferro tutta ardente di fuoco, e veggendo egli che la nave era partita, elli la gitta lor dietro quella pala di ferro, ma come piacque a Dio ella no lli giunse, ma dove ella diede[3] tutta l'acqua fe bollire fortemente. E avendo veduto questo fatto eglino ebbono veduti in sulla riva una grande multitudine di sozzi uomini come fu lo primo; e aveva ognuno in mano una gran mazza di ferro tutte ardente di fuoco e rendeva una gran puzza. E di queste mazze e dell'altre traevano loro dietro, mai non gliene giunse veruna, ma un gran puzzo faceva, e faceva bollire l'acqua ben tre dì; anche vedemmo ardere quella isola molto forte e andando via i frati egli udivano un grande urlamento e romore il quale faceva quella brutta gente. E San Brandano confortava tutti e' suoi frati e diceva: «Non temete, figliuoli miei, lo signore Iddio si è e sarà nostro aiutatore, io voglio che voi sappiate che noi siamo nelle parti del Ninferno[4] e questa isola è delle sue, e avete veduto de' suoi segni e perciò dobbiate orare divotamente acciò che non vi bisogni temere di queste cose».

E dette queste parole eglino udivano boci[5] che gridavano molto dolorosamente e dicevano: «O padre santo e servo di Dio, priega per noi miseri tapini, sappi che noi siamo presi a mal nostro grado e contra a nostra voglia, volentieri verremo da voi ma noi non possiamo, dolente a noi che mai nascemo al mondo el quale è pieno d'ogni inganno e tradimenti; noi non siamo legati molto forte e non veggiamo da chi né chi ci tiene, onde la nostra vita è sempre dolorosa e sempre sarà». E quando i frati udirono queste parole ebbono grande compassione e priegano Iddio che gli guardasse da queste pene. E guardando eglino inverso l'isola e' viddono questo uomo ch'era ignudo et era menato al tormento e udiva le boci che gridava e diceva: «Al fuoco, al fuoco!». E altri diceva: «All'acqua!». E molte altre parole udivano assai piggiori, e in queste parole l'acqua del mare venne tutta torbida e pareva che gittasse fiamma e puzzo molto orribile, e per questo e' frati vennono molto isbigottiti tal che non sapevano dove si fossono né dove dovessono andare, ma coll'aiuto di Dio pur si partirono di così brutto luogo.

---

1. **e'**: il primo del periodo sta per *egli*, ed è soggetto pleonastico, secondo l'uso toscano; il secondo val **i. con salvazione**: salvandosi. **balestro**: balestra. **ancudini**: incudini.
2. **inmantenente**: subito. **apuzzava**: puzzava.
3. **giunse**: raggiunse. **diede**: pervenne, colpì.
4. **Ninferno**: Inferno.
5. **boci**: voci.

Una proposta scientifica: la scuola di Chartres

Il secolo XII vede una rinascita importante della cultura europea. È l'epoca in cui, con l'ulteriore espandersi della vita e civiltà cittadine, le scuole monastiche cedono il posto a quelle presso le cattedre episcopali. Quella fiorita presso la cattedrale francese di Chartres fu la più celebre, e prelude all'imminente affermarsi della cultura nuova delle Università.

I dotti di Chartres congiunsero allo studio dei poeti e prosatori classici latini (Virgilio, Ovidio, Orazio, Lucano, Cicerone, Seneca) quello degli scienziati classici (Plinio il Vecchio) e medievali (Beda, Isidoro), ma soprattutto poterono attingere agli importanti testi scientifici greci e arabi, che si diffusero allora, partendo dalla Sicilia e dalla Spagna. Quasi sempre congiunsero alla fisica la filosofia, sull'esempio di Boezio e del *Timeo* di Platone, letto attraverso il commento di Calcidio, e soprattutto lo studio delle scienze matematiche e dell'astronomia. I rappresentanti più importanti della scuola furono Teodorico di Chartres e Bernardo Silvestre, autore della *Cosmografia*, scritta parte in versi e parte in prosa, in cui parla della natura e delle sue meraviglie e della creazione dell'uomo, unendo poesia, fisica e filosofia.

Rispetto agli altri testi che si sono riportati — e che continuano a essere ben presenti, fino alla fine dell'età medievale, alla cultura e all'immaginario comuni —, le nozioni scientifiche non appaiono radicalmente progredite, anche se viene lasciato cadere il versante più esasperatamente favoloso; ma cambia lo spirito. La scienza, cioè, o meglio, il pensiero scientifico ricerca preliminarmente una base filosoficamente e metodologicamente corretta o quanto meno coerente. Lo si vede nel passo di Teodorico che riportiamo e che è un commento filosofico-scientifico al *Genesi*. Un ulteriore progresso si avrà nel secolo seguente, con l'aristotelismo scolastico, anche se la scienza medievale resterà fatalmente limitata dalla mancanza d'un metodo induttivo sperimentale.

Per il testo seguiamo: Teodorico di Chartres, Guglielmo di Conches, Bernardo Silvestre, *Il divino e il megacosmo. Testi filosofici e scientifici della scuola di Chartres*, a cura di E. Maccagnolo, Milano, Rusconi, 1980.

Un commento al «Genesi» secondo la fisica (Teodorico di Chartres)

Già «maestro» nel 1121, il brettone Teodorico morì dopo il 1176, dopo avere preso parte a importanti eventi culturali del tempo e avere insegnato a Parigi e a Chartres. Le sue opere principali sono il commento al *De Trinitate* di Boezio e al *De inventione* di Cicerone, oltre al *Trattato sull'opera dei sei giorni*, che è anch'esso un commento al *Genesi*, dove questo parla della creazione del mondo. Teodorico non è insensibile all'aspetto teologico, ma l'interesse maggiore della sua opera è il commento «fisico», e cioè scientifico, al testo biblico. Pubblichiamo la parte relativa al terzo e quarto giorno.

Così, dunque, la prima rotazione del fuoco ha illuminato l'aria, e la durata di tale illuminazione fu il primo giorno. Allo stesso modo, la seconda rotazione del medesimo fuoco, per mezzo dell'aria, ha riscaldato l'acqua e ha posto un firmamento tra acqua e acqua: la durata di questa rotazione fu chiamata secondo «*giorno*».

Ma, dopo che l'acqua si è innalzata in forma di vapore al di sopra dell'aria, la successione naturale degli eventi esigeva che, essendo diminuita l'acqua che scorre, apparisse la terra, non tuttavia nella sua ininterrotta continuità, ma, per così dire, a guisa di isole. E ciò si può accertare mediante alcune esperienze.

Quanto più vapore, infatti, si eleva da un calderone, tanto più diminuisce l'acqua che vi è contenuta. Allo stesso modo, se uno strato di acqua si estende senza interruzione sopra una tavola, e se si sovrappone del fuoco sopra la continuità dell'acqua, immediatamente accade che, per il sovrapporsi del calore, lo strato di acqua si attenua e vi appaiono alcune zone asciutte, perché l'acqua diminuisce e si raccoglie in alcuni punti.

Così, dunque, l'aria posta tra le due acque, sospinta ad opera di quel maggior calore, fece la terza rotazione completa, e, compiendo tale rotazione, divise la superficie della terra in alcune isole.

Ma nella stessa rotazione — mescolandosi il calore dell'aria che sta in alto con l'umidità della terra appena lasciata scoperta dalle acque — accadeva che, per il comporsi di questi due fattori, la terra accogliesse in sé la potenza di produrre erbe e alberi: questa potenza si trasmette, in modo naturale, dal calore del cielo alla terra appena lasciata scoperta dalle acque: la durata di questa terza rotazione è stata chiamata terzo «*giorno*».

Ma, dopo che fu posto un firmamento tra acqua e acqua, e dopo che, nello stesso firmamento, si generò, da quelle acque che stavano intorno, un calore tanto grande che, proprio per quel calore, il firmamento contrasse in sé l'acqua che scorre, e così apparve la terra asciutta: dopo tutto questo, ripeto, in modo naturale, accadeva che, da quella quantità di acqua contratta nel firmamento mediante il calore del terzo giorno, si formassero, nel firmamento stesso, i corpi stellari.

E che i corpi stellari siano composti, quanto alla materia, di acqua, può essere provato in modo certo. È palese, infatti, che i due elementi che stanno più in alto — il fuoco e l'aria — per loro natura non sono massicci, e non possono essere visti per loro natura, ma solo per mezzo di un accidente accessibile alla vista. E se alcuni inesperti dicono di vedere il cielo quando l'aria è pulita, ciò è assolutamente falso, giacché si immaginano di vedere l'azzurro. Quando, infatti, vien meno la vista, l'errore del senso dà l'impressione di vedere ciò che di fatto non vede, come quando, chiusi gli occhi, sembra di vedere il buio: il raggio visivo, infatti, nonostante abbia origine dalla luce degli occhi, è del tutto inefficace se non è riflesso da un ostacolo di una certa compattezza.

Ma, se questa aria che sta in basso tra noi e la parete o il muretto o qualcosa della stessa sorta non può costituire ostacolo alla vista così che possa esserci sensazione, a maggior ragione non lo può costituire l'aria che sta più in alto e che è più pura. Per questo, propriamente, l'aria viene chiamata «cielo», perché resta «celata» ai nostri sguardi.

Da ciò risulta che ogni corpo visibile deve avere una certa densità che gli deriva dalla compattezza dell'acqua o della terra: le nubi, infatti, ispessite dal vapore delle acque, risultano visibili; e anche le fiamme che si formano nelle nubi dell'atmosfera, o in qualche materia combustibile, hanno la loro sostanza dai vapori delle acque.

E anche il raggio di sole che sembra discendere attraverso la finestra, diventa visibile solo per la presenza di atomi di polvere che si muovono nel raggio e che risplendono alla luce del sole. Così, a chi sa guardare con precisione, in tutte le cose apparirà che nulla è visibile se non conseguentemente a un ostacolo che risulti costituito di acqua o di terra.

Ogni corpo, dunque, che appare visibile nel firmamento del cielo deve necessariamente la sua visibilità alla compattezza della terra o dell'acqua. Ma ciò che è terroso non può mediante il calore o per qualche altro mezzo elevarsi fino al firmamento, giacché questo è il proprio della natura dell'acqua.

Tutte le cose, dunque, che appaiono visibili in cielo traggono il loro principio materiale dalle acque: di tal fatta sono le nubi, i lampi e le comete. Analogamente, dunque, è necessario che i corpi stellari, quanto alla materia, risultino composti di acqua. E ancora: la fisica attesta che tutto ciò che si nutre, si nutre di ciò stesso di cui materialmente consta; ma i fisici dicono che i corpi stellari si nutrono di umidità. Sembra, dunque, possibile che, quanto alla materia, constino di acqua.

La durata, dunque, della quarta rotazione, nella quale i corpi stellari hanno assunto forma sferica dalle acque sospese in forma di vapore, quella durata, dico, è stata chiamata quarto «*giorno*».

Estetica e poetica nel Medioevo

Estetica medievale

L'ideale cristiano domina anche l'*estetica*, cioè la meditazione filosofica sul bello, cui si collega quella sul carattere specifico, sul valore, sul significato dell'arte e della poesia.

Non esiste, nel Medioevo, un'estetica autonoma; essa rimane, se mai, implicita nella nuova idea dell'ordine universale come manifestazione dell'Essere supremo e scala alla contemplazione di Lui: l'armonia del mondo adombra la coincidenza in Dio di verità, bontà, bellezza. L'itinerario dell'anima cristiana è, appunto, il presentimento, dietro le forme della bellezza sensibile, di quella spirituale: dello splendore della Mente creatrice. La scoperta e il godimento della bellezza sono una tappa nella scoperta del vero e del bene.

Per quel che riguarda la teoria estetica vera e propria, i medievali riprendono e sviluppano motivi di pensiero dell'Antichità, concordando nell'assegnare al bello i seguenti attributi:

— l'armonia o convenienza delle parti; cioè l'intima coerenza dell'oggetto;

— la dolcezza e vivacità dei colori, lo splendore.

In entrambi i casi, la percezione del bello reca implicito un aspetto conoscitivo. Nell'armonia come ordinata concordia del dissimile e riduzione del molteplice a una coerente unità, la mente ritrovava la legge che allora, e per molti secoli ancora, fu ritenuta costitutiva dell'universo e della persona umana: la tendenza d'ogni cosa a riflettere l'Uno, e cioè il divino, e a orientarsi nella sua direzione, essendo Dio il fine supremo d'ogni vita; lo splendore appariva come vivente metafora dello spirito che regge tutte le cose.

A questi caratteri del bello S. Tommaso d'Aquino aggiunse l'*integrità*, che indica, a nostro avviso, la consistenza unitaria e la concreta pienezza di vita del singolo esistente, nel senso indicato da S. Agostino nel primo dei passi riportati nella sezione precedente.

La poesia e l'arte

La parola «arte» non ha, nel Medioevo, lo stesso significato che ha per noi. Non designa, cioè, le belle arti, ma è una scienza applicata che, partendo da un principio dottrinale o filosofico, definisce concrete regole razionali dell'agire per ogni forma di produzione dell'uomo. Sono pertanto arti il lanificio e l'architettura, la caccia e la poesia, la medicina e la pittura, la musica e l'agricoltura. Come avverte Ugo di San Vittore, il loro scopo, come quello di ogni scienza e dottrina, è quello di ricostituire l'integrità della nostra natura, decaduta in seguito al peccato originale, e di ovviare alle deficienze a cui soggiace la vita terrena. In tal modo ogni forma dell'operare umano, ogni dottrina, ogni arte acquistano un'alta dignità; ma si produce anche una gerarchia che vede nel posto più alto quelle rivolte alla conquista diretta del vero, cioè la filosofia teoretica e la teologia: quelle, insomma, che rivelano l'uomo a se stesso, che lo conducono a ritrovare l'immagine del divino che persiste, pur offuscata, in lui.

La poesia rimase nel Medioevo, sul piano teorico, un'arte dallo statuto non ben distinto, dipendente, per un lato, dalla filosofia, in quanto potenziale portatrice di verità, ma in forma indiretta e inferiore alla virtù del pensiero puro; per un altro, dalle arti della grammatica e della retorica, intesa, quest'ultima, come arte del costruire e formulare il discorso e del persuadere. Nelle «arti poetiche» che si succedono soprattutto nei secoli XII e XIII (o che, almeno, acquistano in quest'epoca maggiore sistematicità) quali l'*Ars versificatoria* di Matteo di Vendôme, la *Poetria nova* di Goffredo di Vinsauf, la *Parisiana Poetria*, di Giovanni di Garlandia, non si parla del carattere specifico, dell'essenza, delle funzioni della poesia, ma si accumula una minuta precettistica relativa allo stile, al linguaggio, ai colori retorici, e cioè al linguaggio metaforico e figurato, comune agli altri trattati di retorica, con l'aggiunta, non sempre, di nozioni pratiche di metrica classica o di ritmica accentuativa, propria, quest'ultima, di molti inni medievali.

Nel Medioevo, dunque, la poesia non ebbe, sul piano teorico, la dignità che aveva avuto nel mondo antico, che ne aveva esaltato la funzione educatrice e civilizzatrice. I primi pensatori cristiani, impegnati nella lotta contro il paganesimo, ne avevano limitato il valore, considerandola un tessuto di falsità per la sua esaltazione degli dèi pagani e la concezione del mondo che esprimeva. Ma già S. Agostino riconobbe che le favole dei poeti, anche se non vere, potevano contribuire a rendere meglio accessibili certe ardue verità, in quanto parlavano un linguaggio più vicino all'esperienza sensibile.

Per secoli si affidò così alla poesia la funzione di presentare agli uomini, soprattutto a quelli meno provveduti culturalmente, le più importanti verità morali e religiose sotto un bel velo di favole che le rendesse più accessibili e persuasive. È questo il procedimento, non ignoto al mondo antico, dell'allegoria, che consiste appunto nel celare, sotto il significato letterale del testo (un gruppo di immagini o una vicenda fittizia) un significato morale o religioso. Questo procedimento, applicato all'interpretazione dei testi letterari, consentì il recupero della grande poesia classica. In Virgilio, in Ovidio si scoprì in tal modo, sia pure con frequenti forzature, una verità umana anteriore alla Rivelazione ma non discordante da essa.

Allegoria e simbolo

L'idea d'una poesia sapienziale, con sistematiche formulazioni allegoriche, era, d'altronde, garantita dal libro che si pensava comprendesse il modello d'ogni umano agire, d'ogni verità, d'ogni dottrina e d'ogni scienza: la Bibbia, per oltre mille anni assoggettata a un complesso lavoro d'interpretazione, inteso a penetrarne la complessa simbologia, soprattutto nelle parti scritte in poesia (i Salmi) o, comunque, in stile fantastico o allusivo (le parabole).

Il modello interpretativo fu la distinzione e, al tempo stesso, il riconoscimento della possibile compresenza, di senso letterale o storico e senso allegorico, che poteva articolarsi in allegorico vero e proprio, morale e anagogico. Ad esempio, come afferma Dante, nella narrazione dell'uscita del popolo d'Israele dall'Egitto sotto la guida di Mosè, si distinsero quattro significati compresenti: l'evento storico raccontato dal testo, la redenzione portata da Cristo (senso allegorico), il passaggio dal peccato alla grazia (senso morale), l'approdo, dopo la prova terrena, alla patria celeste (senso anagogico).

L'allegoria, che nella retorica classica era soltanto una metafora continuata, divenne così l'espressione della pluralità di significazioni che la realtà porta in sé, dal momento che essa risulta, per l'uomo del Medioevo, dalla costante compresenza d'una dimensione terrena e d'una ultraterrena, di tempo ed eternità, di sensibile e spirituale. I teologi poi procedettero a un'altra distinzione, quella fra *allegoria nelle parole*, in cui dietro al significato letterale se ne esprime un altro morale o religioso, e *allegoria nei fatti,* che si ha quando certi eventi del Vecchio Testamento ne significano, contemporaneamente, altri del Nuovo. In questo caso si usò anche il termine *figura.* Ad es., il sacrificio di Isacco venne considerato «figura» o prefigurazione di quello di Cristo, che ne rappresenta il compimento nel Nuovo Testamento, il quale, a sua volta, porta a pienezza di valore e di significato tutta la storia del mondo, assumendola nell'ordine instaurato dall'evento risolutivo della Redenzione.

La dimensione allegorica fu applicata, come s'è detto, anche all'interpretazione dei poeti, a ogni libro cui venisse riconosciuta *auctoritas* o autorevolezza, a cominciare dalle grandi opere dei classici. Ogni libro, in quanto partecipe di verità, era infatti sentito come una sorta di frammento del grande libro sacro, modello del vivere e dello scrivere.

Accanto alla Bibbia l'uomo del Medioevo trovava, però, un altro libro, quello dell'Universo, anch'esso parola vivente di Dio. «I cieli narrano la gloria di Dio», diceva un Salmo, e già s'è visto come S. Agostino cogliesse nell'ordine mirabile della natura il segno vivo, l'immagine del divino. Nasce di qui la tendenza a concepire la natura come una rete di simboli, che rivelano intuitivamente all'uomo il suo essere e il suo destino.

Simbolismo e allegoria diedero vita a molte forme di espressione artistica nel Medioevo. È difficile operare una netta distinzione fra di essi, anche se si può dire che nell'allegoria prevale la costruzione razionalistica, mentre nel simbolo prevale l'aspetto analogico e intuitivo. La grande cattedrale gotica, con la pianta a forma di croce dalle dimensioni rapportate alla misura del corpo umano, è, ad es., concepita come simbolo del Cristo e, insieme, dell'uomo e, ancora, del corpo mistico della Chiesa. Mentre nella sua spazialità calcolata su strutture architettoniche soggette a una proporzione rigorosa, riflette la grande architettura dell'universo, nella sua interna luminosità diviene spontanea metafora della bellezza e dello spirito.

L'armonia e la luce

La musica (Boezio)

Queste pagine del *Trattato sulla musica (De institutione musica)* di Boezio esprimono chiaramente il dominante intellettualismo dell'estetica medievale. La musica, definita come «consonanza di voci (cioè di toni) fra loro dissimili condotte a concordia unitaria», è concepita come pura scienza di rapporti proporzionali che determinano, contemperando suoni acuti e gravi, nati da movimenti più veloci o lenti, e quindi da tempi di misura diversa, gli accordi perfetti. Ma a questo punto la musica rivela la propria contiguità con la matematica e soprattutto con la struttura armonica dell'universo e con quella della persona umana; diviene una scienza che rientra nell'interpretazione filosofica globale della realtà, e, insieme, un'*ars* che imita il procedimento stesso della natura e produce un piacere sensibile e intellettuale proprio perché la commisuriamo alla realtà intima del nostro essere e dell'essere in generale. La musica che l'uomo compone ed esegue con gli strumenti è dunque trascrizione e immagine del principio armonico che regola il moto degli astri e il combinarsi dei quattro elementi (*musica mundana*) e l'armonizzarsi di corpo e anima nell'uomo (*musica humana*). Stabilita rigidamente la preminenza del momento teoretico su quello pratico, Boezio esclude da una reale partecipazione a questa scienza severa sia gli esecutori di musica sia i poeti che compongono i testi da musicare e da cantare (a questi riconosce un istinto naturale, una forma di ispirazione disgiunta dalla consapevolezza razionale e filosofica). Il vero musico è il conoscitore e giudice della scienza musicale su fondamenti rigorosamente speculativi.

La traduzione è condotta sul testo: Boetii, *De institutione arithmetica. De institutione musica*, a c. di G. Friedlein, Lipsia, Teubner, 1867, capp. I, II e I, XXXIV.

Tre sono i generi di musica: la prima è quella cosmica, la seconda è quella umana, la terza è quella che pertiene a certi strumenti, come la cetra, le tibie e gli altri che accompagnano il canto. E la prima, quella cosmica, è da osservare soprattutto nelle cose che appaiono nel cielo o nella compagine degli elementi o nella varietà dei tempi. Infatti come potrebbe la così veloce macchina del cielo muoversi con un corso tacito e silenzioso? Anche se quel suono non giunge alle nostre orecchie, cosa che avviene di necessità per molte ragioni, non potrà tuttavia un movimento così incomparabilmente veloce di corpi tanto grandi non emettere alcun suono, soprattutto se si pensa che il corso dei vari astri è così concatenato che non si può pensare che esista altra cosa compaginata in maniera così unitaria. Se poi una qualche armonia non congiungesse le diverse e contrarie potenze dei quattro elementi, come potrebbero accordarsi nella struttura unitaria dell'universo? Ma questa totale diversità produce varietà di stagioni e di frutti, in modo tale, però, che ne risulta un unico corpo dell'anno. Che cosa sia, poi, la musica umana, lo intende chiunque discende in se stesso. Che cosa, infatti, potrebbe mescolare al corpo la vita incorporea della ragione se non un qualche principio armonizzante e un contemperamento, per così dire, di voci alte e basse, sì da costituire un'armonia unitaria? Che altro potrebbe congiungere fra loro le parti dell'anima, che, come pensa Aristotele, nasce dall'unione di una parte razionale e di una parte irrazionale? La terza musica è quella che si dice consistere in certi strumenti. Questa si produce o con strumenti a corda, o con strumenti a fiato, come le tibie, o con gli organi ad acqua, o con strumenti a percussione, e in tal modo si producono i vari suoni.

Ogni arte e ogni scienza hanno per natura un'essenza più degna d'onore della pratica tecnica che si compie con la mano e l'opera dell'artefice. È, infatti, molto più importante ed essenziale sapere ciò che si fa che fare ciò che si sa: infatti l'artificio eseguito dal corpo è, per così dire, un servo che obbedisce, mentre è la ragione che comanda, come una padrona.

Il vero musico è colui che, dopo aver ben meditata la scienza del canto, la sottopone non alla servitù dell'operare, ma all'imperio della speculazione filosofica. Vi sono pertanto tre aspetti che riguardano l'arte musicale: il primo che è la pratica strumentale, il secondo che riguarda la produzione delle poesie (da musicare e cantare), il terzo che giudica l'esecuzione strumentale e le poesie. Ma il primo genere di musicisti, che si dedica all'esecuzione, come i citaredi, gli organisti e gli altri suonatori, sono esclusi dall'intelligenza della scienza musicale, perché sono, come si è detto, meri esecutori, e non portano alcun contributo razionale e speculativo. Il secondo genere di persone che fa musica sono i poeti, che traggono la loro ispirazione non tanto da una meditazione filosofica, ma da una sorta di istinto naturale. Per questo, anche costoro sono da tener separati dalla vera coscienza musicale. Il terzo genere di persone è quello fornito di capacità di giudizio, sì da saper dare una meditata valutazione dei ritmi, del canto e delle poesie. Questi, che si dedicano completamente alla speculazione filosofica, sono da assegnare propriamente alla vera musica, e musico vero è colui che ha la capacità, dopo aver compiuta un'analisi filosofica pertinente e approfondita dell'essenza della musica, di giudicare dei modi musicali, dei ritmi, dei vari generi di canto, delle loro mescolanze e dei carmi dei poeti.

Il simbolismo universale (Alano da Lilla)

In questi versi è espressa sinteticamente la visione simbolistica del mondo, secondo la quale le cose appaiono come segni o simboli del nostro essere e del nostro destino. Così il rapido sfiorire della rosa allude alla precarietà della vita dell'uomo.

Alano da Lilla, nato fra il 1115 e il 1128, morto nel 1202, insegnò teologia a Parigi e fu poi monaco cistercense. È anche autore di poemi (*Anticlaudianus, De planctu naturae*), in cui perseguì l'ideale di una poesia dottrinale e filosofica.

Omnis mundi creatura
quasi liber et pictura
nobis est in speculum;
nostrae vitae, nostrae mortis
5 nostri status, nostrae sortis
fidele signaculum.
Nostrum statum pingit rosa
nostri status decens glosa
nostrae vitae lectio:
10 quae dum primo mane floret
defloratus flos effloret
vespertino senio.

Ogni creatura dell'universo, come un libro o un'immagine dipinta ci è posta innanzi affinché in essa ci rispecchiamo; è un segno che riflette fedelmente la nostra vita, la nostra morte, la nostra condizione, il nostro destino. Così la rosa è una raffigurazione pittorica della nostra condizione, una appropriata glossa (= *commento*) di essa, in cui possiamo leggere la nostra vita. Essa, infatti, mentre fiorisce nel primo mattino, subito, fiore disfiorato, avvizzisce nella vecchiaia del vespro.

Un universo trasparente: la luce (Dionigi Areopagita)

È qui celebrata la luce (con vaghi echi neoplatonici) come elemento costitutivo dell'universo, importante sia per la vita che produce, sostiene, rinnova, sia per l'analogia con la Luce divina di cui è testimonianza. Usiamo quest'ultima parola per sottolineare il fatto che non si tratta tanto di simbolo, ma di analogia esistenziale; non tanto d'un procedimento attraverso il quale l'intelletto stabilisce ingegnosamente corrispondenze fra oggetto e Creatore, ma d'una realtà che esso è chiamato a riconoscere e che è, prima, oggettivamente nei fatti. La creatura — anche gli oggetti — riflette in qualche modo Dio, perché partecipa del Suo attributo fondamentale, l'essere; nata da Lui, ne è parziale manifestazione e in Lui ritrova causa e finalità essenziali. Ma l'insistenza sul paragone col sole mette in evidenza un altro aspetto della teologia mistica di Dionigi: l'estetica della luce, ossia l'attribuire a Dio oltre che la suprema Verità e il sommo Bene o Bontà, anche la Bellezza, inscritta, per dir così, nell'Universo ed evidente soprattutto nei Cieli, negli astri: in una parola, nella luce, rivelazione analogica della Divinità nella più alta forma sensibile, e dunque manifestazione o forma privilegiata di apparizione del Bene. Questa tematica ispirerà la metafisica della luce, soprattutto la filosofia di Roberto Grossatesta (1168-1253), e, a partire dalla seconda metà del secolo XII, le grandi cattedrali gotiche, dove la luce è componente fondamentale sul piano strutturale ed estetico. Il tema della luce è, inoltre, centrale nella poesia del *Paradiso* di Dante.

Anche questo passo è tratto da: *De divinis nominibus*, in D.A., *Tutte le opere*, cit.

Il Bene è causa anche dei principi e dei limiti celesti di quella sostanza che non aumenta e non diminuisce e che rimane completamente invariabile[1] e, se si può dire così, dei movimenti dell'enorme evoluzione celeste che avvengono senza rumore, e degli ordini, delle bellezze, delle luci e delle stabilità delle stelle e dei vari corsi di alcune stelle erranti e del periodico ritorno ai loro punti di partenza dei due luminari che la Scrittura chiama grandi, secondo il corso dei quali sono definiti i giorni e le notti e misurati i mesi e gli anni che precisano i movimenti ciclici del tempo e delle cose che sono nel tempo e li numerano e li ordinano e li contengono.[2] E che cosa diremo del raggio solare preso in se stesso? La Luce deriva dal Bene ed è immagine della Bontà, perciò il Bene è celebrato col nome della Luce.[3] Come, infatti, la Bontà divina superiore a tutte le cose penetra dalle più alte e nobili sostanze fin dentro alle ultime ed ancora sta al di sopra di tutte, senza che quelle più elevate possano raggiungere la sua eccellenza e che quelle più in basso sfuggano al suo influsso; ma illumina, produce, vivifica, contiene e perfeziona tutte le cose atte a riceverla; ed è la mistura, la durata, il numero l'ordine, la custodia, la causa e la fine degli esseri;[4] così anche l'immagine manifesta della divina bontà, ossia questo grande sole tutto luminoso e sempre lucente secondo la tenuissima risonanza del Bene,[5] illumina tutte quelle cose che sono in grado di partecipare di lui, ed ha una luce che si diffonde su tutte le cose ed estende su tutto il mondo visibile gli splendori dei suoi raggi in alto e in basso; e se qualche cosa non vi partecipa, ciò non è da attribuirsi alla oscurità del sole o alla inadeguatezza della distribuzione della sua luce, ma alle cose che non tendono alla partecipazione della luce a causa della loro inettitudine a riceverla. In realtà il raggio, attraversando molte delle cose che si trovano in quella situazione,[6] illumina le cose che vengono dopo e non c'è nessuna delle cose visibili a cui non giunga, a causa della grandezza eccedente del suo proprio splendore. Ma, anzi, il sole contribuisce alla generazione dei corpi sensibili e li muove verso la vita, li nutre, li fa crescere, li perfeziona, li purifica e li rinnova; e la luce è la misura del numero delle ore e di tutto il nostro tempo. Infatti, questa è la luce che, sebbene allora fosse informe, come dice il divino Mosé, aveva già distinto i primi nostri tre giorni[7] e, come la Bontà[8] converte a sé ogni cosa ed è la prima radunatrice delle cose disperse come Divinità principale e unificatrice, e tutte le cose tendono a lei in quanto principio, sostegno e fine; e il Bene, come dicono le Scritture, è quello da cui tutte le cose sono e vennero all'esistenza, come dedotte da una causa perfetta,[9] ed in essa tutte le cose sussistono come custodite e contenute in un recesso onnipotente; e verso di lui tutte le cose si convertono come verso un fine proprio per ciascuna; e lui tutte desiderano, quelle intelligibili e razionali in maniera conoscitiva, quelle sensibili sensibilmente, quelle prive di sensibilità per un movimento innato della loro tendenza alla vita,[10] e quelle che sono prive di vita e che esistono soltanto per una attitudine alla sola partecipazione alla sostanza, secondo lo stesso criterio dell'immagine visibile, anche la luce[11] riunisce e converte a sé tutte le cose che sono, che vedono, che sono suscettibili di movimento, che sono illuminate, riscaldate; insomma, che sono comprese dai suoi raggi splendenti: donde il nome stesso di sole, perché riunisce tutte le cose e raccoglie le cose disperse;[12] e tutto ciò che è sensibile lo desidera, sia per vedere sia per muoversi, per ricevere la luce e il calore e, insomma, perché desidera di essere contenuto dalla sua luce.

1. Allude alla sostanza chiamata «etere», la materia particolare assegnata, dal pensiero antico, ai cieli.
2. I **due luminari** sono il sole e la luna. **li contengono**: contengono, cioè, i movimenti ciclici che essi misurano e quindi definiscono. Va osservato che la scienza medievale è soprattutto rivolta all'osservazione dei fenomeni celesti.
3. **La Luce**: La maiuscola perché si allude qui alla luce come attributo della Divinità. In sostanza, essa coincide con un altro attributo, il *Bello*, che Dionigi vede come manifestazione del Bene, delineando un principio di fondo dell'estetica medievale.
4. **la fine**: il punto d'approdo, il fine. La **Bontà**, e cioè Dio in quanto sommo Bene, è la ragione della vita di tutte le cose, della mescolanza o complesso armonico della Creazione (**mistura**), composte da essa in numero e misura, come dice la Bibbia, fatte durare, prodotte alla vita con una finalità immanente a ciascuna, custodite con un costante intervento provvidenziale.
5. **tenuissima risonanza**: analogia che, ovviamente, non abolisce l'infinita distanza fra il sole e il suo Creatore.
6. **quella situazione**: l'inettitudine a ricevere la luce.
7. Allude al fatto che nel *Genesi*, attribuito a Mosè, là dove si parla della Creazione, si distingue fra quella iniziale della luce e quella degli astri e del sole, che ebbe luogo il quarto giorno.
8. **come la Bontà**, ecc.: Ha qui inizio un periodo lunghissimo e complesso, composto inizialmente d'un gran numero di coordinate, che costituiscono il primo termine di paragone (dipendente da **come**), mentre il secondo termine ha inizio da **anche la luce**, ecc. Il senso è dunque: «come la Bontà e il Bene supremi producono gli effetti di convertire a sé le cose, ne sono principio e fine, sia di quelle razionali sia di quelle irrazionali, così anche la luce del sole produce effetti che richiamano analogicamente quelli del Bene e della Bontà divini.
9. **come dedotte**: il come può essere tralasciato, o sostituito da «in quanto». La **causa perfetta** è Dio creatore.
10. Dante parlerà in proposito di «istinto» che porta ogni cosa a raggiungere la finalità voluta da Dio (il fuoco, per es., ha la tendenza innata a salire in alto, come pensava la fisica del tempo, in direzione del Cielo della Luna).
11. **anche la luce**: allo stesso modo (o meglio, in modo analogo) la luce, ecc.
12. Platone, nel *Cratilo*, mette la parola greca 'sole' in relazione con un verbo che significa 'raccogliere'.

Come leggere «il» libro

Nel *De doctrina christiana* Sant'Agostino propone alcuni problemi fondamentali dell'esegesi biblica: prima di tutto quello di trovare la giusta chiave di lettura per un testo scritto sovente in modo immaginoso, con metafore continuate o allegorie che celano verità profonde e necessarie alla salvezza dell'uomo.

L'aiuto, oltre che da un confronto fra le varie parti della Bibbia, e cioè dalla ricerca di intima coerenza ideologica del testo (ed è già questo un principio esegetico importante), non può venire se non dall'uso anche degli insegnamenti della retorica: una disciplina che, nella tarda antichità, e ai tempi del Santo, comprendeva, oltre al suo tipico aspetto specialistico, una vasta competenza di cultura generale, e riguardava, di fatto, l'organizzazione del discorso.

Per questo appare preliminare quanto Agostino afferma nella prima lettura: deve essere accolta, fatti salvi i principi religiosi cristiani, la cultura classica capace anch'essa di verità, pur nei limiti della mancata rivelazione. Anzi, filosofi come Platone hanno certo avuto presentimenti del vero Dio, proprio fondandosi sulla retta ragione. Quanto agli studi di retorica vera e propria, ne viene riconosciuto il valore ai fini dell'interpretazione d'ogni testo, e dunque anche di quello fondamentale, la Bibbia.

Queste posizioni sono importanti. In primo luogo perché consentirono il salvataggio della cultura classica, con effetti decisamente positivi per la civiltà; in secondo luogo perché proposero regole di lettura per ogni testo su principi intellettuali rigorosi, ma anche con un'adeguata considerazione della complessità strutturale d'un testo e pertanto dei vari modi di approccio che esso richiede.

Per i testi agostiniani seguiamo: S. Agostino, *La dottrina cristiana*, Milano, Edizioni Paoline, 1989; per San Tommaso, la traduzione è effettuata su S. Thomae Aquinatis, *Summa theologiae*, I, pars, q. I. a. 10, Torino, Marietti, 1952.

La «requisizione» dei beni dei Pagani (Sant'Agostino)

Rifacendosi all'episodio dell'*Esodo* nel quale gli Ebrei, abbandonando l'Egitto, portano con sé una ricca preda di oggetti destinati al culto degli idoli egiziani, usandolo, anzi, come prefigurazione (o *figura*), Agostino proclama qui la liceità, anzi, il dovere per il Cristiano di appropriarsi di quanto di meglio ha prodotto la cultura pagana e di riserbarlo al culto del vero Dio. Questi ha, infatti, consentito alla mente umana di comprendere certe verità anche prima della Rivelazione; ma ora esse vanno inserite nel *corpus* della cultura cristiana. Ne è un esempio Platone, che è giunto a concepire idee vicine a quelle che ora Agostino immette nel suo sistema filosofico.

Le affermazioni poi di quelli che si dicono filosofi, soprattutto i Platonici, nel caso in cui siano vere e conformi alla nostra fede, non solo non si debbono considerare come uno spauracchio, ma si deve rivendicare la facoltà di avvalercene dinanzi a loro, come se ne fossero ingiustamente padroni. Gli Egiziani, a esempio, avevano non solo idoli e altri oneri insopportabili, ma anche vasi e ornamenti d'oro e d'argento e vesti che quel popolo, uscendo d'Egitto, rivendicò clandestinamente per sé, per farne un uso migliore; questo non per loro autorità, ma per volere di Dio, dal momento che gli stessi Egiziani prestavano innavvertitamente quei beni che non usavano bene.

Allo stesso modo tutte le dottrine dei Gentili non contengono soltanto finzioni menzognere e superstiziose e un insopportabile carico di pratiche inutili che ognuno di noi, sotto la guida di Cristo, uscendo dalla società dei Gentili, deve aborrire ed evitare; contengono anche discipline liberali assai adatte nella ricerca della verità e una serie di utilissimi insegnamenti morali, mentre, per quanto riguarda il culto dell'unico Dio, vi si trovano talune affermazioni vere. Proprio come il loro oro e argento, essi non inventarono tutto ciò, ma l'estrassero, per così dire, da certi metalli dati dalla divina provvidenza, che è presente ovunque, abusandone però in modo perverso e oltraggioso in ossequio ai demoni. Quando perciò il cristiano interiormente si separa dalla loro miserabile società, deve strapparne tali verità, per usarle in modo giusto nell'annuncio del Vangelo. Gli sarà concesso di accogliere e tenere, convertendola a un uso cristiano, anche la loro veste, vale a dire quel che è stato istituito dagli uomini, ma è pur sempre conveniente alla società umana e indispensabile per questa vita.

La provvidenziale difficoltà dei testi sacri (Sant'Agostino)

Come altri Padri della Chiesa, S. Agostino considera provvidenziale l'oscurità della Sacra Scrittura, dovuta, per lo più, alla metafora o all'allegoria. Essa, a suo avviso, produce un piacere, coincidente con la ricerca e l'approfondimento del vero cui il lettore viene così indotto, e persuade a non trascurare superbamente i passi più semplici, che sono anch'essi parte della Rivelazione divina.

Tali considerazioni, importanti nel campo dell'esegesi biblica, si riflettono, come quelle contenute nel brano che segue, anche in quella dei testi filosofici e poetici antichi, in uno sforzo di lettura approfondita, anche se, a volte, caparbiamente intesa a ritrovarvi significazioni armonizzabili con la prospettiva cristiana. E si riflettono anche nella produzione nuova di testi letterari, in cui vivo permane il modello sapienziale e la volontà di «nascondere» in essi, sotto il «velame» delle figure fantastiche e retoriche, un contenuto di verità. Deriva di qui l'intellettualismo che domina nell'estetica e nella teoria letteraria del Medioevo.

Quanti leggono in modo avventato, sono ingannati da molti passi oscuri e ambigui, scambiando un senso per un altro; in taluni passi, poi, non riescono ad avanzare nemmeno una supposizione falsa, finendo quindi per avvolgere le espressioni oscure in una nebbia impenetrabile. Io sono certo che tutto ciò risponde a un disegno provvidenziale, per domare con lo sforzo la superbia e rimediare alla repulsione dell'intelligenza, quando scopre insignificante affrontare ricerche facili.

Poniamo che uno affermi: esistono uomini sani e perfetti; grazie alla loro vita e al loro comportamento la Chiesa di Cristo strappa da tutte le superstizioni quanti si rivolgono ad essa e in un certo senso li incorpora, se imitano i buoni. Quei buoni credenti e quegli autentici servi di Dio, deponendo i pesi del mondo, si sono presentati al santo lavacro battesimale e, a partire da quel momento, elevandosi per l'intervento fecondatore dello Spirito Santo, producono il frutto della duplice carità, di Dio e del prossimo. Ebbene, non c'è da meravigliarsi se tale affermazione allieta colui che ascolta, meno di quando si presenta quel passo del *Cantico dei Cantici*, che ha un significato analogo, in cui si parla della Chiesa lodandola come una bella donna: «I tuoi denti sono come un gregge di pecore tosate, che risalgono dal bagno e tutte procreano due gemelli e nessuna è sterile».

Si apprende forse una cosa diversa, quando si sente quella prima affermazione con parole semplicissime, senza il supporto di questa similitudine? Eppure, non so come, mi è più gradevole contemplare i santi, quando li immagino strappare gli uomini agli errori, quasi fossero i denti della Chiesa, e trasferirli nel suo corpo, dopo aver smussato le asperità, quasi addentati e mangiati. È altresì piacevolissimo raffigurarli come pecore tosate, che hanno deposto i pesi del mondo, come dei velli, e che risalgono dal bagno, cioè dal battesimo, e tutte procreano due gemelli, cioè i due comandamenti dell'amore e non vedo nessuna sterile in questo frutto della santità.

Nessuno contesta che attraverso similitudini si apprende più volentieri e si scopre con ben altra soddisfazione quel che si cerca con una qualche difficoltà.

Senso proprio e senso figurato (Sant'Agostino)

Anche qui Agostino pone in atto criteri ermeneutici che saranno seguiti per tutto il Medioevo nell'esegesi biblica. Il senso figurato è dato dai tropi e figure studiati e definiti dalla retorica (ne diamo solo un rapido esempio).

Più importanti sono le «regole» date dal Santo per riconoscerlo con certezza. Esse sono: a) il non senso del testo, che deve indurre a cercarne il significato sciogliendone il linguaggio figurato, fino a ricondurlo a un senso intellettualmente soddisfacente; b) ove permanga l'ambiguità fra senso proprio e senso figurato ci si deve rifare alla coerenza logica della dottrina: una coerenza peraltro che va ricercata attraverso l'interpretazione globale della Bibbia, da cui nascono una rete di corrispondenze congruenti.

Insistiamo sul fatto che questa lettura della Bibbia diviene modello di ogni lettura, nel Medioevo, e ispira anche la produzione dei nuovi testi letterari, che anch'essi devono presentare a propria giustificazione un contenuto organico di verità.

1. Nei libri divini si leggono non solo esempi di questi tropi, come di tutte le altre cose, ma anche i nomi di alcuni di essi, come l'allegoria, l'enigma, la parabola. Del resto, quasi tutti questi tropi, la cui conoscenza viene attribuita all'arte liberale, si trovano anche nei discorsi di coloro che non hanno mai ascoltato i grammatici e si accontentano di usare una lingua corrente. Chi è che non dice: «Possa tu essere in fiore?» Questo tropo si chiama metafora. Chi è che non chiama «piscina» anche ciò che non contiene pesci, né è stato

costruito per contenerli, pur trattandosi di una cosa che prende nome dai pesci? Questo tropo si chiama catacresi.

Sarebbe troppo lungo passare in rassegna in questo modo tutte le altre forme: nella lingua corrente, infatti, si giunge sino a quelle che colpiscono di più in quanto significano il contrario di quel che si dice, come avviene nel caso dell'ironia o antifrasi. L'ironia lascia intendere attraverso il modo di esprimersi quel che si vuole far comprendere, come quando si dice a un uomo che si comporta male: «Stai facendo un bel gesto». L'antifrasi, invece, per produrre un significare contrario, non si serve del tono della voce, ma adopera dei termini in senso contrario alla loro etimologia (come quando *lucus* indica ciò che possiede un minimo di luce); oppure usa affermare qualcosa, benché, al contrario, lo si neghi (come quando ricerchiamo una cosa dove non c'è e ci viene risposto: «ce n'è in abbondanza»); oppure si fa in modo, combinando alcune parole, che si comprenda il contrario di quel che diciamo (come quando diciamo: «Guardati da quel tizio, poiché è un galantuomo»).

Chi è quella persona non istruita che non usa tali espressioni, pur senza sapere bene che sono dei tropi e che si chiamano così? La loro conoscenza è dunque necessaria per chiarire le ambiguità delle Scritture, poiché quando si prendono le parole in senso proprio e il significato che ne risulta è assurdo, evidentemente bisogna chiedersi se per caso quel che non riusciamo a comprendere non sia stato detto sotto forma di questo o quel tropo. Si scoprono in questo modo la maggior parte dei pensieri che risultavano nascosti.

2. Come quindi è una debolezza servile attenersi alla lettera e prendere i segni al posto delle cose di cui sono segni, allo stesso modo è un errore fuorviante interpretare i segni in modo dannoso. Naturalmente chi non comprende che cosa significhi un segno, pur comprendendo che si tratta di un segno, non è certo incalzato dalla schiavitù. È meglio però essere incalzati da segni sconosciuti, ma vantaggiosi, piuttosto che incappare nei lacci dell'errore, interpretandoli in modo dannoso, dopo essersi liberati dal giogo della schiavitù.

A questa preoccupazione, però, che mette in guardia dal seguire un'espressione figurata, cioè traslata, come se fosse usata in senso proprio, si deve aggiungere anche l'altra, di non voler accogliere un'espressione propria come se fosse figurata. Occorre dunque prima di tutto descrivere il modo per scoprire se un'espressione è propria o figurata. Il modo è sostanzialmente questo: tutto quel che nella parola di Dio non può essere riferito in senso proprio né all'onestà morale né alla verità della fede, dovresti riconoscerlo come figurato. L'onestà morale riguarda l'amore di Dio e del prossimo, la verità della fede la conoscenza di Dio e del prossimo. Quanto alla speranza, poi, essa appartiene alla coscienza propria di ciascuno, nella misura in cui questi sente di crescere nell'amore e nella conoscenza di Dio e del prossimo. Di tutto ciò si è parlato nel primo libro.

L'allegoria biblica (San Tommaso d'Aquino)

Il passo, tratto dalla *Summa theologiae*, l'opera conclusiva di S. Tommaso d'Aquino, sul quale si ritornerà più avanti, sintetizza con chiarezza i risultati della teoria dell'interpretazione biblica elaborata nel corso di secoli, che offre poi anche un modello di lettura e una giustificazione della poesia profana.

Autore della Sacra Scrittura è Dio, nel cui potere è l'accomodare non solo le parole, in modo che significhino, cosa questa che anche l'uomo può fare, ma anche le cose. Invero come in ogni scienza le parole esprimono un significato, codesta scienza (la Scrittura) ha questo di proprio, che le stesse cose significate mediante le parole hanno anche una loro significazione. Dunque la prima significazione, mediante la quale le parole significano delle cose, riguarda il primo significato, che è il *significato storico o letterale.* L'altra significazione, mediante la quale le cose significate dalle parole a loro volta significano altre cose, è detta *significato spirituale.* Esso si fonda sulla lettera e la presuppone.

Questo significato spirituale, poi, si divide in tre. Come dice, infatti, l'Apostolo Paolo, la vecchia legge è figura della nuova, e questa è figura della futura gloria celeste; e inoltre i fatti capitali della nuova sono segni che indicano ciò che dobbiamo fare.

Dunque: secondo che fatti e cose del Vecchio Testamento significano quelli del Nuovo, il loro senso è *allegorico*; secondo che gli eventi che riguardano Cristo o lo prefigurano sono il modello di ciò che dobbiamo fare, si ha il senso *morale*; secondo che i testi sacri significano le cose che appartengono all'eterna gloria celeste, si ha il senso *anagogico*.

Il senso letterale è quello che l'autore propone; ma poiché l'autore della Sacra Scrittura è Dio, che comprende contemporaneamente tutte le cose nella sua intelligenza, non è sconveniente se, anche secondo il senso letterale, in una sola espressione della Scrittura vi siano più significati.

Ugo di San Vittore: estetica e progetto educativo

Ugo di San Vittore, morto nel 1141, fu priore nell'importante monastero omonimo e teologo di prevalente ispirazione mistica. Fra le molte sue opere interessa qui il *Didascalicon* o *Eruditio didascalica,* che definisce un programma coerente di studi per il conseguimento della scienza e della sapienza, ossia quello che noi chiameremmo un progetto educativo fondato su un'idea organica della cultura. Come si vede dagli ultimi libri dell'opera, esso doveva servire all'interpretazione della Bibbia e allo studio approfondito della teologia, che era poi l'alta cultura del tempo, comprensiva di ogni scienza e dottrina. Il progetto di Ugo ebbe pertanto ampia diffusione nel tardo Medioevo, anche nella scuola laica. Ne diamo qui un riassunto.

La sapienza è il bene perfetto dell'uomo, perché lo porta a piena consapevolezza di sé, e cioè della sua origine divina, vincendo l'oblio in cui lo gettano le passioni e le suggestioni dei sensi. La filosofia, studio e amore della sapienza, è pertanto il fondamento d'ogni cultura e d'ogni dottrina e ispiratrice della virtù, che è l'altro mezzo con cui l'uomo realizza la propria somiglianza con Dio. Il progetto culturale che Ugo conseguentemente delinea si fonda così su quattro scienze filosofiche dalle quali dirama ogni forma di dottrina: la *filosofia teorica*, che investiga la verità, la *filosofia pratica,* che ha come oggetto la morale, la *filosofia «meccanica»,* che ispira teoreticamente le *artes,* cioè le attività con cui l'uomo provvede ai bisogni materiali della vita, la *logica,* che definisce la scienza del ben parlare e del ben disputare. Ugo procede poi a una minuta rete di distinzioni. La filosofia teorica è suddivisa in teologia, matematica, fisica; quella pratica in etica, economia, politica, la meccanica in lanificio, armatura (costruzione di utensili, armi, navi, edifici, ecc.), agricoltura, caccia, medicina, «teatrica», che è la scienza dei giochi, dello sport, dei divertimenti in genere, importanti per un sereno equilibrio vitale. Fra queste arti è posta anche la poesia come manifestazione pubblica (teatro, recita di versi e di inni). A questo punto si fa più labile la distinzione fra scienze o dottrine e arti, intese come il retto uso sul piano operativo di regole fondate razionalmente e scientificamente. Lasciando stare queste e altre distinzioni, ricordiamo qui il sistema delle sette arti liberali, che Ugo, come tutto il Medioevo, considera essenziali nella formazione culturale, suddivise nel *quadrivio* (aritmetica, geometria, musica, astronomia) e nel *trivio* (grammatica, dialettica, retorica). Queste ultime dipendono dalla logica in quanto scienza rivolta a definire l'organizzazione del pensiero.

I due tipi di scrittura

Ugo distingue fra gli scritti riguardanti le materie delle sette arti liberali, i quali hanno, quindi, contenuto filosofico (parlare, ad es. di grammatica significa, nel Medioevo, non solo indicare precetti, ma affrontare anche il problema filosofico del linguaggio) e gli scritti poetici. Conformemente alla sua posizione intellettualistica, riconosce ai primi una dignità maggiore e una maggiore im-

portanza ai fini del conseguimento della sapienza; ed è questa, a ben vedere, posizione analoga a quella di Boezio nei confronti della musica. Ugo riconosce tuttavia alla poesia il merito di preparare la strada alla filosofia. La poesia, dunque, non ha una propria autonomia: sul piano del contenuto dipende dalla filosofia, di cui è una applicazione più o meno indiretta; sul piano dell'organizzazione formale, dipende dalla grammatica e dalla retorica, le arti che insegnano a organizzare il discorso. È tuttavia interessante osservare la valutazione positiva che Ugo dà del piacere estetico, pur riconoscendogli soltanto una funzione ausiliaria nella formazione culturale. Allo stesso modo, in altra parte del libro, aveva posto la poesia nella «teatrica», cioè nell'*ars* che riguarda il gioco, cui peraltro riconosceva una funzione importante per la condotta armonica dell'esistenza.

La traduzione è condotta sul testo del *Didascalicon* riportato nella *Patrologia latina* a cura di J.P. Migne, Turnhout, Brepols, 1854, vol. 176, pp. 178-79.

Vi sono due generi di scrittura. Il primo verte su quelle che sono chiamate propriamente arti; il secondo su quelle che sono, per così dire, appendici delle arti. Arti sono quelle sottoposte alla filosofia, che hanno, cioè, una sicura e determinata materia filosofica, come la grammatica, la dialettica e così via. Appendici delle arti sono quelle che gettano solo un rapido sguardo alla filosofia, cioè quelle che concernono una qualche materia posta all'infuori di essa; talvolta, però, toccano asistematicamente e confusamente qualche aspetto parziale delle arti, o, se si tratta d'una semplice narrazione, preparano la strada alla filosofia. Di tal genere sono tutti i carmi dei poeti, come le tragedie, le commedie, le satire, la poesia eroica, lirica, giambica, didascalica, e anche le favole e le storie. Ma non hanno nulla in sé di desiderabile da offrire al lettore, se non ciò che in esse è stato trasferito e preso a prestito dalle arti. Per questo, a mio avviso, bisogna in primo luogo applicarsi alle arti, dove è il fondamento d'ogni sapere e dove si rivela la pura e semplice verità; soprattutto alle sette[1] di cui ho parlato prima, che sono lo strumento di tutta la filosofia. Poi si studino anche le altre, se si ha tempo, perché talvolta sogliono dilettare maggiormente le cose serie mescolate alle giocose e la rarità suole rendere prezioso un bene. Così talvolta riteniamo nella memoria con maggior piacere un concetto ritrovato nel racconto d'una favola.

1. Quelle del *trivio* e del *quadrivio*.

Cassiodoro

Come Boezio, Aurelio Cassiodoro fu spirito profondamente cristiano ma imbevuto di cultura e di poesia classica e intento a salvare la grande civiltà romana dall'irreparabile declino. Nato a Squillace, morì in un monastero calabrese nel 575 d.C., dopo essere stato segretario di Teodorico e dei suoi successori, e fu autore di opere storiche, teologiche e grammaticali. La più importante fu la raccolta delle *Variae*, cioè delle epistole ufficiali, scritte con raffinata sapienza stilistica e destinate a rimanere un modello di eloquenza per tutto il Medioevo; senz'altro il più studiato, prima della pubblicazione dell'epistolario di Pier delle Vigne (sec. XIII). Per comprendere le ragioni della vasta risonanza di quest'opera, va ricordato che la retorica e la stilistica erano considerate fondamento primo degli studi e che la scuola medievale era volta in primo luogo alla preparazione degli *abbreviatores* e dei *notarii*, cioè dei redattori delle epistole e degli atti ufficiali, scritti secondo le regole di bello stile che gli antichi avevano stabilito per l'eloquenza forense e politica. Da queste regole della scuola, ispirate alla grande tradizione classica, dipenderà l'educazione letteraria dei nuovi poeti in lingua italiana, a partire dal Duecento (Pier delle Vigne, ad es., fu anche uno dei primi lirici in lingua volgare), che appunto dalla letteratura latina medievale apprenderanno il gusto di un'arte dotta e difficile, della cura stilistica rigorosa.

La traduzione è condotta sul testo stabilito dal Mommsen, in *Monumenta Germanicae Historiae, Auctores antiquissimi*, XII.

I tre stili

Rifacendosi alla distinzione ciceroniana, codificata, poi, in forma più rigorosa nella scuola della tarda antichità, Cassiodoro stabilisce qui, nella prefazione delle *Variae*, tre modi dell'elocuzione, l'*umile*, il *medio*, il *sommo*. Ognuno di essi va usato in relazione a un determinato contenuto e secondo la qualità della persona alla quale ci si rivolge, ha un proprio lessico e un proprio tipo di sintassi e di costruzione.

Come titolo di questi libri, per designarne carattere e argomenti e sintetizzarne in una parola il contenuto, ho scelto quello di *Variae*, poiché fui costretto a non usare un solo stile, dovendomi rivolgere a persone diverse. Diversamente, infatti, bisogna parlare a persone rimpinzate da molte letture, o a gente di cultura mediocre, o a chi è del tutto digiuno di lettere se li si vuole persuadere, tanto che a volte è una forma di perizia letteraria evitare quel che piace ai dotti. Non invano, infatti, la saggia Antichità ha distinto tre generi d'eloquenza: l'*umile*, che per il suo stesso carattere di linguaggio comune sembra strisciare terra terra, il *medio*, che non si eleva alla grandiosità né decade nella sciatteria, ma si mantiene entro i propri limiti, fra l'uno e l'altro estremo, dotato, però, d'una sua grazia, e un *terzo genere*, che per l'elevatezza dei concetti e delle forme si eleva alle vette più eccelse del dissertare; certo affinché ogni varietà di persone potesse disporre d'un linguaggio a lei proprio, ed esso, pur sgorgando da un solo petto, scorresse tuttavia per alvei diversi, dato che non può essere detto eloquente se non chi, armato di questa triplice virtù, è pronto ad affrontare vigorosamente le situazioni che si presentano.

Giovanni di Garlandia

Inglese (nato intorno al 1180), studiò a Oxford, ma venne, giovanissimo, a Parigi, dove fu chiamato «di Garlandia» dal borgo dove fissò la sua dimora. Sappiamo poco della sua vita: insegnò a Tolosa e a Parigi, fu un instancabile compilatore di opere, morali, religiose, anche in versi latini (*Epithalamium Beatae Virginis*), di grammatica e retorica. Importante è la *Parisiana Poetria*, che riguarda l'arte della prosa e quella metrica e ritmica. Giovanni, cioè, offre una guida a chi voglia comporre in latino prose e versi ritmici, in metro, cioè, dichiaratamente accentuativo, come gli Inni della Chiesa dei suoi tempi, scritti in versi con numero di sillabe e accenti regolati, oppure in metri arieggianti quelli classici, cioè composti di lunghe e brevi; anche se, perdutosi il senso della quantità sillabica, pure questi versi vengono, di fatto, a essere fondati su un numero determinato di sillabe e accenti, con lo sforzo, tuttavia, di adeguarli il più possibile al verso classico. Il libro offre soprattutto esempi di tale metrica, di composizione retorica in versi e prosa, di vari generi letterari, e, ovviamente, secondo l'uso del tempo, una precettistica minuta.

Per il testo seguiamo: *The Parisiana Poetria of John of Garland*, a cura di T. Lawler, New Haven and London, Yale University Press, 1974.

La «Rota Virgili»

È un disegno mnemonico, che serve a esemplificare i tre stili, secondo il modello di Virgilio, che il Medioevo ammirò come profeta, come mago, ma di cui sentì anche la grandezza poetica (basta pensare a Dante). La sua stessa grandezza lo rendeva esemplare; di qui l'assunzione di lui come maestro dei tre stili, l'umile, il medio e il sublime, ripartiti così secondo la retorica classica. Nell'applicazione alquanto meccanica di Giovanni, i tre stili corrispondono a tre diversi livelli della realtà, rappresentati dalle *Bucoliche*, dalle *Georgiche* e dall'*Eneide* di Virgilio: tre aspetti della realtà, cui devono corrispondere luoghi, oggetti, persone, persino utensili coerenti con essi. Giovanni, che non può più distinguere i vari livelli d'una lingua non più effettivamente parlata (il latino), si limita a dare esempi contenutistici; lo stile «alto», quello dell'epopea, richiede nomi di eroi, alberi, animali, utensili (la spada), che si adattino a questa realtà eroica; e così gli altri stili. Quello medio riguarda la campagna, la vita dei campi, quello umile la pastorizia. Naturalmente, nella pratica, si cerca di desumere da queste tre opere un vocabolario, quello dei termini ricorrenti. La teoria dei tre stili fu seguita anche da Dante: o per lo meno, se la trovò davanti come realtà non eludibile. Così appariva ineludibile il principio classico su cui si fondava: la necessità di accordare la realtà e la sua rappresentazione.

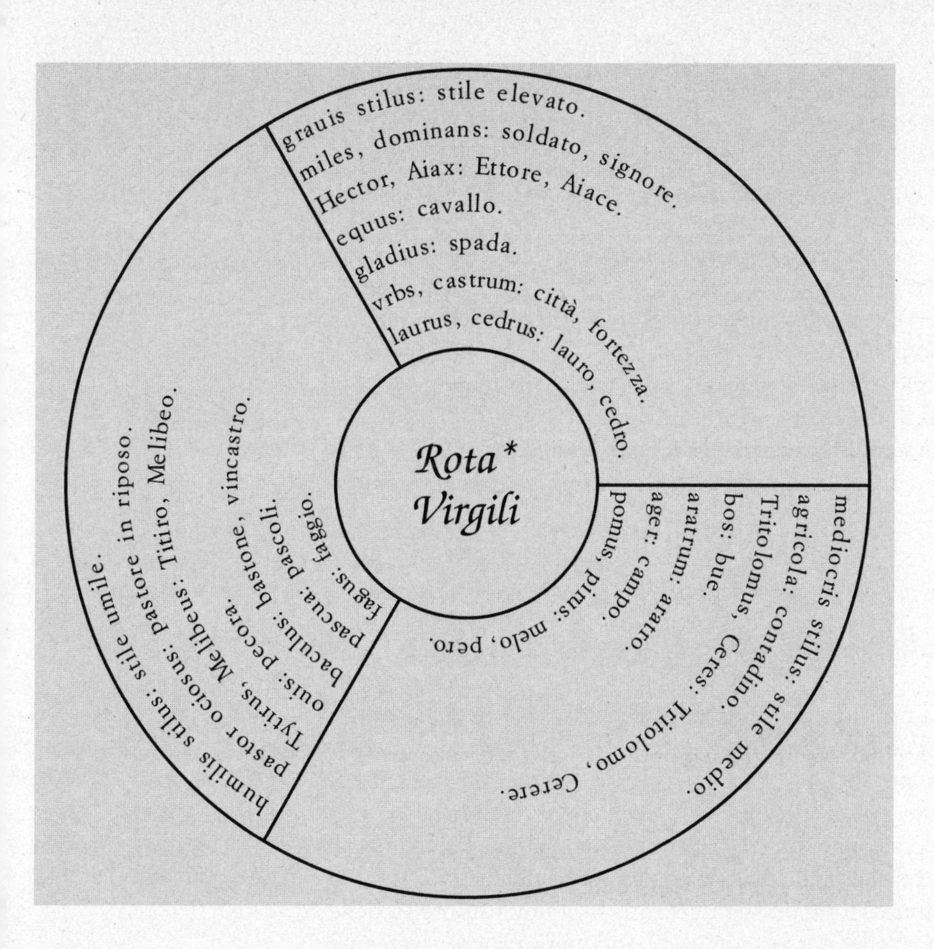

Letteratura latina medievale

Per tutto il Medioevo furono scritti in latino non solo i trattati filosofici e religiosi, gli scritti giuridici e politici, gli atti pubblici, le epistole scambiate fra le varie corti, i testi tutti, insomma, dell'alta cultura e della pratica di governo, ma anche gl'inni della Chiesa e altre composizioni liriche, i poemi filosofici e quelli che celebravano epicamente le glorie d'un popolo, le vite dei santi, in versi e in prosa, i trattati di poetica, le opere storiche. La «grammatica» come studio della lingua latina sui poeti e i prosatori classici (la lingua greca rimase, fino al Boccaccio, ignota alla stragrande maggioranza dei dotti medievali) fu ritenuta il fondamento delle arti liberali e d'ogni scienza, perché consentiva di penetrare nei segreti dell'elocuzione e dell'espressione, di apprendere la lingua in cui erano scritti i testi sacri e, nel contempo, la lingua dell'alta cultura.

Complessa è la storia del latino medievale. Da un lato c'è la volontà di mantenersi nella tradizione espressiva degli *auctores* (gli scrittori, i grammatici, i retori dell'Antichità), dall'altro c'è l'impulso a modificare questa lingua, che è sempre più sentita come artificiale, adattandola alla lingua della comunicazione. Di qui la presenza, soprattutto nelle opere di più ampia divulgazione, di «volgarismi», e un susseguirsi, per tutto il Medioevo, di restaurazioni classicistiche, come quella voluta da Carlo Magno e operata da Alcuino. Esse attestavano la volontà d'una cultura unitaria e comune, in una lingua anch'essa unitaria.

Nonostante il prevalere della tendenza classicistica, il latino medievale si venne sempre più differenziando dal suo modello. Fra gli altri fatti, ci interessa lo smarrirsi del senso della quantità delle sillabe. Mentre la metrica classica si fondava sull'alternarsi delle sillabe lunghe e brevi, ora ci si fonda sul ritmo, determinato dal numero delle sillabe e dagli accenti, e sulla rima, anticipando quello che sarà l'indirizzo esclusivo delle nuove letterature nazionali nella lingua comune o, come venne detta, «volgare». Anche nella prosa, alle clausole metriche quantitative è sostituito il *cursus* ritmico-accentuativo.

La netta separazione, operata dall'estetica medievale, fra contenuto e forma portò alla considerazione attenta della forma espressiva in sé e per sé e alla formulazione d'una retorica fondata su rigidi principi, ripresi dai retori della tarda antichità. Vennero così stabiliti tre stili, il grande, il medio, l'umile, che in seguito vennero chiamati tragico, comico ed elegiaco (o in altro modo, conservando, tuttavia, la tripartizione). La persuasione di fondo, di origine classica, era che ogni materia dovesse avere il proprio distinto livello stilistico di rappresentazione.

La letteratura latina medievale lasciò in eredità a quelle romanze l'ideale di un'arte difficile e raffinata, oltre a un complesso di temi, di situazioni, di modi espressivi che i nuovi scrittori accolsero e seguirono studiosamente, anche se vi apportarono innovazioni sostanziali, connesse alla qualità del proprio pubblico.

Diamo qui una scelta estremamente ridotta di questa vastissima letteratura, limitandoci ad alcuni testi che appaiono più immediatamente utili e significativi per lo studio della letteratura italiana delle origini.

L'innografia cristiana

Ricchissima fu, nel Medioevo, la fioritura dell'innografia religiosa. Da S. Ambrogio a Venanzio Fortunato (sec. VI), a Paolino d'Aquileia (sec. VIII), a S. Tommaso d'Aquino, Tommaso da Celano, Jacopone da Todi (sec. XIII), essa espresse liricamente la voce profonda dell'anima cristiana, componendosi nelle forme severe e tuttavia sentimentalmente intense della preghiera corale. Questa poesia, accompagnata dalla musica, si verrà svincolando, nel corso dei secoli, dalla metrica quantitativa dei classici, fino ad adeguarsi totalmente a quella ritmica, fondata sugli accenti, sul numero preciso delle sillabe e, soprattutto, sulla rima. Nello stesso tempo abbandonerà progressivamente anche le forme d'espressione classica, avvicinandosi a forme di comunicazione più diretta e popolare, o cercando, come fa S. Tommaso, un linguaggio nuovo atto a rendere una nuova realtà di pensiero. Si può dire, nel complesso, che questa poesia è, per lo stile e le movenze, intermedia fra la produzione latina fiorita all'ombra delle scuole e quella della nuova poesia in volgare, che da essa trasse più d'un suggerimento in campo metrico, musicale ed espressivo.

Per tutti i testi poetici di questa e della prossima sezione seguiamo: *Poesia latina medievale*, a cura di G. Vecchi, Parma, Guanda, 1952.

Aeterne rerum conditor (Sant'Ambrogio)

S. Ambrogio, nato a Treviri nel 339 d.C., morto nel 397, dopo essere stato a lungo vescovo di Milano, introdusse la pratica innodica in Occidente e fu uno dei Padri della Chiesa. In questo, che è uno dei suoi inni più belli, si nota il tipico simbolismo medievale cristiano, la tendenza, cioè, a scorgere, dietro le forme concrete del vivere, la presenza d'una superiore realtà spirituale. Così il ritorno della luce al mattino, dopo le tenebre della notte, allude analogicamente alla presenza attuale nel mondo della redenzione operata da Cristo e a quella d'un Dio che provvidenzialmente assiste l'uomo nella sua lotta contro il peccato. Anche qui, come in Boezio, il libro dell'universo diviene un'effigie del destino umano.

Aeterne rerum conditor,
noctem diemque qui regis
et temporum das tempora
ut alleves fastidium,
5 praeco diei iam sonat,
noctis profundae pervigil,
nocturna lux viantibus,
a nocte noctem segregans.

Eterno creatore dell'universo, che governi la notte e il giorno e alterni i tempi coi tempi, per toglierci la noia; già canta l'araldo del giorno,[1] sentinella nella profonda notte, lume notturno per i viandanti, dividendo

Metro: *dimetri giambici*, in strofe di quattro versi.

1. Il gallo; ma la sua voce, che sembra dissipare le tenebre, diventa qui una sorta di appello soprannaturale, un invito al risollevarsi dell'anima dal sonno del peccato, per protendersi alla vera luce.

Hoc excitatus lucifer
10 solvit polum caligine,
hoc omnis errorum chorus
vias nocendi deserit.
Hoc nauta vires colligit
pontique mitescunt freta;
15 hoc ipse petra ecclesiae
canente culpam diluit.
Surgamus ergo strenue,
gallus iacentes excitat
et somnolentos increpat
20 gallus negantes arguit.
Gallo canente spes redit,
aegris salus refunditur
mucro latronis conditur
lapsis fides revertitur.
25 Jesu, labantes respice
et nos videndo corrige,
si respicis, lapsus cadunt
fletuque culpa solvitur.
Tu lux refulge sensibus
30 mentisque somnum discute,
te nostra vox primum sonet
et ora solvamus tibi.

una parte della notte dall'altra. Da lui ridestato Lucifero [la stella del mattino] libera il cielo dalla tenebra, all'udire il suo canto la turba degli spiriti maligni abbandona i suoi tentativi di far peccare. Al suo canto il navigante riprende forza e le onde del mare si placano, al suo canto la stessa pietra della Chiesa lavò col pianto la colpa.[2] Alziamoci, dunque, intrepidi, il gallo ridesta chi giace, rampogna i sonnolenti, accusa i rinnegati. Al suo cantare ritorna la speranza, è ridonata la salute agli ammalati, è nascosta l'arma dell'assassino, si rinnova la fede in chi è caduto. O Gesù, volgi lo sguardo a chi vacilla, sostienici col tuo sguardo; se ci guardi, cadono i peccati e la colpa è lavata. Tu, luce, risplendi ai sensi, dissipa il sonno dell'anima, del tuo nome, al sorgere del giorno, risuoni la nostra voce e per te sciogliamo il nostro labbro nel canto.

2. Si allude qui al pentimento di S. Pietro, al canto del gallo, dopo che per tre volte, nella notte, ebbe rinnegato Cristo. Cfr. Vangelo di Matteo, XXVI, 75.

Dies irae

Questo canto, attribuito a Tommaso da Celano (1200-1260 circa), che fu uno dei primi biografi di S. Francesco, è uno dei vertici dell'innografia religiosa medievale. Suo tema, svolto con intensità drammatica, è quello della fine del mondo e del giudizio finale, insistentemente ricordato ai fedeli dalle immagini sacre del tempo, e da sempre presente all'anima cristiana, come momento conclusivo della storia dell'individuo e del mondo, come una fine continuamente incombente e, al tempo stesso, come la rivelazione totale del fine, come giustificazione di tutta la realtà e della storia del mondo. S'avvicendano nell'inno l'immagine grandiosa e terribile di quel giorno, ribadita, nella sua irrevocabilità, dall'insistita cadenza del metro e della rima, e la preghiera a Dio, l'appello alla sua misericordia.

Dies irae, dies illa,
solvet seclum in favilla
teste David cum Sibylla.
Quantus tremor est futurus
5 quando iudex est venturus
cuncta stricte discussurus!
Tuba mirum spargens sonum
per sepulcra regionum,
coget omnes ante thronum.
10 Mors stupebit, et natura,
cum resurget creatura
iudicanti responsura.
Liber scriptus proferetur
in quo totum continetur
15 unde mundus iudicetur.
Iudex ergo cum sedebit,
quidquid latet apparebit:
nil inultum remanebit.
Quid sum miser tunc dicturus?

Giorno dell'ira, quel giorno: il mondo si dissolverà in cenere, come predissero David e la Sibilla.[1] Che gran terrore vi sarà allora, quando verrà il giudice e tutto rigorosamente giudicherà! La tromba,[2] spargendo intorno un prodigioso suono per i sepolcri sparsi per tutta la terra, radunerà tutti davanti al trono. Stupiranno morte e natura, quando risorgerà la creatura per rispondere al giudice. Verrà aperto il libro, in cui è scritto tutto, per il giudizio del mondo. Quando sarà assiso il giudice, apparirà tutto ciò che ora è ignoto, nulla rimarrà impunito. Che dirò, allora, misero, chi chiamerò a

Metro: strofe di tre ottonari monorimi.

1. Accanto al profeta ebraico è posta la profezia pagana della Sibilla, anch'essa, in questo caso, ispirata da Dio.

2. Le trombe che saranno suonate dagli angeli e ridesteranno i morti, spingendoli davanti al trono di Cristo giudicante.

20 quem patronum rogaturus,
cum vix justus sit securus?
Rex tremendae maiestatis,
qui salvandos salvas gratis,
salva me, fons pietatis.
25 Recordare, Jesu pie,
quod sum causa tuae viae;
ne me perdas illa die.
Quaerens me sedisti lassus:
redemisti crucem passus:
30 tantus labor non sit cassus.
Iuste iudex ultionis
donum fac remissionis
ante diem rationis.
Ingemisco tamquam reus
35 culpa rubet vultus meus:
supplicanti parce, Deus.
Qui Mariam absolvisti,
et latronem exaudisti,
mihi quoque spem dedisti.
40 Preces meae non sunt dignae:
sed tu bonus fac benigne,
ne perenni cremer igne.
Inter oves locum praesta
et ab haedis me sequestra,
45 statuens in parte dextra.
Confutatis maledictis,
flammis acribus addictis,
voca me cum benedictis.
Oro supplex et acclinis,
50 cor contritum quasi cinis,
gere curam mei finis.
Lacrimosa dies illa,
qua resurget ex favilla
iudicandus homo reus.

mio avvocato, quando appena il giusto si sentirà sicuro? O re di tremenda maestà, che per pura tua grazia salvi i tuoi eletti, salva me, o fonte di misericordia! Ricordati, Gesù pietoso, che io fui causa della tua venuta in terra, non dannarmi, quel giorno. Per cercarmi sedesti stanco, mi hai salvato soffrendo la croce, non sia stata invano così grande pena. O giusto giudice punitore, donami il tuo perdono prima del giorno del giudizio. Gemo, sentendomi reo, la coscienza della colpa mi fa arrossire, perdonami, Dio, ti supplico. Tu, che assolvesti Maria ed esaudisti il ladrone,[3] anche a me hai dato speranza. Le mie preghiere non sono degne, ma tu, nella tua bontà, concedimi benignamente che io non sia bruciato nel fuoco eterno. Ponimi fra le pecore, allontanami dai capri, ponimi alla tua destra. Condannati i maledetti, assegnatili alle fiamme ardenti, chiama me fra i benedetti. Ti prego supplice e prostrato, col cuore contrito, ridotto quasi a cenere, proteggimi nel giorno della morte. Giorno di lacrime, quel giorno, in cui dalle ceneri risorgerà il peccatore per essere giudicato.

3. **Maria**: Maria Maddalena. **ladrone**: uno dei due crocifissi accanto a Lui.

La poesia goliardica

Nel secolo XII, col costituirsi del nuovo sistema scolastico delle università (cfr. la lettura *Le origini dell'università*, a p. 113), il *clericus* «viene attratto verso una più movimentata vita di cultura, verso abitudini più mondane e turbolente, alla frenesia del vagabondare di scuola in scuola, di terra in terra, che ne faranno un essere dai vari interessi, dalle disparate esperienze» (Vecchi). Voce sincera di tutta una classe dedita agli studi e alla vita delle università medievali, libera e dinamica, fu la poesia goliardica o «poesia dei vaganti» che fiorì in tutta Europa, ma soprattutto in Francia e in Germania, in forme liriche, ma anche narrative e drammatiche. Cantò il vino, l'amore, i tumulti della gioventù studiosa, la ricerca del piacere come legge suprema dell'esistenza, e le miserie d'una vita erraboda; ma affrontò anche argomenti politici e sferzò la corruzione dei costumi ecclesiastici. Sempre, comunque, ebbe un'ispirazione realistica e naturalistica. I componimenti goliardici, in gran parte anonimi, ci sono conservati da diverse raccolte manoscritte, fra le quali la più importante è quella di Monaco, raccolta nell'abbazia di Benediktbeuern, che comprende i famosi *Carmina Burana*. Fra i poeti i più celebri furono Maestro Ugo di Orléans, detto il Primate, l'anonimo Archipoeta di Colonia e Gualtiero di Châtillon. Più tarda fu la diffusione di questa poesia in Italia.

Ritorna, desiderata, primavera

Questo canto e il seguente fanno parte dei *Carmina Burana*. È poesia ritmica adatta al canto.

Ver redit optatum
cum gaudio,
flore decoratum
purpureo.
5 Aves edunt cantus, quam dulciter!
revirescit nemus,
campus et amenus
totaliter.
Iuvenes ut flores
10 accipiant
et se per odores
reficiant,
virgines assumant alacriter
et eant in prata
15 floribus ornata
communiter!

Ritorna, desiderata, primavera, con la gioia, adorna di fiori purpurei. Con quale dolcezza cantano gli uccelli! Il bosco rinverdisce, e tutta la campagna è lieta. I giovani raccolgano i fiori e d'odori s'inebrino, prendano con ardore le fanciulle e vadano insieme nei prati adorni di fiori!

Nel tempo della dolce primavera

Veris dulcis in tempore
florenti stat sub arbore
Iuliana cum sorore.
[*ritornello*] Dulcis amor!
5 qui te caret hoc tempore
fit vilior.
Ecce florescunt arbores
lascive canunt volucres;
inde tepescunt virgines.
10 Dulcis amor! ecc.
Ecce florescunt lilia
et virgines dant gemina
summo deorum carmina.
Dulcis amor! ecc.
15 Si tenerem quam cupio,
in nemore sub folio,
oscularer cum gaudio.
Dulcis amor! ecc.

Nel tempo della dolce primavera sta sotto un albero fiorito Giuliana con la sorella. Dolce amore! Chi non ti gode in questo tempo, ben poco vale. Ecco, fioriscono gli alberi, cantano allegri gli uccelli e le fanciulle ardono. Ecco, fioriscono i gigli e le fanciulle intonano canzoni a voce alterna al dio supremo [Amore]. Se potessi avere la donna che desidero nel bosco sotto il verde, la bacerei con gioia.

Vino buono e soave

È uno dei più celebri canti bacchici dei goliardi. Il metro ricalca lo schema classico (i primi tre versi sono tetrapodie trocaiche e il quarto un dimetro trocaico catalettico), ma in pratica è poesia ritmica, fondata sulla misura sillabica, sugli accenti, sulla rima.

Vinum bonum et suave
bonis bonum, pravis prave,
cunctis dulcis sapor, ave,
mundana letitia!
5 Ave, felix creatura
quam produxit vitis pura;

Vino buono e soave, buono coi buoni, cattivo coi cattivi (bevitori), dolce sapore per tutti, ave, o gioia del mondo! Ave felice creatura, che produsse la vite pura; ogni

omnis mensa fit secura
in tua presentia.
Ave, color vini clari;
10 ave, sapor sine pari;
tua nos inebriari
digneris potentia!
Ave, placens in colore,
ave, fragrans in odore;
15 ave, sapidum in ore
dulcis linguae vinculum!
Ave, sospes in modestiis,
in gulosis mala pestis!
post amissionem vestis
20 sequitur patibulum.
Monachorum grex devotus
omnis ordo, mundus totus
bibunt ad equales potus
et nunc et in seculum.
25 Felix venter quem intrabis,
felix lingua quam rigabis,
felix os quod tu lavabis
et beata labia!
Supplicamus, hic abunda,
30 per te mensa fit fecunda
et nos cum voce iucunda,
deducamus gaudia!

mensa divien sicura, quando tu ci sei. Ave, colore del vino limpido, ave, sapore senza uguali, degnati di ubriacarci con la tua potenza! Ave bello di colore, ave fragrante nell'odore, ave, saporoso in bocca, dolce impedimento della lingua! Ave, forza dei parchi bevitori, grande malanno dei ghiottoni, per i quali dopo la vendita delle vesti [vendute per aver danaro da spendere in gozzoviglie], segue il patibolo [il furto che porta al patibolo]. Il gregge a te devoto dei monaci, ogni classe sociale, tutto il mondo, bevono ugualmente ora e nei secoli. Felice il ventre in cui entrerai, la lingua che tu bagnerai, la bocca che tu laverai e beate le labbra! Ti supplichiamo, sii abbondante, per mezzo tuo la mensa diviene feconda e noi, con voce gioconda, esprimiamo nel canto la nostra gioia.

Poesia epico-storica

La tradizione classica, non assente neppure dagli inni della Chiesa, è evidente in molti poemetti storici del Medioevo, dal *Panegyricus Berengarii imperatoris* (sec. X) ai *Gesta Roberti Wiscardi* di Guglielmo Pugliese al *Liber Maiolichinus* (di anonimo) e al *De rebus siculis carmen* di Pietro Ansolino da Eboli (sec. XII). Modello è, per lo più, Virgilio, e il linguaggio dell'epopea classica è studiosamente seguito per nobilitare la materia, quasi sempre contemporanea, anche se a volte c'è la rappresentazione realistica della vita quotidiana e delle passioni attuali dei protagonisti, svolta in un linguaggio più diretto e immediato.

Nei due canti che presentiamo, composti fra il IX e il X secolo, la grande tradizione romana si compone con quella biblico-cristiana, secondo un procedimento tipico della cultura medievale.

Per il testo latino seguiamo: *Le Origini. Testi latini, italiani, provenzali e franco-italiani*, a cura di A. Viscardi, B. e T. Nardi, G. Vidossi, F. Arese, Milano-Napoli, Ricciardi, 1956.

Canto delle scolte modenesi

Gli studiosi non sono concordi sull'occasione di questo canto. Alcuni lo mettono in relazione con avvenimenti storici reali, cioè le scorrerie degli Ungheri verso la fine del sec. IX, altri lo considerano un canto liturgico. Secondo il Roncaglia, è un cantico di vigilia, per la dedicazione di una chiesa o cappella sulle mura di Modena, «quando la città si organizzò anche militarmente intorno al potere episcopale», il che spiegherebbe «il confluire nel canto d'una duplice tradizione, quella ecclesiastica delle *vigiliae* liturgiche e quella militare delle *vigiliae murorum*». Evidenti sono qui, comunque, i ricordi classici, d'ascendenza virgiliana. Il metro è il trimetro giambico acatalettico, risultante dall'unione d'un quinario piano e d'un senario piano o sdrucciolo, ma la misura ritmica prevale sulla quantità sillabica.

O tu qui servas armis ista moenia
noli dormire, moneo, sed vigila!
Dum Hector vigil extitit in Troia,
non eam cepit fraudulenta Graecia:
5 prima quiete dormiente Troia,
laxavit Synon fallax claustra perfida.
Per funem lapsa occultata agmina
invadunt urbem et incendunt Pergama.
Vigili voce avis anser candida
10 fugavit Gallos ex arce Romulea;
pro qua virtute facta est argentea
et a Romanis adorata ut dea.
Nos adoremus celsa Christi numina;
illi canora demus nostra iubila,
15 illius magna fisi sub custodia,
haec vigilantes iubilemus carmina:
— Divina, mundi rex Christe, custodia
sub tua serva haec castra vigilia.
Tu murus tuis sis inexpugnabilis,
20 sis inimicis hostis tu terribilis.
Te vigilante nulla nocet fortia
qui cuncta fugas procul arma bellica.
Tu cinge nostra haec, Christe, munimina,
defendens ea tua forti lancea.
25 Sancta Maria, mater Christi splendida,
haec cum Iohanne, Theotocos, impetra,
quorum hic sancta venerantur pignora
et quibus ista sunt sacrata numina.
Quo duce victrix est in bello dextera
30 et sine ipso nihil valent iacula.
Fortis iuventus, virtus audax bellica,
vestra per muros audiantur carmina.
Et sit in armis alterna vigilia,
ne fraus hostilis haec invadat moenia.
35 Resultet haecco comes: — eia, vigila! —
per muros: eia, — dicat haecco — vigila!

O tu che difendi in armi queste mura, non dormire, ti ammonisco, ma vigila! Finché Ettore stette vigile in Troia, non poté espugnarla la frodolenta Grecia, ma appena Troia s'abbandonò al sonno, il fallace Sinone aprì le porte ingannatrici [del cavallo]. Le schiere ivi occultate, calate con una fune, invadono la città e incendiano la rocca. Con vigile voce l'oca, il candido uccello, fugò i Galli dalla rocca di Romolo e per questo suo merito fu effigiata in argento e adorata come dea dai Romani. Quanto a noi, adoriamo l'eccelsa divinità di Cristo, a lui innalziamo i nostri canti di giubilo, sicuri sotto la sua possente custodia, cantiamo, mentre vegliamo, questi canti:
— O Cristo re, divino custode del mondo, prendi sotto la tua custodia questa città. Sii tu, per i tuoi fedeli, un muro inespugnabile, sii nemico terribile ai nostri nemici. Se vigili tu, che metti in fuga, lontano, tutte le armi guerriere, nessuna violenza ci nuocerà. Proteggi tu, Cristo, queste nostre fortificazioni, difendendole con la tua forte lancia. Santa Maria, splendente madre di Cristo, divina madre, impetra questo, insieme con Giovanni: di voi qui si venerano le sacre reliquie e a voi sono consacrate queste immagini. Sotto la guida di Cristo, la destra è invitta in guerra e senza di lui a nulla valgono le armi. Forte gioventù, prode e audace in guerra, si odano lungo le mura i tuoi canti, e a turno vegliate in armi, affinché il nemico non occupi a tradimento queste mura. Echeggi il grido che accompagna la guardia: — eia, vigila! — e per le mura — eia, vigila! — l'eco risponda.

O Roma nobile

Documento del classicismo della scuola capitolare veronese è questo canto, che riproduciamo solo in parte (il resto è costituito da invocazioni ai SS. Pietro e Paolo). Ebbe vasta diffusione, tanto che ci è stato conservato in un codice di Cambridge che contiene un'antologia scolastica (*Carmina Cantabrigensia*). Notevole, qui, l'esaltazione di Roma per i suoi grandi ricordi classici e cristiani. I versi, composti di due senari, riecheggiano l'asclepiadeo minore.

O Roma nobilis, orbis et domina,
cunctarum urbium excellentissima,
roseo martyrum sanguine rubea,
albis et virginum liliis candida:
5 salutem dicimus tibi per omnia,
te benedicimus: salve per secula.

O Roma nobile, signora del mondo, la più eccelsa fra tutte le città, arrossata dal purpureo sangue dei martiri, candida per i bianchi gigli delle vergini, ti salutiamo, ti benediciamo: salve, per tutti i secoli.

L'immagine della società

Il tema dell'ordine trapassa dalla considerazione filosofico-religiosa del cosmo, di S. Agostino e degli altri Padri della Chiesa, a quella della società. In entrambi i casi si riflette, nella teoria, l'ansia di stabilità del Medioevo, travagliato, soprattutto nei primi secoli, da una tragica insicurezza (le invasioni dalla terra e dal mare, le conseguenti pestilenze e carestie, aggravate, queste ultime, dai metodi primitivi del lavoro nelle campagne, che causarono, fino all'alba del Mille, carestie ricorrenti e un sistematico spopolamento), e dalla difficoltà della ricostruzione, sulle rovine della civiltà antica, d'un nuovo sistema di relazioni sociali, economiche, politiche.

Con tipica mentalità deduttiva, portata a interpretare il reale come manifestazione imperfetta d'un modello intellettuale più alto, l'idea dell'ordine, fondato sull'unità e trinità divina, viene applicata alla società, acquistando, anche in base al simbolismo del numero, un carattere sacrale. Così nella società vengono distinte tre classi, tre tipi di uomini, caratterizzati dalla loro funzione: i sacerdoti, cioè coloro che pregano, i guerrieri, coloro che difendono la società, e coloro che lavorano per sostentare sé e le altre due classi: in pratica, nell'economia feudale, i contadini.

Il modello godé di secolare fortuna, anche se esprimeva, a ben vedere, la staticità della società feudale e giustificava ideologicamente la sua struttura fondata sui privilegi di classe e sull'oppressione delle classi lavoratrici, concepite come inferiori. Come altri modelli creati dalla cultura clericale, anche questo sopravvisse al mutamento in corso nella società dopo il Mille, sia per il tradizionalismo implicito nella struttura del pensiero medievale, sia perché l'egemonia della classe nobiliare non fu mai effettivamente scalzata.

Allo stesso modo, sopravvissero altre persuasioni, sul piano politico: che l'autorità venga da Dio, che la forma migliore di governo sia quella monarchica, che il suo compito sia quello di amministrare la giustizia. Così, mentre i Comuni italiani rivendicano la loro autonomia, riconoscono, in linea di diritto, l'autorità imperiale (ma qui si aggiungeva un altro ideale non mai tramontato, quello dell'Impero romano, espressione suprema del diritto e della convivenza civile). Il Medioevo ricerca una stretta connessione fra politica e morale, orientandole entrambe sulla dominante prospettiva religiosa. Le lotte fra Chiesa e Impero sono fondate su questa motivazione, e così pure le lotte sociali, che ripropongono il motivo della purezza e povertà evangelica e quello della necessità d'una riforma della Chiesa.

Presentiamo qui due testi sintomatici, il primo dei quali ribadisce la concezione sacrale-immobilistica della società feudale, mentre il secondo presenta una realtà più dinamica: quella delle lotte sociali e politiche da cui nascerà il Comune.

La società trinitaria (Adalberone di Laon)

Nel *Carme a Re Roberto*, scritto in versi latini, Adalberone, vescovo di Laon nel 977 e morto intorno al 1031, ripropone la teoria dei tre ordini in un periodo di anarchia feudale, davanti alla nascente cavalleria, che egli rifiuta, come rifiuta il movimento riformatore del clero che parte dall'abbazia di Cluny. Il suo è un ideale che guarda al passato, a Carlo Magno, ed esalta la prima età feudale come forma insuperata di vita nell'ordine e nella giustizia. Pur ammettendo l'uguaglianza degli uomini davanti alla Chiesa, e pur consapevole delle durissime condizioni di vita della classe contadina, Adalberone avverte la necessità della disuguaglianza nell'ordine sociale. Sacerdoti e guerrieri sono i soli uomini liberi, tutti gli altri sono servi, condannati alla fatica ed esclusi da tutti i piaceri della vita: la suddivisione in tre ordini coincide con la logica immutabile e invalicabile del mondo. Il testo appare pertanto fortemente permeato dell'ideologia feudale, del suo radicale immobilismo che consacra il privilegio d'una classe (guerrieri e alto clero appartengono entrambi alla nobiltà), ribadisce la servitù dei contadini e non prende in nessuna considerazione l'emergere dei nuovi ceti borghesi.

Riportiamo qui la traduzione di A. Picascia da: *La società trinitaria: un'immagine medioevale*, Bologna, Zanichelli, 1980.

Così come creati, uguali son tutti gli uomini
unica è la casa di Dio, sotto un'unica legge;
e una sola è la fede. Eppure triplice è l'ordine degli uomini.
La legge degli uomini distingue due condizioni diverse,

5 perché servo e signore non hanno medesima legge
e fra i nobili, governano gli uni e regnano altri
e solido è il regno sotto il loro comando.
Altri ancora non sono posti sotto potere di altri
se evitano i delitti proibiti dai re:
10 e sono i guerrieri, che proteggono la Chiesa
e tutti difendono, poveri e ricchi,
con uguale fermezza difendendo se stessi.
Altro stato è quello dei servi,
che è mondo di dolori, che nulla possiede senza fatica:
15 chi mai potrà davvero su un abaco contare
affanni, fatiche, disagi dei servi?
Dalle mani dei servi a tutti provengono ricchezze e tessuti:
nessun uomo libero potrebbe mai vivere senza,
ché quando la fatica s'impone e si brama il lusso e il denaro,
20 pontefici e re diventano servi dei servi.
Dal servo, che egli sostenta, riceve cibo il signore.
E sono senza fine le lacrime e i lamenti dei servi.
Triplice è dunque la casa di Dio. Unica essa è solo davanti alla fede,
ché pregano gli uni, combattono gli altri, altri infine faticano.
25 Solidali fra loro, hanno inseparabili compiti.
E con scambievole aiuto giova l'uno ai due altri,
e tutti danno sostegno reciproco.
Unico e trino è dunque il vincolo che corre fra loro.
Così soltanto poté un tempo trionfare la legge,
30 e poté il mondo raggiungere la pace.
Languiscono oggi le leggi e la pace svanisce
corrotti i costumi, va stravolto l'ordine del mondo.
Ma tu, o re, stringi forte la lancia e a tutto soccorri,
contro i malvagi serrando le redini della Giustizia.

Verso il Comune (Landolfo Seniore)

Landolfo Seniore scrisse, intorno al 1100, una *Storia di Milano* (*Mediolanensis Historia*) che è fonte importante per gli eventi dal 961 al 1085, anche se parzialmente deformata dallo spirito partigiano che fa assumere all'autore una posizione ostile nei confronti del clero riformato. Posteriore di quasi un secolo ad Adalberone, Landolfo narra, in queste pagine, eventi contemporanei al vescovo francese, anche se essi si svolgono in un contesto politico e sociale ben diverso. Non c'è più, qui, l'immagine sacrale e immobilistica della società feudale; il passo racconta, anzi, le lotte fra nobili e *cives*, o cittadini, dalle quali nascerà l'ordinamento comunale di Milano. Si fronteggiano la piccola nobiltà dei valvassori e dei *capitanei*, ancora legata ai grandi signori feudali laici ed ecclesiastici, intesi a mantenere sulla città lo stesso dominio che esercitano sul contado, e il popolo, che comprende i non nobili, artigiani, mercanti, lavoratori cittadini, dal quale nascerà, assumendo un'importanza economica e politica sempre maggiore la borghesia comunale. Al popolo «forte nella povertà», desideroso di libertà e indipendenza dal giogo nobiliare, va la simpatia dello scrittore, che pure mostra di ignorare le reali motivazioni socio-economiche della lotta. I fatti qui raccontati si svolgono fra il 1040 e il 1043. Seguì, l'anno seguente, una pacificazione e, più tardi, dopo nuove lotte meno cruente, un accordo fra la nobiltà cittadina minore e la borghesia più ricca che portò, a partire dal 1097, al consolato e via via agli ordinamenti comunali.

Riportiamo qui la traduzione dal testo di T. Nardi, dal volume: *Le Origini*, cit., Milano-Napoli, Ricciardi, 1956, pp. 516, 519, 521.

Per qualche tempo dopo che ebbero vinto i loro nemici, i cittadini, come gli uomini sogliono fare, badarono a comportarsi da nemici verso i nemici, da lealissimi amici verso gli amici, rendendo male per male e bene per bene. Poi, entrati in un periodo di pace, non essendovi più intorno nemici, rivolsero il ferro contro se stessi, divenendo nemici tra di loro. Causa di questa guerra furono i grandi vassalli che, usi a governare e a difendere questa città con il senno e il valore del loro braccio, perdettero poi il loro potere per una certa qual negligenza. Per lungo tempo essi, dimorando, come la loro dignità e nobiltà esigeva, nei palazzi vicini alla chiesa di San Protasio, s'erano adoprati ad amministrare la città nella maniera più onesta, e se qualche ordinamento era stato incautamente violato, badavano con zelo e saggezza a ripristinarlo; e se era stata commessa un'ingiustizia ai danni di qualcuno, provvedevano immediatamente con un processo a che l'offensore ne facesse ammenda e desse soddisfazione; erano presidio agli orfani, sostegno agli infelici, soccorrevano le vedove, provvedevano nutrimento ai fanciulli, rappresentavano per gli iniqui la legge, per i malvagi la giustizia, incutevano timore ai predoni. [Sotto il loro governo] tutti, mercanti, contadini e bifolchi, vivevano tranquilli, presi dalle loro occupazioni, attendendo ai propri interessi, ben disposti a onorare le chiese e i chierici, tutti vivevano in pace e prosperità...

Infatti, eccettuati i momenti in cui erano impegnati nelle guerre contro i re o, qua e là per il territorio, si battevano con coraggio ed onore contro torme di nemici, per solito umili e devoti trascorrevano una vita pacifica e serena. Ma dopo che, non so per quali tristi cause che andarono via via aggravandosi, i duchi a poco a poco cedettero ai capitani, da poco venuti, l'onore e la magnificenza delle loro dignità, spogliati della loro supremazia, dimentichi della reverenza di cui erano circondati i loro avi e i loro padri, finirono per perdere ogni autorità. Di conseguenza tutto il popolo fece oggetto del rispetto e dell'obbedienza, che soleva prima tributare ai duchi, quei pochi capitani che i duchi avevano inalzato; tuttavia, poiché i duchi continuavano a dirigere con la mano e coi consigli le faccende più importanti della città, i capitani, per meglio mantenere le posizioni di recente acquistate, elessero sotto di loro i valvassori. Frattanto il popolo che, col mutare e il moltiplicarsi dei padroni, vedeva crescere le sue miserie e il suo disagio, giudicando più gravoso il governo dei suoi concittadini che non quello dei duchi sotto i quali prima si trovava, stabilì di cimentarsi in una guerra pur di difendersi e di liberarsi dalla loro dominazione. Così, occupando ancora la cattedra ambrosiana Ariberto, che — come sappiamo — con l'accortezza del suo ingegno e la forza dei suoi soldati aveva energicamente posto un freno agli atti di prepotenza dei superbi principi e dello stesso sopraddetto re, scoppiarono nella città lotte sanguinosissime: il popolo combatteva contro i nobili per riconquistare quella libertà che i suoi padri un tempo avevano perduta per l'eccessiva scarsità delle loro forze. Accadde perciò che nei quartieri della città in cui i capitani e i valvassori soverchiavano il popolo, ne facevano strage barbaramente. E il popolo, come suole, inferocito e determinato a morire piuttosto che a vivere miseramente, giudicando meno duro incontrare la morte che trascinare una lunga vita nell'abbiezione, ovunque riusciva con armi di vario genere ad avere la meglio su di loro, li uccideva in tutti i modi come fossero serpi o draghi crudelissimi. Alla fine i capitani e i valvassori, vedendo che dentro la città non erano in grado di resistere al popolo e pensando di riuscire a vincerlo e a piegarlo e a ridurlo all'antica servitù con la fame, il ferro e le molte privazioni attraverso un lungo assedio, d'accordo uscirono segretamente dalla città. Allora il popolo, vedendo che dal suo braccio dipendeva la sua vita e riponendo maggiore speranza di salvezza nelle armi che negli altrui benefici, tutto preso giorno e notte dall'ardore della lotta, in una esaltazione degli animi, forte nella povertà, fortissimo nel desiderio di conquistare la libertà, preoccupato per i propri beni, ma ancor più geloso della propria indipendenza, s'adoprava compatto con le armi, con macchine belliche d'ogni specie e vari sistemi di difesa ed ogni mezzo possibile a difendersi dai suoi concittadini, divenuti ormai nemici mortali. Duce e animatore del popolo era Lanzone, nobile ed alto capitano, che, coi suoi suggerimenti e con l'azione, dirigeva tutta l'impresa. I capitani pertanto, dopo aver disposto intorno alla città delle fortificazioni avanzate, stringendola d'assedio notte e giorno dalle trincee poste a un miglio dalle mura, l'attaccavano non come cittadini, ma come nemici. Prestavano loro man forte i Marciani e i Sepriesi, che costruirono intorno alla città sei fortilizi e per tre anni, combattendo ogni giorno, caddero in gran numero. In questo periodo, se riuscivano, come in guerra suole accadere, a catturare qualche avversario, o lo uccidevano come nemico o lo gettavano in un buio carcere, dove lo sottoponevano a tormenti vari per estorcergli con somma crudeltà tutto ciò che potevano ottenere da lui stesso o dai suoi amici. Parimente anche il popolo, se a seguito di eventi bellici o con qualche stratagemma, non mai disgiunto tuttavia da atti di coraggio, riusciva a catturare qualcuno dei capitani, degnamente lo onorava dello stesso trattamento — o magari anche più duro — che i capitani infliggevano ai popolani.

Letture critiche

Tempo, storia, eternità nel medioevo

Bisogna domandarsi se non esista una concezione specificamente medioevale della storia, diversa insieme da quella dei Greci e dalla nostra, e tuttavia reale.

Si può supporlo a priori, per un tempo in cui tutte le coscienze vivevano del ricordo di un fatto storico, d'un avvenimento in rapporto al quale si ordinava tutta la storia anteriore e dal quale datava il principio d'un'era nuova; un avvenimento unico, di cui si potrebbe quasi dire che segnava una data per Dio stesso: l'incarnazione del Verbo e la nascita di Gesù Cristo.

Il cristianesimo aveva fissato il fine dell'uomo al di là dei limiti della vita presente; nello stesso tempo aveva affermato che un Dio creatore non lascia nulla al di fuori dei disegni della sua provvidenza; bisognava dunque ammettere pure che tutto, nella vita degl'individui come in quella delle società di cui essi fanno parte, doveva necessariamente ordinarsi in vista di questo fine sopraterrestre. Ora, la prima condizione perché un tale ordinamento si stabilisca è che vi sia uno svolgimento, regolato nel tempo, degli avvenimenti, e prima di tutto che vi sia un tempo. Questo tempo non è una cornice astratta, dentro la quale le cose durino; o almeno non è soltanto questo. Essenzialmente è un certo modo di essere, la maniera di esistere che conviene alle cose contingenti e incapaci di realizzarsi nella permanenza di un presente stabile. Dio è l'Essere, non c'è nulla ch'Egli possa divenire, perché non c'è nulla ch'Egli non sia; il cambiamento e la durata non esistono dunque in Lui. Le cose create sono invece partecipazioni finite dell'Essere; frammentarie, per così dire, sempre incomplete, esse agiscono al fine di completarsi; esse cambiano dunque, e per conseguenza durano. Perciò Sant'Agostino considera l'universo come una specie di distensione: una *distensio*, di cui lo scorrere imita l'eterno presente e la totale simultaneità di Dio [...].

Ci sono dunque per ogni pensatore del Medio Evo uomini che passano, in vista di un fine che non passerà. Ma c'è di più. Annunciando la «buona novella», il Vangelo non aveva soltanto promesso ai giusti una specie di beatitudine individuale, aveva annunziato loro l'ingresso in un Regno, ossia in una società di giusti, uniti dai legami della loro comune beatitudine. La predicazione del Cristo è stata assai presto compresa come la promessa di una vita sociale perfetta, e si è visto nella costituzione di questa società il fine ultimo della sua incarnazione. Ogni cristiano si riconosce dunque chiamato a far parte come membro di una comunità più vasta che la comunità umana, alla quale egli già appartiene. Straniera a tutte le nazioni, reclutando i suoi membri in ciascuna di esse, la Città di Dio si costruisce gradatamente, a misura che il mondo continua, e il mondo non ha neppure altra ragione di continuare che l'attesa del suo compimento. Di questa città celeste, ossia invisibile e mistica, gli uomini sono le pietre e Dio è l'architetto. Essa si costruisce sotto la sua direzione; verso di lei tendono tutte le leggi della sua provvidenza; per assicurarne l'avvento Egli si è fatto legislatore, promulgando espressamente la legge divina, che aveva già inscritta nel cuore dell'uomo, e portandola al di là di ciò che bastava all'ordine delle società umane, ma non bastava a fondare una società tra l'uomo e Dio. Se i cristiani hanno conosciuto virtù, come per esempio l'umiltà, per le quali si troverebbe difficilmente posto nel catalogo delle virtù greche, ciò si deve precisamente al fatto che gli Antichi hanno soprattutto regolato la loro morale sulle esigenze della vita sociale umana, considerata come ultimo fine; mentre i cristiani regolano la loro sopra una società più alta di quella che li lega agli altri uomini, quella che creature dotate di ragione possono formare col loro creatore [...].

Perciò, e San Tommaso l'ha spesso notato, c'è un progresso nell'ordine politico e sociale, come ve n'è uno nelle scienze e nella filosofia; poiché ogni generazione si vale delle verità accumulate dalle precedenti, trae profitto dai loro errori stessi, e trasmette a quelle che seguiranno un'eredità accresciuta dai suoi sforzi. Solo, per i cristiani non basta considerare i risultati acquisiti dagl'individui, dalle società o dalle scienze. Poiché esiste un fine promulgato da Dio, e verso il quale si sa che la sua volontà dirige tutti gli uomini, come non raccoglierli tutti sotto una medesima idea, e non ordinare la somma totale dei loro progressi verso questo fine? L'uomo non ha senso che in rapporto a questo fine, poiché egli vi tende, e la distanza che ne lo separa è la sua vera misura. Perciò alcuni pensatori cristiani dovevano giungere sino a concepire, con Sant'Agostino e con Pascal, che il genere umano intero, di cui la vita rassomiglia a quella di un uomo unico, da Adamo sino alla fine del mondo, passa attraverso una serie di stati successivi, invecchia secondo una progressione di anni, nel corso dei quali la somma delle sue conoscenze naturali e soprannaturali non cessa di accrescersi, sino all'età della sua perfezione, che sarà quella della sua gloria futura.

Così bisogna rappresentarsi la storia del mondo, per concepirla quale il Medio Evo l'ha concepita. Essa non è né quella di una decadenza continua, poiché invece afferma la realtà di un progresso collettivo e regolare dell'umanità come tale; né quella di un progresso infinito, perché afferma invece che il progresso tende verso la sua perfezione come verso un fine; essa è piuttosto la storia di un progresso orientato verso un certo termine [...].

I cristiani differivano dagli altri storici, in quanto si credevano informati del principio e della fine della storia, due fatti essenziali, di cui l'ignoranza impediva agl'infedeli, non solo di comprenderne il senso, ma anche di supporre ch'essa potesse averne uno. Perché dunque hanno creduto alla Bibbia e al Vangelo, al racconto della creazione e all'annuncio del regno di Dio, i cristiani hanno osato tentare la sintesi della storia totale [...].

Per quanto ambizioso, questo disegno non è tuttavia sufficiente, perché è impossibile formarlo senza accettare le condizioni necessarie della sua attuazione. Essere sicuro che un Dio, che veglia sul minimo filo d'erba, non ha abbandonato al caso la serie degl'imperi; essere informati da Lui stesso del disegno, che la sua sapienza persegue governandoli; è sentirsi capace di discernere l'azione direttrice della provvidenza nei particolari dei fatti, e di spiegarli con essa. Seguendo Sant'Agostino, il Medio Evo si rappresentava dunque la storia del mondo come un bel poema, il significato del quale è per noi intelligibile e completo da quando ne conosciamo il principio e la fine. Certo in molte delle sue parti il significato nascosto del poema ci sfugge; si direbbe che l'«ineffabile musico» abbia voluto serbare per sé il suo segreto; tuttavia noi ne decifriamo abbastanza per essere sicuri che tutto ha un senso, e per congetturare il rapporto di ogni avvenimento colla legge unica, che ne regola la composizione intera. L'impresa è dunque ardua e piena di rischi; ma essa non è né falsa nel suo principio, né completamente impossibile. Perciò si vedono apparire presso i filosofi cristiani imprese storiche di un'ampiezza sino allora sconosciuta, che abbracciano la totalità dei fatti accessibili, e li raccolgono in sistema alla luce di un principio unico. La *Città di Dio* di Sant'Agostino, ripresa da Paolo Orosio nella sua *Historia*, confessa senza riserva un'ambizione, che avrebbe del resto avuto difficoltà a dissimulare, poiché era la sua ragione di essere. Considerando l'insieme della sua opera, all'epoca delle *Ritrattazioni,* Agostino ce ne rivela in qualche parola il senso ed il piano: «I quattro primi di questi dodici libri contengono dunque la nascita delle due Città, quella di Dio e quella del mondo; i quattro seguenti, i loro progressi; e i quattro ultimi le loro fini» [...].

Il Medio Evo non ci ha lasciato *Discorsi sulla storia universale della filosofia*; ma ne ha scritto qualche frammento, e soprattutto ha collocato se stesso nell'insieme di questa storia possibile, con assai più cura che non s'immagini. Non sarebbero nemmeno rimasti mortificati, se fosse stato detto loro che erano una generazione di eredi. Né in religione, né in metafisica, né in morale, mai essi hanno creduto di avere inventato tutto; la loro stessa concezione dell'unità del progresso umano impediva loro di creder ciò. All'opposto, in quanto cristiani, e nello stesso ordine soprannaturale, raccoglievano tutto l'Antico Testamento nel Nuovo, e si sentivano così guidati dall'economia provvidenziale della rivelazione. Perciò, parlando di filosofia cristiana, sarebbe impossibile separare la Bibbia dal Vangelo, a tal punto che questo la richiama dovunque, persino per il «grande comandamento», nello stesso tempo che la completa. Voler fondare una filosofia cristiana sul solo Vangelo sarebbe impossibile; perché, persino quando non cita l'Antico Testamento, lo suppone. Questa è la ragione, per cui nel piano provvidenziale, quale lo concepivano gli uomini di quel tempo, la predicazione del Vangelo inaugura un'«era» del mondo, che continua le precedenti, ne raccoglie i frutti, vi aggiunge qualcosa, e in cui essi stessi si trovano collocati. Non è del resto, sul piano religioso, l'era ultima, poiché la sola che possa ormai succederle è l'eternità del regno di Dio?

Quanto durerà questo tempo? Nessuno di quelli che se lo domandano, lo sa; ma tutti sanno che si sta rappresentando il penultimo atto del dramma. Più in là, è la spaventosa peripezia del regno dell'Anticristo. Che l'imperatore Carlo sia stato l'ultimo difensore che la Chiesa attendeva, o che un altro debba ancor venire dopo di lui, si ignora. La sola cosa certa è che, chiunque egli sia stato o debba essere, dopo la venuta del campione supremo cominceranno le grandi tribolazioni: *post quem fit obscuritas tribulationum.* Ma esse dureranno un tempo solo. Come la passione del Cristo è una tenebra tra due luci, l'ultimo assalto del male contro il bene terminerà con una disfatta. Ben presto s'inaugurerà la settima era dell'umanità, simile al settimo giorno della creazione, preludio al riposo eterno, del giorno che non avrà fine.

Étienne Gilson

(Da *Lo spirito della filosofia medievale*, Brescia, Morcelliana, 1947, pp. 261-270, con tagli).

Il simbolismo medievale

Di nessuna grande verità lo spirito medievale era tanto convinto quanto delle parole di S. Paolo ai Corinzî: «Videmus nunc per speculum in aenigmate, tunc autem facie ad faciem». Il Medioevo non ha mai dimenticato che qualunque cosa sarebbe assurda, se il suo significato si limitasse alla sua funzione immediata e alla sua forma fenomenica, e che tutte le cose si estendono per gran tratto nell'aldilà. Quest'idea è familiare anche a noi, come sensazione non formulata, quando ad esempio il rumore della pioggia sulle foglie degli alberi o la luce della lampada sul tavolo, in un'ora tranquilla, ci dà una percezione più profonda della percezione quotidiana, che serve all'attività pratica. Essa può talvolta comparire nella forma di un'oppressione morbosa che ci fa vedere le cose come impregnate di una minaccia personale o di un mistero che si dovrebbe e che non si può conoscere. Più spesso però ci riempirà della certezza tranquilla e confortante, che anche la nostra esistenza partecipa a quel senso segreto del mondo. E quanto più siffatta sensazione si condensa in un sacro terrore davanti all'Uno, dal quale emanano tutte le cose e nel quale tutte le cose riposano, tanto più la certezza di singoli istanti di chiaroveggenza si trasforma in durevole concezione della vita o addirittura in una convinzione esplicitamente formulata [...].

È su questo terreno psicologico che fiorisce il simbolismo. In Dio non esiste nulla che sia vuoto o senza significato: «nihil vacuum neque sine signo apud Deum». Dal momento che Dio stesso era stato effigiato, tutto ciò che proveniva da Lui e in Lui trovava il suo significato doveva pure cristallizzarsi in concetti figurati. Nasce così quella grandiosa e nobile raffigurazione del mondo come di un grande sistema di simboli, una cattedrale d'idee, la più ricca espressione ritmica e polifonica di tutto il pensabile [...].

Considerato dal punto di vista del pensiero «causalistico», il simbolismo è per così dire un corto circuito dello spirito. Il pensiero non cerca il rapporto fra due cose seguendo le volute nascoste delle loro connessioni causali, bensì lo trova con un brusco salto, e *non come un rapporto di causa ed effetto, ma di significato e scopo.* La convinzione dell'esistenza di tale rapporto può formarsi quando due cose hanno in comune una qualità essenziale che si riferisce a qualcosa di valore generale. O con altre parole: ogni associazione basata su qualche somiglianza può convertirsi immediatamente nella coscienza di un rapporto essenziale e mistico. Da un punto di vista psicologico questa funzione mentale ci può apparire di ben scarso valore, e dal punto di vista etnologico la si può considerare assai primitiva. Il pensiero primitivo è caratterizzato dalla debolezza nel percepire le linee di separazione delle cose; *incorpora nel concetto di una determinata cosa tutto ciò che con essa ha un qualche rapporto di somiglianza o di appartenenza.* Qui siamo del tutto vicini alla funzione del simbolismo.

L'analogia simbolica basata su proprietà comuni ha senso solamente quando quelle proprietà costituiscono ciò che vi è di essenziale nelle cose, quando cioè le proprietà, che il simbolo e la cosa simboleggiata hanno in comune, sono veramente considerate come «essentiae». Rose bianche e rosse, fiorite in mezzo alle spine suggeriscono subito un significato simbolico allo spirito medioevale: quello di vergini e di martiri che splendono gloriosamente in mezzo ai loro persecutori. Come si giunge a scorgere l'analogia? Per il fatto che le qualità sono identiche: la bellezza, la delicatezza, la purezza, il color rosso delle rose sono anche le qualità delle vergini e dei martiri. Ma il rapporto è veramente pieno di significato mistico, solo quando nel termine medio, cioè nella qualità, è racchiusa l'essenza dei due termini paragonati; in altre parole, quando il rosso e il bianco non valgono solamente come meri nomi di differenze fisiche su base quantitativa, ma quando sono visti come realtà essenziali. Anche il nostro pensiero è capace di vederli così, se per un istante torna alla sapienza del selvaggio, del bambino, del poeta e del mistico, per i quali la naturale struttura delle cose consiste nella loro qualità generale. Questa qualità è la loro «quidditas», il nucleo del loro essere. La bellezza, la delicatezza, il biancore, in quanto sono essenze, sono unità: tutto ciò che è bello, delicato e bianco deve appartenere alla medesima essenza e deve avere la medesima ragion d'essere, il medesimo significato davanti a Dio.

Esiste quindi un legame indissolubile tra il simbolismo e il «realismo» nel senso medievale della parola [...].

Ciò che importa innanzi tutto non è la disputa di sottili teologi, ma sono le idee che dominano tutta la vita della fantasia e del pensiero, quale si manifesta nell'arte, nella moralità, nella vita di ogni giorno. Queste idee sono di un realismo estremo, non per il fatto che l'alta teologia si era formata alla scuola del neoplatonismo, bensì perché il realismo, indipendentemente da ogni filosofia, era il primitivo modo di pensare. Per lo spirito primitivo tutto ciò che può esser nominato assume subito un essere, anche se si tratta di qualità, di concetti o di qualcosa di simile. Tutto ciò si proietta immediatamente ed automaticamente sul cielo. Il loro essere può quasi sempre (benché non sia sempre necessario) venir concepito come un essere personale; in ogni momento si può iniziare la ridda dei concetti antropomorfici.

Ogni realismo in senso medioevale è in ultima analisi un antropomorfismo. Quando il pensiero, che ha riconosciuto all'idea una realtà indipendente, vuole tradursi in immagini, non lo può fare che col mezzo della personificazione. Ecco il trapasso dal simbolismo e dal realismo all'allegoria. L'allegoria è simbolismo proiettato verso l'immaginazione superficiale, è l'espressione intenzionale, e con ciò anche lo svuotamento del simbolo, la riduzione di un grido appassionato ad una frase grammaticalmente corretta. Goethe descrive così questo contrasto: «L'allegoria trasforma l'esperienza in un concetto ed il concetto in un'immagine, ma in modo che nell'immagine il concetto sia sempre definito, contenuto ed esprimibile. Il simbolismo trasforma l'esperienza in idea e l'idea in immagine, in modo che l'idea contenuta nell'immagine rimanga sempre infinitamente attiva ed irraggiungibile e, per quanto espressa in tutte le lingue, rimanga inesprimibile».

Nel loro insieme, i tre modi di pensare — il realismo, il simbolismo, la personificazione — hanno illuminato lo spirito medioevale di una luce continua. La psicologia può sbrigare la questione definendo il simbolismo un'associazione d'idee. Ma la storia della cultura deve considerare tale forma di pensiero con maggior rispetto. Il valore che aveva per la vita la spiegazione simbolica delle cose era incalcolabile. Il simbolismo creò una visione del mondo, la cui unità era più compatta ed intrinseca di quella che ci può dare il pensiero causale-naturalistico. Esso abbracciò risolutamente tutta la natura e tutta la storia. Vi creò un ordine indissolubile, un'articolazione architettonica, una subordinazione gerarchica: poiché ci debbono essere, in ogni rapporto simbolico, un termine superiore e uno inferiore; due cose di ugual valore non possono essere simbolo una dell'altra, ma soltanto riferirsi entrambe ad una terza cosa superiore ad esse. Nel pensiero simbolico c'è posto sufficiente per un'incalcolabile molteplicità di rapporti fra le cose. Ogni cosa può, colle sue varie qualità, essere il simbolo di molte altre, e può, inoltre, significare con la medesima qualità varie cose; e le cose più alte hanno migliaia di simboli. Non vi è cosa così umile che non possa significare le cose supreme e servire alla loro glorificazione. La noce significa Cristo: il dolce gheriglio è la natura divina, il mallo verde e carnoso è quella umana, il guscio fra i due è la croce. Tutte le cose servono da fulcro e sostegno affinché il pensiero si sollevi all'eterno; tutte si sollevano reciprocamente di grado in grado verso l'alto. Il pensiero simbolistico si presenta come una incessante trasfusione del sentimento della maestà ed eternità di Dio in tutto quanto si può percepire e pensare. Non lascia mai spegnere il fuoco del sentimento mistico della vita. Presta alle rappresentazioni di tutte le cose un più alto valore estetico ed etico. Ci si immagini quale godimento può offrire un mondo, in cui ogni pietra preziosa brilla con tutti i bagliori dei suoi valori simbolici, in cui l'identità della rosa e della verginità è più che una bella veste poetica perché quell'identità comprende l'essenza dell'una e dell'altra. Si vive in una vera polifonia del pensiero. Tutto è pensato a fondo. In ogni rappresentazione risuona un accordo armonioso di simboli. Lo spirito si esalta nell'ebbrezza delle idee, in quel confondersi pre-intellettuale dei limiti dell'identità fra le cose, in quello smorzamento del mero intelletto.

Un'armonia continua unisce i diversi dominî del pensiero. I fatti raccontati nell'Antico Testamento significano e prefigurano quelli del Nuovo, che si rispecchiano anche negli eventi della storia profana. Come in un caleidoscopio, ogni atto di pensiero fa sì che la massa disordinata di particelle si unisca in una bella e simmetrica figura. Ogni simbolo riceve un valore superiore, un grado molto maggiore di realtà, in quanto tutti si schierano in ultima istanza intorno al miracolo centrale dell'Eucaristia, e in essa la concordanza non è più soltanto simbolica, ma diventa identità: l'ostia è Cristo. E il sacerdote, che la consuma, diventa il sepolcro del Signore; il simbolo partecipa della realtà del supremo mistero; ogni significare diventa un mistico identificarsi.

Il simbolismo ha reso possibile al Medioevo di apprezzare e di godere il mondo, pur tanto abietto in sé, e anche di nobilitare le occupazioni terrene. Ogni mestiere stava in un rapporto simbolico coll'Essere supremo. Il lavoro dell'artigiano è l'eterna generazione e incarnazione del Verbo, è il vincolo tra Dio e l'anima. Lo stesso amore profano è connesso con quello divino dai fili di un contatto simbolico. Il forte individualismo religioso, cioè l'educazione della propria anima alla virtù e alla beatitudine, trovava un contrappeso salutare nel realismo e nel simbolismo, i quali staccavano il dolore e la virtù dalla peculiarità personale e li innalzavano alla sfera dell'universale.

Johan Huizinga

(Da *Autunno del Medio Evo*, Firenze, Sansoni, 1941, pp. 277-284, con tagli).

I tre ordini

Il regime feudale fu caratterizzato in primo luogo dalla disgregazione dell'autorità regia: abbiamo visto che l'incapacità dei sovrani carolingi a contenere gli attacchi esterni aveva affrettato la dispersione del loro potere nel corso del IX secolo. La difesa del paese — funzione originaria della regalità — passò rapidamente e irreversibilmente nelle mani dei principi locali. Costoro si appropriarono dei diritti regi che erano stati loro delegati e li incorporarono nel patrimonio di una dinastia le cui fondamenta furono gettate nel corso dello stesso processo. In seguito, la maggior parte dei grandi principati si disintegrarono essi stessi a poco a poco, come i regni. Signori di medio rango — prima i conti, poi, verso l'anno Mille, gli uomini che comandavano le singole fortezze — conquistarono la loro indipendenza dai principi. Tale sviluppo coprì tutto il X secolo in Gallia, interessò la monarchia inglese e penetrò in Italia, compromesso, qui, tuttavia, dalla forza delle città; tardò a raggiungere la Germania, dove istituzioni politiche carolinge perdurarono fino all'alba del XII secolo. Il frazionamento del diritto di comandare e di punire, di assicurare la pace e la giustizia in unità territoriali sempre più ristrette costituì un adeguamento alle possibilità concrete di esercitare un'autorità effettiva in un mondo rurale e barbaro in cui era difficile comunicare a distanza. L'organizzazione politica si adattava alle strutture della vita materiale. Ma è importante sottolineare che il mutamento si effettuò proprio quando andava a poco a poco dileguandosi dalla memoria dei contadini il ricordo delle guerre stagionali di saccheggio, condotte in passato dall'intero corpo degli uomini liberi contro tribù di nemici esterni. Esso coincise con l'adozione di un nuovo tipo di guerra e con la creazione di un nuovo concetto di pace.

Lo sviluppo dell'ideologia della «pace di Dio» procedette di pari passo con le ultime fasi della feudalizzazione. Essa fu espressa per la prima volta poco prima dell'anno Mille nella Gallia del Sud, la regione in cui il crollo dell'autorità regia era stato più precoce. Lentamente questa ideologia andò acquistando consistenza, pur diffondendosi nella Cristianità latina sotto forme diverse. I suoi princìpi erano estremamente semplici: Dio aveva delegato ai re consacrati il compito di mantenere la pace e la giustizia; i re non ne erano più capaci; Dio, perciò, riprendeva nelle proprie mani il potere di comando e ne investiva i suoi servitori, i vescovi, con il sostegno dei principi locali. Così in ogni distretto si riunivano concili convocati dai prelati e i potenti vi partecipavano con i loro guerrieri. Le assemblee miravano a frenare la violenza e a formulare regole di condotta per coloro che portavano le armi, ricorrendo a costrizioni di natura morale e spirituale: tutti i combattenti del paese dovevano impegnarsi con un giuramento collettivo a rispettare certe proibizioni, sotto pena di scomunica. Il sistema si dimostrò tuttavia di un'efficacia molto relativa. Per tutto l'XI e il XII secolo, le campagne dell'Occidente continuarono ad essere percorse da turbolente bande di guerrieri. Comunque, l'istituzione della pace di Dio ebbe profonde ripercussioni sul comportamento degli uomini e sulle strutture più profonde della vita economica [...].

Impadronirsi all'interno del popolo di Dio dei beni delle chiese e dei rustici con la violenza militare apparve, così, sempre più chiaramente, a coloro che avevano la vocazione di combattere, come un pericolo per la salvezza delle loro anime. Tuttavia l'acquisizione di ricchezza si poté raggiungere con altri mezzi, di carattere «pacifico», che furono offerti dall'istituzione della signoria. Condannando i profitti della violenza, l'etica della pace di Dio legittimò, in compenso, lo sfruttamento signorile. Questo fu presentato come il prezzo che si doveva pagare per la sicurezza offerta dal nuovo regime a quanti lavoravano.

Lo sfruttamento signorile si conformò a un modello sociologico che finì con l'adeguarsi strettamente alla realtà dei rapporti economici e, al tempo stesso, dette a questi ultimi maggiore solidità. Al volgere dell'anno Mille le proibizioni formulate nei concili di pace portarono a maturità la teoria dei tre ordini, che veniva elaborandosi lentamente in una ristretta cerchia di intellettuali: fin dalla creazione, Dio aveva assegnato agli uomini compiti specifici: alcuni avevano la missione di pregare per la salvezza di tutti, altri erano votati a combattere per proteggere la moltitudine del popolo; ai membri del terzo ordine, di gran lunga il più numeroso, spettava mantenere con il loro lavoro gli uomini di Chiesa e gli uomini di guerra. Questo schema, che si impose assai rapidamente alla coscienza collettiva, presentava un'immagine semplice, conforme al piano divino, ratificando con ciò le ineguaglianze sociali e tutte le forme di sfruttamento economico. In un quadro mentale così rigido e chiaro poterono agevolmente collocarsi tutte le relazioni di dipendenza che da lungo tempo si erano stabilite fra i lavoratori contadini e i proprietari della terra e che regolavano il meccanismo di un sistema economico che possiamo chiamare 'feudale'.

In tale modello ideologico costruito dagli intellettuali, a quel tempo tutti i membri della Chiesa, gli specialisti della preghiera dovevano ovviamente essere posti all'apice della gerarchia degli ordini. Non solo essi dovevano essere esenti dai molti prelievi che gli uomini al potere potevano operare nelle loro terre mediante il saccheggio o la tassazione, ma si doveva anche assegnare loro una parte sostanziosa di tutti i prodotti, da offrire a Dio con la loro intercessione. Si era indotti, così, a dare la preferenza alle attività economiche legate alla consacrazione e al sacrificio. La penetrazione di queste idee nella coscienza collettiva coincise con il momento in cui il flusso delle pie donazioni a favore degli enti religiosi raggiunse la sua punta massima; mai, nella storia della Chiesa cristiana d'Occidente, i lasciti dei laici furono così abbondanti come nei cinque o sei decenni che precedono e seguono l'anno Mille. I fedeli donavano continuamente per riscattare qualche peccato appena compiuto e che sapevano avrebbe messo in pericolo la loro anima. Donavano ancora più generosamente sul letto di morte — a rischio di lasciare i loro eredi in precarie situazioni economiche — per la loro sepoltura e per guadagnarsi l'appoggio dei santi tutelari il giorno del giudizio. [...]

L'uso migliore che i dirigenti dei monasteri e delle chiese cattedrali pensavano di poter fare delle loro ricchezze era di abbellire, ricostruire e decorare il luogo di preghiera e di accumulare attorno all'altare e alle reliquie dei santi gli splendori più abbaglianti. Potendo contare su risorse che la generosità dei fedeli non cessava di accrescere, essi non avevano che un atteggiamento economico: spendere per la gloria di Dio.

Tale modo di vedere era condiviso dai membri del secondo ordine della società, gli specialisti della guerra. Anch'essi spendevano, ma per la propria gloria e per i piaceri della vita. Questa categoria sociale, che forniva tutti i quadri dirigenti della Chiesa, monopolizzava la forza delle armi e la usava duramente, nonostante le proibizioni formulate dall'etica della pace di Dio, costituiva allora, malgrado il valore preminente attribuito alla vocazione sacerdotale, malgrado la ricchezza e l'indubbia superiorità numerica degli uomini di Chiesa, la classe dominante. Fu proprio in funzione della potenza e della condotta di questi laici che venne apprestata la teoria dei tre ordini e che vennero progettate istituzioni di pace di un certo genere. Furono la loro situazione e il loro comportamento a regolare nell'XI e nel XII secolo l'intera economia feudale. Essi detenevano la terra, tranne quella parte che il timore di una morte prematura faceva loro abbandonare a Dio, ai suoi santi e a coloro che lo servivano. Essi vivevano nell'ozio e consideravano le attività produttive come indegne del loro rango e di quella libertà assoluta della quale pretendevano di riservarsi il privilegio. Poiché la dissoluzione dell'autorità regia aveva finito col porre i membri di quest'ordine in una posizione di indipendenza e aveva loro trasmesso atteggiamenti mentali propri dei sovrani, essi non accettavano alcuna costrizione, alcun servizio, se non quello che avevano liberamente scelto di rendere e che, non assumendo la forma di un tributo materiale, non sembrava disonorevole. Essi rifiutavano perciò ogni prestazione cui non avessero consentito e accondiscendevano a rinunciare ai loro beni solo a titolo di doni gratuiti e di atti di mutua generosità. Loro vocazione era la guerra, e il primo uso che essi facevano delle loro ricchezze era di acquisire i mezzi più efficaci per combattere, con l'addestramento fisico cui dedicavano il loro tempo e con quegli investimenti da cui si attendevano un solo profitto: una maggiore forza militare. Nell'economia domestica degli uomini di questa categoria, una parte importante delle entrate, che sembra essere aumentata lungo tutto l'XI e il XII secolo, era destinata a perfezionare l'equipaggiamento dei guerrieri, a migliorare le qualità dei cavalli e a procurare le migliori armi offensive e difensive. Il cavallo diventò l'arma principale del combattente e il simbolo della sua superiorità; fu allora che questi guerrieri presero l'abitudine di definirsi come «cavalieri». Essi si procurarono armi migliori per la difesa e per l'offesa: alla fine dell'XI secolo, la corazza di ferro era già diventata così complessa che il suo prezzo era pari a quello di una buona azienda agricola. L'esigenza di perfezionare l'armatura è all'origine del continuo sviluppo della metallurgia del ferro. Inoltre, il rapido progresso dell'architettura militare portò nel XII secolo all'apertura di nuovi cantieri per la costruzione di castelli, spesso accanto a quelli delle chiese. Ma c'era un'altra occasione di spendere per i membri di questo gruppo sociale, guidati dallo spirito di competizione e fra cui il valore individuale si misurava non solo in termini di coraggio e di abilità nell'esercizio delle armi, ma anche in termini di eleganza, di ostentazione e di prodigalità. Nell'*ethos* cui gli aristocratici si consacravano, una delle virtù primordiali era la liberalità, ossia il piacere di sperperare. Come un tempo i re, il cavaliere doveva avere le mani sempre aperte, e far piovere la ricchezza tutt'attorno a sé. Le feste e i banchetti, in cui i frutti della terra venivano consumati da tutti con gioia fra la baldoria e la rivalità dell'ostentazione, costituivano, insieme con la guerra, il fondamento del modo di vivere aristocratico. La prospettiva economica rappresentata nella società del tempo dall'ordine cavalleresco è quella del saccheggio per vocazione professionale e del consumo per pratica d'uso.

Rimane il terzo ordine, quello dei lavoratori, lo strato inferiore costituito dall'immensa maggioranza della popolazione, della quale ciascuno pensava che dovesse fornire alle due élite degli *oratores* e dei *bellatores*, di coloro che pregavano e di coloro che combattevano, i mezzi per sostentarne l'ozio e la prodigalità. Questa funzione specifica che, secondo i dettami della Provvidenza, li condannava senza via di scampo ad una vita di lavoro manuale reputata degradante, privava costoro della piena libertà. Mentre si dissolvevano gli ultimi elementi della schiavitù — il termine *servus* scompare dalla maggior parte delle province francesi agli inizi del XII secolo — l'intero mondo contadino, appesantito dall'accresciuta pressione dei potenti, appariva soggiogato, per la sua stessa situazione, allo sfruttamento altrui. Alcuni gli procuravano la salvezza con le preghiere; altri erano responsabili, in teoria, di difenderlo contro gli aggressori. Come prezzo di questi favori, la sua capacità produttiva era totalmente assoggettata alla signoria.

Georges Duby

(Da *Le origini dell'economia europea*, Bari, Laterza, 1978, pp. 204-213, con tagli).

Il modello francese: la letteratura feudale

Premessa

Dal secolo XI al XIII la Francia esercita una vera e propria egemonia culturale sul mondo romanzo e germanico sia nel campo del costume (l'aristocrazia francese è il modello al quale si conforma l'aristocrazia feudale europea) sia nel campo letterario, mentre conserva un posto di primo piano nell'ambito della cultura filosofica, teologica e scientifica e nella poesia latina.

In Francia, nella seconda metà del secolo XI, in corrispondenza dello sviluppo delle istituzioni economiche, politiche e civili che si ebbe dopo il Mille, sorge una grande letteratura scritta non più in latino, ma nel linguaggio parlato comunemente, detto «volgare», che significa appunto «popolare», «di uso comune», in opposizione al latino usato dai dotti.

Questa letteratura risponde alle esigenze d'un pubblico laico, che si accentra nelle corti dei grandi feudatari e del re (le quali diventano ora centri di produzione intellettuale) e richiede, e, al tempo stesso, elabora, una propria cultura specifica, diversa da quella «clericale», anche se non opposta, e una tematica letteraria più vicina alla propria reale esperienza e alle proprie idealità. La scelta del volgare come strumento espressivo denota la coscienza acquisita d'una propria peculiare civiltà.

Le lingue romanze

Roma aveva diffuso fra i popoli conquistati non solo le proprie leggi e istituzioni, ma anche la propria lingua, soprattutto nelle regioni dell'Europa occidentale. Nonostante le invasioni e gli stanziamenti barbarici queste rimasero legate alla tradizione romana, tanto da essere ancora chiamate, con termine comprensivo, *Romània*, anche quando da tempo gli invasori germanici le avevano suddivise in unità statali distinte. Per secoli l'espressione *romanice loqui* (= parlare in lingua romana, cioè latina) fu usata per designare il loro idioma, contrapponendolo a quello germanico. Ma il frazionamento politico conseguito alla caduta dell'Impero, l'estremo diradarsi di contatti e scambi fra le popolazioni, il tramonto della vecchia classe dirigente fecero sì che, dove prima esisteva la lingua unitaria d'una civiltà comune, si sviluppassero, dal comune fondo latino, parlate locali, che si vennero progressivamente differenziando fino ad acquistare il carattere di idiomi distinti. Essi sono: l'italiano, il portoghese, lo spagnolo, il catalano, il francese, il provenzale, il ladino (parlato nel Friuli, nel Trentino, nel Canton dei Grigioni), il rumeno. *Romanze*, dall'aggettivo *romanicus*, derivato da *Romània*, sono dette oggi queste lingue, o anche neolatine, perché sviluppatesi come lingue nuove sul tronco del latino.

Dal latino, infatti, queste lingue derivano gran parte del loro lessico, sia pure con alterazioni fonetiche e con trasformazioni ancor più decise nella morfologia e nella sintassi. Minori appaiono tuttavia le differenze se le si confronta non col latino letterario in cui furono scritte le opere dei grandi scrittori classici, ma col latino parlato dalle classi più umili: con quello dei soldati, dei coloni, dei funzionari che si erano stabiliti nei paesi conquistati da Roma.

Nel sec. VIII d.C. il processo di trasformazione dal latino nelle lingue romanze si era ormai concluso in tutta la Romània. Per quel che riguarda la Francia abbiamo una prima attestazione dell'813: un canone del Concilio di Tours che prescrive ai vescovi di predicare in *lingua romana rustica* per rendere accessibile la parola di Dio ai fedeli che ormai, nella loro stragrande maggioranza, non comprendono più il latino colto o letterario. Il primo documento in lingua francese che ci sia stato tramandato è dell'842, il giuramento di Strasburgo. Durante la lotta per la successione di Ludovico il Pio, figlio di Carlo Magno, due contendenti, Carlo il Calvo, che ha milizie francesi, e Ludovico il Germanico, che ha milizie tedesche, sanciscono la loro alleanza pronunciando un giuramento davanti ai loro eserciti, ciascuno nella lingua dei seguaci dell'altro.

Passano tuttavia circa due secoli prima che ci vengano tramandati dei testi letterari. La nascita della nuova letteratura richiede, infatti, il maturare della cultura che trova il proprio centro di formazione e d'irradiazione nelle corti signorili. Queste, nel nuovo fervore di vita dei secoli XI e XII, acquistano, di là dal primitivo carattere essenzialmente militare, funzioni politiche e civili più complesse e cominciano a elaborare un costume raffinato e aristocratico che comprende anche la produzione e la fruizione della letteratura, sia a scopo di intrattenimento, sia per offrire un'immagine persuasiva del livello di civiltà raggiunto.

Proponendosi come modello culturale, la corte assume anche una funzione stabilizzatrice sul piano linguistico, perché il suo ideale aristocratico si esprime anche nell'elaborazione d'un linguaggio più eletto di quello usato dalle classi inferiori, ma che è pur sempre, per quanto raffinato e ingentilito letterariamente, il volgare. Con un ulteriore processo di affinamento, si giunge poi alla codificazione d'un linguaggio letterario che aspira a essere compreso fuori dei limiti geografici ristretti della singola corte.

I generi letterari

Due lingue letterarie si costituirono in Francia: la lingua d'*oc*, in Provenza e nella Francia meridionale, più vicina, morfologicamente al latino (la Provenza era stata la prima provincia romana in Francia) e la lingua d'*oïl*, o francese antico, parlata nel Nord e a Parigi (in cui maggiormente si avverte l'influsso germanico), che si diffuse poi in tutto il Paese dopo che con la «crociata» del 1208 si ebbe la conquista del Sud da parte del Nord e la fine dell'autonoma vita politica del primo (*oc* e *oïl* sono gli avverbi affermativi delle due lingue: analogamente Dante chiamerà «lingua del *sì*» l'italiano). Ciascuna lingua ebbe, sul piano della formalizzazione letteraria, le sue tematiche specifiche: la poesia provenzale è essenzialmente la lirica d'amore dei Trovatori; a quella in lingua d'oïl appartengono l'epopea carolingia e feudale (le *chansons de geste*; e *geste* indica una stirpe nobiliare o un gruppo organico, come i paladini di Carlo Magno), il romanzo in versi, sia quello d'argomento classico, sia quello riguardante le leggende del Re Artù e dei suoi cavalieri della Tavola Rotonda, i poemetti narrativi (*lais*) di Maria di Francia, il ciclo delle storie umoristico-satiriche degli animali del poema di *Renart* (la Volpe) e, più tardi, i poemi didascalici sul tipo del *Roman de la Rose* e i romanzi in prosa.

Tutta questa letteratura è ispirata dall'ideale cortese cavalleresco in cui si riconobbe l'aristocrazia feudale europea, rendendo così agevole la penetrazione delle grandi immagini elaborate dagli scrittori francesi in gran parte d'Europa.

L'ideale cortese

Cortesia viene da *corte*, come *borghesia* da *borgo*. La parola, dunque, ci riconduce a un luogo ben definito: alla corte, cioè al turrito castello del signore feudale. Qui, dopo la morte di Carlo Magno, durante l'anarchia dell'Impero carolingio, fra il nuovo imperversare di selvagge incursioni barbariche, si è prima difesa e poi riorganizzata la civiltà europea. Qui si è consolidata un'aristocrazia nobiliare e cavalleresca, fondata, prima, su basi militari, che si rafforzò progressivamente sul piano economico, politico, ideologico, per trovare poi, nella prima Crociata in Terrasanta, un nuovo slancio d'avventura, di impeto guerriero e di fede.

Nei secoli XI e XII questa classe, sempre più rinforzata da elementi che provengono dalla piccola nobiltà, tende a mantenersi rigidamente chiusa nella difesa dei privilegi acquisiti e soprattutto per questo elabora un ideale di vita più elevato che la distingua sia dal popolo, sul quale vuole mantenere il proprio dominio, sia dalla borghesia in ascesa. Tale sforzo continua nel Duecento, quando però si delinea il lento ma inarrestabile declino della struttura feudale.

L'ideale cavalleresco è fondato su una compenetrazione di qualità morali ed estetiche, che si compongono con la primitiva esaltazione della prodezza guerriera. Se nel corso dell'elaborazione secolare di questo ideale vediamo, all'inizio, la parola *cortese* accompagnare la parola *prode* per denotare semplicemente la saggezza che il cavaliere deve unire al valore per ottenere una maggior efficienza di combattente, più tardi, soprattutto nel secolo XII, la parola si arricchisce di molteplici significati, ispirati dalla cultura clericale, che aggiunge al motivo guerriero quello religioso e un ideale di civiltà desunto dai classici.

Così alle virtù eroiche e alla lealtà feudale (disprezzo del pericolo, del dolore, della morte, brama d'onore e di gloria, fedeltà al proprio signore) si aggiungono quelle morali esaltate dai classici antichi (tenacia, magnanimità, dominio di sé, temperanza) e quelle di ispirazione cristiana, con le quali la Chiesa, d'accordo col potere politico, si sforzò di lenire la ferocia del costume guerriero: la difesa della fede, la generosità verso il vinto, la protezione delle vedove, degli orfani, degli oppressi, di quelli che, di fatto, soffrivano più duramente nel corso delle crudeli guerre feudali. Si cercò in tal modo di ricondurre un ceto di piccoli nobili senza feudo, poveri e violenti, professionisti della guerra nelle frequenti lotte fra i grandi feudatari, in quanto vedevano nelle armi il solo mezzo del proprio riscatto e della propria elevazione sociale, a un'integrazione etica e politica nella società feudale, rintuzzando il loro potenziale o reale anarchismo.

Cortesia diviene così la sintesi di quattro virtù: *larghezza*, *misura*, *prodezza*, *gioia*; e cioè: liberalità e magnificenza nel donare, che esprime generosità e assoluto disinteresse davanti ai vantaggi materiali; temperanza e dominio dei propri istinti, e quindi onestà e decoro che si riflettono nel costume di vita; audacia e coraggio guerriero, che affrontano con entusiasmo ogni nobile impresa; e, infine, una parola intraducibile — *gioia* — che allude al sentimento della propria eccellenza, a un espandersi vitale libero e armonico. Cavalleria e cortesia divengono intima vocazione e trovano in se stesse la propria ricompensa. A questi ideali si conformarono anche i grandi signori.

La cavalleria restò, coerentemente alle sue origini, un'istituzione laica. Il cavaliere appare proteso verso un ideale di perfezione umana e terrena, da vivere e da conquistare giorno per giorno nell'*avventura*, l'impresa nobile ed eroica, dalla quale il suo *pregio* emerge come una dote provata e quindi riconosciuta degna di *onore* e di lode. Per questo nella letteratura del secolo XII sempre maggiore sviluppo ha il romanzo fantastico e avventuroso. Il cavaliere si muove fra duelli e battaglie, magie e incantesimi, per amore di una donna, dell'avventura e della gloria.

La letteratura cortese ha pertanto una forte tendenza idealizzante e ideologica: idealizzante perché non rappresenta i contrasti della realtà, ma un sogno di perfezione; ideologica perché attribuisce alla classe dominante una forma di eccellenza umana esemplare che ne giustifica il potere e i privilegi. Il contrario di cortesia è, infatti, *villania*: l'incapacità dell'alto sentire e dell'alto operare, la rozzezza di spirito e di costumi di chi non è nato nobile. La parola ci riconduce alla *villa*, ai possessi fondiari del signore; alla campagna, cioè, ai contadini, mantenuti in condizioni precarie di vita e di cultura e sostanzialmente considerati come esseri inferiori, dai quali ci si deve radicalmente distinguere.

L'amor cortese

Quanto più la vita cavalleresca si viene affinando e ingentilendo, tanto più viene elaborato e coltivato, nell'arte, ma anche nella vita, un nuovo ideale dell'amore: l'*amore cortese*. L'amore è presentato come un superiore principio che educa e affina, come stimolo alla perfezione dell'uomo, alla conquista della cortesia; diviene, anzi, tutt'uno con essa.

La poesia esalta il culto dell'amore, inteso come fonte d'ogni bontà e bellezza; infatti ogni atto turpe che il cavaliere compisse nella vita sarebbe un tradimento nei confronti dell'amata. Per lei l'amante prova un dolcissimo affetto; si rassegna al fatto che ella sia lontana e inaccessibile, perché la vera gioia sta nell'intensità del desiderio, piuttosto che nella soddisfazione di esso. L'amore, come la cortesia, è premio a se stesso.

Esso ha inoltre un elaboratissimo galateo, che riflette quello dell'*omaggio* feudale: bisogna amare la propria donna con fedeltà assoluta, con lealtà piena, obbedire a ogni suo cenno, saper celare la propria passione agli altri, essere il suo vassallo.

Questo amore nasce fuori dalle leggi morali costituite: non è amore coniugale o tale che possa condurre al matrimonio, che, d'altra parte, nel mondo signorile, era fondato su interessi politici e dinastici e soggetto, per le stesse ragioni, a divorzi, violenze, ripudi; e neppure l'esaltazione della donna corrispondeva alla reale condizione femminile. A quale modello sociale corrisponde dunque questa concezione originalissima, che ebbe influenza notevole sul costume?

A questa domanda i critici hanno dato ampie e complesse risposte. Lo Hauser, ad esempio, ha spiegato la condizione di sudditanza feudale assunta dal cavaliere nei confronti dell'amata come il riflesso d'una effettiva realtà sociale: il vagheggiamento, da parte dei giovani che apprendevano nel castello il mestiere delle armi (un apprendistato che durava anni), della signora feudale, ammirata per il suo fascino femminile e venerata, nel contempo, come, appunto, la signora (*donna* viene dal latino *domina*, che vuol dire *padrona*). Più concretamente il Köhler ha riscontrato una piena omogeneità fra la struttura della nuova mitologia cortese e quella della società nella quale e per la quale sorge. Egli osserva che, soprattutto nel secolo XII, entrano a far parte della nobiltà feudale, dissanguata dalle guerre e bisognosa di nuove forze per la sua politica di potenza, gruppi di nobili di condizione inferiore (cavalieri, funzionari), poveri, per lo più, che, d'altra parte, non possono più essere compensati per i loro servigi con un feudo, come avveniva nella prima età feudale. È da costoro e per costoro che nasce una più rigida ideologia aristocratica, che finisce per essere assunta da tutta la feudalità, fondata sul culto dell'onore, che stabilisce una ideale uguaglianza fra i vari livelli della nobiltà, compensando, in qualche modo, la reale disuguaglianza di ricchezza e potere. Nascono così i miti dell'avventura e dell'amore come manifestazione d'un agire e d'un sentire eletti, che rivelano la nobiltà della persona indipendentemente dal successo materiale. Così l'amore cortese è sempre un amore lontano: una tensione in cui prendono forma la nobiltà del sentire e la generosità dell'animo; un sentimento che trova un primo appagamento in sé, nella propria perfezione.

Afferma uno storico del Medioevo francese, Georges Duby, che l'amore cortese, come la cavalleria, ha un fondamentale carattere ludico, di giuoco, cioè, elegante, con regole precise, una casistica minuziosa che comporta dispute raffinate, nella vita di corte (per es., come sia lecito passare da un amore a un altro, se sia lecito l'amore fra persone di condizione sociale diversa, e così via). Ma era un gioco che simulava la vita: un'immagine rovesciata di essa in cui la fantasia cercava un compenso alle contraddizioni più violente del costume sociale. L'amore lontano diveniva il mito di un limite invalicabile nei rapporti concreti, come lo era la disuguaglianza economico-sociale che la cavalleria intendeva negare (il cavaliere povero, non poteva, di fatto, sposarsi ed era legato a una rigorosa dipendenza feudale). Si trattava dunque d'una compensazione fantastica di conflitti reali e insormontabili della società. Ma tuttavia la fantasia, la cultura, la letteratura potevano collaborare a modificare l'ambiente, proporre nuove idealità o utopie, divenire una nuova forza storica. Il culto dell'interiorità e della dignità del sentimento, creato dai poeti, postulava una maggiore uguaglianza. Comunque sia, con la lirica cortese nasceva una nuova poesia laica dell'introspezione, dell'animo che scruta se stesso, nella ricerca di un'armonica perfezione. Dai Provenzali, a Dante, al Petrarca essa espresse, attraverso il mito dell'amore, un'immagine originale della vita interiore dell'individuo.

Verso una nuova coscienza letteraria

La nascita della letteratura in volgare coincide col costituirsi d'un nuovo pubblico di utenti.

Lo scrittore in latino, il *clericus*, depositario dell'alta cultura monastica o universitaria, si rivolge a un pubblico che è, insieme, ristretto e vasto: ristretto perché è, in sostanza, quello degli altri *clerici* (o di chi aspira a divenire tale), e cioè d'una parte assai limitata e rigorosamente specializzata della comunità; vastissimo, almeno idealmente, perché comprende i dotti di tutta Europa e anche il pubblico incalcolabile, nello spazio e nel tempo, che il libro presuppone.

Lo scrittore in volgare si rivolge, invece, a una struttura sociale storicamente ben definita, la classe nobiliare, di cui condivide ed esprime la storia, i problemi, le aspirazioni. In tal senso, ha un controllo immediato da parte del pubblico in mezzo al quale vive e che gli garantisce o meno il successo, e ha un rapporto diretto con un centro di produzione culturale che coincide con quello dell'organizzazione politica e statale e col luogo dove il pubblico si raduna per ascoltarlo: la corte. La diffusione della letteratura avviene, infatti, per via orale: le canzoni di gesta sono recitate con accompagnamento musicale, le poesie d'amore sono musicate e cantate, il romanzo viene anch'esso letto pubblicamente, sebbene, più degli altri generi, si affidi anche alla trasmissione garantita dalla scrittura e alla lettura individuale. La nuova letteratura tende a essere di immediato consumo.

Contemporaneamente muta lo statuto sociale di chi la produce. Lo scrittore è uomo di corte (assai di rado lo stesso signore), che vive sotto il patronato o la protezione di essa, in posizione spesso di materiale dipendenza; il sovrano o il grande signore feudale danno vita, per il fasto della loro corte, a cenacoli intellettuali ove si elabora la nuova letteratura. Accanto a quella dello scrittore va però considerata anche la figura del *giullare* (la parola viene da *joculator* che indicava, già nel Medioevo più antico, l'uomo di spettacolo, anche nella forma più umile: cantanti, mimi, saltimbanchi, giocolieri, che giravano per le corti, le città, le fiere): è questi l'esecutore dei testi, e quindi anche il loro divulgatore nella corte e fuori della corte, vive dei compensi che gli vengono elargiti. I giullari cominciano ora a riunirsi in corporazioni e a dar vita a scuole professionali, come quella di Beauvais.

Non si deve tuttavia pensare a un'opposizione drastica fra i *clerici* e i nuovi scrittori. Goffredo di Monmouth, anglonormanno (sec. XII), scrisse in latino una storia dei re inglesi (*Historia regum Britanniae*), raccolta di favole, storie e leggende dell'antichità e del Medioevo, che fu una fonte primaria dei romanzi del ciclo bretone; dietro la *Canzone d'Orlando* si è intravisto un originale (o una fonte) in latino, e certo essa è opera d'un *clericus*, Turoldo, e diffusa da monaci fra guerrieri e popolo durante i pellegrinaggi. Più in generale, si può affermare che ogni persona colta usciva allora dalle scuole clericali, dove, fra l'altro, si studiavano gli *auctores* classici e la retorica. La raffinatezza stilistica che presentano i primi testi della letteratura francese, a volte volutamente popolari nel tono o nella assunzione di vicende folkloristiche, ma sempre sorvegliatissimi sul piano formale, rivela la solida preparazione retorica degli autori. Un'elaborazione ancor più sottile, con nette demarcazioni stilistiche, ad es. fra uno stile più diretto e comunicativo (il *trobar leu*) e uno più arduo e quasi enigmatico (il *trobar clus*) e complesse operazioni metriche si ritrovano nella lirica dei poeti o *trovatori* provenzali.

Quanto al pubblico, va ancora osservato che se quello nobiliare è il destinatario immediato, la nuova letteratura si diffonde anche in strati più vasti. Essa, infatti, rappresenta l'idealizzazione che di sé presenta la classe egemonica, con un valore esemplare. Questo, oltre a ribadire il dominio della nobiltà, tende a propagarsi fra le altre classi, soprattutto fra la nascente borghesia, attirata, per giunta, come il popolo, da certe tematiche, quali la lotta contro i Musulmani, di carattere effettivamente popolare e nazionale.

La nuova letteratura, dunque, non si limita a proporre al suo pubblico un piacere raffinato, ma reca in sé fin dall'inizio un proposito educativo e, si può dire, in senso lato, politico; proclama e diffonde un'idea dell'uomo e della vita.

L'epica

La «Canzone d'Orlando»

La *Chanson de Roland*, probabilmente la più antica «canzone di gesta» pervenutaci, è conservata da un gruppo di codici, il più antico dei quali, quello di Oxford, fu scritto in pieno secolo XII. Ma certo il poema viene dalla Francia ed è di circa un secolo anteriore al manoscritto; vari indizi fanno pensare che esistesse già nella prima metà del secolo XI e forse nel X.

Nulla sappiamo dell'autore, molto probabilmente il Turoldo nominato nell'ultimo verso, un letterato, si direbbe, formatosi nella scuola episcopale di Reims. La vicenda narrata trae lo spunto da un evento storico dell'età carolingia (rielaborato peraltro assai liberamente): la rotta subita dalla retroguardia di Carlo Magno, guidata dal conte Rolando, a Roncisvalle, ad opera dei montanari Baschi, dopo una spedizione del 778 contro Saragozza.

La critica romantica ottocentesca vide nella *Canzone* il punto d'arrivo d'una lunga tradizione orale, nata dall'anima popolare all'indomani degli eventi e affidata per secoli ai giullari. La critica idealistica ne rivendicò invece il carattere di individuale creazione d'un poeta colto, interprete delle idealità che ispirarono la partecipazione francese al riscatto della Spagna dal dominio musulmano e alle prime Crociate, ed è interpretazione più corretta, data l'evidente ispirazione unitaria e la solida struttura artistica del poema. È vero tuttavia che i suoi temi fondamentali — la difesa della fede cristiana, che è anche difesa della «dolce Francia», stretta attorno alla monarchia carolingia e la guerra santa contro i Musulmani, che diventa mezzo di unificazione nazionale — affondano le radici nella storia secolare d'un popolo, storia di cui gli eventi attuali (le Crociate) appaiono sviluppo e conclusione.

Nello stesso tempo Turoldo fonda un ideale cavalleresco-feudale che diventò un modello per l'Europa, come dimostrano le imitazioni e i rifacimenti della *Canzone* in altre lingue europee e il fatto che i suoi eroi, a cominciare da Rolando (che avrà da noi il nome di Orlando) rimasero i protagonisti di molti poemi posteriori, fino all'*Orlando furioso* dell'Ariosto e oltre. Ma il tema individualistico-eroico è inquadrato in una prospettiva più vasta: la fedeltà al proprio signore, alla propria terra, alla propria fede religiosa, alla dignità cavalleresca. Rolando affronta, in una sorta di consapevole martirio, la battaglia troppo disuguale, pur potendo evitarla, perché il cavaliere affronta la prova non in base al calcolo delle probabilità di successo, ma come attestazione di eroismo e fedeltà a se stesso, all'Imperatore, a Dio.

Questa la vicenda. Carlo Magno sta per ritornare in Francia, dopo sette anni di campagne vittoriose in Spagna. Marsilio, re di Saragozza, chiede di sottomettersi a lui e di abbracciare col suo popolo il Cristianesimo. Rolando, fautore della guerra a oltranza contro gli infedeli, diffidando della lealtà di Marsilio, è contrario all'accettazione della proposta; di parere opposto è il suo patrigno Gano, il cui consiglio finisce per prevalere. Rolando propone allora di inviare proprio lui a trattare con gli infedeli, pur pensando che questo comporti un rischio mortale, e ciò scatena in Gano una sete di vendetta che lo induce al tradimento, macchinato con Marsilio. Carlo tornerà in Francia, la sua retroguardia, a capo della quale, per istigazione di Gano, sarà posto Rolando, verrà affrontata e distrutta da un potentissimo esercito musulmano. L'infame trama ha successo: a Roncisvalle i Francesi si trovano di fronte forze nemiche soverchianti. Invano Oliviero consiglia Rolando di suonare il corno per chiamare in soccorso Carlo: per Rolando sarebbe un'onta mostrare di avere paura del nemico, e d'altra parte egli vede il proprio sacrificio come stimolo a una guerra totale e senza quartiere contro gli infedeli. Solo in punto di morte, dopo la distruzione della sua eroica schiera, suona il corno. Carlo sopraggiunge, distrugge il nemico, espugna Saragozza, fa squartare il traditore Gano.

La *Canzone* ebbe grande fortuna europea, attestata da numerose rielaborazioni e rifacimenti italiani, tedeschi, norvegesi. Essa diede inizio in Francia alla tradizione epica, rappresentata dalle *canzoni di gesta* (le imprese compiute da una stirpe), spesso incentrate su Carlo Magno e i suoi successori o su grandi feudatari. Fra le più antiche e importanti sono la *Canzone di Guglielmo,* la *Canzone di Raul di Cambrai,* la *Canzone dell'incoronazione di Lodovico,* la *Canzone dei figli d'Aimone,* la *Canzone di Gormont e Isembart.*

La traduzione del passo che presentiamo è di Giovanni Pascoli, da *Poesie*, Milano, Mondadori, 1939.

La morte d'Orlando

È questo uno dei momenti più alti della *Canzone*, in cui il tema eroico-cavalleresco si fonde con quello religioso. In *Durendal*, la spada vittoriosa in cento battaglie qui rievocate, sono le reliquie dei martiri, in essa si compendia la vita d'Orlando, prode vassallo e guerriero della fede. Tre atti dell'eroe assumono il valore d'una suprema liturgia: il tentativo d'infrangere la spada perché non cada in mano nemica; il porsi, morente, con la fronte volta al nemico; il tendere a Dio il proprio guanto in segno d'omaggio, proclamandosi suo vassallo come prima lo era stato di Carlo, rappresentante di Dio in terra.

La versione del Pascoli mantiene il metro dell'originale (un endecasillabo con forte cesura dopo la quinta sillaba, corrispondente al decasillabo epico francese) e la divisione in *lasse*, cioè in strofe di diversa lunghezza, con frequenti rime e assonanze.

Qui sente Orlando che la morte gli è presso:
che gli esce fuor dalle orecchie il cervello.
Dominedio per i suoi Pari prega,
prega per sé l'angelo Gabriello.
5 In mano il corno (biasmo non vuole!) prende
e Durendal, la spada, nella destra.
Più che non può quadrello da balestra,
ver Spagna va, per un prato maggese.
A sommo un poggio sotto due piante belle
10 quattro pietroni fatti di marmo vede:
e' cade là rovescio sopra l'erba,
e tramortisce: ché la morte gli è presso.
Alte montagne ed alberi ben alti:
quattro pietroni v'ha lucidi di marmo:
15 sull'erba verde è steso il conte Orlando.
Un saracino ecco lo guarda e guarda:
s'è finto morto e se ne sta tra gli altri:
il corpo e il viso e' si lordò di sangue.
Ecco si leva e a correre s'avaccia.
20 Bell'era e forte e di gran vassallaggio.
Per sua superbia e' cominciò quest'atto:
Orlando afferra e suo corpo e sue armi;
e dice: «È vinto il nipote di Carlo!
io porterò la sua spada in Arabia».
25 Prendela in pugno e tira a lui la barba:
in quel tirare egli rinvenne alquanto.
Lí sente Orlando che la spada gli è tolta;
ed apre gli occhi e dice due parole:
«Per quel ch'io so, tu non se' già de' nostri».
30 Il corno tien, che mai lasciar non vuole;
fiedel nell'elmo ch'era di gemme e d'oro.
Sbriciola via l'acciaio e il capo e l'ossa,
mettegli i due occhi dal capo fuori,
a' piedi suoi sí lo distende morto.
35 Gli dice poi: «Finto, che sí fosti oso,
che preso m'hai né a diritto né a torto?
Uom non sarà che non t'abbia per folle!».
Fenduto s'è il padiglion del corno
ed il cristallo sí n'è caduto e l'oro.
40 Lí sente Orlando che la vista ha perduta;
levasi in piedi, richiama sua virtù.

3. Pari: I dodici compagni d'Orlando. Il numero corrisponde a quello degli Apostoli.

19-20. s'avaccia: s'affretta. **di... vassallaggio**: era un nobile vassallo.

31. fiedel: lo colpisce.

Nella sua faccia ha il suo color perduto.
Tien Durendal sua spada tutta nuda.
Davanti lui c'era una pietra bruna:
45 colpi vi dà ben dieci in sua rancura:
crocchia l'acciaio, non l'intacca né rompe.
E dice il conte: «Santa Maria, aiuta!
Eh, Durendal, buona foste in malora!
se n'ho tal pro' non ho di voi più cura.
50 Tante battaglie ho vinto qui con voi,
tante terre ho lontane combattute,
che Carlo tien, che la barba ha canuta.
Non uomo v'abbia ch'avanti ad altri fugga!
Un pro' vassallo v'ha lungo tempo avuta!
55 Mai tale in Francia la libera non fu!».
Orlando fiede il gran masso di sarda:
l'acciaio crocchia, e non si rompe e sgrana.
Quand'egli ciò vede, che non si frange,
tra sé e sé comincia a farne il pianto.
60 «Eh! Durendal, come sei chiara e bianca!
Incontro al sole come riluci e fiammi!
Carlo si stava in val di Moriana:
Dio gli mandò per l'angelo suo santo
che ti donasse a un conte capitano.
65 E mi ti cinse il re gentil, il magno.
Io conquistai, con essa, Angiò e Bretagna,
e conquistai e Poitou e Maine;
ne conquistai Normandia la franca,
ne conquistai Provenza ed Aquitania
70 e Lombardia e tutta la Romagna:
ne conquistai Baviera e tutta Fiandra
e Bugheria e tutta ancor Pullagna:
Costantinopoli ebbe in sua possanza:
ed in Sassonia e' fa ciò ch'e' domanda:
75 ne conquistai Guales Iscozia Islanda
e Inghilterra dove egli tien sua stanza.
Io presi n'ho paesi e terre tante
che Carlo tien, che ha la barba bianca.
Molto mi pesa e duol di questa spada:
80 meglio morire che in Pagania rimanga.
Signor Dio padre, onta difendi a Francia».
Orlando fiede in una pietra bigia,
ne taglia via quant'io non vi so dire.
La spada crocchia e non si spezza e sbricia;
85 in contro il cielo in alto s'è fuggita.
Il conte vede che non la rompe mica
e dolce assai tra sé la piange e dice:
«Eh! Durendal, come sei bella e pia!
Nel pugno d'oro assai ce n'è reliquie:
90 San Pietro un dente, il sangue San Basilio,
capelli ci ha monsignor San Dionigi,
e di sua veste un po' Santa Maria.
Non t'hanno aver pagani in sua balía:
da Cristiani tu devi essere servita.
95 Molt'ampie terre io ho con te conquise,
che Carlo tien ch'ha la barba fiorita.
L'imperator n'è sí barone e ricco».
Orlando sente che la morte lo prende,
e dalla testa sopra il cuor gli discende:

45. rancura: ira angosciosa.
54. pro': prode.
56. sarda: pietra dura: una sorta di agata.
72-75. Bugheria: Bulgaria. **Pullagna**: Polonia. **ed in... domanda**: tramite la spada d'Orlando, Carlo regge, secondo il proprio volere, la Sassonia. **Guales**: Galles.
81. onta... Francia: difendi la Francia da questo disonore.
89-90. pugno d'oro: il pomo dorato dell'impugnatura. **San... Basilio**: un dente di S. Pietro, il sangue di S. Basilio.

100 e sotto un pino andato egli è correndo.
Sull'erba verde egli si colca e stende;
sotto di sé la spada e il corno mette;
volta la testa alla pagana gente.
Per ciò l'ha fatto, ch'e' vuole veramente
105 che Carlo dica e tutta la sua gente:
«Il gentil conte! egli morí vincendo».
Grida sua colpa ogni tanto, sovente:
pe' suoi peccati il guanto a Dio protende.
Orlando sente che tempo non n'ha più,
110 e verso Spagna giace in un monte acuto.
Con una mano il petto s'è battuto:
«*Deus, mea culpa*, tanta è la tua virtù,
pe' miei peccati, i grandi ed i minuti,
che ci ho commessi dal dí che nato fui
115 sino a quest'ora che qui non vivo piú».
Il destro guanto verso Dio tende: a lui
calano allora gli angeli di lassú.
Il conte Orlando giace sottesso un pino
e verso Spagna egli ha rivolto il viso:
120 di molte cose a ricordar gli prese,
di tante terre ch'egli, il baron, conquise,
di dolce Francia e della sua famiglia,
di Carlo Magno, suo sir, che lo nutrí;
e non può far non pianga e non sospiri.
125 Ma già sé stesso in tanto non oblía;
grida sua colpa e mercé chiede a Dio:
«Dio padre vero che giammai non mentisci,
Lazaro dal sepolcro rivivisti,
e da' leoni Daniel guarentisti,
130 l'anima mia salva d'ogni periglio
per i peccati che in mia vita commisi».
Il destro guanto a Dio egli distese;
San Gabriel dalla sua man lo prese.
Sopra il suo braccio e' tiene il capo chino:
135 giunte le mani è ito alla sua fine.
Dio gli mandò l'angelo Cherubino
e San Michel dal mare del periglio:
San Gabriel insieme a lor discese:
l'anima sua portano in paradiso.

106. gentil: nobile e quindi valoroso.
128. rivivisti: facesti rivivere.
135. è... fine: è andato alla sua fine, è morto.

La lirica dei Trovatori

Il movimento trobadorico sorse nelle corti della Francia meridionale, poco dopo la *Canzone di Rolando*, verso la fine, cioè, del secolo XI. Il primo trovatore fu un grande signore feudale, Guglielmo IX di Aquitania, fondatore d'un cenacolo cui appartenne Ebolo II di Ventadorn, di cui nulla ci resta ma che altri trovatori indicano come il creatore dell'ideale cortese dell'amore. Fra i più importanti poeti del secolo XII ricordiamo Marcabruno, Jaufré Rudel, Beatrice de Dia, Bernart di Ventadorn, Giraut de Bornelh, Arnaut Daniel, Bertran de Born, Rambaut d'Aurenga, Peire d'Alvernha. A un certo convenzionalismo in cui si stava esaurendo la scuola verso la fine del secolo, reagirono trovatori come Guillem de Montanhagol, Peire Cardenal, Folchetto di Marsiglia e un gruppo di trovatori che a lungo vissero e poetarono in Italia, come Peire Vidal, Aimeric de Pegulhan, Rambaut di Vaqueiras, cui vanno aggiunti i trovatori italiani che scrissero in provenzale, da Rambertino Buvalelli a Lanfranco Cigala a Sordello da Goito.

Il tramonto della prosperità delle corti provenzali, conseguito alla Crociata degli Albigesi all'inizio del Duecento, segnò la fine della grande fioritura trobadorica. Ma la lirica cortese si era intanto diffusa, fin dal XII secolo, nella Francia del Nord, dove poetarono d'amore in lingua d'oïl poeti (detti «Trovieri») come Conon de Bétune, Guy de Coucy, Thibaud IV de Champagne, e l'influsso trobadorico è evidente nella lirica d'arte siciliana e toscana del Duecento, nella lirica d'amore tedesca dei *Minnesinger*, e in quella di Dante e Petrarca.

Si suppone che «trovare» e «trovatore» vengano da *tropus*, che indicava, nel Medioevo, un canto religioso, un'interpolazione di frasi o dialoghi in onore di Dio o di qualche santo nei lunghi vocalizzi del canto liturgico: parole, dunque, applicate a una melodia. Il vocabolo alluderebbe, quindi, a un carattere importante della lirica provenzale: al suo essere musicata, spesso dall'autore stesso dei versi, e cantata. Ci restano numerose melodie, trascritte nei codici insieme coi testi provenzali e francesi, in assenza delle quali questa lirica perde una parte non indifferente del suo fascino.

L'argomento prevalente è quello amoroso-cortese di cui s'è detto, ma non mancano poesie celebranti le armi e il valore e altre di argomento morale e politico, affidate, queste ultime, soprattutto alla forma metrica del *sirventese*.

La lirica amorosa ruota attorno a pochi temi (il binomio primavera-amore, le convenzioni cortesi del corteggiamento, la lontananza dalla persona amata che dà esca al sogno, al dolce vagheggiare e fantasticare), e a «generi» lirici ben definiti quali l'*alba* (il commiato degli amanti allo spuntar del giorno) o la *pastorella* (una vicenda del tutto naturalistica d'amore con una «villana»); il poeta, piuttosto che effigiare una propria vicenda personale, tende a una rappresentazione oggettiva ed esemplare del sentimento amoroso. Ma soprattutto rappresenta l'amore come gioia che si riversa spontanea nel canto, sì che amore diviene sinonimo di poesia; quest'ultima è, cioè, espressione dell'entusiasmo che l'amore suscita e che trova piena estrinsecazione in essa.

Tale ispirazione, e la stessa tipicità di modi e situazioni rappresentati, inducono il poeta a ricercare l'originalità soprattutto nella raffinatezza dello stile. Il sentimento di un'arte difficile e sorvegliata, il culto d'una forma letteraria eletta, espressione d'un aristocratico sentire, sono forse il contributo più alto offerto dai trovatori alla letteratura europea del tardo Medioevo.

La traduzione delle liriche di Guglielmo IX e di Bertran de Born è di Augusto Roncaglia, da *Poesia dell'età cortese*, Milano, Nuova Accademia, 1961. Per i testi originali si veda anche C. Di Girolamo, *I trovatori*, Torino, Bollati Boringhieri, 1989.

Guglielmo IX d'Aquitania

Nella lirica di Guglielmo (1071-1126) coesistono suggestioni realistico-burlesche ispirate alle «cantilene» dei giullari (spesso condannate dal potere politico-religioso) e la nuova ispirazione «cortese» dell'amore, in cui il desiderio sensuale s'ingentilisce nella contemplazione lirica del sentimento e in un delicato vagheggiamento dell'amata. Il suo canzoniere si chiude col *Canto di penitenza*, una sorta di testamento morale scritto nell'imminenza della morte, affrontata con leale spirito cristiano e dignità signorile. Guglielmo tramandò alla lirica posteriore un modello dei tre generi sui quali essa si verrà svolgendo: quello amoroso sentimentale, di cui fu considerato da tutti l'iniziatore, quello burlesco-realistico (o satirico) e quello moraleggiante.

Come il ramo del biancospino

Come osserva il Roncaglia, appaiono qui i temi dei trovatori successivi: l'immagine primaverile all'inizio (la dolce stagione suscita naturalmente desiderio d'amore); l'umiltà dell'amante davanti all'amata; le metafore feudali trasposte nel linguaggio amoroso (al v. 24 il coprire le mani col mantello della donna traspone metaforicamente una forma precisa della liturgia del giuramento feudale, ad indicare la promessa della lealtà in amore); l'allusione ai «maldicenti» che insidiano la felicità della coppia con chiacchiere malevole; il segreto che deve circondare un amore, condannato dalle leggi della religione e della società; e infine la designazione della donna con un *senhal* o pseudonimo (Buon Vicino). L'immagine centrale del biancospino avviva la trama cerimoniosamente discorsiva della lirica.

Nella dolcezza della primavera
I boschi rinverdiscono, e gli uccelli
Cantano, ciascheduno in sua favella,
Giusta la melodia del nuovo canto,
5 È tempo, dunque, che ognuno si tragga
Presso a quel che piú brama.
Dall'essere che piú mi giova e piace
Messaggero non vedo, né sigillo:
Perciò non ho riposo né allegrezza,
10 Né ardisco farmi innanzi
Finché non sappia di certo se l'esito
Sarà quale domando.
Del nostro amore accade
Come del ramo di biancospino,
15 Che sta sulla pianta tremando
La notte alla pioggia ed al gelo,
Fino al domani, che il sole s'effonde
Infra le foglie verdi sulle fronde.
Ancora mi rimembra d'un mattino
20 Che facemmo la pace tra noi due,
E che mi diede un dono cosí grande:
Il suo amore e il suo anello.
Dio mi conceda ancor tanto di vita
Che il suo mantello copra le mie mani!
25 Io non ho cura degli altrui discorsi
Che dal mio Buon-Vicino mi distacchino;
Delle chiacchiere so come succede.
Per picciol motto che si profferisce:
Altri van dandosi vanto d'amore,
30 Noi disponiamo di pane e coltello.

30. Modo proverbiale per dire che i due amanti dispongono di quanto abbisognano; che il loro amore non è mera vanteria, ma realtà.

Jaufré Rudel

Visse nella prima metà del secolo XII e partecipò alla seconda Crociata (1147). Fu della nobile famiglia dei principi di Blaya, che avevano i loro feudi sulla riva destra della Gironda. Cantò un amore lontano, donde la leggenda che, innamoratosi per fama (senza, cioè, averla mai vista) d'una principessa d'oltremare (Melisenda di Tripoli), avesse preso il mare alla sua volta e fosse spirato fra le sue braccia. Ma l'amore remoto e inaccessibile ch'egli canta rientra nella stilizzazione trobadorica dell'amore come avventura e slancio indefinito che non può mai trovare pieno appagamento.

L'amore lontano

La duplice ricorrenza per ogni *cobla* (= strofa) dell'espressione «di lontano» sottolinea, con un tono vagamente ossessivo, l'amore come tensione piuttosto che come possesso, come un lungo e immoto fantasticare che è, insieme, malinconia e gioia. L'irriducibile lontananza, colmabile soltanto nel sogno, determina uno spazio e un tempo indefiniti, creati dallo stesso struggimento del poeta: uno spazio di desiderio e di nostalgia.

Quando a maggio son lunghe le giornate
amo il canto d'uccelli di lontano;
poi che da loro me ne sono andato,
mi ricordo un amore di lontano;
5 vo sospiroso in cuore, a capo chino
e né canto né fior di biancospino
m'allietan piú dell'inverno gelato.
Mai d'amore la gioia non avrò

2. uccelli... lontano: uccelli che vengono da lontano, dalla terra, forse, ove dimora l'amata.

se non da questo amore di lontano.
10 Donna piú bella o piú gentil non so
in nessun luogo vicino o lontano.
Poi che il suo pregio è sí verace e fino,
che laggiú, nel reame saracino,
io pur vorrei suo schiavo esser chiamato.
15 Triste e gioioso me ne partirò
se mai lo veda, il mio amore lontano;
ma non so quando vederla potrò:
troppo le nostre terre son lontane.
Ché lungo è il viaggio per terra e per mare:
20 s'io mai la veda, non so indovinare.
Ma sia di ciò come a Dio sarà grato.
Con gioia per Iddio le chiederò
d'ospitarmi nella casa lontana;
e, se a lei piace, allor dimorerò
25 vicino a lei, bench'io sia di lontano.
S'udrà parlare allora dolcemente,
quando il lontano amante, là, presente,
dai suoi bei detti sarà confortato.
Verace certo il Signore ritengo
30 per cui vedrò l'amore di lontano.
Ma per un solo bene che n'ottengo
soffro due mali, tanto m'è lontana.
Ah, perché là non sono pellegrino,
e il mio bordone e il mio manto meschino
35 non son da quei begli occhi rimirati?
Dio, che creò ciò che viene e che va
e creò questo amore di lontano,
mi dia potere come ho volontà
di veder questo amore di lontano
40 veracemente, e con sí dolce usanza
che sempre il suo giardino e la sua stanza
possan sembrarmi un palazzo incantato.
Il vero dice chi ghiotto mi chiama
e desioso d'amor di lontano,
45 poi che null'altra gioia tanto bramo
del godimento d'amor di lontano.
Ma quello che vorrei non m'è concesso,
ché il mio padrino in me la sorte ha impresso
d'amare sempre senz'essere amato.
50 Ma quello che vorrei non m'è concesso:
maledetto il padrino che m'ha impresso
la sorte di non essere amato.

12. pregio: la somma delle virtù cavalleresche: gentilezza, leggiadria e fini sentimenti. **fino**: è aggettivo tipico della lirica cortese; indica finezza di modi, di vita, di sentire, tipici di chi è nobile.
31-32. La fiducia nell'aiuto di Dio per poter vedere il suo amore lontano è di conforto al poeta, ma nello stesso tempo ne esaspera la nostalgia e il timore di non poter conseguire questa felicità a causa della lontananza.
34. bordone: il bastone del pellegrino. **meschino**: modesto, di poco pregio, come deve esser il manto d'un pellegrino penitente.
48. Sembra al poeta che il suo padrino gli abbia impresso fin dalla nascita una sorta di «malocchio», di cattiva incantagione.

Bertran de Born

Bertran fiorì fra il 1180 e il 1215. Guerriero indomabile, prese parte attiva alle vicende politiche e militari del tempo, continuamente in guerra coi signori vicini e fomentatore di guerra fra re e feudatari maggiori. Cantò le virtù cavalleresche e soprattutto guerriere, in forte contrasto con la nuova civiltà borghese.

Molto mi piace...

In questa, che è una delle sue liriche più celebri, nel genere lirico del *plazer* (un canto che enumera gli oggetti grati, che danno piacere), Bertran esprime il suo amore per la guerra, come sintesi di coraggio e di violenza. In essa i vassalli minori come lui vedono un mezzo per conquistare onore e ricchezza, sottraendosi a un destino che era ormai di decadenza, di servitù al re o ai vassalli maggiori.

Molto mi piace la lieta stagione di primavera
che fa spuntar foglie e fiori
e mi piace quand'odo la festa
degli uccelli che fan risuonare
5 il loro canto per il bosco,
e mi piace quando vedo su pei prati
tende e padiglioni rizzati,
ed ho grande allegrezza
quando per la campagna vedo a schiera
10 cavalieri e cavalli armati.
E mi piace quando gli scorridori
mettono in fuga le genti con ogni lor roba,
e mi piace quando vedo dietro a loro
gran numero d'armati avanzar tutti insieme,
15 e mi compiaccio nel mio cuore
quando vedo assediar forti castelli
e i baluardi rovinati in breccia
e vedo l'esercito sul vallo
che tutto intorno è cinto di fossati
20 con fitte palizzate di robuste palanche.
Ed altresì mi piace quando vedo
che il signore è il primo all'assalto,
a cavallo, armato, senza tema,
che ai suoi infonde ardire
25 così, con gagliardo valore;
e poi che è ingaggiata la mischia
ciascuno deve essere pronto
volonteroso a seguirlo,
ché niuno è avuto in pregio
30 se non ha molti colpi preso e dato.
Mazze ferrate e brandi, elmi di vario colore,
scudi forare e fracassare
vedremo al primo scontrarsi
e più vassalli insieme colpire,
35 onde erreranno sbandati
i cavalli dei morti e dei feriti
e quando sarà entrato nella mischia
ogni uomo d'alto sangue
non pensi che a mozzare teste e braccia:
40 meglio morto che vivo e sconfitto!
Io vi dico che non mi dà tanto gusto
mangiare, bere o dormire,
come quand'odo gridare «all'assalto»
da ambo le parti, e annitrire
45 cavalli sciolti per l'ombra,
e odo gridare: «aiuta, aiuta!»
e vedo cadere pei fossati
umili e grandi tra l'erbe,
e vedo i morti che attraverso il petto
50 han tronconi di lancia con pennoncelli.
Baroni, date a pegno
castelli, borgate e città,
piuttosto che cessare di guerreggiarvi l'un l'altro.

7. padiglioni: le tende maggiori, riservate ai capi.
11. scorridori: avanguardie col compito di compiere scorrerie e devastazioni.
17. baluardi... breccia: fortificazioni smantellate.
18-20. vallo: trincea. **palanche**: larghe tavole.
29. niuno: nessuno. **pregio**: onore, stima.
50. pennoncelli: piccole bandiere poste accanto alla punta delle lance.
51-53. Meglio dare a pegno tutti i propri possessi, per avere il danaro che serve per armare l'esercito, che vivere in pace.

La narrativa cortese

Alienor (Eleonora) d'Aquitania, nipote di Guglielmo IX, il primo trovatore, sposò, nel 1137, Luigi VII re di Francia, poi, annullato nel 1152 il primo matrimonio, Enrico conte d'Angiò, che nel 1154 divenne re d'Inghilterra.

Nelle due corti dominate dalla colta e intelligente signora fiorirono poeti quali Benoit de Sainte Maure e Thomas, in quella di sua figlia Maria, sposa di Enrico I di Champagne, Chrétien de Troyes, in quella di Aelis, altra sua figlia, sposa di Tebaldo V di Blois, Gautier di Arras. Sono questi i maggiori rappresentanti della narrativa francese in versi del secolo XII, importanti soprattutto i primi tre che costruiscono i tre grandi modelli narrativi proposti dalla Francia all'Europa medievale: il ciclo classico, la leggenda di Tristano, il ciclo bretone.

Nell'ambiente culturale dominato da Alienor e dalle sue figlie si compie l'incontro fra la tradizione trobadorica, che Alienor deriva dall'educazione ricevuta in patria, e la tradizione epica francese, connessa, a sua volta, alle grandi scuole clericali del Nord della Francia che avevano mantenuto il culto dei classici, adeguandoli alla civiltà medievale e feudale. Frutto di questa tradizione sono ora i poemi del ciclo classico, dal *Romanzo d'Alessandro* al *Romanzo di Tebe* al *Romanzo di Enea* al più fortunato, che fu il *Romanzo di Troia* di Benoit de Sainte Maure. In essi, i grandi eroi dell'antichità appaiono nelle vesti di cavalieri medievali.

Sia nel ciclo classico sia in quello bretone (o arturiano) l'eroe guerriero delle antiche canzoni di gesta assume le idealità cortesi della Provenza, soprattutto il nuovo culto dell'amore. Amore e avventura, prodezza e cortesia, eroismo e gentilezza appaiono inscindibilmente fusi nella grande narrativa in versi del secolo (posteriore sarà quella in prosa).

Il romanzo di Tristano

Uno dei più grandi miti narrativi creati dalla letteratura francese del secolo XII è la storia di Tristano e Isotta. I nomi dei protagonisti, l'atmosfera e l'ambientazione fanno pensare che la materia derivi, almeno in parte, dall'Irlanda e dalla Cornovaglia celtiche. Ma, pur senza escludere una preesistenza di antiche leggende, converrà insistere sull'originalità della concezione degli autori che fra il 1160 e il 1190 elaborarono i primi poemi sulla patetica storia dei due amanti. D'un certo Breri (forse Brederico), abbiamo solo qualche vaga notizia; invece di Thomas e Béroul possediamo ampi frammenti narrativi, cui vanno aggiunti il poema anonimo *La follia di Tristano* e un *lai* (o poemetto narrativo) di Maria di Francia. Nel nostro secolo, un critico francese, Joseph Bédier, ha ricostruito la complessa trama della leggenda, valendosi, oltre che dei frammenti dei due poeti, anche dei numerosi rifacimenti stranieri immediatamente seguenti, quali il romanzo in tedesco di Goffredo di Strasburgo, la saga norvegese del monaco Roberto, il romanzo inglese *Sir Tristrem* e le più tarde rielaborazioni in prosa francesi e italiane. Come si vede, il romanzo di amore e morte ha avuto un'immediata fortuna europea, che si è conclusa nel secolo scorso con la grande opera poetica e musicale *Tristano e Isotta* di Riccardo Wagner.

Tema del racconto è la storia d'una passione adultera irresistibile, che assume un carattere fatale, sconvolgendo la vita dei protagonisti fino alla morte.

L'eroe Tristano, nipote di Marco re di Cornovaglia, vince il mostruoso Moroldo d'Irlanda, che affligge, oltre la stessa Irlanda, anche la Cornovaglia. Ferito dalla spada avvelenata del mostro d'una ferita incurabile, abbandona la corte e da una nave senza vela, né remo, né timone è portato di nuovo in Irlanda, dove viene risanato da Isotta la bionda, sorella di Moroldo, esperta di arti mediche e magiche. Più tardi lo zio lo invia a chiedere per lui la fanciulla in sposa. Al momento della partenza la madre consegna a Isotta un magico filtro d'amore, destinato a rendere più felici le nozze fra lei e il re. Ma durante la navigazione l'ancella Brengania propina per errore il filtro ai due giovani, fra i quali nasce pertanto una passione irresistibile. Dopo varie vicende re Marco scopre il loro adulterio e li scaccia. I due vivono a lungo in una selva, finché Marco riaccoglie presso di sé Isotta e bandisce Tristano, il quale sposa senza amore Isotta dalle bianche mani, che gli ricorda, nel nome e nelle fattezze, l'amata. Durante un combattimento subisce di nuovo una ferita mortale e manda il suo scudiero a chiedere l'aiuto di Isotta. La nave inviata a prenderla isserà, al ritorno, una vela bianca, se essa vi sarà imbarcata, una vela nera in caso contrario. Isotta parte in soccorso dell'amico, ma la moglie di Tristano, rosa dalla gelosia, gli annuncia che la nave che sta giungendo ha issato la vela nera, e Tristano, disperato, lascia sfuggire l'ultimo soffio di vita. Isotta, giunta alla reggia, cade morta di dolore accanto all'amato.

Vari spunti della trama ricordano i miti classici di Teseo e del Minotauro, di Giasone, Medea, Arianna, per non parlare della patetica storia d'amore di Piramo e Tisbe, tradotta e liberamente rimaneggiata dal testo di Ovidio nel secolo XII. Ma la materia è pervasa da uno spirito nuovo e originale. Tristano e Isotta sono, sì, le vittime d'un fatale incantesimo (il filtro); ma la loro assoluta dedizione all'amore, l'intensità con cui vivono il loro sentimento fino alla morte diventa una suprema esaltazione dell'amore e della spiritualità «cortese».

Il frammento di Thomas è più vicino al gusto introspettivo della lirica d'amore del secolo; quello di Béroul punta invece sul vigore drammatico della trama narrativa e appare più vicino al mondo eroico delle canzoni di gesta.

Il primo passo è tradotto da Augusto Roncaglia, da *Poesia dell'età cortese*, Nuova Accademia, cit.; il secondo da Giovanni Marcellini, da J. Bédier, *Il romanzo di Tristano e Isotta*, Milano, Rizzoli, 1952.

Dal «Tristano» di Béroul: La condanna e la fuga

La narrazione di Béroul è caratterizzata da un realismo più crudo e drammatico, con violenti scoppi d'ira e passione dei protagonisti, fra i quali ha rilievo anche re Marco, combattuto fra la regalità ferita, l'ira per il tradimento subito e l'amore per il nipote Tristano. Si osservi qui la violenza della vendetta del re, l'impeto con cui Tristano libera Isotta, l'abbandono totale degli amanti alla loro passione, sullo sfondo di quella selva dove tempo e spazio sembrano aboliti e i due protagonisti ritornano a una vita elementare, che diviene simbolo del loro rifiuto del mondo e d'ogni legge che non sia il loro amore. Presentiamo il passo in una versione in prosa.

Quando giunse al re la novella che Tristano era fuggito attraverso l'invetriata, ei divenne livido per l'ira e ordinò ai suoi uomini di condurre al suo cospetto Isotta.

Ed ecco che gli uomini la traggono; essa appare fuori della sala, sulla soglia, tende le mani delicate, donde cola il sangue. Un clamore sale dalla strada:

— Dio, pietà per lei! Regina franca, regina onorata, qual lutto han gettato su questa terra coloro che vi hanno denunziata! Maledizione su di essi!

La regina è trascinata sino al rogo di spini, che fiammeggia. Allora Dinasso, signore di Lidan, si lascia cadere ai piedi del re:

— Sire, ascoltami: io t'ho servito lungamente, senza viltà, lealmente, senza ritrarne profitto alcuno: invero non c'è pover'uomo, né orfanello, né vecchia femminuccia che mi darebbe un denaro per la tua siniscalchia, che tenni tutta la vita. In ricompensa, concedimi che tu accoglierai nella tua grazia la regina. Tu vuoi arderla senza giudizio: è prevaricare, poiché essa nega la colpa di cui tu l'accusi. D'altronde, rifletti. Se tu ardi il suo corpo, non vi sarà più sicurezza sulla tua terra. Tristano è fuggito: egli conosce bene le pianure, i boschi, i guadi, i passi, ed è quanto mai ardimentoso. Certo, tu sei suo zio, ed egli non si rivolgerà contro di te: ma tutti i tuoi baroni, tutti i tuoi vassalli che potrà sorprendere, li ammazzerà.

I quattro felloni, udendolo, impallidiscono: vedono di già Tristano, in agguato, che li spia.

— Re, — disse il siniscalco, — se è vero che ti ho servito bene per tutta la vita, dammi Isotta: io risponderò di lei come suo custode e suo mallevadore.

Ma il re prese Dinasso per mano e giurò nel nome dei santi che avrebbe fatto giustizia immediata.

Allora Dinasso si rialzò:

— Re, io me ne ritorno a Lidan, e rinunzio al vostro servizio.

Isotta gli sorride tristemente. Egli balza sul suo destriero, e si allontana, disfatto e cupo, a fronte bassa.

Isotta si tiene ritta davanti alla fiamma. La folla, intorno, grida, maledice il re, maledice i traditori. Le lacrime scorrono lungo il volto della regina. Essa è vestita d'una stretta tunica grigia, ove corre un filo d'oro sottile; un filo d'oro è intrecciato nei suoi capelli, che le cadono sino ai piedi. Chi potesse vederla così bella senza accordarle misericordia, avrebbe un cuore di fellone. Dio, come le sue braccia sono strettamente avvinte!

Ora, cento lebbrosi, deformi, dalla carne corrosa e biancastra, accorsi sulle loro grucce allo strepito delle raganelle, si accalcavano dinanzi al rogo, e sotto le palpebre enfiate, i loro occhi sanguigni s'allietavano dello spettacolo.

Ivano, il più schifoso di quegli infermi, gridò al re con voce stridula:

— Sire, tu vuoi gettare la tua donna su questo rogo: è buona giustizia, ma troppo breve. Questo gran fuoco l'avrà presto combusta, questo gran vento avrà presto disperso le sue ceneri. E quando tra poco questa fiamma si sarà spenta, la sua pena sarà cessata. Vuoi ch'io t'insegni un castigo peggiore, tale che la lasci in vita, ma in grande onta, e ognora augurandosi la morte? Re, lo vuoi tu?

Rispose il re:

— Sì, la vita per lei, ma in grande onta e peggiore che la morte... Chi m'insegnerà un tale supplizio, sarà da me prediletto.

— Sire, io esporrò dunque brevemente il mio pensiero. Vedi, io ho qui cento compagni. Dacci Isotta, e ch'essa faccia vita in comune con noi. Il male attizza le nostre voglie. Dalla ai tuoi lebbrosi, e mai dama avrà fatto fine peggiore. Vedi, i nostri cenci sono appiccicati alle nostre piaghe, che colano. Essa che, al tuo fianco, si compiaceva di ricche stoffe foderate di vaio, di gioielli, di sale ornate di marmo, essa che godeva dei buoni vini, dell'onore, dell'allegrezza, quando vedrà la corte dei tuoi lebbrosi, quando le toccherà entrare nei nostri bassi tuguri e coricarsi con noi, allora Isotta la Bella, la Bionda, riconoscerà il suo peccato e rimpiangerà questo bel fuoco di spini!

Il re lo ascolta, si alza, e resta a lungo immobile. Infine, corre verso la regina e la prende per mano. Essa grida:

— Per pietà, sire, piuttosto fatemi ardere, fatemi ardere!

Il re l'abbandona ai lebbrosi. Ivano la prende e i cento infermi fan calca attorno ad essa. Al sentirli gridare e guaire, tutti i cuori si struggono di compassione; ma Ivano è giubilante. Isotta sen va, Ivano la conduce. Fuori della città scende il fetido corteo.

Essi han preso la strada dove Tristano s'è posto in agguato. Governale getta un grido:

— Figlio, che farai? Ecco l'amata tua!

Tristano spinse il suo cavallo fuor della macchia.

— Ivano, tu le hai fatto troppo a lungo compagnia; lasciala ora, se ti è cara la vita!

Ma Ivano slaccia il suo mantello:

— Coraggio, compagni. Ai vostri randelli! Alle vostre grucce! È il momento che ciascuno mostri il proprio valore!

E allora fu bello vedere i lebbrosi gettar via le loro cappe, piantarsi sui piedi infermi, sbuffare, gridare, brandir le loro stampelle: chi minaccia e chi grugnisce. Ma a Tristano ripugnava di colpirli.

I narratori della istoria asseverano ch'egli abbia ucciso Ivano; ma è affermazione bugiarda. No, egli era troppo prode per uccidere un siffatto aborto di natura. Ma Governale, avendo sradicato un forte germoglio di quercia, l'assestò sul cranio d'Ivano: sangue nero ne sprizzò fuori, sino ai suoi piedi deformi.

Tristano riprese la regina. Ormai essa non sente più alcun male. Egli tagliò le corde che avvincevano le sue braccia, e, lasciando la pianura, Tristano,

Isotta e Governale s'immersero nella foresta del Morrese. Là, nei grandi boschi, Tristano si sente al sicuro come dietro la muraglia d'una roccaforte.

Quando il sole declinò, tutt'e tre si fermarono appiè d'un monte; la paura aveva spossato la regina; essa poggiò il capo sul corpo di Tristano e s'addormentò.

Al mattino, Governale tolse a un forestaro il suo arco e due frecce bene impennate e dentate, e le dié a Tristano, il buon arciere, che, sorpreso un capriolo, l'uccise. Governale ammassò legna secca, batté l'acciarino, fece sprizzar la scintilla e accese un gran fuoco per cuocere la selvaggina. Tristano tagliò alcune fronde, costrusse una capanna e la coprì di frasche; Isotta la cosparse d'erbe folte.

Allora, nel cuore della foresta selvaggia, cominciò per i fuggiaschi una vita aspra, e tuttavia amata.

Nel fondo della foresta selvaggia, con grande affanno, come bestie braccate, essi errano e raramente osano tornar la sera nel covile del dì innanzi. Non si cibano che di carne di animali salvatici, e rimpiangono il sapor del sale e del pane. I loro volti emaciati si fan lividi, i loro vestiti cadono a brandelli, lacerati dai rovi. Ma essi si amano, non soffrono.

Dal «Tristano» di Thomas: La morte degli amanti

Tristano attende l'arrivo d'Isotta, ma è ormai disperato, perché già è trascorso il giorno fissato per il ritorno ed egli non sa che la nave è stata trattenuta da una bonaccia. Ora finalmente la nave sta giungendo, ma la moglie gli fa credere che essa non porti Isotta. Particolarmente intensa è la descrizione della morte degli amanti: del disperato abbandono della vita da parte di Tristano e del lamento d'Isotta sul corpo esanime dell'amato, prima di unirsi a lui nella morte.

Allora Tristano ha sí gran dolore,
Che piú grande non ebbe mai né avrà,
E si volta verso la parete,
E dice: «Dio salvi Isotta e me!
5 Poiché a me non volete venire,
Per vostro amore debbo morire.
Io non posso piú durare la vita,
Per voi muoio, Isotta, cara amica.
Non avete pietà del mio languire,
10 Ma della mia morte avrete dolore.
Questo m'è, amica, gran conforto,
Che avrete pietà della mia morte».
«Amica Isotta!» tre volte ha esclamato,
Alla quarta rende lo spirito.
15 Allora piangono per la casa
I cavalieri, i compagni.
Il clamore è alto, il pianto grande.
Accorrono cavalieri e serventi
E lo traggon fuori dal suo letto,
20 Poi lo coricano sopra uno sciamito
E lo coprono d'un drappo listato.
Sul mare s'è levato il vento
E prende in pieno la vela,
A terra sospinge la nave.
25 Isotta dalla nave è scesa,
Ode i grandi pianti nella strada,
Le campane delle chiese, delle cappelle;
Domanda notizie alla gente,
Perché quei rintocchi
30 E per chi sia quel compianto.
Un vecchio allora le dice:
«Bella signora, che Dio m'aiuti,

Noi abbiamo sí gran dolore
Che alcuno mai ne conobbe piú grande.
35 Tristano, il prode, il generoso, è morto:
A tutti quelli del regno era conforto:
Liberale era coi bisognosi,
Di grande aiuto agli afflitti.
D'una ferita che aveva ricevuto,
40 Nel suo letto, proprio ora, è morto.
Mai sí grande sventura
Capitò a questa regione».
Appena Isotta ode questa novella,
Per il dolore non può profferir parola,
45 Per la sua morte cosí era addolorata.
Per la strada corre discinta
Precedendo gli altri al palazzo.
I Bretoni non videro giammai
Donna della sua bellezza:
50 Si meravigliano per la città
Donde ella venga, chi sia.
Isotta corre là dove scorge la salma,
Si volge verso oriente,
Prega piamente per lui:
55 «Amico Tristano, dal momento che morto vi vedo,
È ben ragione ch'io non debba piú vivere!
Siete morto per il mio amore,
E io muoio, amico, di tenerezza,
Poiché a tempo non potei giungere
60 Voi e il vostro male a guarire.
Amico, amico, per la vostra morte
Non avrò mai di nulla conforto,
Gioia, letizia, né piacere alcuno.
Quel maltempo sia maledetto,
65 Che tanto mi fece, amico, in mare
Tardare, sí ch'io non potei giungere.
Se io fossi a tempo arrivata,
La vita v'avrei ridata,
E dolcemente parlato con voi
70 Dell'amore ch'è stato tra noi;
Rimpianta avrei la nostra sorte,
La nostra gioia, il nostro piacere,
E la pena e il gran dolore
Ch'è stato nel nostro amore,
75 Tutto ciò avrei ricordato
E baciato v'avrei e abbracciato.
Ma se io non v'ho potuto guarire,
Che insieme dunque possiamo morire!
Dal momento che non potei giungere in tempo
80 E non seppi quel ch'era accaduto,
E son giunta alla vostra morte,
Dello stesso filtro avrò conforto.
Per me avete perduto la vita,
Ed io farò come verace amica:
85 Per voi del pari voglio morire».
Lo abbraccia e s'abbandona distesa,
Gli bacia la bocca ed il viso
E strettamente a sé lo stringe,
Corpo a corpo, bocca a bocca, s'abbandona,
90 Il suo spirito allora rende,
E muore cosí al suo fianco

Per il dolore del suo amico.
Tristano è morto per il suo desiderio,
Isotta perché in tempo non poté giungere;
95 Tristano è morto per suo amore
E la bella Isotta di tenerezza.

Il ciclo bretone

La critica ottocentesca pensò che i romanzi di re Artù e dei suoi cavalieri della Tavola rotonda riprendessero remote leggende popolari celtiche, celebranti la difesa eroica dei Celti guidati da re Artù dall'invasione degli Angli e dei Sassoni in Inghilterra. In realtà il ciclo nasce dalla fantasia d'un chierico inglese, Goffredo di Monmouth, che fra il 1135 e il 1137 compose la *Historia regum Britanniae*, una storia favolosa della Bretagna e dei suoi re dalle origini al secolo VIII, in cui appunto compare il non meno favoloso Artù, figlio di Uther Pendragon, marito della bella e infedele Ginevra, sostenuto dagli incantesimi del mago Merlino e grande guerriero che spinge le sue conquiste fino al Baltico e a Roma. Questo ciclo leggendario, ripreso da un altro scrittore inglese, Gugliemo di Malmesburg, ebbe grande successo nel mondo clericale e cortese anglonormanno. Nel secolo XII vi sono ben quattro traduzioni o compendi in francese dell'opera di Goffredo, fra le quali la più importante è quella di Wace, intitolata *Brut* (1158).

Si tratta dunque d'una tradizione non tanto popolare, ma colta, anche se a essa non furono estranei spunti di remote leggende. Le gesta prodigiose dei cavalieri, spesso in lotta con magie e incantesimi, in un fantasmagorico succedersi di avventure, hanno spesso anche loro origine scolastica e letteraria: la Bibbia, Ovidio, vite di santi e altre fonti medievali della cultura clericale.

L'importanza e la diffusione europea del ciclo furono grandissime. Dai poemi di Chrétien de Troyes, ai suoi continuatori e imitatori, alle narrazioni in prosa del Duecento e del Trecento, la vicenda dei cavalieri arturiani domina per secoli la fantasia europea, fino ai poemi del Boiardo, dell'Ariosto e del Tasso.

Chrétien de Troyes

Chrétien incominciò a scrivere i suoi romanzi in versi alla corte di Maria di Champagne, figlia di Eleonora d'Aquitania, dove si svolsero la sua formazione e la sua produzione più importante. Letterato colto e raffinato, attuò nella sua opera l'incontro fra le esperienze artistiche del Nord e del Sud della Francia, fra lo spirito eroico delle canzoni di gesta e la sensibilità «cortese» dei trovatori di Provenza, a imitazione dei quali scrisse liriche d'amore in lingua d'*oïl*. Ma assai più importante è la produzione narrativa, fra i capolavori della quale vanno ricordati i poemi *Erec ed Enide, Cligès, Lancillotto o il cavaliere della carretta, Ivano o il cavaliere del leone, Perceval.*

Chrétien assume a oggetto della sua narrazione la materia arturiana, imprimendovi il sigillo della sua originalità. Al centro dei suoi romanzi stanno l'amore e l'avventura, circonfusi di un'atmosfera d'incanto e di magia che risolve la sensibilità realistica e psicologica che l'autore imprime al racconto in una dimensione mitico-simbolica. Personaggi e vicende divengono così miti in cui s'esprime un ideale d'aristocrazia cavalleresca che si pone come modello e interpretazione esemplare della condizione umana. L'eroe è il cavaliere forte e cortese, leale e disinteressato. La sua meta è l'*avventura*: una vicenda meravigliosa e straordinaria, una prova fuor del comune in cui rifulga pienamente il suo eroismo: un segno d'elezione. Infatti incontra l'avventura solo chi è degno d'incontrarla. Duello o lotta con mostri e incantesimi, essa ha sempre un carattere di gratuità, nel senso che non viene affrontata in vista d'un successo utilitaristico, ma come mezzo per esprimere disinteressatamente il proprio valore.

Le avventure si collegano a una *queste* (inchiesta o ricerca) di qualcosa di remoto, inaccessibile, straordinario che si conquista soltanto dopo che in una serie di prove il cavaliere s'è spogliato d'ogni difetto o impurità. Ogni romanzo di Chrétien è, in tal senso, romanzo dell'iniziazione cavalleresca, di un'ascesi che conduce la personalità aristocratica alla sua perfezione. E fra le grandi inchieste c'è anche quella amorosa, mossa da un amore che è assoluta dedizione all'amata, la cui bellezza diviene incentivo a più alta perfezione.

Il racconto di Chrétien diviene così una forma esemplare in cui si cala una problematica umana universale: «ansia avventurosa di ricerca e sforzo indefettibile di superamento costituiscono la condizione del cavaliere, teso ad attuare la perfezione interiore della propria individualità, applicandola a comune vantaggio della società umana» (Roncaglia).

L'ideologia di Chrétien è intimamente legata alla società aristocratica feudale. Il «villano», il contadino appaiono raramente nei suoi romanzi e con un aspetto fisico quasi ripugnante; l'avventura e l'amore sono destinati ai pochi eletti. Ma le figure e i miti di Chrétien (Lancillotto, la ricerca del Graal) ebbero larghissima diffusione europea e furono continuati e rielaborati per secoli in Francia, in Inghilterra, in Germania, in Italia, diventando elemento non trascurabile della spiritualità e della civiltà letteraria d'Europa.

Le traduzioni del *Lancillotto* sono di Marco Boni, da: Chrétien De Troyes, *Romanzi*, Firenze, Sansoni, 1962; quelle dal *Perceval* sono di Carlo Pellegrini, *ibidem*.

Lancillotto al ponte della spada

Chrétien scrisse il *Lancillotto* fra il 1176 e il 1177, ma lo lasciò terminare a Goffredo di Lagny, dopo averne svolto il tema centrale: l'amore di Lancillotto e di Ginevra, moglie di re Artù. È un amore adultero, contrario all'esaltazione dell'amore coniugale svolta dal poeta nell'*Erec ed Enide* e nel *Cligès*, e condotto a un livello di mistica esaltazione. La dedizione totale di se stesso all'amata spinge Lancillotto alla ricerca o *queste* di lei, che era stata rapita e portata nel reame di Gorre, la misteriosa terra da cui non si ritorna, con totale disprezzo del pericolo e della morte. Ritrovatala, egli dovrà sottostare a prove dure e umilianti per avere esitato lo spazio di due passi a salire sulla carretta infamante dei condannati per correre in aiuto di lei; dovrà mostrarsi disposto a mettere a repentaglio, per amore, anche il suo onore di cavaliere. Lo sfondo magico e incantato ingigantisce la prorompente passione dell'eroe. Qui, per entrare nel regno di Gorre egli passa su un ponte costituito da una spada con una sorta di voluttà di martirio.

Ai piedi del ponte, che è molto terribile, sono discesi dai loro cavalli; e vedono l'acqua furente, rapida e strepitosa, nera e densa, tanto orrenda e tanto spaventevole, come se fosse il fiume del diavolo, e tanto perigliosa e profonda, che non c'è nessuna creatura al mondo che se vi cadesse, non fosse spacciata come nel gelido mare. E il ponte che la traversava era diverso da tutti gli altri, poiché non ve ne fu né ve ne sarà mai uno simile. Mai non vi fu, se uno mi chiede di dirgli la verità, un ponte così orribile, né una passerella così tremenda: di una spada rilucente e bianca era fatto il ponte sull'acqua fredda; ma la spada era forte e robusta, e aveva la lunghezza di due lance. Da ogni parte vi era un gran tronco, nel quale la spada era fissata. Nessuno deve temere che essa si spezzi o si pieghi, benché non sembri, a chi la guardi, che possa portare un gran peso. Faceva molto spaventare i due cavalieri che si trovavano lì insieme al terzo, il fatto che sembrava loro che in capo al ponte, dall'altra parte, vi fossero due leoni o due leopardi legati a un masso. L'acqua e il ponte e i leoni mettono loro tale spavento che tremano tutti di paura e dicono:

— Signore, ascoltate il nostro consiglio riguardo a ciò che voi vedete, poiché ne avete bisogno e necessità. Questo ponte è stato fatto e costruito con malvage intenzioni, e con malvage intenzioni è stato montato. Se a questo punto non ve ne tornate indietro ve ne pentirete troppo tardi. Bisogna fare queste cose, come molte altre, con ponderazione. Poniamo pure che voi siate passato di là — ma questo non potrebbe in nessun modo avvenire, come non potreste trattenere i venti o impedire ad essi di soffiare, o impedire agli uccelli di cantare o far sì che non osassero cantare più, né potrebbe uno rientrare nel ventre della madre e rinascere: tutto ciò sarebbe impossibile, così come nessuno potrebbe vuotare il mare — potete voi supporre e pensare che quei due leoni furiosi, che sono incatenati di là, non vi ammazzino, e non vi succhino il sangue dalle vene, e non vi mangino la carne e poi rosichino le ossa? Io sono davvero molto ardito se oso fissarvi gli occhi e guardarli. Se non siete prudente essi vi uccideranno, sappiatelo: molto presto essi vi avranno lacerate e strappate dal corpo le membra, poiché non sapranno aver misericordia di voi. Ma abbiate voi pietà di voi stesso, e rimanete insieme con noi. Commettereste un torto verso di voi stesso se vi metteste consapevolmente in un così sicuro pericolo di morte.

E quello risponde loro ridendo:

— Signori — dice — io vi ringrazio molto, dal momento che vi preoccupate tanto per me; ciò deriva dal vostro affetto e dalla vostra nobiltà. Io so bene che in nessun modo voi vorreste la mia sventura: ma ho tale fede e tale fiducia in Dio, che credo che mi proteggerà dovunque. Non temo questo ponte e quest'acqua più di questa dura terra, ma voglio lanciarmi nell'avventura, e prepararmi a passare oltre. Preferisco morire che ritornare indietro.

Quelli non sanno più che cosa dire, ma l'uno e l'altro piangono e sospirano di pietà molto fortemente. E il cavaliere si prepara meglio che può a passare l'abisso, e fa una cosa molto strana, poiché si disarma i piedi e le mani: non sarà certo del tutto incolume e sano, quando sarà giunto dall'altra parte. Si teneva ben saldo sulla spada, che era più tagliente di una falce, con le mani nude e i piedi scalzi, poiché non si era lasciati nei piedi né calzari, né calze, né le piastre che proteggevano il collo del piede. Non si spaventava punto se si feriva alle mani o ai piedi; preferiva riempirsi di piaghe che cadere dal ponte e annegare nell'acqua, dalla quale mai sarebbe più uscito. Passa di là con grande dolore e con grande affanno; si ferisce mani, ginocchia e piedi, ma tutto lo riconforta e lo risana Amore, che lo conduce e lo guida, così che la sofferenza gli era dolce.

Con le mani, coi piedi e con le ginocchia si affatica tanto che giunge dall'altra parte. Allora si ricorda e si risovviene dei due leoni che gli sembrava di aver veduto quando era dall'altra parte: guarda in quel luogo: non c'era nemmeno una lucertola, né alcuna cosa che gli faccia del male. Mette la mano davanti alla faccia, e guarda e mette alla prova il suo anello; dal momento che non vi trova nessuno dei due leoni che credeva di aver veduto, si convinse di essere stato ingannato. Non c'era alcuna creatura viva.

Lancillotto e Ginevra

Dopo che Lancillotto ha superato ogni prova, Ginevra gli concede finalmente la ricompensa del suo amore. Ma la materia erotica è qui sublimata in una atmosfera vagamente sacrale. Lancillotto agisce come in estasi, acquista una forza sovrumana, non avverte le sue ferite: la gioia d'amore si risolve in un oblioso incantesimo. Il suo inginocchiarsi al momento di partire è una specie di liturgia profana che esprime una traboccante esaltazione dei sensi e dell'animo.

Si alzò molto presto e pian piano, e questo non gli fu punto difficile, perché non lucevano né la luna né le stelle, e nella casa non c'era né una candela né una lampada, né una lanterna che ardesse. Agì con tanta prudenza, che nessuno se ne accorse, ma tutti credevano che dormisse nel suo letto per tutta la notte.

Senza compagnia e senza guida se ne va molto rapidamente verso il verziere, poiché non cercò qualcuno che lo accompagnasse, e fu fortunato, perché nel verziere da poco era caduto un pezzo di muro. Passa sveltamente attraverso quella breccia, e tanto cammina che giunge alla finestra, e se ne sta là tranquillo, che non tossisce né starnuta, finché non venne la regina, vestita di una candida camicia; non vi aveva messo sopra né una tunica né una cotta, ma un corto mantello di scarlatto e di marmotta.

Quando Lancillotto vede la regina che si appoggia alla finestra, che era sbarrata da grossi ferri, la saluta con un dolce saluto. Essa gliene rende subito un altro, poiché essi erano pieni di desiderio, egli di lei ed essa di lui. Non parlano e non discutono di cose scortesi o tristi. Si avvicinano l'uno all'altra, e si tengono ambedue per mano. Rincresce loro a dismisura di non potersi riunire insieme, tanto che maledicono l'inferriata. Ma Lancillotto si vanta di entrare, se alla regina piacerà, là dentro con lei: non rinuncerà certo a ciò a causa dei ferri. E la regina gli risponde:

— Non vedete voi come questi ferri sono rigidi, per chi voglia piegarli, e forti, a chi voglia spezzarli? Voi non potrete mai torcerli né tirarli verso di voi né farli uscire, tanto da poterli strappare via.

— Signora — dice lui — non preoccupatevene! Io non credo che il ferro valga a qualcosa: nulla, all'infuori di voi, mi può trattenere dal giungere fino a voi. Se un vostro permesso me lo concede, la via è per me completamente libera; ma se la cosa non vi è gradita, essa per me è allora così sbarrata, che non vi passerò in alcun modo.

— Certo — essa dice — io ben lo desidero; la mia volontà non vi trattiene; ma è opportuno che voi aspettiate che io sia coricata nel mio letto, perché non voglio che malauguratamente si faccia rumore; infatti non sarebbe né corretto né piacevole che il siniscalco, che dorme qui, si svegliasse per il rumore che noi facciamo. Per questo è giusto che io me ne vada, poiché non potrebbe immaginare nulla di buono, se mi vedesse stare qui.

— Signora — egli dice — andate dunque, ma non temete che io faccia rumore. Io penso di togliere i ferri tanto facilmente che non avrò da affaticarmi, e non sveglierò nessuno.

La regina allora se ne torna e Lancillotto si prepara e si accinge a sconficcare l'inferriata. Si attacca ai ferri, li scuote e li tira, tanto che li fa tutti piegare e li trae fuori dei luoghi in cui sono infissi. Ma i ferri erano così taglienti che la prima giuntura del dito mignolo si lacerò fino ai nervi, e si tagliò tutta la prima falange dell'altro dito. Egli però, che ha la mente rivolta ad altro, non si accorge per nulla del sangue che gocciola giù né delle piaghe.

La finestra non è punto bassa, tuttavia Lancillotto vi passa molto presto e molto agevolmente. Trova Keu che dorme nel suo letto, poi viene al letto della regina, e la adora e le si inchina, poiché in nessuna reliquia crede tanto. E la regina stende le braccia verso di lui e lo abbraccia, lo avvince strettamente al petto, e lo trae presso di sé nel suo letto, e gli fa la migliore accoglienza che mai poté fargli, che le è suggerita da Amore e dal cuore. Da Amore venne la buona accoglienza che gli fece; e se essa aveva grande amore per lui, lui ne aveva centomila volte di più per lei, perché Amore sbagliò il colpo tirando agli altri cuori, a paragone di quel che fece al suo; e nel suo cuore Amore riprese tutto il suo vigore, e fu così completo, che in tutti gli altri cuori, [a confronto] fu meschino. Ora Lancillotto ha ciò che desidera, poiché la regina ben volentieri desidera la sua compagnia e il suo conforto, e egli la tiene tra le sue braccia, ed essa tiene lui tra le sue. Tanto gli è dolce e piacevole il gioco dei baci e delle carezze, che essi provarono, senza mentire, una gioia meravigliosa, tale che mai non ne fu raccontata né conosciuta una eguale; ma io sempre ne tacerò, perché non deve essere narrata in un racconto. La gioia più eletta e più deliziosa fu quella che il racconto a noi tace e nasconde.

Molta gioia e molto diletto ebbe Lancillotto tutta quella notte. Ma sopravvenne il giorno, che molto gli pesa, perché deve alzarsi dal fianco della sua amica. Quando si alzò soffrì veramente come un martire, tanto fu per lui dolorosa la partenza, poiché soffre un gran tormento. Il suo cuore è sempre attirato verso quel luogo, nel quale rimane la regina. Non ha la possibilità di impedirglielo, perché la regina gli piace tanto, che non ha desiderio di lasciarla: il corpo si allontana, il cuore rimane. Se ne ritorna direttamente verso la finestra; ma nel letto rimane una così grande quantità del suo sangue che le lenzuola sono macchiate e tinte del sangue che è uscito dalle sue dita.

Lancillotto se ne va molto afflitto, pieno di sospiri e pieno di lacrime. Non si fissano un appuntamento per ritrovarsi insieme: ciò gli rincresce, ma non possono fissarlo. Passa per la finestra a malincuore; ed era entrato molto volentieri. Non aveva punto le dita sane, perché si era ferito molto gravemente; eppure ha raddrizzato i ferri e li ha rimessi di nuovo ai loro posti, così che né davanti né di dietro, né dall'uno né dall'altro lato sembra che si fosse mai levato né tratto fuori né piegato alcuno dei ferri. Nel momento di partire ha piegato le ginocchia verso la camera, comportandosi come se fosse stato davanti a un altare. Poi si allontana con grandissimo dolore; non incontra nessuno che lo conosce, tanto che è tornato al suo alloggio. Si corica tutto nudo nel suo letto, così da non svegliare nessuno. E allora si meraviglia per la prima volta delle sue dita, che trova ferite.

Chrétien e il mito del Graal

A Chrétien si deve la fondazione del mito del Graal, una sacra coppa, congiunta a una lancia sanguinante, il cui mistero dovrà essere risolto da un eroe predestinato dopo una lunga *queste* che assume un carattere cavalleresco e mistico.

Il *Perceval o romanzo del Graal* di Chrétien rimase interrotto per la morte dell'autore, ma la sua tematica fu ripresa e svolta nella letteratura europea del secolo seguente, dando vita a una delle immagini esemplari della spiritualità medievale. Nel *Perceval* essa appare come una prima intuizione, cui la stessa incompiutezza della trama conferisce un alone suggestivo e un invito a enuclearne il senso riposto.

Perceval vive nella solitudine d'un castello e d'una selva remota, ignaro d'ogni cosa e fin del proprio nome, con la madre che, avendo perduto il marito e altri figli per colpa della cavalleria, intende preservare la vita di quest'ultimo. Un giorno egli vede dei cavalieri e li crede angeli; la loro vista matura in lui una vocazione irresistibile che lo spinge ad abbandonare la madre (che ne morrà di dolore) e a recarsi alla corte di re Artù per diventare anch'egli cavaliere. Dopo avere abbattuto il Cavaliere Vermiglio e averne indossato le armi, riceve la sua educazione virile e cavalleresca da Gournemant de Goort e la prima rivelazione dell'amore da Blanchefleur. Poi giunge alla meravigliosa avventura. Giunto alla corte del re Pescatore, che è afflitto da una ferita insanabile, dopo avere ricevuto in dono una spada destinata arcanamente a lui, ha un'ancor più arcana visione; entra nella sala un valletto che impugna una bianca lancia dalla cui punta esce una goccia di sangue vermiglio, poi s'avanzano altri due valletti con candelabri a dieci braccia e infine una damigella che reca un *Graal* scintillante, intorno al quale si diffonde una luce intensissima. Per non incorrere nella taccia di «villania» che procura un parlare indiscreto, Perceval non chiede il significato dell'apparizione. Più tardi si saprà che la sua lingua è rimasta muta perché gravava ancora sulla sua anima la colpa della morte della madre e che la sua domanda non solo lo avrebbe redento, ma avrebbe anche sanato il re e portato grandi beni al suo regno. Lasciato il castello, per cinque anni Perceval ricerca invano la madre e la lancia insanguinata, incontrando molte avventure che lo avvolgeranno così strettamente nel loro viluppo da fargli dimenticare Dio. Un passo verso la redenzione lo compie, dopo altri cinque anni, il giorno del venerdì santo. Un eremita gli parla della passione di Cristo, lo confessa, gli rivela di essere fratello di sua madre (come il re Pescatore lo è di suo padre), gli dice che il Graal contiene un'ostia che, sola, sostenta la vita del padre del re Pescatore. La vicenda di Perceval si chiude col suo pentimento e il romanzo passa a raccontare le vicende di Galvano, finché resta interrotto.

Sulla spiegazione del mistero del Graal insistono i continuatori di Chrétien nel secolo seguente, da Wauchier de Denain a Gerbert de Montreuil a Manessier a Robert de Boron: il Graal diviene il vaso che ha servito alla fondazione dell'Eucarestia nell'Ultima Cena e che ha raccolto le ultime stille del sangue di Cristo crocefisso; la lancia, quella con cui Longino lo ferì al fianco sulla croce. Consegnato da Gesù a Giuseppe d'Arimatea, venne da questo, evangelizzatore della Britannia, portato in Occidente; il tema mistico è saldato in tal modo alla materia bretone.

Nel secolo XIII la leggenda viene rielaborata e arricchita nei romanzi in prosa dal *Perceval* al *Lancelot-Graal*, che comprende cinque parti, *La storia del Graal, La storia di Merlino, Il libro di Lancillotto del Lago, La ricerca del Graal, La morte di Artù*. Il Graal assume sempre più il carattere d'un simbolo eucaristico, a Perceval si sostituisce Galaad, figlio di Lancillotto, l'avventura di Artù e dei suoi cavalieri si sublima nell'avventura religiosa, la ricerca cavalleresca diviene ricerca del divino.

Ma il *Perceval* di Chrétien è altra cosa. È un romanzo di educazione, o formazione, dell'eroe: da quella impartitagli dalla madre alla completa iniziazione cavalleresca al balenare d'una missione più alta, circonfusa d'un arcano simbolismo religioso, ma suggestivamente indefinita. I grandi temi di Chrétien — la *queste*, l'avventura come segno d'elezione — ricevono ulteriore intensificazione dall'atmosfera favolosa e mistica che li proietta in una dimensione d'assoluto. La cavalleria come perfezione morale e continua conquista assume un carattere religioso; permeato di spiritualismo cristiano, il mito del perfetto cavaliere esprime un senso della vita come vocazione e missione, come ricerca di valori sempre più alti.

L'iniziazione cavalleresca di Perceval

Gournemant de Goort accoglie Perceval, valoroso, ma ancora ignaro dell'arte cavalleresca, e per prima cosa gli insegna come portare le armi e combattere, poi, in questa pagina, gli conferisce l'investitura cavalleresca e accompagna all'insegnamento guerriero quello morale di lealtà e di misura, di generosità, di cortesia, con un rapido accenno alla lealtà religiosa. Egli intende sostituire l'educazione che il giovane ha ricevuto dalla madre. L'iniziazione cavalleresca è una nuova nascita, un perfezionamento e sviluppo della natura in un'arte razionale e coerente che imprime un sigillo aristocratico nell'eletto.

Il padrone del castello si alzò di buon mattino e andò a letto dove giaceva il giovane, e gli fece portare come presente suo una camicia e delle brache di tela fine, scarpe tinte di rosso e sopravveste di drappo di seta viola tessuta e fatta in India. E per fargli indossare quelle vesti gli disse:

— Amico, se mi date retta, vi mettete questi abiti che vedete.

E il giovane risponde:

— Caro signore, potreste parlare assai meglio: gli abiti che mi fece mia madre non sono meglio di questi? E volete che io li indossi?

— Giovane, per la mia testa essi valgono meno. E quando vi condussi qui voi mi diceste, caro amico, che avreste eseguito tutti i miei ordini.

— E così farò: non sarò in nessuna cosa contro di voi.

Non indugia più a vestirsi e lascia gli abiti della madre.

E il valentuomo si abbassa e gli mette lo sperone dietro: l'uso voleva che chi faceva un cavaliere gli mettesse lo sperone. C'erano numerosi altri valletti: ciascuno si dette da fare per armarlo. E il valentuomo prende la spada, gliela cinge e lo abbraccia, e gli dice che con la spada gli dà l'ordine più alto che Dio abbia fatto: l'ordine della cavalleria, che deve essere senza bassezza e aggiunge:

— Caro fratello, ricordatevi bene: se vi capita di combattere con qualche cavaliere e voi avete il meglio tanto che non si può più difendere, e che anzi è costretto a domandare mercé, vi prego di non ucciderlo consapevolmente. E fate attenzione a non parlare troppo: nessuno può essere troppo ciarliero che spesso non dica cosa che non gli si attribuisca a villania, e il saggio dice: chi parla troppo fa peccato. Per questo, fratello mio, vi ammonisco a non parlar troppo. Ed anche vi prego: se trovate uomo o donna, damigella o dama, in assoluto bisogno per mancanza di consiglio, consigliateli, se sapete e se potete, e farete bene.

— Un'altra cosa vi insegno e non la disdegnate, ché non è il caso: andate volentieri al monastero a pregar Colui che ha creato tutto perché abbia mercé della vostra anima, e che nella vita terrena vi guardi come fedele cristiano.

E il giovane gli risponde:

— Caro signore, che siate benedetto da tutti i Papi di Roma, ché udii dire la stessa cosa da mia madre.

— Non dite più, caro fratello, che vostra madre vi ha insegnato. Non vi biasimo se lo avete detto sin qui, ma ormai vi prego di correggervi. Se lo diceste ancora si attribuirebbe a follia, perciò vi prego di guardarvene.

— E che cosa dovrò dire, caro signore?

— Potete dire che ve lo ha insegnato il valvassore che vi mise lo sperone.

E il giovane gli promette che non farà mai parola che di lui, ché è d'avviso che gli insegna bene.

Ora il valentuomo gli fa il segno della croce e con la mano alzata gli dice:

— Caro signore, Dio vi salvi! L'indugio vi pesa: andatevene dunque, con Dio che vi guidi.

La confessione di Perceval

La vicenda di Perceval si conclude con questo primo ritrovamento del divino, dopo tante avventure dispersive. L'iniziazione cavalleresca si completa con una seconda iniziazione più universalmente umana, fondata sulla carità, sulla repressione degli istinti violenti e sopraffattori, sulla fedeltà a Dio. A questo punto Chrétien termina la storia di Perceval. Certo il futuro configurarsi dell'eroe sarebbe dipeso da questa conversione, da questa spiritualizzazione in senso cristiano della sua dignità cavalleresca.

Perceval, secondo quanto racconta la storia, ha perduto la memoria, tanto che non si ricorda più di Dio: cinque volte sono passati l'aprile e il maggio, cinque interi anni, senza che egli sia entrato in un monastero, né abbia pregato Dio e la sua Croce. Così stette per cinque anni, ma non per questo cessò di andare in cerca delle più strane avventure cavalleresche traditrici e dure, e tante ne trovò da far prova di sé: mai non affrontò impresa più dura che non ne venisse a capo. Nei cinque anni mandò alla corte di re Artù sessanta cavalieri eletti che aveva conquistato. Così riempì i cinque anni, ma di Dio non si ricordò. In capo a cinque anni gli capitò che se ne andava camminando per un deserto, come era solito fare, armato di tutte le sue armi, quando incontrò tre cavalieri con dieci donne, con le teste incappucciate, che camminavano tutti a piedi, vestiti di lana e scalzi. Le dame si meravigliavano molto di colui che veniva avanti armato con la lancia e lo scudo: esse facevano penitenza camminando a piedi per la salvezza delle loro anime dai peccati che avevano fatto. Uno dei tre cavalieri ferma Perceval e gli dice:

— Caro Signore, non credete in Gesù Cristo che dettò la nuova legge e la dette ai Cristiani? Certo non è giusto, anzi è un gran torto di portar le armi il giorno in cui morì Gesù Cristo.

E Perceval, che non aveva nessun pensiero né di giorno, né di ora, né di tempo, tanto era il tormento che aveva in cuore, risponde:

— Che giorno è oggi dunque?

— Che giorno, signore? E dunque non lo sapete? È il Venerdì Santo, il giorno che si deve adorar la Croce e piangere i nostri peccati, poiché come oggi fu messo in croce Colui che fu venduto per trenta denari, Colui che mondo di tutti i peccati vide i peccati da cui eravamo avvinti e macchiati e si fece uomo per le nostre colpe. È vero che egli fu Dio e uomo, che la Vergine mise al mondo un figlio che concepì dallo Spirito Santo, in cui Dio ricevette carne e sangue, e così la sua divinità fu coperta di carne d'uomo: questo è certo. Chi a questo non crederà mai in faccia Lo vedrà. Nato dalla Vergine prese la forma e l'anima di uomo con la santa divinità, in un giorno come oggi fu messo in croce e trasse dall'Inferno tutti i suoi amici. Molto santa fu quella morte che salvò i vivi e risuscitò da morte a vita i morti. I perfidi Giudei, che si dovrebbe uccidere come cani, fecero il loro male e il nostro gran bene quando lo innalzarono sulla Croce: perdettero se stessi e salvarono noi. Tutti quelli che credono in lui debbono oggi stare in penitenza; ogni uomo che crede in Dio non dovrebbe portar armi né per campi né per strade.

Esclama Perceval:

— E donde venite voi ora così?

— Signore, da un uomo dabbene, da un santo eremita, che abita in questa foresta, e che non vive, tanta è la sua santità, che della gloria del cielo.

— In nome di Dio, signore, e là che avete fatto? Che avete domandato e che cercavate?

Esclamò una delle donne:

— Che cosa cercavamo? Domandammo consiglio per i nostri peccati e ce ne confessammo: facemmo la più grande bisogna che possa fare un cristiano che vuol ritirarsi in Dio.

Quello che Perceval udì lo fece piangere, e provò il desiderio di andare a parlare al sant'uomo, esclamando:

— Vorrei andare dall'eremita se conoscessi il sentiero e la via che conduce a lui.

— Signore, chi volesse andarci dovrebbe tenere questo sentiero per cui noi siamo venuti, a diritto per questo bosco folto e minuto, e dovrebbe fare attenzione ai nodi che facemmo con le nostre mani nei rami quando passammo. Noi ci facemmo quei segni perché non vi si smarrisse chi volesse andare verso il santo eremita.

Poi si raccomandano a Dio senz'altro più domandarsi. E Perceval entra nel sentiero sospirando dal più profondo del cuore, poiché si sentiva colpevole verso Dio, e di questo molto si pentiva. Piangendo se ne va verso la foresta. Arrivato all'eremo discende e si disarma, ferma il cavallo a un carpino e poi entra dall'eremita. In una piccola cappella trovò l'eremita, un prete e un chierico, questa è la verità, che cominciavano il servizio più alto e più dolce che possa essere celebrato nella Santa Chiesa. Perceval come entra nella cappella si mette in ginocchio, ma il santo uomo, che lo vide molto semplice e piangente, lo chiama a sé: le lacrime uscendogli dagli occhi scorrevano sino al mento. E Perceval, che molto temeva di avere offeso Dio, prende l'eremita per un piede, si china, congiunge le mani e lo prega che gli dia consiglio, ché ne ha molto bisogno. Il santo uomo gli ordinò di confessarsi, poiché non avrà la remissione dei peccati se non si è pentito e confessato. E Perceval dice:

— Signore, sono ben cinque anni che a un tratto non seppi più dov'ero, non amai più Dio né credetti in lui, e poi non feci più che del male.

Rispose il valentuomo:

— Ah! Caro amico, dimmi perché hai fatto questo e prega Dio che abbia pietà dell'anima del suo peccatore.

— Signore, fui una volta dal Re Pescatore e vidi la lancia il cui ferro sanguina veramente, e non domandai nulla di quella goccia di sangue che vidi pendere dalla punta del ferro bianco. Non seppi a chi veniva servito il graal che vidi; poi ne ebbi così gran dolore che avrei preferito la morte, e dimenticai il Signore, e non gli domandai più pietà, e non feci nulla per cui sapessi di meritare pietà.

Rispose il valentuomo:

— Ah! caro amico, dimmi come hai nome.

— Perceval, signore.

A queste parole il valentuomo sospira, avendo ben riconosciuto il nome, e gli dice:

— Fratello, molto ti ha nociuto un peccato di cui non sai nulla: fu il dolore che causasti a tua madre quando ti allontanasti da lei, ché cadde svenuta a terra all'entrata del ponte davanti alla porta, e dal dolore morì. Per il peccato che facesti ti accadde di non domandare né della lancia né del graal, e te ne sono venuti molti mali, e sappi che non avresti neppure resistito tanto se essa non ti avesse raccomandato a Dio. Ma la sua preghiera ha avuto tale virtù che per lei Dio ti ha salvato dalla morte e dalla prigionia. Il peccato ti tagliò la lingua quando vedesti davanti a te il ferro che non cessò di sanguinare e non ne domandasti la ragione. E avesti un folle senno quando non sapesti a chi viene servito il graal: quello a cui è servito è mio fratello; la sua e mia sorella fu tua madre, e quanto al ricco Re Pescatore sappi che è figlio di quel re che si fa servire il graal. Ma non credere che egli abbia davanti a se lucci, lamprede o salmoni: il sant'uomo sostiene e conforta la sua vita di una sola ostia che gli si porta nel graal: il graal è una cosa così santa, e così spirituale, che alla sua vita non occorre altro che l'ostia che viene dal graal. È già stato così quindici anni, senza uscire dalla camera nella quale vedesti entrare il graal. E ora voglio darti e ingiungerti la penitenza del tuo peccato.

Rispose Perceval:

— Mio caro zio, ben la voglio io con tutto il cuore. Dal momento che mia madre fu vostra sorella, mi dovete ben chiamare vostro nipote ed io zio, e amarvi di più.

— È vero, mio caro nipote, ma ora ascolta: se hai pietà della tua anima, pentiti nell'intimo del cuore, e per penitenza va al monastero prima che in ogni altro luogo ogni giorno, e ne avrai vantaggio, e non lasciare per nessuna ragione se tu sei in un luogo dove c'è un monastero, cappella o parrocchia, di andare quando suona la campana, o anche prima se sei alzato: questo non ti sarà grave, ma anzi la tua anima ne sarà sollevata. E se la messa è cominciata, tanto meglio sarà che tu ci resti finché il sacerdote avrà finito le sue preghiere e i suoi canti. Se fai questo con volontà, potrai ancora migliorarti, e poi avrai onore e un giorno il Paradiso. Credi in Dio, ama Dio, prega Dio, onora i buoni, uomini e donne; alzati davanti al sacerdote: è un atto che pesa poco, e che Dio ama perché viene proprio da umiltà. Se una fanciulla ti chiede aiuto, aiutala, ché sarà meglio per te, e così pure una vedova o un'orfana: quella elemosina sarà ben venuta; aiutale e farai bene. Guarda di non trascurare questo per nulla: voglio che tu faccia questo per i tuoi peccati, se vuoi riavere tutte le tue grazie come sapesti averle un tempo. Dimmi ora se vuoi fare così.

— Sì, molto volentieri.

— Allora ti prego di restar qua dentro con me due giorni interi, e che per penitenza tu prenda il mio stesso pasto.

Andrea Cappellano

Riportiamo alcuni passi del trattato latino *De Amore*, scritto da Andrea, cappellano del re di Francia, verso la fine del sec. XII, subito diffuso per tutta Europa, e considerato una sorta di «*summa*» dell'amor cortese.

L'opera, in tre libri, si presenta come una completa enciclopedia di esso; ne accetta l'origine istintiva e sensuale, definendola realisticamente fin dall'inizio, e si sforza di ingentilirla con un complesso di regole e modi di comportamento degni d'una società raffinata. Consapevole che si tratta d'un amore fuori del matrimonio, anzi, in contrasto con esso, Andrea è inteso soprattutto a liberarlo dalla violenza istintiva, a risolverlo, prima di tutto, in un dialogo fine e intelligente, per ricondurlo poi a una legge di «castità», che significa fedeltà a un solo amore, quasi per ritrovare nel grande giuoco «cortese» un mondo di intima civiltà che la realtà effettiva negava. Gran parte dell'opera è, infatti, occupata da dialoghi fittizi, che hanno un significato immediatamente didascalico: come chiedere amore a donna di condizione sociale superiore o inferiore, come chiederlo essendo chierici, e cioè intellettuali (cosa che per Andrea segna il massimo della nobiltà), ma anche ecclesiastici. Ma di là dall'astuzia del dibattito (quasi un medievale «segretario galante») s'intravede la volontà di giungere a un'etica. Soltanto la probità o «prodezza» di costumi rende degni di chiedere e donare il vero amore, e tale probità altro non è se non il complesso delle virtù cavalleresche, non solo e non tanto di quelle guerriere, ma di quelle della vita civile, quali la generosità, l'eleganza dei modi, la magnanimità, la lealtà, la «misura» o temperanza, la liberalità, e così via: quelle che fanno il «cavaliere» della vita, secondo l'ideale d'una aristocrazia dominante.

In questo senso l'opera è rigidamente classista e feudale. Andrea, da buon intellettuale, proclama l'uguaglianza di tutti gli uomini, e quindi il loro diritto all'amore cortese, ma ne esclude drasticamente la classe, allora oppressa e vilipesa, dei «lavoratori», cioè dei contadini, e accoglie, se mai, quella mercantile, se sa usare la ricchezza in opere di liberalità che la accomunino in qualche modo alla classe nobiliare. Si tratta, insomma, d'un amore «feudale», nel senso che la libertà (al limite del libertinaggio) proclamata dai primi due libri dell'opera, si giustifica nel contatto e nell'opposizione a un mondo di amore negato: di matrimoni dinastici o d'interesse nelle grandi famiglie feudali, di duro condizionamento sociale della donna, vista soprattutto come un possesso.

L'aspetto trasgressivo diviene anzi, per Andrea, un elemento fondamentale di questo piacere amoroso: lo rende superiore per dignità al matrimonio, che è fondato su obblighi contrattuali, mentre l'amor cortese vive nell'assoluta libertà, nella continua invenzione di sé (donde l'importanza che hanno in esso il dialogo, le parole, la finzione scenica dei colloqui, e, al limite, la poesia, che gli conferisce piena espressione e fondamento), porta nel rigore delle leggi umane e divine il senso d'un giuoco, d'una scelta libera orientata sul piacere dei sensi e, insieme, dell'intelligenza.

Questo aspetto trasgressivo conduce l'opera, nel terzo libro, alla palinodia o ritrattazione, tipica, peraltro di molti canzonieri medievali, sino a quello del Petrarca. Andrea insiste sull'immoralità dell'amor cortese e sui vizi della donna, riprendendo la peggiore ideologia anti-femminista del Medioevo (Eva, la prima peccatrice, l'inferiorità intellettuale e morale della donna nei confronti dell'uomo, ecc.). Da un lato sembra, con questa volontà di ritrattazione, ispirarsi più direttamente al suo modello letterario, che è Ovidio, il poeta latino tornato in grande onore nel Medioevo, sia per le *Metamorfosi*, subito «moralizzate», interpretate, cioè, allegoricamente sia per l'*Ars amatoria* (umoristico prontuario del seduttore) corretta dai *Remedia Amoris* (come rimediare all'amore, come liberarsene). Tuttavia, pur muovendo dall'esemplare latino, Andrea rivede il problema alla luce della civiltà contemporanea, secondo un procedimento tipico del pensiero medievale, che accoglie orientamenti dal pensiero classico, innalzando su essi la propria originale interpretazione della realtà.

La presenza del terzo libro riflette nell'opera un'ambiguità che è nello scrittore, fra quello che un medievista ha chiamato «il sogno d'una vita più bella» (l'ideale cortese-cavalleresco) e la sua negazione implicita nelle leggi sociali del tempo, da un lato, e dall'altro nella morale cristiana.

Per il testo seguiamo la traduzione italiana trecentesca del libro, pubblicata, insieme con l'originale latino, in Andrea Capellano. *Trattato d'Amore*, a cura di S. Battaglia, Roma, Perrella, 1947.

Amore è pena

L'essenza dell'amore è qui veduta nella rappresentazione mentale, operata dalla fantasia, di un'immagine di persona dell'altro sesso cui tutta l'anima si volge, concependo un desiderio dominante di essa. Seguono, nel secondo passo, altre considerazioni psicologiche, che rivelano il gusto medievale dell'analisi attenta dell'interiorità.

Amore è una passione dentro nata per pensiero sanza modo[1] di cosa veduta, procedente da forma di generazione diversa dalla persona che pensa, per la qual passione l'una persona sopra tutte cose disidera d'usare gli abbracciamenti dell'altra, e di comune volere compiere tutte cose nel comandamento dello amore.

1. **sanza modo**: senza misura, sfrenato.

Amore si è pena che viene da natura

Che amore sia passione, a vedere è lieve:[1] imperciò che inanzi che amore di ciascuna parte sia pesato,[2] non è maggiore angoscia, imperciò che sempre l'uno delli amanti teme che l'amore non prenda fuori che debito fine, e di non perdere invano la sua fatica. Anco teme romore di gente, e ogni cosa teme che può guastare amore, imperciò che cose non compiute si guastano per poco turbamento. Se povero è, teme che la femina non tenga a vile sua povertà; se bello non è, teme che dispregiata non sia la sua non bellezza, o che la femmina non si accosti a più bello amore; (...).

Poi che l'amore è da ciascuna parte pesato, non minori nascono le paure: teme ciascuno delli amanti non[3] quello che ha acquistato per molte fatiche, per lavoro altrui si perda; la qual cosa più pare grieve che se, di speranza ispogliato, sentisse la sua fatica non aver fatto frutto, perciò che più è grave perdere guadagnata cosa che essere privato di speranza di guadagnare quella. Ancora ciascuno teme di non offendere lo suo amante per alcuno modo: e tante cose teme, quante a contare sarebbe troppo grave.
Che questa sia passione dentro nata,[4] manifestamente il ti mostro, perciò che,

1. **a vedere è lieve**: è facile a vedersi.
2. **di ciascuna parte sia pesato**: sia apertamente corrisposto.
3. **non**: che.
4. **dentro nata**: formatasi nell'interiorità.

se sì sottilmente volemo guardare lo vero, quella passione non nasce d'alcuna cosa fatta, ma da sola pensagione nell'animo presa di cosa veduta,[5] quella passione procede. L'uomo, quando vede alcuna acconcia ad amare e al suo albitrio formata,[6] di presente comincia a desiderarla nel cuore, e poi quante volte pensa di quella, tanto maggiormente nel suo amore arde, infino che diviene a pensare le fazioni di quella[7] e distinguere le membra e immaginare gli suoi atti e disegnare per pensieri le segrete cose de' membri segreti,[8] e disiderare d'usare lo uficio di ciascuno membro di quella.

Dappoi che per pensieri è divenuto a questa piena congiunzione delle cose segrete, lo amore non sa tenere gli suoi freni, ma incontanente procede all'atto e l'aiutorio cerca di messo mezzano,[9] e come 'l luogo e 'l tempo possa trovare acconcio a parlare, e più, che la brieve ora gli pare più che uno anno, perché all'amante niente gli par fatto sì tosto come vorrebbe: e molte cose l'incontrano in questo modo.[10] Adunque, è quella passione dentro nata per pensamento di cosa veduta. A commuovere ad amare non basta ciascuna pensagione, ma conviene che sanza modo[11] sia, imperciò che pensagione con modo non suole alla mente ritornare, sicché amore non può nascere di quella.

5. ma... veduta: ma dal pensiero soltanto che l'animo compie d'una persona veduta, che ne è causa (**cosa**).
6. al... formata: fatta in modo da piacere a lui.
7. fazioni: fattezze.
8. «Le parti del corpo nascoste allo sguardo».
9. aiutorio... mezzano: cerca l'aiuto d'un messo che riveli alla donna il proprio stato.
10. l'incontrano: avvengono per lui.
11. senza modo: senza misura, sfrenata, totalmente assorbente.

Sull'effetto dell'amore

Effetto dello amore si è che 'l vero amadore di nessuna avarizia può esser tenebroso:[1] quello ch'è disconcio e disadorno, amore lo fa chiaro d'adornezze; quello che è di nazione basso,[2] amore lo fa ricco di nobiltà di costumi: quello ch'è superbo, amore lo veste d'umiltà; quello ch'è innamorato, acconciamente fa molti servigi a tutti. Oh, che mirabile cosa è amore, lo qual fa l'uomo di tante virtù risplendente e abondare in tutti i buoni costumi!

E altra cosa nello amor si truova da non lodare per poche parole: quasi rende l'uomo adorno di castità! (...). Quando pienamente pensa l'amante del suo amore, lo aspetto d'ogni altra persona li pare non bello e disadorno. (...).

1. avarizia... tenebroso: non può essere offuscato dall'avarizia.
2. di nazione basso: d'umili natali. L'amore cortese è prerogativa di una società aristocratica, ma Andrea tende a includere in essa anche chi non sia nobile di nascita. Questa rivalutazione dei meriti propri e individuali di ogni uomo è frequentemente affermata dagli intellettuali del tempo, molti dei quali non sono di nobile origine.

In che modo s'acquisti l'amore

Adunque, savio è chi cerca di trovare nell'amore tale amante lo quale di prodezza di costumi[1] sia da laudare, e non quel che si liscia siccome femmina e che si fa lucente per adornamento di corpo. Ai maschi la forma non si conviene,[2] né può convenire d'adornarsi come femmine e soprastare all'adornezza del corpo. E questo riprende quello versificatore maraviglioso[3] dicendo: «Steano di lunga da noi li giovani che come femmina sono adorni; forma maschile ama d'essere adorna di poco fiore». E se vedrai femmina lisciata per troppa varietà di colori, non la tenere bella, se diligentemente non la guardi per altra volta fuori che in dì di festa: imperciò che femmina che si fida solo nel lisciare del corpo, non suole essere di costumi molto caricata.[4]

Adunque, sì come nel maschio detto avemo, così nella femmina crediamo essere onestà di costumi da seguire e non di bellezze. Guarda, dunque, Gualtieri, né vana bellezza femminile t'inganni, ché la sagacità femminile suole essere tanta e 'l suo melato parlare,[5] che poi che cominciato sarai a godere degli acquistati doni di quella, lo partire dal suo amore non ti parrà leggieri. Prodezza di costumi cerca amore, nella prodezza de' costumi risplendente.[6] Onde l'amante savio, ovvero savia, non lascia[7] perché e' non sia bello, se abondare lo truova di buoni costumi (...).

Similmente femmina non cerchi pure bellezza, overo adornamento, né nobiltà di generazione, però che a nessun savio piace bellezza, s'ella si truova di bontà vacante: e solo prodezza di costumi fa l'uomo di nobiltà lucente, e di risplendente bellezza il fa parere.[8]

1. prodezza di costumi: nobiltà di costumi, di carattere, di vita.
2. la forma non si conviene, ecc.: non s'addice curare studiosamente la propria bellezza, come fanno le donne.
3. versificatore maraviglioso: Ovidio.
4. di costumi... caricata: adorna di buoni costumi.
5. e 'l suo melato parlare, ecc.: tale è il dolce parlare femminile che una volta che tu ti sia innamorato e abbia cominciato a godere i doni di una bellezza femminile, non ti apparirà facile liberarti da quell'amore.
6. risplendente: che risplende (riferito ad amore).
7. non lascia, ecc.: non disdegna di amare una persona anche non bella, purché sia di animo nobile e generoso.
8. di risplendente... parere: lo fa apparire dotato di splendente bellezza.

Noi uomini tutti da uno fummo dirivati[9] e uno nascimento avemmo secondo natura: non bellezza, non ornamento di corpo, non ricchezza, ma sola fu prodezza di costumi quella che prima li uomini per nobiltà conoscere fece e nelle generazioni indusse differenza. Ma molti sono che da essi[10] primi nobili traendo sementivo nascimento, piegando d'altra parte tralignano divegnendo bastardi: e se tale proposta converti, non è falsa. Adunque, sola prodezza degna è di corona d'amore.

9. da uno fummo dirivati: abbiamo avuto un unico progenitore (Adamo).
10. Ma molti sono che da essi ecc.: molti sono coloro che, pur traendo origine da nobili antenati, si rendono indegni di appartenere all'aristocrazia perché mancano di virtù; così al contrario, uomini di umile origine diventano nobili per la loro virtù.

La «prodezza di costumi»

Parla una donna di condizione più elevata dell'uomo che le ha chiesto amore, e cioè una nobile a un borghese (chiamato «plebeo»); sostenendo che egli potrà colmare la distanza sociale soltanto assumendo un modo di pensare e vivere elevato, come quello che caratterizza, o dovrebbe caratterizzare, l'ordine cavalleresco. È questa, com'ella dice, la vera «dottrina d'amore».

«Adunque, chi vuole essere degno amante e combattere in battaglia d'amore, nessuna avarizia conviene che abbia; anzi dee risplendere di molta larghezza,[1] e fare a tutti quando può e quando vede bisogno, e spezialmente a' nobili e a quelli che di prodezza sono adorni; e ove vede che ad alcuno sua larghezza bisogni, non dee aspettare che li sia dimandato, imperciò che cosa dimandata è cara comprata. E se al presente nicissità del prossimo non può essere compresa, allora a quello che dimanda dea la cosa sì gradevolmente che dimostri d'essere più allegro d'avere dato la cosa all'amico, che se ne fosse rimaso signore. E se vede li poveri di Cristo e sovviene a quelli, è tenuta cortesia e grande larghezza.

«Se ha signore, debita reverenza li de' fare. Né Dio né santi per alcuno modo dee bestemmiare. Umile si dee mostrare a tutti, e a tutti di servire apparecchiato. Di nessuno uomo dee mormorare o dire male, imperciò che li maldicenti dentro dalle porti[2] di cortesia non possono stare. Non dee lodare li rei con sue bugie, ma con segrete correzioni, se può, li dee amendare; ma se vede che non si vogliono correggere, siccome contumaci, gli discaccia da sua compagnia, né meritevolmente possa[3] essere tenuto favoreggiatore e compagno di quelli. Non si conviene che di nessune persone sie ischernitore, e spezialmente di misere persone. Non sia pronto a fare liti o zuffe, ma, quando può, acconciamente le discordie ingegni d'accordare.

«Nel cospetto delle femmine usi di ridere poco, imperciò che,[4] secondo lo dire di Salamone, lo troppo ridere dimostra mattezza, e le femmine sono usate di cacciare da sé li uomini matti e men che savi, e dispregiare li sogliono e assai bellamente ischernire. In governare amore si richiede gran senno con grande prudenzia, imperciò che nello amore bisogna usare industria e sottigliezza di tutte l'arti. Ancora dei usare ispesso là ove usano li grandi e vicitare le grandi corti.[5] A giuoco di dadi dei temperatamente giucare. Li grandi fatti delli antichi dei volentieri studiare, udire e contare.[6] Nella battaglia dei essere coraggioso, e contro alli nemici ardito, savio e scalterito e ingegnoso. Di più femmine non dei essere amante, ma per amore d'una, di tutte dei essere servidore divoto e ardito. All'adornezza del corpo temperatamente dei soprastare. E savio e trattabile e soave a tutti si dee mostrare, avegna dio che[7] molti si credano alle femmine piacere per dire parole sconce e matte, e per mostrarsi alle genti matti nelli atti loro. Né dee usare parole d'alcuno mentire;[8] deesi guardare di troppo parlare e di troppo tacere.

«A nessuno dee troppo tosto né troppo subitamente promettere, perché tal fiata nello attenere sarai tardo: imperò si dice che promettitore allegro e ardito ha dello attenere poca credenza.[9] S'alcuno valentre[10] ti vuole alcuna cosa donare, prendere la dei con allegro viso, e per nessuno modo la dei rifiutare, salvo se 'l donatore credea che la cosa ti bisognasse e non ti bisogna, per tal modo la puo' recusare: «Al presente questa cosa non mi bisogna, ma io l'ho per ricevuta e lasciola a voi, ché quanto vi piacerà l'abbiate a mio nome». Sozze parole di sua bocca non dee profferere; li gran peccati e spezialmente li

1. larghezza: liberalità, magnificenza nel donare. **prodezza:** l'insieme delle virtù cavalleresche. Col donare il borghese si assimila alla classe feudale, rivelando spregio del danaro e liberalità pronta.
2. dentro... porti: dentro alle porte, cioè nella dimora.
3. né... possa: affinché non possa con giusta cagione essere considerato.
4. imperciò che: poiché.
5. usare ispesso: frequentare spesso. **vicitare:** visitare.
6. dei: devi. **contare**: raccontare.
7. avegna dio che: sebbene.
8. Né... mentire: Né deve pronunciare alcuna menzogna.
9. perché... credenza: perché talvolta sarai lento nel mantenere la promessa; e quando uno promette con audace faciloneria non si crede che saprà mantenere.
10. valentre: valente; uomo di condizione sociale elevata.

manifesti dee ischifare.[11] Nessuno dee ingannare di falsa promessione, imperciò che di cose promesse ogni uomo può essere ricco. Se alcuno l'avesse di falsa promessione ingannato, o fosse istato ver di lui meno che cortese, nol dee vituperare con sue parole, ma, per contradio, rendali bene per male, e con tutte cose li serva: e così saviamente il farà conoscente di conoscere la colpa sua. Albergatore e ricevitore di tutti dee essere volentieri. Contra' cherici di Dio, overo monaci, o persona di religiosa casa, non dee profferere parole ingiuriose, né sozze, né di schernire; ma con tutte le sue forze e con tutta la mente, per grazia del Signore dello uficio del quale sono adornati, sempre e in ogni luogo dee loro fare onore. E spesso dee vicitare la chiesa, e in quello luogo udire volentieri quelli che celebrano li divini ufici: avegna dio che alquanti si credano mattamente a femmina piacere, se dispregiano le eclesiastiche cose. Veritiere[12] dee essere in tutte le sue parole; invidioso non dee essere del bene e dello onore altrui. Se queste cose, dette brievemente e in somma, noterai e curerai d'udire con intenti orecchi e di metterle in opera, tu serai degno di porgere tua ambasciata nella corte d'amore».

11. **spezialmente li manifesti**: soprattutto quelli manifesti a tutti. La morale di Andrea è, in primo luogo, mondana, tiene, cioè, conto dell'effetto prodotto nella società. **ischifare**: schivare e averne schifo.
12. **Veritiere**: verace.

Dell'amore de' lavoratori

Affermazioni come quelle che seguono rivelano il carattere duramente classista non soltanto dell'amor cortese, ma di tutto l'atteggiamento sociale dei nobili e, in genere, della classe dirigente; e rivelano anche come l'amore diventi specchio ed espressione dei privilegi e delle disuguaglianze sociali. Esso è, infatti, riservato ai nobili e alla borghesia ricca.

Ma perché quello che di sopra detto avemo dello amore de' popolari, non credessi che fosse a riferire allo amore de' lavoratori,[1] dello amore loro ti diremo brievemente. E diciamo che appena può avvenire che' lavoratori sieno veduti usare cavalleria d'amore, ma naturalmente siccome cavallo o mulo si muovono ad atto carnale, siccome movimento naturale dimostra.[2] Adunque, basti loro la continua fatica di lavorare i campi e gli solazzi della zappa e del marrone.[3] Ma se alcuna volta, avegna che di rado può avvenire, fuori di loro natura sentisseno amore, non si conviene d'amaestrarli in dottrina d'amore. Imperciò che s'elli intendessono alli atti d'amore, li campi e le vigne per difetto delli lavoratori non ne potrebbono rispondere di frutti.[4] Ma se te amore prendesse delle femmine loro, ricordati di lodare molto. E se truovi luogo acconcio, non ti indugiare di prendere quello che vuogli, e abbracciandola bene per forza: imperciò che appena potresti mai tanto mitigare la loro durezza, che riposatamente ti concedessono quello che dimandi; né sofferreranno[5] che tu prenda li disiderati sollazzi se un poco di forza non vi lavora che discacci la loro salvatica vergogna. Questo non ti diciamo per volerti di loro amore confortare, ma perché se alcuna volta, meno che providamente, nello amore tu fossi tratto, sappi che processo[6] dei tenere.

1. **popolari**: i borghesi. **lavoratori:** i contadini, la classe più duramente oppressa nel mondo feudale.
2. **appena**: è cosa rarissima, dunque, statisticamente trascurabile. **ma... dimostra**: i contadini possono soltanto compiere l'atto carnale come le bestie.
3. **marrone**: marra.
4. Il contadino non può essere istruito nella dottrina dell'amor cortese. Questo, infatti, richiede una vita che abbia possibilità di lunghi ozi, spesi nel pensare e fantasticare d'amore e nel servigio amoroso da rendere alla dama; cosa che ai contadini è vietata dalla necessità del lavoro e dal suo impegno continuo. **rispondere di frutti**: corrispondere i frutti che ce ne attendiamo.
5. **sofferreranno**: sopporteranno. Il passo è decisamente brutale e rivela che il contadino è considerato un essere inferiore, come si vede anche nei poemi cavallereschi, dove egli appare brutto e deforme.
6. **processo**: procedimento, modo di procedere.

Le «regole d'amore»

A conclusione del secondo libro vengono formulate le regole o leggi dell'amor cortese, come sintesi di tutta la «dottrina». Esse, oltre a essere riconosciute e seguite, sia nella realtà sia nella letteratura del tempo, e oltre, daranno occasione a dispute che saranno un giuoco raffinato della società elegante.

Queste sono le regole d'amore, le quali erano scritte nella sopradetta carta:
I. Per cagione di matrimonio non si può iscusare alcuno d'amare.
II. Chi non ha gelosia, non può amare.
III. Nessuno può essere legato di due amori.
IV. Amore sempre cresce o menoma.
V. Non ha favore quella cosa che l'uno amante dall'altro prende per forza.
VI. I maschi non soglion amare se non in età di pubertà.

VII. Viduità di due anni basta per amore morto.
VIII. Nessuno sanza cagione dee essere privato del suo amore.
IX. Amare non può chi da conforto d'amore non è costretto.
X. Amore da avarizia sempre sta lontano.
XI. Persona, la qual sanza vergogna non si possa prendere 'n matrimonio, non si dee amare.
XII. Vero amante non prende con desiderio altri abbracciamenti che quelli dell'amanza sua.
XIII. Amore palesato rade volte suole durare.
XIV. Leggiere concedimento di fatto fa dispregiare l'amante, e 'l contrario la fa tenere cara.
XV. L'uno amante in cospetto dell'altro suole palido divenire.
XVI. Lo cuore dell'uno amante triema in subita visione dell'altro.
XVII. L'amore nuovo caccia lo vecchio.
XVIII. Sola prodezza fa l'uomo degno d'amore.
XIX. Se l'amore menoma, tosto vien meno e tardi ritorna.
XX. Amoroso sempre è timoroso.
XXI. Di vera gelosia sempre cresce desiderio d'amore.
XXII. Sospecione presa dell'amante fa crescere gelosia e disiderio d'amore.
XXIII. Meno dorme e mangia chi è tormentato d'amore.
XXIV. Ogni atto dell'uno amante finisce nel pensare dell'altro.
XXV. Vero amante nessuna cosa crede beata se non come possa alla manza piacere.
XXVI. Amore non lascia negare alcuna cosa ad amante.
XXVII. L'uno amante non si può saziare delli sollazzi dell'altro.
XXVIII. Poca prosunzione fa pensare dell'amante cose non belle.
XXIX. Non suole amare chi da troppa abondanza di volontà è commosso.
XXX. Li veri amanti sempre l'uno pensa dell'altro.
XXXI. Non è contradetto che una femmina non possa essere amata da due uomini, e uno uomo da due femmine.

Il «Roman de la Rose»

Il *Romanzo della Rosa* è stato considerato una sintesi della spiritualità e dell'arte «cortese». Appena uscito si diffuse in tutta Europa; in Italia fu rielaborato, in parte, nei sonetti del *Fiore*, un poemetto che oggi critici insigni attribuiscono a Dante.

L'opera non è unitaria, ma consta di due parti diversissime nello spirito e nell'intonazione, dovute a due autori non meno diversi. Intorno alla terza decade del Duecento Guillaume de Lorris scrisse 4058 dei 21780 versi del poemetto, lasciandolo incompiuto; quarant'anni dopo lo riprese Jean de Meun, come punto di partenza d'uno svolgimento del tutto nuovo. Argomento di Guillaume è infatti l'arte d'amare (esposta nella favola simbolica dell'autore-protagonista che scopre, in un mattino di primavera, una magnifica rosa in boccio e muove i primi passi alla sua conquista) secondo l'insegnamento di Ovidio, della scuola trobadorica, del trattato *De amore* di Andrea Capellano. La sensibilità di Guillaume coglie la fusione inscindibile di amore e cortesia che si ritrova nel romanzo medievale francese: il sogno, cioè, di un'etica aristocratica, elegante e gentile.

A questo tema Jean de Meun aggiunge con fervore enciclopedico i problemi della scienza e della vita morale, usando come fonti non soltanto testi letterari, ma i classici latini tramandati dalla scuola, i filosofi arabi e dell'Europa medievale. In sostanza, si rifà soprattutto alla grande tradizione filosofico-scientifica che proprio nel Duecento elaborava le monumentali *Summae* o enciclopedie del sapere, rivolte all'organizzazione gerarchica di tutto lo scibile.

Guillaume analizza la psicologia amorosa in una trama narrativo-simbolica, dove, oltre a lui stesso, agiscono personificazioni allegoriche (la Rosa, cioè la donna, Amore, Bellaccoglienza, Falsembiante, e cioè il vario atteggiarsi della psicologia e dei gesti della vicenda amorosa); ma il poemetto conserva un tono essenzialmente lirico, di dolce visione. Jean de Meun è vigoroso scrittore, ma non tanto un poeta, quanto un polemista spesso satirico e aggressivo. Seguace della natura e della ragione, antifemminista, avverso agli Ordini mendicanti e demistificatore delle differenze sociali, manifesta un originale spirito laico e scientifico vicino a quello della nuova borghesia in ascesa. In luogo del «sogno» cortese, rappresenta in termini naturalistici e sensuali la tematica erotica. Ma soprattutto, col suo enciclopedismo, espresso nelle forme d'un poema allegorico (il primo, forse, del Medioevo), contrappone alle visioni cavalleresche di Guillaume, un'idea più complessa di cultura.

Letteratura franco-italiana

Fin dal sec. XII, e ancor più nel XIII, la letteratura francese si diffonde nell'Italia settentrionale nella lingua originale. La conoscenza della lingua francese è allora largamente diffusa nel mondo letterario e in francese scrivono molti poeti italiani.

La «materia di Bretagna» diviene la lettura preferita degli ambienti aristocratici feudali ed è raccolta in eleganti manoscritti che vanno ad arricchire le biblioteche signorili. Nel 1270, Rustichello da Pisa ne fece un'ampia compilazione in lingua francese. Le *canzoni di gesta*, più apprezzate dal popolo, danno invece origine a una letteratura cavalleresca originale detta franco-veneta, perché fiorì soprattutto nel Veneto, e perché è scritta in un francese inquinato da italianismi e venetismi, così da poter essere intesa anche da persone meno colte.

Ricordiamo fra questi poemi il *Karleto* (narrazione dell'infanzia e adolescenza di Carlo Magno), l'*Entrée d'Espagne*, di un autore ignoto, e la *Prise de Pampelune* di Niccolò da Verona (appartenente al secolo XIV). Contemporaneamente, per tutto il secolo e per quello seguente, si ebbero volgarizzamenti e rifacimenti in italiano di poemi francesi dei due cicli (la *Tavola Rotonda*, il *Tristano*, il *Rinaldo*, l'*Aspromonte*, la *Spagna*).

Quanto alla lirica in lingua d'*oc*, mentre nella Francia settentrionale e in Germania viene imitata da poeti che ne ripetono temi, forme, modi, ma usando la propria lingua, in Italia, in un primo momento, essa viene imitata usando come lingua il volgare d'*oc*. Presso i Savoia, i Malaspina di Lunigiana, gli Estensi, troviamo numerosi trovatori provenzali, soprattutto dopo che la Crociata degli Albigesi ebbe devastato il mondo signorile della Provenza; ma già prima del loro avvento, chierici e giullari avevano diffuso in queste corti la poesia provenzale. Nel Duecento i principali trovatori italiani in lingua provenzale furono *Rambertino Buvalelli*, bolognese, i genovesi *Lanfranco Cigala* e *Bonifacio Calvo*, e *Sordello da Goito*, celebrato da Dante.

Assai più deciso è l'influsso francese nel campo della prosa: due fra le opere più importanti del nostro Duecento, il *Tresor* (sorta di enciclopedia) di Brunetto Latini e il *Milione* di Marco Polo sono scritti in francese, che è la lingua, secondo Brunetto, «plus delitable et plus comune a toutes gens». Preferiamo leggere queste opere in traduzioni italiane dell'epoca, tenendo presente che la miglior prosa italiana del Duecento sarà in gran parte prosa di traduzioni dal latino e dal francese.

L'«Entrée d'Espagne»

Fra i poemi franco-veneti, l'*Entrée d'Espagne* è forse quello nel quale l'autore rielabora più personalmente la materia del ciclo francese. Anzi, abbandonandosi alla sua libera fantasia, crea un nuovo Orlando, diverso da quello della tradizione. O meglio, nella prima parte del poema l'immagine dell'eroe è ancora quella tradizionale; ma nella seconda muta radicalmente. Orlando, trattato duramente da Carlo e intollerante dell'offesa ricevuta, lascia l'esercito francese, impegnato in una dura lotta contro i saraceni in Spagna, e si reca in Oriente, in cerca d'avventura; quivi, dimentico di Alda la bella, s'innamora di una saracena e per lei combatte, fiducioso soltanto nel suo valore e libero da ogni altro impegno che non sia quello dell'onore cavalleresco. Con questa originale immagine di Orlando nasce una nuova tradizione narrativa, che si svolge dalla *Spagna*, al *Morgante* del Pulci, all'*Orlando Innamorato* del Boiardo, all'*Orlando Furioso* dell'Ariosto, fondata sulla fusione dei due cicli narrativi francesi, il carolingio e il bretone.

Il testo e la traduzione (a cura di G. Vidossi e F. Arese) sono conformi a quelli editi nel citato volume ricciardiano *Le Origini*.

Il duello fra Orlando e Pelias

Orlando è giunto in Oriente, in terra saracena, in incognito e sotto falso nome. Qui combatte come campione della bella figlia del re di Persia, contro un forte guerriero, Pelias, che, per difendere l'onore del vecchio zio, rifiutato dalla fanciulla come sposo, vorrebbe ch'ella fosse uccisa. Nessuno, fra i saraceni, ha il coraggio di accogliere la sfida di Pelias, solo Orlando insorge in nome dell'onore cavalleresco e accetta di combattere contro di lui.

Rolant s'atorne, qi proueche salue.
La riche broine avoit el dos vestue
— ne doute armes une branche foilue —,
e straint les renges de l'espee esmolue.
La file ou roi est devant venue,
l'eume i alache, duremant s'en argüe;
anch teil sargient ne fu por hom veüe;
angle resanble qi desande de nue.
Vis oit bien feit e gardeüre agüe,
la char oit blanche come nif desendue,
color vermoil come graine vendue,
boche petite, danteüre menue,
oil oit riant, qant ert plus ireschue;
sa blonde crine ne vos ai manteüe;
soz ciel n'a home, tant ait chiere barbue,
ne la querist avoir en si braz nue.
Rolant la garde, trestot le sang li mue;
non la voudroit le ber avoir veüe;
d'Audein li mambre, tot le vis li tresue.
Dist la roïne, com dame aperceüe:
— Lionés, bien sambles home de grant nascue;
soiés frans home e n'aviés recreüe.
Se de ceste huevre venés a bone isue,
si aute merie vos en sera rendue
parlei en ert et mervoile tenue. —
— Dame, — dist il — se raisons n'est cheüe,
incué trerai teil vers fors de la glue
dun Pelyas maudira ma venue. —
Atant se taist et tien sa boche mue.
De trou parler a foulie tenue;
Mais la roïne an oit grant joie eüe...
Or comencent les barons lor bataille.
Des ardiment dels pahors le travaille,
mais l'une plus de l'autre acedentaille.
Ne croi faucons plus maelart asaille
chun le niés Karle le Païn fiert e taille;

Orlando (che prodezza lo salvi!) si prepara. Indossa la ricca corazza — non teme le armi (più di quanto non tema) un ramo fronzuto —, e stringe le fibbie della spada affilata. La figlia del re gli è venuta davanti, gli allaccia l'elmo, energicamente si dà daffare: non mai siffatto scudiero fu veduto da alcuno; angelo sembra che discenda di nube. Viso aveva ben fatto e sguardo penetrante, la carnagione aveva bianca come neve appena caduta, colore vermiglio come porpora..., piccola bocca, denti minuti, occhi vivaci quando più era irata, il suo biondo crine io non vi ho menzionato! Sulla terra non vi è uomo che, per quanto abbia barbuto il viso, non desideri averla nuda tra le braccia. Orlando la guarda, tutto il sangue gli freme. Non vorrebbe il barone averla veduta; di Alda[1] si ricorda e tutto il viso gli si copre di sudore. Dice la regina come donna avveduta: — Lionés,[2] ben sembri uomo di grande nascita: siate uomo valoroso e non abbiate esitazione; ché se di questa impresa verrete a felice conclusione, così alto merito vi sarà reso, che se ne parlerà e ne sarà meraviglia. — Dama, — egli dice, — se giustizia non è venuta meno, oggi compirò una tale impresa per cui Pelias maledirà la mia venuta. — Quindi tace e tien chiusa la bocca. Giudica follia l'aver troppo parlato; ma la regina ne ha avuto gran gioia...

Adesso cominciano i baroni la loro battaglia: ora ardimento ora timore li travaglia, ma sentimenti l'uno più dell'altro passeggero.[3] Non credo che falcone assalga con più impeto un anatroccolo di quanto il nipote di Carlo assalga e colpisca il pagano.

---

1. **Alda**: Alda la bella, promessa sposa di Orlando. Il sudore che ricopre il viso di O. indica la fiera lotta che si svolge nel suo animo fra la fedeltà all'amore per Alda e il nuovo trasporto che prova per questa fanciulla.
2. **Lionés**: è il nome che Orlando assume durante il soggiorno in Oriente.
3. **l'uno più dell'altro passeggero**: l'Autore vuol indicare l'avvicendarsi rapido dei sentimenti nella battaglia feroce e senza respiro.

chuntre sun cols ne valt plate ni maille;
non li a chols dusque au sang i faille.
Des aspres plaies le Sarracins baaille,
de soi vengier panse a le començaille.
Ce est la fue, que as zaitis chunfort baille:
uns chols zita et pué, sans demoraille,
fuant s'an vait por mi la sablonaille;
pur ch'il retorne sa vie a defensaille,
de perdre honor ne prise une meaille.
Rollant le suit come sparvers la quaille;
armes qu'il ait lor n'i poise une paille
por le doutance qu'il ait qu'il non s'en aille;
nuls chavriol ni croi plus legier saille.
Chun il i vien davant a l'incuntraille,
le Pain fist de sa vois une graille,
sun uncle claime, Malquidant l'amiraille:
— Chorez moi aidier, gentils roi de grant vaille,
invers le lion que le barbis sparpaille. —
Tels cols i doune Rollant a cele intraille,
iaume ni choife n'i valt une toaille;
l'acier detrence et la chuife desmaille,
plus d'une paume trespasse la ventaille,
mort le trebuce devant lui tint et paille.

Contro il suo colpo non vale maglia né piastra; non vi è colpo che non giunga fino al sangue. Il pagano riceve aspre ferite e dapprima pensa vendicarsi. Ma è nella fuga che i miseri cercano scampo; un colpo assestò e poi, senza indugio, se ne andò fuggendo per mezzo la rena. Pur di mettere al riparo la sua vita, non stima un quattrino il perdere l'onore. Orlando lo insegue come sparviero la quaglia; le sue armi non gli pesano più che un fuscello di paglia, per il timore ch'egli ha che l'altro non se ne vada; non credo che nessun capriolo salti più agilmente. Quando se lo vede venire incontro, il pagano fa della sua voce uno squillo di tromba e chiama suo zio, l'emiro Malquidant: — Correte ad aiutarmi, gentile re di gran vaglia, contro il leone che sparpaglia le pecore. — Tal colpo gli dà Orlando per prima cosa, che elmo né cuffia non vale più di una tovaglia; l'acciaio trapassa e la cuffia dismaglia, più di un palmo trapassa la visiera; morto lo trabocca davanti a sé, pallido ed esangue.

Rambertino Buvalelli

È il primo trovatore italiano in lingua provenzale di cui ci sia giunta l'opera. Nacque a Bologna e si formò nell'ambiente universitario, dove si era già da tempo affermato il gusto della poesia in volgare, tanto che si acquistavano canzonieri mandati a prendere dalla Provenza. Rambertino fu poi podestà a Brescia, Milano, Parma, Mantova, Verona e Genova e Console del Comune di Bologna, e fu anche legato alla corte estense, dove visse per molti anni il trovatore provenzale Aimeric de Pegulhan. Morì nel 1221.

Riportiamo una sua poesia nella quale si ritrovano molti dei temi caratteristici della lirica provenzale: l'elogio dell'amore come sentimento nobilissimo, l'esaltazione della donna come creatura perfetta, bella, dolce, saggia, cortese, vista come una signora di cui il poeta si proclama vassallo. Qui, poi, la donna è veramente una signora feudale, Beatrice d'Este, e l'amore del poeta è amore tutto ideale, espresso in forme raffinate e galanti, secondo un ideale di gentilezza cavalleresca.

Riportiamo il testo e la traduzione a cura di E. Melli, in Rambertino Buvalelli, *Le poesie*, Bologna, Pàtron, 1978.

Al cor m'estai l'amoros desiriers

Al cor m'estai l'amoros desiriers
que m'aleuia la gran dolor q'ieu sen,
et estai si dedinz tant doussamen
que mais no·i pot intrar autre penssiers;
5 per que m'es douz lo mals e plazentiers,
que per so lais tot autre pensamen
e non pens d'als mas d'amar finamen
e de faire gais sonetz e leugiers.
Pero no·m fai chantar flors de rosiers
10 ni erba vertz ni fuoilla d'aiguilen,
mas sol amors qe·m ten lo cor jauzen,
que sobre totz amadors sui sobriers,

Nel cuore mi sta il desiderio d'amore che mi allevia il doloroso struggimento ch'io provo, e così dolcemente si sta dentro, che più non vi può entrare altro pensiero; per cui mi è dolce e gradevole la pena, sì che per ciò abbandono ogni altra cura, né ad altro penso che non sia perfettamente amare, e comporre gaie e facili poesie.

Per questo non ispira il mio canto fiore di rosai, né erba verde, né, con le sue foglie, rosa di macchia, ma solo amore, che mi mantiene il cuore gioioso, poiché, sopra tutti gli amanti, sono orgoglioso per il fatto di

d'amar celliei cui sui totz domengiers;
ni de ren als non ai cor ni talen,
15 mas de servir son gen cors covinen
gai et adreich on es mos cossiriers.
Prions sospirs e loncs cossirs d'esmai
m'a mes al cor la bella en cui m'enten,
mas s'il saubes cum m'auci malamen
20 lo mals d'amor e la pena q'ieu trai,
tant es valens e de fin pretz verai
e tant si fai lauzar a tota gen,
q'ieu cre n'agra merce, mon escien,
q'il es la flors de las meillors q'ieu sai.
25 A Dieu coman la terra on ill estai,
e ·l douz pays on nasquet eissamen,
e sa valor, e son gen cors plazen
on tant grans bes e tanta beutatz jai
q'ieu tant desir. Dieus, coras la veirai!
30 Don tals doussors inz al cor me dissen,
qe·m ten lo cor fresc e gai e rizen,
q'on q'ieu estei ades conssir de lai.
Qan be·m cossir son ric pretz cabalos,
e ben remir son bel cors covinen,
35 gai et adreich, cortes e conoissen,
e·ls douz esgartz e las bellas faissos,
no·m meraveill s'ieu en sui enveios,
anz es ben dreitz q'eu l'am per tal coven,
cum de servir e d'amar leialmen,
40 e son ric pretz retraire en mas chanssos.
Qan mi soven dels bels digz amoros
e dels plazers qe·m saubetz far tant gen,
bella dompna cui hom sui leialmen,
gran esfortz fauc car me loigne de vos,
45 q'eu degra estar totz temps de genoillos
a vostres pes, tro que fos franchamen,
s'eser pogues per vostre mandamen,
bon'amistaz mesclada entre nos dos.
Bona dompna, si malparlier janglos
50 nuil destorbier volon metre entre nos,
no n'aion ja poder a lor viven:
q'ie·us amarai totz temps celadamen,
et on q'ieu an, mos cors reman ab vos.
Biatriz d'Est, la mieiller etz c'anc fos,
55 e ja Dieus noca·m sal, s'ieu de ren men;
qu'el mon non cre que n'aia tant valen,
qui vol gardar totas bonas razos.

amare colei a cui, anima e corpo, appartengo come un vassallo al suo signore; né di alcun'altra cosa ho sincero desiderio, se non di servire la sua leggiadra e bella persona, gaia e schietta, a cui è rivolto ogni mio pensiero.

Profondi sospiri e pensieri a lungo struggenti mi ha messo nel cuore la bella a cui aspiro, ma se ella sapesse quanto dolorosamente mi uccidono il male d'amore e la pena ch'io soffro, tanto è dotata di virtù e di perfetto, purissimo pregio, e tanto riscuote unanime lode, che io credo che ne otterrei mercé, così almeno io penso, ché ella è il fiore delle migliori che io conosco.

A Dio raccomando la terra dove ella sta, e così pure il dolce paese ove nacque, e l'insieme di tutte le sue virtù, e la sua fine, deliziosa persona, nella quale si trovano tanto gran bene e tanto grande bellezza: quella che tanto io desidero. Dio, quando la vedrò! Da lei tanta dolcezza dentro al cuore mi scende, che il cuore mi tiene in piacevole e lieta eccitazione, sì che, dove ch'io sia, sempre ritorno a lei col mio pensiero.

Quando in me stesso attentamente considero il suo altissimo, eccellente pregio, e parimenti contemplo la sua persona leggiadra, dotata di comunicativa letizia e di schietto portamento, cortese e avveduta, e i dolci sguardi e le belle sembianze, non mi meraviglio se io ne sono desideroso, anzi è ben giusto che io l'ami in questo modo, e cioè servendola e amandola lealmente, e ritraendo il suo ineguagliabile pregio nelle mie canzoni.

Quando mi sovviene delle belle frasi d'amore e dei momenti di felicità che mi sapeste tanto dolcemente procurare, bella signora di cui io sono uomo ligio, grande sforzo faccio ad allontanarmi da voi, ché io dovrei stare continuamente in ginocchio ai vostri piedi, finché, senza riserve, se ciò potesse realizzarsi per vostra volontà, un vero amore fosse dato e corrisposto fra noi due.

Nobile signora, se maldicenti chiacchieroni vogliono far sorgere alcuno screzio fra noi, non ne abbiano mai la possibilità durante tutta la loro vita: ché io vi amerò sempre in segreto, e dovunque io vada il mio cuore rimane con voi.

Beatrice d'Este, la migliore siete che mai vivesse, e non voglia Dio salvarmi, se di nulla mento; ché io credo che al mondo non ce ne sia un'altra di così eccelse qualità, se si vuole considerare ogni buona ragione.

Letture critiche

L'ideale cavalleresco nell'arte

Sullo scorcio del secolo XII e all'inizio del XIII la cavalleria comincia a diventare un ceto chiuso, a cui non si può accedere dall'esterno. D'ora in poi, possono diventare cavalieri solo i figli di cavalieri. Per essere considerati nobili, non basta più il diritto al feudo, e neppure l'alto tenore di vita, ma occorrono le precise condizioni e tutto il rituale della nomina solenne. L'accesso alla nobiltà viene così nuovamente sbarrato, e probabilmente non si sbaglia a supporre che furono proprio i cavalieri nuovi di zecca a propugnare col massimo zelo questa serrata. Comunque, il momento in cui la cavalleria si trasforma in ceto ereditario e diventa una casta militare chiusa è senza dubbio il momento più importante nella sua storia e uno dei momenti più decisivi in quella della nobiltà. Non solo perché d'ora in poi i cavalieri fanno parte integrante della nobiltà, e sono in netta maggioranza rispetto agli antichi nobili, ma perché ora soltanto, e proprio per opera loro, si foggia l'ideale cavalleresco, la coscienza di classe e l'ideologia di classe della nobiltà. Soltanto ora, in ogni caso, i principî della condotta e dell'etica nobiliare acquistano quella chiarezza e quell'intransigenza con cui si presentano nell'epopea e nella lirica cavalleresca [...].

L'idealismo romantico e l'eroismo riflesso e «sentimentale» della cavalleria, questo idealismo ed eroismo di seconda mano, nascono soprattutto dalla consapevolezza e dall'ambizione con cui la nuova nobiltà sviluppa il suo concetto dell'onore. Da un lato, essa si attacca alle esteriorità ed esaspera il formalismo della vita aristocratica; dall'altro, pone l'intima nobiltà dell'animo al di sopra della nobiltà esteriore e formale della nascita e del tenore di vita [...].

Non è pensabile alcuna virtù cavalleresca senza la forza fisica e l'esercizio fisico, e tanto meno in contrasto con essi, come le virtù del cristianesimo primitivo. Nelle singole parti del sistema che, ad analizzarle attentamente, comprendono le virtù stoiche, cavalleresche, eroiche e aristocratiche in senso stretto, il valore delle doti fisiche e di quelle spirituali è in ognuna diverso, ma in nessuna di queste categorie il fisico perde del tutto la sua importanza. Il primo gruppo contiene essenzialmente, come è stato affermato del resto per tutto il sistema, i noti principî della morale classica in veste cristiana. Forza d'animo, tenacia, misura e dominio di sé costituivano già i concetti fondamentali dell'etica aristotelica, e più tardi, in forma più rigida, di quella stoica; la cavalleria li ha semplicemente ricevuti dall'antichità attraverso la mediazione della letteratura latina del Medioevo. Le virtù eroiche, specie il disprezzo del pericolo, del dolore e della morte, l'assoluta osservanza della parola data, la sete di gloria e di onore, sono già in gran pregio nella prima età feudale; l'etica cavalleresca non ha fatto che mitigare l'ideale eroico di quell'epoca, infondendogli un colorito sentimentale, ma è rimasta fedele al principio. Il nuovo senso della vita si afferma — nella forma più pura e immediata — nelle virtù propriamente «cavalleresche» e «gentili»: da un lato la generosità verso i vinti, la protezione del debole e il culto della donna, cortesia e galanteria; dall'altro, le caratteristiche del moderno gentiluomo, liberale e disinteressato, superiore ai vantaggi materiali, sportivamente corretto e gelosissimo del proprio decoro. Sebbene la morale cavalleresca non sia del tutto indipendente dall'emancipata mentalità borghese, tuttavia, nel culto di queste nobili virtù, è in netto contrasto con lo spirito borghese del guadagno. La cavalleria si sente minacciata nella sua esistenza materiale dall'economia monetaria borghese, e si volge con odio e con disprezzo contro il razionalismo economico del mercante, contro il calcolo e la speculazione, contro l'attitudine a risparmiare e a contrattare. Antiborghese è tutto il suo tenore di vita, ispirato dal principio *noblesse oblige*, la sua prodigalità, il suo gusto per la cerimonia, il suo disprezzo di ogni lavoro manuale e di ogni regolare attività di lucro.

Molto più difficile dell'analisi storica del sistema etico cavalleresco è spiegare storicamente le due altre grandi creazioni culturali della cavalleria: il nuovo ideale amoroso e la nuova lirica amorosa. È evidente fin da principio che esse sono in stretto rapporto con la vita di corte. Le corti non sono soltanto il loro sfondo, ma anche il terreno che le alimenta. Ora però sono le corti minori, quelle dei principi e dei feudatari, e non più quelle dei re, a determinare lo sviluppo generale. La cornice più modesta spiega anzitutto il carattere relativamente più libero, individuale e vario, della cultura cavalleresca. Qui tutto è meno solenne, meno ufficiale, tutto incomparabilmente più agile ed elastico che non nelle corti regali che erano state un tempo i centri della cultura. Anche in queste piccole corti dominano convenzioni abbastanza rigide; aulico e convenzionale furono sempre e sono tuttora equivalenti, perché appartiene all'essenza della civiltà cortese indicare vie battute e porre limiti precisi all'arbitrio individuale, ribelle alle forme. Anche i rappresentanti di questa più libera civiltà cortese debbono il loro prestigio, non già a doti particolari che li distinguono da altri membri della corte, ma al contegno comune a tutti. Essere originali, in questo mondo dominato dalle forme, equivale ad una scortesia inammissibile. Appartenere al circolo di corte è in sé il maggior premio e onore; ostentare la propria originalità è come disprezzare quel privilegio. Così tutta la civiltà dell'epoca resta legata a convenzioni più o meno rigide. Come sono stilizzate le buone maniere, l'espressione dei sentimenti, anzi i sentimenti stessi, così lo sono anche le forme della poesia e dell'arte.

La cultura della cavalleria medievale è la prima manifestazione moderna di una cultura organizzata dalle corti, la prima in cui fra il signore, i cortigiani e i poeti ci sia una vera comunione spirituale. Le corti delle Muse non sono soltanto strumenti di propaganda e istituzioni culturali sovvenzionate dai principi, ma rappresentano organismi complessi in cui quelli che inventano le belle forme di vita e quelli che le mettono in pratica mirano allo stesso fine. Ma una simile comunione è possibile solo dove ai poeti che salgono dal basso è aperto l'accesso ai più alti strati della società, dove tra i poeti e il loro pubblico c'è una grande somiglianza di vita (che sarebbe stata inconcepibile un tempo), e dove cortesia e scortesia non implicano solo una differenza di condizione, ma di educazione: dove quindi non si è necessariamente «gentili» per nascita e grado, ma lo si diventa per istruzione e carattere. È evidente che questo canone dei valori fu stabilito per la prima volta da una nobiltà professionale, che ricordava ancora come fosse venuta in possesso dei suoi privilegi, e non da una nobiltà di sangue, che quei privilegi aveva sempre avuto. Ma con lo sviluppo del nuovo concetto di civiltà, secondo cui i valori estetici e intellettuali sono nello stesso tempo valori morali e sociali, si produce un nuovo iato fra cultura ecclesiastica e laica. La funzione di guida, soprattutto nella letteratura, passa dal clero, unilaterale nella sua concezione del mondo, alla cavalleria. La letteratura monastica perde la sua funzione storica di guida, e il monaco non è più la figura rappresentativa del tempo; la quintessenza ne è ora il cavaliere, com'è rappresentato a Bamberga, nobile, fiero, vigile, perfetta espressione della cultura fisica e spirituale.

La civiltà cortese del Medioevo si distingue da ogni altra — anche da quella delle corti ellenistiche, pur fortemente influenzata dalla donna — soprattutto per il suo carattere spiccatamente femminile; e non solo perché le donne prendono parte alla vita intellettuale e contribuiscono a orientare la poesia, ma perché, sotto molti rispetti, è femminile anche il pensiero e il sentimento degli uomini. Mentre gli antichi poemi eroici, e le stesse *chansons de geste*, erano destinati a un uditorio maschile, la poesia amorosa provenzale e i romanzi bretoni del ciclo di Artù si rivolgono anzitutto alle donne. Eleonora d'Aquitania, Maria di Champagne, Ermengarda di Narbona, o comunque si chiamino le protettrici dei poeti, non sono soltanto gran dame, coi loro «salotti» letterari, esperte e promotrici di poesia, ma sono spesso loro a parlare per bocca dei poeti. E non basta dire che gli uomini debbono alle donne la loro educazione estetica e morale, che esse sono la sorgente, l'argomento e il pubblico della poesia [...].

Ciò che contraddistingue la poesia cavalleresca nei confronti dell'antichità e dell'alto Medioevo è soprattutto il fatto che l'amore, per quanto spiritualizzato, non si eleva a principio filosofico, come in Platone o nei neoplatonici, ma conserva il suo carattere sensuale ed erotico; e proprio in quanto tale opera la rinascita della personalità morale. Nuovo, nella poesia cavalleresca, è il culto consapevole dell'amore, il senso che l'amore va protetto e alimentato; nuova è la credenza che l'amore sia la fonte di ogni bontà e bellezza e che ogni atto turpe, ogni bassa inclinazione sia un tradimento verso l'amata. Nuovo è l'intimo e dolce affetto, la pia devozione, che l'amante prova in ogni pensiero per la sua donna; nuova l'infinita, inappagata e inappagabile, perché illimitata, sete d'amore. Nuova è la felicità dell'amore, che è indipendente dalla soddisfazione del desiderio e resta suprema beatitudine anche nel più duro insuccesso. Nuovo infine è l'intenerimento e la femminilizzazione dell'uomo innamorato. Già il fatto che l'uomo faccia la parte del corteggiatore capovolge il primitivo rapporto fra i sessi. Le età arcaiche ed eroiche, in cui bottini di schiave e ratti di fanciulle sono all'ordine del giorno, ignorano il corteggiamento. Che, del resto, contrasta anche con l'uso del popolo. Qui è la donna, e non l'uomo, che canta canzoni d'amore. Ancora nelle *chansons de geste* sono le donne a fare gli approcci; solo alla cavalleria questo comportamento appare scortese e sconveniente. Cortese è appunto la ritrosia femminile e lo spasimare dell'uomo. Cortese e cavalleresca è l'infinita pazienza e la perfetta abnegazione dell'uomo, che sopprime la propria volontà e il proprio essere davanti alla volontà e all'essere superiore della donna. Cortese è la rassegnazione di fronte all'inaccessibilità dell'oggetto adorato, l'abbandono alle pene d'amore, l'esibizionismo e il masochismo sentimentale dell'uomo: tutte caratteristiche del moderno romanticismo amoroso, che appaiono qui per la prima volta. L'amante nostalgico e rassegnato, l'amore che non esige accoglimento e adempimento, anzi si esalta per il suo carattere negativo, l'«amore di ciò che è lontano», senza un oggetto tangibile e definito: così comincia la storia della poesia moderna.

Arnold Hauser

(Da *Storia sociale dell'arte*, Torino, Einaudi, 1955, vol. I, pp. 317-30, con tagli).

Il «gioco» dell'amor cortese

Lo spirito ludico della cavalleria culmina nella gratuità dell'amore cortese. Da almeno due secoli, tutti i poemi e i romanzi scritti per lui invitano il cavaliere ad amare. I chierici privati delle corti principesche erano ricorsi alle risorse dell'analisi scolastica, per codificare in precise norme i complessi riti che, nella società dei nobili, erano destinati a regolare il comportamento reciproco del gentiluomo e della donna bennata. I libri che ogni signore si faceva leggere la sera, circondato da tutta la sua casata, le immagini che li illustravano e quelle che decoravano gli avori degli scrigni e degli specchi, diffondevano tutti ampiamente le norme di tale rituale, cui ogni uomo desideroso d'essere accolto nelle assemblee cavalleresche doveva conformarsi. Egli aveva l'obbligo di scegliersi una dama e di farsene il servo. Nel fiore della gioventù, Edoardo III d'Inghilterra s'era proposto di diventare il modello della cavalleria del suo tempo; era sposato: la regina, dotata di tutte le virtù di una moglie perfetta, gli regalava dei bei figlioli, e il loro matrimonio poteva dirsi veramente ben riuscito. Un giorno Edoardo si recò a visitare la signora del castello di Salisbury, il cui marito, suo vassallo e catturato mentre combatteva al suo servizio, era allora prigioniero. Il re sollecitò l'amore della dama, e per tutta la sera, davanti agli uomini che lo scortavano, recitò la commedia del cuore ferito e conquiso e dell'amore trionfante e tuttavia impossibile. «Onore e Lealtà», infatti, «gli vietavano d'impegnarsi in un simile inganno, e di disonorare una così nobile dama e un cavaliere leale qual era suo marito. E d'altra parte Amore lo costringeva così fortemente da fargli vincere e trascurare Onore e Lealtà». E fu forse per la dama eletta ch'egli fondò l'ordine dei cavalieri della Giarrettiera, che ne organizzò le feste e ne scelse il motto.

Festa e gioco, l'amore cortese realizza l'evasione dall'ordine costituito e il rovesciamento dei rapporti naturali e, adultero per principio, è soprattutto una rivincita sulle pastoie matrimoniali. Nella società feudale, il matrimonio mirava principalmente ad aumentare il lustro e le ricchezze di una famiglia; e la faccenda, in cui i diritti del cuore non avevano alcun peso, veniva freddamente condotta dai capi dei due lignaggi, che stabilivano le condizioni dello scambio — la compravendita della sposa destinata a diventare per il suo futuro signore la custode della sua casa, la padrona dei suoi servi e la madre dei suoi figli. La sposa in primo luogo doveva essere ricca, fedele e di buona schiatta: le leggi sociali minacciavano le più grandi sanzioni alla moglie adultera e a chiunque avesse tentato di sedurla, mentre concedeva agli uomini la massima libertà. Nei romanzi cortesi, in ogni castello c'è sempre una compiacente fanciulla pronta a darsi al cavaliere errante. L'amore cortese non fu dunque soltanto evasione sessuale, ma elezione, e realizzazione di una scelta vietata dalla procedura matrimoniale. L'amante però non sceglie una vergine, bensì la moglie di un altro; e non la prende con la forza, ma la conquista a suo rischio e pericolo, vincendone a poco a poco le resistenze in attesa che si arrenda e gli conceda i suoi favori. E, per conquistarla, mette in atto una complicata strategia che in realtà è una trasposizione ritualizzata delle tecniche della caccia, del torneo o dell'assalto di una fortezza. I miti della caccia amorosa si sviluppano molto spesso in una cavalcata nel bosco, e la dama eletta è una torre che si cinge d'assedio.

Questa strategia, però, mette il cavaliere in posizione di servitù, e anche qui l'amore cortese inverte i rapporti normali. Mentre nella vita reale il signore è il padrone assoluto di sua moglie, nel gioco amoroso diventa il servo della propria dama, schiavo di tutti i suoi capricci e pronto ad affrontare qualunque prova ella voglia imporgli. Egli vive in ginocchio di fronte a lei, e nella sua devota postura si traducono stavolta gli atteggiamenti che, nella società dei guerrieri, codificavano la subordinazione del vassallo al suo signore. Tutto il vocabolario e i gesti dell'amore cortese, e soprattutto la nozione di servitù e il suo contenuto, derivano dalle formule e dai riti del vassallaggio. In primo luogo, nei confronti della dama, l'amante ha l'obbligo d'essere leale, esattamente come il vassallo verso il suo signore. Egli le ha giurato fedeltà e non può tradirla, né questo è un vincolo che si possa sciogliere; si mostra valoroso, si batte per lei, e sono appunto le sue successive vittorie che lo portano vicino alla meta. Infine, egli deve coprire la dama di attenzioni e farle la corte, ossia ancora una volta servirla, esattamente come i vassalli riuniti in corte feudale intorno al signore; e proprio come i vassalli, l'amante, in cambio della sua schiavitù, si aspetta una ricompensa e delle concessioni sempre più grandi.

A questo livello, il gioco d'amore sublima l'impulso sessuale e ne muta l'orientamento, senza tuttavia spiritualizzarlo completamente. Nel XIII secolo, gli sforzi della Chiesa per tenere a freno il mondo cavalleresco erano sfociati in alcuni poemi che distoglievano il rito amoroso dal suo fine sessuale, deviandolo verso il misticismo, e questa mutazione religiosa e astratta culminò verso il 1300 nel dolce stil novo. Ma nel normale cerimoniale del corteggiamento, l'amore si nutre della speranza di un trionfo finale che indurrà la dama a concedersi interamente, di una vittoria segreta e rischiosa sul tabù fondamentale e sul castigo minacciato agli amplessi adulterini. Tuttavia, nell'attesa — che conviene far durare molto a lungo — il desiderio deve accontentarsi di poco: l'amante che vuol conquistare l'eletta deve sapersi dominare. Di tutte le prove impostegli dall'amore, quella più evidentemente simbolica della necessità della proroga accettata è il «cimento» celebrato dalle canzoni dei trovatori: nudi entrambi, la dama ordina al cavaliere di coricarsi accanto a lei, frenando tuttavia i suoi impulsi. Da questa prova, e dalle gioie imperfette delle espansioni controllate, l'amore esce più forte, i suoi piaceri si trasformano in sentimenti, e la scintilla amorosa non unisce dei corpi, ma dei cuori. Dopo aver contemplato Giovanna di Salisbury, Edoardo si mette a «pensare». I chierici al servizio dei prìncipi avevano cercato, consultando Ovidio, di capire le complicazioni psicologiche dell'amore terreno; e nel momento medesimo in cui le regole della cortesia s'imponevano a poco a poco alla cavalleria d'Occidente, il culto mariano si diffondeva in tutta la cristianità latina. Sviluppandosi entrambi, la sublimazione dell'istinto sessuale e l'assunzione dei valori femminili nella pietà religiosa si arricchirono del reciproco influsso. La Vergine fu ben presto considerata la dama per eccellenza, la Madonna che tutti devono servire con vero amore, e se ne vollero delle immagini eleganti, leggiadre, seducenti. Inversamente, la dama eletta si aspettò dall'amante prove di devozione ed elogi, le cui metafore fossero in tutto simili a quelle dei canti dell'amore mistico. Le gioie mondane si aureolarono dei riflessi di una pietà che si trasformava in un affare di cuore.

L'amore cortese fu sempre un gioco, un divertimento occulto e discreto che vive di occhiate complici, dissimulato sotto apparenze ingannevoli, mascherato dall'esoterismo del *trobar clus*, dei gesti simbolici, dei motti a doppio senso e di un linguaggio che solo gli iniziati sanno decifrare. Per essenza, e nelle forme che esprime, è solo ed esclusivamente una fuga dalla realtà, come la festa, un intermezzo eccitante ma perfettamente gratuito.

Georges Duby

(Da *L'arte e la società medievale*, Bari, Laterza, 1977, pp. 318-321).

Andrea Cappellano e l'amor cortese

Si veda quanto dice Andrea al riguardo dei «lavoratori». Il contadino è equiparato a un cavallo o a un mulo, i suoi atti sono più di bestia che di uomo. Gli unici «solatia» che gli sono consentiti sono quelli «della zappa e del marrone». È la stessa natura che nega ai villani i benefici dell'amore. Nel caso che, «avegna che di rado», essi sentano i pungoli di questo sentimento, è meglio non fornire loro troppe informazioni al riguardo, onde evitare che, tutti presi dalle fatiche di amore, dimentichino di coltivare i campi privandoci in tal modo dei frutti del loro lavoro [...].

L'equiparazione del «villano» ad un animale, indipendentemente dalla valutazione che nel Medioevo si dava di quella classe sociale, apre la strada su una prospettiva sostanzialmente corretta. Il libero sfogo degli istinti, come può avvenire nell'ambito di un mondo puramente animale o in quello di un matrimonio che oggi definiremmo «di interesse» — alleanze famigliari, conservazione della specie, e così via —, che è appunto il matrimonio raccomandato nella cultura medievale, è un'esperienza del tutto diversa da quella che comporta la coscienza che l'esplicazione di questi istinti è pur sempre legata ad un sistema di divieti, pudori, ritrosie, ecc., socialmente accettati in quanto tali. «L'erotismo» osserva il Bataille (p. 283) «differisce dalla sessualità degli animali nella misura in cui la sessualità umana è limitata dalle interdizioni e che il campo dell'erotismo è quello dell'infrazione di tali interdizioni. Il desiderio dell'erotismo è il desiderio che trionfa sull'interdizione». D'altra parte sembra indubitabile che l'esercizio dell'erotismo implichi un certo margine di «gioco». Qui Andrea insiste sui due concetti di libertà dalla fatica e di libertà nel disporre del proprio tempo. Il «labor assiduus» del villano costituisce un impedimento in assoluto al gioco d'amore; quest'ultimo è possibile solo a coloro che per ragioni sociali o economiche si sono affrancati da tali servitù e pertanto va qualificato come attività «privilegiata». Se poi si sommano le due diverse ed in apparenza divergenti tendenze, l'una verso l'apertura sulla «coscienza» e l'altra verso il rifiuto del lavoro, in quanto portato della «ragione», il senso di «privilegio» acquisterà una dimensione tanto più inquietante in quanto equamente isolata dal mondo degli istinti come da quello della legge.

A questo punto sarà forse interessante mettere in chiaro che cosa Andrea intendesse per «privilegio». Date le premesse potrebbe sembrare che quello che conta è la pregiudiziale di casta. In effetti le cose non stanno proprio così. Se infatti i villani sono refrattari ad amore, neppure si può dire — e questa è opinione fermissima di Andrea — che la nobiltà di sangue, il *genus* o *ordo*, rappresenti una discriminante a danno di coloro che provengono da una famiglia «plebea». Il centro del problema sta altrove, nel cuore stesso dell'uomo, ma di un uomo pur sempre affrancato dal bisogno grazie ad una redditizia attività economica. Una volta accettato questo prerequisito, tutto è possibile in amore a quella che Andrea chiama la «morum probitas», l'onestà dei costumi, o, se si vuole, la «gentilezza», che è il termine impiegato dai poeti italiani del XIII secolo. La portata sovvertitrice di tale dottrina non ha bisogno di particolari illustrazioni...

La feudalità che cerca nella *aventure* un alibi ed un surrogato al proprio fallimento economico, è in crisi e si impone oramai la nuova realtà delle classi emergenti dei mercanti e degli artigiani, futuri artefici delle franchigie cittadine e degli statuti comunali. La nobiltà di sangue, come Andrea si compiace di ripetere, non conta nulla se non è accompagnata dalla «morum probitas». Su questo argomento egli ritorna continuamente con un'insistenza che lascia intravedere una profonda e sofferta esperienza personale. La sua opinione è che fra le due «nobiltà», quella di sangue e quella dei costumi, più importante è senza dubbio la seconda.

Amore dunque richiede quale prerequisito essenziale una assoluta onestà di costumi. È vero che tale onestà, «probitas», potrebbe a rigore albergare anche nel cuore dei villani. Tuttavia essi non partecipano, come abbiamo visto, alla condizione dell'uomo; sono animali e, come tali, vanno trattati. Il collegamento fra l'amore e la «morum probitas» costituisce indubbiamente un elemento innovatore nella storia del sentimento e, soprattutto, dei rapporti fra i sessi. L'amore profano, in quanto «parallelo» (ci si perdoni l'espressione della cui provvisorietà ci si renderà conto fra poco) di perfezione morale («Tenne d'angel sembianza»), è uno dei temi fondamentali del «naturalismo» francese del XII secolo. La proposizione non è forse tanto esplicita come ci si sarebbe augurato. Certo è, comunque, che nel suo complesso la scuola di Chartres, proprio perché portata a privilegiare l'aspetto umano del problema relativo alla tutela della città terrena e degli ordinamenti morali che ne devono garantire la sopravvivenza e la felicità, ha costituito senza dubbio un incentivo di prim'ordine all'esaltazione delle virtù dell'uomo, nonché al riconoscimento dell'influenza che su di esse viene esercitata dal libero gioco dei sentimenti. È come se un nuovo patto venisse stipulato fra l'uomo e la donna. Dalla decadenza del peccato originale, di cui ultime e vistose tracce sono facilmente reperibili nella coeva letteratura misogina, si passa ad un nuovo genere di rapporto dominato dalla figura enigmatica e «tirannica» di Amore. Le responsabilità della vita morale scendono, in un certo qual senso, dal cielo alla terra, e l'uomo riscopre le radici del bene nel suo rapporto solitario con la donna.

L'operazione non poteva non comportare rischi, e non solo per ciò che riguarda l'aspetto materiale delle sanzioni secolari. L'opinione pubblica infatti non era ancora matura per un tale ribaltamento dei valori comunemente accettati, ed era quindi necessario che l'amore profano portasse in sé tutte le stigmate ed i segni di riconoscimento dell'amore sacro. Di qui il gioco analogico del metaforismo «cortese». Che, peraltro, si badi bene, non costituisce un semplice omaggio verbale alle verità riconosciute, ma esprime una convinzione di fondo, la misura di un'etica caparbiamente terrestre. L'onestà dei costumi, la purezza del cuore, la dedizione, il coraggio, le opere buone, sono sempre tutte lì, non c'è motivo di scandalo. Salvo che immediatamente si presenta l'altro problema, forse non del tutto previsto e, comunque, particolarmente impegnativo, di stabilire a chi dovesse toccare il «privilegio» della «morum probitas», o, meglio, donde derivasse tale «morum probitas», e se, infine, la «morum probitas» fosse garanzia sufficiente per coonestare i moti del sentimento.

La solitudine delle coppie più celebri della letteratura «cortese», dagli amanti della tradizione trobadorica ad Abelardo e Eloisa, Tristano e Isotta, Ginevra e Lancillotto, e così via, è il durissimo scotto pagato per portare alla luce una società finalmente aperta a quelli che oggi definiremmo bonariamente i diritti del cuore: esperienza questa indubbiamente più femminile che maschile, almeno in rapporto alla media dell'erotismo medievale. D'altronde non avrebbe potuto essere diversamente. Una volta accettato il principio di ritirare la delega dei poteri a chi per secoli ne aveva ricevuto una sia pur legittima investitura, e una volta ingabbiata nella teologia la figura paterna intervenuta a riscattare il mondo in uno dei momenti più tragici nella storia della civiltà greco-latina, è ovvio che l'uomo e la donna, nuovi Adamo ed Eva, fossero costretti a ripiegarsi su se stessi, a cercare in sé l'energia necessaria a preservare le istituzioni umane dal caos e dal disordine di un mondo retto dalle sole forze dell'istinto. L'esperienza che deriva la sua giustificazione non da una base largamente sociale, ma da un rapporto fra singoli (la salvezza è un fatto esclusivamente individuale e la legge è una delle vie del maligno...), corrisponde abbastanza bene al tipo di spiritualità dominante all'epoca, a metà strada fra l'eresia patarinica e la riforma francescana.

Certo che restava da determinare a chi spettasse la «morum probitas». La questione, fra l'altro, ha interessato anche Andrea, che se ne è valso al duplice scopo di liberare amore dalla ipoteca moralistica tardo-cristiana e, nello stesso tempo, di portarlo alla luce abbagliante del bene. Una prima lettura attenta del suo trattato sembra suggerire l'idea che la «morum probitas» costituisca una dote naturale, un dono concesso in base a ragioni imperscrutabili da Natura a pochi eletti. La nobiltà spirituale, in quanto presupposto di esperienze eroiche, eccezionali, solitarie, non è bene comune a tutti gli uomini. Oltre a ciò — ricorda Andrea — solo la nobiltà spirituale è degna di essere coronata da amore [...].

La dottrina di Andrea pertanto andrà riformulata nel seguente modo: «Gentilezza dipende da senno; amore dipende da gentilezza; *ergo* amore dipende da senno». In altre parole: la «morum probitas» precede nel tempo l'avvento di amore, essa solo consente e giustifica un'esperienza di tipo erotico. In questa prospettiva la soluzione di Andrea ha dunque tutta l'aria di mettere a confronto due diversi tipi di aristocrazia, due diverse concezioni elitarie: una basata sui diritti del sangue e l'altra sui meriti reali (morali e spirituali), e, nello stesso tempo, di sostenere che la seconda è fonte e radice della prima, e non viceversa.

Sennonché altri luoghi del trattato lasciano intravedere una diversa soluzione del problema dei rapporti fra i due termini estremi, «senno» (o «probitas») e «amore», del sillogismo... La «morum nobilitas» non costituisce più un *primum*, ma è solo effetto di «amor». I doni di questo sentimento non sono riservati a poche persone, ma sono elargiti a tutti indistintamente, anche a chi è «disconscio e disadorno», a chi «è di nazione basso», e così via. Siamo alle soglie della divinizzazione di Amore (con la A maiuscola!) [...].

L'identificazione di Amore con la donna è oramai un fatto compiuto ed anche se manca il sia più piccolo accenno al mondo del divino, è indubbio che il lettore medievale vi riconoscesse echi e componenti di carattere, se non altro verbalmente, metafisico. La signoria della donna nei confronti dell'uomo, già sanzionata dalla poesia trobadorica, dove appunto le sue funzioni e le sue prerogative sono assimilate a quelle del signore feudale (*midonz, meus dominus*), trova nel trattato di Andrea una conferma autorevole e definitiva. Dall'alto vigila ed ammonisce il magistero «glorioso» (l'espressione è di Andrea; cfr. Rajna, p. 259, nota 4) e venerabile della contessa Maria di Champagne e Andrea non si fa scrupolo di citarne gli insegnamenti ad ogni piè sospinto.

Come risulta dai testi qui raccolti, la dottrina della contessa vuole che Amore non possa che condurre al bene ed alla felicità. Altrove invece saranno messi in luce altri fattori, tutti negativi, come quando Maria costringe Chrétien a riconoscere che la fedeltà alla donna e l'annientamento della volontà implicano a volte prove anche più drammatiche, autodistruttive, abiezione e sofferenza (*Il cavaliere della carretta*). Comunque sia, nel 1277 il trattato di Andrea sarà condannato dal vescovo di Parigi e all'inizio del secolo successivo Dante procederà alla verifica più amara delle sue teorie nel V dell'*Inferno*.

D'Arco Silvio Avalle

(Da *Ai luoghi di delizia pieni*, Milano-Napoli, Ricciardi, 1977, pp. 19-29, con tagli).

La civiltà comunale

Premessa

L'Italia conserva, nei secoli dopo il Mille, un'importante iniziativa nell'alta cultura in latino, soprattutto giuridica, filosofica, retorica, ma un ruolo subalterno, rispetto alla Francia, nella cultura cavalleresca, in quanto la società feudale è, da noi, controbilanciata, fin dal secolo XI, dall'emergere vigoroso della civiltà comunale. L'ideale cortese conquista anche l'Italia, imponendosi alla nobiltà e, progressivamente, alla borghesia comunale, ma modificandosi, soprattutto in quest'ultimo caso, nel contatto con un'esperienza diversa e una diversa visione della realtà.

La nobiltà italiana non riuscì a costituire una monarchia unificatrice a livello nazionale, né vi furono, in Italia, centri originali d'irradiazione della cultura e della letteratura feudale. I testi provenzali e francesi si diffusero, come s'è visto nel capitolo precedente, nella loro lingua, soprattutto nell'Italia del Nord, dove diedero luogo a una tradizione che comportò anche la produzione di nuovi testi nelle lingue d'*oc* e d'*oil*, più vicine ai dialetti settentrionali, tanto da non apparire totalmente straniere e da poter mantenere un certo livello di comunicazione. Nel Sud e nella Toscana, dove pure si diffusero questi testi, sorse invece, a partire all'incirca dal terzo-quarto decennio del secolo, una letteratura in volgare italiano, che, pur ispirandosi ai modelli lirici provenzali e francesi, li emulò liberamente, mutandone la veste linguistica. Fu questa una scelta importante, perché diede inizio a una tradizione letteraria specificamente italiana.

La nuova letteratura in volgare si sviluppa poco meno di due secoli dopo quella provenzale e francese, così come i primi documenti scritti in volgare italiano sono posteriori di oltre un secolo e assai più sporadici rispetto a quelli della Francia. Certamente la mancata unificazione politica rese assai più lento l'affermarsi d'un modello linguistico comune, cosicché il latino rimase più a lungo la lingua della comunicazione scritta a tutti i livelli. È sintomatico il fatto che il primo tentativo di affermazione d'un modello linguistico-letterario in volgare avvenga alla corte di Federico II, l'imperatore che tentò di unificare sotto la propria corona l'Italia, e che il secondo modello, quello fiorentino-toscano, si colleghi alla vigorosa iniziativa economica e politica, a livello italiano ed europeo, dei comuni toscani e soprattutto di Firenze, e si affermi poi molto lentamente nei due secoli successivi, perdurando il frazionamento della vita politica italiana, che è, d'altra parte, un dato caratteristico della civiltà sviluppatasi da noi dopo il Mille.

L'Italia e l'Impero

Chiesa e Impero sono considerati per tutto il Medioevo le due istituzioni universalistiche che garantiscono l'ordinata e civile convivenza della società umana, secondo il duplice destino, terreno e ultraterreno, dell'uomo. Il Sacro Romano Impero di Carlo Magno, consacrato a Roma nel Natale dell'Ottocento dal Papa, rimase, anche dopo la sua divisione in monarchie nazionali, un modello presente negli animi dei sovrani e degl'intellettuali. Esso, oltre a soddisfare un'esigenza religiosa, era considerato come la prosecuzione dell'Impero romano, supremo ideale, per il Medioevo, di civiltà e di giustizia. In tal senso, nei secoli XII e XIII, Federico Barbarossa e Federico II si presentarono come suoi continuatori.

L'Italia è coinvolta nella vicenda più del resto d'Europa, per la presenza, in essa, di Roma, la grande città imperiale e cristiana; è implicata direttamente nelle lotte fra Papi e Imperatori, che vorranno legittimato a Roma, dal Pontefice, il loro *imperium*, ed è meta di innumerevoli pellegrini in visita alla città santa. In Italia sorgono le prime grandi scuole di diritto romano, cui si rivolgeranno Papi e Imperatori nelle loro controversie di potere.

In tal modo l'Italia ritrova, nonostante il frazionamento politico, una propria unità ideale, il senso d'una tradizione comune di civiltà, almeno fra gli intellettuali.

Nello stesso tempo assume un ruolo di intermediaria fra i paesi del bacino orientale del Mediterraneo (allora i più ricchi e civili) e l'Occidente. I rapporti con l'Impero d'Oriente sono garantiti dalla lunga dominazione bizantina, nell'alto Medioevo, su Roma, Ravenna, Venezia, la Puglia, la Calabria, poi dalle grandi città marinare, Amalfi, Pisa, Venezia, Genova, che, resesi autonome, contendono il mare alle flotte saracene e normanne e portano nei regni barbarici i raffinati prodotti orientali, dalle spezie ai lavori di oreficeria.

L'esercizio dell'attività marinara e commerciale non significa soltanto ricchezza, ma consente in primo luogo di superare l'economia puramente e arretratamente rurale dell'Europa, di sviluppare un artigianato specializzato nei cantieri navali, di dar vita a un'attività economica finanziaria e imprenditoriale, che comprende anche la costruzione di opifici dove lavorare il prodotto grezzo.

Le città marinare per prime, e, sulla loro scia, numerose altre città sono portate così a sottrarsi all'organizzazione economica, politica e amministrativa feudale, inadeguata ai nuovi rapporti di produzione e alla diversa realtà sociale che ne consegue. Nasce in Italia una grande civiltà cittadina che sostituisce la città, come luogo di lavoro, di scambi, di produzione, di governo e di rapporti civili, al castello feudale o alla corte.

Il Comune

Il rinnovamento della qualità della vita — dall'incremento della popolazione, alla bonifica di nuove terre, al fervore di traffici — che si ebbe in Europa dopo il Mille, si manifesta in Italia soprattutto nel grande sviluppo economico e politico delle città.

La vitalità di esse non era mai cessata, neppure nell'alto Medioevo, sia perché esse rappresentavano un aspetto peculiare della civilizzazione romana, sia perché in esse, piuttosto che nei castelli, avevano posto la loro sede duchi e funzionari longobardi e imperiali e i vescovi. Ma ora si tratta d'un vero risorgimento, attestato anche dall'aumento della popolazione, che porterà ad allargare, sia nel sec. XII sia nel sec. XIII, la cerchia delle mura.

Tra la fine dell'XI e il principio del XII secolo nasce il Comune come forma autonoma di amministrazione cittadina, adeguata alla nuova realtà economica e sociale. La città tende a conquistare la campagna intorno o *contado*, vincendo la resistenza della nobiltà feudale, sviluppa le attività commerciali e artigianali, organizza le prime industrie. La classe dirigente è formata da una parte del patriziato e dall'alta borghesia, con la tendenza a estendersi a strati borghesi più ampi.

Attraverso le lotte cruente contro gli Imperatori tedeschi, i Comuni ottengono la loro autonomia, che diviene, col tempo, piena sovranità, e rafforzano la loro potenza economica e politica in ambito europeo, dando vita a una civiltà policentrica (divisa, cioè, in più città, spesso in lotta fra loro) che, se impedì il costituirsi d'uno stato unitario italiano, segnò tuttavia uno dei momenti più alti della vita del Paese. Diverso fu invece lo sviluppo dell'Italia meridionale, dove la vita cittadina fu limitata o spenta sul nascere da forme di assolutismo statale centralizzato, dai Normanni a Federico II e oltre.

La grande civiltà comunale si svolge fra il sec. XII e il XIV, nel quale comincia la decadenza, causata soprattutto dall'esaurirsi progressivo dell'attività imprenditoriale e dall'impossibilità di dominare le forti tensioni politiche e sociali. Si giungerà così alla formazione delle Signorie e al lento spegnersi delle autonomie comunali.

La civiltà del Comune

La civiltà comunale può essere definita, con qualche approssimazione, borghese, in quanto la sua prosperità è fondata sulla libera iniziativa economica e sulla mobilità sociale. Non va taciuto che a questa attività si accompagna anche un duro sfruttamento delle classi più umili, escluse dalla partecipazione al potere, che porterà a forme di instabilità e insicurezza, aggravate dalle lotte interne fra le varie consorterie di origine nobiliare e fra i vari gruppi economici.

Ma nell'epoca di maggior splendore si può ben dire che nascesse una mentalità nuova che si riflette nelle forme della cultura: un'idea più attiva e pragmatica della vita, una maggior attenzione al concreto, al quotidiano, una reale partecipazione di vasti strati di cittadini alla vita politica. E nacque anche la richiesta d'una più ampia diffusione della cultura, connessa alla domanda d'una sviluppata professionalità intellettuale. La complessità della vita cittadina richiedeva, infatti, personale amministrativo: giuristi, notai, persone cui affidare la compilazione di documenti e di atti destinati alle cancellerie europee, maestri che insegnassero a leggere, scrivere e far di conto ai mercanti, per i quali, a differenza di quanto avveniva per il guerriero feudale o per il contadino, un'istruzione di base rappresentava una necessità. Quanto più si sviluppa la vita del Comune, tanto più cresce la domanda culturale: la nuova classe egemonica si trova infatti davanti a compiti di governo non soltanto municipale, ma aperto ai rapporti internazionali.

Questa domanda fu soddisfatta dalle scuole cittadine, che conoscono ora un rinnovato, grande sviluppo, e soprattutto dalle Università.

Le Università (il nome deriva da *universitas magistrorum et scholarium*, cioè totalità dei maestri e degli studenti, organizzati in corporazione che ottiene particolari benefici giuridici ed economici dalle città) completavano la preparazione superiore, attraverso l'insegnamento di teologia, diritto, medicina, arti liberali, e concedevano la licenza d'insegnamento, cioè la laurea: di fatto, organizzavano i quadri professionali necessari al nuovo sviluppo della civiltà.

La città

Il nuovo orgoglio cittadino, che è poi la consapevolezza dell'alto livello di civiltà raggiunto, si riflette nelle cronache (o negli elogi) di molte città, scritte prima in latino, poi, a partire dal Duecento, anche in volgare.

Ne presentiamo qui due esempi, il secondo, quello di Bonvesin da la Riva, in latino, il primo, di Martino da Canal, in volgare; non però italiano, ma francese o lingua d'*oïl*: la lingua usata, in quel giro d'anni, da Brunetto Latini in un'opera enciclopedica di vasta divulgazione, il *Tresor*, e nel *Milione* di Marco Polo, con motivazioni analoghe a quelle di Martino («è diffusa in tutto il mondo ed è la più piacevole, sia che la si legga sia che la si oda»), e, in Alta Italia, nel poema cavalleresco.

La scelta linguistica dei due scrittori (entrambi del tardo Duecento) è, comunque sia, orientata in direzione d'una diffusione dei loro libri fuori delle mura cittadine, e magari fuori d'Italia, in relazione all'importanza internazionale di Venezia e Milano in quell'epoca.

Sul piano del contenuto va rilevata, in queste come in altre opere, l'attenzione alla qualità della vita, l'informazione documentata sull'economia, il costume, la civiltà. Non mancano le notizie sulle guerre sostenute dal Comune nella sua espansione e l'elogio della libertà comunale conquistata nella dura lotta con l'Impero. Ma quello che maggiormente colpisce è la celebrazione della città come un mondo autosufficiente fatto dall'uomo, coi suoi edifici, i palazzi, le torri, le chiese, le feste, l'elevato tenor di vita, il fervore di traffici e di opere. La città, insomma, è presentata come luogo d'incontro fra gli uomini, di lavoro che produce civiltà e ricchezza. È, dunque, uno spazio tipicamente umano, rappresentato spesso (lo si vede anche nelle carte geografiche del tempo) in forma circolare («tale mirabile rotondità — dice Bonvesin a proposito di Milano — è il segno della sua perfezione»): una figura perfetta che simbolicamente la isola dal mondo oscuro della natura e della campagna, ove gravitano forze sconosciute all'uomo o dove si scatena la violenza della guerra.

Cortesia e borghesia

Sebbene nell'Italia comunale, soprattutto nel Duecento, il mondo feudale sia in crisi, persiste l'ideale cavalleresco, assunto anche dalla borghesia quasi a legittimare la propria conseguita posizione egemonica. La cosa non stupisce, se si pensa che si tratta del primo ideale laico d'una vita eletta sorto nell'Occidente e al suo carattere aristocratico che non discorda dall'individualismo borghese; e anche al fatto che il governo del Comune si fonda, fin dalle origini, sull'accordo fra alta borghesia e parte della nobiltà.

Gentilezza e cortesia non sono tuttavia più viste coincidere con la nobiltà del sangue e col privilegio ereditario, ma col merito e la capacità personali, con l'intelligenza, con la libera iniziativa, con la cultura. Vengono, insomma, trasportate dal castello alla vita cittadina. Allo stesso modo il mito dell'amor cortese si approfondisce nell'esplorazione attenta dell'interiorità, nello scavo psicologico cui il Dolce stil novo congiungerà una più complessa dimensione culturale.

Con lo sviluppo della vita politica del Comune, la realtà penetra sempre più decisamente nell'incantato mondo cavalleresco, l'avventura si commisura alla concreta lotta per la vita, in una società reale, coi suoi problemi e le sue contraddizioni. Rimane tuttavia il sogno d'una vita più bella, elaborato dai poeti francesi, fondato sull'ideale d'una signorile civiltà dell'animo e del costume: un sogno vissuto con nostalgia, perché continuamente contraddetto dalle lotte feroci dell'epoca.

La guerra è una presenza tragicamente incombente nel Duecento: lotte contro l'Impero, in difesa delle libertà cittadine, e contro le città rivali; e, all'interno della città, altre lotte (strettamente legate a quelle esterne) fra le varie consorterie e fazioni, che portano una carica ulteriore di odi e violenze. E non mancano le lotte sociali, che assumono, com'è proprio dell'epoca, motivazioni religiose, attraverso le quali le masse oppresse tentano di conferire una validità assoluta alla rivendicazione di condizioni più umane d'esistenza.

D'altra parte, la guerra è strettamente connessa al primo affermarsi d'una borghesia capitalistica che tende alla conquista dei mercati, all'eliminazione fisica della concorrenza.

La vita delle città

Venezia (Martino da Canal)

Nulla sappiamo di Martino da Canal, se non che scrisse una cronaca di Venezia, dai primordi al 1275, anno in cui probabilmente morì, in lingua d'oïl, usando cronache più antiche e, per i tempi più recenti, la sua personale testimonianza. Il titolo *Cronique des Veniciens* non è suo, ma fu proposto da un suo editore nel secolo scorso. L'opera celebra entusiasticamente la bellezza, la prosperità, la gloria della città, secondo un modello ormai codificato.

Per il testo seguiamo la traduzione di G. Vidossi e F. Arese in *Le Origini*, cit.

Poiché la lingua francese è diffusa in tutto il mondo ed è la più piacevole sia che la si legga sia che la si oda, mi sono accinto a tradurre l'antica storia dei Veneziani dal latino al francese[1] e le opere e le prodezze che essi hanno compiuto e compiono tuttora. E perciò voglio che tutti conoscano ogni giorno più i fatti dei Veneziani e chi essi furono e donde essi vennero e chi essi sono e come edificarono la nobile città che si chiama Venezia, la quale è ora la più bella del mondo. E voglio che tutti quelli che sono ora in vita e tutti quelli che in vita verranno, sappiano come la nobile città è fatta e come essa è piena di ogni bene, e come il signore dei Veneziani, il nobile doge, è possente; e conoscano la nobiltà che vi è dentro e la prodezza del popolo veneziano e come tutti sono ossequenti alla fede di Cristo e obbediscono alla santa Chiesa, e che giammai trasgredirono i comandamenti della santa Chiesa. Dentro a quella nobile città non osano dimorare né patarini[2] né altri eretici, né alcun usuraio né assassino né ladro né rapinatore. E vi farò conoscere il nome di tutti i dogi che sono stati in Venezia, l'uno dopo l'altro, e ciò che essi fecero a

1. È dunque un «volgarizzamento», che dovrebbe ampliare la circolazione dell'opera.

2. **Patarini** o straccioni erano detti per spregio gli aderenti a confraternite popolari che volevano la riforma morale della Chiesa, il ritorno all'umiltà e povertà evangelica, la lotta contro la corruzione e secolarizzazione del clero, unendo a queste altre aspirazioni economico-sociali. Venivano accusati di eresia, non sempre giustamente. Comunque sia, l'affermazione d'una piena fedeltà all'ortodossia cattolica è, qui come in Bonvesin, di prammatica: sottolinea la religiosità e la moralità della città.

onore della santa Chiesa e della loro nobile città. E vi dirò i nomi dei nobili capitani che i nobili dogi inviarono, a suo tempo, per recar danno ai loro nemici; e circa le vittorie che essi hanno conseguito, voglio che sappiate che ciò fu a buon diritto. E vi dirò perché. Anzitutto, perché essi sono ossequenti alla fede di Gesù Cristo e non trasgrediscono mai i comandamenti di santa Chiesa; e poi perché non fanno soprusi a nessuno e molto sovente sopportano il danno che è loro fatto. E non pertanto, se accade che qualcuno alzi le mani su di loro, se ne vendicano o subito o in prosieguo di tempo e si astengono solo se pregati da monsignor il papa. E sappiate che i Veneziani non vengono meno ai patti con nessuno [...].[3]

Nell'anno 1267 dalla incarnazione di nostro signor Gesù Cristo, al tempo di monsignor Reniero Zeno, alto doge di Venezia, tanto mi sono dato da fare che ho messo in luce le antiche vicende dei Veneziani; donde essi in origine vennero e come furono in seguito e come fondarono la nobile città che ha nome Venezia, che è ora la più bella e la più piacevole del mondo, piena di bellezza e di ogni bene. Le mercanzie abbondano in quella città come l'acqua scorre dalle fontane. Venezia sta sopra il mare e l'acqua marina scorre in mezzo e intorno e in ogni altro luogo, fuorché nelle case e nelle vie; e perciò, quando i cittadini sono nelle piazze possono ritornare alle loro case sia per terra sia per acqua. Da tutti i luoghi giungono mercanzie e mercanti che comprano le mercanzie come a loro piace e le trasportano al loro paese. In questa città si trova vettovaglia in abbondanza, il pane e il vino, pollame e uccelli di riviera,[4] carni fresche e salate, e i grandi pesci di mare e di fiume; e i mercanti di ogni paese che comprano e vendono. Dentro questa bella città voi potete trovare molta gran gentilezza di uomini più o meno anziani, e quantità di giovani di gran distinzione; e con essi i mercanti che vendono e comprano, e i cambiavalute, e i cittadini di ogni mestiere; i marinai d'ogni sorta e le navi da carico per tutti i luoghi e le galee per recar danno ai loro nemici. E ancora vi sono, in questa bella città, belle dame e damigelle e giovinette in gran numero, molto riccamente adornate.

3. Lealtà, dunque, onestà nei rapporti internazionali, ma anche forza: è l'indirizzo politico (o almeno quello propugnato) d'una città commerciale.
4. Uccelli acquatici delle lagune.

La bella città di Milano (Bonvesin da la Riva)

Nel 1288 Bonvesin da la Riva (che scrisse anche opere in volgare italiano e di cui diamo più ampia notizia in un capitolo successivo) compose in latino il *De magnalibus Mediolani* («Le meraviglie di Milano»; *magnalia* però vale anche «le cose grandiose e degne di gloria»), dove parla anche della storia della città, ma ne esalta soprattutto la bellezza grandiosa e la ricchezza, il lavoro e le virtù morali dei cittadini. Secondo la tradizione del panegirico o *laudatio* vengono appena accennate le violenze e le lotte intestine, come se l'autore volesse sottolineare soltanto i valori positivi del suo Comune, la vicenda di concorde operosità da cui è sorto e tramandarli come immagine insieme reale e ideale della città, come la sua identità vera.

Sul piano stilistico formano una trama ricorrente parole legate al campo semantico della «meraviglia», insieme coi superlativi e il costante riconoscimento della superiorità di Milano su ogni altra città, e tutto questo appartiene al codice dell'elogio di cui s'è detto. Di nuovo Bonvesin aggiunge l'osservazione, il calcolo preciso e verificato di persona delle cifre, rivelando la tendenza realistica della civiltà comunale. Questo rende interessante il secondo passo che presentiamo, per l'allusione precisa alle professioni e mestieri esercitati nella Milano del Duecento: dal commercio all'artigianato alle professioni intellettuali.

Presentiamo i passi in traduzione italiana, per la quale s'è tenuto conto di quella a cura di G. Pontiggia in Bonvesin da la Riva, *De magnalibus Mediolani*, Milano, Bompiani, 1983.

Fra tutte le province del mondo una fama universale colma largamente di lodi, antepone alle altre, magnifica la Lombardia sia per la posizione geografica, sia per l'abbondanza e densità dei centri abitati sia per la bellezza e fertilità della sua pianura. Ed esalta in verità, fra le città della Lombardia, Milano, come la rosa e il giglio tra i fiori, come il cedro nel Libano, come il leone fra i quadrupedi e l'aquila fra gli uccelli, e in questa esaltazione tutte le lingue sempre concordano. Né ci si deve stupire, perché sta davanti a tutte le altre città. Si considerino, infatti, il sito, il numero delle abitazioni, la quantità e qualità degli abitanti del suo così vasto contado e della sua diocesi. Si consideri anche la fertilità del suolo e la ricca e diffusa produzione di tutti i beni che servono all'uomo. Si consideri la sua forza, la sua costante ortodossia religiosa, la sua libertà gloriosa, la pienezza delle sue dignità, e sarà chiaro che essa è fra le altre città come il sole fra i corpi celesti [...].

Vi sono in questa città belle vie larghe, palazzi molto belli, numerose case, non disperse, ma contigue, belle e decorosamente ornate. Le porte a battenti che danno sulle pubbliche vie, risultano, da un calcolo preciso, dodicimilacinquecento, e in molte di loro abitano più famiglie con molti servi; da ciò si deduce la straordinaria densità della popolazione. I porticati comuni a più edifici contigui alle piazze, detti comunemente «coperti», giungono al numero di sessanta.

La corte del comune, adeguata a una città così nobile e grande, occupa una superficie all'incirca di dieci pertiche. E per far meglio capire questo, dirò che da oriente a occidente misura centotrenta cubiti, da settentrione a mezzogiorno centotrentasei. Al centro sorge un mirabile palazzo, e in questa stessa corte vi è una torre con quattro campane del comune. Sul lato orientale c'è un palazzo dove hanno sede il podestà e i giudici e nel suo angolo settentrionale c'è la cappella del podestà fabbricata in onore del nostro patrono, il beato Ambrogio. Questo palazzo è continuato a Nord da un altro e da un altro a occidente; a mezzogiorno c'è una loggia dove vengono lette pubblicamente le sentenze dei condannati.

Questa città ha forma rotonda, a modo d'un cerchio, e la sua meravigliosa circolarità è il segno della sua perfezione.

Il suo fossato, di mirabile bellezza e ampiezza, contenente non acqua paludosa o putridamente stagnante, ma acqua viva di fonti, che nutre pesci e gamberi, circonda la città da ogni parte; e un muro mirabile lo contiene fra sé e il terrapieno all'interno e la sua circonferenza, accuratamente misurata, è risultata di diecimilacentoquarantun cubiti. Il fossato, per tutto il suo circuito intorno alla città è largo trentotto cubiti. Fuori del muro del fossato vi sono tante case suburbane che basterebbero da sole a formare una città.

E nota che il cubito di cui parlo è lungo due piedi e largo altrettante dita d'un uomo di alta statura. Si girino pure tutte le città del mondo; a stento si potrà trovare un'opera di tanta e sì mirabile bellezza.

Anche le porte principali della città sono fortissime e sono sei in tutto. Le secondarie sono invece dieci e sono dette posterle, e in tutte si vede da ogni parte il mirabile fondamento d'un mirabile muro; ciascuna delle porte principali ha due torri, sebbene non finite, le cui basi fortissime sono fondate su un fondamento fortissimo.

Le chiese dei santi, degne di tale e tanta città, sono duecento soltanto entro le mura, con quattrocentottanta altari [...]. I campanili, costruiti come torri, sono, in città, centoventi, le campane più di duecento; nel contado il numero degli uni e delle altre è imprecisato e non ne faccio quindi menzione. Se, infine, a qualcuno fa piacere di guardare la forma della città e la qualità e quantità dei suoi palazzi e delle altre case, vada sulla torre della corte del comune e di qui rivolgendo da ogni parte gli occhi, potrà guardare con meraviglia cose meravigliose.

Gli abitanti di Milano (Bonvesin da la Riva)

I nativi di Milano di entrambi i sessi sono di buona statura, hanno viso sorridente e sereno, sono onesti, usano la malizia meno delle altre genti e per questo si distinguono anche più degli altri dalle restanti popolazioni; vivono con decoro, ordine, magnificenza, indossano vesti onorevoli; dovunque si trovino, in città o fuori, spendono con liberalità, onorano e sono onorati, sono urbani nel costume di vita [...].

Quante bocche umane abitino in una città così grande, lo conti chi ci riesce. Se sarà capace di farlo completamente, arriverà, ne sono convinto, al numero di circa duecentomila, essendo cosa provata e sicura, in base a un'investigazione accurata, che nella sola città si consumano ogni giorno, in media, milleduecento moggi di grano e più; e la verità di questa asserzione è attestata con sicurezza da coloro che sogliono riscuotere dai mulini il tributo sul grano macinato.

Se uno desidera sapere quanti possano essere i combattenti in una guerra, sappia che complessivamente abitano in questa città più di quarantamila uomini capaci ciascuno di usare una spada o una lancia o un'altra arma contro il nemico. Riguardo al numero dei cavalieri che questa città può schierare in battaglia, dichiaro che nella città e nel suo contado facilmente più di diecimila potrebbero, a un ordine del comune, presentarsi con un cavallo da guerra.

Vi sono nella sola città centoventi giureconsulti di diritto civile e canonico, il cui collegio non si crede che abbia l'eguale in tutto il mondo per numero e, insieme, per sapienza. I notai sono più di millecinquecento e moltissimi fra di loro sanno compilare ottimamente un contratto.

I messi del comune, comunemente detti servitori, sono sicuramente seicento. Sei sono i trombettieri principali del comune, uomini degni d'onore ed egregi, che, in onore della loro grande città, tengono cavalli e conducono una vita decorosa come fanno i nobili, e suonano la tromba in modo diverso da quello di tutti gli altri trombettieri del mondo e mirabile. Lo stesso clangore terribile delle trombe oltre modo adatto alla violenza delle battaglie — e noi non ne abbiamo udito un altro simile in tutto il mondo — è un chiaro segno della grandezza e, insieme, della forza di questa città.

Gli esperti di medicina, che comunemente sono detti «fisici», sono ventotto. I chirurgi, invece, delle diverse specialità sono più di centocinquanta. Moltissimi di loro sono naturalmente eccellenti medici perché proseguono l'arte della chirurgia ereditaria da molto tempo nella loro famiglia e non si crede che possano avere l'uguale nelle altre città della Lombardia.

I professori dell'arte della grammatica [= *di latino*] sono otto e ciascuno tiene sotto il proprio insegnamento gran numero di allievi e meglio dei maestri delle altre città, come ho avuto modo di constatare, insegnano il latino con grande impegno e diligenza. Quattordici sono i maestri di canto ambrosiano, di grandissima competenza, e da questo si deduce l'abbondanza dei chierici nella nostra città. I maestri elementari sono più di settanta.

I copisti, sebbene in città non vi sia un'Università, sono più di quaranta e scrivendo ogni giorno libri con le loro mani si procacciano il denaro per il pane e le altre spese.

I forni in città sono trecento, come risulta dai libri del comune e cuociono il pane per i cittadini. Ve ne sono anche molti altri — penso più di cento — esenti da imposta, che servono i monaci o i religiosi di ambo i sessi. I bottegai, che vendono un numero incredibile di merci d'ogni genere al minuto sono senz'altro più di mille. I macellai sono più di quattrocentoquaranta [...].

Gli albergatori che danno albergo a pagamento ai forestieri sono circa centocinquanta.

I fabbri che attaccano i ferri ai quadrupedi sono circa ottanta, e da questo si desume l'abbondanza di cavalieri e di cavalli. Non sto a dire quanti siano i fabbricanti di selle, di briglie, di sproni, di staffe.

Se volessi scrivere la quantità esatta degli artigiani d'ogni tipo, dei tessitori di lana, di lino, di cotone, di seta, dei calzolai, dei conciatori di pelli, dei sarti, dei fabbri d'ogni genere, dei mercanti che girano per ogni angolo della terra per i loro commerci e che sono parte importante delle fiere nelle altre città, dei merciai ambulanti e dei venditori all'asta, credo che chi mi legge e mi ascolta si stupirebbe.

Salimbene da Parma

Fra le numerose cronache dell'epoca emerge, per incisività e vigore, quella di Salimbene de Adam.

Nato nel 1221 a Parma, entrò giovanissimo nell'ordine francescano, e peregrinò, poi, per molte città d'Italia e di Francia. Morì intorno al 1288. La sua *Cronica* rievoca eventi svoltisi fra il 1167 e il 1288, mescolando al racconto un pittoresco panorama di cose viste e udite, una rappresentazione vivacissima della realtà quotidiana, aneddoti divertenti, ritratti spesso arguti, considerazioni morali. Salimbene non ha lo sguardo profondo dello storico, ma quello vivace e compartecipe del cronista, che vive anch'egli i fatti narrati. Ne risulta un vasto affresco della vita italiana del Duecento che si muove nel libro, ora comica e ora tragica, multiforme e pittoresca: dalle guerre fratricide fra i Comuni alla lotta di questi contro Federico II (figura dominante in molte pagine del libro), dalle crudeltà efferate di Ezzelino da Romano e dei mercenari alla vita borghese delle città, allo svolgersi nei campi delle stagioni e delle opere degli uomini. Vi appaiono ancora le controversie fra gli Ordini mendicanti, la Curia romana, la Francia, la raffinata signorilità dei costumi cortesi e il malizioso motteggiare cittadino, e, a tratti, notizie da terre e da regni lontani, e le Crociate e la morte di re Luigi IX di Francia, avvolte in un velo indefinito di leggenda.

Salimbene appare proiettato verso un'adesione realistica e corposa ai fatti. Se continui sono, nella sua cronaca, i richiami biblici, essi vengono tuttavia applicati al complesso fermento sociale, economico, politico, ideologico del Comune. La sua fede religiosa è ancora aperta alle suggestioni delle credenze popolari nei demoni, ma restia a ogni forma di fanatismo; accoglie le profezie di Gioacchino da Fiore, ma senza attese miracolistiche, è fedele al francescanesimo, ma senza slanci mistici. Allo stesso modo, s'avverte in lui la stanchezza delle lotte di parte, il venir meno della fiducia nella funzione politica della Chiesa e dell'Impero, il comporsi dell'ideale cavalleresco, pur sempre ammiratissimo, con le esigenze della vita quotidiana.

Salimbene usa il linguaggio della tradizione, cioè il latino, ma si tratta d'un latino «umile», infarcito di termini «volgari», più vicino al vernacolo che alla *grammatica*, cioè all'ideale di alta ed eletta eloquenza dei prosatori latini del tempo, e influenzato, nei modi e nel lessico, dalla parlata quotidiana: una mescolanza, insomma, di latino ecclesiastico e di volgarismi toscani e lombardi. Ne risulta un linguaggio prensile, capace di afferrare con immediatezza le cose e renderle con la vivacità del parlato e del gesto.

Per i testi seguiamo: Salimbene de Adam, *La Cronica*, a cura di F. Bernini, Bari, Laterza, 1942.

I giovani di Pisa

Frequente è, nella cronaca di Salimbene, l'esaltazione della *curialitas* o *cortesia*, che è liberalità, gentilezza, umiltà serena, limpida grazia dei modi e dell'animo: un ideale di civiltà che si contrappone alla violenza sopraffattrice e guerriera che vedi esemplata nei passi che seguono. Questo racconto s'inserisce in un contesto nel quale Salimbene narra come superasse la tentazione di venir meno alla dura regola francescana; è come un addio al luminoso mondo della cortesia, in nome d'una risoluta vocazione religiosa. Ma quei giovani, la musica dolce, le loro movenze di sogno, non sono qui un mondo spregiato asceticamente, bensì goduto nella sua bellezza.

Igitur cum essem cum eo in civitate Pisana, et cum sportis nostris panem mendicando iremus, occurrit nobis quedam curtis, quam ambo pariter sumus ingressi. In qua erat vitis frondosa desuper extensa per totum, cuius viriditas delectabilis ad videndum, et umbra nichilominus ad quiescendum suavis. Ibi erant leopardi et alie bestie ultramarine quam plures, quas libenter aspeximus longo intuitu, quia libenter inusitata et pulcra videntur. Erant etiam ibi puelle et pueri in etate ydonea, quos pulcritudo vestium et facierum speciositas multipliciter decorabat et faciebat amabiles. Et habebant in manibus, tam femine quam masculi, viellas et cytharas et alia genera musicorum diversa, in quibus modulos faciebant dulcissimos, et gestus representabant ydoneos. Nullus tumultus erat ibi, nec aliquis loquebatur, sed omnes in silentio auscultabant. Et cantio quam can-

Dunque essendo con lui [*un confratello, col quale andava alla cerca*] nella città di Pisa, mentre andavamo chiedendo per carità il pane con le nostre sporte, ci imbattemmo per caso in una corte di palazzo signorile nella quale entrammo insieme. Vi era in essa un pergolato frondoso di vite che la ricopriva tutta, il cui verde era dilettevole a vedersi e non meno soave l'ombra per riposare. Erano là dei leopardi e moltissime altre bestie d'oltre mare, che guardammo volentieri a lungo, perché si vedono volentieri le cose inusitate e belle. Vi erano anche colà ragazze e giovani che il raffinato vestire e la bellezza dei volti rendevano largamente adorni e amabili. E avevano in mano, sia le femmine che i maschi, viole e chitarre e altri generi di strumenti musicali e traevano da essi melodie dolcissime, accompagnandole con armonizzati gesti di danza. Non vi era confusione,

tabant, inusitata erat et pulcra et quantum ad vocum varietatem et modum cantandi usque adeo, ut cor iocundum redderet supra modum. Nichil nobis dixerunt, sed et nos nichil diximus eis. Cantare non cessaverunt, quousque fuimus ibi, tam voce quam musicis instrumentis. Et duximus ibi longam moram et vix scivimus recedere inde.

né alcuno parlava, ma tutti ascoltavano in silenzio. E la canzone che cantavano era nuova e bella, per quel che riguardava la varia tonalità delle voci e il ritmo del canto, sì da dare una gioia fuor di misura al cuore. Non ci dissero nulla, ma anche noi non dicemmo nulla a loro. Non smisero di cantare, finché stemmo lì, sia con la voce, sia con l'accompagnamento degli strumenti musicali. E indugiammo colà a lungo e a stento riuscimmo a staccarci di là.

L'angoscia delle donne di Pisa

Il passo richiama alla realtà di violenza e di ferocia delle lotte comunali sul finire del Duecento. La pietà dello scrittore è come celata nella descrizione drammatica e incisiva, che procede per rapidi scorci, cogliendo in una rappresentazione sintetica e densa, i momenti culminanti della tragedia d'un popolo.

Item millesimo supraposito post bellum quod Pisani cum Ianuensibus habuerunt, multe mulieres Pisane, pulcre domine, nobiles, divites et potentes, congregate simul, aliquando XXX, aliquando XL, de Pisis Ianuam pedestres ibant, ut suos captivos requirerent et visitarent. Nam aliqua habebat ibi virum, aliqua filium vel fratrem vel consanguineum, quos non *dedit* Deus in *misericordias in conspectu omnium qui ceperant eos*. Cumque a custodibus carcerum supradicte mulieres suos captivos requirerent, respondebant eis custodes: «Heri mortui sunt XXX et hodie XL, quos in mare proiecimus, et sic cotidie facimus de Pisanis». Cum autem domine ille de karis suis talia audirent et eos invenire non possent, pre nimia angustia consternate cadebant et pre nimia anxietate et cordis dolore vix poterant respirare. Post paululum vero resumpto hanelitu cum unguibus facies suas dilacerabant et descerpebant crines. Et elevata voce eiulatu magno plorabant, donec in eis lacrime defecissent. Tunc impleta est Scriptura que dicit I Machabeorum I: *Speciositas mulierum immutata est. Omnis maritus sumpsit lamentum, et que sedebant in thoro maritali lugebant*. Nam inedia et fame et penuria et miseria et angustia et tristicia Pisani in carceribus moriebantur, quia *dominati sunt qui oderunt eos. Et tribulaverunt eos inimici eorum, et humiliati sunt sub manibus eorum*, nec digni habiti sunt sepulchris patrum suorum, sed privati sunt sepultura. Cum autem predicte mulieres Pisane domum fuissent reverse, inveniebant alios mortuos, quos dimiserant in domibus sospites.

Nell'anno suddetto 1284, dopo la guerra fra i Pisani e i Genovesi,[1] molte donne pisane, belle signore, nobili, ricche e potenti, riunite in gruppi ora di trenta, ora di quaranta, andavano a piedi da Pisa a Genova, per cercare e visitare i loro congiunti prigionieri. Infatti a Genova una aveva il marito l'altra il figlio o un fratello o un parente *ai quali Dio non concesse di trovare misericordia da parte di coloro che li avevano presi*.[2] E quando le suddette donne chiedevano dei loro cari prigionieri ai custodi dei carceri questi rispondevano: «Ieri ne sono morti trenta e oggi quaranta, e li abbiamo gettati in mare, e così facciamo ogni giorno dei Pisani». Quando dunque quelle dame udivano dir questo dei loro cari e non riuscivano a trovarli, per l'eccesso dell'angoscia cadevano svenute a terra e per la violenza dell'affanno e il dolore del cuore a stento riuscivano a respirare. Poi, dopo un poco, ripreso il respiro si straziavano il volto con le unghie e si strappavano i capelli. E alzando la voce con grande lamento piangevano, fino a restare senza lacrime. Allora si adempì la Sacra Scrittura, che dice nel primo libro dei Maccabei: «*La bellezza delle donne sfiorì. Ognuna cominciò il compianto funebre sul marito e piangevano sedute sul letto nuziale.* Infatti per inedia, per fame, per miseria e penuria di tutto, per angoscia e tristezza i Pisani morivano nelle carceri, perché *ebbero dominio coloro che li odiavano / e i loro nemici li sottoposero a tribolazione e sotto le loro mani essi furono prostrati a terra*, né furono ritenuti degni dei sepolcri dei loro padri, ma furono privati della sepoltura. Quando poi le suddette donne pisane erano ritornate a casa, trovavano altri morti, che avevano lasciati ancor vivi nelle loro case.[3]

1. La guerra che culminò nella battaglia della Meloria, vinta da Genova.
2. Questa e le altre frasi sottolineate sono citazioni bibliche.
3. Allude ad altri congiunti, feriti, morti durante il viaggio delle donne a Genova.

I giorni di Federico II: la terra desolata

È lo spettacolo atroce delle devastazioni operate dalla guerra che Federico II condusse, alleato con alcuni Comuni padani, contro i Comuni guelfi del Nord, e che si concluse con la sconfitta del suo esercito a Vittoria, presso Parma (1248). C'è in questa descrizione una tragicità nuda e spoglia, cui le citazioni bibliche danno una più vasta risonanza di dolore e di desolazione: la terra appare come un deserto, dove la selvaggia rissa degli uomini assume un aspetto demoniaco.

Et ideo fuit validissima guerra temporibus illis, que multis annis duravit; nec poterant homines arare nec seminare nec metere nec vineas facere nec vindemiare nec in villis habitare. Et hoc fuit maxime in Parma et in Regio et in Mutina et in Cremona. Verum prope civitates laborabant homines cum custodia militum civitatum, qui per quarterios dividebantur secundum portas civitatum. Et milites armati custodiebant operarios tota die, et rurales operabantur in agricultura. Et hoc oportebat fieri propter beruarios et latrones et predones, qui multiplicati erant nimis, et capiebant homines et ducebant ad carceres, ut se redimerent pro pecunia. Et boves auferebant et comedebant et vendebant. Et nisi se redimerent, suspendebant eos per pedes et per manus et dentes eis abstrahebant et buffones sive rospos ponebant in ore ipsorum, uti citius se redimerent; quod erat eis amarius et abominabilius omni morte; et crudeliores demonibus erant. Et ita libenter videbat homo hominem tempore illo euntem per viam, sicut libenter videret diabolum. Semper enim suspicabatur unus de alio, quod vellet eum capere et ad carcerem ducere, ut essent *redemptio anime viri divitie eius*, Prover. XIII. Et in solitudinem redacta est terra, eo quod non esset nec cultor nec *transiens per eam*.

Et multiplicata sunt mala in terra; et multiplicate sunt aves et bestie silvestres vehementer nimis, ut faxiani et perdices et qualie, lepores et caprioli, cervi, bubali, porci silvestres et lupi rapaces. Non enim inveniebant in villis secundum antiquam consuetudinem quas comederent bestias, agniculos sive oves, eo quod ville totaliter essent combuste. Et ideo lupi, congregati in maxima multitudine circa foveas alicuius civitatis, clamabant clamoribus magnis pre nimia famis angustia. Et ingrediebantur civitates de nocte et devorabant homines, qui sub porticibus dormiebant seu in plaustris, necnon et mulieres et parvulos. Quandoque etiam perfodiebant parietem domorum et suffocabant parvulos in cunabulis. Nullus posset credere, nisi vidisset, sicut ego vidi, horribilia, que fiebant tempore illo, tam ab hominibus quam a bestiis diversimodi generis.

E vi fu una grandissima guerra in quei tempi, e durò molti anni; né potevano gli uomini arare, né seminare, né mietere, né coltivare le vigne, né vendemmiare, né abitare nelle campagne. E questo avvenne soprattutto a Parma, a Reggio, a Modena, a Cremona. Ma i contadini lavoravano vicino alle città, sotto la custodia dei soldati cittadini, che si dividevano per quartieri secondo le porte della città. E i soldati armati custodivano i contadini tutto il giorno e questi si dedicavano all'agricoltura. E bisognava far così a causa dei mercenari e ladri e predoni, che si erano moltiplicati a dismisura e prendevano gli uomini e li conducevano in carceri affinché si riscattassero per danaro. E portavano via i buoi, li mangiavano e li vendevano. E se gli uomini non pagavano il riscatto li sospendevano per i piedi e per le mani e strappavano loro i denti e mettevano loro in bocca grossi rospi, perché pagassero subito il riscatto; cosa che per loro era più amara e abominevole della morte; ed erano più crudeli dei diavoli. E tanto volentieri in quel tempo un uomo vedeva un altro uomo andar per via quanto avrebbe visto il diavolo. Sempre infatti l'uno sospettava dell'altro, che lo volesse prendere e imprigionare, «affinché riscatto della vita dell'uomo fossero le sue ricchezze», com'è scritto in *Proverbi* XIII. E la terra si ridusse a un deserto, perché non vi era più chi la coltivasse né chi vi camminasse.

E furono moltiplicati i mali sulla terra; e si moltiplicarono a dismisura uccelli e bestie selvatiche, come fagiani e pernici e quaglie, lepri e caprioli, cervi, bufali, cinghiali e lupi rapaci. Questi, infatti, non trovavano nei casolari, secondo un'inveterata consuetudine, bestiame, agnelli o pecore da mangiare, perché tutti i casolari erano stati bruciati. Pertanto i lupi, radunati in grande moltitudine davanti ai fossati d'una città, levavano grandi ululati per la violenta angoscia della fame. Ed entravano nelle città di notte e divoravano gli uomini che dormivano sotto i portici o sui carri, e anche donne e bambini. Talvolta sfondavano le pareti delle case e uccidevano i bimbi nelle culle. Nessuno potrebbe credere se non avesse visto, come io vidi, le cose orribili che venivano fatte in quel tempo sia dagli uomini sia dalle bestie d'ogni genere.

Le Università e la filosofia del secolo XIII

Un fatto importantissimo nella storia della civiltà europea fu, fra il sec. XII e il XIII, l'irruzione dell'aristotelismo nell'Occidente latino, attraverso la mediazione dei filosofi Arabi, da Avicenna ad Averroè. Accenniamo, sia pur rapidamente, a questo fatto per l'importanza che la nuova filosofia ebbe anche nei confronti della nostra letteratura delle origini.

Le opere di Aristotele, rimaste per secoli quasi ignorate, diventarono parte integrante della cultura occidentale, portando in essa una concezione organica della natura, fondata sulla dimostrazione razionale e sulla ricerca dei rapporti di causa ed effetto fra i fenomeni. Una nuova concezione scientifica del mondo si affermò, accanto e spesso di contro al simbolismo precedente, conferendo a tutta la cultura un impulso realistico e inducendola a una meditazione più concreta anche della realtà umana. Col *corpus* aristotelico giungevano, infatti, all'Occidente le opere di Euclide e Tolomeo, dei medici greci e arabi, testi di matematica, geometria, diritto. Il nuovo complesso dottrinale fu insegnato e rielaborato nelle Università, che ebbero, pertanto, grande sviluppo nei secoli XII e XIII, avocando a sé l'istruzione superiore. La parola *universitas* ha, nel medioevo, il significato di «gruppo organizzato» o «corporazione»; indica l'insieme degli studenti, o degli studenti e dei docenti, che si organizzano in un progetto culturale e scolastico, fissando programmi di insegnamento, piani di studio, gradi accademici; ma anche una loro autonomia nei confronti della città che li ospita. Centri importanti furono, in Italia, Bologna, per l'insegnamento del diritto (cui era congiunto quello dell'*ars dictandi* o retorica) e Salerno — e più tardi Padova — per la medicina: le due *artes* allora più coltivate. All'estero il centro maggiore fu lo Studio di Parigi (la Sorbona), dove furono coltivati soprattutto gli studi teologici, e cioè, quella che allora era considerata la scienza principale e il fondamento d'ogni dottrina. La teologia prese appunto il nome di Scolastica perché nelle scuole fu il suo centro di irradiazione, e *summae* furono chiamate le grandi opere dedicate a essa, in riconoscimento del suo carattere globale e conclusivo di ogni sapere (si vedano sulle università, alla fine di questo capitolo, le letture *Gli intellettuali e il comune* e *Le origini delle Università*).

Lo sforzo dei filosofi della Scolastica, che dedicarono ad Aristotele ampi commenti, nei quali è presente, secondo l'uso del tempo, anche il loro pensiero originale, fu soprattutto quello di accordare il sistema aristotelico con la rivelazione cristiana (ad Aristotele, ad esempio, era sconosciuto il concetto di creazione, ben diversa era la sua concezione della divinità); di conciliare, insomma, ragione e fede. Ne derivò una lunga disputa che ebbe anche fasi drammatiche (scomuniche, condanne, nell'Università di Parigi, delle tesi di alcuni filosofi), ma intanto la cultura dell'epoca ne usciva trasformata. La nuova filosofia naturalistica e razionalistica accompagnava l'evolversi della società dalle statiche strutture feudali alla fondazione di più dinamici rapporti fra gli uomini, alla nuova civiltà cittadina. La tendenza razionalistica portò con sé il gusto delle analisi sottili anche nell'ambito dello studio della psicologia umana, un rinnovato interesse per la scienza, un entusiasmo filosofico che fece sentire il suo influsso anche nella poesia del Duecento, dagli stilnovisti a Dante.

Proponiamo qui alcune pagine dei due più grandi pensatori italiani dell'epoca, San Tommaso d'Aquino e San Bonaventura, scegliendole fra quelle che possono servire a spiegare certi aspetti importanti della civiltà letteraria coeva. Avvertiamo però che abbiamo scelto alcune tematiche in cui il pensiero dei due filosofi riprende quello precedente, conducendolo a una definizione più sistematica. Molto agostinismo, ad esempio, è ancor presente in San Bonaventura e, in fondo, anche in San Tommaso. Ma soprattutto in quest'ultimo muta lo stile della meditazione: si ritrova in lui una dialettica rigorosa, un razionalismo sistematico e perentorio, una ricostruzione organica e concatenata del cammino dell'intelligenza dalla verifica delle conoscenze più immediate alla più alta astrazione speculativa, alla fede, concepita come momento conclusivo e perfezionamento dell'intelletto umano.

I due filosofi rappresentano il culmine della filosofia Scolastica, prima della crisi che di lì a poco seguì.

San Tommaso d'Aquino

Nacque a Roccasecca, presso Aquino, nel 1224, da nobile famiglia. Entrato nell'Ordine domenicano, fu a lungo a Parigi, dove insegnò teologia. Morì nel '74 nell'abbazia di Fossanova.

Della sua vastissima produzione basti qui ricordare la *Summa theologiae*, rimasta incompiuta, che è ancora uno dei fondamenti della teologia cattolica, la *Summa contra Gentiles* e i commenti a opere aristoteliche, fra i quali importantissimi furono quelli all'*Etica nicomachea* e alla *Fisica*.

Non è qui il luogo di parlare del suo sistema filosofico. Basti dire che Tommaso tentò di conciliare aristotelismo e cristianesimo, dimostrando che i principi della filosofia d'Aristotele non solo non s'oppongono alla Rivelazione, ma rendono utili servizi per chiarire certi principi teologici. Allo stesso modo, egli dimostrò la complementarità fra ragione e fede: come la prima non s'opponga alla seconda, ma anzi la rafforzi, e da questa riceva, al tempo stesso, il proprio completamento.

Per i testi latini seguiamo: San Tommaso d'Aquino, *Summa Theologiae*, Torino, Marietti, 1952 e *Summa contra Gentiles*, cit.

Il problema del male

La mente di Tommaso vede un cosmo gerarchicamente ordinato e armonico, ne percepisce l'intima razionalità. Ne nasce una visione sostanzialmente ottimistica: il reale s'identifica col bene, che coincide con la volontà divina; il male non ha consistenza in sé, è soltanto assenza e privazione di bene. Il passo, tratto dal *De Deo creatore*, è tipico dello stile di S. Tommaso. Egli si propone domande, cui risponde con dialettica compatta, con logica lucida e concatenata. La nuova filosofia rinnova la lingua latina non solo nel lessico, ma anche nelle strutture sintattiche, che assecondano il rigoroso metodo deduttivo del pensiero.

Utrum malum sit natura quaedam. Respondeo dicendum quod unum oppositorum cognoscitur per alterum, sicut per lucem tenebrae. Unde et quid sit malum oportet ex ratione boni accipere. Diximus enim supra quod bonum est omne id quod est appetibile: et sic cum omnis natura appetat suum esse et suam perfectionem, necesse est dicere quod esse et perfectio cuiuscumque naturae rationem habeat bonitatis. Unde non potest esse quod malum significet quoddam esse, aut quandam formam seu naturam. Relinquitur ergo quod nomine mali significetur quaedam absentia boni.

Se il male sia una natura. — Rispondo che ciascuno di due opposti si conosce attraverso l'altro, come dalla luce si conoscono le tenebre. Quindi che cosa sia il male va ricavato dall'idea che abbiamo del bene. Dicemmo più sopra che è bene tutto ciò che è appetibile; e poiché ogni natura desidera il proprio essere e la propria perfezione, ne consegue che l'essere e la perfezione d'ogni natura rientrano sotto il concetto di bene. Di conseguenza non può essere che «male» significhi un qualche essere o una forma o natura. Resta dunque che col nome di male sia significata una privazione di bene.

Intelletto e amore

Intelletto e amore sono i due momenti essenziali e continuamente compenetrantisi della nostra vita interiore. C'è, nel fondo della natura umana, un'insopprimibile tendenza al bene, col quale l'uomo aspira a fondersi mediante un atto d'amore che coincide con lo stesso slancio vitale del suo essere. Ma l'intelletto deve guidare questo «appetito» naturale, farlo passare da una sfera istintiva a una riflessa e consapevole, farlo divenire, come dice Dante, «amore d'anima», e cioè slancio totale verso Dio, che è il sommo Bene al quale l'uomo aspira e che, solo, può dargli pienezza di essere, di vita, di felicità. Lo studio di Dante ti renderà più familiari questi concetti. Basti qui dire che su questa vita profonda della coscienza e sull'essenza dell'amore che ne riflette i modi e l'intima dinamica, s'appunterà l'appassionato interesse di molti poeti del Duecento e del Trecento.

Abbiamo qui unito tre passi, tratti il primo dalla *Summa Theologiae*, gli altri dalla *Summa contra Gentiles*.

Et quia cognoscendo et amando creatura rationalis sua operatione attingit ad ipsum Deum, secundum istum specialem modum Deus non solum dicitur esse in creatura rationali, sed etiam habitare in ea sicut in templo suo.

Finis enim animae humanae et ultima eius perfectio est quod per cognitionem et amorem transcendat totum ordinem creaturarum et pertingat ad primum principium quod Deus est. Movetur autem mens in Deum per intellectum et per affectum.

In omnibus agentibus et moventibus ordinatis oportet quod finis primi agentis et motoris sit ultimus finis omnium: sicut finis ducis exercitus est finis omnium sub eo militantium. Inter omnes autem hominis partes, intellectus invenitur superior motor: nam intellectus movet appetitum, proponendo ei suum obiectum; appetitus autem intellectivus, qui est voluntas, movet appetitus sensitivos.

E poiché conoscendo e amando la creatura razionale attinge Dio con la sua operazione, secondo questo modo si dice non solo che Dio è nella creatura razionale, ma anche che abita in essa come nel tempio suo.

Il fine, infatti, dell'anima umana e la sua ultima perfezione è che per mezzo della conoscenza e dell'amore trascende l'ordine di tutte le creature e attinge al primo principio, che è Dio. La mente, poi, si muove verso Dio per mezzo dell'intelletto e dell'affetto.

In tutte le cose che agiscono e si muovono, essendo parte d'un tutto ordinato, è necessario che il fine del primo agente e motore sia l'ultimo fine di tutti gli altri: come il fine del comandante d'un esercito è il fine di tutti coloro che militano sotto di lui. Ora, fra tutte le parti dell'uomo si trova che l'intelletto è il motore superiore; infatti esso muove l'appetito, proponendogli il suo oggetto; l'appetito poi intellettivo, che è la volontà, muove gli appetiti sensitivi.

San Bonaventura

Nato a Bagnoregio, presso Viterbo, nel 1221, entrò nell'ordine francescano verso il '43 e studiò teologia a Parigi. Nel '57 fu eletto Generale dell'Ordine dei Minori, e più tardi Cardinale. Morì nel 1274.

Anch'egli accettò la filosofia aristotelica della natura, ma come un elemento preliminare (il riconoscimento dell'ordine che regna nella creazione) d'una più alta ascesa spirituale, che culmina nella mistica fusione fra l'anima e Dio, attuantesi per gradi successivi. Il suo pensiero svolge cioè la tendenza mistica medievale, rinnovata da S. Francesco e apportatrice, nel Duecento, d'un nuovo sentimento del divino e della realtà in genere, e d'una nuova religiosità, fondata sull'umiltà e sull'amore.

Fra le sue opere ricordiamo l'*Itinerarium mentis in Deum*, che delinea i momenti successivi dell'esperienza mistica, fino alla fusione con Dio, il *Breviloquium*, il *De reductione artium ad theologiam*, il *Soliloquium*.

L'indagine di Bonaventura sulla vita segreta e profonda della coscienza ebbe un influsso notevole sulla letteratura, volta allo scavo dell'interiorità.

Per il testo seguiamo San Bonaventura, *Tria opuscula*, ed. Quaracchi, 1938.

La Sacra Scrittura e la storia del mondo

Due sono i grandi libri dell'uomo medievale: quello della natura e quello della Rivelazione o Sacra Scrittura. Se il primo, col suo ordine e la sua bellezza, ci fa presentire, per analogia, la bontà e bellezza della suprema mente creatrice, il secondo ce ne fa sentire la presenza anche nella drammatica storia dell'uomo nel tempo, che prefigura tuttavia quella nell'eternità; ci rende note, attraverso un alto insegnamento morale e spirituale, le ragioni del nostro essere e del nostro destino. Tra i diversi ordini del reale c'è, dunque, un'unità profonda: come i cieli, secondo che dice un *Salmo*, «narrano la gloria di Dio», così tutta la storia, illuminata dalla Sua luce provvidenziale, ne esprime la bontà e la giustizia. E poiché l'individuo, data la brevità della vita, non potrebbe abbracciarne e comprenderne lo svolgimento, la Scrittura ne rivela sinteticamente la direzione e l'approdo. Da queste pagine del *Breviloquium* emergono così certi aspetti importanti della cultura medievale: la fede nella razionalità e bontà del reale (l'immagine stessa del *libro* allude a qualcosa di organico, di armonicamente compaginato e concluso), la fede in un piano provvidenziale che dà un senso alla storia spesso dolorosa e caotica dell'uomo, l'attesa continua d'un rinnovamento spirituale del mondo, che spesso diventa attesa messianica (Gioacchino da Fiore, Dante e la loro ansia profetica). Di qui anche lo spontaneo modellare, da parte di storici e cronisti, i fatti attuali su di uno schema biblico e il loro frequente rifarsi, anche per raccontare la storia d'una città, all'origine del mondo e alla storia sacra, ideale modello d'ogni vicenda umana.

Habet etiam haec Scriptura sacra *longitudinem*, quae consistit in descritione tam temporum quam aetatum, a principio scilicet mundi usque ad diem iudicii. Describit autem per tria tempora mundum decurrere, scilicet per tempus legis naturae, legis scriptae et legis gratiae, et in his tribus temporibus septem distinguit aetates. Quarum prima est ab Adam usque ad Noe, secunda a Noe usque ad Abraham, tertia ab Abraham usque ad David, quarta a David usque ad trasmigrationem Babylonis, quinta a trasmigratione usque ad Christum, sexta a Christo usque ad finem mundi, septima decurrit cum sexta, quae incipit a quiete Christi in sepulcro, usque ad resurrectionem universalem, quando incipiet resurrectionis octava. Et sic Scriptura est longissima, quia in tractando incipit a mundi et temporis exordio, in principio Genesis, et pervenit usque ad finem mundi et temporis, scilicet in fine Apocalypsis.

Recte autem universum tempus [...] decurrit per

Ha infatti questa Sacra Scrittura una sua «longitudine», che consiste nella descrizione sia dei tempi sia delle ere, dal principio del mondo al giorno del Giudizio universale. Essa mostra come la storia del mondo si svolga attraverso tre ere, quella della legge di natura, quella della legge scritta e quella della legge della Grazia,[1] e in queste tre ere distingue sette età. La prima di esse va da Adamo fino a Noè, la seconda da Noè fino ad Abramo, la terza da Abramo fino a David, la quarta da David fino all'esilio di Babilonia, la quinta da esso fino a Cristo, la sesta da Cristo alla fine del mondo, la settima procede insieme con la sesta, che comincia dal sonno di Cristo nel sepolcro e va fino alla resurrezione universale, quando comincerà l'ottava della resurrezione.[2] E così la Scrittura è lunghissima, perché nella sua trattazione comincia dall'inizio del mondo e del tempo, nel principio del *Genesi*, e giunge sino alla fine del mondo e del tempo, nel libro dell'*Apocalissi*.[3]

Giustamente dunque tutto il tempo scorre per sette

1. La legge di natura è quella seguita da Adamo ai primi patriarchi, quella scritta è il Decalogo dettato da Dio a Mosè, quella della Grazia è la rivelazione di Cristo.
2. Secondo il racconto biblico, sei sono i giorni in cui si svolge la creazione, il settimo il Signore si riposò (questo fatto è ricordato dal sonno di Cristo nel sepolcro). La resurrezione è dunque, per B., un nuovo giorno, un compimento della creazione.
3. Com'è noto, l'Apocalissi è una profezia della fine del mondo, attribuita all'Apostolo Giovanni.

septem aetates et consummatur in fine sextae, ut sic mundi decursus respondeat exordio, et maioris mundi decursus correspondeat vitae minoris mundi, scilicet hominis, propter quem factus est.

Sic igitur totus iste mundus ordinatissimo decursu a Scriptura describitur procedere a principio usque ad finem, ad modum cuiusdam pulcherrimi carminis ordinati, ubi potest quis speculari secundum decursum temporis varietatem, multiplicitatem et aequitatem, ordinem, rectitudinem et pulchritudinem multorum divinorum iudiciorum, procedentium a sapientia Dei gubernante mundum. Unde sicut nullus potest videre pulchritudinem carminis, nisi aspectus eius feratur super totum versum, sic nullus videt pulchritudinem ordinis et regiminis universi, nisi eam totam speculetur. Et quia nullus homo tam longaevus est, quod totam possit videre oculis carnis suae, nec futura potest per se praevidere, providit nobis Spiritus Sanctus librum Scripturae sacrae, cuius longitudo commetitur se decursui regiminis universi.

ere e giunge a suo compimento alla fine della sesta, cosicché il corso della vita del mondo corrisponde al suo inizio, e il corso della vita del mondo maggiore corrisponde alla vita del mondo minore, che è l'uomo, per il quale è stato fatto.[4]

(Segue qui la comparazione fra le sette età bibliche già definite e le sette giornate della creazione, e ogni età è paragonata, simbolicamente e analogicamente, alle sei età della vita d'ogni uomo, infanzia, puerizia, adolescenza, gioventù, vecchiaia, estrema vecchiezza; la settima è l'età fuori del tempo, l'eternità).

Così dunque tutto codesto mondo è descritto dalla Scrittura nel suo procedere con ordinatissimo svolgimento dal principio alla fine, come un bellissimo e armonico poema[5] nel quale uno può vedere, secondo il decorso dei tempi, la molteplicità e l'equità, l'ordine, la rettitudine e la bellezza dei molti giudizi divini, che procedono dalla sapienza di Dio che governa il mondo. E come nessuno può vedere la bellezza d'un poema se non ne considera ogni verso in relazione alla struttura e idea complessiva, così nessuno può vedere la bellezza dell'ordine e del piano provvidenziale che regola la vita universa se non la comprende nel suo insieme. E poiché nessun uomo vive così a lungo da poterlo vedere tutto con gli occhi della sua carne, né può con la sua mente prevedere il futuro, lo Spirito Santo ci ha provvidenzialmente elargito il libro della Sacra Scrittura, la cui lunghezza è commisurata all'intero processo del piano che regola la vita dell'universo.

4. Vi sono qui due importantissime concezioni medievali: quella del mondo creato per l'uomo e quella della corrispondenza fra i vari ordini del reale, che ne rivela l'intima unità. Così le età del mondo riflettono analogicamente le varie età della vita del singolo: in ogni aspetto della realtà leggiamo il senso e le ragioni del nostro destino. È qui la ragione profonda del simbolismo e dell'allegorismo che sono propri sia della cultura sia della vita medievale, e non sono un procedimento astrattamente intellettualistico, ma un modo di concepire la realtà.

5. La Creazione è, dunque, il poema di Dio, per il suo ordine e la sua bellezza e bontà. Questa persuasione sta, ad es., al fondo dell'ispirazione lirica del *Cantico di frate Sole* di S. Francesco e della *Commedia* di Dante.

Il volgare

Anche in Italia col tramonto della civiltà romana e le invasioni barbariche viene meno l'unità linguistica e dal latino parlato si sviluppano in modo autonomo, nelle varie regioni e città, le parlate locali o volgari. Nel generale imbarbarimento, la lingua scritta, il latino, diviene la lingua dell'alta cultura, conosciuta e usata da un numero ristretto di intellettuali, mentre gli scarsi contatti fra le popolazioni e la mancanza di unità politica non consentono ai vari volgari di uniformarsi in qualche modo a un modello linguistico comune.

Una nuova comunione linguistica appare tuttavia formata intorno al secolo VIII: si riscontra, cioè, in quest'epoca un complesso di dialetti diversi, originati dalle modificazioni subite dal latino parlato ma dotati di caratteristiche che li distinguono dalle altre lingue romanze.

Il frazionamento dialettale è però maggiore in Italia che altrove, in relazione al frazionamento delle varie comunità, dovuto a ragioni amministrative, ai confini ecclesiastici e politici e al fatto che anche al tempo di Roma vi erano in Italia stirpi diverse che avevano sovrapposto la lingua ufficiale, il latino, alle loro lingue originarie: quella celtica a Nord, quella umbro-sannitica nel Centro-sud, quella etrusca in Toscana, ecc. Un fattore decisivo di frazionamento linguistico fra Italia settentrionale e Centro-meridionale sembra essere stata la divisione della Penisola, voluta da Diocleziano (fine del III sec. d.C.) nei due vicariati di Roma e di Milano, separati da una linea di confine che andava da La Spezia a Rimini. Altre divisioni subentrarono a partire dall'invasione longobarda.

Originariamente la parlata volgare si avvia a qualche regolarità per opera di coloro che sono mediatori fra l'alta cultura e il popolo: sacerdoti, notai, giullari. I primi dovevano predicare in volgare, se volevano essere intesi dai fedeli; i notai dovevano tradurre le scritture, stese in latino, ai molti che non comprendevano più questa lingua; i giullari, che svolgevano la loro attività di corte in corte e di città in città, dovevano elaborare uno strumento linguistico che non fosse meramente municipale, senza contare il fatto che erano portati a sottoporlo a forme, per quanto elementari, di strutturazione artistica.

L'intenso rigoglio della vita comunale porta le diverse popolazioni a contatti politici e commerciali più frequenti, ponendo più urgente l'esigenza d'una lingua unitaria di comunicazione, sia parlata sia scritta, che, d'altra parte, è ostacolata dal particolarismo comunale e dalla mancanza d'un centro politico e culturale dominante, come, in Francia, Parigi. In pieno Duecento, ci avverte Boncompagno da Signa, i mercanti si scrivevano usando il proprio dialetto o uno scorretto latino. Il latino rimane, comunque sia, la *grammatica*, la lingua che ha ordine, decoro e stabilità, e su di esso si cerca di modellare in qualche modo il volgare quando lo si vuole liberare dalle particolarità troppo locali e affidargli un messaggio destinato ad ampia diffusione.

La prima vera codificazione del linguaggio scritto avviene nell'ambito della letteratura. Come ha giustamente avvertito il Migliorini, nel Duecento, quando si diffonde veramente l'uso del volgare come lingua scritta, «non si mira direttamente a una lingua comune: si mira a una lingua bella e nobile, la quale eliminerà i particolarismi e sarà perciò anche *comune*».

Una lingua letteraria si forma, nella prima metà del secolo, alla corte di Federico II re di Sicilia, il cui regno comprende anche l'Italia meridionale, ed è la lingua della prima poesia italiana scritta con intendimento artistico.

Dopo il rapido declino della potenza sveva, l'iniziativa passerà ai poeti toscani, che continueranno la tradizione iniziata dai Siciliani, sviluppandone la tematica e modificandone il vocabolario secondo la loro peculiare sensibilità linguistica, ma conservandolo in parte, come conserveranno molti provenzalismi e francesismi da esso accolti. Il volgare della poesia siciliana, di quella toscana e di quella che sorgerà contemporaneamente in altre parti d'Italia (Umbria, Lombardia) non coincide con quello parlato: è, come lo chiama Dante, «volgare illustre», illuminato, cioè, dallo splendore della bellezza conferitagli dall'arte.

A un livello inferiore resterà invece la prosa, proprio perché maggiormente legata alle necessità quotidiane e pratiche, di carattere personale e locale. Fra prosa e poesia si produce una scissione che durerà a lungo: per oltre un secolo la prosa non riuscirà a costruire, come la poesia, un modello di lingua relativamente uniforme per le varie regioni.

La presenza di tre grandi scrittori come Dante, Petrarca e Boccaccio assicurerà al toscano, e più precisamente al fiorentino letterario, prestigio e forza di penetrazione, nei secoli seguenti, in altre regioni italiane. Ma soltanto nel Cinquecento si giungerà a una lingua letteraria comune a tutta la penisola, che non si chiamerà più volgare toscano o lingua toscana, ma *lingua italiana*.

I primi documenti in lingua volgare

I primi testi in volgare di qualche importanza letteraria appaiono soltanto nel secolo XIII. Prima di questa data abbiamo scarsi documenti dell'uso della nuova lingua nelle scritture, e di carattere eminentemente pratico. Ne riportiamo alcuni.

Per i testi seguiamo: *Le Origini*, cit., tranne per quelli del *Ritmo laurenziano* e del *Ritmo cassinese*, conformi a quelli editi in *Poeti del Duecento*, a cura di G. Contini, ivi, 1960.

L'indovinello veronese
(fine del secolo VIII - principio del IX)

Questo indovinello fu scoperto nel 1924 in un codice della biblioteca capitolare di Verona. Sembra opera d'un chierico e nato nell'ambiente della scuola, sebbene ricalchi un tema diffusamente popolare.

Se pareba boves, alba pratalia araba
albo versorio teneba, negro semen seminaba.

L'interpretazione è: *Si spingeva avanti i buoi, arava un bianco prato, teneva un bianco versorio e seminava una semente nera*.

L'indovinello allude all'azione dello scrivere: i buoi sono le dita, il prato arato è la pagina, il versorio bianco è la penna d'oca, il seme nero è l'inchiostro.

La difficoltà maggiore nell'interpretazione è costituita dal *se pareba*; ad es., per il Migliorini l'espressione significa «apparivano» (i buoi); per il Contini significa «assomigliava» (soggetto sottinteso: *la cosa da indovinare*).

Ma il problema più difficile è un altro, e cioè se la lingua usata nell'indovinello sia latina o volgare. Alcuni studiosi ritengono che sia un latino infarcito di volgarismi (latine sono le parole *semen* e *boves*; quanto alla caduta nei verbi delle consonanti finali *-nt*, e di altre desinenze, si tratta di fenomeno non sconosciuto al latino volgareggiante); ma c'è anche chi ritiene che si tratti di un intenzionale «volgare» nel quale ricorra solo una forma latina (*semen*). In conclusione, si può dire che si tratti di un testo oscillante fra latino e volgare, ma già chiaramente orientato verso quest'ultimo.

I placiti cassinesi
(anni 960 e 963)

I documenti nei quali appare per la prima volta consapevolmente e sicuramente il volgare, contrapposto al latino, sono quattro *placiti*, o documenti giudiziari campani, il primo del 960, sottoscritto a Capua, gli altri del 963, sottoscritti uno a Sessa e gli altri a Teano. Essi concernono beni di tre monasteri dipendenti da quello di Montecassino, e intendono assicurare, mediante un giudizio promosso non da un vero avversario ma da uno che agiva d'accordo col monastero, la proprietà da parte di questo di tali beni, che si temeva gli potessero venir contestati.

I testimoni pronunciano una frase che, evidentemente, è stata preparata dal giudice stesso, dato che ricorre pressoché uguale in tutti i placiti. Essa è il primo documento di un linguaggio cancelleresco, di un «volgare» ripulito e reso in qualche modo «illustre», innalzato cioè a una maggiore eleganza rispetto all'uso quotidiano. Il fatto che i testimoni fossero persone colte e sapessero il latino, eppure usassero l'italiano per la loro deposizione, indica chiaramente l'intenzione di dare pubblicità all'atto, di farlo bene comprendere a tutto il pubblico che assisteva e conosceva soltanto il volgare.

Riportiamo un passo del placito di Capua, tradotto dal latino in cui è scritto. Riportiamo invece in corsivo la formula in volgare.

Facemmo stare davanti a noi il predetto Mari, chierico e monaco e lo ammonimmo, in nome del timore di Dio, che ci rivelasse ciò che veramente sapeva intorno alla causa. E quello, tenendo in mano la predetta carta [la pianta dei campi in contestazione fra Rodelgrino d'Aquino e il monastero] che aveva mostrato al suddetto Rodelgrino, la toccò con l'altra mano e fece questa testimonianza: *Sao ko kelle terre, per kelle fini que ki contene trenta anni le possette parte Sancti Benedicti.*

E cioè: «So che quelle terre con quei confini che qui [nella carta] si contengono, le possedette per trent'anni la parte di San Benedetto [cioè il monastero benedettino di Montecassino]».

Che si tratti di «volgare illustre» è dimostrato dai latinismi (*fini* = *fines* = confini; *parte Sancti Benedicti*); da *sao* che, probabilmente, non è forma idiomatica campana, ma dell'Italia settentrionale; dal ritmo solenne e sostenuto della frase. Si rileva, in questo e negli altri *placiti*, il tentativo di giungere ad una certa unità linguistica relativa ad aree sempre più vaste, di formare cioè una lingua comune, sia pure limitatamente all'uso giuridico. I latinismi attestano anch'essi la tendenza a un ordine linguistico, a una stabilità che il dialetto non possedeva; sarà proprio dei primi secoli questo costante incontro col latino del volgare «illustre» o letterario.

La postilla amiatina
(anno 1087)

Dopo i placiti cassinesi per un intero secolo non appaiono testi continuati in volgare. Soltanto negli ultimi decenni del secolo XI abbiamo due carte sarde e tre testi dell'Italia centrale. Essi sono: un'iscrizione affrescata su un muro della chiesa di S. Clemente a Roma, che commenta la rappresentazione pittorica del martirio del santo, una formula sacramentale di penitenza e, infine, una postilla aggiunta dal notaio Rainerio a una carta del 1087, con la quale un certo Micciarello e sua moglie Gualdrada facevano dono di tutti i loro beni all'abbazia di S. Salvatore sul monte Amiata. Il testo è il seguente:

Ista cartula est de caput coctu
ille adiuvet de illu rebottu
qui mal consiliu li mise in corpu.

L'interpretazione più probabile è la seguente: «Questa carta è di Capocotto (soprannome dato a Micciarello, col probabile significato di "Testa dura"), e gli dia aiuto contro il Maligno, che un mal consiglio gli mise in corpo» (Migliorini).

Rispetto alle formule cassinesi notiamo qui una scrittura più latineggiante (*ista, est, caput, adiuvet*, ecc.), che è stata spiegata col fatto che il notaio Rainerio sa scrivere solo in latino e non sa scrivere alcuna parola del suo volgare se non riferendola al latino. Appare tuttavia in questo testo una caratteristica delle lingue romanze sconosciuta al latino, cioè l'articolo (*illu*, dal quale deriva *il*).

Il Ritmo laurenziano (secolo XII)

Più frequenti sono i monumenti in volgare del secolo XII. Fra questi, appartenenti alla fine del secolo, vi sono alcuni componimenti propriamente letterari, soprattutto dei poemetti giullareschi. Ricordiamo il Ritmo di Sant'Alessio, marchigiano, il Ritmo cassinese, ritmi celebranti avvenimenti storici bellunesi e lucchesi, e, infine, il Ritmo laurenziano, che fra questi è il più antico, ed è, quindi, molto probabilmente, il più antico componimento poetico italiano pervenutoci.

Esso consta di venti versi ottonari doppi, ed è, evidentemente, opera di un giullare (ricordiamo che i giullari sono persone dotate di una certa infarinatura culturale, il cui mestiere è quello di divertire con la parola, per ricavarne guadagno, una cerchia di persone), e si può immaginare che reciti questi versi davanti al vescovo al quale è dedicato il suo canto e alla corte di lui. Si tratta molto probabilmente del vescovo di Pisa, del quale il giullare fa lodi sperticate, sperando di ottenere per questo in dono un cavallo; se lo ottiene lo mostrerà al vescovo Galgano, uno dei suoi altolocati protettori.

Riportiamo, di questo canto, i primi dodici versi, di più facile interpretazione.

Salva lo vescovo senato, lo mellior c'umque sia na[to],
[...] ora fue sagrato tutt'allumma 'l cericato.
Né Fisolaco né Cato non fue sì ringratïato,
e 'l pap' ha·ll [...-ato] per suo drudo plu privato.
5 Suo gentile vescovato ben'è cresciuto e melliorato.
L'apostolico romano lo [...] Laterano.
San Benedetto e san Germano 'l destinòe d'esser sovrano
de tutto regno cristïano: peròe venne da lor mano,
del paradìs delitïano: Ça non fue ques[to] villano:
10 da ce 'l mondo fue pagano non ci so tal marchisciano.
Se mi dà caval balçano, monsterròll' al bon G[algano],
a lo vescovo volterrano, cui benedicente bascio mano.

Metro: Lasse di ottonari doppi.

1. Salva, ecc.: Il giullare si rivolge a Dio e lo prega di dare salute al vescovo *assennato*, il migliore che mai (**umque,** dal latino *umquam*) sia nato.

2. (...) ora fue: integra e interpreta: che dall'ora in cui fu consacrato illumina col suo splendore tutto il clero.

3. Né Fisolaco, ecc.: Il *Physiologus* era un celebre «bestiario» (libro contenente le nozioni di zoologia — assai favolose — del tempo); qui è considerato come nome di persona, *Cato* è l'autore dei *Dicta Catonis*, raccolta moraleggiante tenuta in altissima considerazione nel Medioevo. Il giullare dice che il vescovo è più dotato (**ringratïato**) di quei due sommi luminari.

4. Si può ricostruire: *e 'l papa ha lui dal destro lato*. Intendi: il papa lo tiene alla sua destra come il suo confidente più intimo (**drudo plu privato**). *Drudo* e *privato* sono francesismi, come pure *senato* al v. 1 (franc. *sené = saggio*) *allumma* al v. 2 (fr. *allumer = illuminare*), e altri termini usati in questa poesia. Francesismi, latinismi, allusioni dotte (cfr. verso 3), anche se non bene centrate, servono al giullare ad elevare il tono del discorso e a fare sfoggio di cultura. Inoltre è da osservare che i giullari, i quali, con la loro vita errabonda, entravano in contatto con diverse comunità, furono, nei primi secoli, importanti trasmettitori di usi linguistici e letterari e creatori di una prima rudimentale lingua letteraria comune.

5. Il suo nobile vescovato è divenuto migliore e più prospero da quando è affidato alle sue cure.

6. Integra e intendi: Il papa lo consacrò vescovo nella basilica di San Giovanni Laterano.

7. 'l destinòe d'esser sovrano: i due santi lo destinarono ad essere un giorno papa.

8-9. peròe venne... villano: infatti venne dalla loro mano condotto a noi dal paradiso delle delizie. Certo non fu, questo vescovo, un villano!

10. da ce 'l mondo, ecc.: Sin dai tempi pagani non mi risulta che ci sia stato un tale gentiluomo.

11. caval balçano: un cavallo balzano, con una balza di pelo bianco nelle zampe. Ecco la ragione vera delle lodi sperticate! L'allusione all'altro protettore al quale il giullare promette di mostrare il dono, ha l'intento di spingere il vescovo al gesto di signorile liberalità, che il giullare farà conoscere a tutti.

Il Ritmo cassinese

L'abbazia di Montecassino diviene sempre più, nel secolo XII, la capitale culturale e linguistica della regione fra il Lazio, la Campania, l'Abruzzo: una roccaforte, come ha detto il Folena, della cultura occidentale all'incrocio fra molte correnti latine, greche e longobarde. Alla ricca tradizione letteraria monastica appartiene il *Ritmo cassinese*, che risale alla fine del sec. XII. In esso il verseggiatore, dopo un prologo che è una *captatio benevolentiae*, secondo i precetti retorici della scuola, e la dichiarazione del carattere allegorico del componimento, narra l'incontro e il dialogo di due personaggi, il Mistico, che viene dall'Oriente, e rappresenta la vita monastica, e il Mondano, che viene dall'Occidente e rappresenta la vita dei secolari. Al secondo, che gli chiede di che si nutrano i monaci, il primo risponde che loro nutrimento è una vigna (la Sacra Scrittura), che non sentono bisogno di mangiare e bere e che perciò la loro vita è simile a quella degli angeli.

L'autore è più colto di quello del *Ritmo laurenziano*: lo dimostrano i frequenti latinismi, provenzalismi e francesismi. Linguisticamente il testo appartiene all'area meridionale, come si vede da molte particolarità: ad es. la rappresentazione costante di *v* come *b* (*bita* = vita), che forse è solo grafica, ma non è escluso che sia di derivazione fonetica, l'uso di forme pronominali come *tebe* e *sebe* (ti, si, o accusativo), la conservazione del dittongo *au* (*causa* = cosa), ecc. Il Migliorini parla di «campano illustre» e afferma che il nostro autore, pur adeguandosi alle forme giullaresche, sa il suo latino e conosce la vita cortese. Riportiamo un passo dalla chiusa del ritmo.

«Una caosa me dicate
d'essa bostra dignitate:
poi ke 'n tale desduttu state,
quale bita bui menate?
5 que bidande manicate?
Abete bidande cuscí amorose
como queste nostre saporose?»
«Ei, paraola dissensata!
quantu male fui trobata,

Metro: Le strofe constano d'una serie di novenari o ottonari su una rima, seguita da una serie minore di decasillabi o endecasillabi su un'altra rima.

1-7. Una... saporose: Parla il Mondano: «Ditemi una cosa intorno a codesta (essa) vostra dignità: quando vi trovate in tale piacere (**desduttu**; è un francesismo), quale vita (**bita**) voi (**bui**) conducete? quali vivande mangiate? Avete vivande così gradi-

10 obebelli n'ài micata,
tia bidanda scelerata!
obe l'ài assimilata!
Bidand'abemo purgata,
d'ab enitiu preparata,
15 perfecta binja plantata,
de tuttu tempu fructata.
En qualecumqua causa delectamo,
tutt'a quella binja lo trobamo,
e·ppuru de bedere ni satiamo»[...].
20 «Poi ke 'n tanta gloria sedete,
nullu necessu n'abete,
ma quantumqu'a Deu petite
tuttu lo 'm balia tenete,
et em quella forma bui gaudete,
25 angeli de celu sete».

te come queste nostre che sono così saporite?». Il piacere cui s'allude nel v. 3 è quello della vita monacale.

8-16. Risponde il Mistico: «Oh, (**ei**) parola priva di senso! quanto male, a sproposito, fu inventata (**trobata**), ovunque tu ne hai una briciola (**micata**), la tua vivanda scellerata! dove l'hai introdotta come termine di paragone (**assimilata**)! Noi abbiamo una vivanda pura, preparata dall'inizio dei tempi, una perfetta vigna piantata, che in ogni tempo dà frutto». I vv. 8-12 vogliono probabilmente significare che il Mistico non ammette l'uso della parola «vivanda» riferita metaforicamente alla vita monacale; altro infatti è il nutrimento, tutto ed esclusivamente spirituale, dei monaci: la parola di Dio, quella *vigna*, come dice dopo, che dà frutto perenne.

17-19. «In qualunque cosa (**causa**) troviamo diletto, tutto in quella vigna lo troviamo e solo (**e·ppuru**) di vedere ci (**ni**) saziamo». Trovano cioè ogni diletto nella parola divina e appagamento pieno nella vita contemplativa.

21. «Non ne avete nessuna necessità (intendi di cibo e di bevanda)».

22-25. ma... sete: «ma ottenete tutto ciò che chiedete (**petite**) da Dio, e in quel modo (**forma**) voi (**bui**) godete, angeli del cielo siete».

San Francesco d'Assisi

La storia del Comune è intrecciata, sin dalle origini, alle lotte religiose, non soltanto a quelle che videro come protagonisti Chiesa e Impero e che i Comuni affrontarono per sottrarsi alla giurisdizione imperiale, ma anche a quelle che, fra il secolo XI e il secolo XIII, travagliarono al suo interno la Cristianità, dal movimento di riforma ecclesiastica che partì dall'abbazia di Cluny ai movimenti di popolo che furono chiamati, più o meno propriamente, ereticali.

Il punto di partenza di essi è, in genere, la protesta contro la corruzione del clero e le sue collusioni col potere politico, congiunta alla ferma volontà di ricondurre la vita cristiana alla purezza delle origini. Per questa via l'esigenza del rinnovamento religioso si fondeva con quella del rinnovamento sociale: con l'affrancamento, soprattutto dei ceti più umili del popolo e della borghesia, dalla prepotenza feudale e dall'oppressione della ricchezza. I moti religiosi diventano così l'espressione del disagio d'una società in rapida trasformazione, che per questo più intensamente vive e avverte le contraddizioni del capitalismo nascente.

San Francesco d'Assisi contribuì a ricondurre, in Italia, le tensioni eretiche più eversive all'ortodossia, non attraverso una mera restaurazione, ma vivendo e ispirando una dimensione inedita dell'esperienza religiosa, che si traduceva, poi, in una nuova idea dell'uomo e della vita. Nacque ad Assisi intorno al 1182. Nel 1206, dopo una giovinezza dissipata, si convertì a vita di penitenza, e morì nel 1226, dopo aver fondato l'ordine dei frati Minori, che si ispirava al ritorno alla vita evangelica e apostolica, cioè all'umiltà e alla povertà e alla totale e fiduciosa adesione alla volontà della Provvidenza.

Fuori d'ogni controversia teologica, ispirandosi alla vita di Cristo, Francesco affermò come fondamento del Cristianesimo l'amore: un amore che abbraccia tutte le cose e tutti gli uomini in una reale fraternità, che nella restaurata purezza del cuore ritrova la bellezza e la dignità d'ogni essere, d'ogni vita, riattualizzando la memoria di un'esistenza anteriore al peccato. Infrangendo di slancio ogni barriera fra la religiosità dei dotti e quella degli umili, visse la religione come un fatto profondamente connesso agli affetti più semplici, alla vita della casa, della famiglia, delle cose che entrano ora per ora nell'esistenza. Anche Dio fu sentito come presenza amica nell'amore, nel dolore, nel lavoro di ogni giorno. Fu, la sua, quasi una rifondazione delle strutture elementari e profonde del vivere e del sentire, con un'accettazione serena del volere di Dio, anche della sofferenza e della morte, che non mortificava la vitalità, la pienezza della testimonianza individuale, perché sottoponeva ogni prova, ogni avversità alla superiore vittoria dello spirito. Sua grande scoperta fu l'amore della povertà, che era, appunto, il segno di questa vittoria; il sentirsi superiore a ogni volontà di possesso che rende l'animo schiavo delle cose e lo allontana dall'innocenza. Povertà era dunque la scelta dello spirito, ossia del divino, come valore supremo.

Il messaggio francescano ebbe diffusione vastissima e contribuì a un rinnovamento della percezione delle cose e dell'interiorità. Vedi, a questo proposito, fra le *letture* alla fine di questo capitolo, *San Francesco e l'uomo gotico*, di Georges Duby.

Il Cantico di Frate Sole (o Laudes creaturarum)

Secondo l'antica leggenda francescana (*Legenda antiqua Perusina; Speculum perfectionis*), S. Francesco avrebbe composto questo canto nel 1224, cioè due anni prima della morte, nell'orticello di San Damiano, dopo una notte di acutissime sofferenze fisiche, aggravate da un'invasione di topi nella sua cella, confortato, però, alla fine, da una visione celeste che lo aveva reso certo della sua salvezza eterna.

L'ispirazione del *Cantico* è incentrata su di un motivo: l'umile, gioiosa accettazione di tutta la vita che palpita in noi e attorno a noi (accettazione che, come vedremo, implica, però, una dura conquista spirituale), perché essa, provenendo da un Dio che è gioia suprema, bontà, amore, non può non avere un'autentica bontà e bellezza. Queste sono attestate da tutte le cose, l'acqua, il sole, la terra, il fuoco, i fiori, le stelle, armoniosamente disposti in questo grandioso universo, da un lato per mostrare l'eccellenza della mente creatrice e ordinatrice, dall'altro per essere utili alla vita. L'uomo può dunque sentire la presenza amorosa e paterna di Dio per tutto il Creato e sentire fratelli tutti gli esseri, nati da un unico Padre. Non solo, però, la natura, ma anche il dolore e persino la morte fanno parte di questa superiore armonia: l'uno, perché, se sopportato nel nome di Dio, è mezzo di purificazione che a Lui avvicina, l'altra, perché pone in comunicazione con un mondo più vero e più grande.

Alcuni interpreti hanno avvertito un contrasto fra l'ispirazione ottimistica dei vv. 1-22 e quella drammatica degli altri, soprattutto dei vv. 26-30, che alludono al pericolo della dannazione. Giova però avvertire che se la natura si può presentare allo sguardo del poeta cristiano in una luce di bellezza e armonia sempre uguali, impresse in lei dal momento della creazione, la vita dell'uomo è vista invece nel suo continuo dramma di peccato e redenzione. Solo adeguandosi alla volontà di Dio, l'uomo acquista il suo posto, altissimo, nel grande poema della creazione: diviene veramente figlio di Dio e fratello di tutti gli esseri.

Dolcemente estatica, quindi, la voce del poeta quando canta la gloria di Dio, più contrastata e drammatica quando esprime quell'umiltà francescana che è dura e difficile conquista morale. Ma solo la ritrovata purezza dell'anima gli consente di guardare il mondo con sguardo limpido e di scoprire la sua vera bellezza. Il cantico è scritto in prosa ritmica, ispirandosi, in questo, alla traduzione latina dei salmi biblici (dai quali riprende anche spiriti e movenze); la lingua è il volgare umbro del sec. XIII, con però influssi toscani e anche latini.

Riproduciamo il testo stabilito da Gianfranco Contini (*Poeti del Duecento*, cit.).

Altissimu, onnipotente, bon Signore,
tue so' le laude, la gloria e l'honore et onne benedictione.
Ad te solo, Altissimo, se konfano,
et nullu homo ène dignu te mentovare.
5 Laudato sie, mi' Signore, cum tucte le tue creature,
spetialmente messor lo frate sole,
lo qual'è iorno, et allumini noi per lui.
Et ellu è bellu e radiante cum grande splendore:
da te, Altissimo, porta significatione.
10 Laudato si', mi' Signore, per sora luna e le stelle:
in celu l'ài formate clarite et pretïose et belle.

Il *Cantico* è stato raffrontato con due Salmi biblici nei quali le creature vengono invitate a lodare Dio (Salmo 148; Daniele III, 52-90, cantico dei tre giovanetti posti nella fornace, che intonano le lodi di Dio e vengono miracolosamente liberati dal pericolo), e con altri testi ecclesiastici. Tali raffronti sono stati compiuti dai critici per rafforzare questa o quella interpretazione letterale del cantico, il cui significato, in certi punti, è ancora controverso. Ardua soprattutto l'interpretazione del *per* (vv. 10-12-15-17 ecc.). Secondo L. Foscolo Benedetto (*Il cantico di frate Sole*, Firenze, 1941) e Vittore Branca (*Il cantico di frate Sole*, Firenze, 1950), *per* significa *da*; in tal caso, le creature stesse sarebbero invitate dal Santo a lodare Dio. Secondo A. Pagliaro (*Saggi di critica semantica*, Firenze, 1953) *per* significa *attraverso*; secondo il Casella (*Il cantico delle creature*, in «Studi Medioevali», 1943-50) significa *per l'esistenza di*. Noi assegniamo al *per* prevalentemente un significato causale, seguendo l'interpretazione tradizionale dell'Ordine Francescano, alla quale la critica più recente si viene riaccostando.

1. I tre aggettivi, fortemente pausati, iniziano l'inno con grande solennità, evocando l'immagine di Dio, con la quale il canto si conclude. Dio è dovunque presente e tutto il cantico continuamente lo celebra, nella sua essenza (*altissimo*), nella sua potenza creatrice (*onnipotente*), nel suo amore e nella sua bontà (*bon*). Il primo e il terzo aggettivo dispongono rispettivamente l'uomo all'umiltà di fronte alla grandezza di Dio (motivo sviluppato soprattutto nei tre versi che seguono) e all'amore per colui che gli ha dato doni così grandi (motivo sviluppato nelle lodi delle creature, create per il bene dell'uomo, e nella finale promessa del Paradiso).

2-3. tue: in senso pregnante: *solo tue*. Egli solo è degno di lode, di gloria, ecc. Il verso 3 chiarisce il concetto. **konfano**: si confanno, sono attribuite degnamente.

4. «e nessun uomo è degno neppure di pronunciare il tuo nome». Di contro all'altezza di Dio, l'umiltà dell'uomo: tema tipicamente francescano.

5. Laudato sie (e, più avanti, *si'*): sii tu lodato. **cum:** così come. Altri interpreta: «per mezzo» o «con». In pratica, la lode di Dio coinvolge anche quella delle cose da lui create, in ciascuna delle quali è visibile l'impronta della Sua potenza, sapienza e bontà.

6-9. Comincia Francesco con la lode del sole, fonte della luce, del calore e quindi della vita, che, per questo, è immagine e figura della divinità (v. 9), re del nostro mondo (**messor**, cioè *messer*, titolo dato ai principi, ai re), come Dio è re supremo dell'universo. 7. **lo qual'è iorno... per lui**: il quale è luce del giorno e tu ci illumini per mezzo suo. Da notare che la lode del sole è svolta da tre punti di vista diversi, anche se concatenati: rispetto all'uomo il sole è utile perché gli dà la luce (tema della provvidenza di Dio); in sé e per sé è bello e irraggia grande splendore; rispetto a Dio ne è l'immagine, il simbolo, come si è visto all'inizio della nota. Anche senza una partizione così precisa, si può dire che le lodi delle altre creature riguardino sempre la loro bellezza, bontà o utilità per la vita umana e che richiamino simbolicamente qualche attributo della divinità, o, comunque sia, spirituale.

10-11. per sora luna e le stelle: qui, come ai versi 12, 15, 17, 20, 23, 27, *per* significa *per aver creato*. *Sorella* (**sora**) è la luna, come il sole fratello dell'uomo. Padre comune, Dio. **clarite**: splendenti; nella poesia delle origini, l'attributo è riferito anche alla donna amata. Leggi *pretïose* con dieresi, cioè staccando la *i* dalla *o*. L'aggettivo

Laudato si', mi' Signore, per frate vento
et per aere et nubilo et sereno et onne tempo,
per lo quale a le tue creature dài sostentamento.
15 Laudato si', mi' Signore, per sor'acqua,
la quale è molto utile et humile et pretiosa et casta.
Laudato si', mi' Signore, per frate focu,
per lo quale ennallumini la nocte:
ed ello è bello et iocundo et robustoso et forte.
20 Laudato si', mi' Signore, per sora nostra matre terra,
la quale ne sustenta et governa,
et produce diversi frutti con coloriti fiori et herba.
Laudato si', mi' Signore, per quelli ke perdonano per lo tuo amore
et sostengo infirmitate et tribulatione.
25 Beati quelli ke'l sosterranno in pace
ka da te, Altissimo, sirano incoronati.
Laudato si', mi' Signore, per sora nostra morte corporale
da la quale nullu homo vivente pò skappare:
guai a quelli ke morrano ne le peccata mortali;
30 beati quelli ke trovarà ne le tue sanctissime voluntati,
ka la morte secunda no'l farà male.
Laudate e benedicete mi' Signore et rengratiate
e serviateli cum grande humilitate.

unisce alla bellezza o splendore (*clarite*) la loro utilità o bontà.
13-14. nubilo: nuvolo. **onne tempo**: ogni variazione atmosferica, per mezzo della quale viene resa possibile la vita dell'uomo e delle altre creature.
15-16. L'acqua è umile e casta perché simbolo di purificazione, usata, come tale, in diversi culti religiosi, antichi e moderni.
18. ennallumini: ci illumini. Poeticamente intensi gli attributi dedicati al fuoco, che esprimono il vigore della fiamma nella notte, e quindi un'idea di luce, calore e vita.
19. iocundo: logicamente, dovrebbe significare *che dà gioia*, ma qui Francesco vede poeticamente la gioia nella fiamma stessa bella e forte e **robustosa**, cioè robusta, gagliarda.
21-22. la quale... governa: la quale ci mantiene e ci alleva, ci alimenta.
23-26. ke: che. 24. **sostengo**: sostengono. 25. **ke 'l**: che le. 26. **ka**: perché (forse è il *quia* latino). **sirano incoronati**: saranno incoronati nella gloria dei santi coloro che nel nome di Dio avranno sopportato con umiltà le dure prove della vita. Ha qui inizio la seconda parte del canto, riguardante più da vicino l'uomo.
27. Sia lodato Dio per aver creato la morte *corporale*, cioè quella fisica, non quella spirituale (che è il peccato e la dannazione), che ci permetterà di giungere a lui e all'eterna resurrezione.
28. Nessuno può sfuggire alla morte. Il verso però non è terrificante, ma esprime serenamente la condizione umana. L'accettazione della vita porta con sé quella della morte, per dirla col Santo, «in pace».
30. «beati quelli che la morte troverà in grazia di Dio».
31. la secunda morte: è la dannazione, cioè la morte dell'anima.

Letture critiche

Latino e volgare nel Duecento

La vita universitaria, che prima si era manifestata solamente a Bologna, ora si estende a varie sedi: Padova (1222), Napoli, consciamente contrapposta da Federico a Bologna (1224), Arezzo, Roma, Siena. Nelle università si coltivano distinte, ma non separate, l'*ars notaria* e l'*ars dictandi*: diritto e retorica si congiungono nella stesura degli atti pubblici. Anche se non è possibile accogliere la tesi del Monaci che fa nascere il volgare illustre dal contatto avvenuto all'università di Bologna fra studenti di varie regioni d'Italia, è certo che Bologna esercitò una notevole influenza conguagliatrice.

Ed è nota l'importanza che hanno nella vita culturale di questo periodo notai e giudici: Giacomo da Lentini (*il Notaro* per antonomasia), Pier della Vigna, Brunetto, Guido Guinizzelli, Cino da Pistoia, ecc. Giudice era anche il fondatore del preumanesimo padovano, Lovato dei Lovati.

La stragrande maggioranza degli scritti di questo periodo è ancora in latino, e l'appena nascente letteratura volgare s'appoggia alla plurisecolare letteratura latina per trarne alimento, soprattutto per mezzo di traduzioni.

Hanno notevole prestigio anche le due lingue letterarie d'oltralpe. Da un lato l'epopea carolingia e le *ambages pulcerrime* [*bellissime avventure*] dei romanzi arturiani (Dante, *De vulg. el.*, I, x, 2), dall'altro la poesia trobadorica con la nuova concezione dell'amore cortese si presentavano alla nuova civiltà italiana come insigni modelli letterari, degni di essere imitati nelle lingue originarie o in un volgare italiano nobilitato [...].

Sintomo di un ravvicinamento fra le sparse membra della penisola è l'apparizione del nome di *Italiano*. Nella latinità medievale accanto a *Italia* si avevano *Italus* e *Italicus*, in volgare mancava ancora un termine. Specialmente oltre le Alpi si tendeva ad adoperare *lombardo* come termine complessivo: i Francesi, dice Salimbene (*Cron.*, p. 933 Bernini), e le testimonianze si potrebbero moltiplicare, «inter Lombardos includunt omnes Italicos et cismontanos». Nel 1278, avverte il Sapori, quando si trattò con il re di Francia per il ritorno a Nîmes dei mercanti italiani scacciati, si fece avanti un Piacentino col titolo di «capitaneus mercatorum lumbardorum et tuscanorum»; invece nel 1288 nelle fiere di Sciampagna apparve l'«Universitas mercatorum *Italicorum*». Già qualche anno prima Brunetto Latini nel *Tresor* (fra il 1260 e il 1266) aveva adoperato a più riprese *Ytaile* (contrapposta alla più ristretta *Lombardie*) e *Ytalien* (I, 1,7; I, 129,2; III, 1,3; III, 75,15 Carmody) e un anonimo compilatore di «esempi» aveva rielaborato un passo di Valerio Massimo (in un linguaggio di colorito senese) con le parole seguenti: «Et di ciò dice Valerio che avendo li romani preso uno grande *ytaliano*...». L'etnico è coniato evidentemente partendo da *Italia*, secondo il modello di *Sicilia-siciliano, Venezia-veneziano, Istria-istriano*, ecc. [...].

Per rendersi conto della consistenza e del carattere degli scritti in volgare, bisogna anzitutto tener conto che in questo secolo e ancora per lungo tempo, gli scritti in latino rappresentano la stragrande maggioranza. Le opere teologiche e filosofiche, le leggi e i commenti al codice, le cronache, i trattati di medicina e di astrologia: tutto o quasi tutto è in latino. La latinità di S. Tommaso, di S. Bonaventura, di Albertano da Brescia, di Iacopo da Voragine, di Salimbene da Parma, di Stefanardo da Vimercate, si manifesta in forme assai diverse [...].

La coscienza della grande superiorità del latino sul volgare è sempre presente agli autori di volgarizzamenti.

Andare a scuola vuol dire anzitutto imparare la *grammatica*, cioè il latino. E non solo per chi si proponga di diventare notaio o ecclesiastico o simili, ma anche semplicemente d'esercitare il commercio: un contratto notarile genovese del 1266 parla di «grammatica communiter edocenda secundum mercatores Ianuae» [*la grammatica va insegnata a tutti secondo i mercanti di Genova*].

Nella vita civile occorre tuttavia che i reggitori tengano conto dei molti che ignorano il latino. Gli Statuti di Bologna nel 1246 danno esatte prescrizioni per gli esami che dovevano subire quelli che aspiravano a diventar notai. Gli esaminatori dovevano «videre et scire qualiter sciunt scribere, et qualiter legere scripturas quas fecerint vulgariter et litteraliter, et qualiter latinare et dictare» [*Vedere e sapere come sanno scrivere e leggere le scritture che hanno fatto in volgare e in latino e come sappiano comporre in latino comune e letterariamente*]: dovevano insomma dimostrare d'essere capaci di leggere in volgare i loro atti a quelli che li avevano incaricati di redigerli. E Pietro dei Boattieri, nel commento alla *Summa artis notariae* di Rolandino, dava istruzioni in proposito.

Ormai cominciano ad apparire alcuni statuti scritti di proposito solo in volgare: ci rimangono gli statuti di Montagutolo dell'Ardinghesca, del 1280-97, che esplicitamente prescrivono al «camarlengo» di designare tre «boni homini» perché facciano scrivere «tucti li ordini che per li detti tre omini fossero fermati, di bona léttara di testo, et non in grammatica».

Anche nella vita monastica si trae notizia dalle *Commentationes* di Montecassino che quotidianamente si tenevano nel capitolo conferenze in volgare.

Mentre le scuole vescovili continuano a provvedere all'insegnamento per i futuri ecclesiastici, sorgono in quell'età, sotto la spinta e a spese della borghesia mercantile, scuole laiche in cui s'impara, sul fondamento del volgare, un po' di latino [...].

Le varietà locali del volgare parlato erano molto divergenti, e i tentativi che finora erano stati fatti per metterli in scrittura avevano tentato di levigarne la rozzezza eliminando le peculiarità troppo spiccate e ricorrendo ai suggerimenti che poteva dare la lingua scritta per eccellenza, il latino. Proprio l'esempio del latino, con la sua relativa fissità e regolarità, fa sentire il bisogno di modelli anche per il volgare. C'è nell'aria l'idea che se e quando appariranno dei modelli degni, essi saranno limitati anche nelle loro particolarità, e per questa via si troverà un rimedio alle incertezze grammaticali e lessicali.

Non si mira insomma direttamente a una lingua comune: si mira a una lingua bella e nobile, la quale eliminerà i particolarismi e sarà perciò anche «comune». Nell'Italia di questa età, artisticamente così matura e politicamente così divisa, modello voleva dire modello di bellezza, di eleganza artistica. Questo ci spiega come emergano tanto imperiosamente, creando una scia d'imitazione letteraria e linguistica, quegli scritti in cui si persegue un ideale di bellezza.

È la lirica che si pone all'avanguardia della letteratura, e che crea un moto d'entusiasmo, con conseguenze che dureranno per secoli. La spinta iniziale, data dai poeti siciliani della curia sveva, i primi in Italia a servirsi del volgare per fare poesia d'arte, sarà trasmessa a tanti altri: e tutti, non solo i pedissequi imitatori siculo-toscani, ma anche il Guinizzelli, gli stilnovisti e in genere tutti quelli che scriveranno in versi, terranno conto in proporzione maggiore o minore dei modelli siciliani, così che alcune peculiarità entreranno stabilmente nell'uso poetico italiano.

Non basta: questa spinta fa sì che la poesia acquisti un vantaggio tanto sensibile sulla prosa da creare fra i due modi di scrivere addirittura una scissione che durerà per secoli. I modelli poetici che si susseguono costituiscono una tradizione, che fornisce un modello di lingua relativamente uniforme per le varie regioni; invece la prosa stenta (e stenterà per molto tempo) a uscire dall'àmbito locale. Sorge sì, poco dopo la fioritura siciliana, una prosa d'arte, che ha a Bologna con la persona di Guido Fava il suo primo maestro. E anche la prosa d'arte troverà in Toscana cultori appassionati come Brunetto e Guittone. Ma il minor livello artistico da loro raggiunto in confronto con la poesia e lo stretto legame che la prosa ha sempre con le contingenze pratiche di carattere personale e locale, per cui essa non può staccarsi troppo dal parlare quotidiano, neppure quando è soggetta a elaborazione artistica, fanno sì che il processo di unificazione della lingua prosastica sia senza confronto più lento. Non va, poi, dimenticato che testi in prosa mancano completamente per l'Italia meridionale e la Sicilia durante il Duecento: vi si scrive ancora soltanto in latino.

Bruno Migliorini

(Da *Storia della lingua italiana*, Firenze, Sansoni, 1960, pp. 121-123; 125; 129-130, con tagli).

Gli intellettuali e il comune

Una società ricca, articolata e evoluta quale era quella dell'Italia comunale aveva bisogno per funzionare di un personale intellettuale numeroso e qualificato, di giuristi e di tecnici dell'amministrazione cui affidare i compiti della cancelleria e del governo della cosa pubblica, di oratori per le ambascerie, di notai per redigere i vari tipi di contratto stipulati tra i cittadini, di maestri che insegnassero a leggere a scrivere e a far di conto ai figli dei mercanti e dei borghesi, di medici. Furono le università a formare questo personale e a soddisfare questa richiesta. La loro storia e il loro sviluppo è infatti parallelo a quello della civiltà comunale. La prima e la più celebre delle università italiane fu quella di Bologna, le cui origini risalgono agli inizi del secolo XI e che si acquistò rapidamente una grande rinomanza nel campo dello studio e dell'insegnamento del diritto. Tra la fine del secolo XII e gli inizi del secolo XIII, al momento cioè dell'esplosione della civiltà cittadina italiana, ad essa se ne aggiunsero in rapida successione delle altre: nel 1222 iniziò i suoi corsi l'università di Padova che diverrà una cittadella dell'aristotelismo e dell'averroismo, inaugurando così una tradizione di naturalistica spregiudicatezza che arriverà, attraverso Marsilio e Pomponazzi, sino a Galileo. Nel 1224 Federico II fondava, come si è visto, lo studio di Napoli e nello stesso torno di tempo università si aprivano anche a Vercelli, a Modena, a Siena e in numerose altre città. Anche Roma ebbe la sua, la curia romana, fondata nel 1244.

L'università era, sotto tutti i punti di vista, una scuola nuova. Nuova per la sua ubicazione cittadina, che rompeva definitivamente con le tradizioni di isolamento e di segregazione delle scuole monastiche, e che poneva professori e scolari a stretto contatto con un ambiente sociale ricco di fermenti e sensibile a ogni novità. Nuova per la sua organizzazione esemplata sul modello della corporazione di mestiere, che faceva di essa una libera comunità, nella quale la necessaria gerarchia di rapporti tra maestri e scolari era temperata da un comune spirito di corpo, facendo sì che il rapporto tra docente e discente divenisse meno arcigno e più comunicativo. Nuova soprattutto — e ciò si applica in particolare alle università italiane — per gli indirizzi e i contenuti dei suoi insegnamenti. A differenza della Sorbona e di altre illustri università oltremontane, i maggiori studi italiani, e quello di Bologna in particolare, riuscirono, sino a una data assai inoltrata, a mantenere la propria autonomia nei confronti dell'autorità ecclesiastica, e in essi lo studio delle scienze e delle arti umane — il diritto e la medicina — rimase prevalente rispetto a quello della teologia, o comunque da essa indipendente. Parlando di diritto si intende parlare naturalmente e in primo luogo del diritto romano, del quale Bologna fu la maestra per eccellenza e del quale la Chiesa aveva proibito l'insegnamento a Parigi, autentica «scienza nuova» della società comunale e cittadina alla ricerca di una sua legittimazione. Quanto alla medicina, è quasi superfluo ricordare che attraverso il tramite del suo studio e del suo esercizio la lezione del naturalismo greco e arabo, che già era conosciuta dai dottori della scuola salernitana e che nel corso del secolo XIII, a mano a mano che gli *ateliers* di Toledo e di Palermo sfornavano le loro traduzioni dei commenti arabi di Aristotele, non aveva cessato di affermarsi, entrò nel circolo della cultura dell'epoca. Fino al Rinascimento e oltre, tra le varie figure di intellettuali quella del medico fu probabilmente la più avanzata e la più rappresentativa di uno spirito di ricerca e di indagine che tende a prescindere da ogni autorità precostituita. Si tenga poi presente che lo studio dell'arte medica era strettamente legato a quello della filosofia: Taddeo Alderotti, il più grande medico del secolo XIII e professore a Bologna, fu anche uno dei primi traduttori di Aristotele.

Fu da questa università che uscirono le maggiori personalità della vita culturale e intellettuale del Duecento. Pier delle Vigne, protonotario dell'imperatore Federico II e nel suo secolo maestro ineguagliabile di retorica e di *ars dictandi*, si era formato a Bologna e quivi aveva imparato a trasfondere nei documenti di cancelleria, che egli era chiamato a redigere in ragione del suo ufficio, i modi e le movenze della prosa classica. Studenti dello studio di Bologna e giurisperiti furono Guido Guinizelli e Cino da Pistoia, due dei maggiori poeti del secolo. E pare che anche Dante sia stato per qualche tempo scolaro dello studio bolognese. Accanto a questi nomi illustri, uscirono dalle università italiane uno stuolo di personaggi minori e sconosciuti dai quali la società comunale trasse i «quadri» e le competenze di cui aveva urgente necessità. Nasceva così un personale intellettuale nuovo, profondamente diverso dai chierici della società feudale, professionalmente e tecnicamente preparato a inserirsi nella nuova realtà politica e sociale cittadina, più aperto intellettualmente e più legato ai negozi e alle lotte politiche di una società inquieta e vitale.

Per quanto integrato nella società del suo tempo il nuovo intellettuale non partecipava però interamente della dispersione cittadina e municipalistica di quest'ultima. Per la sua formazione intellettuale egli non cessava infatti di far parte di una *élite*, dotata di una preparazione e di una formazione comune, con propri specifici abiti mentali e proprie caratteristiche. Inoltre in molti casi egli era ben lungi dall'essere un sedentario: cominciava infatti a formarsi nell'Italia cittadina del secolo XIII quello che potremmo chiamare un mercato dei talenti e delle qualificazioni, e le città e le corti più prestigiose, con i loro impieghi e le loro occasioni e stimoli di carriera, esercitavano un forte potere di attrazione. Si pensi ad esempio a quanto un istituto quale quello del podestà forestiero, che nel corso del secolo si venne diffondendo e generalizzando, abbia potuto contribuire ad animare una maggiore circolazione degli uomini, delle idee, delle esperienze.

L'intellettuale italiano dell'età comunale presenta insomma una doppia natura e una doppia funzione. Da un lato egli è un esponente «organico» della civiltà comunale e cittadina, dall'altro esso è un membro di una casta che, al di sopra dei municipalismi, si viene gradatamente costituendo come una nuova aristocrazia. Egli si trova, per così dire, all'intersezione di due circuiti, quello che, al di sopra delle frontiere, unisce i dotti e gli spiriti eletti e quello che unisce tutti i componenti di una determinata collettività.

Il problema che gli si poneva innanzitutto era perciò quello di mettere in comunicazione questi due circuiti dando vita ad una produzione letteraria che fosse accessibile sia al pubblico tradizionale dei dotti sia a quel più largo e differenziato pubblico che l'evoluzione e lo sviluppo della società comunale aveva creato, un pubblico non soltanto composto di chierici e di dotti, ma anche di borghesi, di mercanti, di popolani; non soltanto di uomini, ma anche di donne che, come la Francesca dantesca, avevano anch'esse imparato a leggere e si dilettavano delle romanzesche avventure amorose che venivano di Francia. A costoro non ci si poteva rivolgere che in volgare, nella lingua cioè di tutti i giorni. Ma i volgari italiani erano molti e tutti con un carattere di idiomi scarsamente definiti e formati. Una letteratura in volgare rischiava perciò di rimanere confinata nell'ambito della produzione minore lasciando al latino il privilegio di continuare a fungere da lingua letteraria delle classi colte. Occorreva trovare, se ci è lecito un accostamento non del tutto appropriato, un anello di congiunzione tra una sorta di esperanto e il dialetto, un volgare nobilitato e illustre, che unisse ai vantaggi della comunicatività in profondità quelli della perspicuità e del nitore del linguaggio dei dotti e sapesse trascorrere dallo stile piano e familiare della «commedia» a quello sublime della «tragedia». Naturalmente questo processo di formazione di una lingua letteraria italiana non poteva essere che lungo e graduale ed è valido anche per la storia della lingua e della letteratura italiana quanto si è detto per la storia politica: occorre stare in guardia dal concepire la sua unità come un dato di partenza e non come la resultante di un processo laborioso [...].

Destinato ad appagare la sete di sapere degli indotti e di coloro che non hanno potuto frequentare le scuole e, al tempo stesso, depurato com'è dai residui dialettali e dotato di una rigorosa struttura grammaticale e sintattica, lingua eminentemente letteraria, il volgare illustre di Dante è l'immagine e lo specchio stesso della funzione che gli intellettuali italiani tendevano ad attribuirsi nella società panitaliana e che, di fatto, essi avrebbero in parte esercitato a cominciare proprio dall'Alighieri. Esso — egli postillava — era la lingua che, se in Italia fosse esistita una *curia regis* simile a quella che esisteva in Germania, sarebbe stata parlata dai dotti e dai notabili di quella corte. E prevenendo l'obiezione di chi faceva presente che una siffatta corte o *aula* in Italia, appunto, non esisteva, Dante proseguiva rilevando che, anche se nella penisola non esisteva un principe unico, una *curia* esisteva egualmente «perché la corte l'abbiamo, per quanto appaia materialmente dispersa». E chi erano i componenti e i dignitari di questa dispersa e ideale corte italiana se non gli intellettuali e i letterati, l'*intellighenzia* disseminata attraverso le città e le corti della penisola? Il processo formativo di una coscienza, se non nazionale, panitaliana, ha dunque origine sul terreno letterario e per protagonisti gli intellettuali. A mano a mano infatti che venivano prendendo coscienza di sé e dei legami che li univano, della comunità ideale che formavano, gli intellettuali venivano anche scoprendo che la loro funzione e il loro servizio erano delimitati a un determinato tipo di società e che questa società era la *koinè* italiana con l'intensità dei rapporti civili ed economici che la caratterizzavano, con le sue fazioni guelfe e ghibelline, con le sue città, con il suo diritto romano, con la sua cultura. In Petrarca questa consapevolezza panitaliana apparirà ben presto compiutamente formata: per lui l'Italia è il paese cinto dal mare e dalle Alpi e gli italiani gli eredi più legittimi della tradizione romana.

Potremmo dire, nel tentativo di condensare in una formula il complicato processo del quale siamo venuti sin qui discorrendo, che in una società articolata, varia e dispersa come quella italiana dell'età comunale gli intellettuali costituiscono il solo ceto sociale che possegga una qualche visione d'insieme della medesima, un germe di consapevolezza nazionale. O meglio: che il primo embrione di una coscienza panitaliana nasce con l'emergere da essa di un nuovo ceto intellettuale e come consapevolezza che questo ha della sua funzione.

Giuliano Procacci

(Da *Storia degli italiani*, Bari, Laterza, 1971, I, pp. 57-63, con tagli).

San Francesco e l'uomo gotico

All'inizio del secolo il panteismo di Amalrico di Bena fu violentemente stroncato: ciò che contava era non confondere Dio con le creature, e distinguere i valori particolari del corpo, dell'anima e dello spirito. Senza tuttavia condannare la materia, senza separarla da Dio né contrapporla a lui come un principio differente e ostile: il maggior pericolo era sempre il dualismo manicheo. Interpretata con prudenza, la teologia di Dionigi l'Areopagita offriva una possibilità d'equilibrio. Essa mostrava che la natura emanava da Dio, e a lui tornava per completarlo. In questa duplice corrente d'amore, le creature appaiono come sostanze distinte dalla divinità, che esiste indipendentemente da esse, ma il loro essere si conforma a un modello esemplare che è in Dio. Illuminate e colmate di lui, esse tuttavia ne presentano soltanto il riflesso. Secondo il pensiero dionisiano e secondo la teologia ortodossa che ad esso s'ispira, la materia partecipa dello splendore di Dio, lo glorifica e porta a conoscerlo.

Il giubilante ottimismo di Francesco d'Assisi la concepiva appunto così. «Come dire la commozione da cui era colto allorché riconosceva nelle creature il segno, la potenza e la bontà del Creatore? Come un tempo i tre fanciulli nella fornace esortavano tutti gli elementi a lodare e glorificare il Creatore, così Francesco, colmato dello spirito di Dio, trovava in tutti gli elementi e le creature motivo di rivolgere al Creatore e al Signore del mondo gloria, lodi e benedizioni [...]. Se vedeva un prato smaltato di fiori, subito gli predicava, come se i fiori avessero la ragione, invitandoli a lodare il Signore. Le messi e i vigneti, i ruscelli, gli orti verdeggianti, la terra e il fuoco, l'aria e i venti, tutto egli esortava con la più ingenua semplicità ad amare Dio e a obbedirgli con tutto il cuore»... Fratello di Gesù, Francesco si sente fratello anche degli uccelli del cielo, del sole, del vento e della morte. Percorrendo la campagna umbra, tutte le sue bellezze lo accompagnavano in lieto corteo. Una tal comunione nelle gioie del mondo s'intonava ai sogni di conquista della gioventù cortese, e poteva ricondurre a Dio i gruppi di giovani e di fanciulle che si recavano a inghirlandare l'albero di maggio. Accettando la natura, gli animali selvatici, i brividi dell'alba e i vigneti rosseggianti, la Chiesa delle cattedrali poteva ancora sperare di recuperare i cavalieri avventurosi, i trovatori e l'antica fede pagana nella potenza delle forze agresti.

Riabilitando la materia, la teologia cattolica distruggeva le basi stesse del catarismo, e fu probabilmente il francescano *Cantico delle creature* che ottenne contro l'eresia le vittorie decisive. Celebrando Dio nel suo atto creatore, i teologi posero al centro dell'arte delle cattedrali l'immagine riconciliata dell'universo visibile. Il rosone del transetto nord, a Reims, e gli archivolti di Chartres mostrarono Dio mentre crea la luce e gli astri, separa il giorno dalla notte, la terra dall'acqua, e modella le piante, gli animali e infine l'uomo, offrendo a ogni sguardo l'inventario della creazione. In questo caso tuttavia la narrazione della Genesi usciva dal simbolismo, e, come già aveva tentato Teodorico di Chartres, era possibile stabilire una concordanza fra il testo biblico e quanto all'epoca insegnava la fisica. I successivi atti della creazione del mondo divennero quindi spettacolo, visione limpida e chiara. Tutti gli esseri della natura sono percettibili ai sensi di cui Dio ha dotato l'uomo, invitandolo a guardarli e a osservarli, e non soltanto a immaginarli in sogno. «L'anima — dice san Tommaso d'Aquino — deve trarre dal sensibile ogni sua conoscenza». È aprendo gli occhi che si vedono queste forme di Dio. Il nuovo pensiero toglieva spazio alla favola, al fantastico dei bestiari e a tutte le meraviglie immaginarie; e mentre crociati, mercanti e missionari andavano a esplorare contrade ignote, esso dissipava ombre e fantasmi, sostituiva animali viventi ai mostri incontrati un tempo dagli errabondi eroi dei romanzi cortesi, e le foglie che chiunque può vedere in un bosco alla flora fantastica delle miniature romaniche [...].

Le costruzioni teologiche, dal canto loro, imitando Aristotele, uniscono tutte alla propria metafisica una fisica che non si fonda più sulle analogie ma sull'esperienza dei sensi. Queste somme della conoscenza si pretendono scientifiche, e tentano di assimilare i dati forniti dagli eruditi arabi e greci. Insieme alla geometria in essa implicita, l'ottica è in questo momento il settore di punta della ricerca: in Europa è l'epoca degli astronomi e delle prime misure esatte dell'universo stellare, ed è anche l'epoca dei naturalisti. Alberto Magno, giunto a Parigi nel 1240, presenta immediatamente ai suoi alunni, nonostante il divieto fattogliene, la *Filosofia naturale* di Aristotele. Personalmente egli redige una *Somma delle creature* in cui descrive metodicamente le caratteristiche particolari della fauna delle regioni tedesche ove aveva passato i suoi primi anni. I domenicani amavano svagarsi nei boschi come tutti gli altri uomini; le città non erano poi tanto grandi né chiuse, e ci si sentiva l'odore della primavera; le nuove mura di cinta comprendevano orti, vigneti e perfino campi di grano. La civiltà materiale non aveva separato dal cosmo l'uomo del XIII secolo, che era ancora un animale semiselvatico e per il quale il tempo cambiava ritmo e sapore a seconda delle stagioni. Gli intellettuali non vivevano rinchiusi in una stanza, ma più spesso negli orti e nei prati, e tutti i chiostri s'incentravano su un giardino pieno di fiori e di uccelli. Tale familiarità con le cose naturali, il senso della loro innocenza, la consapevolezza ch'esse recano l'impronta di Dio e ne rivelano il volto, fanno sì che a poco a poco la linfa sale lungo gli scapi di Notre-Dame di Parigi, raggiungendone i capitelli e insinuandosi nelle loro corone vegetali [...].

Questa spinta verso il realismo non va comunque oltre certi limiti. Se l'uomo è chiamato a studiare l'universo, è per meglio definire dei tipi e scoprire l'ordine secondo cui Dio li ha suddivisi. La dottrina della scuola insegna che ogni individuo, nella sua singolarità, appartiene a una specie il cui prototipo esiste nel pensiero divino. Quando decora la cattedrale, l'artista ha il compito di raffigurare una specifica forma, e non gli accidenti individuali che possono in qualche modo alterarla. Egli deve perciò lasciar sedimentare le proprie esperienze visive, ed elaborarle alla luce della ragione. Il pensiero di Dio procede logicamente, come quello dell'uomo, e le forme ch'esso genera si proiettano come fa la luce, seguendo cioè uno schema geometrico.

Tali immagini d'altra parte non avrebbero alcun significato se restassero isolate: spetta dunque al maestro d'opera raggrupparle, affinché contribuiscano, nell'ordine, a rappresentare l'insieme dell'universo creato. La natura è una, infatti, come il Dio da cui emana, e la cattedrale intende raffigurarla globalmente. La sua decorazione non è soltanto un insieme di campioni, ma vuol essere un inventario esauriente, l'immagine di una coerenza, una «somma di creature» anch'essa. Per Alano di Lilla, la Natura, «luogotenente di Dio onnipotente», rifrange in molteplici riflessi la semplicità divina. Tale concezione implica una parentela di tutte le parti della creazione, e ne stabilisce le reciproche armonie. Il realismo perseguito dall'arte di Francia è un realismo delle essenze: non del singolare, ma del globale. Quest'arte limpidissima rispetta le gerarchie di Dionigi, situando al suo posto ogni elemento del cosmo, ogni astro, ogni regno, ogni ordine e ogni specie: è ordinamento di un insieme. Perché «la natura divina dispone tutte le cose in un ordine armonioso, in modo che tutte siano coordinate in una coerenza concreta, conservando ognuna la sua purezza specifica, anche quando è coinvolta nelle reciproche coordinazioni». In questa definizione di san Tommaso, ogni parola contiene e concorre a fornire la chiave dell'estetica gotica. Di lì a poco Dante la riprenderà e la continuerà.

Di ogni essere l'artista deve infine presentare un'immagine piena, totale: «Ciò che si toglie alla perfezione delle creature, è alla perfezione stessa di Dio che vien tolto» (san Tommaso d'Aquino).

A tale perfezione tendono le leggi della natura, che tuttavia stenterebbero a raggiungerla se l'uomo non intervenisse per accelerarne il progresso ed eliminare tutto quanto impedisce il libero gioco dei ritmi naturali. Questo è il suo ruolo, per questo Dio gli ha dato la ragione. Come l'uomo romanico, l'uomo gotico vive al centro del cosmo, vi aderisce per «coordinazioni reciproche» e ne subisce costantemente gli influssi in tutta la propria carne. I suoi umori sono in relazione con gli elementi della materia, il corso degli astri orienta il corso della sua vita. Egli però non è passivo come l'uomo romanico, né schiacciato dall'universo. Ponendolo al vertice delle creature materiali, al più alto livello delle gerarchie del mondo visibile, il sommo artefice lo chiama a collaborare alla propria opera: creandolo, egli l'ha concepito come agente della creazione a sua volta. La teologia delle cattedrali accompagna ed interpreta l'impulso che fa progredire prati, campi e vigneti a spese delle sodaglie, che fa sviluppare i sobborghi delle città, che spinge i mercanti alle fiere, i cavalieri in battaglia e i francescani alla conquista delle anime, tutta insomma l'alacre letizia che anima la nuova età. La creazione non è finita, e l'uomo vi contribuisce con le sue opere.

Al centro della creazione e dell'iconografia delle cattedrali si colloca dunque la figura dell'uomo. L'uomo gotico è anch'esso un prototipo: egli non ha il volto emaciato degli asceti né i lineamenti molli dei prelati, che soffrono del mal della pietra e muoiono di trombosi, né è vittima delle deformità conseguenti all'età, al lavoro o al piacere. Dal pensiero divino egli nasce adulto, al punto esatto di maturità cui lo condurrà la sua crescita e da cui la vecchiaia lo farà decadere, e assomiglia come un fratello al divino vasaio che sugli archivolti di Chartres lo foggia nella creta. Deformarne il corpo in un eccesso di realismo o per piegarlo alle esigenze di una cornice, come facevano gli artisti romanici, equivarrebbe a sminuire la perfezione di Dio, a un sacrilegio. Le armonie razionali che lo uniscono alla creazione devono evidenziarsi nella sua effigie, giacché condizionano le sue forme specifiche. La statura e i volti di Adamo ed Eva, a Bamberga, si iscrivono nelle armonie di una geometria perfetta: sono degli esseri redenti, chiamati a una gloriosa resurrezione, mondi di ogni peccato. I raggi di Dio già li illuminano e li trasportano verso la gioia. Sui loro volti di luce si disegna un sorriso angelico.

L'idea che i teologi del XIII secolo si fanno della creazione e dell'incarnazione redime l'universo dalla colpa e lo libera dal terrore.

I frati mendicanti, campioni della fede rinnovata, diffondono questo messaggio ovunque. «Non mi parlate — dice san Francesco d'Assisi — di alcun'altra forma di vita all'infuori di quella che il Signore mi ha misericordiosamente indicato e dato; la regola e la vita dei frati minori sta nell'osservare i santi Vangeli di Nostro Signore Gesù Cristo». I Vangeli in tutta la loro semplicità, *sine glossa*, senza commento.

Georges Duby

(Da *L'arte e la società medievale*, Bari, Laterza, 1977, pp. 179-185 e 191, con tagli).

Le origini delle Università

Il secolo XII non fu soltanto caratterizzato da una rinascita in campo culturale, ma fu anche un'età innovatrice nel campo delle istituzioni, soprattutto riguardo a quelle che hanno riferimento all'istruzione superiore: una storia che comincia con le scuole monastiche e delle cattedrali e che termina con le prime università. Si può dire che il secolo XII abbia istituzionalizzato l'istruzione superiore, o che per lo meno ne abbia avviato il processo. Nel 1100 «la scuola seguiva il maestro», nel 1200 è ormai il maestro a seguire la scuola. Non solo, ma gli anni intermedi avevano anche creato un tipo più evoluto di scuola, in rapporto naturalmente alla rinascita culturale. Ancora alla fine dell'XI secolo, la cultura negli schemi tradizionali s'identificava quasi esclusivamente con le sette arti liberali e ad esse era limitata; il XII secolo la dilatò facendole comprendere il *trivium*, il *quadrivium*, la nuova logica, la nuova matematica, la nuova astronomia, e dando al contempo vita alle facoltà professionali di diritto, di medicina, di teologia. Le università non erano esistite prima di questo momento perché l'Europa occidentale non possedeva ancora una cultura tale da giustificarne l'esistenza, ed emersero con l'espansione culturale di questo periodo. La rivoluzione intellettuale e quella istituzionale andarono di pari passo.

Il secolo XII non soltanto produsse le università, ma anche ne fissò il sistema ordinatore per le età successive. Non si trattò qui di rifarsi a un preesistente modello antico, giacché il mondo greco-romano non ebbe università nel senso proprio: ebbe sì un'istruzione superiore, superiore anche come livello, soprattutto nel campo della scienza giuridica, della retorica e della filosofia, ma questa istruzione non fu organizzata in facoltà e istituti aventi un piano di studi prefissato e un titolo di laurea al termine di un corso accademico. Anche quando lo stato volle addossarsi la responsabilità dell'istruzione superiore facendo degli insegnanti degli statali e creando nel basso impero le scuole pubbliche di diritto, ancora non si trattò di università. La quale nacque nel XII secolo ed ha in questo secolo gli archetipi cui si è improntata fino ai nostri giorni: Salerno, Bologna, Parigi, Montpellier e Oxford. L'università è uno dei contributi del medioevo alla storia della civiltà, ed è un contributo specifico del XII secolo.

Per università si intese agli inizi una corporazione in senso generico, non diversa dalle tante che il dominante spirito associativo del medioevo aveva creato. Solo col tempo la *universitas* venne specificandosi e restringendosi nel senso esclusivo di società corporativa di maestri e di studenti, *universitas societas magistrorum discipulorumque*, come dice la prima e ancora la migliore definizione di università. In senso generico, si può dire che alla base del rinnovamento dell'Europa meridionale sta la corporazione degli studenti, ma in entrambi i casi il perno intorno al quale ruota tutta la successiva evoluzione del sistema è l'ammissione alla corporazione dei maestri e professori. Senza tale ammissione non si aveva la licenza per insegnare: fino a quel momento lo studioso poteva restare studente tutta la vita, da quel momento in poi anche maestro, come rango se non come occupazione, ed era definitivamente uscito dallo stadio dello studente vagabondo. Contro ogni favoritismo e monopolio, l'ammissione era determinata da un esame in base al quale si stabiliva il grado di cultura accademica in ogni disciplina. Questa licenza ad insegnare (*licentia docendi*) costituì la prima forma di titolo accademico. Storicamente, tutti i titoli accademici furono in origine delle licenze d'insegnamento, come dimostra ancor oggi il titolo di dottore e di maestro: un maestro delle Arti letterali era pertanto un maestro qualificato per l'insegnamento letterario, un dottore in legge o in medicina era un insegnante di queste discipline. Il candidato doveva per solito tenere una lezione tipo, che era propriamente la sua *inceptio*, il primo atto con cui iniziava l'insegnamento. L'esame verteva su un preciso programma di studio, cioè sulla preparazione di determinati testi, il che a sua volta implicava un insegnamento sistematico e un periodo minimo di studio [...].

In una storia delle università dei paesi che si affacciano sul Mediterraneo, come pure delle scuole delle cattedrali e dei monasteri, non si può non tener conto della sopravvivenza delle tradizioni dell'istruzione laica, soprattutto per quanto concerne le professioni del diritto e della medicina. All'inizio almeno queste istituzioni furono meno connesse con la logica e con la matematica, che solo più tardi vennero ad allargare l'originaria impostazione letteraria, che non con l'insegnamento di queste discipline professionali, che le rese appunto illustri per tutto il medioevo [...]. Bologna è tra le università del medioevo la più famosa e di gran lunga la più importante.

Lo Studio di Bologna sorse in diretta conseguenza del movimento di rinascita del diritto romano, non fu però la più antica scuola giuridica italiana. Altre la precedettero: Roma, Pavia e la vicina Ravenna, ma nessuna di queste assurse allo stato di università. La storia di queste scuole dell'XI secolo è avvolta nella più fitta oscurità, e rimane oscuro il motivo per cui ad esempio Roma non si è evoluta in un centro universitario. Benché non sia stata forse la prima, Bologna godeva di una posizione che naturalmente la favoriva rispetto alle altre città, situata com'era all'incrocio delle grandi strade dell'Italia settentrionale, dove la strada di Firenze s'incontra con la via Emilia che corre lungo la costa settentrionale degli Appennini, e dove oggi vi è un nodo ferroviario che segue lo stesso tracciato. Una città ricca e soprattutto agevole per lo studio [...].

Bologna nell'XI secolo ha almeno una figura eminente di giurista, Pepone, ma è da tempo una scuola famosa di retorica. Nella seconda décade del secolo XII è testimoniata l'attività di un Alberto Samaritano che si accorda con gli studenti per costituire una scuola di *dictamen* nella città bolognese a preferenza di Cremona, e che insegna ai suoi allievi a scrivere lettere che denuncino lo studio della retorica e della grammatica, e la nuova teologia di Francia invece che il diritto; lettere non dissimili dalla metà del secolo in poi tendono ad esaltare la retorica, e da Bologna l'*ars dictandi* passa in Francia. Tuttavia, dopo Irnerio la grande fama di Bologna è legata alla sua scuola di diritto, ai suoi grandi maestri e al loro metodo innovatore, per cui essa diventa un polo d'attrazione per gli studenti che accorrono anche da molto lontano.

Furono per lo più questi *Ultramontani* a costituire il nucleo dell'università. Lontani da casa e privi d'ogni protezione, si organizzarono per la difesa e il vantaggio reciproco. Nella richiesta di concessioni dal comune si servivano della minaccia di piantare le tende altrove, una minaccia che era del resto facile da porre in atto, dal momento che l'università non possedeva gli edifici ai quali ancorarli, e gli studenti ottennero ben presto dalle autorità comunali alla loro corporazione il diritto di fissare essi stessi il prezzo dell'alloggio e dei libri, un diritto che segna un punto di svolta nell'organizzazione universitaria. La loro arma contro i maestri era il boicottaggio, ed erano loro ad avere il coltello per il manico per via del compenso che era pattuito in rapporto alle rette pagate dagli studenti, sicché col passare del tempo i maestri si trovarono in una posizione di totale dipendenza dal volere e dai capricci degli scolari, che controllavano minuziosamente il loro operato e che stabilivano di persona il piano di studi da svolgere. Anche i maestri avevano una loro corporazione, la cui funzione precipua consisteva nel controllo sull'ammissione e nel fissare le condizioni dell'abilitazione all'insegnamento, equivalente a una laurea. L'evoluzione dell'istituto universitario è connessa con questi due tipi di corporazioni. È significativo, comunque, che a Bologna le corporazioni dei maestri fossero chiamate collegi e che il nome di università fosse riservato alle *universitates scholarium*, che erano forse inizialmente quattro, ma che ritroviamo alla fine ristrette a due: l'*universitas* dei *Citramontani* e l'*universitas* degli *Ultramontani*, che costituirono veramente l'università. Questa impostazione corporativa prese forma nell'ultimo quarto del secolo XII, modellandosi probabilmente sulle altre corporazioni della città, giacché anche lo Studio di Bologna non possiede la carta di fondazione. Gli stessi privilegi che la popolazione universitaria degli studenti aveva ottenuto dall'autentica *Habita* di Federico I del 1158, e che consistevano essenzialmente nell'esenzione da ogni tributo e da ogni forma di giurisdizione delle autorità comunali, non fanno menzione di nessun particolare *studium*, sebbene i giuristi bolognesi avessero operato indubbiamente molto per ottenere tale privilegio e gli studenti avessero acclamato il passaggio dell'imperatore tre anni prima, e benché questo fosse considerato lo statuto fondamentale della popolazione universitaria dell'Italia settentrionale. Lo Studio di Bologna quindi non ebbe un anno ufficiale di fondazione, così come non ebbe un fondatore, e non vi fu pertanto una ragione valida per celebrare nel 1888, piuttosto che in un qualsiasi altro anno, l'ottavo centenario della fondazione, a meno che non si voglia attribuire il diritto alle università più antiche di avere i loro centenari e le loro celebrazioni come tutte le altre università di meno nobili e più recenti natali! *Bononia docta*, Bologna la dotta, fu l'epiteto di cui s'adornò sin dal 1119, e da allora fu sempre un importante centro di cultura.

Bologna, anche, fu madre di altre università (la maggior parte degli istituti d'istruzione superiore dell'Europa meridionale ebbero infatti nello Studio bolognese la loro prima ragione di vita), esattamente come lo fu Parigi per gli stati dell'Europa settentrionale, anche se, eccettuata Montpellier, la cui origine può forse riallacciarsi a Bologna, non ci consta che nessuna di queste figlie minori sia nata nel secolo XII. Il primo quarto del XIII secolo, comunque, vede la fondazione dello Studio di Padova, la vicina rivale sorta nel 1222 a causa di una secessione di maestri da Bologna, per non citare gli esempi meno importanti, e precedenti, degli Studi di Modena, Reggio e Vicenza; quello dell'Università di Napoli del 1224, creato per volere di Federico II con maestri bolognesi al fine di tenere entro il regno di Sicilia gli studenti; quello ancora delle anteriori università spagnole di Palencia e, probabilmente in questo stesso periodo, di Salamanca. Nell'Italia settentrionale le università si propagarono in genere per gemmazione, com'era stato di Oxford dalla cellula madre parigina, e si seguì di solito il tipo di organizzazione dello Studio di Bologna. È da rilevarsi inoltre che nella maggior parte queste università più tarde furono sempre scuole di diritto.

Quali materie comportasse il piano di studi e come fosse impostato l'insegnamento nelle università del XII secolo sono questioni tuttora oscure, delle quali possiamo parlare solo in termini generici, giacché non esistevano statuti in questo periodo e dato che non possediamo nessuna descrizione in merito della stessa chiarezza minuziosa del resoconto che Giovanni di Salisbury ci ha fatto della scuola di Chartres. Per quello che riguarda l'insegnamento, ci dobbiamo accontentare dell'informazione generica che l'attività universitaria consisteva in una serie di lezioni basate essenzialmente sul commento ai testi, su un elaborato sistema glossatorio, sulla discussione e il dibattito. Le esercitazioni si svolgevano nella casa del maestro o in una sala da lui affittata a tale scopo, poiché non esistevano gli edifici e le aule universitarie. Del piano di studi, sappiamo invece qualcosa di più in quanto conosciamo i principali testi di studio del tempo e perché verso il 1200 venne redatto, forse da Alessandro Neckam, un elenco sistematico delle opere studiate in ogni disciplina universitaria. Nello studio delle arti liberali Prisciano e Donato sono ancora le massime autorità della grammatica, e ad essi si aggiunge una corona di poeti e di retori antichi; la logica ebbe naturalmente una grande espansione in seguito alla diffusione della *Nuova Logica* di Aristotele e proprio in quest'epoca riceve nuovo stimolo dalle traduzioni dell'opera scientifica e della *Metafisica* del filosofo di Stagira. L'aritmetica e la musica sono ancora fondate su Boezio, ma la nuova scienza è già presente nella geometria di Euclide e nei compendi arabi delle opere astronomiche di Tolomeo, che sono ormai entrate nell'uso comune. Nel diritto civile il *Corpus iuris civilis* è alla base dell'insegnamento, e nel diritto canonico troviamo il *Decretum* di Graziano e le decretali dei papi successivi. La medicina è ancora fondata su Galeno e Ippocrate nelle primitive traduzioni dall'arabo, ma Avicenna non è ancora nato. I testi fondamentali di teologia sono la Bibbia e le *Sentenze* di Pietro Lombardo.

Charles H. Haskins

(Da *La Rinascita del Dodicesimo secolo*, Bologna, Il Mulino, 1972, pp. 307-309 e 323-328, con tagli).

La letteratura italiana del Duecento

Caratteri generali

Si fa iniziare col Duecento la storia della letteratura italiana; e in effetti per buona parte del secolo si riscontra una vasta produzione letteraria in volgare in varie regioni della Penisola.

Tale produzione è, però, connessa col policentrismo economico, politico, culturale che già s'è indicato come tipico della nostra storia. Agli albori del secolo, infatti, l'Italia è ben lontana da ogni forma di organizzazione unitaria. Al centro abbiamo la Chiesa, istituzione non nazionale, ma universalistica sia sul piano culturale sia su quello politico; al Nord le corti feudali si alternano ai liberi Comuni, saldamente affermati anche in Toscana e nelle regioni vicine; a Sud si va costituendo un regno fortemente accentrato che più tardi, con Federico II, tenterà invano l'unificazione politica dell'Italia.

Un analogo frazionamento si riscontra sul piano linguistico e su quello della produzione letteraria, una parte della quale non rientra neppure nella storia della letteratura italiana vera e propria. Alludiamo ai poemi cavallereschi in lingua d'oil che fioriscono nelle corti feudali del Nord e alla lirica amorosa in lingua d'oc che fiorisce anch'essa soprattutto nell'Italia settentrionale. I vari generi letterari tendono, insomma, a diffondersi nella lingua letterariamente elaborata, e perciò prestigiosa, in cui sono stati originariamente prodotti; segno che una storia letteraria coincide con l'affermarsi d'una tradizione linguistico-espressiva che coinvolge anche tematiche e generi.

Alla luce di queste considerazioni conviene procedere a una prima ripartizione della letteratura del Duecento in Italia seguendo un criterio geografico che delinea, insieme, filoni culturali legati a strutture politiche e al costituirsi di determinati tipi di pubblico.

Nella Lombardia e nel Veneto (con prolungamenti in area ligure e piemontese) si sviluppa una letteratura di carattere morale e didascalico, legata allo spirito pratico e fattivo dei Comuni, mentre, come s'è detto, le corti feudali restano fedeli alla letteratura cortese e cavalleresca di Francia, diffusa tuttavia anche in molte città. Nell'Umbria si diffonde, dietro l'impulso di S. Francesco e di altri movimenti religiosi di massa, la poesia religiosa in volgare umbro delle *laude* liriche e drammatiche e delle *sacre rappresentazioni*, che persegue un indirizzo popolareggiante. Nell'Italia meridionale, alla corte di Federico II, si verifica la nascita d'una poesia in volgare, con intenti raffinatamente artistici, che riprende tematica e forme della poesia in lingua d'oc, «traducendole», per così dire, in volgare letterario siciliano.

Più in ombra rimane, fino alla metà del secolo, la Toscana, che mantiene però stretti contatti con lo Studio bolognese, l'università italiana allora più celebre, dove all'intensa attività di studi giuridici si accompagna un grande sviluppo di quelli retorici.

Poco dopo la metà del secolo l'eredità della poesia siciliana, venuta meno col tramonto della potenza sveva, è assunta dagli scrittori toscani, che trascrivono, mutandone la veste linguistica nella propria, i canzonieri siciliani e quindi li emulano originalmente.

La produzione lirica siculo-toscana è storicamente assai importante, in quanto incomincia a tradurre una geografia in una storia; instaura, cioè, una tradizione tematico-espressiva che, arricchita, in seguito, dall'opera di Dante, Petrarca, Boccaccio, si proporrà, nel Trecento, come un modello alle altre regioni, a partire dal Veneto.

L'affermazione del primato toscano sul piano letterario e linguistico ha inizio nella seconda metà del Duecento e s'accompagna con la grande espansione economica e politica del Comune fiorentino. In Toscana si ha una vasta produzione non soltanto poetica, ma anche in prosa, ispirata dal bisogno di cultura della nuova classe politica emergente, in prevalenza borghese. Si moltiplicano, accanto a scritture originali, i volgarizzamenti di trattati in francese e in latino riguardanti la scienza, la filosofia morale e politica, la retorica.

Continua, d'altra parte, per tutto il secolo un'importante produzione in lingua latina sia di opere di alta cultura sia di opere di divulgazione (cronache, vite di santi, ecc.). I nostri scrittori più importanti non soltanto conoscono il latino in quanto intellettuali di educazione elevata, ma in latino scrivono (è il caso, per esempio, di Dante) una parte della loro opera e nei classici latini vedono pur sempre un alto modello stilistico. Fin dall'origine, cioè, la tradizione classica permane come un non trascurabile elemento unificante dell'esperienza letteraria italiana.

La scuola siciliana

Federico II, re di Sicilia e imperatore del Sacro Romano Impero, perseguì un assolutismo illuminato anche nell'ambito culturale. Alla sua corte convenivano gli ingegni migliori del regno di Sicilia (comprendente, com'è noto, anche l'Italia meridionale) e di altre regioni della Penisola. Italiani, Normanni, Arabi, senza discriminazioni di razza o di fede religiosa, collaboravano allo sviluppo d'una cultura scientifica e filosofica libera e soprattutto laica, come se anche in questo campo, oltre che in quello politico, l'Imperatore intendesse contrapporsi alla Curia romana.

Alla sua corte fiorì la prima poesia italiana scritta con intendimento artistico. Federico stesso fu poeta, come i figli Manfredi, Enzo, Federico d'Antiochia, e poeti furono alcuni alti funzionari della sua corte, come Pier della Vigna, Jacopo da Lentini, Guido delle Colonne, Rinaldo d'Aquino, e, legati all'ambiente cortigiano, altri, di cui abbiamo scarsissime notizie: Giacomino Pugliese, Odo delle Colonne, Jacopo Mostacci, il genovese Percivalle Doria, l'aretino Arrigo Testa, Ruggieri Apuliese, ecc.

Quasi tutti avevano compiuto presso le università studi di diritto, cui si accompagnava quello dell'*ars dictandi*, cioè della retorica. Uno di essi, Pier della Vigna, lasciò una raccolta di epistole in latino, guardate per molto tempo come un modello di stile.

Questa «scuola», cioè questo gruppo di scrittori uniti da comuni predilezioni di gusto, di stile, di contenuti, seguì le fortune della casa imperiale che aveva creato l'ambiente di costume e di cultura di cui essa era parte: costituitasi non molto dopo l'incoronazione di Federico (1220) forse a metà del quarto decennio del secolo, si dissolse alla morte di re Manfredi (1266), successo, nel 1250, al padre, quando crollò la potenza della casa Sveva in Italia.

L'aspetto saliente della poesia dei Siciliani è il suo consapevole convenzionalismo: temi, vocaboli, immagini ricalcano il modello francese, soprattutto quello provenzale, sia pure in libera emulazione. È un'arte connessa al costume d'una società elevata, con le sue regole eleganti e rigorose; al poeta non interessa tanto ostentare una propria originalità, quanto mostrarsi degno di partecipare alla civiltà raffinata della corte.

Il tema è l'amor cortese, anch'esso col suo galateo ben definito. La donna è rappresentata con caratteri tipici, astratti: bella (ha *bionda testa* e *chiaro viso*), spesso inaccessibile, dotata di *saviezza* e *intendimento*, cioè di finezza d'educazione e di costume, *cortese*, e quindi capace di nobile amore, è paragonata alla rosa profumata, a una stella luminosa. L'amante ha con lei un rapporto di vassallaggio cavalleresco, tiene chiuso in sé il suo amore, salvo esaltarlo poeticamente come sentimento nobilitante e gioia incomparabile. Da questi temi nascono svolgimenti obbligati, veri e propri «generi» lirici: lamenti d'amore lontano, profferte d'amore e lodi della donna, esaltazione d'amore, lamenti d'amore infelice, anche non in prima persona, disquisizioni sull'origine e natura d'amore, e così via. Un repertorio limitato e fisso, attento a delineare in forma esemplare gli aspetti della psicologia amorosa, non a raccontare una particolare vicenda.

In questo culto di un'idealità sentimentale, libera da ogni giustificazione etico-religiosa in senso tradizionale, avviene l'incontro fra autore e pubblico. L'amore diviene la forma in cui s'esprime un modello di vita sociale fine e signorile. Di qui la «coralità» della voce di questi poeti e il loro atteggiare l'esperienza interiore in un rituale di gesti perfetti, e, insieme, la loro ricerca di un'eleganza formale che sia di per sé espressione di aristocrazia. Poesia è, dunque, questo elegante ragionar d'amore, questa capacità di raffinato sentire di cui il canto del poeta è celebrazione.

Assai notevole è l'importanza storica dei Siciliani. Mentre nel Nord la poesia d'amore fioriva ancora in lingua d'oc, essi elaborarono un linguaggio poetico, una tradizione di lingua e di stile che fu poi continuata dai poeti italiani successivi. I Siciliani assunsero a strumento di espressione artistica il volgare che si parlava nel Regno; o meglio, dalle varie parlate volgari dirozzate e unificate dall'uso delle persone d'una certa levatura culturale, quali erano quelle che frequentavano la corte, trassero un linguaggio poetico stilizzato e affinato, tenendo come modello il latino, la lingua dei dotti, ma anche il provenzale e il francese, che offrivano quello che potremmo chiamare il vocabolario tecnico della vicenda dell'amor cortese.

Ove manchi indicazione in contrario, i testi sono conformi a quelli editi nell'antologia: *Poeti del Duecento*, a cura di G. Contini, Milano-Napoli, Ricciardi, 1960.

Giacomo da Lentini

Fu notaio, funzionario della corte di Federico II; considerato, a cominciare da Dante, come il caposcuola, cioè come il rappresentante più insigne e, in certo modo, il maestro, dei poeti siciliani. Sembrerebbe aver scritto le sue liriche fra il 1233 e il 1240, nel qual caso si potrebbe assegnare a questi anni l'inizio della produzione della «scuola».

Meravigliosamente

Il tema centrale (proposto fin dal primo verso) è la «meraviglia» o la mirabile essenza d'amore, raffigurato nella sua dimensione psicologica elementare: la «pittura» o immagine dell'amata dipinta nel cuore. Questa non soltanto si accampa in esso dominatrice, ma supera (altra «meraviglia») la presenza reale della donna, che il poeta quasi non guarda, assorto nella propria visione interiore, insieme beatificante e struggente.

Si riscontra, nel testo, una ben dosata simmetria. Nelle prime tre stanze prevale il tema della contemplazione, del costituirsi della «pittura»; nelle tre successive quello del travaglio d'amore, proiettato all'esterno, come pubblica prova di fedeltà (stanze 4 e 5, momento dell'incontro; stanza 6, presenza della — e nella — società cortese). L'ultima stanza, o congedo, colloca in una sequenza d'immagini luminose la richiesta di appagamento.

Meravigliosamente
un amor mi distringe
e mi tene ad ogn'ora.
Com'om che pone mente
5 in altro exemplo pinge
la simile pintura,
così, bella, facc'eo,
che 'nfra lo core meo
porto la tua figura.
10 In cor par ch'eo vi porti,
pinta como parete,
e non pare di fore.
O Deo, co' mi par forte.
Non so se lo sapete,
15 con' v'amo di bon core:
ch'eo son sì vergognoso,
ca pur vi guardo ascoso
e non vi mostro amore.
Avendo gran disio,
20 dipinsi una pintura,
bella, voi simigliante,
e quando voi non vio,
guardo 'n quella figura,
e par ch'eo v'aggia avante:
25 come quello che crede
salvarsi per sua fede,
ancor non veggia inante.
Al cor m'arde una doglia,

Metro: *canzonetta* di settenari; *la fronte* è di due piedi (abc, abc), la *sirma* di tre versi (ddc).

1-3. Meravigliosamente: in modo mirabile, tale da destare stupore; **mi distringe**: mi tiene afferrato con forza. L'avverbio del I° verso sia per il significato sia per la sua posizione isolata che accentra vivamente su di sé l'attenzione, sia per il ritmo lentamente modulato, allude a un'esperienza singolare ed esaltante.

4-9. Com'om... figura: Come un pittore che, osservato attentamente un modello, ne dipinge l'immagine pienamente conforme, così, bella, faccio io, ché porto dipinta nel cuore l'immagine della tua persona.

10-13. «Sembra che io vi porti nel cuore quale realmente apparite, e pure questo non appare all'esterno. O Dio, come mi pare duro questo!». Cioè è duro per il poeta non riuscire a manifestare quell'amore che pure fa sì ch'egli riesca a dipingere così vivamente nel suo cuore l'immagine di lei. Continua il tema della «meraviglia», cioè dell'esperienza vera e pur mirabile, dell'amore. Si chiama «replicazione» questa ripresa del concetto e delle parole della chiusa della strofa precedente: è procedimento assai usato dai Siciliani e dai Provenzali.

15. con' v'amo... core: come v'amo con animo sincero, leale.

16-18. «perché io sono così timido (*vergognoso*), che vi guardo, ma sempre rimanendo nascosto, senza farmi scorgere e non vi dimostro il mio amore».

19-21. Ritorna il motivo della prima strofa: avendo gran desiderio di ammirare la donna amata, il poeta dipinge l'immagine di lei nel suo cuore.

22. vio: vedo.

25-27. «come fa il credente che pensa di salvarsi per la fede, anche se non ha davanti agli occhi l'oggetto di essa (cioè Dio)». È frequente nella lirica cortese questo richiamo a immagini e sentimenti propri dell'esperienza religiosa, ma sono semplici metafore che intendono sottolineare l'intensità dell'amore, l'assoluta dedizione dell'amante all'amata.

28-36. Ritorna il motivo della sofferenza, dei sospiri d'amore. Tutta la canzone è

com'om che ten lo foco
30 a lo suo seno ascoso,
e quando più lo 'nvoglia,
allora arde più loco
e non pò stare incluso:
similemente eo ardo
35 quando pass'e non guardo
a voi, vis'amoroso.
S'eo guardo, quando passo,
inver' voi, no mi giro,
bella, per risguardare.
40 Andando, ad ogni passo
getto uno gran sospiro
che facemi ancosciare;
e certo bene ancoscio,
c'a pena mi conoscio,
45 tanto bella mi pare.
Assai v'aggio laudato
madonna, in tutte parti
di bellezze ch'avete.
Non so se v'è contato
50 ch'eo lo faccia per arti,
che voi pur v'ascondete.
Sacciatelo per singa,
zo ch'eo no dico a linga,
quando voi mi vedrite.
55 Canzonetta novella,
va' canta nova cosa;
lèvati da maitino
davanti a la più bella,
fiore d'ogni amorosa,
60 bionda più c'auro fino:
«Lo vostro amor, ch'è caro,
donatelo al Notaro
ch'è nato da Lentino».

fondata sull'alternarsi, anzi sulla complementarità di questo motivo doloroso e della contemplazione beatificante dell'immagine della donna.
29-30. «Come se tenessi nascosto nel mio petto del fuoco».
31-33. «E quanto più lo avvolge (lo copre), tanto più ivi (loco) arde e non può star chiuso, nascosto».
34-36. Così l'ardore del poeta si fa tanto più sentire quanto più egli tenta di celarlo, passando accanto alla donna e non guardandola.
37-39. «Anche se quando passo guardo verso di voi, bella, non mi rivolgo a guardarvi una seconda volta».
42. ancosciare: respirare affannosamente.
44-45. c'a pena, ecc.: sono quasi fuori di me, tanto bella mi appari. Questa è la strofa che con maggior intensità esprime il tormento d'amore. La donna è, come in tutta la poesia, un'immagine sfocata. In primo piano è il poeta, chiuso nella solitudine del proprio sogno.
46-48. «Assai v'ho lodato, madonna, dovunque, per la vostra bellezza».
49-54. «Non so se vi è stato detto che io faccia questo artificiosamente, non con sincerità; (e lo temo) dato che seguitate a nascondervi (cioè ad evitarmi). Ma quello che io non riesco ad esprimere (in modo convincente) con la lingua, apprendetelo dai chiari segni che io manifesto quando mi vedete». Saranno, i segni, il pallore, il tremore, ecc. La poesia provenzale e quella italiana, fino almeno al Dolce Stil Novo, insistono particolarmente su codesti «segni» che rivelano l'amore, che pure deve essere tenuto gelosamente nascosto.
55-63. È il «commiato» della canzone, nel quale spesso il poeta si rivolge alla canzone stessa.
55-56. novella... nova: insiste sulla novità della sua poesia e della situazione psicologica in essa rappresentata; «nova» è forse una ripresa del *meravigliosamente* iniziale. **va' canta**: va a cantare.
57. da maitino: di buon'ora.
59-60. «Fiore di ogni donna degna e capace d'amore, bionda più che oro prezioso». *Amorosa* è un complimento, non si riferisce ad una situazione concreta; essere capaci d'amore «fino» è, secondo questa società aristocratica, sinonimo di «cortesia». Le lodi contenute nei due versi sono luoghi comuni della poesia siciliana: qui però sono disposte in un crescendo che pare esprimere un entusiasmo sempre più vivo: dapprima un complimento generico (*la più bella*), poi un altro, non meno comune, che però si riferisce non più alla figura, ma all'animo della donna; infine l'immagine dei capelli biondi, tersi e preziosi, che lascia il senso di una presenza luminosa. È in questa abilità di trapassi e di gradazioni che avvertiamo il carattere colto e raffinato di questa poesia.
61-63. caro: prezioso. È frequente nella poesia francese, non in quella provenzale, il nominarsi del poeta alla fine del canto.

Amor è uno desio che ven da core

Questo sonetto fa parte di una *tenzone*, cioè di una corrispondenza poetica nella quale un poeta pone un quesito o una questione e gli altri rispondono determinandola e definendola. Generalmente, fra i Siciliani, come fra i provenzali, si definiscono in queste tenzoni regole e forme dell'amor cortese e i rapporti che devono intercorrere fra Amante e Madonna. Sono quindi giuoco galante e compiaciuto.

Interessante è qui la posizione del problema riguardante la natura e l'essenza, l'origine e gli effetti dell'amore, problema che appassionerà i nostri poeti dai Siciliani a Dante. Nel rispondere a questi quesiti, già i Siciliani rivelano un profondo interesse per la psicologia amorosa e il bisogno di spiegare l'intima vita della coscienza, di affermare la nobiltà e moralità dei sentimenti umani.

Si attribuisce, però con molta incertezza, a Giacomo l'invenzione del sonetto.

Amor è uno desio che ven da core
per abondanza di gran piacimento;
e li occhi in prima generan l'amore
e lo core li dà nutricamento.
5 Ben è alcuna fiata om amatore
senza vedere so 'namoramento,
ma quell'amor che stringe con furore
da la vista de li occhi ha nascimento:
ché li occhi rappresentan a lo core
10 d'onni cosa che veden bono e rio,
com'è formata naturalemente;
e lo cor, che di zo è concepitore,
imagina, e li piace quel desio:
e questo amore regna fra la gente.

Metro: *sonetto* (schema: ABAB, ABAB, CDE, CDE).

1-4. «Amore è un desiderio che viene dal cuore e nasce dall'abbondanza del piacere che l'oggetto dell'amore (la donna) ispira; amore è generato in primo luogo dagli occhi (mediante i quali vediamo e ammiriamo la donna) e viene poi nutrito dal cuore».
5-8. «Può darsi che talvolta (*alcuna fiata*) l'uomo ami senza vedere la persona amata; ma il vero amore che diventa passione fremente nasce dalla vista dell'amata». Nei primi versi, Giacomo allude alla leggenda di Jaufré Rudel, poeta provenzale che s'innamorò di Melisenda senza averla veduta.
9-14. Dopo la digressione costituita dalla seconda quartina, viene spiegata con precisione la prima. Gli occhi mandano al cuore la rappresentazione di ogni cosa che vedono, la sua conformazione naturale, le sue qualità buone e cattive; e il cuore che è concepitore di ciò (**zo**), che cioè ricava dalle impressioni sensoriali la «pittura» viva della donna, *imagina*, cioè tutto si fissa nell'immagine (e dunque nel pensiero) di lei, e il desiderio, cioè il piegare dell'anima verso quell'immagine, dà piacere, gioia d'amore. Questa è l'essenza dell'amore che vive nel mondo.

Io m'agio posto in core a Dio servire

Accanto a testi più ideologicamente impegnati, come i due che precedono, ve ne sono altri, nella poesia dei Siciliani, di rappresentazione più diretta dei sentimenti, come questo, in cui il poeta sogna di ritrovarsi in Paradiso con la sua donna. Un paradiso tutto umano, a dire il vero, illuminato dal *claro viso*, dai capelli biondi di lei; e soprattutto da quel suo sguardo «morbido». Sono frequenti, nella poesia d'amore dei primi secoli, metafore e paragoni tratti dall'esperienza religiosa, che divengono un modo d'intensificazione dei sentimenti espressi, attinto all'immaginario collettivo dell'epoca.

Io m'agio posto in core a Dio servire,
com'io potesse gire in paradiso,
al santo loco ch'agio audito dire,
u' si mantien sollazzo, gioco e riso.
5 Sanza mia donna non vi voria gire,
quella ch'ha blonda testa e claro viso,
ché sanza lei non poteria gaudere,
estando da la mia donna diviso.
Ma no lo dico a tale intendimento,
10 perch'io pecato ci volesse fare;
se non veder lo suo bel portamento
e lo bel viso e 'l morbido sguardare:
ché lo mi teria in gran consolamento,
veggendo la mia donna in ghiora stare.

Metro: *sonetto* (schema: ABAB, ABAB, CDC, DCD).

1. «Io ho fatto proponimento di servire fedelmente Dio».
2. com'io: affinché io possa. **gire**: andare.
3-4. ch'agio... riso: dove (**u'**= latino *ubi*, cioè *dove*) ho udito dire che durano ininterrottamente sollazzo, gioia, felicità.
6. Potrebbe sembrare un verso inutile, tanto più che gli attributi (il biondo dei capelli, il viso *claro*, cioè luminoso, risplendente) sono convenzionali, ma quest'apparizione della donna, questo ricordarla nella sua bellezza, di fronte al Paradiso appena evocato, costituiscono un vivace movimento affettivo.
7-8. Il poeta non potrebbe essere felice se restasse da lei diviso.
9-14. «Ma non lo dico con (questa) intenzione di voler peccare con lei: bensì soltanto perché vorrei vedere i suoi costumi onesti (**bel portamento**), il suo bel viso e il suo dolce sguardo: poiché sarebbe gran consolazione per me vedere la mia donna stare nella gloria dei cieli».

Guido delle Colonne

Sappiamo pochissimo di lui: fu messinese, giudice, nacque, forse, nel 1210. Fu ammirato da Dante come uno dei poeti più grandi fra i Siciliani. L'ammirazione di Dante, giustificata, è fondata soprattutto sull'abilità tecnica di Guido.

Gioiosamente canto

È il canto felice dell'amore corrisposto. La parola tematica *gioia* appare in ogni stanza (tranne che nella seconda) una o più volte, e intorno a lei si adunano immagini naturalistiche di fresca, immediata vitalità (ad es. la fontana piena che si espande). Al tema della gioia si intreccia quello del canto (cfr. stanze 3 e 5), identificando, come spesso avviene nei poeti provenzali, amore e poesia (l'amore è gioia, pienezza di vita che si effonde nel canto; poesia è discorso ispirato da amore). Anche sul piano ritmico la canzone ha un solido impianto. In ogni stanza ai settenari viene affidata la proposizione lirica del tema, con agile ricchezza di immagini e moti affettivi; i quattro endecasillabi finali approfondiscono meditativamente l'emozione.

Gioiosamente canto
e vivo in allegranza,
ca per la vostr' amanza,
madonna, gran gioi sento.
5 S'eo travagliai cotanto,
or aggio riposanza:
ben aia disïanza
che vene a compimento;
ca tutto mal talento — torna in gioi,
10 quandunqua l'allegranza ven dipoi;
und'eo m'allegro di grande ardimento:
un giorno vene, che val più di cento.
Ben passa rose e fiore

Metro: *canzone*. Ogni *stanza* è composta di *fronte* di due piedi (vv. 1-4 e 4-8; schema abbc; settenari) e *sirma* DDEE (endecasillabi), legata all'ultimo verso della fronte da rima interna.

1-2. Gioiosamente canto: è qui proposto il tema fondamentale della canzone: l'intima gioia che si fa canto. **allegranza**: allegrezza.
3-4. «perché, madonna, sento grande gioia a causa del vostro amore».
5-8. «Se tanto soffrii (prima che il mio amore fosse, com'è ora, corrisposto) ora ho pace, serenità; sia benedetto il desiderio che giunge al suo compimento, cioè ad essere esaudito».
9-10. «perché (**ca**) ogni irritazione (**mal talento**) si tramuta (**torna**) in gioia, tutte le volte che ad essa succede un'allegrezza piena».
11-12. und': e per questo. **ardimento:** forse da «ardere»; e allora significa che per il poeta l'ardore amoroso che lo travagliò si risolve ora in pura gioia.
13-22. All'affermazione della gioia, alla benedizione dell'amore, succedono conseguentemente le lodi di colei che lo ispira e che lo appaga. **fiore**: fiori. **cera**: volto. **lucente più che spera**: più che un raggio di sole.

la vostra fresca cera,
15 lucente più che spera;
e la bocca aulitosa
più rende aulente aulore
che non fa d'una fera
c'ha nome la pantera,
20 che 'n India nasce ed usa.
Sovr'ogn'agua, amorosa — donna, sete
fontana che m'ha tolta ognunqua sete,
per ch'eo son vostro più leale e fino
che non è al suo signore l'assessino.
25 Come fontana piena,
che spande tutta quanta,
così lo meo cor canta,
sì fortemente abonda
de la gran gioi che mena,
30 per voi, madonna, spanta,
che certamente è tanta,
non ha dove s'asconda.
E più c'augello in fronda — so' gioioso,
e bene posso cantar più amoroso
35 che non canta già mai null'altro amante
uso di bene amare otrapassante.
Ben mi deggio allegrare
d'Amor che 'mprimamente
ristrinse la mia mente
40 d'amar voi, donna fina;
ma più deggio laudare
voi, donna caunoscente,
donde lo meo cor sente
la gioi che mai non fina.
45 Ca se tutta Messina — fusse mia,
senza voi, donna, nente mi saria:
quando con voi a sol mi sto, avenente,
ogn'altra gioi mi pare che sia nente.
La vostra gran bieltate
50 m'ha fatto, donna, amare,
e lo vostro ben fare
m'ha fatto cantadore:
ca, s'eo canto la state,
quando la fiore apare,
55 non poria ubrïare
di cantar la fred[d]ore.
Così mi tene Amore — corgaudente,
ché voi siete la mia donna valente.
Solazzo e gioco mai non vene mino:
60 così v'adoro como servo e 'nchino.

16-20. e... usa: e la bocca profumata manda un profumo più odoroso (nota l'insistenza: *aulitosa, aulente, aulore*: è un procedimento retorico, detto *replicazione*, per intensificare l'immagine) di quello che manda una fiera, la pantera, che nasce e vive in India. Secondo i «bestiari», cioè gli strani trattati medioevali di zoologia, la pantera lasciava dietro di sé dovunque passasse una scia di profumo.
21-22. «O donna amorosa, siete una fontana che m'ha tolto qualunque sete, meglio di quanto non avrebbe saputo fare qualsiasi acqua».
23-24. «e per questo io sono verso di voi più leale e fedele di quanto non lo sia l'assassino col suo signore». Gli assassini erano i membri di una setta di fumatori di hashish (uno stupefacente) che obbedivano ciecamente agli ordini, spesso di assassinio, del loro Signore, il Veglio della Montagna. Abitavano in una regione vicina alla Persia; ne parla, come vedremo, Marco Polo.
25-36. La stanza, soprattutto nei primi quattro versi, esprime il dilagare della gioia e, conseguentemente, del canto.
26. spande: trabocca.
28-32. «il cuore abbonda di una gioia grande e che si espande a causa di madonna, ed è tanta che non può in alcun modo celarsi».
34-36. Il poeta può cantare più amoroso, cioè può esprimere nel suo canto la pienezza del proprio ardore più di qualsiasi altro amante che porti all'estremo la pratica dell'amore perfetto (Contini).
38-40. d'Amor... fina: «per il fatto che in primo luogo Amore avvinse il mio animo all'amore di voi, donna cortese, adorna d'ogni pregio (*fina*)».
42. caunoscente: secondo la terminologia dei poeti «cortesi» provenzali, l'aggettivo indica senno, saviezza.
43-44. donde: dalla quale. **fina**: finisce. In *rima equivoca* col *fina* del v. 40 (è così chiamata la combinazione in rima di due parole uguali nella forma e diverse nel significato).
45. Ca: poiché.
47. a sol: da solo. **avenente**: bella.
51-52. «la vostra eccellente condotta (allude al fatto che la donna contraccambia il suo 'fino' amore) mi ha fatto poeta, mi ha spinto a cantare gioiosamente».
53-54. state: primavera. **la fiore**: femminile come in provenzale, in spagnuolo, in francese.
55-56. «non potrei obliare di cantare (anche) quando viene il freddo».
57-58. «In tale condizione mi tiene Amore, cioè col cuore gioioso, perché voi siete la mia valente donna» (in *donna* è presente ancora il significato del latino «domina» = signora, padrona).
59-60. «Sollazzo e gioia non mi vengono mai meno: così v'adoro e m'inchino dinanzi a voi come vostro servo». È l'omaggio cavalleresco dell'amante «cortese».

Giacomino Pugliese

Mancano notizie sulla sua vita. La sua poesia ha goduto grande favore presso i critici del secolo scorso i quali videro, erroneamente, in lui il rappresentante di una poesia popolare, più viva e sincera, che essi contrapponevano a quella aulica e stilizzata dei rimatori di corte. La critica più recente ha dimostrato che anche Giacomino è poeta colto, come gli altri; ripete temi e motivi comuni alla «Scuola» e ricerca un'espressione limpida e raffinata, anche se ha una sua vena dolce che piace al lettore moderno.

Morte, perché m'hai fatta sí gran guerra

È un compianto in morte della donna amata, condotta secondo gli schemi fissati dai provenzali per tale tipo di componimento. Ma l'adesione ai modelli letterari tradizionali — che corrispondono, poi, a un modo diffuso, presso una generazione, di effettivo sentire — non esclude, nei momenti più ispirati, un'espressione personale.

Il ritmo della canzone è lento, accorato, e si ripete immutato strofa per strofa, come in una nenia mesta. Quasi sempre il verso breve, il quinario che appare due volte in ogni stanza, lo spezza con un senso di desolazione (*Sovente m'appellava «dolce amico» / ed or no'l face*). Si alternano, nella canzone, il ricordo nostalgico della bellezza dell'amata, il sentimento della realtà nuda della morte, dell'annichilimento che essa porta di ogni umana gioia e speranza, e, alla fine, il motivo cristiano della rassegnazione al volere di Dio.

Morte, perché m'hai fatta sí gran guerra
che m'hai tolta madonna, ond'io mi doglio?
La fior de le bellezze mort'hai in terra,
per che lo mondo non amo né voglio.
5 Villana Morte, che non ha' pietanza,
disparti amore e togli l'allegranza
e dài cordoglio,
la mia alegranza post'hai in gran tristanza,
ché m'hai tolto la gioia e l'alegranza
10 ch'avere soglio.

Solea avere sollazzo e gioco e riso
più che null'altro cavalier che sia:
or n'è gita madonna in Paradiso,
portòne la dolze speranza mia;
15 lasciòmi in pene e con sospiri e planti,
levòmi da sollazzo e gioco e canti
e compagnia:
or no la veggio, né le sto davanti,
e non mi mostra li dolzi sembianti
20 che far solia.

Oi Deo, perché m'hai posto in tale iranza
ch'io so' smarruto, non so ove mi sia?
che m'hai levata la dolce speranza,
partit'hai la più dolze compagnia
25 che sia in nulla parte, ciò m'è aviso.
Madonna, chi lo tene lo tuo viso
in sua balìa?
lo vostro insegnamento, e dond'è miso?
e lo tuo franco cor chi mi l'ha priso,
30 o donna mia?

Ov'è madonna e lo suo insegnamento,
la sua bellezza e la gran canoscianza,
lo dolze riso e lo bel parlamento,
gli occhi e la bocca e la bella sembianza,
35 e lo suo adornamento — e cortesia?
Madonna, per cui stava tuttavia
in alegranza,
or no la veggio né notte né dia,
e non m'abella, sì com' far solia,
40 in sua sembianza.

Se fosse mio 'l reame d'Ungaria
con Greza e Lamagna infino in Franza,
lo gran tesoro di Santa Sofia,
non poria ristorar sì gran perdanza
45 come fu in quella dia — che si n'andao
madonna, d'esta vita trapassao,
con gran tristanza,
sospiri e pene e pianti mi lasciao;
e già mai nulla gioia mi mandao
50 per confortanza.

Metro: *canzone* con, in ogni stanza, o strofa, *fronte* di due piedi (AB, AB) e *sirma* di due volte (CCb, CCb). Versi endecasillabi e quinari.

1. Potente il primo verso, con quel rivolgersi alla morte e chiamarla per nome; anche la parola *guerra* è intensa: esprime la violenza selvaggia di essa.
2. ond'io: cosa per la quale mi dolgo.
3. La fior: fiore è femminile, come in provenzale e in francese.
5-10. Villana: è il contrario di «cortese». Morte, cioè, è nemica di gentilezza, di nobiltà. **disparti amore**: disgiungi coloro che si amano. **soglio**: solevo. Spesso nella poesia dei primi secoli ha questo significato di imperfetto.
11-20. In questa strofa appare il tema del conforto cristiano (Madonna è andata in Paradiso) ma prevale il senso di una perdita irreparabile, di una vita spogliata d'ogni significato.
14. portòne: ha portato via di qui con sé. La speranza è, naturalmente, speranza d'amore.
17. e compagnia: l'ha privato della sua compagnia, l'unica che per lui avesse valore. Il poeta è quindi desolatamente solo.
20. che far solia: come soleva fare un tempo.
21-30. In questa e nella seguente strofa e in gran parte della penultima si avvertono temi e motivi di «scuola», più che nelle due prime e nell'ultima; anche qui, però, vi sono momenti vivi e personali.
21. iranza: cruccio, cordoglio.
22. «Sono fuori di me, non so dove mi sia».
25. «che sia mai stata in qualche luogo, come penso».
28. insegnamento, in provenzale *ensenhamen*, è la perfezione cortese dei modi.
29. franco: leale e nobile.
32-39. canoscianza: educazione squisita e quindi anche saviezza.
33. parlamento: discorso. La parola è francese come molte altre in questa poesia; in genere, quelle che terminano in *-anza*.
35. adornamento: grazia.
39. m'abella: mi piace, mi dà piacere (francesismo).
42. Greza: Grecia. **Lamagna**: Germania.
43. Santa Sofia: è una celebre chiesa di Costantinopoli.
44-45. Tutto questo non potrebbe ripagarmi della grande perdita che subii il giorno che Madonna se n'andò, trapassò da questa vita.
47. tristanza: dolore (del poeta).
48. lasciao: lasciò.
50. confortanza: conforto.

Se fosse al meo voler, donna, di voi,
dicesse a Dio sovran, che tutto face,
che giorno e notte istessimo ambonduoi:
or sia il voler di Dio, da ch'a lui piace.
55 Membro e ricordo quand'era comeco,
sovente m'apellava «dolze amico»,
ed or non 'l face,
poi Dio la prese e menòlla conseco.
La Sua vertute sia, bella, conteco,
60 e la Sua pace.

51-60. Nell'ultima strofa il tono si risolleva. Se il poeta potesse disporre della sua donna secondo il proprio volere direbbe a Dio, re e Creatore di ogni cosa, che li lasciasse uniti per sempre; ma ciò è impossibile, Dio non vuole, e al suo volere bisogna rassegnarsi. Per un'ultima volta, in forma spoglia ma intensa, ritorna il ricordo dell'amore («ricordo, con la mente e col cuore, quand'era con me: spesso mi chiamava dolce amore») infranto dalle desolate parole: «ed ora non lo fa più». Ma Dio ha preso madonna e l'ha condotta con sé. Possano la virtù e la pace di Dio essere su di lei.

Rinaldo d'Aquino

Già mai non mi conforto

Anche Rinaldo d'Aquino è per noi un semplice nome. Il suo breve canzoniere è composto di una decina di componimenti, i più di tono raffinatamente cortese. Alcuni, però, e soprattutto questo, esprimono una situazione psicologica con schiettezza e vivacità. Non occorre pensare che il poeta abbia volto l'orecchio a presunti canti popolari, trascrivendoli in forma elaborata: nella letteratura provenzale e francese non mancavano, anche in questo caso, i modelli. I «lamenti», i «contrasti» (forse anche i lamenti in morte della donna amata) sono poesia in cui il poeta non parla in prima persona, ma esprime situazioni oggettive: qui, ad es., è una fanciulla che lamenta la partenza dell'amato per la crociata.

Per il testo seguiamo: M. Vitale, *Poeti della prima scuola*, Paideia, 1951 e B. Panvini, *Le rime della scuola siciliana*, Firenze, Olschki, 1962.

Già mai non mi conforto
né mi voglio ralegrare;
le navi sono giunte al porto
e vogliono collare.
5 Vassene lo più giente
in terra d'oltra mare;
oi me lassa, dolente,
como degg'io fare?
Vassene in altra contrata
10 e non lo mi manda a diri,
ed io rimagno ingannata;
tanti sono li sospiri
che mi fanno gran guerra
la notte co' la dia.
15 Né 'n cielo ned in terra
non mi pare ch'io sia.
O Santus, santus Deo
che ne la Vergine venisti,
tu guarda l'amor meo,
20 poi da me 'l dipartisti.
Oi alta potestade,
temuta e dottata:
la dolze mi' amistade
ti sia raccomandata.
25 La crocie salva la giente
e me facie disviare
la crocie mi fa dolente
e non mi vale Dio pregare.
Oi, crocie pellegrina,
30 perché m'hai sì distrutta?
Oi me lassa, tapina!
ch'i' ardo e 'incendo tutta.
Lo 'mperadore com pacie
tutto lo mondo mantene,
35 ed a me guerra facie
che m'à tolta la mia spene.
Oi alta potestate
temuta e dottata,
la mia dolze amistade
40 vi sia raccomandata!
Quando la crocie pigliao,
certo no lo mi pensai,
quelli che tanto m'amao,
ed i' lui tanto amai,
45 ch'io ne fui battuta
messa in pregionia
e in cielata tenuta
per la vita mia.
Le navi sono a le colle
50 im bon'ora possan andare,
e lo mio amore co' 'lle,
e la giente che v'à andare.

Metro: *canzonetta* con *strofe* di otto settenari o ottonari mescolati liberamente. Rime ababcbcb (prima e ultima strofa); ababcdcd (le altre).

1-2. Non solo non può, la donna, mai trovare conforto, ma neppure *vuole* rallegrarsi.
4. collare: alzar le vele mediante le *colle* o funi.
5-6. lo più giente: lui, il più gentile cavaliere che vi sia. Gentile significa nobile. **terra d'oltra mare**: la Palestina.
9-14. contrata: contrada, regione.
10. e non lo mi manda a diri: l'uomo amato non l'ha avvertita della partenza, forse per evitare la tristezza dell'addio.
14. «la notte e il giorno».
17-20. Nel dolore, riaffiorano alle labbra della donna i versetti della preghiera, in una invocazione accorata: «o Santo, santo Dio che t'incarnasti nella Vergine, salva tu l'amore mio, poiché lo hai strappato da me». L'amante è infatti crociato.
21-22. «O alta potestà di Dio, temuta e venerata».
23. la... amistade: il mio amore, l'uomo amato.
25-28. «La croce di Cristo, che per gli uomini è mezzo di redenzione e di eterna salvezza, è per me causa di allontanamento dalla giusta via, di spirituale rovina; essa mi dà solo dolore e neppure il pregare Dio mi conforta».
29. pellegrina: perché portata in Terrasanta, di là dal mare. Potrebbe trattarsi della spedizione promossa da Federico II nel 1228.
33-36. «L'imperatore conserva in pace tutto il mondo, solo a me fa guerra (perché) mi ha tolto lui, la mia speranza». E all'imperatore rivolge la stessa espressione che ha rivolto alla croce affinché protegga il suo amore.
41-48. «Quando si fece crociato (prese la croce) colui che tanto mi amò e che io tanto riamai – e questo amore mi costò batture e l'esser tenuta in prigionia e in luogo nascosto (**in cielata**) continuamente (**per la vita mia**) – certo non pensai questo (cioè che m'avrebbe un giorno abbandonata)». Le battiture e la prigionia alludono all'ostilità dei suoi familiari nei confronti della sua relazione amorosa.
49-52. «Le navi sono già all'ancoraggio, possano compiere felicemente il loro viaggio e con loro lo compiano felicemente il mio amore e la gente che deve andare in Terrasanta».

Oi Padre criatore,
a santo porto 'l ducie,
55 che vanno a servidore
de la tua santa crucie.
Però Ti prego, Dolcietto,
che sai la pena mia,
che me ne facie un sonetto
60 e mandilo in Soria.
Ch'io non posso abentare
la notte né la dia:
in terra d'oltra mare
istà la vita mia.

53-56. Dimentica di quanto ha detto prima, quasi rimproverando Dio di avere allontanato da lei il suo amore, Lo prega di condurle felicemente a destinazione, dato che vanno alla crociata.
57-60. Però: perciò. **Dolcietto**: è forse il nome d'un giullare; a lui la donna chiede che faccia comporre per lei un canto (*sonetto* qui non significa il componimento metrico che noi indichiamo con questa parola, ma in genere una poesia accompagnata dalla musica, o *suono*) e lo mandi in Siria, cioè nei luoghi ove si svolgerà la crociata, come pegno del suo amore all'amato.
61-64. «Perché io non posso aver pace (**abentare**) né la notte né il giorno; la mia vita (cioè lui, che per me è amore e vita) sta ora in terra d'oltremare».

Odo delle Colonne

Oi lassa, 'namorata

È il lamento di una innamorata tradita, condotto dall'autore (di cui non sappiamo altro che il nome) con efficace realismo psicologico. Come nella canzonetta di Rinaldo d'Aquino, anzi, con maggiore dinamismo e vivacità, si susseguono frasi brevi e appassionate: il lamento sul proprio stato presente si alterna al ricordo della dolcezza dell'amore perduto, alla feroce maledizione contro la rivale fortunata, alla speranza di riconquistare l'amato.

Per il testo seguiamo le citate ediz. del Vitale e del Panvini.

Oi lassa, 'namorata,
Contar vo' la mia vita,
E dire ogne fiata,
Come l'Amor m'invita,
5 Ch'io son, sanza peccata,
D'assai pene guernita
Per uno, ch'amo e voglio
E noll'agio in mia bàglia
Sí com' avere soglio;
10 Però pato travaglia,
Ed or mi mena orgoglio,
Lo cor mi fende e taglia.
Oi lassa, tapinella!
Come l'amor m'ha prisa!
15 Ché lo suo amor m'apella,
Quello che m'ha conquisa.
La sua persona bella
Tolto m'ha gioco e risa;
Ed hami messa in pene,
20 Ed in tormenti forte:
Mai io non credo aver bene,
Se non m'accorre morte;
Aspètola che vene,
Tràgami d'este sorte.
25 Lassa, che mi dicea,
Quando m'avea in celato:
Di te, oi vita mea,
Mi tegno più pagato,
Ca s' i' avesse in balía
30 Lo mondo a segnorato.
Ed or mi ha a disdegnanza,
E fami scanoscenza;
Par ch'agia ad altra amanza.
O Dio, chi lo m'intenza
35 Mora di mala lanza,
E senza penitenza.
O ria ventura e fera,
Trami d'esto penare:
Fa tosto ch'io non pèra,
40 Se non mi degna amare
Lo mio Sire, ché m'era
Dolze lo suo parlare;
Ed hami 'namorata
Di sé oltre misura.
45 Or ha lo cor cangiata:
Sacciate se m'è dura!
Sí come disperata
Mi metto a la ventura.
Va, canzonetta fina,
50 Al buono aventuroso;
Fèrilo a la corina,
Se il trovi disdegnoso:

Metro: *canzonetta*. Strofe di 12 settenari (ababab, cdcdcd).

1-12. La prima strofa è come una proposizione del tema. La donna descrive rapidamente il suo stato con espressioni rapide e accese. 1. Ohimé infelice a causa del mio amore! 2. **contar**: raccontare. 3. **ogne fiata:** ogni volta, cioè sempre, continuamente. 4. «secondo che amore mi spinge a dire». 5-9. «perché io sono, pur senza aver peccato contro l'amore, fornita di molte pene, a causa di uno che amo e desidero e non ho più in mio dominio (cioè non sono ricambiata da lui) come solevo avere». 10. «perciò sopporto travagli, dolore». 11-12. «e ora mi agita l'orgoglio, mi fende e taglia il cuore».

14. prisa: presa, avvinta.
15-16. «Poiché colui che mi ha conquistata mi chiama il suo amore».
18. gioco: gioia.
19. hami: mi ha.
20. forte: forti.
22. accorre: soccorre.
23-24. «aspetto che venga e mi tragga fuori da questo crudele destino». Continua il tono di constatazioni accese, poste le une accanto alle altre dal poeta, senza nessi sintattici, unificate dal tono appassionato.
25-36. È forse la strofa più intensa: dapprima il ricordo bruciante dell'amore, poi la presente sventura e infine l'invocazione a Dio che faccia morire di mala morte la rivale e senza confessione, sì che vada all'inferno, fra gli eterni tormenti.
26. quando... celato: quando mi aveva con sé in segreto; allude ai convegni amorosi di un tempo.
27-30. «L'avere te, la ritengo una ricchezza maggiore che se avessi in mio potere (**balìa**), in signoria tutto il mondo».
31-33. «E ora mi sdegna e mi usa villania, cioè mi spregia, pare che sia innamorato di un'altra».
34-36. «Dio, possa colei che me lo contende innamorandolo di sé (**intenza**) morire di un crudo colpo di lancia, e senza confessione».
37-48. Ripete espressioni accorate d'amore: 37-38. «O sorte crudele, feroce, fammi uscire da questa pena». 39-41. «Fa' che io non debba morire per la mancanza d'amore da parte del mio signore». 46. «Ora ha cambiato il suo cuore (cioè non mi ama più)». 46-48. «Capite quanto ciò sia doloroso per me! Mi abbandono disperata al destino».
49. fina: elegante, gentile, cortese.
50. al buono aventuroso: all'amante che ha la ventura, cioè la fortuna di essere amato.
51-54. «feriscilo al cuore se lo trovi disdegnoso nei miei confronti, ma non lo ferire con violenza, ché non gli sia troppo grave la ferita». Vuole cioè che egli si penta e ritorni a lei, ma dolcemente e senza soffrire.

No 'l ferir di rapina,
Che sia troppo gravoso.
55 Ma fer' illa ch' il tene,
Aucídela sen' fallo.
Poi saccio c'a me vene
Lo viso del cristallo,
E sarò fuor di pene
60 E avrò alegrezza e gallo.

55-60. «Ma ferisci lei che lo tiene avvinto, anzi uccidila senza fallo. Poiché, dopo di ciò, so che ritornerà a me lui, dal bel viso lucente come cristallo, e io uscirò dalle mie pene e avrò allegrezza e gioia piena (**gallo**)».

Anonimo

Quando la primavera

Riportiamo questa canzonetta, di cui s'ignora l'autore, per dare l'esempio di una poesia della scuola siciliana, per così dire, di tono medio. I motivi qui sono scarsamente originali, anzi la canzonetta è un insieme di luoghi comuni: il pensiero d'amore che nasce in una mattina di primavera quando tutto intorno fiorisce e s'odono canti d'uccelli, le generiche lodi della donna, stella dal viso lucente, fiore, ecc., il sognarla voluttuosamente, i mormoratori che hanno rivelato quell'amore che doveva restare a tutti nascosto e portato «guerra» fra gli amanti. Sono figure della casistica amoroso-letteraria provenzale.

Quando la primavera
apar l'aulente fiore,
guardo inver' la rivera
la matina agli albore:
5 audo gli rausignuoli
dentro dagli albuscelli,
e fan versi novelli
dentro dai lor cagiuoli,
perché d'amore han spera.
10 Ispera, che m'hai preso,
di servir l'avenente,
quella col chiaro viso,
alta stella lucente!
Flor sovr'ogne sovrana,
15 conta e gaia ed adorna,
in cui l'amor soggiorna,
tu ch'avanzi Morgana,
merzé, ché m'hai conquiso.
Lo suo dolze sembiante
20 e l'amorosa cera
tuttor mi sta davante
la matina e la sera;
e la notte dormendo
sto co' madonna mia,
25 per ch'eo dormir vorria:
megl' m'è dormir gaudendo
c'aver penzier vegghiante.
S'io dormo, in mia parvenza
tuttor l'aggio in balìa;
30 e lo giorno mi 'ntenza,
rei sembianti mi 'nvia:
mostramisi guerrera,
ma non è per sua voglia;
a lo cor n'ho gran doglia;
35 per una laida cera
perdo sua benvoglienza.
Lo tempo e la stagione
mi conforta di dire
novi canti d'amore
40 per madonna servire.
Ragion è ch'io ne cante,
ancor mi faccia orgoglio:
tuttor son quel ch'io soglio,
leale e fino amante
45 e senza falligione.
Ancor tegno speranza
nel vostro franco core,
che li sia rimembranza
de lo suo fino amore.
50 Se madonn' ha distritta
la lingua a' mai parlanti,
eo le farò sembianti
com'io l'amo a fe' dritta
senza falsa sembianza.
55 Iddio sconfonda in terra
le lingue a' mai parlanti
che 'ntra noi miser guerra,
ch'èram leali amanti.
Chi disparte sollazzo,
60 gioco ed ispellamento.
Dio lo metta in termento:
che sia preso a reo lazzo
e giudicato a serra!

Metro: *canzonetta.* Ogni stanza ha due *piedi* (ab ab) e *sirma* (cddca). Versi settenari.

1-9. Frequentissimo nella lirica francese e italiana delle origini questo legare la vicenda o il sogno d'amore a un chiaro mattino primaverile.
1. la primavera: di primavera.
2. aulente: odoroso.
3. rivera: campagna.
4. agli albore: all'alba (è un provenzalismo).
5. «odo gli usignuoli».
6. albuscelli: arboscelli.
8. cagiuoli: gabbiette (francesismo). Qui sarà al posto di «nidi».
9. «poiché attendono l'amore».
10-18. Seguono le lodi, alquanto convenzionali, della donna amata. «O speranzosa attesa, che mi hai preso, di servire (cioè amare) la bella, quella dal viso luminoso (secondo la 'moda' provenzale)».
14. Flor è, al solito, femminile.
15. conta: leggiadra.
16. «in cui sempre dimora amore» e questa capacità d'amore è pregio «cortese», anzi s'identifica con gentilezza e cortesia.
17. «Tu che superi in bellezza Morgana». Era costei una fata, sorella di re Artù, celebrata nei romanzi del ciclo bretone, come esempio di bellezza sovrana.
18. Fa parte del galateo amoroso anche questo chiedere pietà da parte dell'amante.
20. cera: volto.
25. «e per questo vorrei sempre dormire»; per sognarla cioè sempre, ed essere sempre insieme con lei.
26-27. «È per me meglio dormire ed essere gioioso che restar desto ma avere pensieri tristi» (dovendo restare lontano da lei). *Vegghiante* ha il significato di *vegliando.*
28-36. Meglio dunque dormire, sognare, ché solo allora l'amore del poeta è appagato: ella gli appare nel sogno buona e gentile. Nella realtà, invece, gli si mostra distante, scontrosa. È senz'altro colpa di un losco figuro che si è intromesso, geloso e invidioso, fra i due amanti, con insinuazioni calunniose.
28-29. in mia parvenza: secondo quel che mi appare. Cioè, nel sogno gli sembra di godere dell'amore di lei.
30-31. «di giorno invece mi cimenta, mi fa paura, lanciandomi sguardi crucciati».
33-36. «Ma non lo fa per sua colpa – e ciò mi reca dolore intenso – bensì io perdo il suo amore per colpa di un turpe figuro».
37-45. Segue ancora un richiamo alla primavera che invita all'amore e la protesta della propria lealtà di cortese amante.
41-45. «È giusto che io la canti, sebbene ella mi si mostri avversa, perché io sono ancora quello che solevo essere prima che sorgessero questi dissapori fra noi, sono cioè amante leale e cortese e non ho commesso alcun fallo contro di lei».
46-49. «Spero ancora nel vostro cuore liberale e generoso; spero che esso ricordi il suo gentile e nobile amore di un tempo».
50-54. «Se la donna frenerà la lingua dei maldicenti (che hanno posto fra noi la sfiducia) io le mostrerò a chiari segni che l'amo con lealtà e fede: e non fingo di provare un amore che non sento». *Falsa sembianza* è un modo di dire di derivazione francese.
55-63. «Dio confonda (smascheri e punisca) le lingue dei malevoli».
58. èram: eravamo.
59. disparte: divide.
60. «gioia d'amore e i dolci colloqui d'amore».
61. termento: tormento.
62-63. «che costui sia incatenato e condannato ad essere segato».

Stefano Protonotaro

Stefano Protonotaro di Messina è forse da identificare con un personaggio nominato in un documento del 1261, e, come già morto, in un altro del 1301; e fors'anche col traduttore latino di due opere arabe di astronomia (*Liber revolutionum* e *Flores astronomiae*), che dedicò le sue versioni a re Manfredi. Sotto il suo nome ci sono tramandate tre canzoni (ma l'attribuzione d'una di esse è dubbia); fra le quali quella che presentiamo è la più importante perché è l'unico componimento della Scuola siciliana pervenutoci nella sua veste linguistica originaria, e cioè in siciliano antico, o meglio, in «siciliano illustre» o letterario. Mentre, infatti, le poesie dei Siciliani sono giunte a noi attraverso trascrizioni di copisti toscani, che ne hanno adattato le parole alla propria pronunzia e al proprio uso linguistico (ad es. *priso* diventa *preso*), questa canzone fu trascritta da uno studioso modenese del Cinquecento, Gian Maria Barbieri, da un codice che egli chiamava *Libro siciliano* (oggi perduto), contenente le liriche nella loro forma originaria.

Pir meu cori alligrari

La canzone ha un solido impianto discorsivo; si noti l'ampiezza del periodare e la sua complessità, la perizia letteraria evidente, oltre che nei costrutti, nelle immagini e nella fluidità del discorso. Quanto al contenuto, c'è qui la consueta tematica cortese: la *gioia d'amore* che s'esalta nella contemplazione della donna, in una sorta d'incantamento, e s'effonde nel canto, espressione dell'intima dolcezza; il fedele e leale servigio amoroso, e, accanto ad esso, il *temere*, cioè il sentirsi come soverchiato dall'eccellenza dell'amata, e il *celare*, cioè il custodire come un segreto che deve essere noto soltanto a lei, questo eletto, aristocratico sentimento d'amore.

Pir meu cori alligrari,
chi multu longiamenti
senza alligranza e joi d'amuri è statu,
mi ritornu in cantari,
5 ca forsi levimenti
da dimuranza turniria in usatu
di lu troppu taciri;
e quandu l'omu ha rasuni di diri,
ben di' cantari e mustrari alligranza,
10 ca senza dimustranza
joi siria sempri di pocu valuri:
dunca ben di' cantar onni amaduri.

E si pir ben amari
cantau jujusamenti
15 omu chi avissi in alcun tempu amatu,
ben lu diviria fari
plui dilittusamenti
eu, chi son di tal donna inamuratu,
dundi è dulci placiri,
20 preju e valenza e jujusu pariri
e di billizzi cutant'abundanza
chi illu m'è pir simblanza,
quandu eu la guardu, sintir la dulzuri
chi fa la tigra in illu miraturi;

25 chi si vidi livari
multu crudilimenti
sua nuritura, chi ill'ha nutricatu:
e sí bonu li pari
mirarsi dulcimenti
30 dintru unu speclu chi li esti amustratu,
chi l'ublïa siguiri.
Cusí m'è dulci mia donna vidiri:

Metro: *canzone*, con cinque stanze omorime, che ripetono, cioè, le rime della prima (corrispondente a un tipo di canzone provenzale, quella con stanze *unissonans*), costituite da due *piedi* (abC) e *sirma* (dDEeFF). Segue il *congedo*, che ripete la struttura della sirma. I versi sono settenari ed endecasillabi.

1-7. Pir... taciri: Per rallegrare il mio cuore che molto a lungo (*longiamenti,* come *joi, alligranza, levimenti* e numerose altre parole della canzone sono provenzalismi) è stato senza allegrezza e gioia d'amore, ritorno a cantare, ché forse facilmente (**levimenti**) potrei trasformare, volgere in abitudine (**in usatu**) l'indugio del troppo tacere (= potrei far divenire abitudine questo mio tacere sul quale da molto tempo indugio). **amuri**: è la forma di tipo popolare che coesiste accanto alla forma *amòri*, più vicina al latino. Nel siciliano le *e* e *o* atone, soprattutto in fine di parola, si presentano come *i* (*placiri, cantari*) e *u* (*mustrari, dintru*); *i* breve e *e* lunga latine danno, in sillaba accentata, *i* (*vidi, taciri*); *u* breve e *o* lunga danno *u* (*dundi, hunuri*), ma è possibile anche la forma latineggiante (*amori*).
8-12. e... amaduri: e quando l'uomo ha ragione di poetare (*diri* = dire in rima) ben deve cantare e mostrare allegrezza, ché senza palesamento (**dimustranza**) la gioia sarebbe sempre di poco valore: dunque ogni amatore ben deve cantare.
13-31. E... siguiri: E se per ben amare cantò mai gioiosamente un uomo che avesse in alcun tempo amato, ben lo dovrei fare più dilettosamente io, che sono innamorato di tal donna nella quale (**dundi** = dove) è dolce piacere, pregio e valore e gaio sembiante e tale abbondanza di bellezze, che mi pare (**chi... simblanza**; è un gallicismo), quando la guardo, di sentire la dolcezza che sente la tigre nello specchio

ca 'n lei guardandu mettu in ublïanza
tutta autra mia intindanza,
35 sí chi istanti mi feri sou amuri
d'un colpu chi inavanza tutisuri.
Di chi eu putia sanari
multu leggeramenti,
sulu chi fussi a la mia donna a gratu
40 meu sirviri e pinari;
m'eu duttu fortimenti
chi, quandu si rimembra di sou statu,
nulli dia displaciri.
Ma si quistu putissi adiviniri,
45 ch'Amori la ferissi di la lanza
chi mi fer'e mi lanza,
ben crederia guarir di mei doluri,
ca sintiramu engualimenti arduri.
Purrïami laudari
50 d'Amori bonamenti
com'omu da lui beni ammiritatu;
ma beni è da blasmari
Amur virasimenti
quandu illu dà favur da l'unu latu
55 e l'autru fa languiri:
chi si l'amanti nun sa suffiriri,
disia d'amari e perdi sua speranza.
Ma eu suffru in usanza,
ca ho vistu adess'a bon suffirituri
60 vinciri prova et aquistari unuri.
E si pir suffiriri
ni per amar lïalmenti e timiri
omu acquistau d'amur gran beninanza,
digiu avir confurtanza
65 eu, chi amu e timu e servivi a tutturi
cilatamenti plui chi autru amaduri.

(quando si mira allo specchio); la quale si vede togliere molto crudelmente i suoi piccoli (**sua nuritura**), ch'essa ha nutrito, eppure tanto le piace mirarsi dolcemente dentro uno specchio che le viene mostrato, che oblia d'inseguirli. – Che la tigre s'incantasse davanti a uno specchio è detto nei *bestiari* medievali, raccolte di notizie favolose e leggendarie, spesso con forte coloritura simbolica, ma con illusione di veracità scientifica, intorno alle proprietà di vari animali. Divenne poi luogo comune nella poesia aulica (il Contini cita qui un trovatore provenzale del sec. XII, Rigaut de Barbezieux), fino al Poliziano e al Tasso.

33-36. ca... tutisuri: che guardando lei metto in oblio ogni altro mio amore (**intindanza**), sì che tosto (**istanti**) mi colpisce il suo amore con una ferita che aumenta di continuo (**inavanza tutisuri**).

37-48. Di... arduri: dalla quale ferita io sarei potuto (**putia**) guarire (**sanari**) molto facilmente solo che fosse gradito (**a gratu**) alla mia donna il mio servire e il mio patire; ma io dubito, temo (**duttu**) fortemente che, quando si ricorda della sua condizione, non le debba (**dia**) dispiacere. Ma se potesse avvenire questo, che Amore la ferisse con la lancia che mi ferisce e mi strazia (**lanza**), ben crederei di guarire dal mio dolore, perché sentiremmo ardore, allo stesso modo (**engualimenti**).

49-60. Purriami... unuri: Mi potrei francamente (**bonamenti**; provenzalismo) lodare d'Amore, come uomo da lui ben rimeritato (**ammiritatu**); ma è ben da biasimare con giusta ragione (**virasimenti** = veracemente) Amore quando egli dà favore a una parte (alla donna) e fa languire l'altra (il poeta); che se l'amante non sa sopportare pazientemente, sempre desidera d'amare, ma perde l'oggetto della sua speranza. Ma io soffro per costume (sono da tempo convintamente disposto a sopportare), perché ho sempre (**adesso**) visto che chi sa ben sopportare vince la prova e acquista onore.

61-66. E... amaduri: E se per (attraverso, mediante il) sopportare o (**ni**; provenzal.) per amare lealmente e temere si (**omu** = l'uomo) suole acquistare gran benevolenza (**beninanza**; prov.) d'amore, debbo aver conforto io, che amo e temo e servo sempre celatamente più che altro amatore.

Il «Contrasto» di Cielo d'Alcamo

È un componimento giullaresco, dovuto, cioè, a uno di quei cantori e giocolieri di varia ma non profonda cultura, chiamati *giullari*, che intrattenevano il loro pubblico nelle corti e nelle piazze. Di lui non sappiamo altro che il nome (*Cielo* pare che sia diminutivo di Michele). Secondo gli ultimi studi, il *Contrasto* risale alla prima metà del Duecento (fra il 1231 e il 1250), e proviene dalla Sicilia, probabilmente dalla zona di Messina, sebbene vi si trovino tracce di altri dialetti meridionali. Era destinato alla recitazione, o, secondo altri, al canto. Anche l'interpretazione puntuale del testo presenta parecchie difficoltà. È comunque un componimento pieno di brio e di vivacità, che rappresenta con spregiudicata comicità la commedia dell'amore. Stanno di fronte Madonna e Amante, ambedue vividamente caratterizzati: lui è ora tenero e sospiroso, ora malizioso e irruente, più spesso smargiasso nel suo orgoglio di conquistatore irresistibile che vuol convincere la donna a cedere al suo non certo platonico amore; lei, sta sulle sue, fa la contegnosa, vanta la propria bellezza e una nobiltà inesistente, ma mostra in realtà di cercare solo un pretesto per capitolare onorevolmente, come fa alla fine.

L'analisi stilistica del contrasto rivela che l'autore non è un popolano, ma un uomo dotato di una certa cultura, anche se estraneo al raffinato cenacolo dei poeti della corte di Federico II, capace di alternare, con spassoso effetto comico, espressioni popolaresche grossolane e corpose ad altre proprie della lirica cortese più elevata.

AMANTE:

«Rosa fresca aulentissima ch'apari inver' la state,
le donne ti disiano, pulzell'e maritate:
tràgemi d'este fòcora, se t'este a bolontate;
per te non ajo abento notte e dia,

Metro: trentadue strofe di cinque versi: tre doppi settenari (sdrucciolo + piano) a rima baciata e due endecasillabi, anch'essi a rima baciata. Riportiamo i vv. 1-55.

1-2. L'amante si rivolge a Madonna para-

5 penzando pur di voi, madonna mia».
MADONNA:
«Se di meve trabàgliti, follia lo ti fa fare.
Lo mar potresti arompere, a venti asemenare,
l'abere d'esto secolo tutto quanto asembrare:
avére me non pòtteri a esto monno;
10 avanti li cavelli m'aritonno».
AMANTE:
«Se li cavelli artónniti, avanti foss'io morto,
ca'n issi sí mi pèrdera lo solaccio e 'l diporto.
Quando ci passo e véjoti, rosa fresca de l'orto,
bono conforto dónimi tuttore:
15 poniamo che s'ajunga il nostro amore».
MADONNA:
«Ke l' nostro amore ajúngasi, non boglio m'atalenti:
se ti ci trova pàremo cogli altri miei parenti,
guarda non t'aricolgano questi forti correnti.
Como ti seppe bona la venuta
20 consiglio che ti guardi a la partuta».
AMANTE:
«Se i tuoi parenti trovanmi, e che mi pozzon fare?
Una difensa mettoci di dumilia agostari:
non mi toccara pàdreto per quanto avere ha 'n Bari.
Viva lo 'mperadore, grazi'a Deo!
25 Intendi, bella, quel che ti dico eo?».
MADONNA:
«Tu me no lasci vivere né sera né maitino.
Donna mi so' di pèrperi, d'auro massamotino.
Se tanto aver donàssemi quanto ha lo Saladino,
e per ajunta quant'ha lo soldano,
30 toccàre me non pòtteri a la mano».
AMANTE:
«Molte sono le femine c'hanno dura la testa,
e l'uomo con parabole l'adimina e ammonesta:
tanto intorno procàzzala fin che l'ha in sua podesta.
Femina d'omo non si può tenere:
35 guàrdati, bella, pur de ripentere».
MADONNA:
«K'eo ne pur ripentésseme? davanti foss'io aucisa
ca nulla bona femina per me fosse riprisa!
Aersera passastici, correnno, alla distisa.
Aquistati riposa, canzoneri:
40 le tue paraole a me non piaccion gueri».
AMANTE:
«Quante sono le schiantora che m'hai mise a lo core
e solo purpenzànnome la dia quanno vo fore!

gonandola a una rosa fresca e profumatissima (**aulentissima**) che appare verso l'estate (in maggio) ed è desiderata dalle donne, giovani (**pulzelle**) e sposate. L'immagine è frequente nella poesia cortese (ma anche in quella popolare) delle origini.

3-5. tràgemi, ecc.: traimi da questi fuochi (**fòcora** è un plurale neutro, esemplato sul latino) se vuoi (se ti è – **este** – in volontà – **bolontate**). Il verso è citato da Dante nel *De vulgari eloquentia* come esempio di un «volgare» non «illustre», cioè di una lingua poetica di stampo dialettale non affinato. **non ajo abento**: non riesco a trovar riposo. **pur**: solo e continuamente. L'ultimo verso ha un tono più elevato: contiene anche il *voi* della poesia cortese. Per tutto il contrasto c'è questo alternarsi di modi eletti e popolareschi, con intenzione, come ha notato il Monteverdi, parodistica. I due personaggi, e soprattutto l'uomo, cercano di recitare una parte, di mostrarsi persone fini ed elevate, ma a tratti erompono, spontanei e incontenibili, i loro caratteri plebei.

6-10. Le parole dell'uomo sono immaginose e appassionate, a volte goffamente eleganti e cariche della baldanza che un seduttore da suburbio si sente in dovere di dimostrare nella schermaglia amorosa. La donna, invece, fa la persona seria, esprime le sue sdegnate proteste con vivacità popolaresca e, apparentemente, recisa. Ma il sottile compiacimento col quale accetta il colloquio e sta al giuoco, mostrano che è pronta a capitolare. **Se di meve trabàgliti**: se ti tormenti per me. **Lo mar... asemenare... asembrare**: Potresti arare (**arompere**) il mare, seminare ai venti, radunare (**asembrare**, dal provenzale *asembrar*) tutte le ricchezze del mondo (**l'abere d'esto secolo**).

9-10. avére me... m'aritonno: non potresti mai avermi in questo mondo; piuttosto (**avanti**) mi taglio (**aritonno**) i capelli (mi faccio monaca).

11-12. Bello scatto di simulata passione e, al tempo stesso, di vero e intenso desiderio: «Se ti fai monaca, se ti tagli (**artónniti**) i capelli, io vorrei prima esser morto, perché (**ca**) in essi (con essi) perderei la mia consolazione (**solaccio**, dal latino *solacium*) e la mia gioia».

13. ci: qui. **véjoti**: ti vedo. **orto**: giardino.

14. bono conforto, ecc.: sempre, ogni volta, tu mi dai un dolce senso di gioia.

15. poniamo... amore: mettiamoci d'accordo, facciamo sì che il nostro amore si congiunga. Dopo le espressioni d'affetto e di lode, vuol venire al sodo.

16. non boglio m'atalenti: non voglio che mi piaccia.

17-18. se ti ci trova... correnti: se ti trovano qui (**ci**) mio padre (**pàremo**) e gli altri miei parenti, bada che non ti sorprendano: è gente che corre forte (capace quindi di acciuffarti).

19-20. «Come ti fu facile, piacevole il venir qui, ti consiglio di stare attento alla partenza».

21. mi pozzon fare: mi posson fare.

22. Una difensa... agostari: Ci metto un impedimento di duemila «agostari». La *difensa* consisteva in questo: un suddito di Federico II, qualora venisse aggredito, poteva liberarsi pronunciando il nome dell'Imperatore (probabilmente la formula è quella del v. 24) e indicando una somma che l'aggressore avrebbe dovuto pagare se non avesse desistito. Gli **agostari** (= augustali, imperiali) erano monete d'oro di gran pregio coniate da Federico. Da questi versi si desume la data di composizione del *contrasto*: essa cade fra il 1231 (anno in cui fu promulgata la legge della *difensa*) e il 1250 (anno della morte dell'Imperatore).

23. toccara: toccherebbe. **per quanto... Bari**: per quanta ricchezza c'è in Bari. È modo proverbiale.

26. maitino: mattino.

27-30. Madonna insiste, poiché il discorso è venuto a cadere sul danaro, a vantare la propria ricchezza. È forse un'allusione, un far capire all'amante che cosa dovrebbe fare per espugnarla? Ma questi non abbocca. **pèrperi**: bisante d'oro, moneta bizantina. **auro massamotino**: era oro di gran pregio, col quale coniavano monete i califfi delle tribù berbere dei Massamuti. Il **Saladino** e il **soldano** sono la stessa persona: il sultano d'Egitto. **toccàre me... mano**: non potresti toccarmi neppure una mano.

31. c'hanno... testa: testarde.

32. «E l'uomo con le parole le domina e le persuade».

33. procàzzala: le dà la caccia. **podesta**: potere.

34-35. La donna non può fare a meno dell'uomo: sta attenta, bella, di non doverti pentire! Minaccia, ma non sul serio, di andarsene.

36-37. Ch'eo... ripentésseme... riprisa: Che io mi penta? Ma preferirei essere uccisa, piuttosto che la mia condotta possa gettare discredito sulle donne (piuttosto che una donna onesta venga rimproverata – **riprisa** – a causa del mio esempio).

38-40. Aersera... gueri: Ieri sera sei passato di qui (**ce**), correndo a cavallo. Ma ora riposati, canterino (**canzoneri**): a me le tue parole non piacciono affatto (**gueri**).

41-45. L'Amante tenta ancora la corda patetica, pur usando un corposo linguaggio

Femina d'esto secolo tanto non amai ancore
quant'amo teve, rosa invidïata:
45 ben credo che mi fosti distinata».
MADONNA:
«Se distinata fósseti, caderia de l'altezze,
ché male messe fòrano in teve mie bellezze.
Se tutto addivenìssemi, tagliàrami le trezze,
e consore m'arenno a una magione,
50 avanti che m'artocchi 'n la persone».
AMANTE:
«Se tu consore arènneti, donna col viso cleri,
a lo mostero vènoci e rènnomi confreri:
per tanta prova vencerti faràlo volenteri.
Con teco stao la sera e lo maitino:
55 besogn'è ch'io ti tenga al meo dimino». [...].

popolaresco. **le schiantora... core**: gli schianti che m'hai messo nel cuore. **e solo purpenzànnome**, ecc.: anche solo pensando a te il giorno quando vo fuori. **secolo**: mondo. **teve**: te. **ben credo... distinata**: Son certo che il cielo t'ha destinata a me.

46-47. caderia... bellezze: cadrei troppo in basso (dalla mia altezza) perché le mie bellezze sarebbero mal collocate in te (tu non sei degno della mia bellezza).
48. Se tanto... trezze: Se mi capitasse questo, mi taglierei le trecce. Ritorna la fiera decisione: piuttosto monaca.
49. consore, ecc.: mi rendo suora in convento.
50. avanti... persone: prima, piuttosto che tu mi tocchi nella persona.
51-55. Stavolta l'amante prende la cosa in ridere: vuol farsi suora? E lui si farà frate, ma nello stesso convento. E incalza, ormai sicuro di sé e persuaso che solo mostrandosi forte potrà vincere la non del tutto convinta resistenza di lei: «Devi essere mia!». **donna col viso cleri**: donna dal viso splendente. È espressione raffinata, propria della poesia elevata cavalleresca. **a lo mostero... confreri**: io me ne vengo al tuo monastero e mi faccio frate. Il tono è spregiudicato: la donna, infatti, lo accuserà di aver bestemmiato, ma anche questa è una prova della sua gagliardia virile. **per tanta... volenteri**: per vincerti in questa prova lo farò (**faràlo**) volentieri. **Con teco... dimino**: starò con te sera e mattina: bisogna che ti abbia in mio potere. Proseguono ancora a lungo le offerte e le ripulse, le lodi iperboliche, la civetteria che si finge pudicizia. La donna, a un certo punto, cerca di porre condizioni favorevoli: matrimonio in piena regola. Ma poi rinuncerà anche a questo e si arrenderà.

Letture critiche

La scuola siciliana

La condizione storico-culturale che abbiamo enunciato, quell'unità di cultura che si realizza nell'ambito di una corte, può apparire a prima vista in contrasto col carattere di quella letteratura poetica del tutto distaccata dalle occasioni e dalle ragioni immediate della vita politica e sociale. È l'esperienza di una *élite* laica di funzionari, magistrati e notai, i quali coltivano la letteratura come evasione dalla realtà quotidiana, secondo le convenzioni e l'etichetta dell'amore cortese di eredità provenzale. Essi evitano ogni argomento che non sia amoroso (solo raramente, ed esclusivamente nel genere conversativo del sonetto, compare una tematica diversa, d'argomento dottrinale, morale e religioso): e c'è stato chi ha parlato di un «desolante agnosticismo politico» dei poeti federiciani. Che questo sia il risultato di una scelta determinata o anche di una deliberata inibizione può pensare chi confronti le voci unisonanti di questi poeti con quelle dissonanti dei loro confratelli provenzali dell'Italia settentrionale, così impegnati nella polemica giornaliera, così ricchi di riferimenti concreti cronistici e spesso autobiografici: è proprio il momento in cui la musa provenzale, dopo aver cantato, oltre che amori lontani e vicini, armi e battaglie e alte passioni morali, sembra un po' dovunque scadere al livello della cronica cortigiana, delle occasioni quotidiane e della propaganda politica. Trovatori e giullari accorrono dovunque siano corti feudali e nobili mecenati, mescolano la loro voce alle contese di cui l'Europa è piena. La musa siciliana, che ha la sua sede nella corte universale, tace di tutto questo: il grande spazio del regno meridionale, livellato e unitario, il più unitario e il meno feudale d'Europa, sembra da questo punto di vista perfettamente uniforme, limitato da una muraglia d'avorio. Da questa poesia si ricava un'immagine rarefatta di vita, appena qualche eco lontana e indeterminata della Crociata fredericiana, di cui i Provenzali non si stancano di cantare e di cui cantano anche i *Minnesänger* dell'*entourage* di Federico, e qualche cenno indiretto e occasionale a luoghi e battaglie. E mancano parallelamente i toni encomiastici o satirici cari alla poesia di corte.

Di fronte alla cultura lirica provenzale, che è il loro immediato antefatto, i Siciliani operano su due piani concomitanti: sul piano dei temi compiono una decisa selezione, tenendosi stretti alla monocorde ispirazione dell'amore cortese con tutto il suo repertorio; sul piano delle forme assumono come base della loro troveria il volgare siciliano, modellandolo non solo esteriormente, nel lessico e nella sintassi, sulla lingua di maggior prestigio culturale, e rendendolo capace di accogliere il patrimonio concettuale dei trovatori, con un vivace apporto collaterale della rigogliosa cultura cancelleresca latina, aprendolo così a un arricchimento culturale chiaramente determinato: e mostrano un parallelo orientamento aulico e astratto, col ripudio di alcuni generi più legati alla cronaca o al folclore musicale, come il sirventese da un lato, l'alba e la pastorella dall'altro, e la tendenza a uno stile assai più uniforme (anche se filoni e piani diversi sono subito visibili), a una dignitosa ma più grigia *curialitas* stilistica [...].

Il linguaggio e anche la tematica amorosa e le immagini di repertorio sono modellati sui Provenzali, non passivamente, ma con una dinamica di schemi formativi che permette spesso di andare oltre i modelli, per esempio nella formazione di nuove parole secondo moduli provenzali, in un sottile giuoco di allusione e di richiamo esotico. Ma si badi: soprattutto per i Siciliani della prima mandata l'allusione non è quasi mai topica, non è imitazione diretta. Un diretto rapporto di dipendenza e di «traduzione» vera e propria è ben raro: ma è tutta la compagine linguistica a richiamare continuamente a un sopramondo poetico, a un distillato di luoghi e temi e parole provenzali accuratamente livellati, divenuti emblema di costume, riferimento convenzionale al prestigio letterario e sociale di quel metastrato culturale. Diverso sarà il gusto delle generazioni successive e soprattutto dei Siciliani di Toscana, assai più letterariamente allusivo e «topico», riferibile a letture ed esperienze provenzali particolari. Il che indica, con una linea di svolgimento, anche la situazione e l'importanza di quella base di partenza; la creazione di un linguaggio comune attraverso una grammaticalizzazione e un livellamento di elementi linguistici provenzali trasposti in volgare siciliano. Questo piano di linguaggio-convenzione, di linguaggio-costume rende possibile l'esperienza collettiva del movimento poetico [...].

C'è poi nei confronti della Occitania una differenza notevole che riguarda la figura e la posizione sociale del poeta. Si tratta di poesia destinata alla lettura individuale, non alla recitazione con accompagnamento musicale; e manca un termine tecnico che designi individualmente e come categoria sociale questi «poeti volgari» o «dicitori per rima», un termine come *trobador, trouvère, Minnesänger* (solo i Siculo-toscani adotteranno largamente il termine di «trovatore»): il che indica un fatto significativo, l'assenza cioè di una autonomia professionale della poesia. Si potrebbe anzi dire che la figura del poeta siciliano, colto dilettante di poesia, si contrappone a quella del contemporaneo trovatore professionista, spesso scaduto a giullare (bisogna pensare alle condizioni della giulleria occitanica tra la fine del secolo XII e la prima metà del XIII: a quei giullari, avidi di onori e proni alle adulazioni, che lo avevan corteggiato prima dell'incoronazione, Federico, il *Frederics,* freno dei potenti, secondo un corrente giuoco etimologico provenzale, deve aver chiuso poi piuttosto bruscamente la porta in faccia). I nostri poeti sono per lo più funzionari, burocrati: con qualche eccezione di personaggi nobili (i «messeri» Rinaldo d'Aquino e Iacopo Mostacci e Percivalle Doria, anch'egli del resto alto funzionario imperiale), le personalità più rilevanti sono alti funzionari della cancelleria imperiale, dal protonotaro e logoteta Pier della Vigna al notaro Iacopo da Lentini al giudice Guido delle Colonne: si capisce come in questo clima la discussione sulla nobiltà, le tenzoni intorno alla nobiltà di sangue e d'animo fossero attuali [...].

La struttura di questa società non è feudale, anche se la concezione dell'amore riecheggia i motivi feudali di tradizione provenzale dell'omaggio e della lealtà; è piuttosto una società cortigiana, assai più livellata: e con la minore varietà di situazioni c'è certo minore libertà d'espressione. Manca una determinazione concreta della donna, personaggio sempre presente ma sfuggente, tanto che in alcuni componimenti di tipo cosiddetto «oggettivo», lamenti o dialoghi, è spesso difficile distinguere fra le voci degli amanti. L'uso del *senhal* è limitatissimo, dubbio anche nei casi in cui è stato supposto. È un'esperienza assai meno legata al costume di quanto non fosse in Provenza: ma sbaglierebbe chi considerasse l'amore dei Siciliani come un'esperienza fittizia o un pretesto. È un'esperienza vissuta certo dentro una cornice convenzionale, prefabbricata. Si trattava anzitutto di un modo di entrare in un concerto universale di poesia, di gareggiare coi modelli liberamente e coscientemente elaborando.

L'aderenza ai modelli trobadorici è quindi aderenza a una tematica fine e squisita, aristocratica, a un repertorio di idee, di immagini, di linguaggio e di metri che costituisce la base per una disciplina dello stile formata d'altronde anche sulla prosa e la poesia latine. Certo è che della perfezione stilistica i Siciliani fecero un ideale non inferiore a quello dell'amore cortese che essi cantavano [...].

Sulla rigogliosa vita intellettuale alla corte e dentro i limiti dello Stato di Federico II non è qui il caso di insistere: basterà rinviare al ricco panorama tracciato più recentemente dal Kantorowicz e dal De Stefano, avvertendo che forse l'iniziativa culturale dell'imperatore, «vir inquisitor et sapientie amator», è stata talora troppo accentuata, non solo per quanto si riferisce alla poesia volgare. Nella persona di Federico molte lingue e culture si incontravano: anzitutto la tedesca, lingua paterna (e il padre era stato *Minnesänger*, come sarà poi anche il figlio Corradino, oltre che verseggiatore provenzale), e la francese normanna, lingua materna, e poi la latina, la greca e l'araba, oltre alla volgare italiana.

Mentre la corte non ha sede stabile, fioriscono grandi centri di cultura, in Sicilia soprattutto Messina, fulcro e chiave del regno (e forse culla della prima poesia siciliana), e Palermo «eloquio dotata trilingui», arabo, greco, volgare; sul continente Capua, sede di una cospicua scuola d'*ars dictandi*, e Napoli, sede dal 1224 dell'università di istituzione regia. Sono principalmente centri di cultura latina, giuridico-cancelleresca e storica e letteraria, ché la latinità è il fondamento unitario della cultura del regno.

Si verifica qui, anche se su scala più modesta, quello che era avvenuto già nel primo *grand siècle* della letteratura francese, il XII: la nascita della poesia siciliana corrisponde a un deciso innalzarsi della letteratura latina, della prosa artistica come della poesia. Il latino appare capace di ricche possibilità espressive, dall'epopea sveva di Pietro da Eboli (*De rebus Siculis carmen*, 1195) ai toni comico-narrativi di Riccardo da Venosa (*Liber de Paulino et Polla*, 1230-1233) agli sfarzosi elaboratissimi *dictamina* di Pier della Vigna: la poesia latina affronta tutti i temi e i toni, politici, satirici, giocosi, che sono ancora preclusi a quella volgare. Basterebbe questo per togliere ogni sospetto di censure politiche o inibizioni per la poesia volgare ad affrontare altri temi che quello politicamente anodino dell'amore: la limitazione ha una ragione intrinseca nel carattere aulico, aristocratico, se si vuole dilettantesco, di quella esperienza, una ragione anzitutto stilistica.

Gianfranco Folena

(Da *Cultura e poesia dei Siciliani*, in E. Cecchi-N. Sapegno, *Storia della letteratura italiana*, I, *Le origini e il Duecento*, Milano, Garzanti, 1965, pp. 278-282 e 286-290, con tagli).

La lingua dei siciliani

Quale era, linguisticamente, la fisionomia delle composizioni di quei primi poeti? Ricorriamo a uno qualsiasi dei canzonieri che, scritti negli ultimi anni del Duecento o del primo Trecento, ci conservano quei testi; ecco, per esempio, che cosa troviamo nella prima carta del famoso codice Vaticano 3793 (= A), il più importante di quei canzonieri:

Notaro Giacomo
Madoñ a dire uiuolglio. come lamore mapreso. jnverlo grande orgolglio. cheuoi bella mostrate enomaita. oilasso lome core. chentanta pena miso. cheuede chesimore. benamare etenolosi jnuita.

Introducendo la divisione di parole, l'interpunzione e l'uso grafico moderno per *u, v, gl*, lo possiamo trascrivere così:

Madonna, dire vi voglio
come l'Amore m'à preso;
inver lo grande orgoglio
che voi, bella, mostrate, e' non m'aita.
Oi lasso, lo me' core
ch'è 'n tanta pena miso,
che vede che si more
per ben amare, e tenolosi in vita.

L'aspetto è complessivamente non molto diverso dalla lingua poetica che vigerà in Italia fino all'Ottocento. Ma già in questa prima mezza strofa, c'è (oltre a una svista evidente, *tenolosi* per *tenelosi* «se lo tiene») una rima imperfetta, *preso: miso*. Si può facilmente ricostruire quale fosse la lezione esatta (*priso: miso*), anche perché un altro canzoniere, il Laurenziano-Rediano 9 (= B) scrive *como lamorprizo*. Il copista toscano di A nel trascrivere un codice che portava *priso*, ha creduto lecito di fare quello che usavano fare i copisti nel Medioevo, cioè di conformarlo alla propria pronunzia, e ha scritto *preso*: invece poi non ha avuto il coraggio di scrivere *messo* in luogo di *miso* (che del resto si poteva appoggiare al passato remoto *misi*); così la parola in rima è rimasta a rivelarci l'arbitrio [...].

La tesi della toscanizzazione, che già era parsa più verosimile a Adolfo Bartoli, al D'Ancona, al D'Ovidio, ebbe conferma da uno scritto fondamentale (anche se discutibile in molti particolari) di G.A. Cesareo, *Le origini della poesia lirica in Italia* (Catania 1899, 2ª ed., Palermo 1924) e da un saggio di I. Sanesi sulla progressiva toscanizzazione dei canzonieri; il Tallgren e meglio ancora il Parodi chiarirono definitivamente alcuni punti più oscuri di questo processo.

C'è poi un altro elemento che interviene in aiuto dei filologi. Il cinquecentista Giovanni Maria Barbieri, da un codice che egli chiamava il *Libro siciliano* e che purtroppo è andato perduto, ha ricavato una canzone di Stefano Protonotaro messinese e due frammenti di re Enzo (il figlio di Federico II, re nominale di Sardegna, fatto prigioniero alla Fossalta nel 1249 e morto a Bologna nel 1272).

Ecco come si presenta, nella trascrizione del Barbieri, la prima strofa della canzone di Stefano (con quattro piccole e probabilissime correzioni del Debenedetti):

Pir meu cori allegrari
ki multu longiamenti
senza alligranza e ioi d'amuri è statu,
mi ritornu in cantari...

Scartando l'ipotesi poco fondata del Bertoni che ai poeti siciliani fossero aperte «due vie», quella di comporre in una coinè italianeggiante e quella di comporre in «siciliano illustre», è necessario ritenere che l'aspetto primitivo di tutte le poesie della scuola sveva fosse simile a quello rivelatoci nella canzone di Stefano Protonotaro e nei due frammenti di re Enzo. Linguisticamente, allora, questi testi assumono il primo posto, anche se di una generazione posteriori alla prima fioritura poetica, e tutto il resto può essere utilizzato per stabilire la grafia, la fonologia, la morfologia dei poeti della prima scuola solo nella misura in cui o la rima o la discordanza dei codici ci permettono di riconoscere tratti siciliani conservati da uno o obliterati da un altro. I testi siciliani in prosa purtroppo aiutano poco, perché cominciamo ad averne solo con il sec. XIV, quando l'atmosfera culturale è fortemente cambiata.

Nel dare un cenno dei tratti più importanti di questa lingua, non dobbiamo tuttavia dimenticare che essa non è una lingua completa, ma una stilizzazione artistica compiuta sul fondamento del dialetto siciliano, già un po' dirozzato dall'uso fatto tra persone di una certa levatura, tenendo per modelli da un lato il latino, esempio costante di qualunque scrittore medievale, dall'altro il provenzale, che è imitato più davvicino, in quanto costituisce anche il modello letterario, e fissa l'ideario a cui quei poeti in complesso si attengono.

Quanto alla grafia, *ch* aveva valore palatale. Infatti il notaio bolognese che trascriveva in un memoriale la canzone di Giacomo da Lentini «Madona, dir ve voio» manteneva la grafia del suo testo in *despiache: fache*. Ma *chi* rappresentava anche *kj*, esito di PL- e qualche volta i manoscritti lo mantengono, qualche volta lo adattano, qualche volta non capiscono: una *chiacenza* di Giacomo (nel discordo «Dal core mi vene», v. 113) è correttamente toscanizzata dal codice Laur.-Rediano 9 in *piagienza*, mentre il Vaticano 3793 fraintende, scrivendo *achia senza*.

E breve ed *o* breve del latino non dittongano sotto l'accento: *feri, bonu*.

I breve ed *e* lunga latine danno alla tonica *i: vidi, taciri; u* breve ed *o* lunga danno *u: dundi, hunuri*. Ma è anche possibile un trattamento di tipo latineggiante, che prende un aspetto diverso da quello continentale (anzi, per certo rispetto, inverso). Accanto ad *amuri*, che è la forma di tipo popolare, si può avere *amori*, con la vocale del latino. Ma non va dimenticato che il siciliano aveva ed ha un sistema fonologico di sole cinque vocali, nel quale non si ha distinzione fra *o* aperta ed *o* chiusa, *e* aperta ed *e* chiusa: perciò qui si ha *amòri*. Le parole con *o* ed *e* per le quali si ricorra al latinismo (e al provenzalismo) possono presentare due forme e rimare in due modi: *amuri: duluri* oppure *amòri: còri*.

Le *e* e le *o* atone, particolarmente quelle finali, si presentano come *i* (*timiri, placiri*) ed *u* (*mustrari, dintru*).

Il gruppo cj dà *-z-*: *lanza, solazo*.

Per la morfologia, si nota l'alternanza di *esti* con *è*, di *avi* con *à*, di *sapi* con *sa*, di *fachi* con *fa*. L'imperfetto è del tipo *avia, putia*.

Bruno Migliorini

(Da *Storia della lingua italiana*, Firenze, Sansoni, 1960[2], pp. 132-136, con tagli).

La scuola toscana

Intorno alla metà del Duecento, col tramonto della potenza sveva in Italia, si dissolve l'ambiente di raffinata cultura della corte siciliana. La Toscana diventa il nuovo centro d'irradiazione della poesia in volgare.

Poeti toscani avevano dimorato alla corte di Federico II e copisti toscani avevano trascritto e diffuso nella loro terra la poesia dei Siciliani, dai quali i nuovi poeti che operarono in Toscana nella seconda metà del secolo ereditarono un linguaggio poetico elaborato, il gusto d'una tecnica raffinata, l'ammirazione per i poeti provenzali e francesi (che imitarono più di quanto non avessero fatto i loro predecessori) e la tematica dell'amor cortese, alla quale, però, aggiunsero nuovi temi morali e politici, riflettendo gli ideali, le lotte, le passioni della vita comunale.

I poeti toscani non vivono, infatti, in una corte, ma nei liberi comuni della loro terra, caratterizzati da una vita intensa, complicata da lotte spesso sanguinose fra le fazioni all'interno del singolo comune e fra città e città. La ricca borghesia comunale, che acquista un predominio sempre più deciso nel campo politico, è attratta dallo splendore del costume cavalleresco, proprio della classe egemonica, la nobiltà, che essa intende sostituire; ma mentre si sforza di imitarlo, lo viene modificando sia col suo spiccato realismo, sia col suo gusto individualistico. È l'individualismo di chi si afferma nella società non in virtù di privilegi ereditari, ma per le proprie qualità personali; è il realismo di chi non cerca, come la nobiltà, di fermare il tempo e la gerarchia sociale esistente, chiudendosi in un aristocratico sogno di vita bella, ma di chi, mercante o imprenditore, con la realtà deve fare continuamente i conti.

I poeti toscani, mentre assumono la tematica amorosa tradizionale, l'approfondiscono sul piano psicologico e intellettuale, con un ulteriore processo di spiritualizzazione dell'amore che viene concepito come incentivo alla conquista della virtù non soltanto cavalleresca, ma morale in senso lato. Questo motivo, attraverso Guittone d'Arezzo, Chiaro Davanzati, Monte Andrea, Bonagiunta da Lucca, prepara l'originale esperienza degli stilnovisti.

Per i testi seguiamo: *Poeti del Duecento*, a cura di G. Contini, cit., tranne che per il sonetto di Guittone *Dolente, triste e pien di smarrimento*, per il quale seguiamo *Le Rime di Guittone d'Arezzo*, a cura di F. Egidi, Bari, Laterza, 1940.

Guittone d'Arezzo

L'ampio canzoniere di Guittone del Viva d'Arezzo (vissuto fra il 1230 e il 1294 circa) reca il sigillo di una forte personalità di uomo e di scrittore. Come la sua vita, è diviso in due parti. Nella prima prevale la poesia amorosa sul modello siciliano, ma soprattutto provenzale, cui lo scrittore più direttamente attinse; nella seconda è dominante l'esperienza religiosa che spinse l'autore ad abbandonare il mondo, la moglie, i figli per entrare a far parte dell'ordine dei Cavalieri di S. Maria, fondato nel 1261 a Bologna, e detto anche dei Frati Godenti, che aveva come ideali la salvaguardia della pace, l'accordo fra le opposte fazioni, la difesa delle donne, dei fanciulli, dei poveri in nome della Vergine Maria (come si vede, una specie di ordine cavalleresco, legato però alla realtà comunale).

Sono frequentissime nel canzoniere guittoniano le rime di corrispondenza con tutti i più noti rimatori toscani dell'epoca, che rivelano chiaramente come per almeno venticinque anni (dal 1255 al 1280) Guittone esercitasse una specie di dittatura intellettuale e artistica su tutta la Toscana, maestro riconosciuto e ammirato. Di stile, in primo luogo, ma anche di moralità, di umanità. Egli creò un modello di canzone d'amore ampio nel ritmo e nello svolgimento concettuale, diede i primi, alti esempi di canzone politico-civile, e l'avvio alla moralizzazione e cristianizzazione del mito dell'amore: richiamò, insomma, la poesia alla realtà, immettendo in essa il suo rigore morale, la sua cultura e la sua dottrina. La vera vocazione di Guittone fu quella di maestro e correttore di costumi, di un amante e sollecitatore della virtù. Per questo la sua poesia è portata costantemente all'oratoria, al dialogo risentito, non scade quasi mai nell'impersonalità del convenzionalismo di scuola. L'impegno di piegare l'arte a tutte le esigenze del vivere sociale gli fece ricercare un'orditura complessa e sapiente che anticipa le canzoni di «rettitudine», cioè di esaltazione della virtù, di Dante.

Se anche Guittone non fu poeta grande, grande è la sua importanza nella letteratura del Duecento. Fu un iniziatore, un precursore, un letterato sapiente che diede vita a nuove forme e a nuovi schemi, a un'esigenza di poesia atta ad accogliere la multiforme vita della coscienza, anche se il suo linguaggio, mescolato di espressioni dialettali che Dante gli rimproverava acerbamente, e di suggestioni colte, latine, siciliane, provenzali, rimase spesso disarmonico. Spiace anche al gusto moderno l'abuso di certi procedimenti stilistici, quali la *replicacio* (usitatissima già da Provenzali e Siciliani), cioè la ripetizione di parole, e certi giuochi di parole che sembrano un compiacimento di enigmista più che di scrittore (ad es. *amore* significa *a morte*, dice in una canzone, per indicare i tristi effetti morali cui può portare la passione amorosa). Qui Guittone è legato al gusto del tempo, che intendeva la poesia soprattutto come artificio stilistico, secondo la pratica di quei Provenzali che erano giunti a una sorta di linguaggio ermetico (il *trobar clus*) e che Guittone intendeva emulare.

Un impegno analogo si avverte nella sua prosa, cioè in quelle *Lettere* in cui egli emulò lo stile raffinatissimo dell'epistolografia latina medievale e che furono riguardate come un modello dell'eloquenza in volgare. Cfr. p. 196.

Con più m'allungo, più m'è prossimana

Sonetto di lontananza. Il poeta si allontana dalla sua donna, ma quanto più è materialmente disgiunto da lei, tanto più il viso di lei gli è vicino, nel cuore. Ne nasce un vagheggiamento or dolce or melanconico che egli, con la consueta schiettezza, non esita a chiamare *follia*. Ma prevale la gioia: come una stella il viso di lei lo guida e lo tiene in vita.

Il sonetto rappresenta l'amore come avventura dell'anima, come suo errare nel sogno, insieme dolce e amaro, come dirà il Petrarca, che porterà questo tema ad esiti altissimi.

Con più m'allungo, più m'è prossimana
la fazzon dolce de la donna mia,
che m'aucide sovente e mi risana
e m'ave miso in tal forsenaria,
5 che 'n parte ch'eo dimor' in terra strana,
me par visibil ch'eo con ella sia,
e un'or credo tal speranza vana
ed altra mi ritorno en la follia.
Così como guidò i Magi la stella,
10 guidame sua fazzon gendome avante,
che visibel mi par e incarnat'ella.
Però vivo gioioso e benistante,
ché certo senza ciò crudele e fella
morte m'aucideria immantenante.

Metro: *sonetto* (schema: ABAB, ABAB, CDC, DCD).

1-2. «Quanto più (**Con più**) m'allontano, tanto più m'è vicino (**prossimana**) il dolce viso (**fazzon** = fattezze) della mia donna». Le due ultime parole fra parentesi sono gallicismi, già però accolti dai Siciliani.
3. m'aucide: mi uccide; allude al tormento d'amore, che continuamente s'alterna alla gioia (**mi risana**).
4. forsenaria: delirio (altro gallicismo).
5-6. «che mentre (**en parte**) io resto in terra straniera (**strana**), ho la visione (**me par visibil**) di essere con lei».
7. un'or: talora. Osserva il lungo periodo che si snoda lentamente ma armonicamente per i primi otto versi, col tono calmo e pacato della meditazione e del colloquio interiore. Non è molto frequente, nella poesia del Duecento, tale ampiezza insieme di ritmo e d'orizzonti. Nella poesia siciliana si trova, in genere, un tono più spezzato, con notazioni rapide, anche se intense, semplicemente accostate.
9-11. «Come la stella cometa guidò i re Magi, così il suo viso mi guida, stando sempre dinanzi al mio sguardo e mi pare di vedere lei, in carne ed ossa».
12-14. Però: perciò (cioè, perché la vedo). **benistante**: felice (provenzalismo). **fella**: feroce. **m'auciderea immantenante**: m'ucciderebbe immediatamente. Senza, cioè, il conforto della visione di lei il poeta morrebbe.

Tuttor ch'eo dirò «gioi'», gioiva cosa

Il sonetto è costruito sulla *replicacio* della parola *gioia*, e intende esprimere, attraverso questo insistere su di essa, l'intensità della gioia d'amore. In questo caso l'artificio giunge a un risultato poetico convincente, a differenza di altre volte, in quanto la ripetizione, usata con maestria, conferisce al sonetto un tono di fervido entusiasmo.

Tuttor ch'eo dirò «gioi'», gioiva cosa,
intenderete che di voi favello,
che gioia sete di beltà gioiosa
e gioia di piacer gioi[o]so e bello,
5 e gioia in cui gioioso avenir posa,
gioi' d'adornezze e gioi' di cor asnello,
gioia in cui viso e gioi' tant'amorosa
ched è gioiosa gioi' mirare in ello.
Gioi' di volere e gioi' di pensamento
10 e gioi' di dire e gioi' di far gioioso
e gioi' d'onni gioioso movimento:
per ch'eo, gioiosa gioi', sì disïoso
di voi mi trovo, che mai gioi' non sento
se 'n vostra gioi' il meo cor non riposo.

Metro: *sonetto* (schema: ABAB, ABAB, CDC, DCD).

1-2. «Ogni volta che io pronuncerò la parola *gioia*, o cosa gioiosa (cioè o donna, da cui viene ogni gioia) voi comprenderete che io parlo di voi».
3-4. «Voi siete gioia che si effonde dalla vostra bellezza, gioiosa, luminosa, e gioia che nasce dal piacere gioioso e bello che m'ispirate nel cuore».
5. «Gioia in cui risiede ogni speranza di gioiosa ventura».
6. adornezze: bellezza e grazia di portamento. **cor asnello**: corpo snello, elegante.
7. viso: guardo. **amorosa**: suscitatrice di amore.
8. in ello: in lui (allude al corpo elegante e bello).
12-14. «e per questo, o gioiosa gioia, io ho tanto desiderio di voi, sempre, che mai non provo sentimento di gioia se non quando il mio cuore trova appagamento pieno, e quindi pace (*riposo*) nella vostra gioia (cioè nel contemplare la vostra bellezza, nell'amarvi, e vivere di questo mio amore)». La tendenza logica e sentenziosa dello stile guittoniano si avverte anche nelle chiuse dei suoi sonetti.

Dolente, triste e pien di smarrimento

È uno dei più bei sonetti di Guittone. Il ritmo lento del discorso sottolinea il colloquio del poeta con se stesso, con dei lampi improvvisi nelle conclusioni nette ed efficacissime (vv. 11 e 14 ad es.). C'è poi come un crescendo, dal primo verso, contenuto nella sua tristezza, fino all'ultimo, pieno di dolore e di passione.

Dolente, triste e pien di smarrimento
sono rimaso amante disamato.
Tuttor languisco, peno e sto in pavento,
piango e sospir di quel ch'ho disiato.
5 Il meo gran bene asciso è in tormento;
or son molto salito, alto montato;
non trovo cosa che m' sia in valimento,
se non con omo a morte iudicato.
Ohi, lasso me, ch'io fuggo in ogni loco
10 poter credendo mia vita campare,
e là ond'io vado trovo la mia morte!
La piacente m'ha messo in tale foco
ch'ardo tutto ed incendo del penare
poi me non ama, ed eo l'amo sì forte.

Metro: *sonetto* (schema: ABAB, ABAB, CDE, CDE).

1-4. Comincia con la rappresentazione statica, con la constatazione del suo dolore. Le singole proposizioni sono semplicemente accostate, i versi 1 e 3 hanno, rispettivamente, fra gli aggettivi e i verbi, pause forti e cadenzate. Il tutto dà un'impressione di desolazione, rassegnata perché è un dolore contro il quale nulla si può fare.

3. sto in pavento: forse la paura che segue a un ultimo tentativo d'illudersi che il *disamore* sia temporaneo.

5-8. Alla desolazione della prima quartina segue un'esigenza di sfogo più abbandonato che si scorge nell'amarezza del secondo verso e nell'immagine del quarto.

5-6. Il meo... montato: Il mio gran bene (la mia gioia di amante corrisposto) è asceso in tormento. Ecco, dice con amaro sarcasmo verso se stesso e le folli speranze d'un tempo, il poeta: ora sono salito veramente in alto!

7-8. non trovo... indicato: non trovo cosa che mi sia mezzo di salute, di salvezza (**in valimento**): sono nella condizione di un condannato a morte, che attende angosciato e senza più speranza».

7-11. «Ahimè triste, che cerco di fuggire senza badar dove, credendo con questo di salvare la mia vita, e là dove fuggo trovo la mia morte!».

12-14. «La bella donna che amo (**la piacente**) mi ha messo in tale fuoco (l'ardore della passione, tanto più avvampa ora, che il poeta non ha più speranza d'appagarla) che ardo e la mia pena d'amore mi brucia e consuma, e questo avviene poiché (**poi**) lei non mi ama e io invece l'amo con tanta forza e passione».

Ahi lasso, or è stagion de doler tanto

Il 4 settembre 1260 i fuorusciti ghibellini di Firenze, alleatisi con Siena e altre città ghibelline della Toscana, aiutati da re Manfredi, successo al padre Federico II, che inviò una schiera di cavalieri tedeschi, misero in rotta sanguinosa, a Montaperti, i Fiorentini guelfi. Il fatto destò molta emozione, in Toscana e fuori, anche perché questa battaglia sembrò, sul momento, aver definitivamente rialzato le sorti del partito imperiale e prostrato la potenza del libero Comune fiorentino.

Guittone aveva partecipato con passione alla vita politica e questa canzone ne è la testimonianza. Di sentimenti guelfi, almeno a partire da un certo periodo della sua vita, vive angosciosamente questa sconfitta, ed effonde il suo dolore in versi appassionati. Lamenta dapprima l'avvilimento di Firenze, in seguito alla disfatta, che per lui coincide con l'avvilimento della morale e della giustizia, con l'irreparabile crollo di una grandezza che emulava degnamente quella di Roma antica. Ma poi la passione prorompe in ironia che diviene sarcasmo sempre più fiero: si rassegnino gli sconfitti, servano i baroni Tedeschi, godano i cittadini traditori dello strazio che hanno fatto della patria.

È questo per molti il capolavoro di Guittone: si può comunque dire che sia una delle sue poesie più significative. Qui il suo spesso disarmonico impasto linguistico e stilistico diventa un linguaggio tutto cose e riferimenti precisi a una realtà vissuta e sofferta. La passione politica diviene tutt'uno con la passione morale, con quell'impegno e quella urgenza di apostolato etico che costituiscono la sua originalità.

Ahi lasso, or è stagion de doler tanto
a ciascun om che ben ama Ragione,
ch'eo meraviglio u' trova guerigione,
ca morto no l'ha già corrotto e pianto,
5 vedendo l'alta Fior sempre granata
e l'onorato antico uso romano
ch'a certo pèr, crudel forte villano,
s'avaccio ella no è ricoverata:
ché l'onorata sua ricca grandezza
10 e 'l pregio quasi è già tutto perito
e lo valor e l' poder si desvia.
Oh lasso, or quale dia

Metro: *canzone*, con stanze composte di una *fronte* di due *piedi* (ABBA), (CDDC) e *sirma* (EFGgFfE) di endecasillabi e settenari. Il *congedo* è sul metro della sirma. Le stanze sono, come si diceva in provenzale, *capfinidas*: ciascuna di esse, cioè, incomincia con l'ultima parola di quella precedente.

1-4. «Ahimè ora è tempo (**stagion**) di così intenso dolore per ciascun uomo che veramente ami Giustizia (**Ragione**), che mi stupisco che il pianto e il lutto non lo abbiano ucciso (**morto**), e che invece trovi in qualche luogo salvezza e conforto (**guerigione**)». **U'** è l'*ubi* latino, e significa «dove», «in qualche luogo».

5-8. «Vedendo la nobile Firenze ("Fiore" è emblema di Firenze; ed è femminile, come in provenzale, francese e nella poesia siciliana) fiore sempre fruttificante e la sua emulazione dell'onorata antica tradizione romana (di potenza e di grandezza) che certamente periscono – forte e increscіosa crudeltà – se presto esse non vengono salvate e ripristinate».

11. «e il suo valore e il suo potere si allontanano da lei».

12-15. «Ahimè, quando mai (qual giorno – **dia** – mai) fu udito danno così crudele? Dio, come hai tollerato che il buon diritto perisca e l'ingiustizia venga esaltata (**entri 'n altezza**)?». In questa prima strofa avverti il ritmo ampio e solenne, pur nella

fu mai tanto crudel dannaggio audito?
Deo, com'hailo sofrito,
15 deritto pèra e torto entri 'n altezza?
Altezza tanta êlla sfiorata Fiore
fo, mentre ver' se stessa era leale,
che ritenëa modo imperïale,
acquistando per suo alto valore
20 provinc' e terre, press'o lunge, mante;
e sembrava che far volesse impero
sì como Roma già fece, e leggero
li era, c'alcun no i potea star avante.
E ciò li stava ben certo a ragione
25 ché non se ne penava per pro tanto,
como per ritener giustizi' e poso;
e poi folli amoroso
de fare ciò, si trasse avante tanto,
ch'al mondo no ha canto
30 u' non sonasse il pregio del Leone.
Leone, lasso, or no è, ch'eo li veo
tratto l'onghie e li denti e lo valore,
e 'l gran lignaggio suo mort'a dolore,
ed en crudel pregion mis'a gran reo.
35 E ciò li ha fatto chi? Quelli che sono
de la schiatta gentil sua stratti e nati,
che fun per lui cresciuti e avanzati
sovra tutti altri, e collocati a bono;
e per la grande altezza ove li mise
40 ennantîr sì, che 'l piagâr quasi a morte;
ma Deo di guerigion feceli dono,
ed el fe' lor perdono;
e anche el refedier poi, ma fu forte
e perdonò lor morte:
45 or hanno lui e soie membre conquise.
Conquis'è l'alto Comun fiorentino,
e col senese in tal modo ha cangiato,
che tutta l'onta e 'l danno che dato
li ha sempre, como sa ciascun latino,
50 li rende, e i tolle il pro e l'onor tutto:
ché Montalcino av'abattuto a forza,
Montepulciano miso en sua forza,
e de Maremma ha la cervia e 'l frutto;
Sangimignan, Poggiboniz' e Colle
55 e Volterra e 'l paiese a suo tene;
e la campana, le 'nsegne e li arnesi
e li onor tutti presi
ave con ciò che seco avea di bene.

forza dei sentimenti espressi: la capacità meditativa e la salda ossatura concettuale propri della poesia guittoniana. Vi sono, poi, già ben definiti due motivi fondamentali della canzone: la rovina di Firenze è rovina della giustizia e del diritto; Firenze è la nobile figlia dell'antica Roma, erede della sua potenza, ma soprattutto, della sua nobiltà e grandezza. Vivissimo fu, nell'Italia del Medioevo, il culto della romanità. Roma rappresentava, oltre che una gloriosa tradizione nazionale, il senso del diritto e dello stato, dell'umana e civile convivenza. Per questo molte città italiane cercavano di dimostrare, magari accogliendo per vere delle leggende o fabbricandosele, di aver origine romana.

16-30. La seconda stanza rievoca la grandezza di Firenze, la sua potenza prima della sconfitta con un tono di epopea (ancora fondata sul ricordo di Roma), nella quale però i tempi del verbo, passato e imperfetto, immettono un senso elegiaco.

16-19. «Vi fu sí grande altezza in Fiore (Firenze) ora *sfiorata* (avvilita), finché i suoi cittadini furono fra di loro leali – senza sanguinose lotte civili e tradimenti –, che essa conservava un costume imperiale», sembrava, cioè, capitale fondatrice di un Impero, come l'antica Roma. È un'ingenua esagerazione, nata dall'amore per Firenze e dalla passione politica: è vero, però, che in questo tempo Firenze gettava i fondamenti di una potenza economica, commerciale, culturale che passò i confini d'Italia per espandersi per tutta l'Europa.

20. mante: (francesismo) parecchie. Va con *province e terre.*
22-23. e leggero... avante: e ormai era cosa per lei facile, ché nessuno le poteva essere superiore.
24-26. «È ben a ragione esercitava questa sua missione politica, perché non tanto s'affaticava per proprio egoistico profitto (**pro**) quanto per mantenere giustizia e pace».
27-28. «e poiché le piacque intensamente di far ciò».
29. no ha canto: non vi è luogo.
30. sonasse: si celebrasse. **Leone**: il Marzocco, emblema del Comune fiorentino.
31-45. In queste due stanze il dolore del poeta si fa più vivo, pensando che Firenze è caduta per il tradimento dei suoi stessi figli (i fuorusciti ghibellini).
31-34. «Or il Leone fiorentino non è più, è come morto, perché gli vedo strappate unghie, denti, valore e vedo i suoi cittadini più nobili (**gran lignaggio**) uccisi dolorosamente (a Montaperti vi fu una vera strage) e messi in crudele prigionia in modo molto malvagio».
35. Di chi la colpa? Di quei nobili ghibellini che Firenze stessa aveva allevato, nutrito, reso grandi.
36. gentil: nobile. **stratti**: discesi.
37. fun per lui: furono da lui (per mezzo suo).
38. collocati a bono: messi in posizione di grandezza e potenza.
39-40. «E proprio perché li mise in tale stato salirono (**ennantîr**, provenzale) tanto che quasi lo piagarono a morte». Allude alla prima cacciata dei guelfi, che per Guittone s'identificano con Firenze, per opera dei ghibellini nel 1248.
41-45. Dio li guarì dalla loro follia (il popolo li perdonò e nel 1251 le due fazioni fecero pace); essi allora ferirono il Leone ancora (allude a una congiura ghibellina del 1258), ma esso rimase invitto e li risparmiò (**perdonò lor morte**): ora, per ricompensa, dice accoratamente Guittone «hanno conquistato lui e le sue (**soie**) membra».
46-60. Ora il poeta passa a considerare la miseria e l'onta della disfatta, le sue gravi conseguenze politiche.
46. Conquis'è: conquistato. Ecco l'orrenda notizia: è un verso solenne e desolato. **alto**: nobile. Abbiamo visto come Guittone sia capace di queste espressioni sintetiche e dense, sostenute da un accento di profonda persuasione.
47. col senese: in tal modo ha invertito le parti col comune senese. Violenta fu la rivalità fra Firenze e Siena, risoltasi prima con la prevalenza di Firenze per lungo tempo. Ma a Montaperti i Senesi furono gli artefici principali della disfatta dei Fiorentini.
48-49. che... ha: il soggetto è Firenze.
49. latino: italiano.
50. Soggetto dei versi è Siena. **tolle il pro**: toglie il vantaggio.
51-60. Siena ora ha abbattuto il castello di Montalcino, ha ridotto in suo potere Montepulciano, e ha ora lei il tributo simbolico (cioè la cerbiatta) versato prima a Firenze dai Conti di Santa Fiore in Maremma, in segno di sottomissione.
55. e 'l paiese... tene: occupa come cosa sua il contado (*paiese*). Tutti questi luoghi erano paesi, terre, castelli a lungo contesi fra le due città.
56-58. «Nella battaglia sono stati presi ai Fiorentini la campana del carroccio, bandiere, armi e gli onori, cioè gli arredi e tutto ciò che c'era insieme di buono».

E tutto ciò li avene
60 per quella schiatta che più ch'altra è folle.
Foll'è chi fugge il suo prode e cher danno,
e l'onor suo fa che vergogna i torna,
e di bona libertà, ove soggiorna
a gran piacer, s'aduce a suo gran danno
65 sotto signoria fella e malvagia,
e suo signor fa suo grand'enemico.
A voi che siete ora in Fiorenza dico,
che ciò ch'è divenuto, par, v'adagia;
e poi che li Alamanni in casa avete
70 servite i bene, e faitevo mostrare
le spade lor, con che v'han fesso i visi,
padri e figliuoli aucisi;
e piacemi che lor dobiate dare
perch'ebber en ciò fare
75 fatica assai, de vostre gran monete.
Monete mante e gran gioi' presentate
ai Conti e a li Uberti e alli altri tutti
ch'a tanto grande onor v'hano condutti,
che miso v'hano Sena in podestate;
80 Pistoia e Colle e Volterra fanno ora
guardar vostre castella a loro spese;
e 'l Conte Rosso ha Maremma e 'l paiese,
Montalcin sta sigur senza le mura;
de Ripafratta temor ha 'l pisano,
85 e 'l perogin che 'l lago no i tolliate,
e Roma vol con voi far compagnia.
Onor e segnoria
adunque par e che ben tutto abbiate:
ciò che disïavate
90 potete far, cioè re del toscano.
Baron lombardi e romani e pugliesi
e toschi e romagnuoli e marchigiani,
Fiorenza, fior che sempre rinnovella,
a sua corte v'apella,
95 che fare vol de sé rei dei Toscani,
dapoi che li Alamani
ave conquisi per forza e i Senesi.

59-60. «e tutto ciò avviene al Comune fiorentino, per colpa di quella stirpe che è folle più d'ogni altra». Allude agli Uberti e agli altri ghibellini.
61-75. Il poeta rivolge qui una fiera rampogna ai ghibellini trionfanti che ora signoreggiano in Firenze, ma anche ai Fiorentini che si sono rassegnati alla sconfitta. Il frutto della vittoria, cioè del tradimento dei primi e della viltà dei secondi, è ora la soggezione a quei Tedeschi che hanno ucciso tanti loro congiunti nella turpe lotta fratricida. La stanza è divisa in due parti: la prima (vv. 61-66) contiene un robusto ammonimento morale, alto e solenne; nella seconda il tono è di un sarcasmo tagliente e doloroso.
61-66. «Pazzo è chi (come voi) fugge il suo vantaggio e cerca il suo danno e fa in modo che il proprio onore si muti in infamia, e dalla buona libertà, che godeva (**ove soggiorna**) con gran piacere, si conduce, con suo grande danno, in servitù crudele e malvagia, ed elegge per suo signore il suo grande nemico».
67-68. «Dico questo a voi che ora siete in Firenze, poiché **v'adagia**, cioè vi piace, a quanto sembra, ciò che è avvenuto (**divenuto**)».
69. Alamanni: Tedeschi.
70. «serviteli bene e fatevi mostrare».
71. fesso: fenduto, squarciato.
73-75. Continua il feroce sarcasmo: li consiglia di dare ai Tedeschi, uccisori dei loro congiunti, le loro gran monete (dove il *gran* indica l'avidità con cui le ammirano e le ricercano) per la fatica durata da loro nel turpe assassinio.
76-90. Continua il sarcasmo: onorino i Fiorentini gli Uberti che li hanno resi più potenti e ormai re di Toscana!
76. mante: molti. **gioi'**: gioie. **presentate**: donate.
77. Uberti e Conti Guidi sono le principali famiglie ghibelline.
79. È avvenuto invece il contrario! È Firenze, ora, soggetta alla rivale.
80-86. Continua il sarcasmo: certo le città vostre amiche, Pistoia, Colle Val d'Elsa e Volterra, faranno ora guardare i vostri castelli a spese loro! il Conte Aldobrandino degli Aldobrandeschi, vostro alleato contro Siena, è ora ben sicuro! Sicura è anche l'amica Montalcino, a cui hanno abbattuto le mura! Pisa ghibellina teme ora il Castello di Ripafratta, posizione strategica dalla quale i guelfi Lucchesi minacciavano i Pisani! I Perugini temono che voi togliate loro il lago Trasimeno, Roma vuol far lega con voi! Allude qui a tutte le posizioni perdute dai Fiorentini in seguito alla sconfitta.
87-90. Conclude ferocemente il sarcasmo: «Come sembra, avete ora pieno onore e signoria e potete ben fare ciò che desideravate, cioè diventare dominatori (**re**) della Toscana».
91-97. Il sarcasmo domina ancora nella chiusa che accoglie il concetto espresso nei versi finali della stanza precedente: Firenze, fiore che sempre si rinnova, invita (**apella**) alla sua splendida corte i baroni di tutt'Italia, lei che vuol diventare regina della Toscana, ora soprattutto, che ha conquistato con la sua potenza Tedeschi e Senesi.

Chiaro Davanzati

Scarse e dubbie sono le notizie che abbiamo di questo poeta. Fu fiorentino, combatté a Montaperti, visse nella seconda metà del Duecento. Ci ha lasciato un nutrito canzoniere, nel quale riecheggia molte esperienze letterarie: Guittone, i Siciliani, i Provenzali: fra questi ultimi, quelli più delicati e musicali, e quelli più tardi, che venivano raffinando la materia d'amore e rivestendola di vaga e indefinita spiritualità. Per questa via, Chiaro giunge alle soglie del *Dolce Stil Novo*, anzi, secondo alcuni, il suo non è un precorrimento, ma un'eco delle idealità e della poesia stilnovistica.

La splendïente luce, quando apare

In questo sonetto vi sono temi vicini allo Stil Nuovo: l'apparizione luminosa eppure sfumata della donna, l'ideale perfezione della sua bellezza, il corteo leggiadro di donne che riconoscono la sua signoria. Questi temi restano però frammentari, puro elemento figurativo, non esprimono una nuova intuizione dell'amore come presso gli stilnovisti.

La splendïente luce, quando apare,
in ogne scura parte dà chiarore;
cotant'ha di vertute il suo guardare,
che sovra tutti gli altri è 'l suo splendore:
5 così madonna mia face alegrare,
mirando lei, chi avesse alcun dolore;
adesso lo fa in gioia ritornare,
tanto sormonta e passa il suo valore.
E l'altre donne fan di lei bandiera,
10 imperadrice d'ogni costumanza,
perch'è di tutte quante la lumera;
e li pintor la miran per usanza
per trare asempro di sì bella cera,
per farne a l'altre genti dimostranza.

Metro: *sonetto* (schema: ABAB, ABAB, CDC, DCD).

1-2. La luce risplendente del sole, quando appare, illumina colla sua chiarità diffusa ogni luogo prima oscuro.
3. il suo guardare: vale: il suo raggio. Per questa virtù di illuminare ogni «parte scura» il sole è paragonato alla donna che risolve in luce di gioia ogni oscuro tormento.
5-6. Così la donna del poeta fa (**face**) rallegrare ogni persona addolorata che l'ammiri.
7. adesso: subito.
9-11. Le altre donne la seguono, come un vessillo di bellezza e di grazia, considerandola regina e maestra d'ogni bel costume; ella, infatti, è la luce che tutte le illumina.
12-14. I pittori usano contemplarla, per trarre da così bel viso (**cera**) il modello della bellezza e mostrarlo a tutti.

Bonagiunta Orbicciani

Lucchese, forse notaio e fiorito intorno alla metà del secolo. È stato spesso considerato dai critici un guittoniano, ma ora si è inclini a considerarlo «l'autentico trapiantatore dei modi siciliani in Toscana» (Contini). Certo, egli appare lontano dal *trobar clus*, cioè dallo stile arduo e spesso volutamente oscuro di Guittone, e la predilezione per i temi morali che ha in comune con l'Aretino risale alla tradizione provenzale. Se mai, appare più vicino agli stilnovisti, di cui anticipa certe cadenze e la predilezione per lo stile piano. Per questo, forse, Dante, presentandolo nell'immaginario incontro del XXIV del *Purgatorio*, ce lo mostra, insieme a Jacopo da Lentini e a Guittone, come un caposcuola, e mentre pur lo afferma superato da parte degli stilnovisti, sembra considerarlo come un tramite fra la vecchia e la nuova maniera.

Voi, ch'avete mutata la mainera

Il sonetto, rivolto a Guido Guinizzelli, è una decisa presa di posizione contro il *dolce stil novo*, al quale Bonagiunta, seguace del *trobar leu*, e cioè d'un poetare chiaro, piano, rimprovera la sottigliezza intellettualistica che si traduce in stile oscuro e difficile. Il lucchese, ancora legato ai moduli preziosi del galateo cortese e a una concezione dell'amore come piacere aristocratico, non comprende che la filosofia e la scienza sono per gli stilnovisti mezzo per un'indagine psicologica più radicale, per un approfondimento effettivo della tematica amorosa.

Voi, ch'avete mutata la mainera
de li plagenti ditti de l'amore
de la forma dell'esser là dov'era,
per avansare ogn'altro trovatore,
5 avete fatto como la lumera,
ch'a le scure partite dà sprendore,

Metro: *sonetto* (schema: ABAB, ABAB, CDE, CDE).

1-8. Voi... chiarore: Voi (si rivolge al Guinizzelli e agli stilnovisti in genere), che avete mutato lo stile (**mainera**) degli eleganti componimenti (**ditti**) amorosi, dalla forma che s'usava prima (trattando diversamente l'essenza d'amore, il suo modo di manifestarsi, il luogo dove nasce, che per Guinizzelli è il *cor gentile*), per superare ogni altro poeta, avete fatto come la luce, che porta splendore nelle parti (**partite**) oscure, ma non qui (**quine**; cioè: non ve n'era bisogno qui), dove riluce il sovrano globo solare (**spera**) che supera e passa di splendore ogni altra.
Secondo il Contini, che abbiamo seguito nell'interpretazione delle quartine, l'*alta spera* non è, come altri intendono, Guittone d'Arezzo. Si potrebbe pensare che B. alluda alla sua stessa poesia, espressione del *trobar leu*, e quindi limpida e luminosa.

ma non quine ove luce l'alta spera,
la quale avansa e passa di chiarore.
Così passate voi di sottigliansa,
10 e non si può trovar chi ben ispogna,
cotant'è iscura vostra parlatura.
Ed è tenuta gran dissimigliansa,
ancor che 'l senno vegna da Bologna,
traier canson per forsa di scrittura.

9-11. Così... sottigliansa: «Una superiorità l'avete anche voi, ma nella complicazione intellettualistica» (Contini). **chi... ispogna**: chi sappia bene spiegare le vostre poesie. **iscura**: oscura. **parlatura**: discorso. È uno dei numerosi gallicismi del sonetto.
12-14. Ed... scrittura: Ed è considerata una grande stranezza (**dissimigliansa**), anche se il senno viene da Bologna (la città di Guido, grande centro, allora, di studi universitari, e quindi anche filosofici), comporre una canzone tirandola fuori forzosamente dai testi filosofici (**per... scrittura**).

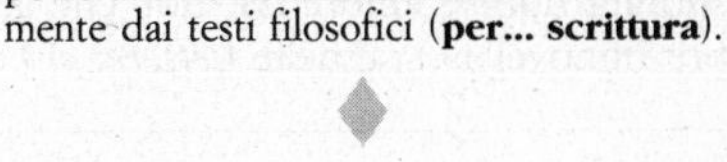

Letture critiche

Il magistero di Guittone

Comunemente il nome di Guittone reca con sé la sensazione d'oscurità e di funambolismo tecnico, insieme col giudizio di una sostanziale impotenza espressiva a specchio di una aridità spirituale. Ed è sensazione, e giudizio, persuasiva, specialmente quando si pensi alla parte deteriore e caduca, e che maggiormente irrita il nostro gusto di uomini d'oggi, della esercitazione letteraria del rimatore d'Arezzo; tanto più che fu proprio il peggio di Guittone a far più vasta presa sui mediocri discepoli, che accettarono e complicarono — in un'assurda emulazione di abilità — le singolari difficoltà tecniche affrontate e miracolosamente superate dal loro inarrivabile modello. Guittone voleva piegare il suo volgare alle sottigliezze più astruse e alle articolazioni più incredibili, non solo per conquistare un suo vanto rispetto alla recente e gracile tradizione siciliana, ma anche per superare i suoi veri maestri, gli antichi trovatori.

La tensione tecnica di Guittone, oltre che dal tradizionale concetto del «trovare», trae forza proprio dalla formazione culturale del poeta e dal suo stesso temperamento energico e volitivo: non è un arido gioco fine a se stesso; vuole essere, al contrario, proprio una dimostrazione di capacità e di potenza. Ed ecco la frequenza delle rime al mezzo, nei sonetti e nelle canzoni, che raddoppiano la difficoltà della rima semplice, creando un interno rapporto fonico e, nei casi migliori, musicale, suscettibile di ampi sviluppi stilistici; ecco le rime ripetute ed equivoche, come avviene, per addurre solo alcuni esempi, nelle canzoni XII e XIII, nel sonetto rinterzato n. 156 e nel son. n. 220, nello sforzo di ricavare da un breve corpo fonetico pressoché identico e fisso ogni possibilità semantica [...]. Una volta postisi su questa china, è difficile fermarsi; ed alla spinta concorrono, d'altra parte, l'inveterata tradizione retorica medievale, le allitterazioni, i bisticci, le ambivalenze lessicali, le ripetizioni, le etimologie, le figure etimologiche... Un bagaglio che Guittone portava con grande disinvoltura e facilità e molto volentieri, come attesta la tessitura tecnica della sua poesia e della sua prosa [...].

Gli è che Guittone era cosciente della necessità di siffatte ricerche lessicali e tecniche, che gli procurano insistenti accuse d'oscurità, per inserire nel giro di uno stile già fossilizzato e tradizionale l'urgenza di nuovi motivi e della sua energia rinnovatrice. Prova ne sia che le peculiarità tecniche finora ricordate, ed altre, non sono caratteristiche della sua prima produzione d'argomento amoroso, ma anche della sua seconda e terza attività politica e religiosa, ove esse più spesso diventano funzionali e si tramutano in significativo elemento di stile. Insomma, la confessione «me sforzeraggio a trovar novel sono» (VIII, 5) non è riferibile solo alla formazione guittoniana, ma al suo costante carattere, alla sua energica e dinamica natura di sempre: «Scuro saccio che per lo / meo detto, ma' che parlo / a chi s'entend' a me; / ché lo 'ngegno mio dà me / che me pur prove 'n onne / manera, e talent'honne» (XI, 61-66); così altra volta concludeva, prima del congedo, un suo discorso poetico sulla speranza d'amore, travagliato da rime equivoche ed ambigue. E cioè, se bene intendiamo: «So che la mia poesia sembra scura, salvo che io parlo a coloro che mi amano; è la mia natura che mi spinge a esplorare tutti i mezzi d'espressione, ed io perciò lo faccio assai volentieri». C'è tutto un viluppo d'energie e di rinnovamento nello schema di un deciso programma da perseguire fino in fondo. E molti anni dopo, in una delle nuove canzoni morali vigorose, ampie e distese (la XLIX), Guittone ribadiva quella sua posizione con fermezza rinnovata, ora, dalla persuasione morale: «E dice alcun ch'è duro / e aspro mio trovato a savorare; / e pote essere vero. Und'è cagione? / che m'abonda ragione, / per ch'eo gran canzon faccio e serro motti / e nulla fiata tutti / locar li posso; und'eo rancuro, / ch'un picciol motto pote un gran ben fare» (vv. 163-170). Versi meritamente famosi, come gli altri sopra citati. Ma noi vorremmo porre l'accento non tanto sulla oscurità che costituisce il capo d'accusa, quanto sulle successive dichiarate ragioni del suo essere: il mio temperamento mi spinge all'esplorazione della lingua e dello stile, prima; e poi: io rancuro se nulla fiata non posso serrare, come io vorrei, tutt'intero il mio pensiero. Sicché anche la conversione religiosa si risolve, per questo Ulisse della tecnica, in programma letterario: «Ora parrà s'eo saverò cantare / e s'eo varrò quanto valer già soglio, / poiché del tutto amor fuggo e disvoglio» (XXV, 1-3). Questa energia di ricerca espressiva è del Guittone poeta ed è del Guittone prosatore; è del Guittone scrittore d'amore ed è del Guittone cantore della rettitudine e della patria; il suo inaridirsi e raffreddarsi genera le inutili e artificiose forme della sua peggiore poesia; il suo corroborarsi di pensiero in adeguazione ad una perspicua chiarezza psicologica dà origine ad una vigorosa, impetuosa, tagliente eloquenza, non priva di bagliori di poesia. Allora la tecnica fredda diventa calore di stile, e Guittone tende ad assumere la sua più precisa fisionomia di poeta. Noi non riusciamo a sentire per esempio, nel son. 31, il fastidio della ripetizione della parola *gioia*, quando la psicologica esplosione di gaudio s'informa nel variato crepitio dell'unico tema. Lo vogliamo riportare tutto intero:

Tuttor ch'eo dirò gioi', gioiva cosa,
[*cfr. antologia*]

Veda il lettore, confrontando questa *replicatio* con quella dei citati sonetti 79 e 158, se qui non c'è un tono diverso, cantato, come in un'ebbrezza mistica d'abnegazione e di possesso. L'elemento tecnico lessicale della ripetizione, la *variatio* tematica dell'ispirazione, divengono vera condizione di canto. E questi versi possono ben ricordare certe psicologiche movenze iacoponiche e lecitamente esser messi accanto ad altri non pochi, scritti dall'ispirato frate todino; al quale, del resto, Guittone rassomiglia anche per altri aspetti, esteriori ed interiori. Ma è nella piena maturità di Guittone che più spesso il sicuro e disinvolto possesso della tecnica risponde adeguatamente alle movenze dell'ispirazione: «Vedendo l'alta Fior sempre granata»; «Altezza tanta en la sfiorata fiore»; «Fiorenza, fior che sempre rinnovella»...; e nelle *Lettere*: «O desfiorati, a che siete venuti?»; ecc., soltanto per citare pochi e famosissimi esempi.

Forma di un sentimento ardente e battagliero; ché il centro psicologico di Guittone è un'inflessibile certezza spinta fino ai limiti dell'apostolato. La forma espressiva che gli si attaglia è l'oratoria; le sue mete, la solidarietà e il proselitismo. E perciò l'autobiografismo sta alla base della sua produzione in versi e in prosa, negli elementi di più immediata importanza per l'impostazione dei rapporti tra arte e vita: quelli che riguardano la scuola, la cultura, e quelli che riguardano la morale, la fede, la religione.

Mario Marti

(Da *Realismo dantesco e altri saggi*, Milano, Napoli, Ricciardi, 1961, pp. 133-137, con tagli).

Il dolce stil novo

Una nuova «scuola»

Fra gli ultimi decenni del Duecento e i primi del Trecento si sviluppa, nella nostra lirica d'arte, il movimento che i posteri chiamarono del «dolce stil novo». L'iniziatore fu il bolognese Guido Guinizzelli, seguito da un gruppo fiorentino (Guido Cavalcanti, Dante Alighieri, Lapo Gianni, Gianni Alfani, Dino Frescobaldi) e da Cino da Pistoia. Dante, i due Guidi, Cino ne furono i rappresentanti più insigni.

Il nome della «scuola» deriva da Dante (*Purgatorio* XXIV), secondo il quale l'originalità di questi poeti, rispetto ai Siculo-Toscani, consiste nel fatto che essi scrivono seguendo la diretta ispirazione d'Amore, ciò che egli «ditta dentro». Con questa definizione, però, Dante non rivendica una loro maggiore immediatezza e spontaneità sentimentale, ma la loro capacità di penetrare più a fondo il significato, l'essenza dell'esperienza amorosa, sia sul piano psicologico sia sul piano intellettuale o conoscitivo, e di rappresentarla con uno stile adeguato all'oggetto: atto, cioè, a esprimere la «dolcezza» del sentimento amoroso.

Accogliendo il tema dell'esaltazione di Amore come suprema forma di aristocrazia spirituale, gli stilnovisti riprendono altri motivi della lirica «cortese», come l'affermazione che la vera nobiltà o «gentilezza» è nell'animo, non nei diritti della nascita e del censo, la rappresentazione, tipica degli ultimi provenzali, della donna come figura angelica, ispiratrice d'un amore che è, prima di tutto, elevazione morale, e numerosi altri spunti figurativi, organizzando tuttavia queste suggestioni in una ideologia più complessa.

Originale è, in primo luogo, il loro definirsi come un pubblico nuovo di produttori e utenti della poesia, legato da amicizia: come libera accolta di «cori gentili» capaci di vivere e intendere una nobilitante esperienza d'amore. È un gruppo di intellettuali che non coincide più con una corte, ma vive nella civiltà cittadina e fonda il sentimento della propria aristocrazia prima di tutto sulla cultura, che è conquista individuale. Così la loro dottrina d'amore non s'appaga del tradizionale galateo cortese, ma s'ispira alla filosofia insegnata nell'Università: il «senno» che viene da Bologna, secondo il rimprovero ironico rivolto loro da Bonagiunta da Lucca.

Un mito poetico

Gli stilnovisti intendono definire l'origine e la natura d'amore, cogliendole nel loro fondamentale aspetto psicologico, astraendo dalle manifestazioni contingenti. Gioia e tormento amoroso, contemplazione entusiastica della bellezza e passione conturbante sono ricondotti a quel complesso di rappresentazioni mentali che generano il sentimento. L'analisi coinvolge però tutta la vita della coscienza, perché allora la psicologia non era, come oggi, una scienza sperimentale, ma la dottrina filosofica dell'anima.

Si avverte negli stilnovisti l'influsso della ricerca filosofica del tempo, dal nuovo aristotelismo alle correnti mistiche, confluite nella filosofia di S. Bonaventura, fra le quali particolare importanza riveste, per il nostro discorso, quella che fu detta la metafisica della luce. Secondo questa teoria, la luce è il principio dell'essere, della vita; lo splendore, in tutto il creato, della suprema mente creatrice, riflessa dalle Intelligenze angeliche motrici dei cieli e dalle creature umane più elevate, che diventano un vivente incentivo a una partecipazione più piena all'essere e alla verità.

Un'indubbia suggestione sembra essere stata esercitata da questa teoria sulla rappresentazione-esaltazione stilnovistica della donna e dell'amore. In genere, però, questo, come gli altri spunti di pensiero, non sono svolti su un piano filosofico sistematico, ma tradotti in un sistema di immagini poetiche. Astraendo dagli svolgimenti dei singoli poeti, lo si potrebbe sintetizzare così: la bellezza della donna (espressa attraverso metafore di luce e splendore) è manifestazione della perfezione dell'essere cui l'anima aspira, e amore è questa aspirazione, non disgiunta dalla consapevolezza che si tratta d'una meta difficile e sempre sfuggente, perché la gioia contemplativa è insidiata dalla sorda resistenza della passione. Bellezza, dunque, come rivelazione del bene, amore come esaltazione della nobiltà dello spirito, ma anche come tensione spesso insoddisfatta e tormentosa: questa è la problematica assunta dalla lirica stilnovistica, con un dominante impegno conoscitivo che regge il vario atteggiarsi sentimentale e fantastico.

L'identificazione dell'amore con lo slancio elementare e il traguardo della coscienza comporta tuttavia un confronto fra questo mito poetico e una concezione generale del mondo permeata, allora, di spiritualità cristiana (il Cristianesimo si proponeva come la religione dell'amore); donde il problema del rapporto fra amore terreno e amore divino (Guinizzelli, Dante), o, per lo meno, della giustificazione del primo sul piano morale e conoscitivo (Cavalcanti). Il problema è presente, più o meno esplicitamente, negli stilnovisti maggiori, ciascuno dei quali risponde in modo diverso e autonomo.

Stile e modi della rappresentazione

Si tocca qui un'altra importante distinzione fra i Siciliani e gli Stilnovisti. In questi, infatti, non si ha più la coralità dei primi, la tendenza a identificarsi nel mito comune della società cortese; ognuno dei nuovi poeti rivela un proprio itinerario e una propria teoria.

La dimensione unitaria della scuola si avverte soprattutto nell'ambito dello stile, intendendo la parola nel senso più completo. Si può infatti chiamare stile anche quell'immaginario comune che si è tentato di definire, sia pure con svolgimenti personali distinti: il gusto della drammatizzazione degli eventi interiori, la rappresentazione attutita della realtà esterna, risolta nel palpito o nel discorso della coscienza, unica reale protagonista. Anche la donna ha un che di diafano e di remoto: è un balenare di luce, di primavera, in cui si traduce l'emozione dell'anima contemplante. L'impegno stilistico culmina, infine, nella ricerca d'un linguaggio «dolce», adatto a esprimere la soavità d'amore e le immateriali sfumature della vicenda interiore.

A differenza di quanto avveniva nei canzonieri siciliani, si ritrovano, nei testi stilnovistici, nomi di donne amate, come ad attestare un impegno autobiografico. Si pensi alla Giovanna del Cavalcanti, alla Beatrice di Dante, alla Selvaggia di Cino, e alla volontà di Dante, nella *Vita nuova*, di organizzare la sua lirica secondo una vicenda interiore progressiva. Questo individualismo più accentuato corrisponde alla civiltà cittadina di cui questi poeti fanno parte, ma riguarda essenzialmente il problema oggettivo della natura e dell'essenza d'amore che si è visto, colto più decisamente di quanto non si fosse fatto fino allora, nel vivo della coscienza e delle sue ragioni. L'io del poeta si definisce in questa dimensione problematica etico-conoscitiva, in una esperienza esemplare. Le donne cantate non acquistano consistenza figurativa o drammatica, e lo stesso va detto delle vicende amorose che non si presentano in una vera dimensione narrativa; donne e vicende non sono che metafora d'una scoperta sentimentale e intellettuale, d'un vivere l'amore come conoscenza dell'interiorità.

Il «dolce stil novo» rimase, deliberatamente, un'esperienza aristocratica, fortemente selettiva nei confronti del pubblico (diverso è il caso di Dante, per il quale esso è soltanto il momento iniziale della sua carriera poetica) e anche negli argomenti, tale, dunque, da riflettere soltanto parzialmente la complessa realtà dell'epoca. Notevole, tuttavia, è il suo significato storico. Importante è, prima di tutto, il suo perentorio richiamo all'interiorità in quella che allora appariva la forma poetica più elevata, destinata a un pubblico eletto, e il suo impegno filosofico che attesta l'affermarsi di un'alta cultura laica in volgare. La sua rifondazione del mito dell'amore, ricondotto alla vicenda globale della coscienza, delinea una visione più complessa della psicologia dell'uomo e conduce alla scoperta d'una dignità autonoma dei sentimenti umani. Questi motivi, depurati di certe astrattezze, e l'esempio d'un elevato magistero stilistico, passeranno nella lirica del Petrarca, e di lì in quella posteriore.

Per i testi seguiamo: *Poeti del Duecento*, a cura di G. Contini, cit.

Guido Guinizzelli

Guido Guinizzelli nacque a Bologna, fra il 1230 e il 1240; fu giudice, parteggiò per la famiglia dei Lambertazzi (ghibellini) e fu per questo mandato in esilio a Monselice. Morì circa nel 1276. È tutto ciò che sappiamo della sua vita.

Dalle pagine del suo canzoniere ci parla una voce pervasa dall'entusiasmo della scoperta di un nuovo mondo poetico. Lo vediamo ripercorrere e assimilare la tradizione siciliana e toscana, chiamar Guittone suo maestro, ma distaccarsi progressivamente da ogni modello per genialità inventiva. Certe sue immagini nuove, da intendere essenzialmente come metafore, verranno riprese e svolte dagli altri stilnovisti: il motivo della donna angelo, del saluto di lei che porta beatitudine e salvazione all'animo, liberandolo da ogni peccato e donandogli purezza e virtù, del poeta piagato d'amore, che «porta morte» in sé, nel senso che l'amore per il suo carattere passionale, coesistente e contrastante con quello spirituale, pone l'anima, a volte, in un travaglio angoscioso.

Quanto ai concetti, se non è nuova l'identificazione di amore e virtù, di amore e nobiltà vera, che è prerogativa dell'anima e non dote ereditaria, nuovo è l'entusiasmo con cui vengono espressi. Caratteristico del Guinizzelli è pure l'atteggiamento di riflessione sui propri sentimenti, la passione intellettuale con cui definisce il proprio animo e gli effetti che l'amore produce in esso. Amore per lui è trionfo di spiritualità, fervore d'intima vita.

Dante chiama Guinizzelli «padre», lo considera iniziatore della poesia stilnovistica. E in realtà, se anche la critica moderna tende a limitar la novità delle invenzioni guinizzelliane e a sottolineare i legami che lo uniscono ai poeti precedenti, bisogna riconoscere che il Guinizzelli (che non fu un filosofo ma un poeta) ha risolto quei motivi intellettuali in una nuova forma di rappresentazione poetica, in un nuovo «mito»; in un sistema d'immagini e soprattutto in una nuova tonalità espressiva «dolce» cui s'ispirerà Dante nella *Vita nuova*.

Al cor gentil rempaira sempre amore

Questa canzone è considerata il «manifesto» del dolce stil nuovo, cioè la definizione dei principali temi della «scuola». Il suo contenuto è il seguente: l'amore e il cuor gentile sono inscindibili, connaturati, come il sole e la luce, il calore e la fiamma (1-10); un cuore eletto, puro, gentile viene ridestato all'amore dalla donna e questo amore è l'espressione più alta della sua nobiltà (20-30); la vera nobiltà, infatti, non deriva ereditariamente da una tradizione familiare, ma coincide con la virtù che è personale conquista e che l'amore potenzia (31-40); come Dio, risplendendo nell'Intelligenza angelica, fa sì che questa attui nell'universo la Sua volontà, così la donna, splendendo nell'animo dell'amante, lo dispone al raggiungimento della perfezione morale (41-50); un amore così concepito non è peccato, ma principio di elevazione spirituale, non contrasta quindi con le leggi divine (51-60).

Molti nella canzone i riferimenti al mondo della scienza, assunti come metafore attraverso le quali il poeta anima la sua concezione. Il componimento si snoda in un tessuto logico organico, avvivato dal calore di una nuova scoperta.

Al cor gentil rempaira sempre amore
come l'ausello in selva a la verdura;
né fe' amor anti che gentil core,
né gentil core anti ch'amor, natura:
5 ch'adesso con' fu 'l sole,
sì tosto lo splendore fu lucente,
né fu davanti 'l sole;
e prende amore in gentilezza loco
così propïamente
10 come calore in clarità di foco.

Foco d'amore in gentil cor s'aprende
come vertude in petra prezïosa,
che da la stella valor no i discende
anti che 'l sol la faccia gentil cosa;
15 poi che n'ha tratto fòre
per sua forza lo sol ciò che li è vile,
stella li dà valore:
così lo cor ch'è fatto da natura
asletto, pur, gentile,
20 donna a guisa di stella lo 'nnamora.

Amor per tal ragion sta 'n cor gentile
per qual lo foco in cima del doplero:
splendeli al su' diletto, clar, sottile;
no li stari' altra guisa, tant'è fero.
25 Così prava natura
rencontra amor come fa l'aigua il foco
caldo, per la freddura.
Amore in gentil cor prende rivera
per suo consimel loco
30 com'adamàs del ferro in la minera.

Fere lo sol lo fango tutto 'l giorno:
vile reman, né 'l sol perde calore;
dis'omo alter: «Gentil per sclatta torno»;
lui semblo al fango, al sol gentil valore:
35 ché non dé dar om fé
che gentilezza sia fòr di coraggio
in degnità d'ere'
sed a vertute non ha gentil core,
com'aigua porta raggio
40 e 'l ciel riten le stelle e lo splendore.

Splende 'n la 'ntelligenzïa del cielo
Deo crïator più che 'n nostr'occhi 'l sole:
ella intende suo fattor oltra 'l cielo,
e l' ciel volgiando, a Lui obedir tole;
45 e con' segue al primero,

Metro: *canzone* con stanze di 10 versi. Schema: *fronte* di due piedi (AB, AB) e *sirma* (cDcEdE). Tutte le stanze, tranne l'ultima, sono, secondo l'uso provenzale, *capfinidas*; il primo verso di ciascuna contiene cioè una parola dell'ultimo della precedente (ma fra la 3 e la 4 v'è soltanto un'assonanza fonica: *ferro* / *fere*).

1-2. «Amore sempre ritorna, come a sua dimora, (**rempaira**) nel cuore gentile (e qui *gentile* significa nobile, per spiritualità elevata e virtuosa), come l'uccello si rifugia nella selva fra le frasche».
3. fe': fece. **anti che**: prima che.
5-7. «ché non appena (**adesso con'**) fu il sole, subito risplendette la sua luce, né la luce fu prima del sole».
8-10. «e amore prende stanza nel cuore nobile così naturalmente come il calore nella fiamma splendente». In questa stanza sono tutte immagini vivide – il sole, il fuoco, il verde della selva – che richiamano il concetto d'amore come vita e gioia.
11-20. Per comprendere questi versi, bisogna rifarsi alla scienza del Medioevo, secondo la quale le pietre preziose avevano una «virtù» cioè la capacità di produrre effetti a volte magici. Tale virtù era infusa in esse da una stella, dopo che il sole le aveva purificate. **s'aprende**: s'apprende.
13. no i discende: non discende in essa.
14. la faccia, ecc.: l'abbia purificata da ogni scoria.
15. fòre: fuori.
19. asletto: eletto.
20. Perché amore si accenda nel cuore dell'uomo è necessario che il cuore sia purificato da ogni bassezza; solo allora la donna lo innamora, cioè imprime in lui, come la stella nella pietra preziosa, quell'amore che è sinonimo di virtù morale.
21-24. Un'altra immagine tratta dal fuoco; però allude non al calore e alla luce, ma soprattutto al fatto che il fuoco tende verso l'alto. L'immagine anticipa il ragionamento che seguirà nella stanza seguente (del resto anche le due prime strofe erano connesse nella stessa maniera): amore è elevazione dell'anima.
21. per tal ragion... per qual: allo stesso modo... che.
22. doplero: torcia.
23. splendeli al su' diletto: ivi risplende liberamente. **clar, sottile:** luminoso, sottile. Il primo aggettivo indica la chiarità della fiamma, il secondo il suo agile elevarsi verso l'alto.
24. «Non gli converrebbe, tanto è fiero, altro modo di essere».
25-27. «Allo stesso modo un animo privo di gentilezza e nobiltà avversa (**rencontra**) amore come l'acqua, col suo freddo, il fuoco, la cui caratteristica è invece il calore».
28-30. prende rivera, ecc.: prende dimora, come in luogo affine a sé, allo stesso modo che il diamante sta nella miniera del ferro.
31-40. È la stanza famosa sulla nobiltà. Forte il tono di persuasione e bella quell'immagine finale del cielo risplendente, anch'essa legata alla tonalità luminosa delle altre fin qui incontrate. Si determina così un campo metaforico in cui la luce esprime l'elevata spiritualità dell'amore, che esalta e illumina la vita della coscienza. **Fere**, ecc.: Il sole colpisce continuamente il fango: il fango rimane cosa vile e il sole non perde calore (cioè non avviene fra i due alcuna compenetrazione); (poniamo che) un uomo altero dica: «Io sono nobile per schiatta»: io paragono lui al fango e la vera nobiltà al sole (cioè, l'uomo altero e la nobiltà non riescono a fondersi, a compenetrarsi).
35-38. «poiché non si (**om** è soggetto indefinito) deve credere che la nobiltà consista in una dignità ereditaria (**degnità d'ere'**), fuori del cuore (**coraggio**), cioè del tutto disgiunta dai meriti personali, se non si ha un cuore nobile disposto alla virtù».
39-40. «allo stesso modo, l'acqua si fa attraversare dal raggio luminoso, ma il cielo conserva inalterate le stelle e il loro splendore». Cioè, l'uomo altero e privo di virtù non riesce a mantenere in sé la nobiltà.
41-50. È la stanza più dottrinale e di più difficile interpretazione. Bisogna tener presente che, secondo la scienza e la filosofia medioevali, la terra è ferma al centro dell'universo, attorno a lei ruotano nove cieli (concepiti come spessori sferici, concentrici) che piovono su di essa influssi atti a mantenere nel nostro mondo la vita degli esseri e a rinnovellarla continuamente. I cieli, a loro volta, sono mossi dagli Angeli che regolano questi influssi attuando l'armonico piano della Provvidenza, ispirato loro da Dio. La spiegazione sarebbe dunque questa: «Dio creatore splende davanti all'Intelligenza angelica che muove il cielo, più che il sole dinanzi ai nostri occhi: l'Intelligenza conosce il suo Creatore immediatamente (in quanto è creatura spirituale e perfetta, la sua conoscenza non resta circoscritta al cielo cui è deputata), e prende ad ubbidirgli facendo girare (**volgiando**) il cielo; e come (**con'**) subito (**al primero**) tien dietro (alla visione che l'Angelo ha di Dio) un compimento beato (perché vuole il bene) della volontà del giusto Dio, così, in verità (**al vero**) la bella donna, non appena risplende negli occhi del suo nobile amante, dovrebbe dargli il desiderio (**talento**) di non staccarsi mai dall'obbedienza

del giusto Deo beato compimento
così dar dovria, al vero,
la bella donna, poi che 'n gli occhi splende
del suo gentil, talento
50 che mai di lei obedir non si disprende.
Donna, Deo mi dirà: «Che presomisti?»,
sïando l'alma mia a lui davanti.
«Lo ciel passasti e 'nfin a Me venisti
e desti in vano amor Me per semblanti:
55 ch'a Me conven le laude
e a la reina del regname degno,
per cui cessa onne fraude».
Dir Li porò: «Tenne d'angel sembianza
che fosse del Tuo regno;
60 non me fu fallo, s'in lei posi amanza».

a lei». La bella donna, cioè, dovrebbe ispirare nell'uomo l'ideale della virtù e della perfezione, come l'Angelo imprime al cielo l'armonico moto voluto da Dio e tale da produrre un benefico influsso nel mondo.
51-60. A questo punto il poeta interrompe lo schema dimostrativo per abbandonarsi a un puro giuoco d'immaginazione: la scena è in cielo, la sua anima è davanti a Dio che la rimprovera di aver dato una sembianza divina (cfr. la stanza precedente) a un amore puramente umano, terreno. Ma il poeta risponde che la sua donna aveva l'aspetto d'un angelo; una bellezza così alta, pura che non poteva condurlo a un desiderio peccaminoso, ma ad una elevazione dell'animo tale da non contrastare con la virtù cristiana. Il Roncaglia avverte nei vv. 51-55 un senso cristiano del peccato (il *vano* amor), caratteristico, a suo avviso, della poesia guinizzelliana. Certo, il problema della relazione fra il rinnovato concetto dell'amore umano beatificante e quello che l'uomo deve a Dio è sentito dal poeta, che, però, non intende, qui, risolverlo, bensì mostrare la nobiltà e moralità degli affetti umani più elevati. Così questo epilogo in cielo serve soprattutto ad esaltare il nuovo, spirituale sentimento dell'amore e il problema teologico si muta in un'atmosfera fantastica.
51-57. «Donna (il poeta si rivolge alla donna amata), Dio mi dirà – quando l'anima mia sarà davanti a Lui: – Che presumesti? Hai passato il cielo e sei giunto fino a Me e mi hai posto come termine di paragone di un amore vano (caduco, come ogni cosa terrena, vano di fronte all'eternità): perché la lode (che hai rivolta alla tua donna) conveniva se mai a Me e alla Vergine, regina del cielo (il vero regno) per i cui meriti è sconfitto il peccato». Iddio, cioè, accusa il poeta di idolatria, per l'adorazione che rivolge alla sua donna.
58. porò: potrò. **Tenne**, ecc.: aveva l'aspetto di un angelo.
60. «non fu un peccato il mio porre amore in lei». La risposta del poeta è un galante complimento alla donna. Questo paragone fra la donna e l'angelo resterà vivo negli stilnovisti. Dante, come vedremo, lo approfondirà in senso spirituale; per gli altri sarà una metafora poetica.

Io voglio del ver la mia donna laudare

La metafora poetica della canzone, per la quale la donna veniva assomigliata a una figura angelica, sembra espandersi in questo sonetto, incentrato sulla figura dell'amata. Ella non vive di lineamenti e caratteri definiti: sfuma in una rappresentazione luminosa, nella dolcezza d'un fiore, nello splendore d'una stella, nell'eterea limpidità dell'aria, in un incanto di primavera, nel colore vivido dell'oro e delle gemme. Ma, come appare nelle terzine, è anche fonte di una luce spirituale, una promessa di bontà, di salvazione. Il vero protagonista del sonetto è però il poeta, che esprime l'emozione provocata in lui dall'amore.

Io voglio del ver la mia donna laudare
ed asembrarli la rosa e lo giglio:
più che stella dïana splende e pare,
e ciò ch'è lassù bello a lei somiglio.
5 Verde river'a lei rasembro e l'âre,
tutti color di fior', giano e vermiglio,
oro ed azzurro e ricche gioi per dare:
medesmo Amor per lei rafina meglio.
Passa per via adorna, e sì gentile
10 ch'abassa orgoglio a cui dona salute,
e fa 'l de nostra fé se non la crede;
e no·lle pò apressare om che sia vile;
ancor ve dirò c'ha maggior vertute:
null'om pò mal pensar fin che la vede.

Metro: *sonetto* (schema: ABAB, ABAB, CDE, CDE).
1. «Io voglio lodare la mia donna quale veramente è».
2. asembrarli: assomigliare a lei. La rosa e il giglio alludono al colore del suo volto.
3-4. «Si palesa luminosa più che la stella del mattino e io la vedo simile a ciò che di bello vi è nel cielo».
4-8. Nella seconda quartina s'affollano più intensi i colori. **river**: campagna. **rasembro**: rassomiglio. **âre**: l'aria, la volta del cielo. **giano**: giallo. **azzurro**: lapislazzuli. **ricche gioi per dare**: ricchi gioielli, degni d'essere offerti in dono. **8.** «persino (**medesmo**) amore diviene, attraverso lei, cosa più gentile».
9-14. Le due terzine fanno presentire l'atmosfera di miracolo e di amore-redenzione, legata al motivo cristiano della salvezza dell'anima, che si ritroverà nella *Vita nuova* di Dante (soprattutto nella canzone *Donne ch'avete intelletto d'amore* che sviluppa il tema di questi versi). Sono frequenti, s'è visto, queste mescolanze di sacro e di profano nella lirica «cortese», ma in Guido esse oscillano fra metafora poetica e realtà, perché l'amore diviene principio di elevazione morale.
9. Passa per via...: è una caratteristica movenza stilnovistica: la donna cammina leggera, nell'incanto della sua bellezza.
10. «quando saluta uno, lo redime da ogni orgoglio». È un saluto che diventa *salute*, cioè purificazione da ogni disposizione peccaminosa, e redenzione.
11. e... crede: e lo fa diventare cristiano, se ancora non crede.
12-14. «un uomo il cui animo sia vile non può neppure avvicinarsi a lei; e vi dirò ancora che ha una maggiore efficacia prodigiosa: nessun uomo, mentre la guarda, può concepire alcun pensiero peccaminoso».

Lo vostro bel saluto e 'l gentil sguardo

La contemplazione dell'amata si risolve, nel Guinizzelli, in un'alternanza di gioia e di tormento; la bellezza di lei getta il suo animo in un turbamento profondo, gli dà un senso di sbigottimento, di dolorosa passione contrastante con l'estasi beata di altri momenti. Quest'alternanza di luce e tenebre sarà fondamentale nella poesia di Guido Cavalcanti.

Lo vostro bel saluto e 'l gentil sguardo
che fate quando v'encontro, m'ancide:
Amor m'assale e già non ha reguardo
s'elli face peccato over merzede,
5 ché per mezzo lo cor me lanciò un dardo
ched oltre 'n parte lo taglia e divide;
parlar non posso, ché 'n pene io ardo
sì come quelli che sua morte vede.
Per li occhi passa come fa lo trono,
10 che fer' per la finestra de la torre
e ciò che dentro trova spezza e fende:
remagno como statüa d'ottono,
ove vita né spirto non ricorre,
se non che la figura d'omo rende.

Metro: *sonetto* (schema: ABAB, ABAB, CDE, CDE).

2. m'ancide: m'uccide.
3-4. «Amor m'assale e non si cura affatto se mi fa del male (se fa peccato contro di me) o se mi fa grazia».
5-8. Continua la metafora di violenza guerriera del v. 3 (*Amor m'assale*). 6. «che lo taglia e divide da parte a parte». 7-8. Il poeta è muto, affranto come colui che ha veduto ormai vicina e ineluttabile la morte e giace, come insensato, fuor d'ogni speranza.
9-11. La potenza devastatrice dell'amore-passione è intensamente espressa dall'immagine impetuosa del fulmine (**trono**). **Per... passa**: il soggetto è Amore, ma in realtà è la figura della donna, ispiratrice d'amore.
12-14. «rimango come una statua d'ottone che non ha in sé né spirito né vita e riproduce solo la figura esterna dell'uomo».

Vedut'ho la lucente stella diana

Che l'immagine «angelica» della donna, veduta in un sonetto precedente, fosse espressione immaginosa di un amore umano e non motivo letteralmente religioso, si può vedere nel sonetto che ora presentiamo (e anche in quello seguente). All'incanto della apparizione di Madonna, all'estasi del poeta dei primi otto versi, subentrano il senso di un amore appassionato e un desiderio ansioso di amorosa corrispondenza. Le terzine sono più convenzionali e riecheggiano i modi cortesi. Le quartine, invece, richiamano il tema del precedente sonetto: l'intuizione e la rappresentazione della bellezza e della emozione che essa suscita nell'animo di chi la contempla.

Vedut'ho la lucente stella diana,
ch'apare anzi che 'l giorno rend'albore,
c'ha preso forma di figura umana;
sovr'ogni altra me par che dea splendore:
5 viso de neve colorato in grana,
occhi lucenti, gai e pien' d'amore;
non credo che nel mondo sia cristiana
sì piena di biltate e di valore.
Ed io dal suo valor son assalito
10 con sì fera battaglia di sospiri
ch'avanti a lei de dir non seri' ardito.
Così conoscess'ella i miei disiri!
ché, senza dir, de lei seria servito
per la pietà ch'avrebbe de' martiri.

Metro: *sonetto* (schema: ABAB, ABAB, CDC, DCD).

1-4. I primi versi creano un'atmosfera di miracolo, di stupore. Il poeta ha veduto la stella lucente del mattino, che appare prima che il giorno mandi il chiarore dell'alba, quando le cose sembrano protese nell'attesa della luce. L'immagine raffigura l'attesa, da parte del poeta, di una superiore e beatificante rivelazione. Il terzo verso sottolinea quest'atmosfera di miracolo. È veramente lei, la donna, la stella del mattino che, per una metamorfosi arcana, ha preso forma di umana figura e risplende sopra ogni altro essere.
5-8. S'alternano nel suo viso un candore di neve e il rosso vivo delle labbra; gli occhi sono pura luce e gioia e dolcezza d'amore.
9-11. «La bellezza, i pregi della donna mi assalgono, fan nascere nel mio cuore una fiera battaglia di sospiri (allude al fascino esercitato dalla bellezza di lei, peraltro irraggiungibile) che non avrei il coraggio neppure di rivelarle il mio amore».
13-14. seria servito: sarei amorosamente ricompensato. **martiri**: intensa sofferenza.

Sì sono angostïoso e pien di doglia

Il sonetto raffigura un chiuso tormento dell'animo, nato dalla delusione amorosa. La malinconia del poeta si esprime in immagini, delineate con forte rilievo (la foglia morta, la tortora solitaria), che danno efficacemente il senso di una pena senza conforto.

Sì sono angostïoso e pien di doglia
e di molti sospiri e di rancura,
che non posso saver quel che mi voglia
e qual poss' esser mai la mia ventura.

Metro: *sonetto* (schema: ABAB, ABAB, CDE, CDE; in ogni terzina, c'è, nel 2° e 3° verso, la rima al mezzo).

1. angostïoso: angosciato. La parola è isolata al centro del verso anche per via di quella dieresi che ne prolunga la durata e le conferisce rilievo.
2. rancura: è il chiuso tormento dell'anima.
3. «Che non so neppure quello che voglio».
4. ventura: sorte. I vv. 3 e 4 insistono sullo smarrimento di ogni senso e desiderio di vita, provocato dal dolore, e preparano la bella immagine della foglia morta e inaridita.

5 Disnaturato son come la foglia
quand' è caduta de la sua verdura,
e tanto più che m'è secca la scoglia
e la radice de la sua natura:
sì ch'eo non credo mai poter gioire,
10 né convertir — la mia disconfortanza
in allegranza — di nessun conforto;
soletto come tortula voi' gire,
solo partir — mia vita in disperanza,
per arroganza — di così gran torto.

5. Disnaturato: privato della mia vita naturale.
6. de la sua verdura: giù dal verde ramo.
7-8. «e tanto più che in me si è seccata la scorza (**scoglia**) e la sua radice vitale».
9. mai: mai più.
10. disconfortanza: sconforto, desolazione.
11. in allegranza... conforto: in letizia dovuta a qualche conforto.
12. soletto... gire: voglio andarmente (**gire**), solitario come una tortora. Secondo Brunetto Latini, nel *Tesoro*, la tortora è uccello di grande castità che volentieri vive solitario: la cosa è confermata dai «bestiari» medioevali.
13-14. «Da solo isolare (**partir**) – e quindi riversare – tutta la mia vita nella disperazione, per l'eccesso (**arroganza**) dell'ingiustizia così grave che ho ricevuto».

Chi vedesse a Lucia un var capuzzo

Questo sonetto è un esempio di quella poesia comico-realistica che fiorì accanto e in opposizione allo stilnovismo e di cui diamo esempi più avanti. Non più, qui, rapimenti estatici ma un ardente impeto dei sensi (9-12); e anche lo stile è ben diverso dai toni idealizzanti dello *stil novo*: le parole usate alludono a oggetti reali e corposi, sono spesso dialettali, e lo stesso si può dire delle immagini, improntate a un realismo quotidiano.

Chi vedesse a Lucia un var capuzzo
in cò tenere, e como li sta gente,
e' non è om de qui 'n terra d'Abruzzo
che non ne 'namorasse coralmente.
5 Par, sì lorina, figliuola d'un tuzzo
de la Magna o de Franza veramente;
e non se sbatte cò de serpe mozzo
come fa lo meo core spessamente.
Ah, prender lei a forza, ultra su' grato,
10 e bagiarli la bocca e 'l bel visaggio
e li occhi suoi, ch'èn due fiamme de foco!
Ma pentomi, però che m'ho pensato
ch'esto fatto poria portar dannaggio
ch'altrui despiaceria forse non poco.

Metro: *sonetto* (schema: ABAB, ABAB, CDE, CDE).

1-4. Chi vedesse... coralmente: Chi vedesse a Lucia tenere in capo (**in cò**) un cappuccio di vaio (**var capuzzo**) e vedesse come le sta bene (**gente** = gentilmente, graziosamente), non vi è uomo di qui alla terra d'Abruzzo che non si innamorerebbe di cuore di lei (**coralmente**). Abbiamo mantenuto, nella nostra spiegazione, la sintassi alquanto libera del testo.
5. Par... tuzzo: Sembra, così pezzata (**lorina**), figliuola d'un tedesco (**tuzzo**; ma qui la parola ha il valore generico di «oltramontano»). Seguiamo qui l'interpretazione del Contini.
6. de la Magna...: della Germania oppure della Francia.
7-8. «E un capo (**cò**) di serpe mozzato non sbatte così spesso e violentemente come il mio cuore». L'immagine è un allegro rovesciamento dei toni estatici dello stilnovismo.
9. ultra su' grato: di prepotenza e contro la sua volontà.
10. bagiarli: baciarle. **visaggio**: viso.
11. ch'èn... foco: che son due fiamme di fuoco.
12-14. «Ma mi pento, perché ho pensato che questo fatto potrebbe recarmi danno e dispiacerebbe ad altri (a Lucia) forse non poco».

Pur a pensar mi par gran meraviglia

Il canzoniere del Guinizzelli ha una certa ricchezza di temi e di espressioni; quella stilnovistica è la parte centrale ma non unica. C'è anche, in lui, una vena meditativa e sentenziosa di carattere morale, che non discorda del tutto con la soluzione da lui data alla problematica amorosa, soluzione, abbiamo visto, che intende nobilitare ed elevare i sentimenti umani.

In questo sonetto il poeta medita sul fatto che l'uomo tanto spesso si lascia sedurre dai falsi splendori del mondo, come se questa vita durasse eterna: ma poi viene la morte e dissolve ogni cosa. Perché, allora, questo vivere bestiale dell'uomo? È una meditazione profonda, senza slanci predicatori, ma lucida e pacata. Non stupisce che Dante, cantore della rettitudine, abbia trovato in Guinizzelli uno spirito fraterno.

Pur a pensar mi par gran meraviglia
come l'umana gent' è sì smarrita
che largamente questo mondo piglia
com' regnasse così senza finita,
5 e 'n adagiarsi ciascun s'assottiglia
come non fusse mai più altra vita:
e poi vène la morte e lo scompiglia,
e tutta sua 'ntenzion li vèn fallita;

Metro: *sonetto* (schema: ABAB, ABAB, CDC, DCD).

1-4. «Solo a pensarci mi par cosa che suscita grande stupore il fatto che l'umanità sia così insensata, che prende questo mondo con un interesse così dominante, esclusivo, come se esso durasse sempre e non avesse mai fine».
5. «e ognuno s'ingegna affannosamente di vivere comodamente».
7. scompiglia: confonde e dissolve ogni

e sempre vede l'un l'altro morire
10 e vede ch'ogni cosa muta stato,
e non si sa 'l meschin om rifrenire;
e però credo solo che 'l peccato
accieca l'omo e sì lo fa finire,
e vive come pecora nel prato.

suo sogno e conquista terrena.
8. «ogni suo ideale si risolve in un fallimento, nel nulla».
9-11. e: ha il senso di «eppure». **e**: e con tutto questo. Le singole affermazioni sono accostate da una semplice congiunzione, *e*, ma tale ripetuta connessione non genera fastidio. Il poeta vuol darci la sensazione di questo errore sempre uguale, monotono dell'uomo, di questo sostanziale grigiore dell'esistenza insensata. Dissolti, alla luce della meditazione approfondita, i vani sogni dell'uomo, non resta che l'amarezza e il senso della morte che cancella ogni cosa. **rifrenire**: frenare, secondo i dettami della coscienza morale.
12-14. e però: e perciò. «e lo fa vivere come una pecora nel prato»: è un verso che ben esprime il pessimismo amaro, lo sconforto che pervade tutto il sonetto, davanti al mondo «che mal vive».

Guido Cavalcanti

Scarse sono le notizie sulla vita di Guido Cavalcanti. Nacque da nobile e potente famiglia fiorentina fra il 1255 e il 1259, fu guelfo di parte bianca, amico di Dante. Appassionato uomo di parte, fieramente avverso a Corso Donati, capo della fazione rivale, cioè dei Neri, col quale, una volta, impegnò una rissa furibonda, fu esiliato, insieme con gli altri capi delle due avverse fazioni, nel 1300 a Sarzana, ma subito dopo fu riammesso a Firenze. Morì poco dopo il ritorno.

I cronisti dell'epoca, Dino Compagni e Giovanni Villani, e, più tardi, il Boccaccio in una celebre novella, lo rappresentano uomo aristocratico, nei modi e nel sentire, e schivo, «cortese e ardito — dice il Compagni — ma sdegnoso e solitario e intento allo studio», filosofo di profonda dottrina: tutti, e soprattutto il Boccaccio, insistono su questo carattere di concentrata vita interiore, volta alla meditazione delle ragioni dell'esistenza, meditazione che non sembra essersi placata nella certezza di una fede rasserenatrice.

Al centro del canzoniere cavalcantiano sta l'esperienza dell'amore, colta, com'è proprio degli stilnovisti, nel suo carattere di nobile avventura dell'anima. Ma negli schemi della poesia amorosa il Cavalcanti esprime un tormento, una tristezza che lo distinguono sia da Guinizzelli sia da Dante e rivelano una visione conflittuale non solo dell'amore, bensì della vita in genere.

Anch'egli, come i due poeti citati, ha la sua canzone-manifesto, *Donna me prega perch'eo voglio dire*, una canzone difficile a comprendersi per l'oscurità del frasario filosofico e la complessa elaborazione stilistica. Ma la conclusione appare chiara: il poeta concepisce l'amore come passione, propria della parte sensitiva dell'animo, e quindi non come spinta al perfezionamento delle virtù intellettuali e morali, secondo le concezioni guinizzelliana e dantesca, ma come sentimento violento e tormentoso, come sofferenza e, spesso, come distruzione d'ogni facoltà fisica e spirituale. Allo stesso modo, la donna non è faro di luce e di spirituale perfezione, ma creatura la cui bellezza sensibile è fonte per il poeta di entusiastica contemplazione, senza però che questo sentimento s'innalzi a un'idealità superiore. Amore è dunque forza tirannica, che affascina e al tempo stesso addolora col miraggio ingannevole d'una conoscenza e d'una partecipazione impossibili. Di qui l'alternarsi nel canto del poeta di immagini di luce e di tenebra, di gioia e d'angoscia: la gioia suscitata dalla contemplazione della bellezza femminile brucia nell'attimo, e il poeta resta smarrito, ripiegato in se stesso a soffrire il tormento di una passione inappagata.

La tonalità più specificamente stilnovistica della poesia del Cavalcanti consiste nel fatto che questo dramma è colto e rappresentato in rarefatte immagini di interiorità, in una sorta di mitologia dell'animo e della passione. I personaggi sono le varie potenze dell'anima, personificate, e il loro colloquio si svolge in un'atmosfera diafana, irreale, a volte d'incubo. Tali sono i vari «spiriti» nei quali il poeta personifica ogni stato e moto dell'interiorità e dell'organismo; la donna, che siede sovrana e dominatrice della mente del poeta, ed è l'immagine di lei quale la fantasia e l'affetto l'hanno plasmata dentro di lui; Amore, arciere implacabile; l'anima, che si riscuote tremando, ferita a morte dalle sue saette; la persona del poeta risolta in voce sbigottita e nel pallore di sofferenza del viso; la poesia stessa (*voce sbigottita e deboletta* che esce piangendo *de lo cor dolente*) cui il poeta si rivolge come a persona, ed è, di fatto personificata, fino a fondersi con l'io profondo di lui.

Avete 'n vo' li fior' e la verdura

Il tema stilnovistico della bellezza beatificante della donna è qui espresso, nei primi due versi del sonetto, con una immagine di fiori e luce primaverile. Seguono altri motivi di lode, culminanti nella riconosciuta superiorità della donna amata su tutte le altre. Ma è soprattutto la prima immagine che avviva la lirica.

Avete 'n vo' li fior' e la verdura
e ciò che luce od è bello a vedere;
risplende più che sol vostra figura:
chi vo' non vede, ma' non pò valere.
5 In questo mondo non ha creatura
sì piena di bieltà né di piacere;
e chi d'amor si teme, lu' assicura
vostro bel vis' a tanto 'n sé volere.
Le donne che vi fanno compagnia
10 assa' mi piaccion per lo vostro amore;
ed i' le prego per lor cortesia
che qual più può più vi faccia onore
ed aggia cara vostra segnoria,
perché di tutte siete la migliore.

Metro: *sonetto* (schema: ABAB, ABAB, CDC, DCD).

1-2. Avete 'n vo', ecc.: Avete in voi i fiori, il verde, tutto ciò che è luminoso e bello a vedersi. Risplende, cioè, nella donna una pura immagine di gioventù, di bellezza, di primavera.

3. figura: volto.
4. chi vo'... valere: chi non vede voi non può mai (**ma'**) aver valore, virtù. La bellezza della donna è come la rivelazione di un mondo più alto, un'elevazione dell'animo di chi la contempla.
5. non ha: non c'è.
6. né: ha il senso di *o*. **piacere** è sinonimo di beltà.
7-8. «E il vostro bel viso rassicura colui che ha timore (**si teme**) dell'amore ad accoglierlo in sé».
10. per... amore: in virtù dell'amore che vi porto.
12. qual più può: ognuna di esse quanto più può, ecc.
13. segnoria: primato.
14. la migliore: la più valente, la più bella e gentile.

Biltà di donna e di saccente core

Il Cavalcanti riprende qui uno schema usato dai poeti provenzali, il *plazer*, cioè un'enumerazione di cose belle, tali da procurare un piacere perfetto e compiuto, e ad esso unisce il tema stilnovistico — con un'eco guinizzelliana — della bellezza della donna amata che supera infinitamente ogni altra bellezza e che la parola umana può soltanto accennare, ma non mai pienamente esprimere.

Biltà di donna e di saccente core
e cavalieri armati che sien genti;
cantar d'augelli e ragionar d'amore;
adorni legni 'n mar forte correnti;
5 aria serena quand'apar l'albore
e bianca neve scender senza venti;
rivera d'acqua e prato d'ogni fiore;
oro, argento, azzurro 'n ornamenti:
ciò passa la beltate e la valenza
10 de la mia donna e 'l su' gentil coraggio,
sì che rasembra vile a chi ciò guarda;
e tanto più d'ogn'altr'ha canoscenza,
quanto lo ciel de la terra è maggio.
A simil di natura ben non tarda.

Metro: *sonetto* (schema: ABAB, ABAB, CDE, CDE).

1. I primi otto versi evocano tutte le cose belle e dolci agli occhi e all'anima, che pure sono un pallido riflesso della beatitudine che la bellezza della donna ispira. Per spiegarli, occorre partire dai vv. 9-10: la bellezza e il valore spirituale della donna e il suo cuore gentile (nobile, nel senso già indicato dal Guinizzelli) superano tutte le cose belle contenute nei vv. 1-8. Risalendo a questa, che è la costruzione diretta, occorre tralasciare il *ciò* del v. 9 (= *tutto quello che ho finora detto*).
1-4. di saccente core: mente di savio. **cavalieri... genti**: cavalieri adorni delle loro armi e che siano gentili (**genti**), adorni cioè di costumanze belle e di aspetto nobile. **adorni legni**, ecc.: barche riccamente pavesate in corsa rapida sul mare. In questa e nella quartina seguente c'è come un crescendo di esultanza.
5-8. Subentrano ora immagini, sempre più indefinite e vaste, di una natura ridente, che si concludono nel v. 8 in una pura gioia di colori. Di qui si passa, nelle due terzine, all'esaltazione della bellezza spirituale della donna, promessa di serena beatitudine.
5-8. «aria serena quando appare la prima luce dell'alba». Il candore della neve che cade bianca e morbida si risolve, come la visione del cielo al mattino, in serenità felice dell'anima: questo passaggio spontaneo dal materiale all'immateriale è proprio dello *stil novo*. 7. «fiumana d'acqua e prato pieno d'ogni sorta di fiori». **'n ornamenti**: in ornamenti. Colori, cioè, armonicamente disposti in vesti, standardi, ecc.
11. sì che le bellezze prima enunciate sembrano cosa vile a chi la guarda, qualora le confronti con la bellezza della donna.
12-14. Ella possiede le doti cortesi (**canoscenza**) tanto più di ogni altra donna, quanto il cielo è più grande della terra. Il bene non può tardare a discendere in un simile essere, così conformato dalla natura. Cioè la bellezza e la gentilezza di lei non possono essere disgiunte dalla bontà.

Chi è questa che vèn, ch'ogn'om la mira

Ancora, come nel sonetto precedente, un'allusione a Guinizzelli (*Io voglio del ver la mia donna laudare*), ma l'atmosfera, soprattutto nei primi quattro versi, è nuova e tutta cavalcantiana, per quel tremare e sospirare all'apparire della donna, come davanti a una rivelazione sublime e sconvolgente.

Chi è questa che vèn, ch'ogn'om la mira,
che fa tremar di chiaritate l'âre
e mena seco Amor, sì che parlare
null'omo pote, ma ciascun sospira?
5 O Deo, che sembra quando li occhi gira,
dical' Amor, ch'i' nol savria contare:
cotanto d'umiltà donna mi pare,
ch'ogn'altra ver' di lei i' la chiam'ira.
Non si poria contar la sua piagenza,
10 ch'a le' s'inchin'ogni gentil vertute,
e la beltate per sua dea la mostra.
Non fu sì alta già la mente nostra
e non si pose 'n noi tanta salute,
che propiamente n'aviàn canoscenza.

Metro: *sonetto* (schema: ABBA, ABBA, CDE, EDC).

1-4. «Chi è costei che viene, che ogni uomo la contempla ammirato e stupefatto, e fa tremare l'aria col suo splendore e fa innamorare chi la contempla (conduce con sé Amore), tanto che nessuno può parlare, ma ognuno sospira?». Il *chi è questa che vèn* riecheggia i testi sacri quando alludono alla Madonna; e veramente c'è qualcosa di soprannaturale in questa apparizione luminosa e abbagliante, nel tremore dell'aria che crea un'atmosfera di miracolo e riflette il tremore dei contemplanti.
5-6. «O Dio, che cosa sembra quando muove intorno lo sguardo! Lo dica Amore, ché io non lo saprei dire».
7-8. «A tal punto mi pare donna piena d'**umiltà** (benevolenza, cortesia e dolcezza) che, a paragone di lei, chiamo ogni altra donna "fastidio"».
9-11. Non si potrebbe dire la sua bellezza, e il piacere che essa ispira, adeguatamente: a lei come davanti a una regina, s'inchina ogni nobile virtù e la bellezza la indica come sua dea.
12-14. La sua intima essenza, rivelata all'esterno dalla sua bellezza, non può essere pienamente compresa dall'uomo. **e... salute:** non fu mai posta in noi tanta grazia. **canoscenza:** conoscenza.

Voi che per li occhi mi passaste 'l core

La poesia del Cavalcanti è prevalentemente volta alla descrizione dell'amore come struggimento. Ne è espressione tipica questo sonetto. Non tanto, qui, un grido di dolore, un'effusione diretta e immediata dei sentimenti, ma una vicenda tutta intima che si svolge nel mondo diafano e senza tempo della coscienza. Da questo sfondo indefinito si staccano figure evanescenti: l'anima tremante, Amore che uccide, gli spiriti vitali, personificati, che fuggon via, una voce di dolore, un pallore d'angoscia; è un dramma di gesti silenziosi, che suggerisce il tema cavalcantiano di amore e morte.

Voi che per li occhi mi passaste 'l core
e destaste la mente che dormia,
guardate a l'angosciosa vita mia,
che sospirando la distrugge Amore
5 E' vèn tagliando di sì gran valore,
che' deboletti spiriti van via:
riman figura sol en segnoria
e voce alquanta, che parla dolore.
Questa vertù d'amor che m'ha disfatto
10 da' vostr' occhi gentil' presta si mosse:
un dardo mi gittò dentro dal fianco.
Sì giunse ritto 'l colpo al primo tratto,
che l'anima tremando si riscosse
veggendo morto 'l cor nel lato manco.

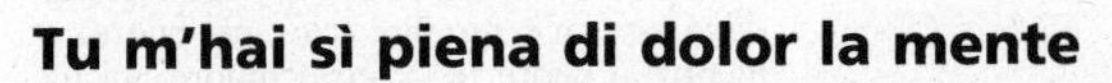

Metro: *sonetto* (schema: ABBA, ABBA, CDE, CDE).

1. «Voi, che, servendovi degli sguardi, mi trafiggeste il cuore» (Contini).
2. «e ridestaste la mia mente sopita». Forse allude alla teoria psicologica dell'amore: l'immagine della donna, attraverso gli occhi, penetra nell'anima e vi ridesta l'idea della bellezza, prima in essa implicita, ma latente.
3. «che Amore distrugge a forza di dolorosi sospiri».
4-8. Amore (**e'** = *egli*) spezza (con la saetta) l'anima del poeta con tale vigore che gl'indeboliti spiriti vitali fuggono; rimane solo, in signoria d'amore, l'aspetto del viso (ma inanimato e smorto) e una debole voce che parla parole di dolore. Secondo la medicina del tempo, gli spiriti sono corpi sottili che si formano nel cuore e di cui l'anima si serve per le operazioni vitali, fisiologiche e psichiche.
9. vertù: potenza. **dentro dal:** dentro, dalla parte del cuore.
12-14. «Giunse così ben assestato il colpo al primo tratto d'arco, che l'anima si riscosse tremante, vedendo il cuore, nella parte sinistra del corpo, morto».

Tu m'hai sì piena di dolor la mente

Confronta questo col sonetto del Guinizzelli *Lo vostro bel saluto e il gentil sguardo* che mostra anch'esso gli effetti sconvolgenti della passione e culmina anch'esso nell'immagine dell'uomo inanimato, disfatto. Il Guinizzelli, però, insiste maggiormente sulla violenza dell'assalto d'amore, con un tono drammatico, e l'immagine finale è scandita con forti e rapidi tratti; nel Cavalcanti predomina l'atmosfera patetica effusa che è caratteristica della sua poesia.

Tu m'hai sì piena di dolor la mente,
che l'anima si briga di partire,
e li sospir' che manda 'l cor dolente
mostrano agli occhi che non può soffrire.
5 Amor, che lo tuo grande valor sente,
dice: «E' mi duol che ti convien morire
per questa fiera donna, che nïente
par che piatate di te voglia udire».
I' vo come colui ch'è fuor di vita,
10 che pare, a chi lo sguarda, ch'omo sia
fatto di rame o di pietra o di legno,
che si conduca sol per maestria
e porti ne lo core una ferita
che sia, com'egli è morto, aperto segno.

Metro: *sonetto* (schema: ABAB, ABAB, CDE, CDE).

1-4. «Tu (si rivolge direttamente alla donna), a tal punto m'hai riempito la mente di dolore che l'anima s'ingegna (**si briga**) di partirsi da me (c'è, quindi, nel poeta un desiderio di morte) e i sospiri che emette il cuore dolente rivelano a chi mi guarda che esso non può resistere oltre». Nel Cavalcanti, a differenza di quanto avviene nel Guinizzelli, l'immagine della morte sboccia insieme a quella dell'estasi d'amore, è quasi complementare ad essa.
5-8. Amore stesso ha pietà dell'anima affranta del poeta, gli duole che egli debba morire. **valor:** è la potenza devastatrice della bellezza di lei. **ti convien morire**: quel *convien* dà il senso di una condanna ineluttabile, alla quale il poeta è dolorosamente rassegnato; **fiera**, cioè crudele, è la donna, che non ha compassione per nulla (**nïente**) del poeta.
9. I' vo come colui ch'è fuor di vita: il Guinizzelli (*remagno como statüa d'ottono*) alludeva a un suo restare come impietrato, sfatto, dopo il crudele assalto. Il Cavalcanti insiste invece nel prolungarsi, per così dire, di questa morte in un tempo indefinito: cammina (**si conduca**) macchinalmente, rivelando nei suoi atti spenti e meccanici che il suo vero io è morto.
10-14. «che pare, a chi lo guarda, che sia non uomo, ma statua di rame, pietra o legno, che si muova solo per un artificio meccanico (**maestria**), come, cioè, un automa, e porti una ferita nel cuore che è chiaro indizio che egli è morto».

La forte e nova mia disaventura

In questa ballata, il poeta descrive il tormento che amore gli ha gettato nell'anima. È un dolore che dissolve la vita, e questo impedisce all'amante di comprendere l'essenza della persona amata. È un tema cavalcantiano consueto: la bellezza della donna ridesta nella mente l'idea pura della bellezza, sembra offrirsi come mezzo per comprendere un mistero risolutivo dell'esistenza; ma la passione, ridestata anch'essa dalla bellezza, ottenebra e distrugge la vita. Resta uno slancio, una tensione senza compimento che ricade affranta su se stessa.

La forte e nova mia disaventura
m'ha desfatto nel core
ogni dolce penser, ch'i' avea, d'amore.
Disfatta m'ha già tanto de la vita,
5 che la gentil, piacevol donna mia
dall'anima destrutta s'è partita,
sì ch'i' non veggio là dov'ella sia.
Non è rimaso in me tanta balìa,
ch'io de lo su' valore
10 possa comprender nella mente fiore.
Vèn, che m'uccide, un sottil pensero,
che par che dica ch'i' mai no la veggia:
questo è tormento disperato e fero,
che strugg'e dole e 'ncende ed amareggia.
15 Trovar non posso a cui pietate cheggia,
mercè di quel segnore
che gira la fortuna del dolore.
Pieno d'angoscia, in loco di paura,
lo spirito del cor dolente giace
20 per la Fortuna che di me non cura,
c'ha volta Morte dove assai mi spiace,
e da speranza, ch'è stata fallace,
nel tempo ch'e' si more
m'ha fatto perder dilettevole ore.
25 Parole mie disfatt' e paurose,

Metro: *ballata*, con *ripresa* di tre versi (AbB) e stanze composte di due *piedi* (CD, CD) e *mutazione* (DbB). Versi endecasillabi e settenari.

1. forte: crudele. **disaventura**: sventura.
2. desfatto: disfatto. Il tormento amoroso ha spento la beatitudine stessa dell'amore.
4. «Ha già tanto disfatto la mia vita». È lo stesso presentimento della morte con cui si conclude la ballata.
5-10. «Che la mia donna gentile e fonte di gioia è partita dalla mia anima distrutta e non vedo più dove sia. Non è rimasta in me tanta potenza (vitale) che io possa comprendere qualcosa (**fiore** = neppure una minima parte) del suo valore». Intende dire che la sua anima è così disfatta che ha perduto persino l'immagine della donna, in essa scolpita, e quindi la gioia e la beatitudine che derivavano dal contemplarla. Con le forze vitali anche la gioia d'amore lo abbandona, e viceversa.
11-14. Vien al poeta un pensiero sottile (la solita personificazione dei moti interiori) e sembra dirgli che non rivedrà mai più la sua donna. Questa rivelazione diventa tormento disperato, feroce (**fero**) che gli distrugge l'animo e gli dà dolore. Il poeta non può trovare alcuno a cui chiedere pietà, e questo è colpa di quel signore (Amore) che gli dà in sorte solo dolore.
17. gira la fortuna: allude alla ruota della fortuna; Amore, come la Fortuna, è cieco, e inesplicabili sono i suoi movimenti.
18-19. in loco di paura: in una situazione paurosa. **lo spirito del cor**: lo spirito vitale che risiede nel cuore. **giace**: affranto, e come morto.
20-21. «perché la Fortuna che non si cura di me ha fatto venire (**volta**) la morte là dove essa m'è sgradita (cioè nel cuore) e mentre il cuore (**e'** = *esso*) muore, mi ha fatto perdere le ore dilettevoli nate da una speranza che si è rivelata fallace».
25-28. Il poeta si rivolge alle sue parole, cioè alla sua stessa poesia. È un'altra delle personificazioni della ballata. **disfatt' e**

là dove piace a voi di gire andate;
ma sempre sospirando e vergognose
lo nome de la mia donna chiamate.
Io pur rimango in tant'aversitate
30 che, qual mira de fòre,
vede la Morte sotto al meo colore.

paurose: come l'anima tutta. **chiamate**: invocate.

29-30. «Io continuo a restare (**pur rimango**) in tanta sventura, che chi mi guarda all'esterno (cioè nel volto) sotto il pallore del viso vede chiaramente la morte» (che lo stringe ormai da presso). Anche qui la caratteristica atmosfera cavalcantiana: nel silenzio e nella luce diafana dell'anima si svolgono quegli atti e gesti appassionati, e pure come impietriti, dei pensieri, del cuore, degl'intimi spiriti, riecheggiano parole che non hanno suono. Come risultante, il pallore del viso e il senso di un'angoscia irrimediabile.

Perch'i' no spero di tornar giammai

È un canto d'amore e di lontananza, scritto dal poeta durante una sua permanenza fuori di Toscana, o durante un suo viaggio in Francia (si recò in pellegrinaggio, che poi interruppe, al santuario di S. Jacopo di Compostella) o, come vogliono altri, durante l'esilio a Sarzana.

È forse la lirica più intensa del Cavalcanti, svolta nella forma della ballata che, con la sua tensione melodica, si presta alle tonalità sospese che la sua poesia predilige.

Egli è lontano dalla sua donna, malato, sente vicina la morte; ma essa non lo sgomenta tanto come fine della vita, bensì come fine dell'amore, così dolce, pur nel dolore e nell'amarezza che porta con sé. E allora trasfonde nella poesia la sua anima: la porti, la dolente ballatetta, a quella bella donna di cui egli è servo, restino, l'anima e la ballatetta, unite davanti a lei e l'adorino sempre.

Il fascino maggiore della lirica sta in quel chiuso colloquio del poeta con se stesso. Nella solitudine e nel silenzio del cuore, lontano dalla realtà quotidiana, pensieri e moti interiori assumono consistenza di persone, pur rimanendo avvolti in un'atmosfera di sogno.

Perch'i' no spero di tornar giammai,
ballatetta, in Toscana,
va' tu, leggera e piana,
dritt'a la donna mia,
5 che per sua cortesia
ti farà molto onore.
Tu porterai novelle di sospiri
piene di dogli' e di molta paura;
ma guarda che persona non ti miri
10 che sia nemica di gentil natura:
ché certo per la mia disaventura
tu saresti contesa,
tanto da lei ripresa
che mi sarebbe angoscia;
15 dopo la morte, poscia,
pianto e novel dolore.
Tu senti, ballatetta, che la morte
mi stringe sì, che vita m'abbandona;
e senti come 'l cor si sbatte forte
20 per quel che ciascun spirito ragiona.
Tanto è distrutta già la mia persona,
ch'i' non posso soffrire:
se tu mi vuoi servire,
mena l'anima teco
25 (molto di ciò ti preco)
quando uscirà del core.
Deh, ballatetta mia, a la tu' amistate
quest'anima che trema raccomando:
menala teco, nella sua pietate,
30 a quella bella donna a cu' ti mando.

Metro: ballata, composta di *ripresa* (i primi sei versi: Abbccd) e sei stanze (con due *mutazioni* EFEF e *volte* Fgghhd). I versi sono endecasillabi e settenari.

1. no: non. Il primo verso, con quel desolato *giammai*, esprime tristezza senza speranza.
3-6. Poiché il poeta non può tornare, vada la sua ballatetta (il diminutivo la indica come una propria dolce creatura) *leggera e piana* (veloce e dolcemente pacata) direttamente alla sua donna, che per la sua nativa gentilezza assai l'onorerà.
7-16. La stanza insiste sul motivo stilnovistico della poesia e dell'amore, degni soltanto dei cuori gentili, cioè sull'aristocrazia dello spirito e del sentimento. 7-8. La ballata porterà notizia del suo lungo sospirare, pieno di dolore e di molta paura. È il dolore della lontananza e la paura della morte, che lo disgiungerà per sempre dalla sua donna. 9 sgg.: «guarda che non ti legga persona dal cuore villano, perché, in tal caso, certo, per mia disavventura, saresti tanto osteggiata da lei (che non potrebbe comprendere i sentimenti alti e squisiti in te espressi), che ciò sarebbe per me angoscia, un pianto, anzi, e un dolore che si prolungherebbero ancora dopo la morte».
17-26. La nuova stanza s'avviva con un più intenso tono di passione e di sofferenza. Pur rimanendo sfumata, come ogni altro sentimento espresso dalla ballata, la morte s'accampa qui nella sua realtà.
17-18. Tu senti, ballatetta: la ballata è ormai pienamente partecipe del dolore e dell'amore del poeta, è la parte migliore di lui (la poesia della sua anima) cui egli si affida. **mi stringe**: m'incalza da vicino.
19-20. e... ragiona: e senti come il cuore fortemente palpita e si dibatte sgomento, ascoltando ciò che dicono i vari spiriti vitali, cioè le potenze dell'anima.
22. «ch'io non posso più resistere».
23-26. Prega la ballata, se vorrà essere gentile con lui e fedele, di condurre con sé la sua anima quand'uscirà dal cuore (sede della vita). L'*anima* è il principio vitale, in cui si riassume la vita sensitiva; l'espressione quindi può essere intesa così: «porta con te la mia vita».
27-36. Si delinea, con colori vaghi e gentili, il paradiso dell'amore. La ballata affettuosamente condurrà l'anima del poeta alla donna amata, la pregherà di tenerla sempre accanto a lei. La speranza di vivere nel ricordo, nell'amore dell'amata vince l'angoscia della morte. **mia**: il possessivo indica l'intensità dell'affetto. **amistate**: amicizia affettuosa. **nella sua pietate**: in questo suo stato angoscioso (*suo* è riferito ad *anima; pietate* indica angoscia, stato doloroso). La **servente** è l'anima del poeta, servo

Deh, ballatetta, dille sospirando,
quando le se' presente:
«Questa vostra servente
vien per istar con voi,
35 partita da colui
che fu servo d'Amore».
Tu, voce sbigottita e deboletta
ch'esci piangendo de lo cor dolente,
coll'anima e con questa ballatetta
40 va' ragionando della strutta mente.
Voi troverete una donna piacente,
di sì dolce intelletto
che vi sarà diletto
starle davanti ognora.
45 Anim', e tu l'adora
sempre, nel su' valore.

d'amore della sua donna. Quel *fu* indica un passato che la morte sta ora chiudendo per sempre.
37-46. È il commiato estremo: la malinconia si spegne in un patetico e sospiroso abbandono, in un ultimo vagheggiamento nostalgico della bellezza dell'amata. Nei vv. 37-40 il C. chiama a raccolta le potenze spirituali già evocate: la ballatetta, l'anima, e vi aggiunge la voce sbigottita e debole che ragiona con le altre dello spirito ormai disfatto del poeta; si accomiata da loro e le invia, insieme, alla sua donna.
42. di sì dolce intelletto: allude alla dolcezza della mente e del cuore, alla «cortesia» della donna.
45-46. Anim'... valore: Anima mia, adorala sempre per il suo valore. Nello sfiorire, nello spegnersi della vita quel *sempre* acquista una grande intensità (ha prima e dopo di sé una forte pausa).

Era in penser d'amor quand'i' trovai

Questa ballata è nata probabilmente in terra di Francia, dove il poeta, durante il pellegrinaggio che l'avrebbe dovuto portare a S. Jacopo di Compostella, ma che poi interruppe, si innamorò a Tolosa d'una giovane donna. Qui egli riprende il tema delle *pastorelle* francesi, ballate che narravano facili avventure d'amore fra un cavaliere e una pastorella, in un radioso scenario primaverile che sottolineava il carattere libero e gioiosamente naturalistico dell'avventura, ma lo svolge secondo la complessa psicologia amorosa che è sua propria.

Il poeta, immerso in un pensiero d'amore, incontra due graziose fanciulle e parla con loro della donna che ha conquistato il suo cuore. È un dialogo fresco e aggraziato, che riprende e rielabora i modi delle liriche provenzali dette *pastorelle*.

Era in penser d'amor quand'i' trovai
due foresette nove.
L'una cantava: «E' piove
gioco d'amore in nui».
5 Era la vista lor tanto soave
e tanto queta, cortese e umìle,
ch'i' dissi lor: «Vo' portate la chiave
di ciascuna vertù alta e gentile.
Deh, foresette, no m'abbiate a vile
10 per lo colpo ch'io porto;
questo cor mi fue morto
poi che 'n Tolosa fui».
Elle con gli occhi lor si volser tanto
che vider come 'l cor era ferito
15 e come un spiritel nato di pianto
era per mezzo de lo colpo uscito.
Poi che mi vider così sbigottito,
disse l'una, che rise:
«Guarda come conquise
20 forza d'amor costui!».
L'altra, pietosa, piena di mercede,
fatta di gioco in figura d'amore,
disse: «'l tuo colpo, che nel cor si vede,
fu tratto d'occhi di troppo valore,
25 che dentro vi lasciaro uno splendore
ch'i' nol posso mirare.

Metro: *ballata*, con *ripresa* (Abbc) e stanze (DE, DE, *piedi*; Effc, *volta*), di endecasillabi e settenari.

1. Era in penser d'amor: il poeta è assorto nel suo pensiero d'amore, quand'ecco gli si fan dinanzi due giovani contadinelle (**foresette**), come magicamente emerse da un paese irreale.
3. L'una... nui: Una di esse cantava: «Piove in noi gioia (**gioco**) d'amore».
5-6. «Il loro aspetto era tanto soave, sereno, cortese, benevolo», che il poeta sente il bisogno di confidare a loro la sua pena d'amore, come se la loro grazia gli avesse richiamato quella dell'amata lontana. Il canto, la gentilezza e, più tardi, il sorriso e la dolce pietà sono gli unici elementi che caratterizzino queste due figure, che sembrano uscite da un sogno.
7-8. Vo' portate... gentile: «voi avete la chiave d'ogni alta e nobile virtù».
9. no m'abbiate, ecc.: non mi dispregiate per la ferita d'amore che io porto.
13-18. È pensando a versi come questi, che parliamo di tono favoloso. Nota quel volgere d'occhi (la realtà rappresentata dal Cavalcanti ha sempre questa insistenza figurativa nei gesti, subito però sfumata in vaga dissolvenza) e quel vedere il cuore ferito e lo spiritello nato dal pianto (è il pianto del cuore personificato) che è uscito dal centro della ferita (**per mezzo de lo colpo**): sono tutti atteggiamenti irreali, simboli della vita della coscienza. **tanto che vider**: quel tanto che bastò perché vedessero. **che rise**: l'una delle due fanciulle è più sorridente (*ridere* qui significa piuttosto *sorridere*) ed ingenua, l'altra più pietosa ed esperta dei travagli d'amore.
19-20. «Guarda come la potenza d'amore ha prostrato costui!».
21. L'altra donna pietosa e piena di generosa compassione (**mercede**).
22. fatta... amore: trasfigurata dalla gioia d'amore (dall'esaltazione amorosa) in modo tale da rappresentare sensibilmente Amore (da esserne come la personificazione).
23-26. «La ferita che si vede nel tuo cuore fu inferta da occhi troppo forti che vi lasciarono dentro uno splendore tale che io non posso guardarlo fissamente».

Dimmi se ricordare
di quegli occhi ti puoi».
Alla dura questione e paurosa
30 la qual mi fece questa foresetta,
i' dissi: «E' mi ricorda che 'n Tolosa
donna m'apparve, accordellata istretta,
Amor la qual chiamava la Mandetta;
giunse sì presta e forte,
35 che fin dentro, a la morte,
mi colpîr gli occhi suoi».
Molto cortesemente mi rispuose
quella che di me prima avëa riso.
Disse: «La donna che nel cor ti pose
40 co la forza d'amor tutto 'l su' viso,
dentro per li occhi ti mirò sì fiso,
ch'Amor fece apparire.
Se t'è greve 'l soffrire,
raccomàndati a lui».
45 Vanne a Tolosa, ballatetta mia,
ed entra quetamente a la Dorata,
ed ivi chiama che per cortesia
d'alcuna bella donna sie menata
dinanzi a quella di cui t'ho pregata;
50 e s'ella ti riceve,
dille con voce leve:
«Per merzè vegno a voi».

31-36. La confessione dell'amore ha anch'essa un tono favoloso, remoto: **donna m'apparve**: un'apparizione che sa quasi di miracolo, appena sottolineata, realisticamente, da quel **accordellata istretta** (col corpetto stretto da cordoncini) e poi subito si ritorna al tema tutto interiore, del cuore mortalmente ferito. **E' mi ricorda**: mi ricordo. **Amor la qual... Mandetta**: che Amore chiamava Mandetta. Anche quel nome, pronunciato da Amore, acquista un che di strano e di mirabile. **giunse... suoi**: «giunse così veloce, nel suo fulmineo attacco, e forte, che i suoi occhi mi colpirono fin dentro (cioè al cuore) con un colpo mortale (**a la morte**)».
37-38. La fanciulla che prima ha riso risponde ora con *cortesia*, come commossa dalla storia d'amore del poeta.
39-42. «La donna che, con la forza dell'amore, ha fatto penetrare nel tuo cuore tutta la potenza del suo sguardo, con gli occhi ti guardò così fissamente nell'anima (**dentro**) che vi fece apparire Amore». È la teoria cavalcantiana della bellezza che suscita, nella mente dell'uomo che ne riceve il fulgore, l'idea dell'amore.
45-52. Il poeta prega la sua ballata di andare a Tolosa e di entrare **quetamente**, cioè con umiltà discreta, nella chiesa chiamata *Daurade*, dov'egli ha veduto la Mandetta e ha concepito amore per lei. Qui preghi qualche donna bella e gentile che cortesemente la conduca a colei dalla quale il poeta l'ha pregata d'andare, cioè a Mandetta. E se ella la riceve, le dica con un sussurro: «Vengo a voi per ottenere pietà».

29. dura, cioè crudele e paurosa la domanda, perché costringe il poeta a rievocare quegli occhi belli e portatori di «morte», cioè lo spinge a meditare sulla sua fiera passione.

Guata, Manetto, quella scrignutuzza

È una parodia della maniera stilnovistica, di cui si trovano esempi anche negli altri poeti del gruppo (cfr. *Chi vedesse a Lucia un var capuzzo* del Guinizzelli). C'è qui l'apparizione di Madonna, ma ella è brutta e deforme, c'è il consueto corteggio delle accompagnatrici, ma esse ne fanno risaltare ancor più l'aspetto sgraziato, e, infine, il tema cavalcantiano della morte, non più per amore, ma per il gran ridere. Il poeta ricalca i modi della corrente comico-realistica di Rustico e di Cecco Angiolieri, con tono divertito e, nel contempo, letterariamente raffinato.

Guata, Manetto, quella scrignutuzza,
e pon' ben mente com'è divisata
e com'è drittamente sfigurata
e quel che pare quand'ella s'agruzza!
5 Or, s'ella fosse vestita d'un'uzza
con cappellin' e di vel soggolata
ed apparisse di díe accompagnata
d'alcuna bella donna gentiluzza,
tu non avresti niquità sí forte
10 né saresti angoscioso sí d'amore
né sí involto di malinconia,
che tu non fossi a rischio de la morte
di tanto rider che farebbe 'l core:
o tu morresti, o fuggiresti via.

Metro: *sonetto* (schema: ABBA, ABBA, CDE, CDE).

1-4. Guata... divisata: Guarda bene Manetto (forse Manetto Portinari) questa gobbetta (**scrignutuzza**) e osserva come è contraffatta (**divisata**). **e... sfigurata**: e com'è precisamente deforme. *Drittamente* si contrappone, con effetto comico, a *sfigurata*, che dà idea di qualcosa di contorto. **e... agruzza**: e quale appare quando s'adira, si stringe nelle spalle. Ma il verbo vuol dare l'immagine di tutti i suoi gesti, che sono contorcimenti, e la rendono sgraziata. Par di avvertire la parodia di situazioni liriche come quella espressa da Dante nel son. *Ne li occhi porta* (*Quel ch'ella par, quando un poco sorride*, ecc.).
5-6. uzza: dal francese *houce*: veste ampia e lunga fino ai piedi. **con... soggolata**: col cappellino e il soggolo.
7-8. di díe: di giorno. Hai qui il tipico corteo stilnovistico d'accompagnatrici; ma non sono donne gentili, bensì *gentiluzze*. Il diminutivo-spregiativo le avvolge in un'aura di mediocrità meschina.
9-13. tu... core: tu non avresti rabbia così forte, né angoscia e malinconia d'amore tali da impedirti di rischiar di morire per il gran ridere. Si noti che le parole prese a designare il sentimento amoroso sono anch'esse lontane dall'idealizzazione stilnovistica: alludono a rovello, umor nero, rabbia, come avviene nell'Angiolieri.

Lapo Gianni

Amor, eo chero mia donna in domìno

I minori stilnovisti fiorentini, Lapo Gianni, Gianni Alfani, Dino Frescobaldi, riecheggiano i maggiori: Guinizzelli, ma soprattutto Cavalcanti e Dante. Con i due ultimi furono in relazione d'amicizia, come si vede dai sonetti che s'indirizzarono.

Lapo Gianni, forse della famiglia dei Ricevuti (non sappiamo i termini cronologici della sua vita), è quello che maggiormente si distacca da Cavalcanti e da Dante; ha una sua vena aggraziata e sorridente, ove più non compare l'intimo dramma o la sublimazione filosofica dell'amore operata dai due amici più grandi; lo avvicinano tuttavia allo stilnovismo la ricerca di una musicalità aggraziata, evidente soprattutto nelle ballate, e il gusto della rappresentazione genericamente spiritualizzata dall'esperienza amorosa.

Il sonetto che presentiamo si rifà, invece, allo schema provenzale del *plazer*, enumerazione di desideri fantastici e raffinati.

Amor, eo chero mia donna in domìno,
l'Arno balsamo fino,
le mura di Firenze inargentate
le rughe di cristallo lastricate,
5 fortezze alt' e merlate,
mio fedel fosse ciaschedun latino;
il mondo in pace, securo 'l camino,
no mi noccia vicino,
e l'aria temperata verno e state;
10 [e] mille donne e donzelle adornate
sempre d'amor pregiate
meco cantasser la sera e 'l matino;
e giardin fruttüosi di gran giro,
con grande uccellagione,
15 pien' di condotti d'acqua e cacciagione;
bel mi trovasse come fu Absalone,
Sansone pareggiasse e Salamone;
servaggi di barone
sonar vïole, chitar[r]e e canzone;
20 poscia dover entrar nel cielo empiro:
giovane, sana, alegra e secura
fosse mia vita fin che 'l mondo dura.

Metro: *sonetto doppio caudato.* In ogni quartina, cioè, sono inseriti due settenari, e uno in ciascuna terzina. I due ultimi versi costituiscono la *coda* (schema: AaBBbA, AaBBbA, CdDD, DdDC, EE).

1. chero: «chiedo, desidero» di aver la mia donna in mia balìa (**domìno**). Questo il primo desiderio, cui s'aggiunge tutto un mondo di eleganza e di grazia.
2. «che l'acqua dell'Arno divenga un fine balsamo».
4. rughe: strade.
6. «che fosse mio suddito ogni italiano».
7. securo 'l camino: che le vie fossero sicure.
8. «che il mio vicino non mi nuoccia».
11. pregiate: che sempre abbiano in sé pregi che nascono dall'amore.
12-15. Il canto della schiera di donzelle, i giardini pieni di frutti e ampi (**di gran giro**), uccelli, animali da cacciare, condotti d'acqua nel vasto parco: è un piccolo paradiso terrestre, un luogo di raffinata eleganza che fa pensare alla poesia, che vedremo, di Folgóre da San Gimignano.
16-17. «fossi bello come Assalonne (figlio di David), pari, per gagliardia, a Sansone, per saggezza a Salomone» (sono tutti personaggi della Bibbia).
18-19. «avessi la servitù che ha un barone, che sonassero viole, chitarre e cantassero».
20. Conclusione di questa vita gaia: andarsene, alla fine, in Paradiso (**cielo empiro** = empireo, dimora di Dio, degli Angeli, dei Beati). Ma, come appare dal v. 22, Lapo non ha fretta d'andarvi.

Cino da Pistoia

Cino, cioè Guittoncino dei Sigibuldi, nacque a Pistoia intorno al 1270 e vi morì nel 1336 o '37. Giurista insigne, scrisse importanti commenti ai codici. Prese parte alle lotte politiche della sua città e sostenne, per questo, l'esilio; fu amico di Dante, la cui morte pianse in una canzone, e come lui appoggiò la politica di Arrigo VII.

Ci ha lasciato un vastissimo canzoniere che godette fortuna presso i posteri immediati, mentre la critica moderna ha limitato il valore della sua poesia. Gli si riconosce comunque il merito di essere stato un mediatore fra lo stilnovismo fiorentino e la poesia petrarchesca. Meditando e rielaborando i modi stilnovistici, Cino ne dissolve l'atmosfera rarefatta ed estatica, svolgendoli in un discorso che tende alla rappresentazione di sentimenti più quotidiani. Cavalcanti si astrae dalla realtà di tutti i giorni, ne fa sostanza di simboli universali, Cino intende rappresentare la sua vicenda d'amore, in termini psicologici concreti, con voci alterne di speranza, desiderio, dolore, ricordo.

La dolce vista e 'l bel guardo soave

In questa canzone Cino piange la lontananza della sua donna, trovandosi esiliato, per ragioni politiche, da Pistoia. L'aver perduto la visione degli occhi di lei gli fa desiderare la morte (1-9); perché Amore, piuttosto che lasciarlo privo di lei non lo ha fatto morire? Non riesce a trovare conforto (10-18); il ricordo di lei lo strazia, lo immerge in uno sconfinato dolore (19-27); ogni bella donna che vede gli fa ritornare alla mente la sua, e ciò accresce il suo tormento (28-36); voglia Amore chiudere per sempre i suoi occhi, ché almeno dopo la morte l'anima sua potrà tornare a Pistoia a rivedere la sua donna (37-50).

È un lamento in cui s'avvertono echi cavalcantiani (la personificazione d'Amore, l'invocazione alla morte, il ritorno dell'anima presso la donna dopo la sua morte) ma fuori di quell'atmosfera magica e irreale del poeta fiorentino; non abbiamo qui una trasfigurazione dei sentimenti, ma un diario. L'intensità degli affetti, quell'assaporare il proprio dolore amaro e pur dolce, fanno della canzone uno dei capolavori di Cino.

La dolce vista e 'l bel guardo soave
de' più begli occhi che lucesser mai,
c'ho perduto, mi fa parer sì grave
la vita mia ch'i vo traendo guai;
5 e 'nvece di pensier' leggiadri e gai
ch'aver solea d'Amore,
porto disir' nel core
che son nati di morte
per la partenza, sì me ne duol forte.
10 Omè, Amor, perché nel primo passo
non m'assalisti sì ch'io fossi morto?
Perché non dipartisti da me, lasso,
lo spirito angoscioso ch'io porto?
Amore, al mio dolor non è conforto,
15 anzi, com'io più guardo,
a sospirar più m'ardo,
trovandomi partuto
da que' begli occhi ov'io t'ho già veduto.
Io t'ho veduto in que' begli occhi, Amore,
20 talché la rimembranza me n'uccide,
e fa sì grande schiera di dolore
dentro alla mente, che l'anima stride
sol perché morte mia non la divide
da me, come diviso
25 m'ha dal gioioso riso
e d'ogni stato allegro
lo gran contrario ch'è dal bianco al negro.
Quando per gentile atto di salute
ver' bella donna levo gli occhi alquanto,
30 sì tutta si disvia la mia virtute,
che dentro ritener non posso il pianto,
membrando di mia donna, a cui son tanto
lontan di veder lei:
o dolenti occhi miei,
35 non morrete di doglia?
«Sì, per nostro voler, pur ch'Amor voglia».
Amor, la mia ventura è troppo cruda,
e ciò ch'agli occhi incontra più m'attrista:
però merzé, che la tua man gli chiuda,
40 poi c'ho perduta l'amorosa vista;
e, quando vita per morte s'acquista,
gioioso è 'l morire:
tu sail' ove dé gire
lo spirito mio poi,
45 e sai quanta piatà s'arà di lui.

Metro: *canzone*; stanze con *fronte* di due piedi (AB, AB) e *sirma* (BccdD).

1. Questo verso è stato inserito dal Petrarca in una sua canzone e non contrasta con la sua alta melodia.
1-4. «L'aver perduto la dolce visione della mia donna e il bello sguardo soave degli occhi più belli e luminosi che siano mai esistiti, mi fa parere così dolorosa e grave la mia vita che io continuamente mi lamento».
7-8. «porto nel cuore desiderio di morte».
9. per la partenza: a causa della partenza da lei.
10-11. perché... morto?: perché, Amore, non mi colpisti (sì da farmi morire) quando mossi il primo passo che mi allontanò da lei?
15-18. com'io... veduto: quanto più il poeta si guarda intorno, nel vano desiderio di ritrovare la sua donna, tanto più arde di passione e sospira, perché si trova allontanato (**partuto** = *partito*) da quei begli occhi dove già un tempo vedeva Amore stesso.
19-20. Più che di struttura concettuale, si può parlare in questa canzone di un progressivo effondersi e approfondirsi del sentimento attraverso l'insistenza su certi temi: gli occhi belli e lontani, la nostalgia e il desiderio di morte, la desolata solitudine. Soprattutto però sugli occhi che sono il motivo ricorrente.
21-27. e fa... negro: e tanto accresce il dolore nella mia mente che l'animo grida (**fa sì grande schiera di dolore**: come se il dolore di ogni singolo attimo, moltiplicato, divenisse una sorta di folla), ma solo perché la morte non la divide dal mio corpo, così come la grande ostilità fra Bianchi e Neri mi ha diviso da ogni riso, ogni gioia, ogni allegrezza (costituita dalla contemplazione dei begli occhi della mia donna).
28-29. «Quando levo un poco gli occhi verso una bella donna, per salutarla gentilmente».
30. «la mia energia vitale a tal punto si abbatte» (**si disvia**, quasi: *esce fuori di me*).
32-33. «ricordandomi della mia donna, dal vedere la quale sono così lontano» (sono così lontano da lei che non posso vederla).
36. Rispondono gli occhi: «Sì morremo di dolore e siamo ben disposti a ciò (**per nostro voler**), pur che Amore lo voglia».
38. ciò ch'agli occhi... m'attrista: mi rattrista ciò in cui i miei occhi s'imbattono (allude a quanto ha detto nella stanza precedente).
40. l'amorosa vista: cioè la vista, ispiratrice d'amore, della sua donna.
41-42. È gioioso il morire, quando mediante la morte s'acquista vita: e ciò accadrà al poeta, in quanto la morte farà sì che il suo spirito ritornerà presso l'amata, non sarà più dolente e triste, disgiunto da lei.
43-45. «Tu lo sai (**sail'**) dove deve (**dé**) andare (**gire**) il mio spirito dopo la morte (cioè a Pistoia, presso di lei) e sai quanta pietà ella avrà di lui». Ma il poeta lascia il verbo con soggetto indefinito (*si avrà*) quasi non osi pronunciare il nome della sua donna.

Amor, ad esser micidial piatoso
t'invita il mio tormento:
secondo c'ho talento,
dammi di morte gioia,
50 che ne vada lo spirito a Pistoia.

46-47. «Amore, il mio tormento ti invita ad essere micidiale e pietoso al tempo stesso» (cioè se Amore lo farà morire, sarà questo un segno di pietà, perché la morte è per il poeta, ora, l'unica possibile liberazione dal suo tormento).
48-50. «Secondo il mio desiderio, dammi quella che per me è ora la suprema gioia, cioè la morte, affinché il mio spirito possa tornare a Pistoia».

Ciò ch'i' veggio di qua m'è mortal duolo

Il poeta esule, lontano dalla patria, fra gente straniera, rozza, trova conforto soltanto nello stare solo e nel pensare alla donna amata. Il sonetto è costruito su questo tono d'intimità, di dolce rimembrare e assaporare l'immagine della donna e della patria che la memoria ricrea, su questo ritrovare, rifugiandosi in se stesso, la propria vita vera. Questa gioia di ripiegamento interiore, avvivata dal dolce fantasticare, fa presentire il Petrarca.

Ciò ch'i' veggio di qua m'è mortal duolo,
perch'i' so' lunge e fra selvaggia gente,
la qual i' fuggo, e sto celatamente
perché mi trovi Amor col penser solo;
5 ch'allor passo li monti, e ratto volo
al loco ove ritrova il cor la mente,
e imaginando intelligibilmente
me conforta 'l penser che testé imbolo.
Così non morragg'io, se fie tostano
10 lo mio reddire a star sì ch'io miri
la bella gioia da cui son lontano:
quella ch'i chiamo basso ne' sospiri,
perch'udito non sia da cor villano,
d'Amor nemico e de li soi disiri.

Metro: *sonetto* (schema: ABBA, ABBA, CDC, DCD).

1. di qua: di qua dai monti. Di là è Pistoia, i luoghi cari, la sua donna.
2. lunge: lontano. **selvaggia gente**: gente estranea e priva di cortesia, incapace di comprendere i sentimenti nobili del poeta.
3-4. la qual... solo: e questa gente io fuggo, e sto come nascosto (solitario, appartato) affinché Amore mi trovi solo coi miei pensieri.
5-8. «infatti allora passo i monti (che separano il poeta dalla sua città) e rapido volo in quel luogo ove la mia mente può ritrovare il mio cuore (cioè Pistoia: là il cuore è rimasto, presso l'amata) e mentre contemplo con la mente la figura di lei creata dalla mia immaginazione (**imaginando intelligibilmente**) mi conforta il pensiero che ora tengo celato a tutti».
9-11. «Così io non morrò se sarà rapido (**tostano**) il mio ritorno (**reddire** = ritornare) là dove io possa stare di nuovo a mirare la bella gioia (cioè la donna amata) dalla quale sono ora lontano».
12. chiamo: invoco. **basso**: a bassa voce. Il verso, così sussurrato, riconduce all'atmosfera di trasognata interiorità dei versi 5-8.
13-14. «per non essere udito da cuori non gentili e quindi nemici d'Amore e dei desideri che esso ispira». Il tono è convenzionale (è in tutti gli stilnovisti la polemica contro i «cuori villani»), ma c'è anche un fondo reale, la triste condizione del poeta che si trova fra gente straniera che è anche, o gli appare, estranea e maldisposta verso di lui.

Io fu' 'n su l'alto e 'n sul beato monte

È uno dei più celebrati sonetti di Cino, ispirato ad una sua visita al sepolcro di Selvaggia, la donna da lui amata. In un paesaggio montano deserto e scabro, su quella nuda pietra tombale il poeta invoca Amore, che ivi lo faccia morire. Ma Amore non lo ascolta e il poeta si allontana da quel luogo, tutto chiuso nella sua angoscia. Ove si escluda la seconda quartina, più convenzionale, il sonetto ha un forte andamento drammatico. Si veda soprattutto l'ultima terzina, con quella indefinita voce di dolore che accompagna il poeta nel suo ritorno, e il nome di Selvaggia che riecheggia in quella solitudine dei monti e del cuore.

Io fu' 'n su l'alto e 'n sul beato monte,
ch'i adorai baciando 'l santo sasso,
e caddi 'n su quella pietra, di lasso,
ove l'onesta pose la sua fronte,
5 e ch'ella chiuse d'ogni vertù il fonte
quel giorno che di morte acerbo passo
fece la donna de lo mio cor, lasso,
già piena tutta d'adornezze conte.
Quivi chiamai a questa guisa Amore:

Metro: *sonetto* (schema: ABBA, ABBA, CDC, CDC).

1. alto: Il semplice aggettivo isola il monte da quelli vicini (si tratta dell'Appennino pistoiese), crea quell'atmosfera di dolente solitudine che è in tutto il sonetto. **beato**: il secondo aggettivo è già lontano da ogni intento descrittivo, è tutto ideale: il monte è *beato* perché custodisce le spoglie di Selvaggia.
2. ch'i adorai baciando: i due verbi esprimono l'umanissima intensità di quell'amore che dura oltre la morte. Interpreterei *che* come *in cui, ove* (così al verso 5).
3. «e caddi sulla pietra tombale sfinito (dalla stanchezza e dall'angoscia)»: è stanchezza di corpo e d'anima insieme.
4. l'onesta: la nobilissima donna (altri legge **Onestà**; in tal caso, significa che l'*Onestà*, personificata, ha anch'ella appoggiata la fronte, piangendo, su quel sasso).
5-8. «e dove (**che** = in cui) la donna del mio cuore, già, quand'era in vita, piena di tutte le più belle doti (**adornezze**), **conte**, cioè conosciute e celebrate da tutti, chiuse se stessa, **fonte**, ispiratrice d'ogni virtù, nel

10 «Dolce mio iddio, fa' che qui mi traggia
la morte a sé, ché qui giace 'l mio core».
Ma poi che non m'intese 'l mio signore,
mi diparti' pur chiamando Selvaggia;
l'alpe passai con voce di dolore.

(**traggia**) a sé qui, su questo sepolcro, perché in esso giace il suo cuore.
12-14. Ma poiché il suo Signore, cioè Amore, non lo esaudì, il poeta partì da quel luogo non cessando d'invocare (**pur chiamando**) Selvaggia e passò la montagna (**Alpe**) con **voce di dolore**.

giorno in cui fece il doloroso, crudele passo della morte».

9-11. Sulla tomba di Selvaggia, il poeta invoca Amore affinché faccia sì che la Morte lo tragga

Oïmè lasso, quelle trezze bionde

È il pianto per la morte dell'amata. È fondato sulla rievocazione di tutte le bellezze e virtù di lei, che rendono irreparabile la sua perdita. Le tre stanze della canzone si svolgono su di un unico schema: un ripetuto grido di lamento (*oimè*) che accompagna la rievocazione dei pregi della donna, la quale a sua volta si fa sempre più ampia, concitata, commossa fino a che, giunta al culmine, crolla, in una gelida e sconsolata visione della morte.

Oïmè lasso, quelle trezze bionde
da le quai riluciéno
d'aureo color li poggi d'ogni intorno;
oimè, la bella ciera e le dolci onde,
5 che nel cor mi fediéno,
di quei begli occhi al ben segnato giorno;
oimè, 'l fresco ed adorno
e rilucente viso,
oimè, lo dolce riso
10 per lo qual si vedea la bianca neve
fra le rose vermiglie d'ogni tempo,
oïmè, senza meve,
Morte, perché togliesti sì per tempo?
Oimè, caro diporto e bel contegno,
15 oimè, dolce accoglienza
ed accorto intelletto e cor pensato;
oïmè, bell' umìle e bel disdegno,
che mi crescea la intenza
d'odiar lo vile ed amar l'alto stato;
20 oimè, lo disio nato
de sì bella abondanza,
oïmè, la speranza
ch'ogn'altra mi facea vedere a dietro
e lieve mi rendea d'amor lo peso,
25 spezzat' hai come vetro,
Morte, che vivo m'hai morto ed impeso.
Oïmè, donna d'ogni vertù donna,
dea per cui d'ogni dea,
sì come volse Amor, feci rifiuto;
30 oïmè, di che pietra qual colonna
in tutto il mondo avea
che fosse degna in aire farti aiuto?
E tu, vasel compiuto
di ben sopra natura,
35 per volta di ventura
condutta fosti suso gli aspri monti,

altri particolari fisici via via rievocati più avanti) che facevano rilucere di un colore d'oro tutti i poggi intorno a lei. I capelli sembravano effondersi luminosi per tutta la natura: la bellezza della donna illuminava l'universo.
4-6. la bella ciera: il bel viso. **le dolci onde... segnato giorno**: le onde dolci di quegli occhi che mi ferivano d'amore nel cuore, nel giorno fortunato (**ben segnato**) dell'innamoramento. L'immagine ardita e nuova delle *onde* dà il senso d'una dolcezza che si espande.
9-11. lo dolce... tempo: il dolce riso a causa del quale la neve bianca (i denti candidi) spuntava fra le rose sempre (**d'ogni tempo**) vermiglie, cioè le labbra.
14-26. La seconda stanza è già in tono minore, rispetto alla prima: i pregi morali della donna risultano più generici, pervasi anche di un lieve convenzionalismo (col che non si vuol negare la sincerità di questi versi, ma dire soltanto che qui Cino non ha trovato immagini nuove e personali per esprimersi, come nella prima stanza). Bello però è il verso 25: la Morte che spezza quella perfezione come un debole vetro, che va in frantumi, né mai si potrà ricomporre. **diporto**: comportamento. **dolce accoglienza**: ricorda la dolcezza del loro incontrarsi. **pensato**: riflessivo. **umìle**: sta per *umiltà*, cioè *benevolenza*. **disdegno**: è il suo contrario.
18-19. che... stato: che faceva crescere in me l'intenzione di odiare ogni cosa vile e di amare ogni cosa nobile.
20-26. «il desiderio nato in me di una creatura così ricca di doti belle che mi faceva posporre ad essa ogni altra speranza e mi rendeva lievi anche le sofferenze (**lo peso**) d'amore, tu, o Morte, hai infranto come vetro tutte queste cose, tu, che m'hai ucciso e impiccato (**impeso**) vivo».
27-39. Il poeta sintetizza (27-32) le alte doti della donna; poi rievoca, accorato, quello che resta di tanta bellezza: i duri sassi del sepolcro. **donna d'ogni vertù donna**: donna, regina d'ogni virtù. **dea... rifiuto**: «dea (cioè creatura bella e nobile come una dea) per cui, come volle Amore, rifiutai (d'amare) le donne più belle e nobili (**ogni dea**)».
30-32. «Qual colonna e di qual (preziosa) pietra vi era (**avea**) in tutto il mondo che fosse degna di aiutarti sì che tu ad essa ti potessi appoggiare (**in aire**)?». L'espressione è lambiccata, l'immagine poco chiara. Vuol forse dire che l'eccellenza della donna era insita completamente nella sua anima, da nessuna cosa terrena riceveva aiuto e ispirazione.
33-39. E tu: Eppure tu perfetto vaso (nel

Metro: *canzone*, con tre stanze (due *piedi* AbC, AbC, e *sirma* cddEFeF) e un *congedo* (EFeF).

1-13. L'evocazione, con quegli *oimè* che l'interrompono come un singhiozzo, culmina con quell'interrogativo vano che sembra dilatare il dolore. La proposizione reggente è l'ultima (vv. 12-13). «Ohimè, Morte, perché tanto prematuramente hai portato via, senza (portar via anche) me (**senza meve**) tutte quelle dolci bellezze?».

1-3. quelle trezze bionde... intorno: quelle trecce bionde (è complemento oggetto, come gli

dove t'ha chiusa, oimè, fra duri sassi
la morte, che due fonti
fatt'ha di lagrimar gli occhi mei lassi.
40 Oïmè, Morte, fin che non ti scolpa
di me, almen per li tristi occhi miei,
se tua man non mi colpa,
finir non deggio di chiamar omei.

dell'Appennino. **condutta:** condotta. **la morte... lassi**: la morte ha reso gli occhi tristi del poeta due fontane da cui ininterrottamente sgorgano lacrime.
40-44. «Ohimè, Morte, finché io non ti scolpisca (**scolpa**) di me (finché cioè non assuma nel mio volto il tuo aspetto, finché non morrò), a meno che la tua mano non mi colpisca (**colpa**), non cesserò di lamentarmi coi miei "ohimè", fosse pur solo attraverso i miei occhi piangenti» (Contini).

senso che la parola ha nelle Sacre Scritture: creatura che in sé accoglie completamente ogni sorta di grazia) di bene soprannaturale, per il rovesciarsi di fortuna, cioè per il prevalere dei Neri sui Bianchi, cui apparteneva Selvaggia, dovesti andare in esilio a Sambuca sugli «aspri monti»

Letture critiche

Il «Dolce stil novo»

L'angelicazione o divinizzazione della donna nella poesia provenzale e nella poesia italiana anteriore a Dante è una semplice metafora, senza significato spirituale religioso, e rischia anzi d'apparire irriverente alla riflessione degli spiriti più sinceramente religiosi, proprio perché sovrappone all'immagine profana della donna immagini tratte dal mondo sacro della religione. Questa sovrapposizione non ha nulla di nuovo né di sorprendente. Il cristianesimo è la religione dell'amore e uno stesso vocabolo designa l'amore religioso e l'amore profano. Si può contrapporre l'*amor mundi* e l'*amor dei*, come fa, per esempio, Sant'Agostino; si può distinguere dallo schietto *amor* l'equivoco *amar* (che significa insieme «amare» e «amaro»), come fa, per esempio, Marcabruno. Ma la contrapposizione riguarda il diverso oggetto, non l'intrinseca natura della forza spirituale che ad esso si volge. Questa medesimezza di natura, questa identità di vocabolo, permettono in qualsiasi momento la trasposizione metaforica d'immagini dal linguaggio religioso al linguaggio profano, il richiamo etico dall'esperienza profana all'esperienza religiosa [...].

Dove è dunque la novità del Guinizelli? La sua novità consiste nell'approfondimento intellettuale dello scavo: nell'interpretazione della metafora tradizionale donna-angelo alla luce dell'angelologia teorizzata dai filosofi con l'equazione tra angelo e intelligenza. Come le intelligenze angeliche, la donna ha una funzione attualizzatrice: essa traduce in atto, cioè in amore, la potenza del cor gentile.

Aveva dunque ragione il Vossler di cercare alla novità del Dolce Stile dei fondamenti filosofici. La stessa intensificazione dell'elemento visivo, luminoso, così caratteristica degli stilnovisti, con quelle loro donne che fanno «tremar di claritate l'aere», nasce non da una casuale propensione della sensibilità, ma da presupposti concettuali, filosofici. Dietro le immagini luminose («vedut'ho la lucente stella diana», «ed in fra l'altre par lucente sole», «che tutta la rivera fa lucere, e ciò che l'è d'incerchio allegro torna») c'è l'estetica metafisica della luce, che si annette alla poesia della donna-angelo, così come s'era sposata nella speculazione filosofica al tema dionisiano dell'illuminazione gerarchica delle intelligenze angeliche. Dio è luce, e quanto più si avvicinano a lui, tanto più le creature sono luminose, come dice San Bonaventura. Attraverso lo splendore della loro luce le creature superiori agiscono sulle inferiori. La contemplazione della luce divina è nelle intelligenze angeliche il principio motore dei cieli.

Ciò permette anche di precisare meglio in che direzione vadano cercati i presupposti filosofici del Dolce stil novo. Occorre guardare non tanto alla scolastica tomistica, quanto piuttosto alla mistica speculativa raccolta dai francescani, con i suoi elementi d'ascendenza neoplatonico-agostiniana. Occorrerà pensare in particolare a quell'importante opera, composta in Francia intorno al 1230, ch'è il *Liber de intelligentiis o Memoriale rerum difficilium*. E si potrà fare ancora un altro passo, e ricordare che gli insegnamenti di questo trattato, con la sintesi fra il tema delle gerarchie angeliche e la metafisica della luce, ripresi occasionalmente da San Bonaventura, ispirano tutto il trattato *De luce* del francescano Bartolomeo da Bologna, che fu maestro di teologia a Parigi e successore di Matteo d'Acquasparta come rettore della scuola teologica bolognese nella seconda metà del XIII secolo. Si tratta dunque di motivi ch'erano d'attualità nella Bologna del Guinizelli, negli ambienti universitari e culturali ch'egli frequentò.

Va però detto subito che per il fatto d'essere filtrata attraverso l'interpretazione intellettualistica d'uno spirito aperto alla cultura filosofica del suo tempo, anziché venire accettata superficialmente e ripetuta meccanicamente come per il passato, la metafora della donna-angelo non perde la sua natura di metafora. L'immagine resta immagine e si arricchisce come tale. L'intellettualismo e la cultura del Guinizelli hanno solo una funzione mediatrice tra l'immagine tradizionale e l'immagine nuova, arricchita di nuove risonanze.

Gli spunti offerti dalla poesia guinizelliana sono raccolti in maniera diversa dai diversi stilnovisti. Alcuni, fra i più tipici, sono raccolti solo da Dante. Ed è Dante che dalla canzone al «Cor gentile» raccoglie il messaggio implicito nel potenziamento intellettuale della metafora, vi avverte l'aspirazione istintiva al passaggio non ancora realizzato dalla metafora alla realtà, vi intuisce come in una rivelazione la possibilità di trasferire effettivamente l'immagine dal piano metaforico al piano metafisico.

Quella che in Guinizelli era stata soltanto un'ardita comparazione, ardita sino a sfiorare l'irriverenza nei confronti della divinità («e desti in vano amor me per sembiante») diviene per Dante l'intuizione di una verità superiore ed essenziale («Beatrice, loda di Dio vera»). Quella che per Guinizelli era soltanto verità ottativa nell'ambito d'una suggestiva analogia («così dar dovrìa al vero la bella donna...»: analogamente dovrebbe operare la donna sul cor gentile, dovrebbe cioè dargli la beatitudine; ma «dar dovrìa», dovrebbe dare, non è «dà»!) diviene per Dante verità ontologica, metafisica certezza («Donna è di sopra che m'acquista grazia»). Così egli supera quell'insoddisfazione, quell'inquietudine, che il Guinizelli non riusciva, tormentandosene, a superare, e che il Cavalcanti, con irritata malinconia, teorizzava pessimisticamente insuperabile. «Vano amore» è solo quello che pretende «beato compimento» da un bene imperfetto («che non fa l'uom felice»), e a questo arresta il suo impulso, senza guardare oltre, e «troppo ad esso s'abbandona». «Vano amore» è solo quello che non sa riconoscere in se stesso, e non soltanto riconoscere, ma ristabilire in uno slancio di tensione mistica, la medesima natura spirituale di quell'amore «che muove il sole e l'altre stelle» (Felici gli uomini, se il loro animo sarà governato dallo stesso amore che governa i cieli, così aveva cantato, fin dalle soglie del medio evo, Boezio). «Vano amore», insomma, è soltanto quello che non sa trascendere la donna terrena, la donna che tale rimane anche se abbia «d'angel sembianza», nella celeste Beatrice, «splendor di viva luce eterna» [...].

Questo «salto», questa spiritualizzazione religiosa dell'amore, è la novità di Dante e soltanto di Dante, per il quale la poesia diviene così un impegno totale. I famosi versi che sciolgono il nodo in cui consiste la superiorità dello Stil novo rispetto alla poesia precedente

> Io mi son un che quando
> Amor mi spira, noto, ed a quel modo
> ch'e' ditta dentro, vo significando

non s'intendono se non si sottintende l'assoluta fede dantesca nella trascendenza dell'ispirazione amorosa, sì che l'esercizio della poesia diviene ascesa spirituale ad una contemplazione sempre più pura dell'essenza d'Amore: quell'Amore da cui muove non la sola poesia, ma tutta la vita morale dell'uomo, tutta la vita dell'universo, dall'istinto delle minime creature fino alla circolazione delle sfere celesti.

Forse a qualcuno, abituato all'interpretazione romantica, la quale leggeva in questi versi solo una dichiarazione di sincerità sentimentale, parrà strano che dove Dante parla di più immediata adesione al dettato d'Amore («io veggo ben come le vostre penne / di retro al dittator sen vanon strette»), si debba pensare a complicazioni d'ordine metafisico [...]. L'interiorità di quel dettato non è l'interiorità romantica del sentimento individuale, al limite l'originalità irripetibile e incomunicabile delle esperienze cantate dal moderno solipsismo poetico; è invece l'interiorità dell'«homo interior» contrapposto all'«homo exterior», l'interiorità agostiniana che spalanca le porte della trascendenza alla conquista della verità assoluta. «In interiore homine habitat veritas», e «in interiore homine habitat amor»: nella spiritualità dell'«homo interior» abita la verità dell'amore: quell'amore vero che si contrappone al «vano amor» della tradizione trovadorica e guinizelliana.

Bisognerà ricordare a questo proposito che le idee espresse da Ugo e Riccardo di San Vittore nella seconda metà del secolo XII non erano rimaste del tutto senza eco nella contemporanea poesia in lingua volgare, almeno nei suoi rappresentanti più alti: il romanziere francese Chrétien de Troyes e il trovatore provenzale Bernart de Ventadorn. Essi ne avevano raccolto il principio agostiniano della distinzione tra «homo interior» e «homo exterior»; e Cristiano aveva avvertito il suo pubblico di considerare insufficiente all'intelligenza dei propri racconti l'attenzione dell'orecchia se non vi s'aggiungesse l'attenzione del cuore; e Bernardo aveva proclamato che nessun valore artistico può avere il canto, se non muove dal cuore e se nel cuore non è presente la grazia del vero amore.

La dolcezza dei versi che la lingua di Dante pronuncia «quasi come per se stessa mossa», la dolcezza del dolce stil novo, è stretta parente di questa *doucor*, ossia della *dulcedo*, che in Ugo di San Vittore è il corrispettivo interiore della luminosità esterna.

Solo che, dove Cristiano e Bernardo (e di questo, i suoi versi, furono conosciuti da Dante, ancor più di quello, i cui romanzi Dante non conobbe direttamente) traspongono i motivi della mistica vittorina sul piano dell'etica e della poesia cortese, sostanzialmente profane, Dante risale arditamente e risolutamente dalla tradizione della lirica amorosa profana al piano della spiritualità religiosa.

Aurelio Roncaglia

(Da *Ritorno e rettifiche alle tesi vossleriane sui fondamenti filosofici del dolce stil novo*, in «Beiträge zur Romanischen Philologie», IV, 1965, 2, Berlino, Rütten e Loening, pp. 115-122, con tagli).

La figurazione drammatica nel Cavalcanti

Per Cavalcanti l'amore è scontro doloroso fra la metafisica visione ideale della donna (fase estrema a cui egli ha spinto l'angelicismo guinizelliano) e il passionale apporto dell'anima sensitiva, del cuore e degli spiriti vitali all'interiore vicenda amorosa. Proprio da tale dualismo fra amore ideale e amore sensibile nasce il tipico movimento drammatico cavalcantiano, per cui il poeta mai è sì disfatto d'amore, che non attiri su di sé nuova distruzione; questa drammaticità, filtrata attraverso l'immaginazione visiva propria del nostro poeta e di Dante, viene ad attuarsi in effettive visioni, in episodi interiori, che hanno tutta la suggestione di una realtà in acceso movimento [...].

In primo luogo ci colpisce l'aspetto particolare e unilaterale dell'aggettivazione di Guido, da cui è assente il senso della memoria, il mondo della dolce pensosità di Cino da Pistoia. L'aggettivo cioè non ha la funzione di dare sfumature di piani spirituali, di legare i versi a una corrente di rimembranze o di interiori cammini, ma mette a fuoco la visione. Sembra che il poeta nei componimenti di natura drammatica non possieda più di una decina di aggettivi e participi (*dolente, pauroso, angoscioso, tristo, sbigottito, dispietato, disfatto, distrutto, dispento, morto*) e li intrecci variamente nella costruzione ritmica [...].

Così i pochi aggettivi della battaglia di dolor, se pure nei loro ritorni e nella loro insistenza spasmodica ricordano certo tendenze retoriche del tempo, tuttavia conferiscono una specie di volume, di enormità fisica allo stato del dolore; si aggiunga l'insistenza fonetica del prefisso *dis* (disfatto, distrutto, dispento, dispietato), che raggiunge un effetto di intensità, anche se in se stesso il prefisso di «dispento», «dispietato» si colleghi a un fenomeno generale che il volgare eredita dalla tarda latinità, cioè il confondersi di verbi semplici, composti e decomposti.

Oltre a questo aspetto particolare e unilaterale dell'aggettivazione, è notevole l'uso che il poeta ne fa, cioè la frequenza dei cumuli di tali aggettivi e participi entro uno stesso componimento. Spesso il poeta accoppia due aggettivi a renderli più intensi: XXI dolorose e sbigottite, XXXV disfatte e paurose, XXXVI sbigottita e deboletta ecc., accoppiamenti non casuali, ma in funzione di una regola retorica, per la quale il secondo termine, meno drammatico del primo, ne dà il contraccolpo psichico; più spesso il cumulo avviene entro lo svolgimento del tema, per tutta la lunghezza del componimento e i termini simili si inseguono come variazioni di un motivo dominante [...].

Ancora l'insistenza di vocaboli, che circolano da un verso all'altro, si richiamano con sfumature di tonalità per un processo interno e retorico insieme, che vuol essere scarica di una intensità spirituale, quasi fosse venuto a mancare al poeta ogni altro appiglio di immagine o di sensazione.

XXIII, 1:

> A me stesso di me pietate vene
> per la *dolente angoscia* ch'i' mi veggio
>
> E tutto struggo perch'i' sento bene
> che d'ogni *angoscia* la mia vita è peggio.

Ha la forma di un destino questo ritorno dell'angoscia. E nel sonetto XV riappare il senso della mancanza di argini all'insistenza di un motivo; l'anima v. 1 «vilment'è sbigottita», v. 4 «la more», v. 6 è «da lo cor partita» v. 7 «com'ella è fuggita», v. 8 «questi non ha vita», v. 11 «strutta la mente», v. 13 «li spirti fuggir via». Il poeta torna in ogni lirica sui propri passi per riprendere il motivo dell'angoscia e della morte e allargarlo; non siamo di fronte a uno sviluppo di fasi differenti, ma a un allargamento da un centro focale, fatto tipico di Guido rispetto a Dante e a Cino da Pistoia. Affascinato da un motivo fondamentale, il poeta lo riprende da una canzone all'altra, lo sfaccetta, lo approfondisce, quasi non riuscisse a renderlo definitivo; a volte entro la stessa canzone a distanza di alcuni versi riaffiora l'insistenza del motivo [...].

Un altro aspetto notevole dello stile di Guido, oltre la particolare aggettivazione e il cumulo di espressioni affini, è la continua tendenza alla metafora: sappiamo che essa è la figura principe della retorica del tempo e non vi è trattato che non ne consigli un grande uso sia nell'*ornatus difficilis* sia nell'*ornatus facilis*.

Ancora una volta il fatto tradizionale si complica in Guido, innestandosi su un'esigenza artistica profondamente individuale; difatti quale mezzo stilistico poteva meglio della metafora rispondere alla sua immaginazione visiva? Quando il poeta scrive:

VIII, 9:

La mia virtù si partì sconsolata
poi che lasciò lo core
a la battaglia ove madonna è stata,
la qual de li occhi suoi venne a ferire
di tal guisa ch'Amore
ruppe tutt'i miei spiriti a fuggire;

noi ci accorgiamo che, mentre una per una le metafore del ferimento, della fuga appartengono alla tradizione e come tali minaccerebbero di logorarsi, per il fatto di essere legate a creare una «storia» interiore, si ravvivano ed ogni metafora assume appunto dal legame con le altre non solo il suo tono stilistico, ma la sua forza di immagine rimasta concreta fra altre immagini. La novità sta quindi nello scrivere in chiave di «metafora», per cui l'uso metaforico è qualcosa di più del tradizionale mezzo stilistico, diviene un fondamentale mezzo espressivo, di cui Dante stesso offre la teorica nel capitolo XXV della *Vita nuova*, ove distingue: poeti come lui e Guido che sanno «rimare cose sotto veste di figura» da coloro che vogliono e non sanno farlo e così «rimano stoltamente».

Si osservi nell'esempio dato come i tre verbi «si partì», «lasciò», «è stata» si corrispondano nel senso di un abbandono stanco e sfinito, laddove i tre seguenti «venne a ferire», «ruppe», «fuggire» si rincorrono ad esprimere l'impeto della lacerazione interiore; perfetto attuarsi di una composizione metaforica dunque, da cui nasce l'episodio e il suo valore poetico. Spesso si legano l'una all'altra metafore di genere differente, come nel «si partì sconsolata» dove il «si partì» è dello stesso genere del «ferire», del «rompere», metafora di immagine, laddove la «sconsolata» rientra in quelle metafore qualitative (qualità umane alle cose e qualità delle cose agli uomini), che si sono già viste come parti dell'*ornatus difficilis*. Gli innumerevoli esempi della battaglia di dolor rispecchiano appunto nella poesia di Guido l'uso di metafore a catena come modo di concretizzazione episodica degli stati d'animo. Ora si vogliono esaminare due particolari espressioni metaforiche: la metafora della «figura» e quella della «morte».

Mentre nella tradizione siciliana la «figura» della donna è la sua immagine che viene quasi a dipingersi entro l'animo del poeta (per esempio Jacopo da Lentini: Com'omo che ten la mente / in altra parte e pinge / la simile pintura, / così, bella, facc'eo: / dentro lo core meo / porto la tua figura) in Guido talora la figura non è l'immagine della donna, ma l'immagine di un valore ideale metafisico da lei suscitato, donde l'aspetto metaforico [...].

Difatti questo termine «figura» è anche sostituito in altre apparizioni da spirito e ci sembra che l'una e l'altro siano immagini di un valore ideale extraterreno, non della donna:

XXI, 9:

I' veggo a lui spirito apparire
alto e gentile e di tanto valore
che fa le sue virtù tutte fuggire.

Tale valore metaforico ci sembra confermato da:

X, 7:

Amor mi dona un spirito in su stato
che *figurato* more.

Proprio nel figurarsi lo spirito è condannato a morire. Non si comprenderebbe perché la donna con l'essere resa immagine nel ricordo debba morire; è la sua metafisicità che nel farsi immagine muore. Inoltre la «figura» nel senso tradizionale porta con sé un senso di rimembranza, che in genere è assente dalla poesia di Guido; qui la «figura» è, come i tagli e le fughe della battaglia di dolor, una oggettivazione di stati spirituali, in questo senso è metafora nuova e contribuisce ad attuare l'immaginazione visiva. Ed eccoci alla metafora della *morte*; il cuore morto è per il Cavalcanti il cuore in preda alla passione amorosa; cioè la morte del valore ideale diviene immagine visiva attraverso la metafora del cuore morto, dell'anima morta, del poeta morto. Per quanto ci consta, ciò è in linea generale assente dalla poesia che precede Guido, se facciamo un'eccezione per Monte Andrea [...].

Un modo particolare di alternanza di tono, enormemente diffuso in Guido, appare l'introduzione del discorso diretto. La frequenza dei discorsi diretti si presenta come un aspetto tipico del volgare dei secoli XIII e XIV, soprattutto della prosa narrativa e si lega alla tendenza duplice del volgare verso l'uso della coordinazione in luogo della subordinazione propria dello stile letterario latino e verso la sostituzione dell'indicativo al congiuntivo e all'infinito nelle dipendenti: entrambi questi fenomeni della lingua riportano l'abbondare dei discorsi diretti a un'origine più popolare che letteraria; si aggiunga certa freschezza rappresentativa della parlata quotidiana, che ha pure la sua parte nella frequenza dei discorsi diretti. Orbene, muovendosi tutta la poesia stilnovista entro la scia di una tradizione letteraria raffinatissima, ci resta da cercare il motivo per cui Guido abbondi di un uso che in sé, come si è visto, è di origine più popolare che letteraria. Tale motivo sta nel fatto che il discorso diretto, con la parvenza del dialogo, dà concretezza ai soggetti interiori della vicenda amorosa, attua dunque esso pure l'episodio; come ben disse il Contini a proposito di Dante: «in luogo dei miti della coscienza, una piccolissima sacra rappresentazione». In questo modo il filone popolare del discorso diretto assurge in Guido a filone letterario, diviene un mezzo stilistico di attuazione delle storie interiori ed ecco che il poeta parla agli spiritelli, essi gli rispondono, i sospiri parlano, una «voce» o un «pensero» «dice», un «romore» «dicea».

Maria Corti

(Da *La fisionomia stilistica di Guido Cavalcanti*, in *Atti dell'Accademia Nazionale dei Lincei*, anno CCCXLVIII, 1950, serie ottava, vol. V, fascicolo 11-12, Nov.-Dic. 1950, Roma, Accademia Nazionale dei Lincei, 1951, pp. 531-541, con tagli).

Poeti comico-realistici

Contemporaneamente e in opposizione allo *Stil novo* si afferma la corrente che si è convenuto di chiamare comico-realistica. Il primo aggettivo allude al fatto che questa poesia è scritta in stile «comico», come veniva allora chiamato lo stile umile in opposizione a quello elevato o «tragico»; il secondo propone una definizione (in realtà alquanto approssimativa) del contenuto. All'idealismo «cortese» e stilnovistico questa poesia contrappone, infatti, una rappresentazione del concreto, del quotidiano, che ne costituisce il rovesciamento. La donna e l'amore sono presentati nell'aspetto sensuale, all'esaltazione dell'elevato, aristocratico sentire si contrappone quella della ricchezza, del vino, della buona tavola, della vita gaudente e spensierata. Non mancano imprecazioni contro le donne vecchie e brutte, attacchi contro nemici personali, caricature che riconducono alla piccola maldicenza municipale e, in genere, la rappresentazione d'un ambiente grossolano e plebeo nel quale si svolge la vita dissipata dello scrittore.

Gli autori, tuttavia, non sono rozzi o incolti, e neppure schietti e immediati come vogliono apparire, ma seguono le norme d'un «genere» codificato che risale alla poesia goliardica o a forme analoghe della poesia latina medievale. Ne è una riprova il fatto che si cimentarono in questo tipo di poesia, sia pure saltuariamente, poeti come Guinizzelli, Cavalcanti, Dante.

Il «realismo» di questi scrittori va, pertanto, limitato, nel senso che prevale in loro un gusto giocoso, caricaturale o parodistico che li porta a una rappresentazione della realtà e dei rapporti umani limitata e, in genere, povera di rilievo sul piano conoscitivo e morale. Tuttavia la loro produzione è interessante, sul piano storico-culturale, in quanto riflette aspetti del costume e della vita comune, e incontrò per questo l'apprezzamento d'un pubblico numeroso che le garantì un secolare consenso.

Va infine rilevato il fatto che il presentarsi, da parte di questi poeti, come persone scioperate e dissipatrici, moralmente e socialmente disadattate, se risponde, da un lato, alle regole tradizionali del «genere», indica, d'altra parte, un'insofferenza nei confronti dell'alta cultura ufficiale che coinvolge anche le strutture ideologiche, sociali e di costume sulle quali essa si fonda.

Per i testi seguiamo *Poeti del Duecento*, cit., salvo indicazione contraria.

Rustico Filippi

Fu fiorentino, di parte ghibellina e morì fra il 1291 e il 1300. Ebbe il soprannome di «Barbuto». Ci restano, di lui, una trentina di sonetti di materia amorosa, secondo la tradizione siculo-toscana, e altrettanti di burlesca invettiva contro persone reali o immaginarie. Questi ultimi sono scritti in linguaggio fortemente dialettale e con un gusto caricaturale fortemente espressivo.

Quando Dio messer Messerino fece

Il sonetto mette in caricatura certo Albizzo di Caponsacchi, soprannominato «Messerino», con arguzia gustosa: Messerino è una vera meraviglia, creata da Dio per gioco, in un momento di ozio. Ma anche quando Dio se la spassa mostra tutta la sua straordinaria grandezza: un individuo così superlativamente brutto è cosa veramente sovrumana. Questa la divertente invenzione, arricchita dalla contraffazione operata nei versi 2 e 8 dei modi usati nella lirica cortese per esaltare la bellezza della donna amata.

Quando Dio messer Messerino fece,
ben si credette far gran maraviglia,
ch'uc[c]ello e bestia ed uom ne sodisfece,
ch'a ciascheduna natura s'apiglia:
5 ché nel gozzo anigrottol contrafece,
e ne le ren' giraffa m'asomiglia,
ed uom sembia, secondo che si dice,
ne la piagente sua cera vermiglia.
Ancor risembra corbo nel cantare,

Metro: *sonetto* (schema: ABAB, ABAB, CDE, CDE).

2. Il verso pone in caricatura il tema cortese e stilnovistico della donna la cui bellezza è divino miracolo.
3-4. Creando lui, Dio contentò tre nature: quella di uccello, di bestia, di uomo, poiché Messerino ha qualcosa in comune con tutti e tre questi esseri.
5. anigrottol: anatroccolo.
7. sembia: sembra.
8. ne la piagente ecc.: nel suo piacente viso vermiglio. **Piagente e cera** sono termini usati nella poesia siciliana per descrivere il viso della donna amata. Il *vermiglia*, dopo le parole poeticamente raffinate, ha un forte effetto caricaturale: allude a un visaccio tutto rosso, sgradevole, forse frutto di eccessive e costanti libagioni.
9-11. Ancor: continua la caricatura con tre versi scanditi implacabilmente. **risembra** ecc.: sembra, quando canta, un corvo. 10. «E quanto a saggezza (il **savere** è il complesso delle doti intellettuali, ma è soprat-

10 ed è diritta bestia nel savere,
ed uomo è sumigliato al vestimento.
Quando Dio il fece, poco avea che fare,
ma volle dimostrar lo Suo potere:
sì strana cosa fare eb[b]e in talento.

tutto il discernimento e l'uso pratico dell'intelligenza) è una bestia vera e propria». 11. «E quanto al vestire assomiglia a un uomo». Si direbbe (cfr. anche il v. 7: «*uom sembia*») che, delle tre nature di cui è composto, quella umana sia quella alla quale meno «s'appiglia». Comunque, non *sembra*, ma è «diritta bestia».

12-14. «Quando Dio lo creò, aveva poco da fare, intendeva solo divertirsi, senza troppe pretese, ma anche qui volle mostrare la sua potenza, (prova ne sia) che ebbe voglia di fare cosa così fuori del comune (**strana**: nella parola c'è anche il senso di qualcosa di sgradevole e mostruoso)».

D'una diversa cosa ch'è apparita

È un sonetto di satira politica. Dopo la battaglia di Benevento, che aveva sanzionato il trionfo pieno dei guelfi, molti di essi, che prima erano in esilio, erano rientrati in città, e ostentavano spavalderia e coraggio guerriero, magari senza aver partecipato alla battaglia. Fra costoro era Paniccia, bersagliato in questa caricatura sarcastica.

Per il testo seguiamo il Vitale (*Rimatori comico-realistici del Due e Trecento*, Torino, 1956).

D'una diversa cosa ch'è apparita
consiglio ch'abbian guardia i fiorentini;
e qual è que' che vuol campar la vita
sì mandi al Veglio per suoi assessini;
5 ché ci ha una lonza sì fiera ed ardita,
che se Carlo sapesse i suo' confini
e de la sua prodezza avesse udita,
tosto n'andrebbe sopra i saracini.
Ma chi è questa lonza, or lo sacciate:
10 Paniccia egli è: che fate, o a Fiorenza,
ch'oste non istanziate o cavalcate?
Ché s'e' seguisce innanzi sua valenza
com'egli ha fatt'a dietro, sì gli date
sicuramente in guardia la Proenza.

Metro: *sonetto* (schema: ABAB, ABAB, CDC, DCD).

1-2. D'una diversa... fiorentini: Costruisci: consiglio i Fiorentini che si guardino da una cosa strana, or ora apparsa. La cosa è Paniccia, il **diversa** dà un'idea di stranezza, ma anche di qualcosa di mostruoso e deforme. Felice è poi quel **cosa**, che si definirà, più avanti, in un'immagine animalesca: questa atmosfera sospesa renderà più ridevole la «rivelazione» finale.
3. e qual è que' che vuol: se uno vuole.
4. si mandi... assessini: cerchi di procurarsi, di farsi dare in prestito dal Veglio della Montagna, uno dei suoi *assassini*. Secondo una leggenda medioevale, erano costoro i seguaci fanatici e fedelissimi del loro capo, il Veglio, su istigazione del quale compivano omicidi (vedi la nota al passo di Marco Polo da noi riportato a pag. 215). Per liberarsi da quella *cosa*, occorrono dunque sicari tremendi e irresistibili.
5. ché ci ha una lonza: c'è fra noi una lonza. Era questo il nome dato comunemente al leopardo. A quei tempi i Fiorentini ne custodivano, a spese del Comune, un esemplare vivo.
6-8. che se Carlo... saracini: che se Carlo d'Angiò sapesse dove dimora (**i suo' confini**) e avesse udito qual sia la sua prodezza, tosto si slancerebbe (contando sul suo aiuto) contro i Saraceni. Carlo d'Angiò, capo del partito guelfo, vagheggiò sempre una crociata contro i musulmani.
9. sacciate: sappiatelo.
10. Paniccia egli è: finalmente lo sappiamo! Si tratta di persona la cui esistenza ci è attestata da documenti del tempo: Paniccia Frescobaldi.
10-11. che fate... cavalcate: che fate, Fiorentini? Perché, con un simile guerriero, non impiantate un esercito (**oste**) e non imprendete scorrerie contro il nemico?
12-14. «Poiché se egli continua (**seguisce**) nel futuro a dar prova del suo valore (**valenza**) come ha fatto nel passato (ma la frase è ambigua; potrebbe significare: se è così valoroso nell'andare avanti come lo è nel fuggire) potete dargli sicuramente in custodia la Provenza (era il primo dominio degli Angioini, il cuore della loro potenza)».

Cecco Angiolieri

Le scarse notizie che abbiamo sulla vita di Cecco Angiolieri (nato a Siena poco dopo il 1260 e morto fra il 1311 e il 1313) non si possono dire edificanti. Sappiamo dai documenti che fu multato due volte per diserzione durante l'assedio al castello di Turi in Maremma, poi per aver girato dopo il coprifuoco, poi per aver partecipato a una rissa conclusasi con un ferimento. Infine, in un atto notarile del 1313, i suoi figli rinunciarono all'eredità paterna perché oberata di debiti.

Tali notizie concordano con quell'immagine di uomo insofferente e indisciplinato, scioperato e irrequieto che il suo canzoniere ci delinea. I suoi numerosi sonetti insistono, infatti, con compiacenza sugli aspetti e i modi di una vita dissipata: un volgare amore per Becchina, figlia di un «agevol coiaio», donna avida di danaro e di costumi non esemplari, l'esaltazione di donna, taverna e dado (cioè il giuoco) come supremi ideali di vita, il lamento continuo contro l'avversa fortuna che lo vuole sempre in bolletta, l'elogio della ricchezza come unica e vera fonte di felicità, l'odio contro i genitori, soprattutto contro il padre, ricco e tirchio, che lo tiene a stecco e non si decide mai a morire, sì da lasciare Cecco libero di dilapidare il patrimonio, una frequente, acre melanconia, o un umor nero cruccioso.

Sarebbe però errato cercare nelle sue poesie riferimenti troppo precisi a fatti della sua vita. Seguendo questa erronea impostazione, la critica, in un primo momento, vide in lui un cinico cupo e beffardo, o uno spirito romantico che cercava di coprire col riso la disperazione nata da una vita dissipata di cui avvertiva il vuoto e la miseria. La critica recente ha messo invece in rilievo il carattere squisitamente letterario e non di confessione immediata della sua poesia; ha visto in Cecco uno spirito bizzarro, vivace, ma non dotato di complessa vita interiore, che fa della sua tristezza, delle sue passioni, dei suoi rancori il pretesto dei suoi «giuochi» poetici. Anche in quei sonetti che sembrano riflettere momenti reali della sua vita, si avverte l'esagerazione compiaciuta, il gusto della parodia e della caricatura: dietro certe affermazioni esasperate (l'odio per il padre, ad esempio) si avverte il gusto di sbalordire l'uditorio, con una comicità cruda e tagliente.

Cecco è dunque un letterato colto, che sa ben dosare i suoi effetti; si riallaccia a una tradizione burlesca e giocosa viva per tutto il Medio Evo, prima in latino poi in volgare (goliardi, giullari, ecc.). I temi che abbiamo sopra enunciato derivano, per la maggior parte, da questa tradizione.

Nella scelta di quei temi e di quello stile, l'Angiolieri rivela il ripudio delle idealità cortesi e stilnovistiche. È, la sua, una polemica incapace di suggerire nuovi ideali al posto di quelli che abbatte, ma indica, tuttavia, una crisi di valori, un'insofferenza dell'esistente, l'esigenza confusa d'una cultura più vicina alla realtà. D'altra parte, converrà non esasperare neppure l'interpretazione della sua figura e della sua poesia in chiave esclusivisticamente letteraria. La scelta e la fedeltà relative al genere parodistico implicano una vena anticonformistica, una ribellione, anche se priva d'una nuova proposta etica, e un rapporto conflittuale con la realtà, la cultura e gli statuti sociali e di costume dominanti.

La forza vera di questo poeta è nella rappresentazione comica e caricaturale, nella battuta tagliente, nei quadretti rapidi e incisivi di vita quotidiana.

Tre cose solamente m'ènno in grado

Donne, taverna, giuoco: sarebbe la vera felicità. Ma ahimè, sono cose che costano danaro. E come si fa a procurarsele quando si ha un padre così avaro? Meriterebbe costui un buon colpo di lancia!

Il sonetto passa così dal bel sogno all'amara realtà e si chiude con una truculenta invettiva.

La materia non è originale, ma Cecco la rinnova col suo stile sapiente. Anche questo, come quasi tutti i suoi sonetti, ha la forma di uno sfogo, compiuto davanti a un pubblico consenziente, espresso con comica esagerazione per rendere più allegra e corale la risata che l'accoglierà. In tal senso va intesa la maledizione rivolta al padre. Cecco usa per questo un linguaggio pieno di modi e di cadenze popolaresche, che meglio si presta alla battuta scherzosa e alla parodia, mescola alla costruzione letterariamente sapiente del sonetto, la parola dialettale incisiva.

Tre cose solamente m'ènno in grado,
le quali posso non ben ben fornire,
cioè la donna, la taverna e 'l dado:
queste mi fanno 'l cuor lieto sentire.
5 Ma sì ·mme le convene usar di rado
ché la mie borsa mi mett'al mentire;
e quando mi sovien, tutto mi sbrado,
ch'i perdo per moneta 'l mie disire.
E dico: «Dato li sia d'una lancia!»,
10 ciò a mi' padre, che mi tien sì magro,

Metro: *sonetto* (schema: ABAB, ABAB, CDC, DCD).

1-4. La quartina ha una struttura briosa, felicissima. «Tre cose soltanto mi sono (**ènno**) gradite» – dice Cecco; e con questo inizio dispone il pubblico ad attendere una rivelazione decisiva (quel **solamente** ci fa capire che si tratta di un ideale assoluto). Poi, una breve divagazione che aumenta la curiosità, la sospensione dell'attesa, tanto più che mostra come sia difficile conseguire questi «ideali»: «Le quali cose non posso compiere (**fornire**) proprio come vorrei (**ben ben**)». Finalmente l'affermazione netta, scandita: «donna, taverna, dado»: queste cose mi fanno sentire il cuore veramente felice.

5-8. Dopo il dolce abbandono al sogno, il triste risveglio: «Ma pure (**sì**) son costretto a godere raramente queste gioie, per colpa della borsa sempre vuota che mi smentisce (**mi mett'al mentire**, espressione dialettale). E quando mi viene in mente questo, prorompo in invettive violente (**tutto mi sbrado**), perché per mancanza di moneta perdo il modo di soddisfare i miei desideri».

9. «E dico: Sia trafitto da una lancia!». A chi questa feroce maledizione? *Naturalmente* a suo padre che lo tiene a corto di quattrini. Anche qui una sapiente gradazione di effetti. Prima la maledizione indefinita, poi, la persona a cui è scagliata ed è persona che l'uditorio certo non s'aspetterebbe di sentir nominare.

10-11. «che mi tiene così **magro** (cioè a corto di danaro) che tornerei senza dimagrire (**logro**) fin dalla Francia». Cioè, anche un lungo e faticoso viaggio non potrebbe renderlo più magro di quel che è. Secondo altri, *logro* o *logoro* è lo strumento

che tornare' senza logro di Francia.
Ché fora a tôrli un dinaro più agro
la man di Pasqua che ·ssi dà la mancia,
che far pigliar la gru ad un bozzagro.

che serve come richiamo ai falconi da caccia, tenuti affamati. L'espressione, in tal caso, significherebbe che il poeta, pur di aver qualche soldo, ritornerebbe dai luoghi più lontani anche senza essere chiamato.
12-14. «Poiché togliere un soldo a mio padre sarebbe più malagevole, anche la mattina (**la man**) di Pasqua, quando pure tutti usano dare mance, che non far catturare una gru a una poiana». La poiana è capace di catturare piccole prede (topi, uccellini), non certo un uccello grosso come la gru. Il v. 11 e il v. 14 hanno un andamento di proverbio, che ben s'addice allo stile popolaresco del componimento.

La mia malinconia è tanta e tale

Il poeta è in preda a una dolorosa tetraggine, così intensa che il suo peggior nemico avrebbe pietà di lui. Colpa di Becchina, che non solo non ricambia il suo amore, ma, peggio, ha per lui un'assoluta indifferenza e glielo dice con tono sprezzante: Vada Cecco a «fare i fatti suoi» altrove, ella si cura di lui tanto quanto d'una pagliuzza che le va fra i piedi.

In questo sonetto avvertiamo un consapevole rovesciamento della posizione stilnovistica: non più l'arcano senso di morte ma la tetraggine (*malinconia* cioè, secondo il significato che aveva allora la parola, l'umor nero); non più una donna gentile e angelica, ma una popolana triviale. È lei che campeggia sulla scena, anche se le sue parole sono riferite indirettamente, coi suoi modi villani, il suo scherno e il suo disprezzo. La situazione è colta con accento fortemente realistico, condensata soprattutto in alcune battute incisive (vv. 11-13). Sotto il racconto spunta il dialogo vivo ed efficace, caratteristico della miglior poesia di Cecco.

La mia malinconia è tanta e tale,
ch'i' non discredo che, s'egli 'l sapesse
un che mi fosse nemico mortale,
che di me di pietade non piangesse.
5 Quella, per cu' m'aven, poco ne cale:
ché mi potrebbe, sed ella volesse,
guarir 'n un punto di tutto 'l mie male,
sed ella pur «I' t'odio» mi dicesse.
Ma quest'è la risposta c'ho da ·llei:
10 ched ella no ·mmi vòl né mal né bene,
e ched i' vad'a ·ffar li fatti miei,
ch'ella non cura s'i ho gioi' e pene,
men ch'una paglia che ·lle va tra' piei.
Mal grado n'abbi' Amor, ch'a ·lle' mi diène.

Metro: *sonetto* (schema: ABAB, ABAB, CDC, DCD).

1. malinconia: tetraggine, umor nero, rovello.
2. ch'i' non discredo: le due negazioni vengono a elidersi: *che io credo*.
5. «*Quella* (cioè Becchina) a causa della quale mi avviene ciò, se ne cura ben poco».
6-8. È una notazione realistica. Quello che maggiormente accora Cecco è l'indifferenza assoluta e sprezzante di Becchina. Se ella gli dicesse che lo odia, almeno mostrerebbe, in qualche modo, di tenerlo in considerazione! **sed**: se. **'n un punto**: in un attimo. **mie**: mio. **pur**: anche soltanto.
10-13. ched: che. Becchina dice al poeta cose progressivamente sempre più dispettose e volgari. Prima che non gli vuol né male né bene (assoluta indifferenza); poi che il poeta vada a fare i fatti suoi (naturalmente, ben lontano da lei), che lei non si cura se egli abbia gioia o pena ancor meno di quanto si curi di una paglia che le vada fra i piedi (**piei**).
14. Mal grado n'abbi': Sia maledetto. **ch'a ·lle' mi diène**: che mi diede a lei. Anche la maledizione scagliata ad Amore è un parodistico rovesciamento delle posizioni stilnovistiche.

«Becchin' amor!» «Che vuo', falso tradito?»

Dialogo vivacissimo, serrato, a botta e risposta fra il poeta e la donna amata. È un piccolo bozzetto teatrale, con i due personaggi chiaramente caratterizzati: da un lato Cecco, umile, sospiroso, che richiede perdono di un suo fallo con espressioni solenni, da amatore cortese, quasi la caricatura dell'intellettuale che cerca così di far colpo sulla popolana; dall'altro Becchina, feroce, implacabile, che non se la lascia fare e se la ride di lui.

«Becchin' amor!» «Che vuo', falso tradito?»
«Che ·mmi perdoni». «Tu non ne se' degno».
«Merzé, per Deo!» «Tu vien' molto gecchito».
«E verrò sempre». «Che saràmi pegno?»
5 «La buona fé». «Tu ·nne se' mal fornito».
«No inver' di te». «Non calmar, ch'i' ne vegno».
«In che fallai?» «Tu ·ssa' ch'i' l'abbo udito».
«Dimmel', amor». «Va', che ·tti veng'un segno!»

Metro: *sonetto* (schema: ABAB, ABAB, CDC, DCD).

1. Fin dalle prime due battute è definito il tono dominante della situazione. Cecco «fa» il romantico, il sospiroso (ma senza troppo crederci, ipocritamente: quel che conta è far la pace per trarne lo sperato vantaggio); Becchina, che la sa lunga, lo prende allegramente in giro (i suoi toni feroci non rivelano tanto crudeltà quanto gusto dello scherno). **Becchina**: è diminutivo di *Domenica*. **falso tradito**: bugiardo traditore.
3. Merzé, per Deo: Pietà in nome di Dio. È espressione della lirica cortese, comicissima in questa scenetta plebea. **gecchito**: umile.
4. Che saràmi pegno: che cosa mi dai come pegno della tua umiltà? (cioè del tuo futuro conformarti ai miei voleri).
5-6. Pegno, dice Cecco, sia la mia buona fede. Ma Becchina gli ride in faccia: «Tu sei mal fornito di lealtà». «Non verso di te» ribatte Cecco. «Non ingannarmi (**calmar**), ribatte lei, ché ne ho avuto esperienza» (Contini).
7-8. «Qual è stata la mia colpa?». «Sai bene che io lo so» (**abbo** = ho). «Dimmelo, amore». «Va, che ti venga un accidente

«Vuo' pur ch'i' muoia?» «Anzi mi par mill'anni».
10 «Tu non di' bene». «Tu m'insegnerai».
«Ed i' morrò». «Omè, che ·ttu m'inganni!»
«Dio te'l perdoni». «E ·cché, non te ne vai?»
«Or potess'io!» «Tegnoti per li panni?»
«Tu tieni 'l cuore». «E terrò co' tuo' guai».

che ti lasci deforme (segnato da Dio)».
9-11. La terzina ha un'efficace progressione comica. Spassoso soprattutto l'ultimo verso. **Tu m'insegnerai**: proprio tu (detto sarcasticamente) m'insegnerai a dir bene!
12. Dio te'l perdoni: Dio ti perdoni codeste cattive parole.
13. «Ti tengo forse stretto per i vestiti?».
14. «Tu tieni il mio cuore». «E lo terrò in modo da darti continui dolori». A quanto apprendiamo da altri sonetti, conveniva a Cecco, invece di questo inutile spreco di sentimentalismo, allargare i cordoni della borsa...

Per sì gran somma ho 'mpegnato le risa

Un altro sonetto fondato su una spiritosa trovata. Il poeta è triste come se avesse impegnato le risa al monte di pietà per una somma così grande che non saprebbe come riscattarle. E svolge questo motivo con un crescendo comico che culmina nella prima terzina: è così crucciosamente deciso a non ridere mai più, che, essendosi sognato di fare un cenno lieve di sorriso, si risvegliò subito e se ne vergogna ancora. Vorrebbe esser re e uccidere chiunque ridesse. Anche qui sarà bene non drammatizzare il suo stato d'animo, ma osservare la briosa invenzione comica.

Per sì gran somma ho 'mpegnato le risa,
ched io non so vedere come possa
prendere modo di far la rescossa:
per più l'ho 'n pegno che non monta Pisa.
5 Ed è sí forte la mia mente asisa,
che prima me lassarei franger l'ossa,
che ad un sol ghigno eo facesse la mossa,
tanto sono da' spiriti 'n recisa.
L'altrier un giorno sí me parve en sogno
10 un atto fare che rider volesse:
svegliaimi; certo ancora me 'n vergogno.
E dico fra me stesso: «Dio volesse
ch'i fusse 'n quello stato ch'i' mi pogno,
ch'uccidere faria chiunca ridesse!».

Metro: *sonetto* (schema: ABBA, ABBA, CDC, DCD).

1. Osserva la vivacità degli inizi dei sonetti, capaci di attirare subito l'attenzione. **'mpegnato**: impegnato (al monte di pietà).
3. «trovare modo di riscattarle» (**far la rescossa**), restituendo, naturalmente, la somma fattasi imprestare e per la quale ha lasciato in pegno le risa.
4. «Le ho impegnate per una somma maggiore del valore della città di Pisa».
5-8. «E ho la mente così inflessibilmente decisa (**asisa**) che mi lascerei spezzare le ossa prima di fare una mossa, un accenno a un semplice sogghigno, tanto sono del tutto staccato (**'n recisa**) da ogni spirito allegro (**spiriti**)».
9. L'altrier un giorno: tempo fa, un giorno. **sí**: è un rafforzativo (*mi parve proprio*).
10. «fare un atto che denotasse volontà di ridere» (accennare una risata).
11. svegliaimi: qui l'asindeto, cioè l'unione per accostamento, senza congiunzioni delle tre proposizioni, dà forte rilievo alla espressione: mostra la fiera determinazione di Cecco di non ridere mai più. Mi parve in sogno; mi svegliai: mi vergogno ancora.
12-14. Dio volesse ecc.: Volesse Dio che io fossi nello stato in cui sogno di essere (cioè di signore, di dominatore), che farei uccidere chiunque ridesse. La seconda terzina è più fiacca della prima: è una battuta più facile e meno spiritosa. Vi si nota comunque la tendenza di Cecco a terminare i sonetti con una esagerazione caricaturale.

S'i' fosse fuoco, ardereï 'l mondo

È una fantasia apparentemente truculenta, ma intimamente divertita, caratterizzata da un cinismo che è tutto nelle parole e si compiace allegramente di se stesso. Cecco sogna: «se io fossi...», e che cosa vorrebbe essere? Fuoco, ma per ardere il mondo, Dio, ma per sprofondarlo, imperatore, ma per tagliar la testa a tutti, e così via. Si accumulano nei primi otto versi le immagini apocalittiche; poi, desideroso di sbalordire ancor più il suo uditorio, un'altra trovata: se fosse morte, andrebbe da suo padre e da sua madre. Poi, per rassicurare gli uditori, che non sanno se ridere o inorridire dell'ultima cinica battuta, una mossa comica di sicuro effetto.

S'i' fosse fuoco, ardereï 'l mondo;
s'i' fosse vento, lo tempestarei;
s'i' fosse acqua, i' l'annegherei;
s'i' fosse Dio, mandereil' en profondo;
5 s'i' fosse papa, allor serei giocondo,
ché tutti cristïani imbrigarei;
s'i' fosse 'mperator, ben lo farei;
a tutti tagliarei lo capo a tondo.

Metro: *sonetto* (schema: ABBA, ABBA, CDC, DCD).

1-4. Osserva il crescendo delle immagini smisurate. Nei primi tre versi è dato da un incalzare sempre più intenso del ritmo e del suono stesso delle parole che compongono la seconda metà del singolo verso: **ardereï, tempestarei** (lo sconvolgerei con tempeste, quasi: lo farei dissolvere nella sfrenata violenza di un'unica, infinita tempesta), l'**annegherei**. Ma nel terzo verso nota la ripresa di quell'**i'** (*io*) che sintatticamente non occorre, ma serve a creare uno stacco, un momento di pausa tesa dopo la quale più catastrofico prorompe quel diluvio universale. Poi, dopo aver scatenato le forze della natura, Cecco va ancor più su: immagina d'esser Dio, ma per mandare il mondo nel **profondo**, cioè per farlo crollare nell'abisso.
5-8. Ritorna dai cieli alla terra, alle due supreme potestà del mondo; papa e imperatore. Prima sogna la gioia di esser papa, perché allora metterebbe nelle brighe e nei

S'i' fosse morte, andarei a mi' padre;
10 s'i' fosse vita, non starei con lui;
similemente faria da mi' madre.
S'i' fosse Cecco com'i' sono e fui,
torrei le donne giovani e leggiadre:
le zoppe e vecchie lasserei altrui.

guai tutti i cristiani (**imbrigarei**), valendosi del suo potere spirituale. Ma più «allegro» sarebbe essere imperatore, ché allora a tutti attorno a lui mozzerebbe il capo; e dà l'impressione di una scure che disegna ruote perfettamente circolari, sempre più vaste; e le teste cadono con moto regolare e uniforme.
9-11. Più volte Cecco parla del crudele odio che porta a suo padre. La ragione? Il vecchio è esasperatamente avaro, non gli dà un soldo. Dovrebbe morire, ché così Cecco erediterebbe. Alcuni critici provarono un tempo orrore di fronte a un'affermazione così cinica e snaturata e, indubbiamente, l'impressione non si cancella del tutto, neppure quando si pensi che il poeta si lascia trasportare da un genere letterario che aveva la violenza verbale come sua prima regola.
12-14. Nota il passaggio del modo del verbo dal congiuntivo ipotetico all'indicativo: il poeta torna alla realtà e sommerge le sue esagerazioni sotto un'allegra risata. **torrei**: prenderei. **lasserei altrui**: le lascerei agli altri.

La stremità mi richer per figliuolo

Anche qui uno dei tipici *generi* dello stile comico-realistico, che sta fra le *noie* della letteratura precedente e le canzoni *disperate* del secolo seguente. La parte migliore è costituita dalle due quartine (più facile e scontata la comicità delle terzine), col loro senso di malinconia greve.

La stremità mi richer per figliuolo
ed i' l'appello ben per madre mia;
e 'ngenerato fu' dal fitto duolo,
e la mia balia fu malinconia,
5 e le mie fasce furo d'un lenzuolo
che volgarmente ha nome ricadía;
da la cima del capo 'nfin al suolo
cosa non regna 'n me che bona sia.
Po', quand'i' fu' cresciuto, mi fu dato,
10 per mia ristorazion, moglie che garre
da anzi dí 'nfin al celo stellato;
e 'l su' garrir paion mille chitarre:
a cu' la moglie muor, ben è lavato,
se la ripiglia, più che non è 'l farre.

Metro: *sonetto* (schema: ABAB, ABAB, CDC, DCD).

1-4. stremità: miseria. **richer**: reclama. **fitto**: intenso. **malinconia**: l'umor nero.
6-7. ricadía: malanno, fastidio. **'nfin al suolo**: fino alla pianta dei piedi.
10-11. ristorazion: risarcimento. **garre**: garrisce, grida. **'nfin... stellato**: finché non spuntano, in cielo, le stelle, cioè fino a notte. Ma la satira antiuxoria dissolve in risata farsesca la tetra, anche se non veramente drammatica, concentrazione delle quartine.
12. e... chitarre: quando urla sembra che suonino mille chitarre.
13-14. ben... farre: se si sposa di nuovo è scipito come il farro.

Folgóre da San Gimignano

Non sappiamo quasi nulla della sua vita: possiamo solo arguire dai suoi sonetti che essi furono scritti fra il 1308 e il 1316 circa. Da un altro documento apprendiamo che il poeta era già morto nel 1332. Con ogni probabilità si chiamò Jacopo, e *Folgóre* è un soprannome (*fulgore*, cioè splendore, magnificenza). Ci restano di lui tre raccolte, o *corone*, di sonetti; una, composta di quattordici componimenti e detta «dei mesi», nella quale, rivolgendosi a una «brigata nobile e cortese», le augura, per ogni mese dell'anno, gioie, feste, divertimenti; un'altra, composta di otto sonetti, è detta «della settimana» e consiglia anch'essa gioie e piaceri squisiti (cacce, feste, tornei, cortesie amorose), suddivisi secondo i singoli giorni; una terza corona, che ci è giunta incompiuta, tratta delle virtù del cavaliere. Suoi sono infine alcuni pregevoli sonetti politici fieramente antighibellini.

Folgóre è il poeta della vita festevole della ricca borghesia comunale, ancora legata alle idealità cavalleresche e cortesi, proprie dell'antica nobiltà che ancora rimane come un modello. Esalta le virtù di giocondità, prodezza, liberalità, cortesia, e i modi di una vita intesa a un ideale di buon gusto, di mondana eleganza. I suoi sonetti arieggiano i *plazer* provenzali, ma anche il gusto medioevale per la rappresentazione dei mesi e delle stagioni in forma pittoresca.

I sonetti di Folgóre sono come arazzi: il poeta accumula particolari visivi, descrittivi, in un esile ricamo e li fonde in un'immagine di vita felice.

Fra i poeti giocosi e realistici, Folgóre ha un posto a sé; di essi riprende non i temi, ma il linguaggio, «comico» nel senso medioevale, preciso e colorito, e lo raffina per adeguarlo alla sua materia cortese. I suoi sono quadri di vita, mossi e pittoreschi, descritti con la nostalgia di un ideale gentile che, come avverte egli in un sonetto, sta ormai tramontando.

Di maggio sì vi do molti cavagli

È un sonetto gioiosamente primaverile, anche se non ha il delicato paesaggio, quasi magicamente evocato, che si trova in quello seguente. Qui la primavera è presente in quell'agire allegro di uomini e donne, nella festa del torneo, della giostra, in quell'addobbo di stendardi e di fiori e quindi in quel gettarsi fiori e melarance, in quel baciarsi, in quel conversare di amore e di cose gaie e gentili.

Di maggio sì vi do molti cavagli,
e tutti quanti sieno afrenatori,
portanti tutti, dritti corritori;
pettorali e testiere di sonagli,
5 bandiere e coverte a molti intagli
e di zendadi di tutti colori
le targe a modo delli armeggiatori;
vïuol' e ros' e fior', ch'ogni uom v'abagli;
e rompere e fiaccar bigordi e lance,
10 e piover da finestre e da balconi
in giù ghirlande ed in su melerance;
e pulzellette e giovani garzoni
baciarsi ne la bocca e ne le guance;
d'amor e di goder vi si ragioni.

Metro: *sonetto* (schema: ABBA, ABBA, CDC, DCD).

1. sì vi do: Il verbo posto all'inizio del sonetto regge i sostantivi e i verbi (quasi sempre all'infinito) che seguono sino alla fine del componimento; ed è verbo indefinito, equivale, circa, a *vi dono, vi concedo*, ma, evidentemente, in senso tutto fantastico. Il poeta dona, sì, ma come poeta: dona i suoi sogni di una vita bella. Ad ogni modo, l'attenzione nostra ignora quel verbo e si concentra sui sostantivi (anche i verbi all'infinito diventano in qualche modo sostantivi, con aggiunto un senso di augurio, di desiderio) cioè sulle singole cose, evocate e subito sfumate in un ritmo quasi fiabesco. Per questo abbiamo prima parlato di un arazzo, dove le figure non vivono tanto per sé quanto nella composizione d'insieme.
2-3. afrenatori: facili da frenare, docili al freno. **portanti**: che vanno all'ambio, cioè muovono insieme le due zampe dallo stesso lato (Contini). **dritti corritori**: abili e veloci nel trotto.
4. «pettorali e testiere adorne di sonagli, per bardare riccamente il cavallo».
5-6. «(vi do) bandiere e gualdrappe con molti ricami, fatte di variopinti zendadi» (stoffa sottilissima e fine come la seta).
7. targe: lunghi e grandi scudi, come usano coloro che fanno tornei (**armeggiatori**).
8. In questa dovizia di colori e di oggetti eleganti, cala come una cortina primaverile di fiori (viole, rose e ogni sorta di fiori), sì che ognuno **v'abagli**, cioè ne resti abbagliato. Le due quartine sono tutto un affollarsi di oggetti eleganti e splendidi, in una visione d'assieme che fa da sfondo alle azioni gentili rappresentate nelle due terzine.
9. e rompere dipende sempre da *vi do*, ma ormai la dipendenza sintattica non si avverte quasi più. L'infinito assume un senso desiderativo quasi: oh, rompere bigordi e lance! ecc. **fiaccar**: ha circa il significato di *rompere*. **bigordi**: erano le aste usate nelle giostre.
10-11. e piover: la scena si sposta dal torneo alla galante vita cittadina con passaggio appena percettibile. Del resto, i tornei erano feste d'armi e d'amore; le donne vi assistevano e i cavalieri giostravano per loro, portando spesso al braccio un drappo donato, prima della battaglia, dalla dama. **in giù ghirlande**: le fanciulle gettano fiori, i giovani rispondono con frutti.
12-13. Sono i versi più gentili del componimento, che bene esprimono la festa di gioventù e d'amore.

Quando la luna e la stella dïana

È uno dei sonetti della settimana. Nei primi versi, in un paesaggio mattutino fra la luce e il sogno, c'è un senso di vita fresca, gioiosa che è il fascino dei migliori sonetti di Folgóre. Poi il poeta esorta il giovane a levarsi e dedicarsi all'amoroso servizio della sua donna: e lo dice con due versi anch'essi pervasi di una risonanza di canto (9-10). In questi due punti è la grande intuizione lirica del sonetto: il resto è il consueto accompagnamento di visioni eleganti.

Seguiamo, per questo e per il sonetto seguente, il testo di M. Vitale (in *Rimatori comico-realistici del Due e Trecento*, Torino, Utet, 1956).

Quando la luna e la stella dïana
e la notte si parte e 'l giorno appare,
vento leggero per polire l'âre
e far la gente star allegra e sana;
5 il lunedì, per capo di semana,
con istrumenti mattinata fare,
ed amorose donzelle cantare
e 'l sol ferire per la meridiana.

Metro: *sonetto* (schema: ABBA, ABBA, CDC, DCD).

1-4. Intendi: «quando si partono la luna e la stella di Venere – diana perché annuncia il giorno – (possa levarsi) un vento leggero che purifichi l'aria (**polire** significa render terso e scintillante) e faccia sì che la gente sia allegra e sana». I due ultimi aggettivi sono complementari: l'aria limpida e fresca d'un mattino primaverile rallegra insieme il corpo e lo spirito. In generale, nei sonetti della settimana, è sottinteso il **vi do** di quelli dei mesi, ma qui, lo sottintenderei all'inizio della seconda quartina. In questa manca la proposizione reggente, e questo è conforme all'uso di Folgóre, che non si preoccupa dei legami sintattici, inteso com'è ad evocare le sue immagini ad una ad una, legandole fra loro mediante il polisindeto (l'uso ripetuto della congiunzione *e*).
5-6. per capo di semana: come (buon) inizio della settimana. **mattinata fare**: significa suonare e cantare al mattino sotto le finestre della donna amata.
7-8. Alla serenata si accompagna come un coro di fanciulle che cantano, a mo' di risposta, un canto d'amore, e intanto il sole risplende gioiosamente. Anche qui un'immagine che conviene accogliere nel suo insieme senza cercare una spiegazione troppo circostanziata degli elementi che la compongono. **amorose donzelle** è sog-

Levati su, donzello, e non dormire,
10 ché l'amoroso giorno ti conforta
e vuol che vadi tua donn'a servire.
Palafren e destrier sian a la porta,
donzelli e servitor con bel vestire;
e po' far ciò ch' Amor comanda e porta.

getto di **cantare**. Il v. 8 significa: «e il sole indirizzare diritti (cioè più luminosi e caldi) i suoi raggi».

9. Nota il movimento vivace, raro in Folgóre, il cui canto fluisce sempre morbido e uguale. Questo ritmo agile suscita un'immagine di giovinezza baldanzosa. **donzello**: giovane.

10. ti conforta: ti esorta. Amoroso il giorno, perché dedicato al servigio d'amore.

11. servire: cioè a corteggiare la donna, secondo il costume cortese.

12-13. Il giovane si recherà dalla donna con un elegante corteo, con *palafreni* (cavalli da viaggio), *destrieri* (cavalli da corsa e da battaglia), giovani amici e servi ben vestiti. L'amore è guardato da Folgóre nel suo aspetto di consuetudine galante e mondana.

Cortesia cortesia cortesia chiamo

È il lamento di Folgóre per l'ideale della cortesia (da lui qui identificata, secondo il modo d'intenderla proprio della ricca borghesia comunale, soprattutto come liberalità e magnificenza) che va scomparendo. È un rimpianto espresso anche da Dante, che contrappone l'avidità dei nuovi ricchi, tutti presi dalla mercatura, alla generosità di un tempo, indice di vita più costumata e raffinata.

Cortesia cortesia cortesia chiamo,
e da nessuna parte mi risponde;
e chi la dée mostrar sì la nasconde,
e per ciò, a cui besogna, vive gramo.
5 Avarizia le gente ha prese a l'amo,
ed ogne grazia distrugge e confonde:
però se eo me doglio, io so ben onde;
de voi, possente, a Dio me ne richiamo.
Ché la mia madre cortesia avete
10 essa sí sotto 'l piè, che non si leva;
l'aver ci sta, voi non ci rimanete;
tutti siem nati di Adam e di Eva;
potendo, non donate e non spendete:
mal ha natura chi tai figli alleva.

Metro: *sonetto* (schema: ABBA, ABBA, CDC, DCD).

1. chiamo: invoco. Alla triplice invocazione risponde il silenzio.

3-4. «e coloro che dovrebbero mostrarla la tengono ben nascosta (il *sì* ha, come al solito, valore intensivo) e perciò colui che per sua povertà ne avrebbe bisogno, vive misero e triste». Come sembra di capire leggendo il v. 7, allude a se stesso e, in genere, agli uomini di corte che si recavano alle corti dei vari signori, adornandole con la loro finezza di costumi e la loro cultura e vivevano della liberalità di quelli.

5. Avarizia: è insieme *avarizia* e *cupidigia*, per cui nessuno più dona.

6. «e distrugge e disperde ogni generosità e finezza».

7. io so ben onde: so ben io il perché.

8. «accuso voi, o signori (**possente**), davanti a Dio».

10. che non si leva: che non si risolleva più.

11-12. (Pensate che) le ricchezze resteranno quaggiù in terra, ma voi no; tutti siam uomini e dobbiamo quindi tutti morire (ma forse vuol dire che la generosità è un dovere, imposto dalla fraternità umana).

13. «eppure voi, pur potendolo fare, non donate», ecc.

14. «chi alleva così i propri figli rivela natura mala, cattiva». Osserva però, negli ultimi versi, come l'andamento asintattico di Folgóre nuoccia in un componimento che dovrebbe avere una linea logico-dimostrativa.

Letture critiche

L'arte di Cecco Angiolieri

La figura di Cecco assume storico significato solo se inserita nella tradizione scolastica di tono giocoso e nella letteraria di genere goliardico e se contrapposta con intenzioni coscienti e parodistiche ai «poetae novi». Vive, dunque, nella cultura e nella tradizione. Il suo «trovato» più nuovo è il beffardo, e talvolta apocalittico «vituperium» contro il padre, tecnicamente elaborato secondo le regole e lo stile suggeriti dalle *Artes*, così come contemporaneamente faceva in Siena Meo dei Tolomei col suo «vituperium» contro lo Zeppa e contro la madre: entrambi invitati a quella forma d'arte dal modello rusticiano. Il suo «trovato» più trito è il misoginismo, il lamento sulla povertà, l'onnipotenza del denaro: motivi dei quali dimostrammo la diffusione e la fortuna in tutta l'Europa romanza. Né questo può significare schematico tecnicismo ad oltranza e morte di ogni sentimento e di ogni impegno psicologico: che anzi già per se stessa la scelta «comica» o «jocosa» da parte del poeta indica una condizione interiore e una visione del mondo. E la psicologia di Cecco è sempre volta al gioco, alla beffa gustosa e serena, alla parodia mimeggiante e allo schizzo caricaturale. Non ha impegni, se non letterari e tecnici. È lontano dai problemi morali ed escatologici, cui egli, goliardo nell'animo, guarda con una punta di sottile ironia. Si abbandona ad una visione del mondo antiplatonica, concreta, terrestre: appartiene a quella schiera di poeti che tolsero in gioia («giocosi») il viver terreno, in una gioia tutta fisica, terrestre e fugace come la vita quotidiana, e perciò non priva di una dissimulata malinconia. Il suo occhio penetra di là dalle parvenze delle cose, giunge alla loro essenza, non per coglierne il metafisico *quid aeternum*, ma per sfigurarne con più sicuro effetto e con più originale gioco l'accidentale. La sua posizione antistilnovistica ha questo significato. Tutto ciò è angusto, limitato, terreno? E sia pure, se per mancanza di grandi ideali spirituali la poesia non potrà mai raggiungere l'ansia dell'eterno e l'immortalità. Pure, nei versi dell'Angiolieri si riflette un lato dello spirito umano, se pur volentieri torniamo a rileggerli, e non soltanto per interesse filologico. Ne riflettono, forse, il lato più scanzonato ed ameno dei momenti di disinteressata e un po' grossolana allegria, alla quale probabilmente non sfuggono neanche gli spiriti più austeri; dei momenti in cui anche le cose, le persone più care ci si mostrano come trasfigurate in linee caricaturali da un bizzarro demonietto; e quella caricaturale trasfigurazione, lungi dall'assumere venature di odiosa condanna è, anche essa, un frutto limpido di disinteressato amore. Tale è il fondo psicologico di Cecco, tale il sentimento della sua poesia.

Quelle sue impennate iperboliche, quelle sue sbalorditive ipotesi a catena, quelle sue immagini ardite ed improvvise erano e rimanevano caratteristicamente sue, anche se gli fruttarono l'ingiurioso epiteto di «begolardo» da Dante e quello di «musardo» da Guelfo Taviani. Sapeva comporre giocando sapientemente sulle antitesi e sui contrasti: ne scaturiva l'umorosa arguzia che il poeta racchiudeva compostamente, con rara maestria, nel rapido sonetto. Aveva il gusto della parola. La lingua parlata si trasformava nelle sue mani in un docile strumento di stile, ora abbondando in senesismi, ora arricchendosi di termini aulici e letterari, gravi di illustre tradizione, ma ormai semanticamente trasfigurati dagli spiriti caricaturali e parodistici; ora punteggiandosi di parole rare e difficili. E la sua sintassi garbatamente popolareggiava. Lontana dal rigore della più alta poesia, si piegava volentieri agli improvvisi incisi, agli anacoluti, alle riprese di tono conversativo, alle subitanee aperture dialogate proprie di chi parla o di chi racconta. Le innumerevoli apocopi, dovute o no a forte posizione proclitica; le numerosissime aferesi insieme con la sagace scelta del lessico, e l'uso vivo della sintassi rendono davvero il tono del parlato, allontanando la legnosa impressione della parola scritta.

La poesia di Cecco è sempre idealmente dialogata, anche quando non lo è tecnicamente. Certo, poesia che si spande all'esterno; effusione più che confessione, in cui ha la possibilità di esprimersi una concreta sensibilità delle cose, un amore verso le immagini trite e comuni della vita quotidiana e della natura che è costantemente sotto i nostri occhi, giocosamente, intuitivamente e maliziosamente contraffatte da una linea iperbolica, da un contrasto improvviso, da un'antitesi essenziale. Altissima tecnica, letteratura valida, sorretta da una intuizione acuta e originale. Poesia, talvolta. Poesia di tono minore, come lo può essere un disegno dalla linea sicura, ferma, sostenuta, o una caricatura gustosa di iperbole ed affettuosa. Tali i più bei sonetti dell'Angiolieri: dalla garrula e teatrale esplosione di «S'i' fosse foco» alla misurata caricatura dello stilnovo in «Se tutta l'acqua balsamo tornasse»; dal gustoso manifesto letterario di «tre cose solamente mi so' 'n grado» alla maliziosa e sorridente sapienza di «Così è l'uomo che non ha denari»; dalla gobba caricatura del concetto trovatorico e stilnovistico dell'«umiltà» in «Anima mia, cuor del mio corpo, amore» alla lamentosa confessione con sorriso finale di «La stremità mi richèr per figliuolo» e ad altri non pochi sonetti, fra i quali spiccano, per tecnica vivacissima, per immediatezza d'espressione, per sintetica e felicissima elaborazione dei modi del «contrasto», per la linea arguta, vigile, sicura, veramente ispirata, i sonetti dialogati: brevi, compiute, succose tenzoni, che, attraverso la rapidità e la vivacità delle battute, rivelano quanto robusta sia la vera umanità di Cecco Angiolieri, la quale non è da cercarsi fuori della sua arte, della sua evidente serietà di letterato, fuori del suo amore alla poesia.

Mario Marti

(Da *Cultura e stile nei poeti giocosi del tempo di Dante*, Pisa, Nistri-Lischi, 1953, pp. 126-129).

Poesia popolaresca e giullaresca

Accanto alla raffinata poesia di corte e a quella di poeti intesi a un ideale di artistica perfezione, c'è nel Duecento una ricca produzione anonima di tono popolareggiante, opera di giullari o di poeti di una certa cultura, ma vicini alla mentalità popolare, per la semplicità e schiettezza dei motivi, per certo gusto realistico e per l'adesione a temi e situazioni della vita quotidiana. Sono canti per feste popolari, contrasti (fra amanti, fra moglie e marito, ecc.), lamenti di fanciulle desiderose di amore o di donne mal maritate, ecc. Spiccano fra gli altri la *Danza mantovana*, le poesie di Ruggieri Apuliese, il *Contrasto della Zerbitana* e un poemetto di argomento storico, il *Sirventese dei Lambertazzi e dei Geremei.*

Molte fra le più fresche e vive di queste poesie ci sono state conservate dai Memoriali bolognesi. Su ordinanza di due podestà, a partire dal 1265, i notai bolognesi furono obbligati a trascrivere su registri, detti *Libri Memorialium* o *Memoralia communis*, tutti gli atti (contratti, testamenti, ecc.) redatti da loro, e a consegnare questi registri all'archivio del Comune di Bologna. Ora, nell'ultimo decennio del sec. XIII e nel primo del successivo, invalse l'uso di annullare gli spazi bianchi, onde evitare aggiunte illegali, trascrivendovi sopra poesie, alcune di autori noti (Dante, ad es., poeti Siciliani e stilnovistici), altre di carattere popolaresco.

Per il testo seguiamo, *Poeti del Duecento*, cit.

E la mia dona çogliosa

E ·lla mia dona çogliosa
vidi cun le altre dançare.
Vidila cum alegrança,
la sovrana de le belle,
5 ke de çoi' menava dança
de maritate e polcelle,
là 'nde presi gran baldança,
tutor dançando chon elle:
ben resenbla plui che stelle
10 lo si vixo a reguardare.
Dançando la fressca rosa,
preso fui de so bellore:
tant'è fressca et amorosa
ch'a le altre dà splendore.
15 Ben ò pena dolorosa
per la mia dona tutore:
s'ella no me dà 'l so core,
çamà' non credo canpare.
Al ballo de l'avenente
20 ne pignormo ella et eo;
dissili cortesemente:
«Dona, vostr'è lo cor meo».
Ella resspose inmantenente:
«Tal servente ben vogli'eo,
25 in ço' vivirà 'l cor meo».
Sì resspose de bon ayre.

Metro: *danza-ballata* (schema: ripresa mx e strofa ababab bx). I versi sono ottonari, tranne il 23 che è un novenario. Secondo il Debenedetti, è opera di un poeta colto, toscano e forse fiorentino. Era forse una canzone da ballo, cantata da un uomo solo.

1. çogliosa: gioiosa.
3. cum alegrança: piena di allegrezza.
4-6. la sovrana... polcelle: lei regina della danza, la donna più bella che guidava nella danza (**menava dança**) gioiosamente (**de çoi'**) una schiera di donne maritate e di fanciulle.
7. là 'nde... baldança: e per questo presi coraggio e allegrezza.
8. tutor: continuamente.
9-10. ben resenbla, ecc.: veramente pare più (luminoso) delle stelle il suo viso a riguardarlo.
11. Dançando, ecc.: Mentre lei, la fresca rosa, danzava.
12. de so bellore: dalla sua bellezza.
16. tutore: continuamente.
18. çamà': giammai; più.
20. ne pignormo: ci impegnammo (mentre ballava la bella donna).
23. inmantenente: subito.
24-25. «Io voglio bene un tale servo d'amore, in gioia (**ço'**) vivrà il mio cuore».
26. de bon ayre: benevola.

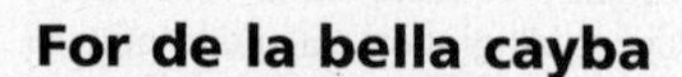

For de la bella cayba

For de la bella cayba
fuge lo lixignolo.
Plange lo fantino
però che non trova
5 lu so hoxilino
ne la gaiba nova,
e diçe cum dolo:
«Chi gli avrì l'usolo?»;
e dice cum dolo:
10 «Chi gli avrì l'usolo?».
E in un buscheto
se mise ad andare,
sentì l'oxeleto
sì dolçe cantare:
15 «Oi bel lixignolo,
torna nel meo broylo;
oi bel lixignolo,
torna nel meo broylo».

Metro: *ballata* di senari con ripresa di settenari (schema: ripresa: mx e strofe: ababxx, ecc.). Secondo uno studioso, il De Bartholomaeis, accompagnava una danza figurata, ai cui diversi momenti e «figure» alludono i versi.

1. cayba: gabbia.
2. lixignolo: usignuolo.
3. Plange, ecc.: piange il bambino.
5. lu so hoxilino: il suo uccellino.
6. gaiba: gabbia.
7. cum dolo: con dolore.
8. gli avrì l'usolo: gli aprì l'usciolo.
11. buscheto: boschetto.
13. oxeleto: uccelletto.
16. broylo: parco.

La letteratura religiosa del Duecento

Caratteri generali

La letteratura religiosa in volgare del Duecento ha carattere popolare in quanto esprime l'aspirazione largamente diffusa a un rinnovamento della vita religiosa nella coscienza e nella società.

Il movimento spirituale da cui prende le mosse ha dietro una lunga storia, coincidente col rivolgimento sociale che, fra il sec. XI e il XIII, accompagna la nascita e lo sviluppo del Comune. Gli uomini che il sistema feudale aveva relegato ai margini della società in uno stato di soggezione (in pratica le classi lavoratrici), si battono contro il feudatario, che spesso è anche un alto prelato, per affermare il loro diritto alla libertà e a condizioni dignitose di vita. In questa lotta si ispirano alla loro cultura, che è essenzialmente religiosa (la Bibbia, il Vangelo, conosciuti soprattutto attraverso le prediche e le pratiche del culto); essa offre loro un'idea organica dell'uomo e della vita come fondamento delle loro rivendicazioni umane e sociali.

L'ideale che si afferma, soprattutto fra il popolo e la piccola e media borghesia, è il ritorno alla purezza del Cristianesimo primitivo, al suo messaggio di fraternità e uguaglianza, di povertà e di amore. In tal modo il popolo si oppone alla secolarizzazione della gerarchia ecclesiastica (ossia al suo rivolgersi a interessi mondani di potere e di ricchezza) e all'oppressione dei potenti, dai signori feudali alla borghesia capitalistica. Povertà significa appunto rifiuto della violenza che la volontà di potere e di ricchezza dei pochi opera sui più e la scelta risoluta dei valori morali cristiani come fondamento della convivenza umana.

I riformatori si proclamano «rustici» e illetterati, per esprimere il loro distacco da una cultura ufficiale che considerano asservita al potere, tendono ad abolire il latino e a sostituirgli il volgare, la lingua di tutti, anche nella liturgia e si organizzano in confraternite laiche, che escono, a volte, dall'ortodossia religiosa. Non si tratta più, però, dell'eresia antica, nata dalla definizione intellettuale dei dogmi della fede, che contrappone sacerdoti a sacerdoti, monaci a monaci; è un anelito di riforma morale che pervade l'animo delle folle, un fatto essenzialmente laico e popolare.

Non sempre questi movimenti hanno carattere ereticale; anzi, il loro sforzo si intreccia spesso, in questi secoli, all'esigenza di riforma che la Chiesa svolge pur tra grandi contrasti: dalla riforma cluniacense alla fondazione degli ordini domenicano e francescano, l'ultimo dei quali soprattutto appare direttamente legato alle aspirazioni popolari.

La poesia religiosa umbra

La poesia religiosa umbra non accoglie fermenti di trasformazione sociale, ma è volta essenzialmente al rinnovamento della coscienza religiosa. Assunse prevalentemente la forma della *lauda*, componimento di origine liturgica in lode della Madonna, di Cristo, dei Santi. Le laude venivano cantate da confraternite laiche, già da molto tempo diffuse in tutta Italia.

Ricordiamo, fra queste, quella dei *Flagellanti*, fondata dal bolognese *Ranieri Fasani*, che cominciò la sua predicazione nel 1258. I suoi seguaci organizzavano processioni che percorrevano le strade facendo pubblica penitenza, flagellandosi e cantando laude. Altra congregazione fu quella dei *Disciplinati*, che coltivarono anch'essi la forma della lauda, sviluppandola in quella della *lauda drammatica*, dialogata, cioè, da più personaggi, sì da assumere il carattere d'un embrionale dramma sacro.

Dall'Umbria, infine, si diffuse il movimento francescano, di cui già s'è parlato.

La poesia religiosa nell'Italia settentrionale

Nell'Italia del Nord la poesia religiosa fiorì nella Lombardia (Milano, Cremona) e nel Veneto, e fu legata al movimento religioso-sociale della *Pataria*. «Patarino» significava press'a poco «straccione», e la parola attesta il dispregio in cui erano tenuti questi popolani dall'elemento nobile e alto-borghese, che avvertiva in loro non tanto il pericolo di un'eresia, di cui a torto o a ragione li accusavano, quanto quello d'un sommovimento sociale. I *patarini* vagheggiavano il ritorno alla povertà evangelica, predicavano il disprezzo dei beni del mondo e l'esigenza dell'eguaglianza e della giustizia sociale in nome del Vangelo.

Il loro movimento produsse una vasta letteratura di carattere religioso e moraleggiante in lingua volgare. Fra i poeti di questo gruppo ricordiamo *Bonvesin da la Riva*, milanese, *Giacomino da Verona, Uguccione da Lodi, Pietro da Barsegapè*; si può collegare al loro ambiente anche *Gherardo Patecchio*.

Temi di questa poesia sono descrizioni dell'Inferno e del Paradiso, argomenti edificanti e soprattutto ammaestramenti morali. Il tono è spesso seccamente didascalico; soltanto in Bonvesin e in Giacomino da Verona si ritrovano rappresentazioni incisive. La lingua ha superato la fase immediatamente dialettale e appare letterariamente elaborata, non priva di reminiscenze latine, per la lunga consuetudine degli autori coi testi sacri.

Nelle non molte opere rimasteci si avverte una notevole purezza di sentimenti e di idealità. Mancò tuttavia a questa letteratura una potente personalità poetica. Per questo, terminata la vita delle confraternite o delle collettività cui era immediatamente diretta, essa è andata in gran parte perduta e non ha comunque avuto reale forza di diffusione. Con essa è tramontato il linguaggio letterario in cui era scritta, soppiantato a lungo andare dal toscano.

Per i testi seguiamo, salvo annotazione in contrario, *Poeti del Duecento*, a cura di G. Contini, cit.

Jacopone da Todi

Jacopo de' Benedetti nacque intorno al 1236 a Todi. Studiò diritto a Bologna, poi ritornò nella sua città dove, fin oltre i trent'anni, fu avvocato e notaio. Secondo le testimonianze antiche, la sua conversione alla vita ascetica e religiosa ebbe un carattere repentino. Nel 1268, durante una festa, gli morì la moglie, in seguito al crollo del pavimento della sala, e Jacopo scoprì, sotto le eleganti vesti di lei, uno strumento di penitenza, il cilizio. Sconvolto dalla sciagura e dalla rivelazione della religiosità della sua giovane sposa, teneramente amata e perduta così tragicamente, Jacopo abbandonò ogni cosa, professione, parenti, amici, distribuì ai poveri ogni suo avere e visse per dieci anni vita di espiazione. Le sue penitenze hanno, per noi, qualche cosa di esasperato, di assurdo: una volta si mise un basto d'asino e andò, camminando carponi, a una festa popolare; un'altra, si recò alle nozze del fratello dopo essersi denudato, spalmato di grasso e quindi rivoltato fra piume di vari colori. Culmina in esse un furore ascetico, che lo porta a vilipendersi, a rinnegare il mondo, ad ostentare la propria miseria, per espiare i suoi peccati.

Dopo dieci anni di penitenza pubblica fu ammesso nell'Ordine francescano e qui studiò teologia e compose le sue *laudi*. L'Ordine era allora sconvolto dal contrasto fra i *Conventuali*, propensi a mitigare l'asprezza della *regola* di S. Francesco, e gli *Spirituali* che questa regola volevano mantenere in tutto il suo rigore. Jacopone si schierò con questi, e quando papa Bonifazio VIII li condannò, firmò, con altri, un audace manifesto contro di lui e partecipò alla congiura capeggiata dalla potente famiglia dei Colonna per sbalzarlo dal soglio pontificio, e fu per questo scomunicato. Nel 1298, quando Bonifazio VIII espugnò la rocca di Palestrina, estremo rifugio dei colonnesi e di Jacopone, fu incarcerato. Fu liberato e assolto dalla scomunica soltanto cinque anni dopo da papa Benedetto XI, succeduto a Bonifazio, e si ritirò nel convento di S. Lorenzo di Collazzone, fra Perugia e Todi, dove visse fino alla morte, avvenuta nel 1306.

Jacopone scrisse un centinaio di *laudi*, componimenti poetici di ispirazione religiosa sullo schema metrico della ballata. Anche se esse sono collegate alla ricca fioritura di Laudi che si ebbe in Umbria per tutto il secolo XIII in stretto contatto coi movimenti religiosi popolari dell'Alleluja e di Raniero Fasani, non sono come queste indirizzate a confraternite laiche o al popolo, ma ai confratelli dell'Ordine Francescano cui Jacopone apparteneva, a un pubblico, cioè, sufficientemente colto. La leggenda romantica di un Jacopone indotto e popolaresco nasce da un'errata prospettiva storica.

Ignoriamo la successione cronologica delle *Laude* iacoponiche. Possiamo però sistemarle attorno ad alcuni temi: una buona parte ha un evidente carattere didascalico e riguarda la pratica della vita ascetica francescana, la penitenza, la povertà, i gradi della contemplazione mistica, la figura di S. Francesco; altre esprimono l'esperienza religiosa dell'autore: la meditazione della morte e della miseria umana, il disprezzo del corpo e del mondo, il rinnegamento di sé, l'esperienza dell'estasi mistica. Vi è infine un gruppo di *Laude* satiriche e polemiche contro la corruzione della Curia pontificia e contro Bonifazio VIII, legate alla lotta fra Conventuali e Spirituali. Il francescanesimo diventò, infatti, in Jacopone passione ed esasperato ascetismo. Ne accolse certi motivi fondamentali, cioè l'amore della povertà, l'umiltà, il culto dell'umanità di Cristo, il misticismo teorizzato da San Bonaventura, la poesia dell'amor divino. Ma fu ben lontano dalla serenità, dal senso della fraternità con tutti gli esseri che spira dal *Cantico di Frate Sole*. La poesia di Jacopone testimonia una sua continua e tormentosa battaglia nella ricerca di una fusione mistica con Dio, che è un morire a se stessi e al mondo. Solo attraverso l'abominio di sé, del suo corpo, della sua vita, egli pensava di potersi liberare dalla natura umana misera e peccaminosa e giungere al vero amore di Dio. Jacopone tendeva a questa assoluta e lacerante solitudine, a non essere più un *io*, povero grumo di orgoglio, egoismo e passione; era pessimista di fronte al mondo che vedeva insozzato dal peccato, pessimista di fronte agli uomini che sentiva incapaci d'amare. E pazzo orgogliosamente si proclama davanti agli uomini che non lo comprendono quando cammina senza vedere, e balbetta e grida, folgorato dal mistico amore. Il suo ideale è quello di un amore di Dio così puro che non si proponga altro fine che l'estasi e l'annullamento in Dio, senza neppure pensare alla ricompensa eterna.

Sia che consideri la propria miseria umana, sia che ansiosamente si getti in Dio, c'è sempre in lui una furia di autodistruzione, una violenza senza pace. Violenza di sentimenti e violenza verbale. La sintassi insiste, come le parole e le immagini, su un ritmo martellante, nel tentativo di dar voce a sentimenti smisurati. Voci elette e parole plebee, sublime e grottesco si alternano. Lunghe sequenze di immagini cupe o celestiali si accumulano con apparente monotonia, nel tentativo di giungere a esprimere l'assoluto, l'ineffabile. In questo dramma spirituale ed espressivo consiste l'originalità della poesia di Jacopone.

Per i testi seguiamo: Jacopone da Todi, *Laudi, Trattato e Detti*, a cura di F. Ageno, Firenze, Le Monnier, 1953; e *Poeti del Duecento*, cit.

Il «Trattato» e i «Detti»

Sono così intitolate due brevi composizioni latine, tradizionalmente attribuite a Jacopone. La loro autenticità è posta in dubbio dagli studiosi più recenti; esse, tuttavia, appaiono pervase dello stesso spirito delle *Laude* iacoponiche. Presentiamo qui una traduzione di alcuni punti salienti che possono servire a spiegare l'esperienza mistica di Jacopone, fondata sul disprezzo dell'amore di se stessi e del mondo, disprezzo che, solo, può consentire di immergersi nell'amore infinito di Dio.

1. Bisogna che chiunque vuole pervenire alla conoscenza della verità per breve e retta via e possedere perfettamente la pace nell'anima, si espropri totalmente dell'amore di ogni creatura e anche di se stesso, sì da gettarsi totalmente in Dio, nulla riserbando per sé, neanche il tempo, onde per nulla a sé provveda col suo proprio senno, ma anzi sia sempre disposto e soggetto e pronto alla guida di Dio e alla Sua chiamata. **2.** Chi vuol essere congiunto con Dio, conviene che non conservi alcuna cosa che stia in mezzo fra lui e Dio. **3.** Ora le cose che stanno in mezzo sono tutte quelle che uno ama. **4.** Affinché dunque non sia impedito il congiungimento con Dio, sia tolto via ogni amore per altre cose che non siano Lui... **13.** Quando, dunque, l'anima è così presa e riempita del divino amore, cosa che immediatamente avviene quando Dio la vede vuota di ogni altro amore, anche di quello di se stessa, allora comincia ad essere illuminata dalla stessa verità, che è Dio... **17.** Diretto, dunque, da questo lume, uno non solo non ama le cose terrene, ma anzi, le disprezza e le odia, poiché sono mortifere; infatti avvelenano l'anima, ed essendo sicuramente destinate a ruinare, traggono con sé in una stessa rovina l'anima che si attacca a loro (Dal *Trattato*).
Duplice è il rinnegamento, corporale, cioè, e spirituale. Rinnegamento corporale è spregiare tutte le cose che sono del mondo, cioè tutte quelle corporali, nel nome di Dio. Rinnegamento spirituale è il disprezzare tutte le cose spirituali, cioè le consolazioni proprie e i sentimenti, anche questo per Dio... E vi è un tempo in cui l'anima ama con assoluta purezza Dio, e allora si rinnega in tutte queste cose e le disprezza tutte, per fare con integrità e purezza la volontà di Lui, e amare Lui per se stesso, perché è il Bene, senza pensare di ricevere di ciò alcun compenso né sulla vita presente né in quella futura (Dai *Detti*).

O Segnor, per cortesia

Non solo per eccesso e sovrabbondanza di amore verso Dio Jacopone invoca su di sé ogni male, non solo per distaccarsi dal corpo e concepire quell'odio del mondo che è condizione prima del ritrovamento del mistico amore, ma anche, come spiega alla fine, per espiare quei peccati coi quali anch'egli, come ogni peccatore, ha crocifisso Cristo, amore supremo. Sono due motivi complementari: la liberazione dal peccato mediante l'espiazione radicale è necessaria per quell'unione mistica adombrata nel passo dei *Detti* precedentemente riportato.

O Segnor, per cortesia
manname la malsania!
A me la freve quartana
la contina e la terzana,
5 la doppia cotidiana
co la granne etropesia.
A me venga mal de denti,
mal de capo e mal de ventre,
a lo stomaco dolor pungenti
10 e'n canna la squinanzia.
Mal degli occhi e doglia de fianco
e l'apostema dal canto manco;
tiseco me ionga en alco
e d'onne tempo la fernosia.
15 Aia 'l fegato rescaldato,
la milza grossa, el ventre enfiato;
lo polmone sia piagato
con gran tossa e parlasia.
A me venga le fistelli
20 con migliaia de carvoncelli,
e li granchi siano quelli
che tutto repien ne sia.
A me venga la podagra,
mal de ciglia sì m'aggrava;
25 la dissinteria sia piaga
e l'emorroide a me se dia.
A me venga el mal de l'asmo,
iongasece quel del pasmo,
como al can me venga el rasmo
30 ed en bocca la grancìa.
A me lo morbo caduco
de cadere en acqua e'n foco,
e ià mai non trovi loco
che io affritto non ce sia.
35 A me venga cechetate,
muteza e sordetate,
la miseria e povertate,
e d'onne tempo en trapparia.
Tanto sia el fetor fetente,
40 che non sia null'om vivente,
che non fugga da me dolente
posto en tanta ipocondria.
En terrebele fossato
che Riguerci è nomenato,
45 loco sia abbandonato,
da onne bona compagnia.
Gelo, granden, tempestate,
fulgur, troni oscuritate:
e non sia nulla avversitate,
50 che me non aia en sua bailia.
Le demonia enfernali
sì me sian dati a ministrali,
che m'esserciten li mali,
c'aio guadagnati a mia follia
55 Enfin del mondo a la finita
sì me duri questa vita,
e poi a la scivirita,
dura morte me se dia.
Aleggome en sepoltura
60 un ventre de lupo en voratura,
e l'arliquie en cacatura
en espineta e rogaria.
Li miracul po' la morte:
chi ce viene aia le scorte,
65 e le vessazione forte
con terrebel fantasia.
Onn'om che m'ode mentuvare,
sì se deia stupefare,
co la croce signare
70 che rio scontro no i sia en via.
Segnor mio, non è vendetta
tutta la pena c'ho detta:
ché me creasti en tua diletta
e io t'ho morto a villania.

Metro: *ballata. Ripresa* di due ottonari e *quartine* di ottonari (AA; BBBA).

2. manname la malsania: mandami la malattia. Dopo la prima impetuosa richiesta segue l'elenco dei mali sempre più turpi e deturpanti.
3-6. Febbre quartana, che cioè veniva ogni quattro giorni, febbre continua, febbre terzana, che, cioè, veniva ogni tre giorni, febbre che viene due volte al giorno; sono varietà di febbri malariche. E, infine, l'idropisia, ma *grande*.
10. e'n canna la squinanzia: e in gola l'angina; ma la parola *canna* è un ulteriore oltraggio al corpo.
11-14. apostema dal canto manco: un ascesso a sinistra, dove, cioè, è la regione del cuore. **tiseco... en alco**: la tisi mi giunga inoltre. **fernosia**: frenesia.
18. Aia: abbia. **parlasia**: paralisi.
19-22. fistelli: fistole. **carvoncelli**: foruncoli. **granchi**: carcinomi. La costruzione è: i carcinomi siano quelli di cui io sia ripieno.
23-26. podagra: gotta. **m'aggrava**: mi gravi. **la dissinteria sia piaga**: mi venga dissenteria ulcerosa.
27-30. asmo: asma. **iongasece**: vi si aggiunga. **pasmo**: spasimo (angina pectoris). **como al can**: come al cane mi venga prurito rabbioso. **grancìa**: ulcere.
32. de cadere: sì da farmi cadere.
38. trapparia: secondo alcuni (Ageno) *rattrappimento*. Altri mettono il vocabolo in relazione con «trapperia» cioè la vita solitaria dei frati trappisti. Jacopone, in tal caso, intenderebbe dire che vorrebbe essere solo, abbandonato da tutti, fra quei tormenti.
39. fetor fetente: che emana dal suo corpo malato. Nota la compiaciuta insistenza dell'autoavvilimento.
43-46. Riguerci: una località presso Todi, dove forse venivano abbandonati gli incurabili. **loco**: là.
47-50. Invoca su di sé ogni altra avversità: gelo, grandine, tempeste, folgori, tuoni, buio. Possa ogni avversità averlo in sua balìa.
51-54. Vuole che i demoni siano suoi servitori, che rendano più tormentosi i mali che si è guadagnato con i suoi peccati (**follia**).
55-58. Fino alla morte vorrebbe una vita così, e poi, alla partenza (quando l'anima si scèvera, si separa dal corpo), una dura morte.
59-62. Di qui in avanti tocca il vertice dell'orrido, del macabro e anche del triviale, in una sete folle di essere umiliato e vilipeso, ben diversa dall'umana misura che S. Francesco conserva anche nei momenti di santità più lontana dal nostro comune modo di sentire e di vivere. È una pagina di ascetismo desolato e crudele, spia di un'anima lacerata. **Aleggome en sepoltura**: mi scelgo come sepoltura il ventre di un lupo che mi abbia divorato. **e l'arliquie... rogaria**: e i miei resti umani ridotti in sterco di quello stesso lupo siano dispersi fra spineti e rovi.
63-66. Dopo l'annichilimento del corpo anche l'eterno abominio dell'anima e della sua memoria. Sembra che qui Jacopone voglia scagliarsi contro la forma più pericolosa di tentazione del santo: l'orgoglio della propria santità.
63. Li miracul po' la morte: ecco i miracoli (che desidero mi si attribuiscano) dopo la morte (*po* è il *post* latino): che chi viene nel luogo dove sarò sepolto abbia come compenso (**scorte**) l'essere perseguitato fortemente da visioni terribili (Ageno).
67-70. Insomma, chi udrà far menzione di lui dovrà inorridire (**stupefare**) e farsi il segno di croce, come fa chi non vuol incontrare nel suo cammino fantasmi o spiriti maligni.
71-74. vendetta: punizione adeguata. **ché me creasti... e t'ho morto**: perché tu mi hai creato per tuo amore ed io t'ho ucciso per ingratitudine.

O corpo enfracedato

È un dialogo disperato fra il corpo e l'anima, sullo sfondo pauroso del giudizio universale. Appare intorno diffusa la «voce de gran paura» della tromba del giudizio; nel volto «duro» di Cristo, è espresso il senso dell'inesorabile condanna. L'anima rimprovera il corpo delle concupiscenze alle quali essa ha ceduto, il corpo risponde mettendo in mostra la sua sgomenta miseria. L'uno e l'altro vivranno uniti nell'odio reciproco per l'eternità. Lo stile è adeguato a quell'immagine di morte e di dissoluzione.

«O corpo enfracedato,
eo so l'alma dolente;
lèvate amantenente,
ca si meco dannato.
5 L'agnelo sta a trombare
voce de gran paura:
opo n'è apresentare
senza nulla demura.
Stavime a predecare
10 che no avesse paura:
male te crese allura,
quando fice 'l peccato!».
«O' eri tu, alma mia
cortese e conoscente?
15 Puoi che t'andasti via,
retornai a niente.
Famme tal compagnia
ch'eo non sia sì dolente:
veio terribel gente
20 con volto esvagliato».
«Quiste so le demonia,
con chi t'è opo aventare;
non t'è opo far istoria:
che te oporà portare,
25 non me trovo en memoria
de poterlo narrare:
si ententa fosse el mare,
non ne seria pontato».
«Non ce posso venire,
30 ché so en tanta affrantura,
che sto su nel morire,
sento la morte dura.
Sì facisti al partire:
rompeste onne iontura:
35 recata ai tal fortura,
che onne osso m'ha spezato».
«Como da tene a mene
fo appicciato amure,
simo reiunti en pene
40 con etterno sciamure;
l'ossa contro le vene,
nervi contra ionture,
sciordenati onne amure
de lo primero stato».
45 «Unquanco Galieno,
Avicenna, Ipocrate
non sèpper lo convegno
de miei enfermentate;
tutte enseme iongono
50 e sommese adirate:
sento tal tempestate,
che non vorria esser nato».
«Lèvate, maledetto,
ca non pòi più morare;
55 ne la fronte n'è scritto
tutto el nostro peccare:
quel che nascusi a letto
volevamo operare,
oporasse mustrare,
60 vegente onne omo nato».
«Chi è questo gran sire,
rege de granne altura?
Sotterra vorria gire,
tal me mette paura.
65 Ove poria fuggire
da la sua faccia dura?
Terra, fa copretura,
ch'eo nol veia adirato».
«Quisto sì è Iesu Cristo,
70 lo figliolo de Dio:
vedenno el volto tristo,
spiaceglie 'l fatto mio.
Potemmo fare acquisto
d'aver lo renno sio:
75 malvascio corpo e rio
or che avem guadagnato!».

Metro: *lauda* su schema di ballata, con *ripresa* (abba) e strofe sullo schema cdcdcdda. I versi sono quasi tutti settenari.

1. enfracedato: putrefatto, infracidito dalla corruzione.
3. «levati, alzati subito». I vv. 1-4 esprimono con sintesi potente la miseria di quel corpo disfatto, l'angoscia dell'anima, la condanna eterna, implacabile.
5-6. L'agnelo... paura: L'angelo dell'Apocalisse sta per suonare la tromba, un suono tremendo per chi è dannato. I due versi, soprattutto il secondo, danno un senso vivo dell'espandersi all'infinito del suono terrificante.
7-8. «Dobbiamo (**opo n'è** = ci è d'uopo) presentarci (al tribunale di Dio) senza alcun indugio (**demura**)».
9-12. «Tu mi stavi (in vita) a predicare che non avessi paura; ho fatto male a crederti allora, quando (mi lasciai convincere e) feci il peccato».
14. conoscente: saggia. È detto sarcasticamente.
16. retornai a niente: ritornai in polvere, divenni un nulla.
20. con volto ecc.: con volto strano, orrendo.
22. «coi quali sei ora costretto ad abitare».
23-28. «Non devi fare storie: quello che dovrai sopportare (**portare**) non l'ho in mente (**memoria**) sì da potertelo narrare; se il mare fosse inchiostro (**ententa**) non sarebbe stato (**seria**) sufficiente per appuntarlo, descriverlo (**pontato**)».
30. affrantura: pena.
31. «che mi sento morire».
33. «così facesti quando ti partisti da me (al momento della morte)».
34. onne iontura: ogni giuntura.
35. fortura: violenza.
37-44. «Come da te a me fu attaccato (**appicciato**) amore, così ora siamo congiunti nella pena con eterno odio (**sciamure** = disamore); ora le ossa son contro le vene, i nervi contro le giunture; ogni umore (**amure**) della vita terrena (del nostro primiero stato) è disordinato (**sciordenati**), sconvolto». L'anima e il corpo, prima uniti in un reciproco amore, sono ora ricongiunti, ma nell'odio, nel disordine di ogni funzione vitale.
45-46. Unquanco: mai. **Galieno:** (Galeno) fu un celebre medico dell'antichità, nativo di Pergamo (129-200 d.C.). **Avicenna**: fu filosofo e medico persiano (980-1037). **Ipocrate**: Ippocrate di Coo fu, nell'antichità, il fondatore della medicina come scienza (460-375 a.C. circa).
47-48. «Non seppero il cumulo (**convegno**) delle mie infermità».
49-50. «Giungono tutte insieme e tutte mi assalgono».
51. tempestate: tempesta (di dolore).
53. Lèvate: alzati.
54. ca: perché. **morare**: indugiare.
59. oporasse: si dovrà.
60. «davanti agli occhi di tutti (vedendolo ogni uomo che è nato)».
62. «re dall'aspetto così maestoso?». Si tratta di Cristo giudicante.
63. vorria gire: vorrei andare.
65. poria: potrei.
66. dura: severa e inesorabile.
67. fa copretura: ricoprimi!
68. «che io non veda quel re adirato».
71. vedenno: noi vediamo.
72. fatto: operato.
73-74. «Avremmo potuto guadagnare il suo (**sio**) regno».
75-76. «Guarda ora, corpo malvagio e peccatore, che cosa abbiamo guadagnato!».

O papa Bonifazio

Jacopone scrisse durante la prigionia (1298- 1303) questa epistola in versi, ardente supplica a papa Bonifazio VIII perché lo liberasse dalla scomunica, ma, al tempo stesso dignitosa e forte affermazione della propria innocenza e della propria autentica professione di vita cristiana.

O papa Bonifazio,
eo porto el tuo prefazio
e la maledezzone
e scommunicazione.
5 Co la lengua forcuta
m'hai fatta esta feruta:

Metro: Epistola o *trattato* composto di coppie di settenari a rima baciata.

2-4. eo porto, ecc.: Io porto su di me la tua sentenza (*prefazio* è la preghiera solenne che si recita nella Messa prima del *canone*; qui la parola allude alla sentenza di scomunica), la tua maledizione, la scomunica.
5. lengua forcuta: forcuta, a due punte la lingua, perché gli ha prodotto una doppia ferita: la prigionia e la scomunica.
6. esta feruta: questa ferita.

che co la lengua ligne
e la piaga ne stigne;
ca questa mia ferita
10 non pò esser guarita
per altra condezione
senza assoluzïone.
Per grazïa te peto
che me dichi: «Absolveto»,
15 e l'altre pene me lassi
finch'io del mondo passi.
Puoi, si te vol' provare
e meco essercetare,
non de questa materia,
20 ma d'altro modo prelia.
Si tu sai sì schirmire
che me sacci ferire,
tengote bene esperto,
si me fieri a scoperto:
25 c'aio dui scudi a collo,
e s'io no i me ne tollo,
per secula infinita
mai non temo ferita.
El primo scudo, sinistro,
30 l'altro sede al deritto.
Lo sinistro scudato,
un diamante aprovato:
nullo ferro ci aponta,
tanto c'è dura pronta:
35 quest'è l'odïo mio,
ionto a l'onor de Dio.
Lo deritto scudone,
d'una preta en carbone,
ignita como foco
40 d'un amoroso ioco:
lo prossimo en amore
d'uno enfocato ardore.
Si te vòi fare ennante,
puo'lo provar 'n estante;
45 e quanto vol' t'abrenca,
ch'e' co l'amar non venca.
Volentier te parlara:
credo che te iovara.
Vale, vale, vale,
50 Deo te tolla onne male
e dìelome per grazia,
ch'io el porto en leta fazia.
Finisco lo trattato
en questo loco lassato.

7-8. che... stigne: lecca (**ligne**) questa ferita con la tua lingua (cioè: risanala, revocando la scomunica) ed estingui (**stigne**) la piaga.
9. ca: poiché.
11-12. «In nessun altro modo (**condezione**) che con l'assoluzione».
13. te peto: ti chiedo.
14. Absolveto: sii assolto.
15. l'altre pene, ecc.: Jacopone accetta serenamente tutte le pene che la prigionia comporta, anche la morte, ma non la scomunica che lo mette al bando dalla comunità cristiana.
17-20. Puoi... prelia: Poi (*puoi*) se vuoi provarti e gareggiare (**essercetare**) con me, combatti (**prelia**) non con questa materia (**la scomunica**) ma in altro modo, con altre armi. Lo invita a gareggiare con lui in quelle virtù che egli sente fondamentali nella vita cristiana: l'odio di sé e l'ardore infuocato di carità verso Dio e il prossimo.
21-24. Si tu sai... scoperto: Se tu sai tirare di spada (**schirmire**) così bene da sapermi colpire (**ferire**), ti ritengo (**tengote**) ben abile, se riesci a colpirmi (**fieri**) in una parte indifesa (**a scoperto**). Porta infatti, come dice subito dopo, due formidabili scudi.
25. c'aio: perché ho.
26. no i me ne tollo: non me li tolgo.
27. per secula infinita: per tutti i secoli, per l'eternità.
29-30. «Il primo scudo è a sinistra, l'altro sta (**sede**) a destra».
31. scudato: scudo.
32. «è un diamante collaudato».
33. «Nessun ferro lo può scalfire (**ci aponta**), tanto è dura la sua tempra (**pronta**)».
35-36. «Questo scudo è l'odio di me stesso congiunto (**ionto**) all'amor di Dio».
37. Lo... scudone: lo scudo destro.
38-42. «È fatto (ma nel testo manca il verbo) di una pietra di carbonchio (specie di rubino) infiammata (**ignita**) come fuoco di amorosa gioia (**ioco**): è la gioia di amare il prossimo con infuocato ardore».
43. ennante: avanti.
44. 'n estante: subito.
45-46. e quanto vol'... venca: e combatti (**abrenca** = forse da «abbranca», azzuffati) pure quanto vuoi, riuscirò sempre a vincerti in amore. Vuol dire che da nessun oltraggio sarà indotto a non amare Bonifazio; ma anche l'amore, sulle labbra del fiero frate, assume un carattere di violenza guerriera.
47-48. «Volentieri ti parlerei, credo che ti gioverebbe».
49. Vale: Salute (è formula latina di saluto).
50-53. «Dio ti tolga (**tolla**) ogni male, e lo dia, per grazia, a me (è nelle tribolazioni che la virtù s'affina), perché io lo sopporto con viso (e con animo) lieto».
54. «Finisco questo discorso lasciandolo a questo punto».

O iubelo del core

Più volte Jacopone ha tentato di esprimere l'ebbrezza mistica che è fuori della nostra esperienza concreta e quindi ineffabile. È un livello cui l'anima giunge astraendosi da ogni cosa, in un'estrema solitudine, per vivere folgorata dalla luce di Dio, morta e viva al tempo stesso: morta a questa vita, viva in quella eterna, posseduta per un istante e intuita.

È un'esperienza che la poesia non può esprimere, perché è fuori della parola e del discorso umano. È un canto, balbettio, grido, non parola. Jacopone ha cercato in certe laude di rappresentarla forzando la lingua, la sintassi, le immagini, con un ardore drammatico, parallelo a quello con cui ha rappresentato l'abiezione e la miseria dell'uomo peccatore. In questa lauda, però, il tono è pacato: non c'è, come in altre, l'ardore mistico in atto, ma il ricordo, il sapore di una lontana dolcezza.

O iubelo del core,
che fai cantar d'amore!
Quanno iubel se scalda,
sì fa l'omo cantare,
5 e la lengua barbaglia
e non sa che parlare:
dentro non pò celare,
tant'è granne 'l dolzore.
Quanno iubel è acceso,
10 sì fa l'omo clamare;
lo cor d'amor è appreso,
che nol pò comportare:
stridenno el fa gridare,
e non virgogna allore.
15 Quando iubelo ha preso
lo core ennamorato,
la gente l'ha 'n deriso,
pensanno el suo parlato,
parlanno esmesurato
20 de che sente calore.

Metro: *Ballata* piccola (cioè con *ripresa* di due versi) di settenari. Schema: aa (*ripresa*); bc, bc (*mutazioni*); ca (*volta*).

1-2. «O pura gioia del cuore che spingi a un canto d'amore!».
3-8. Quanno iubel se scalda: quando si accende la vampa dell'intima gioia mistica. **e la lengua barbaglia**, ecc.: la lingua balbetta e dalla bocca escono frasi rotte, incoerenti; l'uomo non sa quel che dice. Tuttavia non può tenere chiusa nel cuore quella dolcezza tanto è grande. Essa si riversa all'esterno in quel canto che esprime un'ineffabile pienezza di vita interiore.
9-14. clamare: gridare. **lo cor... è appreso**: l'amore, come un fuoco, ha acceso il cuore, tanto che questo non riesce a tenerlo chiuso in sé, ma deve riversarlo al di fuori. **stridenno el fa gridare... allore**: l'amore fa sì che il cuore emetta grida (**strida**) senza vergognarsi di ciò.
15-20. In questa strofa e nell'ultima intravediamo rapidamente il ghigno schernitore del mondo, superato però, senza alcuna acerbità polemica, dall'anima consapevole della sua felicità autentica e sublime. **la gente l'ha 'n deriso... parlato**: la gente lo deride pensando al suo parlare. **parlanno esmesurato... calore**: dato che egli parla senza razionale misura di ciò (di quell'amo-

O iubel, dolce gaudio
ched entri ne la mente,
lo cor deventa savio
celar suo convenente:
25 non pò esser soffrente
che non faccia clamore.

Chi non ha costumanza
te reputa 'mpazzito,
vedenno esvalïanza
30 com'om ch'è desvanito;
dentr'ha lo cor ferito,
non se sente da fore.

re) di cui sente il calore internamente. Il «parlare esmesurato» allude all'assoluto irrazionalismo dell'esperienza mistica, che è tale da superare ogni discorso della mente umana.
24-26. celar: a celare (è proprio dell'uso linguistico di Jacopone omettere, in questo caso, la preposizione). **convenente**: il suo stato (è parola provenzale). La spiegazione di questo passo, sintatticamente non chiaro, è probabilmente la seguente: il cuore diventa savio allorché riesce a celare il suo stato; ma in tal caso, non sarebbe più nella condizione beata della mistica ebbrezza. È proprio, anzi, di tale condizione questo, che il cuore non può evitare (**non pò esser soffrente**) di gridare (**faccia clamore**).
26-32. Chi non ha esperienza (**costumanza**) reputa impazzito colui che s'abbandona allo slancio estatico, vedendo il contegno anormale (**esvalïanza**) di lui che pare vaneggiante (**desvanito**) e che, nel suo cuore ferito d'amore, non si accorge (**non se sente**) di ciò che accade fuori di lui.

Quando t'aliegre, omo d'altura

La lauda svolge il tema, consueto alla meditazione ascetica cristiana, della contemplazione della morte, cioè del disfacimento del corpo peccaminoso e di ogni gioia terrena; da questa meditazione deve nascere il disprezzo del mondo e l'«incinerazione» della superbia. Il tema è svolto spesso da Jacopone, e con intensità appassionata; perché quanto maggiore sarà l'orrore del disfacimento e l'odio del mondo peccaminoso e vano, tanto più veemente sarà lo slancio dell'anima verso l'amore supremo. La lauda si svolge così in un'incalzante ricerca di toni cupi e macabri; è incentrata sul dialogo spietato fra il vivo e il morto. Il vivo con sarcasmo atroce e impietoso rimprovera al morto la sua vanità, i suoi peccati, la sua superbia; lo scheletro risponde mostrando tutta la miseria del suo disfacimento. Lo spietato insistere di Jacopone determina un'atmosfera tragica e grottesca.

Quando t'aliegre, omo d'altura,
va' poni mente a la sepoltura;
e loco pone lo tuo contemplare,
e pensa bene che tu dii tornare
5 en quella forma che tu vide stare
l'omo che iace en la fossa scura.
«Or me respondi, tu, om seppellito,
che così ratto d'esto monno èi 'scito:
o' so' i bei panni de ch'eri vestito?
10 Ornato te veggio de molta bruttura».
«O frate mio, non me rampognare,
ché 'l fatto mio a te pò iovare!
Puoi che i parenti me fiero spogliare,
de vil ciliccio me dier copretura».
15 «Or ov'è 'l capo cusì pettenato?
Con cui t'aragnasti, che 'l t'ha sì pelato?
Fo acqua bollita, che l' t'ha sì calvato?
Non te c'è opporto più spicciatura!»
«Questo mio capo, ch'abbi sì biondo,
20 cadut'è la carne e la danza dentorno:
nol me pensava, quann'era nel mondo,
cantando a rota facea portadura».
«Or ove so' l'occhi così depurati?
For de lor loco sì so' iettati.
25 Credo che i vermi li s'ho manecati,
del tuo regoglio non àver paura».
«Perduti m'ho gli occhi, con che gia peccando,
aguardando a la gente, con issi accennando.
Ohimè dolente, or so' nel malanno,
30 ché 'l corpo è vorato e l'alma en ardura».
«Or ov'è 'l naso, c'avi' pro odorare?
Quigna 'nfertade el n'ha fatto cascare?
Non t'èi poduto dai vermi adiutare,

Metro: *Ballata* con *ripresa* di due versi e quartine (schema: AA; BBBA), di doppi quinari (ma spesso senari o settenari, oppure quinario + senario).

1. t'aliegre: ti rallegri, cioè t'insuperbisci. **omo d'altura**: uomo altezzoso.
3-6. loco... contemplare: là poni la tua meditazione. **dii**: devi. **che tu vide stare**: nella quale vedesti stare. **la fossa scura**: la fossa cupa, ove non giunge la luce del giorno. Il buio e il nulla della morte sono presenti in tutta la lauda.
8. «che così rapidamente sei uscito da questo mondo»: effimera la vita terrena, nella quale erroneamente l'uomo cerca una piena, impossibile felicità.
12. «il mio esempio ti può giovare».
13-14. I parenti hanno fatto spogliare il cadavere delle sue vesti sfarzose, avidi di impossessarsi di tutte le sue cose e lo hanno ricoperto di stoffa ruvida e vile (**ciliccio**). Questo è stato l'impietoso addio al morto di chi pure l'avrebbe dovuto amare. Non può esistere, secondo la sconsolata visione iacoponica, amore fra gli uomini: solo attraverso Dio possiamo amare il prossimo.
15-18. Impietoso insiste il sarcasmo: con chi s'è accapigliato il morto che non ha più capelli, quei capelli che un tempo pettinava con tanta vanità? **t'aragnasti**: ti azzuffasti. **Fo acqua bollita... più spicciatura**: fu acqua bollente che ti ha reso così calvo? Non c'è più bisogno di scriminatura per i tuoi capelli.
19-22. ch'abbi: ch'ebbi. **cantando a rota... portadura**: mi mettevo in posa conducendo il ballo in tondo. Potente è l'immagine della carne putrefatta mescolata alla ghirlanda (**danza**), che richiama una terrena festa di ballo, intorno al cranio: è come una danza macabra, conclusione delle eleganti danze terrene, che sono ostentazione vana, misera e tragica cosa per chi, come il poeta, vede dietro ogni azione mondana, come un incubo spaventoso, uno scheletro, una tomba, la putrefazione.
23-26. depurati: così limpidi, chiari (nella falsa ed effimera gioia della giornata terrena). **li s'ho manecati**: se li siano mangiati. **del tuo regoglio...**: i vermi non hanno avuto paura della sua cera orgogliosa.
27-30. gia: andavo. **con issi accennando**: facendo cenni allettanti con essi alle donne. **ché 'l corpo è vorato... ardura**: il corpo è divorato dai vermi, l'anima è tra le ardenti fiamme dell'inferno.
31-34. c'avi': che avevi. **Quigna 'nfertade**: quale infermità te lo ha fatto cascare a pezzi? Non ti sei potuto difendere dai vermi. **'sta tua grossura**: questa tua prominenza. È macabro il sarcasmo: abbassata la prominenza del naso, resta l'osso dello scheletro. Nello stesso tempo Jacopone allude alla superbia che faceva andare quell'uomo a testa alta e naso ritto. In tutta la poesia vi sono questi toni buffoneschi e triviali.

molt' è abbassata 'sta tua grossura».
35 «Questo mio naso, ch'abbi pro odore,
caduto n'è con molto fetore:
nol me pensava quann'era 'n amore
del mondo falso, pien di bruttura».
«Or ov'è la lengua cotanto tagliente?
40 Apri la bocca, si tu n'hai nïente.
Fone troncata, oi forsa fo 'l dente,
che te n'ha fatta cotal rodetura?»
«Perdut'ho la lengua, co la qual parlava,
molta descordia con essa ordenava:
45 nol me pensava, quann'io manecava
el cibo e 'l poto oltra mesura».
«Or chiude le labra pro i denti coprire:
par, chi te vede, che 'l vogli schirnire.
Paura me mitte pur del vedere:
50 càionte i denti senza trattura».
«Co' chiudo le labra, che unqua no l'aio?
Poco pensava de questo passaio.
Omè dolente, e como faraio,
quann'io e l'alma starimo en ardura?»
55 «Or o' so' le braccia con tanta fortezza,
menaccianno a la gente, mustranno prodezza?
Ràspate 'l capo, si t'è agevolezza,
crulla la danza e fa portadura».
«La mia portadura si gia 'n esta fossa:
60 cadut' è la carne, remase so' l'ossa
ed onne gloria da me è remossa
e onne miseria m'è a rempietura».
«Or lèvate 'n pede, ché molto èi iaciuto,
accónciate l'arme e tolli lo scuto.
65 En tanta viltate me par ch'èi venuto:
non comportare più questa affrantura».
«Or co' so' adasciato de levarme en pede?
Chi 'l t'ode dicere mo lo se crede!
Molto è l'om pazzo, chi no provede
70 ne la sua vita la sua finitura».
«Or chiama i parenti, che te venga aitare,
che te guarden dai vermi che te sto a devorare.
For più vivacce venirte a spogliare:
partierse el podere e la tua mantatura».
75 «No i posso chiamare, ché so' encamato.
Ma falli venire a veder mio mercato:
che me veia iacere colui ch'è adasciato
a comparar terra e far gran chiusura».
«Or me contempla oi omo mondano:
80 mentr'èi nel mondo non esser pur vano;
pènsate, folle, che a mano a mano
tu serai messo en grande strettura».

35-38. pro odore: per odorare. **quann'era 'n amore**: quand'ero innamorato del falso mondo terreno.
40-42. Apri la bocca, si tu n'hai nïente: apri la bocca per vedere se n'hai ancora una piccola parte. Il sarcasmo dà luogo a una espressione di estrema vivacità mimica. **Fone**: fu forse. **oi forsa... rodetura**: o forse furono i denti a rodertela a tal segno?
45-46. manecava... oltra mesura: mangiavo cibi e bevande oltre misura.
47-50. «Ora, incalza feroce Jacopone, chiudi le labbra per coprire i denti; chi ti vede ha l'impressione che tu lo voglia schernire. Ho paura al solo vederti: i denti ti cadono senza che nessuno te li estragga».
51-54. «Come posso chiudere le labbra che non ho più?». Rose, naturalmente, dai vermi. **passaio**: passaggio dalla vita alla morte, cui troppo poco pensava quand'era vivo. **quann'io e l'alma**, ecc.: quando cioè, dopo il giudizio universale, sarà con l'anima nel fuoco dell'inferno e la sua pena crescerà.
55-58. Or o': or dove sono le braccia che minacciavano e mostravano ecc. (*menaccianno e mustranno* sono participi presenti). **Ràspate... portadura**: «grattati il capo, se puoi (scrollando via le sozzure: ma occorrerà "rasparlo" tanto ormai si sono apprese ad esso), scuoti la tua ghirlanda, disponiti al ballo». Ritorna il tema dei vv. 19-22. Da qui in avanti, del resto, ritornano tutti i temi precedenti: la vanità finita nella schifosa decomposizione, la superbia ed ostentazione di forza di un tempo, confrontata alla presente nullità e miseria dello scheletro, i parenti voraci e senza pietà. Quindi la lauda si conclude con la stessa immagine iniziale: la fossa stretta e scura.
59-62. Ogni acconciatura, ogni altezzoso portamento se ne va in questa fossa, dice il morto. E poi il verso bello e potente nella sua estrema desolazione: *cadut' è la carne - remase so' l'ossa*. È qui la radice lirica essenziale della lauda: una nudità tragica e sgomenta. **m'è a rempietura**: ne ho a sazietà (di miserie).
63-70. Jacopone esorta sarcasticamente il superbo a levarsi in piedi, a prendere armi e scudo, a combattere. Come mai è divenuto così vile e sopporta tale prostrazione (*affrantura*)? Ma, risponde il morto, come ho *agio*, cioè come posso (**so' adasciato**) levarmi in piedi? **provede... finitura**: prevede... fine.
71-74. aitare: aiutare. **sto**: stanno. **For**: furono. **vivacce**: pronti. **partierse... mantatura**: si divisero il podere, cioè la proprietà e persino le tue vesti.
75-78. encamato: afono. **mio mercato**: ciò che ho guadagnato con la mia stolta vita. **che me veia iacere... chiusura**: che vedano giacere me (in questa squallida fossa) coloro che ora sono così agiati da comprare terre e riporre molte messi (naturalmente, affinché cessino di pensare ai beni materiali).
81. a mano a mano: ben presto.
82. strettura: è, naturalmente, la tomba (cfr. nota ai vv. 55-58), il luogo ove terminano tutte le speranze e i desideri umani.

Donna de Paradiso

È una forma drammatica embrionale, se si vuole, più adatta alla lettura che alla presentazione scenica; però le voci che si alternano hanno una propria consistenza, creano personaggi, anche se ridotti all'essenziale: il *Nunzio*, con la sua testimonianza del supplizio di Cristo, sempre più patetica e atroce, che suscita sentimenti di dolore e amore nel cuore di Maria; il *Popolo*, delineato dalle sue battute di cupa, incalzante ferocia, che, col Nunzio, fa procedere l'azione fino al culmine dello strazio umano di Cristo. Ma su tutti domina la voce di *Maria*, la madre che assiste col cuore lacerato al supplizio, lo soffre anch'ella nella sua anima e

nella sua carne.

Il suo lamento si modula in un crescendo: la sorpresa iniziale per l'arresto del figlio, il tentativo di strapparlo alla folla imbestialita, il patetico desiderio di vederne le membra straziate, e, infine, il compianto funebre, ove le grida di passione disperata e l'invocazione alla morte si alternano col ricordo del piccino che un tempo ella nutriva e accarezzava: quasi un desiderio di accoglierlo ancora al proprio seno e di proteggerlo.

Alla fine le parole di *Cristo* cadono su quel dramma umano da una sfera sovrumana e remota. Sulla tragedia cala, misterioso e pur certo, il senso di una speranza, di un più alto destino di Redenzione.

NUNZIO:
«Donna de Paradiso,
lo tuo figliolo è priso,
Iesù Cristo beato.
Accurre, donna, e vide
5 che la gente l'allide:
credo che lo s'occide,
tanto l'ho flagellato».
MARIA:
«Com'essere porria,
che non fece follia,
10 Cristo, la spene mia,
om l'avesse pigliato?».
NUNZIO:
«Madonna, ell'è traduto:
Iuda sì l'ha venduto;
trenta denar n'ha avuto,
15 fatto n'ha gran mercato».
MARIA:
«Soccurri, Maddalena!
Ionta m'è adosso piena:
Cristo figlio se mena,
com'è annunzïato».
NUNZIO:
20 «Soccurre, donna, adiuta,
ca 'l tuo figlio se sputa
e la gente lo muta;
hòlo dato a Pilato».
MARIA:
«O Pilato, non fare
25 el figlio mio tormentare,
ch'io te pozzo mustrare
como a torto è accusato».
POPOLO:
«*Crucifige, crucifige!*
Omo che se fa rege,
30 secondo nostra lege
contradice al senato».
MARIA:
«Prego che me 'ntennate,
nel mio dolor pensate:
forsa mo vo mutate
35 de che avete pensato».
POPOLO:
«Traàm for li ladruni,
che sian suoi compagnuni:
de spine se coroni,
ché rege s'è chiamato!»
MARIA:
40 «O figlio, figlio, figlio,
figlio, amoroso giglio!
figlio, chi dà consiglio
al cor mio angustïato?
Figlio occhi iocundi,
45 figlio, co' non respundi?
Figlio, perché t'ascundi
al petto o' si' lattato?»
NUNZIO:
«Madonna, ecco la cruce
che la gente l'aduce,
50 ove la vera luce
dèi essere levato».
MARIA:
«O croce, e che farai?
El figlio mio torrai?
Como tu ponirai
55 chi non ha en sé peccato?»
NUNZIO:
«Soccurri, piena de doglia,
ca 'l tuo figlio se spoglia:
la gente par che voglia
che sia martirizzato!»
MARIA:
60 «Se i tollete el vestire,
lassatelme vedere,
como el crudel ferire
tutto l'ha ensanguenato!»
NUNZIO:
«Donna, la man li è presa,
65 ennella croce è stesa;
con un bollon l'ho fesa,
tanto lo ci ho ficcato.
L'altra mano se prende,
ennella croce se stende
70 e lo dolor s'accende,
ch'è più moltiplicato.
Donna, li pè se prenno
e chiavellanse al lenno:
onne iontur' aprenno,
75 tutto l'ho sdenodato».
MARIA:
«E io comenzo el corrotto:
figlio, lo mio deporto,
figlio, chi me t'ha morto,
figlio mio dilicato?
80 Meglio averiano fatto
che 'l cor m'avesser tratto
che ne la croce è tratto,
stace descilïato!»
CRISTO:
«Mamma, ove si' venuta?
85 Mortal me dài feruta,
ca 'l tuo planger me stuta,
che 'l veio sì afferrato».

Metro: quartine di versi settenari rimati, con *ripresa*, all'inizio del componimento, di tre versi. Schema: aab; cccb, ecc.

1-7. Donna, ecc.: Signora del cielo. **vide:** vedi. **l'allide**: lo percuote. **l'ho**: l'hanno. Il Nunzio segue il racconto evangelico: cattura di Cristo, flagellazione, ecc. Il suo tono si fa via via più drammatico col procedere dell'azione.
8-12. «Poiché Cristo mai commise peccato, come potrebbe essere che lo si (**om**) fosse arrestato?».
12-15. traduto: tradito. **mercato**: guadagno.
16-19. Maddalena: è Maria Maddalena, a cui Maria chiede soccorso, sentendosi venir meno. 17. «mi è giunta addosso la piena del dolore», visto come fiumana travolgente. **se mena... annunzïato**: è condotto in carcere come egli stesso ha profetato. Lo profetizzò nell'ultima cena.
20-23. Con tono più patetico, sottolineato da quell'invocazione di soccorso, il Nunzio allude ad altri momenti della Passione: sputi, scherni, trasferimento di Cristo (**lo muta**) da Caifa a Pilato. **hòlo dato**: lo hanno dato.
24-39. Si può dire che si abbia qui una seconda scena, cioè il dialogo diretto fra Maria e Pilato, poi fra Maria e il Popolo. Il dialogo diviene più concitato e veemente e culmina nel grido finale di furore della folla. **contradice**: va contro la legge stabilita dal Senato proclamandosi re. Tale fu l'accusa intentata dai Giudei contro Cristo.
32-35. «Prego che mi ascoltiate, che pensiate al mio dolore: forse ora vi distogliete dalla vostra deliberazione».
36. Traàm: traiamo. Si allude ai due ladroni che vengono crocifissi con Cristo.
40-83. Abbiamo qui una nuova scena. Cristo si avvia al Calvario, come si desume dall'improvviso straziante grido d'amore della madre, poi viene spogliato e crocifisso, come apprendiamo dal Nunzio.
43. angustïato: angosciato.
44. Figlio occhi iocundi: figlio dagli occhi gioiosi.
45-47. «perché non rispondi, perché ti nascondi (volgendo altrove lo sguardo) dal petto che ti ha allattato?».
49. l'aduce: la porta.
50-51. «dove deve essere appeso Cristo, vera luce del mondo».
54-55. Como... peccato: e come potrai punire uno che non ha peccato?
66-67. «con un chiodo l'hanno trafitta, tanto ce l'hanno ficcato».
70-71. «il dolore si fa bruciante, ché tanto più si moltiplica».
72-75. «si prendono i piedi e s'inchiodano al legno (della croce), ogni giuntura è stata rotta, tutto l'hanno slogato».
76. corrotto: lamento funebre.
78-79. «chi ti ha ucciso, figlio mio delizioso, squisitamente bello?».
80-83. «Avrebbero fatto meglio se a me avessero strappato il cuore (piuttosto che vedere Cristo) che è tratto sulla croce e vi sta, straziato».
84-135. Nuova scena. Al «corrotto» appena iniziato subentra il colloquio fra Cristo e Maria.
84-87. Mamma, ove si' venuta... affer-

MARIA:
«Figlio, che m'aio anvito,
figlio, pate e marito!
90 Figlio, chi t'ha ferito?
Figlio, chi t'ha spogliato?»
CRISTO:
«Mamma, perché te lagni?
Voglio che tu remagni,
che serve ei miei compagni,
95 ch'al mondo aio acquistato».
MARIA:
«Figlio, questo non dire:
voglio teco morire;
non me voglio partire
fin che mo m'esce 'l fiato.
100 C'una aiam sepoltura,
figlio de mamma scura:
trovarse en afrantura
mate e figlio affocato!»
CRISTO:
«Mamma col core afflitto,
105 entre le man te metto
de Ioanne, mio eletto:
sia tuo figlio appellato.
Ioanni, èsto mia mate:
tollela en caritate,
110 aggine pïetate,
ca 'l cor sì ha furato».
MARIA:
«Figlio, l'alma t'è 'scita,
figlio de la smarrita,
figlio de la sparita,
115 figlio attossecato!
Figlio bianco e vermiglio
figlio senza simiglio,
figlio, a chi m'apiglio?
Figlio, pur m'hai lassato!
120 Figlio bianco e biondo,
figlio volto iocondo,
figlio, per che t'ha 'l mondo,
figlio, così sprezzato?
Figlio dolze e placente,
125 figlio de la dolente,
figlio, hatte la gente
malamente trattato!
Ioanni, figlio novello,
mort'è lo tuo fratello:
130 ora sento 'l coltello
che fo profitizzato.
Che moga figlio e mate
d'una morte afferrate:
trovarse abraccecate
135 mate e figlio impiccato».

rato: Mamma a che sei venuta qui? Tu mi dai una ferita mortale, perché il tuo piangere, che vedo così angoscioso (**afferrato**, cioè come un ferro che tortura la carne) mi uccide (**stuta**). Umane e filiali le prime parole di Cristo; poi prevale l'urgenza di un messaggio agli uomini, il senso della missione. L'affidare Maria a Giovanni, e viceversa, lo stabilire fra loro un nuovo rapporto di madre e figlio, significa fondare una fraternità piena fra Cristo e gli uomini, e così la Madonna diventa madre comune. Il carattere divino di Cristo si avverte nella pacatezza, superiore al dolore e alla morte, con cui esprime il supremo messaggio.

88. Figlio, che m'aio anvito: figlio, (piango) perché ne ho ben ragione.
89. figlio, pate e marito!: si accenna qui al tema teologico di Maria sposa e madre e figlia di Dio.
92. perché te lagni?: Non devi lagnarti, dice Cristo a Maria; devi vivere e servire i compagni che mi sono acquistato nel mondo.
100-103. C'una aiam sepoltura... affocato: Vorrei che avessimo insieme un'unica sepoltura, figlio di mamma desolata (**scura** sembra denotare un volto ove mai più brillerà luce di gioia, speranza e calore di vita); (oh che strazio) trovarsi nel tormento così, io, madre, e tu, figlio soffocato!
107. appellato: chiamato.
108-111. Ioanni... furato: «Giovanni, ecco mia madre, accoglila con amore, abbi pietà di lei, perché ha il cuore trafitto». Termina il discorso di Cristo, che esala l'ultimo respiro. Ora Maria è sola, sulla scena, col suo disperato lamento.
112-115. l'alma t'è 'scita: hai esalato l'ultimo respiro. **smarrita**: sgomenta. **sparita**: annientata, distrutta. **attossecato**: assassinato.
117. senza simiglio: senza pari.
126. hatte: ti ha.
130-131. ora sento 'l coltello... profitizzato: allude alla profezia fatta da Simeone sulla Madonna, secondo la quale una spada avrebbe trapassato la sua anima; alludeva allo strazio che avrebbe provato per il martirio di Cristo (cfr. il Vangelo di Luca, II, 35).
132-133. I due versi contengono la profezia. Intendi: (mi fu profetizzato) che figlio e madre sarebbero morti (tormentati) da duro crudele supplizio.
134-135. trovarse: è infinito esclamativo. **abraccecate**: abbracciati. **impiccato**: appeso (alla croce). Intendi: Oh, quale strazio, questo trovarsi abbracciati di una madre e di un figlio crocifisso!

Bonvesin da la Riva

Bonvensin da la Riva, vissuto nella seconda metà del Duecento, fu il rappresentante più tipico della poesia religiosa dell'Alta Italia. Uomo colto — scrisse numerose opere in latino fra le quali un'esaltazione della sua città, il *De Magnalibus Mediolani* — fu uno dei non molti maestri della Milano d'allora. Appartenne alla congregazione dei frati *Umiliati*, una delle tante «sette», legate più o meno strettamente al moto della Pataria, che si erano formate, in Italia e fuori, nelle città più operose d'industrie e di traffici, più avanti nel processo di liquidazione delle strutture feudali. Gli *Umiliati* intendevano fondare ogni loro principio e modo di vita sul Vangelo, ricondurre ad un principio religioso, com'è stato detto, «la loro vita di lavoratori che vogliono essere liberi, e quindi le loro necessità sociali».

Nelle alterne lotte politiche in cui si trovavano implicati, spesso si abbatteva su di loro l'accusa di eresia. Ma l'opera di Bonvesin resta nell'ambito dell'ortodossia: egli fu e volle essere un moderatore e soprattutto un educatore. Nel *Libro delle Tre scritture* descrisse le pene dell'inferno (*scrittura negra*) nella prima parte, nella seconda (*scrittura rossa*) raccontò la Passione di Cristo e il dolore della Vergine, nella terza (*scrittura aurea*) esaltò i gaudi del Paradiso. Altre opere importanti sono: *Il contrasto* (= disputa) *del diavolo con la Vergine (De Sathana cum Virgine)*, la *Disputatio rose cum viola (Contrasto della rosa con la viola), La vita del beato Alessio*, il *De quinquaginta curialitatibus ad mensam (Le cinquanta regole di galateo da osservare a tavola).* Tutte queste opere, come afferma il Gallardo, dimostrano nell'autore «un intento che deriva dalla comprensione delle esigenze di libertà di un popolo lavoratore, ignorante ma risoluto, onesto, forte... e dalla necessità di ammaestrarlo, di renderlo migliore e meno rozzo... ponendo al suo servizio una cultura ed un'arte, una abilità non comune nel verseggiare, cioè nel ridurre i concetti in forma gradevole».

Il primo passo che presentiamo è tratto dalle *Laudes de Virgine Maria* (Lodi della Vergine Maria), un lungo poemetto in onore di Maria, incentrato sul racconto di alcune leggende di miracoli operati da lei per compensare i suoi fedeli.

Il secondo è tratto dal *Contrasto della rosa con la viola*, di chiara ispirazione moraleggiante. Parlano i due fiori e contrappongono le loro virtù e i loro pregi. Il giglio, chiamato a giudicare qual sia il migliore, dà la vittoria alla violetta perché casta, umile, bella nel suo pudore, nella sua semplicità e generosità. Naturalmente la viola è qui vista come simbolo delle virtù morali più care a Bonvesin.

Per il testo seguiamo: G. Contini, *Poeti del Duecento*, cit.

De quodam monaco qui vocabatur frater Ave Maria
(Di un monaco che era chiamato frate Ave Maria)

D'un cavaler se leze ke stete reo homo longo tempo,
lo qual devenne po monego e fé bon ovramento;
il monestì o' el stete molto fé bon rezemento,
e stete amigo dra Vergene mintro in finimento.
5 Tuto zo ke'l cavaler non era leterao,
el fo ben recevudho per monego geregao:
per la grandeza soa, perzò fo honorao;
domente k'el stete po' vivo, el è molt ben guidhao.
El ghe fo dao un monego ke'l debla amagistrar,
10 sí k'el imprenda tanto k'el sapia salmezar:
nïent el pò imprende con quant el pò pur far;
lo monego so magistro nïente ghe pò mostrar.
Lo cor trop duro da imprende lo cavalé haveva,
ni leze poeva imprende, ni pater-noster saveva.
15 Lo monego so magistro, vezando k'el no imprendeva,
monstrò-ghe ave-maria, fazando zo k'el poeva.
Apena k'el poesse imprende ave-maria:
el prend amar la Vergene, quella rosa floria,
devotamente la honora sor tute le cose ke sia,
20 adesso in logo dre hore diseva ave-maria.
El no saveva dire ni canti ni lectïon
ni pater-nost ni salmi ni oltre oratïon;
ave-maria diseva con grand devotïon;
quel era lo so deleito, la soa intentïon.
25 Adesso ave-maria la soa lengua cantava:
se grand impilio no gh'era, de questo el no calava;
col cor e co la lengua grandmente l'asalutava
e haveva bona fe in zo k'el adovrava.
Mintro in fin dra vita el tene questo camin.
30 Quando plaque al Creator, el venne la söa fin.
De la citae celeste el è fagio citaïn:
per lu fo po' monstrao un miracol divin.
Una grand meraveia per lu fo po' monstradha:

Metro: quartine monorime di versi alessandrini (verso d'origine francese, composto di quattordici sillabe e diviso in due parti uguali dalla cesura centrale).

1-4. ke stete... tempo: che visse per molto tempo nel peccato. **monego**: monaco. **e fé... ovramento**: e operò bene. 3. «ebbe condotta molto buona, nel monastero in cui stette». **dra**: della. **mintro in finimento**: fino alla fine della sua vita.

5-8. «Sebbene il cavaliere non sapesse leggere né scrivere, fu ricevuto come monaco non tonsurato e fu onorato per la sua nobiltà; ed egli, finché visse, rimase sulla buona strada». Confronta i vv. 4 e 8: c'è quell'insistenza sul medesimo concetto che è così frequente in Bonvesin e svela subito la sua intenzione didascalica.

9-12. «Gli fu assegnato un monaco che lo istruisca, affinché egli apprenda almeno a recitare i salmi; ma per quanti sforzi egli faccia non riesce a imparare nulla; il monaco suo maestro nulla gli può insegnare». Anche qui la ripetizione finale (cfr. nota precedente); dovuta, con ogni probabilità, al fatto che queste poesie erano prevalentemente recitate e ascoltate, non lette, e si cercava in tal modo di memorizzare i punti salienti.

13-16. Lo cor... haveva: il cavaliere aveva ormai la memoria incapace di apprendere. **leze**: leggere. **vezando k'el no imprendeva**: vedendo che non imparava, gli insegnò l'*Ave Maria*.

17. «a stento riuscì a imparare l'Ave Maria».

18-20. Il passaggio è psicologicamente un po' brusco, ma, al solito, a Bonvesin importa ora proporre all'attenzione di chi ascolta il tema centrale: il culto della Madonna. Il verso 18 si solleva dalla narrazione fin qui svolta per un forte colorito sentimentale («quella rosa fiorita»). Il rapimento del monaco amante è più compiutamente espresso nelle due quartine seguenti, che sviluppano il tema qui proposto, con una vaga tonalità di litania.

20. in logo dre hore: invece delle parti del breviario da recitarsi in ore definite.

21-24. lectïon: sono i testi tratti dalle Sacre Scritture o dei Padri della Chiesa, inseriti nel breviario. **intentïon**: passione. Anche nella lirica amorosa del tempo, la parola è usata per indicare l'oggetto dell'amore.

26. «se non vi era un grande ostacolo, non cessava di far questo».

28. «e in tutte le sue azioni (nel suo operare) mostrava fede eccellente».

29-31. Mintro... vita: fino alla fine della vita. **fagio**: fatto. **citaïn**: cittadino.

32. per lu... monstrao: per suo mezzo fu poi mostrato.

33. Ripete, sostanzialmente, il v. 32.

fò del so monumento una planta gh'è nadha;
35 sover zascuna folia de quella planta ornadha
scrigio era AVE MARIA con lettera sordoradha.
Con lettere d'oro in le foie scrigio era AVE MARIA.
Li frai del monestil corren a tuta via,
viden tal meraveia k'illoga era paria,
40 vezudho han ke 'l so monego zeva per bona via.
Con grand devotïon la planta fi cavadha;
cercan la soa radix, dond ella pò esse nadha:
incerco lo cor del monego trovan k'ella è invoiadha,
dal cor fò per la boca la planta ghe fo trovadha.
45 In zo cognosce li monesi ke questo monego beao
il puro amor dra Vergene tuto era devotao
e k'ello l'asalutava col cor tuto abraxao,
et imperzò per lu cotal segno fo monstrao.

34. «nacque una pianta, spuntando fuori dal suo sepolcro» («monumento» è legato al verbo latino «moneo» e cioè a memoria; e le tombe servono appunto a ricordare il morto).
35. sover: sopra. **zascuna**: ciascuna.
36. scrigio: scritto. **sordoradha**: placcata d'oro.
37. Anche qui il verso iniziale della quartina ripete quello finale della quartina precedente, con studiata simmetria: là si annunciava una gran meraviglia, qui si spiega il miracolo. L'accento insiste sulle lettere d'oro, a suscitare nel cuore del popolo che ascolta un senso immediato di qualcosa di nobile e prezioso e su *Ave Maria*, come a determinare un immediato invito alla preghiera.
38-40. frai: frati. **monestil**: monastero. **a tuta via**: in gran fretta. **k'illoga era paria**: che là era apparsa. **zeva**: andava (gire = andare; dal latino *ire*).
41. fi cavadha: fu scavata. Scavano attorno alla pianta per trovarne le radici.
43-44. «trovano che essa è avvolta attorno al cuore del monaco; fu scoperto che la pianta partiva dal cuore e usciva per la bocca», come quelle parole in lode di Maria che così spesso aveva pronunciato in vita. Segue ora la «morale» della leggenda: semplice e schietta, modesta e alla buona: se uno onorerà la Vergine nel mondo, sarà abbondantemente ripagato qui e nell'altra vita. Ci è sembrato sufficiente riportare solo la prima delle tre quartine in cui è svolta.
45-48. «Da questo i monaci comprendono che questo beato monaco era tutto dedito a un puro amore della Vergine e che la salutava col cuore tutto ardente e per questo tale miracolo fu manifestato attraverso di lui». Lo stupore favoloso del racconto viene così a incentrarsi su di un soprannaturale concepito come sempre presente nella nostra vita. L'anima religiosa medioevale, soprattutto fra il popolo, si nutrì di miracoli e di visioni, fu, si può dire, in un contatto continuo col soprannaturale. È quel sentire la realtà alla luce di un significato ultraterreno che ritroviamo nella poesia cristiana medioevale da San Francesco a Dante.

La disputa della rosa e della viola

a) *prime schermaglie*

Incontra la vïora la rosa sì resona
e dise: «Eo son plu bella e plu grand im persona,
eo sont plu odorifera e plu cortese e bona,
donca sont eo plu degna de lox e de corona».
5 Incontra queste parolle responde la vïoleta:
«No sont per quel men bona, anc sia eo piceneta;
ben pò stà grand tesoro im picenina archeta;
quant a la mia persona, ben sont olent e neta.
Ancora, in persona se ben tu e' maior,
10 plu sont ka tu per nomero, eo sont d'un bel color;
anc sia eo piceneta, eo sont de grand valor;
la zente, quand eo sont nadha, me quere per grand amor.
Quant a la mia persona, ben sont olent e neta;
sont bona e so de bon, anc sia eo piceneta;
15 eo sont la flor premera ke pairo sor l'erbeta;
no è flor gratïoso sover la vïoleta».
«No sai que tu te dighi», zo dise la rosorina,
«no è flor k'abia honor sor la rosa marina.
In i orti e in li verzerii eo nasco fò dra spina,
20 olta da terra, e guardo inverse la corte divina.
Ma tu sì nasci in le rive, tu nasci entri fossai,
tu nasci aprovo la terra, in losi dexvïai,
tugi li villan te bràncoran e no va dexnusai,
e fi' metudha sot pei per rive e per fossai».
25 Responde la vïoleta: «Eo sont tuta amorevre,

Per il metro cfr. la nota al passo precedente.

1-4. vïora: viola. **resona**: ragiona. **plu**: più. **lox**: lode (latino *laus*, poi *los*).
6. anc... piceneta: anche se sono piccolina. Il diminutivo del verso precedente, ribadito da questo, mostra già la propensione del poeta verso l'umile violetta, profumata e graziosa, gentile annunciatrice di primavera, il cui profumo è simbolo della preghiera a Dio e dell'amore per lui che emanano da un'anima veramente umile nel senso francescano.
7. «in un'arca (noi diremmo in una cassaforte) piccola può stare un grande tesoro».
8. persona: la violetta è vista come una fanciulla. **olent e neta**: odorosa e linda.
9-10. «Ancora, sebbene tu sia più grande di me, io sono più di te per il numero». Vuol dire, cioè, che le viole sbocciano in numero maggiore che non le rose.
12. me quere... amor: mi cerca (latino *quaerit*) con grande amore, per il grande amore che mi porta.
14. so de bon: ho un buon profumo. **anc sia eo**: sebbene io sia.
15-16. «sono il primo fiore che appare sull'erbetta, non vi è fiore più gentile della violetta».
17. la rosorina: la rosa. È anch'esso un vezzeggiativo.
18. «Non vi è fiore più degno d'onore della rosa»: **rosa marina** è forse una varietà di rosa.
19-20. «Negli orti e nei giardini io nasco uscendo fuori dalla spina, alta sopra la terra e guardo verso il cielo». Bello lo slancio del fiore dallo stelo spinoso alla libera luce del cielo. Da notare che Bonvesin, se ama la violetta, non intende spregiare la rosa; questa, come ogni creatura di Dio, ha un senso, una bontà, un significato. Solo che la viola può simboleggiare più pienamente l'intima sostanza della vita cristiana.
21-24. «Ma tu nasci sulle ripe, entro i fossati, vicino alla terra in luoghi fuori mano, tutti i villani ti maneggiano senza riguardo, senza neppure odorarti e tu sei messa sotto i piedi per ripe e fossi».
25-28. «La viola risponde: io son tutta amorevole e a tutti mi dono, sono liberale e caritatevole. Di me può gioire ognuno a cui io piaccio (cioè: non mi rifiuto a lui); perciò sono più degna, più umile e di maggior valore». Proseguendo Bonvesin sviluppa i temi qui esposti della carità e dell'umiltà.

eo sont comuna a tugi e larga e caritevre.
De mi golza omihomo a ki eo sont placevre;
de zo sont eo plu degna, plu humel, plu vaievre».

b) *il giudizio del giglio*

Quand have inteso lo lilio, k'è flor de castitae,
savïament alega, digando la veritae:
«Ben è», dise quel, «la rosa grand flor e de grand beltae,
olent e gratïosa e de grand utilitae.
5 Ma compensando tute cosse segondo la veritae,
la vïoleta olente è de maior bontae,
plu virtüosa et utile, de plu grand dignitae;
ancor sì significa ke'n ven lo tempo dra stae.
Ella conforta i omini, quam tost ella è apparia;
10 in tre virtù soprane legalmente è compìa:
ella ha in si larg[h]eza, ke ven da cortesia,
e gra[nd] humilitae e castità polia.
Ella non è avara, vana ni orgoiosa,
perzò do tal sententia, k'ella è plu virtüosa;
15 compensando tute cosse, ella è plu dignitosa;
zo digo salvando l'onor dra rosa specïosa».
El ha dato la venzudha a la vïora olente
perzò k'ella è plu utile, guardando comunamente;
compensando tute cosse, plu degna e plu placente,
20 e ke maior conforto significa a tuta zente.
El ha dao la perdudha a la rosa marina,
ké computando tute cosse ella non è sì fina.
La rosa per vergonza la söa testa agina,
e gramamente a casa sì torna sor la spina.
25 La vïoleta bella, la vïoleta pura
alegra e confortosa se 'n va co la venzudha.
Ki vol esse cum' vïora e trà vita segura,
sïa comun et humel et habia vita pura.
Quel è sí com' vïora lo qual no vol mete cura
30 d'orgoio ni d'avaritia ni dra carnal sozura.
Ki pregherà l'Altissimo e la Regina pura
per mi fra Bonvesin, habia bona ventura.

Siamo alla conclusione del lungo e acceso dibattito: al giglio spetta la gran sentenza, forse perché il suo carattere di simbolo della castità garantisce la sua rettitudine nel giudicare. In questo passo agli interessi moralistici si mescola un interesse di rappresentazione poetica agile e vivida. I fiori non sono allegorie astratte, ma personaggi (osserva ad es. l'atteggiamento della rosa nei vv. 23-24). Come avverrà con ben altra intensità in Dante, Bonvesin si lascia di tanto in tanto afferrare dal gioco della sua fantasia, simboli e immagini tendono a vivere la loro vita poetica, sebbene siano sorti da un'esigenza morale e pratica.

2. alega: argomenta. **digando**: dicendo.
5. compensando: il vocabolo, derivato dal latino, ha in sé l'idea del «pesare»; quindi: considerato, soppesato il pro e il contro, secondo la verità.
8. «è lei che ci annuncia che viene il tempo della primavera».
9-12. quam tost: non appena. **legalmente è compìa**: possiede compiutamente e nel debito modo tre virtù sovrane: *liberalità*, che è l'espressione prima della cortesia, *umiltà* e *castità*, secondo l'ideale ascetico di Bonvesin.
15-16. Il giglio, cavallerescamente, si preoccupa di salvar l'onore della sconfitta, cioè della rosa bella (**specïosa**) che non è del tutto immune dai vizi elencati al v. 13.
17. El ha dato la venzudha: ha dato la vittoria.
18. comunamente: nell'insieme.
20. «porta a tutti maggior gioia e conforto».
22. fina: nobile, eletta.
23-24. «La rosa per vergogna china il capo e triste e avvilita torna a casa, sul suo ramo spinoso».
27-28. cum': come. **trà**: condurre. **comun**: caritatevole verso tutti.
29-32. mete cura: curarsi di. **dra**: della.

Giacomino da Verona

Di lui sappiamo soltanto che visse nella seconda metà del Duecento e fu frate francescano. Come Bonvesin da la Riva trattò il tema della rappresentazione dell'oltretomba, con realismo robusto, d'intonazione popolareggiante.

Sicuramente suo, fra altre opere di dubbia attribuzione, è un poemetto diviso in due parti: *De Jerusalem celesti et de pulchritudine eius et beatitudine et gaudia sanctorum (= La Gerusalemme celeste* — cioè il paradiso — *la sua bellezza e le gioie dei santi)* e *De Babilonia civitate infernali et eius turpitudine et quantis penis peccatores puniantur incessanter (La città infernale di Babilonia e la sua turpitudine e da quante pene siano incessantemente puniti i peccatori).* Giacomino s'ispira ai testi sacri, soprattutto all'Apocalisse. Anche i nomi Gerusalemme e Babilonia, assegnati rispettivamente al paradiso e all'inferno, denotano la corrente interpretazione simbolica dei testi sacri, secondo la quale questo mondo e la sua storia, soprattutto quella affidata alla Bibbia e ai Vangeli, sono «figura», o presentimento, dell'altro mondo, dell'eternità.

Con questa tendenza all'idealizzazione e all'astrazione coesiste, come in gran parte della letteratura medioevale, un senso corpulento della realtà che non rifugge dal triviale, dal buffonesco (lo abbiamo visto anche in Jacopone), dal grottesco. La descrizione dell'inferno ha lati terribili ma soprattutto comici: sarabande di diavoli, bastonature del dannato, che, inoltre, vien messo nella pentola e trattato come un complicato manicaretto. Né la descrizione del paradiso, ovviamente contraria, ha carattere più elevato.

Questo, indubbiamente, deriva dal bisogno di porre, dinanzi all'animo dell'ascoltatore popolare, immagini che s'imprimano e restino nella memoria, per la loro concretezza.

Per il testo seguiamo: R. Broggini in *Poeti del Duecento*, cit.

La città celeste

Ancora ve dirò ke diso la scritura
k'entro quella cità no luso sol né luna,
mai lo volto de Deo e l'alta Soa figura
là resplendo tanto ke lì non è mesura.
5 La clarità è tanta k'elo reten en si,
ke noito no ge ven, mo sempro ge sta dì:
né nuvolo né nebla, segundo ke fa qui,
zamai no pò oscurar la clarità de lì.
Le aque e le fontane ke cór per la cità
10 plu è belle d'arçent e ke n'è or colà:
per fermo l'abïai: quelor ke ne bevrà
çamai no à morir, né seo plui no avrà.
Ancora: per meço un bel flumo ge cór,
lo qual è circundao de molto gran verdor,
15 d'albori e de çigi e d'altre belle flor,
de rose e de vïole, ke rendo grando odor.
Clare è le soe unde plui de lo sol lucento,
menando margarite [e]d or fin ed arçento,
e prëe precïose sempromai tuto 'l tempo,
20 someiente a stelle k'è poste êl fermamento.
De le quale çascauna sì à tanta vertù
k'ele fa retornar l'om veclo en çoventù,
e l'omo k'è mil'agnoi êl monumento çasù
a lo so tocamento viv e san leva su.
25 Ancora: li fruiti de li albori e de li prai
li quali da pe' del flumo per la riva è plantai,
a lo so gustamento se sana li amalai;
e plu è dulçi ke mel né altra consa mai.
D'oro e d'arïento è le foie e li fusti
30 de li albori ke porta quisti sì dulçi fruiti,
floriscando en l'ano doxo vexende tuti,
né mai no perdo foia né no deventa suçi.
Çascaun per si è tanto redolento
ke millo meia e plu lo so odor se sento,
35 dondo la cità, tuta, de fora e dentro,
par che sïa plena de cendamo e de mento.
Kalandrie e risignoli et altri begi oxegi
çorno e noito canta sovra quigi arborselli,
façando lì versi plu precïosi e begi
40 ke no fa vïole, rote né celamelli.
Lasù è sempro virdi li broli e li verçer
en li quali se deporta li sancti cavaler,
li quali no à mai cura né lagno né penser
se no de benedir lo Creator del cel;
45 lo qualo è 'n meço lor, sì se' su un tron reondo,
e li angeli e li santi tuti Ge sta de longo,

Metro: quartine monorime di alessandrini.

1-4. diso: dice. **luso**: luce, risplende. **mai:** ma. **là resplendo... mesura**: risplendono, là nel paradiso, di uno splendore tale che non può essere commisurato agli splendori che noi uomini possiamo percepire.
5-8. clarità: splendore. **k'elo... en si**: che si accoglie nella figura di Dio.
6. «che non viene mai notte, ma sempre è giorno». **qui**: in terra. **zamai**: giammai.
10. «sono più belle dell'argento e di quel che non sia l'oro colato».
11-12. «Tenete ciò per fermo: colui che berrà la loro acqua non morrà mai e non avrà più sete». Chiara allusione al dialogo del Vangelo fra Cristo e la donna samaritana. Naturalmente, l'acqua simboleggia la verità e la grazia.
13-16. per meço... ge cór: per mezzo... vi corre. **verdor**: verzieri, giardini. **çigi**: gigli. **rendo**: rendono.
17-20. «le acque del fiume trasportano sempre, nel loro fluire, perle, oro, argento e pietre preziose, pietre che assomigliano alle stelle che sono situate nel firmamento».
21-24. «Ciascuna delle quali ha tanta virtù che fa ritornare l'uomo vecchio in gioventù, e l'uomo che è giaciuto (**çasù**) mille anni nel sepolcro (**monumento**) appena tocca quelle pietre si leva su, vivo e sano». Fra le immagini fantasiose e adatte alla sensibilità del suo uditorio, Giacomino viene spiegando pienamente certi motivi del dogma; la fiumana di luce è la grazia santificante, la resurrezione dell'uomo si accompagna, secondo il dogma, a un perfezionamento del corpo.
25-28. fruiti: frutti. **da pe' del flumo... plantai**: i quali sono piantati sulla riva vicinissimi all'acqua corrente. **a lo so gustamento**: è un anacoluto. Dovresti costruire: gustando i frutti... che sono piantati ecc., gli ammalati si risanano. **consa**: cosa.
31-32. «i quali fioriscono (qui il gerundio ha la funzione del participio presente, come spesso, nell'italiano antico) tutti dodici volte l'anno». **suçi:** sfatti, inariditi.
33-36. redolento: profumato. **ke millo meia... sento**: che il suo profumo s'avverte a mille miglia e più di distanza. **dondo:** e per questo. **cendamo... mento**: cannella e menta.
37-40. Kalandrie: calandre. **risignoli**: usignuoli. **çorno e noito**: giorno e notte. **quigi**: quegli arboscelli. **rote... celamelli**: violini e zampogne.
41-43. «Lassù son sempre verdi giardini e verzieri». **se deporta**: vanno per diporto. **lagno:** ragione di lamento.
45-48. «Il quale è in mezzo a loro e sta seduto su un trono rotondo e tutti gli angeli e i santi gli stanno lontani, cantando con lodi dì e notte il suo nome mirabile (e cioè

laudando dì e noto lo So amirabel nomo
per lo qual se sosten la çent en questo mondo. [...]
Lì fa tante alegreçe queste çente bïae
50 de canti e de favele, le quale e' v'ò cuitae,
k'el par ke tuto 'l celo e l'aere e le contrae
sia plene de strumenti cun vox melodïae.
Ké le soe boche mai per nexun tempo cessa
de laudar la sancta Trinità, vera maiesta,
55 cantando çascaun ad alta vox de testa:
«*Sanctus Sanctus Sanctus*», façando grande festa.

la sua potenza) per mezzo della quale sono venuti in vita gli uomini in questo mondo».

49. queste... bïae: queste genti beate. Sono patriarchi, profeti, vergini, martiri ecc. enumerati da Giacomino in sei quartine che abbiamo saltato per ragioni di spazio e che servono a distendere e orchestrare quel ritmo di canto che balena nelle immagini di fiori e giardini, e si conclude nel *Sanctus* finale.
50-52. de canti e de favele: esprimono la loro allegria con canti e parole che il poeta ha raccontato. **contrae**: contrade della mistica Gerusalemme. **cun vox melodïae**: con voce melodiosa come quella del canto a più voci.
54-56. maiesta: maestà. **alta vox** (*voce*) **de testa:** vuole alludere a un canto col registro costante sull'acuto, per esprimere la folgorante gioia dei beati.

Sarabanda infernale

Lo fogo è sì grando, la flama e la calura,
k' el no se pò cuitar né leçros' en scriptura;
nuio splendor el rendo, tal è la soa natura,
mo negro e puçolento e plen d'ogna soçura.
5 E sì com'è nïento a questo teren fogo
quel k'è depento en carta né 'n mur né 'n altro logo,
così seravo questo s'el a quel fos aprovo,
de lo qual Deo ne guardo k'el no ne possa nosro.
E sì com' entro l'aigua se noriso li pissi,
10 così fa en quel fogo li vermi malëiti,
ke a li peccaori ke fi là dentro missi
manja i ocli e la bocca, le coxe e li gariti.
Lì crïa li dïavoli tuti a summa testa:
«Astiça astiça fogo, dolenti ki n'aspeta!»
15 Mo ben dovì saver en que mo' se deleta
lo miser peccaor ch'atendo cotal festa.
L'un dïavolo cria, l'altro ge respondo,
l'altro bato ferro e l'altro cola bronço,
et altri astiça fogo et altri corro entorno
20 per dar al peccator rea noito e reo çorno.
E a le fin de dreo sì enso un gran vilan
del profundo d'abisso, compagnon de Sathan,
de trenta passa longo, con un baston en man
per beneïr scarsella al falso cristïan,
25 digando ad alta vox: «Ogn'om corra al guaagno,
k'el no porta mo 'l tempo k'algun de nui stea endarno;
e ki no g'à vegniro, segur sea del malanno,
no se'n dea meraveia s'el n'à caçir en danno».
Tuti li dïavoli respondo: «Sïa, sia,
30 quest'è bona novella, pur k'ella tosto fia.
Tu andarai enançi per esro nostra guia;
mal aia la persona ke g'à far coardia!»
Pur de li gran dïavoli tanti ne corro en plaça
(ké quigi da meça man no par ke se g'afaça),

Metro: quartine monorime di alessandrini.

Nella descrizione dell'inferno di Giacomino è forse questo il passo più colorito e animato. Il gran corale dei diavoli, la furia con cui si gettano sul peccatore, la loro agitazione senza respiro, danno l'impressione di una danza macabra velocissima e selvaggia. Certo abbiamo una visione più esterna, che non intima, dell'inferno, il tormento è fisico, non spirituale. La fantasia insiste, infatti, su toni grotteschi, di animalità repellente, per far leva sull'immaginario popolare.

1-2. «fuoco, fiamma, calore sono così grandi che non si possono raccontare né leggersi in Scritture (in un libro)». È il fuoco dell'Inferno.
3-4. Subito dopo a questa fiamma immane si aggiunge un nuovo tono d'orrore: è una fiamma nera e cupa, che non illumina; e infine, la nota triviale: è un fuoco puzzolente, pieno d'ogni sozzura.
5-8. «E come, nei confronti del nostro fuoco terreno è nulla (quanto ad ardore) un fuoco dipinto in una carta, in un muro o in altro luogo, così il fuoco terreno sarebbe (nulla) se fosse avvicinato (paragonato) a quello infernale; ci guardi Dio da quest'ultimo, che non ci possa nuocere».
9-12. Un nuovo particolare, in questo museo degli orrori: fra le sozzure che stanno nel fuoco vi sono vermi maledetti (come vi sono i pesci nell'acqua) che mangiano ai peccatori occhi e bocca, cosce e garetti.
13-14. Lì gridano i diavoli tutti con il tono di voce più alto: «Attizza, attizza il fuoco! guai a chi ci attende (ai dannati)!». Sul paesaggio inesorabile e muto questo grido dei diavoli in coro segna l'inizio di una scena vertiginosa e scatenata. I versi 15 e 16 («ora dovete sapere in che modo si diletta il misero peccatore che attende cotal festa») rallentano per un istante il ritmo, ma determinano un senso d'attesa, di sospensione, dopo il quale ancor più violento sembrerà l'agitarsi infernale.
17-20. ge respondo: gli risponde. **bato ferro**: batte il ferro. **cola bronço**: liquefa rame e stagno e ne fa bronzo. **rea noito... çorno**: cattiva notte e cattivo giorno. I diavoli preparano affannosamente le armi per seviziare il dannato.
21-24. «E quindi alla fine se ne esce fuori un gran villano», mostruoso (alto trenta passi). **per beneïr** ecc.: per benedir la saccoccia al falso cristiano (cioè per suonargliele: modo di dire plebeo).
25-28. digando... danno: dicendo ad alta voce: «Ognuno corra al guadagno (cioè alla gioia di potere straziare il peccatore), poiché non è ora il tempo che alcuno se ne stia invano, inoperoso, e chi non ci verrà sia pur sicuro di una perdita irreparabile: non si meravigli se cadrà nel danno».
29-31. Il *sia sia* impaziente dei diavoli e le altre parole sono di sicuro effetto; è un coro che fa venire alla mente i cori di «canzonacce» dei *monatti* del Manzoni. **pur k'ella tosto fia**: Ottima notizia, quella di aver qualcuno da straziare, ma purché avvenga subito. **enançi... guia** ecc.: tu andrai avanti per essere nostra guida. Sia maledetto chi sarà codardo!
33-34. Solo i diavoli grandi corrono in piazza così numerosi, poiché quelli di me-

35 crïando çascaun: «Amaça, amaça, amaça!
Çà no ge pò scampar quel fel lar falsa-capa».
Altri prendo baìli, altri prendo rastegi,
altri stiçon de fogo, altri lançe e cortegi,
no fa-gi força en scui né 'n elmi né 'n capegi,
40 pur k'i aba manare, çape, forke e martegi.
Tant'è-gi crudeli e de malfar usai,
ke l'un n'aspeta l'altro de quigi malfaai:
ki enançi ge pò esro, quigi è li plu bïai,
corando como cani k'a la caça è afaitai.
45 Mo' ben pensa'l cativo k'el volo ensir de çogo,
quand el tanti dïavoli se vé corir da provo,
ke un per meraveia no ne roman en logo,
ke no ge corra dre' crïando: «Fogo, fogo».

dia statura non pare che siano convenienti per quell'opera.
35-36. Amaça... falsa-capa: «Uccidi... ché non ci può scappare quel ladro (**lar**) fellone e ipocrita».
37-38. baìli: badili. **rastegi**: rastrelli. **stiçon**: attizzatoi. **lançe**: uncini.
39-40. «Non ricorrono già a scudi, elmi, elmetti (**capegi**); basta a loro avere in mano zappe, forche, martelli».
41-44. «Tanto sono crudeli e abituati a fare il male, quei delinquenti (**malfaai**), che l'uno non aspetta l'altro; coloro che possono essere (**esro**) più avanti, quelli sono i più beati. E corrono come cani che sono abituati alla caccia».
45-48. cativo: misero. **k'el volo** ecc.: che vorrebbe uscire da quel tragico giuoco. **se vé... provo**: che non ne rimane fermo uno, neppure per miracolo. Ma tutti gli corrono dietro urlando che lo vogliono mettere nel fuoco. Il poemetto prosegue descrivendo, sempre con colori cupi, lo strazio che viene fatto del peccatore; i dannati che maledicono se stessi, il giorno che son nati; segue poi un duro colloquio fra padre e figlio che si maledicono a vicenda e infine l'esortazione a vivere nella grazia di Dio per evitare quelle crudelissime pene.

Letture critiche

Lo stile di Jacopone

La poesia di Jacopone è tutta dominata da interessi e problemi psicologici: lo attesta il linguaggio spesso assai ricco di termini astratti, di natura appunto psicologica e riferentisi alla vita dello spirito, e povero invece di termini concreti e riguardanti le cose materiali. Certe espressioni hanno un significato pregnante, nascono da un complesso lavorìo interno e ne sono il segno e il risultato. Un linguaggio cosiffatto è quello di uno spirito librato in un'atmosfera rarefatta, preoccupato del problema della propria perfezione, continuamente tendente verso l'alto e insieme attento ai propri movimenti, non in modo riflesso e non con l'interesse distaccato e prevalentemente estetico dello psicologo moderno, ma con un senso vigile, direi quasi esasperato, della responsabilità morale che accompagna quei movimenti. Ciò risulta evidente dal comparire di termini e frasi di una concretezza talvolta brutale: sono espressioni di dispregio per sé medesimo o di aborrimento per il peccato («Tutta puza che nel mondo Fusse... Si seria moscato ed ambra Po' 'l fetor deglie peccata»): che rivelano quale acuto senso Jacopone abbia del contrasto tra la perfezione a cui aspira e la realtà della sua vita e del mondo. Il termine energico, grossolano, plebeo è cercato con l'evidente scopo di dar forza all'espressione, e ciò accade sopra tutto nella prima sezione del laudario iacoponico, che contiene riflessioni sul peccato, sulla vanità delle cose terrene, sulla morte. Nell'insistenza sul tono violento e sui termini spregiativi si coglie l'odio e direi quasi il rancore contro il mondo e le sue brutture (e non importa che l'argomento sia quello tradizionale della miseria della vita umana, ecc.). A volte, per esempio, nello sviluppo dato al tema, pure tradizionale, della contemplazione della morte, il particolare orrendo è rivelato con grossolana ironia e sono usate espressioni di immediata efficacia rappresentativa.

Il desiderio di mettere in evidenza il lato vergognoso od orribile, sia materialmente, sia moralmente, crea immagini e paragoni rapidi e inaspettati.

Il senso dei contrasti fra la realtà e l'ideale morale, e l'atteggiamento di lotta contro il male si traduce anche in una tendenza drammatica, che continuamente crea dialoghi e dibattiti, fra il peccatore e la Vergine, fra l'anima e il corpo, fra i cinque sensi e così via. Anche nei componimenti inizialmente lirici interviene talvolta un interlocutore, un oppositore, che solleva obbiezioni, quasi portavoce di una coscienza attenta, guardinga, sospettosa. Sentimenti, facoltà, concetti astratti si configurano concretamente in personificazioni, presentate pittorescamente di scorcio, con efficace brevità.

Il movimento drammatico è accresciuto dalle frequenti apostrofi spesso unite all'esclamazione, che non sono un espediente retorico, a cui Jacopone ricorra con coscienza riflessa di artista, ma il frutto di un atteggiamento spontaneo della sua fantasia, che continuamente crea di fronte a sé figure concrete da esortare e persuadere, o con cui discutere o combattere.

Il senso del contrasto morale atteggia tutto per antitesi e contraddizioni, che sono così accostamenti di espressioni contrastanti per tono, come di termini di significato contrario.

La stessa sintassi iacoponica, che costituisce indubbiamente una delle maggiori difficoltà del testo, è prova di una psicologia inquieta e combattuta: la prevalenza della coordinazione asindetica sulla subordinazione, che dà un andamento spezzato all'espressione, e i cambiamenti di costruzione denunciano la continua reazione morale del poeta di fronte al suo oggetto: è mescolato sempre alla visione un giudizio che modifica e altera l'espressione; biasimo, indignazione, disprezzo sono palesi nello stesso atteggiarsi della frase.

Un fattore morale entra anche nell'atteggiamento di Jacopone di fronte alla propria cultura. Poeta indubbiamente colto ed esperto della tecnica poetica, possiede lo strumento necessario per esprimere le riposte esperienze del suo spirito, per cercare nella tradizione, in un ritorno volontario su tali esperienze, la sistemazione razionale di ciò che ha provato, per tentare la esposizione dei dogmi della fede. Come uomo del medioevo, apprezza la dottrina, ma solo in quanto sia rivolta a fini morali e pratici; la cultura che abbia valore soltanto umano e terreno gli sembra, come ad altri Spirituali, colpevole e peccaminosa ed egli va oltre gli uomini del suo tempo, non per quello che è espresso, ma per quello che è sottinteso nel suo atteggiamento: perché non ricerca neppure la bella veste, che, adornando la dottrina, la renda accetta. Donde, di fronte agli schemi elaborati di certi suoi componimenti, alle forme culte delle rime che ricalcano tipi latini (*semina: femina: crimina, omnia; virginia: solia*), alle espressioni latineggianti di passi di contenuto teologico o elevate e astratte delle laudi mistiche, alle reminiscenze e citazioni bibliche dei passi di tono solenne, o di contenuto apocalittico e profetico, ecco certe sprezzature del linguaggio, certi atteggiamenti giullareschi, gli schemi semplicissimi di certe laudi e in generale le forme grossolane e volgari già accennate, che dicono, a chi studi Jacopone da un punto di vista stilistico, la stessa cosa che talune affermazioni esplicite di disprezzo per la cultura. Il suono aspro e spezzato dei versi iacoponici denuncia la noncuranza ed anche l'ostilità per la bella forma, che è inutile e colpevole ornamento, perché a più profonde e importanti cose si devono rivolgere tutte le forze dell'uomo. L'accusa di rozzezza spesso fatta a Jacopone ha forse la sua radice più che altro nella constatazione di tale asprezza di forma, in parte voluta, in parte ottenuta inconsciamente [...].

La mancanza di misura, sia nel senso dell'equilibrio della composizione, sia in quello della calma e limpidezza della espressione, l'eccesso del sentimento non domato e purificato, sono difetti essenziali di Jacopone, che appunto per essi è stato più volte condannato come poeta mancato, senza tuttavia che vengano meno l'interessamento, che suscita la sua singolare personalità, e il valore reale, che l'espressione, sia pure difettosa e incompleta di essa, possiede. Hanno la stessa origine profonda gli aspetti diversi ed opposti che la poesia iacoponica presenta, e proprio per questo compenetrarsi di pregi e difetti essa lascia perplessi ed incerti ed è così diversamente valutata: la ridondanza è qualità insieme negativa e positiva, segno cioè di equilibrio artistico non raggiunto, di mancanza di disciplina formale, e nello stesso tempo di una ricchezza sentimentale rara. La violenza dell'espressione, tolta al linguaggio amoroso profano, ma con una libertà e crudezza ed anche sincerità passionale singolari, è un fenomeno che, pur ripetendosi in tutti i mistici, assume in ciascuno qualche carattere speciale. In Jacopone l'impeto prevale sul languore proprio di diversi temperamenti. Col linguaggio carnale e acceso di certe laudi («De me tutto desfatto Or son per amor forte: Rotte si son le porte E giaccio teco, amore... Amor, amore che sì m'hai ferito») siamo già nel campo della metafora, che è un mezzo, in questo caso, per esprimere l'inesprimibile. Questa trasposizione rende più necessario per Jacopone che per altri poeti che il lettore possieda penetrazione e finezza; per cogliere, al di là dell'espressione materiale, il sentimento complicato, che pur vi palpita.

Franca Ageno

(Da Jacopone da Todi, *Laudi, Trattato e Detti*, a c. di F. Ageno, Firenze, Le Monnier, 1953, introduz., pp. XIII sgg.).

Letteratura didattica padana

Fioriva ancora in pieno Duecento la pataria, movimento sorto a Milano nella seconda metà del secolo precedente, legato agli inizi coi valdesi e con l'ordine degli «umiliati» (onde la corrente dei «poveri lombardi»). I patarini si opponevano da una parte ai nicolaiti (setta anarchica che sopravvisse, accentuando i rischi d'immoralità insiti nella sua stessa natura nichilistica, fino ai tempi di san Bernardino da Siena) e dall'altra alla simonia dilagante fra il clero. Ma soprattutto convogliavano una forte spinta democratica e proletaria (il *Lumpenproletariat* dei *patee*, «robivecchi» o «straccioni») volta ad affrancare le plebi dalla corruzione dei potentati, e cioè (in concreto) a ridurre l'autonomia della Chiesa ambrosiana e della grande feudalità milanese. Essi avevano collaborato, in tal modo, alla formazione dei Comuni e al rinnovamento della Chiesa, giovandosi dell'apporto dei loro migliori esponenti, protagonisti delle lotte popolari, Anselmo da Baggio, Landolfo Cotta e Arialdo da Carimate. Tra la fine del XII e gli inizi del XIII secolo si confusero coi càtari (vera e propria reviviscenza dell'antica eresia manichea), che dal loro principale centro di diffusione, Alby in Provenza, desunsero il nome di albigesi; e divennero sinonimo di «eretici» o addirittura — fra le classi più conservatrici — di «furfanti».

Accanto ai fermenti sfociati nelle lotte fra Comuni e Impero e da esse alimentati, con il parallelo instaurarsi di nuovi rapporti economici e sociali e il progressivo abbandono dell'economia e della società feudale, non è certo possibile negare il peso e la spinta dei movimenti ereticali che tra il secolo XII e il XIV rappresentarono l'elemento più avanzato di rottura rispetto alle grandi forze della conservazione. Impero e Papato, ideologia comunale e ideologie ereticali sono dunque alla base del nuovo indirizzo di cultura che si manifesta nell'Italia settentrionale. Ma i rapporti concreti fra le singole eresie (ben diciassette) e i nostri scrittori lombardo-veneti non possono essere esasperati fittiziamente, anche se alla spinta dei ceti popolari, nella maggior parte artigiani, si deve senza dubbio il risorgere di un robusto sentimento religioso alimentato da ideali evangelici e la diffidenza e la polemica contro la cultura chiericale, fondata sul latino. Onde l'opposizione all'autorità ecclesiastica, troppo compromessa con interessi mondani, e insieme la fiducia nei nuovi idiomi coi quali si recuperassero alla coscienza popolare i testi scritturali e il desiderio di farsi protagonisti e non passivi ricettori della fede e del culto, e di approdare ai porti di una cultura pratica o funzionale.

Certamente suggestionati dai moti ereticali, gli scrittori moralistici e religiosi del Nord-Italia non volevano farsene portavoci diretti, ripetitori insomma di singole proposizioni eterodosse. Intendevano piuttosto interpretare le nuove e diffuse esigenze spirituali, far convergere in un generale tono gnomico affermazioni, miti, credenze, istinti, favole del tempo, nel loro continuo e indefinito oscillare e mescolarsi, in mancanza di un qualsiasi punto fermo di riferimento ad un'ancora e per lungo tempo inesistente opinione pubblica. Resta invece fermo (e si ricollega sia a questa matrice sia soprattutto alla coscienza di una realtà comunale) il carattere laico di tale letteratura, pur materiata di assidui fermenti e problemi religiosi. E questa laicità conserva intatto il suo sapore, anche sfociando e perdendosi in un mare di *auctoritates* bibliche e liturgiche. Vi confluiva insieme un'energica componente «razionalistica», che s'alimentava dei violenti contrasti della vita comunale e dei dissidi fra l'ortodossia e la vivacità ereticale. Di qui un'inalienabile esigenza di veder chiaro; e pertanto il moralismo didascalico trasferiva sul piano dei Novissimi — coi riflessi di un'insistente sentenziosità quotidiana — una corpulenza psicologica e una tensione visiva fatta di truculente opposizioni, fra la vanità e lo squallore della vita umana e l'eterna promessa celeste, fra l'idillio fiabesco del paradiso come giardino di delizie terrene e il grottesco paesaggio infernale, ove le sanguigne immagini di un tempo feroce s'esaltavano allo spasimo. Tale giovanile laicismo e l'incipiente razionalismo sembrano dunque riflettere l'insurrezione popolare che fermentava sotto il travaglio comunale e i movimenti eterodossi. Era in atto il tentativo di sottrarre ai chierici e alla nobiltà il monopolio della cultura e di ricondurre la fede ai suoi presupposti evangelici e popolari, dalla trascendenza alla concretezza, spogliandola di tutto l'orpello irrazionale che ne faceva un elemento d'oppressione, anzi il principale avallo del conservatorismo e degli interessi delle classi dominanti [...].

Così, ricondotto il ruolo letterario dei moralisti e didattici del Nord alla più generica matrice comunale, sarà agevole intendere la mancanza di spunti d'autentica novità culturale nei lombardi: dal caso limite del Barsegapè, il più insipido di tutti, ai meno scarsi d'umori, Pateg o l'Anonimo genovese, e ai solidi e architettonici Uguccione e Giacomino; fino al maggiore, Bonvesin, che per il suo ingegno poetico si distacca tra i cosiddetti «precursori» di Dante. Ma di là da ogni anacronistica illusione di isolare frammenti di bellezza, bisognerà inscriverli e limitarli tutti nel codice stilistico e linguistico del tempo. Il loro valore resta esclusivamente quello d'una testimonianza di cultura provinciale, che non giunge neppure alla formazione d'una *koinè* veneto-lombarda, cioè di un volgare illustre alto-italiano [...].

Si coglie così senza difficoltà la differenza essenziale fra la nascita di una letteratura volgare nell'alta Italia e quella che si ebbe invece in Sicilia, qualche decennio avanti, come riflesso spirituale ed esigenza pratica dell'ambiente che la esprimeva. La tendenza a conseguire un'unità espressiva, un codice comune, nel volgare illustre (con materiali apparentemente inconciliabili come il latino, il provenzale e il dialetto) era anche e soprattutto una traduzione letteraria e culturale del tentativo di conseguire un'unità politica, ideologica e sociale perseguito da Federico II sulle *disiecta membra* del regno di Sicilia. L'esigenza unitaria e la volontà costruttiva della «Magna Curia» metteva al bando o emarginava ogni tendenza eterodossa e centrifuga, secondo la naturale evoluzione in senso centripeto e livellatorio di ogni famiglia linguistica soggetta agli influssi di un grosso centro politico e burocratico o amministrativo. Invece una regione come la Padania, frammentata politicamente in molti centri autonomi e contrastanti, restava esclusa da un qualsiasi processo di conguagliamento, anche linguistico. E la tendenza unitaria vi si manifestava solo in occasione di grandi lotte che proponessero un obiettivo comune e vitale, come quello dell'affrancamento dalla pressione imperiale.

Emilio Pasquini

(Da *La letteratura didattica e la poesia popolare del Duecento*, Bari, Laterza, 1971, pp. 4-6, con tagli).

La poesia didascalica dell'Italia centrale

Caratteri generali

Nella seconda metà del Duecento c'è una cospicua fioritura, in Toscana, e, in genere, nell'Italia centrale, di poemetti di carattere didascalico, che appare connessa alle nuove prospettive della borghesia comunale nel momento in cui stabilisce la propria egemonia economica, sociale e politica. Il carattere nuovo di questa letteratura, accompagnata da una ricca fioritura di opere in prosa, consiste nel fatto che gli argomenti dottrinali sono svolti in lingua volgare e non più, secondo una tradizione plurisecolare, in latino, e che essa non è più rivolta ai *chierici*, ma ai *laici*, alla nuova aristocrazia borghese che domina il Comune e si viene ora accostando con entusiastico fervore ai grandi temi culturali del Medioevo: la scienza della natura, le verità della fede, la costituzione dell'uomo, i costumi e gli ideali cavallereschi. Come afferma il Petronio, questi uomini «che fino a ieri sono stati *laici*, cioè indotti, ora che hanno piegato la protervia dell'imperatore e dei suoi "gentili", ora che hanno preso nelle loro mani l'amministrazione del loro Comune [...] vogliono aprirsi anche alla cultura e alla scienza e vogliono possedere anch'essi quelle nozioni che fino a ieri erano state soltanto patrimonio di pochi».

Non si tratta di una cultura democratica e popolare nel senso che noi diamo oggi a questi aggettivi. Tipico dei poemetti didattico-allegorici toscani è l'inserire un corpo di dottrine in una coerente narrazione di carattere cavalleresco-allegorico, sull'esempio della letteratura «cortese» di Francia, un cui testo, il *Roman de la Rose*, ebbe in questo tempo larghissima diffusione. In ciò si rivela l'intenzione della nuova oligarchia borghese di distinguersi, da un lato, dal popolo minuto, dall'altro di imitare il costume cavalleresco della nobiltà, sia pure modificandolo secondo la propria sensibilità e i propri ideali. La poesia didascalica toscana appare, dunque, diversa da quella settentrionale, che è maggiormente legata a una problematica etico-religiosa più vicina alle masse popolari e meno preoccupata di conseguire raffinatezza di modi e di stile.

Opere come il *Tesoretto* di Brunetto Latini, il *Fiore* e l'*Intelligenza* rappresentano, con sfumature diverse, questa nuova prospettiva culturale. Il primo insiste soprattutto sulla tematica scientifica e sul nuovo concetto di nobiltà elaborato dalla borghesia del Comune; il secondo esprime la sensibilità realistica e naturalistica che è una delle componenti della cultura borghese; la terza si collega all'alta cultura scolastica e alla poesia in lingua d'oc, fiorita nelle corti.

La poesia didascalica toscana accetta l'allegorismo, l'enciclopedismo, l'organizzazione unitaria del sapere della tradizione medievale. Tuttavia esprime il lento affermarsi d'una nuova sensibilità, proprio perché si rivolge a una società in rapida trasformazione e si sforza di adeguare gli antichi ideali alle sue nuove e dinamiche esperienze.

Brunetto Latini

Brunetto Latini nacque a Firenze fra il 1210 e il 1220, compì gli studi di legge e fu notaio. Da numerosi documenti apprendiamo che partecipò attivamente alla vita politica della città, aderendo al partito guelfo. Nel 1260, alla vigilia della battaglia di Montaperti, il Comune lo mandò in Spagna a chiedere l'aiuto di Alfonso X, re di Castiglia, contro i ghibellini appoggiati da re Manfredi, ma la missione fallì. Durante il ritorno, Brunetto ebbe notizia della disfatta subita a Montaperti dai suoi concittadini e si stabilì allora in Francia, protetto da un ricco fiorentino, e quivi esercitò la professione notarile, ma si dedicò anche agli studi e alla composizione di quelle opere che dovevano assicurargli una grande fama: il *Favolello*, il *Tesoretto*, il *Tresor*. Ritornato a Firenze nel 1266, dopo la battaglia di Benevento e il trionfo definitivo dei guelfi, ricoprì importanti cariche pubbliche, fra le quali, nel 1287, quella di Priore. Morì nel 1294.

La sua personalità, più che dagli scarni documenti, emerge viva dal commosso ricordo di Dante, che, nel canto XV dell'*Inferno*, ne esalta la «cara e buona immagine paterna» e gli si mostra profondamente riconoscente per il suo alto magistero di umanità e di saggezza, dal quale afferma di avere appreso «come l'uom s'eterna». In questo episodio, anzi, Dante mette in bocca a Brunetto, pur condannandolo come peccatore contro natura, un nobile insegnamento di virtù e di moralità, uno dei più alti fra quelli che vengono proposti al poeta durante il suo viaggio oltremondano. Accanto alla testimonianza di Dante abbiamo quella di Giovanni Villani, che, nella sua *Cronica*, lo definisce «gran filosofo, gran maestro in rettorica... cominciatore e maestro in digrossare i Fiorentini e fargli scorti (*esperti*) in ben parlare e in saper guidare e reggere la nostra repubblica secondo la politica».

Che Brunetto abbia esercitato la professione di maestro è posto in dubbio dalla critica moderna; il suo effettivo magistero dovette essere quello esercitato mediante gli scritti e i colloqui quotidiani, o quelle dispute dei *filosofanti* (uomini dotti, di alta cultura) che Dante afferma di aver frequentato.

Fu quello di Brunetto un insegnamento enciclopedico e divulgativo, volto, cioè, a diffondere la conoscenza di tutto lo scibile fra le persone di media cultura, sull'esempio di opere scritte in Francia, quali la *Imago mundi* di Onorio di Autun e lo *Speculum maius* di Vincenzo di Beauvais. Ma l'aspetto più originale dell'opera di Brunetto è l'attenzione dominante rivolta alla politica, considerata (citiamo dalla versione duecentesca del *Tresor* attribuita a Bono Giamboni) «la più nobile e più alta scienza e il più nobile e più alto ufficio che sia in terra»; in essa trovano, per lui, il loro coronamento tutte le altre forme di dottrina. In questo egli rivela una partecipazione convinta alla civiltà comunale, che egli esalta, contrapponendo ai regimi monarchici, nei quali re e principi vendono i privilegi per danaro, senza tenere conto del merito dei cittadini e del bene comune, il reggimento politico dei Comuni italiani, dove «li cittadini e borghesi e le comunità di loro città eleggono loro podestà e loro signore tale come elli credono che sia più utile al comune pro' (= *vantaggio*) delle città». Brunetto fu dunque un intellettuale militante di quella borghesia cittadina e mercantile che stava rinnovando la struttura della società medioevale.

L'opera più celebre di Brunetto fu il *Tresor* o *Li livres dou Tresor*, un'enciclopedia che egli scrisse in prosa francese, considerando questo *volgare* più bello e di più larga diffusione dell'italiano. È diviso in tre libri; il primo tratta di Teologia, Fisica (nella quale rientrano storia, geografia e scienze naturali) e Matematica; il secondo di Etica, Economia (o governo della famiglia) e Politica; il terzo di Rettorica e ancora di Politica, ma nella forma concreta del buon governo del Comune, del galateo e del costume. L'insieme di tutte queste materie costituiva quella che veniva allora chiamata Filosofia, divisa in teoretica e pratica. Il *Tresor* non è opera originale, ma è una sistemazione, di carattere divulgativo, della cultura del tempo. Altra opera importante di Brunetto è la *Rettorica*, che riguarda la fondazione di uno stile oratorio in volgare italiano, esemplato sul modello del latino classico e ciceroniano. Cfr. p. 198.

In italiano sono scritte due opere poetiche di Brunetto, il *Favolello*, una lettera in versi sul tema dell'amicizia, e il *Tesoretto* (il titolo cui allude il testo è *Tesoro*; quello con cui viene ora citato fu assegnato subito dopo per distinguere l'opera dal *Tresor* francese), un poema didascalico di carattere anch'esso enciclopedico e scritto in forma allegorica. Il poeta immagina di avere avuto, durante il suo ritorno dalla Spagna, mentre era nella piana di Roncisvalle, la notizia della rotta di Montaperti e di essersi smarrito, in preda a tristi pensieri, in una selva. Qui egli scorge un'infinita turba di esseri (uomini, animali, piante) che compie il proprio ciclo vitale sotto la signoria di una Donna gigantesca, la Natura, che, interrogata da lui, gli rivela i caratteri della vita dell'universo, la creazione del mondo, degli angeli, dell'uomo e la costituzione fisiologica di questo. Subentra poi un'altra visione: Brunetto scorge imperatori, re, principi e dotti che vivono sotto il reggimento della Virtù e delle sue figlie (Prudenza, Giustizia, Fortezza, Temperanza) e di altre virtù, fra le quali Cortesia, Larghezza, Leanza (lealtà) e Prodezza, cioè le virtù cavalleresche, che spiegano a un cavaliere la concezione cortese della vita. Poi giunge nel regno del Dio d'Amore, dominato dal Piacere, dai pericoli del quale è liberato dal poeta latino Ovidio. Segue quindi una confessione generale del poeta, un'analisi dei sette vizi capitali, dopo di che Brunetto, ripreso il cammino, giunge sul monte Olimpo e comincia un dialogo col grande astronomo dell'antichità Tolomeo. A questo punto il poema resta interrotto.

Per i testi seguiamo: *Poeti del Duecento*, cit.

Brunetto nella gran selva

Questi versi sono l'inizio vero e proprio (dopo la dedica) del *Tesoretto*, in quanto presentano lo schema narrativo che ne costituirà il filo conduttore: nella selva, infatti, in cui a lungo s'aggira, Brunetto incontrerà la Natura, e di qui avrà inizio una serie di rappresentazioni allegoriche e dottrinali, che segnano le tappe successive del cammino verso la conoscenza.

L'esigenza di un'ambientazione fantastica, di una «storia», è comune alla letteratura allegorica e didascalica medioevale, a cominciare da quella scritta in latino, dai poemi, cioè, di Bernardo Silvestre o di Alano da Lilla. Si vennero anzi costituendo certe situazioni tipiche o luoghi comuni della fantasia, qual è questo dello smarrimento nella selva, tema proprio del romanzo cavalleresco, ma anche dei poemi in cui si parlava di visioni soprannaturali: la selva diviene il luogo misterioso e indefinito delle grandi avventure, anche di quelle dell'anima e tale la ritroviamo all'inizio della *Commedia* dantesca.

Questi versi di Brunetto devono avere esercitato una suggestione non trascurabile nell'animo e nella fantasia di Dante, non solo per il tema della selva, ma soprattutto per la passione politica che li pervade.

Lo Tesoro conenza.
Al tempo che Fiorenza
froria, e fece frutto,
sì ch'ell'era del tutto
5 la donna di Toscana
(ancora che lontana
ne fosse l'una parte,
rimossa in altra parte,
quella d'i ghibellini,
10 per guerra d'i vicini),
esso Comune saggio
mi fece suo messaggio
all'alto re di Spagna,
ch'or è re de la Magna
15 e la corona atende,
se Dio no· llil contende:
ché già sotto la luna
non si truova persona
che, per gentil legnaggio
20 né per altro barnaggio,
tanto degno ne fosse
com' esto re Nanfosse.
E io presi campagna
e andai in Ispagna
25 e feci l'ambasciata
che mi fue ordinata;
e poi sanza soggiorno
ripresi mio ritorno,
tanto che nel paese
30 di terra navarrese,
venendo per la calle
del pian di Runcisvalle,
incontrai uno scolaio
su 'n un muletto vaio,
35 che venia da Bologna,
e sanza dir menzogna
molt' era savio e prode:
ma lascio star le lode,
che sarebbono assai.
40 Io lo pur dimandai
novelle di Toscana
in dolce lingua e piana;
ed e' cortesemente
mi disse immantenente
45 che guelfi di Firenza
per mala provedenza
e per forza di guerra
eran fuor de la terra,

Metro: serie di settenari a rima baciata.

1. conenza: comincia.
3. froria: fioriva. Il fiorire e il far frutto di Firenze sono l'espandersi della sua rinomanza e potenza.
5. donna:: signora (dal latino *domina*). Evidente l'orgoglio del buon cittadino.
6-10. «Sebbene uno dei due partiti di Firenze, quello ghibellino, fosse stato allontanato da Firenze (**rimossa in altra parte**), allora in lotta coi vicini».
12. messaggio: messaggero, ambasciatore. Brunetto era stato mandato a chiedere aiuto al re Alfonso X di Castiglia contro re Manfredi, protettore dei ghibellini, poco prima della battaglia di Montaperti.
14. ch'or è re, ecc.: Alfonso era stato designato da alcuni elettori re dei Romani, cioè del Sacro Romano Impero, nel 1257.
16. no· llil: non gliela.
17. sotto la luna: a questo mondo.
19. gentil legnaggio: nobile stirpe.
20. barnaggio: (baronaggio) virtù cavalleresca.
22. Nanfosse: Alfonso (dalla forma provenzale *n'Anfos*; la *n* è particella onorifica, per *Dominus*, *Don*).
23. presi campagna: mi misi in viaggio.
27. sanza soggiorno: senza indugiare.
29. tanto che: finché.
31-32. per la calle ecc.: per il sentiero che conduce alla piana di Roncisvalle.
33. scolaio: studente.
34. vaio: baio.
40. Io... dimandai: gli chiesi.
41. novelle: notizie.
44. immantenente: subito.
46-50. «per imperizia politica (**mala provedenza**) ed essendo stati sconfitti in guerra, erano stati banditi dalla città (**terra**) e avevano subìto un grave danno (**dannaggio**) fra morti e prigionieri».

e 'l dannaggio era forte
50 di pregioni e di morte.
Ed io, ponendo cura,
tornai a la natura
ch'audivi dir che tene
ogn'om ch'al mondo vene:
55 nasce prim[er]amente
al padre e a' parenti,
e poi al suo Comuno;
ond'io non so nessuno
ch'io volesse vedere
60 la mia cittade avere
del tutto a la sua guisa,
né che fosse in divisa;
ma tutti per comune
tirassero una fune
65 di pace e di benfare,
ché già non può scampare
terra rotta di parte.
Certo lo cor mi parte
di cotanto dolore,
70 pensando il grande onore
e la ricca potenza
che suole aver Fiorenza
quasi nel mondo tutto;
e io, in tal corrotto
75 pensando a capo chino,
perdei il gran cammino,
e tenni a la traversa
d'una selva diversa.

51-54. «E allora io mi misi a pensare (**ponendo cura tornai**) alla natura, ai caratteri fondamentali della vita di ogni uomo che viene al mondo».
55-57. Ogni uomo nasce in primo luogo per fare del bene ai propri genitori e parenti e poi al suo Comune. Ma *nascere a* indica anche il sentimento di amore, un legame intimo e naturale, istintivo.
58-62. «Per questo, non c'è nessuno (**non so nessuno**) che io volessi vedere dominare assolutisticamente (**avere del tutto a la sua guisa**) la mia città, né vorrei che fosse divisa in fazioni».
63. per comune: insieme, di comune accordo.
64-65. «Collaborassero alla pace e al benessere della città».
66-67. «Perché non può avere scampo una città (**terra**) lacerata dalle fazioni (**rotta di parte**).
68. mi parte: mi si spezza.
69. di: a causa di.
72. che suole: che soleva, prima delle lotte di parte.
74. corrotto: pianto, dolore angoscioso.
76. il gran cammino: la diritta via, la giusta strada.
77-78. tenni a la traversa: mi misi per un sentiero che attraversava una selva strana (**diversa**).

Cortesia, lealtà, prodezza

Dopo aver visto la *Virtù* e le sue quattro «regine figlie», cioè le quattro virtù cardinali, Prudenza, Giustizia, Fortezza e Temperanza, allegoricamente personificate, Brunetto ascolta gli insegnamenti che altre quattro virtù, strettamente legate alla Giustizia, impartiscono a un cavaliere. Esse sono le virtù cavalleresche, Cortesia, Larghezza (liberalità), Leanza (lealtà) e Prodezza, e dalle loro parole risulta un'esposizione sintetica della concezione cavalleresca della vita. È da notare che queste virtù vengono qui ricondotte a un codice di comportamento quotidiano e che Brunetto le spoglia di ogni attributo feudale per inserirle nella realtà e nei costumi del Comune.

Lo cavaler valente
si mosse inellamente
e giò sanza dimora
loco dove dimora
5 Cortesia grazïosa,
in cui ognora posa
pregio di valimento,
e con bel gechimento
la pregò che 'nsegnare
10 li dovess' e mostrare
tutta la maestria
di fina cortesia.
Ed ella immantenente
con buon viso piacente
15 disse in questa manera
lo fatto e la matera:
«Sie certo che Larghezza
è 'l capo e la grandezza
di tutto mio mistero,
20 sì ch'io non vaglio guero,
e s'ella non m'aita
poco sarei gradita.
Ella è mio fondamento,
e io suo doramento
25 e colore e vernice:
ma chi lo buon ver dice,
se noi due nomi avemo,
quasi una cosa semo.
Ma a te, bell' amico,
30 primeramente dico
che nel tuo parlamento
abbi provedimento:
non sia troppo parlante,
e pensati davante
35 quello che dir vorrai,
ché non retorna mai
la parola ch'è detta,
sì come la saetta
che va e non ritorna.
40 Chi ha la lingua adorna,
poco senno gli basta,
se per follia no'l guasta.

Seguono altri consigli di Cortesia sulla discrezione, sulla scelta delle compagnie da frequentare, sul comportamento da tenere in queste compagnie, e infine sul contegno da tenere per strada:

E se vai a cavallo,
guardati d'ogne fallo;
45 quando vai per cittade,
consiglioti che vade
molto cortesemente:
cavalca bellamente,

1. Lo cavaler : È un cavaliere che Brunetto vede successivamente recarsi dalle quattro virtù cavalleresche personificate: *Larghezza* (liberalità), *Cortesia, Leanza* (lealtà) *Prodezza*. Tutte dimorano presso *Giustizia*.
2. inellamente: rapidamente.
3-4. «e andò senza indugio, là (**loco**) ove abita».
7. pregio di valimento: il pregio del vero valore.
8. gechimento: atto, atteggiamento di umiltà.
17. Larghezza: liberalità, generosità nello spendere, che rivela l'intima signorilità dell'animo.
18-19. La liberalità è il fondamento vero della cortesia, del suo operare (**mistero** = ministerio).
20. non vaglio guero: non valgo nulla senza di lei.
24-25. e io... vernice: io sono il suo indoramento e colore e vernice. Si può dire che la cortesia sia l'ornamento esterno della liberalità: la generosità dell'animo si riflette nella finezza dei modi ispirata dalla cortesia.
26. chi... dice: se uno vuol dire la verità; in realtà.
29. bell' amico: amico caro; *bel* è francesismo. Cominciano ora i consigli di Cortesia al cavaliere.
31-32. «Procedi con cautela nel tuo parlare».
33-35. «Non essere un chiacchierone, ma pensa, prima di parlare, a quello che dirai».
40-42. «Chi sa ben parlare, chi è bel parlatore, basta che abbia un poco di senno, nel suo discorso non guastato dalla follia».
45. per cittade: per la città.

un poco a capo chino,
50 ch'andar così 'n disfreno
par gran salvatichezza;
né non guardar l'altezza
d'ogne casa che truove;
guarda che non ti move
55 com'on che sia di villa;
non guizzar com' anguilla,
ma va' sicuramente
per vïa tra la gente.
Chi ti chiede in prestanza,
60 non fare adimoranza
se tu li vuol' prestare:
no'l far tanto tardare
che 'l grado sia perduto
anzi che sia renduto.

Accomiatatosi da Cortesia, il cavaliere si reca da Leanza, che, dopo avergli consigliato di essere leale, veritiero e discreto in tutti i suoi atti, così conclude:

65 E vo' ch'al tuo Comune,
rimossa ogne cagione,
sie diritto e leale,
e già per nullo male
che ne poss' avenire
70 no·llo lasciar perire.
E quando se' 'n consiglio,
sempre ti tieni al meglio:
né prego né temenza
ti mova i·rria sentenza.
75 Se fai testimonianza,
sia piena di leanza;
e se giudichi altrui,
guarda sì abondui
che già da nulla parte
80 non falli l'una parte.
Ancor ti priego e dico,
quand'hai lo buono amico
e lo leal parente,
amalo coralmente:
85 non si' a sì grave stallo
che tu li facce fallo.
E voglio ch'am' e crede
Santa Chiesa e la fede;
e solo e infra la gente
90 innora lealmente
Geso Cristo e li santi,
sì che' vecchi e li fanti
abbian di te speranza
e prendan buon' usanza.
95 E va', che ben ti pigli
e che Dio ti consigli,
ché per esser leale
si cuopre molto male».

Il cavaliere si reca poi da Prodezza, che lo invita a essere valoroso e audace ma non temerario, prepotente o violento. Quindi dice:

Di tanto ti conforto,
100 che, se t'è fatto torto,
arditamente e bene
la tua ragion mantene.
Ben ti consiglio questo:
che, se tu col ligisto
105 atartene potessi,
vorria che lo facessi,
ch'egli è maggior prodezza
rinfrenar la mattezza
con dolci motti e piani
110 che venire a le mani.
E non mi piace grido;
pur con senno mi guido;
ma se 'l senno non vale,
metti mal contra male,
115 né già per suo romore
non bassar tuo onore;
ma s'è di te più forte,
fai senno se 'l comporte
e da' loco a la mischia,
120 ché foll' è chi s'arischia
quando non è potente:
però cortesemente
ti parti di romore;
ma se per suo furore
125 non ti lascia partire,
vogliendoti ferire,
consiglioti e comando
no 'nde vada [da] bando:
abbie le mani acorte,
130 non dubbiar de la morte,
ché tu sai per lo fermo
che già di nullo schermo
si pote omo covrire,
che non vada al morire
135 quando lo punto vene.
Però fa grande bene
chi s'arischi' al morire
anzi che soferire
vergogna né grave onta.

Seguono altri consigli, sulle risse e le vendette quotidiane, che quasi sempre si concludevano, a quel tempo, con duelli. Infine Prodezza conclude:

49. un poco a capo chino: in segno di umiltà dignitosa e composta.
50-51. «Ché andare sfrenatamente (**'n disfreno**) appare cosa propria di uomo *salvatico*, cioè rozzo e villano».
54-55. «Guarda di non muoverti come un contadino».
59-61. «Se uno ti chiede un prestito (**prestanza**) non fare indugio (**adimoranza**) se glielo vuoi concedere (non far cioè cadere dall'alto il favore)».
62-64. «Non farlo attendere (**tardare**) tanto che tu perda la gratitudine (**grado**) prima ancora che ti sia resa».
65. al tuo Comune: Le virtù cavalleresche sono applicate da Brunetto non alla vita di corte, ma a quella che si svolge nel libero Comune. Ad esso, alla religione, alla Chiesa va rivolta la fedeltà, la lealtà del perfetto gentiluomo. Anche per questo, in alcuni versi che abbiamo omesso, Brunetto afferma che la vera nobiltà è quella dell'animo, non quella del sangue, si mostra cioè contrario alla concezione feudale della nobiltà e applica l'ideale cavalleresco alla società borghese del suo tempo.
66. cagione: pretesto.
67. sie diritto e leale: sii retto e leale (nei confronti del Comune).
68-70. «E non lo lasciare perire, per nessun male che te ne possa conseguire (anche se la difesa del Comune ti costerà grandi sacrifici)».
73-74. «Né preghiere di alcuno né timore ti spingano a dare un cattivo consiglio» (**i·rria sentenza** = in rea sentenza).
76. leanza: lealtà.
78. abondui: ambedue, cioè le due parti che sei chiamato a giudicare.
79-80. «Fa in modo che l'una o l'altra parte non falli, non commetta ingiustizia in nessun modo (**da nulla parte**)».
84. coralmente: di cuore.
85-86. non si'... fallo: Non essere in una situazione (**stallo**) così grave che tu gli venga meno. Cioè restagli fedele, sii leale nei suoi confronti anche nelle situazioni difficili.
89-90. e solo... lealmente: e sia quando sei solo, sia pubblicamente onora (**innora**) con lealtà, cioè con sincerità.
92. li fanti: i giovani.
94. buon' usanza: prendano buon esempio da te.
95. E va', ecc.: È una formula di commiato: lo invita ad andare e gli augura ogni bene.
97. per... leale: mediante la lealtà.
99. Di tanto, ecc.: ti esorto a fare questo.
102. la tua... mantene: tu difenda la tua ragione, il tuo diritto.
104-106. se tu... facessi: se tu potessi cavartela (**atartene**) con l'avvocato (**ligisto**) vorrei che tu lo facessi.
111. grido: contesa.
112. «mi guido esclusivamente (**pur**) col senno».
114. metti... male: opponi la violenza alla violenza.
115-116. «E non abbassare, non lasciar ledere il tuo onore temendo le sue grida e le sue bravate».
118-119. fai senno... mischia: sii assennato, prudente, se lo sopporti (**comporte**) e rinunci (**da' loco**) alla mischia, alla zuffa.
122-123. però... romore: perciò allontanati con dignità dalla rissa.
126. vogliendoti: e ti vuole.
128. no 'nde... bando: non la passi liscia.
129. abbie: abbi.
130. non dubbiar: non aver paura.
131. per lo fermo: con certezza.
132. schermo: difesa.
133. covrire: difendere, coprire.
135. lo punto: il momento.
136. Però: perciò.
138. anzi... soferire: piuttosto che sopportare.

140 E ancor non ti caglia
d'oste né di battaglia,
né non sie trovatore
di guerra o di romore.
Ma se pur avvenisse
145 che'l tuo Comun facesse
oste o cavalcata,
voglio che 'n quell'andata
ti porte con barnaggio
e dimostreti maggio
150 che non porta tuo stato;
e déi in ogne lato
mostrar tutta franchezza
e far buona prodezza.
Non sie lento né tardo,
155 ché già omo codardo
non acquistò onore
né divenne maggiore.
E tu per nulla sorte
non dubitar di morte,
160 ch'assai è più piacente
morire orratamente
ch'esser vituperato,
vivendo, in ogne lato.

140-141. non ti caglia: non t'importi, non aver paura. **oste**: nemico.
142-143. né non... romore: ma non essere provocatore (**trovatore**) di guerra o di tumulti (**romore**).
146. oste o cavalcata: un'impresa guerresca, con regolare esercito oppure in forma di scorreria.
148. ti... barnaggio: ti comporti con valore.
149-150. E ti dimostri più grande (**maggio** = maggiore) di quel che comporta la tua situazione sociale.
152. franchezza: prodezza tranquilla, audacia sicura (non impeto temerario).
154. sie: sii.
155. già: giammai.
158-159. «E per nessuna sorte che ti trovi ad affrontare non aver paura della morte».
161. orratamente: con onore.

«Il Fiore»

Come s'è già detto, nei primi decenni del Duecento Guillaume de Lorris incominciò un poema in lingua d'*oïl*, il *Roman de la Rose*, una sorta di enciclopedia dell'amor cortese svolta su un modulo allegorico-narrativo. Amante, cioè il poeta, racconta di essere entrato, in un giorno di maggio, nel giardino del Piacere, piantato da Cortesia, e di essere stato trafitto da Amore, innamorandosi della Rosa. Questa starebbe per cedergli, ma intervengono *Dangier* (la ritrosia femminile), Gelosia, Maldicenza (che personificano la paura d'essere infamati) e numerose altre personificazioni degli impedimenti che la coscienza e le convenzioni sociali oppongono al rapporto erotico, rinchiudono la Rosa e tengono Amante lontano da lei. Amore gli dà allora un insieme di precetti, desunti soprattutto da Ovidio, e gli raccomanda di coltivare le virtù del cavaliere cortese, come mezzo per conquistare la Rosa.

Dopo 4058 versi l'opera rimase interrotta, e fu ripresa alcuni decenni più tardi (circa verso il 1280) da un altro poeta, Jean de Meun, con spirito però del tutto diverso. Se in Guillaume l'ispirazione è legata alla sensualità sottile e preziosa della *rêverie* amorosa cavalleresca, in Jean trionfa una visione naturalistica della passione e dei rapporti fra i sessi. Jean, inoltre, aggiunse all'opera circa 18000 versi, con numerosissimi *excursus* dottrinali, fino a farne un'enciclopedia, spesso polemica, di tutto il sapere del tempo.

Un poeta fiorentino, Ser Durante (non sappiamo nulla di lui; la proposta di identificarlo con Dante, già avanzata in passato, oggi incontra nuovi e autorevoli sostenitori), compendiò in un libero rifacimento la materia del *Roman de la Rose*. Il poemetto, intitolato dal suo primo editore moderno, Ferdinand Castets (1881), *Il fiore*, è composto di 232 sonetti e racconta la conquista del Fiore (cioè della donna) da parte d'Amante, spogliando l'originale francese sia della raffinata cornice cortese della prima parte sia delle digressioni dottrinali della seconda.

Il *Fiore* riprende l'ispirazione naturalistica e spesso il crudo realismo di Jean de Meun, avvicinandosi alla corrente realistica e borghese di Rustico di Filippo e di Cecco Angiolieri, con un linguaggio popolaresco e risentito, plebeo, a volte, ma vivo ed efficace. Lo stile «comico», l'amaro scetticismo nei confronti delle donne e dell'amore lo distaccano nettamente dallo stilnovismo e, in genere, dalla mitologia «cortese». Oltre a questo sono interessanti nell'opera gli spunti polemici contro gli ordini mendicanti, il clero corrotto, l'ipocrisia che minava la vita religiosa del tempo, tacciando sbrigativamente d'eresia ogni tentativo di religiosità non conformistica.

Per il testo del *Fiore* seguiamo: *Il «Fiore» e il «Detto d'Amore» attribuibili a Dante Alighieri*, a c. di G. Contini, Milano, Mondadori, 1984; per quello dell'*Intelligenza: Poemetti del Duecento*, a c. di G. Petronio, Torino, Utet, 1951.

Falsembiante

In aiuto d'Amante interviene Amore col suo seguito di baroni che devono conquistare il castello dove Gelosia tiene rinchiusa la donna. Fra costoro è Falsembiante, simbolo dell'ipocrisia, soprattutto di quella dei religiosi. La polemica contro gli ordini mendicanti è, nel *Fiore*, assai accesa ed è strettamente connessa a una nuova concezione naturalistica e antiascetica. Riportiamo uno dei molti sonetti sull'argomento, pervaso d'acre sarcasmo.

I' sì mi sto con que' religiosi
religiosi no, se non in vista,
che·ffan la ciera lor pensosa e trista
per parer a le genti più pietosi;
5 e sì si mostran molto sofrettosi
e 'n tapinando ciaschedun acquista:
sí che per ciò mi piace lor amista
ch'a barattar son tutti curiosi.
Po' vanno procacciando l'acontanze
10 di ricche genti e vannole seguendo
e sì voglion mangiar le gran pietanze,
e' preziosi vin' vanno bevendo:
e queste son le lor grandi astinanze
Po' van la povertà altrui abellendo.

Metro: *sonetto* (schema: ABBA, ABBA, CDC, DCD).

2-4. religiosi... vista: religiosi solo nell'apparenza esteriore. **ciera**: volto. **pietosi:** pii.
5-8. sofrettosi: bisognosi (è un francesismo). **e... acquista**: e guadagnano elemosinando. **sí... curiosi**: quindi per questo mi piace l'amicizia con loro, che sono molto zelanti (**curiosi**) nell'imbrogliare il prossimo.
9. Po': poi. **acontanze**: amicizie.
11-12. e... bevendo: frequentano, cioè, da parassiti le mense dei ricchi.
13-14. astinanze: astinenze. **altrui**: agli altri. **abellendo**: esaltando, magnificando.

Consiglio della Vecchia

Come Amico consiglia Amante, così la Vecchia consiglia la donna con un galateo amoroso altrettanto cinico e materialistico. In questo sonetto esprime la morale che ispira i suoi insegnamenti: cogliere la giovinezza, godersela, prima che venga la vecchiaia.

Molto mi dolea il cuor quand'i' vedea
che·ll' uscio mio stava in tal soggiorno,
che vi solea aver tal pressa 'ntorno
che tutta la contrada ne dolea.
5 Ma, quanto a me, e' no·me ne calea
ché troppo più piacea loro quel torno;
ch'i era allora di sì grande attorno
che tutto quanto il mondo mi' parea.
Or convenia che di dolor morisse,
10 quand'i' vedea que' giovani passare,
e ciaschedun parea che mi schernisse.
Vecchia increspata mi facean chiamare
a colu' solamente che giadisse
più carnalmente mi solea amare.

Metro: *sonetto* (schema: ABBA, ABBA, CDC, DCD).

2-4. in... soggiorno: immobile, non più scosso, come ha detto nostalgicamente in un altro sonetto, dagli amanti che ella allora disprezzava, cosa di cui ora si pente. **che... dolea**: che vi solevo avere intorno tal folla che tutta la contrada se ne lamentava.
5-6. e'... torno: non me ne importava nulla, ché quel girare (**torno**) piaceva troppo più ai miei spasimanti che a me. Ella cioè si mostrava indifferente, cosa di cui si pente, sì che altrove esorta la donna a non accontentarsi d'un solo amante.
7-8. attorno: bellezza. **mi'**: mio.
9-11. La terzina esprime vivacemente il mesto squallore in cui piomba la donna quando avverte che la sua bellezza è sfiorita.
12-14. increspata: rugosa. **a... amare**: da coloro che prima (**giadisse**: cfr. il franc. *jadis*) mi avevano amata più appassionatamente (**carnalmente**).

L'«Intelligenza»

L'*Intelligenza* è un poemetto di 309 strofe di nove versi (*nona rima*), composto fra il XIII e il XIV secolo, di autore ignoto (l'attribuzione a Dino Compagni appare sempre meno convincente) e di contenuto disordinatamente enciclopedistico, appoggiato a un'esile trama narrativo-allegorica. Il poeta racconta di essersi innamorato d'una bellissima donna, adorna di sessanta pietre preziose, che vive, con sette regine, in uno splendido palazzo, in cui, fra l'altro, c'è una stanza sulle cui pareti sono raffigurate le antiche storie di Cesare, di Alessandro, di Troia e della Tavola rotonda. Alla fine apprendiamo che la donna è l'Intelligenza divina, la quale ispira le Intelligenze angeliche affinché regolino opportunamente il movimento e gli influssi dei cieli, ed è comunicata anche all'uomo, la cui intelligenza è riflesso di quella di Dio; le sette regine sono le virtù teologali e cardinali e altre virtù sono rappresentate dalle pietre preziose; il palazzo è il corpo umano, sede dell'intelligenza, e così via. In contrasto con l'erotismo naturalistico del *Fiore*, l'amore diviene qui impulso spirituale di conoscenza, di elevazione intellettuale alla suprema verità.

Non c'è nel poemetto originalità o profondità dottrinale, e ne sono prova il disordine e la sproporzione delle parti, l'insistenza quasi esclusiva su temi figurativi o narrativi e la tendenza divulgativo-enciclopedistica. L'autore, uomo di gusto fine e di vasta cultura letteraria, che va dai Provenzali ai Francesi allo stilnovismo, è attirato soprattutto da quelle nozioni scientifiche e storiche (i «lapidari», i «fatti» e i «conti» dei cavalieri antichi) che già trovava risolte in immagini emblematiche nella poesia precedente e contemporanea.

Le pietre preziose

Nelle strofe dalla 16ª alla 58ª si parla delle pietre preziose di cui è adorna l'Intelligenza, simboleggianti altrettante virtù. Abbiamo così un *lapidario*, cioè un trattato su queste pietre alle quali Antichità e Medioevo attribuirono proprietà e virtù magiche, secondo un indirizzo scientifico portato a sfociare nel simbolismo e, appunto, nella magia. L'autore ricalca qui la traduzione in volgare che Zucchero Bencivenni fece di un testo in versi latini di Marbodo, arcivescovo di Rennes, morto nel 1123, che a sua volta traduceva un lapidario greco attribuito a Evace, mitico re d'Arabia. Dai bestiari e dai lapidari sono tratte molte immagini della lirica cortese, e questo sottolinea il carattere di enciclopedia eminentemente letteraria dell'*Intelligenza*.

La terza pietra si ha nome Allettorio,
che dentro al capo del pollo si trova,
ed a portarla in bocca ha meritorio,
ed a color di cristallo s'approva;
5 ed ha vertute in far l'uom locutorio,
conserva l'amistà vecchia e la nova;
la sete spegne e 'ncende la lussura,
se femina la porta uom ne 'nnamora:
per la mia donna amorosa s'appruova.
10 Diaspide quart'è al mio parimento,
ed è lucente, di verde colore,
vertudiosa legata in argento;
chi parturisce, menoma 'l dolore;
e chi la porta a suo difendimento,
15 fantasme scaccia e strugge febri ancore;
ed a portarla quand'è consecrata,
fa la persona potente e innorata,
piacente a pervenire a grand'onore.
La quinta gemma Zàffiro s'appella,
20 ed è d'uno colore celestrino;
gemma dell'altre gemme, cara e bella,
conserva la vertù che non vien meno;
umile e dibonaire mantien quella,
ed è in nigromanzia su' valor fino;
25 presenta di madonna la su' altezza,
ché splende oltr'a li ciel la sua chiarezza
del viso suo splendiente e sereno.

Metro: *nona rima*; cioè un'ottava cui è aggiunto un nono verso che rima col 2°, 4° e 6° (ABABABCCB).

1. Allettorio: piccola pietra cristallina; si credeva che si formasse nel capo o nel fegato del gallo. Alettoria.
3-4. ha meritorio: mostra la sua virtù ed efficienza se la si porta in bocca. **ed... approva**: ed è lodata quando ha il colore del cristallo.
5-7. ed... locutorio: e ha la virtù di rendere l'uomo eloquente. **'ncende**: accende.
9. per... s'appruova: ciò è dimostrato dalla mia donna che, portandola addosso, fa innamorare tutti.
10. Diaspide, ecc.: la quarta, al mio parere, è il diaspro (pietra dura, calcedonia, di vari colori).
12. Ha piena virtù se è legata in argento.
13-16. chi... dolore: diminuisce il dolore alle partorienti. **difendimento**: difesa. **fantasme**: fantasmi. **ancore**: ancora. **consecrata**: benedetta.
17-18. innorata: onorata. **piacente... onore**: la rende gradita a tutti, sì che può pervenire a grandi onori.
21-22. gemma... meno: la più splendida fra le gemme, preziosa e bella, mantiene il coraggio, sì che non venga meno.
23-24. dibonaire: affabile. **ed è... fin:**: ed è grande la sua virtù nell'arte della negromanzia (divinazione per mezzo dei cadaveri e di scongiuri alle loro anime).
25-27. presenta... sereno: raffigura la nobiltà di Madonna (l'*Intelligenza*), la cui virtù riluce oltre i cieli, promanando dal suo viso splendente e sereno (Petronio).

La prosa del Duecento

Nell'Europa romanza la prosa si sviluppa più tardi della poesia. Quest'ultima, infatti, affidata alla recitazione e al canto, entra a far parte delle costumanze della vita collettiva: narrazioni e inni religiosi, o guerresco-feudali (le canzoni di gesta), canzoni d'amore e poemi cavallereschi vengono «recitati» in luoghi definiti (la corte, le piazze, i monasteri ove sostano i pellegrini, ecc.) davanti a un pubblico non necessariamente alfabetizzato. La prosa, invece, si rivolge a un pubblico di lettori che sappiano leggere — allora assai più ristretto —, che ricercano in essa un arricchimento delle loro cognizioni; presuppone quindi un ampliarsi della cultura dei «laici»: di uomini, cioè, che non conoscano il latino, prerogativa allora dei dotti, ma abbiano bisogno di acquisire certe conoscenze tecniche, necessarie alla loro attività produttiva (imprenditoriale) o di governo.

In Italia la nascita della prosa in volgare, circa alla metà del Duecento, è legata al costituirsi della nuova classe dirigente del Comune. Questo spiega il favore che incontrano opere enciclopediche, cioè di cultura generale, e scritti di carattere morale, politico, scientifico, e anche retorico, perché l'insegnamento dell'arte del dire o eloquenza è avvertito importante ai fini della vita pubblica e della politica. Solo in un secondo momento si diffonde una prosa di carattere narrativo, di novelle e romanzi cavallereschi.

La maggior parte delle prose del secolo sono traduzioni e compilazioni dal francese e da testi latini medioevali; ma il rinnovato culto delle memorie romane spinge i nostri volgarizzatori a tradurre anche testi antichi, in latino classico. Nell'uno e nell'altro caso, è evidente lo sforzo degli scrittori di dare anche al volgare prosastico una dignità letteraria, di fondare una tradizione espressiva. La prosa delle origini non ha dunque un carattere popolare, ma subisce l'influsso della tradizione retorica plurisecolare della scuola.

A tale proposito, grande importanza hanno i trattati dei maestri di retorica, da Guido Faba (*Gemma purpurea*; *Parlamenta ed epistole*), a Guidotto da Bologna, alle *Lettere* di Guittone d'Arezzo, intesi ad applicare al volgare l'elaboratissima struttura retorica della prosa latina medioevale; e la *Rettorica* di Brunetto Latini, orientata invece verso i grandi modelli della classicità. Questi studi nascono in margine all'insegnamento giuridico — il cui centro era l'Università bolognese — che abbracciava anche il campo dei rapporti politici. Così, ad es., Guido Faba intende insegnare formule dignitose da usarsi scrivendo a un principe, insediando un podestà, nelle ambascerie, ecc. Dalle esigenze pratiche si passa ben presto all'ammirazione dell'arte del dire in sé e per sé e quindi alla fondazione di una prosa d'arte.

Fra le compilazioni e i volgarizzamenti, sono numerosi i trattati d'argomento morale, svolti, per lo più, in forma di raccolte di aneddoti, di esempi, di sentenze. Ricordiamo il *Fiore dei Filosofi*, il *Fiore di virtù*, i *Conti morali*, il *Libro dei sette savi*, il *Libro della natura degli animali*, i volgarizzamenti dei *Disticha Catonis* e l'opera originale di Bono Giamboni, che fu anche un instancabile volgarizzatore, il *Libro de' vizi e delle virtudi*. Nelle raccolte di esempi comincia a farsi strada anche un'intenzione narrativa, che appare evidente ad es. nelle *Storie de Troia e de Roma* e nei *Fatti di Cesare*, dove al gusto dell'esempio morale si aggiunge l'interesse per la storia di Roma, sentita idealmente presente nella civiltà comunale.

L'interesse narrativo domina nella *Istorietta Troiana*, nella quale l'antica leggenda omerica è travestita in forme proprie della sensibilità e del costume cortese e cavalleresco, le stesse che ispirano i rifacimenti e le rielaborazioni dei romanzi francesi, quali il *Tristano Riccardiano* e la *Tavola Ritonda.* Opera originale è il *Novellino*, le cui cento novelle, anche se mantengono la concisa sentenziosità delle raccolte di esempi morali, rivelano già un disinteressato gusto del racconto.

Fra le opere scientifiche e didascaliche le più importanti sono il *Tresor* di Brunetto Latini, scritto in francese, ma tradotto quasi subito in italiano, e *La composizione del Mondo* di Ristoro d'Arezzo, un vasto trattato di astronomia, ricco di osservazioni personali. In francese fu scritto anche il *Milione* di Marco Polo, uno dei libri più affascinanti del nostro Duecento, nel quale troviamo quel gusto dell'osservazione diretta e personale di uomini e cose, realistico e concreto che è proprio della civiltà comunale italiana. Lo stesso può dirsi delle opere storiche, quali la *Cronica fiorentina*, la *Istoria fiorentina* di Ricordano Malispini, la *Sconfitta di Monte Aperto*, tutte avvivate da una passione politica vivissima.

La prosa del Duecento rivela gli interessi culturali, il costume, la spiritualità dell'epoca. La sua importanza letteraria consiste, come abbiamo detto, nel fatto che essa rappresenta la fondazione di una nuova tradizione espressiva prosastica. In questo senso, i volgarizzamenti hanno, si può dire, la stessa efficacia delle opere originali. Le traduzioni dal francese, già affermatosi come lingua di cultura (e la sua concorrenza è quella più forte, come si vede dal fatto che Brunetto Latini e Marco Polo scrivono le loro opere in questa lingua, onde assicurare ad esse una diffusione maggiore) contribuiscono al formarsi di una prosa italiana agile e scorrevole, anche se sintatticamente elementare; quelle dal latino classico propongono il modello di una prosa armonica e complessa, dall'ampia e ben articolata struttura sintattica; quelle dal latino medioevale danno luogo a una prosa ornata e magniloquente.

Per i testi seguiamo: *La prosa del Duecento*, a cura di C. Segre e M. Marti, Milano-Napoli, Ricciardi, 1959, salvo indicazione contraria.

Guido Faba

Bolognese, visse nella prima metà del Duecento e fu uno dei più rinomati maestri dell'*ars dictandi* nell'Università di Bologna.

Dictare significò originariamente «comporre ad alta voce»; poi assunse il significato di comporre lettere in prosa latina.

L'epistolografia fu nel Medioevo uno dei generi letterari preferiti, anche perché era legata al campo dei rapporti giuridici e politici. Per questo le scuole ove veniva insegnata l'*ars dictandi* (che potremmo chiamare anche retorica o arte del bello scrivere) fiorivano accanto a quelle di diritto, dalle quali uscivano giudici, notai, segretari di principi: coloro, cioè, che si dedicavano alla pubblica amministrazione. Il notaio assisteva i commercianti e i banchieri nelle loro operazioni, ma a lui venivano anche affidati i contatti diplomatici e la compilazione dei trattati nella sfera della vita politica del Comune. Di qui nasceva l'esigenza di una prosa elegante o, come si diceva, *ornata*, che si otteneva mediante gli artifici di una raffinata retorica (amplificazioni, metafore, antitesi, parallelismi, ecc.) onde dare agli scritti solennità e dignità. Soprattutto era apprezzato il *cursus*, cioè un ritmo, una particolare cadenza data al periodo mediante un determinato giuoco d'accenti nelle ultime parole delle singole parti (comprendenti una o più proposizioni) in cui era diviso. Con l'infittirsi degli scambi economici e politici e con l'avvento della borghesia comunale come classe dirigente, assistiamo a un progressivo estendersi del volgare in queste scritture, prima redatte esclusivamente in latino.

Guido Faba applicò alla lingua volgare gli insegnamenti dell'*ars dictandi*, seguito da numerosi altri maestri. Le sue opere più importanti sono la *Gemma purpurea* (un trattato di retorica epistolografica, scritto in latino ma contenente numerosi esordi di lettere, proposti come esempi di bello scrivere, anche in volgare) e i *Parlamenta et epistole*, trattato di oratoria ed epistolografia, esemplato su ampi passi in lingua volgare. L'opera di Guido Faba rappresenta la prima consapevole affermazione del volgare come lingua d'arte nella prosa, l'assunzione del linguaggio delle plebi nell'ambito di una cultura rimasta fino a quel momento rigorosamente aristocratica e ristretta a pochi cenacoli di chierici e di dotti. In lui, però, come in Guittone e in altri maestri, il tentativo di elevare il volgare a dignità letteraria, condusse a uno stile artificioso, ispirato ai complicati canoni retorici del latino medioevale. Fu tuttavia questo un primo e importante passo, che rappresentò la fondazione di una nuova tradizione letteraria.

Dai «Parlamenta et epistole»

Le due lettere che presentiamo, un *contrasto* fra Quaresima e Carnevale personificati, non hanno, evidentemente, una destinazione pratica, come la maggioranza di quelle contenute nell'opera, ma sono puri esempi di bello scrivere, con una finalità fondamentalmente artistica. Sono senz'altro piene di artifici, ma non prive di un'arguta comicità.

De Quadragesima ad Carnisprivium (Epistola di Quaresima a Carnevale)

Noi Quaresema,[1] matre d'onestà e de discretione, no salutemo[2] te Carnelvare, lopo rapaçe che no se' digno;[3] ma in logo[4] de salute abie planto e dolore. Tu sai bene che noi conosemo[5] le tue opere, e le tue iniquità sono a noi maniffeste; ché tu se' fello e latro, ruffiano, putanero, glotto, lopo ingordo, leccatore, biscaçero, tavernero, çogatore, baratero, adultero, fornicatore, omicida, periuro, fallace, traditore, inganatore, mençonero, amico de morte e pleno de multa çuçura.[6] Unde lo mundo, lo quale tu hai bruto per peccati,[7] volando purgare[8] dignamente per vita munda et immaculata,[9] per deçonio[10] et oratione e beneficio de carità, comandamoti destrectamente ca, tra qui e martidie, debie inscire de tuta cristianità,[11] e la tua abitatione scia[12] in logo diserto, overo in terra de Sarasina,[13] saipando[14] che, se tu ti lasaria[15] trovare, noi cum nostra cavallaria confonderemo[16] te e tuta la tua gente.

---

1. **Quaresema**: La Quaresima (detta in latino *Quadragesima*) è così chiamata perché precede di quaranta giorni la Pasqua. Il Carnevale (detto nel Medioevo *carnelevare* o *carnelvare* o *carnasciale*) e, in latino, *carnis privium* (= privazione della carne), è così chiamato perché precede la Quaresima, periodo nel quale ci si deve astenere dalle carni.
2. **no salutemo**: non salutiamo. La lettera cominciava, di regola, coi saluti, cioè con l'augurio di salute, di star bene. Ma la Quaresima vuol mostrare fin dall'inizio a Carnevale i suoi propositi bellicosi.
3. **lopo rapaçe... digno**: lupo rapace che non sei degno dei miei saluti.
4. **in logo**: invece di.
5. **conosemo**: conosciamo.
6. **che tu se'... çuçura**: Ecco il significato dei fioriti epiteti: «fellone (*fello*) e ladro, ruffiano, puttaniere, ghiottone, lupo ingordo, goloso (*leccatore*), frequentatore di bische (*biscaçero*) e di taverne (*tavernero*), giocatore, barattiere, adultero, fornicatore, omicida, spergiuro (*periuro*), fallace, traditore, ingannatore, menzognero». **çuçura**: sozzura.
7. **bruto per peccati**: insozzato coi tuoi peccati.
8. **volando purgare**: volendo noi (la Quaresima usa il cosiddetto plurale di maestà) purgare. Il complemento oggetto è «lo mondo».
9. **per vita**, ecc.: per mezzo di una vita monda e immacolata.
10. **deçonio**: digiuno.
11. **destrectamente... cristianità**: rigorosamente che fra oggi e martedì tu debba uscire da tutte le terre della cristianità.
12. **scia**: sia.
13. **in terra de Sarasina**: nella terra dei Saraceni.
14. **saipando**: sapendo.
15. **ti lasaria**: ti lascerai.
16. **confonderemo**: disperderemo.

Responsiva contraria

Noi Carnelvare, rege dei re, préncepo[1] de la terra, no diamo salute a tie Quaresima topina,[2] ch'èi[3] plena de planto e d'onne miserie,[4] ma tego scia confusione,[5] angustia e dolore; ca tu è[6] inimica del mundo, matre de avaricia, sore[7] de lagreme, figlia de nudità;[8] le toe vare è grise, scì è cener e sacchi;[9] e tuti li toi cibi sono legome bistiale;[10] da te descende ira, divisione, mellenconia,[11] infirmità, pallore; onne anno ne fai asalto scicomo fùlgore[12] e tempesta et in la tua piçola demorança[13] se fa multi mali et iniquità, e tanto è' tediosa e fastidiosa, che tuti te porta odio e desidrano che ten debia tornare.[14] Ma per noi[15] e la nostra gente se fa belli canti e tresche;[16] per noi le donçelle se rasença e fasse grandi solaçi, çoie e deporti.[17] Unde in per quello che noi avemo a fare via luntana, a ço che la tua malicia scia conoscoda,[18] dònote parola[19] che tu fin a sabbato santo e no plu deibe demorare,[20] se tu voi fugere la morte e scampare[21] la vita, saipando[22] ch'en lo die preclaro de la Pasca noi veremo incoronati cum gilli e rose e flore,[23] e faremmo l'auselli supra le ramelle cantare versi de fino amore.[24]

---

1. **préncepo**: principe.
2. **no diamo... topina**: non salutiamo te, Quaresima tapina, meschina.
3. **ch'èi**: che sei.
4. **d'onne miserie**: d'ogni miseria.
5. **ma... confusione**: ma con te sia confusione.
6. **ca tu è**: perché tu sei.
7. **sore**: sorella.
8. **nudità**: privazione.
9. **le toe vare... sacchi**: i tuoi vestiti di vaio (**vare**) sono grigi, cioè (**scì è**) cenere e sacchi.
10. **legome bistiale**: legumi per bestie.
11. **mellenconia**: atrabile (un immaginario umore nero, secreto dal fegato, che, secondo gli antichi, inacerbiva il carattere), ipocondria.
12. **ne fai asalto... fùlgore**: ogni anno ci dai l'assalto come (**scicomo** = «siccome») folgore.
13. **in... demorança**: nella tua breve permanenza.
14. **desidrano... tornare**: e desiderano che tu te ne vada.
15. **per noi**: per parte nostra, per merito nostro (mio).
16. **tresche**: danze.
17. **le donçelle... deporti**: le donzelle si raggentiliscono (**rasença**) e si fanno grandi sollazzi, gioie, diporti.
18. **Unde... conoscoda**: Quindi, poiché (**in per quello che**) noi dobbiamo fare un lungo viaggio (**via luntana**), affinché (**a ço che**) la tua cattiveria sia conosciuta.
19. **dònote parola**: ti ordino.
20. **e no plu... demorare**: e non più ti debba qui trattenere.
21. **scampare**: salvare.
22. **saipando**: sapendo (e sappi che).
23. **ch'en lo die... flore**: che nel giorno luminoso, gioioso, di Pasqua noi verremo incoronati di gigli, rose, fiori. Allude alle feste del maggio, che erano come un ritorno alla gioia e al divertimento dei giorni di carnevale.
24. **e faremmo... amore**: e faremo cantare agli uccelli sui rami versi di fino (leggiadro, cortese) amore. La conclusione riprende moduli della letteratura cortese.

Le «Lettere» di Guittone d'Arezzo

Guittone d'Arezzo scrisse 36 lettere che furono riguardate ai suoi tempi come modello d'eloquenza e di stile. Esse sono l'esempio più importante di quella trasposizione delle regole dell'*ars dictandi* dal latino al volgare che era stata propugnata da Guido Faba; vi troviamo infatti un'espressione solenne e tecnicamente elaboratissima, che ricalca tutti i procedimenti retorici dell'epistolografia medioevale, amplificazioni, antitesi, una studiata ricerca del ritmo, il gusto delle metafore lambiccate. Alcune lettere sono addirittura composte, del tutto o in gran parte, di versi. Ma questo fin troppo raffinato esercizio stilistico è costantemente avvivato da un sincero impegno morale, quello stesso che ritroviamo nella poesia di Guittone.

Per il testo seguiamo: Guittone d'Arezzo, *Lettere*, edizione critica a cura di C. Margueron, Bologna, Commissione per i testi di lingua, 1990.

Infatuati miseri Fiorentini

Questa lettera fu scritta dopo la disfatta subita dai guelfi fiorentini a Montaperti (1260), ed è assai simile, nel tono e nell'argomento, alla canzone *Ahi lasso, or è stagion de doler tanto*, che riportiamo in altra parte dell'antologia. In essa gli artifici oratori sono avvivati da un sentimento sincero, da una dolorosa e nobile eloquenza. Guittone si scaglia contro le lotte fratricide e la loro rabbia feroce e ricorda pateticamente l'antico splendore della città.

Riportiamo la parte iniziale della lunga lettera.

Infatuati miseri[1] Fiorentini, omo che de vostra perta perde e dole de vostra doglia, odio tutto a odio e amore ad amore, eternalmente.[2]

La pietosa e lamentevole voce del periglioso vostro e grave infermo[3] per tutta terra corre lamentando la malizia sua grande, unde onni core benigno fiede[4] e fa languire di pièta, e nel mio duro cuore,[5] di pietra quasi, pietate alcuna adduce, che m'adduce talento ad operare alcuno soave unguento,[6] sanando e mitigando alcuna cosa suoie perigliose piaghe, se 'l sommo, ricco e saggio bono maiestro mio Dio, che fare lo deggia e di fare lo savere donarme degna; ché per me onni cosa in saper è, finendo o cominciando alcuno bene.[7]

Carissimi, e amarissimi molti miei,[8] ben, credo, savete che da fera a omo non è già che ragione in conoscere e amare bene;[9] per che[10] l'omo è ditto animale razionale, e senno più che bestia ha, ch'è ragione.[11] Ragione donque perduta, più che bestia che vale?[12] Unde vedete voi se vostra terra è cità,[13] e se voi citadini òmini siete. E dovete savere che non cità fa già[14] palagi, né rughe belle; né omo persona bella, né drappi ricchi; ma legge naturale, ordinata giustizia, e pace e gaudio intendo che fa cità, e omo ragione e sapienza e costumi onesti e retti bene. O che non più sembrasse vostra terra deserto, che cità sembra, e voi dragoni e orsi che citadini![15] Certo, si come voi no rimaso è che membra e fazone d'omo,[16] ché tutto l'altro è bestiale, ragion fallita,[17] no è a vostra terra che figura di cità e casa, giustizia vietata e pace.[18] Ché, come da omo a bestia no è già che[19] ragione e sapienza, non da cità a bosco[20] che giustizia e pace. Come cità puo' dire,[21] ove ladroni fanno legge e più pubrichi[22] istanno che mercatanti? e ove signoreggiano micidiali,[23] e non pena, ma merto riceveno dei micidi? e ove son òmini devorati e denudati e morti[24] come in diserto?

O reina[25] de le città, corte de dirittura,[26] scola di sapienza, specchio de vita e forma di costumi,[27] li cui figliuoli erano regi regnando in ogni terra o erano sovra degli altri, che devenuta se'? Non già reina, ma ancilla conculcata[28] e sottoposta a tributo; non corte de dirittura, ma di latrocinio spilonca,[29] e di mattezza tutta e rabbia scola,[30] specchio de morte e forma de fellonia,[31] la cui fortezza grande è denodata[32] e rotta, la cui bella fazione[33] è coverta di laidezza e d'onta, li cui figliuoli non regi ora, ma servi vili e miseri tenuti[34] ove che vanno, in brobbio e in deriso[35] d'altra gente!

---

1. **Infatuati miseri**: folli e degni di pietà.
2. **omo... eternalmente**: un uomo (cioè Guittone stesso) che condivide la vostra perdita, la vostra sciagura e ricambia odio per odio, amore per amore, eternamente. Puoi sottintendere: si rivolge a voi. La frase è condensata e oscura, come avviene in G. parallelamente al fenomeno contrario: quello dell'amplificazione volta a creare un ampio e patetico ritmo oratorio. Il Marti dice che questo periodo è quasi una stanza di canzone; qualcosa di simile si può dire anche di quelli seguenti.
3. **infermo**: infermità; qui però ha il senso di «sconfitta» (la rotta di Montaperti).
4. **unde... fiede**: onde colpisce, accora.
5. **nel mio duro cuore,** ecc.: La durezza del cuore di G. si spiega con lo sdegno morale che egli prova dinanzi alla violenza disumana di quelle lotte fratricide; la pietà nasce dal pensiero di quanto sia stata avvilita da quella sconfitta la nobile città.
6. **adduce, che m'adduce... unguento**: Nota la ripetizione di *adduce* (induce), la rima di *talento* (desiderio, volontà) e *unguento*, il parallelismo *sanando e mitigando* e, più avanti, la costruzione lambiccata *di fare lo savere donarme degna* (anche la successione di due parole che comincino con la stessa lettera: *donarme degna* è un artificio retorico detto allitterazione); sono tipici procedimenti dello stile prosastico guittoniano, non lontani da quelli usati nelle sue poesie. Il senso del passo è: «la pietà induce in me il desiderio di usare un qualche soave unguento, per sanare e mitigare almeno in parte (**alcuna cosa**) le sue (di Firenze) pericolose piaghe, se Dio, sommo, ricco, saggio e buon maestro, si degna che io lo debba fare (cioè mi ritiene degno di farlo e me lo concede) e si degna di donarmi le forze per farlo (che io lo sappia fare)».
7. **ché per me... bene**: il senso dell'arzigogolato costrutto è che occorre soprattutto la saggezza per compiere il bene.
8. **molti miei**: molto miei: allude al suo amore per i Fiorentini.
9. **non è già... bene**: non c'è invero altra differenza fra la bestia e l'uomo se non la ragione mediante la quale si conosce e si ama veramente e rettamente.
10. **per che**: e per questo.
11. **ch'è ragione**: e questo senno è la ragione.
12. **Ragione... vale?**: Quando l'uomo ha perduta la ragione, qual valore maggiore della bestia può avere?
13. **Unde... cità**: E per questo, vedete voi se la vostra città è veramente una città.
14. **che non cità fa già,** ecc.: che non bastano a fare una città palazzi e belle strade (**rughe**).
15. **O che... citadini!**: Volesse il cielo che la vostra città non rassomigliasse a un deserto, mentre pur vuol sembrare città, e voi a dragoni e orsi, mentre sembrate cittadini!
16. **Certo... omo**: Certo, come non vi sono rimaste che le membra, e un'immagine esteriore di uomo.
17. **ragion fallita**: venuta meno la ragione.
18. **no è... pace**: così la vostra città non è tale se non nell'aspetto esteriore, dal momento che giustizia e pace sono da essa in bando.
19. **no è già che**: non v'è altra differenza che.
20. **non da città a bosco,** ecc.: solo la giustizia e la pace distinguono una città da un bosco, cioè da un luogo selvaggio.
21. **Come... dire**: Come puoi chiamare città quella in cui, ecc.
22. **pubrichi**: pubblici, davanti agli occhi di tutti.
23. **micidiali**: assassini. E, più oltre, **micidi**: omicidi.
24. **morti**: uccisi.
25. **O reina,** ecc.: Comincia l'accorato elogio della Firenze d'un tempo e del suo splendore; l'ispirazione è la stessa della canzone.
26. **dirittura**: giustizia.
27. **forma di costumi**: modello di buoni costumi.
28. **ancilla conculcata**: serva calpestata.
29. **di latrocinio spilonca**: spelonca dove s'adunano ladroni.
30. **di mattezza... scola**: scuola di ogni follia e rabbia.
31. **forma de fellonia**: modello, esempio di tradimento.
32. **denodata**: spogliata (delle sue armi) e quindi indifesa. Il Marti interpreta «snodata» e quindi distorta, sconvolta.
33. **fazione**: immagine.
34. **tenuti**: son tenuti.
35. **in brobbio e in deriso**: in obbrobrio e derisione.

La «Rettorica» di Brunetto Latini

Accanto allo studio delle *artes dictandi* medioevali e all'applicazione del loro insegnamento alla prosa in volgare, si manifesta nel Duecento l'esigenza di rifarsi ai grandi modelli della classicità latina, a Cicerone soprattutto. È questo un aspetto di quel ricupero della classicità, nelle forme e nello spirito, che venne compiuto in maniera ancora incerta dalla civiltà comunale, e che verrà in seguito approfondito, da Dante all'Umanesimo.

La *Rettorica* di Brunetto Latini (che anche in questo caso riconferma l'alto magistero culturale riconosciutogli da Dante) è la traduzione, peraltro lasciata interrotta, del *De inventione* di Cicerone, contenente una teoria dell'eloquenza, ed è accompagnata da un ampio commento originale. Di Cicerone, Brunetto tradusse anche le orazioni *Pro Ligario, Pro rege Deiotaro, Pro Marcello*. Il *De inventione* doveva servire, nelle sue intenzioni, a fornire le basi retoriche per l'attività politica dei comuni (discorsi, ambascerie, ecc.); le orazioni dovevano costituire modelli di eloquenza giuridica.

Queste traduzioni ebbero grande importanza sulla formazione della prosa italiana: il latino classico offriva un modello di prosa densa di pensiero, solida e organica nella struttura sintattica più che il latino medioevale o il francese.

Riportiamo qui dalla *Rettorica* la traduzione di un passo ciceroniano e alcune chiose di Brunetto. È evidente la differenza di stile: nella traduzione avverti un periodare armonioso, solenne, sapientemente orchestrato, le chiose invece hanno andamento più vivace e discorsivo.

La rettorica

Qui comincia lo 'nsegnamento di rettorica, lo quale è ritratto in vulgare[1] *de' libri di Tullio e di molti filosofi*[2] *per*[3] *ser Brunetto Latino da Firenze. Là dove è la lettera grossa si è il testo di Tullio, e la lettera sottile*[4] *sono le parole de lo sponitore.*[5]

Incomincia il prologo.

I

Sovente[6] e molto ho io pensato in me medesimo se la copia del dicere[7] e lo sommo studio della eloquenza hae[8] fatto più bene o più male agli uomini e alle cittadi; però che quando io considero li dannaggii del nostro Comune,[9] e raccolgo nell'animo[10] l'antiche aversitadi delle grandissime cittadi, veggio che non picciola parte di danni v'è messa per[11] uomini molto parlanti sanza sapienza.

Qui parla lo sponitore.

1. Rettorica èe scienzia di due maniere:[12] una la quale insegna dire, e di questa tratta Tulio nel suo libro; l'altra insegna dittare, e di questa, perciò che esso non ne trattò così del tutto apertamente, sì ne tratterà lo sponitore nel processo del libro in suo luogo e tempo, come si converrà.

4. Ed èe rettorica una scienzia di bene dire, ciò è rettorica quella scienzia per la quale[13] noi sapemo ornatamente dire e dittare. In altra guisa è così diffinita: rettorica è scienzia di ben dire sopra la causa proposta, cioè per la quale noi sapemo ornatamente dire sopra la quistione aposta.[14] Anco hae una più piena diffinizione in questo modo: rettorica è scienzia d'usare piena e perfetta eloquenzia nelle publiche cause e nelle private; ciò viene a dire[15] scienzia per la quale noi sapemo parlare pienamente e perfettamente nelle publiche e nelle private questioni — e certo quelli parla pienamente e perfettamente che nella sua diceria[16] mette parole adorne, piene di buone sentenzie.[17] Publiche questioni son quelle nelle quali si tratta il convenentre[18] d'alcu-

1. ritratto in vulgare: tradotto in lingua volgare
2. de' libri... filosofi: dai libri di Marco Tullio Cicerone e di molti filosofi. L'insegnamento di questi è raccolto però nel commento. Si alternano, nel libro, le forme *Tullio* e *Tulio*.
3. per: da.
4. lettera grossa... sottile: Nel codice la traduzione di Cicerone è scritta in caratteri più grandi, le note di Brunetto in piccolo.
5. sponitore: commentatore.
6. Sovente, ecc.: È questo il testo ciceroniano tradotto. Brunetto ne traduce via via un breve passo e poi lo commenta.
7. la copia del dicere: l'abbondanza (in latino *copia*) del dire, la facondia.
8. hae: ha.
9. li dannaggii... Comune: le calamità del nostro Comune. Con quest'ultima parola, Brunetto traduce il latino *res publica*.
10. raccolgo nell'animo: medito.
11. per: da. Per Cicerone la vera eloquenza non consiste soltanto nella bellezza formale, ma anche nella serietà del contenuto.
12. scienzia di due maniere: La rettorica cioè, secondo Brunetto, è la scienza che insegna l'arte di ben parlare, o eloquenza, e l'arte di **dittare**, cioè di scrivere epistole secondo le norme retoriche. Egli si propone di trattarne nel corso del suo commento, ma avverte che non v'è traccia di questa scienza in Cicerone; l'*ars dictandi* epistolare è infatti fenomeno tipicamente medioevale.
13. ciò è... per la quale: cioè la scienza mediante la quale.
14. aposta: propostaci, che dobbiamo trattare.
15. ciò viene a dire: questo significa che è la scienza, ecc.
16. diceria: discorso.
17. sentenzie: pensieri.
18. convenentre: condizione.

na cittade o comunanza di genti. Private sono quelle nelle quali si tratta il convenentre d'alcuna spiciale persona.[19]

16. E per le sue propie parole[20] che sono scritte nel testo di sopra potemo intendere apertamente che in queste medesime parole ove dice che i mali che per eloquenzia sono avenuti e che non si possono celare, in quelle medesime la difende abassando e menimando la malizia.[21] Ché là dove dice «dannaggi» sì suona che siano lievi danni de' quali poco cura la gente. E là dove dice «del nostro Comune» altressì abassa del male, acciò che più cura l'uomo del proprio danno che del comune; e dicendo «nostro Comune» intendo[22] Roma, però che Tulio era cittadino di Roma nuovo e di non grande altezza;[23] ma per lo suo senno fue in sì alto stato che tutta Roma si tenea alla sua parola, e fue al tempo di Catellina,[24] di Pompeio e di Iulio Cesare, e per lo bene della terra[25] fue al tutto contrario a Catellina. E poi nella guerra di Pompeio e di Iulio Cesare si tenne con Pompeio, sì come tutt'i savi ch'amavano lo stato di Roma; e forse l'appella «nostro Comune» però che Roma èe capo del mondo[26] e Comune d'ogne uomo.

19. spiciale persona: di un individuo particolare.
20. E per le sue... parole, ecc.: Qui Brunetto chiosa direttamente il testo, dove esso dice «li dannaggi del nostro Comune».
21. che i mali... malizia: là dove Cicerone parla dei mali che sono avvenuti per colpa dell'eloquenza e non si possono celare, difende l'eloquenza limitando e minimizzando i tristi effetti da essa prodotti (dice infatti *dannaggi*, danni, e non «mali»).
22. dicendo... intendo: dove Cicerone dice... io interpreto.
23. nuovo... altezza: non nobile.
24. Catellina: Catilina.
25. terra: città (Roma).
26. Roma èe capo del mondo, ecc.: Brunetto sente la storia di Roma indissolubilmente legata alla nuova civiltà romanza (come farà anche Dante): Roma era sinonimo di giusto e ordinato vivere civile, il simbolo dell'umana società.

Il «Tresor» di Brunetto Latini

Riproduciamo un passo dell'opera maggiore di Brunetto, *Li livres dou Tresor*, in una versione del Duecento attribuita da alcuni (ma, sembra, con scarso fondamento) a un infaticabile volgarizzatore dell'epoca, Bono Giamboni.

Come abbiamo osservato parlando di Brunetto in un'altra parte dell'antologia, il *Tresor* è una vasta compilazione enciclopedica di tipo divulgativo, fondata sulla concezione sistematica e unitaria del sapere proprio della cultura medioevale, ma dispersa in una sorta di antologia di notizie.

Nel primo libro del *Tresor* sono interessanti le pagine dedicate alla fisiologia umana, ai vari «umori» dell'uomo, alla sua complessione considerata simile a quella dei quattro elementi, degli animali, delle piante, delle stagioni, cioè della natura nel suo complesso. È una scienza che a noi appare con un vago colorito fiabesco e suggestivo (si pensi alla malinconia o umor nero, che ha, secondo l'autore, la stessa natura della terra e dell'autunno); ma queste nozioni fanno parte di un patrimonio scientifico allora comunemente accettato ed ereditato dall'antichità.

Complessione e «umori» dell'uomo

E avegna Idio che[1] in ciascuna cosa sieno mischiati i quattro alimenti e le quattro complessioni[2] e le quattro qualità insieme, conviene che la forza dell'uno vi sia più forte, secondamente che più v'abonda.[3]

E per quella natura che più v'abonda, è tutto apellato di quella natura.[4] E la ragione è questa: se fremma[5] abonda più in uno uomo, egli è appellato frematico, per la forza ch'ell'hae[6] in sua natura. Ché in ciò che[7] flemma è fredda e umida, ed è di natura d'acqua e di verno,[8] conviene elli[9] che quello uomo sia lento e molle e pesante e dormiglioso e non bene ricordante delle cose passate, e ciò è la complessione che più appartiene a' vecchi.[10] E ha la sua sedia[11] nel polmone, ed è purgata per[12] la bocca. Ella cresce di verno, perciò ch'ella è a sua natura:[13] perciò sono in quel tempo malati li frematichi vecchi; ma i collerichi sono più sani, e li giovini altressì. E le malizie[14] che sono per

1. avegna Idio che: nonostante che.
2. alimenti... complessioni: elementi... complessioni e qualità ad esse inerenti. Secondo Brunetto, tutte le cose nascono dalla mescolanza di quattro «complessioni», cioè il caldo, il secco, il freddo e l'umidità, che informano di sé i quattro elementi (fuoco, acqua, aria e terra), i corpi, i loro umori (collera, flemma, sangue, malinconia), le piante e le quattro stagioni.
3. conviene... abonda: necessariamente, la forza della complessione che più abbonda è quella che ha maggior forza nel singolo composto.
4. E per quella... natura: La natura di ogni cosa (ma qui il discorso di Brunetto riguarda l'uomo in particolare) è chiamata, definita secondo la *complessione* che prevale in essa.
5. fremma: flemma. Così: **frematico:** flemmatico.
6. ch'ell'hae: che questa complessione ha nella sua natura.
7. in ciò che: per il fatto che.
8. è di natura d'acqua e di verno: ha la stessa natura dell'acqua e dell'inverno, che sono anch'essi freddi e umidi.
9. conviene elli: conviene che (quell'uomo è per natura).
10. e ciò... vecchi: e questa è la complessione propria dei vecchi.
11. sedia: sede.
12. è purgata per: si spurga attraverso.
13. perciò... natura: perché d'inverno si incontra con una stagione che è della sua stessa natura.
14. malizie: malattie.

cagione di fremma sono malvagie di verno, siccome cotidiane;[15] ma quelle che sono per collera sono meno mal[e], siccome terzana; e perciò è bene che 'l frematico usi di verno cose calde e secche.

Sangue è caldo e umido, e ha suo seggio[16] entro lo fegato. E cresce nella primavera: perciò sono allora malvagie le malizie[17] del sangue; in quel tempo sono meglio sani i vecchi che i giovani: perciò debbono elli[18] usare cose fredde e secche. E l'uomo in cui questa complessione abonda, è apellato[19] sanguigno, e ciò è la migliore complessione che sia: dond'elli aviene uomo grassetto, cantante, lieto e ardito e benigno.

Collera è calda e secca, e ha il suo seggio entro il fiele, ed è purgata per[20] li orecchi. Questa complessione è di natura di fuoco e di state e di calda giovanezza: perciò fa ell[a] uomo adiroso e ingegnoso,[21] aguto, fiero e leggiero e movente.[22] E sì cresce di state: perciò sono allora li collerichi meno sani che li frematichi, e meno li giovani che li vecchi; e perciò debono usare cose fredde e umide, imperciò che le malizie che vengono per collera sono pericolose di state più che quelle che sono per fremma.

Maninconia[23] è uno omore che l'uomo apella collera nera,[24] ed è fredda e secca, ed ha suo seggio nella spiena,[25] ed è di natura di terra e d'autonno:[26] percioe fae li uomini maninconosi[27] e pieni d'ira e di men[28] malvagi pensieri, e pauroso, che non puote bene dormire alcuna volta. Ed è purgata per gli occhi, e cresce in autunno: perciò sono in questo tempo più sani i sanguigni che i maninconosi, e più e meglio i garzoni[29] che i vecchi. E allora sono più gravi malattie quelle che sono per[30] maninconia che quelle che sono per sangue: perciò è buono a usare cose calde e umide.

15. siccome cotidiane: come le febbri quotidiane.
16. seggio: sede.
17. malvagie le malizie: gravi e pericolose le malattie.
18. elli: i giovani.
19. apellato: chiamato.
20. per: attraverso.
21. adiroso e ingegnoso: facile all'ira e astuto.
22. leggiero e movente: impulsivo e incostante.
23. Maninconia: malinconia. La parola ha nel Medioevo un significato notevolmente diverso da quello che le diamo oggi, come puoi vedere dalla definizione che Brunetto ne dà subito dopo.
24. collera nera: atrabile.
25. nella spiena: nella bile.
26. è di natura... autonno: ha la stessa natura fredda e secca della terra e dell'autunno.
27. maninconosi: crucciati e agitati.
28. men: molti (riproduce nel suono, oltre che nel senso, il francese *maintes*).
29. garzoni: giovani.
30. che sono per: che derivano da.

Il «Libro della natura degli animali»

La fioritura letteraria in prosa costituì, nel Duecento, «una presa di conoscenza del mondo da parte di persone che, senza consacrarsi agli studi, guardavano tuttavia alla realtà con occhio acuto» (Segre). Per questo vediamo trionfare in essa il metodo divulgativo, moltiplicarsi volgarizzamenti e opere originali che mettevano la cultura a contatto di un pubblico più vasto. Trascurando la teologia e l'alta filosofia si elaborarono manuali di vita pratica, volti a dare norma di condotta morale e civile, e anche opere di divulgazione scientifica.

Il *Libro della natura degli animali*, appartenente alla seconda metà del Duecento, è un tipico esempio di questa cultura. Esso fonde, attingendoli da fonti latine e francesi medioevali, l'interesse scientifico e quello morale, con una decisa prevalenza di quest'ultimo. Contiene una descrizione di vari animali, veri o favolosi, compiuta secondo le credenze scientifiche del tempo, ma, con un procedimento simbolistico e allegorico, proprio della cultura medioevale, considera questi animali come emblemi di vizi e di virtù.

È questo il modulo caratteristico dei *bestiari*, fondati su di un interesse essenzialmente didascalico-moralistico. Essi si rifanno a un'opera composta in greco nel II sec. d.C. ad Alessandria e diffusa ampiamente nel mondo bizantino, il *Fisiologo*, che passa in rassegna animali, piante e pietre di cui indica le virtù, le potenze occulte e la loro significazione morale e spirituale. In Italia, nel sec. XIII, abbiamo, oltre al *Libro della natura degli animali*, il *Bestiario moralizzato eugubino*, in versi, e un bestiario limitato alla sola descrizione degli animali nel *Tresor* di Brunetto Latini.

I *bestiari* sollecitarono la fantasia degli uomini del Medioevo: troviamo similitudini tratte da essi nella lirica delle origini e nella *Commedia* di Dante che mostra, ad es., di credere all'esistenza di un uccello favoloso, l'*araba fenice*, della quale, del resto, poteva leggere una descrizione nel *Tresor*.

Le leggende dei bestiari rivelano il limite della scienza medioevale, che fu fondata, in prevalenza, su compilazioni tratte da testi antichi e dominata dal principio d'autorità piuttosto che da quello della libera ricerca.

Della natura della serena

La serena[1] si è una criatura molto nova,[2] ché elle sono di tre nature. L'una si è messo pesce e messa fatta a similitudine de femena;[3] l'altra si è messo uccello e messo femena; l'altra si è messo como[4] cavallo e messo como femena. Quella che è [messo] pesce sì ha[5] sì dolce canto, [che] qualunque omo l'ode sì è misteri che se li apressime;[6] odendo l'omo questa voce, sì si adormenta, e quando ella lo vede adormentato sì li viene sopra e uccidelo. Quella che è messo cavallo, sì sona una tromba che simigliantemente è sì dolce che occide l'omo[7] in quella medesma mainera.[8] Quella ch'è messo uccello sì fa uno sono d'arpa di tale mainera che simigliantemente è omo tradito e morto.

Questa serena potemo noi appellare le femene che sono di bona conversasione,[9] che ingannano li òmini li quali s'inamorano di loro carnalmente,[10] che per qualunque cagione li òmoni[11] s'inamorano di loro, o per belessa di corpo o per vista che ella li faccia o per pa[raule] inganevile[12] ch'ella dice, si può tenere morto sì como collui cui la serena ne inganna:[13] che chi di folle amore è preso, bene pò dire che sia morto in tutti l'altri suoi fatti. Sì como dice[14] in uno luogo: «Quando l'omo è d'amore preso, arivato è a mal porto; allora non è in sua bàlia»;[15] e chi per sua mala ventura morisse in quello stato, puote dire che sia morto[16] in anima e in corpo.

1. **serena**: sirena.
2. **molto nova**: molto strana.
3. **L'una... femena**: L'una per metà è pesce e per metà fatta a somiglianza della figura femminile.
4. **messo como**, ecc.: mezzo come cavallo, ecc. Cioè mezzo cavallo e mezzo donna.
5. **sì ha**: ha.
6. **si è... apressime**: è costretto ad avvicinarlesi.
7. **che occide l'omo**, ecc.: L'uomo cioè si avvicina a lei, attratto dal dolce suono della tromba, si addormenta e viene ucciso.
8. **mainera**: maniera.
9. **Questa serena... conversasione:** Possiamo chiamare sirene le donne che sono buone parlatrici (e si servono di questa loro arte per sedurre gli uomini).
10. **carnalmente**: con passione dei sensi.
11. **òmoni**: uomini.
12. **o per vista... inganevile**: o per atteggiamenti pieni di civetteria o per parole ingannevoli.
13. **cui... inganna**: che la sirena inganna.
14. **como dice**, ecc.: come è scritto in una poesia del Duecento.
15. **non è in sua bàlia**: non ha più alcun potere su di sé.
16. **che sia morto**, ecc.: in quanto va incontro all'eterna dannazione.

Restoro d'Arezzo

Scarsissime notizie abbiamo di Restoro d'Arezzo. Fu molto probabilmente frate e nacque e visse ad Arezzo, che, nella seconda metà del Duecento, era un fervido centro di cultura. Con ogni probabilità terminò di comporre nel 1282 la sua opera, la *Composizione del mondo*, particolarmente interessante fra quelle scientifiche del secolo, perché vi si avvertono i primi segni di una conoscenza diretta del mondo naturale, fondata sulla personale osservazione e sperimentazione, mentre la scienza del Medioevo si fondava essenzialmente su compilazioni tratte da testi antichi, nelle quali si avvertiva una visione della natura oscillante fra simbolismo e superstizioni. Le frequenti elencazioni di fatti naturali che troviamo nel libro di Restoro sono animate «dall'entusiasmo e dalla risoluzione dello scienziato che controlla, interpretandole, le leggi della natura» (Segre). Un altro critico recente, il Marti, ha riconosciuto che «la fonte più fresca e più urgente dell'opera è il vivo e sempre desto spirito d'osservazione dell'autore, il suo desiderio che non gli sfugga alcuno degli aspetti degli esseri che lo circondano, e dei fenomeni che egli osserva».

Restoro non mira allo stile forbito ed eloquente, perseguito da altri prosatori del secolo; la sua pagina è sintatticamente elementare, tutta densa di nomi e aggettivi, intesa a un inventario del mondo.

Il risveglio della terra a primavera

Stando lo sole de logne da noi elle parti del Capricorno,[1] trovamo la terra freda e chiaciata e soda e stretta,[2] e quasi denudata o povara: come lo campo che ne fosse cessato[3] el lavoratore, e fosse sodo senza frutto, e non fosse anco lavorato. E rapressandose lo sole uno passo,[4] trovamo la terra, ch'era fredda e chiazata, e stretta e soda, essare rescaldata e sghiaciata, e ensollita e deradata[5] da lui; e halla quasi lievetata,[6] e pare che s'aparecchi a recevare la 'mpressio-

1. **de logne da noi... Capricorno** lontano da noi, nella costellazione del Capricorno.
2. **chiaciata e soda e stretta,** ecc.: l'acutezza dell'osservazione trova pieno riscontro nell'aggettivazione incisiva. *chiaciata* significa *ghiacciata*.
3. **che... cessato**: dal quale si fosse allontanato.
4. **uno passo**: *un grado* sul meridiano celeste. Ricorda che secondo la scienza del tempo il sole gira attorno alla terra.
5. **ensollita e deradata**: resa molle e non più stretta e compatta.
6. **lievetata**: gonfiata, come il pane quando vi è stato posto il lievito. La freschezza della pagina nasce dai paragoni tratti dalla realtà usuale coi quali l'autore, in mancanza di un vocabolario scientifico definito, si sforza di dare evidenza sensibile alla sua analisi.

ne[7] che li vole essare data dal cielo; secondo la cera[8] rescaldata e ensolita per recevare la 'mpressione del sugello; e anco secondo lo semenatore, che lavora lo campo ch'era sodo, che 'l derada e ensollescelo[9] collo lavorio, perché la radice de la semente li possa mellio[10] entrare, e anco perché l'aqua e l'aere li possa mellio entrare, per cresciare e per inumedire[11] la radice de la planta. [E venendo] lo sole più su uno passo, trovamo la terra e l'acqua engravedata da la virtude e da la intelligenzia dal cielo,[12] e la terra germolliare tutta, e essare mossa a la generazione; e dé recevare la 'mpressione dal cielo e da la sua intelligenzia de le cose, le quali ha en sé de potereli dare, come lo sugello dà e pone la sua intelligenzia e·lla cera.[13] E significazione[14] de questo si è che 'l cielo colla sua virtude e co la sua intelligenzia emprima[15] le cose, le quali elli ha en sé de potere dare, e engravedare la terra,[16] come lo suggello la cera; sie che,[17] se lo sole stesse fermo e.lle parti[18] del Capricorno, la generazione pererea,[19] e la terra non engravedarea e non germoliarea maio;[20] e se la virtude del cielo se cessasse, e la generazione cessarea;[21] come lo sugello, che colla sua intelligenzia se cessasse[22] da la cera, la cera remarea voita.[23] E potaremo dire per ragione[24] che 'l cielo sia masculino e ricco, lo quale ha a dare, e la terra sia feminina e povara, la quale ha a recevare.

7. a recevare la 'mpressione, ecc.: Secondo la scienza del tempo, i cieli piovevano sulla terra degli influssi che garantivano l'armonico svolgersi della vita della natura.
8. secondo la cera, ecc.: simile alla cera riscaldata e ammollita per ricevere l'impronta del sigillo.
9. derada e ensollescelo, ecc.: lo dissoda e ammorbidisce col suo lavoro.
10. mellio: meglio.
11. cresciare... inumidire: far crescere... inumidire.
12. engravedata... dal cielo: impregnata di germi di vita dalla virtù, dall'influsso del cielo.
13. e dé recevare... e·lla cera: la terra deve ricevere dal cielo, che ha in sé i germi di tutte le cose, l'impronta creatrice; essa è pura materia che riceve dal cielo la forma. E il cielo ha in sé il potere di imprimere la sua impronta decisiva e creatrice sulla materia terrena, così come il sigillo imprime la propria forma nella cera.
14. significazione: prova evidente.
15. emprima: imprime, dà definitiva impronta; e *engravida* la terra, cioè la rende pregna di nuove vite, dandole nuova forma come fa il suggello con la cera.
16. le quali elli ha en sé... la terra: il cielo ha in sé potere di dare questa impronta.
17. sie che: sicché.
18. e.lle parti: nelle parti.
19. pererea: perirebbe.
20. maio: mai.
21. se cessasse... cesserea: se cessasse, anche la generazione cesserebbe.
22. se cessasse: se non imprimesse la sua forma.
23. voita: vuota, informe.
24. per ragione: con giusta ragione.

I «Fiori e vita di filosafi ed altri savi e imperadori»

Come lo studio del mondo della natura, anche quello della storia è piegato, nel Medioevo, a una significazione morale o religiosa. Nascono così queste raccolte di «fiori», o antologie, di personaggi storici, esemplari per vizi o per virtù. La storia, guardata sotto questo aspetto moralistico, diventa raccolta di esempi edificanti, e questo spiega la mancata distinzione fra storia e leggenda, l'assoluta indifferenza per il controllo delle fonti, per la cronologia, per la veridicità effettiva del racconto.

Il testo che riportiamo è una traduzione dello *Speculum historiale* attribuito a Vincenzo di Beauvais, compiuta da un anonimo toscano dopo il 1264, ed è caratterizzato da uno stile rapido ed elegante, semplice nella sintassi ma ricco nel lessico. La vivacità del racconto, l'evidente interesse narrativo preannunciano il *Novellino*, molti racconti del quale saranno tratti da questi *Fiori*.

Papirio

Papirio fue di Roma,[1] uomo fortissimo e di grande cuore e desideroso di battaglie, sì che li Romani si credeano per costui difendere[2] da Alessandro, che regnava in quel tempo.

Questo Papirio essendo garzone,[3] andava sovente col padre al Consiglio.[4] E la madre il domandò un die, che nel Consiglio fosse fatto.[5] E 'l garzone rispose: — Egli è credenza e non è da dicere.[6] — A la madre venne troppo maggiore voglia di saperlo: battendo il figliuolo, isforzavalo di dicere. Allora el garzone, veggendo che dicere li convenia, pensò una molto bella bugia, e disse che nel Consiglio era ragionato[7] qual era meglio, tra che uno uomo avesse due mogli o una femina avesse due mariti, per moltiplicare la gente di Roma, perciò che terre si rubellavano.[8] La madre promise di tenerlo credenza.[9] E sì tosto andò e parlò con altre donne, sì che la parola andò tanto d'una donna in altra, che le grandi donne di Roma si raunaron tutte ed andaro al Consiglio d'ivi al terzo die,[10] e dicevano e consigliavano ch'egli era meglio che la femina

1. fue di Roma: fu romano.
2. per costui difendere: difendersi mediante costui. È appena necessario avvertire che fra Alessandro Magno e Roma non vi fu alcun rapporto.
3. garzone: giovinetto.
4. Consiglio: senato.
5. che... fatto: che cosa si fosse deciso.
6. Egli... dicere: c'è l'obbligo del segreto e quindi non devo dirlo.
7. era ragionato, ecc.: si era disputato su che cosa fosse meglio.
8. perciò... rubellavano: poiché vi erano città del dominio romano che si ribellavano.
9. tenerlo credenza: tener segreta la notizia.
10. d'ivi al terzo die: tre giorni dopo.

avesse due mariti, che l'uomo due mogliere,[11] e meglio si potrebbe sofferire.[12] Li sanatori[13] del Consiglio, non sappiendo che istemperamento[14] de femine quello fosse, né quello che volesse dicere la domandagione[15] loro, temettero quella maraviglia[16] e la follia de l'ardire de le donne. Alora Papirio iscoperse il fatto ai sanatori; e i sanatori saviamente acommiataro le donne e pregiaro il senno[17] del garzone; e fecero per quella cagione uno ordinamento,[18] che neuno[19] altro garzone venisse con suo padre al Consiglio.

11. che l'uomo... mogliere: piuttosto che l'uomo avesse due mogli.
12. sofferire: sopportare.
13. sanatori: senatori.
14. istemperamento: sollevazione.
15. domandagione: richiesta.
16. quella maraviglia: quel fatto inusitato e strano, tale da destare stupore.
17. pregiaro il senno: apprezzarono il senno. La *morale* del racconto è un'esaltazione della prudenza, congiunta a una polemica caricatura della curiosità e leggerezza delle donne; ma più che altro predomina nel passo un divertito interesse narrativo.
18. ordinamento: legge.
19. neuno: nessun.

I «Fatti di Cesare»

I *Fatti di Cesare* sono in parte compendio in parte traduzione di un'opera francese anonima, largamente diffusa nel sec. XIII: *Li fet des Romains,* che narra le vicende di Giulio Cesare, ispirandosi a storici dell'antichità, quali Sallustio, Svetonio, Cesare stesso, ma anche a un poeta, Lucano.

Il racconto è condotto secondo il gusto romanzesco del Medioevo, e d'altra parte le figure dell'antichità sono attualizzate, cioè interpretate secondo la mentalità e il costume medioevali. La stessa cosa avveniva nei romanzi francesi del ciclo classico.

I *Fatti di Cesare* ebbero un vivo successo in Italia, dovuto soprattutto al fatto che il ricordo di Roma si trasforma da noi, nel Duecento, in un sentimento attuale, le vicende della sua storia vengono lette come memorie di un comune, glorioso passato.

Riportiamo un breve passo, riguardante la figura di Catone Uticense, il fiero antagonista di Cesare, visto qui come figura esemplare di uomo saggio e buono, che consacra tutta la vita per il suo «Comune». L'esaltazione di questa figura avrà il suo momento culminante nel I canto del *Purgatorio* di Dante.

Catone

Catone ebbe in sé attemperamento:[1] molto piangeva lo pericolo[2] del suo Comune, molto riprendeva li mali. Quanto a sé, al suo vivare[3] non richiedeva né troppo né poco; non voleva cominciare[4] se non cose oneste: ciò voleva che era sufficiente naturalmente,[5] e lo soprapiù ricusava. Le sue robbe erano solo da schifare[6] lo freddo; bere e mangiare da sostentare la fame[7] solamente: apparecchiato stava[8] di morire per la republica, cioè per lo suo Comune, se bisognasse. Non si credeva essere ingenerato a sé proprio valere ma a tutti.[9] Quelli fu che dicea[10] che uomo doveva[11] mangiare per vivare, e non vivare per mangiare. Magione[12] aveva picciola; piacevali solo che 'l difendesse dal freddo e dal caldo e da la piova, tutto che[13] tombe[14] e delizie e magioni potesse avere assai, se elli volesse. Elli era padre e marito de la città di Roma, et era specchio et esemplo di tutti cittadini. Elli provedeva a tutti sì come fa lo padre a' filliuoli; e non amava lussuria.

1. ebbe... attemperamento: fu temperante.
2. lo pericolo, ecc.: La libertà di Roma era minacciata da Cesare, che voleva farsene signore. Anche qui la parola *comune* è sentita come l'esatta traduzione del latino *res publica.*
3. vivare: vivere.
4. cominciare: intraprendere, operare.
5. che era... naturalmente: che bastava a soddisfare i bisogni elementari della vita umana.
6. robbe... schifare: abiti... schivare.
7. da sostentare la fame: da soddisfare soltanto il naturale bisogno di cibo.
8. apparecchiato stava: era sempre pronto.
9. essere ingenerato... a tutti: di essere nato per badare solo al proprio interesse ma al comune interesse della patria.
10. Quelli... dicea: fu lui che diceva.
11. uomo doveva: si doveva.
12. Magione: casa.
13. tutto che: sebbene.
14. tombe: case di campagna.

La «Istorietta troiana»

La leggenda di Troia, strettamente agganciata da Virgilio nell'*Eneide* a quella di Roma, incontrò grande favore nel Medioevo. Le fonti che la tramandarono furono poemi e scritti della tarda latinità (il greco in Occidente fu quasi universalmente ignorato per gran parte del Medioevo e non si aveva conoscenza diretta dei poemi omerici): da esse

Benoit de Sainte More ricavò, intorno al 1165, la materia di un suo vastissimo e fortunato poema, il *Roman de Troie*, nel quale erano introdotte varie storie d'amore, ad una delle quali, quella di Troilo e Briseide, s'ispirerà il Boccaccio. La leggenda troiana fu variamente rielaborata in Germania e in Italia; qui i testi più importanti furono, nel Duecento, la *Historia destructionis Troie* del messinese Guido delle Colonne, scritta in latino, e la *Istorietta troiana*, ricavata evidentemente da un originale francese, forse da un rifacimento in prosa del testo di Benoit.

I critici riconoscono alla *Istorietta* il pregio di una lingua fresca e di una vivacità parlata dello stile. Interessante è anche vedere il travestimento del mondo antico in forme proprie della civiltà cortese e cavalleresca, secondo la spontanea attualizzazione che abbiamo già notato. In tal senso l'*Istorietta* è un testo assai vicino alla *Tavola ritonda* e al romanzo cavalleresco in genere, di cui diamo esempi più avanti.

Ritratto di Elena

A quella festa era venuta la bella Elena,[1] moglie de.rre[2] Menelao, che era de' più alti re di tutta Grecia, la quale molto avea i.rreverenza[3] la dea Venus. Quello re che Paris avea incontrato in mare[4] era il marito della reina Elena, la quale molto v'era venuta contamente[5] con nobile compagnia. Ella fue di bella statura, di convenevole grandezza, lunga e schietta, convenevolemente carnuta, adatta,[6] snella, bianca come aliso,[7] pulita come ivorio,[8] chiara come cristallo e colorita per avenente modo;[9] capelli biondi e crespi e lunghi; gli occhi chiari, amorosi e pieni di grazia;[10] le ciglia sottili e volte,[11] bruni di pelo e bassi;[12] il naso deritto e bene sedente, di comune forma;[13] bocca picciola e bene fatta; le braccia colorite; li denti bene ordinati, di colore d'avorio con alquanto splendore; il collo diritto, lungo e coperto,[14] bianco come neve; la gola pulita, stesa sanza apparenza;[15] ben fatta nel petto e nelle spalle; le braccia lunghe e bene fatte; le mani bianche e stese,[16] morbide e soavi; le dita lunghe, tonde e sottili; l'unghie chiare e colorite, il piè piccolo e ben calzante e snello; bello portamento e umile riguardo, grazioso e di buon'aria, franca e cortese.[17]

1. **la bella Elena**: L'interesse del passo è in quella descrizione precisa e minuziosa delle singole bellezze di Elena; è descrizione lontana dal nostro gusto, perché statica, ma riflette un procedimento caratteristico della retorica e del gusto medioevali, al quale resterà fedele anche il Petrarca nelle descrizioni di Laura compiute nelle sue opere latine.
2. **de.rre**: del re.
3. **i.rreverenza**: in riverenza. Era molto devota a Venere.
4. **incontrato in mare**: I due si erano incontrati mentre navigavano verso la Grecia.
5. **contamente**: graziosamente.
6. **adatta**: ben proporzionata.
7. **aliso**: giglio.
8. **ivorio**: avorio.
9. **per avenente modo**: in modo molto aggraziato.
10. **capelli... grazia**: soprattutto nei capelli biondi e negli occhi azzurri vedi i canoni dell'ideale di bellezza femminile proprio del Medioevo.
11. **le ciglia... volte**: i sopraccigli sottili e arcuati.
12. **bruni... bassi**: il passo non è molto chiaro: dovrebbe alludere al colore delle ciglia.
13. **di comune forma**: di forma regolare.
14. **coperto**: ben tornito.
15. **stesa sanza apparenza**: con una curva morbida senza eccessivo rilievo.
16. **stese**: lunghe e sottili.
17. **umile riguardo... cortese**: lo sguardo, l'espressione sono umili, cioè dignitosi e dolcemente raccolti, di aspetto libero e signorile.

Il ratto di Elena

Quando Paris venne alla festa con così nobile compagnia ed arnese,[1] come detto è, ciascuno andò a vederlo, sicché la novella[2] venne infino alla reina Elena; ed ella si rivolse verso quella parte e vidde Paris molto umilemente[3] venire con sua compagnia. Veggendo Paris la regina Elena, sì andò[4] verso lei e salutolla dolcemente e con onesto atto, e quella in tal maniera[5] rispuose al saluto; e poi che cortesemente ebe risposto, sì domandò[6] chi elli era e onde venìa. Ed elli li disse il nome e il lignaggio[7] e la cagione della sua venuta, avegna che elli non dicesse lo 'ntendimento suo,[8] ma disse che venuto era a quello luogo per divozione ed onore della dea Venus. E la reina disse: — Segnore, buona orazione possi tu fare, e li dii e la deessa[9] intendano e mettano in affetto[10] tua volontade. E certo se 'l mio segnore[11] fosse a questa festa, io penso che elli farebbe a voi tutto onore;[12] e se d'alcuna cosa ti bisogna, avegna che[13] 'l mio segnore non sia nel paese, sì sarà fornito liberamente e di buono volere. — Della qual cosa Paris le rende grazie, e delle sue ricchezze le profera[14] co·llargo animo. Apresso cioe, si partie Paris, preso e acceso d'amore della bella accoglienza e oferta della reina Elena, avegna che ella non rimanesse meno ardente dell'amore di lui. Paris s'inginocchiò dinanzi all'altare della dea,

1. **arnese**: equipaggiamento.
2. **novella**: notizia.
3. **umilemente**: con dignitosa eleganza, senza orgoglio o sfrontatezza.
4. **sì andò**: andò.
5. **in tal maniera**: allo stesso modo.
6. **sì domandò**: domandò.
7. **lignaggio**: la sua stirpe.
8. **avegna... suo**: sebbene non dicesse la sua intenzione (che era quella di rapire Elena).
9. **deessa**: dea (Venere).
10. **in affetto**: in effetto (ti esaudiscano).
11. **il mio segnore**: mio marito, cioè Menelao.
12. **tutto onore**: ogni onore; ti accoglierebbe coi dovuti onori.
13. **avegna che**: sebbene.
14. **le profera**: le offre.

pregandola che li renda sua promessa,[15] ché venuto è 'l luogo e 'l tempo. E ciò detto, si fece sembianti[16] di volere tornare alle navi e navicare verso Grecia, e prese commiato dalla reina Elena. Poi tornò alle navi molto isnello[17] con la sua compagnia, e presero consiglio di rubare[18] il tempio e di rapire Elena. Il qual consiglio preso, s'armaro vistamente,[19] e anzi che la luna si levasse, furono tutti armati e ordinati; e quetamente vennero al tempio, anzi che nullo se ne prendesse guardia,[20] e là ordinaro cento cavalieri alla guardia,[21] acciò che[22] nullo ne potesse uscire, e nel tempio n'entraro CCCC, i quali rubaro quanto che nel tempio era prezioso. Paris andò alla reina Elena, e quelli che difendere la voleano morti[23] furo. Poi ne menò lei, poi le disse umilemente e co lieto volto: — Madonna, se vi piacesse, io mi prometto[24] al vostro piacere come vostro cavaliere e leale amante. — La reina rispuose: — La forza è tua. — E Paris di ciò le rendé grazie, e presela per mano e con sua compagnia la condusse infino alle navi, e poi tutta la preda del tempio e delle genti che dentro erano.

15. li renda sua promessa: mantenga la sua promessa.
16. si fece sembianti: fece finta.
17. isnello: svelto.
18. rubare: saccheggiare.
19. vistamente: velocemente.
20. anzi che... guardia: prima che alcuno se ne accorgesse e si disponesse alla difesa.
21. ordinaro... alla guardia: lasciarono di guardia, fuori del tempio.
22. acciò che: affinché.
23. morti: uccisi.
24. io mi prometto, ecc.: È tipica formula cavalleresca medioevale, come tutto l'atteggiamento di Paride e, prima, il discorso con cui Elena lo accoglie, improntato a una cortesia raffinata che continua anche nelle parole con cui ora la regina accetta il fatto compiuto.

Il «Tristano» e la «Tavola Ritonda»

La *Tavola Ritonda*, scritta intorno alla fine del Duecento, è, insieme col *Tristano Riccardiano*, uno dei primi esempi di prosa narrativa in volgare. I due testi derivano da modelli francesi, ma li rielaborano con una certa libertà, come avviene in tutta la produzione italiana dell'epoca che tratti in prosa o in versi della materia cavalleresca o di Bretagna, pur riflettendone lo spirito e conservandone le convenzioni narrative e molte situazioni.

Vedi anche la sezione: «Il modello francese: la letteratura feudale» (p. 50).

Per i testi seguiamo: *La leggenda di Tristano*, a cura di L. di Benedetto, Bari, Laterza, 1942.

Il filtro amoroso

Ma, secondo che pone la storia,[1] che essendo Tristano con sua compagnia andato da quattro giorni per alto mare, e venendo il quinto giorno, dopo desinare, Tristano e Isotta si puosono allo scacchiere a giocare a scacchi, come erano usati;[2] e giucarono grande parte del dì: ed era a quel punto[3] un grande caldo, sì per la sentina del mare, e sì per la stagione del tempo.[4] E giucando eglino in tale maniera, aveano grande talento[5] di bere; e allor addomandaro a che[6] lo vino fosse apportato. E allora Governale e Brandina[7] andaron a una coverta[8] della nave, là dove era loro roba; e per ignoranza, sì presono il bottaccino[9] là dove era lo beveraggio sì amoroso, e sì diedono di questo bere a Tristano e a Isotta. E avendo eglino beuto, e[10] Governale e Brandina ripuosono il bottaccio; e abbiendolo riposto, ed eglino s'avvidono[11] come quello era stato lo beveraggio che la reina Lotta[12] tanto loro avea raccomandato. E di tale disavventura molto se ne dolìano; e Governale diceva a Brandina: «Nostra malinconia[13] non vale niente; perché fatto è, e' non puote stornare».[14] E allora Governale, per grande ira e per superbia, quanto beveraggio era rimasto nel bottaccio, sì lo gittò nello spazzo[15] della nave, dicendo che di sìe fatta cosa egli non voleva fare serbanza.[16] E a qual punto, una cucciolina di Isotta, la quale era appellata Idonia, sìe leccòe di quello beveraggio sparto;[17] e fue appresso della compagnia[18] degli due leali amanti, e nella sua vita non gli abandonò mai; e da poi ch'eglino furono morti e seppelliti, 'l terzo giorno si trovò morta sopra l'arca[19] di Tristano e di Isotta. E fue tanto fine quello beveraggio e sìe amoroso,[20] che, per lo odore che Governale e Brandina sentirono di quello,

1. secondo che pone la storia: secondo quello che raccontano le storie. Noi diremmo piuttosto la leggenda, ma nel Duecento non si fa distinzione fra racconti reali e fantastici, per la mancanza di una vera critica storica. L'antefatto di questo passo è il seguente: Tristano sta conducendo Isotta in isposa a suo zio, re Marco di Cornovaglia, sulla sua nave. La madre di Isotta ha apprestato un filtro che ha la virtù di accendere amore in chi lo beve per rendere felici le nozze, e lo ha messo sulla nave, fra gli oggetti della figlia.
2. usati: soliti.
3. a quel punto: in quel momento.
4. sì per la sentina... tempo: sia per le esalazioni del mare sia per la stagione.
5. talento: desiderio.
6. addomandaro a che: chiesero che.
7. Governale e Brandina: i servi rispettivamente di Tristano e di Isotta.
8. coverta: luogo coperto.
9. per ignoranza... bottaccino: presero per errore la botticella. I *sì*, frequenti in questa pagina, hanno funzione per lo più rafforzativa; si possono considerare pleonastici.
10. e: allora.
11. e abbiendolo... s'avvidono: e avendolo riposto, ecco che (*ed*) s'avvidero.
12. Lotta: la madre di Isotta.
13. malinconia: cruccio.
14. non puote stornare: non si può eliminare.
15. spazzo: pavimento; cioè sulla tolda.
16. non voleva... serbanza: non voleva serbarne neppure una minima parte.
17. sparto: sparso.
18. e fue... compagnia: e fu in seguito sempre unita.
19. l'arca: la tomba.
20. fine: efficiente, potente. **sìe amoroso**: così potente nel produrre il suo amoroso effetto.

mai in verso di Tristano né di Isotta non fallirono: [21] e fallar non poteano, tanto quello beveraggio gli facea congiunti.[22] Qui dice uno dottore,[23] che avendo messer Tristano e Isotta e Governale e Brandina e Passabrunello[24] e Idonia, ch'egli avea la più bella dama, e 'l più fedele servigiale, e lo più forte cavallo, e la migliore cucciolina che avesse niuno barone del mondo. E là dove cadde quello beveraggio, fece di sopra uno napuro[25] e una schiuma di colore d'argento; e dove si sparse, si strinse tanto forte, che tutti gli ferri del mondo non ne arebboro levato.[26] E ho oppenione che mai in quello luogo lo legno non venisse meno,[27] per la possanza di quello beveraggio. E alcuno libro pone, che quello beveraggio fue ordinato[28] di tante e sì forti polvere, e di tali pietre preziose,[29] che, a volerle stimare, valeano più di cento marche d'oro.

E avendo Tristano bevuto[30] questo beveraggio, egli si maraviglia molto molto perché sua volontà né suo pensiero egli in alcun modo non poteva raffrenare. E simile e in tale modo era infiammata madonna Isotta, cioè di lui: e per tale,[31] l'uno guatava[32] l'altro; e per lo molto mirare, l'uno conosce il disio dell'altro. E a quel punto dimenticarono lo giuoco degli scacchi; che quando Tristano pensava giucare dello dalfino,[33] ed e' giuca assai volte della reina, e tal facea Isotta: quando credeva giucare dello re, ed ella giucava dello cavaliere. E aveano lo giuoco tanto travagliato,[34] che ciascuno si crede essere morto; ed erano tanto presi d'amore, che lo minore scacco di suso[35] lo scacchiere pareva a loro lo maggiore. E questo, tutto loro intervenia per[36] quello beveraggio, il quale fue fatto e ordinato sì bene, che non fue maraviglia gli due cuori essere una cosa; ma fue maraviglia come gli due cuori non si partirono di loro luogo, e non si congiunsoro insieme, e essere uno cuore[37] ed essere in una forma sì come erano una volontà. Ché sappiate, che se quello beveraggio avessero gustato cento creature tutte di diverse nature, cioè cristiani, saraceni, lioni, serpenti, tutte gli arebbe fatti una cosa, e mai non si sarebbero abbandonati. E però non è da maravigliare sed[38] e' costrinse lo cuore di due giovani amanti; ma è da maravigliare che gli due cuori non si spezzarono in pezzi e non si feciono una cosa. Ora, vedendosi insieme loro visi amorosi e piacenti, non si poteano saziare dello guatare l'una l'altro. E fue quella una catena la quale incatenò il cuore degli due amanti: sicché degli due cuore fece uno cuore, cioè un pensamento;[39] e delli due corpi fece una volontà; però che quello che piaceva a Isotta, a Tristano dilectava; e quello che Isotta voleva, Tristano lo desiderava; e quello che spiaceva a l'uno, a l'altro gli era in odio: e gli due amanti ebbono una vita e feciono una morte,[40] e credesi che le anime abbiano uno luogo[41] stabilito insieme. E dal quel punto, gli due amanti non si travagliano di molte parole,[42] ma dipartironsi dal giuoco e dallo scacchiere, e vanno nella camera della nave; e con dicendo[43] Tristano «Speranza mia, Isotta, diletto della mia mente, onde m'è venuto al presente così fatto pensiere, ch'io v'amo più che non fo me medesimo?» e Isotta rispuose: «Tristano, mio diletto e mia consolazione, riposo mio e vita del mio cuore, se voi amate me, io amo voi con tutto desiderio del mio cuore, e quanto più posso amo voi». E a quel punto, s'abbracciano e baciano.

21. non fallirono: non li tradirono mai.
22. gli facea congiunti: li manteneva a loro congiunti, fedeli.
23. uno dottore: un sapiente.
24. Passabrunello: il cavallo di Tristano.
25. napuro: incrostazione.
26. non ne arebboro levato: non sarebbero riusciti a raschiarne neppure una minima parte.
27. venisse meno: si consumasse.
28. pone... ordinato: dice... composto.
29. pietre preziose: Si riteneva che le pietre preziose avessero particolari *virtù* o potenze magiche. Naturalmente esse erano state pestate e tritate per preparare il beveraggio.
30. E avendo Tristano bevuto, ecc.: Comincia qui la parte più bella dell'episodio: quell'atmosfera di fascinazione amorosa che si esprime in quel lungo, smemorato guardarsi dei due amanti, dimentichi di ogni cosa. La prosa con la sua lentezza contribuisce a dare il senso di un'atmosfera d'incanto e di passione.
31. e per tale: e per tale ragione.
32. guatava: non è un guardarsi, ma è un fissarsi appassionato.
33. dello dalfino: con l'alfiere, un pezzo degli scacchi, come, poco dopo, la *reina* (regina), il *re* e il *cavaliere*.
34. travagliato: confuso.
35. di suso: sopra la scacchiera.
36. intervenia per: accadeva a causa.
37. e essere... cuore: per diventare un solo cuore, anche materialmente.
38. però: perciò. **sed:** se.
39. un pensamento: un solo pensiero, una sola volontà.
40. una vita... una morte: furono uniti indissolubilmente nella vita e nella morte.
41. uno luogo, ecc.: siano insieme anche nell'aldilà.
42. non si travagliano... parole: non scambiano fra loro molte parole.
43. con dicendo: dicendo.

Il duello di Tristano e Lancillotto

Tornando una mattina Tristano inverso la città di Tintoille,[1] e mirando alla torre dove Isotta era imprigionata, e pensando sì come nolla poteva vedere; egli stava fuori di suo senno come pazzo.[2] E per lo cammino allora per tale passava uno cavaliere errante;[3] e scontrando a questo modo Tristano in sulla via quivi presso a uno petrone, questo cavaliere salutò Tristano cortesemente

1. Tintoille: è la capitale del reame di re Marco, il quale ha rinchiuso Isotta in una torre, consapevole dell'amore che la lega a Tristano.
2. stava... come pazzo: Fino a che non viene provocato da Lancillotto, Tristano s'aggira muto e smemorato, tutto immerso nel suo pensiero e nella sua pena d'amore. Quest'atmosfera trasognata, questo incantamento fatale dell'anima che giunge a tratti sino al parossismo della follia è uno dei temi centrali, per non dire quello centrale della figura di Tristano.
3. uno cavaliere errante: I cavalieri erranti erano il fiore della cavalleria. Andavano per il mondo in cerca di avventure dove potessero far mostra del loro valore. Per essere nominati «erranti», dovevano dar prima più volte prova della loro prodezza alla corte di re Artù, dov'era la Tavola Rotonda alla quale i cavalieri potevano sedere in modo che nessuno fosse a capotavola; e questo stava a dimostrare che erano pari per valore e dignità. Tutto questo non secondo la storia, ma secondo la tradizione leggendaria del ciclo brettone.

una fiata[4] e due. E come Tristano, il quale era dello alto pensiere[5] travagliato, nollo intendea e nollo udiva, e questo cavaliere tenne il non rispondere a grande disdegno;[6] e sì prende allora Tristano per lo ceppo del freno,[7] e sì lo sospinse a dietro; e della grande tratta[8] Tristano rivenne in sé dicendo: «Cavaliere, troppo siete arrogante a sospingere mio destriere; ma, per mia fé, che se io fossi armato, che io ve ne donerei tale pentimento, che sempre mai egli vi starebbe a mente».[9] E lo cavaliere allora disse: «Ora veggio io bene apertamente, che in questo paese hae[10] la più vile gente del mondo e la più oltraggiosa; ché per tre volte io sì v'ho salutato, e non avete degnato a volermi rispondere. Ma per mia fé, che se voi non fuste disarmato, io vi farei disinore e villania».[11] Tristano cominciò alquanto a sorridere,[12] e disse: «Da poi che voi avete compiuto vostro onore a vostro detto, che avete voi a fare di mia bacalaria e di miei fatti?[13] Ma tanto vi voglio dire, se voi mi volete tanto attendere che io mi sia armato, io vi mosterròe per forza d'arme drittamente, che in questo paese sì ci hae di prodi e di liali cavalieri». Allora lo cavaliere sì rispose e disse: «Or che non va' tu? ché non te ne spacci?[14] Va, fa tosto ch'io t'aspetto: e non mi partirò di questo secondo petrone».

E allora Tristano si torna quivi allo castello, e in grande fretta egli s'arma, e monta a cavallo; e vae inverso lo cavaliere. Ed essendo lui venuto, sì lo salutò cortesemente[15] dicendo: «Sir cavaliere, voi sapete che nostra battaglia non puote rimanere; e però vi priego voi vi vegnate a riposare a quello mio castello, e allo mattino combatteremo». E lo cavaliere disse: «Lo riposo ora non mi fae mistiere;[16] ma una cosa, in cortesia, mi dite: se in quello castello dimora uno cavaliere il quale è appellato messer Tristano». E Tristano disse: «Bel sire,[17] in verità vi dico che io lo vidi cavalcare in questa mattina assai pensoso».[18] E lo cavaliere disse: «Come! non è la reina Isotta nella città?». Quasi diceva:[19] «Come puote essere Tristano pensoso, essendo Isotta presso di lui?». E a quel punto, Tristano tutto si turbò;[20] dicendo: «Cavaliere, la reina Isotta, perché la menzonate[21] voi?». E lo cavaliere disse: «Perché io la ricordi e menzoni, di ciò non avete niente che fare; ché voi non siete sacerdote a cu' io dico gli miei peccati». E Tristano dice: «In qual parte avete voi veduta la reina Isotta, che tanto la mentovate?». E lo cavaliere disse: «Io non so dove io la vedessi mai, ma molto l'amo e amerò di buono cuore». E di quelle parole Tristano tutto se ne scolorì,[22] dicendo: «Cavaliere, non sia più parole in fra noi; prendete del campo[23] a vostro piacere, ch'io sì vi disfido». E a quel punto, uno borghese[24] se ne vae allo re Marco e còntagli sì come appresso allo petrone Tristano avea impresa una battaglia incontro uno cavaliere errante. E allora lo re e tutti li suoi baroni e cavalieri vanno tantosto[25] al prato per vedere. Ed essendo gli due cavalieri disfidati, l'uno si dilunga da l'altro, e vannosi a ferire delle lance,[26] e donàronsi due grandissimi colpi, sicché le lance si briciano[27] in più pezzi, e gli cavagli trascorrono;[28] e gli cavalieri si percuotono di scudi e di visaggio[29] per sì grande forza, che ruppero cinghie e pettorali,[30] e con tutte le selle andarono alla terra, e giaceano che quasi non si sentìano;[31] e appresso di loro, ambendue gli loro destrieri quivi caddono morti. E a quel punto, Tristano destramente si leva suso primamente; e vedendo morto suo buono cavallo ne fue di ciò molto dolente. Ma non di men'egli appella suo combattente[32] alla battaglia; e egli si drizza in istante,[33] e mettono mano alle spade, e cominciano una crudele battaglia; e dànnosi grandi colpi e pesanti, sicché in grande parti[34] risonavano; e in poca d'ora gli loro scudi n'erano più pezzi in terra, e molte delle loro armi erano affalsate e trinciate.[35] E nel secondo assalto, tutti gli loro elmi erano guasti e affalsati, e le loro carni erano molto allividite, e ancora di sangue a ciascuno era assai uscito. E lo re Marco e gli suoi baroni molto si maravigliano degli due cavalieri, veggendoli tanto bene

4. **una fiata**: una volta.
5. **dello alto pensiere**: il pensiero d'amore; dice *alto* nel senso di «nobile», e forse anche di «profondo», «esclusivo».
6. **disdegno**: disprezzo rivolto alla sua persona. Banale a noi sembra la causa del duello, ma non è così per la rigida etichetta cavalleresca, fondata su un intransigente e puntiglioso sentimento dell'onore.
7. **per lo ceppo del freno**: per il nodo che congiunge il freno al morso del cavallo.
8. **della grande tratta**: per la violenta spinta.
9. **sempre mai... mente**: ve ne ricordereste per sempre.
10. **hae**: vi è.
11. **disinore e villania**: disonore e villania; gli darebbe chiara dimostrazione, abbattendolo, che è indegno di appartenere al mondo della cavalleria.
12. **cominciò alquanto a sorridere**: È il sorriso dell'uomo superiore, ben consapevole del proprio valore, che, quindi, non si adira alle irruenti parole di Lancillotto, anche se, per dovere di cavalleria, deve disporsi al duello.
13. **Da poi che voi avete compiuto... fatti**: Gli dice con sottile e disdegnoso tono di scherno: «Dal momento che a parole avete sufficientemente onorato voi stesso (a parole, non a fatti) che vi interessa della mia cortesia e del mio modo d'agire?». *Bacalaria* indicava il complesso dell'educazione cavalleresca. Sostanzialmente, quello di Tristano è un oltraggio sanguinoso, equivale a dire che Lancillotto è uno sbruffone.
14. **ché non te ne spacci?**: perché non ti sbrighi?
15. **sì lo salutò cortesemente**: altro tratto (come l'invito al castello) del cerimoniale cavalleresco. Molto spesso, come qui, i cavalieri non si dicono il loro nome: la miglior presentazione è la cortesia e il valore che dimostreranno nel momento della battaglia, la quale si può dire che consacri ogni volta la loro appartenenza alla schiera eletta dei cavalieri. L'anonimato è inoltre spesso un espediente narrativo che determina un'atmosfera di sospensione e attesa.
16. **non mi fae mistiere**: non mi è necessario.
17. **Bel sire**: è appellativo usuale, di origine francese.
18. **assai pensoso**: ritorna il *tema* di Tristano: il sognare d'amore, e si preannuncia, nelle parole di Lancillotto, il motivo dell'ammirazione eroica di questi per Tristano, che avrà un'importanza risolutiva nella vicenda.
19. **Quasi diceva**: come se volesse dire. Se Isotta è vicina, Tristano non può essere pensoso e triste.
20. **tutto si turbò**: Tristano è preso dalla gelosia; nessuno altri che lui deve amare Isotta e pensare a lei. Il motivo sarà ripreso dal Boiardo in una pagina famosa del suo poema: il duello di Orlando contro Agricane.
21. **perché la menzonate**: perché osate nominarla?
22. **tutto se ne scolorì**: divenne pallido. Ogni pensiero di *cortesia* è spento dalla passione. Solo l'amore può produrre tale effetto su di un cavaliere, secondo la morale cavalleresca.
23. **prendete del campo**, ecc.: allontanatevi da me, per prendere la rincorsa per l'assalto quanto vi piace.
24. **borgese**: borghese.
25. **tantosto**: subito. Altro motivo comune dell'epica cavalleresca è questo assistere di un'eletta schiera di cavalieri al grande duello.
26. **delle lance**: con le lance.
27. **donàronsi**: si diedero. **si briciano**: si spezzano.
28. **trascorrono**: proseguono oltre la corsa.
29. **di scudi e di visaggio**: sugli scudi e sul volto, coperto dall'elmo.
30. **cinghie e pettorali**: bardature del cavallo.
31. **che quasi non si sentìano**: che erano quasi inanimati.
32. **appella suo combattente**, ecc.: chiama Lancillotto a battaglia.
33. **un istante**: all'istante.
34. **in grande parti**: per grande spazio all'intorno.
35. **affalsate e trinciate**: rovinate e fatte a pezzi.

fare; e molto gli lodano,[36] quanto più possono. Nel terzo assalto, ciascuno avea fedite[37] assai, e aveane di loro sangue[38] assai alla terra, e tutta era rossa. Appresso, gli cavalieri si riposano del terzo assalto; e riposati alquanto, sì ricominciano loro crudele battaglia, combattendo molto crudelmente ciascuno; e ognuno di loro era più contento di morire,[39] che di rimanere perdente. E a terra erano andate le loro visiere degli loro elmi, sicché già egli si poteano avvisare in viso,[40] e l'uno molto si meraviglia de l'altro di loro forza; e già non aveano scudi in braccio.

E a quel punto, lo cavaliere si trae alquanto in dietro, dicendo a Tristano: «Sire, per mia fé, noi ci siamo tanto combattuti, che presso siamo al morire; e però quando a voi piacesse, io vorrei sapere vostro nome, e io vi dirò il mio. E questa è cosa ragionevole, che l'uno sappia lo nome dell'altro; imperò, se niuno di noi scamperà vivo, saprà cu' egli arà tratto a fine».[41] E Tristano disse: «Cavaliere, in niuna maniera potreste sapere mio nome, e non ho cura di sapere il vostro; salvo se voi non mi dite innanzi per che cagione voi domandaste della reina Isotta». E lo cavaliere disse a messer Tristano: «Se io credessi[42] che voi fossi sì leale amico di Tristano, che perfettamente amaste suo onore, io certo ve lo conterei». Tantosto Tristano rispose, e disse: «Cavaliere, per mia fé, io credo veramente essere lo migliore amico che Tristano abbia al mondo». E lo cavaliere disse: «Ciò non credo io veramente; però che Tristano ha uno suo liale e buono amico[43] nello reame di Longres, lo quale egli non vide mai, e sì lo ama quanto se medesimo, o più, per amore di cavalleria. E io sono quello che amo messer Tristano per amore di sua gran bontade e buona noméa; e per amore di Tristano, io amo la reina Isotta come mia suora carnale.[44] E sacciate,[45] cavaliere, che io sono appellato Lancialotto, figliuolo dello re Bando di Benuicche; e pàrtomi dello reame dello re Artù e di sua corte, solo per vedere Tristano; e sono fermo[46] di non tornarvi mai, se io prima nollo veggio». Intendendo Tristano come questi era Lancialotto, il quale avea tanto disiato di vedere, di questo fue molto allegro, e subito prende lo brando suo per la punta, e sì lo porge a Lancialotto per lo tenere[47] dicendo: «Bel sire Lancialotto, io sono qui vostro servidore Tristano, lo quale v'ama tutto di buon cuore». Allora vedendo Lancialotto come questi era Tristano, non cura dello onore dello brando,[48] anzi getta via lo suo, ed elmo e scudo; e abbraccIansi e baciansi più di cento fiate insieme; e l'uno a l'altro donava l'onore della battaglia.[49] E lo re Marco, avendo veduta la crudele battaglia, e poi vedendo lo grande onore che gli cavalieri insieme si faceano, fassene cogli suoi baroni grande maraviglia, e manda a sapere chi era lo pro' cavaliere; e sappiendo sì come questi era Lancialotto del re Bando di Benuicche, lo falcone[50] degli buoni cavalieri erranti e 'l pregio de' cavalieri erranti, allora egli s'accompagna con molti de' suoi baroni e cavalieri; e vassene a punto là ove sono gli due combattenti e abbraccia Lancialotto e fagli grande festa e grande onore, e convitalo a la città.[51]

36. **e molto gli lodano**: l'orrore della battaglia passa in secondo piano; il duello è soltanto una prova di valore e di destrezza che suscita ammirazione.
37. **fedite**: ferite.
38. **aveane di loro sangue**, ecc.: vi era sul terreno in abbondanza il loro sangue.
39. **era più contento di morire**, ecc.: Questa frase esprime in modo sintetico e pregnante la morale cavalleresca, fondata sul sentimento dell'onore, da difendere a costo della vita.
40. **avvisare in viso**, ecc.: guardare in viso. La reciproca ammirazione dei due prodi è anch'essa altamente cavalleresca.
41. **saprà cu' egli arà tratto a fine**: saprà chi ha ucciso.
42. **Se io credessi**, ecc.: Lancillotto dice che non parlerebbe di Isotta ad altri che a un amico fedele di Tristano. Una delle regole del galateo dell'amor cortese è infatti la segretezza: confidenti del cavaliere innamorato possono al più, e solo limitatamente, essere gli amici più intimi e leali.
43. **ha uno suo liale e buono amico**, ecc.: Lancillotto allude qui a se stesso, che nutre per Tristano grande amicizia, pur senza conoscerlo, per amore di cavalleria, in quanto cioè lo considera un perfetto cavaliere; ama, cioè, in lui il perfetto ideale cavalleresco. È anche questo motivo comune dell'epica cavalleresca.
44. **come mia suora carnale**: come una sorella.
45. **sacciate**: sappiate.
46. **sono fermo**: sono fermamente deciso.
47. **per lo tenere**: per la parte dell'elsa.
48. **non cura dello onore dello brando**: non si cura dell'onore che gli fa Tristano; cioè non afferra la spada che egli gli porge, manifestandogli con questo gesto di essere «suo servidore». In questa scena i due eroi agiscono secondo il loro diverso temperamento: Tristano è più signorile nel gesto, Lancillotto si mostra più giovane e impulsivo, gettando via spada, elmo e scudo per abbracciare Tristano.
49. **l'uno a l'altro donava**, ecc.: l'uno attribuiva all'altro la vittoria di quella battaglia.
50. **lo falcone**: il migliore.
51. **convitalo a la città**: lo invita a venire ospite nella città.

Il «Novellino»

Il *Novellino* è una raccolta di cento novelle, scritta probabilmente nell'ultimo ventennio del '200 da un anonimo fiorentino, ed è il primo esempio di prosa narrativa originale in volgare.

Nella prima novella che è, veramente, un'introduzione, l'autore così espone lo scopo e il carattere della sua opera:

«E acciò che (*poiché*) li nobili e gentili sono nel parlare e ne l'opere quasi comune specchio appo (*presso, per*) i minori, acciò che il lor parlare è più gradito, però che esce di più dilicato stormento (*strumento*), facciamo qui memoria di alquanti fiori di parlare, di belle cortesie e di belli risposi (*risposte*) e di belle valentie, di belli donari e di belli amori, secondo che per lo tempo passato hanno fatto già altri».

Il *Novellino* s'ispira dunque alle medioevali raccolte d'esempi, per dare, mediante essi, un'immagine di signorile saggezza, intesa come fulcro del vivere civile; ma nello stesso tempo intende anche rallegrare il lettore, legare all'insegnamento il gusto dell'osservazione curiosa e divertita degli uomini, dei casi, dei «motti». Soprattutto ammirata è la capacità di esprimere in un motto, in una risposta rapidissima e condensata, un giudizio acuto di sé e degli altri.

L'introduzione ci rivela anche una profonda simpatia da parte dello scrittore (nel quale è stato veduto un ghibellino, un ammiratore di Federico II) per il mondo cavalleresco, sentito soprattutto come magnanimità, saggezza, gentilezza, liberalità, signorile e composto decoro. Non poche novelle raccontano i fatti degli antichi cavalieri brettoni, ma anche a prescindere da esse, si riscontra in tutto il libro il senso di una morale aristocratica e schiva, sia che l'autore esalti personaggi nobili ed esemplari, dall'antichità al suo tempo (Salomone, Alessandro Magno, Traiano, Federico II), sia che affermi sdegnosamente che la scienza non va divulgata, ma deve restare privilegio di pochi spiriti eletti. Non mancano, infine, novelle di pieno abbandono fantastico (quelle di Narcis, della damigella di Scalot, la «bella novella d'amore»).

Lo stile del *Novellino*, asciutto e sintetico, si sforza principalmente di ottenere una formulazione breve e chiara dei dati principali dell'episodio di volta in volta narrato, seguendo, anche in ciò, la struttura degli *exempla* medioevali in lingua latina, pur superando l'impostazione puramente moralistica di essi con la ricerca di un'embrionale, ma a volte efficacissima dimensione narrativa.

Qui conta d'uno grande moaddo a cui fu detta villania

Uno grande moaddo[1] andò ad Alessandria, e andava un giorno per sue bisogne per la terra,[2] e un altro li venia di dietro e dicevali molta villania[3] e molto lo spregiava; e quelli non facea niuno motto.[4] E uno li si fece dinanzi, e disse: — Oh, ché non rispondi a colui che tanta villania ti dice? — E quelli, sofferente,[5] rispuose e disse a colui che li dicea che rispondesse: — Io non rispondo, perch'io non odo cosa che mi piaccia.

1. **moaddo**: capitano, principe.
2. **per sue bisogne per la terra**: per la città, per certi suoi affari.
3. **molta villania** grandi ingiurie.
4. **motto** parola.
5. **sofferente** paziente.

Qui conta come Narcis s'innamorò dell'ombra sua

Un critico tedesco, Erich Auerbach, a proposito del *Novellino*, parla di stile «gracilmente paratattico» (le proposizioni sono, cioè, semplicemente accostate fra loro, ignorando la subordinazione, la sintassi complessa del periodo), che «dispone i precedenti del racconto come lungo un filo, senza spessore sensibile e senza aria vitale per le persone». Tutto questo è evidente nella presente novella, che è tuttavia dotata di una cadenza suggestiva, in quanto si svolge in un lento e trasognato ritmo di favola, pervasa di nostalgia per la bella e antica storia di amore.

Narcis[1] fu molto buono e bellissimo cavaliere. Un giorno avenne ch'elli si riposava sopra una bellissima fontana, e dentro l'acqua vide l'ombra[2] sua molto bellissima. E cominciò a riguardarla, e rallegravasi sopra alla fonte.[3] E così credeva che quella ombra avesse vita, che istesse nell'acqua, e non si accorgea che fosse l'ombra sua. Cominciò ad amare e a innamorare sì forte, che la volle pigliare. E l'acqua si turbò; l'ombra spario;[4] ond'elli incominciò a piangere. E l'acqua schiarando, vide l'ombra che piangea. Allora elli si lasciò cadere ne la fontana, sicché anegò.

Il tempo era di primavera; donne si veniano a diportare alla fontana; videro il bello Narcis affogato.[5] Con grandissimo pianto lo trassero alla fonte, e così ritto l'appoggiaro alle sponde; onde dinanzi allo dio d'amore andò la novella. Onde[6] lo dio d'amore ne fece nobilissimo mandorlo, molto verde e molto bene stante, e fu ed è il primo albero che prima fa frutto e rinnovella amore.[7]

1. **Narcis**: la favola è tratta dalle *Metamorfosi* di Ovidio.
2. **l'ombra**: la sua immagine.
3. **e rallegravasi sopra alla fonte**: e gioiva per quella bellezza. Osserva la concentrazione del racconto: con poche, scarne parole, l'autore crea un'atmosfera di incanto e di desiderio.
4. **E l'acqua si turbò; l'ombra spario**: le due proposizioni formano un endecasillabo, che s'accorda all'intonazione vagamente musicale della prosa. Osserva quelle frasi brevi, collegate da tutti quegli *e*; è una povertà sintattica che raggiunge un alto valore espressivo, in quanto toglie la vicenda dalla logica consueta, l'immerge in una dimensione che si potrebbe dire di sogno.
5. **Il tempo era di primavera... affogato**: Questo rapido accenno alla primavera, l'improvvisa e gentilissima apparizione delle donne pietose (*con grandissimo pianto*) soffonde la favola di una sottile dolcezza.
6. **onde... Onde**: anche queste ripetizioni danno alla pagina un vago senso di canto.
7. **e rinnovella amore**: riconduce fra gli uomini la stagione dell'amore.

D'una quistione che fu posta a uno uomo di corte

Questa novella celebra la saggezza, sentita come virtù civile per eccellenza, che culmina qui, come spesso nel *Novellino*, nella capacità di esprimersi attraverso un motto pregnante e incisivo, segno di intelligenza signorile, di capacità di comprendere gli uomini e il mondo. Gli uomini di corte erano uomini colti e saggi, usati spesso dai signori feudali in ambascerie, o per concordare trattati, paci, confederazioni. Si recavano nelle varie corti durante le feste per adornarle con la loro dignitosa presenza, e ricevevano per tutti questi loro uffici doni e proventi vari.

Marco Lombardo[1] fue nobile di corte e savio molto. Fue a uno Natale a una cittade dove si donavano molte robe,[2] e non n'ebbe niuna. Trovò un altro uomo di corte, lo qual era nesciente appo lui,[3] e avea avute robe. Di questo nacque una bella sentenzia; ché quello giullare disse a Marco: — Che è ciò, Marco, ch'i' ho avute sette robe, e tu non niuna? E sì se' tu troppo migliore e più savio di me.[4] Qual è la ragione? — E Marco rispuose: — Non è per altro, se non che tu trovasti più de' tuoi che io non trova' delli miei.[5]

1. **Marco Lombardo**: uomo di corte lodato anche da Dante.
2. **robe**: vesti.
3. **nesciente appo lui**: un ignorante in confronto a lui.
4. **E sì se' tu troppo**, ecc.: e sì che tu sei di gran lunga migliore, ecc.
5. **se non che tu trovasti... miei**: la ragione, spiega Marco, è che tu hai trovato assai più gente della tua natura di quanto io non ne abbia trovato della mia. Vuol dire che i signori hanno tanto apprezzato quel mediocre perché valgono quanto lui, e per questo sono incapaci di comprendere la saggezza e le nobili virtù di Marco e quindi di dargli il giusto riconoscimento.

Qui conta d'uno uomo di corte che cominciò una novella che non venia meno

Brigata[1] di cavalieri cenavano una sera in una gran casa fiorentina, e avevavi[2] uno uomo di corte,[3] il quale era grandissimo favellatore.[4] Quando ebbero cenato, cominciò una novella che non venìa meno.[5] Uno donzello della casa che servia,[6] e forse non era troppo satollo,[7] lo chiamò per nome, e disse: — Quelli che t'insegnò cotesta novella, non la t'insegnò tutta. — Ed elli rispuose: — Perché no? — Ed elli rispuose: — Perché non t'insegnò la restata.[8] — Onde quelli si vergognò, e ristette.[9]

1. **Brigata**: una brigata. L'ambiente del breve racconto è una nobile casa fiorentina, dove si è radunata una compagnia attenta a una signorilità misurata in ogni suo gesto, onde risalta ancor più inopportuna la verbosità del narratore noioso.
2. **avevavi**: vi era.
3. **uomo di corte**: erano gentiluomini che frequentavano le corti, chiamati dai signori soprattutto in occasioni di feste.
4. **grandissimo favellatore**: piacevolissimo parlatore (ma, evidentemente, solo a suo avviso).
5. **che non venìa meno**: che non finiva mai.
6. **che servia**: che serviva a tavola.
7. **satollo**: sazio. Doveva attendere, per mangiare, che i signori si fossero levati da tavola.
8. **la restata**: la fine.
9. **ristette**: pose fine al racconto.

Qui conta della gran iustizia di Traiano imperadore

L'episodio è ricordato anche da Dante nel *Purgatorio* e attesta l'ammirazione vivissima che il Medioevo ebbe per il mondo della romanità. Accolta da Dante è anche la tradizione secondo la quale l'imperatore Traiano fu liberato dall'inferno per le preghiere di papa Gregorio che ammirò la sua grande giustizia.

La novella è tutta in quel dialogo rapido ed essenziale fra Traiano e la vedova; ma più che a una vera e propria narrazione siamo qui vicini all'«esempio» edificante di virtù (del resto, la stessa narrazione è in un testo moralistico di esempi del Duecento, i *Fiori e Vita di Filosafi*).

Lo 'mperadore Traiano fue molto giustissimo signore. Andando un giorno con la sua grande cavalleria contra suoi nemici, una femina[1] vedova li si fece dinanzi, e preselo per la staffa e disse: — Messere, fammi diritto[2] di quelli ch'a torto m'hanno morto[3] lo mio figliuolo! — E lo 'mperadore rispuose e disse: — Io ti sodisfarò, quand'io tornerò. — Ed ella disse: — Se tu non torni? — Ed elli rispuose: — Sodisfaratti lo mio successore. — Ed ella disse: — E se 'l tuo successore mi vien meno, tu min se' debitore.[4] E pogniamo che pure mi sodisfaccesse; l'altrui giustizia non liberrà[5] la tua colpa. Bene averrae al tuo successore, s'elli liberrae se medesimo. — Allora lo 'mperadore smontò da cavallo e fece giustizia di coloro ch'aveano morto il figliuolo di colei, e poi cavalcò, e sconfisse i suoi nemici. E dopo non molto tempo, dopo la sua morte, venne il beato san Ghirigoro[6] papa, e trovando la sua giustizia andò alla statua sua, e con lacrime l'onorò di gran lode e fecelo disoppellire.[7] Trovaro che tutto era tornato alla terra,[8] salvo che l'ossa e la lingua; e ciò dimostrava com'era stato giustissimo uomo, e giustamente avea parlato. E Santo Gri-

1. **femina**: umile donna.
2. **fammi diritto**: fammi giustizia.
3. **morto**: ucciso.
4. **tu min se' debitore**: tu me ne resti debitore, cioè la responsabilità ricadrà su di te.
5. **l'altrui giustizia**, ecc.: la giustizia altrui (cioè quella del tuo successore) non ti libererà dalla colpa che tu commetti venendo meno al tuo dovere di farmi giustizia. Se il tuo successore libererà se stesso da questa colpa, farà bene a se stesso, non a te.
6. **Ghirigoro**: Gregorio I, che fu papa dal 590 al 604 e fu detto «magno» per la sua grandezza d'animo e di opere.
7. **disoppellire**: disseppellire.
8. **tornato alla terra**: divenuto polvere.

goro orò per lui a Dio, e dicesi per evidente miracolo che per li prieghi di questo santo papa l'anima di questo imperadore fu liberato dalle pene de l'inferno, e andòne in vita eterna;[9] ed era[10] stato pagano.

9. **in vita eterna**: in paradiso.
10. **ed era**: eppure era, benché fosse, ecc.

Qui conta una bella novella d'amore

È questa una delle novelle più lunghe della raccolta, e senz'altro quella di più impegnato procedimento narrativo.

La vicenda passa agilmente dalla tristezza iniziale dell'amante non corrisposto, all'avventura, alla gioia d'amore fortunato. Il complesso racconto è però svolto, secondo lo stile del *Novellino*, per accenni rapidi, seguendo le fila essenziali della trama, con una linearità che può apparire fin eccessiva. Sono vive soprattutto certe note di colore: la notturna contrada silenziosa, il lume della luna sui due innamorati; e soprattutto quel carattere più lirico che narrativo che è nei racconti migliori del libro e che compone la vicenda nella grazia un po' stilizzata di un arazzo.

Un giovane di Firenze sì amava carnalmente[1] una gentile pulcella, la quale non amava niente lui, ma amava a dismisura un altro giovane, lo quale amava anche lei ma non tanto ad assai[2] quanto costui. E ciò si parea:[3] ché costui n'avea lasciato ogni altra cosa, e consumavasi come smemorato,[4] e spezialmente il giorno ch'elli non la vedea. A un suo compagno ne 'ncrebbe. Fece tanto che lo menò a un suo bellissimo luogo, e là tranquillaro[5] quindici dì.

In quel mezzo la fanciulla si crucciò con la madre. Mandò la fante, e fece parlare a colui cui amava che ne voleva andare[6] con lui. Quelli fu molto lieto. La fante disse: — Ella vuole che voi vegnate a cavallo, già quando fia notte ferma.[7] Ella farà vista di scendere nella cella:[8] sarete all'uscio aparechiato, e gitteravisi in groppa. Ell'è leggera e sa bene cavalcare. — Elli rispuose: — Ben mi piace. — Quand'ebbero così ordinato, fece grandemente aparecchio a un suo luogo, ed ebbevi suoi compagni a cavallo, e feceli stare alla porta,[9] perché non fosse serrata, e mossesi con un fine roncione,[10] e passò dalla casa. Ella non era ancora potuta venire, perché la madre la guardava troppo. Questi andò oltre per tornare a' compagni.

Ma quelli che consumato era, in villa non trovava luogo;[11] era salito a cavallo, e 'l compagno suo no[l] seppe tanto pregare che 'l potesse ritenere; e non volle la sua compagnia. Giunse quella sera alle mura. Le porte erano tutte serrate; ma tanto acerchiò[12] che abatté a quella porta dov'erano coloro. Entrò dentro. Andonne averso la magione di colei, non per intendimento di trovarla né di vederla, ma solo per vedere la contrada.[13] Essendo ristato rimpetto alla casa — di poco era passato l'altro — la fanciulla diserrò l'uscio e chiamollo sotto boce[14] e disse che acostasse il cavallo. Questi non fu lento: accostòsi, ed ella li si gittò vistamente[15] in groppa, e andarono via. Quando furono alla porta, e' compagni dell'altro non li diedero briga, ché nol conobbero, però che se fosse stato colui cui elli aspettavano sarebbe ristato[16] co loro.

Questi cavalcarono ben diece miglia, tanto che furono in un bello prato intorniato di grandissimi abeti. Smontaro, e legaro il cavallo all'albero. E prese a basiarla. Quella il conobbe: accorsesi della disaventura; cominciò a piangere duramente. Ma questi la prese a confortare lagrimando, e a renderle tanto onore ch'ella lasciò il piagnere e preseli a volere bene, veggendo che la ventura era pur di costui; e abbracciollo.

Quell'altro cavalcò poi più volte, tanto che [u]dì il padre e la madre fare romore nell'agio,[17] e intese dalla fante com'ella n'era 'ndata in cotal modo. Questi sbigottì. Tornò a' compagni, e disselo loro. E que' rispuosero: — Ben lo vedemmo passare co lei, ma nol conoscemmo; ed è tanto, che puote essere bene alungato.[18] E andârne per cotale strada. — Missersi incontanente a tenere loro dietro. Cavalcaro tanto, che li trovaro dormire così abbracciati; e maravagli per lo lume della luna ch'era apparito. Allora ne 'ncrebbe loro disturbarli,[19] e dissero: — Aspettiamo tanto ch'elli si sveglieranno, e poi faremo quello ch'avemo a fare. — E così stettero tanto, che 'l sonno giunse e furo tutti addormentati. Coloro si svegliaro in questo mezzo, e trovaro ciò ch'era. Maravigliârsi. E disse il giovane: — Ci hanno fatta tanta cortesia, che non piaccia a

1. **carnalmente**: ardentemente.
2. **ma non tanto ad assai**: ma non tanto quanto l'amava il primo.
3. **E ciò si parea**: e questo appariva chiaramente.
4. **come smemorato**: come fuor di sé.
5. **luogo... tranquillaro**: villa... soggiornarono.
6. **andare**: fuggire.
7. **notte ferma**: notte fonda.
8. **cella**: cantina.
9. **alla porta**: è la porta della città.
10. **roncione**: grosso cavallo.
11. **che consumato... luogo** l'altro giovane, che era consumato dalla propria passione d'amore non corrisposto, non trovava pace in campagna.
12. **tanto acerchiò**: tanto girò intorno alle mura.
13. **ma solo per vedere la contrada** è una delle note sentimentali più fini del racconto.
14. **boce**: voce.
15. **vistamente**: sveltamente.
16. **sarebbe ristato**: si sarebbe fermato.
17. **nell'agio**: in camera.
18. **che puote... alungato**: che può essere ormai molto lontano.
19. **ne 'ncrebbe loro disturbarli**: s'introduce nella novella il tema della generosità magnanima e cavalleresca.

Dio che noi li ofendiamo! — Ma salio questi a cavallo, ed ella si gittò in su altro de' migliori che v'erano, e andaro via. Quelli si destaro e fecero gran corrotto,[20] perché più[21] non li potevano ire cercando.

20. **corrotto**: pianto.
21. **perché più**, ecc.: perché non sapevano ormai più dove cercarli.

Qui conta come la damigella di Scalot morì per amore di Lancialotto del Lac

È il racconto dell'amore cavalleresco e sventurato, con quel vago sentore romantico che pervade i racconti bretoni di amore e morte. Ma non vi è tragedia, bensì un tono di elegia nobile e mesta, sottolineata dagli elementari nessi narrativi: il lento struggimento della fanciulla, la barca funerea che trasporta il suo corpo, tutta adorna di drappi eleganti e pietre preziose, la patetica testimonianza finale.

Una figliuola d'uno grande varvassore[1] si amò Lancialotto del Lac[2] oltre misura. Ma elli non le voleva donare suo amore, imperciò ch'elli l'avea donato alla reina Ginevra. Tanto amò costei Lancialotto, ch'ella ne venne alla morte. E comandò che quando sua anima fosse partita dal corpo, che fusse aredata una ricca navicella coperta d'un vermiglio sciamito,[3] con un ricco letto ivi entro, con ricche e nobili coverture di seta, ornato di ricche pietre preziose; e fosse il suo corpo messo in questo letto, vestita di suoi piue nobili vestimenti e con bella corona in capo, ricca di molto oro e di molte pietre preziose, e con ricca cintura e borsa. E in quella borsa avea una lettera, ch'era dello 'nfrascritto tenore. Ma imprima diciamo de ciò che va innanzi la lettera.

La damigella morì di mal d'amore, e fu fatto di lei ciò che disse. La navicella, sanza vele, fu messa in mare con la donna. Il mare la guida a Cammalot.[4] E ristette alla riva. Il grido[5] andò per la corte. I cavalieri e' baroni dismontarono de' palazzi. E lo nobile re Artù vi venne, e maravigliavasi forte ch'era sanza niuna guida. Il re entrò dentro: vide la damigella e l'arnese.[6] Fe' aprire la borsa. Trovaro quella lettera. Fecela leggere. E dicea così: «A tutti i cavallieri della Tavola Ritonda manda salute questa damigella di Scalot, siccome alla migliore gente del mondo. E se voi volete sapere perch'io a mia fine sono venuta, sì è per lo migliore cavaliere del mondo e per lo più villano,[7] e cioè monsignore messere Lancialotto di Lac, che già non seppi tanto pregare d'amore, ch'elli avesse di me mercede.[8] E così, lassa!, sono morta per ben amare, come voi potete vedere».

1. **varvassore**: valvassore, cioè vassallo di un grande feudatario.
2. **Lancialotto del Lac**: celebre eroe del ciclo di re Artù, fervido amante della regina Ginevra, moglie di re Artù.
3. **sciamito**: stoffa simile al velluto.
4. **Cammalot**: sede della corte di re Artù.
5. **Il grido**: la fama.
6. **l'arnese**: l'addobbamento della nave all'interno.
7. **per lo più villano**: scortese in amore.
8. **mercede**: pietà.

Marco Polo

Marco Polo nacque a Venezia nel 1254. Appena sedicenne partì per l'Estremo Oriente con gli zii Nicolò e Matteo. Questi, dal 1260 al 1269, avevano compiuto un lungo e ardimentoso viaggio commerciale nell'Asia, allora dominata dai Tartari, fino alla Cina, ed erano stati bene accolti dal Gran Khan Kubilai, l'imperatore tartaro, il quale li aveva incaricati di ottenere dal papa una missione religiosa onde evangelizzare la Cina.

Partiti da Venezia nel 1271, i tre Polo raggiunsero, attraverso l'Armenia, il Pamir e il deserto del Gobi, Pechino, dove furono riammessi alla presenza del Gran Khan. Questi tenne Marco in alta considerazione, tanto che gli diede delicati incarichi politici e lo fece anche governatore di una provincia, e assai a malincuore diede a lui e agli zii, nel 1292, il permesso di ritornare in patria. Tre anni dopo, compiuto di nuovo un viaggio per quei tempi eroico, i Polo erano a Venezia. Nel 1298 Marco ebbe il comando di una galera veneziana, durante la guerra fra Venezia e Genova, ma, sconfitto e ferito a Curzola, fu chiuso nelle carceri genovesi. Quivi, secondo la tradizione, conobbe Rustichello da Pisa, autore di un rifacimento in francese di poemi brettoni e a lui dettò le sue memorie. Rustichello ne trasse un libro, intitolato *Livre des merveilles du monde*, in francese, giunto a noi, attraverso molti volgarizzamenti italiani, col titolo di *Milione* (molto probabilmente la parola viene da *Emilione*, soprannome di un antenato Emilio, ereditato dai Polo).

Il libro, che racconta la grande avventura asiatica di Marco, è pervaso da un afflato poetico. Dalle sue pagine emerge la figura del Polo, esploratore animato da un ardore inesausto di conoscenza, che rivive con animo ancora stupito e commosso il fascino delle immense e misteriose terre dell'Asia, allora pressoché sconosciute agli europei, rivede nella memoria popoli, costumanze, paesaggi sterminati e città grandiose, le ricchezze favolose dell'Oriente, e, non meno favolosi e grandiosi, l'impero e la potenza di Kubilai Khan; tutto un mondo che allora era avvolto nel mistero e nella leggenda, nella nebbia di una invalicabile lontananza, sì che il viaggio stesso di Marco assumeva il carattere di un'impresa leggendaria.

Accanto all'orgoglio di aver compiuto un'esperienza eccezionale, c'è in Marco il bisogno dell'analisi realistica e concreta, la curiosità dell'esploratore appassionato che scopre commosso e insieme lucidamente attento il mondo. Per questo il *Milione*, oltre a un fascino poetico, presenta anche un interesse storico e geografico. Sulle sue pagine meditò a lungo un altro grande scopritore, Cristoforo Colombo. Le pagine che presentiamo sono tratte da un volgarizzamento e compendio italiano, assai vicino nel tempo alla prima stesura dell'opera.

I Tartari

Sappiate che la loro legge[1] è cotale, ch'egli hanno un loro iddio c'ha nome Natigai, e dicono che quello èe iddio terreno, che guarda[2] i loro figliuoli e loro bestiame e loro biade. E fannogli grande onore e grande riverenza, ché ciascuno lo tiene in sua casa; e fannogli[3] di feltro e di panno, e tengogli in loro case. E ancora fanno la moglie di questo loro iddio, e fannogli figliuoli ancora di panno: la moglie pongono dal lato manco, e' figliuoli dinanzi. Molto gli fanno onore. Quando vengono a mangiare egli tolgono della carne grassa e ungogli la bocca a quello iddio e alla moglie e a quegli figliuoli, poi pigliano del brodo e gittanlo giuso dall'usciuolo[4] ove istà quello iddio. Quando hanno fatto così, dicono che 'l loro iddio e la sua famiglia hae la sua parte. Appresso questo, mangiano e beono. E sappiate ch'egliono beono latte di giumente, e concianlo in tale modo che pare vino bianco e buono a bere, e chiamalo *chemisi*. E loro vestimenta sono cotali: li ricchi uomeni vestono di drappi d'oro e di seta e di ricche pelli cebeline e ermine e di vai[5] e di volpe, molto riccamente; e li loro arnesi sono molto di gran valuta;[6] loro armi sono archi e spade e mazze, ma d'archi s'aiutano[7] più che d'altro, imperocché egli sono troppo buoni[8] arceri. I·lloro dosso[9] portano armatura di cuoio di bufelo e d'altre cuoia forti. Egli sono uomeni in battaglia valentri duramente;[10] e dirovvi com'egliono si possono travagliare più che altri uomeni: che quando bisognerà egli andrà[11] e s[t]arà un mese sanza niuna vivanda, salvo che viverà di latte di giumente e di carne di loro cacciagioni che prendono;[12] e il suo cavallo viverà d'erba che pascerà, e no gli bisognerà portare né orzo né paglia. Egli sono molto ubidienti al loro signore; e sappiate che quando e' bisogna egli andrà e starà tutta notte a cavallo, e 'l cavallo sempre andrà pascendo. E sono quella gente che più sostengono travaglio e meno vogliono di spesa e che più vivono, e sono[13] per conquistare terre e reami.

Egli sono così ordinati, che quando un signore mena in oste centomilia cavalieri,[14] ad ogni mille fae un capo e a ogni diecimilia un altro capo sì che non ha a parlare se no con dieci uomeni lo signore delli diecimilia, e quegli di centomilia non ha a parlare se non con dieci; e così ogni uomo risponde al suo capo. Quando l'oste va per monti e per valle, sempre vanno innanzi dugento uomeni [per] sguardare,[15] e altrettanto di dietro e dal lato, perché l'oste non possa essere assalita che nol sentissoro.[16] E quando egli vanno in oste dalla lunga,[17] portano bottacci di cuoio ov'egliono portano loro latte, e una pentola ov'egliono cuocono loro carne, e portano una piccola tenda ov'egli fuggono dall'acqua. E sì vi dico che quando d'elli è bisogno, egliono cavalcano bene dieci giornate senza vivanda che tocchi fuoco, ma vivino del sangue delli loro cavagli, ché ciascuno pone la bocca alla vena del suo cavallo e bee. Egli hanno ancora loro latte secco come pasta, e mettono di quel latte nell'acqua e disfanolovi dentro, e poscia il beono.

1. **la loro legge**: la religione dei Tartari.
2. **guarda**: protegge.
3. **fannogli**: costruiscono le immagini di questo dio.
4. **giuso dall'usciuolo**: fuori dalla porta della casa, come offerta agli altri spiriti.
5. **cebeline... vai**: di zibellino, ermellino e scoiattolo.
6. **li loro arnesi... valuta**: i loro utensili sono di gran valore.
7. **s'aiutano**: usano soprattutto l'arco.
8. **troppo buoni**: di eccezionale valore.
9. **I·lloro dosso**: addosso.
10. **valentri duramente**: di grande valore.
11. **egli andrà**, ecc.: andranno. Considera plurali anche i verbi che seguono.
12. **di carne... che prendono**: di carne che si procurano cacciando.
13. **e sono**: sono adatti a, ecc.
14. **mena in oste... cavalieri**: conduce un esercito di centomila cavalieri.
15. **sguardare**: esplorare.
16. **l'oste... che nol sentissoro**: affinché l'esercito non venga assalito di sorpresa.
17. **vanno... dalla lunga**: compiono una spedizione militare in terra lontana.

E vincono le battaglie altresì fuggendo come cacciando: che fuggendo saettano tuttavia,[18] e gli loro cavagli si volgono come cani; e quando gli loro nemici gli credono avere isconfitti cacciandogli,[19] e egliono sono isconfitti egliono,[20] perciocché tutti gli loro cavagli sono morti per le loro saette. E quando gli Tarteri veggono che gli cavagli di coloro che gli cacciavano morti,[21] egliono si rivolgono a loro e sconfiggongli per la loro prodezza. E in questo modo hanno già vinte molte battaglie. Tutto questo che io v'ho contato, e gli costumi, è vero degli diritti Tarteri;[22] e ora vi dico che sono molti i bastardi, ché quegli che usano a Ucaresse mantengono gli costumi degli idoli[23] e hanno lasciata loro legge,[24] e quegli che usano in Levante tengono la maniera di saracini.[25]

Ancora vi dico un'altra loro usanza, cioè che fanno matrimoni tra loro di fanciulli morti, ciò è a dire: uno uomo hae un suo fanciullo morto; quando viene nel tempo che gli darebbe moglie se fosse vivo, allotta[26] fa trovare un ch'abbia una fanciulla morta che si faccia a lui,[27] e fanno parentado insieme, e dànno la femmina morta all'uomo morto. E di questo fanno fare carte;[28] poscia l'ardono, e quando veggono lo fummo in aria, allotta dicono che la carta va nell'altro mondo ove sono li loro figliuoli, e ch'egli si tengono per moglie e per marito nell'altro mondo. Egli ne fanno grande nozze, e sì ne versano[29] assai, e dicono che ne vae[30] a' figliuoli nell'altro mondo. Ancora fanno dipingere in carte uccelli, cavagli, arnesi e bisanti[31] e altre cose assai; e poi le fanno ardere, e dicono che questo sarà loro presentato da dovero[32] nell'altro mondo, cioè a' loro figliuoli. E quando questo è fatto, egliono si tengono per parenti e per amici come se i loro figliuoli fossero vivi.

18. saettano tuttavia: continuano a lanciare frecce.
19. cacciandogli: avendoli volti in fuga.
20. e egliono... egliono: sono invece sconfitti loro, i nemici che si credono vincitori.
21. veggono... morti: vedono che sono morti i cavalli dei loro inseguitori.
22. è vero degli diritti Tarteri: riguarda i Tartari veri e propri; altri, come dice dopo, hanno modificato, a contatto coi popoli soggiogati, i loro primitivi costumi.
23. usano: abitano. **idoli**: idolatri.
24. legge: religione.
25. la maniera di saracini: la religione e il costume musulmano.
26. allotta: allora.
27. che si faccia a lui: che sia adatta, per età, ecc.
28. fanno fare carte: scrivono l'atto di matrimonio.
29. e sì ne versano: spandono a terra i cibi del banchetto nuziale.
30. che ne vae: che i cibi vanno.
31. bisanti: danari.
32. da dovero: davvero.

La moneta del Gran Khan

Egli è vero che in questa città di Camblau[1] èe la tavola[2] del Gran Sire; e è ordinato in tal maniera che l'uomo puote ben dire che 'l Gran Sire hae l'archimmia perfettamente;[3] e mostrerollovi incontanente.

Or sappiate ch'egli fa fare una cotale moneta com'io vi dirò. È fa prendere iscorza d'uno àlbore[4] c'ha nome gelso; e è l'àlbore le cui foglie mangiano gli vèrmini[5] che fanno la seta. E colgono la buccia sottile,[6] ch'è tra la buccia grossa e l'àlbore, o vogli tu[7] legno dentro, e di quella buccia fa fare carte come di bambagia,[8] e sono tutte nere. Quando queste carte sono fatte così, egli ne fa delle piccole, che vagliono una medaglia di tornesello piccolo, e l'altra vale un tornesello e l'altra vale un grosso d'argento da Vinegia, e l'altra un mezzo, e l'altra due grossi, e l'altra cinque, e l'altra dieci, e l'altra un bisante d'oro,[9] e l'altra due, e l'altra tre; e così via infino in dieci bisanti. E tutte queste carte sono sugellate col sugello del Gran Sire, e hanne fatte fare tante, che tutto il suo tesoro ne pagherebbe.[10] E quando queste carte son fatte, egli ne fa fare tutti gli pagamenti, e fagli[11] ispendere per tutte le provincie e regni e terre dov'egli hae signoria; e nessuno gli osa rifiutare a pena della vita.

E sì vi dico che tutte le genti e regioni che sono sotto sua signoria si pagano di questa moneta d'ogni mercatanzia di perle, d'oro e d'ariento e di pietre preziose, e generalmente d'ogni altra cosa. E sì vi dico che la carta che si mette[12] per dieci bisanti non ne pesa uno; e sì vi dico che gli mercatanti le più volte cambiano questa moneta a perle o a oro e altre cose care.[13] E molte volte è recato al Gran Sire per gli mercatanti[14] tanta mercatanzia in oro e in ariento, che vale quattrocentomilia di bisanti; e 'l Gran Sire fa tutto pagare di quelle carte, e' mercatanti le pigliano volentieri, perché le spendono per tutto il paese. E molte volte fa bandire il Gran Cane che ogni uomo che hae oro e ariento o perle o pietre preziose o alcuna altra cara cosa, che incontanente la debbiano avere apresentata alla tavola[15] del Gran Sire, ed egli lo fa pagare di queste carte; e tanto gliene viene di questa mercatanzia, ch'èe un miracolo.

E quando ad alcuno si rompe o guastasi niuna di queste carte; egli va alla tavola del Gran Sire, e incontanente gliele cambia, e ègli data bella e nuova;

1. Camblau: la città dove risiede il Gran Khan, imperatore dei Tartari, chiamato, più sotto, Gran Sire.
2. la tavola: la banca.
3. l'uomo puote... l'archimmia perfettamente: la banca, o meglio, il sistema monetario del Gran Khan è ordinato in modo che si (*l'uomo* = francese *on*) può ben dire che ha trovato il modo più perfetto di fabbricare l'oro. Gli alchimisti cercavano di trovare il modo di fabbricare l'oro, con procedimenti magico-scientifici.
4. àlbore: albero.
5. gli vèrmini: i bachi da seta.
6. la buccia sottile: il «libro» che sta fra il tronco e la corteccia (che il Polo chiama *buccia grossa*).
7. o vogli tu: ovvero.
8. bambagia: cotone.
9. una medaglia di tornesello,... tornesello,... grosso,... bisante sono monete che avevano corso nell'Europa occidentale e a Venezia.
10. hanne... pagherebbe: ne ha fatte fare un numero corrispondente al valore del suo tesoro (che, come ha detto altrove il Polo, è smisurato).
11. fagli: le fa.
12. che si mette: che si paga. Come vedi dall'insistenza, il Polo è stupito e diffidente davanti a questa carta-moneta, l'uso della quale era ancora ignoto, a quel tempo, in Europa.
13. care: preziose.
14. per gli mercanti: dai mercanti.
15. incontanente... tavola: che subito la presentino alla sua banca.
16. secondo che si ispendono: secondo il loro valore nominale.

ma sì gliene lascia tre per cento. Ancora sappiate che se alcuno vuol fare vasellamenta d'ariento o cinture, egli va alla tavola del Gran Sire, ed ègli dato per queste carte ariento quant'è ne vuole, contandosi le carte secondo che si ispendono.[16] E questa è la ragione perché il Gran Sire dee avere più oro e piue ariento che signore del mondo. E sì vi dico che tra tutti gli signori del mondo non hanno tanta ricchezza quanto hae il Gran Cane solo...

Il Veglio della Montagna

Milice[1] è una contrada dove il Veglio della montagna soleva dimorare anticamente. Or vi conteremo l'affare, secondo come messer Marco intese da più uomini. Lo Veglio è chiamato in lor lingua Aloodyn.[2] Egli avea fatto fare tra due montagne in una valle lo più bello giardino e 'l più grande del mondo; quivi avea tutti frutti e li più belli palagi del mondo, tutti dipinti ad oro e a bestie e a uccelli. Quivi era condotti:[3] per tale veniva acqua e per tale mèle e per tale vino. Quivi era donzelli e donzelle, gli più belli del mondo e che meglio sapevano cantare e sonare e ballare; e faceva lo Veglio credere a costoro che quello era lo paradiso. E perciò il fece, perché Malcometto[4] disse che chi andasse in paradiso avrebbe di belle femmine tante quante volesse, e quivi troverebbe fiumi di latte e di mèle e di vino; e perciò lo fece simile a quello che avea detto Malcometto. E gli saracini di quella contrada credevano veramente che quello fosse lo paradiso; e in questo giardino non entrava se no colui cui egli voleva fare assassino. All'entrata del giardino avea un castello sì forte che non temeva niuno uomo del mondo.

Lo Veglio teneva in sua corte tutti giovani di dodici anni, li quali li paressono da diventare[5] prodi uomeni. Quando lo Veglio ne faceva mettere nel giardino, a quattro, a dieci, a venti, egli faceva loro dare bere[6] oppio, e quegli dormivano bene tre dì; e facevagli portare nel giardino, e al tempo gli faceva isvegliare. Quando gli giovani si svegliavano, [e] egli si trovavano là entro e vedevano tutte queste cose, veramente si credevano essere in paradiso. E queste donzelle sempre istavano con loro in canti e in grandi sollazzi: donde egli aveano sì quello che voleano, che mai per lo' volere[7] non si sarebbono partiti di quello giardino.

Il Veglio tiene bella corte e ricca, e fa credere a quegli di quella montagna che così sia com'io v'ho detto. E quando egli ne vuole mandare niuno[8] di quelli giovani in niuno luogo, li fa loro dare beveraggio[9] che dormono, e fagli recare fuori del giardino in sul suo palagio. Quando coloro che si svegliono, trovansi quivi: molto si maravigliano, e sono molto tristi che si truovano fuori del paradiso. Egli se ne vanno incontanente dinanzi al Veglio, credendo che sia un gran profeta, e inginocchiansi. Egli gli domanda: «Onde venite?». Rispondono: «Del paradiso»; e contagli[10] quello che v'hanno veduto entro, e hanno gran voglia di tornarvi. E quando il Veglio vuole fare uccidere alcuna persona, egli fa tòrre[11] quello lo quale sia più vigoroso, e fagli uccidere cui egli vuole; e coloro lo fanno volentieri, per ritornare nel paradiso. Se scampano, ritornano al loro signore; se è preso, vuole morire, credendo ritornare al paradiso. E quando lo Veglio vuole fare uccidere niuno uomo, egli lo prende[12] e dice: «Va fa[13] tal cosa; e questo ti fo perché ti voglio fare ritornare al paradiso». E gli assessini vanno e fannolo molto volentieri. E in questa maniera non campa[14] neuno uomo dinanzi al Veglio della montagna, a cui egli lo vuole fare; e sì vi dico che più re li fanno tributo[15] per quella paura.

Egli è vero che negli anni 1277 Alau,[16] signore dei Tarteri del Levante, che sapeva tutte queste malvagità, egli pensò tra se medesimo di volerlo distruggere, e mandò de' suoi baroni a questo giardino. E istettovi tre anni, attorno al castello, prima che l'avessono; né mai non lo avrebbono avuto se non per fame. Allotta[17] per fame fu preso, e fu morto lo Veglio e sua gente tutta; e d'allora in qua non vi fu più Veglio niuno: in lui fu finita tutta la signoria.

1. **Milice**: da *Mulehet* che significa, in arabo, *eretici*. Marco Polo chiama così il territorio, situato nel massiccio dell'Elbruz, dove si trovava il Vecchio della Montagna. Con questo nome si indicava in Occidente il capo di una setta musulmana dissidente, quella degli Ismailiti, i cui adepti avevano una fedeltà assoluta per il loro signore. Questa fedeltà si esplicava spesso nell'assassinio, di cui furono vittima signori musulmani e cristiani. *Assassino* pare che derivi da *hashish*, la droga che si riteneva servisse a piegare la volontà degli adepti a quella del loro signore.
2. **Aloodyn**: Alaodin. Veramente questo è il nome del penultimo Veglio. L'ultimo, al quale il Polo intende riferirsi, fu Rocknuddin.
3. **condotti**: canali. **per tale,** ecc.: nell'uno scorreva, ecc.
4. **Malcometto**: Maometto.
5. **li paressono da diventare**: gli sembrava che sarebbero diventati.
6. **dare bere**: dare da bere.
7. **per lo' volere**: di loro spontanea volontà.
8. **niuno**: qualcuno.
9. **beveraggio**: bevanda soporifera.
10. **contagli**: gli raccontano.
11. **tòrre**: scegliere.
12. **egli lo prende**: prende uno degli «assassini».
13. **Va fa**: va a fare.
14. **non campa,** ecc.: nessuno può scampare dalle mani del Veglio se questi lo vuol fare uccidere.
15. **li fanno tributo**: gli versano un tributo.
16. **negli... Alau**: La data vera è il 1265; il Signore Tartaro è Hulagu Khan.
17. **Allotta**: allora.

«La sconfitta di Monte Aperto»

La *Sconfitta di Monte Aperto* è una fremente e appassionata rievocazione della battaglia di Montaperti, scritta da un ghibellino senese, di cui ignoriamo il nome, che partecipò allo scontro. Questo fu combattuto il 4 settembre 1260 dai ghibellini senesi, rafforzati da ottocento cavalieri tedeschi inviati da re Manfredi, dalle milizie di Cortona e Pisa e dai fuorusciti fiorentini, comandati da Farinata degli Uberti, contro i Fiorentini, appoggiati dalle milizie dei comuni guelfi della Toscana, di Orvieto e di Perugia, e terminò con una sanguinosa disfatta dei guelfi.

Le pagine del cronista senese, di cui possiamo riprodurre solo alcuni squarci, vibrano di una fiera, e in qualche punto selvaggia passione partigiana; ma l'odio contro il nemico fiorentino è indissolubilmente fuso con l'amore per la propria città minacciata di sterminio. Accanto a questi sentimenti balza evidentissimo il tono epico col quale l'autore rivive la battaglia e la vittoria. Spontanee ricorrono nella sua narrazione le reminiscenze della poesia cavalleresca, e si fondono coi due grandi affreschi di vita attuale, colti dal vero: la processione dei cittadini che invocano la Vergine e il loro appello alle armi, da un lato, dall'altro l'originalissima e potente descrizione del tamburino che dall'alto della torre segue le sorti della battaglia e le comunica ai vecchi e alle donne rimasti nella città. Questo popolo che vive con ansia appassionata i momenti della lotta è l'immagine più potente del quadro, ben più intimamente epica dell'assalto, pur modellato sul costume instaurato dall'epopea cavalleresca del giovane cavaliere tedesco Gualtiero di Stimbergo che chiede e ottiene l'onore di ferire per primo la schiera nemica.

Nel complesso abbiamo un vasto affresco realistico e drammatico, forse la più potente pagina della storiografia del Duecento.

La battaglia

Giunsero[1] al Duomo, come udito avete. Misser lo vescovo andava per lo Duomo a procisione fra[2] l'altare maggiore, dinanzi a la Nostra Donna, e incominciava a cantare «Te Deum laudamus» ad alta boce; e in questo cominciare, con quello populo dietro che udito avete, giunse a la porta del Duomo Buonaguida,[3] e cominciò ad alta boce a gridare misericordia, gridando[4] lo ditto Buonaguida e tutto il populo misericordia. A quelle grida misser lo vescovo si volse con tutto il chiericato e venne incontra al ditto Buonaguida. Come furono insieme, così ognuno s'inchinò, e Buonaguida quasi disteso in terra; misser lo vescovo lo rizzò e dègli la pace.[5] E così tutti quelli cittadini, l'uno baciava l'altro[6] in bocca; e questo fu a piè del coro del Duomo. Esendosi così e tenendosi per mano, misser lo vescovo e Buonaguida andaro all'altare, dinanzi a la nostra Madre Virgine Maria, e s'inginochiaro con grandi pianti e continove lagrime. Questo Buonaguida stava disteso in terra, e tutto lo populo, e donne, con grandissimo pianto [e] spessi singhiozzi stettero per ispazio d'una quarta ora.[7] Poi si levò solo Buonaguida in piè, e ste' ritto dinanzi a la nostra Madre Virgine Maria, e disse molte savie e discrete parole. Fra le quali parole disse: — Vergine graziosa, Regina del Cielo, Madre de' peccatori, io misero peccatore ti do e dono e concedo questa città e lo contado di Siena. E voi priego, Madre del Cielo, che vi piaccia d'accettarla, bene che, a la vostra grande potenzia, sia picciolo dono;[8] e simile[9] prego, e [r]ipriego, che la nostra città guardiate, liberiate e difendiate da le mani de' nostri nimici fiorentini e da chi la volesse opressare o mettere in suprizio o in ruina.[10] — Ditte queste parole, misser lo vescovo salse in sul pergolo[11] e disse uno bellissimo sermone, e amaestrando lo populo dell'onione,[12] pregando e comandando che tutti si dovessero rabracciare insieme e perdonare le 'ngiurie l'uno all'altro, confessarsi e comunicarsi; e che tutti insieme dovessi[n]o ricomandare questa città e le loro persone a la gloriosa Virgine Maria; e dovessi[n]o andare co misser lo vescovo [e co] chierici a procisione. A la quale procisione innanzi a ogni cosa

1. **Giunsero**: Soggetto sono i Senesi. Tutto il popolo si reca in processione al Duomo per invocare l'aiuto di Dio e della Vergine contro i Fiorentini.
2. **procisione fra**: processione presso.
3. **Buonaguida**: il podestà senese, che ha preso l'iniziativa della processione. **boce**: voce.
4. **gridando**: soggetto è Buonaguida e il popolo.
5. **e dègli la pace**: È l'abbraccio rituale, accompagnato dalla formula «Pax tecum».
6. **l'uno baciava l'altro**: in segno di fratellanza, di reciproco amore.
7. **d'una quarta ora**: d'un quarto d'ora.
8. **bene che... dono**: benché sia ben misero dono rispetto alla vostra grande potenza. Buonaguida consacra la città alla Vergine, affinché ella la protegga e la scampi dal pericolo mortale.
9. **simile**: similmente.
10. **opressare... ruina**: opprimere, mettere in supplizio, cioè lacerare e distruggere.
11. **salse in sul pergolo**: salì sul pulpito.
12. **amaestrando... onione**: ricordando al popolo quanto fosse necessario, in così grave frangente, essere uniti e concordi. In questi momenti gravi della vita della città solevano avvenire le pubbliche riconciliazioni.

andava lo crocifisso che è scolpito in Duomo, e poi seguiva tutti e' religiosi, poi andava uno stondardo,[13] e sotto esso stondardo era la nostra Madre Virgine Maria. Apresso era misser lo vescovo, ed era scalzo, e a lato aveva Buonguida in camicia cor una correggia in gola,[14] come udito avete. Poi seguitavano tutti e' canonici del Duomo, scalzi, senza niente in capo. Andavano cantando salmi divini e letanie e orazioni; e dietro andava tutto il populo, scalzi senza niente in capo; e tutte le donne scalze, e molte scapegliate, sempre ricomandandosi a Dio e la sua Madre Virgine Maria, e dicendo paternostri e avemarie e altre orazioni...

Venendo l'ora del mattutino, quelli Vintiquatro che regevano e governavano Siena, mandaro tre banditori, in ogni terzo[15] uno, bandendo e gridando:[16] — Valenti cittadini, state suso e armate le vostre persone, e pigliate le vostre perfette armadure; e ciascheduno col nome de la nostra Madre Virgine Maria seguisca lo suo gonfalone, sempre ricomandandosi a Dio e a la sua Madre. — E a pena ch'el banditore avesse ditto[17] il bando, che tutti i citadini furono in punto, per modo volonterosi che 'l padre non aspettava il figliolo, e l'uno fratello l'altro. E così andarono verso la porta a Santo Vieno e quine[18] vennero tutti e tre li gonfalonieri. Lo primo fue quello di Santo Martino, sì per reverenzia del santo, e perché era presso a la porta. Lo secondo fu quello di Città con grandisimo esercito di gente e bene in punto. Lo terzo fue lo gonfalone reale di Camollia, che apresentava lo mantello de la nostra Madre Virgine Maria, che era tutto bianco[19] e candido, netto e puro. Dietro a esso gonfalone veniva assai moltitudine di gente, non tanto cittadini, ma tutti e' soldati e a piè e a cavallo; e con questa brigata erano molti preti e frati, chi con arme e chi senza, per aiutare e confortare le brigate. E tutti erano di buono volere e d'uno animo e d'una intenzione e bene disposti contra de' nostri inimici fiorentini, che con tanto ardire adomandavano tante cose inique e fuore di ragione...[20]

Prosegue il racconto con la descrizione dello schieramento senese. Mentre il conte Arras si apposta in Val di Biena, per piombare improvviso, a combattimento iniziato, sui Fiorentini, il conte Giordano con gli uomini di Manfredi e il conte Aldobrandino da Santa Fiore coi Senesi si apprestano all'attacco frontale. A questo punto il cavaliere tedesco Arrigo da Stimbergo chiede per sé e per i suoi l'onore di assalire per primi il nemico.

Udendo misser Gualtieri[21] che suo zio era innanzi per essere lo primo feridore, come a lui toccava per privileggio che avevano tutti quelli di Stimbergo, esso misser Gualtieri si trasse innanzi e gittosi in terra del suo potente destriere e inginochiossi in terra; e disse: — Maestro Arrigo, voi sapete che io so' figliuolo de la vostra sorella carnale, e pertanto io vi priego e vi chieggio una grazia; e se voi non me la promettete, mai di quinci non mi levarò. E pertanto io vi priego che non me la neghiate. — Quine erano molti baroni e conestabili, e tutti pregavano maestro Arrigo che elli compiacesse a misser Gualtieri e per li prieghi e per amore di suo nipote. Disse lo maestro Arrigo: — Misser Gualtieri, piacciavi montare a cavallo[22] in sul vostro destriere, e io vi prometto di fare tutto di tuo volere. — E così li fu ditto a misser Gualtieri per tutti:[23] — Salite in sul vostro cavallo; — e così fece. Essendo a cavallo, misser Gualtieri disse a maestro Arrigo: — Come voi sapete, chi riceve grazia, sempre die essere grazioso:[24] e voi e' vostri di casa vostra, per grandi prodezze anticamente fatte in fatti d'arme, avete brivilegio[25] d'essere e' primi feridori. Pertanto io priego la vostra prudenzia, e 'l vostro nome co la vostra grazia, che io sia lo primo feridore. — Ognuno che ine[26] era, tutti dissero a maestro Arrigo: — Per Dio, fateli questa grazia! — Allora maestro Arrigo gli fece la grazia chiesta, e a cavallo l'abbracciò e baciolo in bocca. E subito misser Gualtieri inchinò la testa infine in su le crina del suo potente destriere, e così fece piegare lo suo elmo e feceselo allacciare in testa. Allora disse maestro Arrigo: — Andarai alquanto innanzi, e ferirai con grande ardore; e noi ti saremo apresso alle spalle, e farenti buono sostegno; e fa valorosamente, e di

13. seguiva... stondardo: seguivano... stendardo.
14. cor una correggia in gola: Buonaguida è in abito di penitente, e si è messo la cintura a mo' di nodo scorsoio attorno al collo in segno di umiltà.
15. in ogni terzo: in ognuno dei «terziari» in cui la città era divisa.
16. bandendo e gridando: che gridassero il bando. È la chiamata del popolo alle armi.
17. E a pena ch'el banditore... ditto: Il banditore non aveva ancor finito di dire le parole del bando, che tutti ecc.
18. Santo Vieno: la porta detta anche di S. Vito. **quine:** qui.
19. che era tutto bianco, ecc.: Osserva come il narratore riviva intensamente quei momenti. Par di vedere lui e i senesi che sollevano ansiosi gli occhi a quel gonfalone candido e puro e ne traggono un auspicio di vittoria, la certezza che la Vergine li aiuterà.
20. cose inique e fuore di ragione: ingiuste e dissennate.
21. misser Gualtieri: è il nipote di Arrigo di Stimbergo (nome tedesco italianizzato dall'Autore), comandante dei cavalieri tedeschi inviati da re Manfredi. Ha appena detto che lui e quelli della sua casa hanno avuto dall'Imperatore Federico II il privilegio di essere i primi feritori in battaglia, e ha ottenuto questo onore anche dai Senesi. Quella che segue è una scena di costume prettamente cavalleresco, condotta secondo le regole del galateo cortese. Alla fine, l'abbraccio e il bacio dello zio al nipote e il suo allacciargli l'elmo corrispondono a una regolare investitura feudale e cavalleresca. Anche il primo assalto del giovane è descritto secondo lo stile dei poemi epici cavallereschi, divenuti ormai aristocratico costume di vita, sentiti dall'autore con la stessa spontanea immediatezza con cui rivive le altre scene della grande impresa.
22. piacciavi montare a cavallo, ecc.: l'inginocchiarsi del giovane, questo invito, il dialogo e i gesti che seguono fanno parte della liturgia cavalleresca.
23. E così li fu ditto... per tutti: e così gli fu detto da parte di tutti.
24. chi riceve grazia... grazioso: chi riceve grazie ne deve a sua volta donare.
25. brivilegio: privilegio.
26. ine: ivi.

niente dubitare,[27] e così cavalca. Che Iddio e misser santo Giorgio sia in nostro aiuto.

Allora misser Gualtieri richiese lo suo destriere degli speroni,[28] per farsi innanzi. Lo suo destriere era armato di due armadure di ferro, e di sopra aveva una vesta di zondado[29] vermiglio ricamato a draghi di seta co 'nta[r]si d'oro fino; e veramente quello cavallo pareva uno drago che volasse per rabbia, per divorare chi innanzi a lui venisse. Era lo più forte cavallo che a quelli dì si trovasse, e lo più valoroso, e quello che più denari valeva. Misser Gualtieri era giovano e valente e bene armato, bellissimo de la persona, lo più che fusse infra tutti quelli Tedeschi andavano[30] innanzi; e seguiva maestro Arrigo[31] con tutta loro compagnia, fra lo sabato a mattina, non molto alto lo sole,[32] però che era di molto poco levato. E così andavano inverso lo campo de' Fiorentini; così andavano verso l'Arbia per quella via verso monte Selvoli; e così gionsero[33] all'Arbia[34] e passarola[35] per salire sul poggio. E così fanno le genti[36] de' Fiorentini. E ine lo franco cavaliere misser Gualtieri, come quello che[37] era innanzi per meza arcata,[38] come vede li nemici, così abassa la visiera del suo elmo e allacciato[lo] forte dinanzi, prende la lancia co la mano dritta e si fa lo segno de la croce santa, e richiede forte[39] lo suo valoroso destriere colli speroni, e con grandi grida va verso li nemici. Lo primo che giognesse[40] fue lo capitano de' Lucchesi; aveva nome misser Niccolò Garzoni; e esso misser Niccolò, gli gionse la lancia di misser Gualtieri; e passò lui e l'armadura tutta, e cadde morto in terra. E così lo lassò e passò via co la spada in mano. E tanti quanti ne giogneva li lassava per morti, e molti n'amazò...

Segue qui il racconto della battaglia e delle prodezze dei Senesi, che mettono in rotta i Fiorentini.

Come udito avete, quelle perfette donne, e' vecchi che erano rimasti in Siena in compagnia del nostro padre misser lo vescovo, avevano tutti vegliati[41] per tutta la notte nel Duomo. E come fu dì cominciavano a andare a cercare[42] le chiese di Siena. E come fu levato lo sole, così incominciò[43] a sonare uno tamburo in su la torre de' Malescotti.[44] Esso tamburino vedeva tutta la nostra gente, e simile[45] la gente de' Fiorentini. Come vedeva, così diceva a tutti quelli che stavano da piei a la torre.[46] Diceva la mattina: — È nostri sono mossi e vanno inverso e' nimici. Ora si muovano e' nimici e vengono inverso de' nostri; — come vedeva, così diceva. Per la qual cosa molti, per la maggiore parte de le persone,[47] erano a piè di quella torre, e tutti inginocchiati,[48] e pregavano Iddio che desse a' nostri la forza e valore contra a' nostri nimici. Quello d'in su la torre dicìe:[49] — È nostri hanno passato l'Arbia e salgono dall'uno lato del poggio, e i nemici dall'altro lato. Gridate misericordia! Ora sono a le mani co' nemici. La battaglia è grande da ognuna de le parti. Pregate Iddio che dia forza al popolo di Siena. — Quelli che stavano a' piei de la torre, stavano con le mani levate inverso lo cielo, con grandi pianti e con grande divozione e pregare Iddio che [concedesse] vittoria al populo di Siena. E quello tamburino d'in su la torre ciò che vedeva diceva forte.[50]

La battaglia era grandissima,[51] e magiore l'uccisione. Ora pensate che quello che veniva a le mani di quello valoroso popolo di Siena era tutto forato[52] senza alcuna misericordia. La battaglia bastò da la mattina a mezza terza insino a vésparo, e in sul vésparo[53] si misero quelli svergognati cani fiorentini e li loro bestiali seguaci in fuga, quelli che erano rimasti vivi, che erano molti pochi.[54] Essendo là grande moltitudine, pensate se ne furono morti: tutte le strade e' poggi e ogni rigo d'acqua pareva un grosso fiume di sangue. Allora cresceva la Malena[55] di sangue de' fiorentini, ché cotanti n'erano morti e di loro amicizie.[56] Come si missero in rotta e in fuga, così quello valoroso popolo di Siena, ch'erano già stanchi, vedendo perdare li loro nemici, tutti si rinfrancâro, e corrono adosso a li loro nemici, e come essi n'ammazzavano, Iddio vel dica. Ine[57] non valeva a dire «Io m'arrendo»; tutti a tondo[58] andavano al taglio delle spade. Fuvi uno che aveva nome Gieppo, che con una scure ammazzò de' nemici più di vinti,[59] e questo Gieppo era uno che andava spezzando la

27. **di niente dubitare**: non avere alcun timore.
28. **richiese... speroni**: spronò il cavallo. La locuzione è propria dei romanzi cavallereschi. Il cavallo, fedele compagno di battaglia, è come umanizzato.
29. **zondado**: zendado, stoffa serica.
30. **andavano**: che andavano.
31. **maestro Arrigo**: è il soggetto.
32. **non molto alto lo sole**: non essendo ancora molto alto il sole.
33. **E così andavano... così andavano... e così gionsero**: Queste ripetizioni e le frasi unite da una semplice *e*, danno al racconto un tono poetico, di *cantare* epico popolaresco.
34. **Arbia**: piccolo fiume presso Siena, presso il quale si svolse la battaglia.
35. **passarola**: l'attraversarono.
36. **le genti**: qui ha il senso di gente armata, esercito.
37. **come quello che**: che.
38. **meza arcata**: un mezzo tiro d'arco davanti all'esercito.
39. **richiede forte**: sprona fortemente.
40. **che giognesse**: che raggiunse e colpì con la lancia.
41. **avevano tutti vegliati**: avevano tutti vegliato.
42. **a cercare**: a visitar per pregare. L'ansia e la passione di tutto il popolo accompagna le gesta dei combattenti; ed è un affresco indimenticabile, la pagina più nuova e più intensa di tutto il racconto.
43. **incominciò**: il soggetto è il tamburino del periodo successivo.
44. **Malescotti**: Mariscotti.
45. **gente**: esercito. **simile**: similmente.
46. **da piei a la torre**: ai piedi della torre.
47. **per la maggiore... persone,** ecc.: quasi tutte le persone che erano rimaste in città.
48. **e tutti inginocchiati**: Si svolge come un dialogo, che ha il sapore di una preghiera liturgica, consapevolmente sottolineata dall'autore. Alla «narrazione» del tamburino, risponde il coro del popolo in preghiera (ricorda certe orazioni cattoliche collettive, ad es. il rosario o la Via Crucis).
49. **dicìe**: diceva.
50. **ciò che vedeva diceva forte**: è come una formula ricorrente in quest'ultima parte del passo; e la ripetizione ha un tono fra l'epico e il liturgico.
51. **La battaglia era grandissima,** ecc.: Quest'ultima parte è quella nella quale trionfa incontrastato nel cronista l'odio contro il nemico e il gusto selvaggio della strage. I Fiorentini sono «cani», «bestie»; ogni ruscello è arrossato dal loro sangue, e la fantasia si sofferma con crudo compiacimento su questi particolari. Siamo ben lontani dall'alone cavalleresco di poche righe innanzi: qui c'è un realismo drammatico, carico di tutta la passione della vita attuale, mirabilmente espressa dalle ultime, crudeli parole del tamburino sulla torre. E il nuovo eroe non è più il cavaliere, ma il popolano Gieppo che fracassa i nemici a colpi di scure.
52. **era tutto forato**: trafitto; ma la parola è più feroce. E il pronome indeterminato *quello* sembra voler privare il nemico della sua sostanza umana, farne una cosa senz'anima e senza diritto alla vita.
53. **bastò... vêsparo**: durò dalla mattina alle sette fino al vespro.
54. **che erano molti pochi**: È un grido di trionfo.
55. **la Malena**: altro fiume presso Montaperti.
56. **e di loro amicizie**: dei loro amici e alleati.
57. **Ine**: ivi.
58. **tutti a tondo,** ecc.: roteavano la spada uccidendoli, facendone strage.
59. **vinti**: venti.

legna per Siena a prezzo: ora pensate[60] come facevano quelli prodi cavalieri. Lo macello degli uomini e de' cavalli non si potrebbe dire quanto egli era; e quello che era in sulla torre in Siena, vedeva tutto, e come vedeva, così diceva: — Ora sono i nostri in piazza;[61] ora sono abbattute le bandiere de' fiorentini, e tutti i fiorentini sono in rotta; ora i nostri sono vencitori, e' fiorentini, sono rotti e fugono, e sono sconfitti, e vanno fugendo per quelle coste; e quello valoroso popolo di Siena sempre li va seguitando,[62] ammazzandoli come s'ammazzano le bestie.

60. ora pensate, ecc.: pensate che cosa facevano i prodi cavalieri, se un umile fante compiva tali gesta.
61. sono i nostri in piazza: i nostri sono padroni del campo.
62. seguitando: inseguendo.

Letture critiche

Brunetto Latini e la letteratura didattica toscana

Il significato e la posizione del Latini assumono un valore esemplare, alla stregua di quanto accertabile per i settentrionali Bonvesin o Uguccione, e con ben altra ampiezza d'orizzonti culturali: il che non vuol dire e anzi esclude altrettanta felicità creativa. Messo dunque da parte ogni canone di giudizio estetico, resta il peso culturale e ideologico del personaggio: non che maestro di Dante (*Inf.* XV), soprattutto «cominciatore e maestro in digrossare i Fiorentini e farli scorti in bene parlare, e in sapere guidare e reggere la nostra repubblica secondo la politica» (Giovanni Villani). La sua importanza storica va ben oltre i risultati concreti della sua opera scritta, e risiede altrettanto nelle intenzioni o nella consonanza che il suo messaggio trovò subito fra concittadini e italiani. Testimone dell'avvento della borghesia comunale, Brunetto è fautore ad oltranza di un programma laico e civile. Esemplare nella rielaborazione e combinazione dei dati tradizionali in servizio dei nuovi bisogni del suo pubblico; scevro, ancor più dei settentrionali, d'ogni preoccupazione di novità che non fosse chiarezza e ricchezza in concorrenza coi predecessori; egli sembra consapevole fino in fondo della scelta rivoluzionaria della lingua per i suoi trattati: non più il latino, ma gli idiomi volgari, il fiorentino o il più prestigioso e *delitable* francese d'*oïl*. Ciò equivaleva a un'aperta dichiarazione di guerra alla cultura chiericale tradizionale, esclusiva ed egoistica; a un completo rovesciamento d'interessi e di pubblico: trionfava la medesima esigenza laica dei settentrionali, ma senza retroscena religiosi o ereticali, come schietta mondanizzazione e divulgazione della cultura concepita come organica enciclopedia del sapere, fino alla «scienzia di bene dire», cioè la rettorica, che è parte della «scienzia delle cittadi».

Accanto alle analogie, si tengano presenti le profonde differenze con la società padana, chiusa fra zone di persistente resistenza cavalleresco-cortese e provenzale (le corti del Monferrato e della Savoia da una parte, gli Estensi e la Marca trivigiana dall'altra) e priva del solido connettivo di una borghesia mercantile quale s'era formata a Firenze per il prevalere delle Arti maggiori e quindi di un'oligarchia in contrasto, su duplice fronte, con l'aristocrazia terriera e gli artigiani minori (i futuri Ciompi): meno lontana cioè dalla figura sociale del *bourgeois* o *Bürger* dell'Europa settentrionale di quanto non fosse quella padana, spesso ancora ferma a un'economia rurale o quasi curtense. A questi borghesi in fondo si rivolgeva l'opera di Brunetto (come sarà poi per il Boccaccio), cioè a un livello mediano fra i chierici chiusi nella *turris eburnea* dell'alta cultura e i plebei legati a una cultura puramente visiva (pitture, sculture, architetture) [...].

Tuttavia in queste istanze di rinnovamento (a valle dell'esperienza puramente letteraria dei «siciliani») sta in fondo il punto d'incontro della cultura settentrionale con quella centrale: nel sincretismo unitario ed enciclopedico, incurante di qualsiasi anacronismo in nome d'un recupero massiccio e cordiale di quell'immenso materiale, ove però i *topói* e le parole degli antichi e degli uomini dell'età di mezzo assumono sapori in parte sorprendenti, nell'interpretare le nuove esigenze sia del popolo grasso sia del popolo minuto: esprimendo ora l'entusiasmo di chi appartiene a città ricche di gloria e d'arte, di traffici e di negozi (in Bonvesin o nell'Anonimo genovese); ora l'orgoglio del cittadino del più grande comune guelfo dell'Italia centrale (in Brunetto). E come nei lombardi s'insinua, fra generici ammonimenti e filosofemi, il ricordo delle gesta dei Comuni contro il Barbarossa o Federico II, e la rutilante o meschina realtà delle arti e dei mestieri (specie in Bonvesin), così nel Latini, fra la precettistica cortese e l'enciclopedia del cosmo, fa capolino a ogni passo la vita comunale e la realtà incombente di quella società. Alla rigida casistica feudale e cortese sottentra la mobilità della nuova etica comunale e mercantile (ancor più duttile e spregiudicata nel *Fiore*), e la spensierata larghezza dei cavalieri si tempera in un misurato ideale di signorilità; mentre l'antico concetto classista di «nobiltà» e «gentilezza» va perdendo ogni validità ereditaria e passa a designare altezza personale d'intelletto e di sentimento, interpretando e contribuendo a creare (accanto agli svolgimenti dello stilnovo) la fresca ideologia della *gente nova* orgogliosa dei *subiti guadagni* dovuti solo alle doti del coraggio e dell'industriosa intelligenza: dando cioè voce e autorità alle aspirazioni della nascente e prosperante borghesia.

Emilio Pasquini

(Da *La letteratura didattica e la poesia popolare del Duecento,* Bari, Laterza, 1971, pp. 7-8).

La prosa del Duecento

Mentre la scena sembrava dominata dalla lotta tra Chiesa e Impero, le comparse, e cioè i Comuni, si preparavano a ruoli di primo piano. Già i primi fenomeni di cultura organizzata, cui abbiamo accennato, sono resi possibili dall'esistenza di città e di ordinamenti democratici: mentre la vita errante del trovatore era condizionata dalla varia fortuna e dai vari umori dei signori, mentre il giullare doveva inserirsi nella corrente delle devozioni e delle fiere, mentre il dotto si rivolgeva a una ideale società di confratelli, solo nella stabilità delle istituzioni, nella formazione di una classe sia pur modestamente colta, nel riconoscimento e nella collaborazione del pubblico la vita letteraria poteva costituirsi su basi solide.

Per questo la nostra storia letteraria delle origini coincide in gran parte con la storia dei Comuni. Il Comune significa la formazione di una nuova classe di imprenditori e commercianti e artigiani che nella cultura vedono prima uno strumento di lavoro, poi la speranza di una nobiltà acquisibile, e che alla cultura portano un abito di osservazione e di esperienza umana tale da rinnovare in modo profondo il gusto medievale; significa pure la fine delle concezioni feudali, la creazione di nuovi rapporti associativi che necessariamente, entro le dimensioni dottrinali del tempo, dovevano rifarsi al vecchio diritto romano, a un ideale sia pure approssimativo della classicità (per questo rinasce il termine *res publica*, e ogni Comune si cerca o si inventa un fondatore romano). In questa opera di rinnovamento ebbero forse una parte i movimenti ereticali, specie in Lombardia e in Toscana; certo è comunque che la civiltà comunale era spiccatamente laica, anche quando i rapporti coi vescovi erano buoni, anche quando le città erano guelfe. L'insegnamento era sempre più spesso affidato a maestri e scuole secolari, ed era ordinato soprattutto a fini pratici; la media cultura era ormai nelle mani di giudici e notai e maestri, cioè di laici, dalle cui schiere uscirono nella grande maggioranza gli scrittori delle Origini; persino le iniziative di arte religiosa, come la costruzione di chiese, erano prese da associazioni laiche [...].

È nell'ambito delle convenzioni giuridiche che il volgare riesce ad aprire, in Italia, una breccia nella barricata latina: premendo come un oscuro istinto nella mente dei menanti meno colti, o invece soddisfacendo l'ovvia esigenza di rendere intelligibile ai testimoni il contenuto dei documenti (motivi analoghi agirono nella compilazione dei formulari di preghiere). Incontriamo così da un lato la carta rossanese, la carta fabrianese ecc., dall'altro i placiti cassinesi, la carta picena, la dichiarazione pistoiese, il breve di Montieri, la carta sangimignanese. La successione cronologica ci fa passare da un'area che si potrebbe definire cassinese a un'area toscana; ma la zona in cui questo processo di simbiosi tra l'uso giuridico e il volgare giunge ad esiti più rilevanti è quella bolognese.

Caratteristico della fioritura giuridica di Bologna era lo stretto legame, anche istituzionalmente consacrato, del diritto e della retorica: alla dignità esterna — diplomatica e calligrafica — dei documenti si volle far corrispondere una dignità interna, stilistica. Furono così accolte e svolte esperienze che avevano già avuto notevole elaborazione a Montecassino e alla corte papale. Di queste esperienze venne presto a beneficiare anche il volgare, quando non solo fu stabilito che gli aspiranti notai mostrassero, negli esami, «qualiter sciant scribere et qualiter legere scripturas, quas fecerint, vulgariter» (1246) — e già prima Piero de' Boattieri dava istruzioni per la versione in volgare, a voce, degli strumenti notarili, — ma si incominciò a stendere traduzioni, o persino a comporre formulari in volgare: alludo, oltre che agli scritti di Guido Fava, al frammento di Rainerio da Perugia.

Il magistero giuridico dunque abbracciava anche il campo dei rapporti politici: ed è proprio tra questi due poli — giuridico e politico — che scocca la maggiore scintilla nella storia della prosa dugentesca [...].

Immenso fu perciò l'incentivo dato dalle necessità del governo democratico allo studio della retorica e dei classici dell'elocuzione (mai in Italia si lessero e tradussero con tanta passione Cicerone e Sallustio) e alla formazione di una letteratura cancelleresca (Dicerie, Parlamenti). È una sfera di rilevanza pratica che già tocca aree esteticamente vive: l'arte del dire viene ormai ricercata e ammirata al di là della sua utilità. Si sviluppa il gusto (certo favorito da una vocazione naturale) del discorso costruito a «regola d'arte»: solennemente intonato, o abilmente insinuante, o spiritosamente conciso; si apprezza soprattutto l'espressione pregnante ed epigrammatica, il «motto»: con una tradizione che dal *Ritmo di Travale*, attraverso il *Novellino*, troverà la sua perfezione nel *Decameron* (Paolo da Certaldo esortava gli oratori a esprimersi «con nuovi vocaboli e intendenti, però che molto se ne diletta la gente»). Ma la partecipazione di ampi strati della cittadinanza alla vita del Comune diede, e ciò conta ancor più, una spinta vigorosa alla naturale tendenza ad elevarsi culturalmente [...].

La fioritura letteraria, e specialmente prosastica (la lirica è, per sua stessa natura, più riservata e aristocratica), finì dunque per costituire una presa di coscienza del mondo da parte di persone che, senza consacrarsi agli studi, guardavano tuttavia la realtà con occhio acuto. È proprio in questo periodo che si moltiplica il numero delle scuole, spesso comunali o private, con programmi d'insegnamento scarni e funzionali: leggere, scrivere, far di conto, sono obiettivi limitati e pratici, che i buoni commercianti e artigiani supereranno poi nel fondaco e nella bottega, o specialmente in ore di libera lettura. Ogni ramo del sapere ne riesce fortemente influenzato: il metodo divulgativo, da tramite inevitabile alla conoscenza, accenna a divenire forma mentale, concetto pragmatico della cultura. Trascurata la speculazione teologica o metafisica (si ricordi la novella XXIX del *Novellino*), alla religione si chiedono soprattutto norme di condotta morale o civile: sapienza classica e sapienza cristiana, contaminate con disinvoltura sempre maggiore, si distribuiranno nei paragrafi dei manuali di vita pratica, e si troveranno allato le considerazioni disincantate, i consigli opportunistici e gretti scaturiti dall'esperienza. Questa innovazione fu resa possibile dall'evoluzione dei trattati morali, che prima si svincolarono dalla gerarchia delle attività e delle virtù umane istituita dal pensiero più decisamente religioso (sicché a poco a poco si cessò di registrare ciò che appartenesse esclusivamente alla sfera dell'interiorità e dell'astrazione, e si dedicarono invece nuovi capitoli al concreto e al quotidiano: si confrontino la *Somme le roi* con i trattati di Albertano; lo *Speculum morale* con i *Documenta antiquorum*), e poi, nel Tre e Quattrocento, spezzarono ogni schema a priori, seguendo invece il progresso — o la memoria — di un'esperienza personale (penso a Paolo da Certaldo, al Morelli, a tanti altri). È ciò che si avverte anche nella storia degli *exempla*, che si liberano da strutture didascaliche e, assorbita in sé la propria moralità, divengono specchi della vita feconda di nuove combinazioni (*Novellino*).

L'apprendimento dell'arte del dire, la fondazione di un codice di comportamento, l'osservazione del mondo umano, sono interessi che già indirizzavano a letture d'una certa ampiezza. Ma questa società giovane e priva di recenti tradizioni si gettò sulla storia (sempre coltivata anche nei secoli più grigi) con l'ansia di creare una prospettiva più vasta al proprio operare. Scarsa maturità storicistica e abitudine moralistica traspongono spesso l'aneddoto in esempio, la storia in mito: che è anche un modo di attualizzare [...].

Il ricordo di Roma, che specialmente in Italia era perdurato consolante e ammonitore, si trasforma in sentimento attuale, vivo, quasi che solo una pausa condannata all'oblio dividesse l'oggi da un ieri glorioso. Sarà opera degli umanisti approfondire questa coscienza e trasformarla in azione coerente; ma nel Duecento colpisce ancor più il constatare come i quadri storiografici medievali si aprano in direzione di una idealizzata memoria della latinità: e Cesare e Cicerone rappresentino una vicenda che ancora commuove e pare riflettersi nel presente; e i pericoli della Repubblica, le mene di Catilina, siano narrati e letti con partecipazione rinnovata.

L'interesse per il passato rientrava dunque nella coscienza, e persino nella passione presente. Ed è caratteristico della situazione dugentesca il campeggiare — nel sentimento — di rancori provinciali se non familiari, quando ormai l'orizzonte — nel freddo calcolo degli interessi finanziari — ha un diametro che congiunge il Levante, sino alla Cina, con le Fiandre, e — nel sistema degli equilibri politici — inscrive un'Europa già progrediente verso grandi raggruppamenti e grandi schieramenti.

Di fronte a questo orizzonte lo sguardo è tutt'altro che disattento; ma sereno, pacato. I viaggi sono subito accompagnati da una letteratura descrittiva, che s'innesta immediatamente nel filone dei notiziari sui cambi, sulle merci, sui porti (come la cronaca in quello dei libri di conti);

e che segna un primo avviamento alla curiosità scientifica ed etnografica. Questa letteratura può essere considerata come il punto di convergenza di numerose tradizioni e aspirazioni. Perché, come l'autocoscienza del cittadino si sviluppa in seno alla sua attività pratica, così l'osservazione di uomini e paesi precedeva e stimolava la curiosità verso la natura e le sue leggi; e perché alle esigenze della fantasia, soddisfatte in genere dagli avvenimenti del passato o da finzioni romanzesche non indigene, si offrivano gli amplissimi pascoli delle regioni acquisite insieme al commercio e alla conoscenza diretta. Da questa convergenza di aspirazioni nasce la fisionomia del *Milione* — tanto diffuso anche in Toscana: in cui l'inchiesta di prima mano rafforza e contiene il lungo nastro di fantasie e travisamenti pseudo-scientifici di cui pure essa costituisce un punto di arrivo; in cui le «cose viste» e il tono da memoriale campeggiano su uno sfondo novellistico e talora epico per il quale Marco Polo più dovette sentire necessaria la collaborazione di Rustichello.

In verità, il *Milione* e la *Composizione del mondo*, qualunque sia il loro valore nella storia delle scienze, sono i primi segni di una conoscenza non mediata del mondo. Il carattere compilatorio della scienza medievale (oscillante tra superstizione e simbolismo), dopo aver subito i primi colpi nel settore della matematica — sensibile alle esigenze della prassi commerciale e creditizia, — in queste due opere appare già minacciato dalla osservazione e dalla sperimentazione. E così le monotone nomenclature di Ristoro sono animate dall'entusiasmo e dalla risolutezza dello scienziato che controlla, interpretandole, le leggi della natura.

Cesare Segre

(Da *Lingua, stile e società*, Milano, Feltrinelli, 1974[2], pp. 17-28, con tagli).

Dante Alighieri

La vita

Dante Alighieri nacque a Firenze da una famiglia guelfa della piccola nobiltà nel 1265. Condusse nella giovinezza vita elegante e «cortese», ma compì anche studi severi, manifestando fin d'allora quella passione per la ricerca della verità che rimase uno degli interessi dominanti della sua vita. Frequentò, com'egli stesso ci attesta, Brunetto Latini, il cui illuminato magistero retorico e, insieme, politico e civile faceva allora sentire il suo benefico influsso in Firenze. Da solo, invece, apprese l'arte del «dire parole per rima», e fu legato d'amicizia a Guido Cavalcanti, a Lapo Gianni, e, più tardi, a Cino da Pistoia, cioè ai poeti che si usa chiamare stilnovisti, dei quali condivise l'ideale di aristocratica cultura e di raffinata poesia, derivato, però, anche dal Guinizzelli. Le rime più importanti di questo periodo furono scritte per Beatrice, figlia di Folco Portinari, che Dante amò fin dall'adolescenza.

Con la morte di Beatrice (1290) ha inizio per Dante un periodo complesso e travagliato, che segna il suo inserimento in una problematica culturale più ampia e nella vita politica del Comune fiorentino.

Per quello che riguarda il suo dramma interiore, sappiamo da lui stesso che la morte di Beatrice lo gettò in un'angoscia profonda, che culminò, come sembrano attestare certe sue affermazioni (peraltro variamente interpretate dai critici), in una vera e propria crisi. Per alcuni anni Dante s'immerse negli studi di filosofia, frequentando le «scuole dei religiosi» e le «disputazioni dei filosofanti»; lesse S. Agostino, Boezio, Cicerone, Aristotele, S. Tommaso, S. Alberto Magno, mentre componeva, nella *Vita nuova*, la storia del suo amore per Beatrice, cioè la storia spirituale della sua giovinezza, e cominciava a scrivere rime morali e allegoriche. Egli iniziava così quella piena compenetrazione di calore di affetti e di ardore speculativo che caratterizza la sua poesia più grande, e imprimeva alla sua cultura un'inquadratura sistematica che gli consentiva di guardare la realtà con occhio lucido e, al tempo stesso, con volontà di riformatore. La passione per la verità, unita a quella per la giustizia, la moralità sostenuta da solidi fondamenti razionali, insieme con la profondità del sentimento religioso, lo rivolsero più che alla contemplazione filosofica solitaria, alla ricerca d'un miglioramento di se stesso e degli altri, che egli sentì connesso con la riforma delle strutture della società di Firenze e dell'umanità intera.

Nel 1289 lo troviamo fra i *feditori* a cavallo nella battaglia di Campaldino, contro i Ghibellini d'Arezzo, e, poco dopo, nell'esercito fiorentino che tolse ai Pisani la fortezza di Caprona; ma la sua partecipazione più intensa alla vita politica fiorentina si ebbe a partire dal 1295.

Poiché gli *Ordinamenti di giustizia* di Giano della Bella, rivolti contro le consorterie nobiliari, avevano, di recente, escluso i nobili dal governo del Comune, riserbandolo solo a coloro che fossero iscritti a una corporazione d'arti e mestieri, Dante s'iscrisse a quella dei Medici e degli Speziali e cominciò una brillante carriera politica che culminò nel 1300, quando, dal 15 giugno al 15 agosto, giunse alla suprema magistratura comunale, fu cioè nominato Priore.

Firenze era allora dilaniata dalla discordia fra due fazioni guelfe: i Bianchi, più accetti al popolo, capeggiati dalla famiglia dei Cerchi, e i Neri, più vicini alla classe nobiliare, capeggiati dalla famiglia dei Donati (cui apparteneva la moglie di Dante, Gemma, cugina di Corso, l'audace e violento capo dei Neri); nel contrasto fra le due fazioni si mescolavano interessi economici e odi privati, cupidigie e ambizioni individuali. Il papa Bonifazio VIII s'inseriva nella lotta, desiderando di estendere, con l'aiuto dei Neri, la sua autorità su tutta la Toscana.

Nel corso del suo priorato Dante si sforzò di collaborare alla pace, al benessere della città, fuori d'ogni interesse particolaristico. Soprattutto si oppose con grande fermezza alle mene di Bonifazio VIII e si trovò, per questo, a condividere in forma sempre più decisa la linea politica seguita dai Bianchi.

Nell'ottobre del 1301, il pontefice inviava a Firenze Carlo di Valois, fratello del re di Francia, apparentemente come paciere, ma in realtà con l'incarico di debellare i Bianchi e assicurare il trionfo dei Neri. Dante fu prescelto fra i tre ambasciatori inviati dal Comune a Bonifazio per placarlo. Non doveva rivedere più Firenze. Mentre infatti era trattenuto a Roma dal papa, Corso Donati e i Neri conquistarono il potere, fra violenze, uccisioni, saccheggi. Seguirono i processi sommari contro gli avversari politici. Dante fu condannato in contumacia all'interdizione perpetua dai pubblici uffici, a una multa, all'esilio per due anni, sotto le false accuse di baratteria, cioè di appropriazione indebita del pubblico denaro, di azioni ostili al papa e volte a turbare la pace della città. Non essendosi presentato a scolparsi, fu condannato a essere bruciato vivo se fosse caduto nelle mani del Comune.

Nei primi tempi dell'esilio, partecipò agli sfortunati tentativi dei fuorusciti fiorentini di rientrare con la forza in Firenze, poi, disgustato dalla loro partigianeria, fece parte per se stesso. Cominciò così il suo lungo peregrinaggio per l'Italia (che conosciamo solo in parte), incalzato dalla povertà e dalla nostalgia della patria, proteso all'affannosa e spesso umiliante ricerca di una sistemazione come uomo di corte. Per un momento cercò di ottenere dai concittadini la grazia del ritorno, forse quando, con un provvedimento del 1303, i Fiorentini comminarono l'esilio anche ai suoi figli non appena avessero raggiunto i quattordici anni; e forse per risollevare il proprio prestigio scrisse fra il 1304 e il 1307 il *Convivio* e il *De vulgari eloquentia*, come testimonianza della propria cultura ed elevatezza morale. Le due opere rimasero però interrotte, e infranto il sogno di rientrare in patria.

Ma proprio quando sembrava irrimediabilmente fiaccato, egli tramutò il proprio destino di esule nel segno di una vocazione e di una missione. Il suo esilio divenne per lui il simbolo del distacco dalla corruzione di un mondo in preda agli odi, agli egoismi, alle passioni individuali, perché aveva abbandonato il cammino della giustizia, la strada segnata da Dio, che aveva stabilito due supreme autorità, il papa e l'imperatore, proprio per consentire agli uomini di vincere la cupidigia e di conseguire la felicità e la pace. L'esilio lo allontanava così da ogni considerazione municipalistica, ampliava il suo sguardo da Firenze all'Italia e al mondo; soprattutto gli dava la certezza di essere martire e combattente della giustizia, di avere per questo il diritto di parlare agli uomini, di guidarli alla riconquista di essa, della verità e della pace. È questa la vocazione profetica e riformatrice da cui nasce la *Divina Commedia*.

Nel 1310 la discesa in Italia di Arrigo VII, imperatore del Sacro Romano Impero, che intendeva riaffermare la sua giurisdizione sulla Penisola, fece sperare a Dante una prossima attuazione del suo ideale. Egli inviò in questo tempo varie epistole, ai principi e popoli italiani, esortandoli ad accogliere colui che gli sembrava inviato da Dio per riportare la pace nella penisola martoriata dalle lotte fratricide, allo stesso Arrigo, a Firenze che organizzava contro l'Imperatore la resistenza dei comuni guelfi; e forse in questi anni scrisse la *Monarchia*, un trattato politico nel quale ribadiva appassionatamente le sue concezioni.

Ma nel 1313 Arrigo moriva in Italia senza essere riuscito a restaurare l'autorità dell'Impero e crollava l'ultima speranza di Dante di rientrare in Firenze. Nel 1311 era stato escluso dall'amnistia di cui avevano beneficiato molti esuli, nel 1315 rifiutò di approfittare di un'altra, perché condizionata a un'ammissione, da parte sua, di colpevolezza, contraria alla sua dignità. Infine, sempre nel 1315, la signoria fiorentina ribadiva la condanna a morte contro di lui e contro i suoi figli.

Negli ultimi anni, Dante fu ospite prima di Can Grande della Scala, a Verona, poi di Guido Novello da Polenta, a Ravenna. In queste due città portò a termine l'ultima parte della *Commedia*, le cui due prime cantiche erano terminate prima del 1314. A

Verona, in una chiesa, lesse la *Quaestio de aqua et terra*, volta a dimostrare, secondo la filosofia del tempo, che in nessun punto della sua sfera l'acqua può essere più alta della superficie della terra emersa. Nel 1319 scrisse alcune *Egloghe* in versi latini a Giovanni del Virgilio, maestro dell'Università bolognese che lo aveva invitato a Bologna, difendendo la poesia in volgare e declinando l'invito col pretesto di oscuri pericoli che avrebbe incontrato in quella città.

Reduce da un'ambasceria per conto di Guido da Polenta, Dante morì a Ravenna nella notte fra il 13 e il 14 settembre 1321.

La «Vita nuova»

Il contenuto del libro

La *Vita nuova* è un'antologia delle rime giovanili di Dante, collegate e commentate da capitoli in prosa che le dispongono sulla linea progressiva di una vicenda della sua vita presentata come fondamentale: l'amore per Beatrice.

Quasi tutte le poesie sono anteriori alla parte in prosa: quest'ultima fu scritta fra il 1293 e il 1295, qualche anno dopo la morte di Beatrice, e delinea un'autobiografia ideale, nella quale Dante ripercorre le tappe della sua formazione spirituale e artistica.

La trama del libro, costruita dalla prosa, è la seguente. Il poeta racconta che a nove anni vide per la prima volta Beatrice e ne ritrasse un'impressione indelebile. La rivide un giorno, dopo nove anni, ed ella lo salutò soavemente: questo incontro costituì la piena rivelazione dell'amore ch'egli portava ancora indefinito nell'animo. Rifugiatosi nella sua stanza a pensare di lei, ebbe un sogno, anzi, una visione: vide Amore con Beatrice addormentata in braccio, il quale, dopo avergli rivelato di essere il suo signore, destò la donna, le fece mangiare il cuore del poeta e subito dopo, stringendola affettuosamente fra le braccia e piangendo, se ne andò, con lei, verso il cielo. Dante, destatosi, compose un sonetto, nel quale si rivolse ai poeti, cioè ai fedeli d'Amore, chiedendo loro un'interpretazione della visione. Gli rispose, fra gli altri, Guido Cavalcanti, che gli divenne da allora amico.

Per alcuni capitoli il racconto procede secondo gli schemi consueti del galateo «cortese». Dante racconta come si sforzasse di celare a tutti l'oggetto del suo amore, come, per questo, fingesse di amare, successivamente, due donne, dette «dello schermo» perché servirono a nascondere il suo vero sentimento agli occhi dei curiosi e degli indiscreti. Con la seconda, anzi, condusse tanto avanti la finzione che la gente cominciò a sparlare, e Beatrice, sdegnata, gli tolse il dolcissimo saluto nel quale consisteva tutta la sua felicità.

Ma proprio attraverso la sofferenza l'amore di Dante si rafforza e si sublima. Esso diventa esperienza beatificante, gioia che non consiste nella ricerca di un appagamento, ma nella contemplazione della bellezza e virtù della donna amata, e nella lode poetica; nell'amarla disinteressatamente, per ciò che è, per la perfezione umana che essa incarna. Interrogato da alcune donne sulla natura del suo sentimento, Dante risponde che la sua vera felicità consiste nelle parole che lodano la sua donna, e comincia, quindi, a comporre le *rime della loda*, dalla canzone *Donne ch'avete*, ai sonetti *Tanto gentile* e *Vede perfettamente*, esaltazione della perfezione di Beatrice, creatura altissima che impersona l'amore.

La sua morte, che sopraggiunge a questo punto, ne distrugge la persona fisica, ma non l'immagine ideale. E Dante vive e soffre questa morte ancor prima che accada, in una visione-presentimento, dalla quale nascono un mirabile capitolo in prosa e la canzone più bella della *Vita nuova*, *Donna pietosa e di novella etate*; in ambedue, la morte di Beatrice e la sua trasfigurazione in un mondo più vero e più grande, il Paradiso, sono avvertite come un evento esemplare che esprime il dramma e il significato della vita umana: la sua tensione verso l'eterno.

L'ultima parte della *Vita nuova* riflette, in certo qual modo, la prima. Come all'inizio, l'ideale amore di Dante si era affermato dopo una sorta di traviamento, rappresentato dall'episodio delle donne schermo e da un momento di passione tormentosa, così ora c'è una nuova tentazione: quella dell'oblio di Beatrice. Mentre infatti dopo la morte dell'amata il poeta si aggira sconsolato per la città, è attratto dallo sguardo di una giovane donna che mostra pietà per lui e per il suo dolore. A poco a poco, il suo animo inclina verso di lei, e invano l'amore antico si sforza di contrastare il passo a quello nuovo. Ma una visione in cui Beatrice gli appare quale l'aveva vista la prima volta, tronca il «malvagio desiderio» del nuovo amore per la «donna gentile» e pietosa. Poco dopo, Dante ha una «mirabile visione», sempre imperniata su Beatrice, in seguito alla quale egli si propone di non celebrarla più nella sua poesia fino a che non sarà capace di dire di lei «quello che mai non fue detto d'alcuna».

Significato della «Vita nuova»

La *Vita nuova* (o «vita rinnovata dall'amore») è un'autobiografia quale poteva essere concepita nel Medioevo: attenta, cioè, non tanto al dispiegarsi storico degli eventi, quanto al loro riflettersi e configurarsi nella coscienza come occasioni che inducono a penetrare il significato del vivere. Tutto si svolge, cioè, come se le cose e le vicende non avessero altra funzione che quella di ridestare una verità che non è tanto in loro, ma sopita, per così dire, nel fondo dell'animo; il cammino della narrazione è quello della progressiva penetrazione, da parte di Dante, delle ragioni ultime del vivere e dell'amare, e dunque d'una progressiva edificazione spirituale.

Questo atteggiamento determina la particolare struttura narrativa del libro. Oggetti e vicende vengono deliberatamente sfumati (Firenze è «la cittade»; la camera di Dante è «la camera de li sospiri»; la realtà biografica di Beatrice, e di Dante stesso, è praticamente ignorata; l'unico paesaggio rappresentato è un «cammino», lungo il quale corre un ruscello «chiaro molto»), mentre i sogni, i presentimenti, le visioni di Dante, certe sue repentine illuminazioni interiori, l'emergere, volta per volta, dell'ispirazione che conduce alla stesura delle singole liriche segnano le svolte decisive del racconto. Lo spazio narrativo reale è quello dell'interiorità, e sull'interiorità è misurato, agostinianamente, il tempo: sulle cadenze, cioè, d'un discorso interiore, ridonato ora dalla memoria come attualità perenne della scoperta d'un valore che ha illuminato e illumina la vita. Si può, insomma, concludere che la dimensione orizzontale, storica del tempo è superata da quella verticale: dal continuo riferire la realtà contingente a un significato assoluto, di là dallo scorrere dei giorni.

Qualcosa di analogo può essere detto dei personaggi. Dante, che pure è il protagonista della narrazione, non delinea in essa la sua concreta biografia dell'adolescenza e della prima giovinezza, ma appare concentrato unicamente nel perseguimento d'un ideale d'amore e poesia (i due termini tendono a identificarsi), concepito come valore unico, totale. Beatrice ha una consistenza narrativo-drammatica ancor minore. Di lei intravediamo soltanto un saluto, un lieve sorriso, un viso color di perla, un suo incedere come un vivente miracolo, vestita di «umiltà», fra la gente attonita. La sua bellezza non è mai descritta sensibilmente, ma evocata attraverso lo stupore sbigottito che suscita nell'animo di Dante, come improvvisa rivelazione celeste. È una creatura che, avendo attinto la propria perfezione, rivela la somiglianza fra l'uomo e Dio; la sua bellezza è rivelazione del bene, della pienezza dell'essere, la sua morte è un transito alla vita vera, il compimento armonico del suo itinerario terreno.

Beatrice e l'amore di Dante per lei diventano così «figura», nel senso medievale del termine, cioè prefigurazione e preludio vissuto della realtà ultraterrena che dà autenticazione e compimento al vivere. Come Beatrice con la sua vita e la sua morte addita a Dante l'itinerario esemplare dell'anima, così l'amore è concepito come prefigurazione d'un amore più alto. Esso è, infatti, superamento di «superbia», «ira», egoistico amor di sé; è anelito verso il bene.

Dante, nel suo libro, non ci offre, dunque, una particolare storia d'amore, ma è inteso a definire l'essenza di esso, come slancio elementare della persona verso il bene e la felicità, suscitato dalla bellezza che diviene rivelazione e invito alla partecipazione totale all'armonia dell'essere. La difficoltà con cui egli perviene a una purificazione integrale dei suoi sentimenti e all'amore vero, la morte di Beatrice e il conseguente, seppur temporaneo, disviarsi verso un altro amore, indicano la precarietà di questo ideale, della difficile e sempre insidiata conquista di questa purezza e autenticità del sentire: ed è poi questa la vicenda che il libro configura. Con essa coincide la conquista d'una poesia originale, espressione adeguata dell'oggetto che rappresenta.

La «Vita nuova» e il mito medievale dell'amore

La problematica affrontata da Dante va inquadrata nella concezione medievale del mondo. Il cristianesimo appariva come la religione dell'amore (Dio è amore, atto d'amore è la creazione, che si conserva in virtù d'un istinto ad amare implicito in ogni essere; puoi vedere, in proposito, in questa antologia, le pagine di S. Agostino e di Boezio); nell'amore umano i poeti «cortesi» avevano individuato un principio di aristocrazia, di «gioia», ossia di vita magnanima, generosa, gentile; sull'essenza psicologica dell'amore si era svolta la meditazione degli stilnovisti, che Dante ora sviluppa con un'ansia di conclusioni definitive. Lo vediamo, nella prima parte del libro, ripercorrere e superare il cammino della poesia cortese e di quella del Cavalcanti (la teoria dell'amore passione e sconvolgimento, o «morte»), fino al decisivo incontro col Guinizzelli, di cui accoglie pienamente l'identificazione di amore e «cor gentile» e l'idea dell'amore come incentivo di perfezione morale.

La nuova e originale teoria dantesca si esprime a partire dal capitolo XVIII, nella poesia della lode. Il vero amore consiste nell'amare una persona non per il vantaggio che ne possiamo ottenere, ma per ciò che essa è; è disinteressato come quello divino, è la scoperta nell'altro della sua dignità e nobiltà di creatura fatta a immagine e somiglianza di Dio. Amare Beatrice significa dunque amare una perfezione che ne riflette una più alta.

Per questa via, nell'ambito d'una struttura di pensiero e di sensibilità cristiani, Dante affermava la piena dignità del sentimento umano, lo individuava come un valore. Fermarsi all'aspetto sensibile o sensuale dell'amore, sia pure nella trasfigurazione operata dall'etica cavalleresca, significava, per lui, rinunciare a comprenderne la verità profonda, il suo costituirsi come esperienza fondamentale della coscienza, come radice stessa della vita.

Altro motivo importante del libro è che questa acquisita coscienza di sé attraverso l'amore (un amore, peraltro, costantemente sostenuto dalla ragione: un «intelletto d'amore») coincide con la nascita d'una poesia originale. La *Vita nuova* è anche, e prima di tutto, l'autobiografia d'un poeta, in cui le liriche diventano personaggi effettivi; attestazione d'un cammino che si svolge in direzione unitaria e progressiva. L'eccellenza della persona amata ispira la volontà di testimoniarla, che si tramuta in celebrazione, inno; la poesia è scoperta della parola come coscienza e rivelazione del significato vero dell'esperienza.

Il mito di Beatrice si arricchirà nella *Commedia*, dove ella, trasfigurata simbolicamente, diverrà guida di Dante a Dio. Ma nella *Vita nuova* c'è solo un vago presentimento di questo. Il libro esprime essenzialmente il mito dell'amore come ansia di perfezione intravista nel cammino terreno «quasi sognando», come affermerà Dante nel *Convivio*. La *Commedia* riproporrà la sintesi di intelletto e amore sullo sfondo di tutta la vita e la storia dell'uomo, nel dramma della redenzione dal male e della salvazione, superando la limitata esperienza stilnovistica che s'intravede ancora nel libretto giovanile; proporrà, infine, il tema del rapporto fra uomo e Dio su un'idea dell'amore come legge costitutiva della coscienza umana e dell'universo in una prospettiva cristiana globale.

La coscienza letteraria di Dante

Frequenti furono, in passato, i tentativi di interpretare la *Vita nuova* come allegoria di un'esperienza mistica. A questo sembravano condurre i sistematici richiami alla Sacra Scrittura, la vicenda di Beatrice (morte e trasfigurazione celeste) e la tonalità a volte estatica del libretto. Ma converrà piuttosto osservare che Dante compone la propria autobiografia secondo i modelli culturali d'un genere letterario specifico. Gli antecedenti che ne definiscono la tradizione, e quindi anche gli elementi strutturali, sono: le *Confessioni* di S. Agostino, il *De consolatione philosophiae* di Boezio, il *Laelius de amicitia* di Cicerone (ai quali egli afferma di essersi ispirato), e inoltre la tradizione mistica medievale legata al testo ciceroniano e le vite di Sante di spiritualità francescana (per es. quella di Margherita da Cortona).

Comune a questi testi è l'interpretazione della biografia in base a un valore (religioso o etico o filosofico) che le dà una significazione trascendente rispetto alla soggettività immediata e tende a disporla secondo parametri di valore esemplari. In relazione a esso i fatti acquistano significato, e vengon pertanto rievocati non tanto nella loro concretezza immediatamente realistica, ma nel loro significato ideale.

L'autobiografia di Dante diviene pertanto una *confessio* in senso agostiniano: una testimonianza della verità che egli attinge scavando nei fatti e nella coscienza, ritrovando in questa i valori eterni che, secondo la sua concezione cristiana, danno senso alla vita. Le vicende subiscono così una prima trasfigurazione che è quella operata dalle liriche, e quindi una seconda operata dalla prosa, che, nella propria sequenza narrativa, riscopre e approfondisce le progressive illuminazioni della coscienza.

Nonostante questo impegno etico e spirituale, che non può, nella cultura di Dante, prescindere dalla tematica religiosa come fondazione d'una idea globale della realtà, Beatrice e non Dio rimane l'oggetto dell'amore e della lode, e il libro definisce la dignità del sentimento di Dante prima di tutto su un piano etico umano. Dante, cioè, si sforza di conciliare le categorie della spiritualità religiosa del suo tempo con l'esperienza «laica» del mondo cortese, sviluppando coerentemente l'affinamento al quale la lirica cortese aveva condotto la psicologia e le vicende amorose. Il suo ripercorrerne le situazioni tradizionali serve, in realtà, a inserirsi in una tradizione, rinnovandola dall'interno. Nasce di qui l'ulteriore spiritualizzazione dell'amore operata da Dante, che fin dall'inizio lo sottopone al «fedele consiglio della ragione»; ossia cerca di viverlo e di comprenderne l'essenza mediante un esame approfondito dell'interiorità, attraverso la meditazione delle sue esperienze liriche e la loro collocazione in una vicenda unitaria, cioè in un itinerario spirituale e conoscitivo.

In questo modo la poesia e la letteratura sono elevate da Dante alla suprema dignità d'una rivelazione dell'uomo a se stesso e d'un messaggio; e nasce in lui una coscienza letteraria che si scopre come tradizione (ce lo dice il cap. XXV, dove viene tracciata una rapidissima ma essenziale storia della lirica d'amore in volgare e se ne dichiara la sapienza riposta) e, al tempo stesso, come originalità d'un'esperienza poetica che si definisce, partendo da quella del passato per approdare a un canto nuovo, come nuova è la vita provocata dall'esperienza d'un amore beatificante.

Le «ragioni» in prosa («razos») erano in uso nei canzonieri provenzali. Contenevano scarne indicazioni sulla biografia del poeta, su occasioni e destinatari di alcune liriche. Dante ne fa uno strumento sistematico di conoscenza, organizzando per mezzo loro le liriche in una vicenda coerente e unitaria, che conferisce alle liriche un incremento di significato. In tal modo egli giunge ad affermare la sua fiducia nella parola scritta e nella strutturazione letteraria come fondazione di verità attraverso la bellezza, ed espressione dell'amore concepito come slancio verso l'essere della persona e della vita. In questo senso egli sarà sempre, d'ora in avanti, poeta d'amore; la *Vita nuova* rimane la prima espressione d'un mito poetico ed esistenziale pienamente coincidente con la sua vocazione di scrittore e il suo destino di uomo.

Per il testo seguiamo l'edizione a cura di M. Barbi, *Edizione nazionale delle Opere di Dante*, vol. I, Firenze, Bemporad, 1932.

Il capitolo I: un proemio

La ragionata antologia poetica si apre con l'immagine del *libro de la memoria*, come ad affermare fin da ora il carattere organico e unitario dell'esperienza raccontata (*libro*) e a inserirla in un piano narrativo autobiografico (*memoria*). Dante pone già vita e poesia in una relazione strettissima che sfiora l'identità, dal momento che le poesie diventano, nel racconto, i punti nodali di un'esperienza di conquista della verità e di edificazione spirituale: due aspetti, anche questi, strettamente correlati. Anche per i Proven-

zali esisteva, in forma peraltro più embrionale, questa corrispondenza, ritrovata attraverso l'identificazione fra amore e canto che lo esprime, anzi, lo costruisce, sul piano della finezza cavalleresca, sottraendolo all'immediatezza istintiva. Ma Dante va oltre: il libro della memoria reca un titolo che non è «nuova poesia», ma «vita nuova»: che significa «giovinezza», ma come slancio vitale fervido, e, soprattutto, con abile ambivalenza espressiva che accoglie un'eco delle Scritture, «vita rinnovata dall'amore».

Non sembra azzardato indicare in questo breve capitolo, una filigrana agostiniana che perdurerà nell'opera. Nel libro della memoria Dante trova «parole», che sono, evidentemente le liriche, ma anche i ricordi, che verranno ricostruiti dalla prosa. È interessante il fatto che anch'essi vengano evidenziati in *parole*, come il titolo che Dante ora ritrova nella memoria, e, più tardi, il colloquio delle potenze o facoltà fisiopsichiche, o i messaggi del dio d'Amore; quasi sempre in latino, come nobile lingua della stabilità, dei valori che durano. L'esperienza tende, cioè, a trasformarsi in linguaggio, ad ascoltare quel *verbum interius*, o parola interiore, su cui, secondo S. Agostino, si definisce la coscienza, come ritrovamento della Parola creatrice e fondazione della persona. La poesia, secondo Dante, riflette analogicamente questo processo.

In quella parte del libro de la mia memoria[1] dinanzi a la quale poco si potrebbe leggere,[2] si trova una rubrica la quale dice: *Incipit vita nova.*[3] Sotto la quale rubrica io trovo scritte le parole le quali è mio intendimento d'assemplare in questo libello, e se non tutte, almeno la loro sentenzia.[4]

---

1. **libro de la mia memoria**: La perifrasi, oltre al significato che s'è visto, ha la funzione di conferire al discorso una patina di solennità e di eleganza.
2. **poco... leggere**: i ricordi anteriori, sono, infatti, ormai cancellati. **rubrica**: titolo; così chiamato perché, nei libri, veniva scritto in rosso.
3. **Incipit**: La parola *incipit* (*incomincia*) introduceva il titolo nei manoscritti. L'immagine del libro non era nuova, ma tradizionale nel Medio Evo (per Dante, libro è la memoria, libro è l'universo [cfr. *Paradiso* XXXIII vv. 86-88]); da un lato indica la esigenza di un sapere unitario, organico (dato che la conoscenza umana parte dall'unità suprema — Dio — e ad essa ritorna), dall'altro richiama il libro per eccellenza, la Bibbia, che in sé comprende tutta la vita dell'uomo, illuminata dalla rivelazione divina. **Vita nova**: vita rinnovata dall'amore, il titolo ricorda il *Canticum novum* come risultato di redenzione, attestato dai testi sacri; sul carattere di significazione originale e straordinaria insistono spesso i canzonieri provenzali. Nel *Convivio* Dante definisce la *Vita nuova* come «fervida e passionata», aperta all'intuizione del vero soprattutto attraverso il sentimento.
4. **Sotto la quale rubrica... assemplare... sentenzia**: Sotto questo titolo Dante trova le parole (oltre alle liriche, i ricordi), che è suo intendimento trascrivere (**assemplare** = trarne copia, *exemplum*) nel presente libretto; di quei ricordi che non trascriverà puntualmente, darà almeno il senso complessivo.

Il capitolo II: l'apparizione di Beatrice

Questo capitolo rievoca la prima apparizione di Beatrice e, soprattutto, i riflessi che essa opera nell'animo di Dante. Come afferma giustamente Domenico De Robertis, esso «non fa che illustrare i segni, svolgere i termini della sua [di Dante] 'rinascita', del suo destino, costituisce una specie di prova generale delle immaginazioni future, un piccolo concentrato del mondo della *Vita nuova*». Osserviamo, infatti, in esso, alcuni fili conduttori di tutta la storia e alcuni modi di rappresentazione che rimarranno essenziali in tutto il libro. In primo luogo c'è la capacità di trasporre un avvenimento biografico su di un piano universale, dando un carattere solenne, quasi sacrale a tutta la vicenda: il preludio astronomico, nel quale i cieli sembrano cospirare al nascere dell'evento miracoloso dell'apparizione di Beatrice; poi quelle frasi latine, congiunte alla parola del poeta Omero che accompagnano l'apparizione con un tono quasi liturgico; poi la rappresentazione del turbamento dell'anima di Dante in termini scientifici, razionali, quasi a sottolineare non tanto il nascere in lui di una passione determinata, ma la scoperta dell'idea pura, universale dell'Amore. La vicenda, divenuta coscienza, è tradotta in parola (cfr. l'introduzione al cap. I), formulata nella lingua letteraria per eccellenza, il latino, che offre un modello di stabilità al linguaggio e al sentire, come dirà Dante nel *De vulgari eloquentia*.

Nove fiate già appresso lo mio nascimento era tornato lo cielo de la luce quasi a uno medesimo punto, quanto a la sua propria girazione,[1] quando a li miei occhi apparve prima[2] la gloriosa donna de la mia mente,[3] la quale fu chiamata da molti Beatrice li quali non sapeano che si chiamare.[4] Ella era in questa vita[5] già stata tanto, che ne lo suo tempo lo cielo stellato era mosso verso la parte d'oriente de le dodici parti l'una d'un grado, sì che quasi dal principio del suo anno nono apparve a me, ed io la vidi quasi da la fine del mio nono. Apparve vestita[6] di nobilissimo colore, umile e onesto, sanguigno, cinta e ornata a la guisa che a la sua giovanissima etade si convenia. In quello punto[7] dico veracemente che lo spirito de la vita,[8] lo quale dimora ne la secretissima camera de lo cuore, cominciò a tremare sì fortemente, che apparia ne li menimi polsi

---

1. **Nove fiate... girazione**: Nove volte, dopo la mia nascita, il cielo del sole aveva compiuto il giro che gli è proprio. Erano, cioè passati nove anni dalla nascita di Dante.
2. **quando... prima**: quando per la prima volta apparve ai miei occhi.
3. **la gloriosa donna de la mia mente**: la signora del mio animo; *gloriosa*, perché assurta, ora, alla gloria del Paradiso.
4. **la quale... chiamare**: tutti coloro che la conobbero la chiamarono Beatrice, e non sapevano ancora il significato profondo di questo nome. Secondo Dante, i nomi esprimono la qualità delle cose; nel caso presente, il nome esprime quella beatitudine che la sua donna diffonderà nel mondo. Quanto al numero nove, col quale comincia il racconto, è numero simbolico e sacro (è il prodotto di tre per tre, simbolo, quest'ultimo, della Trinità). La considerazione sui nomi e sui numeri ci riconduce alla scienza medioevale, portata a interpretare l'universo in chiave simbolica.
5. **Ella era in questa vita** ecc.: dalla nascita di Beatrice, il cielo delle stelle fisse si era spostato verso oriente la dodicesima parte di un grado; a spostarsi di un grado, questo cielo impiega cento anni; B. aveva, dunque, otto anni e mezzo.
6. **Apparve vestita** ecc.: generica, come sarà anche in seguito, la descrizione: ma Dante non intende descrivere la concreta persona di B. quanto il fascino che emana da essa, il suo significato spirituale. **umile e onesto:** i due aggettivi denotano le virtù dell'anima di B. *Sanguigno* è colore porpora scuro.
7. **In quello punto**: Così, con voluta simmetria cominciano tre periodi susseguenti. Come abbiamo già visto leggendo il Cavalcanti, le potenze dell'anima sono personificate. Invece di un'espressione lirica, personale, abbiamo una rappresentazione drammatica, resa solenne come una liturgia da quelle espressioni latine che hanno un sapore biblico.
8. **lo spirito de la vita**: Secondo la scienza del tempo, aveva sede in una concavità del cuore, ricettacolo del sangue, ed era la potenza vitale per eccellenza, il principio della vita. Ora esso trema e tale tremore appare nel battito delle arterie. L'avverbio *orribilmente* esprime appunto questa pulsazione (secondo l'accezione latina originaria della parola).

orribilmente; e tremando disse queste parole: «Ecce deus fortior me, qui veniens dominabitur michi».[9] In quello punto lo spirito animale,[10] lo quale dimora ne l'alta camera ne la quale tutti li spiriti sensitivi portano le loro percezioni, si cominciò a maravigliare molto, e parlando spezialmente a li spiriti del viso, sì disse queste parole: «Apparuit iam beatitudo vestra». In quello punto lo spirito naturale[11] lo quale dimora in quella parte ove si ministra lo nutrimento nostro, cominciò a piangere, e piangendo disse queste parole: «Heu miser, quia frequenter impeditus ero deinceps!». D'allora innanzi[12] dico che Amore segnoreggiò la mia anima, la quale fu sì tosto a lui disponsata, e cominciò a prendere sopra me tanta sicurtade e tanta signoria per la vertù che li dava la mia imaginazione, che me convenia fare tutti li suoi piaceri compiutamente. Elli mi comandava molte volte che io cercasse per vedere questa angiola giovanissima; onde io ne la mia puerizia molte volte l'andai cercando, e vedeala di sì nobili e laudabili portamenti, che certo di lei si potea dire quella parola del poeta Omero: «Ella non parea figliuola d'uomo mortale, ma di deo».[13] E avvegna che[14] la sua imagine, la quale continuamente meco stava, fosse baldanza[15] d'Amore a segnoreggiare me, tuttavia era di sì nobilissima vertù, che nulla volta sofferse che Amore mi reggesse senza lo fedele consiglio de la ragione in quelle cose[16] là ove cotale consiglio fosse utile a udire. E però che soprastare a le passioni e atti di tanta gioventudine pare alcuno parlare fabuloso,[17] mi partirò da esse; e trapassando molte cose le quali si potrebbero trarre de l'essemplo onde nascono queste,[18] verrò a quelle parole le quali sono scritte ne la mia memoria sotto maggiori paragrafi.[19]

9. Ecce deus... michi: Ecco un dio (l'amore) più forte di me che viene ad affermare su di me il suo dominio.
10. lo spirito animale: usciva anch'esso dal cuore, ma saliva in un vuoto posto fra le cellule del cervello e di là, diffondendosi per i nervi, regolava la vita sensitiva. Ora, questo spirito rimane come stupefatto dinanzi all'apparizione di B., e parlando agli organi visivi dice: «Ora è apparsa la vostra beatitudine»; essi godranno infatti della visione di lei.
11. lo spirito naturale: presiedeva alla vita vegetativa, alla nutrizione del corpo e risiedeva nello stomaco. Dice ora piangendo: «Misero me, ché d'ora innanzi sarò spesso impedito!».
12. D'allora innanzi, ecc.: Riprende, dopo l'esposizione rigidamente scientifica, il racconto, sempre però indefinito, quasi a esprimere la vaghezza dell'intimo sentire e pensare d'amore. Più che nelle immagini e nei concetti, si avverte questo nel ritmo dei periodi, soprattutto di quello seguente, col suo tono di stupore e di miracolo. **disponsata**: sposata, inscindibilmente unita. **sicurtade... signoria**: signoria assoluta, pienamente sicura. **per la vertù... imaginazione** il continuo raffigurarsi, da parte di D., l'immagine di B. nel suo animo dà forza alla signoria d'Amore.
13. Omero: D. non lo conobbe direttamente, ma attraverso le scarne citazioni e i giudizi dei classici latini.
14. E avvegna che... (= *sebbene*): Dopo il periodo precedente, che già ha in sé il presentimento delle «rime della lode», questo, più consapevolmente, contrappone il mito dantesco a quello cavalcantiano: amore non è passione che sconvolge e abbatte l'anima: l'amore vero è intimamente unito alla ragione morale, e coincide, quindi, con la virtù.
15. fosse baldanza: conferisse ad Amore baldanza e audacia nel dominarlo.
16. in quelle cose ecc.: nella vita morale di D.
17. E però... fabuloso: poiché l'indugiare su passioni e azioni di età tanto giovanile può sembrare un parlare favoloso.
18. trapassando... queste: tralasciando molte cose che si potrebbero trarre dall'esemplare (dal libro della memoria) da cui ho tratto queste.
19. sotto maggiori paragrafi: più importanti sia per il numero e la precisione dei ricordi, sia per il loro valore.

◆

Il capitolo III: la signoria d'Amore

È il primo incontro veramente decisivo con Beatrice. Col consueto stile allusivo, il poeta ci fa assistere all'estasi beata che lo pervade. Ma l'occasione subito si allontana, sfuma in una solitudine assorta, poi in un dolce pensare e fantasticare d'amore di Dante nella sua camera, che insensibilmente declina nel sonno e in una visione profetica, tema centrale del capitolo. La visione sintetizza una storia d'amore e di morte, che si conclude con una promessa d'eternità. Quello che conta è però qui l'atmosfera d'incantesimo, quel senso di una misteriosa avventura, che la prosa accompagna con la sua musica lenta; è una prosa esile, povera di nessi sintattici, che, proprio per questo, nei momenti più intensi, riesce ad esprimere il fluire della miracolosa visione sulla libera trama d'un sogno. Va però osservato che la prosa conduce questo a una nuova significazione; manca, infatti, nel sonetto l'immagine di Amore che se ne va verso il cielo. Dante reinterpreta pertanto la poesia d'un giorno.

Poi che fuoro passati tanti die, che appunto erano compiuti li nove anni[1] appresso l'apparimento soprascritto di questa gentilissima, ne l'ultimo di questi die avvenne che questa mirabile donna apparve a me vestita di colore bianchissimo, in mezzo a due gentili donne, le quali erano di più lunga etade;[2] e passando per una via, volse li occhi verso quella parte ov'io era molto pauroso, e per la sua ineffabile cortesia, la quale è oggi meritata nel grande secolo,[3] mi salutoe molto virtuosamente, tanto che me parve allora vedere tutti li termini de la beatitudine. L'ora che lo suo dolcissimo salutare mi giunse, era fermamente nona[4] di quello giorno; e però che quella fu la prima volta che le sue parole si mossero per venire a li miei orecchi, presi tanta dolcezza, che come inebriato[5] mi partio da le genti, e ricorsi a lo solingo luogo

1. Poi che fuoro... anni: Esattamente nove anni dopo che D. aveva visto B. per la prima volta la incontra per via. Si osservi, nel lungo periodo, la pacata lentezza, la voluta genericità della rappresentazione, nella quale acquistano intenso rilievo gli aggettivi in qualche modo tutti al superlativo (*mirabile* donna, colore *bianchissimo, ineffabile* cortesia). Essi danno il senso di una realtà sublime che incute una sorta di sgomento (*molto pauroso*). B. è mistero e miracolo: D. non l'incontra, ella *appare* come una visione, non lo guarda, ma *volge gli occhi verso quella parte* ov'egli è. E, alla fine, l'effetto del saluto: una pienezza di gioia che non sa formularsi se non in forma allusiva: *me parve allora vedere tutti li termini* (cioè il sommo) *de la beatitudine.*
2. di più lunga etade: più anziane.
3. meritata nel grande secolo: ricompensata nella vita eterna, in Paradiso.
4. L'ora... nona: sono le tre pomeridiane. Le ore del giorno andavano dal sorgere al tramonto del sole (dalle sei, circa, del mattino, alle diciotto). Abbiamo visto che il nove è numero simbolico e sacro: per questo ritorna in tutti gli avvenimenti riferiti a B. **fermamente**: precisamente.
5. come inebriato: la parola, che ricorre nei testi sacri, indica commozione estatica. Anche il partirsi *da le* genti, la ricerca del *solingo luogo della sua camera* hanno un che di indefinito che accompagna la fuga dalla realtà del poeta, che vuol essere solo col suo pensiero d'amore.

d'una mia camera, e puosemi a pensare di questa cortesissima. E pensando di lei,[6] mi sopragiunse uno soave sonno, ne lo quale m'apparve una maravigliosa visione: che me parea vedere ne la mia camera una nebula di colore di fuoco, dentro a la quale io discernea una figura d'uno segnore di pauroso aspetto a chi lo guardasse; e pareami con tanta letizia, quanto a sé, che mirabile cosa era; e ne le sue parole dicea molte cose, le quali io non intendea se non poche; tra le quali intendea queste: «Ego dominus tuus».[7] Ne le sue braccia mi parea vedere una persona dormire nuda, salvo che involta mi parea in uno drappo sanguigno leggeramente; la quale io riguardando molto intentivamente, conobbi ch'era la donna de la salute, la quale m'avea lo giorno dinanzi degnato di salutare.[8] E ne l'una de le mani mi parea che questi tenesse una cosa la quale ardesse tutta, e pareami che mi dicesse queste parole: «Vide cor tuum».[9] E quando elli era stato alquanto, pareami che disvegliasse questa che dormia; e tanto si sforzava per suo ingegno, che le facea mangiare questa cosa che in mano li ardea, la quale ella mangiava dubitosamente.[10] Appresso ciò poco dimorava che la sua letizia si convertia in amarissimo pianto;[11] e così piangendo, si ricogliea[12] questa donna nelle sue braccia, e con essa mi parea che si ne gisse verso lo cielo; onde io sostenea sì grande angoscia, che lo mio deboletto sonno non poteo sostenere, anzi si ruppe e fui disvegliato. E mantenente cominciai a pensare, e trovai che l'ora ne la quale m'era questa visione apparita, era la quarta de la notte[13] stata; sì che appare manifestamente ch'ella fue la prima ora de le nove ultime ore de la notte. Pensando io a ciò che m'era apparuto, propuosi di farlo sentire a molti li quali erano famosi trovatori in quello tempo: e con ciò fosse cosa che io avesse già veduto per me medesimo l'arte del dire parole per rima, propuosi di fare un sonetto,[14] ne lo quale io salutasse tutti li fedeli d'Amore; e pregandoli che giudicassero la mia visione, scrissi a loro ciò che io avea nel mio sonno veduto. E cominciai allora questo sonetto, lo quale comincia: *A ciascun'alma presa*.

A ciascun'alma presa e gentil core
nel cui cospetto ven lo dir presente,
in ciò che mi rescrivan suo parvente,
salute in loro segnor, cioè Amore.
5 Già eran quasi che atterzate l'ore
del tempo che onne stella n'è lucente,
quando m'apparve Amor subitamente,
cui essenza membrar mi dà orrore.
Allegro mi sembrava Amor tenendo
10 meo core in mano, e ne le braccia avea
madonna involta in un drappo dormendo.
Poi la svegliava, e d'esto core ardendo
lei paventosa umilmente pascea:
appresso gir lo ne vedea piangendo.

Questo sonetto si divide in due parti;[15] che ne la prima parte saluto, e domando risponsione, ne la seconda significo a che si dée rispondere. La seconda parte comincia quivi: *Già eran*.

A questo sonetto fue risposto da molti e di diverse sentenzie;[16] tra li quali fue risponditore quelli cui io chiamo primo de li miei amici[17] e disse allora un

B. aveva quando D. la vide la prima volta. Quando D. l'ha *intentivamente*, cioè fissamente, osservata, riconosce che è la *donna della salute* (saluto che diventa salvazione dell'anima), cioè B.
9. Vide cor tuum: vedi il tuo cuore. Esso è la cosa che arde tutta nella mano di Amore.
10. E quando... dubitosamente: da qui in avanti la visione prefigura il destino futuro di D. e di B. Il fatto che Amore faccia mangiare a B. il cuore di D. sforzandosi molto *per suo ingegno* (cioè con ogni sua arte) è allusione al corrispondere di B. ai sentimenti di D., *dubitosamente*, cioè esitando e con una sorta di timore.
11. Appresso... pianto: Dopo di ciò trascorreva poco tempo (**poco dimorava**) e la letizia d'amore si mutava in pianto amarissimo.
12. ricogliea: stringeva fra le sue braccia B. e se ne andava con lei verso il cielo. È allusione all'immatura morte di lei.
13. E mantenente... notte: È una delle consuete digressioni dottrinali: la quarta, delle dodici ore in cui è divisa la notte, è la prima delle ultime nove.
14. propuosi... sonetto: Pensando alla visione, Dante decide di farla *sentire*, cioè conoscere, ai più famosi trovatori del tempo (*trovatori* erano i poeti provenzali in lingua d'oc; qui D. estende la parola ai rimatori in volgare italiano) e poiché (*con ciò fosse cosa che*) già da sé aveva appreso l'arte poetica, decide di scrivere un sonetto e inviarlo a tutti i *fedeli d'Amore*. Fedeli d'Amore sono, in genere, gl'innamorati *cortesi*. D. li prega di giudicare la sua visione, cioè dà inizio a una *tenzone*, che era la discussione di quesiti amorosi, svolta in canzoni e in sonetti che i poeti si indirizzavano reciprocamente. Il sonetto che segue è il primo della *Vita nuova*.

Metro: *sonetto* (schema: ABBA, ABBA, CDC, CDC).
1-4. «A ciascun'anima presa da amore e a ogni cuore gentile nel cui cospetto viene il presente sonetto (**dir** è sostantivato; dire per rima significava scrivere poesia), affinché essi mi scrivano in risposta (**rescrivan**) la loro opinione (ciò che a loro pare — **suo parvente** — del mio sogno) auguro di trovar salute presso il loro signore, cioè Amore».
5-8. Già erano quasi giunti al termine della terza parte (**atterzate**) le ore della notte, tempo in cui risplende ogni stella (= era la quarta ora della notte) quando d'improvviso (**subitamente**) m'apparve Amore, e il ricordare il suo aspetto (**essenza**, inteso qui come modo di essere) mi dà ancora un senso di sbigottimento (cfr. la prosa). Si assegnavano allora alla notte 12 ore, a partire dal tramonto del sole; ne erano, dunque, trascorse quasi quattro.
9-11. Amore mi sembrava lieto; egli teneva in mano il mio cuore e aveva nelle braccia madonna che dormiva (**dormendo:** il gerundio, come spesso nel Duecento, ha valore di participio presente).
12-14. Da notare che manca l'accenno all'andare di Amore con B. verso il cielo. **ardendo**: ardente. **gir... vedea**: lo vedevo andar via piangente.

6. E pensando di lei...: il passaggio dal pensiero d'amore alla visione avviene senza soluzione di continuità. Il sonno è *soavissimo*, non un normale addormentarsi, ma un concentrarsi dell'anima in se stessa.
7. una nebula... «Ego dominus tuus»: mentre la realtà nella *Vita nuova* tende ad assumere i colori sfumati del sogno, i sogni, le visioni sono presentati in forma netta. Amore è rappresentato come un signore, con un aspetto che incute sbigottimento nell'amante, ma in sé e per sé è pieno di letizia; D. riafferma il duplice carattere dell'amore, gioia e insieme tormento e passione. Le parole di Amore: *Io sono il tuo signore* sono una ripresa del motivo accennato nel Cap. II; ma ricordano anche le parole di Dio a Mosè.
8. Ne le sue... salutare: Amore tiene fra le braccia una persona nuda, avvolta però *leggeramente* in un drappo sanguigno, cioè non strettamente fasciata. Il colore è quello della veste che

15. Questo... parti: dopo ogni componimento poetico, D. procede a una divisione in parti di esso, cosa ritenuta allora preliminare alla spiegazione del significato, cioè del contenuto di verità, di un testo.
16. di diverse sentenzie: con pareri diversi.
17. primo de li miei amici: è Guido Cavalcanti, la cui influenza ben s'avverte nei primi capitoli della V. N.

sonetto, lo quale comincia: *Vedeste, al mio parere, onne valore*. E questo fue quasi lo principio de l'amistà tra lui e me, quando elli seppe che io era quelli che li avea ciò mandato. Lo verace giudicio[18] del detto sogno non fue veduto allora per alcuno, ma ora è manifestissimo a li più semplici.

18. Lo verace giudicio: Il vero significato del sogno rimase allora oscuro a tutti, ora è manifesto anche ai più ingenui, dato che i fatti stessi (soprattutto la morte di B.) lo hanno chiarito.

Nel IV capitolo si hanno le prime schermaglie del galateo «cortese». L'anima di Dante si è concentrata a tal punto nel pensiero di Beatrice, che il corpo deperisce; e alcuni, «pieni d'invidia» vedendolo manifestamente in preda al nobile sentimento d'amore, gli chiedono il nome dell'amata. «E io — dice il poeta — sorridendo li guardava e nulla dicea loro». Secondo la concezione cortese, infatti, l'oggetto del proprio amore doveva essere tenuto rigorosamente celato, e comunicato, se mai, solo a un intimo amico e confidente. Di qui, per Dante, la necessità di trovare una donna schermo della quale fingersi innamorato, dedicandole anche poesie, per sviare i sospetti. Due furono le donne dello schermo, e ad esse sono dedicati alcuni sonetti. Questa parte della vicenda è compresa nei capitoli che vanno dal V al X. Riportiamo il primo e l'ultimo.

Il capitolo V: la «donna dello schermo»

In questo e nei capitoli fino al XII, Dante vive e scrive secondo le forme codificate dal galateo cortese, modello di vita, prima ancora che di poesia. I testi poetici che vi sono compresi mostrano come egli assuma successivamente a modello tematica e stilemi della nostra lirica amorosa, da Guittone d'Arezzo (maestro, in seguito, sempre aspramente rifiutato) al Cavalcanti, al Guinizzelli, presenti, più decisamente, il primo, nei capitoli dal XII al XVI, e il secondo nel ritrovamento delle rime della lode (XVIII-XXI). Si delinea così la storia d'un apprendistato poetico che si avvicina progressivamente a un ideale etico (il perfetto amore) e stilistico (quelle che, nel *Purgatorio*, Dante chiamerà le «nove rime» o il proprio «stil novo»).

Uno giorno avvenne che questa gentilissima sedea in parte ove s'udiano parole de la regina de la gloria, ed io era in luogo dal quale vedea la mia beatitudine;[1] e nel mezzo di lei e di me per la retta linea sedea una gentile donna di molto piacevole aspetto, la quale mi mirava spesse volte, maravigliandosi del mio sguardare, che parea che sopra lei terminasse.[2] Onde molti s'accorsero de lo suo mirare; e in tanto vi fue posto mente,[3] che, partendomi da questo luogo, mi sentio dicere appresso di me: «Vedi come cotale donna distrugge la persona di costui»; e nominandola, io intesi che dicea di colei che mezzo era stata ne la linea retta che movea de la gentilissima Beatrice e terminava ne li occhi miei. Allora mi confortai molto, assicurandomi che lo mio secreto non era comunicato lo giorno altrui per mia vista.[4] E mantenente pensai di fare di questa gentile donna schermo de la veritade[5] e tanto ne mostrai[6] in poco di tempo, che lo mio secreto fue creduto sapere da le più persone che di me ragionavano. Con questa donna mi celai alquanti anni e mesi; e per più fare credente altrui, feci per lei certe cosette per rima, le quali non è mio intendimento di scrivere qui, se non in quanto facesse a trattare di quella gentilissima Beatrice; e però le lascerò tutte, salvo che alcuna cosa ne scriverò che pare che sia loda di lei.[7]

1. Uno giorno... beatitudine: Al solito, D. usa perifrasi; non dice che B. era in chiesa, ma *in una parte* ove si udiva cantare un inno di lode alla Madonna, regina del Paradiso. D. è nella stessa chiesa, in un luogo dove può a suo agio mirare lei, la sua beatitudine. Il canto religioso sembra suscitargli nel cuore il presentimento di un canto di lode della sua donna, così come sul puro e disinteressato amore divino si modellerà il mito dell'amore per B. *Beatitudine* richiama il nome Beatrice, la sua essenza e l'effetto che produce su chi la contempla.
2. maravigliandosi... terminasse: la gentildonna è stupita dall'insistente sguardo di D. che sembrava esser rivolto a lei (**terminasse** = avesse il suo termine in lei).
3. in tanto... mente: se ne fece tanto caso.
4. non era... vista: non era stato propalato ad altri quel giorno (**lo giorno**) dal mio aver guardato B. (**per la vista**).
5. E mantenente... veritade: e subito pensai di fare di questa gentile donna difesa (**schermo**) della verità; lasciando che tutti credano che egli l'ami, D. difende da ogni indiscrezione il suo amore per Beatrice.
6. tanto ne mostrai: il *tanto* è riferito a «finto amore», come si comprende a senso.
7. Mediante la donna dello schermo Dante cela se stesso cioè il suo amore per Beatrice, e per rendere più credibile la finzione, scrive per lei alcune poesie, che però non vuole qui riportare perché scopo del libro è l'esaltazione di Beatrice. **lascerò**: tralascerò. **pare**: appare chiaramente.

Il capitolo X: la crisi

La prima donna dello schermo parte da Firenze e Dante ne sceglie una *seconda*. Amore stesso si presenta a Dante che si trova in viaggio e lo esorta a far questo. Ma la finzione provoca la reazione di Beatrice che gli nega il saluto: ne deriva la crisi della vicenda ispirata al galateo «cortese». Termina pertanto la ricerca di donne schermo e ha inizio una nuova parte della *Vita nuova*, caratterizzata da una più intima adesione al tema centrale del libro.

Appresso la mia ritornata mi misi a cercare di questa donna che lo mio segnore m'avea nominata ne lo cammino de li sospiri,[1] e acciò che lo mio parlare sia più brieve, dico che in poco tempo la feci mia difesa tanto, che troppa gente ne ragionava oltre li termini de la cortesia;[2] onde molte fiate mi pensava duramente. E per questa cagione, cioè di questa soverchievole voce[3] che parea che m'infamasse viziosamente,[4] quella gentilissima, la quale fue distruggitrice di tutti li vizi e regina de le virtudi, passando per alcuna parte, mi negò lo suo dolcissimo salutare, ne lo quale stava tutta la mia beatitudine. E uscendo alquanto del proposito presente,[5] voglio dare a intendere quello che lo suo salutare in me vertuosamente operava.[6]

2. che troppa... cortesia: c'è chi interpreta queste parole: «troppa gente ragionava di questo amore in maniera indiscreta»; per altri, e pare interpretazione più attendibile, significa: troppa gente parlava dell'amore di D. attribuendogli un carattere non cortese. E questo al poeta molte volte (**molte fiate**) cagionava forte dolore (**mi pensava duramente**).
3. soverchievole voce: diceria esagerata.
4. m'infamasse viziosamente: mi desse fama di uomo vizioso.
5. proposito presente: è il racconto; il capitolo seguente è infatti una pagina di pura descrizione e contemplazione.
6. vertuosamente operava: operava in me per effetto della sua virtù.

1. Appresso... sospiri: Dopo il suo ritorno, D. si mette a cercare quella donna che Amore, presentatosi a lui durante un viaggio che egli aveva compiuto a malincuore e sospirando (**cammino de li sospiri**), gli aveva consigliato di scegliere come «schermo».

Il capitolo XI: il mirabile saluto

È un capitolo intessuto di temi propri della poesia cavalcantiana, come si vede, fra l'altro, nella sottile distinzione e personificazione dei vari spiriti sensitivi. Da quel *dico* iniziale alla conclusione, si avverte nel passo un solido impianto dimostrativo; ma nello stesso tempo il periodare largo e solenne, il contenuto ma vibrante entusiasmo danno alla prosa un calore poetico.

Dico che quando ella apparia[1] da parte alcuna, per la speranza de la mirabile salute nullo nemico mi rimanea, anzi mi giugnea una fiamma di caritade, la quale mi facea perdonare a chiunque m'avesse offeso; e chi allora m'avesse domandato di cosa alcuna, la mia risponsione sarebbe stata solamente «Amore», con viso vestito d'umilitade. E quando ella fosse[2] alquanto propinqua al salutare, uno spirito d'amore, distruggendo tutti li altri spiriti sensitivi, pingea fuori li deboletti spiriti del viso, e dicea loro: «Andate a onorare la donna vostra»; ed elli si rimanea nel luogo loro. E chi avesse voluto conoscere Amore, fare lo potea mirando lo tremare de li occhi miei. E quando questa gentilissima salute salutava,[3] non che Amore fosse tal mezzo che potesse obumbrare a me la intollerabile beatitudine, ma elli quasi per soverchio di dolcezza divenia tale, che lo mio corpo, lo quale era tutto allora sotto lo suo reggimento, molte volte si movea come cosa grave inanimata. Sì che appare manifestamente che ne le sue salute[4] abitava la mia beatitudine, la quale molte volte passava e redundava[5] la mia capacitade.

1. Dico che quando ella apparia, ecc.: sono i tre momenti: la speranza quando B. appare; lo smarrimento al suo appressarsi; la beatitudine ineffabile quand'ella saluta. Qui abbiamo il primo momento espresso in un lungo periodo: l'apparizione di lei suscita nel poeta la speranza del *mirabile* saluto. E subito D. non ha più nemici, fuggono da lui superbia ed ira, subentrano al loro posto la carità, cioè l'amore del prossimo, la mansuetudine, la mitezza, la bontà, cioè quel complesso di stati d'animo e di virtù che lo stil novo riassume nella parola *umiltà* (**umilitade**).
2. E quando ella fosse, ecc.: E quando ella era vicina a pronunciare le parole di saluto, uno spirito d'amore, cioè una potenza sensitiva che coincide col sentimento amoroso, distruggendo ogni altro spirito sensitivo (gli *spiriti* si pensava che fossero corpi sottili, di stanza nel cuore, usati dall'anima come strumento delle operazioni vitali, in particolare quelle della vita sensitiva) e producendo quindi come un venir meno dei sensi, manifestato dal pallore del viso e dal tremore di tutta la persona, cacciava fuori i deboli spiriti della vista e diceva loro ecc. D. cioè restava come abbagliato alla vista di B.: chi avesse voluto conoscere amore, non aveva che da osservare il suo sguardo tremante.
3. E quando... salutava ecc.: B. è *salute*, la salvezza in persona, il suo saluto beatificante è l'espressione di una totale elevazione dell'anima. Quando, dunque, ella lo salutava, Amore non solo non era tale da mitigare (**obumbrare**) quella beatitudine intollerabile (nel senso di sovrumana, tale cioè che D. non riusciva a sostenerla), ma per l'eccesso della dolcezza suscitata da quel saluto, diveniva tale (cioè, a tal punto dominava il cuore di D.) che il corpo del poeta, completamente in sua balia, molte volte si muoveva come cosa pesante e inanimata.
4. ne le sue salute: nei suoi saluti.
5. redundava: soverchiava le capacità umane di D.

ESERCIZIO DI ANALISI

Il saluto di Beatrice

1. Il fascino particolare di questa prosa deriva in primo luogo dalla struttura sintagmatica, che Dante chiama «ordine del sermone», cioè del discorso, e corrisponde a un gioco di cadenze ritmiche imposto alla prosa.

Dopo il solenne «dico» iniziale, che serve a dischiudere uno spazio di testimonianza come d'un miracolo, il capitolo si articola su tre periodi di durata pressoché uguale, con, dopo il secondo e dopo il terzo, due periodi più brevi, che appaiono una sorta di corollario in cui si fissa una conseguenza particolare della visione beatificante. I due membretti più brevi, o corollari, sono: «E chi avesse... occhi miei», e, a conclusione, «Sì che appare... la mia capacitade». I tre momenti in cui, invece, si dispiega la contemplazione e si definisce il ritmo vagamente estatico del capitolo sono: «... quando ella apparìa... umilitade»; «E quando ella fosse... si rimanea nel luogo loro»; «E quando... grave inanimata».

Come si vede, l'azione quasi simultanea (l'apparire di Beatrice, l'attesa, da parte di Dante, del saluto di lei, il saluto beatificante) viene scomposta in tre momenti che definiscono un nuovo tempo interiore, e, insieme, uno spazio contemplativo che sfugge alle normali categorie del percepire e del vivere, per porre in primo piano un'avventura dell'interiorità. Di là dal rapido scorrere e declinare della vicenda, si apre, cioè, un'inedita dimensione: quella dell'interiorità pura, di un'intuizione totale. Si potrebbe parlare d'una dimensione verticale, di là dal lineare svolgersi dell'esistenza, in cui Dante percepisce un messaggio superiore, come avviene nell'esperienza dell'estasi, che è qui esplicitamente richiamata.

In effetti si ha un disporsi dell'animo a «caritade» e «umiltade», che sono virtù essenziali dell'anima cristiana; poi la ricezione del saluto si traduce in tremore (primo periodo), provocato da un uscir di sé che è simile all'ascetico morire a se stessi, e, alla fine, c'è la beatitudine, segno di salvazione: una rivelazione dell'amore, che produce un «soverchio di dolcezza», avvertita come superiore alla «capacitade» umana del poeta: una sorta di estasi.

2. La suddivisione in tre momenti è già un primo avviamento ritmico, completato poi dal fatto che i tre periodi hanno una durata bilanciata, sia fra loro, sia, ciascuno, al proprio interno. Si consideri il primo, dopo «Dico che». Esso viene suddiviso sintatticamente e pausato, sul piano ritmico, in membretti: «quando... parte alcuna»; «nullo... rimanea»; «anzi... caritade»; «la quale... perdonare»; «a chiunque... offeso»; «e chi... alcuna»; «la mia risposta... Amore»; «con viso... umilitade». Queste pause vengono disposte su un piano non tanto logico quanto emotivo, ma sono anche determinate dalle durate dei singoli membretti. Il periodo incomincia e termina con un endecasillabo, e al suo interno si struttura sulle seguenti misure sillabiche (che numeriamo in forma approssimativa): 14, 10, 14, 10, 7 + 9, 11 + 6, 6 + 11.

Si è parlato di «misure» e non di versi, perché, nell'epoca delle Origini e per molti secoli ancora, fino al nascere del verso libero, a fine Ottocento, un verso si commisura nella sequenza, in un sistema strofico, cioè, in cui si definiscono i rapporti metrici fissi fra i segmenti, o versi, che lo compongono. Tuttavia è evidente che Dante struttura questa prosa su rispondenze parallele che, anche se più libere di quelle della poesia, determinano un ritmo, o percorso ordinato (tale è, di fatto, il significato della parola greca *ritmo*), su ricorrenti cadenze e variazioni, ricondotte a una prospettiva unitaria.

Si ha qui, insomma, una prosa ritmica che ha una propria tradizione letteraria specifica: quella della prosa d'arte medievale latina, organizzata sul *cursus*, cioè sulla ricorrenza e corrispondenza delle cadenze finali dei membri del periodo, insegnato dalle *artes dictandi*; un modello presente anche in testi italiani, dal *Cantico di Frate Sole* alle *Lettere* di Guittone d'Arezzo. Anche qui, come nei testi citati, ai parallelismi ritmici si unisce una raffinata architettura retorica, che comprende figure etimologiche come «salute salutava», ripetizioni (basti citare quella della parola «spiriti»), la personificazione d'Amore e dei vari spiriti sensitivi e latinismi dotti come «obumbrare», «redundava», «capacitade», che innalzano lo stile e lo adeguano all'altezza dell'oggetto. Tale innalzamento si attua conclusivamente in una sorta di continuata metafora sacrale: quella del «saluto» che viene connesso a «salute» (impersonata da Beatrice), che significa «salvazione» (dell'anima): pace e beatitudine suprema, rinascita dell'io in una dimensione ideale che suscita analogicamente un'idea di beatitudine celeste. Ma non si deve pensare a uno sfociare dell'esperienza amorosa in una luce ultraterrena, quanto piuttosto all'uso metaforico della dimensione del sacro, quale era stata costruita dalla meditazione medievale, per esprimere una sorta di eccesso del cuore o del sentimento.

Entro queste precisazioni a questi termini, si può parlare d'un influsso letterario del testo sacro, i cui versetti appaiono un modello di questa prosa ritmica. Accanto a tale influenza va tuttavia riscontrata, nella solidità sintattica del periodo, quella che operano su Dante i testi classici, che, nel *De vulgari eloquentia*, egli esorterà i poeti in volgare a studiare (anche quelli in prosa) come modello di costrutti in stile elevato.

3. Siamo così ricondotti alla dimensione letteraria e non misticheggiante della *Vita nuova*, che anche in questo mostra chiaramente di rifarsi alla grande tradizione della lirica cortese. Sul piano specificamente letterario e poetico, è facile, infatti, avvertire, in questa pagina, lo stretto legame fra Dante e i poeti stilnovisti, soprattutto Guinizzelli e Cavalcanti. Si vedano, in questa antologia, *Lo vostro bel saluto*, del primo, e *Tu m'hai sì piena di dolor la mente* del secondo. Il Cavalcanti è ben presente in questa prima parte del libro dove si parla di un tormento d'amore insoddisfatto o «doloroso» (*Lo doloroso Amor* è l'inizio d'una canzone che Dante escluse poi dal libro, per una precisa strategia, dato che la *Vita nuova* doveva essere essenzialmente il libro della lode di Beatrice). Tuttavia s'avverte fin da ora l'influenza del Guinizzelli, che si farà sempre più evidente — e riconosciuta — nel prosieguo del racconto. In gara col rimatore bolognese, Dante incomincia qui a sviluppare il tema della donna beatificante, un tema che potremmo definire col verso guinizzelliano «null'om pò mal pensar fin che la vede» (sonetto *Io voglio del ver la mia donna laudare*). Esso allude al miglioramento etico prodotto dall'amore nell'animo, a un motivo, cioè, centrale nell'affabulazione della *Vita nuova*.

Anche gli echi biblici di questa «estasi» amorosa erano liberamente usati nei testi stilnovistici, cioè nella nuova maniera poetica cui Dante approda ora, liberandosi dagli influssi guittoniani (questa, almeno è la «storia» della sua poesia delineata in questa prima parte del libro). Conviene ricordare che la Bibbia e i Vangeli sono, nella cultura medievale, il libro per eccellenza, concepito come depositario e modello di tutta la storia e di tutta la realtà, anche di quella psicologica (un testo biblico, il *Cantico dei cantici*, è ben presente sull'orizzonte fantastico e stilistico della letteratura cortese), e fondamento primo, pertanto, anche dell'immaginario medievale. La lirica amorosa ne riprende modi, atteggiamenti, stilemi, perché esso conteneva, per così dire, l'alfabeto dell'interiorità. Così in questo capitolo, assumendolo a modello stilistico-conoscitivo, Dante cerca di andare al fondo dell'esperienza dell'amore, definendolo nel suo aspetto di rappresentazione mentale e di dinamica fondamentale della coscienza.

Il saluto negato provoca in Dante un forte dolore, tanto che egli se ne va in luogo solitario e piange e invoca Amore, finché si addormenta. Amore gli appare in sogno, lo esorta a lasciare ogni schermo della verità, ad abbandonarsi tutto al sentimento che nutre per Beatrice, a rientrare cioè in sé pienamente, a rivolgere la sua poesia direttamente alla sua donna. Ora veramente Dante ama, ma il suo amore è passione, smarrimento doloroso. Fino al cap. XVI assistiamo a questo fluttuare dell'animo del poeta; è la parte della Vita nuova *ove più si avverte l'influenza cavalcantiana, la sua immagine dell'amore-passione, estasi ma insieme — e soprattutto — tormento. La pagina che meglio esprime questo è il cap. XIV, il momento forse culminante della sofferenza che Dante potrà superare solo nelle «rime della loda» (o lode), attraverso, cioè, una concezione più alta dell'amore.*

Il capitolo XIV: a) il «gabbo» di Beatrice

È questo il capitolo del *gabbo* subito da Dante; Beatrice, insieme ad altre donne, sorride maliziosamente del tremore che invade il poeta quando la vede, e, quindi, dell'amore di lui. Il motivo del *gabbo* (o scherno da parte dell'amata, sopportato e superato dal poeta-amante come prova d'amore e dedizione a lei) era tradizionale nella lirica amorosa del medioevo; molto probabilmente Dante ha qui riferito un avvenimento reale, trasformandolo e stilizzandolo letterariamente. L'occasione *cortese* è però soverchiata dalla tematica cavalcantiana della «morte», nel senso di sconvolgimento di tutte le potenze dell'animo, provocato dalla passione, dell'amore non come beatitudine, ma come distruzione della persona. La situazione, inoltre, è narrativamente modellata sullo schema dell'*excessus* mistico: l'uscire di sé, il morire a se stessi davanti a una sconvolgente rivelazione sovrumana. Qui, come spesso nella *Vita nuova*, Dante usa immagini e metafore tratte dai testi religiosi per esprimere l'eccezionalità, l'intensità, il valore assoluto del suo sentimento.

Appresso la battaglia de li diversi pensieri[1] avvenne che questa gentilissima venne in parte ove molte donne gentili erano adunate;[2] a la qual parte io fui condotto per amica persona, credendosi[3] fare a me grande piacere, in quanto mi menava là ove tante donne mostravano le loro bellezze. Onde io, quasi non sappiendo a che io fossi menato, e fidandomi ne la persona la quale uno suo amico a l'estremitade de la vita condotto avea,[4] dissi a lui: «Perché semo noi venuti a queste donne?». Allora quelli mi disse: «Per fare sì ch'elle siano degnamente servite».[5] E lo vero è che adunate quivi erano a la compagnia d'una gentile donna che disposata era lo giorno; e però, secondo l'usanza de la sopradetta cittade, convenia che le facessero compagnia nel primo sedere a la mensa che facea ne la magione del suo novello sposo.[6] Sì che io, credendomi fare piacere di questo amico, propuosi di stare al servigio de le donne ne la sua compagnia. E nel fine del mio proponimento[7] mi parve sentire uno mirabile tremore incominciare nel mio petto da la sinistra parte e distendersi di subito per tutte le parti del mio corpo. Allora dico che io poggiai la mia persona simulatamente[8] ad una pintura la quale circundava questa magione; e temendo non[9] altri si fosse accorto del mio tremare, levai li occhi, e mirando le donne, vidi tra loro la gentilissima Beatrice. Allora fuoro sì distrutti[10] li miei spiriti per la forza che Amore prese veggendosi in tanta propinquitade a la gentilissima donna, che non ne rimasero in vita più che li spiriti del viso; e ancora questi rimasero fuori de li loro istrumenti, però che Amore volea stare nel loro nobilissimo luogo per vedere la mirabile donna. E avvegna che io fossi altro che prima, molto mi dolea di questi spiritelli, che si lamentavano forte e diceano: «Se questi non ci infolgorasse così fuori del nostro luogo, noi potremmo stare a vedere la maraviglia di questa donna così come stanno li altri nostri pari».[11] Io dico che molte di queste donne, accorgendosi de la mia trasfigurazione,[12] si cominciaro a maravigliare, e ragionando si gabbavano di me con questa gentilissima; onde lo ingannato amico di buona fede mi prese per la mano, e traendomi fuori de la veduta di queste donne, sì mi domandò che io avesse. Allora io, riposato alquanto, e resurressiti li morti spiriti miei, e li discacciati rivenuti a le loro possessioni,[13] dissi a questo mio amico queste

---

1. **Appresso... pensieri**: è stata descritta nel capitolo precedente, ove D. ha espresso un forte contrasto interiore, nato dall'alternarsi di speranza e disperazione.
2. **avvenne... adunate**: osserva la consueta indeterminatezza.
3. **per amica persona, credendosi**: da un amico, il quale credeva.
4. **quasi... condotto avea**: quasi non sapendo a qual fine fossi là condotto, e pure fidandomi dell'amico, il quale (senza saperlo) stava conducendo un suo amico (cioè D.) alla morte ecc.
5. **Per fare sì... servite**: cioè, per far loro da cavaliere. Frase e usanza sono proprie del galateo cortese, come, poi, il *gabbo* delle donne; ad esso D. contrappone intenzionalmente un'esperienza dell'amore più intima.
6. **E... sposo**: E veramente quelle donne si erano radunate per tenere compagnia a una sposa novella; dovevano stare a mensa con lei il primo giorno che ella passava nella casa (**magione**) dello sposo, secondo l'usanza fiorentina.
7. **E nel fine del mio proponimento** ecc.: Aveva appena finito di formulare il suo proposito che...
8. **poggiai... simulatamente**: D. si appoggia, per simulare il suo turbamento, per nascondere, cioè, il suo tremore, a un affresco che corre per tutta la casa (per tutta la sala).
9. **e temendo non**: temendo che.
10. **Allora fuoro sì distrutti** ecc.: Questo e il seguente periodo ripetono quanto D. aveva già detto nel cap. XI. Anche qui, la personificazione delle potenze interiori è al centro del capitolo e risente chiaramente dei modi cavalcantiani: «allora furono (**fuoro**) così distrutti tutti i miei spiriti sensitivi, per la forza che Amore acquistò vedendo B. così vicina, che rimasero in vita solo gli spiriti visivi. E anche questi rimasero fuori degli occhi (**li loro istrumenti**) perché Amore stesso volle restare negli occhi per vedere B.».
11. **E... pari**: e sebbene io fossi fuori di me, pure provavo dolore, avevo pietà dei miei spiriti visivi che dicevano: «Se Amore non ci gettasse folgorati fuori degli occhi, noi potremmo restare a vedere questa donna meravigliosa come fanno gli spiriti nostri pari (cioè gli spiriti visivi, gli occhi delle altre persone presenti)».
12. **Io dico... trasfigurazione**: Il burlarsi delle donne va inteso con discrezione, non è scherno, ma un sorridere di lui, fra comprensivo e malizioso. La parola trasfigurazione è senz'altro presa dai testi sacri, dall'esperienza mistica.
13. **resurressiti... possessioni**: essendo risorti i morti spiriti sensitivi ed essendo ri-

parole: «Io tenni li piedi[14] in quella parte de la vita di là da la quale non si puote ire più per intendimento di ritornare». E partitomi da lui, mi ritornai ne la camera de le lagrime, ne la quale, piangendo e vergognandomi,[15] fra me stesso dicea: «Se questa donna sapesse la mia condizione, io non credo che così gabbasse la mia persona, anzi credo che molta pietade le ne verrebbe». E in questo pianto stando, propuosi di dire parole, ne le quali, parlando a lei, significasse la cagione del mio trasfiguramento, e dicesse che io so bene ch'ella non è saputa, e che se fosse saputa, io credo che pietà ne giugnerebbe altrui;[16] e propuosile di dire[17] desiderando che venissero per avventura ne la sua audienza.[18] E allora dissi questo sonetto, lo quale comincia: *Con l'altre donne.*

tornati quelli della vista, cacciati da Amore, nei loro possessi (gli occhi).
14. Io tenni li piedi, ecc.: sono stato sul punto di morire. Ma il passato remoto che colloca la vicenda in un tempo indefinitamente lontano e la lunga perifrasi allargano indefinitamente questo senso di sofferenza, di vuoto, di morte. **per intendimento:** col proposito.
15. ne la camera... vergognandomi: «camera de li sospiri», «camera de le lagrime» è la sua stanza, che vive anch'essa solo nel suo riflettersi nell'anima del poeta.
16. altrui: a B.
17. propuosile... dire: mi proposi di dirle.
18. ne la sua audienza: al suo orecchio.

Il capitolo XIV: b) il sonetto «Con l'altre donne mia vista gabbate»

Riportiamo la seconda parte del capitolo, cioè il sonetto di cui la prosa ha spiegato ragione e occasione. Gli conferiamo in tal modo evidenza, per sottolinearne il carattere e le ascendenze cavalcantiane (il Cavalcanti è la presenza letteraria fondamentale dei primi sedici capitoli), soprattutto nelle due terzine (si pensi, ad es. al sonetto *Lo vostro bel saluto*).

Con l'altre donne mia vista gabbate,
e non pensate, donna, onde si mova
ch'io vi rassembri sì figura nova
quando riguardo la vostra beltate.
5 Se lo saveste, non poria Pietate
tener più contra me l'usata prova,
ché Amor, quando sì presso a voi mi trova,
prende baldanza e tanta securtate,
che fere tra' miei spiriti paurosi,
10 e quale ancide, e qual pinge di fore,
sì che solo rimane a veder vui;
ond'io mi cangio in figura d'altrui,
ma non sì ch'io non senta bene allore
li guai de li scacciati tormentosi.

Questo sonetto non divido in parti, però che la divisione[1] non si fa se non per aprire la sentenzia de la cosa divisa; onde con ciò sia cosa che per la sua ragionata cagione assai sia manifesto, non ha mestiere di divisione. Vero è che tra le parole dove si manifesta la cagione di questo sonetto, si scrivono dubbiose parole,[2] cioè quando dico che Amore uccide tutti li miei spiriti, e li visivi rimangono in vita, salvo che fuori de li strumenti loro.[3] E questo dubbio è impossibile a solvere a chi non fosse in simile grado fedele d'Amore;[4] e a coloro che vi sono è manifesto ciò che solverebbe le dubbiose parole: e però non è bene a me di dichiarare cotale dubitazione, acciò che lo mio parlare dichiarando sarebbe indarno, o vero di soperchio.

Metro: *sonetto* (schema: ABBA, ABBA, CDE, EDC).

1. mia... gabbate: canzonate il mio aspetto.
2-4. onde... beltate: da dove derivi il fatto che io assomigli a figura nuova, strana, quando guardo la vostra bellezza.
5-6. Se lo sapeste, la Pietà non potrebbe essere a me avversa, come lo è sempre.
8. baldanza... securtate: ardimento... senso di superiorità totale, assoluta.
9. fere: colpisce, ferisce. **spiriti**: sono le potenze fisiopsichiche, paurose davanti all'assalto d'Amore, che per questo con maggior sicurezza li colpisce. Il **tra'** indica colpi inferti alla cieca, ma pur sempre a segno.
10. quale... fore: alcuni «spiriti» uccide, altri caccia fuori dai propri organi.
11. Come spiega la prosa che precede, Amore prende il posto della facoltà visiva di Dante; caccia pertanto dalla loro sede (gli occhi) le facoltà (spiriti) visive e lui solo rimane a guardare Beatrice.
12. Dante assume l'aspetto (**figura**) di un'altra persona, non sembra più lui.
13-14. Egli tuttavia conserva quel tanto di coscienza che gli permette di sentire il lamento degli spiriti feriti e cacciati.

1. Dante afferma che, dopo l'ampia descrizione dell'evento che ha dato nella prosa (cfr. la lettura precedente), non occorre qui procedere a una **divisione** del sonetto in parti che ne rendano evidente la struttura concettuale. **aprire la sentenzia:** rendere evidente, spiegare tale contenuto. **ragionata cagione**: la spiegazione data in prosa (in provenzale, la *razo*). **mestiere**: bisogno.
2. dubbiose parole: parole che possono essere fonte di dubbio, di non chiara comprensione.
3. fuori... loro: fuori del sito loro assegnato (in questo caso gli occhi) nel quale soltanto possono operare.
4. Dante ritiene che non sia possibile spiegare razionalmente quanto ha detto nel sonetto e nel periodo precedente. Solo chi è **fedele d'Amore**, chi appartiene, cioè, alla schiera ristretta degli amanti cortesi, può comprendere le parole oscure (**dubitose**). Ma a costoro è inutile spiegare ciò che conoscono benissimo per esperienza diretta e personale; per loro ulteriori spiegazioni sarebbero vane o eccessive, inutili (**di soperchio**).

Nei capitoli XV e XVI, Dante riporta due sonetti che esprimono ancora il tremore di tutto il suo essere davanti a Beatrice. Poi gli sembra di aver narrato il suo stato e di non aver più materia di poesia. E invece, proprio a questo punto, giunge la scoperta più alta e definitiva; Dante trova «materia nuova e più nobile che la passata». — L'occasione a questo scavo in profondità nella propria coscienza è data da un colloquio con donne gentili descritto nel capitolo seguente. Notiamo ora soltanto che la nuova rivelazione eromperà improvvisa dall'anima di Dante; non c'è più, insomma, l'apparizione di Amore personificato. E non ci sono neppure influenze di altri poeti: Dante trova le sue «nove rime», la sua *poesia, le* rime della loda.

Il capitolo XVIII: la scoperta dell'Amore

Concettualmente, il succo del capitolo è tutto nelle risposte di Dante alle donne che lo interrogano: fine del suo amore per Beatrice e suprema beatitudine erano il saluto di lei, ma ora che questo gli è stato tolto consistono in ciò che non può venir meno al poeta, cioè nelle parole che lodano la sua donna. Dante intende, insomma, cantare un amore disinteressato, che ha in sé il proprio fine. Potremmo definirlo una superiore forma di amicizia spirituale, un amore che non è passione ma virtù, pura contemplazione di Beatrice.

Con ciò sia cosa che per la vista mia molte persone avessero compreso lo secreto del mio cuore,[1] certe donne, le quali adunate s'erano dilettandosi l'una ne la compagnia de l'altra, sapeano bene lo mio cuore, però che ciascuna di loro era stata a molte mie sconfitte;[2] e io passando appresso di loro, sì come da la fortuna menato,[3] fui chiamato da una di queste gentili donne. La donna che m'avea chiamato[4] era donna di molto leggiadro parlare, sì che quand'io fui giunto dinanzi da loro, e vidi bene che la mia gentilissima donna non era con esse, rassicurandomi[5] le salutai, e domandai che piacesse loro. Le donne erano molte, tra le quali n'avea certe che si rideano tra loro; altre v'erano che mi guardavano aspettando che io dovessi dire; altre v'erano che parlavano tra loro.[6] De le quali una, volgendo li suoi occhi verso me e chiamandomi per nome, disse queste parole: «A che fine[7] ami tu questa tua donna, poi che tu non puoi sostenere la sua presenza? Dilloci, ché certo lo fine di cotale amore conviene che sia novissimo».[8] E poi che m'ebbe dette queste parole, non solamente ella, ma tutte l'altre cominciaro ad attendere in vista[9] la mia risponsione. Allora dissi queste parole loro: «Madonne, lo fine del mio amore fue già lo saluto di questa donna, forse di cui voi intendete,[10] e in quello dimorava la beatitudine, ché era fine di tutti li miei desiderii. Ma poi che le piacque di negarlo a me, lo mio segnore Amore, la sua merzede, ha posto tutta la mia beatitudine in quello che non mi puote venire meno».[11] Allora queste donne cominciaro a parlare tra loro, e sì come talora vedemo cadere l'acqua mischiata di bella neve, così mi parea udire le loro parole uscire mischiate di sospiri.[12] E poi che alquanto ebbero parlato tra loro, anche mi disse questa donna che m'avea prima parlato, queste parole: «Noi ti preghiamo che tu ne dichi ove sta questa tua beatitudine». Ed io, rispondendo lei, dissi cotanto:[13] «In quelle parole che lodano la donna mia».[14] Allora mi rispuose questa che mi parlava: «Se tu ne dicessi vero, quelle parole che tu n'hai dette in notificando la tua condizione, avrestù operate con altro intendimento».[15] Onde io, pensando a queste parole, quasi vergognoso mi partio da loro, e venìa dicendo fra me medesimo: «Poi che è tanta beatitudine in quelle parole che lodano la mia donna, perché altro parlare è stato lo mio?».[16] E però propuosi di prendere per matera de lo mio parlare sempre mai quello che fosse loda di questa gentilissima e pensando molto a ciò,[17] pareami avere impresa troppo alta matera quanto a me, sì che non ardia di cominciare; e così dimorai alquanti dì con disiderio di dire e con paura di cominciare.

---

1. **Con ciò... cuore**: Poiché dal mio aspetto molte persone avevano compreso il segreto del mio cuore (cioè l'amore di D. per B.).
2. **sapeano... sconfitte**: conoscevano bene il sentimento di D. perché avevano assistito alle sue *sconfitte*, cioè al turbamento che lo prendeva alla vista di B.
3. **sì come da la fortuna menato**: condotto ivi dal caso.
4. **La donna che m'avea chiamato** ecc.: lentamente si delinea l'atmosfera gentile dell'incontro. D. costruisce una atmosfera adatta a ricevere la confessione di quel suo amore.
5. **e vidi... rassicurandomi**: D. si rassicura vedendo che non è con loro B., la cui presenza avrebbe provocato una nuova «sconfitta».
6. La descrizione, semplicissima, consta di tre periodi, due dei quali terminano con la stessa parola, quasi con una rima; e tutti tre sono ritmicamente corrispondenti, dando il senso di una modulazione musicale che sottolinea la grazia del femminile uditorio. Alcune donne ridono fra loro (forse sorridono di D.), altre aspettano che egli parli, altre parlano fra loro, ma certo di lui. Tutte attendono una sua rivelazione.
7. **A che fine**: per quale scopo.
8. **novissimo**: straordinario, diverso da ogni altro amore.
9. **cominciaro... vista**: assunsero un'espressione (**vista**) di attesa.
10. **forse di cui voi intendete**: secondo il galateo cortese, D. evita di pronunciare il nome di B.
11. **e in quello... venire meno**: nel saluto di B. stava saldamente riposta (**dimorava**) la beatitudine di D. poiché quel saluto era la meta d'ogni suo desiderio. Ma poiché a lei piacque di negarglielo (nessuna accusa a B., ogni suo desiderio non può essere che nobile), Amore, per sua grazia (**la sua merzede**) ha posto tutta la beatitudine del poeta in ciò che non gli può venir meno. Amare per avere una ricompensa, sia pure immateriale come il saluto, è pur sempre forma di amor di sé, non dell'altro, di egoismo, non di assoluta dedizione alla persona amata.
12. **Allora... sospiri** ecc.: È il momento poeticamente più intenso del capitolo. Le donne sono rimaste commosse avvertendo più ancora che nel significato (che sarà chiarito in seguito), nel tono della risposta, la profondità dell'affetto di D. e provano quindi per lui comprensione e dolce pietà.
13. **dissi cotanto**: dissi solo questo.
14. **in quelle parole... mia**: La beatitudine di D. sta nel dire parole che lodino B., cioè nel contemplare e cantare la sua perfetta bellezza. Amore e poesia vengono così a identificarsi: le rime di D. esprimono la poesia che questo amore suscita in lui.
15. **Se tu... intendimento**: giustamente la donna rileva che D. è in contraddizione con se stesso: «Se tu dicessi la verità, tu avresti (**avrestù**) composto con altro intendimento (cioè con altri concetti e significato) le rime (**parole**) che hai composto esprimendo il tuo stato». La donna allude al fatto che nei sonetti riportati ai capitoli XIV, XV, XVI, dedicati a B., D. ha espresso il suo tormento, le sofferenze d'amore, non le lodi della sua donna.
16. **perché altro parlare è stato lo mio?**: perché nelle mie poesie ho espresso altre cose?
17. **e pensando molto a ciò**: Attraverso il colloquio con le donne, D. ha reso chiaro prima di tutto a se stesso quell'ideale che prima presentiva solo oscuramente. Ma proprio perché amore è lode, canto, e coincide, quindi, con la poesia, i capitoli XVII, XVIII, e XIX ci fanno assistere anche al maturare di una vocazione poetica. Questo capitolo, intanto, finisce accennando al travaglio interno che precede lo sbocciare della nuova poesia. A D. sembra di essersi assunto materia troppo alta di canto *quanto a sé*, rispetto, cioè alle sue capacità; gli pare di essere incapace di esprimerla e perciò indugia (**dimora**) alquanti giorni con desiderio di dire, cioè di comporre un nuovo canto e paura di cominciare.

Il capitolo XIX: a) la «volontà di dire»

Il preambolo in prosa è giustamente famoso. Dante vi ha descritto la creazione poetica nei suoi due momenti inscindibilmente concatenati. Da un lato l'improvviso nascere della poesia, quella volontà di espressione che affiora dal fondo della coscienza. Certo, dietro di essa sta tutta una storia, ma senza apparire: l'intuizione poetica è la scoperta di un significato, di una dimensione nuova della vita. Poi, c'è il lavoro dell'artista che segue alla prima intuizione, la svolge, le dà una struttura, una forma, la rende comunicabile.

In pagine come queste si manifesta la filigrana agostiniana del libro che si è indicata nella premessa generale. La poesia è il ritrovamento del *verbum interius* agostiniano, cioè della coscienza di sé e della propria autentica interiorità, e della verità su cui l'uomo, la sua anima individuale, sono fondati da Dio creatore. Poesia diviene così, come dice la canzone che segue, «intelletto d'amore», ossia intelligenza essenziale di quell'amore che è, anch'esso, fondamento e vera autenticità della vita: un'intelligenza che si esprime in parole, come le chiama altrove Dante, «per legame musaico (= *musicale*) armonizzate»; alle quali, cioè, la struttura metrica e stilistica conferiscono verità e stabilità.

Avvenne poi che passando per uno cammino lungo lo quale sen gia uno rivo chiaro molto, a me giunse tanta volontade di dire,[1] che io cominciai a pensare lo modo ch'io tenesse; e pensai che parlare di lei non si convenia che io facesse, se io non parlasse a donne in seconda persona, e non ad ogni donna, ma solamente a coloro che sono gentili e che non sono pure femmine.[2] Allora dico che la mia lingua[3] parlò quasi come per se stessa mossa, e disse: *Donne ch'avete intelletto d'amore*. Queste parole io ripuosi ne la mente con grande letizia, pensando di prenderle per mio cominciamento onde poi, ritornato a la sopradetta cittade, pensando alquanti die,[4] cominciai una canzone con questo cominciamento, ordinata nel modo[5] che si vedrà di sotto ne la sua divisione. La canzone comincia: *Donne ch'avete*.

1. **Avvenne poi... di dire**: La solita indeterminatezza con la quale D. esprime lo svanire della realtà quotidiana dinanzi alle più intense e concentrate avventure dell'anima. Resta, del paesaggio, *uno cammino*, una strada, e dà il senso del vagare del poeta assorto nel presentimento del canto; poi una fiumana, *chiara*, e l'aggettivo porta un senso di primavera, quando l'acqua scorre limpida. La musica dell'acqua sembra suscitare e accompagnare la musica del cuore; e questa evoca la volontà, il bisogno di *dire* (il verbo, nella *Vita nuova*, è usato frequentemente nel significato di comporre poesia).
2. **io... femmine**: Segue una prima meditazione. D. cala la prima intuizione in un tradizionale modulo stilnovistico: la confessione del proprio amore va affidata a cuori gentili. Pensa che non convenga rivolgersi direttamente a B., ma parlare, indirettamente di lei, a donne (c'è qui un ricordo del cap. precedente, del colloquio che tanta importanza ha avuto per lui), e solo a donne gentili, di animo nobile.
3. **Allora dico che la mia lingua**, ecc.: D. intende sottolineare l'atmosfera come di miracolo che accompagna la nascita del suo nuovo canto.
4. **pensando alquanti die**: dopo il momento di grazia, il lungo lavorio dell'artista. Avvertiamo subito che l'importanza della canzone consiste nel fatto che è una prima, ma per molti aspetti definitiva sistemazione del nuovo mito di Beatrice e dell'Amore.
5. **ordinata nel modo**, ecc.: Alla canzone segue, come al solito, una meticolosa divisione in parti (alla fine del capitolo) che tralasciamo.

Il capitolo XIX: b) la canzone «Donne ch'avete»

Anche in questo caso isoliamo la canzone, per conferire maggior rilievo a quello che è veramente l'inizio della «vita nuova» di Dante: una scoperta elementare che è, insieme, poetica e umana. A essa dedichiamo, subito dopo, un esercizio di analisi. Qui ci limitiamo a osservare che per Dante essa fu l'inizio d'una maniera nuova di poesia: quella della contemplazione pura e disinteressata, della lode come testimonianza e beatitudine. Il nuovo stile, veramente «dolce», dopo alcune applicazioni nel prosieguo del libro, sarà presente anche in qualche altra canzone di Dante (le prime due commentate nel *Convivio*, la canzone *Amor che movi*, qualche ballata di stilizzata grazia stilnovistica), e quindi nella riapparizione di Beatrice nel canto II dell'*Inferno*, e nei canti del *Purgatorio* in cui Dante rappresenta il suo approdo al Paradiso terrestre, cioè a una condizione umana di originaria purezza e armonia vitale. Lo stile della lode corrisponde pertanto a un momento esistenziale di grazia.

Donne ch'avete intelletto d'amore,
i' vo' con voi de la mia donna dire,
non perch'io creda sua laude finire,
ma ragionar per isfogar la mente.
5 Io dico che pensando il suo valore,
Amor sì dolce mi si fa sentire,
che s'io allora non perdessi ardire,
farei parlando innamorar la gente.
E io non vo' parlar sì altamente,
10 ch'io divenisse per temenza vile;
ma tratterò del suo stato gentile
a respetto di lei leggeramente,
donne e donzelle amorose, con vui,
ché non è cosa da parlarne altrui.

Metro: *canzone* di cinque stanze di endecasillabi, ciascuna delle quali ha la struttura di un sonetto (ABBC, ABBC, *fronte; sirma*: CDD, CEE).

1-4. «Donne che intendete profondamente l'essenza dell'amore, io voglio parlare con voi della mia donna; non certo per lodarla degnamente e compiutamente (**sua laude finire**), ma per sfogare la mia mente con questo ragionamento».

5. pensando il suo valore: quando penso quanto essa valga. *Pensare* costruito transitivamente dà più il senso del pensiero profondo, mentre costruito con *a* indica piuttosto l'attenzione che si rivolge a un oggetto (Maggini).

6-8. «sento così intensamente la dolcezza d'amore, che se, allora, non perdessi l'ardire di esprimere ciò che sento (cioè se D. non sentisse inadeguata la parola, la sua capacità di poeta, all'espressione di un sentimento tanto profondo), con le mie parole tutti farei innamorare».

9-10. «E non voglio parlare di lei *altamente*, cioè con uno stile altissimo, adeguato all'eccellenza di B., per evitare il pericolo di sgomentarmi, di non condurre il canto a compimento sentendomi troppo incapace».

11-14. «ma parlerò della nobiltà della sua persona (**stato gentile**) in uno stile umile, dimesso (**leggeramente**), se paragonato a ciò ch'ella vale (**a respetto di lei**), e con voi (**vui**)» ecc.

15 Angelo clama in divino intelletto
e dice: «Sire, nel mondo si vede
maraviglia ne l'atto che procede
d'un'anima che 'nfin qua su risplende».
Lo cielo, che non have altro difetto
20 che d'aver lei, al suo segnor la chiede,
e ciascun santo ne grida merzede.
Sola Pietà nostra parte difende,
che parla Dio, che di madonna intende:
«Diletti miei, or sofferite in pace
25 che vostra spene sia quanto me piace
là 'v'è alcun che perder lei s'attende,
e che dirà ne lo inferno: O mal nati,
io vidi la speranza de beati».
Madonna è disiata in sommo cielo:
30 or voi di sua virtù farvi savere.
Dico, qual vuol gentil donna parere
vada con lei, che quando va per via,
gitta nei cor villani Amore un gelo,
per che onne lor pensero agghiaccia e pere;
35 e qual soffrisse di starla a vedere
diverria nobil cosa, o si morria.
E quando trova alcun che degno sia
di veder lei, quei prova sua vertute,
ché li avvien, ciò che li dona, in salute,
40 e sì l'umilia, ch'ogni offesa oblia.
Ancor l'ha Dio per maggior grazia dato
che non pò mal finir chi l'ha parlato.
Dice di lei Amor: «Cosa mortale
come esser pò sì adorna e sì pura?».
45 Poi la reguarda, e fra se stesso giura
che Dio ne 'ntenda di far cosa nova.
Color di perle ha quasi, in forma quale
convene a donna aver, non for misura;
ella è quanto de ben pò far natura;
50 per essemplo di lei bieltà si prova.
De li occhi suoi, come ch'ella li mova,
escono spirti d'amore infiammati,
che feron li occhi a qual che allor la guati,
e passan sì che 'l cor ciascun retrova:
55 voi le vedete Amor pinto nel viso,
là 've non pote alcun mirarla fiso.

15-28. La seconda strofa è, soprattutto in un punto, come vedremo, d'interpretazione assai difficile. In essa D. intende esprimere, come dice nel commento finale, «ciò che di lei si comprende in cielo». Comincia la vertiginosa esaltazione di B., della quale D. vuol dire ciò che mai fu detto per nessuna. Ella è la creatura beatificante, persona che in sé aduna tutta la perfezione possibile alla natura umana, tanto che solo Dio può comprendere la sua eccellenza pienamente e solo la sua presenza completerà il Paradiso, nel quale si raccoglie il fiore dell'umanità.
15-19. Un angelo prega (**clama**) nella mente di Dio (cioè si rivolge a Dio che lo comprende senza bisogno di parole; è comunicazione da spirito a spirito, senza bisogno della parola, mezzo di comunicazione umana) e dice: «Signore, nel mondo si vede una cosa mirabile (**maraviglia**) che consiste nell'operare (**ne l'atto**) di un'anima il cui splendore giunge fin quassù».
21. ne grida merzede: invoca Dio, che per sua grazia la chiami a sé.
22-23. Solo la misericordia divina (**Pietà**) difende la parte di noi mortali. Dice infatti Dio, che intende che l'Angelo allude a Beatrice.
24-28. «Diletti miei, sopportate serenamente (**in pace**) che l'anima che sperate di avere fra voi (**vostra spene**) resti fin che piacerà a me sulla terra, dove c'è qualcuno che s'aspetta di perderla e che dirà un giorno nell'inferno: O miseri (**mal nati**, perché finiti nell'eterna dannazione; sventura, quindi, per loro, aver visto la luce), io ho avuto la grazia di vedere colei che i beati speravano di avere con sé». Quanto all'interpretazione di questi oscuri versi c'è chi ha pensato che *alcun* si riferisca a D. e la allusione all'inferno sia allusione al viaggio che D. racconterà nella *Commedia*. Ma è ipotesi poco persuasiva, perché non sembra possibile che il poeta, in questo tempo, avesse già in mente l'idea del poema. Altri pensano che *inferno* sia metafora indicante questo nostro mondo (basso, in confronto al cielo), ma sembra interpretazione sforzata. Più persuasivo ci pare interpretare che Dio esorti i beati a lasciare B. ancora sulla terra come prova della Sua misericordia: B., infatti, costituisce un richiamo al cielo, a quella grazia che Dio concede a ogni uomo, anche al peccatore più indurito, che, se anche andrà all'inferno, dovrà ammettere coi compagni di pena, di aver visto la speranza dei beati, di avere avuto anche lui un'occasione di redenzione. In tal senso, **alcun** va riferito a persona indefinita (tutti gli uomini) o a Dante in quanto poeta, e come tale testimone e interprete d'una coscienza comune. A questa esemplarità dell'io, per dir così, recitante, e dell'esperienza d'amore tende tutto il libro.
29-43. Questa stanza descrive i mirabili effetti di B. nel mondo. Colui che, attraverso un supremo affinamento del proprio animo, sia giunto a comprenderla, giunge ad una elevazione virtuosa; un amore così intenso è fonte di perfezione morale, di redenzione.
29-30. Il primo verso riepiloga la stanza precedente, nel secondo D. annuncia il contenuto della nuova: vuole (**voi** = *voglio*) far conoscere la virtù di B., cioè il suo altissimo operare, la potenza beatificante di lei.
31-36. Se una donna vuole apparire gentile, vada con B., perché, quando ella passa per la via, Amore getta nei cuori villani (contrario di *gentile*, cioè, di spiritualmente elevato) come un gelo di morte, mediante il quale i loro bassi pensieri agghiacciano e periscono. E se un uomo «villano» potesse tollerare di stare ad ammirare la sua persona, diventerebbe nobile o morrebbe di vergogna.
37-40. Quando B. trova uno che sia degno di posare su di lei il suo sguardo (un animo gentile, cioè, almeno potenzialmente), questi sente il suo benefico effetto (**vertute**) perché ciò che essa gli dona (uno sguardo, un saluto, insomma la beatitudine che ella riversa intorno) **li avvien... in salute**, cioè diviene un incentivo di perfezionamento e salvazione; inoltre ella lo rende così umile che egli dimentica ogni offesa.
41-42. Dio le ha anche dato per sua grazia un altro mirabile influsso: chi ha parlato con lei non può finire male (cioè essere dannato).
43-56. Questa stanza contiene le lodi della bellezza di B.: una bellezza estremamente spiritualizzata anche nell'unico particolare che possa in qualche modo dirsi fisico, il **color di perle**, il luminoso candore del viso, ove sembra concentrarsi la purissima luce della sua anima. Più che a persona definita, ci troviamo dinanzi una presenza beatificante.
43-46. «Amore stesso dice: 'Una creatura mortale come può essere così bella e pura?' Poi la riguarda e concepisce la certezza incrollabile (**fra se stesso giura**) che Dio intenda fare di lei qualcosa di straordinario (**cosa nova**), un miracolo».
47-50. «Ha nel volto colore di perle, un candore quale si addice a un viso femminile, non esagerato (**for misura** = fuor di misura), è la più alta creazione che la natura possa compiere, prendendo lei come ideale modello (**essemplo**) si può giudicare la bellezza».
51. come ch'ella li mova: in qualsiasi direzione li rivolga.
53-54. Che colpiscono gli occhi di chiunque (qual che) allora la guardi e penetrano nell'intimo sì che ciascuno di essi giunge al cuore.
55-56. «Voi le vedete Amore dipinto nel viso, in quella parte, in particolare, di esso, cioè la bocca (come spiega D. nel suo commento) dove nessuno può guardarla fissamente (per l'eccesso di dolcezza che tal vista procura)». Dalla bocca, infatti, dice D., usciva il *dolcissimo salutare* di B.

Canzone, io so che tu girai parlando
a donne assai, quand'io t'avrò avanzata.
Or t'ammonisco, perch'io t'ho allevata
60 per figliuola d'Amor giovane e piana,
che là 've giugni tu dichi pregando:
«Insegnatemi gir, ch'io son mandata
a quella di cui laude so' adornata».
E se non vuoli andar sì come vana,
65 non restare ove sia gente villana:
ingegnati, se puoi, d'esser palese
solo con donne o con omo cortese,
che ti merranno là per via tostana.
Tu troverai Amor con esso lei;
70 raccomandami a lui come tu dei.

57-70. La stanza serve da *congedo*. Il poeta si rivolge alla canzone e la prega di andare soltanto da persone gentili che la potranno condurre da Beatrice e da Amore.
57. girai: andrai.
58. avanzata: mandata innanzi, fra la gente.
59-61. «Ti ammonisco, dato che t'ho allevata come fanciulla, giovane e semplice, figlia d'amore (perché da lui intimamente ispirata) che tu dica ecc.».
62. Insegnatemi gir: insegnatemi ad andare, mostratemi la via.
64. sì come vana: inutilmente.
68. là: cioè a Beatrice. **per via tostana**: per via rapida.
69. con esso lei: con lei.

ESERCIZIO DI ANALISI

«Donne ch'avete...»

Donne ch'avete è il «manifesto» programmatico del nuovo stile della lirica giovanile di Dante; a distanza di anni, infatti, egli faceva dire a Bonagiunta da Lucca, nel canto XXIV del *Purgatorio*, che con questa canzone aveva dato inizio alle «nove rime», cioè a una poesia originale, che è poi quella che egli pone al centro della *Vita nuova*, come momento culminante dell'autobiografia poetica e umana che il libro configura.

La struttura della lirica, di cui sottolineeremo alcuni aspetti salienti, risente di questo suo valore funzionale e programmatico.

1. L'esordio e la conclusione. La canzone consta di cinque stanze, tutte di endecasillabi (cosa che, nell'intenzione di Dante, le conferisce maggiore solennità, dato che egli concepisce questo come il verso più elvato). Il *congedo*, che era, di solito, una breve formula di commiato dalla canzone, con, a volte, l'indicazione dei destinatari, è formato qui da un'intera stanza, importante come le altre sul piano del significato.

L'intento di proclamare una nuova teoria o dottrina d'amore induce Dante a costruire la canzone su un modello di elevata eloquenza. La si può, infatti, suddividere, secondo le partizioni indicate dalla retorica medievale, in un *esordio* (stanza 1), in una *narrazione* (stanze 2, 3, 4), in una *conclusione* (stanza 5).

L'esordio contiene l'invocazione alle Donne (con riferimento al cap. XVIII), elette a destinatarie privilegiate sia per la loro capacità di nobile amore, sia perché hanno «intelletto d'amore», ne intendono, cioè, a fondo la vera essenza, di cui il *dire* poetico è presentato qui come espressione e testimonianza.

Amore e poesia tendono così a identificarsi: il cantare la lode di Beatrice presuppone un'intelligenza piena dell'essenza d'amore; e poiché Dante ha riconosciuto, nel colloquio precedente con le Donne, che il fine di esso consiste per lui nelle parole che lodano la sua Donna, l'esaltazione di lei, affidata alla poesia, diviene atto supremo d'amore.

Un altro segnale di poetica è qui l'asserita intenzione di voler parlare «leggeramente» dell'altissimo oggetto (Beatrice), cui risponde, nella conclusione, la definizione della lirica come figlia d'Amore giovane e «piana». Dante, cioè, rifiuta lo stile difficile e complesso (il *trobar clus* di alcuni Provenzali) e affida il suo messaggio a uno stile «dolce» e limpido («lieve», avrebbero detto i Provenzali), considerandolo meglio adatto a esprimere la voce d'Amore.

All'*esordio* risponde, dunque, la *conclusione*, che ne riprende la tematica e insiste soprattutto sulle persone «cortesi», contrapposte a quelle «villane», come uniche destinatarie; crea, cioè, uno spazio di risonanza, un pubblico eletto alla canzone. E insiste, come avverrà in *Purgatorio* XXIV, sul «dolce stil novo» di questa canzone: *dolce*, ossia adatto a esprimere l'essenza spirituale e beatificante del vero amore.

2. La «narrazione». La *narrazione*, che è il corpo centrale dell'orazione in lode di qualcuno (ma in questa parte della canzone le partizioni retoriche sono un mero supporto di un'alta invenzione lirica), è suddivisa in tre stanze. La prima esprime ciò che di Beatrice «si comprende in cielo»; la seconda le sue mirabili «operazioni» in terra; la terza la sua bellezza (prendiamo queste partizioni da Dante, che così *divide* concettualmente la materia della sua canzone in una parte del capitolo qui omessa).

La prima di esse è come un «prologo in cielo» che conferisce alla lode di Beatrice una sanzione assoluta. L'improvvisa scena celeste (il grido-preghiera dell'Angelo, gli Angeli, i Santi, la Pietà divina che parlano, la profezia oscura ed esaltante di Dio) segna un distacco lirico-fantastico vertiginoso rispetto al pacato indugio discorsivo dell'esordio e getta una luce folgorante su Beatrice, proiettandola su uno sfondo di eternità e di arcana predestinazione. Questa scena rimane implicita anche nelle due stanze che seguono, spiega i modi della loro rappresentazione per così dire rarefatta di Beatrice e della sua lode.

La stanza che segue, infatti, non ci mostra Beatrice, ma un suo incedere indefinito («va per via»), segno del suo trascorrere breve e come distaccato nella vita terrena, mera occasione, per lei, di operazioni beatificanti (suscita intorno nobiltà, è portatrice di redenzione e salvazione col suo solo apparire) che assumono l'aspetto del reale adempimento della promessa divina.

Anche l'ultima delle tre stanze, che pure dovrebbe descrivere la bellezza di Beatrice, resta avvolta in un'atmosfera visionaria; con affermazioni e lodi («ella è quanto di ben pò far natura») configurabili come superlativi veramente assoluti, o riconoscimento di perfezione ineffabile. L'unica immagine descrittiva, il «color di perle», è solo apparentemente realistica: il candore del viso è il trapelare della luce dell'anima nelle forme sensibili; fa pensare all'estetica medievale della luce, che anima l'idea spaziale del cosmo definita dalle grandi cattedrali gotiche, come forma pura e suprema di bellezza in quanto metafora viva dello Spirito, o spiritualizzazione totale della «materia».

3. La struttura sintattica. Nel fondare il «mito» di Beatrice, o, per usare un termine più vicino alla cultura medievale, nell'interpretarla come «figura» che allude a un compimento più alto (la perfezione d'ogni essere redento, nell'altra vita), la canzone tende a strutturarsi nella forma dell'inno. Ove, infatti, si escludano la prima e l'ultima stanza, di tono discorsivo e dimostrativo e quindi di più articolata struttura sintattica, prevale nelle altre una forma asseverativa perentoria, che, mentre nella seconda stanza appare incentrata su una scansione epico-liturgica, assume, nella terza e nella quarta, una vaga forma di litania. Le proclamazioni esaltanti sono per lo più disposte in sequenze paratattiche (cioè di frasi semplicemente accostate, senza legami di subordinazione) o di coordinate principali, dato che qui ci si trova dinanzi a un processo di illuminazioni e rivelazioni che non si traducono in forme conoscitive ordinate su uno schema logico-temporale dall'intelligenza.

L'analisi della struttura sintattica aiuta a definire con maggiore esattezza il significato del messaggio poetico della canzone. La lode di Beatrice può senza dubbio apparire iperbolica al lettore di oggi; ma va interpretata alla luce della concezione cristiana di Dante, che lo porta a ricondurre ogni aspetto del reale alla certezza d'un piano e d'una presenza divina, che è possibile intuire dietro ogni forma del vivere. Così la perfezione di Beatrice induce chi la comprende a vedere in lei più fulgida quella somiglianza con Dio che balena in tutte le creature, tanto più quanto più sono elevate.

In questa canzone la figura di Beatrice si costruisce come un seguito di rivelazioni luminose della sua bellezza e perfezione, espresse conclusivamente in un inno di lode, intonato su un puro movimento affettivo. La scoperta del «miracolo» che è Beatrice e, non va dimenticato, quel sentirsi degno di comprenderla e testimoniarla (v. 37: «e quando trova alcun che degno sia/ di veder lei...») sottolineano la scoperta della dignità della persona umana e dell'amore disinteressato.

Il capitolo XX: «Amore e 'l cor gentil sono una cosa»

Nel cap. XX, Dante racconta come, richiesto da un amico, componesse un sonetto per definire la natura d'amore. Il sonetto comincia: *Amore e 'l cor gentil sono una cosa* (cioè: amore è inscindibilmente legato al cuore gentile, come dice il Guinizzelli in una sua lirica); Dante, quindi, dichiara apertamente di rifarsi, per la dottrina d'amore, al poeta bolognese, che anche nel *Purgatorio* chiamerà *padre*. In lui trovava, infatti, l'identificazione fra amore e virtù, che egli amplia e sviluppa qui, nella *Vita nuova*.

Riportiamo del capitolo, soltanto il sonetto, con la stesura del quale Dante diventa, di fatto, un caposcuola, un riconosciuto maestro della lirica d'amore, autorizzato, quindi, a dare una propria interpretazione della natura di esso.

Amore e 'l cor gentil sono una cosa,
sì come il saggio in suo dittare pone,
e così esser l'un sanza l'altro osa
com'alma razional sanza ragione.
5 Falli natura, quand'è amorosa,
Amor per sire e 'l cor per sua magione,
dentro la qual dormendo si riposa
tal volta poca e tal lunga stagione.
Bieltate appare in saggia donna pui,
10 che piace a gli occhi sì, che dentro al core
nasce un disio de la cosa piacente;
e tanto dura talora in costui
che fa svegliar lo spirito d'Amore.
E simil face in donna omo valente.

Metro: *sonetto* (schema: ABAB, ABAB, CDE, CDE).

2. saggio: Guinizzelli. **dittare**: componimento letterario in genere; qui è la canzone *Al cor gentil rempaira sempre Amore*, che stabilisce, appunto, l'identità fra Amore e cuore gentile, cioè nobile spiritualmente e moralmente.

3-4. E l'uno non sopporta di stare senza l'altro, come l'anima razionale non può sussistere senza la ragione.

5-6. Falli: li fa (li crea insieme). **quand'è amorosa**: quando è disposta ad amare (quando vuol creare un essere disposto ad amare). **sire**: signore. **magione**: dimora.

7-8. In questa dimora (il cor gentile, cioè spiritualmente elevato), Amore rimane in potenza un tempo più o meno lungo, finché non è ridestato dalla bellezza femminile, che lo fa balzare alla vita attiva.

9-11. Poi (**pui:** rima siciliana) in una donna provvista anch'ella di gentilezza, ossia di virtù cortesi e di alta spiritualità, appare la bellezza, che piace agli occhi e, tramutata dalla fantasia in immagine mentale, suscita piacere, fa pervenire al cuore il desiderio di sé. Questa immagine s'insignorisce lentamente delle potenze dell'animo, ridesta in atto l'amore che prima «dormiva» in potenza, nel cuore. La donna bella è, insomma, l'occasione, che suscita un'immagine pura di bellezza e amore e induce nell'animo il desiderio di identificarsi con essa. La dottrina era tradizionale, la «via» occhi-cuore era già stata individuata da Giacomo da Lentini (si rilegga il sonetto *Amore è un disio che ven dal core*). Dante le dà una più compatta sistematicità attraverso la prosa, e, prima, attraverso la conquista d'uno stile «dolce», musicale ed eletto, inteso a effigiare la levità della vita interiore. Il suo «stil novo» è prima di tutto questa ricerca melodica ed eufonica, e di immagini di gentilezza e di grazia.

Il capitolo XXI: il sonetto «Ne li occhi porta la mia donna Amore»

Subito dopo (cap. XXI), viene a Dante la volontà di mostrare come Beatrice non solo faccia nascere amore nell'animo gentile, ma, miracolosamente, faccia nascere gentilezza e nobiltà negli animi di coloro che la vedono. Di questo capitolo riportiamo solo il sonetto, esempio del «nuovo stile» di Dante, caratterizzato dalla dolcezza e dalla levità dell'espressione, corrispondenti alla purezza del sentimento, al tono sereno della «lode» che trova in sé il proprio appagamento.

Ne li occhi porta la mia donna Amore,
per che si fa gentil ciò ch'ella mira;
ov'ella passa, ogn'om ver lei si gira,
e cui saluta fa tremar lo core,
5 Sì che, bassando il viso, tutto smore,
e d'ogni suo difetto allor sospira:
fugge dinanzi a lei superbia ed ira.
Aiutatemi, donne, farle onore.
Ogne dolcezza, ogne pensero umile
10 nasce nel core a chi parlar la sente,
ond'è laudato chi prima la vide.
Quel ch'ella par quando un poco sorride,
non si po' dicer né tenere a mente,
sì è novo miracolo e gentile.

Metro: *sonetto* (schema: ABBA, ABBA, CDE, EDC).

2. per che si fa gentil: e per questo ciò che ella guarda diviene gentile; ognuno, cioè, vedendola, accoglie nel cuore la disposizione ad amare. La vista di B. produce immediatamente una purificazione dell'animo, mediante la quale esso diviene capace dei più nobili sentimenti.

3-8. B. passa in questa sospesa atmosfera di miracolo; e, al solito, la sua apparizione dà luogo a una vicenda tutta interiore. Il senso è: al suo passare ognuno si gira verso di lei (si muove, dunque, B. in una cerchia di persone stupefatte e rapite) e se ella saluta qualcuno gli fa tremare il cuore di commozione, come per un soverchio di dolcezza; tanto che egli abbassa lo sguardo (**viso**) e tutto impallidisce, e sospira allora di ogni sua manchevolezza (la perfezione di lei, la sua bellezza gli fanno sentire più intenso il rimorso dei propri falli); davanti a lei fuggono superbia e ira, cioè i vizi più gravi, opposti all'amore, all'umiltà, alla bontà. Nell'ultimo verso, D. chiama le donne, che lo aiutino ad onorarla, quasi sentisse l'insufficienza della propria parola.

9-11. A chi la sente parlare, invece, nascono nel cuore ogni dolcezza e ogni pensiero umile (di bontà, mansuetudine, purezza) e per questo acquista lode chi per primo la vede (secondo altri **vide** significa *vide*).

12-14. Questo sorriso ineffabile è l'unica rappresentazione di B. nel sonetto: è una dolcezza che non si può dire né ricordare (**tenere a mente**).

Nel capitolo XXII Dante racconta come morisse il padre di Beatrice e del dolore di lei, e accompagna la narrazione con due sonetti. È un primo presentimento di morte nell'esile vicenda del libretto, che si approfondisce in un'altissima espressione poetica nella prosa e nella poesia del capitolo che segue.

Il capitolo XXIII e la canzone: «Donna pietosa»

Al poeta, ammalato, giunge un pensiero, un presentimento di morte, e con esso, il senso dell'estrema labilità della vita umana. Ma se la morte è condizione fatale del nostro esistere, pensa Dante, anche Beatrice dovrà un giorno morire. La constatazione lo travolge in un delirio di paurose visioni: nel sogno egli vede, sente, vive lo strazio della morte di lei.

Ma accanto alla morte c'è la trasfigurazione di Beatrice. Ella sale al cielo fra un coro d'angeli, e dal cielo discende nel cuore del poeta un senso di conforto e di pace, come l'intuizione di una realtà più vera e più bella che illumina il doloroso vivere terreno.

È fondamentale nella *Vita nuova* la morte di Beatrice, in quanto la distacca da ogni elemento contingente, la restituisce ad una pura e ideale perfezione che neppure il tempo e la morte possono offuscare. Così l'amore di Dante, infranto dal destino, tenta di rinascere su di un piano universale, diventa un ideale che la memoria può ad ogni momento ritrovare puro, intatto: luce che illumina la vita. Morte, dunque, ma anche resurrezione e trasfigurazione, pervasa di una luce cristiana; tutto questo dà a Dante la certezza della dignità dei più alti valori umani, dei quali il suo amore è immagine o presentimento.

Rispetto alla canzone *Donne ch'avere* c'è qui un'atmosfera assai più drammatica, ma soprattutto una notevole maturazione dello stile di Dante che giunge a potenti immagini visionarie, tanto che alcuni critici pensano che la canzone sia coeva alla stesura in prosa, e quindi posteriore alle altre liriche del libro. La potenza figurativo-drammatica appare analoga a quella della prosa; sembra, anzi, di scorgere un'emulazione fra le due.

La funzione del capitolo a noi sembra fondamentale, proprio per quel ricondurre nel cuore d'un nobile sogno cortese il dramma della vita e della morte, proiettato così sui parametri elementari della condizione umana. Il nuovo ideale poetico e amoroso non si sottrae alla caducità, anche se Beatrice, alla fine, riesce a proclamare la propria vittoria sulla morte. Ma è una vittoria che lascia il poeta solo, in un dolore che la fede riesce soltanto faticosamente a lenire; e soprattutto lo riconduce nel labirinto dei giorni, nella difficoltà di conseguire una stabilità di sentimenti e di ideali. Il pensiero che anche la perfetta Beatrice morrà è tragico, fa scoprire a Dante la precarietà dell'uomo, lo induce a piangere «di tanta miseria». Al romanzo medievale dell'amore si mescola così quello più universale dell'anima, della sua difficile condizione che consiste nel suo sognare l'eterno fra le cose periture. È un nuovo *pathos* che si aggiunge all'autobiografia umana e poetica configurata dal libro, ed è anche un originale «superamento» della tematica guinizzelliana.

Appresso ciò per pochi dì[1] avvenne che in alcuna parte de la mia persona mi giunse una dolorosa infermitade, onde io continuamente soffersi per nove dì amarissima pena; la quale mi condusse a tanta debolezza, che me convenia

1. Appresso ciò per pochi dì: pochi giorni dopo l'evento che D. ha raccontato nel

stare come coloro li quali non si possono muovere.[2] Io dico che ne lo nono giorno,[3] sentendome dolere quasi intollerabilmente, a me giunse uno pensero lo quale era de la mia donna. E quando ei pensato alquanto di lei, ed io ritornai pensando a la mia debilitata vita; e veggendo come leggiero era lo suo durare, ancora che sana fosse, sì cominciai a piangere fra me stesso di tanta miseria.[4] Onde, sospirando forte,[5] dicea fra me medesimo: «Di necessitade convene che la gentilissima Beatrice alcuna volta[6] si muoia». E però mi giunse uno sì forte smarrimento, che chiusi li occhi e cominciai a travagliare[7] sì come farnetica persona ed a imaginare in questo modo: che ne lo incominciamento de lo errare che fece la mia fantasia,[8] apparvero a me[9] certi visi di donne scapigliate che mi diceano: «Tu pur morrai»; e poi, dopo queste donne, m'apparvero certi visi diversi e orribili a vedere, li quali mi diceano: «Tu se' morto». Così cominciando ad errare[10] la mia fantasia, venni a quello ch'io non sapea ove io mi fosse; e vedere mi parea donne andare scapigliate piangendo per via, maravigliosamente triste; e pareami vedere lo sole oscurare, sì che le stelle si mostravano di colore ch'elle mi faceano giudicare che piangessero; e pareami che li uccelli volando per l'aria cadessero morti, e che fossero grandissimi tremuoti.[11] E maravigliandomi in cotale fantasia, e paventando[12] assai, imaginai alcuno amico che mi venisse a dire: «Or non sai? la tua mirabile donna è partita di questo secolo». Allora cominciai a piangere molto pietosamente; e non solamente piangea ne la imaginazione, ma piangea con li occhi, bagnandoli di vere lagrime.[13] Io imaginava di guardare verso lo cielo, e pareami vedere moltitudine d'angeli li quali tornassero in suso, ed aveano dinanzi da loro una nebuletta bianchissima.[14] A me parea che questi angeli cantassero gloriosamente, e le parole del loro canto mi parea udire che fossero queste: *Osanna in excelsis*, e altro non mi parea udire. Allora mi parea che lo cuore, ove era tanto amore,[15] mi dicesse: «Vero è che morta giace la nostra donna». E per questo mi parea andare per vedere lo corpo ne lo quale era stata quella nobilissima e beata anima; e fue sì forte la erronea fantasia, che mi mostrò questa donna morta: e pareami che donne la covrissero, cioè la sua testa, con uno bianco velo; e pareami che la sua faccia avesse tanto aspetto d'umilitade, che parea che dicesse: «Io sono a vedere lo principio de la pace». In questa imaginazione mi giunse tanta umilitade per vedere lei, che io chiamava la Morte,[16] e dicea: «Dolcissima Morte,[17] vieni a me, e non m'essere villana, però che tu dei essere gentile, in tal parte se' stata! Or vieni a me, ché molto ti disidero; e tu lo vedi, ché io porto già lo tuo colore». E quando io avea veduto compiere tutti li dolorosi mestieri che a le corpora de li morti s'usano di fare,[18] mi parea tornare ne la mia camera, e quivi mi parea guardare verso lo cielo; e sì forte era la mia imaginazione, che piangendo incominciai a dire con verace voce:[19] «Oi anima bellissima, come è beato colui che ti vede!».[20] E dicendo io queste parole con doloroso singulto di pianto, e chiamando la Morte che venisse a me, una donna giovane e gentile, la quale era lungo lo mio letto, credendo che lo mio piangere e le mie parole fossero solamente per lo dolore de la mia infermitade, con grande paura cominciò a piangere.[21] Onde altre

cap. precedente: la morte del padre di B. e il dolore di lei.
2. che... muovere: che mi conveniva stare immobile nel mio letto.
3. nono giorno: abbiamo visto che il nove è il numero simbolico, legato agli eventi più importanti della *Vita nuova*.
4. ed io... miseria: Prima si perde nell'estatico pensiero di B., che lo trasporta in un mondo di perfezione senza sofferenza; poi, ritorna in sé e pensa, per contrasto, alla sua vita, debilitata dalla malattia; e vede che la sua durata è *leggiera*, cioè precaria, anche qualora non sopraggiungano malattie: e piange, perché sente tutta la miseria dello stato umano.
5. Onde, sospirando forte, ecc.: alla prima meditazione ne succede un'altra: anche B. dovrà morire. Ed è ora che il pensiero della morte si fa insostenibile.
6. alcuna volta: un giorno.
7. cominciai a travagliare ecc.: cominciai a vaneggiare dolorosamente (*travagliare* dà l'idea del mutamento e del dolore, propri dell'incubo) come persona *farnetica*, cioè in preda al delirio della pazzia. **imaginare:** vedere immagini.
8. errare... fantasia: la fantasia erra sperduta, sconvolta, nelle immagini d'incubo.
9. apparvero a me ecc.: la prosa, nella sua linearità, evoca con rara potenza i momenti dell'incubo: dapprima i visi di donne scapigliate (non dice, D., la loro persona, ma questi visi soltanto, con la bocca aperta nella terribile condanna, coi capelli disciolti, che le rendono più paurose e spettrali); e poi altri visi, **diversi**, cioè strani e sconvolti, disumani, e quindi orribili a vedere, che ribadiscono più atrocemente la condanna (**Tu se' morto**). Questi ultimi visi non sono più di donne, né il poeta dice che siano di uomini: questo accresce il loro carattere terribile e mostruoso.
10. Così cominciando ad errare ecc.: Dopo l'incubo iniziale della fantasia, D. giunge al punto che non sa più dove sia (**a quello ch'io non sapea ove io mi fosse**). È lo smarrimento che accompagna i sogni terribili: un sentirsi sperduto in un mondo mai visto e crudele.
11. e vedere... tremuoti: le donne per via affrante dal dolore (**triste**), il sole che si spegne, le stelle che assumono un colore funereo, di pianto, gli uccelli che mentre volano crollano, all'improvviso, morti, i terremoti sconvolgenti: sembra la fine del mondo. E indubbiamente D. ha tenuto presenti le immagini dell'*Apocalisse* e dei Vangeli, quando è narrato il turbamento degli elementi che seguì alla morte del Cristo. Ma questa visione di disgregazione cosmica è legata all'intima storia di Dante: tutta la vita è sconvolta dalla morte della donna amata.
12. maravigliandomi... paventando ecc.: mentre il poeta è stupefatto (*maravigliando*) e atterrito da questa visione (ma egli dice *in* cotale fantasia e la preposizione ci fa sentire che non è spettatore esterno, ma fuso con quel paesaggio d'orrore), ecco giungere un amico, con quelle nude desolate parole: «Or non sai? la tua mirabile donna è partita da questo mondo (**secolo**)».
13. Allora... vere lagrime: È uno scoppio di pianto liberatore (nota come D. insiste sul fatto che sono lacrime vere, le sue: la visione non è sogno, ma vita pienamente vissuta): la tragedia, l'angoscia sono giunte al loro culmine e comincia ora la rinascita, la certezza, di là dal dolore del vivere, di un mondo più grande.
14. Io imaginava... bianchissima:: È l'ascensione di B. al cielo: la sua anima, nuvoletta (**nebuletta**) bianchissima, sale su fra una gloriosa moltitudine d'angeli che cantano a gloria: Osanna nel più alto dei cieli. Così fu salutato Cristo al suo ingresso in Gerusalemme; ma va ricordato per gli uomini del medioevo la vita di Cristo è figura della vera vita umana: Gerusalemme è la patria celeste, la passione e resurrezione e ascensione al cielo riflettono l'ideale cammino dell'anima cristiana.
15. Allora... tanto amore ecc.: è un'espressione di amore toccante, un ritorno dalla gloria dei cieli alla nostra umanità semplice e vera.
16. In questa... Morte: Nel corso di questa fantasia, D. prova un tale desiderio di vedere B., ma quella vera, nei cieli, non la sua morta spoglia, che vorrebbe anch'egli morire. Ma, come si vede dalle parole che seguono, non è desiderio suscitato dalla disperazione; è piuttosto l'anelito a ricongiungersi con lei in un mondo ove non esistano il dolore, il peccato, la seduzione dei sensi, e sia possibile un puro e beato colloquio di anima ad anima. Per questo D. non dice *desiderio*, ma *umilitade* e abbiamo già visto il significato complesso di questa parola: dolcezza, mansuetudine, offerta di sé.
17. Dolcissima Morte, ecc.: È un breve inno alla morte, scala alla verità e alla pace suprema. La morte non deve essere scortese (**villana**), ma soddisfare il desiderio di D.; la vede egli come cosa gentile, perché è stata in B. (**in tal parte**). Quanto al colore della morte che il poeta porta è allusione al pallore del suo viso dopo quel fiero sconvolgimento.
18. E quando... s'usano di fare: i dolorosi mestieri sono gli uffici funebri. **corpora** è latinissimo: sta per *corpi*.
19. con verace voce: D. parla veramente, non soltanto nel sogno.
20. Oi anima... vede: ecco, in sintesi, il significato che l'incontro con B. ha avuto per D. *Vedere* lei, comprenderne l'essenza è beatitudine.
21. una donna... piangere: Il passaggio

donne che per la camera erano s'accorsero di me, che io piangea, per lo pianto che vedeano fare a questa; onde faccendo lei partire da me, la quale era meco di propinquissima sanguinitade congiunta, elle si trassero verso me per isvegliarmi, credendo che io sognasse, e diceanmi: «Non dormire più», e «Non ti sconfortare». E parlandomi così,[22] sì mi cessò la forte fantasia entro in quello punto ch'io volea dicere: «O Beatrice, benedetta sie tu»; e già detto avea «O Beatrice», quando riscotendomi apersi li occhi, e vidi che io era ingannato.[23] E con tutto che io chiamasse questo nome, la mia voce era sì rotta dal singulto del piangere, che queste donne non mi pottero intendere, secondo il mio parere, e avvegna che io vergognasse molto, tuttavia per alcuno ammonimento d'Amore mi rivolsi a loro.[24] E quando mi videro, cominciaro a dire: «Questi pare morto», e a dire tra loro: «Procuriamo di confortarlo»; onde molte parole mi diceano da confortarmi, e talora mi domandavano di che io avesse avuto paura. Onde io, essendo alquanto riconfortato, e conosciuto lo fallace imaginare, rispuosi a loro: «Io vi diroe quello ch' i' hoe[25] avuto». Allora, cominciandomi dal principio infino a la fine, dissi loro quello che veduto avea, tacendo lo nome di questa gentilissima. Onde poi, sanato di questa infermitade, propuosi di dire parole di questo che m'era addivenuto, però che mi parea[26] che fosse amorosa cosa da udire; e però ne dissi questa canzone: *Donna pietosa e di novella etate*, ordinata sì come manifesta la infrascritta divisione.

Donna pietosa e di novella etate,
adorna assai di gentilezze umane,
ch'era là 'v' io chiamava spesso Morte,
veggendo li occhi miei pien di pietate,
5 e ascoltando le parole vane,
si mosse con paura a pianger forte.
E altre donne, che si fuoro accorte
di me per quella che meco piangia,
fecer lei partir via,
10 e appressarsi per farmi sentire.
Qual dicea: «Non dormire»,
e qual dicea: «Perché sì ti sconforte?».
Allor lassai la nova fantasia,
chiamando il nome de la donna mia.
15 Era la voce mia sì dolorosa
e rotta sì da l'angoscia del pianto,
ch'io solo intesi il nome nel mio core;
e con tutta la vista vergognosa
ch'era nel viso mio giunta cotanto,
20 mi fece verso lor volgere Amore.
Elli era tale a veder mio colore,
che facea ragionar di morte altrui:
«Deh, consoliam costui»
pregava l'una l'altra umilemente;
25 e dicevan sovente:
«Che vedestú, che tu non hai valore?».
E quando un poco confortato fui,
io dissi: «Donne, dicerollo a vui.
Mentr'io pensava la mia frale vita,
30 e vedea 'l suo durar com'è leggiero,
piansemi Amor nel core, ove dimora;
per che l'anima mia fu sì smarrita,
che sospirando dicea nel pensiero:
– Ben converrà che la mia donna mora. –
35 Io presi tanto smarrimento allora,
ch'io chiusi li occhi vilmente gravati,
e furon sì smagati
li spirti miei, che ciascun giva errando;

dalla dolcezza dell'ultima parte della visione al risveglio è sapientemente graduato, mediante l'introduzione di quella figura gentile di fanciulla (D. dice, più avanti, che era a lui **di propinquissima sanguinitade congiunta**, cioè legata a lui di parentela strettissima — forse una sorella), di quel suo affettuoso piangere, credendo che la persona cara soffra.
22. E parlandomi così: e mentre esse così mi parlavano. **in quello... ch'io**: nel momento in cui.
23. vidi che io era ingannato: che si era trattato d'ingannevole visione.
24. non mi... a loro: non mi poterono intendere, così mi parve, e sebbene (**avvegna che**) mi vergognassi molto (per il sospetto di aver fatto trapelare il segreto del mio animo) tuttavia per consiglio d'Amore, ecc.
25. diroe, hoe: dirò, ho.
26. però che mi parea: poiché mi pareva che fosse materia amorosa. *Dire parole* ha, nella *Vita nuova*, il significato di comporre poesia; secondo D. (lo dice nel cap. XXV) la poesia in volgare non può avere altra materia che l'amore. Più tardi modificherà tale concezione.

Metro: *canzone*, composta di sei strofe di 14 versi ciascuna, con *fronte* (ABC, ABC) e *sirma* (CDdEeCDD — le minuscole indicano i settenari, le maiuscole gli endecasillabi). Molti critici, con validi argomenti, pensano che sia stata composta insieme con la prosa, cioè a distanza di tempo notevole dai fatti in essa rappresentati. Certo, rispetto alle «rime della loda», c'è qualche diversità stilistica; accanto al tono dell'estasi contemplativa c'è una capacità di intensi scorci drammatici, ignota alle altre poesie della *Vita nuova*.
1-28. Le due prime stanze rievocano il colloquio fra D., destatosi dal sogno, e le donne che lo assistono. L'ordine del racconto è invertito, rispetto alla prosa.
1-2. Donna pietosa, ecc.: La proposizione principale è: *Donna pietosa si mosse con paura a pianger forte. Pietosa* è la fanciulla, perché assiste amorevolmente il malato, di *novella etate* significa giovane; *adorna assai di gentilezze umane* allude alla sua bontà e cortesia.
3. là: la camera ove giaceva ammalato. **chiamava**: invocavo.
4-5. pietate: di angoscia, di pianto. **vane**: perché pronunciate nel delirio.
8. per quella: per mezzo, a causa di.
10. sentire: ritornare in me.
13-14. «Allora mi riscossi dalla straordinaria visione, invocando il nome della mia donna».
16. L'endecasillabo con accenti ritmici sulla 4ª, 7ª e 10ª sillaba, ha un forte tono patetico, esprime l'*angoscia del pianto*. Angoscia ha qui il significato, che ha quasi sempre per Dante, di oppressione fisica, di respiro affannoso.
18-20. «E Amore mi fece rivolgere a loro (alle donne) sebbene l'espressione della vergogna (**del pudore**) fosse così evidentemente manifesta nel mio viso».
21-22. Il pallore del volto era tale che faceva sì che le donne (**altrui**) lo credessero lì per lì per morire.
24. umilemente: con pietosa dolcezza.
26. «Che cosa hai tu visto che non ha più vigore (**valore?**)».
29-30. frale: fragile. **leggiero**: effimero.
36. vilmente gravati: gravati dallo sconforto. *Viltà* significa anche prostrazione.
37-38. «E le mie facoltà spirituali e le potenze vitali (**spiriti**) furono così confuse e turbate (**smagati**) che ciascuna andava errando smarrita».

e poscia imaginando,
40 di caunoscenza e di verità fora,
visi di donne m'apparver crucciati,
che mi dicean pur: – Morra'ti, morra'ti. –
Poi vidi cose dubitose molte,
nel vano imaginare ov'io entrai;
45 ed esser mi parea non so in qual loco,
e veder donne andar per via disciolte,
qual lagrimando, e qual traendo guai,
che di tristizia saettavan foco.
Poi mi parve vedere a poco a poco
50 turbar lo sole e apparir la stella,
e pianger elli ed ella;
cader li augelli volando per l'are,
e la terra tremare;
ed omo apparve scolorito e fioco,
55 dicendomi: – Che fai? non sai novella?
Morta è la donna tua, ch'era sì bella. –
Levava li occhi miei bagnati in pianti,
e vedea, che parean pioggia di manna,
li angeli che tornavan suso in cielo,
60 e una nuvoletta avean davanti,
dopo la qual gridavan tutti: *Osanna*;
e s'altro avesser detto, a voi dire'lo.
Allor diceva Amor: – Piú nol ti celo;
vieni a vedere nostra donna che giace. –
65 Lo imaginar fallace
mi condusse a veder madonna morta;
e quand'io l'avea scorta,
vedea che donne la covrian d'un velo;
ed avea seco umilità verace,
70 che parea che dicesse: – Io sono in pace. –
Io divenia nel dolor sì umile,
veggendo in lei tanta umiltà formata,
ch'io dicea: – Morte, assai dolce ti tegno;
tu dei omai esser cosa gentile,
75 poi che tu se' ne la mia donna stata,
e dei aver pietate e non disdegno.
Vedi che sì desideroso vegno
d'esser de' tuoi, ch'io ti somiglio in fede.
Vieni, ché 'l cor te chiede. –
80 Poi mi partia, consumato ogne duolo;
e quand'io era solo,
dicea, guardando verso l'alto regno:
– Beato, anima bella, chi te vede! –
Voi mi chiamaste allor, vostra merzede».

39-40. «E poi, figurandomi immagini nel delirio, fuori di conoscenza (**caunoscenza**) e fuori d'ogni realtà».
41-42. «Mi apparvero visi di donne minacciosi (**crucciati**) che insistentemente (**pur**) mi dicevano: Tu morrai, tu morrai». Ricorda quanto abbiam detto per la prosa su questi visi minacciosi che affiorano dalla nebbia dell'inconscio spaventosi e allucinanti.
43. dubitose: piene d'orrore; ma la parola denota anche l'indeterminatezza di quelle figure, la quale, aggiungendo ad esse un che di misterioso, ne amplia indefinitamente l'orrore.
44. Vano è l'immaginare, perché è sogno e delirio, ma quel *ov'io entrai* dà l'immagine del tormentoso aggirarsi della persona in quel mondo dalle dimensioni arcane e paurose.
46-48. disciolte: scapigliate, come dice nella prosa, con le chiome disciolte, ma anche con le vesti discinte. Alcune piangono, altre mandano grida di lamento (**traendo guai**) che saettavano, colpivano il cuore con una bruciante angoscia (**di tristizia... foco**).
50. stella: sta per stelle.
54-56. Molti critici paragonano la prosa alla poesia, dando la preminenza alla seconda. A noi paiono due espressioni diverse, e ciascuna con una propria bellezza. Si nota anche nella prosa una ricerca ritmica e musicale; sembra quasi che Dante abbia voluto cimentarsi nei due tipi di espressione per metterne in luce la diversa, ma pur sempre intensa, potenzialità espressiva. Questa apparizione, però, dell'*omo scolorito e fioco* (pallido, e con la voce rotta, affranta dalla piena del dolore) è ben più efficace dell'*amico* di cui parla la prosa. È una figura fantomatica, misteriosa, ben adatta a questo mondo d'incubo. E anche le parole ch'egli pronuncia hanno una carica passionale, dolcissima e insieme disperata che nella prosa manca. Quelle due interrogazioni: *Che fai? non sai novella?* (Non sai la notizia?) sono due grida di disperazione rattenuta e pure intensa, cui segue quel magnifico verso: «Morta è la donna tua ch'era sì bella», in cui si esprime il senso di una perdita irreparabile.
57. Il Barbi rileva opportunamente che l'espressione *Levava li occhi miei* è traduzione di un salmo e che veramente ci sono qui una solennità e una calma religiose.
58. parean pioggia di manna: la *manna* è il cibo inviato dal cielo al popolo ebreo, in marcia nel deserto verso la terra promessa da Dio. Le candide ali degli angeli danno l'impressione di questo bianco fioccare come di neve.
62. «E se avessero detto altro, ve lo direi».
63. Più nol ti celo: Non te lo nascondo più (non ti nascondo più, cioè, che B. è morta). E a D. nella fallace immaginazione del delirio sembra di andare a vedere il cadavere di lei.
69-70. Nel pallore di morte di quel viso è pur espresso il trionfo di B. sulla morte. L'*umiltà* è sì dolcezza soave della sua espressione, ma anche beatitudine: è quell'accettazione umile, da parte della creatura, del dolore e della morte, che la solleva sino alla pace e alla gloria dei Santi.
71-72. «Io diventavo nel mio dolore così umile, vedendo in lei tanta umiltà personificata (**formata**) ch'io dicevo...».
73-75. È forse la suprema esaltazione di B. D. ritiene (**ti tegno**) la Morte dolce, gentile: se essa è stata nella sua donna, non può non essere uscita come sublimata dal contatto con lei.
76-78. «E devi aver pietà e non disdegno di me. Vedi che vengo a te così desideroso di essere dei tuoi (di morire anch'io) che fedelmente assomiglio a te» (allude al pallore del proprio viso).
80. «Poi me ne andavo di là quando era compiuta ogni cerimonia funebre».
82. L'alto regno è, naturalmente, il cielo, ov'è il Paradiso.
84. vostra merzede: per vostra bontà (si rivolge alle donne pietose).

Nel cap. XXIV, Dante racconta come vedesse Beatrice in compagnia di Primavera, nome poetico assegnato da Guido Cavalcanti a Giovanna, la donna da lui amata; l'avvenimento fa da spunto a un sonetto. Il cap. XXV contiene una rapida definizione della poetica dantesca del tempo della Vita nuova. *I due capitoli sono come una pausa dopo la grande canzone* Donna pietosa. *Poi riprendono le rime della lode, ancor più alta ora che il pensiero e il presentimento della sua morte e trasfigurazione hanno collocato Beatrice in una sfera sublime.*

Il capitolo XXV: una poetica

La produzione poetica si accompagna costantemente in Dante con la meditazione intorno all'operare artistico. Lo mostra chiaramente il presente capitolo, che definisce quella che possiamo considerare la poetica (cioè il complesso di norme, finalità, modi strutturali) della *Vita nuova* e, in genere, della produzione lirica di Dante, almeno fino a questo momento.

Attraverso la giustificazione d'una figura retorica ricorrente nel libro, la personificazione d'Amore, Dante giunge a proclamare la dignità della nuova poesia in volgare, anzi la sua pariteticità nei confronti della poesia dei grandi classici e dei poeti «regolati» in latino, che ne continuano la tradizione nel Medioevo. Oltre a questa, vi sono, però, due altre affermazioni non meno importanti. La prima è il collocarsi di Dante (e il collocare la lirica in volgare) entro una storia della letteratura, ossia dentro una tradizione ormai plurisecolare. Poco contano, a questo proposito, le inesattezze cronologiche o d'altra natura nell'informazione, e anche la troppo drastica limitazione della nuova poesia alla tematica amorosa. L'importante è la scoperta della funzione che la tradizione esercita sulla produzione letteraria, concretandosi anche in un bagaglio di regole e di convenzioni sia contenutistiche sia formali, fra le quali un posto eminente viene correttamente attribuito alla retorica. La seconda affermazione importante è la volontà d'una poesia che unisca alla bellezza la verità, che si giustifichi, anzi, su di questa, attraverso la scelta d'un contenuto importante sul piano etico-conoscitivo. Non si tratta d'una poetica allegorica, ma d'una verità umana profonda intuita nel sogno poetico (nel *Convivio* Dante afferma di averla colta, nella *Vita nuova*, «quasi come sognando»). Tale appare nel libro la meditazione sull'essenza, il significato e gli effetti positivi dell'amore vero, attraverso il quale il protagonista perviene progressivamente a una comprensione etica e poetica delle ragioni del vivere.

Dante ammette di avere finora rappresentato Amore come personaggio che parla, ride, si muove: che ha, cioè, attributi umani, senza curarsi delle implicazioni filosofiche che comporterebbe l'analisi di questo sentimento (o meglio, realtà spirituale), ma rappresentandolo in modi metaforici e retorici, e cioè poeticamente. Si manifesta così l'urgenza del rapporto della poesia con la verità che egli pone in primo piano nella sua concezione dell'arte o estetica.

A cotale cosa dichiarare,[1] secondo che è buono a presente,[2] prima è da intendere che anticamente non erano dicitori d'amore in lingua volgare, anzi erano dicitori d'amore certi poete in lingua latina;[3] tra noi dico, avvegna forse che tra altra gente addivenisse, e addivenga ancora, sì come in Grecia, non volgari ma litterati poete queste cose trattavano.[4] E non è molto numero d'anni passati, che appariro prima questi poete volgari; ché dire per rima in volgare tanto è quanto dire per versi in latino, secondo alcuna proporzione.[5] E segno che sia picciolo tempo, è che se volemo cercare in lingua d'*oco* e in quella di *sì*, noi non troviamo cose dette anzi lo presente tempo per cento e cinquanta anni.[6] E la cagione per che alquanti grossi ebbero fama di sapere dire, è che quasi fuoro[7] li primi che dissero in lingua di *sì*. E lo primo che cominciò a dire sì come poeta volgare,[8] si mosse però che volle fare intendere le sue parole a donna, a la quale era malagevole d'intendere li versi latini.[9] E questo è contra coloro che rimano sopra altra matera che amorosa, con ciò sia cosa che cotale modo di parlare fosse dal principio trovato per dire d'amore.[10] Onde, con ciò

---

1. **a... dichiarare**: per eliminare ragionevolmente il dubbio che riguarda la liceità della prosopopea o personificazione d'Amore presente in tutto il libro.
2. **secondo... presente**: avendo, cioè, riguardo all'occasione presente di discorso. Con questo Dante afferma di volersi limitare a un giudizio puramente estetico. La personificazione d'Amore non riguarda il mondo ideologico, o lo riguarda solo tangenzialmente; si tratta, infatti, come dice dopo, di «figura o colore rettorico» strettamente legato alla strutturazione poetica del discorso.
3. **anticamente... latina**: Il confronto è fra i **poete**, classici (o medievali) che hanno scritto in latino e i **rimatori** che hanno scritto e scrivono in volgare. Nel prosieguo del discorso Dante, pur ammettendo la grande autorità dei classici e la maggior dignità della lingua d'arte secolarmente elaborata in cui essi hanno scritto, tende a parificarli ai nuovi rimatori, anche se limita l'iniziativa di questi alla poesia d'amore.
4. **avvegna forse che... trattavano**: sebbene, fra altri popoli, come i Greci, avvenisse e avvenga tuttora che la materia amorosa sia trattata da poeti dotti (**litterati poete**), che usano la lingua letteraria antica.
5. Fatte le debite proporzioni, la poesia in volgare va strutturata, sul piano tecnico, in maniera analoga a quella latina, che pure ha maggiore dignità, per la sua remota tradizione, per l'elevato strumento linguistico-espressivo (un linguaggio poetico fissato da un uso secolare). L'analogia è affermata sul piano tecnico, attraverso il riconoscimento che poetare (**dire**) **per versi**, ossia nei versi classici latini (**versi** traduce **versus**, una metrica fondata sull'andamento ritmico scandito dai *piedi*), non differisce sostanzialmente dal poetare **per rima**, cioè nei versi della tradizione romanza, caratterizzati dalla nuova «scoperta», la rima, che diviene il loro elemento e segnale ritmico di fondo.
6. La **lingua d'oco**, o d'oc, è il provenzale; quella **di sì** è l'italiano letterario quale si è venuto formando nel Duecento fra Sicilia e Toscana. Che la nuova letteratura risalga a centocinquanta anni addietro, come dice Dante subito dopo, è inesatto; la lirica provenzale è già attestata a metà del secolo XI.
7. **grossi**: poeti rozzi, poco colti anche letterariamente. **dire**: scrivere in poesia. **fuoro**: furono.
8. **poeta volgare**: la distinzione fra *poete* e *rimatori* è qui abolita.
9. Con molta finezza Dante individua una componente fondamentale della comunicazione letteraria: il pubblico, che riconosce un oggetto come estetico e gli assicura vita come tale nella comunità. Il rivolgersi alle donne è un tema della *Vita nuova*, dal cap. XVII a XLI; esse diventano le rappresentanti non soltanto d'una capacità diffusa di «intelletto (o intelligenza) d'amore», ma anche della società che non ha compiuto gli studi regolari, allora prerogativa, per lo più, dei *clerici*, e che quindi non sa il latino. A ben vedere, esse vengono così a impersonare la nuova classe dirigente del Comune, che lentamente si sta appropriando della cultura alta, scritta in latino, attraverso i sempre più numerosi volgarizzamenti di opere antiche che si susseguono per tutto il Duecento, e anche per merito di opere enciclopediche in volgare, dal *Tresor* di Brunetto Latini al *Convivio* di Dante alla *Composizione del mondo* di Restoro d'Arezzo.
10. Il bersaglio polemico sembra qui Guittone d'Arezzo, autore di rime morali e politiche. Dante, però, cambierà idea, di lì a poco, scrivendo anch'egli canzoni filosofiche (allegoriche) e morali. **con... che**: poiché (è il latino medievale dei testi della Scolastica «cum hoc sit causa quod»).

sia cosa che a li poete sia conceduta maggiore licenza di parlare che a li prosaici dittatori,[11] e questi dicitori per rima non siano altro che poete volgari, degno e ragionevole è che a loro sia maggiore licenzia largita di parlare che a li altri parlatori volgari: onde se alcuna figura o colore rettorico è conceduto a li poete, conceduto è a li rimatori. Dunque, se noi vedemo che li poete hanno parlato a le cose inanimate, sì come se avessero senso e ragione, e fattele parlare insieme; e non solamente cose vere, ma cose non vere, cioè che detto hanno, di cose le quali non sono, che parlano, e detto che molti accidenti parlano, sì come se fossero sustanzie e uomini; degno è lo dicitore per rima di fare lo somigliante, ma non sanza ragione alcuna, ma con ragione la quale poi sia possibile aprire per prosa.[12] [...] E acciò che non ne pigli alcuna baldanza persona grossa,[13] dico che né li poete parlavano così sanza ragione, né quelli che rimano deono parlare così non avendo alcuno ragionamento in loro di quello che dicono, però che grande vergogna sarebbe a colui che rimasse cose sotto vesta di figura o di colore rettorico, e poscia, domandato, non sapesse denudare le sue parole da cotale vesta, in guisa che avessero verace intendimento.[14] E questo mio primo amico[15] e io ne sapemo bene di quelli che così rimano stoltamente.

11. **prosaici dittatori**: scrittori in prosa. Il nome qui usato deriva da *ars dictandi*, che è l'arte del bello scrivere. Nella prosa veniva usata soprattutto per le lettere scambiate fra le cancellerie degli stati. La **licenza di parlare** è la maggiore libertà espressiva concessa ai poeti (ancor oggi si parla di «licenze poetiche»); ma, avverte Dante, una certa libertà va lasciata anche alla prosa ispirata a criteri artistici (non, per esempio, alla filosofia o alla scienza che richiedono un linguaggio più rigoroso sul piano concettuale).

12. Il discorso è ora ritornato all'impostazione iniziale; alla liceità delle personificazioni, che fanno parte del linguaggio figurato insegnato dalla retorica. Seguono esempi di personificazioni nei classici latini (parte qui omessa).

13. **persona grossa**: persona rozza e poco colta, che non deve abusare di questa libertà, per la ragione che enuncia subito dopo: metafore e colori retorici debbono avere una motivazione espressiva e di significato, non essere usati come una sorta di gioco artificioso.

14. **colui... intendimento**: chi riveste la propria poesia di queste figure retoriche (metafore e tropi), deve farlo motivatamente; avere, cioè, un contenuto intellettuale profondo, che deve essere pronto a mostrare presente nell'opera, anche a prescindere dagli ornamenti retorici. L'ideale dantesco è una poesia che celi in sé una saggezza e una viva conoscenza dell'umano, che sia capace di ispirare, attraverso la bellezza del dettato poetico, significazioni profonde. Non si allude qui all'allegoria, ma alla struttura dei significati.

15. **questo... amico**: Guido Cavalcanti, presente sin dall'inizio del libro.

Il capitolo XXVI: a) il sonetto «Tanto gentile»

La prosa del capitolo e il primo dei due sonetti sono i momenti più alti dello *stilo de la loda*. Soffermandoci, per ora, sulla prosa, invitiamo ad osservare quel tono di miracolo che la pervade e imprime in essa un senso di litania osannante. Il primo sonetto riprenderà questa intonazione in un'atmosfera di più intensa concentrazione.

Questa gentilissima donna, di cui ragionato è ne le precedenti parole, venne in tanta grazia de le genti, che quando passava per via, le persone correano per vedere lei; onde mirabile letizia me ne giungea. E quando ella fosse presso d'alcuno, tanta onestade[1] giungea nel cuore di quello, che non ardia di levare li occhi, né di rispondere a lo suo saluto; e di questo molti, sì come esperti,[2] mi potrebbero testimoniare a chi non lo credesse. Ella coronata e vestita d'umilitade[3] s'andava, nulla gloria mostrando di ciò ch'ella vedea e udia. Diceano molti, poi che passata era:[4] «Questa è una maraviglia; che benedetto sia lo Segnore, che sì mirabilemente sae adoperare!». Io dico ch'ella si mostrava sì gentile e sì piena di tutti li piaceri[5] che quelli che la miravano comprendeano in loro una dolcezza onesta e soave, tanto che ridicere non lo sapeano;[6] né alcuno era lo quale potesse mirare lei, che nel principio nol convenisse sospirare.[7] Queste e più mirabili cose da lei procedeano virtuosamente;[8] onde io pensando a ciò, volendo ripigliare lo stilo de la sua loda,[9] propuosi di dicere parole, ne le quali io dessi ad intendere de le sue mirabili ed eccellenti operazioni; acciò che[10] non pur coloro che la poteano sensibilemente vedere, ma li

1. **sgg. Questa... giungea**: L'ampio periodo introduttivo comincia accentrando fortemente l'interesse su B., prosegue con quell'espressione (**venne in tanta grazia de le genti**) dove la parola *grazia* indica qualcosa di più che non «ammirazione» o «favore», ma suggerisce l'idea d'adorazione (e la parola **genti** allarga indefinitamente la schiera adorante); culmina in quell'accorrere di tutti per vedere lei quando passa per via, che cinge B. di un'aureola di santità e di prodigio; termina con l'espressione della mirabile letizia che pervade il cuore di D. nel vedere la sua donna tanto ammirata e amata, che ci richiama al suo amore disinteressato, la cui sola e vera beatitudine sta nella lode di B.

1. **tanta onestade**, ecc.: una così alta elevazione morale e spirituale, congiunta al rispetto e al riconoscimento umile della grandezza di lei, che nessuno osa guardarla in viso né rispondere al suo saluto.

2. **sì come esperti**: per averlo sperimentato.

3. B. incede con aspetto insieme regale e umile. La sua bontà e gentilezza la rendono sublime e al tempo stesso dolce, mite, priva d'ogni forma di superbia e vanagloria; nessun vanto (**gloria**) mostra infatti dinanzi a così universale adorazione.

4. **Diceano... poi che passata era**, ecc.: Soltanto dopo che è passata sembra che riacquistino voce e sensi, ed escono allora in quell'esclamazione stupefatta. **adoperare:** operare.

5. **sì piena... piaceri**: piena di ogni bellezza.

6. **quelli... sapeano**: coloro che la miravano provavano un sentimento di dolcezza pura e soave, così intensa che non avrebbero saputo formularla in parole.

7. **nel principio... sospirare**: che non fosse costretto a sospirare al primo mirarla. Il sospiro, se da un lato denota il senso, in chi la mira, della propria inferiorità, dall'altro indica il protendersi verso l'ideale di perfezione in lei incarnato.

8. **procedeano virtuosamente**: derivavano dal suo divino operare.

9. **volendo ripigliare lo stilo de la sua loda**: volendo riprendere lo stile della lode di lei, cioè la poesia dedicata alla lode di lei, cominciata con la canzone *Donne ch'avete*, ma poi interrotta coi sonetti scritti per descrivere il dolore provato da B. per la morte del padre e con la canzone *Donna pietosa*.

10. **acciò che**, ecc.: non solo coloro che potevano vederla, ma tutti, vuole D. che sappiano l'eccellenza di lei, per quello almeno che la parola umana può dire. Il sonetto descrive gli effetti che la vista di B. produce, in gara, si direbbe, con le lodi rivolte dal Guinizzelli (*Voglio del ver...*) e dal Cavalcanti (*Chi è questa che ven*) alla donna amata.

altri sappiano di lei quello che le parole ne possono fare intendere. Allora dissi questo sonetto, lo quale comincia: *Tanto gentile.*

Tanto gentile e tanto onesta pare
la donna mia quand'ella altrui saluta,
ch'ogne lingua deven tremando muta,
e li occhi no l'ardiscon di guardare.
5 Ella si va, sentendosi laudare,
benignamente d'umiltà vestuta;
e par che sia una cosa venuta
da cielo in terra a miracol mostrare.
Mostrasi sì piacente a chi la mira,
10 che dà per li occhi una dolcezza al core,
che 'ntender no la può chi no la prova;
e par che de la sua labbia si mova
un spirito soave pien d'amore,
che va dicendo a l'anima: Sospira.

Metro: *sonetto* (schema: ABBA, ABBA, CDE, EDC).

1-4. gentile: nobile in senso spirituale (e quindi piena di ogni perfezione morale). **onesta**: indica il trasparire negli atti e nell'aspetto della *gentilezza* intima. **pare**: non «sembra», ma «appare manifestamente» o «si manifesta con piena evidenza». **altrui**: qualcuno, la gente. **ogne**: ogni. **tremando**: per il tremore che la pervade. **no**: non. Riportiamo la parafrasi del Contini: «Tale è l'evidenza della nobiltà e del decoro di colei che è mia Signora (*donna*), nel suo salutare, che ogni lingua trema tanto da ammutolirne e gli occhi non osano guardarla». — Si osservi che *pare*, nel significato che si è visto, è parola tematica, presente anche nella seconda quartina e nella seconda terzina, mentre nella prima è sostituita da *mostrasi*, con significato analogo. Beatrice, dunque, è colta in un apparire che è un pieno manifestarsi della sua bellezza morale e fisica e dell'incanto di virtuoso amore che suscita. Da notare, inoltre, che D. non parla in prima persona, ma esalta B. come perfezione altissima cui fa riscontro un'oggettiva e corale ammirazione. L'aggettivo **mia**, unica espressione soggettiva, non indica possesso, ma fedeltà all'immagine suprema di bellezza, bontà, amore che balena nella persona di lei.

5-6. si va: incede, procede; la forma mediale del verbo (nota alle lingue classiche) allude a un incedere della persona concentrata su se stessa, a un movimento che non incide su quella perfezione senza mutamento. **sentendosi**: mentre si sente. **benignamente... vestuta**: la sua intima bontà e umiltà (che nella tradizione cristiana è forse la virtù più alta: il contrario di superbia, ira, egoismo, d'ogni forma, cioè, di violenza, e la sintesi di mitezza, modestia, limpida dolcezza) la riveste, ispira il suo atteggiarsi esteriore.

7-8. e... mostrare: «e si fa evidente la sua natura di essere venuta di cielo in terra per rappresentare in concreto la potenza divina» (Contini). Si allude qui all'origine divina dell'anima di B. e al fatto che ella, per la sua perfezione, è come un vivente miracolo, una rivelazione del divino, in quanto più intensa riluce in lei l'impronta di Dio che è nell'uomo. **Cosa** ha un senso diverso da quello attuale: denota «un essere in quanto causa di sensazioni e impressioni» (Contini). La parola viene appunto dal latino *causa*.

9. Mostrasi: equivale a *pare*; al manifestarsi oggettivo. **piacente**: bella. Da notare che riprende il *mostrare* del verso precedente, secondo l'artificio col quale i Provenzali riprendevano in parte, all'inizio d'una strofa, l'ultimo verso di quella precedente (*coblas capfinidas*); lo si ritrova anche nei sonetti di Jacopo da Lentini e contribuisce a dare maggior compattezza e continuità alle due parti in cui il sonetto è suddiviso (la *fronte*, composta dalle due quartine, la *sirma*, composta dalle due terzine).

10-11. per: attraverso. **che... prova**: che si può conoscere soltanto per diretta esperienza.

12-14. labbia: volto, fisonomia. **un spirito**: una soave ispirazione amorosa, oggettivata e resa sensibile, o meglio, visibile (in quanto *pare*, ossia si manifesta con piena evidenza); rappresentata qui, secondo la mitologia cavalcantiana (accolta fin dai primi capitoli dalla *Vita nuova*) degli spiriti, che sono gli influssi delle varie potenze dell'anima. **Sospira**: indica il puro anelito (un amore sublimato) verso quell'immagine celeste di perfezione.

ESERCIZIO DI ANALISI

«Tanto gentile...»

La struttura del sonetto è bilanciata su quattro periodi strofici (le due quartine e le due terzine), ciascuno sintatticamente concluso, che scandiscono la contemplazione in quattro «tempi», accomunati dal fatto di costituire non tanto dei momenti concatenati d'una successione logica o narrativa, ma quattro aspetti del manifestarsi d'una rivelazione simultanea.

Un altro parallelismo risulta dal confronto dell'organizzazione sintattica interna della *fronte* (le quartine) e della *sirma* (le terzine) del sonetto. La prima quartina è organizzata, infatti, su un rapporto consecutivo (Beatrice è tanto gentile che...) e la seconda intensifica la lode implicita nella prima, espandendola in un movimento beatificante (l'incedere di Beatrice in una luce di miracolo). Analogamente, la prima terzina ripropone un rapporto consecutivo (si mostra così bella che...) e la seconda espande intorno questa bellezza, evocando la suggestione che promana dal viso di Beatrice. Ma sia il nesso consecutivo, che equivale, di fatto, a un superlativo, sia l'enunciazione diretta della funzione beatificante della sua presenza (nella seconda quartina e nella seconda terzina) cospirano alla definizione di un'immagine unitaria di nobiltà e bellezza, che soverchia la mente e il cuore di chi la contempla e fa sì che l'apparizione di Beatrice sia percepita come il manifestarsi d'un evento miracoloso.

Questa esaltazione permea di sé anche altri aspetti sintattici e grammaticali del discorso. Ad esempio, gli atteggiamenti e i gesti di Beatrice (*pare... saluta... si va... pare... mostrasi... dà dolcezza... par... va dicendo*) appaiono in una posizione sintattica privilegiata, posti come sono in una proposizione principale (tranne *saluta* e *va dicendo*, riferiti, tuttavia, a qualcosa che esce dalla perfezione compatta della sua persona, per riversarsi sugli altri). La reazione, invece, di chi la contempla è espressa in proposizioni subordinate e rappresentata in via, per così dire, negativa: la lingua che *non* parla, gli occhi che *non* osano guardare, la dolcezza *non* esprimibile, il sospiro che corrisponde a un sentirsi vinti, soverchiati. Chi agisce, dunque, è solo lei, Beatrice; ma la sua vera azione è quella di manifestarsi (*pare*; questo, o un verbo affine, è centrale nei quattro «tempi» del sonetto), di apparire nella propria sublimità spirituale, riflessa in gesti appena allusi (un saluto, un incedere, un atteggiarsi in umiltà e bontà, un ispirare dolcezza e amore) o in un'immagine complessiva di bellezza, definita non in sé, ma nell'effetto struggente che produce.

Da un lato, dunque, Beatrice come sorgente di emozioni ineffabili, dall'altro la coralità dei contemplanti. Dante, dopo quel *mia* iniziale, che indica, s'è detto, non possesso ma dedizione a colei che è sua signora (*donna*), scompare: non lui, ma un generico e collettivo *altrui* è l'oggetto del saluto beatificante. Il silenzio, il tremore, la dolcezza che ella ispira, sono un dono per tutti, una gioia comune. E il *sospira* dell'ultimo verso indica la tensione inappagabile e struggente verso una perfezione che non è di questo mondo.

La struttura sintattica e metrica corrisponde a quella concettuale. Dante intende esprimere, come spiega nella prosa-commento, non un ritratto di Beatrice, ma «le sue mirabili ed eccellenti operazioni»: un'immagine di lei non statica, bensì dinamica, d'un dinamismo che agisce a livello tutto interiore, si tramuta nel tremore e nel rapimento di chi coglie il suo apparire come una rivelazione. La staticità della costruzione sintattica, la lentezza del discorso pausato su quattro tempi e ulteriormente rallentato dai parallelismi (un movimento che ritorna su se stesso) contribuiscono a determinare un ritmo di meditazione assorta che accompagna il dispiegarsi d'un miracolo. Appaiono pertanto centrali i versi, lentamente scanditi «e par che sia una cosa venuta / di cielo in terra a miracol mostrare», che, insieme col «sospira» conclusivo definiscono il «messaggio» implicito nella presenza di Beatrice: ella è un vivente miracolo che imprime nei cuori un inesausto desiderio d'amore come tensione verso una meta di perfezione di cui la nobiltà del suo spirito, la sua bontà e umiltà sono la più completa attuazione che se ne possa avere in terra e, insieme, il presentimento d'un compimento ulteriore in una vita più alta.

È qui espressa, pertanto, l'idea medievale della bellezza come manifestazione del bene, come un tralucere, attraverso le forme, dello spirito; donde il gusto d'una rappresentazione incorporea, il motivo dell'ineffabilità, la prevalenza dei moti interiori dell'emozione nei confronti della rappresentazione figurativa. Il manifestarsi di Beatrice è quello d'una creatura eletta che, per la sua interiore nobiltà, riflette analogicamente e ineffabilmente la perfezione divina.

Posto fra la canzone del presentimento della morte di Beatrice, espressione del suo limite di creatura mortale, ma anche della sua sicura trasfigurazione (la sua anima accompagnata in cielo dagli Angeli) e la notizia della sua morte reale, il sonetto, uno dei più intensi delle rime della lode, esprime il mito di Beatrice e dell'amore che sta a fondamento della *Vita nuova*.

Il capitolo XXVI: b) il sonetto «Vede perfettamente»

...dico che questa mia donna venne in tanta grazia, che non solamente ella era onorata e laudata, ma per lei[1] erano onorate e laudate molte. Ond'io, veggendo ciò e volendo manifestare a chi ciò non vedea, propuosi anche di dire parole, ne le quali ciò fosse significato; e dissi allora questo altro sonetto, che comincia: *Vede perfettamente onne salute*, lo quale narra di lei come la sua vertude adoperava[2] ne l'altre...

Vede perfettamente onne salute
chi la mia donna tra le donne vede;
quelle che vanno con lei son tenute
di bella grazia a Dio render merzede.
5 E sua bieltate è di tanta vertute,
che nulla invidia a l'altre ne procede,
anzi le face andar seco vestute
di gentilezza, d'amore e di fede.
La vista sua fa onne cosa umile;
10 e non fa sola sé parer piacente,
ma ciascuna per lei riceve onore.
Ed è ne li atti suoi tanto gentile,
che nessun la si può recare a mente
che non sospiri in dolcezza d'amore.

1. **per lei**: per mezzo suo. È un altro motivo stilnovistico, quello della donna che ingentilisce le altre, le quali l'onorano e la tengono per loro signora.
2. **adoperava**: operava.

Metro: *sonetto* (schema: ABAB, ABAB, CDE, CDE).

1-4. Chi vede la mia donna fra le altre donne, vede perfettamente il suo effetto salutifero e beatificante; le donne che vanno con lei sono tenute a render grazie a Dio della bella grazia che ricevono.
5-8. E la sua bellezza ha un così grande potere benefico che non ne deriva alle altre nessun sentimento d'invidia, anzi, fa sì che vadano con lei piene di gentilezza, amore, lealtà (**fede**).
9. vista: aspetto.
10-11. e non fa apparire bella lei sola, ma per merito di lei ciascuna viene onorata.
13-14. che nessuno la può ricordare senza sospirare per la dolcezza d'amore.

Dante ha appena scritta una stanza di canzone per dire quali effetti opera in lui Beatrice (XXVII) quand'ella, improvvisamente, muore (XXVIII). Ma il poeta non intende qui trattare della morte di lei; si dilunga piuttosto a mostrare come il nove, numero perfetto, sia continuamente presente nella cronologia della vita di Beatrice (XXIX). Afferma poi di avere scritto una lettera di compianto ai reggitori della città costernata per sì grande perdita (XXX). Finalmente compone una bella canzone di compianto, Li occhi dolenti per pietà del core *(XXXI), e un sonetto, sempre di compianto, richiestogli da un fratello della sua donna (XXXII), a cui aggiunge un'altra canzone (XXXIII). Un nuovo sonetto compone nel primo anniversario della morte di Beatrice (XXXIV).*

Il capitolo XXXV: la tentazione

Ha inizio, con questo capitolo, un nuovo episodio, quello della «Donna gentile». Dante, desolato per la morte di Beatrice, vede una donna giovane e bella che lo guarda con pietà e comincia ad avvertire riconoscenza per costei che sembra partecipare al suo dolore. Poi, quasi insensibilmente, questa riconoscenza si tramuta in amore incipiente. Ma contro questo sentimento nuovo, definito come «avversario della ragione», si leva «una forte immaginazione» (cap. XXXIX): riappare in sogno al poeta Beatrice, vestita di colore sanguigno, come l'aveva veduta la prima volta, e a lei egli ritorna, fedele.

Più tardi, quando scrisse il *Convivio*, Dante allegorizzò la figura della *Donna gentile*, facendone il simbolo della Filosofia, alla quale si era rivolto per trovare conforto dopo la morte di Beatrice. Ma qui, nella *Vita nuova*, ella rappresenta una tentazione, una svolta in quel cammino di purificazione e perfezione morale che è tutt'uno con l'amore per Beatrice.

Poi per alquanto tempo,[1] con ciò fosse cosa che io fosse in parte ne la quale mi ricordava del passato tempo, molto stava pensoso, e con dolorosi pensamenti, tanto che mi faceano parere de fore una vista di terribile sbigottimento. Onde io, accorgendomi del mio travagliare,[2] levai li occhi per vedere se altri mi vedesse. Allora vidi una gentile donna giovane e bella molto,[3] la quale da una finestra mi riguardava sì pietosamente, quanto a la vista, che tutta la pietà parea in lei accolta. Onde, con ciò sia cosa che quando li miseri veggiono di loro compassione altrui, più tosto si muovono a lacrimare, quasi come di se stessi avendo pietade, io senti' allora cominciare li miei occhi a volere piangere;[4] e però, temendo di non mostrare la mia vile vita,[5] mi partio dinanzi da li occhi di questa gentile; e dicea poi fra me medesimo: «È non puote essere che con quella pietosa donna non sia nobilissimo amore».[6] E però propuosi di dire uno sonetto, ne lo quale io parlasse a lei, e conchiudesse in esso tutto ciò che narrato è in questa ragione. E però che per questa ragione[7] è assai manifesto, sì nollo dividerò. Lo sonetto comincia: *Videro li occhi miei.*

Videro li occhi miei quanta pietate
era apparita in la vostra figura
quando guardaste li atti e la statura
ch'io faccio per dolor molte fiate.
5 Allor m'accorsi che voi pensavate
la qualità de la mia vita oscura,
sì che mi giunse ne lo cor paura
di dimostrar con li occhi mia viltate.
E tolsimi dinanzi a voi, sentendo
10 che si movean le lagrime dal core,
ch'era sommosso da la vostra vista.
Io dicea poscia ne l'anima trista:
«Ben è con quella donna quello Amore
lo qual mi face andar così piangendo».

---

1. **Poi per alquanto tempo,** ecc.: La solita indeterminatezza che accompagna il ritmo di un'avventura spirituale. Poco più d'un anno è passato dalla morte di B., e D. si trova *in parte* nella quale si ricorda *del passato tempo* e sta *pensoso* e con dolorosi pensieri che fanno apparire sul volto (*de fore* = all'esterno) un'espressione (*vista*) di terribile sbigottimento.
2. **Onde io... travagliare**: D. si accorge del suo travagliare (l'espressione contratta del viso, e forse, gli occhi pieni di lacrime) e alza gli occhi per vedere che nessuno lo guardi: ha pudore del suo dolore. In questi capitoli le notazioni psicologiche sono di grande finezza e ricondotte, dopo l'estasi per B., a un più quotidiano sentire.
3. Anche qui un'apparizione improvvisa, ma quanto diversa da quella di B.! Non più celesti splendori e atmosfere d'estasi, ma una visione semplice e pure anch'essa delicata e soave. Una fanciulla gentile, *giovane e bella molto*, che guarda il poeta da una finestra (anche questo un particolare realistico ignoto alla raffigurazione di B.) e che, *quanto alla vista*, cioè a giudicare dall'aspetto, lo guarda con pietà affettuosa.
4. **Onde... piangere**: Poiché quando coloro che soffrono vedono gli altri aver compassione di loro sono più rapidamente spinti a piangere, come se avessero compassione di se stessi, Dante prova desiderio di piangere, vedendo la pietà della donna gentile.
5. **la mia vile vita**: qui *vile* ha senso di *avvilito*.
6. **È... amore**: Non può essere che non sia in questa donna disposizione a nobilmente amare.
7. **ragione**: ricalca il provenzale *razo* che era la dichiarazione in prosa, nei canzonieri provenzali, dell'occasione e dell'argomento delle poesie. Il sonetto che segue è stilisticamente ben diverso da quelli in lode di B.; ha un tono più dimesso e, al tempo stesso, più realistico; è un momento di vita vissuta che la memoria rievoca senza idealizzarlo e la poesia racconta limpidamente.

Metro: *sonetto* (schema: ABBA, ABBA, CDE, EDC).

2. in la vostra figura: nell'atteggiamento del vostro volto.
3-4. «quando guardaste gli atti che compio e l'espressione (*statura*) che assumo molte volte (*fiate*) per il dolore».
6. «quale fosse la dolorosa mia vita».
8. D. teme di scoppiare in un pianto e mostrare così il suo avvilimento (*viltate*).
11. «che ero intensamente turbato, sconvolto (*sommosso*) dall'espressione del vostro volto».
13-14. «Veramente con quella donna è Amore, quell'amore che mi fa così andare piangendo».

Il capitolo XXXVI: la «Donna gentile» e il ritorno di Beatrice

Diamo qui una succinta antologia di quella che può essere definita la terza parte della *Vita nuova*, dopo la prima (capp. I-XVI), che attesta il cammino progressivo dalla dispersione del senso, non ancora illuminato dalla razionalità, all'illuminazione interiore che deriva dalla conquista del nuovo ideale d'amore e poesia, la seconda, che esprime la fondazione di esso, nonostante la morte di Beatrice (capp. XVII-XXXIV). Questa terza parte segna la tentazione, dopo la conquista, il lento dissolversi della figura dell'amata e dell'amore perfetto; finché un'apparizione di Beatrice alla fantasia di Dante lo riscatta dai cedimenti a un oblio colpevole, e lo riconduce all'ideale vero, che, come ogni ideale, è difficile non soltanto conquistare, ma anche conservare. Si perviene così al pieno ritorno, anzi, al trionfo di Beatrice: che si accompagna, nella coscienza di Dante, alla certezza, procurata da una mistica visione, dell'assunzione di lei alla gloria dei Santi.

[...] E però mi venne volontade di dire anche parole, parlando a lei, e dissi questo sonetto, lo quale comincia: *Color d'amore*; ed è piano sanza dividerlo, per la sua precedente ragione.

Color d'amore e di pietà sembianti
non preser mai così mirabilmente
viso di donna, per veder sovente
occhi gentili o dolorosi pianti,
5 come lo vostro, qualora davanti
vedetevi la mia labbia dolente;
sì che per voi mi ven cosa a la mente,
ch'io temo forte non lo cor si schianti.
Eo non posso tener li occhi distrutti
10 che non riguardin voi spesse fiate,
per desiderio di pianger ch'elli hanno:
e voi crescete sì lor volontate,
che de la voglia si consuman tutti;
ma lagrimar dinanzi a voi non sanno.

1-4. Un color d'amore e un atteggiamento ispirato a pietà (in entrambi i casi si tratta del pallore della donna che indica amore e compartecipazione alla pena dell'amato) non occuparono con così mirabile intensità un viso di donna al vedere, spesso, occhi indicativi di nobiltà anche nel dolore e nel pianto.
6. labbia: viso.
7-8. La **cosa** che ritorna alla memoria (**mente**) e produce schianto, strazio nel cuore è Beatrice (*cosa*, qui, è usata nel suo primo senso etimologico di causa: di persona, anche, come nel sonetto *Tanto gentile* che causa, che dà impulso a un movimento spirituale). Di fatto, non è il ricordo di Beatrice soltanto a dargli dolore, ma il senso oscuro, inconfessato anche a se stesso, del tradimento della sua memoria che egli sta perpetrando. **temo non**: temo che (è costruito come in latino).
8-9. tener che non: trattenere dal. **fiate**: volte.
10-14. Qui soprattutto appare evidente l'ambiguità che Dante ritrova stupito e affranto nel suo sentire, ed è riprova di umana debolezza, di desiderio di autoinganno. Dante pensa che i suoi occhi si volgano alla donna gentile come compartecipe del suo dolore, e dunque per rendere un nuovo tributo di pianto a Beatrice. In realtà, il guardare la donna produce in lui un turbamento, ma di incipiente amore, al punto che gli occhi non sanno piangere davanti a lei, e che la vista di lei affonda nell'oblio Beatrice.

Metro: *sonetto* (schema: ABBA, ABBA, CDE, DCE).

1-8. Il sonetto incomincia con un ampio periodo sintattico, che occupa le due prime quartine, con un finale (i vv.7 e 8), all'insegna dell'incertezza o ambiguità. E ambiguo è il sentimento che Dante esprime, qui e nel sonetto del capitolo seguente, per raffigurare il nuovo, incipiente amore, contrastato da quello antico, ma non debellato. Ne consegue la rappresentazione sofferta d'un contrasto interiore; il nuovo amore non osa neppure confessarsi apertamente e tuttavia s'insinua nel cuore di Dante.

Il capitolo XLI: il sonetto «Oltre la spera»

È l'ultima lirica del libro, una conclusione e, insieme, una riapertura problematica della vicenda. Per questo Dante si rivolge alle donne gentili alle quali si era rivolto nel momento della conquista della piena consapevolezza d'amore (canz. *Donne ch'avete*). Ancora al centro della meditazione è l'*intelletto* o *intelligenza* o comprensione profonda e totale di esso; cioè il situarlo in un ordine di valori supremi la cui comprensione richiede, accanto all'impeto del cuore, un arduo cammino della mente. Ora però Dante è giunto a un punto risolutivo di crisi, perché fra lui e Beatrice c'è la morte, e l'amata è uno spirito separato da materia, una beata, una santa, di cui non può comprendere a fondo l'essenza. La distanza incolmabile non può essere superata se non dal cuore. La fedeltà, nata dal pianto e dalla memoria, riconquistati dopo il superamento della tentazione (la donna gentile), è il legame che tiene Dante vicino alla sua donna, anche ora che ella è assurta alla gloria celeste.

Poi mandaro due donne gentili a me pregando[1] che io mandasse loro di queste mie parole rimate; onde io, pensando la loro nobilitade, propuosi di mandare loro e di fare una cosa nuova, la quale io mandasse loro con esse, acciò che più onorevolmente adempiesse li loro prieghi.[2] E dissi allora uno sonetto, lo quale narra del mio stato, e manda'lo a loro co lo precedente sonetto[3] accompagnato, e con un altro che comincia *Venite a intender*.

Lo sonetto lo quale io feci allora, comincia: *Oltre la spera*; lo quale ha in sé cinque parti.[4] Ne la prima dico ove va lo mio pensero, nominandolo per lo

1. mandarono... pregando: mi mandarono a pregare.
2. Trattandosi di donne nobili, Dante pensa di inviare un sonetto nuovo, insieme con altri due.
3. lo... sonetto: È *Deh peregrini che pensosi andate*, del cap. XL.
4. Riportiamo, in questo caso, la «divisione», particolarmente curata, dal momento

nome d'alcuno suo effetto.[5] Ne la seconda dico perché va là suso, cioè chi lo fa così andare. Ne la terza dico quello che vide, cioè una donna onorata là suso; e chiamolo allora «spirito peregrino», acciò che spiritualmente va là suso, e sì come peregrino, lo quale è fuori de la sua patria, vi stae.[6] Ne la quarta dico come elli la vede tale, cioè in tale qualitade, che io no lo posso intendere, cioè a dire che lo mio pensero sale ne la qualitade di costei in grado che lo mio intelletto no lo puote comprendere; con ciò sia cosa che lo nostro intelletto s'abbia a quelle benedette anime sì come l'occhio debole a lo sole: e ciò dice lo Filosofo nel secondo de la Metafisica.[7] Ne la quinta dico che, avvegna che io non possa intendere là ove lo pensero mi trae, cioè a la sua mirabile qualitade, almeno intendo questo, cioè che tutto è lo cotale pensare de la mia donna, però ch'io sento lo suo nome spesso nel mio pensero;[8] e nel fine di questa quinta parte dico «donne mie care», a dare ad intendere che sono donne coloro a cui io parlo. La seconda parte comincia quivi: *intelligenza nova*; la terza quivi: *Quand'elli giunto*; la quarta quivi: *Vedela tal*; la quinta quivi: *So io che parla*. Potrebbesi più sottilmente ancora dividere, e più sottilmente fare intendere; ma puotesi passare con questa divisa,[9] e però non m'intrametto di più dividerlo[10].

Oltre la spera che piú larga gira
passa 'l sospiro ch'esce del mio core:
intelligenza nova, che l'Amore
piangendo mette in lui, pur su lo tira.
5 Quand'elli è giunto là dove disira,
vede una donna, che riceve onore,
e luce sì, che per lo suo splendore
lo peregrino spirito la mira.
Vedela tal, che quando 'l mi ridice,
10 io no lo intendo, sì parla sottile
al cor dolente, che lo fa parlare.
So io che parla di quella gentile,
però che spesso ricorda Beatrice,
sì ch'io lo 'ntendo ben, donne mie care.

che si tratta d'un sonetto ideologicamente complesso. Come s'è detto, essa ha lo scopo di aiutare la comprensione della struttura intellettuale della lirica.
5. La prima parte concerne i vv.1 e 2. **nominandolo... effetto**: designandolo attraverso un effetto che da lui consegue, cioè il **sospiro** che esce dal cuore, prodotto, appunto, dal pensiero di Beatrice.
6. Dopo avere definito (vv.3 e 4) le ragioni e l'impulso che lo spingono a elevarsi fino al cielo, Dante, nei vv.5-8, descrive la visione di Beatrice; e parla di spirito «peregrino» perché lontano, in quel momento, dall'abituale dimora, l'animo di Dante e questo mondo; anche se, in realtà, si trova nella patria celeste. **stae**: sta.
7. Passa ora ai vv.9-11. **qualitade**: essenza, modo di essere. **in grado:** a un livello (dell'essere) **con ciò... Metafisica**: poiché il nostro intelletto umano, qui in terra, ha lo stesso rapporto, con le anime beate, che l'occhio debole ha nei confronti della luce solare, come dice Aristotele, considerato nel Medioevo il filosofo per eccellenza, nel secondo libro della *Metafisica*.
8. La quinta parte è costituita dai vv.12-14. **avvegna che**: sebbene. **cioè... qualitade**: cioè a vedere l'essenza mirabile di Beatrice beata. **che... donna**: che tutto il suo pensiero, anche nella parte, intraducibile in pensiero e mente umana, riguarda Beatrice, la sua attuale, ineffabile condizione. **sento... pensero**: sente spesso nominarla nel suo pensiero.
9. divisa: l'insieme delle suddivisioni che ha adottato. **sottilmente**: acutamente, con più sottile intelligenza. L'aggettivo ha in sé anche il significato di "arduo", nel senso che richiede un intenso sforzo di pensiero.
10. non m'intrometto: non intendo procedere a distinzioni ulteriori. Con queste affermazioni Dante avverte il lettore che si tratta d'un testo che esprime l'ideologia di tutto il libro. Anche se si può ridurre all'affermazione che egli ora può cogliere l'essenza di Beatrice, solo parzialmente e col cuore, tale affermazione va considerata in un contesto più vasto, in un rapporto fra amore in questa e nell'altra vita.

Metro: *sonetto* (schema: ABBA, ABBA, CDE, DCE).

1-2. «Il sospiro (la struggente nostalgia che nasce dal pensiero di B.) che esce dal mio cuore passa oltre la sfera più ampia (*che più larga gira*)». Si tratta del Primo Mobile, il nono cielo a partire dalla terra; dopo di esso vi è l'Empireo, sede del Paradiso, ove si trovano i Beati e quindi Beatrice. Qui giunge il pensiero di D.
3-4. Una nuova potenza intellettuale che Amore, attraverso il pianto per la morte di B., pone nel pensiero di D., lo trae costantemente verso l'alto. L'ardente desiderio, di rivedere la sua donna, trascina il poeta verso la contemplazione delle cose celesti.
5. elli: il sospiro, ma, in pratica, il pensiero di D. **dove disira**: dove desidera pervenire.
6-8. Vede una donna (Beatrice) che riceve onore da tutti i Beati e la luce divina della grazia illuminante, tanto che lo spirito di D., uscito dal mondo (*peregrino*), l'ammira stupito per il suo splendore. I critici richiamano, a questo proposito, i versi del *Paradiso* nei quali B. è rappresentata luminosa nella gloria dei Santi (*Par.* XXXI vv. 71-72). Si ha l'impressione che D. abbia conservato per anni, arricchendola, questa intuizione poetica, nella quale è, in germe, la *Commedia*.
9-14. Il significato è: (Il mio pensiero) vede B. tale che quando, ritornato a me, *me lo ridice*, cioè mi riferisce di B., quale l'ha vista nella gloria celeste, io non lo intendo, tanto alto e difficile (*sottile*) è il suo discorso, rivolto al cuore dolente che lo fa parlare. L'intelletto umano, infatti, non riesce a comprendere pienamente l'essenza di B., ora che è puro spirito. Il poeta sa solo che il suo pensiero parla di lei perché sente spesso ricordare il suo nome, e questo almeno egli lo intende. *Donne mie care* è riferito alle due donne gentili alle quali D. invia in dono il sonetto, ma anche idealmente alle donne che hanno «intelletto d'amore» del cap. XVIII.

Il capitolo XLII: l'epilogo in cielo

L'epilogo di questa avventura dell'animo non può essere che in cielo. La distanza attuale da Beatrice non può essere colmata se non da una visione — nel senso soprannaturale che la parola, e la cosa, avevano nel Medioevo — che è rivelazione, balenare dell'eternità nel tempo. Mediante essa, Dante può, in un breve istante d'estasi, comprendere Beatrice celeste, avere una suprema «intelligenza d'amore»; che permane, tuttavia, ancora non traducibile in parole umane. Ma d'ora innanzi Dante si consacra a un acquisto di dottrina e di eccellenza poetica che possano consentirgli questa traduzione, e il libro termina col preannuncio d'una poesia più degna dell'oggetto. Al conseguimento di essa Dante studia quanto può. La *Vita nuova* si definisce così conclusivamente come un'autobiografia della speranza; non mero libro della memoria del passato, ma di conquista d'un futuro: d'una poesia che sia fondazione di valori perenni.

Appresso questo sonetto apparve a me una mirabile visione,[1] ne la quale io vidi cose che mi fecero proporre di non dire più di questa benedetta infino a tanto che io potesse più degnamente trattare di lei. E di venire a ciò io studio quanto posso, sì com'ella sae veracemente. Sì che, se piacere sarà di colui a cui tutte le cose vivono,[2] che la mia vita duri per alquanti anni, io spero di dicer di lei[3] quello che mai non fue detto d'alcuna. E poi piaccia a colui che è sire de la cortesia, che la mia anima se ne possa gire a vedere la gloria de la sua donna, cioè di quella benedetta Beatrice, la quale gloriosamente mira ne la faccia di colui *qui est per omnia secula benedictus*.[4]

1. mirabile visione: evidentemente una visione simile a quella del sonetto, nella quale B. apparve a D. nella gloria del Paradiso.
2. a cui tutte le cose vivono: Dio è principio da cui nascono e fine a cui tendono tutte le cose.
3. io spero di dicer di lei, ecc.: questa intenzione di dire di B. ciò che mai non fu detto per alcuna donna è già l'intendimento della *Vita nuova*. Ma D. presagisce poesia ancora più alta, più degna dell'eccellenza della sua donna.
4. E poi piaccia... benedictus: E quando l'opera grande sarà compiuta, piaccia a Dio, signore d'ogni cortesia (perché così largo dispensatore agli uomini della sua grazia) che l'anima del poeta possa andare a vedere la gloria della sua donna, cioè di B., che ora, nella gloria dei Santi, vede direttamente Dio, che è benedetto per tutti i secoli.

Il «Convivio»

Il *Convivio* fu scritto da Dante fra il 1304 e il 1307. Doveva essere composto di quindici trattati, uno d'introduzione a tutta l'opera e gli altri come commento ad altrettante canzoni, composte, per la maggior parte, con molta probabilità, prima del 1304, «sì d'amore come di virtù materiate», di contenuto, cioè, filosofico. Fu però interrotto al termine del quarto trattato.

Nel primo l'Autore esprime gli intendimenti e i caratteri dell'opera. Egli intende imbandire un banchetto di sapienza, rivolto a coloro che le cure della vita pratica hanno sviato dagli studi, dalla conquista della filosofia e della sapienza, nel raggiungimento della quale consiste la perfezione dell'uomo. Non vagheggia, dunque, un'astratta enciclopedia filosofica, ma un'opera rivolta al fine, come osservò Michele Barbi, «d'illuminare i nobili nel loro ufficio di reggere i popoli, di suscitare nelle donne il sentimento della loro missione nella società come fomentatrici, con la loro bellezza, delle virtù negli uomini, e di far rifiorire dovunque cortesia e bei costumi». L'ideale era pertanto quello di portare un contributo decisivo allo stabilirsi di un'ordinata e serena convivenza umana, fondata sul culto della ragione, della giustizia, delle più alte virtù morali. Solo la filosofia, secondo Dante, rivelandoci il significato della nostra vita, poteva avviarci su questa strada. Ma occorreva, per questo, che essa uscisse dal chiuso delle scuole dei religiosi e dalle solitarie meditazioni dei dotti, e penetrasse in strati sociali più vasti, fra i laici, in quella che noi chiameremmo la classe dirigente del Comune. Per questo l'opera fu scritta, a differenza dei trattati filosofici e scientifici del tempo, non in latino, ma in volgare; e Dante celebra con parole ispirate il nuovo strumento espressivo, «luce nuova, sole nuovo, lo quale surgerà là dove l'usato [*il latino*] tramonterà e darà lume a coloro che sono in tenebre e in oscuritade».

Nel secondo trattato, che commenta la canzone *Voi che 'ntendendo il terzo ciel movete*, Dante racconta come sorgesse in lui l'amore per la filosofia. Mentre il suo animo giaceva affranto per la morte di Beatrice, egli cercò conforto nei libri di Cicerone e di Boezio, e dalla lettura di essi nacque un amore nuovo, quello per la filosofia, vagheggiata come *Donna gentile* che dona salute e felicità allo spirito. Si ricorderà come la *Donna gentile* fosse già apparsa nella *Vita nuova*; ma mentre là rappresentava un traviamento, un'infedeltà alla memoria di Beatrice, qui simboleggia un'ulteriore ascesa verso la verità e la perfezione morale, intraviste, al tempo della prima esperienza d'amore, «come sognando» e solo ora intimamente possedute.

Il terzo trattato, commento alla canzone *Amor che ne la mente mi ragiona*, è un elogio della sapienza, fine supremo dell'uomo: l'entusiasmo per la filosofia diventa un inno, l'amore per la verità si afferma come uno degli ideali più alti (l'altro è la giustizia) del poeta.

Il quarto trattato commenta una canzone, *Le dolci rime d'amor ch'io solìa*, spoglia di ogni finzione allegorica. Dante si distacca decisamente dalla meditazione dei problemi filosofico-teologici, per volgersi alla definizione dei fondamenti della moralità. Argomento è la nobiltà, intesa non più come privilegio aristocratico e feudale, ma come individuale conquista: disposizione alla virtù concessa dalla natura e da Dio, e conquistata dall'uomo attraverso l'esercizio delle virtù morali che Dante enumera e definisce. In questo trattato appare una prima sistemazione del suo pensiero politico: l'esaltazione dell'Impero, voluto da Dio, approdo di una società di uomini amanti della virtù, mezzo col quale l'umanità può giungere a una vita terrena ordinata e perfetta.

Il *Convivio* fu composto da Dante nel primo tempo dell'esilio, quando più urgente egli avvertiva la necessità di una certezza che desse un senso alla sua vita. E prima dell'esilio c'era stata l'esperienza sconvolgente della lotta politica, di un mondo lacerato da odi e passioni. La *Vita nuova*, messaggio aristocratico per pochi spiriti eletti, sogno di un mondo di cortesia e di affetti solitari e gentili, è ormai lontana; nell'opera nuova si afferma il bisogno di una reale comunicazione col mondo. Il *Convivio* è quindi animato da una passione intellettuale e da un impegno morale che non si trasfigura più poeticamente in una sognante favola d'amore, ma si rivolge alla vita di tutti, con precise proposte, in uno sforzo teso a purificarla e migliorarla. Nasce così una nuova prosa scientifica in volgare, articolata e complessa, a volte eloquente, sempre vigorosa e incisiva come il pensiero che la anima, volta a seguire la struttura logica della dimostrazione, modellandosi sui classici latini e sui trattati in latino della filosofia medioevale.

Forse il trattato è rimasto interrotto per l'affermarsi di una nuova ispirazione, quella della *Commedia*. L'opera maggiore saprà fondere in una sintesi altissima l'atmosfera lirico-fantastica del libretto giovanile e l'appassionato rigore logico, virile e costruttivo del *Convivio*.

Per il testo seguiamo: D. A., *Il Convivio*, ridotto a miglior lezione e commentato da G. Busnelli e G. Vandelli, con introduzione di M. Barbi, voll. due, Firenze, Le Monnier, 1934-37.

L'introduzione al Convivio

È proposto qui un tema di fondo del *Convivio*: l'affermazione che il desiderio del sapere è naturale all'uomo, in quanto la perfezione della sua natura consiste nella piena esplicazione di quella capacità razionale che lo rende simile a Dio (affermazione che culminerà, più avanti, nell'esaltazione della filosofia, come «uso amoroso di sapienza»). Ne consegue la volontà d'un apostolato della verità e della cultura come unico mezzo per rendere più umana la vita associata.

Sì come dice lo Filosofo[1] nel principio de la Prima Filosofia,[2] tutti li uomini naturalmente[3] desiderano di sapere. La ragione di che[4] puote essere ed è che ciascuna cosa, da providenza di propria natura impinta, è inclinabile a la sua propria perfezione;[5] onde, acciò che[6] la scienza è ultima perfezione de la nostra anima, ne la quale sta la nostra ultima felicitade,[7] tutti naturalmente al suo desiderio semo subietti.[8] Veramente[9] da questa nobilissima perfezione molti sono privati per diverse cagioni, che dentro a l'uomo e di fuori da esso lui rimovono da l'abito di scienza. Dentro da l'uomo[10] possono essere due difetti e impedimenti: l'uno da la parte del corpo, l'altro da la parte de l'anima. Da la parte del corpo è quando le parti sono indebitamente disposte,[11] sì che nulla ricevere può, sì come sono sordi e muti e loro simili. Da la parte de l'anima è quando la malizia vince in essa,[12] sì che si fa seguitatrice di viziose delettazioni, ne le quali riceve tanto inganno che per quelle ogni cosa tiene a vile. Di fuori da l'uomo possono essere similemente due cagioni intese, l'una de le quali è induttrice di necessitade, l'altra di pigrizia.[13] La prima è la cura familiare e civile,[14] la quale convenevolemente a sé tiene de li uomini lo mag-

1. **lo Filosofo**: è il filosofo greco Aristotele (384-322 a.C.), al quale si ispirò la filosofia medioevale che fu detta Scolastica, soprattutto fra il XII e il XIII secolo. Fra i filosofi di questa corrente, S. Alberto Magno e S. Tommaso d'Aquino furono quelli sui quali maggiormente si formò il sapere filosofico e teologico di Dante. Essi intesero conciliare la filosofia aristotelica con la Rivelazione cristiana. Seguendo il loro indirizzo, Dante si sforzò costantemente, dal *Convivio* alla *Commedia*, di armonizzare la sapienza che egli ritrovava nei poeti latini e nei filosofi antichi, da lui profondamente ammirati, con la verità contenuta nella Bibbia e nei Vangeli, convinto che fra ragione e fede, filosofia e Rivelazione non potesse esservi contrasto.
2. **Prima Filosofia**: è il libro di Aristotele intitolato *Metafisica*, che considera, come dice San Tommaso, le cause prime delle cose.
3. **naturalmente**: per natura. Quello di conoscere è un desiderio insito nella natura umana.
4. **di che**: di ciò, della qual cosa.
5. **da providenza... perfezione**: spinta (**impinta**) dalla propria natura provvidenzialmente disposta a ciò, è spontaneamente incline alla propria perfezione.
6. **acciò che**: siccome.
7. **ne la quale... felicitade**: nella quale (perfezione) sta la nostra somma (*ultima*) felicità.
8. **subietti**: soggetti al desiderio di essa (*suo* = della scienza).
9. **Veramente**: nondimeno.
10. **Dentro da l'uomo**, ecc.: interne ed esterne, come spiega subito dopo. **L'abito** è la disposizione.
11. **quando... disposte**: quando le parti del corpo non sono nella loro disposizione naturale, cioè quando c'è qualche anomalia o malattia fisica che offusca o impedisce il libero esercizio della mente.
12. **quando la malizia vince in essa**, ecc.: quando l'inclinazione al male vince ogni altra, cosicché l'anima si abitua a seguire diletti peccaminosi e rimane a tal punto ingannata da questi che considera vile ogni altra cosa.
13. **induttrice... di pigrizia**: l'una induce l'anima a legarsi alle cure e necessità materiali, l'altra induce a pigrizia.
14. **cura familiare e civile**: le occupazioni della famiglia e della vita civile e sociale.

gior numero, sì che in ozio di speculazione[15] esser non possono. L'altra è lo difetto del luogo[16] dove la persona è nata e nutrita, che tal ora sarà da ogni Studio non solamente privato, ma da gente studiosa lontano.

Le due di queste cagioni,[17] cioè la prima da la parte di dentro e la prima da la parte di fuori, non sono da vituperare, ma da escusare e di perdono degne; le due altre, avvegna che[18] l'una più, sono degne di biasimo e d'abominazione. Manifestamente adunque può vedere chi bene considera, che pochi rimangono quelli che a l'abito da tutti desiderato[19] possano pervenire, e innumerabili quasi sono li 'mpediti che di questo cibo sempre vivono affamati. Oh beati quelli pochi che seggiono a quella mensa dove lo pane de li angeli si manuca![20] e miseri quelli che con le pecore hanno comune cibo! Ma però che ciascuno uomo a ciascuno uomo naturalmente è amico, e ciascuno amico si duole del difetto di colui ch'elli ama, coloro che a così alta mensa[21] sono cibati non sanza misericordia sono inver di quelli che in bestiale pastura veggiono erba e ghiande sen gire mangiando. E acciò che misericordia è madre di beneficio,[22] sempre liberamente coloro che sanno porgono de la loro buona ricchezza a li veri poveri,[23] e sono quasi fonte vivo, de la cui acqua si refrigera la naturale sete che di sopra è nominata. E io adunque, che non seggio[24] a la beata mensa, ma, fuggito de la pastura del vulgo, a' piedi di coloro che seggiono ricolgo di quello che da loro cade, e conosco la misera vita di quelli che dietro m'ho lasciati, per la dolcezza ch'io sento in quello che a poco a poco ricolgo, misericordievolmente mosso, non me dimenticando, per li miseri alcuna cosa ho riservata, la quale a li occhi loro, già è più tempo, ho dimostrato; e in ciò li ho fatti maggiormente vogliosi. Per che[25] ora volendo loro apparecchiare, intendo fare un generale convivio[26] di ciò ch'i' ho loro mostrato, e di quello pane ch'è mestiere a così fatta vivanda, sanza lo quale da loro non potrebbe esser mangiata. E questo è quello convivio, di quello pane degno,[27] con tale vivanda qual io intendo indarno non essere ministrata. E però ad esso non s'assetti alcuno male de' suoi organi disposto, però che né denti né lingua ha né palato; né alcuno settatore di vizii, perché lo stomaco suo è pieno d'omori venenosi contrarii, sì che mai vivanda non terrebbe. Ma vegna qua[28] qualunque è per cura familiare o civile ne la umana fame rimaso, e ad una mensa con li altri simili impediti[29] s'assetti; e a li loro piedi si pongano tutti quelli che per pigrizia si sono stati,[30] che non sono degni di più alto sedere: e quelli e questi prendano la mia vivanda col pane, che la farà loro e gustare e patire. La vivanda di questo convivio sarà di quattordici maniere ordinata,[31] cioè quattordici canzoni sì d'amor come di vertù materiate, le quali sanza lo presente pane aveano d'alcuna oscuritade ombra, sì che a molti loro bellezza più che loro bontade era in grado.[32] Ma questo pane, cioè la presente disposizione,[33] sarà la luce la quale ogni colore di loro sentenza farà parvente.[34] (I, I).

15. ozio di speculazione, ecc.: non possono dedicarsi a una vita ritirata immersa nello studio della filosofia.
16. lo difetto del luogo, ecc.: il fatto di vivere in un luogo ove non esista uno Studio (Università) né una possibilità di scambi culturali.
17. Degne di scusa sono le cattive disposizioni fisiologiche e la cura familiare e civile; degni di biasimo l'abbandonarsi a diletti peccaminosi e l'esser tagliati fuori da ogni possibilità di scambi culturali. Più riprovevole la prima delle due cagioni.
18. avvegna che: sebbene.
19. l'abito... desiderato: è quello della scienza.
20. manuca: mangia. Il pane degli angeli è la teologia.
21. coloro che a così alta mensa, ecc.: coloro che sono ammessi alla mensa nobilissima della Scienza hanno pietà di quelli (gli indotti) che vedono andar nutrendosi di erba e ghiande, che vedono cioè ridotti a bassi e animaleschi piaceri perché l'ignoranza offusca il loro discernimento.
22. acciò che... beneficio: poiché la compassione spinge a far del bene ai miseri.
23. li veri poveri: veramente poveri sono coloro che sono privi di ogni spirituale ricchezza che nasce dal sapere.
24. E io... che non seggio, ecc.: Dante non si considera un filosofo, ma uno che, dopo aver fuggito i piaceri volgari e la bestial vita degli indotti, si è fatto umile scolaro dei saggi (raccoglie le briciole del loro convito). Egli sa bene la misera condizione degli ignoranti, ora soprattutto, che sente quanta dolcezza arrechi all'animo la scienza. Per questo, mosso a compassione tanto più grande in quanto egli stesso ha provato quanto sia misera la vita dell'ignorante (*non me dimenticando*), ha tenuto in serbo per i miseri qualcosa del banchetto della scienza, qualcosa che già ha loro mostrato, accrescendo con ciò il loro desiderio di cibo spirituale. Allude alle canzoni che si propone di commentare. Sono esse le vivande e il commento è il pane senza il quale non potrebbero essere gustate; senza di esso, infatti, sarebbe difficile comprendere la loro intima verità. Ad eccezione delle tre inserite nel *Convivio*, non sappiamo quali fossero.
25. Per che: per la qual cosa.
26. fare un generale convivio: Dante intende imbandire un convivio *generale*, che unisca, cioè, le canzoni e il pane, cioè il commento.
27. di quello pane degno, ecc.: un convito fondato su un pane adatto (*degno*) e su una vivanda che D. non intende offrire invano. Perciò (**però**) non sieda (**s'assetti**) ad esso né chi non abbia ben disposti i propri organi, né chi segua bramosamente (**settatore**) i vizi.
28. Ma vegna qua, ecc.: D. invita al convito soprattutto chi è rimasto lontano dalla Scienza per cure familiari o civili (**ne la umana fame rimaso** = rimasto insaziato in quella fame del sapere che sola è degna dell'uomo).
29. con li altri simili impediti, ecc.: sieda a mensa con gli altri che sono rimasti impediti nel cammino verso la scienza per le sue stesse ragioni.
30. e a li loro piedi... stati: Più in basso, ai piedi dei primi, perché meno scusabili, stanno coloro che non si sono dedicati allo studio per pigrizia (quelli che sono vissuti in luoghi senza scuole o senza vita intellettuale e culturale).
31. di quattordici maniere ordinata: sarà composta di quattordici portate, cioè canzoni ecc.
32. era in grado: piaceva.
33. disposizione: esposizione, commento.
34. ogni colore... parvente: farà manifesto (**parvente**) ogni aspetto del loro significato.

L'esilio

In questa pagina del *Convivio* s'affaccia un motivo che troverà espressione poetica indimenticabile in molte pagine della *Commedia*: l'esilio. Nell'esilio, nella sventura, Dante acquistò il senso pieno della propria nobiltà morale, si sentì degno di rivolgere agli uomini un messaggio di verità e di giustizia, proprio perché in nome di esse soffriva e per esse sacrificava la sua vita. Di qui la sua incrollabile fede, l'intima forza del suo messaggio, il tono virilmente combattivo del suo canto. Ma non dobbiamo dimenticare la nostalgia della patria perduta, l'amarezza per la propria vita spezzata che palpitano in questo passo.

Poi che fu piacere de li cittadini de la bellissima e famosissima figlia di Roma,[1] Fiorenza, di gittarmi fuori del suo dolce seno — nel quale nato e nutrito fui in fino al colmo de la vita mia, e nel quale, con buona pace di quella,[2] desidero con tutto lo cuore di riposare l'animo stancato[3] e terminare lo tempo che m'è dato —, per le parti quasi tutte a le quali questa lingua si stende, peregrino, quasi mendicando, sono andato,[4] mostrando contra mia voglia la piaga de la fortuna,[5] che suole ingiustamente al piagato molte volte essere imputata. Veramente io sono stato legno sanza vela e sanza governo, portato a diversi porti e foci e liti dal vento secco che vapora la dolorosa povertade;[6] e sono apparito a li occhi a molti che forseché[7] per alcuna fama in altra forma m'aveano imaginato, nel conspetto de' quali non solamente mia persona invilio,[8] ma di minor pregio si fece ogni opera, sì già fatta, come quella che fosse a fare. (I, III, 2-5).

1. bellissima e famosissima figlia di Roma: Cogli anni, intenso diverrà lo sdegno del poeta contro la sua città, sempre più corrotta, a suo avviso, e ostile non solo a lui ma ad ogni forma di bontà, di giustizia, di sano e onesto vivere civile. Ma anche allora, fra le parole della satira acre e violenta baleneranno un immutato amore, una struggente nostalgia. Qui è solo l'amore che parla (c'era ancora nell'animo di D. la speranza di poter ritornare): Firenze è bellissima e famosissima figlia di Roma. Dolce è il suo seno, come quello della madre; essa lo diede alla luce e lo nutrì fino al colmo della sua vita (cioè fino ai 35 anni circa — quest'età rappresentava per D. il culmine della giovinezza).
2. con buona pace di quella: desidera, e spera ancora, di poter ritornare in Firenze, richiamato dai concittadini pentiti di averlo esiliato.
3. l'animo stancato: è l'animo affranto dalle pene dell'esilio.
4. per le parti... sono andato: il poeta afferma d'essere andato, errabondo e quasi mendico, per ogni parte d'Italia.
5. la piaga de la fortuna, ecc.: contro voglia, ha pur dovuto mostrare il colpo mortale infertogli dalla sorte, tanto più doloroso in quanto gli uomini spesso, per durezza di cuore o viltà o basso tornaconto, mostrano di ritener responsabile della sua sventura colui che subisce l'ingiustizia.
6. Veramente... povertade: Il tono si fa sempre più accorato, culmina nell'immagine patetica della nave sbattuta dalla tempesta, che ben raffigura una vita raminga e dolorosa. **legno sanza vela e sanza governo**: nave senza vela e senza timone. **dal vento secco... povertade**: la povertà emette (**vapora**) un vento secco che travolge la povera navicella cioè la vita di D. Si credeva, nel Medio Evo, che il vento fosse un vapore secco esalato dalla terra.
7. forseché: forse. Andando di gente in gente povero e ramingo, D. pensa di essere apparso miserabile agli occhi della gente, presso la quale già aveva cominciato, con la sua poesia, ad acquistare fama. Ora vedendolo povero e bisognoso, cominciano a stimare meno lui e le sue opere, sia quelle fatte, sia quelle ancora da fare.
8. invilio: apparve vile, dappoco.

Perché il commento alle canzoni non può essere in latino

Un intero trattato del *Convivio*, il primo, è il proemio giustificativo dell'opera. La cosa non meraviglia se si pensa alla novità, per certi aspetti sconvolgente, che Dante affrontava. Si trattava di sancire l'ingresso nella produzione culturale attiva del nuovo ceto emergente, come s'è visto, nella vita del Comune, di abolire la distinzione fra politici e *clerici*, ai quali ultimi soltanto era prima affidata la funzione culturale. E si trattava, infine, della fondazione d'una cultura «laica», non nel senso che fosse a-religiosa o opposta a quella religiosa, ma nel senso che tentava una divulgazione più ampia e meno rigidamente specialistica, legata alla vita attiva del Comune, secondo l'impegno già iniziato da Brunetto Latini, sia col *Tresor*, sia con la subordinazione della *Rettorica* alla politica.

L'operazione di Dante è più integrale. Egli comprende che una cultura è *anche* un linguaggio tecnico, non confondibile con quello dell'improvvisazione ispirata alla praticità quotidiana; comprende, cioè, che una fondazione culturale è anche linguistica. Nasce di qui la scelta d'un volgare reso emulo della «grammatica», cioè del latino, che resterà ancora per secoli una lingua internazionale dell'alta cultura. Il grande programma del *Convivio* trova qui una sua essenziale giustificazione; analoga, nel suo campo, all'operazione portata a termine con la *Vita nuova*: l'inserimento della poesia e della mentalità «cortese» in una più complessa prospettiva ideologica ed etica, e in un nuovo linguaggio poetico. Solo che per la poesia quest'ultima operazione era stata, almeno in parte, tentata sin dalle Origini; mentre nuova era la fondazione d'un linguaggio della cultura che partisse dall'elaborazione del volgare. Nella parte terminale del I del *Convivio*, Dante, mentre riconosce la superiorità del latino — superiorità frutto di un'eleborazione secolare che ha conferito a quello strumento linguistico stabilità, espressività, bellezza — gli pone a fronte il volgare, inferiore e, nel contempo, emulo, «sole nuovo», destinato ad assumere l'eredità del latino e a illuminare una schiera più ampia di uomini.

[...] conviene questo comento, che è fatto in vece[1] di servo a le 'nfrascritte canzoni,[2] esser subietto a quelle in ciascuna sua ordinazione,[3] ed essere conoscente del bisogno del suo signore e a lui obediente.[4] Le quali disposizioni tutte li mancavano, se latino e non volgare fosse stato, poi che le canzoni sono volgari. Ché, primamente, non era subietto ma sovrano, e per la nobiltà e per vertù e per bellezza. Per nobiltà perché lo latino è perpetuo e non corruttibile, e lo volgare è non stabile e corruttibile. Onde vedemo ne le scritture antiche de le comedie e tragedie latine,[5] che non si possono transmutare, quello medesimo che oggi avemo;[6] che non avviene del volgare, lo quale a piacimento artificiato si transmuta.[7] Onde vedemo ne le cittadi d'Italia, se bene volemo

1. questo comento: il commento alle tre canzoni del *Convivio* in volgare. **in... servo**: perché adempisse la funzione di servitore, propria, appunto, d'un commento.
2. Le tre canzoni sono: *Voi che 'ntendendo il terzo ciel movete*, *Amor che ne la mente mi ragiona* e *Le dolci rime d'amor ch'i' solia*, commentate rispettivamente nel secondo, terzo e quarto trattato.
3. ordinazione: carattere e comportamento.
4. Dante ha individuato la bontà del servitore nell'essere soggetto al signore, nel saper bene quello che questi può richiedergli (e dunque ciò che gli occorre) e nell'essere obbediente. In questo passo mostra che un commento scritto in latino non potrebbe essere buon servitore delle canzoni perché non potrebbe essere inferiore, linguisticamente e artisticamente, a esse.
5. commedie e tragedie: Non si allude qui ai generi letterari noti sotto questo nome. Dopo il definitivo tramonto del teatro antico, già in piena decadenza a Roma nell'età imperiale, e poi crollato sotto l'offensiva culturale del Cristianesimo trionfante (fu il più colpito fra i generi letterari antichi), le due parole indicarono rispettivamente lo stile elevato, accompagnato a contenuti elevati, e lo stile medio-umile, legato ad argomenti più quotidiani. Dante usa anche altrove questa terminologia.
6. Nelle opere dei classici, dunque, si ritrova lo stesso latino che si impara oggi nella scuola, afferma D.; una lingua che non è cambiata né può essere cambiata. È quella che egli chiama «grammatica», opposta al volgare.
7. a piacimento... si transmuta: Il volgare, invece, non ha la regolarità lessicale e grammaticale del latino, ma viene liberamente elaborato (artificiato), e quindi modificato, dagli scrittori, che lo usano senza seguire una norma fissa, sia sotto l'aspetto grammaticale, sia sotto quello lessicale, sia sotto quello letterario.

agguardare,[8] da cinquanta anni in qua molti vocabuli essere spenti e nati e variati, onde se 'l picciol tempo così transmuta, molto più transmuta il maggiore. Sì ch'io dico, che se coloro che partiron d'esta vita già sono mille anni[9] tornassero a le loro cittadi, crederebbero la loro cittade essere occupata da gente strana,[10] per la lingua da loro discordante.[11] Di questo si parlerà altrove più compiutamente in uno libello ch'io intendo di fare, Dio concedente, di Volgare Eloquenza.[12]

Ancora, non era subietto ma sovrano per vertù. Ciascuna cosa è virtuosa in sua natura che fa quello a che ella è ordinata; e quanto meglio lo fa tanto è più virtuosa.[13] Onde dicemo uomo virtuoso, che vive in vita contemplativa o attiva, a le quali è ordinato naturalmente;[14] dicemo del cavallo virtuoso che corre forte e molto, a la qual cosa è ordinato; dicemo una spada virtuosa che ben taglia le dure cose, a che essa è ordinata. Così lo sermone, lo quale è ordinato a manifestare lo concetto umano, è virtuoso quando quello fa,[15] e più virtuoso quello che più lo fa; onde, con ciò sia cosa che[16] lo latino molte cose manifesta concepute ne la mente che lo volgare far non può, sì come sanno quelli che hanno l'uno e l'altro sermone, più è la vertù sua che quella del volgare.[17]

Ancora, non era subietto ma sovrano per bellezza. Quella cosa dice l'uomo esser bella, cui le parti debitamente si rispondono, per che de la loro armonia resulta piacimento.[18] Onde pare l'uomo essere bello, quando le sue membra debitamente si rispondono; e dicemo bello lo canto quando le voci di quello, secondo debito de l'arte, sono intra sé rispondenti. Dunque quello sermone è più bello ne lo quale più debitamente si rispondono le parole, e più debitamente si rispondono in latino che in volgare, però che lo volgare seguita uso, e lo latino arte:[19] onde concedesi esser più bello, più virtuoso e più nobile. Per che si conchiude lo principale intendimento,[20] cioè che non sarebbe stato subietto a le canzoni, ma sovrano (I v 6-15).

8. **agguardare**: considerare. **da**: circa da.
9. **che... anni**: coloro che sono morti da mille anni.
10. **strana**: straniera.
11. **per... discordante**: perché li sentirebbero parlare una lingua diversa dalla loro.
12. Si tratta del *De vulgari eloquentia*, che D. dovette iniziare subito dopo queste pagine, all'incirca nel 1304 (questa pagina, secondo molti studiosi, sarebbe del 1303).
13. Come si vede, **virtù** significa qui (secondo la filosofia della Scolastica) la capacità di cosa o persona di fare coerentemente e con successo ciò a cui la sua natura l'ha disposta.
14. Viene chiamato virtuoso l'uomo che vive, secondo la qualità della propria indole, vita attiva o contemplativa.
15. **Così... fa**: Così il discorso (ma qui il termine comprende anche quello scritto, letterariamente elaborato e nutrito di pensiero) che ha come compito naturale quello di rendere manifesto ciò che la mente concepisce, è virtuoso quando, appunto, ottiene questo effetto.
16. **con... che**: dal momento che (è formula del linguaggio scolastico).
17. Il latino è più atto a manifestare i concetti della mente di quanto non sia il volgare. È, cioè, superiore come lingua di cultura e filosofica; in questo campo, infatti, il volgare è inferiore perché non ha ancora raggiunto la stabilità e capacità di costruzioni sintattiche adatte a seguire la complessità del pensiero. In realtà, quando D. scriveva il *Convivio*, vi erano già stati numerosi volgarizzamenti, per opera, ad esempio, di Brunetto Latini; ma si trattava, in genere, di traduzioni, e scarse erano state le opere originali. In questo senso il *Convivio* apre una via.
18. È la definizione classica della bellezza, fondata soprattutto sull'armonia e sul piacere estetico.
19. L'asserzione vale per la lingua scritta, che non ha ancora avuto, nel volgare, un'elaborazione adeguata a esprimere in forma originale il pensiero.
20. **intendimento**: ciò a cui tendevano il ragionamento e la dimostrazione. Questa è stata condotta da D. secondo l'uso corrente della Scolastica: enunciazione della tesi e precise stazioni del ragionamento, fino alla proclamazione conclusiva della verità raggiunta, già enunciata all'inizio, ma confermata poi dalla dimostrazione.

Le ragioni del volgare

La difesa del commento in volgare — che implica, a ben vedere, quella dello strumento linguistico scelto per tutta l'opera, — si svolge su due fronti. Da un lato Dante rivendica la liceità della lingua usata, che garantisce una più larga audienza o circolazione del libro: la creazione d'un nuovo pubblico più ampio, quello dei «laici», non tanto opposto ai «clerici», ma aggiunto a essi nella fruizione del sapere. In realtà, però, nasce così un'idea nuova di cultura, che è intesa a divenire una forza attiva e civilizzatrice nella società comunale: un fondamento d'una operazione politica consapevole, che la classe dirigente deve assumere, soprattutto perché non può più affidarsi alle regole immutabili del mondo feudale, ma deve produrre un'iniziativa originale sul piano ideologico ed etico-politico.

Una prima ragione dell'uso del volgare è, dunque, la diffusione più ampia della cultura e un più stretto legame fra essa e la vita, che comporta il riconoscimento della lingua di tutti come strumento di comunicazione a ogni livello. Ma Dante proclama il suo ideale anche su un concreto aspetto tecnico, esaltando le capacità grammaticali ed espressive del volgare, persuaso che, se elevato alla pienezza delle sue funzioni, esso diverrà lingua a tutti gli effetti. Il suo scopo, cioè, anche se solo in parte confessato, è la creazione d'una nuova «grammatica» (così veniva chiamato il latino). Ma egli non sa rinunciare a esaltare il volgare anche sotto il potenziale aspetto poetico, e cioè per la sua bellezza.

Questo signore, cioè queste canzoni, a le quali questo comento è per servo ordinato, comandano e vogliono essere disposte a tutti coloro a li quali puote venire sì lo loro intelletto, che quando parlano elle siano intese;[1] e nessuno dubita, che s'elle comandassero a voce, che questo non fosse lo loro comandamento. E lo latino non l'avrebbe esposte se non a' litterati,[2] ché li altri non l'averebbero inteso. Onde con ciò sia cosa che[3] molti più siano quelli che desiderano intendere quelle non litterati che litterati, seguitasi che non averebbe pieno lo suo comandamento come 'l volgare,[4] che da li litterati e non litterati è inteso. Anche,[5] lo latino l'averebbe esposte a gente d'altra lingua, sì come a Tedeschi e Inghilesi e altri, e qui averebbe passato lo loro comandamento; ché contra loro volere, largo parlando dico, sarebbe essere esposta la

1. **disposte... intese**: vogliono essere messe in condizione di potere essere intese da tutti coloro che sono in grado di comprenderne il contenuto concettuale.
2. **litterati**: gli intellettuali che hanno studiato il latino, allora lingua dell'alta cultura.
3 **con ciò sia cosa che**: poiché. Dante avverte che il suo vero pubblico va cercato non fra gli specialisti, ma fra una schiera più vasta (che definisce nel secondo paragrafo).
4. **seguitasi... volgare**: ne consegue che il latino non avrebbe soddisfatto il comandamento delle canzoni come il volgare, che è più largamente diffuso.
5. **Anche**: inoltre (aggiunge una nuova

loro sentenza colà dov'elle non la potessero con la loro bellezza portare.[6] E però sappia ciascuno che nulla cosa per legame musaico armonizzata[7] si può de la sua loquela in altra transmutare, sanza rompere tutta sua dolcezza e armonia (I VII 11-14).

[...] dico che manifestamente si può vedere come lo latino averebbe a pochi dato lo suo beneficio, ma lo volgare servirà veramente a molti. Ché la bontà de l'animo, la quale questo servigio attende,[8] è in coloro che per malvagia disusanza del mondo hanno lasciato la litteratura a coloro che l'hanno fatta di donna meretrice; e questi nobili sono principi, baroni, cavalieri, e molt'altra nobile gente, non solamente maschi ma femmine, che sono molti e molte in questa lingua, volgari e non litterati[9] (I IX 4-5).

Mossimi ancora per difendere lui da molti suoi accusatori, li quali dispregiano esso e commendano li altri, massimamente quello di lingua d'oco,[10] dicendo che è più bello e migliore quello che questo; partendose in ciò da la veritade. Ché per questo comento la gran bontade[11] del volgare di sì si vedrà; però che si vedrà la sua vertù, sì com'è per esso altissimi e novissimi concetti convenevolmente, sufficientemente e acconciamente, quasi come per esso latino, manifestare; la quale[12] non si potea bene manifestare ne le cose rimate,[13] per le accidentali adornezze che quivi sono connesse,[14] cioè la rima e lo ritimo e lo numero regolato:[15] sì come non si può bene manifestare la bellezza d'una donna, quando li adornamenti de l'azzimare[16] e de le vestimenta la fanno più ammirare che essa medesima. Onde chi vuole ben giudicare d'una donna, guardi quella quando solo sua naturale bellezza si sta con lei, da tutto accidentale adornamento discompagnata: sì come sarà questo comento, nel quale si vedrà l'agevolezza de le sue[17] sillabe, le proprietadi de le sue costruzioni, e le soavi orazioni che di lui si fanno;[18] le quali chi bene agguarderà, vedrà essere piene di dolcissima e d'amabilissima bellezza (I X 11-13).

considerazione).

6. passato: oltrepassato (sarebbe andato al di là di quanto richiedevano le canzoni). **largo... dico**: (riferito al «volere» delle canzoni) in senso più generale. Di fatto, però, tempera una metafora. Comunque sia, l'affermazione centrale è l'ultima: la **sentenza**, e cioè il contenuto concettuale delle canzoni, pur importantissimo per D. (è, infatti, il primo oggetto del commento), va recepito insieme con la bellezza, è inscindibile da essa.

7. per armonizzata: composta armonicamente secondo legami musicali. Con questa espressione D. allude all'aspetto eufonico e metrico delle canzoni, che dipende, a suo avviso, dalla musica; questa, nella sua concezione, largamente, peraltro, diffusa per tutto il Medioevo, è la scienza dei rapporti e delle proporzioni, e coinvolge, in tal senso, anche la strutturazione poetica in quanto affidata al ritmo vocale dell'esecuzione (sia musicata, sia recitata a voce) e al metro.

8. bontà: Come sempre in D., la parola ha un'accezione più vasta che nell'uso attuale; significa capacità operativa in senso positivo, volta cioè, all'espressione piena e armonica della propria «natura». In questo caso si tratta della generale disposizione umana ad apprendere la verità. **attende**: richiede; il **servigio** è la spiegazione della dottrina contenuta nelle canzoni.

9. È il nuovo pubblico che D. vuole costruirsi: la classe dirigente del Comune, che comprende la piccola nobiltà (in prevalenza, ma anche l'alta, quando si sia inurbata) e molta altra gente di elevata condizione sociale. L'allusione alle donne è anch'essa importante sul piano sociologico, perché allora ben di rado, anzi, si può dire quasi mai, esse erano indirizzate agli studi. Il rivolgersi a loro indica la volontà di D. d'una cultura largamente comunicativa e non specialistica, ma direttamente impegnata nella vita: rivolta soprattutto all'etica e alla politica, e cioè ai problemi della vita associata, anche se non schiva dall'affrontare quelli propriamente filosofici (o meglio, teologici) di fondo. Quanto a coloro che hanno reso la cultura **meretrice**, l'allusione riguarda coloro che ne traggono lucro, esercitando un'arte liberale, come il notariato; che non la coltivano, cioè, disinteressatamente.

10. lingua d'oco: lingua d'oc o provenzale, considerato da molti come il volgare più bello perché affinato dalla lunga pratica artistica. Ma forse è una frecciata indiretta contro Brunetto Latini che aveva scritto il *Tresor* in lingua d'*oïl*, affermando che era la più bella e la più diffusa.

11. bontade: efficienza e capacità di esprimere le concezioni della mente. L'intenzione di D. è di fare del volgare una nuova lingua di cultura; d'una cultura pur sempre aristocratica ma largamente diffusa anche fra i «laici» e non solo fra i «clerici».

12. la quale: È riferito a **«vertù»**, che è la stessa **bontade** considerata nell'aspetto più direttamente operativo.

13. cose rimate: le canzoni.

14. per... connesse: per gli ornamenti poetici che sono istituzionalmente legati all'espressione del pensiero. D. li chiama **accidentali** perché non sono propri della natura dello strumento linguistico, ma aggiunti episodicamente a esso.

15. La **rima** è di agevole interpretazione; e così pure il **numero regolato**, che allude al numero delle sillabe nel verso e dei versi nella sequenza. Incerti sono, invece, gli studiosi sull'interpretazione di **ritimo**, che nel *De vulgari eloquentia* è la parola usata per indicare la rima (*rithimus*). Si pensa, per lo più, che *ritimo* sia un'aggiunta d'un copista, interpolata poi nel testo. In realtà, altrove D. parla di *rima* e di *numeri* e *tempo* regolato, inserendo, come si vede un terzo elemento, oltre il numero sillabico e la rima. Pensiamo che egli voglia alludere alla cadenza complessiva del verso, scomponibile in sillabe, secondo numeri regolati dalla convenzione metrica, ma avvertibile, come elemento correlato agli altri versi, in una sua durata o ritmo complessivo di cui la rima è il segnale conclusivo.

16. azzimare: acconciatura di tutta la persona.

17. sue: del volgare.

18. Come si vede, D., pur rivendicando la capacità del volgare di esprimere complessità e profondità di pensiero, ne sottolinea anche la bellezza, che è data dall'eufonia, dalla capacità di costrutti sintattici propri, cioè adeguati alla chiarezza espositiva che non sia a scapito della complessità del pensiero, e della possibilità di strutturarlo retoricamente in modo da renderlo persuasivo (la «suavitade» è definita, nel *Convivio*, in tal senso).

I quattro sensi delle scritture

Accingendosi a orientare la sua cultura e la sua poesia non più soltanto verso il presentimento della suprema verità attinto mediante la contemplazione della bellezza, ma verso la conquista della verità in sé, mediante lo studio della filosofia, Dante elabora qui una nuova poetica allegoristica, ispirata all'esegesi biblica medievale, già da tempo, però, estesa nelle scuole anche all'interpretazione di testi poetici. Secondo questa, quattro sensi o significati potevano essere ritrovati nella Scrittura: quello letterale, coincidente con la lettera del testo, e i tre sovrassensi allegorici, cioè l'*allegorico* vero e proprio, rivelatore d'una verità d'ordine conoscitivo, il *morale* e l'*anagogico*, che esprimeva una realtà dell'ordine soprannaturale, riguardante la vita eterna. L'ideale di Dante è, dunque, quello d'una poesia sapienziale, che congiunga al fascino della bellezza la consapevole conquista del vero, riflettendo la sintesi di verità, bontà e bellezza attuata da Dio nella creazione. Siamo già sulla via che porterà (vedi, più avanti, la lettera a Cangrande) alla poetica della *Commedia*.

Si vuole sapere che le scritture si possono intendere e deonsi esponere[1] massimamente per quattro sensi. L'uno si chiama litterale, e questo è quello che non si stende più oltre che la lettera de le parole fittizie, sì come sono le favole dei poeti.[2] L'altro si chiama allegorico, e questo è quello che si nasconde sotto il manto di queste favole, ed è una veritade ascosa sotto bella menzogna:[3] sì come quando dice Ovidio che Orfeo facea con la cétera mansuete le fiere, e li àrbori e le pietre a sé muovere; che vuol dire che lo savio uomo, con lo strumento della sua voce, farìa mansuescere e umiliare li crudeli cuori,[4] e farìa muovere alla sua volontade coloro, che non hanno vita di scienza e di arte:[5] e coloro che non hanno vita ragionevole alcuna sono quasi come pietre [...] Veramente li teologi questo senso prendono altrimenti che li poeti; ma però che mia intenzione è qui lo modo de li poeti seguitare, prenderò il senso allegorico secondo che per li poeti è usato.[6] Lo terzo senso si chiama morale; e questo è quello che li lettori deono intentamente andare appostando[7] per le scritture, a utilitade di loro e di loro discenti: sì come appostare si può ne lo Evangelio, quando Cristo salìo lo monte per trasfigurarsi, che de li dodici Apostoli, menò seco li tre;[8] in che moralmente si può intendere che a le secretissime cose noi dovemo avere poca compagnia.

Lo quarto senso si chiama anagògico cioè sovrasenso; e quest'è quando spiritualmente si spone una scrittura, la quale ancora sia vera eziandio nel senso literale, per le cose significate significa de le superne cose de l'eternal gloria; sì come vedere si può in quel canto del Profeta, che dice che, ne l'uscita del popolo d'Israel d'Egitto, la Giudea è fatta santa e libera.[9] Ché avvegna essere vero secondo la lettera sia manifesto,[10] non meno è vero quello che spiritualmente s'intende, cioè che ne l'uscita dell'anima dal peccato, essa si è fatta santa e libera in sua podestade.[11] E in dimostrar questo, sempre lo litterale dee andare innanzi, siccome quello ne la cui sentenzia gli altri sono inchiusi, e sanza lo quale sarebbe impossibile e inrazionale intendere agli altri; e massimamente allo allegorico.[12] (II I 2-8).

1. **deonsi esponere**: vanno spiegate e interpretate.

2. **che... poeti**: che non va oltre la finzione poetica, cioè che coincide con l'invenzione fantastica.

3. **bella menzogna**: l'aggettivo tempera il sostantivo. *Menzogna* è la favola del poeta, perché non corrisponde a una realtà oggettiva ma *bella* e giustificata, perché, attraverso il suo linguaggio metaforico e immaginoso, ci rende persuasi e partecipi d'una verità.

4. **faria... cuori**: farebbe umili e mansueti, con la sua parola eloquente, gli animi ancor barbari e selvaggi.

5. **vita... arte**: vita, cioè, ragionevole, la sola degna dell'uomo, fondata sulla cultura e la capacità di operare razionalmente.

6. **Veramente... usato**: Per i teologi e interpreti della Bibbia, infatti, l'allegoria non era espressa da favole, ma dagli eventi reali della storia ebraica, che erano prefigurazione della vita e della rivelazione di Cristo; oppure da parabole o dirette rivelazioni, in stile immaginoso, di verità di fede. **seguitare**: seguire.

7. **appostando**: cogliendo (il verbo ha il senso di «dare la caccia»). **I discenti** cui subito dopo allude, sono i discepoli ai quali i *lettori* commentano il testo.

8. **li tre**: tre su dodici, cioè Pietro, Jacopo e Giovanni.

9. È il *Salmo* 113, attribuito a David, che celebra l'uscita degli Ebrei dall'Egitto e il loro cammino verso la Terra Promessa. Lo stesso esempio è nell'Epistola a Cangrande.

10. **Ché... manifesto**: ché, sebbene (*avegna*) sia manifesto che è vero ciò che esprime la lettera.

11. **in... podestade**: signora di sé, non più schiava del peccato.

12. Chi espone una scrittura deve prima di tutto spiegarne il significato letterale, perché in esso sono contenuti quelli allegorici. **sentenzia**: contenuto, significazione.

Da Beatrice alla Donna Gentile

Chiarendo il significato allegorico della canzone *Voi che intendendo il terzo ciel movete*, Dante racconta come alla sua anima, affranta dalla perdita di Beatrice, balenassero la luce e il conforto di un nuovo amore, quello per la *Donna gentile*, intesa però qui non come donna reale, giovane, bella, pietosa (tale ci era apparsa nella *Vita nuova*) ma come figura allegorica che rappresenta la «figlia di Dio, regina di tutto, nobilissima e bellissima Filosofia». Il nuovo amore è da Dante presentato come un superamento di quello per Beatrice; o meglio, un ulteriore approfondimento di quell'avventura dell'anima protesa alla conquista della verità, che al tempo della *Vita nuova* egli aveva vissuto come un presentimento.

Come per me fu perduto lo primo diletto de la mia anima, de la quale fatta è menzione di sopra,[1] io rimasi di tanta tristizia punto, che conforto non mi valea alcuno. Tuttavia, dopo alquanto tempo, la mia mente, che si argomentava di sanare,[2] provide, poi che né 'l mio né l'altrui consolare valea, ritornare al modo che alcuno sconsolato avea tenuto a consolarsi;[3] e misimi a leggere quello non conosciuto da molti libro di Boezio,[4] nel quale, cattivo e discacciato, consolato s'avea. E udendo ancora che Tullio[5] scritto avea un altro libro, nel quale, trattando de l'Amistade, avea toccate parole de la consolazione di Lelio, uomo eccellentissimo, ne la morte di Scipione amico suo, misimi a leggere quello. E avvegna che duro mi fosse ne la prima entrare ne la loro sentenza, finalmente v'entrai tanto entro, quanto l'arte di gramatica ch'io avea e un poco di mio ingegno potea fare;[6] per lo quale ingegno molte cose, quasi

1. **Come per me... di sopra**: non appena io ebbi perduto il primo diletto della mia anima, cioè Beatrice; di cui ho più sopra fatto menzione. **punto**: colpito da sì angosciosa desolazione.

2. **che... sanare**: che cercava ogni mezzo (*argomento*) per ritornare sana.

3. **provide... a consolarsi**: presi il partito, poiché non riuscivo a trovare conforto né in me stesso né negli amici, di rivolgermi a quel mezzo che già era servito di consolazione ad altri sventurati.

4. **libro di Boezio**: è il *De consolatione philosophiae*, nel quale l'autore, prigioniero e scacciato dai suoi alti uffici di corte (**cattivo e discacciato**), aveva trovato conforto. Severino Boezio, di nobile famiglia romana, fu prima ministro di Teodorico (sec. VI) re dei Goti, impadronitosi dell'Italia. Gettato in carcere dal re, che poi lo fece morire, compose il suddetto libro, nel quale immagina che una donna, la Filosofia, lo venga a consolare nella sua afflizione, sollevando il suo animo dalle miserie terrene alla contemplazione della suprema verità (cfr. p. 13).

5. **Tullio**: L'altro libro letto e meditato da Dante è il *De Amicitia* di Marco Tullio Cicerone, intitolato anche *Laelius*; in esso l'Autore latino cerca di consolare Lelio per la morte dell'amico Scipione Emiliano, ma soprattutto esprime un ideale di amicizia che ebbe notevole influenza sulla teoria dantesca dell'amore disinteressato.

6. **E avvegna... fare**: E sebbene mi riuscisse difficile, in un primo momento, penetrare a fondo nel loro pensiero (*sentenza*), finalmente riuscii a penetrarlo per quel tanto che la mia conoscenza del latino (**ar-**

come sognando, già vedea,[7] sì come ne la Vita Nuova si può vedere. E sì come essere suole[8] che l'uomo va cercando argento e fuori de la 'ntenzione truova oro, lo quale occulta cagione presenta, non forse sanza divino imperio;[9] io, che cercava di consolarme, trovai non solamente a le mie lagrime rimedio, ma vocabuli d'autori e di scienze e di libri:[10] li quali considerando, giudicava bene che la filosofia, che era donna[11] di questi autori, di queste scienze e di questi libri, fosse somma cosa. E imaginava lei fatta come una donna gentile, e non la poteva imaginare in atto alcuno se non misericordioso;[12] per che sì volentieri lo senso di vero la mirava,[13] che appena lo potea volgere da quella.[14] E da questo imaginare cominciai ad andare là dov'ella si dimostrava veracemente, cioè ne le scuole de li religiosi e a le disputazioni de li filosofanti.[15] Sì che in picciol tempo, forse di trenta mesi, cominciai tanto a sentire de la sua dolcezza, che lo suo amore cacciava e distruggeva ogni altro pensiero. Per che io, sentendomi levare dal pensiero del primo amore a la virtù di questo,[16] quasi maravigliandomi apersi la bocca nel parlare de la proposta canzone, mostrando la mia condizione sotto figura d'altre cose:[17] però che de la donna di cu' io m'innamorava non era degna rima di volgare alcuna palesemente poetare;[18] né li uditori erano tanto bene disposti; che avessero sì leggiere le non fittizie parole apprese;[19] né sarebbe data loro fede[20] a la sentenza vera, come a la fittizia, però che di vero si credea del tutto che disposto fosse a quello amore che non si credeva di questo. Cominciai dunque a dire: *Voi che 'ntendendo il terzo ciel movete.*[21] (II XII 1-8).

te di gramatica) e quel po' d'ingegno che ho me lo consentirono.

7. per lo quale... vedea: Dante, mediante il proprio ingegno, già prima di dedicarsi alla filosofia intravedeva le filosofiche verità, ma intuitivamente, come si può vedere nella *Vita nuova*. Nel libretto giovanile non manca, in verità, qualche spunto filosofico, ma la rivelazione alla quale D. giunge, in virtù del suo amore per Beatrice, rimane qualcosa di intuitivo, lirico, fantastico, non una verità configurata razionalmente.

8. essere suole: suole accadere.

9. lo quale... imperio: il quale oro scopre per una cagione che rimane nascosta, ma forse è per volontà divina.

10. ma vocabuli... libri: nomi di altri filosofi e dei loro libri e di scienze pertinenti alla filosofia; D., che cercava solo argento, cioè consolazione dalla sua angoscia, trova dunque oro, cioè è introdotto a una conoscenza approfondita della filosofia.

11. che era donna: che era signora. La immagina, secondo la Scienza «cortese» di cui era pieno il suo animo allora, sotto forma di donna, e la sua attrazione per lei diventa una nuova vicenda d'amore.

12. E imaginava... misericordioso: L'immagina, cioè, nella forma e con gli attributi che assegna alla Donna gentile della *Vita nuova*. Nel libro giovanile, però, D. aveva visto l'amore per la Donna gentile come colpevole abbandono del primo amore, al quale egli ritornava nelle pagine conclusive. Qui, invece, interpretando simbolicamente e con animo diverso da allora quello che, probabilmente, fu episodio reale di vita, vede nella *Donna gentile* il simbolo della Filosofia, cioè di un perfezionamento pieno della sua mente e del suo animo, di cui l'amore per Beatrice era stato solo un vago e giovanile presentimento. Alla donna della sua giovinezza tornerà il poeta nella *Commedia*, facendone il simbolo della verità rivelata, della teologia, della grazia illuminante.

13. per che... mirava: per la qual cosa, invero, così volentieri il senso della vista (la mia vista) la mirava.

14. volgere da quella: allontanare da lei.

15. In seguito a questo suo immaginare e vagheggiare la Filosofia, D. comincia a frequentare i luoghi dov'ella si trova veramente, cioè le scuole dei religiosi (i domenicani di S. Maria Novella, i francescani di S. Croce, gli agostiniani di S. Spirito) e a partecipare alle dispute degli studiosi di filosofia.

16. sentendomi... questo: sentendomi innalzare dal doloroso pensiero del primo amore alla potenza di questo, rivolto alla Filosofia.

17. quasi maravigliandomi... cose, ecc.: come stupito di questa trasformazione che avvertiva nell'anima, il poeta aprì la bocca con le parole della canzone (cioè la compose) che ha posta (**proposta**) come testo da commentare all'inizio del trattato. Ma la canzone è **sotto figura d'altre cose**, cioè esprime il pensiero del poeta sotto il velo allegorico di un amore per una donna reale.

18. però che... poetare: poiché il poetare scopertamente intorno alla filosofia non era argomento conveniente a composizione poetica (**rima**) in volgare. Secondo quanto D. dice nella *Vita nuova* (cap. XXV) il volgare è adatto solo alla poesia d'argomento amoroso. Nel *De Vulgari Eloquentia* il poeta cambierà opinione esplicitamente; ma anche la terza canzone del *Convivio* è di argomento morale senza più veli allegorici.

19. né... apprese: né il pubblico al quale il Poeta si rivolgeva (composto di altri poeti in lingua volgare e di «cuori gentili», che attingevano cioè solo alle fonti della cultura «cortese», non ai severi studi filosofici) avrebbe facilmente compreso il significato reale (cioè il senso allegorico), ma si sarebbe fermato a quello fittizio, cioè alle immagini fantastiche e poetiche.

20. né sarebbe data loro fede, ecc.: né avrebbero creduto al senso intimo della canzone come credevano a quello fantastico, cioè alla finzione della donna e del nuovo amore di Dante; poiché credevano che D. fosse capace di amore per una donna reale e non per la filosofia.

21. Voi che 'ntendendo, ecc.: è il primo verso della canzone che il trattato presente (il II) commenta. In essa D. racconta l'avventura della sua anima che esprime più distesamente in questa prosa.

Amor che ne la mente mi ragiona

Questa seconda canzone del *Convivio*, posta all'inizio del terzo trattato che ne illustra puntualmente il significato letterale e quello allegorico, è un inno di lode alla Donna gentile, cioè alla Filosofia, intesa come «uso amoroso di sapienza». Filosofia e Sapienza sono i due momenti inscindibili della ricerca della verità e del risolversi della verità conquistata in un arricchimento spirituale e morale. Nella contemplazione, infatti, l'uomo attua pienamente la sua natura di creatura razionale partecipe, in quanto tale, del divino, e l'attività speculativa è, per questo, l'azione umana per eccellenza, sintesi di intelletto e amore, di ardore conoscitivo e moralità.

Alcuni critici hanno pensato che la canzone, concepita come lirica amorosa in lode d'una donna reale (la «pietosa» o «gentile» della *Vita nuova*), sia stata volta a significazione allegorica dal poeta quando, una decina d'anni dopo, la inserì nel *Convivio*; ma la tensione dottrinale appare radicata originariamente nell'ispirazione della lirica. Il persistere di tonalità, immagini, modi espressivi comuni a quelli delle rime della *Vita nuova*, si spiega con la contiguità temporale di questi testi e con la contiguità ideale dell'esperienza che essi raffigurano. Dante è qui, come è stato prima e come sarà in seguito, essenzialmente poeta d'amore, che nell'amore indica la forma costitutiva della vita dell'uomo e dell'universo. Attraverso il «mito» della lode disinteressata aveva sublimato, nella *Vita nuova*, l'amor cortese, facendone via alla conquista d'una superiore nobiltà spirituale e morale; qui, con ulteriore svolgimento del suo pensiero, fa dell'amore scala alla conquista della verità profonda del nostro essere e di una radicale consapevolezza dell'intelletto che scopre, nella ricerca del vero e del bene (e cioè, secondo la prospettiva cristiana, di Dio), la vocazione fondamentale dell'uomo, la ragione della vita.

Come già le rime in lode di Beatrice, anche questa canzone si svolge sul tema dell'ineffabile, della «dismisura» della donna lodata, che soverchia il «debole intelletto» e le capacità espressive del poeta e del linguaggio umano; ma non si tratta soltanto d'una figura retorica. Intelletto e amore conducono l'uomo verso una realtà che egli, nella vita terrena, può soltanto intravedere come sogno e nostalgia d'una patria lontana. Questa tensione avviva il severo tono intellettuale della canzone.

Amor che ne la mente mi ragiona
de la mia donna disiosamente,
move cose di lei meco sovente,
che lo 'ntelletto sovr'esse disvia.
5 Lo suo parlar sì dolcemente sona,
che l'anima ch'ascolta e che lo sente
dice: «Oh me lassa! ch'io non son possente
di dir quel ch'odo de la donna mia!».
E certo e' mi convien lasciare in pria,
10 s'io vo' trattar di quel ch'odo di lei,
ciò che lo mio intelletto non comprende;
e di quel che s'intende
gran parte, perché dirlo non savrei.
Però, se le mie rime avran difetto
15 ch'entreran ne la loda di costei,
di ciò si biasmi il debole intelletto
e 'l parlar nostro, che non ha valore
di ritrar tutto ciò che dice Amore.

Non vede il sol, che tutto 'l mondo gira,
20 cosa tanto gentil, quanto in quell'ora
che luce ne la parte ove dimora
la donna di cui dire Amor mi face.
Ogni Intelletto di là su la mira,
e quella gente che qui s'innamora
25 ne' lor pensieri lo truovano ancora,
quando Amor fa sentir de la sua pace.
Suo esser tanto a Quei che lel dà piace,
che 'nfonde sempre in lei la sua vertute,
oltre 'l dimando di nostra natura.
30 La sua anima pura,
che riceve da lui questa salute,
lo manifesta in quel ch'ella conduce:
chè 'n sue bellezze son cose vedute
che li occhi di color dov'ella luce
35 ne mandan messi al cor pien di desiri,
che prendon aire e diventan sospiri.

In lei discende la virtù divina
sì come face in angelo che 'l vede;
e qual donna gentil questo non crede,
40 vada con lei e miri li atti sui.
Quivi dov'ella parla si dichina
un spirito da ciel, che reca fede
come l'alto valor ch'ella possiede
è oltre quel che si conviene a nui.
45 Li atti soavi ch'ella mostra altrui
vanno chiamando Amor ciascuno a prova
in quella voce che lo fa sentire.
Di costei si può dire:

Metro: canzone di cinque stanze di 18 versi, tutti endecasillabi tranne il dodicesimo che è settenario. Schema: ABBC, ABBC (fronte), CDEeDFDFGG (sirma). L'ultima stanza funge da *congedo*.

1-4. Amor... disvia: Amore che ragiona nella mia mente, con fervido desiderio, della mia donna, spesso suscita (*move*) tali cose di lei nei miei pensieri (parla a me in modo così alto delle sue sovrumane virtù e della sua mirabile essenza) che il mio intelletto, pensando a esse, si smarrisce (*disvia*), si sente, cioè, soverchiato.

5-8. Lo suo... mia!: Le parole d'Amore risuonano con tanta dolcezza, che l'anima di Dante, che le *ascolta* e *sente* tale dolcezza nel loro suono, dice: «Ahimé! che non ho la forza di esprimere convenientemente quello che odo dire intorno alla mia donna!». Si tratta evidentemente di intuizioni profonde che è difficile tradurre in parole del comune linguaggio umano. — Qui, in luogo dell'*intelletto* (v. 4), troviamo l'*anima*, cioè, come spiega Dante commentando la canzone nel *Convivio*, «lo mio affetto»: potremmo dire il cuore, rapito dalle «parole» che Amore pronuncia, dalla profondità del loro messaggio e dalla loro armonia. Quanto al verbo *dir* del v. 8, si ricordi che è usato già nella *Vita nuova* nel significato di «dire in rima».

9-13. Dante dovrà quindi tralasciare (*lasciare*) in primo luogo (*in pria*), nella trattazione delle lodi della sua donna, quello che il suo intelletto non riesce a comprendere del ragionare d'Amore, e anche gran parte di ciò che ne comprende, perché non saprebbe esprimerlo, per la ragione alla quale accenna nei vv. 17-18.

14-15. Però: perciò. **se... costei**: se le rime che svolgeranno le lodi della donna saranno manchevoli, inadeguate.

16-18. La colpa dell'incapacità di esprimersi del poeta va dunque attribuita sia alla debolezza del suo intelletto, che non può comprendere pienamente l'essenza soprannaturale della donna, sia a quella del linguaggio, che non riesce a esprimere le concezioni più profonde della mente, soprattutto, come dice Dante nel suo commento, «quando lo pensiero nasce da amore» e amore è qui «lo studio lo quale *egli* mettea per acquistare l'amore di questa donna», cioè della Filosofia.
Come osserva il Pernicone, in questa stanza Dante loda la sua donna considerata nel suo insieme, nell'unità della sua persona, mentre nella terza procede alla «laude speziale dell'anima» e nella quarta alla «laude speziale del corpo»; con struttura analoga a quella della canzone *Donne ch'avete 'ntelletto d'Amore* scritta, com'è noto, in lode di Beatrice.

19-22. che... gira: che gira intorno a tutta la terra. **gentil**: nobile. **ne... parte**: nel luogo. **face**: fa.

23-26. Ogni... pace: Tutte le Intelligenze celesti (*di là su*), ossia gli Angeli la contemplano ammirate e le persone di questo mondo che sono atte ad amare nobilmente la ritrovano nei loro pensieri quando provano il sublime appagamento che l'amore dona. Le anime gentili «nei momenti in cui più si sentono vicine alla perfezione, pensano spontaneamente a questa donna che è l'ideale di perfezione» (Pernicone).

27-29. Suo... natura: L'essere di questa donna (cioè la sua perfezione) piace tanto a Colui (Dio) che glielo (*lel*) dà, da fargli infondere continuamente in lei questa perfezione assai più di quanto richieda la natura umana.

31-36. salute: grazia. **lo... conduce**: manifesta ciò (questa infusione di grazia) nel corpo, di cui essa anima è guida, conduttrice. **chè... sospiri**: infatti nelle sue bellezze si vedono cose tanto meravigliose che gli occhi di coloro in cui risplende la figura di questa donna mandano al cuore messaggi di desiderio che si tramutano, prendendo aria, in sospiri. — Secondo l'interpretazione allegorica si esprime qui lo struggente desiderio che gli uomini hanno per la Filosofia, o meglio, la Sapienza, sentita come compimento della natura umana, ma inattingibile in forma piena nel mondo terreno.

37-38. In... vede: In lei discende la virtù divina come negli Angeli che vedono Dio direttamente, con intelletto puro, non offuscato, come avviene in noi, dalla materia.

41-44. Quivi: nel luogo; allegoricamente, nella mente di chi l'ascolta. **si dichina**: discende. **un spirito... fede**: uno spirito (o pensiero d'amore; si ricordi la cavalcantiana e dantesca mitologia degli *spiriti* e *spiritelli*, personificazione di potenze e funzioni fisiche, psichiche e spirituali) sceso dal cielo, che attesta. **oltre quel**: superiore a quello. **nui**: noi (uomini).

45. atti soavi: come spiega Dante: «dolce e cortesemente parlare, dolce e cortesemente servire e operare»; con riferimento, dunque, al portamento e al comportamento.

46-47. vanno... sentire: fanno a gara nel chiamare Amore (nel suscitarlo nei cuori dove si trova allo stato potenziale), con vo-

gentile è in donna ciò che in lei si trova,
50 e bello è tanto quanto lei simiglia.
E puossi dir che 'l suo aspetto giova
a consentir ciò che par maraviglia;
onde la nostra fede è aiutata:
però fu tal da etterno ordinata.
55 Cose appariscon ne lo suo aspetto,
che mostran de' piacer di Paradiso,
dico ne li occhi e nel suo dolce riso,
che le vi reca Amor com'a suo loco.
Elle soverchian lo nostro intelletto,
60 come raggio di sole un frale viso:
e perch'io non le posso mirar fiso,
mi convien contentar di dirne poco.
Sua bieltà piove fiammelle di foco,
animate d'un spirito gentile
65 ch'è creatore d'ogni pensier bono;
e rompon come trono
l'innati vizii che fanno altrui vile.
Però qual donna sente sua bieltate
biasmar per non parer queta e umìle,
70 miri costei ch'è essemplo d'umiltate!
Questa è colei ch'umilia ogni perverso:
costei pensò chi mosse l'universo.
Canzone, e' par che tu parli contraro
al dir d'una sorella che tu hai;
75 che questa donna che tanto umil fai
ella la chiama 'fera e disdegnosa'.
Tu sai che 'l ciel sempr'è lucente e chiaro,
e quanto in sé, non si turba già mai;
ma li nostri occhi per cagioni assai
80 chiaman la stella talora tenebrosa.
Così, quand'ella la chiama 'orgogliosa',
non considera lei secondo il vero,
ma pur secondo quel ch'a lei parea:
ché l'anima temea,
85 e teme ancora, sì che mi par fero
quantunqu' io veggio là 'v'ella mi senta.
Così ti scusa, se ti fa mestero;
e quando poi, a lei ti rappresenta:
dirai: «Madonna, s'ello v'è a grato,
90 io parlerò di voi in ciascun lato».

ce così potente che egli non può non sentirla.
49-50. La donna è dunque la pietra di paragone della nobiltà e della bellezza.
51-53. E... aiutata: E si può dire che il suo aspetto mirabile ci induca a dare il nostro consenso (concependole come possibili) a tutte le cose mirabili, quindi anche ai misteri della fede cristiana.
54. però: perciò. La parte rimanente del verso riecheggia un versetto biblico (*Proverbi*, 8), dove la Sapienza dice di se stessa: «Ab aeterno ordinata sum... antequam terra fieret». («Sono stata ordinata fin dall'eternità, prima che fosse creata la terra»). La Filosofia viene così identificata con la Sapienza, presente nell'atto creatore di Dio, che corrisponde sostanzialmente all'atteggiarsi della Filosofia come moralità e virtù in senso operativo.
55-58. Comincia l'esaltazione delle bellezze fisiche della donna, ognuna delle quali è poi ricondotta da Dante, nel suo commento allegorico, a un significato morale. Gli *occhi* della *Sapienza* sono le sue dimostrazioni che illuminano le sue verità, il suo riso «sono le sue persuasioni, ne le quali si dimostra la luce interiore della Sapienza sotto alcuno velamento» (si pensi alle verità adombrate nelle parabole evangeliche). **che... loco**: cose che Amore le reca ivi (negli occhi e nella bocca), come a lor proprio luogo.
60. come... viso: come un raggio di sole soverchia una vista debole. Da intendere, allegoricamente, nel senso che certe verità (Dio, l'eternità) soverchiano il nostro intelletto e possono essere soltanto intuite, non pienamente comprese.
63-67. Sua... vile: La sua bellezza emana fiammelle di fuoco (cioè, dalla «bellezza» della filosofia, che è, per Dante, la moralità, o l'ordine delle virtù morali, deriva l'amore per il bene), animate da uno spirito di nobiltà dal quale ha origine ogni pensiero buono (questo *spirito* coincide, dunque, con il «dritto appetito» o impulso verso il bene). Queste «fiammelle» infrangono come un fulmine i vizi naturali (ad es. l'ira e le altre passioni) che rendono vile l'uomo.
68-70. Però... umiltate: Perciò se una donna sente che la sua bellezza è biasimata per difetto di dolcezza e umiltà, contempli costei che è il modello ideale di queste virtù. Allegoricamente, per *donna* va inteso «anima», «persona».
71-72. La Sapienza riconduce a vita cristianamente virtuosa chi si è trascinato lontano, contro la vera natura umana, dal cammino della moralità e della virtù; essa era attivamente presente nella mente di Dio nell'opera della Creazione.
73-90. In questa stanza, che funge da *congedo* della canzone, il poeta si scusa di avere, in un altro componimento (la ballata *Voi che savete ragionar d'amore*), chiamato «fera e disdegnosa» la donna qui esaltata per la sua umiltà. Ma non v'è contraddizione: ella non era tale in sé, ma tale appariva a Dante che non era disposto a comprenderne la sublime bellezza. Fuor di metafora, il poeta allude alle difficoltà incontrate in un primo momento nello studio della filosofia, per via di certe questioni che gli parvero insolubili o incomprensibili.
77-80. Tu... tenebrosa: Il cielo e le sue stelle sono sempre luminosi e splendenti, ma i nostri occhi, spesso, per varie cagioni (difetto dell'organo visivo, presenza di vapori, ecc.), non riescono a percepirne lo splendore e noi diciamo allora erroneamente che le stelle hanno perduto la loro luminosità.
83. parea: appariva.
84-86. ché... senta: l'anima innamorata era, davanti alla donna, piena di timore, e lo è ancora, tanto che al poeta appare atteggiamento d'orgoglio (*fero*) ogni atteggiarsi degli occhi di lei che possono vedere, e quindi sentire, ciò che egli prova.
87-90. se... mestero: se occorre (se qualcuno fa rilevare la contraddizione esistente fra la ballata e questa canzone). **e... rappresenta**: e quando puoi presentati a lei. **s'ello... grato**: se la cosa vi è gradita. **io... lato**: in ogni luogo diffonderò le vostre lodi.

Essere e Amore

Questo passo rappresenta il punto di partenza e d'arrivo della filosofia dantesca. C'è qui l'idea d'un universo tutto informato della luce di Dio, che gli ha donato l'essere, cioè la vita, disponendolo in una struttura armonica che riflette, nelle cose, la Sua bontà e la Sua bellezza. L'uomo, posto, qui in terra, nel grado supremo della gerarchia degli esseri, attua, mediante la filosofia, che è «uso amo-

roso di sapienza», la propria compartecipazione all'ordine del cosmo, fondato sull'amore. Liberandosi dall'impedimento del peccato e sviluppando l'attività dell'intelletto, giunge a comprendere e amare, nelle cose e in se stesso, l'immagine viva di Dio, e di qui si solleva a quel puro amore di Lui, che è l'approdo e la ragione del vivere, nella prospettiva cristiana.

... Ciascuna forma[1] ha essere de la divina natura in alcun modo:[2] non che la divina natura sia divisa e comunicata in quelle, ma da quelle è partecipata per lo modo quasi che la natura del sole è partecipata ne l'altre stelle. E quanto la forma è più nobile, tanto più di questa natura tiene; onde l'anima umana, che è forma nobilissima di queste che sotto lo cielo sono generate, più riceve de la natura divina che alcun'altra. E però che naturalissimo è in Dio volere essere[3] [...], l'anima umana essere vuole naturalmente con tutto desiderio; e però che 'l suo essere dipende da Dio, e per quello si conserva, naturalmente disia e vuole essere a Dio unita per lo suo essere fortificare. E però che ne le bontadi de la natura e de la ragione si mostra la divina, viene che naturalmente l'anima umana con quelle per via spirituale si unisce, tanto più tosto e più forte quanto quelle più appaiono perfette: lo quale apparimento è fatto secondo che la conoscenza de l'anima è chiara o impedita. E questo unire è quello che noi dicemo amore. (III II 5-9).

1. **forma**: Come spiega S. Tommaso, la *forma* è «la stessa natura della cosa», negli esseri semplici; in quelli composti, è ciò che costituisce la loro vera natura; ad es., nell'uomo, composto di corpo e spirito, è l'anima razionale.
2. **ha... modo**: è, in qualche modo, partecipe, analogicamente, della natura divina: l'universo intero, come spiega dopo, non s'identifica con Dio, ma in quanto è, riflette l'immagine dell'Essere che ha creato.
3. Secondo la filosofia medievale, l'essere è l'attributo sostanziale di Dio.

La congruenza dell'essere

L'amore per la Donna gentile o Filosofia porta Dante alla scoperta dell'unità e, insieme, della congruenza armonica dell'essere, pur nella varietà delle forme: una persuasione che verrà poeticamente espressa nel primo e nell'ultimo canto del *Paradiso*. La vita universa è vista, in questa pagina, come tutta illuminata dalla presenza di Dio, la cui *bontade*, sintesi di essere, bene, amore, è impulso perenne di creazione e conservazione del mondo, ragione d'ogni movimento della vita. Sia nell'ordine fisico sia in quello spirituale la congruenza di tutti gli esseri e di tutte le cose manifesta l'impronta divina, in base alla quale i vari ordini del reale si dispongono secondo una continuità ascendente e discendente che trova in Dio il punto di partenza e d'arrivo. In questo ordine appare la contiguità fra la natura dell'uomo e quella dell'angelo, che induce Dante a postulare l'esistenza di creature umane tanto perfette da sollevarsi verso la natura angelica (ed è difficile, qui, non pensare a Beatrice), come di altre che si lasciano depravare al punto da ricadere nella natura bestiale. In ogni caso il bene e il male si fronteggiano come vita piena e declino di essa, nel vasto e armonico, spesso anche drammatico, poema (come lo chiamava S. Agostino) dell'universo.

È da sapere che la divina bontade[1] in tutte le cose discende, e altrimenti essere non potrebbero: ma avvegna che[2] questa bontade si muova da simplicissimo principio,[3] diversamente si riceve, secondo più e meno, da le cose riceventi.[4] Onde scritto è nel libro de le Cagioni: «La prima bontade manda le sue bontadi sopra le cose con uno discorrimento».[5] Veramente ciascuna cosa riceve da quello discorrimento secondo lo modo de la sua vertù e de lo suo essere; e di ciò sensibile essemplo avere potemo dal sole.[6] [...] Così la bontà di Dio è ricevuta altrimenti da le sustanze separate,[7] cioè da li Angeli, che sono sanza grossezza di materia, quasi diafani per la purità de la loro forma, e altrimenti da l'anima umana, che, avvegna che da una parte sia da materia libera, da un'altra è impedita, sì come l'uomo ch'è tutto ne l'acqua fuor del capo, del quale non si può dire che tutto sia ne l'acqua né tutto fuor da quella; e altrimenti da li animali, la cui anima tutta in materia è compresa, ma alquanto è nobilitata;[8] e altrimenti da le piante, e altrimenti da le minere;[9] e altrimenti da la terra che da li altri elementi, però che è materialissima, e però remotissima e improporzionalissima[10] a la prima simplicissima e nobilissima vertude, che sola è intellettuale, cioè Dio.

E avvegna che posti siano qui gradi generali, nondimeno si possono porre gradi singulari: cioè che quella riceve, de l'anime umane, altrimenti una che un'altra.[11] E però che nell'ordine intellettuale de l'universo si sale e discende

1. **bontade**: La parola aveva allora, in particolare nel linguaggio filosofico, un'accezione più ampia di oggi. Se poi, come qui, veniva riferita a Dio, significava la coincidenza dell'essere e del bene nel loro divenire virtù espansiva, creatrice e reggitrice di tutta la creazione. Per questo D. afferma, subito dopo, che senza di essa le cose non potrebbero esistere.
2. **avvegna che**: sebbene.
3. **da... principio**: Dio, detto **semplicissimo** perché è la suprema unità in cui tutte le forme dell'essere coincidono.
4. Cose ed esseri ricevono la *divina bontade* in forma qualitativamente uguale (è l'essere che ne rende possibile la presenza nel mondo e la vita), ma in maniera quantitativamente diversa.
5. Qui «bontadi» si avvicina al concetto filosofico medievale di «virtù», che è l'esistere e l'operare d'ogni essere o cosa. Il **discorrimento** indica il movimento della «bontade» divina, che trascorre su ogni cosa, dandole vita e funzioni, pur permanendo nella propria unità. Il *Liber de causis*, cui D. allude, qui e altrove, con una certa frequenza, nel *Convivio*, è una compilazione di filosofia neoplatonica, attribuita allora erroneamente ad Aristotele.
6. Seguono qui esempi del modo diverso dei corpi di recepire la luce, secondo la loro diversa costituzione fisica.
7. **sustanze separate**: si sottintenda "da materia", e cioè puri spiriti. È la definizione filosofica degli Angeli.
8. **altrimenti**: sottinteso "è ricevuta". Agli animali è assegnata un'anima «materiale», coincidente col soffio vitale e la sensibilità; più nobile, tuttavia rispetto alla vita e costituzione delle piante, cui si attribuiva un'anima «vegetativa». Si delinea l'affermazione di gradi e modi diversi dell'essere (terra, piante, animali), con una gradualità che D. ritrova, subito dopo, nei singoli individui e negli angeli, nel settore, cioè, spirituale.
9. **minere**: metalli.
10. **improporzionalissima**: la più lontana e quindi non rapportabile a Dio se non per il nudo fatto di essere.
11. Un analogo ordine di gradualità e interrelazioni è ora indicato nel mondo spirituale, a cominciare da quello delle anime

per gradi quasi continui da la infima forma a l'altissima e da l'altissima a la infima, sì come vedemo ne l'ordine sensibile;[12] e tra l'angelica natura, che è cosa intellettuale, e l'anima umana non sia grado alcuno,[13] ma sia quasi l'uno a l'altro continuo per li ordini de li gradi, e tra l'anima umana e l'anima più perfetta de li bruti animali ancor mezzo alcuno non sia;[14] e noi veggiamo molti uomini tanto vili e di sì bassa condizione, che quasi non pare esser altro che bestia: così è da porre e da credere fermamente, che sia alcuno tanto nobile e di sì alta condizione che quasi non sia altro che angelo.[15] Altrimenti non si continuerebbe l'umana spezie da ogni parte, che esser non può.[16] E questi cotali chiama Aristotele, nel settimo de l'Etica, divini,[17] e cotale dico io che è questa donna, sì che la divina virtude, a guisa che discende ne l'angelo, discende in lei[18] (Cv. III VII 2-7).

umane, più o meno vicine a Dio, secondo il valore delle singole individualità.
12. ne... sensibile: nel mondo fisico.
13. non... alcuno: non c'è un distacco, sì che si possa parlare d'un ordine diverso del reale: si resta, insomma, in quello intellettuale.
14. mezzo... sia: non vi sia, cioè, un altro grado o essenza ben distinta e a sé stante.
15. Vi possono dunque essere creature umane tanto perfette da rasentare la dignità e condizione angelica.
16. che... può: che è impossibile, dal momento che esistono, nell'insieme delle creature umane, la continuità e la gradualità che si sono viste.
17. L'*Etica* è l'*Etica Nicomachea*, uno dei testi aristotelici meglio conosciuti e più apprezzati da D.: se ne vede, ad es., un'applicazione nella distribuzione delle pene nell'*Inferno*.
18. questa donna: la Filosofia, presentata in questo libro e nella canzone che si è appena commentata come il nuovo amore di D., è rappresentata allegoricamente come una donna.

Il fondamento della maestà imperiale

Appare qui per la prima volta un tema fondamentale della meditazione di Dante, che ritornerà, approfondito e sviluppato, nella *Monarchia*, e avrà valore centrale anche nella *Commedia*: il tema politico. L'esperienza delle lotte fratricide culminata nell'esilio spinge il poeta a ricercare un rimedio alle sciagure dell'Italia e dell'umanità intera; egli pensa allora che la pace potrà tornare nel mondo sconvolto solo quando sarà ristabilita la giustizia dalla suprema autorità mondana voluta dalla Provvidenza divina: l'Imperatore.

Si delineano già qui le linee principali della costruzione politica dantesca: Dio stesso ha voluto nel mondo il potere imperiale, una Monarchia universale che unificasse i popoli nella giustizia e nella pace, vincendo le conseguenze nefaste della cupidigia, cagione di odio e di guerra. Tale è stata la missione assolta dall'Impero Romano, che ha condotto il mondo, al tempo di Augusto, nella migliore disposizione per accogliere la rivelazione di Cristo, dandogli la pace che è premessa indispensabile perché l'uomo possa serenamente dedicarsi alla contemplazione della verità suprema, in cui sta tutto il significato della sua vita terrena. Tale verità è il riconoscersi figli di Dio, fatti a sua immagine e destinati a Lui (in questa ascesa mentale si avrà l'ausilio del secondo potere nato da Dio, il Papato o la Chiesa).

L'Impero può dunque predisporre l'umanità alla vita felice, cioè al ritrovamento della pienezza e perfezione del suo essere.

Lo fondamento radicale de la imperiale maiestade, secondo lo vero, è la necessità de la umana civilitade, che a uno fine è ordinata, cioè a vita felice;[1] a la quale nullo per sé è sufficiente a venire sanza l'aiutorio[2] d'alcuno, con ciò sia cosa che l'uomo abbisogna di molte cose, a le quali uno solo satisfare non può. E però dice lo Filosofo[3] che l'uomo naturalmente è compagnevole[4] animale. E sì come un uomo a sua sufficienza richiede compagnia dimestica di famiglia,[5] così una casa a sua sufficienza richiede una vicinanza:[6] altrimenti molti difetti sosterrebbe che sarebbero impedimento di felicitade.[7] E però che una vicinanza a sé non può in tutto satisfare, conviene a satisfacimento di quella essere la cittade. Ancora la cittade richiede a le sue arti e a le sue difensioni[8] vicenda[9] avere e fratellanza con le circavicine cittadi; e però fu fatto lo regno. Onde, con ciò sia cosa che l'animo umano in terminata possessione di terra non si queti, ma sempre desideri gloria d'acquistare,[10] sì come per esperienza vedemo, discordie e guerre conviene[11] surgere intra regno e regno, le quali sono tribulazioni de le cittadi, e per le cittadi de le vicinanze, e per le vicinanze de le case, e per le case de l'uomo; e così s'impedisce la felicitade.[12] Il perché,[13] a queste guerre e le loro cagioni torre via, conviene di necessitade tutta la terra, e quanto a l'umana generazione a possedere è dato, essere Monarchia, cioè uno solo principato, e uno prencipe avere,[14] lo quale, tutto possedendo e più desiderare non possendo, li regi tegna contenti ne li

1. Lo fondamento... felice: il fondamento primo sul quale poggia la maestà del potere dell'Imperatore è la necessità della società civile degli uomini, il cui fine supremo è la felicità. Ma felicità, qui, significa vita perfetta secondo virtù, appagamento pieno delle esigenze esistenziali e spirituali dell'uomo.
2. sanza l'aiutorio: senza l'aiuto.
3. lo Filosofo: Aristotele.
4. naturalmente... compagnevole: l'uomo è per natura animale sociale, cioè disposto a vivere in società.
5. a sua... famiglia: l'uomo singolo per soddisfare sufficientemente alle esigenze materiali e spirituali della sua vita ha bisogno di una casa e di una famiglia.
6. così... vicinanza: così una casa richiede altre case vicine, ciascuna con un gruppo familiare.
7. molti difetti... felicitade: avrebbe molte deficienze, mancanze che le impedirebbero uno svolgimento armonico e pieno della propria vita.
8. arti... difensioni: sono le attività produttive e la difesa.
9. vicenda: relazioni. Dalla famiglia al regno, tutte le forme di vita consociata appaiono a Dante, che segue qui la dottrina aristotelica, formazioni naturali e necessarie per il ben vivere, poste fra loro in un rapporto progressivo, cioè di funzionalità sempre più ampia e completa a un'armonica vita collettiva. Di qui in avanti elabora il suo personale concetto della necessità dell'Impero.
10. Onde... acquistare: Poiché l'uomo non si appaga di un limitato possesso di terre, ma sempre desidera nuove conquiste e la gloria che deriva da questa affermazione di potenza.
11. conviene: è inevitabile.
12. e così s'impedisce la felicitade: netta e amara conclusione di un periodo assai denso dove col distacco del filosofo e, insieme, con la contenuta passione che accompagna sempre in lui la conquista del pensiero, Dante ha espresso la radice dell'infelicità umana; la cupidigia, la falsa gloria mondana.
13. Il perché: per questo.
14. uno prencipe avere: l'Imperatore non è soggetto a cupidigia e brama d'acquisto perché possiede ogni cosa; è quindi atto a mantenere la pace (**posa**) nella quale l'uomo può trovare la felicità, il soddisfacimento dei propri bisogni materiali e spirituali. L'Impero non esclude l'esistenza di regni e città autonome che vivano con propri ordinamenti particolari; è un supremo amministratore della giustizia, senza la quale non vi può essere pace. È lo Stato-diritto, non lo Stato-potenza che verrà definito a partire dal Machiavelli.

termini de li regni, sì che pace intra loro sia, ne la quale si posino le cittadi, e in questa posa le vicinanze s'amino, in questo amore le case prendano ogni loro bisogno, lo qual preso, l'uomo viva felicemente; che è quello per che esso è nato. E a queste ragioni si possono reducere parole del Filosofo ch'egli ne la Politica dice,[15] che quando più cose ad uno fine sono ordinate, una di quelle conviene essere regolante,[16] o vero reggente, e tutte l'altre rette e regolate. Sì come vedemo in una nave, che diversi offici e diversi fini di quella a uno solo fine sono ordinati, cioè a prendere loro desiderato porto per salutevole via: dove, sì come ciascuno officiale[17] ordina la propria operazione nel proprio fine, così è uno che tutti questi fini considera, e ordina quelli ne l'ultimo di tutti; e questo è lo nocchiero, a la cui voce tutti obedire deono. Questo vedemo ne le religioni,[18] ne li esserciti, in tutte quelle cose che sono, come detto è, a fine ordinate. Per che manifestamente vedere si può che a perfezione de la universale religione de la umana spezie[19] conviene essere uno, quasi nocchiero, che, considerando le diverse condizioni del mondo, a li diversi e necessari offici ordinare abbia del tutto universale e inrepugnabile[20] officio di comandare. E questo officio per eccellenza Imperio è chiamato, sanza nulla addizione,[21] però che esso è di tutti li altri comandamenti comandamento. E così chi a questo officio è posto è chiamato Imperadore, però che di tutti li comandamenti elli è comandatore, e quello che esso dice a tutti è legge, e per tutti dee essere obedito e ogni altro comandamento da quello di costui prendere vigore e autoritade.[22] E così si manifesta la imperiale maiestade e autoritade essere altissima ne l'umana compagnia.

Veramente potrebbe alcuno gavillare[23] dicendo che, tutto che[24] al mondo officio d'imperio si richeggia, non fa ciò l'autoritade de lo romano principe ragionevolmente somma, la quale s'intende dimostrare; però che la romana potenzia non per ragione né per decreto di convento universale fu acquistata, ma per forza, che a la ragione pare esser contraria. A ciò si può lievemente[25] rispondere, che la elezione[26] di questo sommo officiale convenia primieramente procedere da quello consiglio che per tutti provede, cioè Dio; altrimenti sarebbe stata la elezione per tutti non iguale;[27] con ciò sia cosa che, anzi l'officiale predetto, nullo a bene di tutti intendea.[28] E però che[29] più dolce natura in segnoreggiando, e più forte in sostenendo,[30] e più sottile in acquistando[31] né fu né fia[32] che quella de la gente latina — sì come per esperienza si può vedere — e massimamente di quello popolo santo nel quale l'alto sangue troiano era mischiato,[33] cioè Roma, Dio quello elesse[34] a quello officio. Però che, con ciò sia cosa che a quello ottenere non sanza grandissima vertude venire si potesse, e a quello usare grandissima e umanissima benignitade si richiedesse, questo era quello popolo che a ciò più era disposto. Onde non da forza fu principalmente preso per la romana gente, ma da divina provedenza, che è sopra ogni ragione.[35] E in ciò s'accorda Virgilio[36] nel primo de lo Eneida, quando dice, in persona di Dio parlando: «A costoro — cioè a li Romani — né termine di cose né di tempo pongo; a loro ho dato imperio sanza fine». La forza[37] dunque non fu cagione movente, sì come credeva chi gavillava, ma fu cagione instrumentale, sì come sono li colpi del martello cagione del coltello, e l'anima del fabbro è cagione efficiente e movente; e così non forza, ma ragione, e ancora divina, conviene essere stata principio del romano imperio (IV, IV, 1-12).

15. E a queste... dice: questo ragionamento può essere suffragato dall'affermazione che fa Aristotele nel libro della *Politica*.
16. regolante: governante.
17. officiale: in genere, è chi esercita un ufficio, una mansione, agendo per un fine particolare. Il nocchiero, cioè il capitano della nave, ordina i fini particolari perseguiti dai singoli membri dell'equipaggio, ciascuno dei quali esercita una propria mansione, al fine generale e supremo del buon andamento della navigazione.
18. religioni: «ordini religiosi».
19. la universale religione de la umana spezie: con questa metafora D. indica l'intera società umana, come un tutto organico e unitario.
20. inrepugnabile: al quale non è lecito contrastare, ché significherebbe andar contro un'esigenza fondamentale della natura umana, e, quindi, contro una legge voluta da Dio stesso.
21. E questo... addizione: Questo ufficio è chiamato Impero per eccellenza, senza aggiungere altra specificazione.
22. autoritade: indica, per D., l'essere degno di fede e d'obbedienza.
23. gavillare: obiettare.
24. tutto che: benché, anche se. L'obiezione è questa: ammesso che sia necessario l'Impero, ciò non vuol dire che giustamente debba essere attribuita la suprema autorità all'imperatore romano. Infatti la potenza romana non fu acquistata per diritto, né per deliberazione di un'assemblea di tutti i popoli del mondo (**convento universale**), ma mediante la forza che veramente sembra cosa contraria al diritto e alla giustizia. Dante sente ancora come istituzione viva il Sacro Romano Impero (anche se di nazionalità germanica), fondato da Carlo Magno, che per lui è la continuazione pura e semplice dell'Impero Romano e della sua missione. Per questo sosterrà con fede appassionata il tentativo di restaurazione dell'autorità imperiale compiuto da Arrigo VII in Italia. Romano, poi, per Dante, non ha alcun senso nazionalistico: è romano chi continua lo spirito della grande istituzione della romanità: l'impero.
25. lievemente: facilmente.
26. la elezione, ecc.: l'elezione dell'Imperatore, supremo ministro delle cose del mondo, doveva procedere da Dio, che provvede al bene di tutte le sue creature.
27. altrimenti sarebbe stata... non iguale: non si sarebbe, altrimenti, trattato di una elezione giusta per tutti. Dio invece elegge il sommo ufficiale e a lui sottomette gli altri, curando, con ugual sapienza provvidenza e bontà, tutti.
28. con ciò sia cosa che... intendea: poiché prima di codesta elezione divina nessun principe mirava ad ottenere il bene comune di tutta l'umanità: occorreva dunque un intervento provvidenziale.
29. E però che: e poiché.
30. più forte in sostenendo: più forte nel sostenere le avversità.
31. sottile in acquistando: ingegnosa nello sviluppo della propria signoria.
32. fia: sarà.
33. popolo santo... sangue troiano... mischiato: è il popolo romano, discendente, secondo la leggenda cantata da Virgilio nell'*Eneide*, dai Troiani venuti in Italia al seguito di Enea dopo la distruzione di Troia.
34. Dio... elesse: Il popolo romano è degno dell'impero per quelle virtù che Dio gli ha donato.
35. Onde... ragione: Quindi, l'impero su tutte le genti non fu assunto dai Romani con la violenza, ma per decreto della provvidenza divina, che è superiore a ogni diritto umano e al nostro concetto di giustizia. Giusto è quanto piace a Dio, sommo bene.
36. E in ciò s'accorda Virgilio: L'*Eneide* di Virgilio, il grande poema di Roma e della romanità, non è per Dante un'opera di fantasia, ma racchiude in sé una profonda verità storica e ideale.
37. La forza, ecc.: La causa efficiente dell'Impero Romano fu la giustizia divina, la forza fu solo lo strumento, il mezzo; allo stesso modo i colpi del martello sono il mezzo col quale viene forgiato il coltello, ma questo è prodotto dal fabbro.

Il fine della vita umana

In questa pagina di meditazione commossa, pur se contenuta in una tonalità pacata, Dante esamina l'intima dinamica della vita umana. L'anima, creata da un Dio che è sommo bene e somma gioia, anela, nel pellegrinaggio terreno, a ritornare alla sua origine divina, ad appagare quella sete di bene, di felicità che è la sua vocazione, la sua segreta nostalgia. Ma, offuscata dai sensi fallaci, spesso perde di vista il suo vero fine e cerca appagamento nei beni del mondo che, limitati e finiti, non possono saziare il suo bisogno d'infinito. Donde un continuo errare di desiderio in desiderio, di delusione in delusione; e i desideri si fan sempre più vasti; e sempre più vano l'errare nel mondo alla ricerca di una felicità impossibile.

Ma la meditazione di Dante non è sconsolata: c'è in lui la fede, ribadita in tutto il *Convivio*, nella funzione liberatrice della filosofia, della «scienza», che dirada le tenebre dell'errore, ci ridona la visione chiara della nostra essenza e del nostro destino. La conoscenza, per Dante, precede l'amore; la ragione, mostrando all'uomo il vero bene, rende possibile l'amarlo; la filosofia, dunque, come preparazione alla Rivelazione, esercita una funzione liberatrice.

Lo sommo desiderio di ciascuna cosa, e prima da la natura dato, è lo ritornare a lo suo principio. E però che Dio è principio de le nostre anime e fattore di quelle simili a sé[1] (sì come è scritto:[2] «Facciamo l'uomo ad imagine e similitudine nostra»), essa anima massimamente desidera di tornare a quello. E sì come peregrino che va per una via per la quale mai non fue, che ogni casa che da lungi vede crede che sia l'albergo, e non trovando ciò essere, dirizza la credenza a l'altra,[3] e così di casa in casa,[4] tanto che a l'albergo viene; così l'anima nostra, incontanente che[5] nel nuovo e mai non fatto cammino di questa vita entra, dirizza li occhi al termine del suo sommo bene,[6] e però, qualunque cosa vede che paia in sé avere alcuno bene, crede che sia esso. E perché la sua conoscenza prima è imperfetta, per non essere esperta né dottrinata,[7] piccioli beni le paiono grandi, e però da quelli comincia prima a desiderare. Onde vedemo li parvuli[8] desiderare massimamente un pomo; e poi, più procedendo, desiderare un augellino; e poi, più oltre, desiderare bel vestimento; e poi lo cavallo; e poi una donna; e poi ricchezza non grande, e poi grande,[9] e poi più. E questo incontra[10] perché in nulla[11] di queste cose truova quella che va cercando, e credela trovare più oltre. Per che vedere si può che l'uno desiderabile sta dinanzi a l'altro a li occhi de la nostra anima per modo quasi piramidale,[12] che 'l minimo li cuopre prima tutti, ed è quasi punta de l'ultimo desiderabile, che è Dio, quasi base di tutti. Sì che, quanto da la punta ver la base più si procede, maggiori appariscono li desiderabili; e questa è la ragione per che, acquistando, li desiderii umani si fanno più ampii, l'uno appresso de l'altro. Veramente così questo cammino si perde per errore come le strade de la terra.[13] Che sì come[14] d'una cittade a un'altra di necessitade è una ottima e dirittissima via, e un'altra che sempre se ne dilunga (cioè quella che va ne l'altra parte), e molte altre quale meno allungandosi e quale meno appressandosi, così ne la vita umana sono diversi cammini, de li quali uno è veracissimo e un altro è fallacissimo, e certi meno fallaci e certi meno veraci. E sì come vedemo che quello che dirittissimo vae[15] a la cittade, e compie lo desiderio e dà posa[16] dopo la fatica, e quello che va in contrario mai nol compie e mai posa dare non può, così ne la nostra vita avviene: lo buono camminatore giugne a termine e a posa; lo erroneo mai non l'aggiugne,[17] ma con molta fatica del suo animo sempre con li occhi gulosi[18] si mira innanzi (IV XII 14-20).

È chiaro, da questo passo, come la filosofia non sia per Dante pura speculazione oggettiva e astratta, ma necessità di vita; solo la chiara e razionale visione del fine supremo può divenire via di redenzione e di salvazione.

1. **e fattore di quelle simili a sé**: e le ha create simili a sé (dando loro la ragione, l'intelletto, la vita spirituale).
2. **sì come è scritto**: la citazione è tratta dalla Bibbia (Genesi I, 26).
3. **dirizza la credenza e l'altra**: rivolge la sua fiducia a un'altra; cioè crede che la prossima casa che scorge sia essa l'albergo bramato.
4. **e così di casa in casa**: e ad ogni casa si ripete questa esperienza, fino a che giunge all'albergo.
5. **incontanente che**: non appena.
6. **dirizza li occhi al termine del suo sommo bene**: rivolge lo sguardo desideroso e ansioso alla sua meta che è il sommo bene.
7. **per non essere esperta né dottrinata** perché non è esperta né addottrinata, e ciò avviene finché non ha compreso la rivelazione cristiana.
8. **li parvuli**: i fanciulli.
9. **e poi grande**: cioè sottinteso «ricchezza».
10. **incontra**: avviene.
11. **nulla**: nessuna.
12. **Per che... piramidale**: Per la qual cosa si può vedere che, agli occhi della nostra anima, ogni oggetto desiderabile sta davanti all'altro come in una piramide, che sempre si allarga dal vertice alla base: i desideri, cioè, si fanno sempre più grandi. Il primo desiderio, che è il più piccolo, tuttavia prima li copre tutti, si presenta quasi come un assoluto, eppure non è che un barlume del desiderio più grande (che in tal senso può essere paragonato alla base della piramide): il desiderio di Dio. Così quanto più si procede dal vertice della piramide verso la base, più ampi si fanno i desideri in sé e così avviene in quanto più l'uomo acquista tanto più desidera acquistare: insoddisfatto ogni volta, ogni volta vagheggia un bene più grande che lo soddisfi pienamente.
13. **Veramente... terra**: In realtà si può sbagliare e deviare da questa, che sarebbe la vera strada, come ci si smarrisce nelle strade qui in terra.
14. **Che sì come**, ecc.: Per giungere da una città a un'altra c'è una via ottima e diretta, un'altra del tutto sbagliata, altre meno buone, così c'è una strada che porta l'anima direttamente a Dio attraverso la virtù, una, quella del peccato, che allontana da Dio irreparabilmente, altre, che, dopo un lungo e tortuoso aggirarsi fra le seduzioni del mondo, conducono, ma stentatamente, a buon fine.
15. **vae**: va.
16. **compie lo desiderio e dà posa**: appaga il suo desiderio e trova riposo e pace dopo la fatica del cammino.
17. **l'aggiugne**: li raggiunge (*termine* e *posa*).
18. **con molta fatica... gulosi**: con grande travaglio dell'animo (poiché i beni fallaci, abbiamo visto, non danno mai vera gioia ma tormento) continua a guardare ansiosamente davanti a sé, nella vana ricerca della felicità, con occhi (invano) avidi (**gulosi**) di ritrovarla.

La «Monarchia»

La *Monarchia* è un trattato in tre libri, scritti in latino, composta al tempo della venuta in Italia dell'Imperatore Arrigo VII, che tante speranze suscitò nell'animo di Dante, fra il 1310 e 1313, o poco dopo. È il più organico fra i trattati di Dante, sia perché compiuto, sia perché in esso egli sviluppò pienamente quello che forse fu il più assillante tema della sua meditazione, quello politico.

Il primo libro, riprendendo e ampliando le considerazioni contenute nel *Convivio*, dimostra la necessità della monarchia universale. Solo un unico imperatore può assicurare al mondo, mediante la giustizia, la pace, che, sola, consente il conseguimento della *humana civilitas*, cioè lo svolgimento pieno delle qualità spirituali dell'uomo, meta suprema del vivere terreno e premessa indispensabile alla beatitudine celeste. La monarchia universale non implica un assorbimento di tutti gli stati in un solo, ma lascia sussistere tutte le organizzazioni politiche naturali preesistenti: famiglia, vicinato, città, regno; compito dell'Imperatore è quello di amministrare la giustizia fra i popoli, vincendo le tendenze sopraffattrici nate dalla cupidigia, mediante la legge, da lui fissata secondo la dottrina e l'insegnamento dei filosofi.

Il secondo libro contiene la dimostrazione che la suprema autorità imperiale è giustamente da attribuirsi al popolo romano. L'Impero di Roma fu voluto dalla Provvidenza divina, per garantire al mondo l'unità e la pace, affinché gli uomini fossero, in tal modo, meglio disposti alla rivelazione cristiana. Ciò è attestato, secondo Dante, dalla nobiltà di Enea, fondatore della stirpe romana, dai miracoli e dagli altissimi esempi di virtù che accompagnano la storia di Roma, dal fatto che il popolo romano prevalse sugli altri mediante la lotta, ossia il duello, nel quale si manifestano il giudizio e la volontà divina, e, infine, dal fatto che Cristo accettò di nascere sotto la giurisdizione romana e di essere condannato a morte dall'autorità romana, al tempo d'Augusto, che aveva dato al mondo la pace, premessa al miglior espandersi della Rivelazione.

Nel terzo libro, Dante affronta il problema più importante e attuale, per i suoi tempi e per tutto il Medio Evo: quello del rapporto che deve intercorrere fra le due supreme potenze terrene, l'Imperatore e il Pontefice. Egli afferma che sia l'autorità pontificia sia quella imperiale derivano direttamente da Dio, e quindi l'una non può avere alcuna giurisdizione sull'altra.

Due sono le nature dell'uomo, quella corruttibile (il corpo) e quella incorruttibile (l'anima); duplice è dunque il suo fine: la felicità terrena e quella celeste. Per questo Dio ha voluto due guide, distinte e autonome, volta ciascuna a condurre l'uomo ad uno stato di perfezione nella propria sfera. Ma come il destino terreno è legato a quello ultraterreno, così le due guide sono complementari: l'umanità, qualora sia ricondotta dall'Imperatore alla concordia e alla pace, è meglio disposta ad accogliere il magistero del Pontefice, che la guida con mano sicura sulla strada della rivelazione cristiana. Anche l'Imperatore, in quanto uomo, deve al Papa filiale reverenza «affinché, irraggiato dalla luce della paterna grazia, più virtuosamente illumini il mondo, al quale fu messo a capo solo da Colui che governa tutte le cose spirituali e temporali».

La *Monarchia* è opera profondamente meditata, rigorosa e compatta sia nella struttura logica sia nell'argomentazione, ma è anche un'opera animata da una magnanima speranza. La sofferenza dell'esilio, la visione delle lotte intestine violente e feroci che insanguinavano l'Italia hanno reso più ardenti, nel cuore di Dante, l'ansia di giustizia, il desiderio di pace, gli hanno fatto sentire che sempre, e tanto più nelle ore più travagliate della storia, il destino individuale è legato al destino di tutti.

Per il testo seguiamo la nuova edizione critica: D. A., *Monarchia*, a cura di P. G. Ricci, Milano, Mondadori, 1965. La traduzione è nostra.

Le due autorità supreme e i due fini della vita umana

(III, 15). Due fini, dunque, a cui tendere propose all'uomo l'ineffabile, sublime Provvidenza: cioè la beatitudine di questa vita, che consiste nell'esplicazione della essenza propria dell'uomo ed è simboleggiata dal paradiso terrestre e la beatitudine della vita eterna, che consiste nel godimento della contemplazione di Dio, al quale godimento la virtù umana non può ascendere, se non sia aiutata dal lume della grazia divina che è raffigurata nel paradiso celeste. Invero, a queste beatitudini, come a due diverse conclusioni, conviene che noi perveniamo con mezzi diversi. Infatti, alla prima giungiamo mediante gli insegnamenti della filosofia, che seguiamo operando secondo le virtù morali e intellettuali; alla seconda, invece, giungiamo per mezzo degli ammaestramenti spirituali, che seguiamo operando secondo le virtù teologali: fede, speranza, carità. Ora, sebbene queste conclusioni e questi mezzi ci siano stati mostrati i primi dall'umana ragione, che tutta ci è divenuta chiara per mezzo dei filosofi, i secondi dallo Spirito Santo che, per mezzo dei profeti e degli scrittori sacri, e ancora per mezzo di Gesù Cristo, figlio di Dio, a lui coeterno, e per mezzo dei suoi discepoli ci rivelò la verità soprannaturale e a noi necessaria, tuttavia la cupidigia degli uomini se li porrebbe dietro le spalle, se gli uomini, erranti nella loro bestialità come cavalli, non fossero guidati nel loro cammino da freni e da briglie. Per questo furono necessarie all'uomo due guide, in relazione al suo duplice fine; e cioè il Sommo Pontefice, che secondo la verità rivelata conducesse gli uomini alla vita eterna, e l'Imperatore, che, secondo gli insegnamenti dei filosofi, indirizzasse il genere umano alla felicità in questa vita. E poiché a questo porto o nessuno o pochi, e questi con infinita difficoltà, possono giungere, a meno che, placati i flutti della cupidigia allettatrice, l'umanità intera non goda, libera, di una pace serena, questa è quella meta a cui deve tendere il curatore del mondo che viene chiamato Romano principe: che in codesta aiuola dei mortali si viva nella libertà e nella pace.

Ma l'ordine di questo mondo segue l'ordine stesso inerente al movimento dei cieli; quindi è necessario che gli utili insegnamenti di pace e di libertà, affinché siano applicati convenientemente ai luoghi e ai tempi da codesto curatore, siano dispensati da Colui che ha presente la totale disposizione dei cieli. Questi solo è colui che la preordinò, affinché, per mezzo di essa, egli stesso, provvedendo, collegasse ogni cosa ai suoi ordinamenti. Se questo è vero, solo Dio elegge, Lui solo conferma, non avendo alcuno superiore a sé... Così dunque è ben chiaro che l'autorità del Monarca temporale senza alcun intermediario discende in lui dal Fonte dell'autorità universale: il quale Fonte, pur rimanendo sempre uno e uguale a se stesso nella sua pura essenza, si riversa per molteplici alvei, e ciò deriva dalla sovrabbondanza della sua divina bontà.

E ora mi sembra di aver raggiunta la mèta proposta. È stata infatti trovata e chiarita la vera risposta alla domanda se l'opera del Monarca fosse necessaria alla felicità del mondo, alla domanda se il popolo romano a buon diritto si fosse attribuito l'impero, e alla domanda se l'autorità del Monarca dipendesse immediatamente da Dio o da altri. Ma la risposta all'ultima domanda non va intesa così strettamente da credere che il Romano Principe non soggiaccia in qualche modo al Romano Pontefice, poiché codesta felicità terrena è in qualche modo ordinata alla felicità eterna. Abbia dunque Cesare verso Pietro quella reverenza che un figlio primogenito deve avere per il padre, affinché, illuminato dalla luce della paterna grazia, con maggior virtù spanda la sua luce nel mondo, del quale fu posto a capo solo da colui che governa tutte le cose spirituali e temporali.

Il «De vulgari eloquentia»

De vulgari eloquentia, a cui va sottintesa la parola *doctrina*, significa «ammaestramento nell'arte del dire in volgare». Lo scopo di quest'opera, scritta circa negli anni in cui fu composto il *Convivio*, è quello di offrire una retorica, cioè un trattato sull'arte dello scrivere, agli scrittori in lingua volgare.

L'opera fu scritta in latino, la lingua allora usata nei trattati scientifici, e doveva comprendere quattro libri, ma Dante scrisse solo il primo e parte del secondo. Nel primo espone la teoria del volgare illustre. Comincia la trattazione distinguendo fra la lingua volgare, il linguaggio, cioè, «che apprendiamo senza norma, imitando la nutrice», e la *grammatica*, cioè il linguaggio letterario che ai suoi tempi era il latino fissato dai dotti, che si apprende con lo studio ed è governato dall'arte. Dei due, il più nobile, perché più naturale, è il volgare. Esso, originariamente, era comune a tutti gli uomini, ed era la lingua ebraica; ma dopo la torre di Babele e la confusione delle lingue voluta da Dio per punire gli uomini per quella folle impresa, si ebbero tre lingue diverse: la greca ad oriente, la germanica nell'Europa settentrionale, e una terza lingua, propria dell'Europa meridionale, che a sua volta, diede in seguito origine a tre nuove lingue: quella d'*oc* (provenzale), quella d'*oïl* (francese), quella del *sì* (italiano).

Dopo aver rilevato le somiglianze fra queste tre lingue, che ne attestano l'origine comune, Dante restringe il discorso all'italiano, di cui passa in rassegna i dialetti che classifica in quattordici gruppi principali. Nessuno però di questi è degno di assurgere a lingua letteraria nazionale, sebbene in tutti si trovi come un presentimento di essa. Il «volgare illustre» che Dante vagheggia è infatti un linguaggio che esprima l'italianità tipica della nazione, una lingua unitaria che s'imponga sul perenne variare dei dialetti, non nel parlare quotidiano, ma nelle più alte espressioni di cultura e d'arte. Tale lingua è già sorta, per opera dei poeti colti e raffinati di Sicilia e di Toscana, fino agli Stilnovisti e a Dante stesso: è, insomma, la lingua d'arte più nobile, plasmata dall'ingegno, dalla dottrina, dal gusto degli scrittori più insigni. È il volgare *illustre*, perché racchiude in sé lo splendore dell'arte, *cardinale*, perché è come il cardine sul quale si fondano i volgari municipali, *aulico*, perché se noi italiani avessimo in Italia una corte, sarebbe il solo degno di essere parlato in essa, *curiale*, perché curialità significa la norma ben ponderata dell'agire umano secondo ragione e legge, quale si attua nella Curia o corte, che rappresenta il centro culturale e quindi l'anima d'un popolo. Se ora manca propriamente in Italia una corte unificata da un sommo principe, vi sono però le sue membra, unificate dal dono divino che è la luce della ragione. Esse sono costituite dagli Italiani forniti d'ingegno e di scienza, i quali, facendo sì che la lingua assurga mediante l'arte all'espressione dei più alti valori, sono gli animatori d'una comune cultura e spiritualità.

Nel secondo libro, Dante afferma che il volgare illustre deve essere usato per gli argomenti più nobili, per quelli, cioè, che esprimono le più alte finalità dell'anima umana: prodezza d'armi, amore, virtù. A tali argomenti si addice lo stile elevato o tragico e la forma metrica della canzone. Qui l'opera rimane interrotta.

Il *De vulgari eloquentia* è la prima matura espressione della poetica di Dante, cioè dei suoi intendimenti d'artista fino a quel momento: esso costituisce, infatti, la giustificazione di quell'ideale di arte eletta e rivolta a spiriti eletti dal quale sono nate le liriche d'amore della *Vita nuova* e quelle dottrinali, «d'amore e di virtù materiate», del *Convivio*. Dante, inoltre, mostra in questo libro di essere pienamente consapevole della funzione degli scrittori nella formazione di una lingua nazionale. Egli, infine, proclama vigorosamente l'unità della nazione italiana, cogliendola nell'unità della comune discendenza da Roma, dei costumi, della cultura, della lingua.

Il *De vulgari eloquentia* ha anche un'importanza specifica sul piano della storiografia letteraria. Si ha in esso per la prima volta il riconoscimento storico-critico della tradizione letteraria italiana in volgare, presentato come lingua degna di costruire una nuova letteratura emula dei grandi modelli classici. Per questo le sue pagine verranno rimeditate nel Cinquecento quando si giungerà a una matura e diffusa coscienza di tale tradizione.

Abbiamo condotto la traduzione sul testo: Dante Alighieri, *Opere minori*, II, Milano-Napoli, Ricciardi, 1979, con traduzione di P.V. Mengaldo, di cui si è tenuto conto, come anche di quella di A. Marigo in Dante Alighieri, *De vulgari eloquentia*, a cura di A. Marigo, terza ediz. a cura di P.G. Ricci, Firenze, Le Monnier, 1957.

L'uomo e il suo linguaggio

La fondazione di una retorica o arte del dire in volgare deve partire, per Dante, dalla considerazione del linguaggio, e questa, secondo i modi della filosofia del tempo, va ricondotta alle origini, al momento, cioè, della creazione dell'uomo e della prima parola pronunciata, come meglio si vedrà nelle letture seguenti.

Qui c'è il primo, sintetico abbozzo d'una filosofia del linguaggio, visto come funzione propria dell'uomo. Esso non esiste fra gli angeli, che nello specchio divino (la Mente di Dio) vedono se stessi e gli altri angeli, e comunicano fra loro in una sorta di intuitiva pulsione d'amore; non esiste fra gli animali, ognuno dei quali intuisce nell'altro animale le sue stesse elementari passioni ed esigenze. Ma fra gli uomini c'è una fortissima distinzione: le singole individualità. Questo rende necessario un mezzo di comunicazione reciproca di pensieri e affetti. Il linguaggio diviene in tal modo un fatto distintivo e necessario per l'uomo, affinché egli possa stabilire un rapporto con gli altri: è *segno*, come affermava un'an-

tica teoria linguistica, di un contenuto di idee; deve avere un aspetto intellettuale (la significazione implicita nelle singole parole) e uno sensibile, il suono, come necessaria via di comunicazione, dato che l'uomo è sintesi di anima e di corpo, di razionalità e di sensibilità.

Se consideriamo qual è il nostro scopo quando parliamo, è chiaro che non miriamo ad altro che ad estrinsecare agli altri ciò che concepiamo nella mente. Gli angeli, per manifestare i loro pensieri di gloria celeste, hanno una prontissima e ineffabile capacità d'intelligenza mediante la quale o l'uno si manifesta totalmente all'altro col semplice fatto di esistere, o, meglio,[1] attraverso quel fulgidissimo Specchio in cui tutti si riflettono nella loro grandissima bellezza e si rispecchiano in tutto l'ardore del loro desiderio (di Dio); e quindi sembra chiaro che non hanno avuto mai bisogno di alcun segno linguistico.[2] [...] Anche agli animali inferiori che sono guidati dal mero istinto naturale, non fu necessario dare in dote alcun linguaggio; infatti tutti quelli della stessa specie hanno in comune atti e passioni, e quindi, attraverso la conoscenza dei propri, conoscono quelli degli altri.[3] [...]

Essendo l'uomo guidato non dall'istinto naturale, ma dalla ragione, e questa stessa diversificandosi nei singoli al punto che ciascun individuo sembra avere il privilegio di costituire una specie a sé, pensiamo che nessuno comprenda l'altro attraverso i propri atti e le proprie passioni come fa l'animale bruto. Inoltre l'uno non riesce a penetrare l'animo dell'altro attraverso un rispecchiamento spirituale, come fa l'angelo, perché lo spirito umano è gravato dall'opaca materialità del suo corpo mortale (I II 3-5).

Fu quindi necessario che il genere umano, per consentire ai singoli di comunicarsi reciprocamente il proprio pensiero, avesse un segno[4] che fosse razionale e sensibile; infatti poiché deve ricevere un messaggio da una ragione[5] e portarlo a contatto della propria ragione, il segno (*linguistico*) dovette avere carattere razionale, e siccome non si può comunicare razionalmente se non attraverso una mediazione sensibile, dovette essere, appunto, sensibile. Perché se fosse stato razionale non avrebbe trovato una via di comunicazione; se soltanto sensibile non avrebbe potuto ricevere un messaggio razionale né comunicarlo alla ragione.

Questo segno è, invero, il nobile fondamento di cui parliamo; infatti è sensibile in quanto è suono, ed è razionale in quanto appare come segno d'un messaggio che promana dalla volontà (I III).

1. Esistere, per gli angeli, significa essere costantemente immersi nella gioia della contemplazione della suprema unità di Dio, in cui vedono anche se stessi (e il loro contemplare) e gli altri angeli, accomunati, per non dire unificati, con loro in questa contemplazione.
2. La parola, infatti, come appare più avanti, è il segno d'un'interiorità di pensiero che non sarebbe possibile altrimenti comunicare.
3. Un animale, cioè, intuisce nella presenza dell'altro le reazioni che si svolgono entro di sé (per es., la volontà reciproca di assalirsi, ecc.).
4. **un segno**: la parola, come estrinsecazione dell'intimo sentire e concepire, che dalle pulsioni elementari si esprime successivamente, attraverso il filtro della ragione, in linguaggio.
5. **una ragione**: quella dell'altro uomo con cui si stabilisce la comunicazione. Dato l'individualismo che regna nella stirpe umana, senza linguaggio non vi potrebbe essere ordinata convivenza civile. Ne è un chiaro esempio, per Dante, la vicenda della Torre di Babele, quando la confusione delle lingue, provocata da Dio per punire l'empio tentativo, rese impossibile la continuazione dell'opera.

La nascita del linguaggio

Secondo la cultura medievale di Dante, l'origine d'una cosa ne rivela anche l'essenza, soprattutto se l'una e l'altra si possono riscontrare sul grande testo biblico, modello di tutta la verità e di tutta la storia. Ma, come si vede qui, esso viene interpretato anche dalla ragione, che colma i vuoti lasciati dal suo racconto. Così alla domanda su chi per primo abbia parlato, Dante risponde con una congettura, verificata dalla ragione e dalla filosofia: non può essere stata la donna, dal momento che l'uomo ha maggiore dignità creaturale; e questi non può avere detto se non «Dio», con tono d'interrogazione o di risposta. È sintomatico che Dante non risolva quest'ultimo dubbio, dato che si tratta di due cose possibili e compresenti. L'uomo appena creato si rivolge alla fonte della vita, la interroga, si pone in relazione con essa, ne dà testimonianza. Questo rimane, per dir così, l'archetipo del linguaggio: un'idea pura di esso, della sua dignità e della sua funzione che spiegano la lunga «caccia» successiva dell'autore alla ricerca del volgare che sappia unire alla bellezza musicale la profondità del pensiero, e anche diventare un segno caratteristico, per non dir fondatore, d'una civiltà italiana. La bellezza e funzionalità del volgare illustre servono alla poesia; nella quale esso, come dimostra soprattutto il secondo libro, è degno di trattare gli argomenti più elevati, il fiore della spiritualità umana.

È opinione ragionevole e degna di fede che sia stato concesso ad Adamo di parlare per primo[1] da Colui che l'aveva appena plasmato. Non esito a credere evidente a chi riflette con mente sana che la prima parola fatta risuonare dalla voce del primo parlante sia stata «Dio», e cioè *El*, in forma di interrogazione o di risposta.[2] Sembra assurdo e mostruoso, razionalmente, che qualcosa sia

1. Ha appena finito di dimostrare che le prime parole non possono essere state quelle pronunciate, nel *Genesi*, da Eva. Ma, a parte le considerazioni sulla disparità dei due sessi, la fantastica filosofia di Dante aveva bisogno di dimostrare come l'uomo, appena creato, in una sua natura ancora perfetta, non possa non stabilire un rapporto immediato con Dio e dare testimonianza di Lui.
2. **El**: È uno dei nomi attribuiti a Dio dagli Ebrei. Nella *Commedia* questo racconto è in parte modificato; soprattutto notevole è la negazione del fatto che la prima lingua umana fosse l'ebraico.

stata nominata prima di Dio dall'uomo, dal momento che questo era stato creato da Lui e per Lui. Infatti come dopo il peccato originale l'uso del linguaggio, per qualunque uomo, incomincia da «ahimè»,[3] è ragionevole che quello del primo progenitore incominciasse dalla gioia; e non essendovi alcuna autentica gioia fuori di Dio, ma solo in Lui, ed essendo Egli tutto gioia, ne consegue che per prima cosa e prima di tutto abbia detto «Dio» (I IV 3-4). Pensiamo dunque che il primo uomo abbia parlato, immediatamente dopo avere ricevuto il soffio del Dio che dà vita, rivolgendosi a Lui. Pensiamo, infatti, che nell'uomo l'essere sentito sia più degno della sua natura che non il sentire,[4] purché sia sentito e senta nella sua qualità di uomo. Se, dunque, Colui che è artefice, principio d'ogni perfezione e amatore, riempì, col suo soffio creatore, il primo uomo di ogni perfezione, ci appare ragionevole che il più nobile fra gli esser animati abbia cominciato a essere sentito prima che a sentire.

Se qualcuno obietta che non occorreva che egli parlasse, essendo ancora il solo uomo esistente,[5] e dato, inoltre, che Dio discerne prima di noi i segreti della nostra mente, anche se non formulati in parole, diciamo — con la riverenza che dobbiamo avere quando osiamo un giudizio sull'Eterna Verità — che, sebbene Dio sapesse, anzi, avesse prescienza (cose che in lui sono una)[6] ciò che il primo parlante concepiva in sé, anche prima di tradursi in parola, volle, tuttavia, che egli parlasse, affinché nell'esplicazione d'una dote così alta fosse lodato Lui che gli aveva fatto un dono così grande. Pertanto è doveroso credere che per ispirazione divina ci rallegriamo quando riusciamo ad attuare le nostre facoltà in coerenza con la loro natura e funzione[7] (I V 1-2).

3. È un luogo comune, medievale, ma anche classico (Lucrezio), questo del bimbo che viene alla luce piangendo. Dante vede ciò come conseguenza del peccato originale e del destino di dolore che esso ha portato nella vita terrena dell'uomo.
4. È, cioè, più importante per l'uomo (meglio esprime la sua essenza profonda) l'essere sentito, e cioè il riversarsi all'esterno, sia nella testimonianza del divino, sia nell'amore e nell'operare costruttivo che divengono estrinsecazione piena della sua umanità e dunque testimonianza di essa.
5. Non era stata ancora creata Eva.
6. Scienza e prescienza sono tutt'uno in Dio, che è fuori del tempo, nell'eternità, dove non esiste un prima (*pre*scienza). La concezione del linguaggio come atteggiarsi dell'io profondo, che poi successivamente si traduce nelle parole o "segni" delle singole lingue, è di ascendenza agostiniana.
7. La gioia terrena è, dunque, per D., la piena esplicazione della originaria natura umana; consiste nell'operare.

Volgare e «grammatica»

Il primo linguaggio umano fu quello creato da Dio, nel senso che, anche se Egli chiamò Adamo, come dice il *Genesi*, a dare un nome agli oggetti, gli aveva inculcato nell'animo la forma generale, la struttura del linguaggio. Poi venne la Torre di Babele, con la confusione delle lingue, memoria del ripetersi, nell'opera empia, del peccato originale. Ne nacquero volgari diversi, destinati però, come ogni cosa umana, alla mutabilità e caducità. In Europa Dante distingue ora tre gruppi linguistici, il tedesco (e inglese), lo slavo e l'*ydioma tripharium*, comprendente le tre lingue neolatine: provenzale, francese, italiano. Di contro a questi linguaggi sta la «grammatica», e cioè il latino, creato per durare immutato, ed essere segno tangibile della continuità della civilizzazione umana. La ricerca del volgare illustre cela la volontà d'una nuova «grammatica», d'una lingua volgare che dia stabilità a una nuova misura di pensiero, di sensibilità, di poesia.

Ogni nostro linguaggio, tranne quel primo concreato col primo uomo da Dio, è stato ricostruito secondo il nostro arbitrio dopo la confusione di Babele, che non fu altro se non un oblio della prima lingua,[1] ed essendo l'uomo un animale instabilissimo e mutevolissimo, non può essere né durevole né continuo, ma muta, di necessità in rapporto alle distanze di spazio e di tempo, come tutte le cose umane, per esempio, i costumi e le abitudini. Ho detto «di tempo», e credo giustamente; infatti se consideriamo tutte le altre attività nostre, mi sembra che discordiamo dai nostri concittadini più antichi molto più che dai nostri contemporanei più lontani. Osiamo pertanto affermare che se gli antichissimi abitanti di Pavia risorgessero parlerebbero una lingua diversa e ben distinta da quella di oggi (I IX 6-7). Di qui sono partiti gli inventori della grammatica, la quale non è altro che un'identità inalterabile di linguaggio in tempi e luoghi diversi. Questa, essendo stata regolata dal comune accordo di molte genti, non sembra soggetta a nessun arbitrio di singoli, e per conseguenza non può essere mutevole. La inventarono, infatti, per evitare che, a causa della variazione linguistica, sempre in balìa dell'arbitrio individuale, non potessimo in nessun modo, o, potessimo, comunque sia, imperfettamente, attingere il pensiero e le gesta memorabili degli antichi, o di coloro che la diversità dei luoghi rende diversi da noi (I IX 11).

Presentandosi ora, il nostro idioma come triforme, secondo la triplice forma sonora che ha assunto,[2] pur rivelando una certa identità di fondo, con tanta timidezza ne proponiamo il raffronto che non osiamo, nel comparare le tre forme, preporre l'una all'altra; se non che osserviamo che, dal momento

1. **prima lingua**: l'ebraico.
2. Gli altri hanno assunto le forme affermative *oc* (i Provenzali) e *oil* (i Francesi). Ma più avanti D. osserva come molte parole importanti, ad esempio "amore", siano rimaste pressoché uguali nelle tre lingue, il che gli permette di classificarle sotto un principio comune, che sarà il latino, piuttosto che la «grammatica», la quale va considerata come un «latino illustre», nato per convenzione stabilita da scrittori diversi e anche da popoli diversi. È, in sostanza, una lingua di cultura.

che i fondatori della grammatica hanno assunto la parola «sic» come affermazione, questo sembra attribuire una certa preminenza agli Italiani, che dicon «sì» (I x 1).

Il volgare illustre

La lunga caccia di Dante, compiuta attraverso la ricognizione dei volgari italiani, con esempi tratti dalla parlata comune, o anche da scritti letterari in stile fra il medio e l'umile, non ha successo immediato; in nessuna parte abita questo volgare, anche se se ne avverte il sentore. Esso, infatti, non è un essere, ma un dover essere, non una lingua già costituita, come la «grammatica», ma in via di costituzione, affidata agli scrittori più nobili, che lo perseguono come un ideale. Fra questi — e sono importanti quelli della lirica amorosa, sia perché più attenti a un'alta creazione linguistica, sia alla «musica» verbale che è elemento di stabilità e bellezza della lingua —, Dante indica due «fedeli» giunti a un livello espressivo elevato nel loro «genere»: Cino da Pistoia, cantore d'amore, e se stesso, cantore della virtù. In tal senso il libro è anche l'espressione d'una poetica militante, e va considerato nel suo momento storico preciso, quando Dante ha deposto il «soave stilo» amoroso, per rivolgersi a una nobile poesia etica. Ma il richiamo a Cino, e l'onore con cui parla, nel libro, del Guinizzelli, o dei Siciliani più raffinati, come Guido delle Colonne, rivelano chiaramente che Dante ha chiarissima la persuasione di operare entro una tradizione già costituita, da più d'un secolo, a suo avviso, in Provenza, da un cinquantennio in Italia; quella della lirica alta, celebratrice d'amore in stile elevato: il mondo nuovo, cioè, della poesia romanza. Esso ora cerca ancor prima che il proprio stile, il proprio linguaggio: un volgare *illustre*, illuminato, cioè dalla bellezza (c'è nel Medioevo un'estetica della luce, attuata esemplarmente dalle grandi cattedrali, ove essa diviene un fondamentale elemento architettonico). Il *Convivio* ha già definito qual sia questa bellezza: l'eufonia delle parole, l'agilità e complessità dei costrutti, e cioè un ordinamento del discorso capace di seguire un pensiero complesso e profondo, quale è quello che deve ispirare i poeti d'amore (essendo questo il mito rivelatore dell'interiorità), la soavità che conferiscono al dettato le due arti, la retorica e la musica, evidente questa, nella strutturazione metrica ed eufonica.

Ora devo esporre con ordine perché io designi con gli attributi di «illustre», «cardinale», «aulico», «curiale», quel volgare che ho ritrovato, per rendere in tal modo meglio manifesta la sua stessa essenza. In primo luogo, dunque, mettiamo bene in chiaro che cosa intendiamo coll'attributo di «illustre», e perché lo diciamo illustre. Con la parola «illustre» intendo alludere a qualche cosa che dà luce e che essa stessa illuminata risplende, e in tal senso chiamiamo illustri gli uomini o perché, resi splendidi dalla loro potenza, illuminano gli altri con giustizia e carità, o perché, forniti di eccelsa dottrina, in modo eccelso la insegnano agli altri, come Seneca e Numa Pompilio. E anche il volgare di cui parliamo è reso sublime dal suo magistero e dalla sua potenza, e innalza i suoi seguaci a sommo onore e gloria.

Appare invero reso sublime dalla dottrina, perché fra tanti rozzi vocaboli dei Latini, fra tante ingarbugliate costruzioni, fra tante difettose pronunce, fra tante cadenze contadinesche, lo vediamo scelto così egregio, limpido, perfetto e urbanamente fine quale ce lo mostrano nelle loro canzoni Cino da Pistoia e il suo amico [*Dante*].

Che sia poi esaltato da potenza è evidente. Qual cosa, infatti, ha maggior potenza di ciò che può trasmutare i cuori umani, così da fare in modo che chi non vuole voglia, e chi vuole non voglia più, come esso volgare ha fatto e fa?

Che poi sollevi ad onore altissimo è evidente. Non è forse vero che i suoi famigliari [*i poeti che lo coltivano*] superano per fama qualunque re, marchese, conte, magnate?

Questo non ha affatto bisogno d'essere dimostrato. Quanto, poi, renda gloriosi i suoi famigliari, lo so bene io, che, per la dolcezza di questa gloria, non curo l'esilio.

Perciò, giustamente dobbiamo proclamarlo illustre.

Non senza ragione onoriamo questo volgare illustre con un secondo aggettivo, con quello, cioè, di «cardinale». Infatti, come tutto l'uscio segue il cardine, e dove si gira il cardine anch'esso si gira, all'interno o all'esterno, così anche tutto il gregge dei volgari municipali, si volge e rivolge, si muove e s'arresta a norma del volgare illustre, che invero sembra essere il vero capofamiglia. Forse non estirpa ogni giorno gli arbusti spinosi dall'italica selva? Non v'innesta ogni giorno giovani piante, non vi pianta vivai?

Del chiamarlo poi «aulico» questa è la cagione: se noi Italiani avessimo la reggia, sarebbe il linguaggio in essa usato. Infatti se la reggia è la casa comune di tutto il regno e augusta governatrice di tutte le parti di esso, tutto ciò che è comune a tutti e di nessuno personale e privato possesso conviene che la frequenti e vi abiti; né alcun'altra dimora è degna di tanto abitatore: tale veramente appare quel volgare di cui parlo. Di qui nasce che tutti coloro che frequentano le regge parlano un volgare illustre; e questa è pure la ragione per cui il nostro volgare illustre va peregrinando come un forestiero, ed è ospitato in umili asili, perché manca in Italia una corte.

Deve anche essere a buon diritto chiamato «curiale», perché la curialità altro non è se non una norma ben ponderata delle cose che si debbono fare; e perché la bilancia che consente di ben determinare questa ponderata norma si suol trovare soltanto nelle corti più eccellenti, tutto ciò che è ben ponderato nelle nostre azioni è detto curiale. Ora poiché codesto volgare è stato pesato nella più eccelsa corte degli Italiani, merita di essere detto «curiale».

Ma dire che è stato pesato nella più eccellente corte degli Italiani, sembra uno scherzo, poiché non abbiamo corte. Ma a ciò si può rispondere facilmente. Infatti, sebbene in Italia non vi sia una corte, intesa come unico centro, qual è quella del re di Germania, le membra di essa tuttavia non mancano; e come le membra di quella tedesca sono unite da un unico Principe, così le membra di quella italiana sono unite dal lume della ragione, dono divino. Perciò sarebbe falso dire che noi Italiani siamo privi di corte, sebbene siamo privi di Principe, perché la corte l'abbiamo, per quanto sia, materialmente, dispersa. [*Per «membra», intendi i poeti e gli uomini di cultura che elaborano, con i loro scritti, il volgare illustre.*] (I XVII-XVIII).

Lo stile «tragico»

Nel secondo libro del *De vulgari eloquentia* (rimasto interrotto), Dante definisce l'idea della poesia e dello stile maturata in lui dopo la *Vita nuova*, quando, preso dall'entusiasmo per la Filosofia, si era dedicato a una lirica di arduo impegno dottrinale e stilistico: quella del *Cantor Rectitudinis*, come qui si denomina, o Poeta della Virtù.

Alla produzione letteraria fu costantemente unita, in lui, la meditazione sul proprio lavoro. Fin dalla *Vita nuova* (dove già appare un capitolo di poetica, il XXV), riunendo una scelta di rime e collegandole in una storia poetica e spirituale, aveva mostrato di perseguire un modello esemplare di vita e di poesia: la conquista del perfetto amore e dello stile atto ad effigiarlo. Uno schema ugualmente organico è delineato nelle due opere fra loro coeve, il *Convivio* e il *De vulgari eloquentia*, sulla trama dell'amore per la Filosofia ispiratrice di virtù e della conquista d'uno stile coerente con questa ispirazione.

Dante, seguendo la terminologia scolastica del tempo, chiama questo stile «tragico» e afferma che va riservato alla trattazione delle forme conclusive ed essenziali dell'esperienza umana: le «armi», o difesa e conservazione della vita, l'amore, come naturale espandersi di essa, la virtù, come il fine più alto dell'uomo in quanto creatura razionale. L'ideale è ancora una volta quello della poesia come coscienza ed espressione dei valori più alti della persona, e in tal senso questa tappa del cammino di Dante non discorda dalla volontà di comprensione totale dell'uomo, del suo mondo e del suo destino che ispirerà la *Commedia*. Questa, però, adotterà lo stile «comico» o umile, nella volontà d'una rappresentazione integrale dell'esistenza di tutti, non nella prospettiva ancora idealizzante e aristocratica delle opere precedenti.

Poiché quello che diciamo «illustre» è il migliore di tutti gli altri volgari, ne consegue che soltanto gli argomenti più elevati sono degni di essere trattati in esso, e sono quelli che chiamiamo, fra quelli da trattare, i degnissimi.[1]

Ora ricerchiamo quali siano. Per determinarli chiaramente, bisogna sapere che l'uomo, secondo la triplice dimensione della sua anima, vegetativa, animale e razionale,[2] percorre un triplice cammino. Infatti, in quanto è un essere vegetativo, cerca l'utile, e in questo si accomuna alle piante; in quanto è un essere animale, cerca il piacere, e in questo si accumuna alle bestie; in quanto essere razionale, cerca l'onesto, e in questo è solo, o partecipe della natura degli angeli. Appare chiaramente che tutto ciò che facciamo lo facciamo in vista di queste tre finalità; e poiché nell'ambito di ciascuna di esse si distinguono oggetti maggiori e oggetti grandissimi, quelli grandissimi sono da trattare nei modi più alti, e di conseguenza nel volgare più alto.[3]

Ma occorre discutere quali siano queste cose grandissime. E in primo luogo nell'ambito dell'utile: e a questo proposito, se consideriamo attentamente il fine di tutti coloro che cercano l'utile, vedremo che esso coincide con la salvezza.[4] In secondo luogo, nell'ambito del piacere: e a questo proposito diciamo essere massimamente dilettabile ciò che reca diletto attraverso l'oggetto più prezioso dei nostri appetiti: cioè l'amore sensibile. In terzo luogo

1. D. segue qui il principio classicistico, accolto dalla scuola medievale, della distinzione fra stile alto, medio e umile, che gli autori delle arti poetiche del Medioevo avevano fatto corrispondere ai diversi gradi di dignità degli argomenti ed oggetti rappresentati.
2. Secondo la prospettiva aristotelico-scolastica, l'anima vegetativa presiede alle funzioni biologiche, quella animale, detta anche sensitiva, alle funzioni affettive, quella razionale è la parte dell'uomo fatta a immagine e somiglianza di Dio e risolve unitariamente in sé le «anime» inferiori.
3. Il volgare illustre è dunque destinato a rappresentare i momenti fondamentali della vita umana.
4. Cioè con la conservazione della vita.

nell'ambito dell'onesto: e qui nessuno dubita che si tratta della virtù. Dunque questi tre, cioè salvezza, amore e virtù, appaiono gli argomenti altissimi[5] da trattare nella forma più eletta, e cioè gli argomenti che a essi maggiormente hanno attinenza, come la prodezza guerriera, la passione amorosa, la retta volontà. Se consideriamo bene, troviamo che soltanto intorno a questi si è svolta la poesia in volgare degli scrittori illustri, ossia quella di Bertran de Born intorno alle armi, quella di Arnaldo Daniello intorno all'amore, quella di Gerardo di Bornehl intorno alla rettitudine; e così Cino da Pistoia ha cantato l'amore e il suo amico la rettitudine[6] (II II 5-7).

Riconsiderando le cose dette ci viene in mente che abbiamo chiamato in genere poeti coloro che scrivono versi in volgare: cosa che senza dubbio abbiamo osato affermare a ragion veduta, perché certamente sono poeti, se consideriamo rettamente la poesia, la quale non è altro che invenzione poeticamente espressa secondo retorica e musica.[7] Differiscono tuttavia dai grandi poeti, quelli, cioè, regolari, perché i grandi hanno poetato con lingua e arte ben fondata su regole, questi, invece, come s'è detto, a caso. Avviene pertanto che quanto più da vicino imiteremo i grandi, tanto più correttamente faremo poesia. Converrà quindi che noi, che intendiamo scrivere un'opera dottrinale, emuliamo le loro arti poetiche così ricche di dottrina.[8] [...]

Dobbiamo distinguere col massimo discernimento, negli argomenti che si presentano, se debbano essere cantati in forma tragica, comica, elegiaca. Con tragedia indichiamo lo stile superiore, con commedia l'inferiore, con elegia indichiamo lo stile degli infelici.[9] Se gli argomenti appaiono tali da essere cantati in stile tragico, allora bisogna assumere il volgare illustre e di conseguenza usare la forma metrica della canzone. Se, invece, sono di genere comico, allora si usi a volte il volgare di tipo medio, a volte l'umile; e ci riserviamo di mostrare i criteri di distinzione in proposito nel quarto libro di questo trattato. Se invece sono di genere elegiaco, dobbiamo prendere soltanto il volgare umile.

Ma lasciamo da parte gli altri e parliamo ora, come è opportuno, dello stile tragico. Appare che usiamo lo stile tragico solo quando con la profondità del pensiero s'accordano la magnificanza dei versi usati, l'altezza della costruzione e l'eccellenza dei vocaboli.[10] Perciò, se è vero che abbiamo già dimostrato che le cose somme sono degne di ciò che pure è sommo, e che questo che chiamiamo tragico è il più elevato fra gli stili, ne consegue che quelli che abbiamo definito come gli argomenti più elevati vanno cantati solo in questo stile: e cioè la salvezza, l'amore e la virtù e i concetti che concepiamo relativamente a essi, purché non siano sviliti da nessuna considerazione episodica o accidentale[11] (II IV 2 e 5-8).

5. Nel testo latino: *magnalia*; cioè cose (argomenti) auguste e grandiose.
6. Come s'è detto, il *De vulgari eloquentia* delinea anche la nostra storia letteraria dai Siciliani (tenendo ben presenti i loro ispiratori Provenzali e Francesi) ai Toscani agli Stilnovisti a Dante stesso. Dei Provenzali qui citati, Arnaldo Daniello è l'ispiratore delle canzoni dantesche dette «petrose», che esprimono una passione sensuale. D. cita poi, nel corso del libro, numerosi poeti italiani, ma indica Cino e se stesso come gli scrittori attualmente esemplari; Cino per la poesia d'amore, se stesso per quella di contenuto filosofico-morale.
7. Nel testo latino: «fictio rethorica musicaque poïta». *Fictio* allude all'invenzione, al momento immaginativo, *poïta* è un grecismo che significa «composta poeticamente», la *retorica* riguarda la strutturazione del discorso e il linguaggio figurato, la *musica* la struttura metrica (qui, la canzone, concepita come la forma più degna dello stile elevato).
8. La coscienza e l'esaltazione della nuova tradizione letteraria romanza comportano il confronto con quella dei classici latini, concepiti, per tutto il Medioevo, come supremi modelli. D., mentre ammette la loro superiorità, fondata sulla loro capacità tecnica rigorosa, vede tuttavia la nuova letteratura come emula di quella antica.
9. È la versione medievale della dottrina classica dei tre stili (cfr. nota 1). Qui *tragedia* e *commedia* non hanno a che vedere coi generi teatrali che distinguiamo con questo nome. D. però oscilla fra una definizione formale e una contenutistica dei tre stili, come si vede dalla definizione del terzo. In realtà, sul piano formale la distinzione vera è fra stile tragico e stile comico, il quale ultimo, come D. affermerà altrove, può alternarsi, a tratti, con quello elevato anche in un'opera scritta prevalentemente in stile comico.
10. Nel corso di questo secondo libro D. indica nell'endecasillabo il verso più nobile e dà esempi di costruzioni del discorso di stile alto e di vocaboli eccellenti da usare nello stile tragico.
11. Si tratta, dunque, di esprimere l'essenza profonda di questi argomenti, non le loro manifestazioni empiriche o accidentali (ad esempio, l'essenza spirituale e il significato universale dell'amore, non una particolare vicenda privata).

Le «Rime»: una collezione di «estravaganti»

Con questa definizione metaforica il Contini ha messo in rilievo il carattere non unitario dell'esperienza lirica dantesca rimasta fuori dai tentativi di sistemazione della *Vita nuova* e del *Convivio*. La raccolta delle *Rime*, che comprende cinquantaquattro componimenti sicuramente autentici, più altri di dubbia attribuzione, fu ordinata dai posteri, e non costituisce un canzoniere unitario né sul piano tematico né su quello formale, ma attesta una complessa ricerca, condotta da Dante col rigore tecnico costantemente teorizzato nelle sue dichiarazioni di poetica. Fra le *Rime* si possono distinguere alcuni gruppi omogenei sul piano tematico-espressivo. Ma il solo principio unitario della raccolta è quello, di origine classica, d'una congruenza fra oggetto e livello stilistico della rappresentazione: un principio teorizzato anche nell'*Inferno* («sì che dal fatto 'l dir non sia diverso», XXXII, 12), che giustifica l'irrequieto procedere del poeta verso sempre nuove acquisizioni stilistiche e ideologiche. Così è dato osservare un progressivo ampliarsi della tematica amorosa per assumere motivazioni e caratteri sempre più complessi, impliciti, peraltro, nel fatto che amore è, fin dall'inizio, «figura» della realtà profonda della coscienza, o «unimento spirituale dell'animo con la cosa amata», che si trasforma in uno slancio vitale sempre più comprensivo e in un'identificazione sempre più profonda con la realtà. In questa prospettiva, il mito si modifica e viene a sostanziare di sé aspetti diversi della coscienza, dal «sogno» amoroso della *Vita nuova*, all'«uso amoroso di sapienza» che è la filosofia: un movimento della mente verso la verità cui s'accompagnano motivazioni etiche ed esistenziali. Al «cavaliere» della tradizione «cortese» subentra il filosofo (o uomo di cultura), mentre l'esperienza d'amore va dall'atmosfera stilnovistica a un senso sofferto della problematica spirituale che essa comporta, e l'amore di verità diviene impeto profetico-riformatore, che preannuncia da vicino la *Commedia*.

Si può assegnare un primo posto, all'interno della raccolta, alle rime della prima vicenda «cortese», escluse, per varie ragioni, dal progetto unitario della *Vita nuova*. Segue poi un gruppo di rime allegorico-dottrinali e morali, riconducibile alla nuova storia interiore tentata nel *Convivio* e definita criticamente nel *De vulgari eloquentia*. Si possono distinguere, all'interno di esso, le rime allegoriche, che cantano l'amore per la Donna gentile-Filosofia, ancora legate alla «dolcezza» delle rime della lode di Beatrice, e la rima «aspra e sottile» di quelle puramente dottrinali. Si apre poi una nuova fase sperimentale e di ricerca della poesia dantesca, che comprende esiti notevolmente diversi: la tenzone con Forese Donati, strettamente legata alla violenta deformazione caricaturale dello stile *comico* di Rustico Filippi o di Cecco Angiolieri, e le «petrose», nelle quali è perseguito uno stile aspro e difficile, anche sul piano metrico, ispirato al poeta provenzale Arnaldo Daniello, immagine della violenza dell'amore come passione sconvolgente. Questa fase si svolge a partire dal 1295 circa.

La lettura del *Convivio*, ossia l'esigenza che Dante ha mostrato ivi, come nella *Vita nuova*, di concludere i momenti della propria vicenda umana e poetica in affabulazioni organiche, e la stessa vocazione sapienziale della sua poesia, hanno indotto molti critici a escogitare interpretazioni allegoriche delle *petrose* e di altre rime d'amore, con quello che si potrebbe definire un eccesso esegetico e contenutistico. È vero, infatti, che Dante, nella sua lirica amorosa, è sempre inteso a risalire a una dimensione d'interiorità esemplare, non a raccontare fatti, ma a illuminare la struttura profonda dell'anima di cui molto spesso amore diviene metafora. Ma non si tratta tanto di dire se, in una lirica, egli parla d'un amore concreto per una donna reale, dandoci un frammento d'una specifica storia (cosa alla quale egli, di solito, non tendeva); quanto di accogliere il contenuto di verità globale che egli trae dalla vita e l'interpretazione dell'io, del suo rapporto con la realtà che egli configura attraverso la mitologia amorosa, secondo un procedimento tipico sin dall'inizio di quell'originale «genere letterario» che fu la lirica romanza d'amore.

Vi sono infine, nel libro, rime di varia corrispondenza (un gruppo interessante sono quelle inviate a Cino da Pistoia), e alcune liriche particolarmente intense del tempo dell'esilio, sia politiche sia amorose, dove si riscontra un nuovo realismo, meno legato ai modelli tradizionali.

A prescindere dagli esiti poetici particolari (alcuni assai notevoli), le rime ritrovano una loro ideale unità e un loro ideale approdo nella vasta polifonia della *Commedia*, preparandone la molteplicità di stili.

Per i testi (e il commento) seguiamo: Dante Alighieri, *Le Rime*, a cura di G. Contini, Torino, Einaudi, 1946; *Rime della «Vita nuova» e della giovinezza*, a cura di M. Barbi e F. Maggini, Firenze, Le Monnier, 1956; *Rime della maturità e dell'esilio*, a cura di M. Barbi e V. Pernicone, ivi, 1969.

a) tra «Vita nuova» e «Convivio»

L'analisi già svolta del libro della *Vita nuova*, che attesta la prima esperienza lirica di Dante, anche quella pre-stilnovistica, esime dal documentare ampiamente questa fase, che, inoltre, è rappresentata, nelle *Rime*, da componimenti, per lo più, minori. È, se mai, interessante, osservare come e perché dal «libello» siano state escluse liriche di maggior impegno, avvertite come discordanti dal nuovo mito d'amore e dall'incremento di significato dei vecchi testi che l'antologia comportava. È il caso di *E' m'incresce di me*, dove pure fa la sua comparsa il libro della memoria e il tema del precoce innamoramento di Dante fanciullo, e *Lo doloroso amor*; due canzoni di spirito cavalcantiano, incentrate sul tema dell'amore-tormento, escluse per non turbare la linea della lode di Beatrice e dell'amore beatificante da lei ispirato.

Tra i testi scelti vi sono due fra i primi approdi della poesia «cortese» di Dante, il sonetto di incipiente stilnovismo *Guido i' vorrei* e la ballata *Per una ghirlandetta* che, almeno in parte, sembra ricondurre a una fase anteriore. Il sonetto, invece, *Un dì si venne a me Malinconia*, da connettere ai presentimenti di morte di Beatrice, che dominano a un certo punto della *Vita nuova*, incentrandosi poi sulla grande canzone visionaria *Donna pietosa*, rivela un realismo psicologico-formale lontano dal tono del libro.

Vanno collocate a questo punto le canzoni e le altre liriche per la *Donna gentile* o Filosofia, quali *Voi che 'ntendendo il terzo ciel movete* e *Amor che ne la mente mi ragiona* (già riportata qui, parlando del *Convivio*). È stato sottolineato, in queste liriche, un permanere dello stile della lode, anche se si avverte una sorta di ulteriore rarefazione tematica che indurrebbe a credere a una rilettura in chiave allegorica delle due liriche, operata da Dante al tempo in cui le inserì nel trattato. A noi l'allegorismo appare originario; esso, comunque sia, andrebbe d'accordo con le allusioni di altre rime assegnabili anch'esse al periodo dopo la *Vita nuova*, che Dante tentò più tardi di comporre in un'altra autobiografia ideale, quella del filosofo, dopo quella del perfetto amante. Un certo allegorismo appare infatti evidente nelle rime per una Pargoletta e in altre; e sarà soppiantato soltanto dalle rime intorno alla rettitudine o virtù (*Cantor Rectitudinis* si autodefinirà Dante nel *De vulgari eloquentia*). Di questa fase accogliamo qui il sonetto *Due donne in cima de la mente mia*, dove appare quello che per un certo tempo Dante perseguì come un nuovo ideale poetico e umano: l'unione di dolcezza d'amore e vigoroso anelito verso la virtù.

Lasciando da parte le *petrose* (se ne parlerà più avanti) e alcune notevoli rime dell'esilio, quali *Amor da che conven pur ch'io mi doglia*, si è preferito riportare la canzone *Amor che movi tua vertù da cielo*: uno splendido inno all'amore come «moto spiritale», di là dai travestimenti allegorici, che assume un ideale carattere di conclusione.

Guido, i' vorrei che tu e Lapo ed io

Il sonetto, indirizzato a Guido Cavalcanti, ma, implicitamente anche all'altro poeta nominato, Lapo Gianni, appartiene certamente alla giovinezza di Dante, al tempo dell'amore per la prima donna-schermo, ricordato nella *Vita nuova* (donde la sua esclusione dal libro dedicato unicamente alla lode di Beatrice). Vi confluiscono varie suggestioni: il *plazer* provenzale (un componimento esaltante raffinate immagini di cose belle e gradite), ma anche, per il gusto di evasione dalla realtà quotidiana, risolto fantasticamente nel magico incantesimo e nell'indefinita navigazione sull'ampia distesa del mare, il romanzo cavalleresco francese. Predomina tuttavia il motivo della comunanza di vita con amici eletti e donne «leggiadre», che riconduce a un tema fondamentale dello stilnovismo: l'amicizia fra cuori «gentili». Il «ragionar sempre d'amore» qui vagheggiato si compone con quel vagare senza confini in una sorridente immagine di giovinezza e di sognata felicità.

Guido, i' vorrei che tu e Lapo ed io
fossimo presi per incantamento,
e messi in un vasel ch'ad ogni vento
per mare andasse al voler vostro e mio,
5 sì che fortuna od altro tempo rio
non ci potesse dare impedimento,
anzi, vivendo sempre in un talento,
di stare insieme crescesse 'l disio.
E monna Vanna e monna Lagia poi
10 con quella ch'è sul numer de le trenta
con noi ponesse il buono incantatore:

Metro: *sonetto* (schema: ABBA, ABBA, CDE, EDC).

1. Guido... Lapo: Guido Cavalcanti e Lapo Gianni.
2. presi per incantamento: per magia, mediante un incantesimo.
3-4. «e posti su di una navicella che liberamente andasse per ogni direzione (**ad ogni vento**) secondo il vostro e il mio volere».
5. sì che: in modo però che. **fortuna**: fortunale.
7-8. Vorrebbe Dante vivere, **sempre in un talento** con gli amici, e cioè secondo quel complesso di sentimenti, affetti, pensieri che è comune ai cuori gentili.
9-11. Ma il «buono (valente) incantatore», probabilmente il Mago Merlino dei romanzi arturiani, dovrebbe porre sul *vasello* anche le donne amate dai poeti, e precisamente Monna Vanna (Giovanna) per Guido, Monna Lagia per Lapo. Quanto a se stesso, Dante vorrebbe quella donna che ha messo al trentesimo posto in una poesia che dice di aver scritto, nella *Vita nuova*, per celebrare le sessanta più belle donne di Firenze.

e quivi ragionar sempre d'amore,
e ciascuna di lor fosse contenta,
sì come i' credo che saremmo noi.

12. ragionar: è un infinito con valore desiderativo-condizionale, spesso usato, per esempio, da Folgóre. È come dire: e qui vorrei che sempre parlassimo d'amore, secondo l'usanza «cortese».

Per una ghirlandetta

È anche questa una lirica giovanile di Dante, vicina alla sorridente gaiezza del sonetto a Guido; ma qui la fantasia d'amore è ancor più indefinita, si affida soprattutto a un agile movimento ritmico e fantastico che sembra prefigurare la musica con cui la ballata dovrà essere rivestita (le ballate erano cantate da un coro danzante). Il tema figurativo centrale è quello dei fiori (e Fioretta viene chiamata la donna; non si sa se fosse il suo nome o un *senbal*, il nome fittizio con cui i Provenzali chiamavano le loro donne per mantenerne celata l'identità), di cui l'amata apparve inghirlandata in una festa; ma con ardito trapasso metaforico e affettivo essi diventano i sospiri d'amore, il desiderio di cui il poeta cinge il dolce capo di lei e, al tempo stesso, le parole (anch'esse sospiri d'amore) che costituiscono la ballata.

Potrebbe essere anche questa una delle «cosette per rima» che Dante dice, nella *Vita nuova*, di avere composto per la prima donna-schermo.

Per una ghirlandetta
ch'io vidi, mi farà
sospirare ogni fiore.
I' vidi a voi, donna, portare
5 ghirlandetta di fior gentile,
e sovr'a lei vidi volare
un angiolel d'amore umile,
e 'n suo cantar sottile
dicea: «Chi mi vedrà
10 lauderà 'l mio signore».
Se io sarò là dove sia
Fioretta mia bella a sentire,
allor dirò la donna mia
che port'in testa i miei sospire.
15 Ma per crescer disire
mïa donna verrà
coronata da Amore.
Le parolette mie novelle,
che di fiori fatto han ballata,
20 per leggiadria ci hanno tolt'elle
una vesta ch'altrui fu data:
però siate pregata,
qual uom la canterà,
che li facciate onore.

Metro: *ballata*, composta d'una *ripresa* di tre versi settenari, seguita da tre strofe composte di quattro novenari e tre settenari. Schema: abc, DEDEebc.

3. sospirare: di struggente nostalgia.
5. ghirlandetta... gentile: una gentile ghirlandetta di fiori. Era uso delle donne portare queste ghirlande nelle feste di calen di maggio.
7. un angiolel: un amorino, che nella nuova mitologia stilnovistica diventa un angelo, personificazione dell'*umiltà* che è grazia e delicata dolcezza.
8. e... sottile: e nel suo canto acuto e melodioso.
9-10. «Chi... signore: chi vedrà me (in pratica la giovane donna della cui grazia e bellezza l'*angiolel* è una sorta di proiezione), loderà il mio signore, cioè Amore. Fuor di metafora, la donna ispira un sentimento d'amore.
11-14. Se il poeta sarà in luogo ove Fioretta possa ascoltarlo, dirà che lei, la sua donna, porta sul capo i suoi sospiri. Quei fiori, cioè, si sono come tramutati nel desiderio di cui egli la cinge, tanto a lungo li ha ricordati e sognati insieme al viso di lei.
15-17. Ma per aumentare il mio desiderio di lei, la mia donna verrà coronata da Amore; non più, dunque, dall'*angiolel*, ma da Amore in persona, che si confonde qui con l'ornamento (i fiori) e la bellezza del viso.
18-19. *Novelle* chiama le sue parole: l'aggettivo indica la novità e la freschezza del canto.
20-21. per... data: per essere più leggiadre hanno qui preso una veste (allude alla musica) che già fu composta per un'altra ballata.
22-24. però... onore: perciò vi prego (si rivolge a Fioretta) che facciate onore a chiunque la canterà (fare onore al cantore significa farlo anche al poeta che l'ha scritta).

Un dì si venne a me Malinconia

È il presagio della morte vicina di Beatrice, riconducibile pertanto alla situazione descritta nel cap. XXIII della *Vita nuova*, ma si svolge in atmosfera spirituale diversa, meno drammatica e grandiosa e più sommessa: quotidiana, vorremmo dire. Sono felici soprattutto i due primi versi e l'ultimo, e, al centro, la personificazione di Amore, dimesso e affranto. Tale uso di personificare affetti e sentimenti per esprimere in forma più viva il dialogo interiore è consueto alla poesia medioevale; originali di questo sonetto sono la concretezza e la vita che il poeta sa dare alle figure simboliche.

Un dì si venne a me Malinconia
e disse: «Io voglio un poco stare teco»;
e parve a me ch'ella menasse seco
Dolore e Ira per sua compagnia.
5 E io le dissi: «Partiti, va' via»;
ed ella mi rispose come un greco:
e ragionando a grande agio meco,

Metro: *sonetto* (schema: ABBA, ABBA, CDC, DCD).

1. Malinconia: la parola non ha lo stesso significato che ha per noi, ma quello di tristezza cupa, di un arrovellarsi aspro e desolato.
4. Ira: cruccio doloroso.
6. come un greco: invece di allontanarsi, Malinconia s'inasprisce e gli risponde con superbia. I Greci erano nel Medioevo considerati orgogliosi.
7. e ragionando, ecc.: mentre ella s'intratteneva a lungo con me (mentre, cioè, il poeta continuava ad esser preda di uno stato d'animo greve e sconsolato).

guardai e vidi Amore, che venia
vestito di novo d'un drappo nero,
10 e nel suo capo portava un cappello;
e certo lacrimava pur di vero.
Ed eo li dissi: «Che hai, cattivello?».
Ed el rispose: «Eo ho guai e pensero,
ché nostra donna mor, dolce fratello».

9-10. Amore appare con vestimenti neri e un cappuccio in capo, come si usava allora vestire in segno di lutto. **di novo**: perché il vestito si faceva apposta in occasione della morte di un congiunto.
11. pur di vero: davvero.
12. cattivello: infelice.
13. pensero: angoscia.

Due donne in cima de la mente mia

Il sonetto rappresenta un momento importante dell'esperienza sia culturale sia poetica di Dante. Situato, in anni vicini al 1295, fra la *Vita nuova* e la poesia relativa alla *Donna gentile* o Filosofia, che troverà, più tardi, piena sistemazione concettuale nel *Convivio*, tenta di fondere le due ispirazioni su un piano etico-conoscitivo. Il sogno è la concordanza fra piacere e azione generosa sul piano intellettuale e morale: cioè fra *bellezza* e *virtù*. O meglio, la scoperta della loro complementarità; dell'accordo tra finezza dei modi e del sentire e iniziativa spirituale verso la conquista d'una moralità fondata sulla consapevolezza intellettuale. Alla base di entrambe queste manifestazioni vitali sta amore: anelito, insieme, verso la bellezza e verso la verità (anche nel *Convivio* vi sarà una vicenda amorosa, quella con la filosofia, che è «uso amoroso di sapienza»; finché la ricerca filosofica di Dante, bloccata sul piano teoretico, si volgerà allo studio dell'etica). Il Contini parla, in proposito, d'una vagheggiata fusione fra «virtù laiche» (del cavaliere) e «virtù clericali» (dell'uomo di scienza e dottrina), e di «fusione dell'eleganza mondana» e della «rettitudine» di cui Dante si apprestava a divenire il cantore, come si definirà nel *De vulgari eloquentia*. Converrà aggiungere che la fusione qui tentata rivela un sostanziale ottimismo, secondo il quale il piacere, come dato esistenziale, può accordarsi in pieno con la ricerca e la conquista morali. È ancora un ideale aristocratico che la scoperta della violenza e della corruzione del mondo metteranno in crisi, dopo il fallimento politico, inducendo Dante al «giudizio universale» cui la *Commedia* chiamerà tutta una civiltà.

Due donne in cima de la mente mia
venute sono a ragionar d'amore:
l'una ha in sé cortesia e valore,
prudenza e onestà in compagnia;
5 l'altra ha bellezza e vaga leggiadria,
adorna gentilezza le fa onore:
e io, merzè del mio dolce signore,
mi sto a piè de la lor signoria.
Parlan Bellezza e Virtù a l'intelletto
10 e fan quistion come un cor puote stare
infra due donne con amor perfetto.
Risponde il fonte del gentil parlare
ch'amar si può bellezza per diletto
e puossi amar virtù per operare.

Metro: *sonetto* (schema: ABBA, ABBA, CDC, DCD).

1. donne: signore. Sono, come si vedrà, Bellezza e Virtù, entrambe connesse con amore, come ha rivelato la vicenda intellettuale e poetica di Dante fra *Vita nuova* e *Convivio*. Nella finzione narrativa legata alla personificazione delle due entità, il **ragionar d'amore** appare come uno dei dibattiti sulla natura di quello, e sul galateo che esso imponeva, che formavano oggetto di eleganti dispute di corte e passavano poi nelle tenzoni dei poeti.
3-4. l'una: la Virtù. Non è facile formulare in termini moderni queste attribuzioni, connesse come sono a un ideale anche letterario, all'idealizzata società cortese. **cortesia... valore... prudenza... onestà**: Nel *Convivio* Dante critica l'opinione diffusa che *cortesia* sia soltanto elegante liberalità, e la congiunge strettamente con *onestà*; e quest'ultima è il decoro del tratto, del gesto, della persona, che manifesta l'intima moralità, ispira anche la finezza dei modi e del sentire attuata nella convivenza umana dalla cortesia. Il valore è, in generale, il pregio che l'uomo acquista nella virtuosa esplicazione delle proprie inclinazioni naturali, la **prudenza** è assennatezza e misura.
5-6. Seguono ora gli attributi della bellezza (**l'altra**). Sono «virtù» del galateo cortese che vanno interpretate in quel contesto. La bellezza della seconda donna è arricchita dalla «vaga leggiadria», un termine che, secondo la definizione che ne dà Dante nella canzone *Poscia ch'Amor*, comprende «sollazzo», «amore» e «opera perfetta»; cioè un lieto costume di vita signorile, misurato anche nel divertimento e connesso alla gioia vitale e al senso di giovinezza che pervade l'etica cortese, l'amore come aristocrazia dell'animo, e la virtù morale che induce a un operare perfetto. Sono le doti non guerriere della cavalleria, nel suo valore morale e spirituale, ispiratore cioè d'un costume raffinato o **adorna gentilezza**, che Dante cita come terzo elemento e che è nobiltà dell'animo riflessa nell'agire. In tal senso si riallaccia all'«onestà» di cui si parla al v. 3. In sostanza, le virtù cavalleresche o cortesi e quelle morali finiscono per trapassare le une nelle altre; anche se le prime sono viste soprattutto nell'azione, le seconde nel loro carattere di scelta spirituale.
7-8. merzè... signoria: grazie ad Amore sono cavaliere servente di entrambe.
9-11. Si ha qui la spiegazione delle allusioni e allegorie precedenti. Le due donne che parlano all'intelligenza di Dante sono Bellezza e Virtù, e pongono la questione, caratteristica nel gioco cortese (basta ricordare Andrea Cappellano), di com'è possibile amare contemporaneamente due donne con amore perfetto, e cioè con piena dedizione.
12. il... parlare: Amore, fonte del parlare nobile e poetico.
13-14. Si può amare la bellezza avendo di mira la gioia vitale (**diletto**) e si può amare la virtù avendo di mira l'operare virtuoso. Questo comprende anche, in questo momento dell'esperienza dantesca dopo la *Vita nuova*, la filosofia; un rinnovato impegno culturale che si riversa nella vita etica e politica.

Amor che movi tua vertù da cielo

La canzone è un entusiastico inno all'Amore, esemplarmente raffigurato, secondo la tradizione «cortese» e stilnovistica, nel suo duplice aspetto di esaltazione e sofferenza. Prevale tuttavia la prima, in quanto amore è riconosciuto come fondamentale principio di «nobiltà», e cioè di perfezione spirituale ed esistenziale dell'uomo, mentre la sofferenza ribadisce la volontaria sudditanza a lui del

poeta e il travaglio che tale perfezione comporta.

Alcuni interpreti hanno visto nella donna qui cantata la Filosofia e nella sua durezza le difficoltà insormontabili incontrate da Dante nell'affrontare certi ardui problemi metafisici. Hanno, cioè, applicato alla canzone lo schema ideale delineato dal poeta nel *Convivio* (approdo dall'amore reale per Beatrice a quello allegorico per la Filosofia, con la sua vicenda di esaltazione e delusione). Ma l'analisi di questa lirica porta a escludere la presenza d'un preciso significato, o meglio, di un'intenzione, allegorici. Analogamente, appare inutile la ricerca di chi potesse essere nella realtà la donna cui qui si allude.

Dante, infatti, canta qui l'amore nella sua essenza di «moto spiritale» (o movimento spirituale), il suo carattere di fondamento della vita della coscienza, che spinge l'uomo alla piena attuazione della propria natura, esaltando la sua capacità di alta conquista del pensiero e di sensibile «dolcezza», che è poi intima adesione alla vita. Amore appare dunque come slancio verso la totalità e pienezza dell'essere, come sembrano ribadire le grandi immagini cosmiche delle prime stanze della canzone.

Amor, che movi tua vertù da cielo
come 'l sol lo splendore,
che là s'apprende piú lo suo valore
dove piú nobilità suo raggio trova;
5 e come el fuga oscuritate e gelo,
cosí, alto segnore,
tu cacci la viltate altrui del core,
né ira contra te fa lunga prova:
da te conven che ciascun ben si mova
10 per lo qual si travaglia il mondo tutto;
sanza te è distrutto
quanto avemo in potenzia di ben fare,
come pintura in tenebrosa parte,
che non si può mostrare
15 né dar diletto di color né d'arte.

Feremi ne lo cor sempre tua luce,
come raggio in la stella,
poi che l'anima mia fu fatta ancella
de la tua podestà primeramente;
20 onde ha vita un disio che mi conduce
con sua dolce favella
in rimirar ciascuna cosa bella
con piú diletto quanto è più piacente.
Per questo mio guardar m'è ne la mente
25 una giovane entrata, che m'ha preso,
e hagli un foco acceso,
com'acqua per chiarezza fiamma accende;
perché nel suo venir li raggi tuoi,
con li quai mi risplende,
30 saliron tutti su ne gli occhi suoi.

Quanto è ne l'esser suo bella, e gentile
ne gli atti ed amorosa,
tanto lo imaginar, che non si posa,
l'adorna ne la mente ov'io la porto;
35 non che da se medesmo sia sottile
a cosí alta cosa,
ma da la tua vertute ha quel ch'elli osa
oltre al poder che natura ci ha porto.

Metro: *canzone*, con stanze di 15 versi e senza *congedo*. Schema: AbBC, AbBC (*fronte*); CDdE-FeF (*sirma*).

1-15. Amore, come il sole, ricava la sua virtù, o potenza, dal cielo; e come il sole caccia oscurità e gelo, così caccia dal cuore umano la viltà e lo dispone a nobiltà e virtù.
1-2. Amor... splendore: o Amore, che ricavi la tua virtù operativa (in quanto è principio motore della vita spirituale), da un cielo, come il Sole, dal suo cielo, trae la virtù del suo splendore. Dal terzo cielo, o cielo di Venere, regolato, nel suo movimento, dalla gerarchia angelica dei Principati, viene, secondo D., l'influsso che accende amore nei cuori umani.
3-5. che... trova: la virtù operativa del quale sole si fa tanto più sentire quanto più è nobile, cioè ben conformata, la materia che il suo raggio incontra. **el fuga**: esso (sole) mette in fuga.
6-7. alto segnore: Amore. **viltate**: il contrario di nobiltà, di perfezione. **altrui**: all'uomo.
8. né... prova: né l'ira (cruccio, disposizione violenta e malvagia) può resisterti a lungo.
11-15. sanza... arte: senza di te l'attitudine alla virtù, alla nobiltà e perfezione che è, potenzialmente, in noi, va distrutta, non diviene realtà attuale e operante; allo stesso modo che una pittura posta in luogo buio, non può mostrarsi né dare diletto coi suoi colori e l'arte con cui è stata fatta.
16-30. Il poeta, soggetto all'influsso d'amore, sente continuamente nascere in sé il desiderio di rimirare ogni cosa bella; per questo suo rimirare, gli è entrata nell'animo una giovane donna. La propensione generale ad amare s'è concentrata su questo definito oggetto.
16-19. Feremi... stella: la tua luce colpisce sempre il mio cuore come quella del sole le altre stelle. Si credeva che esse derivassero dal sole la loro luce. **poi... primeramente**: da quando, per la prima volta, la mia anima fu fatta ancella del tuo potere.
20-23. onde... piacente: da questa soggezione ad Amore, nasce un desiderio che spinge Dante a mirare ogni cosa bella (occasione a rendere concreta e attuale la disposizione ad amare che ha nell'animo) con tanto maggior diletto quanto più essa è bella.
25-27. m'ha preso: m'ha fatto innamorare. **e... accende**: e ha acceso nel mio animo un fuoco (d'amore), come acqua limpida fra i vetri attraversata dalla luce solare (**chiarezza**) provoca un'accensione (agendo come una lente).
28-30. perché... suoi: perché nell'atto in cui penetrò nella mia mente, i tuoi raggi (d'amore) mediante i quali essa mi risplende, si concentrarono nei suoi occhi. La donna, dunque, s'identifica ora con la potenza stessa d'amore, secondo la tradizionale psicologia amorosa cortese e stilnovistica.
31-45. L'immaginazione, esaltata da Amore, riproduce nella mente la bellezza della donna; che la mente possa raffigurarla in sé e comprenderla sempre più intimamente, di là dalle sue stesse capacità naturali, è prova della potenza d'Amore, della sua capacità di elevare l'animo. Si conclude qui l'inno ad Amore, svolto in prevalenza su motivi guinizzelliani; ma originale è il sentimento d'entusiasmo che lo pervade e che s'esprime nella voluta ampia e solenne del discorso.
31-34. Quanto... porto: quanto è bella nella sua essenza e nobile (perfetta) nei suoi atti e degna di suscitare amore (**amorosa**) la donna, tanto la mia immaginazione, senza aver mai posa, la riproduce, vagheggiandola, nella mia memoria, dove l'ho sempre.
35-38. non... porto: non che la mia immaginazione sia abile, capace (**sottile**), con le sue forze (**da se medesmo**) di compiere una cosa così alta, ma dalla tua potenza (**vertute**) riceve ciò che osa fare (**osa**), di là dal suo potere naturale. La immaginazione è, cioè, potenziata ed esaltata da Amore.

È sua beltà del tuo valor conforto,
40 in quanto giudicar si puote effetto
sovra degno suggetto,
in guisa ched è 'l sol segno di foco;
lo qual a lui non dà né to' virtute,
ma fallo in altro loco
45 ne l'effetto parer di piú salute.
Dunque, segnor di sí gentil natura
che questa nobiltate
che avven qua giuso e tutt'altra bontate
lieva principio de la tua altezza,
50 guarda la vita mia quanto ella è dura,
e prendine pietate,
ché lo tuo ardor per la costei bieltate
mi fa nel core aver troppa gravezza.
Falle sentire, Amor, per tua dolcezza,
55 il gran disio ch'i' ho di veder lei;
non soffrir che costei
per giovanezza mi conduca a morte;
ché non s'accorge ancor com'ella piace,
né quant'io l'amo forte,
60 né che ne li occhi porta la mia pace.
Onor ti sarà grande se m'aiuti,
e a me ricco dono,
tanto quanto conosco ben ch'io sono
là 'v'io non posso difender mia vita;
65 ché gli spiriti miei son combattuti
da tal ch'io non ragiono,
se per tua volontà non han perdono,
che possan guari star sanza finita.
Ed ancor tua potenzia fia sentita
70 da questa bella donna, che n'è degna:
che par che si convegna
di darle d'ogni ben gran compagnia,
com'a colei che fu nel mondo nata
per aver segnoria
75 sovra la mente d'ogni uom che la guata.

39-42. È... foco: la bellezza della donna (qui ormai del tutto interiorizzata, immagine spirituale, ma, d'altra parte, corrispondente alla vera essenza della persona reale) è prova, argomento (**conforto**) del tuo valore, in quanto si può giudicare, appunto, effetto del tuo potere sopra un soggetto degno, cioè disposto a riceverlo (Dante stesso); così come il calore solare è effetto che indica il potere del fuoco. Amore è dunque la causa che produce, come suo effetto, nell'animo di Dante questa esaltante immagine di bellezza, come il fuoco è causa della potenza benefica del sole.
43-45. lo qual... salute: il quale sole, o calore solare, non può aumentare né diminuire la potenza del fuoco, ma la fa sembrare più efficace nell'effetto che opera in altro luogo, cioè qui in terra (*altro loco*, perché il fuoco aveva, per D., sede nella sfera del fuoco, situata prima del Cielo della Luna, e il Sole nel cielo che da lui prendeva nome).
46-60. Prenda, dunque, Amore pietà degli effetti che produce nel poeta attraverso la bellezza della donna, che gli procura un desiderio struggente di unirsi spiritualmente alla creatura che l'ispira; faccia che quest'ardore sia ricambiato.
46-49. gentil: nobile. **nobilitate**: perfezione, che, all'uomo, è data dalla virtù. **bontate**: buona disposizione e qualità. **lieva principio**: muove, proviene.
52-53. per... bieltate: che è suscitato in me dalla (attraverso la) bellezza di costei. La bellezza è, dunque, occasione al ridestarsi in noi d'amore come suprema elevazione dello spirito. **gravezza**: tormento, ardore e tensione insoddisfatte; donde l'invocazione d'aiuto.
54. per: con, per mezzo. Ma al v. 57 (**per giovanezza**) vuol forse significare *durante*.
60. porta ha. **pace**: supremo appagamento e quindi felicità.
61-75. L'intervento d'Amore darà onore a lui e aiuto prezioso al poeta, vicino ormai a morire per l'intimo travaglio; inoltre sentirà la sua potenza la donna, degna d'amore perché degna d'ogni virtù e di aver signoria sopra chiunque la guardi.
64. là... vita: sono giunto a tal punto, che più non posso difendere la mia vita.
65-68. ché... finita: perché i miei spiriti, le mie potenze vitali sono combattuti da un tale avversario che io penso, qualora non siano risparmiati (**non han perdono**) per tuo espresso intervento, che non potranno stare a lungo (**guari**) senza morte (**finita**).
69. fia: possa essere.
71-72. par: riesce evidente. **d'ogni ben**: d'ogni virtù.

ESERCIZIO DI ANALISI

«Amor che movi...»

1. Tematica della canzone. È una canzone elaboratissima, sia sul piano formale sia sul piano concettuale. Dal vocativo iniziale alla fine svolge una lunga e appassionata invocazione ad Amore, cui il poeta, dopo un'alta lode, comprendente anche la descrizione psicologica del proprio innamoramento, rivolge la preghiera di accendere anche il cuore della giovane donna bella e indifferente, degna signora della mente di chiunque contempli la sua bellezza. Questo, che potremmo chiamare il soggetto, diviene occasione d'una complessa meditazione sulla natura e il significato dell'amore, esperienza fondamentale, per Dante, della vita della coscienza, e per questo appassionatamente indagato dalla *Vita nuova* alla *Commedia*.

Si può suddividere la lirica, che non è pertanto una poesia d'amore, ma una poesia sull'amore, in due parti. Le prime tre strofe costituiscono un inno entusiastico al potere benefico dell'amore, che esalta l'animo e lo conduce alla sua perfezione o «nobiltà»; le altre due insistono sulla pena dell'amore non ricambiato, ma la loro tensione patetica si conclude con la lode altissima tributata all'amata, sì che anch'esse consuonano con l'iniziale esaltazione dell'amore.

Gli spunti di pensiero non appaiono, in sé, originali, ma riassumono e condensano l'esperienza della lirica giovanile di Dante e dei suoi modelli. C'è, dominante, il tema guinizzelliano dell'amore che reca a compimento pieno la nobiltà implicita in potenza nell'animo; vi sono le allusioni, d'ascendenza cavalcantiana, allo struggimento (la battaglia degli «spiriti») e alla morte per amore; e c'è, infine, il tradizionale motivo «cortese» della dinamica psicologica dell'amore: l'immagine della donna, costruita dalla immaginativa o fantasia nella memoria, che s'insignorisce della mente del poeta-amante. La vera originalità della canzone non consiste nell'approfondimento dottrinale ma soprattutto nel collegamento organico di questi motivi in un discorso dominato dal calore dell'affetto e da un diffuso entusiasmo contemplativo.

2. Le immagini. Alla trama concettuale si intreccia, soprattutto nelle prime tre stanze, una serie di immagini e paragoni riferiti alla luce che determinano un campo figurativo organico, inscindibilmente fuso con lo svolgersi del pensiero. Nella prima stanza troviamo: cielo, sole, splendore, raggi, pittura evidenziata, nella luce, dal diletto dei colori; nella seconda raggio, stella, foco acceso, acqua fra i vetri che accende fiamma, raggi (della bellezza o degli occhi), gli occhi come fonte luminosa dell'irraggiarsi d'amore; nella terza sole come segno di fuoco, con l'allusione alla sfera di questo elemento, posta al di là dell'atmosfera terrestre, secondo la cosmologia del tempo. Quel che conta è il loro dinamico corrispondersi per tutto il discorso e il loro confluire nell'idea complessiva (che è poi il significato profondo della canzone) d'un fuoco che accende e illumina, d'un calore che inonda la natura e lo spirito, segno d'un'invitta e radiosa vitalità. Attraverso l'iniziale paragone col sole che «fuga oscuritate e gelo» e fa palpitare ovunque la vita, e deriva, come amore, la sua virtù operativa da uno dei nove cieli, retti dalle Intelligenze angeliche, che garantiscono e rinnovellano a ogni istante l'armonia del mondo, l'amore assume il carattere d'una forza cosmica elementare riflessa nella coscienza, d'uno slancio puro verso la pienezza dell'essere che è perfezione o «nobiltà». La luce diviene metafora spontanea del gioioso espandersi o «splendore» dell'anima, avvivata dalla fiamma d'amore: di quella creatività spirituale che la spinge a plasmare in sé l'idea pura della bellezza, come splendore riflesso suscitato dalla bellezza femminile. Essa è, nel contempo, «figura» dell'armonica bellezza del mondo, che è anche il manifestarsi del bene. Amore significa dunque partecipazione intima all'essenza profonda della vita, attraverso l'esaltazione della creatività spirituale.

3. La struttura metrico-sintattica. Nel secondo libro del *Convivio* Dante, dopo aver commentato letteralmente la canzone *Voi che 'ntendendo*, esorta il lettore a considerarne la bellezza, che risulta dalla «construzione», che «si pertiene a li gramatici», dall'«ordine del sermone», di competenza dei «retorici», e dal «numero de le sue parti», che è di competenza dei «musici». Solida struttura sintattica, calibrato svolgimento oratorio mirante alla persuasione e al coinvolgimento emotivo del lettore, e musicalità della composizione metrica appaiono dunque l'ideale stilistico di Dante, perseguito anche nella canzone che stiamo esaminando.

Per quel che riguarda l'ordinamento retorico del discorso, se ne può osservare la struttura perfettamente bilanciata: la lode d'amore (stanze 1 e 2), il «miracolo» del suo attualizzarsi nell'animo (stanza 3), la preghiera delle ultime due stanze, che si risolve nell'umile ed entusiastica accettazione del suo dominio. Il momento più alto è forse nella vertiginosa esaltazione d'amore delle prime due stanze, che crea attorno a esso, come s'è visto, uno spazio cosmico di risonanza, e conferisce alla canzone il senso di un'alta avventura spirituale esemplare, di là dall'occasione biografica o sentimentale immediata.

Un'analoga ricerca è attestata dall'architettura complessa del periodare, dove la frequenza dei nessi sintattici, conseguente alle distinzioni sottili del pensiero, si accompagna a una voluta del discorso ampia e concatenata, che evidenzia il carattere di illuminazione progressiva dell'intelletto e del sentimento, il loro costante commisurarsi su ragioni universali. Ugualmente complessa è la struttura metrica, che alterna in ogni stanza al ritmo disteso degli endecasillabi la rapidità incisiva dei quattro settenari, che segnano una pausa lirico-meditativa da cui riparte con rinnovato slancio il discorso. L'intreccio delle rime pone al centro della stanza (a partire dal v. 6) tre coppie di versi a rima baciata, che determinano un ritmo di ribadite certezze.

Si osservi, per esempio, la prima stanza. Essa è costruita su un unico, ampio periodo (15 versi), dove il senso resta a lungo sospeso per l'affollarsi, dopo il vocativo iniziale, d'una serie di relative e comparative intese all'esaltazione delle «virtù» d'amore (sua origine celeste, paragone col sole, sua potenza vivificante, sua vittoria su «ira» e «viltade»), che ne proiettano in una dimensione cosmica il valore e il significato. Soltanto ai vv. 9 e 11 abbiamo le due proposizioni principali, semplicemente accostate, che concludono questa esaltazione in una ribadita testimonianza (amore fonte d'ogni bene). Segue poi una nuova comparativa che ribadisce la verità entusiasticamente acquisita e proclamata. I settenari segnano le svolte liriche della meditazione, proponendo e sintetizzando i termini essenziali della lode (il sole e lo splendore, l'alta signoria di amore, l'impossibilità, senza di lui, di conseguire il bene).

«Splendore» come rifulgere e diffondersi della luce d'amore, della sua forza vivificante è la parola tematica della stanza, che si svolge in un'alta meditazione intellettuale avvivata dall'entusiasmo affettivo. In tal senso essa rimane come modello espressivo delle due stanze che seguono, dove si intensifica la tonalità dottrinale; e, in sostanza, anche delle due conclusive, dove prevale la cadenza sentimentale, sempre ricondotta a un tono magnanimo che risolve la convenzionalità del lamento amoroso in un senso di alta avventura spirituale e nell'esemplarità cui già s'è alluso.

b) lo stile «comico»

L'anno 1295 (con qualche approssimazione) è stato visto come uno spartiacque nella produzione dantesca. Terminata la *Vita nuova*, incomincia una nuova avventura di pensiero, di vita e di poesia. Da un lato c'è la partecipazione di Dante alle «dispute dei filosofanti» e il nuovo amore per la filosofia; ma tutto questo, a ben vedere, corrisponde anche all'impegno politico e civile che egli viene sempre più risolutamente assumendo, fino al Priorato del 1300. È, infatti, conforme a esso la nuova immagine di uomo di cultura che egli vuol dare di sé, nel momento in cui ordinamenti comunali più democratici richiedono la responsabilità d'una nuova classe dirigente che aspira a una più completa formazione culturale (è un ideale attestato dal *Tresor* di Brunetto, dai volgarizzamenti, dal *Convivio*). Forse all'impegno di questi anni vanno ricondotte le rime morali, quali *Le dolci rime d'amor ch'io solìa*, l'ultima del *Convivio*, e *Poscia ch'amor del tutto m'ha lasciato*.

La nuova esperienza di vita comporta nuove esperienze di stile, a cominciare dalla «rima aspra e sottile» delle due suddette canzoni, con l'abbandono dello stile «dolce» delle liriche amorose precedenti. Gli aggettivi «aspro» e «sottile» alludono a uno stile in cui s'avvertono forte impegno intellettuale e sottigliezza di pensiero.

Accanto a questa c'è un'altra esperienza di stile propriamente «comico»: quella delle rime d'insulti inviate a Forese Donati, che rispondeva con insulti analoghi, in uno stile ben lontano dalla «dolcezza» stilnovistica (ma anche dall'asprezza che veniva dall'ardua conquista del pensiero) e compiaciutamente triviale: espressione d'un quotidiano avvilito. Nel *Purgatorio* Dante incontrerà l'amico fra i golosi, e con lui rievocherà la vita non esemplare che avevano insieme vissuto un tempo. È forse il «traviamento» che molti hanno ipotizzato nella biografia dantesca? Forse è bene non confondere biografia e poesia; anche perché la virulenza un po' becera dei sonetti era richiesta dal genere letterario, come appare evidente nelle liriche dell'Angiolieri, e perché Dante, nel suo poema, è inteso a un'autobiografia ideale di poeta-profeta, che lo induce a guardare il passato che non s'incorpora in questa linea ascendente con severità. Comunque sia, se, come sostengono studiosi insigni, fosse di Dante anche *Il fiore* (di cui si sono riportati esempi più sopra), l'esperienza «comica» apparirebbe insistita, sì da poter essere considerata un diffuso antecedente della poesia dell'*Inferno*.

Ben ti faranno il nodo Salamone

Ben ti faranno il nodo Salamone,
Bicci novello, e' petti de le starne,
ma peggio fia la lonza del castrone,
ché 'l cuoio farà vendetta de la carne;
5 tal che starai più presso a San Simone,
se tu non ti procacci de l'andarne;
e 'ntendi che 'l fuggire el mal boccone
sarebbe oramai tardi a ricomprarne.
Ma ben m'è detto che tu sai un'arte
10 che, s'egli è vero, tu ti puoi rifare,
però ch'ell'è di molto gran guadagno;
e fa sí, a tempo, che tema di carte
non hai, che ti bisogni scioperare;
ma ben ne colse male a' fi' di Stagno.

Metro: *sonetto* (schema: ABAB, ABAB, CDE, CDE).

1-2. Ben... Salamone: Nel sonetto al quale D. qui risponde, Forese, con allusione per noi oscura, aveva detto di aver trovato, una notte, lo spettro del padre di Dante, legato a un nodo magico, quello detto di Salomone. Ora D. risponde che Forese sarà legato in modo ben più concreto: lo metteranno in prigione per i debiti da lui contratti per soddisfare la sua ingordigia. I (**e'**) petti delle starne che il ghiottone divora gli faranno il nodo inestricabile. **Bicci novello**: per distinguerlo da un antenato omonimo. Ma c'è forse una sfumatura spregiativa.
3-4. ma... carne: ma ti procurerà danno maggiore la lombata (**lonza**) di (**del**) castrato, perché il suo cuoio, la sua pelle, trasformata in pergamena, servirà per fare i contratti di debito e vendicherà la carne da te divorata.
5-6. tal... andarne: tanto che starai più vicino a S. Simone (qui era situato il carcere principale di Firenze, la Burella) — dove ti porteranno i debiti non pagati — se non ti sbrighi a scappare.
7-8. che... ricomprarne: che rinunciare ai tuoi peccati di gola non sarebbe sufficiente a riscattarti dai debiti passati.
9. un'arte: il furto, che gli permetterà di rifarsi.
12-13. e... scioperare: e fa sí, per qualche tempo, che tu non abbia paura della *carta dei debiti* (così erano chiamati i contratti di debito), sì che tu debba interrompere le tue gozzoviglie.
14. ma... Stagno: ma ne incolse male, ma andarono a finire male, per avere esercitato quest'arte, i figli di Stagno. Allude a una famiglia di ladri celebri, impiccati per le loro malefatte.

c) le «rime petrose»

Le rime scritte per una donna-Pietra sono una delle sperimentazioni liriche più raffinate di Dante. Sono due canzoni, una sestina e una sestina cosiddetta doppia; scritte in metri poco usati o comunque sia ardui, cui corrisponde una complessa tessitura di immagini, di suoni, di stile, che si ispira al *trobar clus*, e cioè allo stile aspro e difficile del provenzale Arnaldo Daniello.

Il problema dell'identità della donna cui erano rivolte ha suscitato complicate, e spesso inutili, congetture degli interpreti; si è pensato a varie persone storiche e allegoriche, fino a vedere in essa impersonata la Chiesa corrotta. Tale ricerca è forse ancora più fuorviante che inutile; va, infatti, riconosciuto che l'identità delle donne cantate dai poeti è, in primo luogo, quella che esse hanno nella poesia, di là dalla cronaca della loro vicenda biografica. La considerazione vale ancor più per le protagoniste di questa lirica dei primi secoli, che canta non tanto figure femminili, ma gli effetti dell'amore nell'animo del poeta, con, anche qui, un prevalente interesse per una sorta di autobiografia esemplare e significativa per tutti, di cui s'è visto un esempio nella *Vita nuova*. La teoria dell'amore è, insomma, più importante, per questi poeti, della vicenda immediatamente personale; la seconda, anzi, cerca di configurarsi e giustificarsi sulla prima, superando l'immediatezza autobiografica.

In questa prospettiva, «Pietra» diventa un nome che allude a un'esperienza dell'amore difficile, a un'idea conflittuale della vita. È una visione tormentata che si configura anche nell'asprezza del dettato e dei ritmi.

L'esperienza di questa realtà interiore, il nuovo rapporto drammatico con la realtà e la conquista d'uno stile atto a effigiarlo, la struttura metrica complessa che si esprime in forme ossessive e martellanti, raffigurando essa stessa la dinamica interiore che si è detta, costituiscono un acquisto sicuro, nonostante qualche eccesso tecnicistico, nel cammino che porta alla complessa architettura stilistica della *Commedia*, al suo sentimento d'una realtà spesso tormentosa o problematica.

Io son venuto al punto de la rota

La canzone, databile alla fine del 1296, si fonda, concettualmente, sulla constatazione che, nonostante l'inverno gelato che inaridisce ogni forma di vita, Amore perseguita crudelmente il poeta. La contraddizione esistenziale che ne consegue scoppia, per così dire, nel *congedo*: che sarà del poeta al ritorno della primavera, quando amore pervade ogni essere, ogni forma di vita?

La tematica elementare (la contrapposizione, dunque, amore/inverno gelato) si snoda nelle singole stanze in visioni paesistiche (fino ad ora quasi assenti dalla lirica dantesca) che definiscono, in realtà, uno spazio d'anima, così come il tempo viene abolito dalla mancanza totale di svolgimento della vicenda. La canzone assume così una dimensione circolare, nel senso che si ripetono stanza per stanza, la stessa figura, lo stesso sentimento, la stessa situazione della prima. Ne deriva un ritmo ossessivo, di pena o rovello senza mutamento né conforto. Tale configurazione eidetica (ossia dell'immaginario) e psicologica, è ribadita, alla fine d'ogni stanza, dalla rima equivoca (la stessa parola ripetuta, con lieve modificazione di significato), che ripropone, in parole emblematiche, la chiusa e immedicabile pena: *petra/petra*, *donna/donna*, *tempo/tempo*, *sempre/sempre*, *dolce/dolce* (riferiti a *martiro* e *morte*), *marmo/marmo* (il poeta divenuto «uom di marmo», cioè impietrito anch'egli; la «pargoletta» dal cuore di marmo). C'è, dunque, una pietra-donna, un tempo di sempre, immutabile, di dolcezza e martirio, con la trasformazione finale anche del poeta in pietra o marmo, in coerenza con l'atteggiamento impietoso della donna. Su questa vicenda domina quel senso di paesaggio spento, di inverno di desolazione e di morte, che giunge, nella quarta stanza, a una tensione visionaria (l'emergere, dalle vene profonde della terra, di acque fumanti, mescolate a vapori: un'immagine di profondità abissali da cui nasce, per il «grande assalto» dell'inverno, un'universale glaciazione, che sembra effigiare un trionfo della morte, nel paesaggio come nell'animo). Si ripensa ai paesaggi dell'*Inferno*, alla loro capacità di evocare la fissità d'un declino e d'un destino dell'animo, una pena che è distruzione di sé e condanna.

Io son venuto al punto de la rota
che l'orizzonte, quando il sol si corca,
ci partorisce il geminato cielo,
e la stella d'amor ci sta remota
5 per lo raggio lucente che la 'nforca
sì di traverso che le si fa velo;
e quel pianeta che conforta il gelo
si mostra tutto a noi per lo grand'arco
nel qual ciascun di sette fa poca ombra:
10 e però non disgombra

Metro: *canzone* di stanze con piedi e sirima (schema: ABC, ABC: CDEeDFF). L'unico settenario — il decimo verso d'ogni stanza, alla fine della descrizione della natura — introduce l'io del poeta, il suo contrasto di pena d'amore di contro alla fissità del paesaggio invernale. La stanza termina, come s'è detto, con due versi a rima baciata «equivoca». Il *congedo* ha struttura uguale alla sirima.

1-9. Io... ombra: Io sono giunto al momento della rotazione celeste (**rota**) in cui, quando il sole tramonta (**si corca**, cioè si corica), l'orizzonte mostra la costellazione dei gemelli (**geminato cielo**), e la stella di Venere sta da noi remota (nel senso che non ci è visibile), perché i raggi del sole che la investono di traverso, biforcandosi prima di lei, ne velano completamente lo splendore; e il pianeta Saturno, che favorisce il freddo invernale, si mostra per tutto l'arco del tropico del cancro, nel quale ciascuno dei sette pianeti fa poca ombra (nel solstizio d'estate). — La situazione astronomica descritta qui da Dante riconduce all'anno 1296. È da osservare questa precisione astronomica, frutto d'un lungo studio, che sarà evidente anche nelle numerose descrizioni analoghe della *Commedia*, le quali riflettono un impegno scientifico di tutto il Medioevo.

10. e però: ma non per questo. **disgombra**: abbandona. Soggetto è «un sol penser d'amore» e oggetto è «la mente mia».

un sol penser d'amore, ond'io son carco,
la mente mia, ch'è più dura che petra
in tener forte imagine di petra.
Levasi de l'arena de l'Etïopia
15 lo vento peregrin che l'aere turba,
per la spera del sol ch'ora la scalda;
e passa il mare, onde conduce copia
di nebbia tal che, s'altro non la sturba,
questo emisperio chiude tutto e salda;
20 e poi si solve, e cade in bianca falda
di fredda neve ed in noiosa pioggia,
onde l'aere s'attrista tutto e piagne:
e Amor, che sue ragne
ritira in alto pel vento che poggia,
25 non m'abbandona, sì è bella donna
questa crudel che m'è data per donna.
Fuggito è ogne augel che 'l caldo segue
del paese d'Europa, che non perde
le sette stelle gelide unquemai;
30 e li altri han posto a le lor voci triegue
per non sonarle infino al tempo verde,
se ciò non fosse per cagion di guai;
e tutti gli animali che son gai
di lor natura, son d'amor disciolti,
35 però che 'l freddo lor spirito ammorta:
e 'l mio più d'amor porta
ché li dolzi pensier' non mi son tolti
né mi son dati per volta di tempo,
ma donna li mi dà c'ha picciol tempo.
40 Passato hanno lor termine le fronde
che trasse fuor la vertù d'Arïete
per adornare il mondo, e morta è l'erba;
ramo di foglia verde a noi s'asconde
se non se in lauro, in pino o in abete
45 o in alcun che sua verdura serba;
e tanto è la stagion forte ed acerba
c'ha morti li fioretti per le piagge,
li quai non poten tollerar la brina:
e la crudele spina
50 però Amor di cor non la mi tragge;
per ch'io son fermo di portarla sempre
ch'io sarò in vita, s'io vivesse sempre.
Versan le vene le fummifere acque
per li vapor' che la terra ha nel ventre,
55 che d'abisso li tira suso in alto;
onde cammino al bel giorno mi piacque
che ora è fatto rivo, e sarà mentre
che durerà del verno il grande assalto;
la terra fa un suol che par di smalto,
60 e l'acqua morta si converte in vetro
per la freddura che di fuor la serra:
e io da la mia guerra
non son però tornato un passo a retro,
né vo tornar; ché, se il martiro è dolce,
65 la morte de' passare ogni altro dolce.
Canzone, or che sarà di me ne l'altro
dolce tempo novello, quando piove
amore in terra da tutti li cieli,

12-13. ch'è... petra: che è più dura d'una pietra, e dunque inflessibile, inamovibile, nel tenere saldamente (lasciandosi dominare da essa) l'immagine della donna insensibile alla pena del poeta, e dunque simile a pietra.
14-19. Levasi... salda: Si leva dalle sabbie d'Etiopia il vento Austro (detto **peregrin** perché viene dall'altro emisfero, quello australe) che turba l'atmosfera per il grande calore che hanno, ora, in tale emisfero, i raggi del sole. Questo vento passa il mare donde porta con sé una tale abbondanza di nebbia che questa chiude ermeticamente, se altro vento non la disperde (**sturba**), il nostro emisfero.
20-22. e poi... pioggia: e poi si scioglie e fa cadere bianche falde di neve fredda o una pioggia noiosa (ma la parola ha un'accezione più intensa, rispetto all'italiano moderno, e allude al travaglio, alla tristezza provocate dalle lunghe piogge invernali). Si osservi come il paesaggio non insista su tonalità pittoresche, ma su motivi geografico-astronomici, che proiettano la pena del poeta su orizzonti sterminati e, in qualche modo, extrapersonali, con una conseguente oggettivazione dei sentimenti.
23. e Amor... non m'abbandona: e (tuttavia) Amore che ritira dovunque le sue reti per il suddetto vento che sale; che, cioè, ritiene inutile tendere le proprie insidie nella stagione dell'inverno, contraria all'amore, ecc.
27-29. che... segue: che ha bisogno di caldo (allude agli uccelli migratori). **del**: dal. **paese d'Europa**: Europa. **le... unquemai**: che non perde mai la vista delle stelle dell'Orsa maggiore.
30-32. e... guai: e gli altri hanno posto un freno all'emissione delle loro voci, e non le faranno risuonare, fino alla primavera, se non per emettere lamenti (**guai**).
33-34. e... natura: e tutti gli animali che più son propensi, per natura, ad amare.
35. però... ammorta: perché il freddo smorza (fa morire) la loro vitalità.
36. e... porta: e il mio pensiero, invece, è ancor più ispirato dal desiderio d'amore.
38-39 per... tempo: secondo il mutare delle stagioni. **c'ha... tempo**: che è giovane.
40-42. Passato... mondo: Hanno compiuto il limitato ciclo della loro vita le fronde, che l'influsso della costellazione primaverile d'Ariete fece spuntare per rallegrare il mondo (con la loro bellezza).
43-45. ramo... serba: non si offre alla nostra vista un ramo con foglie verdi, esclusi quelli di alloro, pino, abete, o di altri che conservano perennemente le fronde verdi.
46-47. forte... acerba: rigida e cruda. **morti**: uccisi. **poten**: possono.
49-50. però... non: non per questo.
51. per ch'io: e per questo io. **fermo**: fermamente deciso.
53-55. Versan... in alto: le fonti versan acque fumiganti, a causa dei vapori che la terra ha dentro di sé, vapori (caldi) che le tirano su in superficie, dall'abisso.
56-57. cammino: un sentiero. **al bel giorno**: nella bella stagione. **ora... rivo**: ora è divenuto un ruscello. **e sarà**: e rimarrà tale.
59-61. la terra... vetro: il suolo s'indurisce come pietra (**smalto**), per via del freddo che lo cinge intorno e l'acqua stagnante si muta in ghiaccio.
65. altro dolce: altra dolcezza.
67-68. quando... cieli: quando da tutti i cieli piovono in terra influssi che spingono ad amare. Si ricordi che, per Dante, oltre alle stelle, anche i cieli (nove), ossia gli spessori sferici al centro dei quali sta il nostro mondo, fanno piovere in esso influssi, che costituiscono, di fatto, i motori e le cause della vita naturale, e incidono anche

quando per questi geli
70 amore è solo in me, e non altrove?
Saranne quello ch'è d'un uomo di marmo,
se in pargoletta fia per core un marmo.

sull'indole dell'uomo e sui moti della parte vegetativa e sensitiva della persona.
69. quando: dal momento che.
71-72. Saranne... marmo: mi avverrà quello che avviene a un uomo tramutato in marmo, se la giovane donna che amo continuerà ad avere un pezzo di marmo al posto del cuore.

Così nel mio parlar voglio esser aspro

Questa *petrosa* si distingue dalla prima e dalle altre due (che omettiamo) per un'artificiosità metrica meno esibita. Sua caratteristica è piuttosto l'«asprezza», evidenziata in primo luogo dalla scelta dei vocaboli di suono duro, lontano dalla dolcezza stilnovistica, ma anche dalla «rima aspra e sottile» delle canzoni etiche. Si veda, per esempio, «aspro», «petra», «diaspro», «manduca», o immagini come quella dell'«orso quando scherza» o la volontà di straziare le trecce alla donna insensibile. Particolarmente interessante è il fatto che qui lo stile «comico» venga usato non in funzione parodistica, ma «seria», a definire, cioè, un tormento d'amore, fuori dalle consuete immagini della donna volgare e avida di danaro (la Becchina di Cecco Angiolieri). C'è, insomma, un avvio alla mescolanza degli stili che avrà ampio sviluppo nella *Commedia*, dove, fin dall'inizio, la dolcezza stilnovistica dell'apparizione di Beatrice a Virgilio si mescola all'aspetto demoniaco di Caronte e al suo linguaggio duro e insultante, cui risponde l'angoscia delle anime dannate.

Così nel mio parlar voglio essere aspro
com'è ne li atti questa bella petra,
la quale ognora impetra
maggior durezza e più natura cruda,
5 e veste sua persona d'un dïaspro
tal, che per lui, o perch'ella s'arretra,
non esce di faretra
saetta che già mai la colga ignuda:
ed ella ancide, e non val ch'om si chiuda
10 né si dilunghi da' colpi mortali,
che, com'avesser ali,
giungono altrui e spezzan ciascun'arme;
sì ch'io non so da lei né posso atarme.
Non trovo scudo ch'ella non mi spezzi
15 né loco che dal suo viso m'asconda:
ché, come fior di fronda,
così de la mia mente tien la cima.
Cotanto del mio mal par che si prezzi,
quanto legno di mar che non lieva onda;
20 e 'l peso che m'affonda
è tal che non potrebbe adequar rima.
Ahi angosciosa e dispietata lima
che sordamente la mia vita scemi,
perché non ti ritemi
25 sì di rodermi il core a scorza a scorza
com'io di dire altrui chi ti dà forza?
Che più mi triema il cor qualora io penso
di lei in parte ov' altri li occhi induca,
per tema non traluca
30 lo mio penser di fuor sì che si scopra,
ch'io non fo de la morte, che ogni senso
co li denti d'Amor già mi manduca;
ciò è che 'l penser bruca

Metro: *canzone* di cinque stanze, ciascuna delle quali ha tredici versi su cinque rime. Schema: ABbC, ABbC: CDdEE. Ne risulta che dal quinto verso in avanti si hanno solo rime baciate, cosa che conferisce un ritmo martellante, incalzante al componimento; anche il metro, dunque, contribuisce a dar il senso di quella cruda passione che, come sorda lima, consuma la vita del poeta (cfr. v. 23).

1-4. Il poeta rivela fin dall'inizio il proposito stilistico: intende usare un linguaggio duro, aspro, adeguato, cioè, alla durezza e insensibilità della donna crudele che disprezza il suo amore. **questa bella petra**: bella e senza pietà, insensibile come pietra. **la quale**, ecc.: la quale è continuamente indurita, impietrata, da una durezza di cuore sempre maggiore e dalla sua crudeltà. Per il Contini, *impetra* vale *consegue*.
5-8. «Ella riveste la sua persona di un diaspro (era una pietra che si credeva rendesse invulnerabili) tale che sia per effetto di esso, sia perché ella sa indietreggiare al momento opportuno, non esce saetta dalla faretra di Amore che possa coglierla indifesa e ferirla».
9. ancide: uccide. **ch'om si chiuda**: che uno si corazzi.
10. si dilunghi: cerchi di allontanarsi.
13. «Non so né posso difendermi (**atarme** = trovar aiuto, scampo) da lei». Fin da questa prima strofa, l'amore assume l'aspetto di una battaglia senza quartiere, sottolineata dall'asprezza degli accenti e delle parole: *aspro, diaspro, petra, impetra*, ecc.
15. dal suo viso: dalla vista di lei.
16-17. «Poiché come il fiore occupa la cima della fronda, così ella è in cima ai miei pensieri».
18-21. «Ella sembra curarsi del mio male quanto una nave (**legno**) si preoccupa di un mare tranquillo (sul quale non si solleva alcun'onda); eppure il peso dell'angoscia che mi abbatte, mi affonda nella disperazione, è tale che nessuna parola potrebbe adeguatamente esprimerlo».
22-23. La passione è vista come una lima angosciosa e spietata che logora (**scemi**) la vita del poeta sordamente.
24-26. «Perché non hai ritegno di rodere il mio cuore a scorza a scorza (a strato a strato: il cuore sembra indurito e inaridito come un tronco secco), come invece ho ritegno io a pronunciare il nome di colei che ti dà tanta forza?».
27-32. «Infatti, quando io penso a lei in un luogo ove qualcuno possa rivolgere il suo sguardo (**li occhi induca**), per timore che il mio pensiero d'amore non traluca all'esterno sì che possa essere scoperto, il cuore mi trema di più di quanto io non tremi per il pensiero della morte, che pure già mi rode (**manduca**) ogni senso, servendosi dei denti d'Amore». C'è qui il solito tema cortese dell'amore che deve essere celato. Poi, la stanza si risolleva con violente immagini «petrose».
33-34. «cioè la potenza (**vertù**) dei denti d'Amore logora lentamente (**bruca**) l'intelletto (**penser**) sì da ottunderlo».

la lor vertù sì che n'allenta l'opra.
35 E' m'ha percosso in terra, e stammi sopra
con quella spada ond'elli ancise Dido,
Amore, a cui io grido
merzé chiamando, e umilmente il priego;
ed el d'ogni merzé par messo al niego.
40 Egli alza ad ora ad or la mano, e sfida
la debole mia vita, esto perverso,
che disteso a riverso
mi tiene in terra d'ogni guizzo stanco:
allor mi surgon ne la mente strida;
45 e 'l sangue, ch'è per le vene disperso,
fuggendo corre verso
lo cor, che 'l chiama; ond'io rimango bianco.
Elli mi fiede sotto il braccio manco
sì forte, che 'l dolor nel cor rimbalza;
50 allor dico: «S'elli alza
un'altra volta, Morte m'avrà chiuso
prima che 'l colpo sia disceso giuso».
Così vedess'io lui fender per mezzo
lo core a la crudele che 'l mio squatra;
55 poi non mi sarebb'atra
la morte, ov'io per sua bellezza corro:
ché tanto dà nel sol quanto nel rezzo
questa scherana micidiale e latra.
Omè, perché non latra
60 per me, com'io per lei, nel caldo borro?
ché tosto griderei: «Io vi soccorro»;
e fare'l volentier, sì come quelli
che nei biondi capelli
ch'Amor per consumarmi increspa e dora
65 metterei mano, e piacere'le allora.
S'io avessi le belle trecce prese,
che fatte son per me scudiscio e ferza,
pigliandole anzi terza,
con esse passerei vespero e squille:
70 e non sarei pietoso né cortese,
anzi farei com'orso quando scherza;
e se Amor me ne sferza,
io mi vendicherei di più di mille.
Ancor ne li occhi, ond'escon le faville
75 che m'infiammano il cor, ch'io porto anciso,
guarderei presso e fiso,
per vendicar lo fuggir che mi face;
e poi le renderei con amor pace.
Canzon, vattene dritto a quella donna
80 che m'ha ferito il core e che m'invola
quello ond'io ho più gola,
e dàlle per lo cor d'una saetta:
ché bell'onor s'acquista in far vendetta.

35-39. Amore ha gettato il poeta a terra, riverso, con la percossa di quella spada con cui uccise Didone (che, innamoratasi d'Enea e da lui abbandonata, si uccise con la spada che egli le aveva donata), e gli sta ora sopra, come nemico implacabile e deciso a finirlo; il poeta gli chiede pietà con alte grida (**chiamando**), ma egli appare deciso a negargliela.
40. sfida: rende priva di speranza, getta nella disperazione la vita ormai spenta del poeta.
43. d'ogni guizzo stanco: così abbattuto, affranto, da non sentirsi di fare neppure una contrazione di spasimo.
44. mente: immaginazione. È così piena e mortale la prostrazione del poeta che, come non riesce neppure a concepire la possibilità di un movimento, così, nel torpore angoscioso, non riesce ad emettere un grido; esso gli sorge solo nell'immaginazione, come avviene negl'incubi.
45-47. Il sangue disperso per le vene viene chiamato disperatamente in aiuto dal cuore che sente venir meno la potenza vitale, e corre, come fuggendo, a lui, sì che il poeta rimane pallido di mortale pallore.
48. fiede: ferisce. **sotto il braccio manco**: a sinistra, in direzione del cuore.
49. rimbalza: si ripercuote. Il poeta intende, qui e nei versi precedenti, di rappresentare l'angoscia d'amore non solo come fatto spirituale, ma anche nella sua ripercussione fisica.
50-52. Pensa che se Amore alzerà ancora la spada, la morte lo chiuderà, cioè estinguerà totalmente la sua vita, prima ancora che il colpo giunga a segno.
53. In questa stanza e nella seguente, insorge, dopo lo strazio sofferto, la ribellione del poeta. L'amore insoddisfatto diviene brama di sfrenata violenza, opposta alla convenzione cortese e stilnovistica.
53. fender per mezzo: spaccare in due con un gran colpo di spada. Nota la violenza cruda e compiaciuta dell'immagine, che si prolunga in quello **squatra** (squarta) del verso seguente.
55. atra: cupa, e quindi paurosa.
57-58. «poiché quest'assassina (**scherana**) micidiale e ladra mi sa colpire invariabilmente, al sole e all'ombra (**rezzo**), cioè giorno e notte».
59-60. La fantasia si fa progressivamente più appassionata e crudele. Vorrebbe che la donna latrasse, cioè uscisse in grida disumane di dolore, come fa lui, nell'ardente baratro (**caldo borro**) della passione.
61-65. S'intrecciano inscindibilmente in questi versi l'impeto della vendetta, che si esprime nel tono crudamente sarcastico (**e piacere'le** - = le piacerei - **allora**) e la dolcezza, il desiderio d'amore, espresso dall'immagine di quei capelli biondi, morbidi, ricciuti; il sogno di farne scempio si mescola istintivamente a quello di una carezza.
68-69. Vorrebbe straziare quei capelli meravigliosi dall'ora terza, le nove del mattino, fino all'ora del Vespro, alla squilla dell'Avemaria.
75-76. anciso: ferito mortalmente. **presso e fiso**: da vicino e fissamente.
78. le renderei... pace: le riofffrirei il mio amore e il mio perdono.
80-81. che... gola: che mi sottrae la sua vista (e il suo amore), quello, cioè, che massimamente desidero.

d) fra testimonianza e messaggio

A conclusione della breve raccolta, presentiamo ora due liriche dell'esilio, in cui la passione politica e la sofferenza d'una vita distrutta si fanno testimonianza e messaggio, volontà di essere la voce della giustizia in un mondo devastato dal male. Questo è evidente soprattutto nella canzone *Tre donne*, che fa pensare, in certi momenti, alla testimonianza dantesca del canto XVII del *Paradiso* (il colloquio col trisavolo Cacciaguida), dove un destino di sofferenza viene accettato e risolto in vocazione e testimonianza. Tutto questo in una forma di nuova concretezza, comune a gran parte delle liriche scritte durante l'esilio, per la maturità ispirata al poeta dall'esperienza traumatica di quegli anni, fra esami di coscienza, speranze, disperazioni, e lo svilupparsi d'una volontà profetica, che tralascia le idealizzazioni autobiografiche precedenti (l'amante perfetto, il filosofo) per immergersi nella vicenda problematica e dolorosa del quotidiano.

Se vedi li occhi miei di pianger vaghi

Secondo l'interpretazione del Contini, la persona contro la quale è qui invocata la punizione di Dio è papa Clemente V, che uccide la giustizia, usurpando quelle che sarebbero prerogative dell'Imperatore, e poi si rifugia dal gran tiranno, Filippo il Bello di Francia, protettore dei pontefici in codesta loro politica ingiusta e colpevole. A Dio, dunque, si rivolge il poeta, e nella sua voce è il dolore di tutta l'umanità tradita da una delle sue supreme guide volute da Dio stesso, quella spirituale, perché risollevi la giustizia abbattuta, senza la quale non vi può essere pace nel mondo.

Se vedi li occhi miei di pianger vaghi
per novella pietà che 'l cor mi strugge,
per lei ti priego che da te non fugge,
Signor, che tu di tal piacere i svaghi:
5 con la tua dritta man, cioè, che paghi
chi la giustizia uccide e poi rifugge
al gran tiranno, del cui tosco sugge
ch'elli ha già sparto e vuol che 'l mondo allaghi;
e messo ha di paura tanto gelo
10 nel cor de' tuo' fedei che ciascun tace.
Ma tu, foco d'amor, lume del cielo,
questa vertù che nuda e fredda giace,
levala su vestita del tuo velo,
ché sanza lei non è in terra pace.

Metro: *sonetto* (schema: ABBA, ABBA, CDC, DCD).

1-2. vaghi: desiderosi. **pietà**: angoscia.
3-4. «Ti prego, o Signore, in nome di colei (la Giustizia) che mai si disgiunge da te, che tu li (**i**) privi di questo desiderio da piangere». Prega cioè Dio che tolga la cagione per la quale gli occhi suoi sono desiderosi di piangere, vendicando la calpestata giustizia.
5-8. «Cioè, ti prego, o Signore, che tu compensi degnamente (**paghi**), punendolo come merita, colui (il Papa) che uccide la giustizia e poi si rifugia presso il gran tiranno (il re di Francia), e beve il veleno che costui ha già sparso intendendo allagar con esso tutto il mondo».
11-14. Dopo la desolazione dei primi dieci versi, che culmina nella rappresentazione del silenzio affranto, dei fedeli della giustizia rassegnati a un oltraggio che non possono impedire, il sonetto si eleva, nella preghiera accorata ma fiduciosa, a un tono di magnanima speranza. Dio, che è fuoco d'amore, luce sublime che illumina il cielo e l'universo, non sopporterà che la giustizia resti soffocata nel mondo. La virtù che ora giace nuda e fredda nel gelo della morte, si schiuderà al soffio della resurrezione, si rialzerà, risplendente della divina luce.

Tre donne intorno al cor mi son venute

Questa canzone, scritta nei primi anni dell'esilio (probabilmente fra il 1302 e il 1304) è fondata su una complessa struttura allegorica. Sulla via dell'esilio, in un paesaggio interiore di sofferenza e solitudine, appaiono al poeta tre donne, lacere e abbandonate: Drittura e le sue figlie, come lui, anzi, con lui raminghe per il mondo. Esse rappresentano il diritto divino e naturale, ossia la Giustizia in universale, la Giustizia umana distributiva o diritto delle genti e la Legge positiva: quasi una personificazione una e trina della giustizia nella sua essenza e nei suoi effetti, nel suo essere struttura portante dell'universo, coincidente con l'ordine impresso da Dio alla Creazione, e nel suo esplicarsi nell'ordine umano e storico, come norma di un'ordinata vita nel tempo che dovrebbe riflettere e attuare nel mondo il progetto della sapienza divina. Ma le tre donne sono ora calpestate e vilipese dagli uomini, come afferma la prima, Drittura, rispondendo alle domande di Amore, signore dell'animo del poeta: Amore che rappresenta la tensione verso la verità e la virtù, il desiderio del bene come compimento dell'autentica natura umana. Tuttavia la coscienza dolorosa d'un mondo sovvertito, privo d'idealità e di valori, sommerso nel peccato e nella corruzione, si apre alla speranza che nasce da una fede incrollabile: la violazione della giustizia nel tempo non incrina il suo sicuro trionfo nell'eternità; essa è un valore troppo alto perché gli uomini possano infrangerlo, e tornerà, anzi, a trionfare anche nel mondo.

Queste persuasioni conferiscono alla figura del poeta esule una dignità altissima. Se il suo esilio coincide con quello di sempre, riserbato dalla malvagità degli uomini ai fedeli della giustizia, esso diventa per Dante onore, e la vita raminga si riscatta nella fede in una missione: la testimonianza dei valori che egli si sente chiamato a dare attraverso la sua sofferenza e la sua fede intatta. La grande poesia profetica della *Commedia* (che è poi un richiamo dell'uomo alla sua origine e al suo destino) è presente in questa canzone, dove tuttavia le persuasioni di Dante appaiono fondate più su una prospettiva filosofica che non su quella teologica del poema.

I due *congedi* della canzone appaiono scritti in epoca diversa. Il più interessante è il secondo, nel quale Dante si rivolge ai Fiorentini, in particolare ai Neri, chiedendo pace. La sofferenza dell'esilio, la nostalgia della patria, presenti anche nell'ultima stanza, non incrinano la saldezza delle proclamazioni morali, ma aggiungono a esse una nota di toccante umanità.

Tre donne intorno al cor mi son venute,
e seggonsi di fore:
ché dentro siede Amore,
lo quale è in segnoria de la mia vita.
5 Tanto son belle e di tanta vertute,
che 'l possente segnore,
dico quel ch'è nel core,
a pena del parlar di lor s'aita.
Ciascuna par dolente e sbigottita,
10 come persona discacciata e stanca,
cui tutta gente manca
e cui vertute né beltà non vale.
Tempo fu già nel quale,
secondo il loro parlar, furon dilette;
15 or sono a tutti in ira ed in non cale.
Queste così solette
venute son come a casa d'amico:
ché sanno ben che dentro è quel ch'io dico.
Dòlesi l'una con parole molto,
20 e 'n su la man si posa
come succisa rosa:
il nudo braccio, di dolor colonna,
sente l'oraggio che cade dal volto;
l'altra man tiene ascosa
25 la faccia lagrimosa:
discinta e scalza, e sol di sé par donna.
Come Amor prima per la rotta gonna
la vide in parte che il tacere è bello,
egli, pietoso e fello,
30 di lei e del dolor fece dimanda.
«Oh di pochi vivanda»,
rispose in voce con sospiri mista,
«nostra natura qui a te ci manda:
io, che son la più trista,
35 son suora a la tua madre, e son Drittura;
povera, vedi, a panni ed a cintura».
Poi che fatta si fu palese e conta,
doglia e vergogna prese
lo mio segnore, e chiese
40 chi fosser l'altre due ch'eran con lei.
E questa, ch'era sì di pianger pronta,
tosto che lui intese,
più nel dolor s'accese,
dicendo: «A te non duol de gli occhi miei?»
45 Poi cominciò: «Sì come saper dei,
di fonte nasce il Nilo picciol fiume
quivi dove 'l gran lume

Metro: *canzone* di cinque stanze, su schema AbbC; AbbC (fronte) C, DdEeFEf, GG (sirma), e due congedi, il primo metricamente uguale alla sirma, il secondo su schema AXaBBCC.

1. donne: La parola implica una connotazione di nobilità (dal latino *domina*), che si manifesta nonostante l'aspetto esteriore misero e desolato di queste figure femminili.
2-4. fore: fuori. **siede**: ha la sua sede e, si potrebbe dire, il suo seggio regale, in quanto signore, dominatore della vita del poeta. **Amore**: La figurazione richiama il dio d'amore della tradizione trobadorica e cortese; ma in realtà esso non ha più, qui, il tradizionale significato erotico; è l'amore per la verità e la virtù, proprio dell'uomo, della sua dignità di essere razionale. In *Convivio*, III, 3, dopo avere detto che l'uomo accoglie in sé varie nature (vegetativa, sensitiva ecc.), Dante afferma che «per la quinta e ultima natura, cioè vera umana o, meglio dicendo, angelica, cioè razionale, ha... amore alla veritade e alla vertude».
5. vertute: si potrebbe tradurre con *dignità*, come segno esterno dell'intima virtù. In Dante la parola *virtù* non indica soltanto una condizione, uno stato, ma anche il suo estrinsecarsi.
8. a pena... s'aita: «ha difficoltà a chiedere la loro condizione (*del parlar di lor*)»; o, secondo altri, «si sforza di parlare con loro, ma non riesce».
9-11. par: appare. **discacciata**: esiliata. **cui... manca**: alla quale tutti (*tutta gente* è un provenzalismo) vengono meno; che tutti hanno abbandonato. Nella figura delle nobili donne desolate comincia già a delinearsi il dramma dell'esilio del poeta.
15. sono... ira: spiacciono. **e... cale**: e sono da tutti totalmente trascurate.
17-18. a casa d'amico: Il cuore di Dante in cui siede Amore.
19. l'una: *Drittura*, o la Giustizia in universale. **molto:** va con *Dòlesi*.
20-21. e... rosa: La donna ha posato, reclinato sulla mano, il capo, che sembra la corolla d'una rosa quando sta per avvizzire essendo stato reciso di sotto lo stelo. Già il Carducci indicava come fonte di questo verso, Virgilio, *Eneide*, IX, 435 «Purpureus veluti cum flos succisus aratro» («come un purpureo fiore quando è reciso, sotto, dall'aratro»).
22. di... colonna: sostegno del viso addolorato. L'aggettivo *nudo* aggiunge un senso di desolazione e d'abbandono.
23. oraggio: pioggia (in questo caso di lacrime). È un francesismo.
26. e... donna: il Contini intende: «solo alla sua persona (non alle sue vesti) è chiara la sua signoria e dignità»; il Mattalia e lo Zonta, «sembra padrona solo di se stessa», nel senso che nessun altro la rispetta o le obbedisce (cfr. v. 10). Le due interpretazioni potrebbero integrarsi.
27-28. gonna: veste. **in parte**: nella sua nudità di donna. La veste lacerata mostra la sua miseria attuale, l'abbandono in cui è lasciata. Ella ha perduto, agli occhi degli uomini traviati, tutta la sua dignità.
29. fello: crucciato e dolente.
31. di pochi vivanda: l'amore per la verità e la virtù, nella corruzione attuale del mondo, è rimasto appannaggio di pochi esseri eletti.
33. nostra natura: la qualità della nostra nascita e quindi la nostra relazione di parentela con te.
35. suora... Drittura: la Giustizia (che, dice Dante in *Conv.*, IV, 17, «ordina noi ad amare e operare dirittura in tutte cose»), intesa, come già chiosava Pietro di Dante, come *ius divinum ac naturale*, coincidente, dunque con quell'*ordine* che è forma dell'universo, in quanto finalità unitaria e armonica della vita degli esseri e delle cose (cfr. *Paradiso*, I, vv. 102 e seguenti). In tal senso essa è sorella della madre d'Amore, Venere o, come interpreta il Mattalia, Natura (quella che gli scolastici chiamavano *Natura universalis*) che reca in sé la disposizione nativa al retto ordine dell'universo.
36. a cintura: di cintura; cioè con una povera cintura (questa era allora uno degli ornamenti più curati nell'abbigliamento femminile).
37. conta: conosciuta, nota (latino *cognita*); riprende e intensifica *palese*, con un senso più preciso di conoscenza razionale.
44. A te... miei: La domanda d'Amore rinnovella il suo dolore e le sue lacrime, inducendola a parlare delle due figlie infelici. È come se dicesse: «Non hai pietà dei miei occhi che verseranno nuovo pianto?».
46. di... fiume: il Nilo nasce (e allora è ancora un piccolo rigagnolo) da una fonte. Nel Medioevo questo fiume era identificato col Gibon, che nasceva, insieme coi fiumi Fison, Tigri ed Eufrate, da un'unica fonte situata nel Paradiso Terrestre. Secondo S. Ambrogio, la fonte simboleggiava la sapienza divina e i quattro fiumi le virtù cardinali.
47-54. Le precisazioni geografiche si fondono qui inscindibilmente col valore simbolico del contesto. Drittura parla della successiva generazione delle altre due donne, la prima, che simboleggia il diritto delle

toglie a la terra del vinco la fronda:
sovra la vergin onda
50 generai io costei che m'è da lato
e che s'asciuga con la treccia bionda.
Questo mio bel portato,
mirando sé ne la chiara fontana,
generò questa che m'è più lontana».
55 Fenno i sospiri Amore un poco tardo;
e poi con gli occhi molli,
che prima furon folli,
salutò le germane sconsolate.
E, poi che prese l'uno e l'altro dardo,
60 disse: «Drizzate i colli:
ecco l'armi ch'io volli;
per non usar, vedete, son turbate.
Larghezza e Temperanza e l'altre nate
del nostro sangue mendicando vanno.
65 Però, se questo è danno,
piangano gli occhi e dolgasi la bocca
de li uomini a cui tocca,
che sono a' raggi di cotal ciel giunti;
non noi, che semo dell'etterna rocca;
70 ché, se noi siamo or punti,
noi pur saremo, e pur tornerà gente
che questo dardo farà star lucente».
E io, che ascolto, nel parlar divino
consolarsi e dolersi
75 così alti dispersi,
l'essilio che m'è dato, onor mi tegno:
ché, se giudizio o forza di destino
vuol pur che il mondo versi
i bianchi fiori in persi,
80 cader co' buoni è pur di lode degno.
E se non che de gli occhi miei 'l bel segno
per lontananza m'è tolto dal viso,
che m'have in foco miso,
lieve mi conterei ciò che m'è grave.
85 Ma questo foco m'have
già consumato sì l'ossa e la polpa
che Morte al petto m'ha posto la chiave.
Onde, s'io ebbi colpa,

genti o diritto umano ed è sua figlia, la seconda, che simboleggia la legge positiva ed è figlia della prima. Ambedue queste nascite sono virginali, una sorta di partenogenesi; avvengono per una sorta di conoscenza riflessa di sé acquistata mirandosi in uno specchio (la *vergin onda*, la *chiara fontana*) che simboleggia la sapienza divina. In tal modo Dante allude alla derivazione ideale, per gradi, dell'ordine umano da quello divino. Come spiegano il Foster e il Boyde, la giustizia, in cui consiste l'ordine della Natura, è un riflesso della saggezza divina; e da questo riflettersi, effettuato nella mente umana, procede la giustizia umana in generale (*jus gentium*), che, mediante un successivo riflettersi nella stessa fonte divina, fa nascere la legge positiva (*lex humana*, secondo S. Tommaso d'Aquino, o *jus positivum*). In tal modo la legge e il diritto degli uomini appaiono come un'ideale filiazione della norma divina di giustizia, si inscrivono nell'ordine stabilito da Dio nella Creazione.

47-48. quivi... fronda: Si allude al Paradiso Terrestre, che si credeva situato presso l'Equatore. Qui i raggi perpendicolari del sole (*gran lume*) non consentono alle foglie del salice di gettare ombra sulla terra (altri interpreta «dove l'eccessivo calore del sole distrugge la vegetazione»). C'è forse qui un significato allegorico, non facile però da interpretare.

52-54. portato: figlia. **chiara fontana**: la *vergin onda* del v. 49. **più lontana**: più discosta ora, in quanto ha presso di sé la figlia; ma con evidente allusione anche all'ordine concettuale.

55. Fenno: fecero. **tardo**: a parlare.

56-57. molli: di pianto. **folli**: scortesi, perché non avevano conosciuto le tre *germane* o parenti, né avevano preso parte, com'era giusto, al loro giusto e nobile dolore.

58. salutò: nel senso di rendere onore.

59. l'uno... dardo: i due dardi d'Amore raffigurano, secondo il Tommaseo, l'affetto del bene e lo sdegno del male, sdegno che dev'essere anch'esso amore, in quanto è un'implicita riaffermazione di esso.

60. Drizzate i colli: Le esorta a sollevare il capo, prima reclino nel pianto.

62. per non usar: per il fatto di non essere state usate. **turbate**: intorbidate dalla ruggine.

63-64. Larghezza, ossia la liberalità, e Temperanza (che è però anche una delle virtù cardinali) sono due delle undici virtù morali di cui parla Aristotele; ambedue sono viste da S. Tommaso in stretta correlazione con la giustizia, perché riguardano il retto uso dei beni e dei piaceri e dei rapporti con gli altri. Amore qui le dice parenti di sé e delle tre donne, in quanto come loro riguardano l'ordine e l'armonia della retta natura, e riconosce che anch'esse sono ora esuli nel mondo corrotto.

65. Però: di solito ha in Dante il significato di *perciò*; ma qui potrebbe avere valore avversativo.

68. che... giunti: che sono giunti a sottostare a un attuale maligno influsso delle costellazioni celesti. Nel XVI del *Purgatorio* Dante affermerà invece la responsabilità degli uomini, connessa al loro libero arbitrio, della presente corruzione del mondo. Qui essa appare quasi come un destino, cui però si contrappone la fede invitta in un mondo di valori eterni e trascendenti, tanto più eroica quanto più problematica appare ogni speranza di riscatto (vedi la stanza seguente). Forse il determinismo astrale non va qui preso alla lettera, o per lo meno va considerato più come uno sfogo patetico che come un'affermazione filosofica.

69. etterna rocca: il cielo, sede immutabile di valori immutabili.

70-72. punti: offesi. **noi... saremo**: continueremo a essere, sostanzialmente, intatti e immortali. **pur... gente**: tornerà ancora una generazione. Dante è persuaso che il male non potrà trionfare nella storia degli uomini. **star**: essere in permanenza.

73. parlar divino: perché chi parla è il dio Amore, e, fuor di metafora, perché queste parole di speranza, anzi di certezza, testimoniano la presenza dei supremi valori anche nell'attuale miseria.

75. dispersi: esuli.

76. l'essilio... tegno: mi attribuisco a titolo d'onore l'esilio che m'è stato inferto. L'angoscia della vita raminga del poeta è riscattata dalla consapevolezza di soffrire in nome della giustizia, calpestata dagli uomini presenti, ma sempre viva e attuale nel cospetto di Dio che tornerà a farla trionfare nel mondo.

77. giudizio... destino: giudizio, decreto divino (magari inteso a punire gli uomini) o forza delle «cause seconde» (quali sono i cieli), permessa da Dio per cause a noi ignote.

78-79. vuol... persi: vuole questo sovvertimento del mondo. Alcuni vedono però qui un'allusione al trionfo dei Neri (il *perso* è colore fra il rosso cupo e il nero, che è però prevalente) sui Bianchi.

81-84. «E se non fosse che, per la lontananza, mi è stato tolto dalla vista (*viso*) il bersaglio (*segno*) cui mirano i miei occhi, considererei lieve a sopportarsi quello che mi è invece doloroso (cioè la "caduta", la sconfitta politica)». Il bersaglio è quasi certamente Firenze.

che... miso: che mi ha messo nel cuore il fuoco d'un amoroso desiderio.

85-87. m'have: m'ha. **la polpa**: la carne. **m'ha... chiave**: in segno di dominio.

88-90. Dante ammette qui d'aver peccato contro la propria città e di essere pentito. Probabilmente allude ai tentativi, compiuti con altri fuorusciti, per rientrare in Firenze con la forza, congiurando, quindi, contro la patria; o forse al fatto di avere contribuito alla lacerazione della città aderendo a una fazione. **più... penta**: sono passati molti mesi da quando la colpa fu cancellata, se è vero che il pentimento cancella la colpa.

più lune ha volto il sol poi che fu spenta,
90 se colpa muore perché l'uom si penta.
Canzone, a' panni tuoi non ponga uom mano,
per veder quel che bella donna chiude:
bastin le parti nude;
lo dolce pome a tutta gente niega,
95 per cui ciascun man piega.
Ma, s'elli avvien che tu alcun mai truovi
amico di vertù, ed e' ti priega,
fatti di color novi,
poi li ti mostra; e 'l fior ch'è bel di fori,
100 fa disiar ne li amorosi cori.
Canzone, uccella con le bianche penne;
canzone, caccia con li neri veltri
che fuggir mi convenne,
ma far mi poterian di pace dono.
105 Però no' l fan che non san quel che sono:
camera di perdon savio uom non serra,
chè 'l perdonare è bel vincer di guerra.

91-100. In questo primo *congedo* Dante esorta la canzone a rivelare la verità profonda che essa contiene soltanto a coloro che nutrono in sé il retto amore per la verità e la virtù e che soli, quindi, sono capaci di intenderne la *bontà* e di gustarne, insieme, la bellezza. Per gli altri, basti il significato letterale, l'intendimento, cioè, soltanto generale (l'unico che essi possano comprendere) di essa. Per Dante il contenuto sapienzale della poesia può rivelarsi soltanto a pochi, nutriti di studi profondi. **panni**: la veste esterna, cioè il significato letterale, abbellito dalla grammatica e dalla retorica: ossia la struttura linguistico-letteraria. **quel... chiude**: il significato allegorico riposto. **le... nude**: il significato letterale, immediatamente visibile. **lo dolce... piega**: rifiuta di svelare la verità, il dolce frutto verso il quale si protende l'intelletto degli uomini. **fatti... novi**: appari agli occhi suoi più bella; nel senso di lasciare intravedere dietro lo splendore della forma quello della verità nascosta. **li... mostra**: svelati a lui. **e 'l fior... cori**: ispira nei cuori amanti della verità e della virtù il desiderio di cogliere l'essenza intima di quel fiore (la verità) che appare così bello anche all'esterno, nella sua veste poetica. La bellezza è qui vista come manifestarsi dell'intima bontà.
101-107. In questo secondo congedo, probabilmente scritto in epoca più tarda, Dante cerca una riconciliazione coi suoi nemici politici, i Neri, affermando la sua volontà di vivere in pace sia con loro sia con i Bianchi, di sollevarsi al di sopra delle inimicizie delle fazioni per vivere con tutti i suoi concittadini in fraterna concordia. **uccella**: va a caccia (il verbo allude alla caccia col falcone). Le *bianche penne* sono i Bianchi, come i *neri veltri* (il veltro è un cane da caccia) sono i Neri. **che... convenne**: fui costretto a fuggire. **poteriano**: potrebbero. **Però... sono**: Non lo fanno (non mi donano pace) per questo, ché non conoscono il mio animo. Non sanno, cioè, che il poeta anela soltanto alla pace e alla concordia. **camera... guerra**: un uomo saggio non chiude la porta della camera del perdono; è disposto a perdonare perché questa è la vera vittoria.

Le «Epistole»

Ci sono pervenute tredici epistole latine di Dante, scritte fra il 1304 e il 1319 circa. Fra queste, è assai notevole quella a Cangrande della Scala, nella quale il poeta, inviando in dono a quel signore il *Paradiso* (o alcuni canti di esso), esponeva l'argomento, la struttura, il significato allegorico e le finalità della *Commedia* e commentava l'inizio della terza cantica. Importanti sono anche quelle politiche. Tre di queste furono scritte durante il tentativo di restaurazione dell'autorità imperiale compiuto da Arrigo VII, fra il 1310 e il '13, in Italia: una ai re, principi e popoli d'Italia perché lo accogliessero con reverenza e lo riconoscessero come loro imperatore, un'altra ai Fiorentini che si opponevano ad Arrigo, una terza all'imperatore affinché non indugiasse a portare a compimento l'impresa, ma conquistasse la Toscana e la scellerata Firenze che osava ribellarsi a lui. Un'altra fu inviata ai cardinali riuniti in conclave nel '14, affinché fosse riportata a Roma la sede pontificia.

Per il testo seguiamo quello stabilito da E. Pistelli, in *Le Opere di Dante*. Testo critico della Società Dantesca italiana, Firenze, 1960[2].

All'amico fiorentino

Il 19 maggio 1315 veniva approvata dai Fiorentini un'amnistia, della quale tutti i fuorusciti ed esiliati per ragioni politiche avrebbero potuto godere purché pagassero un'ammenda e facessero pubblica penitenza; si recassero, cioè, nel Battistero di S. Giovanni, vestiti di tela di sacco, con un cero in mano e si offrissero simbolicamente a Dio. Fra gli altri amici, scrisse a Dante, per invitarlo a tornare, un religioso (che Dante chiama «padre»), e questa è la lettera di risposta del poeta.

In litteris vestris et reverentia debita et affectione receptis, quam repatriatio mea cure sit vobis et animo, grata mente ac diligenti animadversione concepi; et inde tanto me districtius obligastis, quanto rarius exules

Dalla vostra lettera, che ho accolto con la dovuta reverenza e il debito affetto, ho bene compreso, intimamente considerandola con animo riconoscente, quanto profondamente e con tutta l'anima voi desideriate il

invenire amicos contingit. Ad illarum vero significata responsio, etsi non erit qualem forsan pusillanimitas appeteret aliquorum, ut sub examine vestri consilii ante iudicium ventiletur, affectuose deposco.

Ecce igitur quod per litteras vestras meique nepotis nec non aliorum quamplurium amicorum, significatum est michi per ordinamentum nuper factum Florentie super absolutione bannitorum quod si solvere vellem certam pecunie quantitatem vellemque pati notam oblationis, et absolvi possem et redire ad presens. In qua quidem duo ridenda et male preconsiliata sunt, pater; dico male preconsiliata per illos qui talia expresserunt, nam vestre littere discretius et consultius clausulate nichil de talibus continebant.

Estne ista revocatio gratiosa qua Dantes Alagherii revocatur ad patriam, per trilustrium fere perpessus exilium? Hocne meruit innocentia manifesta quibuslibet? hoc sudor et labor continuatus in studio? Absit a viro phylosophie domestico temeraria tantum cordis humilitas, ut more cuiusdam Cioli et aliorum infamium quasi vinctum ipse se patiatur offerri! Absit a viro predicante iustitiam ut perpessus iniurias, iniuriam inferentibus, velut benemerentibus, pecuniam suam solvat!

Non est hec via redeundi ad patriam, pater mi; sed si alia per vos ante aut deinde per alios invenitur, que fame Dantisque honori non deroget, illam non lentis passibus acceptabo; quod si per nullam talem Florentia introitur, nunquam Florentiam introibo. Quindni? nonne solis astrorumque specula ubique conspiciam? nonne dulcissimas veritates potero speculari ubique sub celo, ni prius inglorium ymo ignominiosum populo Florentineque civitati me reddam? Quippe nec panis deficiet.

mio ritorno in patria; e per questo, tanto più strettamente mi sento obbligato a voi, quanto più raramente capita ad un esule di trovare degli amici veri. Quanto poi alla risposta a quello che mi scrivete, anche se non sarà tale quale forse bramerebbe la viltà di certuni, vi prego affettuosamente che, prima di giudicarla, la esaminiate con mente spassionata e ponderatamente.

Ecco dunque quello che dalla vostra lettera e da quella di mio nipote e da quelle di parecchi amici mi vien reso noto a proposito dell'ordinanza emanata or ora in Firenze riguardo all'assoluzione di coloro che sono stati banditi da essa: che se io mi volessi piegare a pagare una certa somma di danaro, e a sopportare la vergogna di una pubblica manifestazione di pentimento e ritrattazione da parte mia, potrei essere assolto e rientrare immediatamente in patria. Ma in tutto ciò, padre mio, vi sono due cose ridicole e mal consigliate; dico mal consigliate da coloro che le hanno così pubblicamente bandite, poiché la vostra lettera, formulata con maggior discrezione e assennatezza, non conteneva nulla di tutto ciò.

È questo il generoso richiamo in patria che si rivolge a Dante Alighieri dopo avergli fatto soffrire l'esilio quasi per quindici anni? Questo ha meritato la sua innocenza a tutti palese? Questo il sudore e la fatica continuamente spesa nello studio? Lungi da un uomo vissuto in affettuosa dimestichezza con la filosofia una così dissennata viltà di cuore che alla maniera di un qualsiasi Ciolo e di altri infami sopporti di presentarsi a chiedere perdono come un malfattore! Lungi da un uomo apostolo della giustizia che egli, dopo che ha patito un'ingiustizia, paghi a chi gliel'ha inferta del suo denaro come se fosse suo benefattore!

Non è questa, padre mio, la via per ritornare in patria, ma se ne sarà trovata un'altra, da voi, prima, o, poi, da altri, che non offenda la fama e l'onore di Dante, per quella mi metterò con passi non lenti; ma se non si può entrare in Firenze per una strada siffatta, io non c'entrerò mai. E che, per questo? Non potrò contemplare il sole e le stelle e il loro corso dovunque io sia? Non potrò dovunque, sotto la volta del cielo, meditare verità dolcissime, senza prima rendermi spregevole, anzi, abietto a tutto il popolo e alla città di Firenze? E il pane, comunque, non mi mancherà.

L'epistola a Cangrande

L'epistola XIII, inviata, intorno al 1317, a Cangrande della Scala, dopo le formule di saluto e la dedica del *Paradiso* al potente signore, contiene un commento puntuale dei primi versi della cantica, preceduto da un'introduzione generale, o, com'era chiamato allora, da un *accessus ad auctorem* (introduzione alla lettura d'un autore). Riportiamo questa parte, che appare un documento rilevante della poetica dantesca al tempo della *Commedia*, o, qualora questa parte dell'epistola non fosse autentica, come sostiene un gruppo di dantisti, l'attestazione d'un metodo di lettura largamente diffuso in quel tempo, che non poteva, quindi, essere trascurato nella progettazione di un'opera.

La scuola medievale prevedeva un commento essenzialmente esplicativo del significato letterale ed, eventualmente, allegorico del testo, che ne chiarisse lo svolgimento concettuale e il contenuto di verità. L'*accessus*, che ne costituiva l'introduzione generale, presentava, in forma sintetica e facilmente comprensibile e memorizzabile, alcuni elementi generali dell'opera: l'argomento, l'autore, la forma di trattazione letteraria, il fine perseguito, il genere di filosofia (o giustificazione culturale), il titolo.

Questo spiega il carattere, che non può non apparire generico e riduttivo al lettore moderno, dell'*accessus* dantesco; quando, ad es., si limita a indicare come argomento del poema la condizione delle anime dopo la morte, sul piano letterale, e la giustizia di Dio su quello allegorico.

Dante però approfondisce il discorso su due punti importanti. Il primo è il riconoscimento della pluralità di significati che il suo

poema ha in comune con la Bibbia; il che significa collocarlo nell'ambito della letteratura profetica, in quanto esso ribadisce la certezza d'un imminente intervento nella storia umana della giustizia divina, mentre ne attesta la presenza nell'oltretomba in cui si compie la vicenda individuale.

Altro punto importante è l'abbandono, nella trattazione di quello che, per il poeta, dovrebbe essere l'argomento più alto (la salvazione dell'uomo), dello stile «tragico», l'unico degno, secondo il *De vulgari eloquentia*, della trattazione degli argomenti più elevati. La scelta dello stile «comico» e l'ammissione della sua alternanza, nel poema, con quello «tragico» sembrano indicare l'esigenza del poeta di uscire dalle rigide partizioni scolastiche, di attuare una mescolanza degli stili per esprimere tutta la vita e la storia dell'uomo, nel suo groviglio di grandezza e di miseria, secondo un integrale realismo cristiano.

Presentiamo qui la traduzione del testo latino.

Il significato di quest'opera non è uno, anzi, essa può dirsi polisensa,[1] cioè di più significati. Infatti il primo significato è quello che si ha dalla lettera (del testo), l'altro è quello che si ricava dalle cose significate dalla lettera. Il primo si chiama *letterale*, il secondo *allegorico* o *morale* o *anagogico*. Questo modo di trattare l'argomento, affinché sia più chiaro, può essere considerato in questi versetti biblici: «Quando Israele uscì dall'Egitto, e la casa di Giacobbe da un popolo barbaro, la nazione giudaica fu consacrata a Dio e dominio di Lui divenne Israele».[2] Infatti, se guardiamo alla sola lettera, vediamo qui significata l'uscita dei figli d'Israele dall'Egitto al tempo di Mosè; se all'allegoria vi vediamo significata la nostra redenzione operata da Cristo; se al senso morale, la conversione dell'anima dal lutto e dalla miseria del peccato allo stato di grazia; se al senso anagogico, il passaggio dell'anima santificata dalla schiavitù della presente corruzione terrena alla libertà dell'eterna gloria. E sebbene questi significati mistici siano definiti con nomi diversi, in generale possono dirsi tutti allegorici, in quanto diversi dal significato letterale o storico.[3] Infatti allegoria deriva dal greco «alleon»,[4] che in latino si traduce «alienum», ossia diverso.

Premesso questo, è chiaro che il soggetto di un'opera intorno al quale si muovano i due significati[5] conviene che sia duplice. E perciò occorre esaminare il soggetto della presente opera in quanto interpretato alla lettera, poi in quanto lo si interpreti allegoricamente. Il soggetto di tutta l'opera, considerato soltanto secondo la lettera, è in generale lo stato delle anime dopo la morte: lo svolgimento dell'opera verte, infatti, tutto su di esso. Se invece si considera l'opera secondo il significato allegorico, il soggetto è l'uomo in quanto, meritando o demeritando, per mezzo del suo libero arbitrio, è sottoposto al premio o alla pena, secondo la divina giustizia.

La forma dell'opera è duplice: forma del trattato e forma della trattazione (o modo di trattare).[6] La forma del trattato è triplice, secondo una triplice suddivisione. La prima suddivisione è quella secondo la quale l'intera opera si divide in tre cantiche. La seconda quella per la quale ogni cantica si suddivide in canti. La terza, quella per cui ogni canto si suddivide in terzine.[7] La forma o maniera del modo di trattare è poetica, inventiva, descrittiva, digressiva, transuntiva, e, insieme, definitiva, divisiva, probativa, improbativa ed esemplificativa.[8]

Il titolo del libro è: «*Commedia* di Dante Alighieri, fiorentino per nascita, non per costumi».[9] Per capire il titolo bisogna sapere che «commedia» deriva da «comos», che significa «campagna», e «oda», che significa «canto», cosicché commedia significa etimologicamente «canto villereccio». Differisce pertanto dalla tragedia quanto alla materia per questo, che la tragedia all'inizio è meravigliosa[10] e tranquilla e nella fine o catastrofe fetida e spaventosa; e si denomina per questo da «tragos», che significa «capro» e «oda», come a dire «canto del capro», cioè fetido come un capro; come appare nelle tragedie di Seneca. La commedia, invece, ha inizio da una situazione difficile, ma termina felicemente. [...] Ugualmente differiscono nello stile: la tragedia lo ha teso e sublime, la commedia dimesso e umile, come afferma Orazio nella sua *Ars poetica*,[11] dove però dà licenza ai poeti di commedie di usare qualche volta lo

1. Nel testo latino *polisemos*, ossia dotata di più significati. La parola è coniata dal greco, di cui D., come si vede anche in seguito, ebbe qualche vaga notizia.

2. È il salmo 113, che ricorda la fuga degli Ebrei dall'Egitto e il loro cammino verso la Terra promessa da Dio, già citato nel *Convivio* e interpretato in senso «anagogico» (cfr. il passo «I quattro sensi delle scritture»). Nel II del *Purgatorio* è cantato dalle anime che giungono alla montagna della purgazione, dopo l'uscita dalla vita.

3. **letterale o storico**: Si ricordi quanto si è detto nell'introduzione. L'evento ricordato in questo salmo è «figura» o prefigurazione di un altro evento, la redenzione, e presenta anche un senso morale e anagogico. I quattro sensi non sono però sempre compresenti: in un passo ve ne possono essere uno solo (quello letterale) o più.

4. La grafia della parola greca qui proposta è inesatta.

5. Allude a quello letterale e a quello chiamato generalmente allegorico, che può comprendere l'allegorico vero e proprio, il morale e l'anagogico.

6. La *forma del trattato* allude alla struttura generale (metrica o prosastica e loro specificazioni); con *forma della trattazione* D. indica la struttura formale interna del testo.

7. C'è chi traduce «versi» (nel *De vulgari eloquentia* la parola qui usata nel testo, *rithimus*, significa *rima*). Preferiamo «terzine» perché il termine latino suddetto indica, nella trattatistica del tempo, un complesso ritmico-metrico delimitato ed evidenziato dalla rima.

8. La traduzione è imprecisa, ma le parole usate da D. non hanno un equivalente esatto nella nostra cultura attuale. Dei due gruppi di aggettivi qui usati, il primo si riferisce ai modi dell'organizzazione del testo poetico. *Poeticus* vale «strutturato poeticamente» (cioè in versi, rime, ecc.), *fictivus* allude alla strutturazione fantastica, *descriptivus* e *digressivus* a due forme della strutturazione retorica indicate dalle poetiche del tempo come particolarmente adatte al testo poetico, la descrizione e la digressione (narrazioni o descrizioni non strettamente pertinenti all'argomento, ma inserite nel poema per conferirgli varietà e interesse), *transumptivus* si riferisce al linguaggio figurato, soprattutto metaforico. Gli altri cinque aggettivi si riferiscono ai modi del ragionamento filosofico di tipo scolastico: alla definizione e alla suddivisione logica in parti di un'argomentazione filosofica, all'addurre prove a sostegno o in contrario, alle esemplificazioni. In pratica D. sottolinea il fatto che il suo è un testo poetico e dottrinale insieme.

9. Il titolo, nei manoscritti del tempo, è preceduto dalla parola latina *incipit* che significa «incomincia». L'abbiamo pertanto omesso.

10. Meravigliosa in quanto narra vicende di persone altolocate, colte, all'inizio, nella loro magnificenza, poi sottoposte a peripezie e vicissitudini con esito doloroso.

11. L'*Ars poetica* di Orazio ebbe fortuna vastissima nel Medioevo; costituì uno dei fondamenti delle *Poetrie* o arti poetiche medievali.

stile dei tragici e viceversa.[12] [...] E da questo appare chiaro perché la presente opera è detta *Commedia*. Infatti all'inizio la sua materia è orribile e spaventosa, poiché vi si tratta dell'inferno, alla fine felice, desiderabile e gradita, perché vi si tratta del paradiso; e per quel che riguarda il linguaggio lo ha dimesso e umile, perché è la lingua volgare che è mezzo di comunicazione anche delle donne di umile condizione.[13] [...]

L'agente[14] di tutta l'opera è colui che è nominato nel titolo, ed è chiaro che lo è totalmente.

Il fine di tutta l'opera [...] è quello di allontanare i viventi in questa vita dallo stato di miseria e di condurli allo stato di felicità.

Il genere poi di filosofia nel cui ambito si procede in tutta l'opera, è la morale o etica, poiché l'opera non è stata concepita per la speculazione, ma per l'azione.[15]

12. Con questa «autorità», come allora venivano chiamati i precetti autorevoli di un autore illustre, D. giustifica la mescolanza di stile umile e sublime operata nella *Commedia*.

13. L'affermazione è ben lontana dall'esaltazione del volgare contenuta nel *De vulgari eloquentia*. Va però osservato che questo volgare è nobilitato, nella *Commedia*, da tutte le risorse di un'arte sapiente e sorvegliatissima. Inoltre questa affermazione di modestia è forse anche dovuta al fatto che in questi anni D. si trovò in contatto con ambienti (l'Università di Bologna, i cenacoli preumanistici del Veneto) in cui la dignità e l'autonomia espressiva del volgare erano ben lungi dall'essere riconosciute.

14. Nel testo latino *agens*, che, a nostro avviso, indica l'autore, ma anche colui che parla in prima persona nell'opera.

15. Pur riconoscendo l'aspetto dottrinale del suo poema, D. ammette che esso non riguarda la filosofia teoretica, ma quella morale, come appare anche dalla definizione, data sopra, del fine dell'opera.

ESERCIZIO DI ANALISI

Poetica di Dante: gli stili e la teoria del significato

1. Estetica e poetica di Dante. Dante accompagna la sua produzione artistica con una continua riflessione sul proprio lavoro, intesa sia a saldare le ragioni del vivere e dello scrivere sul piano ideologico (in particolare morale e conoscitivo), sia a impostare il proprio impegno formale su norme rigorose, sì da ottenere una piena corrispondenza fra contenuto e stile.

Per fare qualche esempio: nella canzone *Le dolci rime* contrappone allo stile «dolce» della sua precedente lirica amorosa, atto a evocare la soavità d'amore, lo stile delle nuove canzoni dottrinali, la rima, cioè, «aspra e sottile» capace di effigiare nei ritmi e nei suoni l'ardua sottigliezza della meditazione filosofica; nella canzone *Così nel mio parlar voglio esser aspro* intende esprimere, anche con l'asprezza fonico-verbale, la violenza della passione; nel XXXII dell'*Inferno* ricerca rime «aspre e chiocce» (dissonanti e sgraziate) per raffigurare l'orrido baratro infernale, «sì che dal fatto il dir non sia diverso».

Quest'endecasillabo definisce un'idea centrale dell'estetica dantesca: quella dell'arte come imitazione della natura, volta a effigiarla attraverso lo strumento sensibile del linguaggio, comprendendone intellettualmente l'essenza e raffigurandola con arte sorvegliata. Il principio s'accorda con quello classicistico, ribadito puntigliosamente dalle poetiche latine medievali, della piena rispondenza fra l'oggetto rappresentato e il livello stilistico della rappresentazione. La conseguente distinzione fra stile alto, medio e umile corrisponde all'idea medievale del mondo e della realtà umana come una gerarchia di esseri e di cose dotati d'un diverso livello di dignità.

2. La lingua e lo stile. L'aspetto più originale della poetica di Dante è però la sua meditazione sulla lingua, prima che sullo stile, o meglio, la stretta interrelazione posta fra selezione linguistica e stile. Gli autori di poetiche mediolatine elencavano a volte, come fa Matteo di Vendôme, parole latine considerate esemplarmente eleganti, ma Dante, nel *De vulgari eloquentia*, porta un'innovazione radicale, sia incentrando il problema su una generale filosofia del linguaggio, sia tentando la definizione d'una lingua letteraria (il «volgare illustre») in contatto e in contrasto con le lingue della comunicazione quotidiana.

Il linguaggio è, per lui, *signum rationale et sensuale*, cioè segno che esprime il pensiero in forma sensibile, cioè mediante suoni, ed è soggetto a un continuo mutamento. Spetta all'arte e alla poesia conferirgli, attraverso la bellezza, che è ordine, struttura, armonia, la stabilità che consente alle grandi opere di essere comprese, di prolungare nel tempo l'attualità del loro messaggio. La poesia, dice il trattato, è «invenzione espressa secondo retorica e musica»; la retorica garantisce l'ordinato e ornato svolgersi del discorso, la «musica» comprende sia la forma metrica sia la composizione eufonica e armonica dei suoni verbali. Per lo stile «tragico» Dante prescrive un contemperamento di dolcezza e di vigore, onde rappresentare il confluire di soavità d'amore e di vigoroso slancio del pensiero già tentato nelle sue rime dottrinali; e quindi l'armonizzazione di parole «pettinate», melodiche, vicine alla misura trisillabica, senza urti aspri di consonanti, quali *amore, donna, disio, virtute, salute*, e di altre «ruvide» o «irsute» quali *honore* e *speranza*.

L'orizzonte muta con la *Commedia*. Il passaggio dalle idealità aristocratiche espresse nella *Vita nuova* e nel *Convivio* al proposito d'una rappresentazione totale del mondo e della vita umana implica un'iniziativa linguistica e stilistica non più rigidamente selettiva, ma aperta ad accogliere tutto il reale, nelle sue voci umili e sublimi. Dante sceglie pertanto lo stile «comico», in sostanza quello umile, da cui ricava il titolo del suo poema.

L'epistola a Cangrande rivela tuttavia un'oscillazione, un impaccio davanti alle definizioni della scuola, inadeguate rispetto alla sconvolgente originalità della *Commedia*. Vediamo così Dante affannarsi a giustificare con l'autorità di Orazio la presenza, nel poema, di parti scritte in stile sublime o tragico, a giustificare il titolo con ragioni banalmente contenutistiche (l'inizio triste, l'Inferno, e il fine lieto, il Paradiso), a limitare la caratterizzazione dello stile «comico» al fatto che esso assume il volgare della comunicazione quotidiana degli umili, quasi svalutando, in tal modo, l'alto impegno stilistico di tutta l'opera.

In realtà la rappresentazione totale della vita e del mondo che Dante persegue conduce a quella che un critico tedesco, Auerbach, ha definito come la «mescolanza degli stili», conforme alle rappresentazioni fondamentali della spiritualità cristiana (un Dio che nasce in una stalla e subisce il supplizio infamante della croce). La concezione della *Commedia* che esalta ogni uomo, anche il più umile, in un destino di redenzione e di eternità, e ritrova in ogni aspetto della natura, in ogni evento della storia, la presenza divina, implica il superamento del classicismo formalistico e scolastico.

3. La polisemìa. Un'altra importante definizione dell'epistola è quella della *polisemìa* o pluralità di significati della *Commedia*. Anche qui Dante si trova davanti a una categoria scolastica, l'allegorismo, usato per l'interpretazione dei testi sacri, ma esteso anche a quella della poesia profana, cosa che aveva consentito il recupero e l'immissione nel circuito culturale della grande letteratura dei classici antichi. Ma anche qui l'originalità del poema lo conduce a modificare la teoria corrente. Il non procedere più, come nel *Convivio*, alla distinzione fra l'allegoria dei teologi (un evento che ne prefigura un altro, entrambi reali nella storia del mondo incentrata sulla redenzione: il sacrificio di Isacco, ad es., come prefigurazione di quello di Cristo) e l'allegoria dei poeti (una «favola» o «bella menzogna» che cela un contenuto di verità e di moralità) risponde al fatto che la vicenda rappresentata nel poema coincide con la struttura profonda e il significato reale (a suo avviso) della vita umana.

In realtà l'allegoria è soltanto una delle forme di rappresentazione usate nel poema, dove non è neppure frequentissima. Vi predomina piuttosto la raffigurazione realistica e drammatica, attraverso gli incontri e i colloqui con le anime, della vita terrena, nella sua dimensione vera, che Dante avverte duplice, temporale, cioè, ed eterna. Questo mondo si completa e si integra nell'altro e il secondo è continuamente immanente al primo. È già inferno qui in terra il rifiuto di Dio compiuto da Francesca da Rimini, per chiudere il suo animo nel carcere della passione, e questa scelta si prolunga, divenuta destino, nell'oltretomba: la bufera infernale che travolge i lussuriosi è l'estrinsecazione del loro peccato, che è, insieme, la loro pena, presente come strazio della memoria, dei sensi e dell'animo. Così la fine del mondo e il giudizio divino, per l'anima cristiana di Dante, sono di continuo presenti nel tempo storico, umano, ne costituiscono la verità e la giustificazione.

La polisemìa del poema significa, di fatto, la scoperta della complessità e ricchezza di significato della vita. Ne deriva un'idea della poesia che non deve servire come veicolo d'una verità che è fuori di lei, ma che è essa stessa verità: una manifestazione sensibile di essa destinata, proprio per questo, a imprimersi profondamente nell'animo del lettore, a chiamarlo a una totale partecipazione.

La «Divina commedia»

1. Caratteri generali

La *Divina commedia* è un poema in terzine di endecasillabi, suddiviso in tre *cantiche*, *Inferno*, *Purgatorio*, *Paradiso*, ciascuna di trentatré canti, tranne la prima che ne ha un trentaquattresimo che, di fatto, è il prologo generale. È il poema dell'oltretomba, che si rivela allo sguardo d'un viandante, il poeta stesso, inviato colà dalla grazia divina «in pro (= *in favore*) del mondo che mal vive», ed è nel contempo l'epopea e il dramma dell'anima, quali erano stati definiti da secoli di civiltà cristiana. In tal senso rappresenta il coronamento dell'opera dantesca e si propone come uno dei testi più significativi della letteratura medievale. Il suo argomento, stando all'Epistola di Dante a Cangrande, è «la condizione delle anime dopo la morte», sul piano letterale immediato; sul piano del significato profondo, o dell'allegoria, è «l'uomo secondo che, meritando o demeritando, in base al suo libero arbitrio, è soggetto alla giustizia del premio o della pena».

Queste indicazioni di Dante appaiono tuttavia estremamente sommarie se le si rapporta all'intensità e complessità dei significati del poema che, oltre a coinvolgere tutta la cultura del tempo, dalla scienza alla filosofia alla teologia, si propone anche un'azione riformatrice in un momento di estrema corruzione del mondo. Scritta a partire dagli anni intorno al 1306 e conclusa verso la fine della vita del poeta, la *Commedia* fu l'opera dell'esilio, animata dal dolore e, insieme, dalla speranza d'un riscatto del mondo; fu una specie di giudizio universale che investiva la vita presente e l'intera storia dell'uomo, proiettandosi nella tensione profetica costruttiva d'un futuro che rappresentasse per l'umanità un ritorno alle origini, alla funzione assegnatale da Dio nel mondo. Giustizia, pace, amore fra gli uomini sono visti da Dante come ideali supremi della vita terrena, premessa al riconoscimento e alla testimonianza del divino che dovrebbero essere il coronamento dell'esistenza umana nel tempo e il suo disporsi alla vita eterna.

Dante chiamò il suo poema *Comedìa*, i posteri vi aggiunsero l'epiteto «divina». Il sostantivo, secondo la cultura letteraria del poeta e del suo tempo, denotava un genere letterario non legato alla struttura teatrale, ma una forma di narrazione che da un inizio turbato pervenisse a finale lieto (dall'Inferno, in questo caso, al Paradiso) e fosse scritta in uno stile «umile», o meglio, fra «medio» e «umile», opposto (anche se a tratti poteva ammetterlo in sé) a quello «alto» della *tragedìa*, il componimento caratterizzato dal finale triste e dall'alto livello formale. Nell'Epistola a Cangrande l'«umiltà» dello stile è fondata sul fatto che la lingua usata nel poema è il «volgare» della comunicazione quotidiana.

Queste definizioni non appaiono certo soddisfacenti, e vanno considerate, al più, come un'iniziale ipotesi di lavoro, soverchiata, in seguito, dallo sviluppo del poema sia sul piano contenutistico sia su quello formale. Forse per questa consapevolezza il poeta approdava, nei canti XXIII e XXV del *Paradiso*, alla definizione di «sacrato poema» o «poema sacro», meglio adeguata all'altezza dell'ispirazione e dello stile.

In effetti, come ogni grande e originale opera poetica, la *Commedia* definisce una nuova idea della letteratura, modificando radicalmente quella da cui prende le mosse. La sua struttura di fondo è quella del «genere», assai coltivato nella letteratura medievale, del viaggio-visione (in questo o nell'altro mondo), da cui il protagonista ricava (ma in realtà elargisce al pubblico attraverso questa finzione) un complesso di ammaestramenti scientifici, morali, religiosi, come fa, ad es., Brunetto Latini nel *Tesoro* in versi italiani. Si usa chiamare questi poemi *didattico-allegorici*; il primo aggettivo allude al loro insegnamento dottrinale, il secondo al fatto che esso viene presentato non direttamente, ma attraverso una rappresentazione fantastica o favolosa che apparentemente significa un'altra cosa, anche se poi nell'intimo allude a quel contenuto di verità e lo presenta, attraverso la finzione a esso rigidamente subordinata, in una forma sensibile che diviene primo gradino alla comprensione intellettuale. Ad es., nel I canto dell'*Inferno* Dante rappresenta l'assalto portatogli da una lupa magra e famelica che lo spinge irreparabilmente verso le tenebre. Ma non si tratta d'un animale e d'un assalto reali, bensì d'una vicenda interiore e di una moralità esposte in forma drammatico-narrativa: la lupa impersona il peccato della cupidigia, ossia della brama di ricchezza e dominio, nel suo carattere di desiderio sempre insaziato e insaziabile, e di offuscamento della ragione che spinge l'uomo in direzione opposta a quella della luce vivificante di Dio: cioè verso l'Inferno, la vanificazione della mente e della vita.

L'*allegoria* (dal greco antico *àllon*, ossia "altro", "diverso" e *agorèuo*, cioè "dico"; e dunque: "dico una cosa diversa", o meglio, "una cosa attraverso un'altra"), entrata nell'uso letterario fra la piena e la tarda classicità, ebbe singolare sviluppo nel Medioevo, quando la poesia fu chiamata a esprimere sensibilmente contenuti di dottrina (Dio, la Trinità, gli Angeli, il Paradiso) di per sé fuori dell'esperienza terrena dell'uomo, anche se ne rappresentano la fondazione e l'inveramento, secondo il Cristianesimo, che subordina rigorosamente questa vita a quella celeste. Quest'ultima è «rivelata» dai testi sacri (la Bibbia, il Vangelo) in forma di metafora, parabola, allegoria, e non direttamente, a causa della limitatezza, qui in terra, della mente umana, uscita depauperata dalla *Caduta*, ossia dal *Peccato originale*.

Non si deve tuttavia confondere l'*allegoria* con la *metafora*, anche se, a ben vedere, la prima è un'estensione sistematica della seconda, fondata su una prospettiva intellettuale organica e su un deciso intento dottrinale. I momenti propriamente allegorici del poema sono quelli più strettamente correlati al tema del viaggio nei tre regni d'oltretomba, che rappresentano anche tre momenti della vita nel mondo (lo smarrimento della Grazia, il cammino per ritrovarla, la piena fruizione di essa), in funzione della salvazione non soltanto del poeta, ma dell'intera umanità in un momento gravissimo della sua storia. Al ritrovamento, cioè, del retto cammino della vita, secondo la prospettiva morale e religiosa cristiana, si unisce la denuncia dell'attuale corruzione dell'Italia, di Firenze, del mondo intero, che rende problematica la salvezza individuale e collettiva.

2. Il viaggio di Dante

Riepilogando: la favola del poema è allegorica e comprende: il viaggio nell'oltretomba come «cammin di nostra vita» verso la piena coscienza di sé e la liberazione morale; l'oltretomba come modello e struttura portante dell'itinerario umano nel mondo; la redenzione del poeta, dell'uomo Dante, che si scopre inscindibile da quella di tutti, nel «corpo mistico» della Chiesa o Cristianità; il giudizio divino considerato nell'eternità, ma, contemporaneamente, nel tempo: immanente all'esistenza quotidiana come fondazione perenne, in essa, della superiore giustizia di Dio che, congiunta alla verità, conferisce significato alla vita e alla morte. Ma appena posta, l'allegoria oltrepassa il proprio contenuto intellettualistico per accogliere il dramma e la passione del vivere terreno. Il viandante non resta, come avveniva nei poemi allegorici, un personaggio generico — «Ognuno» o il «Filosofo» —, ma è lui, Dante Alighieri fiorentino ed esule immeritevole, con la sua angoscia, il suo amore, il suo odio, la sua personale storia nella storia di tutti, la volontà ferma di essere poeta-profeta per salvare Firenze — divenuta ormai trasparente metafora dell'Inferno —, l'Italia, il mondo dalla violenza e dal male sinistramente trionfanti. Ritorneremo su questo aspetto del poema, presente, si può dire, in ogni sua pagina; per ora, è sufficiente affermare che l'altra vita diviene, nel poema, specchio e modello di questa vita, anche delle sue contraddizioni e della sua volontà di giustificazione; diviene soprattutto certezza che il male non prevarrà.

Il viaggio è dunque allegorico e reale al tempo stesso; l'altro mondo si rovescia costantemente in questo mondo, la «commedia» divina ridiventa di continuo umana. L'oltretomba raffigura la vita terrena dell'uomo, ricondotta al suo dramma — l'allontanamento da Dio e il ritorno a Lui — concepito come struttura fondamentale della vita individuale e della storia del mondo, che Dante configura sugli eventi — la Caduta di Adamo, l'avvento di Cristo, la Rivelazione e Redenzione, la dialettica Chiesa-Impero, il secondo avvento di Cristo giudicante, la fine del mondo, l'eternità — concepiti dalla dottrina cristiana come centrali nel tempo umano, che è, o dovrebbe essere, tempo di cammino e di edificazione. L'allegoria è il costante richiamo alla presenza del Giudizio divino, cioè d'una superiore giustizia, che giudica ogni atto, ogni vicenda attraverso i quali l'uomo si costruisce, qui in terra e per sempre. Questo aspetto dottrinale determina il concreto atteggiarsi dell'immaginario dantesco.

Il viaggio di Dante incomincia in un ben definito momento della storia: nel venerdì santo del 1300, l'anno in cui Bonifazio VIII, un papa assai criticato da Dante sul piano politico, ma considerato pur sempre guida legittima nelle cose della fede, aveva indetto un grande giubileo, ossia un rituale di purificazione dell'umanità. Ma la via della salvezza, nell'attuale corruzione del mondo, ribadita da quella delle sue guide, il Papa e l'Imperatore, è divenuta ardua, richiede un intervento straordinario della Grazia. Nel giorno della morte di Cristo, e cioè della redenzione (il Venerdì santo), Dante si trova smarrito nella selva del peccato; intravede e cerca d'imboccare la via d'un colle (la vita virtuosa), ma ne è impedito da tre fiere («lonza», leone, lupa) che rappresentano tre disposizioni peccaminose (connesse a superbia, incontinenza, cupidigia, violenza frodolenta e sopraffattrice) che lo respingono giù, verso la tenebra. Mentre sta per abbandonarsi alla disperazione, lo soccorre uno spirito, confinato ora nel Limbo; è Virgilio, il grande poeta latino, inviato da Beatrice, e gli rivela che, per la salvezza sua e di tutti, dovrà percorrere i tre regni d'oltretomba, guidato da lui nell'Inferno e nel Purgatorio, fino al Paradiso terrestre, e quindi da Beatrice. Virgilio rappresenta la ragione umana, Beatrice la fede o la Grazia illuminante o la Rivelazione che perfeziona e completa la ragione naturale dell'uomo, la quale, tuttavia, per meritarla, deve giungere prima al proprio pieno sviluppo. In tal senso i savi antichi dell'età classica, filosofi e poeti come Aristotele e Virgilio hanno, senza saperlo, precorso, secondo il poeta, le verità rivelate poi pienamente da Cristo. Già dalla scelta della prima guida Dante assume, dunque, tutta la storia umana come sfondo del suo cammino d'oltretomba.

La salvazione verrà dalla consapevolezza, che diverrà incentivo di vita morale rinnovata: l'uomo deve riconoscersi figlio di Dio e ricostruire in sé l'immagine di Lui offuscata dal peccato; l'umanità nell'equilibrio concorde delle due guide, Papa e Imperatore, deve fondare la propria vita sulla sintesi di pietà religiosa e giustizia: d'illuminazione della mente e del cuore e di concorde armonia nella vita associata, sul modello della comunione paradisiaca. Questo è il vero «cammin di nostra vita» che la poesia di Dante si propone di rifondare nella coscienza degli uomini.

Ancora una volta, allegoria e verità esistenziale coincidono, nel senso che un destino individuale si presenta inscindibilmente connesso a quello di tutti, la purificazione di Dante a quella degli uomini del suo tempo. Nel secondo canto dell'*Inferno*, il poeta presenta il suo viaggio straordinario come terzo, dopo quello di Enea agl'Inferi di cui parla Virgilio nel libro VI dell'*Eneide*, e quello di S. Paolo al Terzo Cielo, raccontato dall'Apostolo stesso. Il primo servì alla fondazione dell'Impero romano, che, come s'è visto parlando della *Monarchia*, ebbe la funzione di garantire al mondo la giustizia e la pace come premessa all'Incarnazione di Cristo e di prefigurare per sempre quei valori nel mondo; il secondo servì a fondare la fede cristiana, o meglio la Chiesa che ne è depositaria, attualizzando costantemente nel tempo la Rivelazione e la Redenzione. Il viaggio di Dante dovrà ora servire a far ritrovare alle due guide decadute (Chiesa e Impero) coscienza di sé, delle loro funzioni, della loro complementarità.

3. I tre regni d'oltretomba

Pur collocandosi in una dimensione intimamente spirituale, Inferno, Purgatorio, Paradiso hanno, nel poema, una precisa struttura geografica e topografica. Sono abitati o percorsi da anime, ma queste irraggiano intorno un simulacro di corpo, una fisicità che non può essere abbandonata, pena l'annullamento della persona umana, della sua concretezza e verità. Questo simulacro di corpo la rende sensibile, prima della resurrezione, alla pena infernale e purgatoriale o alla gioia paradisiaca.

I tre regni sono incardinati in quella che per Dante era la struttura del mondo. L'Inferno è una voragine che si apre in un punto indeterminato dell'emisfero boreale, unica parte del globo abitata, secondo la cultura del tempo, e giunge al centro esatto della terra, dove sta, conficcato nel ghiaccio, simbolo d'assenza totale di vita, Lucifero, un mostro gigantesco con tre teste e sei ali. Ognuna delle sue bocche lacera un peccatore: Bruto e Cassio, traditori di Cesare, e quindi dell'Impero, e Giuda, traditore di Cristo. La voragine si aprì quando Lucifero cadde colà dal cielo: la terra che si ritrasse al suo appressarsi formò, nell'emisfero australe, la montagna del Purgatorio, che sta agli antipodi di Gerusalemme. Come si vede, un'unica linea, ideale e geografica collega caduta (degli Angeli ribelli e dell'uomo), Redenzione, Passione di Cristo e quel sacro monte d'espiazione che rende possibile il ritorno alla Grazia.

La voragine infernale ha forma di imbuto, suddiviso in nove *cerchi*, o corone circolari, digradanti in basso (l'ultima, s'è visto, con al centro Lucifero), ognuno dei quali accoglie un tipo di peccatori. Vi è dapprima una sorta di vestibolo, la riva dell'Acheronte, dove si radunano i dannati per essere condotti dalla barca del demonio Caronte al luogo del giudizio, poi nove cerchi. Il primo, il Limbo, comprende coloro che non conobbero Cristo, il secondo i lussuriosi, il terzo i golosi, il quarto gli avari e i prodighi, il quinto (la palude formata dal fiume Stige) gli iracondi e accidiosi. A parte il primo, che accoglie in sé i pagani (ma un nobile castello è occupato ivi dai grandi eroi classici dell'azione, dell'arte, del pensiero, ossia da quelli che Dante chiama i magnanimi), questi cerchi puniscono il peccato dell'incontinenza, dell'amore soverchio ed esclusivo dei beni terreni. Segue poi la città di Dite dalle mura infuocate, sulla cui soglia le Furie tentano di impedire il cammino di Dante, ma vengono disperse da un messo celeste; al suo interno vi sono i rimanenti cerchi infernali, prima quello degli eretici, poi quello dei violenti, e infine i due cerchi dei frodolenti: quello, detto anche *Malebolge*, della frode contro chi non si fida (lusingatori, ladri, falsari, ecc.), e quello della frode contro chi si fida o tradimento.

Nella suddivisione dei peccati Dante segue fonti della sapienza classica (Aristotele) e cristiana. Ma senza dubbio il suo *Inferno* non è, né vuole essere una sorta di enciclopedia di peccati e pene; il suo ordinamento interno riflette un'idea organica della vita morale. È sintomatico, ad esempio, che nel vestibolo dell'Inferno Dante immagini che siano puniti gli ignavi, coloro che per viltà non seppero operare né il male né il bene, e che la loro pena li sommerga sotto il disprezzo più di quanto non avvenga per gli altri peccatori. In quel momento del viaggio, che è il momento della decisione, del coraggio, della scelta, Dante esalta la magnanimità e deprime la viltà, cioè la mancanza di quell'entusiasmo morale che è il fondamento d'ogni azione generosa. Così, nella cantica, vediamo poste in ordine degradante incontinenza, violenza, frode: la prima è un cattivo uso dell'amore naturale per il bene, la seconda lo nega, la terza alla negazione dell'amore unisce la corruzione dell'intelligenza, la facoltà che maggiormente rende l'uomo uomo e simile a Dio, in quanto la rivolge al male e cioè alla negazione totale dell'umano. L'ordinamento morale dell'*Inferno* riflette, dunque, una progressiva degradazione (ed è quindi una conferma, sia pure attraverso un percorso negativo, dell'idea cristiana dell'uomo) e, al tempo stesso, segna le tappe progressive d'un viaggio che conduce a una sempre più piena autocoscienza, alla scoperta, da parte del poeta (e del lettore, chiamato da Dante a partecipare alla vicenda), della propria verità interiore che è tutt'uno con la conquista della libertà mediante il risoluto distacco dal peccato.

Giunti al fondo dell'Inferno, Dante e Virgilio, discendendo e poi risalendo lungo il corpo di Lucifero, pervengono alla montagna del Purgatorio, situata nell'emisfero australe, occupato, per la parte restante, dalle acque. È il giorno di Pasqua, cioè della Resurrezione e Dante si trova agli antipodi di Gerusalemme. Ritorna la vita, dopo il regno della tenebra, ritornano il sole, le stelle, l'avvicendarsi del giorno e della notte: la dimensione temporale e geografica dell'itinerario terreno.

La montagna è suddivisa in sette gradini o corone circolari, luogo di espiazione dei peccatori, secondo i sette vizi capitali: superbia, invidia, ira, accidia, avarizia (o avidità), gola, lussuria. Anche qui c'è un vestibolo o Antipurgatorio, dove attendono a lungo di entrare coloro che furono lenti nel convertire a Dio la loro vita. Poi all'ingresso del Purgatorio vero e proprio, un Angelo incide sette P (uno per ogni peccato o vizio capitale) sulla fronte delle anime purganti, che poi espiano nelle successive cornici tutte le loro colpe, compiendo una liturgia di pena del tutto volontaria, nel senso che indugiano in ciascuna di esse fino a quando non sentano cancellata ogni memoria del peccato, ogni deformazione prodotta da esso nella loro anima. Quando avranno ritrovato la totale purezza, si muoveranno verso l'alto, senza attendere ordini: il primo luogo d'arrivo sarà il Paradiso terrestre, la spianata posta al culmine del monte, dove l'uomo ritrova la condizione in cui viveva appena creato, prima del peccato originale.

Dante compie anch'egli, con le anime, un cammino di pena e di espiazione e con una di esse, finalmente libera, il poeta latino Stazio, giunge al Paradiso terrestre, custodito da Matelda, simbolo della condizione primitiva dell'anima umana. Qui ritrova Beatrice, scesa incontro a lui dal cielo, mentre Virgilio lo lascia, per tornare mestamente nel Limbo, dopo avere proclamato la liberazione dell'intelletto e della volontà, o «arbitrio», del discepolo. Davanti a Beatrice Dante si confessa; della colpa, soprattutto, di non avere saputo per anni custodire in sé l'immagine di lei, la superiore rivelazione, che ella aveva rappresentato per lui, dell'armonia della vita, di cui ora, sotto la sua guida, ritroverà nel *Paradiso* le ragioni profonde, attraverso la scienza del divino o teologia e la rivelazione. Frattanto sfila davanti al suo sguardo tutto un seguito di rappresentazioni allegoriche che manifestano il passato, il presente e il futuro del mondo, e cioè tutta la storia, incentrata sulla vicenda del rapporto fra Chiesa e Impero: dall'Impero romano alla nascita di Cristo alle persecuzioni al trionfo della Chiesa alla nascita del potere temporale dei Papi, fonte d'errore e di male, alle lotte medievali fra le due potestà supreme a un futuro riscatto che rimane come un'oscura profezia di eventi dei quali Dante è eletto qui a testimone e rivelatore.

Il poeta infine viene immerso da Matelda nel fiume Letè, che gli dà l'oblio totale del peccato, e nell'Eunoè, che gli ridona attuale la memoria del bene. Diviene così «puro e disposto a salire alle stelle»: dalla cima della montagna ascenderà infatti con moto spontaneo al Paradiso.

Il paesaggio del Paradiso ha una dimensione cosmica. Dante ascende per i nove cieli, spessori sferici che circondano la terra e fanno piovere su di lei degli influssi che garantiscono la conservazione e lo sviluppo costante della vita. Il loro movimento è regolato dalle Intelligenze motrici, ossia dalle nove gerarchie angeliche, che perseguono un piano provvidenzialistico. Oltre alla vita della natura, i cieli regolano la vita fisica dell'uomo, fin dal suo concepimento, e gli conferiscono un'indole, che l'anima razionale, libera e sovrana, creata direttamente da Dio, conduce a esiti differenti. Le anime dei Beati, situate tutte nell'Empireo, posto di là dai nove cieli, si presentano a Dante in quello fra essi che ha avuto un influsso più diretto su ciascuna; ma nello stesso tempo configurano un ordine morale ascendente. Nel cielo della Luna si presentano le anime che non portarono a compimento i loro voti perché vittime dell'altrui violenza, in quello di Mercurio quelle che operarono avendo di mira l'onore e la fama, prima che l'amore dovuto a Dio, in quello di Venere le anime che, prima di volgersi all'amore divino, si lasciarono vincere da quello terreno. Dopo il cielo del Sole, dove si presentano gli spiriti che amarono la sapienza, gli altri tre cieli appaiono come una ripresa e, insieme, come sviluppo più alto dei primi. Nel cielo di Marte si presentano i martiri della fede, coloro che, rispetto agli spiriti incontrati da Dante nel cielo della Luna, unirono a un voto (ad es. la liberazione del Santo Sepolcro) la fermezza nel perseguirlo fino all'olocausto; nel cielo di Giove si presentano coloro che operarono per la giustizia nel mondo; in quello di Saturno gli asceti che si dedicarono al puro amor divino.

Nei due cieli che seguono Dante ha delle rivelazioni progressive dell'Empireo. Nel cielo delle stelle fisse assiste al trionfo di Cristo e di Maria; nel Primo mobile o nono cielo ha una prima visione del rapporto fra Dio e gli Angeli. Giunto finalmente nell'Empireo, «che solo amore e luce ha per confine» (che si perde, dunque, nell'infinità di Dio), vede tutti i Beati in forma umana (prima gli apparivano come parvenze labili o come globi luminosi), seduti in un grande anfiteatro, immersi nella contemplazione estatica. Qui a Beatrice subentra una nuova guida, S. Bernardo, che, dopo una preghiera per ottenere l'intercessione della Madonna, indirizza Dante alla contemplazione dei più alti misteri: quello della creazione o dell'unità del mondo in Dio, Essere supremo, quello della Trinità, quello dell'Incarnazione. L'ultimo approdo è un conoscere che è un partecipare: un essere in Dio.

4. Il personaggio-poeta

I personaggi del poema sono costruiti con realismo psicologico e intensità drammatica. Primo fra tutti va considerato quello che parla in prima persona, cioè Dante pellegrino per i tre regni d'oltretomba, con le sue avventure di viaggio, gli sdegni e le generosità, i momenti di viltà, l'ammirazione per le figure magnanime (che giunge a sollevarle dalla miseria infernale), la volontà di progredire, di costruire coerentemente se stesso e la sua vita, anche quella nel tempo. Riaffiorano nel poema anche le sue precedenti esperienze poetiche: la tenzone con Forese ispira l'aspro linguaggio di Malebolge, tonalità stilnovistiche accompagnano il ritorno di Beatrice, con una vaga modulazione d'una memoria dolce di giovinezza. Nell'*Inferno* e poi, sempre più, nel *Purgatorio*, frequenti sono i dialoghi con intellettuali e poeti: da Virgilio a Pier della Vigna a Brunetto Latini a Cavalcanti (attraverso la persona del padre) a Forese a Bonagiunta da Lucca a Stazio a Guinizzelli. Il personaggio che parla in prima persona è un poeta e come tale vuole presentarsi; col nome, egli dice, «che più dura e più onora». Dante anelava, infatti, a una poesia che fosse, insieme, analisi coraggiosa della realtà e vaticinio d'un mondo migliore; che portasse nella sua bellezza, nella musicalità della lingua e del verso, nello splendore delle immagini, nel vigore del pensiero, una prima e fondamentale immagine della verità, una testimonianza profonda della vita; che fosse fondazione d'interiorità e mezzo di riscatto della storia e del mondo. Tale era stata, e tale era ancora la funzione, secondo Dante, dei suoi due grandi modelli: la *Bibbia* e l'*Eneide*.

Il personaggio-poeta non è statico, ma procede su una linea di sviluppo, in un viaggio che è anche cammino di formazione. Possiamo qui cogliere questa linea attraverso un rapido accenno a tre momenti del poema: i primi canti dell'*Inferno*, i canti dal XXVII al XXXI del *Purgatorio*, i canti dal XV al XVII del *Paradiso*.

All'inizio del poema il «personaggio» è a lungo preda di incertezza e di «viltade», non ha chiare le ragioni del cammino, non ha il coraggio necessario alla grande avventura cui è chiamato. Il Dante, invece, dei canti indicati del *Purgatorio* rivela, pur nell'umiltà della confessione, la fermezza d'una ritrovata fedeltà a Beatrice, di cui riconosce ora la missione salvifica nella sua vita. Con la sua bellezza ella gli aveva fatto intuire la superiore armonia dell'essere, aveva suscitato in lui l'amore come ansia di partecipazione a questa armonia; con la sua morte gli aveva indicato il vero cammino dall'effimero all'eterno e, insieme, la precarietà d'ogni cosa terrena; era stata infine la prima fonte della sua poesia.

Nei canti dal XV al XVII del *Paradiso*, quelli in cui incontra un martire della fede, il suo trisavolo Cacciaguida, morto in una Crociata, Dante riconosce il significato vero della sua vita. L'esilio da destino di pena diventa vocazione magnanima: in un mondo sommerso dal male, dalla violenza e dall'odio è una suprema testimonianza d'amore della giustizia e di fedeltà a essa. Ma qui il personaggio viene anche consacrato poeta, cioè banditore del vero, restauratore in terra dei valori cristiani. E qui Dante esprime una vocazione eroica: quella di battersi coi grandi che tradiscono la loro missione fra gli uomini, mettendo in gioco la tranquillità della propria esistenza in nome della propria missione.

Si assiste così, nelle tre cantiche, a un modificarsi progressivo del protagonista-pellegrino, che è, nell'*Inferno*, coinvolto in una dura conflittualità con molti dannati, risoluto nell'allontanare da sé il male, con tuttavia qualche oscillazione, come la pietà che prova per Francesca da Rimini, mentre nel *Purgatorio* vive la stessa esperienza di libera purificazione e di pentimento delle anime, fino a giungere alla riedificazione morale di sé rappresentata dal Paradiso terrestre.

Nel *Paradiso*, infine, il viandante è ormai una voce recitante in quel coro che è trasparente metafora della comunione dei Santi, e s'adegua sempre più all'ordine del mondo, all'armonia della creazione, fino a ritrovarsi nella «gloria» di Dio.

Ancora una volta si può dire, tuttavia, che l'ispirazione allegorica tende di continuo a trapassare nel racconto reale d'una vita. La purificazione del personaggio è anche quella del poeta, reale e simbolica al tempo stesso; Beatrice e Virgilio assumono significato allegorico esemplare (come s'è visto: la ragione e la rivelazione), ma sono anche due persone incontrate da Dante nel reale cammino della sua vita: la donna amata al tempo della giovinezza, che rappresentò la prima esperienza dell'amore come nucleo centrale e fondazione della persona, e il maestro di «bello stile», d'una grande poesia che unisse bellezza e sapienza: un incontro anch'esso reale nella biografia d'un poeta. Così gli incontri e scontri, i dialoghi e dibattiti con le anime non sono soltanto un'esemplificazione di peccati e virtù, ma un'esperienza, la rappresentazione in forma drammatica d'una vicenda morale: il costruirsi di un'interiorità sulla base di dibattute e combattute certezze.

5. Personaggi, paesaggi, situazioni

Più intensa drammaticità, per la loro condizione disperata di condannati senza possibilità di riscatto, hanno le anime dell'*Inferno*, la cantica che presenta alcune delle figure più celebri del poema: Francesca da Rimini, Farinata, Pier della Vigna, Ulisse, Ugolino, ecc. Non sarà inutile considerare le coordinate ideologico-intellettuali che presiedono alla loro costruzione.

L'uomo, nato da un Dio che è sommo Bene e sommo Amore e creato a sua immagine e somiglianza, deve, nella vita terrena, concessagli come periodo di prova, ricostruire in sé quest'immagine, offuscata in seguito al Peccato originale. Egli tende naturalmente al bene, all'amore, alla felicità, con uno slancio istintivo totale, ma ha perduto la chiara, razionale coscienza del fine. Il peccato nasce appunto dal mancato riconoscimento del fatto che Dio è il vero fine e la suprema felicità dell'uomo, il bene assoluto che egli oscuramente ricerca, e dalla sostituzione a questo bene della passione per un oggetto terreno che non può non essere limitato e caduco. D'altra parte questa scelta condiziona per sempre l'uomo, lo costruisce per l'eternità; esaurito il periodo della vita, la libera scelta umana si tramuta in destino, l'uomo s'identifica per sempre con la persona che ha costruito; e dunque, in questo caso, col suo peccato. Francesca è ora il suo amore-passione per Paolo, con la tragica consapevolezza della fatale limitazione di esso, della sua incapacità di soddisfare il suo bisogno di infinito, di assoluto, di eterno, e cioè d'un bene e d'una felicità totali che s'identificano soltanto con Dio. In tal senso l'Inferno è slancio di vita depravato e infranto, incapacità eterna di realizzarsi, impossibilità di essere, condanna a una vita che non è vita. È quello che i teologi chiamano il tormento eterno della privazione di Dio, unica possibile felicità per l'uomo.

A questo si aggiungono le durissime pene fisiche, che tuttavia hanno prima di tutto un rilievo morale, nel senso che ripropongono ai dannati il loro peccato, oggettivato, per così dire; ne rendono di continuo attuale ai sensi e alla mente l'immagine, ne sono, in certo modo, la metafora vivente, solidificata in oggetto e situazione concreta. Francesca, che ha ceduto a quella che si usa metaforicamente chiamare la tempesta della passione, è travolta in eterno dalla bufera, pena del senso e, insieme, dell'anima, ed è per sempre con quel Paolo che fu il suo sogno di felicità e ora è una realtà di rovina comune. Il peccato è, insomma, pena a se stesso; ed è questa la ragione profonda della legge dantesca del *contrapasso*, in nome della quale la pena riflette, per analogia o per contrasto, il peccato. Così il suicida, che ha rotto violentemente l'unità di vita e coscienza della persona, soffrirà una dissociazione eterna: l'anima germoglierà intorno a sé un albero al quale sarà impiccato, dopo il Giudizio universale, il corpo. Il grande tormento dell'Inferno è questo non poter più ritrovare e ricostruire la propria reale identità.

D'altra parte, poste dinanzi alla sanzione irrevocabile dell'eternità e del giudizio divino, le passioni appaiono come ingigantite. Mai forse Francesca o Ugolino sono stati così disperatamente vivi come ora, nel regno della morte eterna: vivi nella loro illusa angoscia, nell'impeto d'una passione che si commisura con l'eternità. Come gli interpreti medievali vedevano in personaggi biblici la «figura» o prefigurazione di Cristo, che ne rappresentava il «compimento» nei Vangeli, così qui la vita terrena è vista come «figura» di quella eterna: quest'ultima la ripropone per sempre, dopo averle conferito, nel poema, una verità, compattezza, significazione totali.

Nel *Purgatorio* il paesaggio muta. Non è più sommerso dalla tenebra e dal caos infernali, ma ritrova una dimensione di albe e tramonti primaverili, concentrato com'è sulla meditazione dell'alternarsi del buio e della luce che riflette la condizione delle anime, la loro liturgia di pena. Qui i tormenti, anche i più severi, hanno essenzialmente il carattere di memoria della colpa; quella memoria che le anime purganti sono tutte intese a cancellare attraverso il pentimento e la ricostruzione di sé nel bene e nell'amore. I paesaggi più belli della cantica hanno per questo un senso d'intima dolcezza, d'interiorità ritrovata, di purezza, di spiritualità, sentite come culmine della vita. Il punto d'arrivo è l'eterna primavera del Paradiso terrestre, mito di natura redenta, ritrovata in una luce d'armonia e di bellezza totali.

Il paesaggio paradisiaco è meno realisticamente determinato. Conosce soltanto la musica, lo splendore, il moto perfetto dei cieli e degli astri, la pura armonia dell'essere. Il canto primo ce ne spiega la dinamica. Le cose sono disposte in un ordine che riflette analogicamente l'unità di Dio, mente creatrice e ordinatrice. Dio crea l'universo e lo conserva per un atto d'amore, e le cose, partecipi tutte in qualche modo della divinità in quanto partecipi del suo attributo fondamentale, l'essere, hanno in sé un istinto che le porta a disporsi nel gran mare della vita cosmica secondo l'ordine voluto da Dio. Questo istinto, unito all'intelligenza o consapevolezza di sé, è, nelle creature più alte (gli Angeli, l'uomo), amore; questo si identifica, dunque, con la vita. Il fine della vita umana è ritrovarlo nella sua purezza e verità; questo però significa ritornare a Dio, con la stessa spontaneità con la quale ora Dante, libero dal peccato, vola in cielo.

L'avventura di Dante è ora essenzialmente conoscitiva: un progressivo avvicinarsi alla verità che coincide con un ulteriore movimento verso l'alto. I colloqui coi Beati gli danno una totale giustificazione della vita, una conferma perentoria dei suoi ideali etici, politici, religiosi. Il *Paradiso* è il poema della bellezza e armonia del bene, del mondo libero dal peccato, dell'umanità redenta, dell'eternità come luminosa pienezza di vita.

E tuttavia anch'esso, come tutto l'oltretomba dantesco, è vicino al «cammin di nostra vita». Anche nell'alto dei cieli ritorna questa vita nel tempo, nella sua miseria e nella sua altezza; ma forse è più esatto dire nella sua verità. Nell'esistenza più umile come in quella più illustre, nella grande storia come nella vicenda più quotidiana, è presente Dio: creazione, passione, redenzione. Questo è il fondamento del realismo cristiano di Dante, che riconosce esemplare la vicenda d'una «peccatrice di provincia» come Francesca da Rimini o d'un volgare ladro di sagrestia come Vanni Fucci, e quella dei grandi Santi ed eroi; la piccola storia fiorentina e la grande vicenda dei secoli. Tutti gli uomini sono fatti a immagine e somiglianza di Dio, per tutti vale la redenzione di Cristo; l'eternità vigila sul povero tempo umano funestato dalla tentazione, dal dolore, dalla morte, lo accoglie in sé, lo sublima. Il viaggio cristiano nell'altro mondo diventa così un viaggio alla scoperta dell'uomo. La vicenda oltremondana diviene «figura» di quella terrena, ha in questa, sul piano poetico, il suo compimento.

ESERCIZI DI ANALISI

Si è cercato, nel discorso precedente, di dare una prima immagine della complessità dell'ispirazione del poema. Non sarà inutile continuare il discorso con qualche indicazione più concreta e puntuale. Si analizzeranno pertanto alcuni momenti significativi di ciascuna delle tre cantiche, cominciando dall'*Inferno*. Ci si è deliberatamente soffermati, soprattutto per l'*Inferno*, anche su momenti meno noti e ci si è di preferenza impegnati in analisi concernenti le strutture ideologiche e narrative di fondo.

Tre fiorentini di altri tempi (*Inferno,* XVI, 19-87)

1. Premessa. Numerosi sono, nell'*Inferno*, gli incontri di Dante con Fiorentini, quasi a sottolineare la reversibilità di città terrena corrotta e città eterna del male. Nello stesso tempo essi conferiscono maggior vivacità drammatica al racconto, proiettandolo nell'urgenza d'un vissuto del poeta, intensificato pateticamente dall'esilio, e ribadendo la missione di testimonianza e profezia che assume il suo cammino nell'oltretomba. Il vagheggiato riscatto del mondo incomincia, così, dall'aspro giudizio su Firenze e sull'Italia, dove meglio egli ha potuto avvertire la disgregazione morale e civile conseguita all'usurpazione reciproca, da parte dei due poteri, delle funzioni a loro negate dalla volontà divina.

Questa tematica etico-politica, incominciata fin dal canto VI dell'*Inferno* dove Ciacco dice a Dante che incontrerà due dei tre dannati di questo XVI canto, avrà la sua conclusione nel canto XXXI del *Paradiso*, quando Dante, per dare un'idea del suo stupore di uomo giunto nell'Empireo, e cioè dall'umano al divino, dal tempo all'eterno, aggiungerà (v. 39) «e di Fiorenza in popol giusto e sano», facendo della sua città il luogo emblematico della propria esperienza del male e della corruzione. La voragine infernale si apre sotto le molteplici strade del mondo; ma per Dante soprattutto nella città amata e perduta, offesa spesso, nel poema, con la violenza d'un amore deluso.

Siamo ancora, nel passo che esamineremo, nel cerchio dei violenti, fra i sodomiti, subito dopo il colloquio con un altro nobile fiorentino, Brunetto Latini. Giunge una nuova schiera, che corre sotto la pioggia di fuoco, senza potersi riposare mai. Tre di loro, vedendo Dante e riconoscendolo fiorentino dalla foggia del vestire, lo implorano di fermarsi, per avere notizie della loro terra. Virgilio unisce alla loro la sua preghiera, assicurando Dante che si tratta di personaggi di valore.

Per il testo seguiamo, qui e nei brani seguenti, quello fissato da Giorgio Petrocchi: D. A., *La Commedia secondo l'antica vulgata*, a cura di G. Petrocchi, Milano, Mondadori, 1966-67, voll. 3.

Ricominciar, come noi restammo, ei
20 l'antico verso; e quando a noi fuor giunti,
fenno una rota di sé tutti e trei.
Qual sogliono i campion far nudi e unti,
avvisando lor presa e lor vantaggio,
prima che sien tra lor battuti e punti,
25 così rotando, ciascuno il visaggio
drizzava a me, sì che 'n contraro il collo
faceva ai piè continuo viaggio.
E «Se miseria d'esto loco sollo
rende in dispetto noi e i nostri prieghi»
30 cominciò l'uno «e 'l tinto aspetto e brollo,
la fama nostra il tuo animo pieghi
a dirne chi tu se', che i vivi piedi
così sicuro per lo 'nferno freghi».

Il dannato svela poi il suo nome, Jacopo Rusticucci, e quello dei compagni, Guido Guerra e Tegghiaio Aldobrandi; tutti e tre ragguardevoli cittadini della generazione precedente a quella di Dante, e glorie della Firenze guelfa.

19-21. restammo: ci fermammo. **l'antico verso:** le grida di dolore che avevano interrotto per chiamare Dante. **fenno... trei:** presero a roteare tutti e tre in circolo davanti a Dante, tenendosi per mano.
22-27. Qual... viaggio: Conviene partire dalla seconda quartina. Nel loro roteare (o girare attorno in cerchio), ciascuno di essi indirizzava il viso (o meglio, gli occhi) verso Dante e mentre i piedi devono allontanarsi, il collo (e il capo, gli occhi) tendono invece a restare rivolti a lui per il maggior tempo possibile. In tal modo diventano paragonabili ai campioni, che, dopo essersi spogliati e unti per fare la lotta, adocchiano, movendosi qua e là, il luogo e il modo da cui far partire più vantaggiosamente la loro presa, prima di scambiarsi colpi e ferite. Quanto ai campioni, i commentatori pensano a quelli che si battevano in favore di qualcuno nel cosiddetto giudizio di Dio, che aveva allora, e anche Dante ne è convinto, valore giuridico.
28-30. miseria: la misera condizione. **sollo:** molle, perché si tratta d'un sabbione, sul quale cadono falde infuocate. **in dispetto:** in disprezzo (rende spregevoli). **e... brollo:** e il volto scuro (bruciato dal fuoco) e scorticato dalle fiamme.
31-33. il... pieghi: induca il tuo animo. **dirne:** dirci. **che... freghi:** che con tanta sicurezza (senza, cioè, timore del fuoco che) trascini i tuoi piedi vivi (di uomo vivo) nell'inferno. È uno dei più abili artifici narrativi di Dante questo di far parlare il dannato sulla base della sua esperienza fisica e di pena (e dunque anche morale), mostrando come essa condizioni la sua psicologia.

45 S'i' fossi stato dal foco coperto,
gittato mi sarei tra lor di sotto,
e credo che 'l dottor l'avrìa sofferto;
ma perch'io mi sarei bruciato e cotto
vinse paura la mia buona voglia
50 che di loro abbracciar mi facea ghiotto.
Poi cominciai: «Non dispetto, ma doglia
la vostra condizion dentro mi fisse,
tanta che tardi tutta si dispoglia,
tosto che questo mio segnor mi disse
55 parole per le quali i' mi pensai
che qual voi siete, tal gente venisse.
Di vostra terra sono, e sempre mai
l'ovra di voi e li onorati nomi
con affezion ritrassi ed ascoltai.
60 Lascio lo fele e vo per dolci pomi
promessi a me per lo verace duca;
ma 'nfino al centro pria convien ch'i' tomi».
«Se lungamente l'anima conduca
le membra tue» rispuose quelli ancora,
65 «e se la fama tua dopo te luca,
cortesia e valor di' se dimora
ne la nostra città, sì come suole
o se del tutto se n'è gita fora;
ché Guiglielmo Borsiere, il qual si duole
70 con noi per poco e va là coi compagni
assai ne cruccia con le sue parole».
«La gente nova e i subiti guadagni
orgoglio e dismisura han generata,
Fiorenza, in te, sì che tu già ten piagni».
75 Così gridai con la faccia levata;
e i tre, che ciò inteser per risposta,
guardar l'un l'altro com'al ver si guata.
«Se l'altre volte sì poco ti costa»
rispuoser tutti «il satisfare altrui,
80 felice te se sì parli a tua posta!
Però, se campi d'esti luoghi bui
e torni a riveder le belle stelle,
quando ti gioverà dicere "I' fui"
fa che di noi a la gente favelle».
85 Indi rupper la rota, e a fuggirsi
ali sembiar le gambe lor isnelle.

45-47. coperto: riparato. **di sotto:** Dante cammina, infatti, su un argine di pietra, dove non cadono le falde infuocate. I dannati stanno pertanto sotto di lui. **dottor:** Virgilio. **sofferto:** sopportabile, concesso. Virgilio ha già parlato a Dante onorevolmente dei tre.
51. ghiotto: indica desiderio vivissimo.
52-57. dispetto: disprezzo. **tanta... dispoglia:** un dolore così grande che ci vorrà tempo prima che mi abbandoni del tutto. **segnor:** Virgilio, guida e dunque signore di Dante. **che... venisse:** che venisse gente del vostro (elevato) livello. **sempre mai:** sempre. **ritrassi:** riferii.
61. lo fele: l'amaro del peccato. **dolci pomi:** il bene che, come dice subito dopo, gli è stato promesso da Virgilio, guida verace. **ma... tomi:** ma prima di giungere ai «dolci pomi», conviene che io piombi giù al fondo dell'inferno. — Il discorso di Dante è assai elaborato e riflette in ciò il rispetto che ha dei suoi interlocutori, che anch'essi parlano con signorile dignità.
62-64. I due **se** di questi versi sono ottativi: equivalgono a un *possa* augurale (augura a Dante lunga vita e fama dopo la morte); invece nei tre versi seguenti i **se** hanno il significato che hanno anche oggi nell'interrogazione indiretta.
69-70. suole: soleva. **gita fuora:** andata fuori, partita.
70-71. Guiglielmo Borsiere: un uomo di corte. **il qual... compagni:** il quale si duole per poco, nel momento in cui ci incontra; un momento rapido, perché subito deve lasciarli perché fa parte di un'altra schiera di dannati.
73-76. gente nuova: i plebei venuti su dal niente, che hanno fatto improvvisa e rapida fortuna con la mercatura e con l'usura (che nel Medioevo comportava la scomunica). Dante rivela un profondo disprezzo verso questi arricchiti pieni di **orgoglio e dismisura**, superbi, cioè, e sfrenati nel lusso, nello spendere, e nei modi. **ten piagni:** te ne duoli, in quanto ne subisce già i danni. La sfrenatezza di questa gente porta a un sovvertimento dei rapporti morali e civili nella città. **con... levata:** È atteggiamento di profeta che condanna risolutamente il male.
77. guardar... guata: si guardarono fra loro come chi riceve una notizia desolante, comprendendo che è vera. Il *guatarsi* indica il doloroso stupore e la comune angoscia.
78-80. I tre, nonostante il dolore, riprendono subito il tono signorile, ringraziando Dante. È l'atteggiamento ispirato da «valore» e «cortesia», unito al ritegno delle passioni. **Se... posta:** Se ti riesce sempre così facile il soddisfare, con la tua parola, gli altri e se rispondi sempre così, con prontezza chiara ed esauriente, ti auguriamo di essere felice.
81. Però... favella: Perciò, possa tu uscire salvo da questi luoghi di tenebra e ritornare a vedere le belle stelle (l'aggettivo indica la nostalgia dei dannati per la luce perduta)! E allora, quando, vinta la stanchezza e la tristezza, ti sarà gradito rievocare questo viaggio, parla di noi alla gente, fa' che siamo ricordati.
85-86. rupper... rota: ruppero il cerchio, per raggiungere il gruppo di cui facevano parte. **e a... snelle:** le loro gambe snelle sembrarono ali nella fuga. — Il particolare indica la velocità che sono costretti ad assumere per raggiungere gli altri. Nonostante l'agilità, che potrebbe avere connotazione positiva, si tratta pur sempre d'una fuga; senza contare che il movimento veloce non si addiceva, secondo l'etica di comportamento di allora, al saggio.

2. La tematica etico-politica. Dante ricorda qui tre importanti figure di Guelfi fiorentini della generazione che precedette la sua (tutti morti entro il 1272); quelli che a suo avviso, fecero la grandezza del Comune di Firenze, il cui maggior fulgore si ebbe in quell'età. Era il tempo, vagheggiato nostalgicamente da lui, come quello in cui esisteva ancora un ideale di concordia, ma soprattutto dominava l'etica cavalleresca fondata su «valore» e «cortesia», cioè su larghezza, liberalità di modi e di costume, generosità e signorilità nei rapporti anche quotidiani. Sono le virtù che celebra Brunetto, applicando al Comune le virtù cavalleresche, mescolate, fino, in qualche momento o aspetto, a fondersi, con quelle della tradizione classico-aristotelica. Alla liberalità, contraria a ogni forma di avidità o avarizia, all'eleganza del dire e del vivere (si può vedere la novella di Cavalcanti nel *Decameron* del Boccaccio), all'elevato galateo amoroso, si univano così temperanza, prudenza e, soprattutto, la magnanimità, presente nell'*Inferno*, fin dai primi canti, che significa sentimento di grandezza generosa dell'animo e del sentire. Essa diviene, sul piano etico, volontà di alte, nobili imprese e capacità di produrle. Lo si vede, ad esempio, in questo episodio, ai vv. 79-81, dove i tre dannati, pur angosciati dalla risposta di Dante, riducono la violenza del dolore a un semplice sguardo fra loro, e piuttosto lodano Dante per la franca generosità della sua risposta, che è anche una protesta combattiva contro la città corrotta; la protesta, poi, d'un gentiluomo all'antica, che rivela magnanimità e libera ricerca del vero.

La posizione di Dante è quella d'un conservatore convinto, avverso alla borghesia mercantile e finanziaria allora emergente: quella che segnerà il passaggio dal Comune alla Signoria, arricchendosi, e diventando, attraverso la ricchezza, classe dominante, col commercio, l'usura, e le prime forme di capitalismo industriale. Ma agli occhi di Dante è gente d'origine plebea, senza tradizioni famigliari, grossolana nel gesto e nelle maniere, portata a imporre la ricchezza come unico valore e unica sorgente di potere, contrariamente alla liberalità dell'aristocrazia antica (o meglio, dell'oligarchia), che aveva come ideale il donare per il donare. Mentre pure assiste alle tragiche condizioni di violenza fratricida in cui la vecchia oligarchia aveva gettato le città italiane, egli resta ancorato al vecchio regime, come a quell'Impero che la storia stava risolutamente distruggendo.

Tuttavia, nell'un caso e nell'altro, c'è in lui una passione morale che rovescia i limiti vistosi della sua concezione politica in utopia. Egli intuisce che la morale del ceto emergente è quella del successo, della conquista di ricchezza e potere ad ogni costo, giustificata soltanto dall'evento; se resta attaccato a un'ormai anacronistica idea di Impero è perché lo concepisce, utopisticamente, come unico disinteressato amministratore della giustizia.

3. Dignità e miseria dei personaggi. In questo, come in parecchi altri episodi dell'*Inferno*, si avverte il contrasto fra una dignità che il dannato conserva e che emerge dal colloquio con Dante, e la miseria della sua condizione, resa più evidente da particolari anche fisici. I tre fiorentini parlano con signorile cortesia, obliando, quasi, l'atmosfera della dannazione, Dante e Virgilio li onorano, al punto che il primo prova l'impulso di scendere dall'argine che lo protegge dal fuoco per abbracciarli. La loro immagine di grandi figure d'un passato glorioso prevale, insomma, almeno per il tempo breve del colloquio, sulla loro attuale degradazione. È il caso di Francesca, Farinata, Brunetto, di Pier della Vigna, e di altre figure generose che la Cantica restituirà via via (certo sempre meno quanto più si procederà nell'Inferno di Malebolge) a una dignità umana che la dannazione non riesce a cancellare.

Tale contrasto fu visto spesso, dalla critica del passato, come lo sdoppiarsi di Dante in un teologo che condannava e in un poeta che assolveva; senza pensare che, in realtà, era proprio questo poeta a mettere Francesca all'*Inferno*, dove, evidentemente, egli non era mai stato e dal quale, certamente, non aveva avuto rivelazioni; ed era lui che, come spiegherà nel XVII del *Paradiso*, per bocca dell'avo Cacciaguida, aveva cercato esempi di personaggi illustri per conferire credito maggiore al suo messaggio di riformatore.

Il problema va impostato in modo diverso. In primo luogo converrà rilevare che, trattando in questo modo il personaggio, Dante lo libera dalla fissità astratta dell'*exemplum* moralistico e riesce a darci un'immagine della realtà nella sua complessità, nel vivo — e nella verità — delle sue contraddizioni; e anche la morale che ne trae diviene più aderente alla vita, quindi più persuasiva. In tal modo l'*Inferno* non è un'enciclopedia del peccato e della pena e il peccato perde ogni dimensione astratta per consistere nel vivo d'una storia, d'una passione, d'una contraddizione esistenziale che riconducono il lettore a un'immagine problematica della condizione umana. Il poeta-giudice si umanizza; può non ignorare la pietà, riesce a penetrare in un'esistenza e in una passione, a illuminarne la radice: i grandi momenti in cui una scelta diventa destino.

4. Un'originale idea dell'uomo. In tal modo il poema entra nel vivo di una storia, sia di personalità, sia di ideali, drammi, vicende collettivi, e nell'animo del poeta stesso, che organizza il suo oltretomba in una direzione etica militante. La collocazione di questo o quel peccato in una delle suddivisioni o cerchi segue spesso un'interpretazione personale, da parte di Dante, della dogmatica cristiana (è il caso degli usurai situati nel cerchio dei violenti). Così il **contrapasso** presente nella pena, mentre riflette il singolo peccato, e diventa un'estrinsecazione dell'animo del dannato, si colloca su una scala di valori discendente che procede verso una progressiva degenerazione dell'umano, fino alla riduzione di esso al ghiaccio (la vita-non vita) in cui sono imprigionati i traditori, o alla materialità trionfale e squallida della figura di Lucifero. Dante, insomma, non si limita a illustrare le varie possibilità di peccato e di pena, ma è un uomo che compie un *itinerario* in cui giunge a una progressiva coscienza della disumanità del male, del suo non-essere, che coinvolge, appunto, il dannato in una sorta di angosciata condanna al nulla, alla negazione totale di sé. Le occasioni di queste prese di coscienza non prendono le mosse da un rigido catechismo, bensì da un personale cammino di riscoperta di valori e di redenzione, dietro l'impulso di una vita e di una storia, vissute appassionatamente.

L'idea del male cui s'è alluso era radicata nella civiltà del Medioevo. Dio era concepito come l'Essere assoluto, che è, nel contempo, il Bene; l'allontanarsi da Lui era fuga, decadimento dall'essere, e dunque *anche* da se stessi: una sorta di processo di autofrustrazione all'infinito, perché infinita era l'essenza e la vita dell'anima umana, creata, non si dimentichi, a immagine e somiglianza di Dio. Entro questa prospettiva, anche il peccato diveniva un movimento verso l'essere, cioè verso il Bene o Felicità: ma un movimento depravato e infranto, che conservava, tuttavia, proprio nella ricerca di totalità e assoluto che è tipica della passione, l'immagine della fondamentale nobiltà della coscienza umana. La scoperta dell'uomo dentro il peccatore è, senza dubbio, un dono della poesia dantesca, ma aveva anche dietro secoli di meditazione cristiana.

Non pare inutile soffermarsi su questa tematica del pensiero filosofico e religioso di cui Dante era ben informato e partecipe, perché da queste persuasioni profonde e non soltanto intellettuali, bensì anche esistenziali, si sviluppa una forma tipica del suo immaginario.

Il dannato è, dunque, concepito come uomo, che rimane tale anche nella colpa e nell'abiezione: anch'egli venuto nel mondo per riconoscere e riconoscersi: per ritrovare, cioè, in sé l'immagine di Dio, perduta in seguito al peccato originale. Il bene materiale in cui, come dice Dante altrove, «s'inganna», ponendovi troppo esclusivisticamente il proprio amore, lo condanna alla mancanza totale, per l'eternità, del compimento: alla fuga da sé e dalla fonte della vita. Ma in questa abiezione permane la memoria d'una vita più autentica, anche se come spasimo d'una meta rinnegata e infranta.

La compresenza di miseria e grandezza nei dannati è, dunque, una prospettiva in cui poeta e teologo coincidono. Ci si potrebbe chiedere, se mai, perché questo destino di dignità sia riservato soltanto ad alcuni. E qui giocano il libero svolgersi dell'invenzione dantesca e, insieme, una volontà costruttiva immanente a un poema che descrive il viaggio di tutti, ma secondo i parametri dell'impegno etico di Dante. Egli colpisce con maggior disprezzo i peccati che vede come cause più immediate dell'attuale disgregazione dell'umanità: ad esempio, il tradimento che cancella ogni possibilità di vita associata (si pensi alla sofferta tragicità dell'episodio di Ugolino); o gli ignavi all'inizio del poema, quando proprio lui, il Dante personaggio, deve vincere l'ignavia che sta ostacolando il suo viaggio di redenzione. Insomma, sull'atteggiamento del poeta verso i singoli peccati e i personaggi incidono anche, e decisamente, la «favola» del viaggio, e cioè, quel particolare, personale cammino che Dante si appresta a configurare, partendo dalla sua vicenda personale a Firenze.

5. Perché i tre fiorentini? Formuliamo qui soltanto alcune rapide conclusioni. La scelta dei tre fiorentini a rappresentare quel peccato e quella pena non può essere venuta se non da testimonianze dirette di vita, di cui, fra l'altro, Dante rimane oggi la sola fonte, e va pertanto accolta senza porsi ulteriori problemi interpretativi. È tuttavia interessante, qui e in altri casi, che l'inferno accolga tanti fiorentini; segno effettivo, questo, d'una rimeditazione totale che Dante viene compiendo della sua storia, entro quella più ampia della sua città. Nell'illustrazione dell'oltretomba, egli ha scelto, infatti, come soggetto precipuo non allegorie e moralità generiche, ma la storia, col suo peso di angosce e contraddizioni, di nobiltà e miserie, che la poesia assume, giungendo così a darci un'immagine complessa e profonda dell'uomo. Comunque sia, i tre fiorentini sono un momento importante d'una progressiva consapevolezza della propria storia e del proprio destino (e di quelli di tutti), che è, a ben vedere, la tematica di fondo del poema. L'attualità della vita terrena nell'*Inferno* ne è la più evidente riprova. Anche il desolato protendersi dei dannati verso la terra non fa che ribadire la loro tensione verso l'essere. In mancanza della vita eterna, subentra la nostalgia d'un passato che certo fu più intenso, ricco e umano dell'attuale condizione di vanificazione.

Vanni Fucci (*Inferno*, XXIV, 97-151)

Premessa. Nel vasto campionario di tipi umani dell'*Inferno*, accanto alle figure magnanime (Farinata, i tre Fiorentini, Ulisse) o patetiche, non prive peraltro d'una loro dignità (Pier della Vigna), ve ne sono di feroci e disumane, che segnano tutta la gamma del negativo, dalla violenza alla miseria morale e spirituale, alla degradazione cinica. Esemplare in tal senso è Vanni Fucci. Converrà seguirlo nel suo contesto, che è l'Inferno di *Malebolge*, cioè dei frodolenti. Essi rappresentano agli occhi di Dante il sommo dell'abiezione, per avere usato, nel peccato, proprio la ragione, che distingue l'uomo dalla bestia e lo rivela, meglio di ogni altra qualità, creato a immagine di Dio. Malebolge diviene pertanto il regno del disumano o dell'antiumano: della commedia bassa e triviale, o, come qui, dell'abiezione disperata. Siamo nel girone dei ladri, che Dante vede correre fra una massa sterminata di serpi.

Ed ecco a un ch'era da nostra proda,
s'avventò un serpente che 'l trafisse
là dove 'l collo a le spalle s'annoda.
100 Né O si tosto mai né I si scrisse,
com'el s'accese e arse, e cener tutto
convenne che cascando divenisse;
e poi che fu a terra sì distrutto,
la polver si raccolse per se stessa
105 e 'n quel medesimo ritornò di butto.
Così per li gran savi si confessa
che la fenice more e poi rinasce
quando al cinquecentesimo anno appressa;
erba né biado in sua vita non pasce,
110 ma sol d'incenso lagrime e d'amomo,
e nardo e mirra son l'ultime fasce.
E qual è quel che cade e non sa como
per forza di demon ch'a terra il tira,
o d'altra oppilazion che lega l'omo,
115 quando si leva, che 'ntorno si mira
tutto smarrito de la grande angoscia
ch'elli ha sofferta, e guardando sospira:
tal era il peccator levato poscia.
Oh potenza di Dio, quant'è severa,
120 che cotai colpi per vendetta croscia!
Lo duca il domandò poi chi ello era;
per ch'ei rispuose: «Io piovvi di Toscana,
poco tempo è, in questa gola fiera.
Vita bestial mi piacque e non umana,
125 sì come a mul ch'i' fui; son Vanni Fucci
bestia, e Pistoia mi fu degna tana.
E io al duca: «Dilli che non mucci,
e domanda che colpa qua giù 'l pinse;
ch'io 'l vidi omo di sangue e di crucci».
130 E 'l peccator che 'ntese, non s'infinse,
ma drizzò verso me l'animo e 'l volto,
e di trista vergogna si dipinse;
poi disse: «Più mi duol che tu m'hai colto

97. Ed ecco: Dante ha appena finito di descrivere le varietà dei serpenti che riempiono la bolgia dei ladri, richiamandosi a Lucano. **da... proda:** vicino all'argine libero da serpenti dove camminavano Virgilio e Dante.
105. e... butto: e con la stessa rapidità con cui era divenuto cenere (**di butto** = di botto), riassunse forma umana.
106-111. Dante dimostra di credere all'esistenza dell'araba fenice, animale che campava cinquecento anni, poi si costruiva intorno una sorta di bozzolo di nardo e mirra, donde poi rinasceva. Lo attestavano poeti e scienziati antichi, e Dante e il Medioevo avevano accolto la leggenda come vera, col consueto atteggiamento acritico verso ciò che veniva tramandato. **biado:** biada. **incenso... amomo... nardo... mirra:** sono resine aromatiche.
112-114. quel... cade: l'epilettico. **como:** come. **demon... oppilazione:** si pensava che le crisi epilettiche fossero provocate dai demoni, oppure che fossero dovute a ostruzioni interne che impedissero le funzioni fisiologiche.
116. angoscia: come sempre nel Medioevo ha senso prevalentemente fisico.
120. croscia: vibra.
125. mul: bastardo.
126-128. non mucci: non cerchi di scappare. **pinse:** spinse. **qua giù:** nel girone dei ladri, nell'ottavo cerchio. Dante pensava che si trovasse piuttosto in quello dei violenti (il settimo). **crucci:** risse.
130. non s'infinse: non esitò.

ne la miseria dove tu mi vedi,
135 che quando fui de l'altra vita tolto.
Io non posso negar quel che tu chiedi;
in giù son messo tanto perch'io fui
ladro a la sagrestia de' belli arredi,
e falsamente fu già apposto altrui.
140 Ma perché di tal vista tu non godi,
se mai sarai di fuor da' luoghi bui,
apri li orecchi al mio annunzio, e odi.
Pistoia in pria de' Neri si dimagra;
poi Fiorenza rinova gente e modi.
145 Tragge Marte vapor di Val di Magra
ch'è di torbidi nuvoli involuto;
e con tempesta impetuosa ed agra
sovra Campo Picen fia combattuto;
ond'ei repente spezzerà la nebbia,
150 sì ch'ogne Bianco ne sarà feruto.
E detto l'ho perché doler ti debbia!».

146-150. Prima Pistoia manda in esilio i Neri, con l'aiuto dei Bianchi fiorentini; poi Firenze muta partito e governo (con allusione alla vittoria dei Neri nel 1301). Poi Marte, il dio della guerra, trae dalla Val di Magra un fulmine (**vapor**), avvolto di nuvole dense, e si combatterà sopra Campo Piceno con una tempesta impetuosa e violenta. Allude a Moroello Malaspina che, alleatosi coi Neri di Lucca, sconfisse, dopo gli scontri di Serravalle e Pistoia, i Bianchi pistoiesi, togliendo ogni speranza di rivincita anche ai Bianchi fiorentini in esilio, e quindi anche a Dante. **spezzerà la nebbia:** batterà i suoi avversari. **feruto:** colpito.

2. La pena di ladri. Come al solito, Dante cerca qui di motivare la pena del peccato secondo la legge del contrapasso. I ladri che derubarono gli altri in vita sono ora derubati della loro stessa identità, dal momento che i serpenti li riducono, come qui, sia pure per breve tempo, in cenere, o, come avviene nel canto seguente, si ha una metamorfosi di ladro in serpente e di questo in ladro; se non che si viene poi a sapere che anche il serpente era un ladro, cosicché si complica la tematica dell'identità perduta, e la distanza fra uomo e animale tende a cancellarsi (dice qui il nostro dannato: «Son Vanni Fucci, bestia...»). A questa motivazione si aggiunge quella, d'origine popolare, del ladro che come un rettile s'insinua a tradimento e colpisce. Molto spesso, nell'*Inferno*, Dante usa le due motivazioni, a rincalzo l'una dell'altra, con un sistema di allusioni complesse ben rilevate dai primi commentatori.

Si è già parlato del sistema di pena esemplato nell'*Inferno*. Anche qui si può osservare come essa rispecchi la psicologia del peccato, lo renda perennemente attuale alla coscienza, fino a divenire non soltanto il rimorso, ma la persona del peccatore, che vive in eterno quello che ha voluto essere. Esemplarmente qui abbiamo l'identità della non identità, la frode del nascondersi per nuocere rivolta ora contro se stessi e gli altri dannati: un prossimo che si odia, essendo ognuno tragicamente chiuso in una solitudine totale.

In un grande poema si può dire che ogni parte rifletta il tutto, e in tal senso è qui lecito fare alcune osservazioni che si applicano altrettanto bene a tutta la cantica. La perdita d'identità allude alla continua fuga e decadimento dall'essere che è il peccato, e cioè il male: alla perdita di Dio.

Ancora: con quale criterio Dante sceglie la colpa in base alla quale condanna il dannato? Si ha l'impressione che convenga guardare caso per caso, osservando però preliminarmente che la *Commedia*, concepita come poema di verità — e di quella più autentica per Dante: quella dell'oltretomba cristiano —, deve costantemente immaginare storie e situazioni *come se fossero vere*, senza rinunciare a quella che altrove il poeta chiama la «licenza del fingere». Così qui il fatto che Vanni Fucci sia messo «più giù», in un luogo diverso da quello che aveva meritato coi suoi peccati più frequenti (la violenza, l'omicidio) serve per far giustizia in terra, restituendogli la paternità e l'infamia d'un peccato che era stato attribuito erroneamente ad altri. Va tenuto sempre conto di questa dimensione terrena e mondana d'un poema satirico, rivolto prima di tutto a un presente, o a un passato ancora attuale; entrambi comprendono anche la cronaca cittadina e italiana.

3. Il personaggio. Figlio illegittimo d'un nobile pistoiese, fu soprannominato, pare, «bestia» per la sua natura violenta. Fu Guelfo di parte nera e partecipò con ferocia alla lotta politica; fu anche omicida. Dante lo condanna per il furto, avvenuto intorno al 1293, del tesoro della cappella di San Iacopo nel Duomo di Pistoia. Questo dicono di Vanni Fucci i commentatori; ma bastano a caratterizzarlo le battute che scambia con Virgilio. Dapprima c'è il cinismo, disperato e tragico nella sua violenza di distruzione, con cui ostenta la propria bestialità; e qui peccatore e pena coincidono; il discorso sembra continuare lo strazio della continua metamorfosi d'uomo in bestia e viceversa. Vanni Fucci è il suo peccato; è quale si è consapevolmente costruito in vita per l'eternità (come tutti i dannati), è l'uomo sordo a ogni appello dell'umanità, a ogni idea di Dio. Eppure c'è in lui una superbia sterile, capace di «trista vergogna» per essere colto lì da Dante e dovere ammettere la colpa che aveva tenuto nascosta. Ma la violenza del personaggio è nella vendetta: la predizione a Dante della disfatta dei Guelfi bianchi e quindi d'ogni sua speranza politica. L'odio rende la profezia apocalittica; la proietta in una sorta di grandiosa e sinistra eternità di vendetta. La storia del personaggio continua, all'inizio del canto seguente, in tre versi di volgare bestemmia contro Dio. Subito dopo (vv. 4-9) le serpi lo avvolgono e lo incatenano.

Vanni Fucci è tutto e solo negativo, non ispira, accanto alla riprovazione, la pietà che ispirano altri. Dante si mostra qui, nelle rapide e intense battute del suo monologo, un notevole poeta drammatico; ma è questo anche uno dei momenti più direttamente autobiografici della *Commedia*, per l'intensità con cui egli copre di disprezzo un avversario politico, legato alla faziosità e all'odio che egli ha cercato con ogni mezzo di superare in sé. La violenza di Vanni assomiglia a quella, ancor più atroce, dell'episodio del conte Ugolino: dietro di esse si scorge l'Italia del tempo, devastata dall'odio che distrugge ogni forma di umanità, di civile convivenza.

Frate Alberigo (*Inferno*, XXXIII, 91-150)

Noi passammo oltre, là 've la gelata
ruvidamente un'altra gente fascia,
non volta in giù, ma tutta riversata.
Lo pianto stesso lì pianger non lascia,
95 e 'l duol che trova in su li occhi rintoppo,
si volge in entro a far crescer l'ambascia;
ché le lagrime prime fanno groppo,
e sì come visiere di cristallo,
riempion sotto 'l ciglio tutto il coppo.
100 E avvegna che, sì come d'un callo,
per la freddura ciascun sentimento
cessato avesse del mio viso stallo,
già mi parea sentire alquanto vento;
perch'io: «Maestro mio, questo chi move?
105 non è qua giù ogne vapore spento?».
Ond'elli a me: «Avaccio sarai dove
di ciò ti farà l'occhio la risposta,
veggendo la cagion che 'l fiato piove».
E un de' tristi de la fredda crosta
110 gridò a noi: «O anime crudeli
tanto che data v'è l'ultima posta,
levatemi dal viso i duri veli,
sì ch'io sfoghi 'l duol che 'l cor m'impregna,
un poco, pria che 'l pianto si raggeli».
115 Per ch'io a lui: «Se vuo' ch'i' ti sovvegna,
dimmi chi se', e s'io non ti disbrigo,
al fondo de la ghiaccia ir mi convegna».
Rispuose adunque: «I' son frate Alberigo;
i' son quel de le frutta del mal orto,
120 che qui riprendo dattero per figo».
«Oh», diss'io lui, «or se' tu ancor morto?».
Ed elli a me: «Come 'l mio corpo stea
nel mondo sù, nulla scienza porto.
Cotal vantaggio ha questa Tolomea,
125 che spesse volte l'anima ci cade
innanzi ch'Atropòs mossa le dea.
E perché tu più volontier mi rade
le 'nvetriate lagrime dal volto,
sappie che, tosto che l'anima trade
130 come fec'io, il corpo suo l'è tolto
da un demonio, che poscia il governa
mentre che 'l tempo suo tutto sia vòlto.
Ella ruina in sì fatta cisterna;
e forse pare ancor lo corpo suso
135 de l'ombra che di qua dietro mi verna.
Tu 'l dei saper, se tu vien pur mo giuso:
elli è ser Branca Doria, e son più anni
poscia passati ch'el fu sì racchiuso».
«Io credo», diss'io lui, «che tu m'inganni;
140 ché Branca Doria non morì unquanche,
e mangia e bee e dorme e veste panni».
«Nel fosso sù», diss'el, «de' Malebranche,
là dove bolle la tenace pece,
non era ancora giunto Michel Zanche,
145 che questi lasciò il diavolo in sua vece
nel corpo suo, ed un suo prossimano
che 'l tradimento insieme con lui fece.
Ma distendi oggimai in qua la mano;
aprimi li occhi». E io non gliel'apersi;
150 e cortesia fu lui esser villano.

91-93. gelata: il fiume Cocito ghiacciato. **altra gente:** un altro gruppo di traditori, quelli degli ospiti. **riversata:** supina.
95-99. rintoppo: impedimento. **si... entro:** torna indietro (le lacrime si gelano e così non si riesce ad avere un pianto come sfogo del dolore). **ambascia:** angoscia. **groppo:** nodo. **coppo:** la cavità orbitale.
100-105. E... che: e sebbene. **per la freddura... stallo:** per via del freddo ogni forma di sensibilità avesse cessato di stare nel mio viso. **vento:** è quello prodotto dalle ali di Lucifero, che fa ghiacciare Cocito. Dante, non sapendone ancora la cagione, si stupisce di trovare ancora del vento al centro del globo, dove non esistono mutazioni atmosferiche.
106-108. Avaccio: avanti. **la cagion:** Lucifero. **che... piove:** che fa muovere questo vento.
109-111. tristi: malvagi. **crosta:** di ghiaccio. **tanto... posta:** tanto che siete destinati al luogo più basso dell'Inferno (li crede dannati).
115-117. sovvegna: aiuti. **disbrigo:** libero (dalle visiere di ghiaccio). **al fondo... convegna:** possa io andare nel punto più basso dell'Inferno. Finge di augurarsi una dura condanna; ma in realtà sa che dovrà andarci per compiere il suo viaggio.
118-120. frate Alberigo: dei Manfredi di Faenza, frate gaudente. Invitò a banchetto alcuni parenti, fingendo di volersi rappacificare con loro. Quando ordinò la frutta (era il segnale convenuto) entrarono i sicari e li uccisero. **dattero... figo:** ricevo un frutto più pregiato, in cambio di quello che offrii (sconta il tradimento per l'eternità).
121-126. ancor: già. **stea:** stia. **nulla porto:** non ne so nulla. **Tolomea:** è la zona del nono cerchio dove sono puniti i traditori degli ospiti (dal nome d'un traditore biblico, Tolomeo di Gerico). **Atropòs:** la terza Parca: tagliava il filo della vita di ciascuno, tessuto dalle due sorelle Cloto e Lachesi, secondo la mitologia greco-latina.
127-132. rade: rada. **'nvetriate:** divenute come vetro. **trade:** tradisce. **il governa:** ne dirige il movimento. **mentre... vòlto:** fino al compimento del tempo assegnato alla sua vita.
133-141. ruina: precipita. **cisterna:** pozzo. **pare:** appare. **suso:** su in terra. **verna:** trascorre quest'inverno di Cocito. **se... giuso:** dal momento che arrivi or ora quaggiù. **Branca Doria:** ghibellino genovese, uccise a tradimento il suocero Michele Zanche. **sì racchiuso:** chiuso qui nel ghiaccio. **unquanche:** mai. **bee:** beve.
142-150. Malebranche: Sono una schiera di demoni dell'ottavo cerchio, messi a guardia dei barattieri (coloro che s'appropriano del pubblico denaro), immersi nella pece bollente. **e... prossimano:** e così fece un suo parente. **oggimai:** ormai, una buona volta. **e... villano:** fu un nobile gesto di cortesia essere villano con un individuo così turpe.

Siamo nel nono cerchio dell'Inferno, quello dei traditori, immersi nella crosta ghiacciata del fiume Cocito. Il gelo è prodotto dalle ali di Lucifero, anch'egli confitto nel ghiaccio al centro della palude e della terra.

Anche qui il paesaggio è proiezione dell'animo dei dannati, della negazione totale dell'essere che fu il loro peccato. Il tradimento è, infatti, la suprema degradazione delle due forze che fondano la natura umana: l'intelligenza che rende l'uomo simile a Dio e gli consente di raggiungere piena consapevolezza della propria origine e del proprio fine, e l'amore come vita dell'universo cristiano. Ora i traditori hanno usato l'intelligenza per le loro frodi e hanno rinnegato radicalmente l'amore, tradendo gli amici, le persone care, la Chiesa, l'Impero. Il tradimento appare dunque a Dante, ed egli per questo lo colloca al fondo dell'Inferno, come la profanazione suprema dell'uomo e della vita.

Queste ragioni ideologiche ispirano e strutturano la rappresentazione fantastica. Un fiume fermo, ghiacciato è l'immagine della vita inaridita, della morte. Buio, gelo, assenza: questo è lo sfondo dell'episodio.

I dannati giacciono supini, come in una tomba, senza neppure lo sfogo del pianto, perché le loro lacrime gelano sui cigli. Non possono, cioè, esprimere alcun sentimento umano se non l'odio: un odio gelido, senza passione, ma se mai sarcastico e connesso alla psicologia del tradimento. Frate Alberigo denuncia Branca Doria e Michel Zanche per pura malignità. Ma ormai il peccatore non è più un uomo, è il male.

Questa verità appare qui in un'invenzione fantastica, che non è verità filosofica o di fede, ma un *mito*, applicabile a tutti i personaggi dell'*Inferno*. Quando l'uomo pecca nella forma più grave contro l'intelligenza e l'amore — dice qui Dante — non tradisce soltanto gli altri, ma anche se stesso: distrugge l'immagine divina che è in lui e vi sostituisce quella infernale. Questo è il significato del mito dell'anima che precipita nell'Inferno, mentre un demonio prende il suo posto nel corpo che continua a vivere in terra. L'uomo si identifica dunque col suo peccato, si costruisce nella dimensione di questo; ovvero: il peccato, come negazione del divino, e quindi anche dell'umano, è Inferno. Le anime infernali (e, in terra, quella del peccatore prima del pentimento) sono costruite sulla parvenza cupa e violenta d'un peccato che, nonostante la lacerante intensità drammatica del suo apparire, è deficienza, assenza di vita. L'amore non darà mai gioia o appagamento a Francesca, non sarà, come appariva illusoriamente in terra, movimento verso l'essere, ma sarà movimento continuo verso il nulla, scelta di morte.

È interessante qui vedere come Dante costruisce un personaggio, strutturandolo, per così dire, sulla qualità psicologica e morale del suo peccato in quanto scelta e determinazione di sé per l'eternità. Questa struttura, e l'altra, che s'è accennata sopra, del movimento verso la morte, è comune a tutti i dannati, anche se ammette variazioni connesse all'atteggiamento psicologico proprio di ogni tipo di peccato. Si osservi, a proposito di frate Alberigo, come egli non ricordi i particolari che lo spinsero al tradimento, le passioni che provò, il passaggio dalla tentazione all'esecuzione. Qui c'è solo il fatto, nella sua brutalità squallida: la trovata del segnale della frutta, senza neppure violenza o passione; un gesto, isolato nella sua miseria, su quello sfondo di ghiaccio, tenebra, desolazione, di perdita totale della personalità.

Contro lo spento Alberigo si accampa l'altro personaggio, Dante, col suo agire colmo di frode. Promette di togliere il velo di ghiaccio dagli occhi del dannato con una frase che suona impegno solenne («se non lo faccio possa io andare fino al sommo della dannazione»), ma che si sa menzognera, e poi non adempie la promessa. Ma questa invenzione narrativa serve a sottolineare la rottura d'ogni forma di rapporto o comunicazione umana che il tradimento comporta, oltre a esprimere il violento rigetto, da parte del poeta, di quel peccato. In tal senso questa «frode» diventa un momento del viaggio: il ripudio del male, non ancora pienamente attuato al tempo degli incontri con Francesca, Brunetto Latini, Ulisse.

L'episodio va comunque sia ricondotto alla sua contestualità. Il racconto di Alberigo segue l'altro, ben altrimenti tragico e appassionato, del grande tradito, Ugolino. Dal confronto risultano ancor più atroci e, insieme, squallidi il cinismo e la sinistra autoironia del racconto di Alberigo, evidenti nelle metafore vagamente proverbiose del «mal orto», del «dattero» e del «figo», che celano l'atrocità di un assassinio e l'eterna condanna in una sorta di volgarità incolore, che continua nella maligna e inutile denuncia dei compagni di pena, propria d'un traditore istituzionale, che non sa esprimersi se non nella forma del tradimento.

Alla miseria morale del protagonista Dante fa corrispondere uno stile basso (ma sarebbe meglio dire che proprio questo stile definisce il personaggio, lo costruisce nella volgarità): alludiamo alle metafore or ora citate, alla *gelata*, al *callo*, alla sinistra e banale ironia di frasi come «Cotal vantaggio ha questa Tolomea» (v. 124) o «l'ombra che di qua dietro mi verna» (v. 135), o alla frase «e mangia e bee e dorme e veste panni», in cui Dante esprime il suo stupore con vivacità popolaresca, portando il suo vocabolario e il suo stile al livello di quelli del dannato.

Va infine considerato un altro aspetto contestuale. L'episodio di Ugolino, condannato a morire di fame con figli e nipoti, ha rivelato la violenza disumana che incombe sulla vita politica italiana. L'episodio di Alberigo l'estende al quotidiano, a un carattere usuale che ormai non fa più notizia, identificando la vita associata che Dante vede svolgersi intorno a lui con l'Inferno, il ghiaccio, il nulla, la carcassa brutale e meccanica di Lucifero che apparirà fra poco. Per Dante il male è privazione di vita, è il vuoto, il non-essere. Con questa consapevolezza si conclude il cammino (e la poesia) dell'*Inferno*. Ancora una volta il tema teologico, quello morale e quello politico si fondono con quello del viaggio esemplare, con la personale esperienza del male che è nel mondo, unita a un'appassionata volontà di riscatto.

La preghiera delle anime (*Purgatorio*, VIII, 1-18)

Era già l'ora che volge il disio
ai navicanti e 'ntenerisce il core
lo dì c'han detto ai dolci amici addio;
e che lo novo peregrin d'amore

1-6. che... navicanti: che induce la nostalgia della patria nei marinai. **lo dì:** nel giorno primo del viaggio. **e... punge:** e fa sentire al pellegrino, nel primo giorno di viaggio, la puntura della nostalgia. **squilla:** campana.

5 punge, se ode squilla di lontano
che paia il giorno pianger che si more;
quand'io incominciai a render vano
l'udire e a mirare una de l'alme
surta, che l'ascoltar chiedea con mano.
10 Ella giunse e levò ambo le palme,
ficcando li occhi verso l'oriente,
come dicesse a Dio: «D'altro non calme».
«*Te lucis ante*» sì devotamente
le uscìo di bocca e con sì dolci note,
15 che fece me a me uscir di mente;
e l'altre poi dolcemente e devote
seguitar lei per tutto l'inno intero,
avendo li occhi a le superne rote.

7-9. a... udire: a non ascoltare più. **surta:** levata in piedi. **con mano:** con un cenno della mano.
10-15. giunse: congiunse. **palme:** delle mani. **calme:** m'importa. **«Te... ante»:** è l'inno (attribuito a S. Ambrogio) della *Compieta*, in cui s'implora l'aiuto di Dio contro le tentazioni della notte. **note:** musica. **che... mente:** che mi rapì come in estasi.
16-18. l'altre: le altre anime. **seguitar:** accompagnarono. **superne rote:** i cieli, le sfere celesti dal moto circolare.

Il passo è rappresentativo dell'atmosfera del *Purgatorio* sia sul piano del contenuto sia sul piano formale.

Vi possiamo distinguere quattro temi: quello della nostalgia del navigante o del pellegrino; la dolcezza mesta d'una sera che significa pace, ma anche distacco e morire del giorno; il concentrarsi estatico di Dante in un gesto di preghiera delle anime che è dono totale di sé; l'effondersi del canto mentre gli sguardi sono fissi al cielo.

Questi momenti sono strettamente concatenati e armonizzati, ma ognuno di essi mantiene un peculiare rilievo perché si amplia in una rete di allusioni psicologiche, figurative e persino teologiche. Nel loro insieme, determinano tuttavia una situazione unitaria: un puro moto affettivo, un protendersi in una superiore speranza; il rivolgersi a Dio, come moto elementare e nativo dell'animo.

Il motivo del viandante o pellegrino allude a un tema centrale del poema, il cammino verso la patria perduta, ma sempre presente in un ricordo vivo al fondo dell'animo, che va ritrovato e messo in luce, ma già pervade di sé oscuramente la vita. Il tema si afferma già nel primo canto del *Purgatorio* (vv. 118-119: «Noi andavam per lo solingo piano / com'om che torna a la perduta strada...»).

Il lungo indugio del poeta su questa nostalgia, il motivo della campana che porta un'onda di memorie (di atti, di gesti comuni, di vita regolata insieme, di preghiere) richiamano a una legge di amore e solidarietà e, insieme, a una presenza divina ritrovata nei giorni, nei semplici accadimenti quotidiani.

Poi Dante guarda e ascolta un'anima; ma non dice questo: dice che «rende vano» l'udire e che «mira» un'anima, con una contemplazione compartecipe e rapita, ben diversamente da quanto avveniva nell'*Inferno*. Vengono poi il disporsi alla preghiera come olocausto o offerta totale di sé e la dolcezza dell'inno che si snoda nell'aria, alludendo non tanto ai terrori notturni di cui parla il testo di S. Ambrogio, dato che per le anime purganti la tentazione è impossibile ormai, ma alla nostalgia del cielo.

Come spesso nel *Purgatorio*, l'esperienza religiosa è rappresentata da Dante come ritrovamento d'una dolcezza e d'una limpida ingenuità che erano, a suo avviso, proprie dell'uomo prima della colpa, nel Paradiso terrestre, che, com'è noto, conclude l'esperienza purgatoriale. Per questo il *Purgatorio* è la cantica dei semplici gesti affettuosi, dell'amicizia, degli affetti più cari e spontanei: dei semplici amori, ritrovati nell'esperienza comune, che insegnano l'Amore più alto; e come esso sono non desiderio di possedere ma dono di sé e gioia di questo dono.

La vicenda interiore rappresentata avviene in un momento del giorno in cui più intenso s'avverte il passaggio del tempo, con la sua implicita immagine della morte; di quel tempo che, nella prospettiva cristiana di Dante, è quello della prova e della possibile redenzione, ma anche della distanza fra l'esistenza fugace e l'intravista pienezza dell'essere. Tutto questo, ossia, in sintesi, la nostalgia del divino, ci racconta Dante descrivendo un tramonto, con la ricchezza di significati e allusioni concomitanti che è propria sovente della sua poesia. Va aggiunto, per quel che riguarda la situazione di queste anime (sono i principi negligenti, non ammessi ancora all'espiazione, ossia al conclusivo processo di rigenerazione), che l'inno riconduce anche la memoria mesta del peccato, d'una fragilità creaturale che spiega il fervore dell'invocazione a Dio.

Questo complesso gioco di idee e d'immagini è reso sensibile dal ritmo che si dipana lento, risolvendo la vicenda in un susseguirsi di pause meditative, in una dimensione di ripiegamento interiore. Si osservi, in proposito, come molti versi tendano a oltrepassare la propria misura e a entrare nel verso seguente, come a ricercare un «tempo» musicale e narrativo più esteso.

Quella cui s'è alluso è la figura metrica dell'*enjambement* (o "scavalcamento" del verso) o, come lo chiamava il Tasso, del *rompimento* o *inarcatura*, in cui si rende evidente un contrasto fra metro e sintassi. Nei versi, ad es., «e che lo novo peregrin *d'amore / punge* se ode squilla di lontano», il *punge* rientra nella pronuncia del primo verso (e nella sua logica e nella sua sintassi: «punge d'amore»), ma appartiene metricamente al secondo. Un fenomeno analogo si ha nei vv. 6-7, dove la prima terzina si conclude, per quel che riguarda il senso, all'inizio della seconda.

Si può dire in genere che la figura suddetta intensifichi la dinamica del discorso, creando un nuovo schema di pause che sottolinea una pulsione affettiva. Lo snodarsi così rallentato del discorso diviene immagine di ripiegamento, come già s'è visto, d'indugio riflessivo, ma anche di ritrovata, spontanea dolcezza interiore, che è già un primo manifestarsi della redenzione. Questo passo così squisitamente lirico assume in tal modo anche una dimensione narrativa: è racconto di esperienza spirituale e di viaggio, o meglio, come si diceva nel Medioevo, dell'*itinerario* verso Dio, sottolineato dalla presentazione rallentata del gesto e dell'azione, che li richiama al loro compimento spirituale.

Il sogno in cima al monte (*Purgatorio*, XXVII, 94-108, 130-142. XXVIII, 1-51)

1. Il centro della storia. I canti dal XXVII al XXXIII del *Purgatorio* sono veramente centrali nella *fabula* del viaggio dantesco. Si svolgono tutti sulla cima della montagna, dopo le cornici dell'espiazione, ossia nel Paradiso terrestre; nel paradiso, dunque, originario, perduto e non più ritrovabile, dal momento che il cammino dell'uomo contempla ora un intervento finale della Grazia, strettamente connesso alla Redenzione. Esso rappresenta, tuttavia, la purezza primitiva e spontanea della natura umana: uno stato cui l'espiazione sulle balze del monte e il passaggio del muro di fuoco riconducono. E Dante è qui più che mai attore in prima persona; compie il proprio cammino di redenzione, da cui l'avevano distolto le tre fiere all'inizio. Nello stesso tempo viene investito più direttamente della missione profetica, e per questo ha un seguito di visioni in cui gli appare tutta la storia del mondo, incentrata sul rapporto spesso conflittuale fra Chiesa e Impero, e presagisce anche il riscatto futuro dell'umanità.

Il preludio è un sogno. Nella terza notte trascorsa nel Purgatorio, prima di entrare nel Paradiso terrestre, Dante sogna Lia, che parla anche di Rachele: sono le due spose di Giacobbe, e rappresentano, secondo l'esegesi biblica medievale, la vita attiva e la vita contemplativa. Come gli altri sogni della cantica, anche questo annuncia il vero: al risveglio, Virgilio dice a Dante che il suo cammino di espiazione è finito, che la sua volontà ha ritrovato la libertà di scegliere il bene e che egli è dunque libero di agire, senza più bisogno della sua guida. Subito dopo Dante entra nel Paradiso terrestre, dove trova Matelda, che raffigura l'anima umana nell'intatta purezza originale; qual era, cioè, prima del peccato.

Riportiamo alcuni momenti della vicenda:

XXVII Ne l'ora, credo, che de l'oriente
95 prima raggiò nel monte Citerea,
che di foco d'amor par sempre ardente,
giovane e bella in sogno mi parea
donna vedere andar per una landa
cogliendo fiori; e cantando dicea:
100 «Sappia qualunque il mio nome dimanda
ch'i' mi son Lia, e vo movendo intorno
le belle mani a farmi una ghirlanda.
Per piacermi a lo specchio, qui m'adorno;
ma mia suora Rachel mai non si smaga
105 del suo miraglio, e siede tutto giorno.
Ell'è d'i suoi belli occhi veder vaga
com'io de l'adornarmi con le mani;
lei lo vedere, e me l'ovrare appaga».

95. Citerea: Venere, cioè il pianeta Venere, che, secondo Dante, ispira amore, e precede il sorgere del sole. I sogni di Dante nel *Purgatorio* avvengono verso l'alba, quando, secondo una persuasione del tempo, da lui condivisa, si pensava che fossero veraci.
97-99. giovane... landa: mi appariva una donna giovane e bella che andava, ecc. **cantando:** qui, come più avanti, nell'episodio di Matelda, il canto è un riversarsi esterno dell'armonia col mondo, e con la Grazia.
101. Lia: sorella di Rachele e sposa di Giacobbe, simbolo, s'è visto, della vita attiva.
103. Per... specchio: Si adorna di fiori per piacere a se stessa specchiandosi. Ritorneremo su queste allegorie; ma conviene dire già ora che Lia, la vita attiva, si adorna delle sue opere, d'una vita costruttiva e pura, che si riflette nel suo animo (lo specchio), migliorato da quell'agire.
104-105. Rachele, sorella di Lia, sta costantemente immersa nella funzione contemplativa, e quindi non si distoglie dal suo specchio, in cui sta fissa come per incantesimo (**mai non si smaga**); **miraglio** è un gallicismo per specchio. **tutto giorno:** sempre.
106. Costruisci: ella è desiderosa di vedere i suoi begli occhi.

A questo punto, Dante si desta e percorre, con Virgilio e Stazio, la scala nella roccia, giungendo alla soglie del Paradiso terrestre; qui Virgilio si accommiata, dicendo esaurito il proprio compito di illuminare Dante, divenuto moralmente libero e padrone di sé:

130 «Tratto t'ho qui con ingegno e con arte;
lo tuo piacere omai prendi per duce;
fuor se' de l'erte vie, fuor se' de l'arte.
Vedi lo sol che 'n fronte ti riluce;
vedi l'erbette, i fiori e li arbuscelli
135 che qui la terra sol da sé produce.
Mentre che vegnan lieti li occhi belli
che, lagrimando, a te venir mi fenno,
seder ti puoi e puoi andar tra elli.
Non aspettar mio dir più né mio cenno;
140 libero, dritto e sano è tuo arbitrio,
e fallo fora non fare a suo senno:
per ch'io te sovra te corono e mitrio».

130. ingegno... arte: ammaestramenti, ma, a volte, artifizi per vincere la resistenza di Dante.
131. lo... duce: prendi per guida, ormai, il tuo piacere. Dante, infatti, ha riconquistato la condizione dell'umanità prima del peccato; ama spontaneamente il vero bene e lo cerca senza possibilità d'errore. **erte:** ripide. **arte:** strette, malagevoli.
136-138. li... fenno: sono gli occhi di Beatrice, che, piangendo per il traviamento di Dante, aveva indotto Virgilio a portargli un soccorso immediato (cfr. *Inferno*, II). **elli:** i fiori e gli arboscelli.
141-142. e... senno: e sarebbe un errore non seguire l'invito della volontà ritornata libera. **per... mitrio:** e per questo ti proclamo pienamente signore di te stesso.

XXVIII Vago già di cercar dentro e dintorno
la divina foresta spessa e viva,
ch'a li occhi temperava il novo giorno,

1. Vago: desideroso. **cercar:** esplorare.
3. ch'a... giorno: che temperava agli occhi (essendo folta) la luce del nuovo giorno.

sanza più aspettar, lasciai la riva,
5 prendendo la campagna lento lento
su per lo suol che d'ogne parte auliva.
Un'aura dolce, sanza mutamento
avere in sé, mi ferìa per la fronte
non di più colpo che soave vento;
10 per cui le fronde, tremolando, pronte
tutte quante piegavano a la parte
u' la prim'ombra gitta il santo monte;
non però dal loro esser dritto sparte
tanto, che li augelletti per le cime
15 lasciasser d'operare ogne lor arte;
ma con piena letizia l'ore prima,
cantando, ricevieno intra le foglie,
che tenevan bordone a le sue rime,
tal qual di ramo in ramo si raccoglie
20 per la pineta in su 'l lito di Chiassi,
quand'Eolo scirocco fuor discioglie.
Già m'aveano trasportato i lenti passi
dentro a la selva antica, tanto, ch'io
non potea rivedere ond'io mi'ntrassi;
25 ed ecco più andar mi tolse un rio,
che 'nver' sinistra con sue picciole onde
piegava l'erba che 'n sua ripa uscìo.
Tutte l'acque che son di qua più monde
parrieno avere in sé mistura alcuna
30 verso di quella, che nulla nasconde,
avvegna che si mova bruna bruna
sotto l'ombra perpetua, che mai
raggiar non lascia sole ivi né luna.
Coi piè ristetti e con li occhi passai
35 di là dal fiumicello, per mirare
la gran variazion d'i freschi mai;
e là m'apparve, sì com'elli appare
subitamente cosa che disvia
per maraviglia tutto altro pensare,
40 una donna soletta che si gia
e cantando e scegliendo fior da fiore
ond'era pinta tutta la sua via.
«Deh, bella donna, ch'a' raggi d'amore
ti scaldi, s'i' vo' credere a' sembianti
45 che soglion esser testimon del core,
vegnati in voglia di trarreti avanti»
diss'io a lei, «verso questa rivera,
tanto ch'io possa intender che tu canti.
Tu mi fai rimembrar dove e qual era
50 Proserpina nel tempo che perdette
la madre lei, ed ella primavera».

4-6. la riva: l'orlo della montagna, divisa in corone circolari e, qui sulla vetta, circolare. **auliva:** era profumato.
7-9. Un'aura... vento: una brezza dolce e immutabile mi colpiva la fronte, ma con un colpo non maggiore di quello prodotto da una brezza soave (e dunque lieve).
11-12. parte... monte: a occidente dove (**u'** = dove; latino *ubi*) il santo monte (la montagna del Purgatorio) proietta la prima ombra nel mattino.
12-14. non... sparte: non però allontanate tanto dalla posizione diritta o normale. L'essere troppo piegate avrebbe denotato un vento tempestoso, che sarebbe stato d'impedimento al canto sereno degli uccelli. **lasciasser:** tralasciassero. **d'operare... arte:** tutta la loro arte di operare, cioè il canto.
16-18. ore prime: le ore prime del giorno. È complemento oggetto di **ricevieno**, ricevevano, accoglievano. **bordone:** accompagnamento musicale. **rime:** canti.
19-20. tal... Chiassi: una musica simile a quella che risulta dal coro degli uccelli nella pineta sul lido di Classe (presso Ravenna). **Eolo:** il dio dei venti.
23. antica: perché originaria dimora dell'uomo.
25-27. mi tolse: m'impedì. **che... uscìo:** che con le sue onde, di portata modesta, faceva piegare verso sinistra l'erba nata sulle sue rive. È il fiume Letè, dove, a compimento della purificazione, Dante verrà immerso, perché esso dona l'oblio del male compiuto.
28-33. di qua: nel nostro mondo (si ricordi che la montagna è situata nell'emisfero australe ed è altissima). **monde:** limpide. **mistura:** impurità. **parrieno:** sembrerebbero. **verso di:** in confronto di. **avvegna che:** sebbene. **ombra perpetua:** quella degli alberi.
36. la... mai: la grande varietà dei freschi rami fioriti; «maggi» erano chiamati i rami fioriti che si usava offrire alle ragazze nella festa di primavera o calendimaggio.
38-39. subitamente... pensare: all'improvviso una cosa che distoglie la mente da ogni altro pensiero per lo stupore che la sua apparizione produce.
40. si gia: se ne andava. È Matelda, e rappresenta l'anima umana nella sua prima innocenza, quando godeva la bellezza del mondo e la attestava, celebrando, nel contempo, il Creatore. Come ella stessa dirà, più avanti, canta anche ora un canto simile al salmo *Delectasti*, inno di gioia per la bellezza della Creazione.
43-45. Dante pensa che Matelda sia innamorata, sia per il canto sia per la dolcezza dell'espressione del viso. In effetti, il suo è un canto d'amore a Dio.
49-51. La leggenda di Proserpina, figlia di Cerere, rapita da Plutone, dio degli Inferi, era sentita come allusione all'anima umana sedotta dal demonio, al tempo del peccato originale. **perdette... primavera:** Cerere perdette la figlia e questa la primavera, nel senso che, secondo il racconto di Ovidio, le caddero i fiori, che aveva raccolto e deposto in grembo nel momento in cui Plutone la rapì.

2. Un sistema allegorico. Lia, Rachele, e, più tardi, Matelda, figure di bellezza assunte in una cadenza di canto e di vita redenta; poi, ancora più tardi, Beatrice, e il riproporsi della dialettica cristiana di peccato e di grazia, di allontanamento e di ritorno, vissuta, però, ora, nella certezza del suo comporsi, da sempre e per sempre: queste figure, anche se, tranne Matelda, appartenenti alla storia, si collocano qui, in quest'ultima parte della cantica, in una dimensione allegorica. In tale prospettiva, coerente e sistematica, ora il lettore comprende; *vede* il passato configurato dal poema nella sua congruenza con l'azione presente. Quella di ora è la meta intravista e negata dall'assalto delle tre fiere, nel primo canto dell'*Inferno*, proemio di tutta la *Commedia*: un colle inondato dal sole che regola il giusto cammino, al punto da mantenere nel cuore del viandante sperduto «la speranza de l'altezza», nonostante la sconfitta.

Tutto questo è ben chiaro al lettore *cresciuto* col poema, che ne ha fissato nella sua mente, e anche nel suo immaginario, le prospettive cristiane di fondo. Ai tempi di Dante, le sapeva già prima; sapeva anche che dall'allontanamento dell'umanità dall'Eden originario era nata la storia. Ed è appunto nella piena compartecipazione alla storia e nell'assunzione della propria responsabilità in essa, che Dante ritorna alle origini e ripropone in forma nuova il messaggio cristiano, assegnandolo non soltanto alla coscienza del singolo, ma anche, e si direbbe prima di tutto, alla città, ora profanata, degli uomini. Altro non significa, in fondo, la sua assunzione della figura di profeta. E poiché profezia è, in realtà, prima di tutto richiamo alle origini per ritrovarvi la norma giusta dell'agire futuro, Dante conduce il lettore alla situazione del paradiso terrestre, e, prima, alla presentazione delle due forme elementari di vita, quella contemplativa e quella attiva; nell'un caso e nell'altro a quella che egli avverte come tematica di fondo d'ogni discorso umano.

È forse proprio questa elementarità a spingerlo a elaborare, come mai ha fatto prima, il complesso sistema allegorico che permea di sé questi ultimi canti, in cui sono in netta prevalenza numerica, fra gli «attori», entità personificate: dai libri del Vecchio Testamento al Gigante (Filippo il Bello di Francia) alla meretrice (l'attuale Chiesa corrotta). Tale sistematicità fa pensare a una scelta espressiva ben motivata, connessa strettamente al gusto e al procedimento artistico di tutta la civiltà medievale. Prima di condannare l'allegoria dantesca per il suo intellettualismo, come si è fatto finora troppo corrivamente, converrà quindi vedere in essa un modo del produrre artistico e studiarne le ragioni. L'ipotesi di lavoro è che questo porti a una migliore comprensione del messaggio testuale.

Si è già alluso, nel primo paragrafo, alla vicenda ideologica presentata in questi canti; ma converrà ora approfondirla nel suo significato «storico» concreto. C'è, dunque, un io che ha compiuto un cammino di redenzione — quello, si può dire, di sempre e di tutti —, e ritrova ora il paradiso perduto, ma per percorrere poi una strada nuova e diversa, quella legata alla Redenzione operata da Cristo. Quest'uomo è un poeta, con una missione profetica; e ora incontrerà quindi colei che prima gli ispirò amore e poesia, Beatrice, rivivrà dolorosamente le deviazioni della propria vita, per superarle per sempre nel segno d'una vocazione più alta. Quindi vedrà tutta la storia del mondo, nei suoi nodi elementari che sono: l'attesa, dopo la Caduta, della venuta redentrice di Cristo, effigiata da una lunga processione di entità personificate, a partire dai 24 libri della Bibbia; al termine di essa appare un Grifone, animale di due nature, simbolo di Cristo, che trascina il carro (la Chiesa) sul quale è Beatrice (ora in funzione reale e, insieme, allegorica: impersona, infatti, anche la Rivelazione e la Grazia nel loro manifestarsi agli uomini, quindi anche la Teologia o scienza del divino). Davanti a lei, Dante si confessa con umiliazione e contrizione, ed è quindi ammesso a vedere il dramma della storia, sempre con l'attesa sicura del secondo Avvento di Cristo giudicante. Fra il primo e il secondo Avvento si svolge il dramma della lotta fra Chiesa e Impero, che dovrebbero, invece, cospirare, secondo il volere di Dio, alla salvazione degli uomini. Ma anche qui la speranza è quella d'una conciliazione fra i due poteri, cui Dante dovrà contribuire con la sua poesia-profezia. Dopo questa investitura egli viene ammesso alla prosecuzione del cammino nei Cieli.

3. Allegoria e poesia. Si sono già viste numerose affermazioni dantesche di poetica, relative anche al problema dell'allegoria e della possibile polisemia o pluralità di significati d'un testo; non solo del testo sacro, ma anche di quello poetico.

L'allegoria è, si è visto, l'espressione d'un complesso di concetti attraverso un sistema di immagini o figure che lo ripropongono in una dimensione sentimentale e fantastica, nella fiducia che attraverso di essa possa meglio penetrare nell'intelligenza. A ben vedere, è una metafora continuata e compiessa; che si distingue, tuttavia, dalla semplice metafora per il suo carattere sistematico, cioè perché si propone come mezzo necessario di conoscenza e approfondimento d'una verità destinata altrimenti a rimanere patrimonio soltanto di pochi intelletti privilegiati; e a volte neppure di questi.

Dante aveva promesso nel *Convivio* — e non lo mantenne — di spiegare l'origine di essa. Sembra però che là dove afferma (*Paradiso*, 40-42) che la Sacra Scrittura attribuisce a Dio piedi e mani e che così conviene parlare all'ingegno dell'uomo, poiché esso «solo da sensato [*l'insieme dei dati offerti alla conoscenza dal senso*] apprende / quel che fa poscia d'intelletto degno», ci sia una definizione sufficiente del suo modo di interpretarla e giustificarla. L'allegoria nasce dalla conflittualità attuale fra dimensione terrena e dimensione celeste dell'uomo, dall'incapacità che questo ha di comprendere le supreme verità se non attraverso uno specchio e per enigmi, come affermava San Paolo. È, cioè, legata alla psicologia attuale dell'uomo e al suo dramma fra chiusura terrena e destino celeste: al prevalere dei sensi sullo spirito dopo il peccato.

Dante non poteva trascurare l'allegoria come modo espressivo, capace di parlare a un pubblico vasto con la forza d'una persuasione, non tanto intellettuale, quanto esistenziale, con incisive sintesi ideologiche e concentrazione espressiva. Prendiamo gli esempi addotti: la felicità di Matelda, il suo canto, la sua gioia d'esistere circondata dalla bellezza del mondo condensano tutta una storia originaria dell'uomo, la ripresentano nella luce affascinante d'una creatura bella e innamorata. Ma se guardiamo bene, l'amore-poesia d'un giorno, nella carriera poetica di Dante, presagiva questo motivo edenico di slancio verso l'essere e verso la vita come felicità.

4. Due allegorie femminili. Soffermiamoci sulle due allegorie femminili dei versi qui presentati, Lia (e di riflesso Rachele) e Matelda. Un primo rilievo riguarda la contiguità delle due figure, sì che Matelda sembra proprio la Lia, sognata da Dante, ritrovata al risveglio. È del resto evidente la loro complementarità: una vita umana giunta alla perfezione del pensare e dell'operare non può non assomigliare alla natura primitiva incorrotta dell'uomo. Certo, le differenze ci sono, secondo la teologia; ma a Dante interessa qui mettere in evidenza uno schema esemplare di vita e di destino.

L'allegorismo dantesco incontrava, nel caso di Lia, quello biblico della secolare esegesi del testo sacro. Ora è qui interessante osservare che, mentre gli interpreti sono per lo più d'accordo nel considerare Lia poco bella, per contrapporle meglio la superiore dignità di Rachele, figura della vita più alta, che è la contemplativa, Dante sceglie un interprete non di maggioranza, Riccardo di San Vittore, e con lui concorda sulla bellezza *anche* di Lia. Non è scelta di poco conto, ma corrisponde al finale, che si è riportato in precedenza, della *Monarchia*, e delle due beatitudini che Dante assegna all'uomo, sottolineando che quella relativa a questa vita (che consiste nell'operare secondo virtù) viene raffigurata dal Paradiso terrestre.

Ciò che apparenta Lia e Matelda è però soprattutto lo stile. Le due figure si muovono con un ritmo che si direbbe di danza, si adornano di fiori o camminano tra i fiori; ma soprattutto, nel rievocarle, Dante ritrova il proprio «dolce stil novo»: un mito di gioventù e bellezza (Matelda, donna bella che si scalda ai raggi d'amore), di gioia intima che tende al canto come a propria spontanea dimensione. Si considerino (il lettore potrà analizzare in forma analoga la descrizione di Matelda) i vv. 97-l00, dove abbiamo un lento modularsi dell'immagine femminile in una trama di sogno. Prima i due aggettivi, «giovane e bella», che dispongono a una indefinita dolcezza d'attesa, poi altri due incisi, «in sogno» e «mi parea» come a sfumare la radiosa apparizione che si preannuncia, a formularla in un'emozione improvvisa del cuore; e infine, la persona, «donna»: un nome indefinito che si specifica nel gesto gentile di raccogliere i fiori e nel canto.

Dante non ha soltanto voluto offrire al lettore una caratterizzazione ideologica della vita attiva redenta, ma suscitarne nell'animo il desiderio, farla vivere come un'aspirazione. Qui l'allegoria non ha più una ragione meramente intellettualistica, ma chiede una partecipazione del lettore a una verità.

5. Le allegorie e il racconto. Le due figure allegoriche diventano in tal modo anch'esse protagoniste. Anche se non hanno la vita drammatica dei personaggi storici della *Commedia*, sono pur sempre personificazioni di momenti di vita interiore che entrano, per questo, nella costruzione dei personaggi e della vicenda — il viaggio — sulla quale e in riferimento alla quale scorrono le altre storie. Qui, in particolare, la dolcezza delle due figure femminili pervade di sé il paesaggio, evocato prima con rapidi tocchi da Virgilio e vissuto poi dal viandante d'oltretomba come senso di gioia e di grazia ritrovate. Il Paradiso terrestre si colloca anch'esso in una tradizione eidetico-espressiva: quella del *locus amoenus*, con le sue convenzioni figurative fissate dalla retorica medievale. Il «luogo bello» è però anch'esso riportato all'interiorità, come la promessa d'amore colta nel canto delle due donne, che diventano prefigurazione e inizio del cammino futuro del poeta nel Paradiso terrestre, alla conquista di una più profonda autenticità.

Il trionfo di Beatrice (*Purgatorio*, XXX, 13-48)

1. La «mirabile visione». È una visione grandiosa di «gloria celeste», con espressioni bibliche e virgiliane, con un balenare di analogie cristologiche che, anche se non ignote ai lettori della canzone *Donna pietosa* e del capitolo in prosa della *Vita nuova*, lasciano un poco sconcertati. O per lo meno, fanno sentire l'urgenza d'una lettura storica corretta, aderente, cioè, alla problematica estetica e culturale di un'epoca diversa dalla nostra. Tale approccio ci consente una lettura appropriata della simbologia di questo passo. Per introdurlo basterà dire che esso viene alla fine della grande processione allegorica di cui s'è parlato nell'esercizio precedente, nel momento in cui sono giunti il Grifone (Cristo) e il carro (la Chiesa). Su di esso appare ora Beatrice, in un trionfale corteo di angeli.

Quali i beati al novissimo bando
surgeran presti ognun di sua caverna,
15 la revestita voce alleluiando,
cotali in su la divina basterna
si levar cento, *ad vocem tanti senis*,
ministri e messagger di vita etterna.
Tutti dicean: "*Benedictus qui venis*!
20 e fior gittando di sopra e dintorno
"*Manibus, oh, date lilia plenis*!"
Io vidi già nel cominciar del giorno
la parte oriental tutta rosata,
e l'altro ciel di bel sereno adorno;
25 e la faccia del sol nascere ombrata,
sì che per temperanza di vapori,
l'occhio la sostenea lunga fiata:
così dentro una nuvola di fiori
che da le mani angeliche saliva
30 e ricadeva in giù dentro e di fori,
sovra candido vel, cinta d'uliva,
donna m'apparve, sotto verde manto,
vestita di color di fiamma viva.
E lo spirito mio, che già cotanto
35 tempo era stato ch'a la sua presenza
non era di stupor, tremando, affranto,
sanza de li occhi aver più conoscenza,
per occulta virtù che da lei mosse,
d'antico amor sentì la gran potenza.
40 Tosto che ne la vista mi percosse
l'alta virtù che già m'avea trafitto
prima ch'io fuor di puerizia fosse,
volsimi a la sinistra col respitto
col quale il fantolin corre a la mamma

13. novissimo bando: la tromba del Giudizio universale.
14-15. sorgeran: risorgeranno e balzeranno fuori. **caverna:** sepolcro. **la... alleluiando:** essendo allora la voce ritrovata un inno di lode (a Dio).
16-18. cotali... etterna: in atteggiamento analogo sul carro divino (**divina basterna**) si levarono innumeri angeli, esecutori e messaggeri di Dio e della vita eterna da Lui donata, al richiamo d'un vecchio di tale importanza. È il vecchio che impersona il biblico *Cantico dei Cantici*, e ha appena chiamato Beatrice dicendo «Vieni, Sposa, dal Libano», che è un versetto del *Cantico*. Per «Sposa» si interpretava la scienza divina (o Teologia).
19. «Benedetto tu che vieni nel nome del Signore». È la lode rivolta a Cristo al suo ingresso in Gerusalemme, secondo il Vangelo della Domenica delle Palme. Il maschile indica persona indefinita (il saluto è qui rivolto a Beatrice), come a coinvolgerla in un'elargizione di Grazia che riguarda ogni Beato.
21. Manibus... plenis: gettate gigli a piene mani. La frase è nell'*Eneide*, ed è pronunciata negli Inferi da Anchise, in lode d'un futuro discendente, Marcello.
26-27. per... fiata: sì che, essendo essa temperata dai vapori, l'occhio poteva sostenerla a lungo.
30. dentro... fori: dentro il carro e fuori di esso.
31-33. Non è facile spiegare che cosa significhino i tre colori, senz'altro allegorici, secondo il gusto del tempo. L'olivo sembra che simboleggi la sapienza, il bianco e il rosso erano nelle vesti con cui Beatrice era apparsa la prima volta a Dante; probabilmente simboleggiano purezza e amore.
43. respitto: attesa fiduciosa di aiuto.
44. fantolin: bimbo piccolo.
45. dramma: indica piccolissima quantità: una goccia.

45 quando ha paura o quando elli è afflitto,
per dicere a Virgilio: «Men che dramma
di sangue m'è rimaso che non tremi:
conosco i segni de l'antica fiamma».

48. conosco... fiamma: Traduce dall'*Eneide* le parole con cui Didone confida alla sorella Anna di essersi innamorata di Enea; di provare, cioè per lui il sentimento che aveva provato un giorno per il marito Sicheo. Virgilio però non risponde a Dante: è ritornato nel Limbo, il luogo del suo «etterno esilio».

2. Un «epos» cristiano. Si osservino le linee portanti di questo quadro di esaltazione:
a) — Beatrice giunge alla fine d'un corteo che configura il senso di tutta la storia del mondo, come se ne fosse la figura conclusiva;
b) — è sul carro della Chiesa, trascinato da Cristo; sola creatura terrena fra una nuvola d'angeli;
c) — viene salutata come Cristo al suo ingresso in Gerusalemme e l'omaggio è ribadito da versi tratti dall'epopea virgigliana.

Va osservato inoltre:

a) — che certe analogie un po' vertiginose, quali quella Beatrice/Cristo, che lasciano oggi perplessi, non producevano la stessa impressione al tempo di Dante, quando il tema dell'«imitazione» di Cristo era centrale nella vita etica e religiosa, e Dante, inoltre, era convinto, come si è visto esaminando il *Convivio*, che le persone più elette fossero vicine agli angeli per dignità e perfezione;

b) — che la figura di Beatrice è quella d'una santa, posta, dunque, in una dimensione diversa da quella terrena, e ha una doppia valenza, nel senso che diviene anche, come dicono gli interpreti, allegoria (noi preferiamo dire immagine) della teologia o scienza divina. In tal senso svolgerà la sua funzione di guida in quest'ultima parte del cammino di Dante.

La nuova invenzione dantesca si muove sul fondamento di persuasioni radicate nell'immaginario collettivo, ma con svolgimenti inediti. Veramente Dante adempie qui la promessa, fatta al tempo della *Vita nuova*, di dire (poeticamente) di lei quello che non era mai stato detto di alcuna; con iperboli che indicano la profondità del sentire, la persuasione e la volontà di colmare l'abisso che egli aveva sentito, già nella *Vita nuova*, fra sé e la sua donna divenuta creatura celeste.

La giustificazione profonda della lode iperbolica sta, tuttavia, prima di tutto nel fatto che viene qui celebrata la gloria celeste. L'esaltazione di Beatrice è quella di ogni anima beata nell'eternità. Che ella si presenti così a Dante nasce dal suo coinvolgimento nella storia di lui, e la stessa cosa va detta della funzione che assume ora nel racconto; non diremmo tanto di Teologia o Scienza divina in assoluto, ma di loro incarnazione, di rivelatrice di esse a Dante.

Quanto al trionfo degli angeli, e di lei fra gli angeli, va aggiunto che Dante ha trascritto qui l'epopea antica nella prospettiva cristiana. I nuovi eroi sono gli uomini redenti e beati; ancora una volta Dante ha inventato il grande *epos* cristiano dell'anima. Le citazioni virgiliane e bibliche sono assai significative al riguardo.

3. Beatrice e Dante. Accanto all'*epos* dell'anima redenta ce n'è, però, un altro: quello dell'amore di Dante, per il quale pure egli ricerca l'*auctoritas* virgiliana. Amore e poesia furono le rivelazioni che lo spinsero in alto, e per la seconda, Virgilio fu maestro e modello, come afferma il canto I dell'*Inferno*.

È, a ogni modo, importante il fatto che l'amore di Dante si confessi con tanta immediatezza e dignità, come un valore conservato per anni e principio riconosciuto della propria edificazione spirituale.

A questo punto si è molto perplessi nell'attribuire un significato allegorico a Beatrice, o assegnarglielo accanto a quello «umano», affermando, magari, che, nonostante impersoni la Teologia, Beatrice rimane «donna», e così via. Prima di tutto, Beatrice è un personaggio, come il Dante che ora parla con lei, si pente e si confessa; come lo è Matelda, cui non sembra corrispondere una figura storica, o come Lia, figura data come storica, ma ormai vista nella sua valenza allegorica. S'intende dire che un personaggio artistico, anche il soggetto di un'autobiografia, va considerato nella sua coerenza e funzionalità nell'opera, e cioè nelle convenzioni specifiche dell'arte, non d'una vita che inesorabilmente ci sfugge. Quanto al fatto che Beatrice resti donna, l'affermazione non deve indurre a ricercare in lei generiche realtà psicologiche, presentate astrattamente come comuni a tutte le donne.

Beatrice va vista come la donna che ispirò per prima un amore profondo a Dante; un amore stilizzato, prima, secondo le consuetudini del galateo erotico della sua età, e poi lentamente assurto a un personalissimo mito, culmine e modello d'ogni valore esistenziale. Fu, insomma, la rivelazione dell'amore come movimento totale verso l'essere: un ideale che si venne progressivamente specificando e approfondendo, fino a ritrovarsi nel rispetto della propria subordinazione gerarchica, nell'amore che è origine divina e vita dell'universo.

Un sogno, dunque, Beatrice, e, nel contempo, una realtà. Il suo significato allegorico (ogni beato saprebbe esser guida di Dante nel Paradiso e impersonare la Teologia) è stata proprio la sua vita: la sua nobiltà d'animo, l'amore di tutto ciò che è nobile, che ha ispirato in Dante con la sua bellezza; la sua morte, che ha suggerito al poeta l'invenzione della sua trasfigurazione celeste (si ricordi la canzone *Donna pietosa*). O meglio: Beatrice è la figura in cui Dante ha rappresentato poeticamente le sue aspirazioni più alte. Dunque, a ben vedere, l'allegoria letteraria è qui una tecnica di rappresentazione della realtà.

Poesia dell'intelligenza (*Paradiso*, I, 103-135. VIII, 97-126)

1. Premessa. L'ascensione fisica di Dante, nel *Paradiso*, appare come il riflesso esterno di quella spirituale, che si compie attraverso il magistero di Beatrice e delle anime beate, voci recitanti d'un grandioso coro. Il cammino progressivo della mente verso verità sempre più comprensive si compie insieme col percorso dell'universo qual era concepito da Dante (i nove Cieli intorno alla Terra, poi l'Empireo): l'ascesa totale è quella di tutto l'uomo, il suo ritrovarsi, fisico e spirituale, nell'armonia cosmica, riflesso della mente divina e suo balenare ed effondersi nella luce della bellezza. La conquista della verità coinvolge la sublimazione di tutta la persona, perché, secondo Dante, conoscere il vero significa conoscere Dio, e conoscere Dio significa amarlo, e conseguire, in tal modo, pienezza di essere e felicità, in quanto Dio è il Sommo Bene.

Nasce di qui il continuo espandersi, nella cantica, della poesia dell'intelligenza: la risposta ai dubbi di Dante, ora espressa con una lucida concatenazione mentale che riflette il metodo delle scuole di filosofia di allora, ora modulata su una cadenza d'inno, in cui s'avverte la gioia del costruirsi nella verità. Diamo due esempi di spiegazioni condotte su una linea logica rigorosa, in cui balena a tratti la suddetta cadenza (soprattutto nel primo). Esse riguardano due aspetti essenziali dell'universo dantesco.

... «Le cose tutte quante
hanno ordine tra loro, e questo è forma
105 che l'universo a Dio fa simigliante.
Qui veggion l'alte creature l'orma
de l'etterno valore, il quale è il fine
al quale è fatta la toccata norma.
Ne l'ordine ch'io dico, sono accline
110 tutte nature, per diverse sorti,
più al principio loro e men vicine;
onde si muovono a diversi porti
per lo gran mar de l'essere, e ciascuna
con istinto a lei dato che la porti.
115 Questi ne porta il foco inver' la luna,
questi ne' cor mortali è permotore,
questi la terra in sé stringe e aduna;
né pur le creature che son fora
d'intelligenza quest'arco saetta,
120 ma quelle c'hanno intelletto e amore.
La provedenza, che cotanto assetta,
del suo lume fa 'l ciel sempre quieto
nel qual si volge quel c'ha maggior fretta;
e ora lì, come a sito decreto,
125 cen porta la virtù di quella corda
che ciò che scocca drizza in segno lieto.
Vero è che, come forma non s'accorda
molte fiate a l'intenzione de l'arte,
perch'a risponder la materia è sorda,
130 così da questo corso si diparte
talor la creatura c'ha podere
di piegar, così pinta, in altra parte;
e sì come veder si può cadere
foco di nube, sì l'impeto primo
l'atterra, torto da falso piacere.

104-105. questo... simigliante: questo ordine è la forma, il carattere costitutivo che rende l'universo simile a Dio, sia perché presuppone una mente ordinatrice, sia perché l'ordine induce nel molteplice il principio dell'unità.
106-108. qui: in quest'ordine. **alte creature:** angeli e uomo. **orma:** impronta. **etterno valore:** Dio. **il quale... norma:** il quale Dio è il fine in relazione al quale è stata fatta la norma o legge di ordine di cui ho parlato (**toccata**).
109-111. sono accline: giacciono. **nature:** i vari esseri. **più... vicine:** con una sorte diversa, secondo che siano più o meno vicine al loro principio (Dio); secondo, cioè, che ne portino in sé più o meno evidente l'immagine.
113-114. porti: mete o finalità diverse. **istinto:** è un istinto che porta ogni cosa o essere al proprio porto, assegnato da Dio al momento della creazione. Come poi esemplifica, questo istinto porta il fuoco a salire verso la sfera del fuoco (subito prima del Cielo della Luna) e la terra a restare stretta e compatta in sé. Il porto dell'uomo è Dio.
116. ne'... permotore: è motore d'azione nelle anime sensitive proprie degli animali. Nell'uomo, mediato dall'intelligenza, diviene amore consapevole di sé, o «amore d'animo», che conduce direttamente a Dio come porto.
118-119. fore d'intelligenza: prive d'intelligenza.
121. che... assetta: che produce questo grandioso ordine.
122-123. del... fretta: appaga completamente (mantiene dunque immobile, in pace) il Cielo Empireo (dove è il Paradiso), nel quale si muove il Primo Mobile, il primo, a partire dall'Empireo, e il più veloce (imprime, infatti, il movimento a quelli successivi).
124-126. e ora... lieto: e ora lì, come al luogo destinato a te, ci porta la forza di quell'arco che indirizza ciò che scocca a un bersaglio lieto, di felicità. Allude alla Provvidenza, che vuole il bene d'ogni cosa e creatura.
128-129. Vero... sorda: Tuttavia come molte volte la forma non corrisponde all'intenzione dell'artista perché la materia non è stata pronta a corrispondere.
130-133. così... parte: così si diparte da questo corso naturale, e dunque dal fine assegnatole da Dio, la creatura che ha il potere di piegare verso un'altra meta, pur essendo così spinta dall'istinto (l'uomo, dotato di libero arbitrio).
135. e sì... piacere: e così come si vede un fuoco (il fulmine) cadere giù da una nube (mentre, secondo la fisica del tempo, essendo fuoco, avrebbe dovuto tendere all'alto), così l'impeto primo o istinto naturale può volgersi verso terra, invece di salire a Dio, se il suo cammino è distorto da un falso piacere (è questa, per Dante, la dinamica del peccato).

Lo ben che tutto il regno che tu scandi
volge e contenta, fa esser virtute
sua provedenza in questi corpi grandi.
100 E non pur le nature provedute
sono in la mente ch'è da sé perfetta,
ma esse insieme con la lor salute:
per che quantunque quest'arco saetta
disposto cade a proveduto fine,
105 sì come cosa in suo segno diretta.
Se ciò non fosse, il ciel che tu cammine
producerebbe sì li suoi effetti,
che non sarebbero arti, ma ruine;
e ciò esser non può, se li 'ntelletti
110 che muovon queste stelle non son manchi,
e manco il primo, che non li ha perfetti.
Vuoi tu che questo ver più ti s'imbianchi?
E io: «Non già; ché impossibil veggio
che la Natura, in quel ch'è uopo, stanchi».
115 Onde'elli ancora: «Or di': sarebbe il peggio

96-98. Lo... grandi: il bene (Dio) che fa muovere (volge) e appaga di sé i Cieli che tu stai salendo, fa sì che la sua provvidenza diventi virtù operativa in essi (**corpi grandi**, perché sono spessori sferici che circondano la terra, e, quindi, assai più grandi di essa).
100-102. E... salute: E la mente in sé perfetta non provvede solo alla nascita, ossia all'essere delle varie nature, ma anche al loro ben essere, cioè le aiuta a conseguire la loro finalità specifica.
103. per che: per la qual cosa. **quest'arco:** la provvidenza divina.
105. segno: bersaglio.
108-109. In caso contrario, i Cieli produrrebbero i loro effetti, che però sarebbero rovinosi, non organizzati razionalmente. In assenza d'un piano provvidenziale, gli influssi che piovono dai cieli in terra sarebbero caotici e produrrebbero pertanto effetti negativi.
109-111. e ciò... perfetti: e questo non può essere; bisognerebbe, altrimenti, postulare che le Intelligenze angeliche (gli angeli, suddivisi in vari ordini) che accordano i moti celesti, in base alla volontà della provvidenza, fossero manchevoli, e che lo fosse anche il primo (Dio), che non li ha creati in grado di eseguire perfettamente il loro compito.
112. ti s'imbianchi: te lo chiarisca ulteriormente.
113-114. Dante dichiara che è logico che la natura sia adeguata al suo compito (**stanchi:** sia difettosa).

per l'uomo in terra, se non fosse cive?».
«Sì», rispuos'io; «e qui ragion non cheggio».
«E puot'elli esser, se giù non si vive
diversamente, per diversi offici?
120 Non, se'l maestro vostro ben vi scrive».
Si venne deducendo infino a quici;
poscia conchiuse: «Dunque esser diversi
convien di vostri effetti le radici:
per ch'un nasce Solone e altro Serse,
125 altro Melchisedech, e altro quello
che, volando per l'aere, il figlio perse».

116-117. se... cive: se non vivesse in città, cioè in vita associata. Qui Dante non chiede dimostrazione, trattandosi di cosa concepita, per lunga persuasione, che risale ad Aristotele, come del tutto razionale e sicura.
117. E... offici?: E può avvenire questo (la vita in società) se nel mondo (**giù**) non si vive in modo diverso, organizzando le varie e diverse mansioni nella convivenza civile?
120-121. maestro vostro: Aristotele. **quici:** qui. Il ragionamento deduttivo parte dai principi dati come sicuri per applicarli via via ai fatti.
122. Dunque perché si abbia tale differenziazione necessaria alla vita associata, conviene che siano diverse le indoli delle persone che producono i vari effetti o forme di vita (ne sono, cioè, le **radici**). Per questo gli uomini nascono con diverse attitudini: uno è disposto alla legislatura (**Solone**, ateniese), un altro all'impero (il persiano **Serse**), un altro al sacerdozio (**Melchisedech**, ebreo), un altro alle capacità artigianali, come **Dedalo**, che, volando in fuga da Creta, perdette il figlio Icaro. — L'interlocutore, Carlo Martello, prosegue dicendo che i Cieli producono i loro effetti senza tuttavia far distinzione tra famiglia e famiglia. Di qui nasce il fatto che da una buona stirpe possono derivare discendenti degeneri (Dante lo aveva interrogato specificamente su questo punto).

2. L'armonia del mondo. Questa tematica, comune ad ambedue i passi, riprende, su fondamenti cristiani, una persuasione antica della filosofia occidentale, che va da Pitagora a Platone ad Aristotele, e avrà ancora secolare fortuna. Essa coincide con l'idea d'un cosmo armonico, percorso di continuo da una legge di provvidenzialità: d'una Creazione che ha, come attributo di fondo, la bontà, di cui la bellezza altro non è che la rivelazione sensibile o *manifestatio*.

La prima dimostrazione, condotta da Beatrice, può essere considerata una vera e propria introduzione al Paradiso. Il mondo dei Cieli, che ne fa parte, illumina la vita d'una luce di provvidenzialità che assicura il significato d'ogni cosa e il bene come legge cosmica dominante. Anzi, la vera legge è l'amore, che instaura una sorta di gravitazione universale intorno a Dio.

L'universo è nato da un atto d'amore e per un atto d'amore si conserva. Le cose sono immerse in un ordine armonico, impresso nel cosmo dall'Intelligenza divina; hanno da questa una finalità, prescritta e immanente, che le porta a conseguire la loro destinazione nel «gran mar dell'essere». Questo istinto è presente anche nell'uomo, e si chiama amore, non naturale, ma amore d'animo, consapevole di sé e rafforzato dall'intelligenza; è il motore della sua vita, e lo ricondurrebbe a Dio, se non esistesse in lui il libero arbitrio, che gli lascia la possibilità d'una scelta diversa. Così l'impulso originario, elementare, insopprimibile verso il bene e la felicità, cioè verso Dio, può condurre l'uomo a disviarsi dietro suggestioni terrene, concepite come assoluti, come oggetto conclusivo dell'amore. E questo è il peccato.

Nel momento in cui dalla cima della montagna del Purgatorio incomincia la sua ascesa nei Cieli, Dante esprime in forma sintetica e conclusiva la sua filosofia. La domanda che rivolge a Beatrice è come mai egli stia volando al di sopra di corpi più leggeri del suo (il fuoco, l'aria, secondo la fisica del tempo). La risposta è, prima di tutto, un passaggio dalla fisica alla metafisica; l'esortazione a cercare come legge costitutiva della realtà lo spirito, e cioè il divino.

Il secondo passo verte su un altro punto della cosmologia dantesca. I nove cieli piovono sul mondo terreno influssi che avvivano di continuo la vita della natura; si potrebbe anzi dire che costituiscono l'insieme delle cause naturali. A regolarne il movimento sono le Intelligenze angeliche, motori dei Cieli, secondo un piano che leggono in Dio. La luce della Provvidenza si estende, dunque, a ogni istante per tutta la realtà e ordina un universo di continuo correlato all'uomo e alle sue esigenze; teocentrico e, nel contempo, antropocentrico.

Sotto l'ultima dimostrazione sta, tuttavia, ancora una volta la prima. Dio, attraverso l'influsso dei Cieli, produrrebbe a ogni istante negli uomini l'indole adatta a un'ordinata vita sociale, con equa distribuzione di mansioni, capacità, uffici. Ma con l'uomo incomincia il dramma della libertà, cioè dell'accettazione o non accettazione del piano proposto da Dio.

L'idea dell'armonia del mondo permane tuttavia come fiducia nella razionalità del reale, della vita, come fondamento dell'ottimismo cristiano di Dante, che non ignora l'ombra del male, della decadenza, del disordine, ma sa che l'ordine è destinato a trionfare. Da questo ricevono forza la sua volontà profetica e l'accettazione del destino di esule nel mondo corrotto.

3. Lo stile della meditazione. Sul piano dello stile — intendiamo, con questa parola, anche la cadenza oratoria, i modi della dimostrazione e della distribuzione del pensiero — i due passi appaiono ben distinti. Il primo rivela una tendenza piuttosto alla proclamazione che alla dimostrazione: alla gioia d'una verità posseduta che tende a essere sottolineata epicamente dal discorso. Questo è, insieme, spiegazione e celebrazione. Nel secondo passo, invece, su questa tensione prevale quella dimostrativa, secondo il tipo di discorso filosofico in uso, allora, presso i maestri della Scolastica; anche qui, tuttavia, con un ritmo incalzante e compiaciuto, per lo svelarsi progressivo d'una verità che rende felici.

Tutti e due i discorsi hanno un particolare comune: il metodo deduttivo e la sintassi discorsiva che esso produce. Dante pone una domanda: com'è possibile che io voli, nel primo caso, come mai da una progenie nobile può nascere un figlio degenere, nel secondo. La risposta giunge di lontano. Prima l'interlocutore parte dalla definizione di supremi principi, poi, di lì, deduce progressivamente conclusioni, fino a centrare, alla fine, la domanda di Dante, per rispondere alla quale bastano, ora, poche parole. Le prime proposizioni non si dimostrano; vanno credute vere per fede (Dio, gli angeli, i Cieli, la Provvidenza); il resto comprende, per lo più, corollari e applicazioni. Nel primo caso, bastava dire a Dante che ora egli vola al cielo perché, libero dal peccato, tende spontaneamente e naturalmente a Dio; nel secondo, che la Provvidenza o i Cieli variano i talenti che distribuiscono fra gli uomini, senza avere riguardo a famiglie o stirpi. Dante, invece, ha bisogno di entrare progressivamente nel cuore d'una verità, collegandola a quella suprema, ai principi ultimi che rendono possibile ogni ragionare e ogni ricerca intellettuale.

La prima meditazione punta, si diceva, alla cadenza epica. In effetti si svolge su affermazioni perentorie e concatenate, avvivate dall'entusiasmo, perché la dimostrazione giunge a coinvolgere la spiegazione complessiva del destino dell'uomo e del cosmo. La prima conclusione epica è l'immagine del «gran mar dell'essere», cioè del glorioso espandersi della vita nella luce della mente e della volontà divine. Il risultato è la coscienza della situazione dell'individuo nell'universo, che per tutta la cantica accompagnerà il cammino di Dante.

La seconda meditazione accoglie, invece, la dimensione del dialogo, anche se, in realtà, è, in prevalenza, un monologo in cui l'interlocutore prevede le obiezioni e le smonta, deduce, dimostra, dà corollari. Le poche risposte di Dante servono soltanto a proclamare la razionalità assoluta di quei veri, che non richiedono neppure dimostrazione.

La resurrezione della carne (*Paradiso*, XIV, 34-66)

E io udi' ne la luce più dia
35 del minor cerchio una voce modesta,
forse qual fu da l'angelo a Maria,
risponder: «Quanto fia lunga la festa
di paradiso, tanto il nostro amore
si raggerà dintorno cotal vesta.
40 La sua chiarezza séguita l'ardore;
l'ardor la visione, e quella è tanta,
quant'ha di grazia sovra suo valore.
Come la carne gloriosa e santa
fia rivestita, la nostra persona
45 più grata fia per esser tutta quanta;
per che s'accrescerà ciò che ne dona
di gratuito lume il sommo bene,
lume ch'a lui veder ne condiziona;
onde la vision crescer convene,
50 crescer l'ardor che di quella s'accende,
crescer lo raggio che da esso vene.
Ma sì come carbon che fiamma rende,
e per vivo candor quella soverchia,
sì che la sua parvenza si difende;
55 così questo folgòr che già ne cerchia
fia vinto in apparenza da la carne
che tutto dì la terra ricoperchia;
né potrà tanta luce affaticarne:
ché li organi del corpo saran forti
60 a tutto ciò che potrà dilettarne».
Tanto mi parver sùbiti e accorti
e l'uno e l'altro coro a dicer «Amme!»,
che ben mostrar disio d'i corpi morti:
forse non pur per lor, ma per le mamme,
65 per li padri e per li altri che fuor cari
anzi che fosser sempiterne fiamme.

34-42. dia: divina, splendente. È la luce che circonda Salomone. **l'angelo:** Gabriele. Allude all'Annunciazione, che è premessa alla venuta di Cristo, e quindi al riscatto dal peccato originale, alla riapertura della vita eterna, alla resurrezione della carne. **fia:** sarà. **cotal vesta:** la luce. **séguita:** consegue a. **ardore:** carità. **visione:** di Dio. **grazia:** grazia illuminante, dono divino superiore ai meriti (**valore**, v. 42) dell'uomo.
43-51. gloriosa: perché risorta nella vita eterna. **più grata:** a Dio. **per che:** e per questo. **ne:** ci. **lume:** il lume della grazia. **ardor:** di carità. **raggio:** la luce che circonda i Beati. **da esso:** dall'ardore. **vene:** viene.
52-60. fiamma rende: produce fiamma. **candor:** fulgore incandescente. **soverchia:** supera in luminosità. **sì... difende:** cosicché la sua visibilità si lascia ancora percepire. **folgòr:** fulgore. **cerchia:** circonda. **fia... carne:** sarà vinto; per quel che riguarda la visibilità o percepibilità, dal corpo. **tutto dì:** tuttora. **ricoperchia:** ricopre. **saran... dilettarne:** saranno fortificati tanto da poter sostenere tutto ciò che potrà darci diletto.
61-66. sùbiti: pronti. **accorti:** solleciti in questa loro prontezza. **Amme:** Amen. **non pur:** non tanto. **anzi che:** prima che. **sempiterne fiamme:** spiriti risplendenti in eterno.

1. L'ideologia. Per bocca di Beatrice Dante ha chiesto a una delle due corone di Beati che lo circondano nel Cielo del Sole e che gli appaiono in forma di globi luminosi, se quella luce che ora li cela al suo sguardo rimarrà anche dopo la resurrezione della carne, quando, cioè, riavranno il loro corpo e come potranno non esserne abbagliati. Risponde per tutti Salomone. La luce li circonderà in eterno; essa manifesta l'ardore del loro amore di Dio, proporzionale alla profondità e intensità della visione che hanno di Lui, intensificata, a sua volta, dalla Grazia illuminante che consente alla mente limitata della creatura tale visione. Quando l'uomo, dopo la resurrezione, sarà ricomposto nella sua unità di corpo e anima, sarà, per questo, più gradito a Dio. Crescerà dunque la Grazia, e con essa la profondità della visione o conoscenza di Dio, e crescerà quindi l'amore, e, di conseguenza, l'intensità della luce. Questa non darà tuttavia fastidio agli organi del corpo, che risorgerà in una perfezione tale da consentirgli ogni gioia.

Sul piano dottrinale è questo un passo centrale del *Paradiso* e di tutto il poema, in quanto punta alla definizione della vita eterna. Insiste sul tema della beatitudine, come conoscenza intuitiva di Dio, cui consegue l'intensificarsi di un amore che diviene pienezza di vita e quindi felicità totale, con una vicenda che durerà in eterno, dato che Dio è il Bene sommo e, nel contempo, l'Essere infinito, e non basterà l'Eternità a esaurirne la visione. Si verificherà dunque per sempre il movimento qui descritto: grazia illuminante, procedere della visione e quindi dell'amore, che porta a un accrescimento di Grazia, di visione, di amore in un ulteriore processo ascensionale che non avrà fine.

La luce, fondamentale metafora della vita, diviene qui metafora di questo intensificarsi di intelletto e amore che costituisce la «gloria» dei Santi: un riverberarsi all'esterno della perfezione dell'essere e della conseguente felicità. Ma a questo punto metafora e cosa si identificano, come appaiono fusi immagine ed essenza, corpo e anima. La luce non simboleggia, ma è quell'intelligenza, quell'amore, quella gioia nel loro schietto manifestarsi, nel loro farsi vita; come l'atteggiarsi del volto rivela spontaneamente l'intimo sentire, e al tempo stesso s'identifica con esso, ne è lo spontaneo manifestarsi sul piano fisico-esistenziale.

La poesia vuole esprimere questa reversibilità piena di vita e pensiero, incentrata cristianamente da Dante sul dogma della resurrezione della carne, che rappresenta la santificazione *anche* del corpo, elemento fondamentale per la fondazione dell'io, della singolarità della persona. La verità qui proclamata non può, né vuole, rivolgersi solo alla mente, ma a tutto l'uomo, nella sua piena integrità. La dimostrazione diviene pertanto inno, preghiera, sottolineata alla fine dall'*Amen* («così sia») dei Beati.

2. Lo stile innografico. L'inno non si svolge su metafore figurative; la vera immagine è data qui dall'ordinamento sintattico del discorso, potremmo dire dal suo ritmo, che aduna le certezze e le dispone in un canto che concresce su se stesso, su larghe volute.

Si osservi il processo sistematico delle riprese verbali, di concatenazioni-intensificazioni che divengono figura di base dell'ordinamento discorsivo-sintattico: «la sua chiarezza séguita l'*ardore* / l'*ardor* la visione e *questa*...»; «per che s'accrescerà ciò che ne dona / di gratuito *lume* il sommo bene / *lume* ch'a lui veder ne condiziona»; o si veda, ai vv. 49-51, l'*anafora* (o ripetizione) «crescer... crescer... crescer», che ha funzione intensificativa, non tanto del concetto, ma dell'entusiasmo.

Un processo affine si ha nell'ordine della dimostrazione. Il discorso è suddiviso in due metà che si ribadiscono a vicenda, presentando il processo della beatificazione in ordine prima ascendente (dall'uomo a Dio) e poi discendente (da Dio all'uomo): luce → ardore → visione → Grazia, cui segue la proclamazione centrale — resurrezione della carne e ricostituzione dell'unità e interezza della persona — e ancora, in ordine inverso, Grazia → visione → ardore → luce. Le corrispondenze conferiscono al dettato un'immagine di circolarità, che è, per Dante, figura del perfetto e dell'eterno: la stessa figura inscritta nell'ordine cosmico, come attestano la forma dei Cieli e il loro movimento e la corrente di amore-vita da Dio alle creature e dalle creature a Dio che è connaturata al cosmo cristiano e che Dante spiega nel canto I del *Paradiso*.

L'*amen* finale e corale dei Beati rende esplicito il loro desiderio di riavere il proprio corpo per essere pienamente se stessi, ma ne dà anche una motivazione tutta affettiva: quella di rivedere i babbi, le mamme, le persone care. Dagli ardui concetti teologici il lettore è ricondotto al quotidiano, alla vita nel tempo, agli affetti semplici e cari, che appaiono umili e, al tempo stesso, sublimi, perché in essi l'uomo percepisce e vive, con immediatezza e verità, quell'amore che è principio costitutivo dell'essere. Per Dante, cioè, l'umile non si oppone al sublime, come nella retorica antica; ne è anzi l'espressione, la realizzazione piena. È in questa vita effimera e chiusa nello spazio e nel tempo che l'uomo costruisce la propria eternità; ogni momento, ogni forma del nostro esistere sono un momento dell'altissimo dramma di peccato e redenzione dell'individuo e del mondo, dell'uomo e della sua storia. L'eternità quale Dante la concepisce diviene così la fondazione della piena autenticità di ogni essere, di ogni vita.

Poetica della visione (*Paradiso*, XXIII, 19-69. XXX, 61-114)

1. Premessa. La dinamica narrativa del *Paradiso* comporta che alle pagine di forte impegno filosofico succedano quelle in cui viene espressa la gioia della verità conseguita, nella quale il protagonista si costruisce nel segno d'una vitalità più intensa.

Questo moto spirituale è rappresentato, nella vicenda narrativa, dal dischiudersi improvviso di un nuovo splendore, che manifesta il passaggio del protagonista in un Cielo più alto, dove, alla sua vista rafforzata, è concessa una migliore fruizione della luce. La vicenda della cantica è questo costante aumento di splendore: una sorta di metafora oggettivata, nel senso che diviene paesaggio reale sia dei Cieli sia dell'interiorità del protagonista, colto nel progressivo cammino verso la luce suprema. E questo coinvolge, insieme, la mente e il cuore: le meditazioni dottrinali e il disvelarsi della verità, da un lato, dall'altro un'esaltazione del cuore nella gioia del possesso della vita e della felicità eterne. Queste sono godute in attimi di contemplazione rapita, effigiati da luci, musiche e canti celesti.

A cominciare dal canto XXIII si ha un prevalere di questi attimi sulle spiegazioni dei dubbi filosofico-teologici del pellegrino. Nasce quella che si potrebbe definire una poetica della visione, ossia dell'esperienza intuitiva del divino, con la quale si chiuderà il poema.

Diamo due esempi di questa poetica, avvertendo che il primo prelude chiaramente al secondo; ne è, anzi «figura», percepita nel Cielo delle stelle fisse, dove Dante ha una visione globale del «trionfo di Cristo», ossia del corteo trionfale del Redentore. Questo, a ben vedere, si identifica col Paradiso, reso possibile, appunto, dalla Redenzione. E nell'Empireo ci conduce il secondo passo, dove, inoltre, si assiste a un mutamento decisivo di Dante, o meglio, della sua capacità di «vedere». Nel primo passo, infatti, egli vede soltanto globi luminosi; qui, invece, giunge a vedere le anime nella loro realtà anche corporea, e cioè nell'unità della loro persona. Il vedere le anime beate in spirito e corpo (sia pure, questo, un simulacro) rivela che Dante concepisce il Paradiso come il regno dell'uomo, colto nella totalità redenta del suo essere.

2. Il Trionfo di Cristo. Presentiamo prima il Trionfo di Cristo del canto XXIII: un canto tutto dedicato alla gioia della contemplazione, con prevalenza della dimensione affettiva. Ma lo stesso soverchiare della visione e del sentimento sottolinea qui una tematica ricorrente nel *Paradiso*: quella dell'ineffabile, la cui spontanea figura è la *preterizione*, avvivata dal sentimento e dalla nostalgia d'una visione intuita e, al tempo stesso, perduta. Si potrebbe dire dalla nostalgia dell'eterno, che balena nel tempo soltanto in pochi e fugaci istanti. Ma la mente e la poesia di Dante tentano costantemente fino alla fine di definirlo, di dargli, attraverso metafore intense e suggestive, una realtà terrena, psicologica; di evocarlo nel tempo, di viverlo in un grande sogno poetico. Veniamo al primo testo:

XXIII ... e Beatrice disse: «Ecco le schere
20 del triunfo di Cristo e tutto 'l frutto
ricolto del girar di queste spere!»
Pariemi che 'l suo viso ardesse tutto,
e li occhi avea di letizia sì pieni,
che passarmen convien sanza costrutto.
25 Quale ne' plenilunii sereni
Trivia ride tra le ninfe etterne
che dipingon lo ciel per tutti i seni,
vid'i' sopra migliaia di lucerne
un sol che tutte quante l'accendea,
30 come fa 'l nostro le viste superne;
e per la viva luce trasparea
la lucente sustanza tanto chiara
nel viso mio, che non la sostenea.
Oh Beatrice, dolce guida e cara!
35 Ella mi disse: «Quel che ti sobranza
è virtù da cui nulla si ripara.
Quivi è la sapienza e la possanza
ch'apri le strade tra 'l cielo e la terra,
onde fu già sì lunga disianza.
40 Come foco di nube si diserra
per dilatarsi, sì che non vi cape
e fuor di sua natura in più s'atterra,
la mente mia così, tra quelle dape
fatta più grande, di se stessa uscìo
45 e che si fesse rimembrar non sape.
Apri li occhi e riguarda qual son io;
tu hai vedute cose, che possente
se' fatto a sostener lo riso mio».
Io era come quei che si risente
50 di visione oblita e che s'ingegna
indarno di ridurlasi a la mente,
quando io udii questa proferta, degna
di tanto grato, che mai non si stingue
del libro che il preterito rassegna.
55 Se mo sonasser tutte quelle lingue
che Polimnia con le suore fero
del latte lor dolcissimo più pingue
per aiutarmi, al millesmo del vero
non si verrìa, cantando il santo riso
60 e quanto il santo aspetto facea mero;
e così, figurando il paradiso,
convien saltar lo sacrato poema
come chi trova suo cammin riciso.
Ma chi pensasse il ponderoso tema
65 e l'omero mortal che se ne carca,
nol biasmerebbe se sott'esso trema:
non è pareggio da picciola barca
quel che fendendo va l'ardita prora,
né da nocchier ch'a sé medesmo parca.

I9. Beatrice: I primi 19 versi sono stati contrassegnati dal suo attendere e quindi da un improvviso incremento della luce.
19-21. Ecco... spere!: Ecco le schiere di tutti i beati, redenti da Cristo. Siccome essi hanno volto al bene le influenze dei Cieli che Dante ha finora percorso, sono presentati come il frutto di questi. **triunfo:** corteo trionfale.
25. che... costrutto: che mi convien passare oltre, senza parlarne. Sono frequenti, nel *Paradiso*, formule analoghe, che sottolineano l'ineffabilità della visione.
25-30. Quale... superne: Come nei plenilunii sereni la luna (**Trivia**), secondo l'antica mitologia **ride** (con la sua luce splendente: ma *ride* dice il tramutarsi della bellezza del mondo in gioia del contemplante) fra le eterne stelle (comparate a ninfe: l'immagine è «chiamata» dalla personificazione della luna) che ornano con la loro luce tutte le parti del cielo (i **seni**, o insenature della volta apparente ricurva), così io vidi, sopra migliaia di luci (gli spiriti dei beati, che appaiono a Dante come globi luminosi), un sole (Cristo) che le accendeva tutte, come il nostro sole accende di luce le stelle, che vediamo su nel cielo (**viste superne**). Si pensava, al tempo di Dante, che la luce delle stelle derivasse dal sole.
31-33. trasparea... sostenea: il corpo risorto di Cristo (luminosa sostanza) traspariva presentandosi in un così intenso splendore agli occhi di Dante che questi ne restavano abbagliati.
35-36. ti sobranza: ti sopraffà. **virtù... ripara:** è un potere che vince ogni altro.
37-39. Quivi... disianza: Qui sono la sapienza e il potere che riaprirono la strada fra il cielo e la terra (prima rimasta chiusa in seguito al peccato originale, che aveva privato l'uomo della possibilità di andare in Paradiso); di questo fatto (la venuta di Cristo e la Redenzione) lunghi furono il desiderio e l'attesa.
40-45. Come... sape: Come un fuoco (il fulmine, concepito allora come fuoco) si sprigiona dalla nube, quando, essendosi dilatato, non può più essere contenuto da essa, e contro la sua natura (che tende all'alto) cade a terra, così la mia mente, dilatatasi fra quelle (mistiche) vivande (**dape**), uscì di sé e non sa quel che fece allora (allude all'estasi).
47-48. che... mio: che hai ora la capacità di sostenere il mio sorriso. Nel Cielo precedente (di Saturno), Beatrice non aveva riso (e i beati non avevano cantato) per non soverchiare le capacità terrene di Dante. Beatrice diviene più bella di Cielo in Cielo; o meglio, è Dante che, progredendo in seguito all'esperienza paradisiaca, riesce a coglierne sempre di più la suprema bellezza.
49-51. si risente: ridestandosi, ritrova in sé il sentore, l'impressione. **visione oblita:** sogno dimenticato, rifluito nell'inconscio. **indarno:** invano. **mente:** memoria.
52-54. proferta: invito (a guardare Beatrice). **grato:** gratitudine. **si stingue:** si cancella. **del... rassegna:** dal libro della memoria, che registra il passato.
55-57. lingue: dei poeti. **Polimnia** e le **suore** sono le nove Muse. **pingue:** pingui. Dante vuol dire che se anche si radunasse in lui la capacità che fu dei poeti più grandi, non riuscirebbe a descrivere neppur vagamente la bellezza del riso di Beatrice.
60. e... mero: e quanto questo riso rendeva luminoso, di purissima luce (**mero**) il santo aspetto di lei.
64-65. il... tema: quanto sia ponderoso (difficile) l'argomento che tratto. **e... carca:** pensasse che devo affrontarlo con forze di mortale.
67-69. pareggio: rotta (difficile). **ch'a... parca:** che cerchi di risparmiarsi.

L'esperienza che Dante vuol qui rappresentare è l'estasi: come dice la parola, l'uscire di sé, fuori del tempo e dello spazio, del modo consueto di pensare e delle stesse categorie sulle quali l'uomo struttura il pensiero, per vivere un'esperienza intuitiva diretta del divino.

A questo punto, però, entra in crisi anche il linguaggio

umano, che, come afferma Dante nel *De vulgari eloquentia* (in un passo che è qui antologizzato), è «razionale» e «sensuale»: riflette, cioè, la necessità d'un proprio contatto coi sensi e la ragione, i due mezzi conoscitivi dell'uomo. Come rappresentare, dunque, l'estasi, la conoscenza che essa comporta di essenze supreme, fuori della capacità umana di concepire e di esprimersi?

Si osservino, in questo passo, gli artifici tecnici e inventivi che Dante usa. Il primo è la gratuità dell'evento, segnata, come avviene nei testi biblici, da un «ecco» che sottolinea la presenza improvvisa e non motivata di esso. Dopo il grido-proclamazione di Beatrice, Dante rappresenta la luce degli occhi e del viso di lei, ma per giungere a una prima affermazione dell'ineffabilità di essi e della propria impotenza descrittiva (*preterizione*). La situazione si ripete, quindi, più volte, in varie forme; a volte v'è la mera affermazione d'impotenza, altre volte, e più spesso, c'è il non dire dicendo, per es., ai vv. 40-45; o anche 33, 36, ecc. I passi citati e gli altri che il lettore può agevolmente individuare sono dominati dalla figura della negazione o dell'assenza: ciò che dovrebbe esser presente si allontana; è il non dicibile, il non racchiudibile in un concetto (che è sempre un delimitare la cosa), e non vive se non come nostalgia d'un protendersi vano e, tuttavia, dolce e beatificante. A volte, l'assenza diviene una forma di superlativo («che mai non si stingue»: indimenticabile); comunque sia, questo aspetto, su un piano non formale, ma ideologico è presente anche nel caso di quella che chiameremo «iperbole dell'assenza» e che si è già definita.

Le suddette figure retoriche non appaiono, qui, come un mero espediente di «ornato» (come si chiamava) letterario. Dante, infatti, le presenta come l'unico modo di dire il non-dicibile, e dunque come una necessità precisa. V'è però un altro artificio del negativo, usato sistematicamente, ed è il sostituire il discorso del cuore a quello, divenuto impossibile o improponibile, della mente; se ne vede un esempio al v. 34; ma esso è, in genere, sparso per tutto il passo. Qui e altrove (ma anche già nel sonetto, della *Vita nuova*, *Oltre la spera*) si oppone il linguaggio del cuore a quello della mente. Per questa via Dante giunge alla celebre similitudine dei vv. 25-33, strana se si vuol parlare al solo intelletto. Il sole-Cristo è, infatti, paragonato alla luna che brilla tra le stelle (secondo la scienza di Dante e del tempo, accese dal sole), come brilla fra i beati che riflettono anch'essi la luce di cui li illuminò. Ma la metafora (ripetiamo, del non-dicibile) vive e significa *anche* per il fascino di quel cielo notturno, che fa trapassare una luce universale, cosmica, di sapienza e possanza, in quella più raccolta dell'anima; e qualcosa di analogo può essere detto della musica sottile della prima terzina, con quel ripetersi, soprattutto nel primo verso, delle *i* e con altre forme che conferiscono al passo un andamento di canto sottile e intenso.

3. La visione dell'Empireo. Al trionfo di Cristo risponde questa prima visione dell'Empireo:

XXX [...] e vidi lume in forma di rivera
fulvido di fulgore, intra due rive
dipinte di mirabil primavera.
Di tal fiumana uscian faville vive
65 e d'ogne parte si mettean ne' fiori
quasi rubin che oro circunscrive;
poi, come inebriate da li odori,
riprofondavan sé nel miro gurge,
69 e s'una intrava, un'altra n'uscia fori.

61-63. Entrato nell'Empireo, Dante è stato circondato da una luce così intensa che lo ha lasciato abbagliato. Poi, per intervento della Grazia, acquista nuove e più acute capacità visive. Vede ora un fiume (**rivera**) di luce, di un fulgore fulvo, che scorre fra due rive dipinte di mirabili fiori (**primavera**).
66. quasi... circunscrive: come un rubino in un anello d'oro.
67-69. odori: profumo dei fiori: i pensieri d'amore delle anime che gli angeli colgono in essi (i **fiori**) e portano a Dio, il **miro gurge**, ossia il gorgo mirabile di luce (il **fiume**) attraverso il quale Egli si manifesta. Il v. 69 presenta il movimento suddetto come incessante.

Beatrice esorta Dante a fissare ancora quegli oggetti, in attesa che, illuminato dalla Grazia, possa giungere a discernere meglio la loro qualità. Essi sono, infatti, «di lor vero umbriferi prefazi» *o prefigurazioni della loro realtà.*

82 Non è fantin che sì subito rua
col volto verso il latte, se si svegli
molto tardato da l'usanza sua,
85 come fec'io, per far migliori spegli
ancor de li occhi, chinandomi a l'onda
che si deriva perché vi s'immegli;
e sì come di lei bevve la gronda
de le palpebre mie così mi parve
90 di sua lunghezza divenuta tonda.
Poi, come gente stata sotto larve,
che pare altro che prima, se si sveste
la sembianza non sua in che disparve,
così mi si cambiaro in maggior feste
95 li fiori e le faville, sì ch'io vidi
ambo le corti del ciel manifeste.
O isplendor di Dio, per cu'io vidi
l'alto triunfo del regno verace,
dammi virtù a dir com'io il vidi!
100 Lume è là sù che visibile face
lo creatore a quella creatura
che solo in lui vedere ha la sua pace.

82-84. fantin: bimbo. **rua:** si getti. **tardato:** in ritardo.
85-87. spegli: specchi. **si deriva:** nasce e scorre. **vi s'immegli:** in essa (contemplandola) si diventi migliori (è un neologismo di Dante).
91-92. larve: maschere. **altro... prima:** diversa da quella che appariva quando era mascherata.
94-96. maggior feste: figure più festose (felici). **ambo le corti:** Angeli e Beati. **manifeste:** in aspetto visibile.
98-99. triunfo: corteo, o meglio, insieme trionfale. **verace:** Il Paradiso è la patria vera, la realtà (il mondo terreno avrà fine, l'Inferno non è che vita incapace di essere con piena autenticità). **virtù:** forza, capacità poetica.
100-102. Lume: il lume della Grazia, che consente di vedere Dio. **face:** fa. **che... pace:** che ritrova pace, e cioè appagamento totale, felicità, solo nel vedere Lui (allude all'uomo e agli Angeli).

E' si distende in circular figura,
in tanto che la sua circunferenza
105 sarebbe al sol troppo larga cintura.
Fassi di raggio tutta sua parvenza
reflesso al sommo del mobile primo,
che prende quindi vivere e potenza.
E come clivo in acqua di suo imo
110 si specchia, quasi per vedersi adorno
quando è nel verde e nei fioretti opimo,
sì soprastando al lume intorno intorno,
vidi specchiarsi in più di mille soglie
quanto di noi lassù fatto ha ritorno.

103-105. E': esso. **in tanto... cintura:** Ha, cioè, un diametro assai più ampio di quello del sole.
106-108. Fassi... potenza: La sua figura, ciò che di esso appare, nasce dal riflettersi di un raggio sulla superficie convessa del Primo mobile, che da esso prende vita e capacità di influire sui Cieli sottostanti.
109. di suo imo: posta alla sua base.
112-114. sì... intorno: stando sopra al lume, in una sorta di anfiteatro circolare con un numero infinito di gradini. **specchiarsi:** nel lume, e cioè in Dio. **di noi:** dell'umanità. **ritorno:** il Medioevo parlava del Paradiso come della patria vera; vedeva l'uomo in terra come *in itinere* o in viaggio verso questa patria.

Questa visione, definitiva, dell'Empireo riprende e sviluppa quella del Trionfo di Cristo del canto XXIII, con una tensione lirica minore. Ma qui l'atteggiamento del poeta è quello di chi è orientato, anche volontaristicamente, nella visione. Diciamo volontaristicamente perché è proprio tale tensione del volere che chiama i successivi interventi della Grazia illuminante. La sua ultima ascesa, da qui alla fine della cantica, sarà la penetrazione sempre più profonda dei misteri, sino all'estasi finale, presentata come conquista della mente che consente di annullarsi totalmente nell'oggetto (il mistero dell'Incarnazione).

L'interesse primo di questa pagina sta, appunto, nel suo definire lo sviluppo progressivo della visione, come fondamentale esperienza paradisiaca. Si ricordi che, per Dante, l'intelligenza precede l'amore e lo condiziona; e che anche ora il suo ideale è quello d'un «intelletto d'amore» o «intelligenza d'amore».

Le tappe sono:

a) — un primo fulgore che abbaglia, vinto, però, dalla volontà di Dante di vedere, e cioè, di comprendere;

b) — una prima visione enigmatica: il fiume di luce, i fiori, le faville;

c) — una seconda visione: luce circolare, anfiteatro, Angeli, uomini, visti in una figura fisica.

È un cammino progressivo verso la verità, che si potrebbe considerare concluso. In realtà non lo è: lo comprendiamo all'inizio del canto seguente, quando Dante ci parla della «faccia» e delle «ali» degli Angeli e paragona la sede dei Beati a una «candida rosa». La rivelazione avviene come può avvenire, e cioè in termini umani; è ipotizzabile un ulteriore cammino di avvicinamento a una realtà che è fissa e, insieme, infinita.

Ne consegue, per quel che concerne il passo in esame:

a) — Fiori, topazi, primavera, «rider» delle erbe non sono soltanto «ombriferi prefazi» del lor vero (e cioè prefigurazione o adombramento della loro realtà), ma sono prima di tutto espressione della gioia o felicità, che è pienezza di vita, e dunque eternità, che di questa realtà è la radice più vera. Ancora una volta dietro le metafore figurative escogitate da Dante c'è, piuttosto che un oggetto, una dinamica spirituale: unico modo, in sostanza, di effigiare il regno dello spirito, che nessuna immagine terrena può chiudere in sé. Questa è la nuova poetica della visione che Dante ritrova e costruisce nell'ultima cantica.

b) — Anche Angeli e Beati appaiono in una visione non definitiva; anch'essi ombriferi prefazi del loro vero; soprattutto gli angeli, presentati in forma antropomorfica, cioè umana. Lo stesso vale per la vicenda paradisiaca, presentata poeticamente, e dunque per immagini.

c) — Prima di queste due forme di visione c'è quella del Trionfo di Cristo, fondata su luce e musica e su un più immediato abbandono sentimentale. Qui i Beati sono ancora globi luminosi, Cristo è una «lucente sustanza», anche se già i fiori sono presenti come termine metaforico.

d) — In questo canto XXX la realtà del Paradiso è espressa in forma più totale, attraverso due momenti: metafora-prefazio e verità. Ma quest'ultima apparirà in forma piena nell'ultima ascesa compiuta da Dante nel canto XXXIII (contemplazione dei supremi misteri), e sarà, prima, metafora astratta (i cerchi come persone della Trinità), poi morte della metafora e impossibilità della poesia. Come dicono gli ultimi versi della cantica:

A l'alta fantasia qui mancò possa;
ma già volgeva il mio disio e 'l velle
sì come rota ch'igualmente è mossa,
l'amor che move il sole e l'altre stelle.

E cioè: alla fantasia o *immaginativa* del poeta, *alta* perché si era innalzata fino a Dio, mancò il potere di effigiare in immagine (intermedia fra i dati sensibili e il discorso intellettuale, necessaria nella forma di conoscenza propria dell'uomo) quanto aveva intuito (il mistero dell'Incarnazione); ma già desiderio naturale e volontà consapevole erano fusi, in Dante, e mossi direttamente da Dio, nel quale egli viveva in quest'attimo d'estasi. Esso segna anche la fine del linguaggio umano e della poesia: le immagini della mente terrena si consumano totalmente nell'apparire della nuova realtà della Grazia, che, come diceva San Tommaso d'Aquino, non elimina la natura umana, ma la perfeziona. Tuttavia questa perfezione è l'eternità; il mistero che permane di là dalla vita, la realtà che si può intuire in brevi attimi d'estasi, ma non comprendere razionalmente. In questa lotta con l'ineffabile Dante ha gettato ogni risorsa della mente e della poesia. Questa è stata almeno la sua poetica soprattutto nel *Paradiso*, che scopre alla fine, di là dalla parola, la vita; ossia per lui l'Infinito, per noi, il continuo e imprevedibile crearsi della mente.

Letture critiche

Il «Centro» della «Vita nuova»

Col cap. XVIII siamo al vero centro del libro. Qui, veramente, «*incipit* vita nova»: prende cioè coscienza e figura, si definisce nel suo significato di integrale «reformatio», da cui trae luce e senso tutta l'esperienza precedente, e che informa e quasi determina il seguito della storia. Molte cose, certo, debbono ancora accadere, tutto anzi, chi guardi ai semplici fenomeni, deve ancora accadere; ma in nessun punto come qui sembra avverarsi, spiegarsi, quella «pienezza dei tempi» che il cap. XXIV si sforzerà di restituire in termini quasi di parabola. Pur continuando a svolgersi sul piano delle occasioni umane, la *Vita nuova* non va al di là, poeticamente, concettualmente, della scoperta del cap. XVIII e delle poche rime direttamente collegate a questa scoperta, e che del resto non rappresentano *tout court* il tempo corrispondente al posto loro riservato nel libro (per intenderci, prima della morte di Beatrice), ma sono esse stesse, come le leggiamo nella *Vita nuova*, il risultato di una maturazione che raggiunge la stessa prosa. La morte di Beatrice non costituisce, né dal punto di vista ideale né da quello poetico, nessuna scoperta o rinnovamento, semmai, come si è già accennato, una conferma testuale della scoperta precedente (è significativo che, quanto a resa immaginativa, essa resti circoscritta ad un fatto particolarissimo e senza sviluppo, anche se si tenga conto dell'importanza solitamente attribuita a un fatto del genere: la visione, il delirio della canz. *Donna pietosa*, chiusa in mezzo ai sonetti della lode, e sapientemente preparata da lontano). E l'esperienza della donna gentile segna un percorso già noto, e che non sembra destinato ad altro che ad una ripresa dell'inno della lode. Al di là di Beatrice non c'era altro, per il momento; per il momento, cioè, non c'era di più della beatitudine delle «parole che lodano la donna mia», non c'era altra verità che quella della «beatrice». E l'identificazione di Beatrice con Amore (cap. XXIV), anziché schiudere dietro di lei una verità più alta, e l'immagine di un amore più grande (di cui ci sarà al massimo un cenno nelle ultime righe del libro), mi sembra che ribadisca il valore conclusivo della scoperta del cap. XVIII. Beatrice resta il fine del suo amore, non è scala all'Amore supremo; e in questo la *Vita nuova* resta più vicina che non sembri all'esperienza «cortese». Solo che Beatrice è il cielo e non la terra, e a un dato momento è effettivamente collocata in cielo; è la beatitudine stessa, non solo dispensatrice di beatitudine; è l'oggetto della lode, non del desiderio; è lei esaudimento, non ha bisogno di esaudire le richieste del poeta. Eppoi, perché Dante avrebbe dato tanto rilievo all'aspetto poetico del rinnovamento, se la poesia non avesse in qualche modo anticipato l'evento, se la beatitudine non fosse anzitutto in atto nella poesia, una conquista della poesia («la lingua parlò quasi come per se stessa mossa»)?

Il rapporto è con una situazione letteraria, rappresentata da certi determinati testi, è, per farla breve, coi testi inclusi nella *Vita nuova*. Ed è notevole come nel capitolo seguente, e risolutivo, un motivo d'ordine psicologico come quello espresso nella prima domanda delle donne («A che fine ami tu questa tua donna, poi che tu non puoi sostenere la sua presenza?» XVIII, 3) si traduca d'un sol passaggio nella formulazione di un atteggiamento e di un principio poetico (le parole «che lodano la donna *sua*» sono contrapposte a quelle «dette in notificando la *sua* condizione», le donne, sin dalla prima domanda, si riferivano ai testi «narratori del *suo* stato»), e come lo stesso insorgere dell'ispirazione sia rappresentato (cap. XIX) come la scoperta di un diverso termine di discorso (le donne che hanno intelletto d'amore). La grazia serena del mito, il ritmo perfetto in cui si compone e distende l'interno dibattito e prende figura (l'ironia delle donne dopo la scoperta) la situazione storica di Dante, quel senso di vita, poeticissimo, che pervade tutto l'incontro, e che non è se non l'immagine di quanto il poeta vivesse quella scoperta, di quanto profondamente essa avesse toccato la sua fantasia (non può più ricorrere, ora, ad uno dei soliti, e comodi, *come se*), testimoniano di quella «pienezza» e maturità che si diceva. Una pienezza lungamente preparata attraverso la poesia e che si riversava sulla poesia stessa; una maturazione interna al fatto poetico, e perciò solo per necessità di rappresentazione esemplificata in un'opposizione radicale (e si badi al senso del ripensamento di Dante dopo l'incontro: «Poi che è tanta beatitudine in quelle parole che lodano la mia donna, perché altro parlare è stato lo mio?» XVIII, 8); una presa di coscienza stilistica non definibile come una «trovata» per quanto felice [...].

Ma è il mito che a questo punto ci interessa, e non solo per quell'incanto che immediatamente ne spira, e che Dante non mancò di sottolineare, ma per il modo come la storia della poesia entra nella vita e se ne fa interprete, diventa storia umana, e parla a noi; per i termini e la portata di questo linguaggio, ciò che lo sottende e gli dà autorità, la ragione segreta di quella scoperta. Un primo punto di penetrazione può indicarsi intanto in una posizione generale di fronte alla poesia, come fatto «oggettivo», che Dante condivideva coi colleghi del suo tempo. La poesia è cioè essenzialmente, e anzitutto, le «cose dette». Una determinata soluzione poetica contava sempre come testimonianza vitale, aveva una sua verità, sia pure contingente, ma totale. E il passaggio dal vecchio al nuovo stile, dalle vecchie alle «nove rime», si configura appunto, sin dal cap. XVII, come un mutamento di «materia»: da una materia ormai esaurita ad una «nuova e più nobile», e che attingeva da sé la propria forza.

Che cosa significava dunque la vecchia materia, e l'abbandono di essa? Aveva parlato assai di sé, e parlato, inoltre, sempre a madonna (contro l'espresso divieto di Amore); il suo, più che un bisogno di verità (nello stesso Cavalcanti, tante volte, la narrazione del proprio stato non cerca un ascoltatore interessato, è un supremo atto di fede nel proprio dolore), era il tentativo di ottenere qualcosa, di mutare qualcosa, e ad un tempo una specie di compiacimento del proprio stato. Si trattava dunque di «amor sui» (e l'amor proprio appunto era stato ferito dalla lontananza, dal diniego del saluto e dal gabbo); la stessa beatitudine del saluto appariva come un privilegio suo, si risolveva in esaltazione di sé. E infine, far centro su di sé significava perdere di vista l'oggetto vero del suo amore, il suo valore, che non era legato a lui, né era nelle cose, nei «munera» che egli poteva ottenere. Ecco dunque il silenzio: segno di una via senza uscita. E il superamento di questo punto morto non potrà avvenire che col riconoscimento del vero oggetto della sua poesia e del suo amore, risalendo da sé, «regio dissimilitudinis», verso il «centrum circuli», verso l'immagine vera dell'amore. Canterà d'amore, non di sé; dell'amore, non di un amore particolare. Il termine del discorso saranno tutti coloro che hanno intelletto d'amore. E la poesia stessa, richiamata al suo principio (di cui le donne interroganti incarnano dunque l'esigenza), s'identifica con esso, non è che questo ritorno, questo specchiarsi senza fine, questa toccata perfezione. La poesia è tutt'uno con le proprie ragioni, le «cose dette» sono la forma del canto.

Domenico De Robertis

(Da *Il libro della «Vita nuova»*, Firenze, Sansoni, 1970[2], pp. 87-93, con tagli).

Razionalismo e misticismo in Dante

Il presupposto che la ragione è sufficiente a raggiungere la conoscenza di certe verità indipendentemente dalla rivelazione induce D. a pensare e a dimostrare — e non tanto nel *Convivio* quanto nella *Monarchia* e nella *Commedia* — che come duplice è il fine dell'uomo, uno per la vita terrena e uno per la vita eterna, così al raggiungimento del primo sia mezzo sufficiente la ragione, a quello del secondo occorra la fede. La ragione viene in tal modo ad essere considerata, per quanto attiene alla vita terrena, indipendente dalla fede. Giovano certo l'aiuto e l'assistenza divina, anche nelle cose del mondo, anzi sono indispensabili, ed in ogni caso la mente umana deve prender lume da ciò che Dio ha rivelato della verità e della volontà sua; ma pure, in questo campo, la ragione si muove di per sé ed opera secondo le proprie forze. Questo concetto non è, come pensa il Pietrobono, proprio esclusivamente del *Convivio*, né viene ad esser temperato o sconfessato nelle opere più tarde: anzi D. se ne persuade sempre più quanto più sente il bisogno di trovare una base per sostenere l'indipendenza del potere imperiale dal potere religioso. Nella *Divina Commedia* la distinzione è posta nettamente da Virgilio pagano, e la separazione delle due autorità e del loro compito e dominio è, ripeto, fondamento, nel Poema, d'ogni invenzione.

Si dirà: ma Virgilio è mandato da Beatrice. Lasciamo andare quanta parte abbia avuto nell'invenzione di questo particolare un'esigenza d'insieme della figurazione poetica: ad ogni modo il «savio gentil che tutto seppe» guida D. con piena indipendenza. Beatrice ha rimesso a lui pienamente la scelta dei mezzi, ed egli sa di suo la via per cui condurlo e la mèta: il paradiso terrestre, cioè lo stato di vita umanamente perfetto, quella felicità che l'uomo è in grado di conseguire in questo mondo col solo mezzo della propria virtù. Certamente, Virgilio ha bisogno talvolta dell'aiuto diretto del cielo; e aspetta il messo (*Inf.*, IX, 9 sgg.), e Lucia porta D. addormentato dalla valletta dei principi fin presso alla porta del Purgatorio (*Purg.*, IX, 55 sgg.). Che meraviglia? Sempre l'uomo ha bisogno dell'aiuto divino; e deve invocarlo divotamente ogni volta che occorra; anzi Dio, anche spontaneamente, interviene ove sia necessario, poiché il supremo governo del mondo è riservato alla sua provvidenza. Ma non per questo si può negare che egli abbia dato agli uomini la ragione perché l'adoperino in condurre a buon fine la loro vita con piena libertà d'arbitrio. Ha largito alla nostra mente quel tanto di verità sovrannaturale che ci occorre; e noi anche in quanto ci gioviamo di questo lume superiore facciamo retto uso della ragione. Allo stesso modo ci ha dato una guida per la vita religiosa; e non è detto che la luce della grazia non possa, con la benedizione apostolica, confortare anche l'imperatore nel libero adempimento del suo ufficio.

Nella *Divina Commedia* c'è qualche spunto mistico portato naturalmente dal soggetto: né v'è da maravigliarsi che il poeta in tanti anni di lotta, attraverso tante vicende dolorose sentisse, in certi momenti, quasi come un desiderio, un bisogno di sollevarsi sulle miserie del mondo, di dimenticare questa povera terra e di rifugiarsi nel pensiero di Dio, nell'aspirazione ad una pace di cui la fantasia gli veniva dipingendo immagini luminose. Ma son fugaci aneliti, sospiri d'una stanchezza cui rifulge da lontano una certa promessa di riposo: il sentimento più costante, fondamentale, nel Poema è un altro. Il pensiero del Poeta, e quasi dicevo la sua idea fissa, è il mondo corrotto e sconvolto, e la ricerca dei mezzi che potrebbero ridargli pace e salvarlo: un pensiero del mondo, dunque, più che un pensiero di Dio; e il cielo è veduto di tra le miserie della terra, e l'aiuto divino è invocato perché ad esse sia posto riparo. Quella che pur possiamo chiamare la conversione di D. non è una crisi profonda, che abbia fatto di lui tutt'altro uomo da quello che era. Ha veduto, sì, la fallacia delle «presenti cose», dei beni di questo mondo; e, sfuggendo ai loro ingannevoli allettamenti, s'è volto al bene «di là dal qual non è a che s'aspiri»; ma ciò non esclude ch'egli pensi alla terra, e all'uomo, e ai suoi destini provvidenziali, e alla necessità del soccorso divino perché il genere umano, tutto sviato dietro la mala guida, si ravveda e torni sulla diritta via: a questo, anzi, è sempre fermo il suo pensiero. Il devoto di Maria, il seguace di Giustizia, è salvato dalla Grazia: il suo sentimento religioso, la sua dirittura l'han fatto degno di salute. Ma la Grazia non lo salva perché il suo spirito s'anneghi nella contemplazione di Dio, perché s'inebrii in un'immota estasi di misticismo; sì perch'egli sia fatto degno della missione che vuole assumersi rispetto ai suoi contemporanei, perché operi «in pro del mondo che mal vive». Azione ha da esser la sua, non contemplazione; e ciò è conforme al temperamento del Poeta, quale noi lo conosciamo attraverso la sua vita e da tante testimonianze delle sue opere. In questo suo senso vivo dell'azione raddrizzatrice del mondo, D. si trascina dietro, per così dire, tutti e tre i regni d'oltretomba; e nella terza cantica in particolare i beati tutti sembra non abbiano altra sollecitudine che la salute di questa «aiuola che ci fa tanto feroci»: così alieno è il Poeta da quell'atteggiamento mistico che per costituire il carattere saliente dell'opera dovrebbe essere costante, o almeno largamente diffuso; laddove appare soltanto, come abbiamo detto, in qualche momento di singolare esaltazione o di più intimo abbandono; ed in tali casi pure ha motivi e caratteri così fatti da apparirci improntato, almeno per via d'antitesi, d'un'indomabile sete di azione.

In conclusione, come non si può parlare di razionalismo per il *Convivio*, così non si può parlare neppure di misticismo per la *Divina Commedia*; se per misticismo s'intenda qualche cosa di più determinato che non sia il vivo sentimento religioso dominante nel Poema, o qualche momento di più completo abbandono ai conforti della fede e di più intenso disprezzo delle cose mondane. In D. si osserva sempre — nella *Commedia* come nelle altre opere, e in ciò che sappiamo della sua vita — un perfetto equilibrio delle facoltà morali ed intellettuali, che lo fa rifuggire istintivamente da ogni esagerazione, ed in virtù del quale egli è sempre disposto ad apprezzare quel che pur v'è di buono nell'uomo e nelle sue cose, anche come bene in sé. Per questo il Poeta non spregia l'umano sapere, ma lo ricerca con sete insaziabile; non condanna la politica, anzi si può dire che faccia di essa, sempre più, un pensiero dominante. E così non vede soltanto in Dio il principio dell'essere, che tutto ha ordinato alla propria glorificazione; ma anche, e soprattutto, il padre che ha continua, amorosa cura di mantenere i frutti della Redenzione per la salvezza del genere umano: il miracoloso viaggio del vivo pei regni d'oltretomba è da Dio consentito perché si preparino tempi migliori, perché gli uomini possano ritornare sulle loro strade, strada «di mondo» e strada «di Deo». Non si nega che tutto debba risultare a gloria del Creatore; ma non è questo un sentimento così gelosamente esclusivo da occupare, esso solo, la mente del Poeta. Pare, anzi, quasi un sottinteso; e quel che è sempre in prima linea, in piena luce, è il sentimento della provvidenza e della misericordia, non disgiunta dalla giustizia divina. Iddio è, insomma, concepito e sentito da D. soprattutto per quegli attributi che sono in più diretto rapporto con la vita e coi destini terreni ed ultraterreni del genere umano. In Dante arde vivissima la carità verso i suoi simili, per i quali vuol che preghino gli spiriti giusti contesti nel luminoso segno dell'aquila.

Il pensiero del Poeta è alle creature, alla loro salvezza; e attraverso questa soprattutto è veduta, non in sé e per sé contemplata, la gloria di Dio.

Michele Barbi

(Da *Problemi di critica dantesca, Seconda serie*, Firenze, Sansoni, 1975, pp. 72-76, con tagli).

La profezia figurale nella «Commedia»

Attraverso l'interpretazione figurale l'Antico Testamento si trasformò da un libro di legge e da una storia del popolo d'Israele in una serie di figure di Cristo e della redenzione, quale la troviamo più tardi nella processione dei profeti del teatro medioevale o nelle raffigurazioni cicliche della plastica medioevale nell'Europa occidentale e centrale. In questa forma e in questo contesto, dal quale erano scomparsi la storia nazionale e il carattere etnico ebraici, l'Antico Testamento poteva essere accolto, per esempio, dai popoli celtici e germanici; esso era una parte componente dell'universale religione della redenzione, e un pezzo necessario della visione della storia universale, tanto grandiosa quanto unitaria, che ad essi veniva trasmessa insieme con questa religione [...].

L'interpretazione figurale stabilisce fra due fatti o persone un nesso in cui uno di essi non significa soltanto se stesso, ma significa anche l'altro, mentre l'altro comprende o adempie il primo. I due poli della figura sono separati nel tempo, ma si trovano entrambi nel tempo, come fatti o figure reali; essi sono contenuti entrambi nella corrente che è la vita storica, mentre solo l'intelligenza, l'«intellectus spiritualis», è un atto spirituale; un atto spirituale che considerando ciascuno dei due poli ha per oggetto il materiale dato o sperato dell'accadere passato, presente o futuro, non concetti o astrazioni; questi sono affatto secondari perché anche la promessa e l'adempimento sono fatti reali e storici che in parte sono accaduti nell'incarnazione del Verbo, in parte accadranno nel suo ritorno. È vero che nelle concezioni dell'adempimento finale intervengono anche elementi puramente spirituali, perché «il mio regno non è di questo mondo»; ma sarà pur sempre un regno reale, non una costruzione astratta e sovrasensibile; questo mondo perirà soltanto come «figura», non perirà la sua «natura», e la carne risorgerà. L'interpretazione figurale pone dunque una cosa per l'altra in quanto l'una rappresenta e significa l'altra, e in questo senso essa fa parte delle forme allegoriche nell'accezione più larga. Ma essa è nettamente distinta dalla maggior parte delle altre forme allegoriche a noi note in virtù della pari storicità tanto della cosa significante quanto di quella significata. Nella loro grande maggioranza le allegorie che si trovano nella letteratura o nelle arti plastiche rappresentano per esempio una virtù (come la sapienza) o una passione (invidia) o un'istituzione (diritto), o in ogni caso la sintesi più generale di un fenomeno storico (la pace, la patria): mai la piena storicità di un fatto determinato [...].

La profezia figurale contiene [invece] l'interpretazione di un processo terreno per mezzo di un altro; il primo significa il secondo, e questo adempie il primo. Entrambi restano accadimenti interni alla storia; ma in questa concezione contengono entrambi qualche cosa di provvisorio e di incompiuto; essi rimandano l'uno all'altro, e tutti e due rimandano a un futuro che è ancora da venire e che sarà il processo vero e proprio, l'accadimento pieno e reale e definitivo. Ciò non vale soltanto per la prefigurazione dell'Antico Testamento, che annuncia l'Incarnazione e la proclamazione del Vangelo, ma anche per queste, che infatti non sono ancora l'adempimento finale e a loro volta sono la promessa della fine dei tempi e del vero regno di Dio. Così l'avvenimento, in tutta la sua realtà concreta, resta pur sempre una similitudine, occulta e bisognosa di interpretazione, sebbene la direzione generale dell'interpretazione sia data dalla fede. In questo modo ogni avvenimento terreno non consegue la portata praticamente definitiva che è propria tanto della concezione ingenua quanto di quella modernamente scientifica del fatto compiuto: esso resta aperto e dubbio, si riferisce a qualche cosa che è ancora celato, e la posizione dell'uomo vivente nei suoi riguardi è quella della prova, della speranza, della fede e dell'attesa. Ogni modello futuro, benché ancora incompiuto come fatto, è infatti già completamente adempiuto in Dio, e lo è stato da sempre nella sua provvidenza. Le figure, in cui Dio lo ha celato, e l'Incarnazione, nella quali egli ha rivelato il suo intendimento, sono quindi profezie di qualche cosa che esiste in ogni tempo e che soltanto agli uomini resta ancora celato finché verrà il giorno che essi vedranno spiritualmente e fisicamente il Redentore. Le figure dunque non sono soltanto provvisorie; in pari tempo esse sono anche la forma provvisoria di alcunché di eterno e sovratemporale; non si riferiscono soltanto al futuro pratico ma anche, da sempre, all'eternità e sovratemporalità: si riferiscono a qualche cosa che va interpretato, che si adempirà nel futuro pratico ma che è sempre già adempiuto nella provvidenza divina, nella quale non c'è differenza di tempi; questo eterno è già figurato in esse, ed esse sono dunque tanto realtà provvisoria e frammentaria quanto realtà sovratemporale dissimulata.

La *Commedia* è fondata in tutto e per tutto sulla concezione figurale. Nel mio studio su *Dante, poeta del mondo terreno* (1929) ho cercato di mostrare che nella *Commedia* Dante ha voluto presentare tutto il mondo terreno-storico... già sottoposto al giudizio finale di Dio e quindi già collocato nel luogo che gli compete nell'ordine divino, già giudicato, e non in modo tale che nelle singole figure, nella loro sorte escatologica finale, il carattere terreno fosse soppresso o anche soltanto indebolito, ma in modo da mantenere il grado più intenso del loro essere individuale terreno-storico, e da identificarlo con la sorte eterna. Per questa concezione, che si trova già in Hegel e sulla quale si fondava la mia interpretazione della *Commedia*, mi mancava a quel tempo la precisa base storica; nei capitoli introduttivi del libro essa era più intuita che riconosciuta. Ora io credo di avere trovato questa base: è appunto l'interpretazione figurale della realtà, che domina le concezioni del medioevo europeo, sia pure in lotta continua con le tendenze meramente spiritualistiche e neoplatoniche; secondo essa la vita terrena è bensì assolutamente reale, della realtà di ogni carne in cui è penetrato il Logos, ma con tutta la sua realtà è soltanto «umbra» e «figura» di ciò che è autentico, futuro, definitivo e vero, di ciò che, svelando e conservando la figura, conterrà la realtà vera. In questo modo ogni accadimento terreno non è visto come una realtà definitiva, autosufficiente, e neppure come anello di una catena evolutiva in cui da un fatto o dalla concorrenza di più fatti scaturiscano fatti sempre nuovi, ma viene considerato innanzi tutto nell'immediato nesso verticale con un ordinamento divino di cui esso fa parte e che in un tempo futuro sarà anch'esso un accadimento reale; e così il fatto terreno è profezia o «figura» di una parte della realtà immediatamente e completamente divina che si attuerà in futuro. Ma questa non è soltanto futura, essa è eternamente presente nell'occhio di Dio e nell'aldilà, dove dunque esiste in ogni tempo, o anche fuori del tempo, la realtà vera e svelata. L'opera di Dante è il tentativo di una sintesi insieme poetica e sistematica, vista a questa luce, di tutta la realtà universale. All'uomo abbandonato alla confusione terrena e minacciato di rovina — questa è la cornice della visione — viene in aiuto la grazia delle forze celesti. Fin dalla prima giovinezza egli godeva di una grazia particolare perché era destinato a un compito particolare; di buon'ora aveva potuto vedere la rivelazione incarnata in un essere vivente, in Beatrice — e qui, come spesso, la struttura figurale e il neoplatonismo si compenetrano a vicenda — che gli aveva accordato una particolare distinzione, sia pure velatamente, da viva col saluto degli occhi e della bocca, e morendo in una maniera inespressa e misteriosa. La morta, ora beata, che era stata per lui la rivelazione incarnata, trova ora per l'uomo smarrito l'unica via di salvezza che ci sia; essa è la guida che, prima indirettamente e in Paradiso direttamente, gli mostra l'ordine rivelato, la verità delle figure terrene. Quel che egli vede e impara nei tre regni è realtà vera, concreta, tale appunto che vi è contenuta e interpretata la «figura» terrena; vedendo, ancora vivo, la verità adempiuta, egli è personalmente salvato e nello stesso tempo diventa capace di annunciare al mondo la sua visione e di indicargli la retta via.

La comprensione del carattere figurale della *Commedia* non offre certo un metodo universalmente valido per spiegare tutti i passi controversi ma essa fornisce alcuni principi per l'interpretazione. Si può essere certi che ogni personaggio storico o mitologico che appare nel poema deve significare qualche cosa che ha uno stretto rapporto con ciò che Dante sapeva della sua esistenza storica o mitica, e precisamente il rapporto di adempimento e figura; ci si deve guardare dal togliere al personaggio tutta la sua esistenza storico-terrena per assegnargli soltanto un valore allegorico-concettuale. Ciò vale in particolare per Beatrice. Dopo che nel XIX secolo si era troppo accentuata la concezione romantico-realistica dell'umanità di Beatrice, con la tendenza a far della *Vita nuova* una specie di romanzo sentimentale, ora per reazione si cerca di dissolverla completamente in concetti teologici sempre più precisi. Anche qui non è questione di un aut-aut. Per Dante il senso letterale o la realtà storica di un personaggio non contraddice il suo significato più profondo, ma ne è la figura; la realtà storica non è abolita dal significato più profondo, ma ne è confermata e adempiuta. La Beatrice della *Vita nuova* è una persona storica: essa è realmente apparsa a Dante, lo ha realmente salutato, più tardi gli ha realmente negato il saluto, lo ha deriso, ha pianto un'amica perduta e il padre ed è realmente morta. È vero che questa realtà poté essere reale soltanto nell'esperienza di Dante, giacché un poeta forma e trasforma nella sua coscienza ciò che gli accade, e bisogna prendere le mosse solo da quel che vive nella sua coscienza, non da una realtà esteriore. E bisogna altresì tenere presente che per Dante anche la Beatrice terrestre è fin dal primo giorno della sua apparizione un miracolo mandato dal cielo, un'incarnazione della verità divina. La realtà della sua persona terrena non è dunque desunta da certi dati di una tradizione storica, come nel caso di Virgilio o di Catone, ma dalla propria esperienza, e questa esperienza la faceva apparire a Dante come un miracolo. Ma un'incarnazione, un miracolo, sono cose che accadono realmente; i miracoli accadono soltanto sulla terra, e l'incarnazione è carne.

Erich Auerbach

(Da *Studi su Dante*, Milano, Feltrinelli, 1963, pp. 208-209; 212-214; 223-225).

La concezione politica di Dante

Per fondare la sua tesi politica su una base inconfutabile, Dante l'ha voluta stabilire sulla struttura stessa dell'uomo. Sola fra tutte le creature questi occupa il mezzo fra creature corruttibili e incorruttibili, composto com'è di due parti essenziali, l'anima e il corpo. Egli è corruttibile secondo l'una di queste parti, il corpo; secondo l'altra, l'anima, è incorruttibile. Se dunque occupa il mezzo fra le nature totalmente incorruttibili (le sostanze separate) e le nature totalmente corruttibili (gli animali sprovvisti di ragione), deve anche, come ogni termine medio, partecipare della natura dei due estremi. L'uomo deve dunque, insieme, partecipare della natura degli esseri corruttibili e di quella degli esseri incorruttibili. Ora, ogni natura è ordinata verso un fine ultimo determinato. Se, dunque, la natura dell'uomo è duplice, anche il suo fine deve essere duplice. In altri termini c'è un fine ultimo dell'uomo in quanto egli comporta un corpo mortale e un altro fine ultimo dell'uomo in quanto egli comporta un'anima immortale; ciò significa che l'uomo possiede due fini ultimi, l'uno da conseguire in questa vita, prima della morte, l'altro nella vita futura, dopo la morte.

Questi due fini ultimi suonano strani a orecchie abituate al linguaggio tomistico. Una delle tesi principali del *De regimine principum* di S. Tommaso d'Aquino è, al contrario, che l'uomo ha un solo fine ultimo: la beatitudine eterna cui è chiamato da Dio e che non può attingere che per mezzo della Chiesa fuor della quale non c'è salvazione. Questa è la ragione per cui i principi di questo mondo son sottomessi al Papa, come a Gesù Cristo stesso di cui questi è il vicario. Dante invece sostiene che l'uomo ha due fini ultimi, dei quali nessuno può essere subordinato all'altro; come essi non sono gerarchizzabili, così non lo sono le due autorità che presiedono a ciascuno di questi due ordini. Al contrario di S. Tommaso, Dante afferma che la Provvidenza ha proposto all'uomo due fini ultimi: la felicità in questa vita, che consiste nell'esercizio della virtù propriamente umana, e la felicità della vita eterna, che consiste nel godimento della visione di Dio e che l'uomo non può conseguire con le sue sole forze naturali, senza il soccorso della Grazia. Noi giungeremo al nostro ultimo fine naturale seguendo gli insegnamenti dei filosofi, cioè regolando i nostri atti secondo la legge delle virtù intellettuali e morali. Noi perverremo al nostro fine ultimo soprannaturale grazie agli insegnamenti spirituali che trascendono la ragione umana, purché obbediamo a essi agendo secondo le virtù teologali: la fede, la speranza e la carità (*Monarchia*, III, 16).

A questo punto Dante condensa tutta la sua dottrina in una frase d'una mirabile densità, ogni membro della quale assegna la sua funzione propria a ciascuna delle tre autorità che si dividono l'universo dantesco: «Sebbene queste conclusioni e questi mezzi ci siano stati mostrati alcuni dalla ragione umana che si è fatta conoscere da noi tutta intera attraverso i filosofi, altri grazie allo Spirito Santo, che ci ha rivelato la verità soprannaturale necessaria all'uomo per mezzo dei Profeti, degli scrittori sacri, del figlio coeterno di Dio Gesù Cristo e dei suoi discepoli, la cupidigia umana volgerebbe tutta via loro le spalle se gli uomini, come cavalli trascinati dalla loro bestialità, non fossero tenuti a freno con la briglia e il morso» (*ivi*). Nulla di più chiaro della distinzione di queste tre autorità: la filosofia, che ci insegna la verità *totale* sul fine naturale dell'uomo; la teologia che, sola, ci conduce al nostro fine soprannaturale; il potere politico, infine, che, tenendo a freno la cupidigia umana, costringe gli uomini, con la forza della legge, al rispetto della verità naturale dei filosofi e della verità soprannaturale dei teologi.

Riunendo questi dati, si ottiene dunque questo schema, dove le due beatitudini appaiono distinte e indipendenti l'una dall'altra come i mezzi che le preparano e le due autorità supreme dalle quali gli uomini sono condotti a esse:

Uomo

corruttibile	incorruttibile
felicità terrena (natura)	felicità celeste (grazia)
insegnamenti filosofici	insegnamenti spirituali
virtù naturali	virtù teologali
magistero dei filosofi	rivelazione dello Spirito Santo
Imperatore dirige il genere umano alla felicità temporale secondo la filosofia	Papa dirige il genere umano alla vita eterna secondo la Rivelazione

Se è così, la funzione propria del Sacerdozio e dell'Impero appare in piena luce e la distinzione radicale dei loro fini è la garanzia della loro indipendenza più completa che si possa desiderare. Da una parte il Papa, che conduce il genere umano alla vita eterna tramite la Rivelazione, dall'altra, l'Imperatore che lo conduce alla felicità temporale tramite la filosofia. Solo l'Imperatore può assicurare alle società umane l'ordine e la pace senza i quali nessuno dei due fini potrebbe essere raggiunto. Tale è la funzione propria che Dio gli ha assegnato e l'autorità che gli viene da Dio solo e da nessun altro. È dunque evidente che l'autorità temporale dell'Imperatore discende direttamente a lui dalla Sorgente divina e unica da cui derivano tutte le autorità. Certo, e Dante lo richiama opportunamente nelle ultime righe del suo trattato, la felicità di questa vita mortale è ordinata, in qualche modo in una maniera d'altronde che egli non precisa, alla beatitudine immortale. L'Imperatore Romano è dunque sottomesso al Papa in qualche cosa che Dante, questa volta, precisa: la supremazia del Papa è quella della paternità: «che Cesare usi dunque verso Pietro il rispetto che un figlio primogenito deve usare verso il padre. Così, illuminato dalla grazia paterna, egli illuminerà con maggior vigore questo globo terrestre al quale è stato preposto da Colui che governa tutto il temporale e lo spirituale». Presso Dante gli ordini di giurisdizione sono dei sistemi chiusi che si ricongiungono soltanto in Dio.

Il mondo di Dante ci appare ormai come un sistema di rapporti d'autorità e d'obbedienza. La filosofia vi regna sulla ragione, ma la volontà dei filosofi deve obbedire all'Imperatore e la loro fede deve sottomissione al Papa. L'Imperatore regna solo sulle volontà; ma la sua ragione deve obbedienza al Filosofo e la sua fede al Papa. Il Papa regna senza spartizioni sulle anime, ma la sua ragione deve obbedienza al Filosofo e la sua volontà all'Imperatore. Tutti e tre devono tuttavia obbedienza e fede a Colui da cui ciascuno di essi deriva direttamente l'autorità suprema che esercita nel proprio ordine: Dio, il Sovrano Imperatore del mondo terrestre come del mondo celeste, nell'unità del quale si ricongiungono tutte le diversità.

Per ottenere un quadro d'assieme delle finalità umane e delle autorità che le reggono, bisognerebbe dunque collocare Dio al sommo, come l'Amore sovrano e il Motore supremo che attira a sé la società umana universale con questa duplice finalità.

Duplice fine dell'uomo

naturale		soprannaturale
felicità di questa vita		felicità eterna
JIIIIKIIIIL		
volontà	intelletto	anima immortale
operazione secondo le leggi civili	operazione secondo le virtù intellettuali e morali	operazione secondo le virtù teologiche
Imperatore	Filosofo	Papa

Etienne Gilson

(Traduz. da *Dante et la philosophie*, Paris, Vrin, 1939, pp. 190-199, con tagli).

IL TRECENTO

Caratteri generali

Continuiamo ad assumere, per comodità didattica, la tradizionale suddivisione della storia letteraria per secoli, ribadendo che essa non va intesa secondo criteri cronologici rigidi, né indica nette fratture fra l'una e l'altra età, ma costituisce un semplice quadro di riferimento.

Il Trecento riprende dalla cultura e dalla civiltà medievali alcune tematiche di fondo, a cominciare dall'idea generale del mondo e della storia, ma le viene lentamente modificando parallelamente al modificarsi della situazione politica, sociale, economica, e delle nuove forme di organizzazione della cultura, fondata sullo sviluppo di nuovi centri della produzione letteraria e sul mutarsi delle attese del pubblico cui questa si rivolge. Scrittori come Petrarca e Boccaccio instaurano modalità diverse della comunicazione letteraria e contribuiscono a definire un nuovo modello del vivere e dello scrivere.

Si può dire in generale che nel Trecento, se permane vivissimo l'interesse per la problematica religiosa, si assiste tuttavia a una progressiva secolarizzazione della cultura, favorita anche dalla crisi in cui entra l'organizzazione razionalistica e gerarchica del sapere (la teologia come fondamento e coronamento d'ogni dottrina) che era stata propria della filosofia scolastica. Di contro all'intellettualismo rigoroso dell'età precedente, si sviluppa un gusto del particolare, del concreto, dell'individuale, che è evidente anche nelle arti figurative. La stessa analisi dell'esperienza religiosa si fa più attenta agli aspetti emotivi che ispirano anche nuove pratiche del culto.

Si è pertanto preferito isolare da questo panorama la figura di Dante, la cui opera, tranne la *Vita nuova* e un gruppo di rime, appartiene cronologicamente al primo ventennio del Trecento, perché egli appare inteso più a una sintesi organica dei valori del passato che a un rinnovamento culturale. Così si accennerà soltanto sommariamente alla nuova lettura e interpretazione dei classici antichi, che si svilupperà soprattutto negli ultimi decenni del secolo, perché essa appare strettamente connessa alla prospettiva che si affermerà nel Quattrocento.

Società e cultura nel Trecento

Inarrestabile appare nel secolo il declino delle due istituzioni universalistiche che erano state fino ad allora concepite come guida della vita etico-politica dell'umanità, la Chiesa e l'Impero. La prima è gravemente indebolita, per tutto il secolo, prima dal trasferimento della Santa Sede ad Avignone (1309), con la conseguente subordinazione alla monarchia francese, poi, dopo il ritorno dei papi a Roma (1377), dallo Scisma d'Occidente (1378-1417). Il secondo, soprattutto dopo i vani tentativi di restaurazione operati da Arrigo VII (1308-1313) e da Ludovico il Bavaro (1328), perde ogni reale incidenza sulla vita italiana ed europea. Ha inizio, anzi, in Europa la faticosa formazione degli stati nazionali, su concreti rapporti di potenza.

Questi sviluppi sono accompagnati da mutamenti ideologici, evidenti nella pubblicistica politica. Se, nel secondo decennio del secolo, Dante, pur rifacendosi a ideali d'una età ormai finita, perviene, nella *Monarchia*, a un distacco risoluto fra potere temporale e potere spirituale, rivendicando l'autonomia del primo, pochi anni dopo, circa nel 1324, Marsilio dei Morandini da Padova, nel *Defensor pacis* (*Difensore della pace*), senza più alcuna considerazione dell'Impero universale, rivendica con decisione l'autonomia dello Stato, assegnandogli il compito della difesa della pace attraverso le leggi promulgate dal «popolo» (le persone notevoli per cultura e per censo). Trionfa così un'idea «laica» e particolaristica dello Stato.

In Italia, per la civiltà comunale e cittadina, ha inizio un processo d'involuzione, sia per ragioni esterne, sia per ragioni intrinseche. Fra le prime vanno innanzitutto ricordate le gravi e ricorrenti carestie provocate dall'incremento demografico cui non corrisponde un'adeguata trasformazione tecnica dell'agricoltura. Su una popolazione indebolita dall'insufficiente approvvigionamento alimentare si abbattono a più riprese epidemie di peste, fra le quali particolarmente violenta fu quella del 1348 che decimò la popolazione di quasi tutte le più importanti città italiane ed europee. Contemporaneamente, e spesso in stretta dipendenza da questi fatti, si inaspriscono le tensioni sociali, che conducono, soprattutto nel resto dell'Europa, a sanguinose rivolte contadine e, a Firenze, nel 1378, al tumulto dei Ciompi, cioè del proletariato cittadino dell'arte della lana.

Alla carestia e alla peste si aggiunge un'ininterrotta serie di guerre, provocate nel Sud da una ricorrente anarchia feudale, nelle grandi città del Centro e del Nord dalla politica imperialistica della conquista dei mercati. Qui però la guerra non è più condotta da milizie cittadine, ma da compagnie di soldati mercenari, in grande prevalenza stranieri, che sottopongono le popolazioni a frequenti saccheggi e violenze, minacciano le stesse città che li assoldano e richiedono a esse un grande sforzo economico, che provoca l'inasprirsi dello sfruttamento delle classi meno abbienti e quindi nuove tensioni sociali.

Per difendersi da questi pericoli, gruppi delle famiglie più ricche si coalizzano in oligarchie che dominano il Comune, ispirando il loro governo a un'accanita difesa dei propri interessi ed escludendo gli altri cittadini da una reale partecipazione al potere. Per lo più affidano il governo della città a un Signore (questo evento segna il passaggio dal Comune alla Signoria), annullando, di fatto, le forme precedenti di autonomia.

Accanto a questa crisi politica si delinea anche una crisi economica. Le borghesie cittadine incominciano a perdere la loro forza espansiva, che aveva condotto a una forte iniziativa di rilevanza europea non soltanto nell'ambito economico, ma anche in quello politico, e cominciano a rivolgersi all'investimento fondiario e immobiliare. Il processo, ancora lento nel Trecento, si protrarrà per quasi tre secoli e porterà, alla fine, al declino della prosperità economica dell'Italia.

I contrasti e le difficoltà cui s'è accennato, anche se non approdano a un'organica consapevolezza critica, si traducono in un senso diffuso d'insicurezza cui si accompagna la ricerca o l'avvertita necessità di nuovi equilibri spirituali e culturali. Lo si ritrova nel lungo e tormentato dialogo interiore del Petrarca, nel suo tentativo di fondare, su principi classici e agostiniani, una nuova scienza dell'uomo, fuori dei consueti schemi intellettuali o intellettualistici di cui egli riconosce polemicamente l'insufficienza. Un'analoga attenzione alla vicenda dell'individuo è evidente nel Boccaccio, che, mentre ne esalta la capacità costruttiva libera e spregiudicata, avverte, nel contempo, la resistenza sorda della «fortuna», cioè dell'imponderabilità dei casi e degli eventi, non più assunta nella visione provvidenzialistica cristiana, cui corrispondeva la fiducia in una superiore razionalità immanente alla vita e alla storia dell'uomo. Il motivo della fortuna cieca e instabile è assai diffuso nella letteratura trecentesca, che, d'altra parte, non ritrova neppure nelle pagine religiose più intense la solida certezza intellettuale e razionale di Dante.

Tensioni ideologiche

Sul piano dell'alta cultura, fondamentale fu il venir meno della sintesi di aristotelismo e cristianesimo, operata, nel Duecento, dalla Scolastica, e soprattutto da San Tommaso d'Aquino. Essa aveva puntato sulla complementarità di ragione e fede, intendendo questa come sviluppo e perfezionamento armonico della prima. Ne era risultata una compatta visione dello scibile, concepito come riflesso coerente della struttura del mondo, aperta alla certezza della conoscenza intellettuale. Tale struttura, concepita come armonica, era considerata implicita, nonostante le cadute e deviazioni provocate dalla fragilità umana, anche nella storia, intimamente regolata dalla provvidenza divina. Questa fiducia aveva ispirato l'appassionato, e tuttavia sicuro, anche sul piano razionale, profetismo di Dante e la concezione gerarchica del sapere, con la teologia concepita come fondamento e conclusione d'ogni scienza.

Questo quadro di riferimento ideologico, nel corso del Trecento, non viene direttamente negato, ma svuotato progressivamente, o, comunque sia, limitato alla scienza teologica, considerata a sé stante. Di fronte a essa, anche se non in opposizione, si viene costruendo una cultura laica tendenzialmente autonoma, nel senso che si conclude nei limiti delle proprie zone d'interesse e della propria specificità. Basta qui alludere alla rilettura dei classici instaurata soprattutto dal Petrarca e dal Boccaccio, col fine primario di ripercorrere il cammino dell'auto-consapevolezza dell'uomo e della sua avventura nel mondo della civiltà da lui edificato, lasciando sullo sfondo il problema della congruenza fra mondo pre-cristiano e mondo cristiano. Se Dante, pur avvertendo il fascino della poesia di Virgilio, sentiva l'esigenza di «leggere» nella quarta Bucolica un'oscura profezia dell'avvento di Cristo, il Petrarca ricercava nell'*Eneide* prima di tutto l'idea di un'umanità eroica, ispiratrice, fra l'altro, del suo poema epico latino, l'*Africa*, che canta l'eroismo d'una Roma pre-cristiana, avvertendolo come ancora esemplare.

La negazione più decisa del tomismo, in campo filosofico, fu quella dell'inglese Guglielmo di Ockham, vissuto fra la fine del Duecento e la metà del Trecento. Egli sostenne l'impossibilità di giungere a qualsiasi forma di conoscenza di Dio attraverso la ragione, portando a conseguenze perentorie un'aspirazione fideistica già da molto tempo diffusa fra i suoi confratelli, i Francescani. Nello stesso tempo egli veniva incontro a un'aspirazione popolare, che implicava la condanna d'ogni eccessiva secolarizzazione o politicizzazione della Chiesa e la scelta di forme di religiosità più diretta e individuale, fortemente connotate in senso emotivo.

La distinzione di competenze specifiche di ragione e fede produsse anche un forte sviluppo della ricerca scientifica sperimentale, soprattutto nell'università di Padova. Ma anche le altre università, lasciando alla Chiesa l'insegnamento della teologia, si vennero, con ciò, liberando dalla sua super-visione, rivolgendosi di preferenza all'insegnamento delle «arti», come il diritto e la medicina, più direttamente legate alle esigenze della struttura sociale cui s'è alluso.

Le persuasioni cristiane fondamentali non vengono peraltro messe in discussione. Il Petrarca combatte l'aristotelismo scolastico, ma in nome di S. Agostino e d'una filosofia più attenta alla concreta vicenda psicologica dell'individuo. Il Boccaccio non nega la religione, anche se il suo interesse di scrittore è rivolto al mondo dinamico e variegato dell'imprevedibile, del particolare, del concreto: di quella che allora veniva chiamata la «contingenza», analizzata con prevalente interesse anche dal Petrarca, nella continua auscultazione della propria tormentata interiorità. È sintomatico che i due nostri maggiori scrittori del Trecento, che furono anche due intellettuali rappresentativi, rifiutino istintivamente le costruzioni razionali sistematiche per affidarsi a una ricerca libera da ogni forma rigida di intellettualismo.

Condizione dei letterati e centri di produzione

Le mutate condizioni politiche italiane si riflettono nel campo della produzione letteraria, in quanto le corti signorili incominciano ad accentrare in sé anche gli ambienti intellettuali e ad esercitare una politica culturale che riguarda le università, le forme di insegnamento elementare, e l'organizzazione, in genere, della cultura, vista come importante elemento di consenso anche sul piano politico; spesso, anzi, come motivo nobilitante di dinastie venute, per così dire, dal nulla, come quelle dei capitani di ventura che si crearono un dominio signorile. Fa eccezione Firenze, che pure ebbe gli scrittori più importanti del secolo, ed estese la sua influenza diretta, oltre che, come s'è visto, nell'Emilia e nel Veneto, anche a Perugia e nel regno angioino di Napoli.

Altri centri importanti furono: la Milano dei Visconti, che accolse con grande onore il Petrarca e dove prevalse la cultura umanistica latina, Bologna, che rimase il centro più importante dello studio del diritto, Padova, centro di studi scientifici, ma anche letterari pre-umanistici, di cui il più importante iniziatore fu Albertino Mussato (1261-1329), Verona, Venezia. Più indiretta, nel Trecento, la funzione di Roma e del Papato, che si creò un proprio stato, fra il '50 e il '70, nell'Italia centrale. Ma quasi un terzo degli scrittori del secolo furono uomini di Chiesa, magari legati a essa dall'assunzione dei cosiddetti «ordini minori», utili, peraltro, perché comportavano la fruizione di *benefici* o rendite ecclesiastiche che garantivano una vita indipendente da dedicare agli studi (anche qui si possono citare come esempio Petrarca e Boccaccio). Un altro terzo di scrittori proviene dalle libere professioni giuridica e notarile. Fra questi due gruppi sono compresi i letterati di corte, che giungono spesso a forme di professionismo. C'è poi un gruppo ancora folto, soprattutto in Toscana, di letterati che esercitano la mercatura o varie forme di insegnamento, soprattutto universitario.

La letteratura italiana nel Trecento

L'espressione «letteratura italiana» va usata con cautela, per il fatto che alla sua produzione non partecipano ancora, nel Trecento, vaste zone della Penisola. Si può parlare d'un ulteriore sviluppo della tradizione letteraria toscana, il cui prestigio viene accresciuto dalla diffusione delle opere di Dante, Petrarca, Boccaccio; ma, come ha giustamente osservato il Dionisotti, «da un punto di vista storico-geografico non esiste fino al tardo Quattrocento se non una letteratura toscana con appendici e colonie, le più tutt'altro che obbedienti e stabili, nel Veneto, in parte dell'Emilia, nelle Marche e nell'Umbria». A Milano, ad es., continua la tradizione locale della letteratura morale e didascalica, nel Veneto quella dei poemi cavallereschi in lingua franco-veneta; lo spazio di diffusione della letteratura toscana è limitato a una parte dell'Italia settentrionale e centrale, pur rivelandosi sempre più come tradizione vincente.

Continua inoltre, fiorentissima, la tradizione latina, non solo nel campo dell'alta cultura, ma anche in quello letterario, e diviene, di fatto, un forte elemento unificante della cultura e della letteratura italiane. La scelta decisiva fu compiuta dal Petrarca, che sostituì al modello della Roma imperiale quello della Roma repubblicana, non più assunta, come aveva fatto Dante, in una visione provvidenzialistica (l'Impero come preparazione alla venuta di Cristo), ma esaltata per le sue virtù morali e civili. Essa è, per il Petrarca, ancor viva e presente nella storia italiana, costituisce la nostra tradizione nazionale. Questa visione è limitata a un numero ristretto di intellettuali, non sottovalutabile, tuttavia, se si pensa agli entusiasmi suscitati, intorno alla metà del secolo, dal tentativo di restaurazione della Repubblica Romana operato da Cola di Rienzo.

Si succedono per tutto il secolo movimenti di restaurazione classicistica, di recupero, attraverso la letteratura classica latina, dell'alta civiltà umana, concepita in senso laico, di Roma: dal cosiddetto pre-umanesimo padovano, contemporaneo a Dante, di cui è esponente di rilievo Albertino Mussato, autore della *Hecerinis*, una notevole tragedia in latino su Ezzelino da Romano (pochi anni dopo, Giovanni del Virgilio, maestro dell'Università di Bologna, esortava Dante a scrivere un poema nella nobile lingua latina, non in quella del volgo, e, più tardi, Petrarca si doleva che la *Commedia* fosse scritta in volgare) all'opera di Coluccio Salutati e Leonardo Bruni che, verso la fine del secolo, instaureranno la nuova cultura umanistica che avrà il suo pieno sviluppo nel Quattrocento.

Letture critiche

Geografia e storia della letteratura italiana nei primi secoli

Nella prima metà del Duecento corre dalla Sicilia lungo la fascia tirrenica un flusso di nuova poesia che invade e dilaga in Toscana, supera d'impeto l'Appennino pistoiese e si ingrossa ma si arresta anche a Bologna. Estranea resta in gran parte tutta la fascia adriatica, e qui, fra Abruzzi e Marche, facendo centro nell'Umbria francescana, fiorisce una tutt'altra poesia e letteratura. Finalmente una terza zona a sua volta indipendente dalle prime due si disegna a nord della dorsale appenninica e del Po. Questa tripartizione è sufficientemente documentata perché si possa qui prescindere dai dubbi particolari e dalle ulteriori distinzioni che essa ancora suggerisce. Tanto più che, se pur altri documenti mancassero, basterebbe pur sempre, a definire la situazione di frazionamento della cultura e letteratura italiana del Duecento, un solo incomparabile testo: il De *Vulgari Eloquentia* di Dante... La lezione del *De Vulgari Eloquentia* è in breve questa: un'esigenza unitaria, di una ideale unità linguistica e letteraria, proposta e richiesta a una reale, frazionata varietà, un'unità insomma che supera, ma nel tempo stesso implica questa varietà. Lasciando interrotto a men che metà il suo libro, Dante assai probabilmente non intendeva rifiutarne la sostanza, ma pur certamente dimostrava di non potersene contentare oltre. La poetica implicita nella *Commedia* è altra cosa da quella del *De Vulgari*, se anche l'esigenza stessa unitaria ne risulti confermata. Ma la conferma è data con altra voce e per altra via. La voce non si leva più, quale che ne fosse la singolarità, da un gruppo o scuola di poeti, intenti a definire la loro solidale posizione, nuova e conseguente insieme, nell'ambito di una tradizione poetica e italiana e romanza. È la voce di un uomo ormai solo e «lungi dal lito», che muove alla scoperta di un mondo nuovo. Questo mondo è, anche, l'Italia: geograficamente la stessa del *De Vulgari*, ma di fatto non più soltanto l'Italia aristocratica e curiale a cui potevasi accedere per la via del linguaggio e dello stile tragico, proposti nel *De Vulgari*, bensì l'umile e vasta Italia cui si appella la «cantilena» della *Commedia* [...]. Esilissima e tarda fu in Italia la diffusione della dottrina linguistica di Dante e del libro dove essa è formulata, il *De Vulgari Eloquentia*; fu invece amplissima e immediata la eco del linguaggio poetico nuovo, espansivo, toscano sì, ma aperto e sollecitante oltre i confini della Toscana, che Dante sviluppa nella *Commedia*. Trascrittori e lettori della *Commedia* s'incontrano, già nella prima metà del Trecento, in aree affatto eccentriche. E a Dante certo si lega l'improvviso fiorire in quello stesso periodo di tempo di una lirica sostanzialmente omogenea con la tradizione toscana, a Ferrara, a Venezia, a Padova, a Treviso, nella sua Verona e fin nella Milano viscontea. Gran cosa è nel travaglio storico della letteratura italiana l'apparire a questo punto di nordici nomi, un Quirini, un Visconti, congiunti a rime che a Dante e ai Toscani fanno capo, l'apparire a Verona, opera d'un giudice scaligero, del primo autonomo trattato di metrica italiana [allude a: Antonio da Tempo, *Summa artis rithimici Vulgaris dictaminis*, (*L'arte del comporre in rima in lingua volgare*), del 1332]. Ma se gran cosa è, avuto riguardo a sviluppi lontani, bisogna anche subito riconoscere che di piccole isole si tratta, dove la colonizzazione toscana, nonostante il messaggio dantesco, ha per lungo tempo ancora una vita stenta, artificiale. Il nome di un Visconti e il gruppo di rime politiche che celebrano la potenza milanese, opere del resto quasi tutte di emigrati e fuoriusciti toscani, non ci devono illudere: in realtà nessun contributo viene alla letteratura italiana, secondo l'indirizzo proposto da Dante, da una regione di tanto peso come la Lombardia, per lo spazio di quasi due secoli. Del Piemonte e della Liguria è perfino inutile parlare. Solo il Veneto fa eccezione, e presenta ininterrotta, benché esile, una sua linea di fedeltà alla tradizione letteraria toscana, che è il presupposto necessario della preminenza veneta sulla letteratura italiana del Cinquecento. Esile linea, ho detto; e qui è da notare che in gran parte del Veneto, come anche nella fascia contermine lombarda ed emiliana, fiorisce per tutto il Trecento e fino ai primi del Quattrocento la cosiddetta letteratura franco-italiana, che nulla ha a che vedere con la tradizione letteraria toscana e dantesca, anche se da Dante, come da autore straniero, talvolta ricava particolari elementi, e se a sua volta, come pur la letteratura francese vera e propria aveva fatto e faceva, influisce sulle compilazioni toscane di materia leggendaria.

La presenza di un'ampia zona dell'Italia nord-orientale, al riparo cioè da un immediato influsso francese, d'una letteratura franco-italiana rigogliosa e tenace, sta a dimostrare, se pur ce ne fosse bisogno, due cose: 1) che bisogna prescindere per questa età e per un buon tratto innanzi dal rapporto romantico, ormai teoricamente superato ma pur sempre suggestivo, fra lingua parlata e letteratura, dal concetto d'una letteratura che sorge «su del popolo dal cuore», e 2) che siamo tuttavia in una zona di polivalenza linguistica ai fini letterari, dove il toscano di Dante non suona necessariamente più proprio del francese o del latino, e dove insomma si prolunga e rinnova la situazione stessa per la quale un secolo innanzi il mantovano Sordello e tant'altri a nord dell'Appennino avevano poetato in provenzale e in Firenze stessa Brunetto Latini aveva raccomandato il suo *Tesoro* alla lingua d'*oil*. Quanto duri questa situazione e quali ostacoli la colonizzazione toscana abbia incontrato nell'Italia settentrionale, e non ivi soltanto, è difficile dire allo stato attuale degli studi o da chi non sia specialista [...].

Conviene rivolgerci ora al Sud. Dove anche era giunta prestissimo la eco della *Commedia* dantesca, e dove nella prima metà del Trecento vive la sua feconda giovinezza il Boccaccio, e per tutto il secolo mercanti e banchieri toscani si accalcano, Toscani giungono fino alle più alte cariche dello stato. Quasi dimenticavo di richiamare a questo punto che proprio dal Sud nel Duecento aveva tratto il suo primo impulso la poesia toscana. Ma il panorama letterario che già nella seconda metà del Duecento si disegna e nel Trecento si conferma a rimpetto di una colonizzazione toscana attivissima nella vita economica e civile, è netto: nessuna traccia da Roma a Napoli a Bari all'Aquila o a Sulmona, per non parlare della Sicilia, d'un qualche contributo alla letteratura italiana sulla base proposta dai Toscani e da Dante, fino oltre la metà del Quattrocento. Fino a tale data insomma, i risultati di una semplice inchiesta statistica sono che, nonostante la rivelazione di Dante, subito confermata ed estesa dal Petrarca e dal Boccaccio, ben più che mezza Italia, così al Nord come al Sud, non risponde all'appello. Da un punto di vista storico-geografico non esiste fino al tardo Quattrocento se non una letteratura toscana con appendici e colonie, le più tutt'altro che obbedienti e stabili, nel Veneto, in parte dell'Emilia, nelle Marche e nell'Umbria.

Prima di procedere oltre, sarà bene fermare un momento l'attenzione su questa letteratura toscana. È anzitutto evidente che la *Commedia* di Dante, comunque sia stata concepita e iniziata, è l'opera di un esule, sorge dall'esperienza di aberranti e lontane vie e terre, procede, nel trapasso dall'Inferno al Purgatorio, a una visione risolutamente più libera e ampia; pure essa mantiene fede sempre alla città originaria, a Firenze, ancora ne ritrova l'immagine, con una minuziosa pedanteria che pare l'incubo di un sogno, nel cielo paradisiaco di Cacciaguida. Altrettanto è evidente che il Canzoniere del Petrarca nasce ovunque fuor che in Toscana, da un esule volontario cui senza rimpianto è ormai patria il mondo, e tuttavia nasce da un supremo sforzo di concentrazione intima su di una base linguistica e metrica coerentemente, e a quel momento e in quelle condizioni e da quell'uomo ostentamente, oserei dire polemicamente, fedele alla tradizione toscana. Finalmente il *Decameron* del Boccaccio nasce, sì, a Firenze, e vi si inquadra, a norma di un equilibrio sentimentale e di una lucidità figurativa che non hanno riscontro nelle opere precedenti di lui, e tuttavia nasce anche da un impeto narrativo, da un prodigo abbandono all'avventura amorosa e fortunosa e geniale, che in quelle opere, nelle prime in ispecie, già traspaiono, e sono nel Boccaccio i segni e i risultati insieme della sua educazione e giovinezza napoletana, della sua esperienza, sempre poi vagheggiata e rimpianta, e perciò stesso nel suo esilio in patria sedimentata e liberata al canto, di una vita più spaziosa e lussuosa di quella che agli occhi suoi pareva in Firenze. Sono, come è ovvio, in tutti e tre i casi risoluzioni individuali, eccezionali e irripetibili. Esse tuttavia scaturiscono dal poderoso flusso e reflusso di correnti fiorentine o toscane ed esterne che si verifica in Italia fra la metà del Duecento e la metà del Trecento. È un panorama dell'Italia e della sua cultura e letteratura profondamente e variamente spezzato. E, come già si è visto, è un panorama che si estende oltre i confini stessi dell'Italia. Così la stanchezza poetica che qui si avverte nella seconda metà del Trecento non è fenomeno che possa disgiungersi dall'esaurimento, anche nella sua eco lontana, della tradizione provenzale, dell'assottigliarsi di quella francese. Il venir meno della grande poesia è un evento che lo storico registra e non più: ogni commento che non sia la commemorazione di quella poesia, sarebbe assurdo. La grande poesia italiana del Trecento vien meno l'anno 1374 nell'atto in cui si spegne sulle pagine ancor fresche del Trionfo della Divinità la vita di Francesco Petrarca. Ma il declino di una società e di una tradizione letteraria non è cosa che si possa registrare senza commenti.

Fra la morte del Petrarca o, l'anno dopo, del Boccaccio, e l'avvento dei poeti medicei, il Pulci, Lorenzo stesso, il Poliziano, corre quel che nelle storie della letteratura italiana è comunemente chiamato il secolo senza poesia. Il rilievo che qui si impone non riguarda tuttavia l'assenza, per disgrazia di Dio, d'un qualunque grande poeta; riguarda piuttosto il fatto che durante buona parte di quel secolo l'ambito della letteratura toscana si restringe e si municipalizza, e che allora si ha, per la prima volta forse in Italia, una letteratura dialettale nel senso vero e proprio della parola, fondata cioè sull'uso consapevole di un linguaggio di rango inferiore. L'avvio su questa pendenza è ingenuamente dato, subito a ridosso del Boccaccio, da Franco Sacchetti che può ben dirsi il nonno, se non proprio il padre di quella tradizione macchiaiola toscana, di una prosa argentina ed arguta, così piacevole ma così anche senza rimedio provinciale, che ha avuto lunga vita nei secoli, e un poco ha tuttora. Ma al Sacchetti subito poi sussegue il Burchiello, che deliberatamente getta la sua indubbia vena di poesia in un gergo intraducibile, e per l'appunto mira a un impiego non più comico ma senz'altro farsesco di quella poesia. E anche del Burchiello, che ebbe durante tutto il Quattrocento e oltre enorme fortuna, si può dire che inauguri una tradizione di poesia burlesca e maliziosamente aggressiva, tipicamente toscana, solo a tratti, a mezzo il Cinque e a mezzo il Settecento, moderatamente aperta a poeti non toscani, e ancor viva, durante la prima metà dell'Ottocento, nel Giusti. La contrazione municipale e degradazione dialettale ora notata contraddistingue la letteratura toscana fra Tre e Quattrocento, ma non certo ne esaurisce il quadro. Franco Sacchetti volge lo sguardo desolato indietro e lamenta che ogni poesia sia mancata, ma a quel momento stesso un Coluccio Salutati guarda innanzi con autorità all'avvenire. Il Burchiello si spoglia in farsetto e combatte col rasoio, ma voltato l'angolo sono sulla scena uomini come Leonardo Bruni, Poggio Bracciolini, Leon Battista Alberti in abiti curiali e i loro gesti sono ampi e gravi. La letteratura toscana gradualmente si riprende e rinvigorisce sulla fine del Tre e durante il Quattrocento, ma su altra base che non fosse quella costituita da Dante, Petrarca e Boccaccio con le loro opere volgari. Anche questa volta si tratta di una base composita, che implica cioè fedeltà alla propria terra, ma insieme esperienza di plaghe lontane: un'evasione nel tempo, il pellegrinaggio umanistico ai santuari dell'antichità classica. Su questa stessa base umanistica, tra la fine del Quattro e i primi del Cinquecento, primamente si costituisce una letteratura italiana.

Carlo Dionisotti

(Da *Geografia e storia della letteratura italiana*, Torino, Einaudi, 1967, pp. 31-35, con tagli).

ESERCIZIO DI ANALISI

Fra storia e geografia della letteratura: un saggio di Carlo Dionisotti

1. Il saggio del Dionisotti, *Geografia e storia della letteratura italiana*, nato da una prolusione universitaria del 1949, e pubblicato la prima volta, riveduto, nel 1951, appare ancora fondamentale, per chi si ponga il problema della storia della letteratura italiana.

In realtà lo stesso «genere letterario» che chiamiamo "storia della letteratura" è stato più volte criticato, nel corso del secolo, a partire da Benedetto Croce, per giungere ai teorici più recenti. Eviteremo qui di riassumere un dibattito notevolmente complesso, anche per il fatto che coinvolge l'idea stessa di letteratura; limitandoci a offrire un principio di bibliografia: *Letteratura e storia della letteratura*, a cura di M. Pazzaglia, Bologna, Zanichelli 1978; AA.VV., *Inchiesta sulla storia letteraria*, Torino, Edizioni Stampatori, 1978; AA.VV., *Storiografia letteraria in Italia e in Germania*, Firenze, Olschki, 1990. In questi volumi il lettore potrà trovare un primo orientamento. Potrà, inoltre, consultare i volumi della *Letteratura italiana*, diretta da Alberto Asor Rosa e pubblicata dall'editore Einaudi di Torino, fra il 1982 e il 1991, con saggi d'un nutrito gruppo di studiosi. Segnaliamo, per il problema che interessa qui, la prefazione di Asor Rosa, nel primo volume (*Letteratura, testo, società*) e i saggi di Dante della Terza nel volume quarto, *L'interpretazione*, (*Le storie della letteratura italiana*, ecc.; *Francesco De Sanctis e gli itinerari della «Storia»*).

Il saggio del Dionisotti, tuttavia, non entra tanto in quest'ordine di problemi, che possiamo definire di teoria letteraria, quanto in quello d'una corretta impostazione della storia della letteratura italiana. Questa, al momento in cui uscì il saggio, poteva contare su manuali pregevoli, ma fondati, per lo più, su impianti storiografici generici.

2. L'opera storicamente più organica e originale era stata la *Storia della letteratura italiana* di Francesco De Sanctis, scritta fra il 1869 e il 1872 e uscita con la data 1870, collegandosi, con questo, al compimento che si era avuto in quell'anno, con la presa di Roma, del Risorgimento nazionale. Il grande critico irpino aveva infatti concepito la storia delle nostre lettere come indicativa d'un processo duplice e, insieme, concomitante: come, cioè, espressione d'un sentimento nazionale che si veniva progressivamente definendo nei secoli e come un lento e contrastato ma sicuro approdo progressivo a un'idealità laica e immanentistica, «moderna», in quanto liberale e intesa a una trasformazione del Paese che lo collocasse nel vivo della civiltà europea attuale. In questa prospettiva, l'autore giungeva a deprimere autori come l'Ariosto o momenti di storia come il Cinquecento, in cui vedeva in primo luogo la rovina politica dell'Italia e l'inizio d'una servitù secolare.

Il libro del De Sanctis conserva ancora oggi valore come testimonianza coerente delle idealità risorgimentali; ma la storiografia letteraria odierna non accetta più certe prese di posizione su singoli autori e periodi. Quanto all'ipotesi nazionale, se è vero che il formarsi d'una tradizione letteraria e d'una lingua letteraria che giunge a una prima consapevolezza nel Cinquecento sono la manifestazione d'un ideale culturale unitario, è vero anche che non si può parlare, per questo, d'un ideale nazionale in senso etico-politico e che la vera storia dell'Italia unita incomincia nell'Ottocento, quando diventa aspirazione consapevole e approdo successivo alla costruzione unitaria.

3. Il grande merito del Dionisotti è stato quello di verificare questa storia; e soprattutto quello di calarla in una geografia; di avere, cioè, attirato l'attenzione sullo svolgimento concretamente e realmente «storico», d'una tradizione che si formò soltanto lentamente in luoghi diversi e che non partì sin dall'inizio come fatto unitario. A un'ideale, ma non esistente, nazione unitaria, egli sostituì l'esame delle singole tradizioni che si vennero costituendo in territori precisi, per poi concludersi, o scomparendo o lasciandosi assorbire o persistendo in posizione dialettica, con quello che fu un modello letterario (i tre grandi scrittori toscani del Trecento), impostosi soltanto lentamente e non senza resistenze; e comunque sia, come un fatto letterario, piuttosto che direttamente etico-politico.

Agli inizi, cioè nel Duecento, non sembra possibile parlare d'una letteratura «italiana», per via del frazionamento politico della Penisola e per le autonomie delle singole civiltà cittadine o statali. A prescindere dal fatto che a Nord si continua a scrivere in francese o in provenzale, non si ha una partecipazione di tutte le regioni a una cultura e a una letteratura comuni. Soltanto nel Trecento incominciano a proporsi dei modelli (Dante, Petrarca, Boccaccio, lo Stilnovismo; e anche i poeti comico-realistici toscani), ma soltanto in una parte dell'Italia centro-settentrionale (Toscana, Emilia, Veneto); incomincia, cioè, a delinearsi una tradizione che, proseguita, ma non senza resistenze, nel Quattrocento, giunge alla piena codificazione con uno scrittore veneziano, Pietro Bembo. Questi nelle *Prose della volgar lingua* (1525), sanzionava l'eccellenza del Petrarca nella poesia e del Boccaccio nella prosa, proponendoli come modelli sul piano della lingua letteraria. Incominciava così per quest'ultima una vicenda unitaria, peraltro fin dall'inizio contrastata; da allora in avanti si succede in ogni momento della nostra civiltà letteraria, la disputa, detta «questione della lingua», sulla lingua da usare nella produzione poetica e prosastica. Il dibattito veniva reso più urgente dall'assenza d'una lingua unitaria nel Paese, quale l'abbiamo oggi, proprio per la mancanza d'una prospettiva unitaria sul piano politico, e pertanto d'un centro culturale o d'una cultura egemone e, in qualche modo, comune almeno a vasti strati della popolazione. Lingua letteraria comune significava, peraltro, anche scelta d'una certa stilizzazione retorica, di contenuti, di forme. La proposta del Bembo condusse, come dimostra il Dionisotti, al predominio, fra i generi letterari, della lirica, orientata in modo da evitare il più possibile elementi realistici o drammatici, o psicologici in senso concreto. Comunque sia, la fondazione, nel Cinquecento, d'una letteratura italiana, e d'un suo linguaggio specifico, non rimase, sebbene acquisita, un fatto incontrastato, ma aperto, nei secoli che vennero, a movimenti e tentativi eccentrici, pur nell'accoglimento di una tradizione ormai sentita comune. Persino dopo l'Unità riprendono i movimenti eccentrici: basta pensare all'implicita «protesta» di importanti autori meridionali come il Verga, che portano nella tradizione comune l'urgenza di nuove «cose» e d'un nuovo linguaggio.

Seguiremo anche nei prossimi volumi le posizioni del Dionisotti. Preme ora sottolineare quelle fondamentali e generali.

La vicenda della letteratura in Italia segue il difficile costruirsi d'uno stato unitario; è, cioè, più spesso, nei secoli passati, un'aspirazione di gruppi intellettuali non sempre maggioritari, piuttosto che un fatto. D'altra parte, una letteratura è, prima di tutto, una tradizione linguistico-tematico-espressiva, sulla quale si commisurano, con una vicenda complessa di adesioni, discussione, a volte ripudio polemico, i vari scrittori.

La storiografia del Trecento

Caratteri generali

Numerose sono, nel Trecento, le cronache (molte delle quali scritte in latino), schematiche e sommarie nella maggior parte, ma tuttavia utili, oggi, allo storico per le notizie che offrono sulla vita economica, politica e civile dell'epoca. Le chiamiamo *cronache*, piuttosto che *storie*, per la mancanza in esse d'un vaglio critico oggettivo delle fonti e delle testimonianze, di un'analisi approfondita e metodologicamente coerente delle cause e delle connessioni degli eventi. Il racconto procede per lo più seguendo la mera successione cronologica, lo scrupolo di verità perseguito dagli autori si presenta essenzialmente nei termini della testimonianza personale.

Più interessanti, anche in campo letterario, appaiono quelle, scritte in volgare, di Dino Compagni, Giovanni Villani e dell'Anonimo romano, di cui si offre qui una succinta antologia.

Prescindendo dalle motivazioni diverse degli autori, si riscontra in esse un quadro ideologico affine. Vi ritroviamo, cioè, la tradizionale interpretazione provvidenzialistica della storia e la conseguente tendenza a un giudizio etico-religioso degli eventi. Ma entro questi schemi, che restano un quadro di riferimento generico, si fa strada il gusto del particolare realistico e un'esigenza di concretezza sia nella rappresentazione psicologica dei protagonisti sia nella descrizione della società e delle sue condizioni effettive di vita. Il Compagni offre la rievocazione appassionata d'una vicenda, che lo vide fra i protagonisti, con le sue svolte impreviste e drammatiche, il Villani compie una lucida analisi della vita economica, politica, amministrativa con l'acuto realismo del «mercante» fiorentino, l'Anonimo romano rappresenta incisivamente il dramma di Cola di Rienzo.

Insieme con questi tre scrittori presentiamo anche un passo della narrazione del tumulto dei Ciompi, compiuta da un cronista fiorentino in uno stile diaristico letterariamente assai meno incisivo, ma con una visione chiara degli aspetti e delle componenti politiche e socio-economiche della vicenda. Il racconto illumina un momento significativo della storia travagliata del Comune fiorentino del tardo Trecento: la crisi della «democrazia» comunale sotto l'urgere delle tensioni sociali e l'avvio a una risoluta presa di potere della borghesia ricca, col trionfo della Signoria dei Medici.

I passi presentati alludono così a momenti significativi della storia dell'Italia nel Trecento. Riflettono la crisi degli ordinamenti comunali e il passaggio alle Signorie, ma forniscono anche l'immagine d'una civiltà cittadina che, nonostante crisi e difficoltà, comuni, del resto, a tutta l'Europa del tempo, mantiene un'importante iniziativa politica ed economica in campo europeo, pur ribadendo il carattere non unitario della storia italiana.

Per i testi del Compagni e del Villani seguiamo: *Cronisti del Duecento*, a cura di R. Palmarocchi, Milano, Rizzoli, 1935; per l'Anonimo Romano l'edizione critica a cura di A. Frugoni, Firenze, Le Monnier, 1957 (ma vedi ora Anonimo Romano, *Cronica*, a cura di G. Porta, Milano, Adelphi, 1981, con un utile glossario); per l'Anonimo fiorentino, la *Cronaca dello squittinatore*, in *Il tumulto dei Ciompi. Cronache e memorie*, a cura di G. Scaramella, in *Rerum Italicarum Scriptores*, XVIII, III, Bologna, Zanichelli, 1934.

Dino Compagni

Dino Compagni nacque intorno al 1255 e morì nel 1324; fu dunque contemporaneo di Dante e gli fu vicino anche negli ideali e nell'attività politica, pur non militando espressamente né nella fazione dei Bianchi né in quella dei Neri. Fino al 1301 prese parte alla vita politica della città, dapprima seguendo Giano Della Bella, che assicurò la vittoria del «popolo», cioè della borghesia contro i «grandi» (l'aristocrazia); poi, contrastando il trionfo della fazione dei Neri appoggiata da Bonifazio VIII. Era priore nel 1301, quando i Neri, aiutati da Carlo di Valois, s'impadronirono di Firenze, ma poté sottrarsi all'esilio in virtù di una legge che vietava di colpire i cittadini che da meno di un anno avessero tenuto il priorato. Rimase, comunque, estromesso dalla vita politica e visse sino alla morte solitario e appartato. Fra il 1310 e il 1312 compose la *Cronica delle cose occorrenti nei tempi suoi*, in tre libri, nella quale, dopo aver narrato l'origine delle due parti, Guelfa e Ghibellina, e delle discordie politiche in Firenze, rievoca le vicende della città dal 1280 al 1312, cioè alla spedizione in Italia di Arrigo VII, che anche Dino, come Dante, sperò potesse ricondurre la pace e la giustizia in Italia e quindi in Firenze.

La *Cronica* del Compagni è vivacemente autobiografica; a distanza di dieci anni egli, infatti, rivive quegli avvenimenti come se fossero presenti, con tono drammatico e polemico. Il fascino maggiore delle sue pagine nasce dall'urto fra la coscienza morale dello scrittore, sinceramente cristiano e animato da un profondo amore per la propria patria, e la spregiudicata violenza, la frode e il tradimento che caratterizzano l'azione dei Neri. Ma anche contro i Bianchi si leva la voce dello scrittore, e li accusa di ignavia, di viltà, sì che la loro sconfitta appare nata da supina acquiescenza di fronte alla violenza altrui, e non certo un esempio di virtù calpestata e tradita. Questo insorgere di un sentimento di moralità e di giustizia offesa, dà alla narrazione un tono patetico. Tuttavia, se anche il Compagni ci appare politicamente ingenuo, la sua fede in un ideale di giustizia e di pace, avvilita ma non infranta dalla sua sconfitta di cittadino e di uomo, conferisce alla sua cronaca il carattere di una magnanima testimonianza.

Apostrofe contro i malvagi cittadini. Bonifazio VIII nomina Carlo di Valois paciere

Il libro II della *Cronica* del Compagni è quello delle memorie più dolorose: vi si narra l'arrivo di Carlo di Valois inviato a Firenze da papa Bonifazio VIII con l'incarico apparente di stabilire durevole pace fra le fazioni dei Bianchi (guidati dalla famiglia dei Cerchi) e dei Neri (guidati dalla famiglia dei Donati), ma in realtà col compito di garantire il trionfo di questi ultimi, che avviene fra tradimenti e violenze. Dino Compagni, priore, non legato a fazioni, ma amante della pace e della giustizia, invano oppone la sua rettitudine alla violenza e all'inganno: è solo, intorno a lui non trova che acquiescenza e viltà, e la ferocia, la spregiudicata fermezza di Corso Donati e dei Neri, decisi a impadronirsi del potere con ogni mezzo. Le pagine che abbiamo scelto pongono in chiara luce la violenza di quei giorni; ma soprattutto da esse emerge vivo lo sdegno di Dino, fin dal lamento col quale si apre il libro. È il lamento d'un vinto, che sente però che anche la giustizia, l'amore fra i cittadini, forse anche la patria sono periti, e soprattutto la rettitudine, la moralità. La sua voce sembra quella del profeta che grida nel deserto la sua pena, e ricorda il lamento di Dante, vittima anch'egli di quei tristi eventi.

(II, 1). Levatevi, o malvagi cittadini[1] pieni di scandoli, e pigliate il ferro e il fuoco con le vostre mani, e distendete le vostre malizie.[2] Palesate le vostre inique volontà e i pessimi proponimenti; non penate più;[3] andate e mettete in ruina le bellezze della vostra città. Spandete il sangue[4] de' vostri fratelli, spogliatevi della fede e dello amore, nieghi l'uno all'altro aiuto e servigio. Seminate le vostre menzogne, le quali empieranno i granai[5] de' vostri figliuoli. Fate come fe' Silla[6] nella città di Roma, che tutti i mali che esso fece in x anni, Mario in pochi dì li vendicò. Credete voi che la giustizia di Dio sia venuta meno? pur quella del mondo rende una per una.[7] Guardate a' vostri antichi, se ricevettono merito[8] nelle loro discordie: barattate gli onori ch'eglino acquistorono.[9] Non indugiate, miseri: ché più si consuma in un dì nella guerra, che molti anni non si guadagna in pace; e picciola è quella favilla, che a distruzione mena un gran regno.[10]

(II, 2). Divisi così[11] i cittadini di Firenze, cominciarono a infamare l'uno l'altro per le terre[12] vicine, e in Corte di Roma a papa Bonifazio, con false informazioni. E più pericolo feciono le parole falsamente dette in Firenze, che le punte de' ferri.[13] E tanto feciono col detto Papa dicendo che la città tornava in mano de' Ghibellini,[14] e ch'ella sarebbe ritegno de' Colonnesi;[15] e la gran quantità[16] de' danari mischiata con le false parole; che, consigliato d'abbattere il rigoglio de' Fiorentini,[17] promise di prestare a' Guelfi Neri la gran potenzia di Carlo di Valos[18] de' reali di Francia, il quale era partito di Francia per andare in Cicilia contro a Federigo d'Araona. Al quale scrisse, lo volea fare paciaro[19] in Toscana contra i discordanti dalla Chiesa. Fu il nome di detta commissione molto buono, ma il proponimento era contrario;[20] perché volea abattere i Bianchi e innalzare i Neri, e fare i Bianchi nimici della casa di Francia e della Chiesa.

1. **Levatevi, o malvagi cittadini,** ecc.: Fin dalle prime battute, e poi per tutto il capitolo, prevale un tono di sarcasmo amaro che assume un carattere biblico-profetico soprattutto quando il C. minaccia l'inevitabile castigo di Dio. Qui, come in genere, nelle opere medievali, si avverte l'influsso profondo del testo biblico, ispiratore di cultura e di sensibilità: d'un modo di vedere il mondo.
2. **distendete le vostre malizie**: palesate a tutti la malvagità del vostro animo, prendendo con le vostre mani, apertamente, il ferro e il fuoco per la rovina della vostra città.
3. **non penate più**: finora, viene a dire sarcasticamente il C., è stata una pena per loro il doversi trattenere dal portar rovina a Firenze.
4. **Spandete il sangue,** ecc.: È qui pronunciata la più severa condanna contro i Neri, rei di avere infranto le leggi fondamentali del vivere civile: hanno macchiato le mani col sangue dei loro concittadini, cioè dei loro fratelli, calpestato ogni sentimento di lealtà e di amore.
5. **empieranno i granai**: le menzogne dei cittadini malvagi daranno, dice sarcasticamente, prosperità ai loro figli; in realtà, vuol dire che il male ricadrà sui loro figli.
6. **Fate come fe' Silla,** ecc.: ricorda le discordie crudelissime di Roma ai tempi di Mario e Silla, culminate in atroci vendette. Mario, poco prima di morire, riuscì a rientrare a Roma, in assenza di Silla, e fece in pochi giorni strage degli avversari politici.
7. **pur quella... una**: anche la giustizia del mondo dà ad ogni colpa la sua pena. Più implacabile e tremenda sarà quella di Dio.
8. **se ricevettono merito**: se ricavarono qualche vantaggio.
9. **barattate... acquistorono**: mutate con disonori gli onori che essi acquistarono.
10. **ché più si consuma in un... regno**: Basta un giorno di guerra per distruggere il frutto di lunghi anni di pace, basta una piccola scintilla per portare incendio e rovina a un grande regno.
11. **Divisi così,** ecc.: divisi in tal modo i cittadini dalla discordia; allude alla divisione dei Guelfi in Bianchi e Neri.
12. **per le terre**: nelle città.
13. **più... ferri**: derivò maggior danno dalle menzogne dette a Firenze che da una guerra.
14. **che la città... Ghibellini**: I Ghibellini erano sempre stati un partito avverso al papa. I Bianchi, invece, erano Guelfi come i Neri, ma intendevano mantenere una maggiore autonomia nei confronti di Bonifazio VIII che voleva piegar la Toscana ai propri voleri. Di qui l'accusa di ghibellinismo. In realtà, si trattava di una lotta tra fazioni e consorterie, alla quale buona parte del popolo restava estraneo.
15. **sarebbe ritegno de' Colonnesi**: sarebbe divenuta una roccaforte dei Colonnesi, nobile famiglia romana in lotta con Bonifazio VIII.
16. **e la gran quantità,** ecc.: sottintendi: tanto fece.
17. **consigliato... Fiorentini**: avendo deciso di abbassare la potenza dei Fiorentini. Secondo Dino, il trionfo dei Neri significa l'asservimento politico di Firenze al papa.
18. **Carlo di Valos**: Carlo di Valois, fratello del re di Francia, venuto in Italia per strappare la Sicilia agli Aragonesi.
19. **lo volea fare paciaro**: che lo voleva fare paciere in Toscana in modo che debellasse coloro che erano contro la Chiesa.
20. **Fu... contrario**: il nome attribuito a quell'incarico (paciere) fu buono, non così il proposito del papa.

La sconfitta di Dino Compagni

Quando Carlo di Valois entrò in Firenze, il Compagni era uno dei Priori della città, ma invano tentò di contrastare il passo ai Neri ormai scatenati e sicuri della vittoria. I suoi tentativi sono espressi in pagine nelle quali ancor vibra la passione d'un tempo, congiunta ora con l'amarezza del vinto. Egli esortò in quei giorni la città alla concordia e alla pace in nome dell'amore che i fiorentini dovevano avere per la loro patria: gli risposero la viltà dei più, il silenzio, il tradimento dei cittadini malvagi. Il suo ideale di una convivenza civile fondata sulla moralità e la concordia venne sommerso dalla sfrenata volontà di dominio di una fazione. La visione che il Compagni ha della vita politica si presenta qui utopistica, anche se nobile, e ciò spiega il suo fallimento. Egli non si rese conto che la moralità e l'onestà non sempre bastano a frenare la violenza.

(II, 8). Stando le cose in questi termini,[1] a me Dino venne un santo e onesto pensiero,[2] immaginando: «Questo signore verrà, e tutti i cittadini troverrà divisi; di che grande scandolo[3] ne seguirà». Pensai, per lo uficio ch'io tenea e per la buona volontà che io sentia ne' miei compagni, di raunare[4] molti buoni cittadini nella chiesa di San Giovanni; e così feci. Dove furono tutti gli ufici;[5] e quando mi parve tempo, dissi:

«Cari e valenti cittadini, i quali comunemente tutti prendesti il sacro battesimo di questo fonte,[6] la ragione vi sforza e strigne ad amarvi come cari frategli; e ancora perché possedete la più nobile città del mondo.[7] Tra voi è nato alcuno sdegno, per gara d'ufici,[8] li quali, come voi sapete, i miei compagni e io con saramento v'abiamo promesso d'accomunarli.[9] Questo signore[10] viene, e conviensi onorare. Levate via i vostri sdegni e fate pace tra voi, acciò che non vi trovi divisi: levate tutte l'offese e ree volontà state tra voi di qui adietro;[11] siano perdonate e dimesse, per amore e bene della vostra città. E sopra questo sacrato fonte, onde traesti il santo battesimo, giurate tra voi buona e perfetta pace, acciò che il signore che viene truovi i cittadini tutti uniti».

A queste parole tutti s'accordorono, e cosí feciono, toccando il libro corporalmente,[12] e giurorono ottenere[13] buona pace e di conservare gli onori[14] e giuridizion della città. E cosí fatto, ci partimo di quel luogo.

I malvagi cittadini, che di tenereza mostravano lagrime, e baciavano il libro, e che mostrarono più acceso animo, furono i principali alla distruzion della città.[15] De' quali non dirò il nome per onestà: ma non posso tacere il nome del primo, perché fu cagion[16] di fare seguitare agli altri, il quale fu il Rosso dello Stroza; furioso nella vista e nell'opere; principio degli altri; il qual poco poi portò il peso del saramento.[17]

Quelli che aveano maltalento,[18] dicevano che la caritevole pace era trovata per inganno.[19] Se nelle parole ebbe alcuna fraude, io ne debbo patire le pene; benché di buona intenzione ingiurioso merito non si debba ricevere.[20] Di quel saramento molte lagrime ò sparte, pensando quante anime ne sono dannate per la loro malizia.[21]

---

1. **Stando le cose in questi termini**: nell'ottobre del 1301, appressandosi a Firenze Carlo di Valois, furono eletti nuovi priori, fra i quali il C., che compirono un estremo e vano tentativo di pacificare gli animi.
2. **un santo e onesto pensiero**: santo e onesto il pensiero di radunare i cittadini presso il comune fonte battesimale, per toccare il loro cuore ricordando un ideale di fraternità ormai spento. Neppure quando, a distanza di anni, scriveva queste pagine il C. comprendeva che proprio questa sua ingenua fiducia gli impedì di opporsi ai Neri con la necessaria energia.
3. **scandolo**: scandalo, disonore.
4. **raunare**: radunare.
5. **Dove furono tutti gli ufici**: là furono prima compiute cerimonie religiose.
6. **di questo fonte**: da questo fonte; era il fonte battesimale di San Giovanni, comune a tutti i cittadini.
7. **la più nobile città del mondo**: è comune ai cronisti fiorentini questa esaltazione della loro città.
8. **per gara d'ufici**: perché vi disputate le supreme cariche cittadine.
9. **con saramento... accomunarli** con giuramento abbiamo promesso di dividerli in parti uguali.
10. **Questo signore**: Carlo di Valois.
11. **di qui adietro**: in questi ultimi tempi.
12. **toccando il libro corporalmente**: giurano ponendo la mano sul Vangelo.
13. **ottenere**: mantenere.
14. **conservare gli onori**, ecc.: giurano di conservare l'onore e la libertà della città, che il C. sentiva minacciati dall'arrivo di Carlo di Valois.
15. **furono i principali... città**: furono i primi a causare la distruzione della città, ché tale apparve a Dino lo sfrenarsi degli odi e delle violenze che poco dopo si ebbero.
16. **fu cagion**, ecc.: come, più avanti, l'espressione *principio degli altri*, significa che Rosso dello Strozza fu tra coloro che diedero l'avvio al divampare furioso degli odi civili.
17. **portò il peso del saramento**: fu punito da Dio poco dopo per quel suo falso giuramento.
18. **che aveano maltalento**: che erano intenzionati a fare il male.
19. **che la caritatevole... inganno**: che quella pace, propugnata in nome dell'amore scambievole fra i cittadini, era un inganno macchinato dal C. Si fingono insidiati e traditi onde trovare un pretesto che dia una parvenza di giustizia alle violenze che intendono compiere.
20. **Se nelle parole... ricevere**: Se nelle mie parole vi fu frode, tradimento, sono pronto a pagarne il fio; ma la mia intenzione fu onesta e buona, non dovrei quindi ricavarne accuse ingiuriose.
21. **Di quel saramento... malizia**: molte lacrime ho sparso pensando a quel falso giuramento di tanti concittadini, al fatto che questa loro malvagia azione avrà portato a perdizione le loro anime.

Il trionfo dei Neri

(II, 18). Il giorno seguente[1] i baroni di messer Carlo, e messer Cante d'Agobbio,[2] e più altri, furono a' Priori, per occupare il giorno[3] e il loro proponimento con lunghe parole. Giuravan che il loro signore[4] si tenea tradito e ch'elli facea armare i suoi cavalieri, e che piacesse loro la vendetta fusse grande, dicendo: «Tenete per fermo, che se il nostro signore non à cuore di vendicare il misfatto a vostro modo, fateci levare la testa». E questo medesimo dicea il podestà, che venia da casa messer Carlo,[5] che gliele avea udito giurare di sua bocca che farebbe impiccare messer Corso Donati.[6] Il quale (essendo sbandito) era entrato in Firenze la mattina con XII compagni, venendo da Ognano: e passò Arno, e andò lungo le mura fino a San Pietro Maggiore, il quale luogo non era guardato da' suoi avversari, e entrò nella città come ardito e franco cavaliere. Non giurò messer Carlo il vero, perché di sua saputa venne.

Entrato messer Corso in Firenze, furono i Bianchi avisati della sua venuta,

---

1. **Il giorno seguente**: è il 6 novembre 1301. Carlo di Valois è già arrivato a Firenze e prepara il trionfo dei Neri.
2. **Cante d'Agobbio**: Cante dei Gabrielli da Gubbio. Fu podestà di Firenze. In quei giorni esercitò la giustizia in modo del tutto partigiano, dando falsamente un colore di legalità ai più violenti eccessi dei Neri.
3. **per occupare il giorno**, ecc.: chiedono lunghe udienze ai Priori per tenerli occupati e impedire loro di prendere provvedimenti per la difesa della legalità.
4. **il loro signore**: Carlo di Valois, che aveva già chiesto e ottenuto di occupare alcuni punti strategici della città, giurando di proteggerla.
5. **da casa messer Carlo**: dalla casa dove era alloggiato Carlo di Valois.
6. **Corso Donati**: è il capo dei Neri. Era stato mandato via da Firenze. Ora ritorna, calpestando le leggi, d'accordo col Valois, per dirigere l'assalto contro i Bianchi. Le parole del podestà sono false, e servono a ingannare i Priori e a paralizzare, con questo, la loro azione.

e con lo sforzo poterono[7] gli andorono incontro. Ma quelli che erano bene a cavallo, non ardirono a contastarli; gli altri, veggendosi abbandonati, si tirorono adietro: per modo che messer Corso francamente[8] prese le case de' Corbizi da San Pietro, e posevi su le sue bandiere; e ruppe le prigioni, per modo che gli incarcerati n'uscirono; e molta gente il seguí, con grande sforzo.[9] I Cerchi[10] si rifuggirono nelle loro case, stando con le porti chiuse.

I procuratori[11] di tanto male falsamente si mossono,[12] e convertirono[13] messer Schiatta Cancellieri e messer Lapo Salterelli; i quali vennoro a' Priori, e dissono: «Signori, voi vedete messer Carlo molto crucciato:[14] e vuole che la vendetta sia grande, e che 'l Comune rimanga signore. E pertanto a noi pare che si eleggano d'amendue le parti i più potenti uomini, e mandinsi in sua custodia; e poi si faccia la esecuzione della vendetta, grandissima». Le parole erano lunge dalla verità. Messer Lapo scrisse i nomi: messer Schiatta comandò a tutti quelli che erano scritti che andassono a messer Carlo, per più riposo della città. I Neri v'andarono con fidanza, e i Bianchi con temenza: messer Carlo li fece guardare: i Neri lasciò partire, ma i Bianchi ritenne presi quella notte, sanza paglia e sanza materasse, come uomini micidiali.

O buono re Luigi,[15] che tanto temesti Iddio, ove è la fede della real casa di Francia, caduta per mal consiglio, non temendo vergogna? O malvagi consiglieri, che avete il sangue di così alta corona[16] fatto non soldato ma assassino, imprigionando cittadini a torto, e mancando della sua fede, e falsando il nome[17] della real casa di Francia! Il maestro Ruggieri, giurato alla detta casa,[18] essendo ito[19] al suo convento, gli disse: «Sotto di te perisce una nobile città». Al quale rispose che niente ne sapea.[20]

(II, 19). Ritenuti così i capi di parte Bianca, la gente sbigottita si cominciò a dolere. I Priori comandarono che la campana grossa fusse sonata, la quale era su il loro palazo: benché niente giovò, perché la gente, sbigottita, non trasse.[21] Di casa i Cerchi non uscì uomo a cavallo né a pié, armato. Solo messer Goccia e messer Bindo Adimari, e loro fratelli e figliuoli, vennono al palagio; e non venendo altra gente, ritornorono alle loro case, rimanendo la piaza abandonata.

La sera apparì in cielo un segno maraviglioso,[22] il qual fu una croce vermiglia, sopra il palagio de' Priori. Fu la sua lista ampia piú che palmi uno e mezo; e l'una linea era di lungheza braccia XX in apparenza, quella attraverso un poco minore; la qual durò per tanto spazio quanto penasse un cavallo a correre due aringhi. Onde le gente che la vide, e io che chiaramente la vidi, potemo comprendere che Iddio era fortemente contro alla nostra città crucciato.[23]

Gli uomini che temeano[24] i loro avversari, si nascondeano per le case de' loro amici: l'uno nimico offendea l'altro: le case si cominciavano ad ardere: le ruberie si facevano; e fuggivansi gli arnesi alle case degli impotenti:[25] i Neri potenti domandavano danari a' Bianchi: maritavansi fanciulle a forza: uccideansi uomini. E quando una casa ardea forte, messer Carlo domandava: «Che fuoco è quello?».[26] Erali risposto che era una capanna, quando era un ricco palazzo. E questo malfare durò giorni sei, ché così era ordinato. Il contado ardea da ogni parte.

I Priori per piatà[27] della città, vedendo multiplicare il malfare, chiamorono merzé a molti popolani potenti, pregandoli per Dio avessono piatà della loro città; i quali niente ne vollono fare. E però lasciorono il priorato.[28]

(II, 20). Uno cavaliere[29] della somiglianza di Catellina[30] romano, ma più crudele di lui, gentile di sangue,[31] bello del corpo, piacevole parlatore, adorno

7. con lo sforzo poterono: con tutte le genti d'arme che poterono raccogliere.
8. francamente: liberamente, senza essere molestato.
9. con grande sforzo: con molti armati.
10. I Cerchi: è la famiglia che capeggia la fazione dei Bianchi.
11. I procuratori: coloro che avevano procurato.
12. falsamente si mossono: macchinarono una nuova frode.
13. convertirono: tirarono dalla loro parte.
14. messer Carlo molto crucciato Carlo di Valois finge di essere adirato per l'iniziativa di Corso, e per questo chiede che gli siano consegnati i capi delle due fazioni, onde provvedere a pacificare la città e a ristabilire l'ordine. Ottenuto questo, lascia liberi i Neri e trattiene i Bianchi.
15. O buono re Luigi, ecc.: allude a Luigi IX, re di Francia, che fu santificato; a lui chiede conto del suo discendente degenere (Carlo di Valois) e del suo tradimento. Gli chiede dov'è andata la lealtà della casa reale di Francia, ora caduta per il malvagio consiglio di Carlo che, col suo sleale modo d'agire, disonora tutta la sua stirpe.
16. il sangue di così alta corona: è Carlo di Valois.
17. falsando il nome: lo falsifica disonorandolo col suo tradimento.
18. giurato alla detta casa: erano chiamati *giurati* gli ecclesiastici consiglieri dei principi, soprattutto nelle questioni in cui vi fosse interferenza fra politica e religione.
19. essendo ito: il soggetto è Carlo.
20. che niente ne sapea: la falsità di queste parole è così mostruosa che il C., offeso profondamente nel suo sentimento morale, non riesce neppure a commentarle.
21. non trasse: non accorse. Il suono della campana grossa chiamava al soccorso i cittadini nei momenti più gravi della vita della città.
22. un segno maraviglioso: una meteora, a quanto sembra, dalla quale emana una luce in forma di croce; l'apparizione durò il tempo che impiegava un cavallo a percorrere due volte un *aringo*, il campo chiuso dove si facevano tornei e giostre.
23. che Iddio... crucciato: nei momenti più gravi della loro vita, nelle grandi calamità pubbliche, l'uomo tende spontaneamente a dare a certi fenomeni un significato religioso. La cosa è tanto più naturale per il C., sia per la viva religiosità di quei tempi, sia per la sua.
24. Gli uomini che temeano, ecc.: si tratta dei Bianchi e di coloro che si erano in qualche modo compromessi con questa fazione.
25. fuggivansi... impotenti: si nascondevano le cose preziose nelle case dei meno abbienti, dove non sarebbero state sottoposte a saccheggio. Si osservi come il C., con la sua prosa scarna ed essenziale, esprima il ritmo drammatico dei fatti: prima quella piazza deserta e sgomenta, poi l'apparizione soprannaturale, che assume quasi un tono apocalittico, poi il dilagare rapido di violenze e orrori, fino a quella catena d'incendi nel contado, tutt'attorno a Firenze.
26. Che fuoco è quello?: Avverti nella domanda il cinismo del traditore. Anche l'espressione *ché così era ordinato* è pervasa d'un forte colorito drammatico: vi senti il dilagare d'una furia implacabile e freddamente determinata di vendetta.
27. piatà: pietà.
28. lasciorono il priorato: si dimisero, con oltre un mese di anticipo. Subito, come dice il C. in un passo da noi omesso, entrarono in carica i nuovi priori, tutti di parte nera.
29. Uno cavaliere, ecc.: È il celebre ritratto di Corso Donati, capo dei Neri. Il nome è detto solo dopo il ritratto rapido ed essenziale. Poi, c'è la descrizione dei suoi vizi peggiori, la superbia e la vanagloria, rappresentati in atto, in una concisa e vivida scena.
30. Catellina: Catilina, che, attraverso le pagine degli storici romani, era rimasto come esempio di malvagità e crudeltà verso la propria patria.
31. gentile di sangue: di famiglia nobile.

di belli costumi,[32] sottile d'ingegno, con l'animo sempre intento a malfamare, col quale molti masnadieri[33] si raunavano e gran sèguito avea, molte arsioni e molte ruberie fece fare, e gran dannaggio[34] a Cerchi e a' loro amici; molto avere guadagnò, e in grande altezza salì. Costui fu messer Corso Donati, che per sua superbia fu chiamato il Barone; che quando passava per la terra,[35] molti gridavano: — Viva il Barone! —; e parea la terra sua.[36] La vanagloria il guidava, e molti servigi facea.[37]

Messer Carlo di Valos, signore di grande e disordinata spesa[38] convenne palesasse la sua rea intenzione, e cominciò a volere trarre danari da' cittadini. Fece richiedere[39] i priori vecchi, i quali tanto avea magnificati, e invitati a mangiare, e a cui avea promesso, per sua fede[40] e per le sue lettere bollate, di non abbattere gli onori della città e non offendere le leggi municipali; volea da loro trarre danari, opponendo gli aveano vietato il passo,[41] e preso l'uficio del paciaro, e offeso parte guelfa, e a Poggi Bònizi aveano cominciato a far bastìa,[42] contro all'onore del re di Francia e suo: e così gli perseguitava, per trarre danari. E Baldo Ridolfi, de' nuovi priori, era mezzano, e dicea: — Vogliate più tosto darli de' vostri danari che andarne presi in Puglia[43] —. Non ne dierono alcuno; perché tanto crebbe il biasimo per la città ch'egli lasciò stare.

(II, 21). Molti disonesti peccati si feciono: di femmine vergini; rubare i pupilli,[44] e uomini impotenti, spogliati de' loro beni; e cacciavanli della loro città. E molti ordini[45] feciono, quelli che voleano, e quanto e come. Molti furono accusati; e convenia loro confessare aveano fatta congiura, che non l'aveano[46] fatta, e erano condannati in fiorini M[47] per uno. E chi non si difendea,[48] era accusato, e per contumace era condannato nell'avere e nella persona: e chi ubidia, pagava;[49] e dipoi, accusati di nuove colpe, eran cacciati di Firenze sanza nulla piatà.

Molti tesori si nascosono in luoghi segreti: molte lingue si cambiorono in pochi giorni:[50] molte villanie furono dette a' Priori vecchi, a gran torto, pur da quelli che poco innanzi gli aveano magnificati; molto gli vituperavano per piacere agli avversari: e molti dispiaceri ebbono. E chi disse mal di loro mentirono:[51] perché tutti furono disposti al bene comune e all'onore della repubblica; ma il combattere non era utile, perché i loro avversari[52] erano pieni di speranza, Iddio gli favoreggiava,[53] il Papa gli aiutava, messer Carlo avean per campione, i nimici non temeano. Sí che, tra per la paura e per l'avarizia, i Cerchi di niente si providono;[54] e erano i principali della discordia:[55] e per non dar mangiare a' fanti, e per loro viltà, niuna difesa né riparo feciono nella loro cacciata. E essendone biasimati e ripresi, rispondeano che temeano le leggi.[56] E questo non era vero; però che venendo a' signori messer Torrigiano de' Cerchi per sapere di suo stato,[57] fu da loro in mia presenza confortato che si fornisse[58] e apparecchiassesi alla difesa, e agli altri amici il dicesse, e che fusse valente uomo. Nollo feciono, però che per viltà mancò loro il cuore: onde i loro avversari ne presono ardire e inalzorono.[59] Il perché[60] dierono le chiavi della città a messer Carlo.

(II, 23). Molti nelle rie opere divennoro grandi,[61] i quali avanti nominati non erano: e nelle crudeli opere regnando,[62] cacciarono molti cittadini, e fé-

32. **belli costumi**: allude alla finezza dei modi esteriori.
33. **molti masnadieri**: molti compagni armati; e l'andare attorno circondato costantemente da essi fa pensare che avesse l'animo sempre volto al mal fare.
34. **dannaggio**: danno.
35. **per la terra**: per la città.
36. **e parea la terra sua**: è il tratto più vivo e felice della rappresentazione. È una delle caratteristiche fondamentali dello stile del C. questa capacità di concisione drammatica.
37. **molti servigi facea**: faceva molti favori ai suoi seguaci, per acquistare popolarità.
38. **signore di grande e disordinata spesa**: uomo che spendeva smisuratamente.
39. **richiedere**: arrestare e processare.
40. **per sua fede**, ecc.: dando la sua parola d'onore e scrivendo queste sue promesse in lettere sigillate.
41. **opponendo... il passo**: accusandoli di avergli vietato di entrare in Firenze con tutti i suoi soldati, di avergli *preso l'uficio del paciaro*, cioè di avergli impedito di svolgere la sua missione pacificatrice. Le accuse di Carlo sono veramente ciniche e rivelano una violenza spudorata e trionfante.
42. **cominciato a far bastìa**, ecc.: cominciato a erigere fortificazioni, al suo appressarsi con l'esercito, atto da lui considerato offesa a sé e alla sua casa.
43. **che andarne presi in Puglia**: cioè prigionieri dei Francesi in Puglia.

Tralasciamo il resto del capitolo che riporta altre cattive azioni del genere commesse da cittadini del partito dei Neri.

(II, 21). In questo capitolo e in quello seguente la polemica contro i malvagi cittadini assume un tono sempre più appassionato, fino a giungere all'invettiva e all'apostrofe sdegnosa.

44. **di femmine vergini; rubare i pupilli**, ecc.: violenze alle donne, ruberie a danno degli orfani (*pupilli*), e uomini indifesi venivano spogliati dei beni e cacciati dalla città. Le accuse ai Neri si susseguono implacabili: ancora una volta parla il linguaggio nudo dei fatti.
45. **molti ordini**: molte leggi.
46. **che non l'aveano**: sebbene non l'avessero.
47. **in fiorini M**: a pagare mille fiorini.
48. **E chi non si difendea**, ecc.: e se uno non si presentava al processo era condannato in contumacia. Fra questi fu Dante.
49. **e chi ubidia, pagava**, ecc.: chi si presentava al processo, pagava, dopo di che gli intentavano nuove accuse e lo esiliavano.
50. **molte lingue... giorni**: molti cambiarono opinione e parola in pochi giorni, per viltà e opportunismo.
51. **mentirono**: l'affermazione ha un tono di certezza dignitosa e incrollabile.
52. **i loro avversari**: i Neri.
53. **Iddio gli favoreggiava**: è l'affermazione più amara e disperata di questo capitolo amarissimo; anche Dio sta dalla parte degli iniqui.
54. **i Cerchi di niente si providono**: non presero i provvedimenti adeguati, onde non lasciarsi sopraffare, per avarizia (non assoldando armati) e soprattutto per la loro viltà, che il C. ha mostrato in più punti.
55. **erano i principali della discordia**: erano fra i principali responsabili della discordia fra i cittadini.
56. **che temeano le leggi**: le quali proibivano di armarsi e di assoldare armati. Non sembri strano che il C., il quale ha voluto mostrarsi così ossequiente alle leggi, rimproveri i Bianchi di non essersi opposti ai Neri con la forza. Egli pensa che se essi si fossero armati, avrebbero tenuto gli avversari in soggezione, e i Priori avrebbero forse potuto fare opera di mediazione, la sola che potessero svolgere, privi com'erano di forze proprie.
57. **per sapere di suo stato**: per sapere come dovesse contenersi.
58. **che si fornisse**: che si fornisse di armati.
59. **inalzorono**: si imbaldanzirono.
60. **Il perché**: e per questo i Priori dovettero consegnare le chiavi della città a Carlo di Valois.

(II, 23). Ancora una pagina densa di sdegno e di lacrime, che culmina in un'affermazione desolata: ogni amore, ogni umanità si spense. Col trionfo dei Neri la Firenze antica, fondata sull'onestà, sull'amore, sulla dignità e sulla giustizia è finita per sempre. Tale era anche l'opinione di Dante.

61. **Molti nelle rie opere**, ecc.: molti, prima ignoti, diventarono grandi, cioè famosi e potenti per l'enormità delle loro violenze e dei loro delitti. Ma l'espressione vuol sottolineare il fatto che da allora quella fu ritenuta grandezza: il C., cioè, insiste ancora sul sovvertimento di ogni legge.
62. **regnando**: non solo commettono misfatti, ma fra essi regnano, diventano grandi, assumono il comando di tutta la città.

ciolli ribelli[63] e sbandeggiorono nell'avere e nella persona. Molte magioni guastarono,[64] e molti ne punìano, secondo che tra loro era ordinato e scritto. Niuno ne campò, che non fusse punito:[65] non valse parentado, né amistà; né pena si potea minuire né cambiare a coloro a cui determinate erano: nuovi matrimoni niente valsero: ciascuno amico divenne nimico: i fratelli abbandonavano l'un l'altro, il figliuolo il padre: ogni amore, ogni umanità si spense. Molti ne mandorono in esilio di lunge[66] sessanta miglia dalla città: molto gravi pesi imposono loro e molte imposte, e molti danari tolson loro: molte ricchezze spénsono.[67] Patto, piatà, né mercé, in niuno mai si trovò. Chi più diceano: «Muoiano, muoiano i traditori!», colui era il maggiore.[68]

63. **fécolli ribelli**, ecc.: li decretarono ribelli e li cacciarono in esilio, colpendoli nella persona e negli averi.
64. **Molte magioni guastarono**: saccheggiarono e devastarono molte case.
65. **punito**: colpito. Punito per l'appartenenza alla fazione avversa.
66. **di lunge**: lontano.
67. **spénsono**: distrussero.
68. **colui era il maggiore**: chi più gridava e seminava odio accusando falsamente i Bianchi di tradimento era considerato cittadino fra i maggiori e i più onorevoli.

Arrigo VII ristabilirà la giustizia

Nell'ultimo paragrafo dell'opera, il Compagni, dopo avere sinteticamente rappresentato la triste condizione di Firenze preda dell'ingiustizia e del male, rivolge, come Dante, le sue speranze ad Arrigo VII, fiducioso che l'Imperatore riporterà la giustizia in Italia e in Firenze. Arrigo cinse d'assedio Firenze nel 1312, ma senza successo, e morì l'anno dopo a Buonconvento. Con lui si spegnevano definitivamente le speranze di una restaurazione imperiale in Italia.

(III, 42). Cosí sta la nostra città tribolata! così stanno i nostri cittadini ostinati a malfare! E ciò che si fa l'uno dí, si biasima l'altro. Soleano dire i savi uomini: «L'uomo savio non fa cosa che se ne penta».[1] E in quella città e per quelli cittadini[2] non si fa cosa sí laudabile, che in contrario non si reputi e non si biasimi.[3] Gli uomini vi si uccidono; il male per legge[4] non si punisce; ma come il malfattore[5] à degli amici, e può moneta spendere, cosí è liberato dal malificio[6] fatto.

O iniqui cittadini, che tutto il mondo avete corrotto e viziato di mali costumi e falsi[7] guadagni! Voi siete quelli che nel mondo avete messo ogni malo uso. Ora vi si ricomincia il mondo a rivolgere addosso: lo Imperadore con le sue forze vi farà prendere e rubare[8] per mare e per terra.

1. **che se ne penta**: di cui debba poi pentirsi.
2. **in quella città e per quelli cittadini**: in Firenze, da parte dei suoi cittadini.
3. **non si fa cosa... biasimi**: non si fa alcuna cosa degna di lode che non venga subito dopo considerata come cosa cattiva e quindi biasimata.
4. **per legge**: dalla legge.
5. **ma come il malfattore**: ma se chi ha fatto il male, ecc.
6. **malificio**: delitto.
7. **falsi**: illeciti. Dice che i Fiorentini hanno corrotto tutto il mondo, perché le loro cattive azioni costituiscono uno scandalo per tutti gli uomini; e la potenza di Firenze andava allora ben più lontano delle mura cittadine.
8. **rubare**: spogliare. Osserva anche qui la pregnante concisione di questo libro appassionato: il castigo che si abbatterà sui fiorentini è condensato in una frase breve, ma che dà l'idea di un crollo senza scampo della potenza fiorentina, assalita per mare e per terra.

Giovanni Villani

Giovanni Villani nacque a Firenze negli ultimi decenni del Duecento e vi morì durante la peste del 1348. Fu mercante e viaggiò a lungo in Francia e in Fiandra. Partecipò alla vita politica di Firenze: fu più volte priore e tenne altri importanti incarichi. Fu avverso alla parte Bianca, ma non molto favorevole ai Neri; come tutti i popolani rimase estraneo a queste contese dei Grandi e convinto della bontà degli ordinamenti democratici e quindi dell'idea guelfa.

Ideò la sua *Cronica* nel 1300, ma cominciò a scriverla sei o sette anni più tardi; la lasciò interrotta alla sua morte, ma essa fu poi continuata da suo fratello Matteo, che vi aggiunse dieci libri, narrando i fatti avvenuti sino al 1363, e poi da Filippo, figlio di Matteo che vi aggiunse un altro libro, protraendo il racconto fino al 1364.

La *Cronica* del Villani, a differenza di quella del Compagni, è concepita secondo i moduli tipici della storiografia medioevale. Si apre infatti col racconto della torre di Babele (inizio della confusione delle lingue e quindi della divisione degli uomini in varie stirpi), e prosegue mescolando leggende classiche, bibliche, medioevali, narrando l'origine di Firenze (detta da lui «figliuola e fattura di Roma»); finalmente, dal settimo all'ultimo libro, che è il dodicesimo, racconta la storia contemporanea dell'Italia, ma incentrandola completamente su quella fiorentina, dalla venuta in Italia di Carlo d'Angiò ai tempi dell'autore.

Il Villani segue la tradizione annalistica (racconta cioè i fatti anno per anno) e l'interpretazione provvidenzialistica della storia che fu propria del Medioevo. Tuttavia in questa struttura antiquata si fa strada uno spirito nuovo, evidente soprattutto nella precisione con la quale il Villani parla dell'economia fiorentina e della finanza. Davanti agli avvenimenti contemporanei il suo sguardo si fa lucido e attento, la sua indagine particolarmente concreta, sì che la sua cronaca è per noi ancora interessante come fonte storica, soprattutto per quel che riguarda la vita e il costume della Firenze del tempo.

Il giubileo del 1300

Questo passo può essere considerato idealmente il proemio della *Cronica*, non solo perché racconta l'occasione dalla quale nacque l'intenzione di scriverla, ma perché ne mette in luce le ragioni e il significato ideale.

Siamo a Roma, nel 1300, durante quel giubileo che così fortemente rimase impresso nella mente dei contemporanei, in quanto parve iniziare un rinnovamento spirituale di tutta la cristianità (anche Dante immaginò di compiere in questo anno il suo viaggio oltremondano, premessa di una imminente redenzione del mondo); qui, davanti alle reliquie gloriose di una civiltà grandissima, di cui tutto il Medioevo aveva conservato un ammirato ricordo, il Villani sente che a quella grandezza ormai spenta se ne sta sostituendo una nuova e non meno fulgida: quella di Firenze, «figliuola e fattura di Roma» e sua degna continuatrice. Egli allora prende «lo stile e la forma» dei grandi scrittori della romanità per dare «memoria ed esempio» ai posteri della sua città, per rievocarne la storia gloriosa e testimoniare lo splendore della sua vita presente.

La coscienza del Villani di vivere un momento eccezionale della storia di Firenze non è ingiustificata: veramente a quel tempo Firenze era uno dei maggiori centri culturali ed economici dell'Europa, non solo dell'Italia. Il rigoglio della città, frutto di una fervida attività industriale e commerciale, si esprimeva nell'eleganza della sua vita e nella ricchezza della sua cultura.

(VIII, 36). Negli anni di Cristo 1300 secondo la nativitade[1] di Cristo, con ciò fosse cosa che si dicesse[2] per molti che per addietro ogni centesimo d'anni della natività di Cristo, il papa ch'era in que' tempi facea grande indulgenza, papa Bonifazio ottavo, che allora era apostolico,[3] nel detto anno, a reverenza della natività di Cristo, fece somma e grande indulgenza in questo modo: che qualunque Romano visitasse infra tutto il detto anno, continuando trenta dí,[4] le chiese de' beati apostoli santo Pietro e santo Paolo (e per quindici dí l'altra universale gente[5] che non fossono Romani), a tutti fece piena e intera perdonanza di tutti i suoi peccati, essendo confesso o si confessasse,[6] di colpa e di pena.[7] E per consolazione de' cristiani pellegrini, ogni venerdí o dí solenne di festa, si mostrava in san Piero la Veronica[8] del sudario di Cristo. Per la qual cosa gran parte de' cristiani che allora viveano feciono il detto pellegrinaggio, cosí femmine come uomini, di lontani e diversi paesi e di lungi e da presso.

E fu la più mirabile cosa che mai si vedesse, che al continuo, in tutto l'anno durante,[9] avea[10] in Roma, oltre al popolo romano, duecentomila pellegrini,[11] sanza quelli ch'erano per gli cammini andando e tornando; e tutti erano forniti e contenti[12] di vittuaglia giustamente, cosí i cavalli come le persone, e con molta pazienza, e sanza rumori o zuffe. Ed io il posso testimoniare, che vi fui presente e vidi. E dell'offerta[13] fatta per gli pellegrini molto tesoro ne crebbe alla Chiesa; e' Romani per le loro derrate furono tutti ricchi.[14]

E trovandomi io[15] in quello benedetto pellegrinaggio nella santa città di Roma, veggendo le grandi e antiche cose[16] di quella, e leggendo le storie e' grandi fatti de' Romani scritti per Virgilio e per Sallustio e Lucano e Tito Livio e Valerio e Paolo Orosio[17] e altri maestri d'istorie, li quali così le piccole cose

---

1. **secondo la nativitade**: computando gli anni dalla nascita di Cristo; non dalla sua incarnazione (25 marzo), secondo l'uso fiorentino d'allora.
2. **con ciò fosse cosa che si dicesse,** ecc.: poiché si diceva da parte di molte persone che nei secoli passati ad ogni centesimo anno dalla nascita di Cristo il papa aveva concesso una grande indulgenza. Veramente il giubileo di Bonifazio VIII è il primo di cui si abbia memoria; fu istituito sul modello di una festività ebraica che si celebrava ogni cinquant'anni.
3. **apostolico**: pontefice della chiesa cattolica.
4. **infra ... dí**: nel corso di tutto l'anno per trenta giorni.
5. **l'altra universale gente**: tutta l'altra gente.
6. **essendo confesso o si confessasse:** a condizione che fosse in grazia di Dio.
7. **di colpa e di pena**: li perdonava di ogni peccato, liberandoli da ogni pena, sia dalla penitenza ecclesiastica sia dalla purgazione dopo la morte.
8. **la Veronica,** ecc.: È il sudario in cui è impressa l'immagine di Cristo. Si credeva che il nome fosse quello stesso della donna che l'aveva usato per asciugare il volto di Cristo mentre saliva il Calvario. In realtà il nome significa «immagine (in greco *icon*) vera».
9. **in tutto l'anno durante**: durante tutto l'anno.
10. **avea**: c'erano.
11. **duecentomila pellegrini**: la cifra è veramente eccezionale, se si pensa che allora Firenze, che pure era una delle città più popolose, aveva novantamila abitanti.
12. **forniti e contenti,** ecc.: tutti erano convenientemente riforniti di vettovaglie secondo il bisogno.
13. **E dell'offerta**: in seguito alle offerte fatte dai pellegrini.
14. **e' Romani... ricchi**: e i Romani si arricchirono per la vendita di vettovaglie che fecero in quell'occasione.
15. **E trovandomi io,** ecc.: L'intonazione del periodo è solenne e grandiosa: è, per il V., come il ricordo del nascere di una vocazione, in quel momento di vita spirituale particolarmente intensa per tutti. Ma non è tanto la Roma cristiana, quanto quella classica che commuove ora il suo animo.
16. **le grandi e antiche cose**: i grandi monumenti della romanità.
17. **scritti per Virgilio... Orosio** scritti da, ecc. Virgilio, il poeta dell'epopea nazionale romana, è ricordato con Sallustio e Livio, i due grandi storici del I secolo a. C. Valerio Massimo (I sec. d. C.) scrisse i *Fatti e detti memorabili* in nove libri, una raccolta di esempi storici. Lucano è un poeta, anch'egli vissuto nel I sec. d. C., che scrisse la *Guerra Civile* o *Farsaglia*, un poema sulla guerra fra Cesare e Pompeo. Paolo Orosio è invece uno scrittore cristiano del V secolo, autore di una *Storia contro i Pagani*. Il V. non distingue i poeti dagli storici, né gli scrittori classici da quelli medioevali, seguendo in ciò un atteggiamento proprio della cultura del Medio Evo. La storiografia medioevale, inoltre, accoglieva in sé le antiche leggende senza distinguerle dalla storia vera e propria, cosa questa che avviene anche nei primi libri della *Cronica* del Villani, dov'egli accetta come vere le leggende sulla fondazione di Firenze e di altre città.

come le grandi delle geste e fatti de' Romani scrissono, e eziandio degli strani dell'universo mondo,[18] per dare memoria e esemplo a quelli che sono a venire, presi lo stile e forma da loro;[19] tutto sí come discepolo non fossi degno a tanta opera fare.[20] Ma considerando che la nostra città di Firenze, figliuola e fattura di Roma,[21] era nel suo montare e a seguire grandi cose, siccome Roma nel suo calare, mi parve convenevole di recare in questo volume e nuova cronica tutti i fatti e cominciamenti[22] della città di Firenze, in quanto m'è stato possibile a ricogliere e ritrovare, e seguire per innanzi stesamente i fatti de' Fiorentini e dall'altre notabili cose dell'universo in brieve, infino che fia piacere di Dio; alla cui speranza, per la sua grazia, feci la detta impresa più che per la mia povera scienza.[23] E così, negli anni 1300, tornando da Roma, cominciai a compilare[24] questo libro, a reverenza di Dio e del beato Giovanni, e commendazione[25] della nostra città di Firenze.

18. eziandio... dell'universo mondo: e anche dei popoli stranieri di tutto il mondo. Anche in queste parole il V. rivela la struttura della sua opera, incentrata sulla storia di Firenze, ma aspirante al tempo stesso ad essere una storia universale del mondo dalla torre di Babele in poi.
19. presi lo stile e forma da loro: stile e forma si riferiscono qui alla concezione, al carattere delle grandi storie degli antichi, che il V. intende emulare e continuare.
20. tutto sí... fare: benché io, loro discepolo, non fossi degno di emularli.
21. figliuola e fattura di Roma: secondo la tradizione medioevale, accolta dal V. nella *Cronica*, Firenze era stata fondata dai Romani; in quel momento, poi, egli la vedeva nell'atto di ascendere a una grandezza paragonabile a quella dell'antica Roma. La Roma presente era invece per lui in declino; questo apparve evidente al V. non tanto nell'anno del giubileo, ma pochi anni dopo, quando egli cominciò effettivamente a scrivere la *Cronica*, e Roma, abbandonata dai Pontefici, che avevano stabilito la loro sede in Avignone, attraversava un periodo di irreparabile decadenza.
22. cominciamenti: origini.
23. e seguire... scienza: e descrivere innanzitutto per esteso (*stesamente*) la storia dei Fiorentini, e più brevemente, le altre cose più notevoli del mondo fino a che piacerà a Dio, nella grazia del quale confidando, e non nelle mie modeste doti, mi sono accinto a questa impresa.
24. cominciai a compilare: probabilmente, dato che l'opera fu scritta più tardi, allude al lavoro preparatorio.
25. commendazione: lode, esaltazione.

Firenze nel secolo XIV

(XI, 94). Dappoich'avemo detto dell'entrate e spese del comune di Firenze in questi tempi, mi pare si convenga di fare menzione di quello[1] e dell'altre grandi cose della nostra città: ché i nostri successori che verranno per li tempi, s'avveggano del montare e abbassare dello stato o potenzia che facesse la nostra città, acciocché per li savi e valenti cittadini, che per li tempi saranno al governo di quella, per lo nostro ricordo e esemplo di questa Cronica, procurino d'avanzarla in istato e in maggiore potere.[2] Troviamo diligentemente[3] che in questi tempi avea in Firenze circa venticinquemila uomini da portare arme,[4] da' quindici anni infino in settanta, tutti cittadini, intra' quali avea millecinquecento cittadini nobili e potenti che sodavano per grandi[5] al Comune. Aveva allora in Firenze da settantacinque cavalieri di corredo.[6] Bene troviamo che innanzi che fosse fatto il secondo popolo,[7] che regge al presente, erano i cavalieri più di dugentocinquanta; che poiché 'l popolo fu, i grandi non ebbono stato né signoria come prima, e però pochi si facevano cavalieri. Stimavasi d'avere in Firenze da novantamila bocche[8] tra uomini e femmine e fanciulli, per l'avviso del pane[9] che bisognava al continuo alla città, come si potrà comprendere; ragionavasi avere continui[10] nella città da millecinquecento uomini forestieri e viandanti e soldati; non contando nella somma de' cittadini religiosi e frati e monache rinchiusi, onde[11] faremo menzione appresso. Ragionavasi avere in questi tempi nel contado e distretto di Firenze da ottantamila[12] uomini. Troviamo dal piovano,[13] che battezzava i fanciulli (imperocché ogni maschio che si battezzava in san Giovanni per averne il novero metteva una fava nera, e per femmina una fava bianca) che erano l'anno in questi tempi dalle cinquantacinque alle sessanta centinaia, avanzando più il sesso masculino che 'l femminino, da trecento in cinquecento per anno. Troviamo ch'e' fanciulli e fanciulle che stanno a leggere, da otto a dieci mila. I fanciulli che stanno ad imparare l'abbaco e algorismo[14] in sei scuole, da mille in milledugento. E quegli che stanno ad apprendere la grammatica e loica[15] in quattro grandi scuole, da cinquecentocinquanta in seicento.

Le chiese ch'erano allora in Firenze e ne' borghi, contando le badie e le chiese dei frati religiosi, troviamo che sono centodieci, tra le quali sono cinquantasette parrocchie con popolo,[16] cinque badie con due priori con da ot-

1. fare menzione di quello: cioè degli ordinamenti del Comune di Firenze.
2. ché i nostri... maggior potere: affinché i nostri posteri si possano render conto (confrontando i loro tempi con quelli passati) dell'eventuale progredire o decadere della città; affinché i cittadini valenti e savi, che si troveranno in futuro al governo di Firenze, incitati dal ricordo e dai gloriosi esempi che forniamo in questa cronaca, procurino di rendere Firenze sempre più grande.
3. diligentemente: in seguito a diligenti ricerche. **avea**: c'erano.
4. da portare arme: atti a portare armi.
5. che sodavano per grandi, ecc.: Da quando il governo della città era venuto nelle mani del popolo (cioè della borghesia) i nobili o *grandi* dovevano dare malleveria (*sodare*) al Comune, impegnandosi a rispettarne le leggi.
6. da settantacinque cavalieri di corredo: circa (*da*) settantacinque cavalieri non nobili, ma nominati fra i cittadini più ragguardevoli per dare decoro e lustro al Comune nelle pubbliche cerimonie.
7. il secondo popolo: Il secondo reggimento popolare fu stabilito a Firenze dopo il tramonto della Casa Sveva, nel 1266. Fu caratterizzato da un progressivo allontanamento dei grandi dal governo.
8. da novantamila bocche: circa novantamila abitanti, senza contare i religiosi e i forestieri, come dirà dopo. Per quei tempi era cifra ragguardevolissima.
9. per l'avviso del pane, ecc.: prendendo come indizio del numero dei cittadini il consumo giornaliero del pane.
10. continui: continuamente.
11. onde: di cui.
12. da ottantamila: circa ottantamila.
13. Troviamo dal piovano, ecc.: Ogni anno il Pievano del Battistero battezzava fra i 5500 e i 6000 fanciulli; per conoscerne il numero esatto (*novero*), metteva in un'urna una fava bianca per ogni femmina e una nera per ogni maschio.
14. l'abbaco e algorismo: la matematica e l'algebra.
15. la grammatica e loica: il latino e la filosofia. Si tratta degli studi superiori.
16. parrocchie con popolo: cioè con cura d'anime.

tanta monaci, ventiquattro monisteri di monache con da cinquecento donne, dieci regole di frati,[17] trenta spedali con più di mille letta ad allogare[18] i poveri e infermi, e da dugentocinquanta in trecento cappellani preti. Le botteghe[19] dell'Arte della lana erano dugento o più, e facevano da sessanta in ottantamila panni, che valevano da uno milione e dugento miglia di fiorini d'oro; che bene il terzo più rimaneva nella terra per ovraggio,[20] senza il guadagno de' lanaiuoli del detto ovraggio: e viveanne più di trentamila persone. Ben troviamo, che da trenta anni addietro erano trecento botteghe o circa e facevano per anno più di cento miglia di panni; ma erano più grossi e della metà valuta,[21] perocché allora non ci entrava, e non sapeano lavorare, lane d'Inghilterra, come hanno fatto poi. I fondachi dell'Arte di Calimala[22] de' panni franceschi e oltramontani erano da venti, che faceano venire per anno più di diecimila panni, di valuta di trecento miglia di fiorini d'oro, che tutti si vendeano in Firenze, sanza quelli che mandavano fuori di Firenze. I banchi de' cambiatori[23] erano da ottanta. La moneta dell'oro che si batteva[24] era da trecentocinquanta migliaia di fiorini d'oro, e talora quattrocentomila; e di danari da quattro piccioli l'uno si batteva l'anno circa ventimila libbre.

Il collegio de' giudici era da ottanta, i notai, da secento; medici fisichi e cerusichi, da sessanta; botteghe di speziali[25] erano da cento. Mercanti e merciai erano grande numero; da non potere stimare le botteghe de' calzolai, pianellai e zoccolai: erano da trecento e più quegli ch'andavano fuori di Firenze a negoziare, e molti altri maestri di più mestieri, e maestri di pietra e di legname. Aveva allora in Firenze centoquarantasei forni: e troviamo per la gabella della macinatura[26] e per li fornai, che ogni dì bisognava alla città dentro centoquaranta moggia di grano,[27] onde si può estimare quello che bisognava l'anno; non contando, che la maggior parte de' ricchi e nobili e agiati cittadini con loro famiglie stavano quattro mesi l'anno in contado, e tali più. Troviamo, nell'anno 1280, ch'era la città in felice e buono stato, che volea la settimana da ottocento moggia. Troviamo, per la gabella delle porte, che c'entrava l'anno in Firenze da cinquantacinque migliaia di cogna[28] di vino, e quando n'era abbondanza, circa diecimila cogna più.

Bisognava l'anno nella città tra buoi e vitelle circa quattromila; castroni e pecore, sessantamila; capri e becchi, ventimila; porci, trentamila. Entrava del mese di luglio per la porta san Friano quattromila some di poponi, che tutti si distribuivano nella città...

Ell'era dentro bene situata e albergata di molte belle case; e al continovo in questi tempi s'edificava, migliorando i lavorii[29] di fargli agiati e ricchi, recando di fuori belli esempli d'ogni miglioramento. Chiese cattedrali e di frati d'ogni regola, e magnifici monasteri; e oltre a ciò non v'era cittadino popolano o grande che non avesse edificato o che non edificasse in contado grande e ricca possessione, e abitura[30] molta ricca, e con begli edifici, e molto meglio che in città; e in questo ognuno ci peccava,[31] e per le disordinate spese erano tenuti matti. E sì magnifica cosa era a vedere, che i forestieri non usati a Firenze venendo di fuore, i più credevano, per li ricchi edifici e belli palagi ch'erano di fuori alla città d'intorno a tre miglia, che tutti fossono della città a modo di Roma, sanza i ricchi palagi, torri, cortili e giardini murati[32] più di lungi alla città, che in altre contrade sarebbono chiamate castella. In somma, si stimava che intorno alla città a sei miglia aveva tanti ricchi e nobili abituri, che due Firenze non avrebbono tanti.

17. **regole di frati**: ordini monastici.
18. **ad allogare**: per ricoverare.
19. **botteghe**: piccole fabbriche o industrie.
20. **che bene il terzo... per ovraggio**, ecc.: più della terza parte di questo panno rimaneva nella città (*terra*) per essere ulteriormente lavorato (*ovraggio*; prima parlava del prodotto grezzo) e da questa industria ricavavano il proprio sostentamento oltre trentamila persone.
21. **ma erano più grossi... valuta**: erano stoffe grossolane e che valevano la metà di quelle attuali, perché ancora non venivano importate e lavorate le lane inglesi.
22. **I fondachi dell'Arte di Calimala**: erano le fabbriche che lavoravano le lane grezze importate dall'estero. I diecimila panni si riferiscono al consumo interno. Altri erano lavorati e poi esportati.
23. **cambiatori**: cambiavalute, banchieri.
24. **che si batteva**: che si coniava annualmente.
25. **medici fisichi e cerusichi... speziali**: medici, chirurghi, farmacisti.
26. **per la gabella della macinatura**: dai dazi riscossi sulla macinatura.
27. **centoquaranta moggia di grano**: un moggio erano circa quattro quintali.
28. **cogna**: ogni *cogno* equivale a circa un ettolitro.
29. **migliorando i lavorii**, ecc.: le costruzioni venivano continuamente migliorate, sì da farle agiate e ricche, e si prendeva esempio dall'edilizia migliore delle città forestiere.
30. **abitura**: abitazione.
31. **ognuno ci peccava**: ognuno esagerava nel lusso.
32. **giardini murati**: giardini cinti di mura. In tutto il passo, insieme alla precisione dettagliata delle notizie, si avverte l'orgoglio del cittadino per la grandezza, ricchezza e potenza della propria città. Quest'entusiasmo avviva tutta la descrizione, condotta peraltro con la concretezza di un uomo che fu mercante e amministratore, e svolge il suo discorso secondo una linea organica: prima la popolazione, poi le arti e i mestieri esercitati, poi lo splendore della città che riflette la sua prosperità economica, fondata sulle industrie e sui traffici.

La «Cronica» dell'Anonimo Romano

Uno dei capolavori della storiografia del Trecento è la *Cronica* scritta da un autore ignoto, ma certamente romano, come mostra inequivocabilmente il volgare da lui usato. Pochissime cose ci dice egli, incidentalmente, di sé: che era in tenera età nel 1325, che fra il '38 e il '39 studiò a Bologna, che si trovava a Tivoli nel '58. Quanto alla *Cronica*, che constava di 28 capitoli, dei quali ne restano 13 interi e 6 lacunosi, si può arguire che trattava avvenimenti romani e non romani dal '25 al '57 e che fu scritta fra il '57 e il '60, prima in latino e quindi in volgare, per offrire, come afferma l'autore, un ammaestramento anche a chi non avesse compiuto studi regolari. La parte più bella è il frammento che viene comunemente chiamato *Vita di Cola* e rievoca l'avventurosa e tragica vicenda di Cola di Rienzo, da quando, in seguito alla rivolta del popolo contro i baroni nel '47, fu eletto *Tribuno della Repubblica Romana per grazia del nostro Signor Gesù Cristo*, alla sua prima caduta, sette mesi dopo, alla prigionia presso Carlo IV, al ritorno a Roma nel '54 e alla sua uccisione.

Non c'è, in queste pagine, un approfondito giudizio politico e storico, e neppure un'indagine critica del significato della vicenda di Cola e delle ragioni del suo fallimento. Da esse traspare tuttavia un vivo sentimento della grandezza di Roma e un nostalgico protendersi verso la sua tradizione gloriosa: quei sentimenti, cioè, che spiegano le speranze e la simpatia suscitate dal tentativo del tribuno nei nostri ambienti preumanistici e nel Petrarca. Ma l'Anonimo coglie soprattutto il dramma di un individuo, col suo alternarsi di grandezza e di sventura. Si sono indicati fra le sue fonti e i suoi maestri i tradizionali ispiratori della storiografia medievale, da Livio a Valerio Massimo a Paolo Orosio a Gregorio Magno; ma soprattutto s'avverte, nelle pagine che qui presentiamo, l'influsso biblico. Di qui, infatti, ci sembra derivare la rappresentazione accorata del declino d'un eroe, della sua miseria davanti alla morte e alla sventura. Originalissimo è lo stile: l'autore procede per frasi rapide, paratattiche, fortemente incisive, con un continuo alternarsi dei tempi del racconto dal passato al presente, cioè alla simultaneità drammatica. Grande soprattutto la descrizione finale di quel cadavere straziato, grasso e bianchiccio, evocato con allucinato impressionismo visivo: un'immagine di disfacimento e d'orrore.

Morte di Cola

Era dello mese de Settiemro a dij otto.[1] Stajeva Cola de Rienzi la dimane in sio lietto.[2] Havevase lavata la faccia. De Grieco subbitamente veo voce gridanno:[3] «Viva lo Puopolo! Viva lo Puopolo!». A questa voce la iente traie[4] per le strade de là e de chà. La voce ingrossava, la iente cresceva. Nelle capocroci de Mercato accapitao[5] iente armata, che beniva de Santo Agnilo e de Ripa, e iente che beniva de Colonna e de Treio.[6] Come se ionzero inziemmori,[7] così mutata voce dissero: «Mora lo traditore Cola de Rienzi! mora!». Hora se fionga la ioventute senza rascione: quelli proprio che scritti haveva in sussidio.[8] Non fuoro tutti li Rioni, sarvo quelli, li quali ditti soco.[9] Cursero allo Palazzo de Campituoglio. Allhora se aijonze lo moito puopolo; huomini e femmine e zitielli.[10] Iettavano prete; faco strepito e remore,[11] intorniano lo Palazzo de onni lato dereto e denanti, dicenno: «Mora lo traditore che hao fatto la gabbella! mora!». Terrivile ene[12] loro furore. A queste cose lo Tribuno reparo non fece: non sonao la campana; non se guarnio da iente.[13] Ancho da prima diceva: «Essi dico:[14] Viva lo Puopolo, e ancho noa lo dicemo. Noa per aizare lo Puopolo qua simo; mei scritti sollati sò; la lettera dello Papa della mea confermatione venuta ene. Non resta se non piubicarela in Conziglio».[15] Quanno all'uitimo vidde che la voce terminava a male,[16] dubitao forte. Specialemente che esso fu abbannonato da onne perzona vivente che in Campituoglio staieva.[17] Judici, notari, fanti et onne perzona havea procacciato de campare la pelle. Solo esso con tre perzone remase, fra li quali fu Locciolo Pelliacciaro, sio parente. Quanno vidde lo Tribuno puro lo tumuito dello puopolo crescere, veddese abbannonato e non provveduto, forte se dubbitava.[18] Domannava alli tre que era da fare.

---

1. Era l'otto di settembre. In realtà la rivolta scoppiò l'8 ottobre 1354.
2. **Stajeva... lietto**: stava, quel mattino, nel suo letto.
3. **De... gridanno**: All'improvviso, dalla parte di nord-ovest (di Greco) viene una voce che grida.
4. **la... traie**: la gente accorre.
5. **Nelle... accapitao**: Nei crocevia del Mercato Vecchio capitò.
6. **beniva**: veniva. **de Santo... Treio**: i rioni dominati, rispettivamente, dalle famiglie dei Savelli e dei Colonna. Per arruolare truppe da opporre a questi ultimi, Cola aveva messo un dazio sul vino e altri prodotti, che diviene ora pretesto per fargli rivoltare contro il popolo. Aveva anche fatto uccidere illegalmente un nobile, Pandolfuccio dei Pandolfucci, la cui fine aveva turbato profondamente i Romani.
7. **se ionzero inziemmori**: si unirono insieme.
8. **Hora... sussidio**: Ora si affollano i giovani senza ragione, proprio quelli che aveva arruolato perché lo aiutassero nella riscossione delle gabelle.
9. **Non... soco**: Non vi furono tutti i rioni, ma solo quelli già nominati.
10. **se... puopolo**: si aggiunge molto popolo. **zitielli**: giovani.
11. **Iettavano... remore**: Gettavano pietre, facevano strepito e rumore.
12. **ene**: è. Nota, per tutta la narrazione, l'alternarsi continuo del presente ai tempi passati, soprattutto nei momenti di più intensa concitazione drammatica.
13. **non... iente**: non radunò armati a propria difesa.
14. **dico**: dicono. Cola cerca ansiosamente di comprendere la causa del tumulto, tenta febbrilmente di convincersi che non ha nulla da temere. Anch'egli vuol innalzare il popolo, è al potere per questo. **Noa... simo**: Noi siamo. **aizare**: innalzare.
15. **mei... Conziglio**: ho qui i miei soldati, arruolati e pagati da me; è giunta la lettera del Papa che mi conferma Senatore di Roma, non resta che darne pubblica lettura in Consiglio.
16. **che... male**: che il clamore si faceva sempre più ostile contro di lui.
17. **Specialemente che**: soprattutto perché. **onne**: ogni. **staieva**: stava.
18. **puro**: pur di continuo, sempre più. **non provveduto**: senza alcuna difesa. **se dubbitava**: temeva.

Volenno remediare, fecese voglia e disse: «Non ijrrao cosí,[19] per la fede mia!». Allhora se armao guarnimenta[20] de tutte arme a muodo de Cavalieri, e misese la varvuta in capo, corazza e falle e gammiere.[21] Prese lo confallone dello Puopolo e solo se affece alli balconi della sala de sopra maiure.[22] Destenneva la mano, faceva semmianti[23] che tacessino che favellare voleva. Sine dubio che si lo havessino ascoitato, li habera rotti e mutati de opinione, l'opera era svaragliata.[24] Ma Romani non lo volevano odire. Facevano come li puorci. Iettavano prete; valestravano.[25] Curro[26] con fuoco per ardere la porta. Tante fuoro le valestrate e li verruti[27] che alli balconi non poteva durare. Uno verruto li coize[28] la mano. Allhora prese questo confallone e stenneva lo zendaro de ambe doi le mano: mustrava le lettere de auro, l'arme delli cittadini de Roma,[29] quasi volessi dire: «Parlare non me lassate. Ecco che io so citatino e populoaro come voa; e se occidete me, occidete voa, che Romani site». Non vaize questi modi tenere; peijo fao la iente senza intellietto.[30] «Mora lo traditore!» chiama. Non potenno più sostenere, penzao per aitra[31] via campare. Allhora habbe tovaglie de tavola e legaose in centa e fecese despozzare ioso nello scopierto, denanti alla presone.[32] Nella presone stavano li presonieri; vedevano tutto. Tolle le chiavi e tennele a sé.

Delli presonieri dubbiava.[33] De sopra nella sala remase Locciolo Pellicciaro, lo quale de quanno in quanno se affaceva alli balconi e faceva atti con mano, con vocca allo puopolo, e diceva: «Essolo che viè ioso dereto», et ijssino[34] dereto allo Palazzo, cha dereto veniva. Puoi tornava allo puopolo facenno li simili zenni.[35] «Essolo dereto, essolo dereto». Davali la via e l'ordine.[36] Locciolo l'occise; Locciolo Pellicciaro confuse[37] la libertate dello Puopolo, lo quale mai non trovao capo. Solo per quello homo poteva trovare libertate. Solo Locciolo se l'havessi confortato, de fermo[38] non moriva, che fu arza la sala, lo ponte della scala cadde a poca de hora: ad esso non poteva arguno venire.[39] Lo die cresceva, lo Rione della Revola e l'aitri forano venuti, lo puopolo cresciuto, le volontate mutate per la diversitate.[40] Onne homo fora tornato a casa, overo granne vattaglia stata fora.[41] Ma Locciolo li tolle la speranza. Lo Tribuno desperato se mise a pericolo della fortuna.[42] Staienno allo scopierto lo Tribuno denanti alla Cancellaria, hora se traieva la varvuta, hora se la metteva. Questo era cha habbe davero doi openione.[43] La prima openione si era de volere morire ad honore armato con l'arme con la spada in mano fra lo puopolo a muodo de persona magnifica e de imperio. E ciò demostrava quanno se metteva la varvuta e tenevase armato. La secunna openione fu de volere campare la perzona e non morire. E questo demustrava quanno se cacciava la varvuta. Queste doa volontate commattevano nella mente sia.[44] Venze la volontate de volere campare e vivere.[45] Homo era come tutti l'aitri, temeva dello morire. Puoi che deliverao per lo meglio de volere vivere per qualunque via poteo,[46] cercao e trovao lo muodo e la via; muodo betuperoso e de poco animo.[47] Ià li Romani haveano iettato fuoco nella prima porta, lena, vuoglio,[48] e pece. La porta ardeva, lo solaro della loija fiariava:[49] la secunna porta ardeva e cadeva lo solaro e lo lename a piezzo a piezzo. Horrivile era lo strillare.

Penzao lo Tribuno devisato passare per quello fuoco e misticarese con l'aitri e campare.[50] Questa fu l'uitima sia openione. Aitra via non trovava. Dunque se spogliao le inzegne della Baronia, l'arme pose ijò in tutto. Dolore ene de recordare![51] Forficaose la varva e tenzese la faccia de tenta nera.[52] Era là da priesso una caselluccia dove dormiva lo portanaro. Entrao là a torre un viecchio tabarro de vile panno, fatto allo muodo pastorale campanino. Quello vile tabarro vestio; poi se mise in capo una coitra de lietto e così devisato ne veo ioso.[53] Passa la porta, la quale fiariava; passa le scale e lo torrone dello

19. **fecese voglia**: si fece coraggio. **Non... così**: non andrà a finire così.
20. **se... guarnimenta**: si guarnì.
21. **misese... gammiere**: si mise in capo la barbuta (elmetto senza cimiero), indossò la sopravvesta e le gambiere; si arma, cioè, da cavaliere. Era questo il titolo che gli era stato dato il 1° agosto 1347, quando, davanti a duecento inviati di comuni italiani, aveva deciso di invitare Ludovico il Bavaro e Carlo di Boemia a Roma, perché il popolo decidesse quale dei due dovesse divenire imperatore.
22. **Prese... maiure**: Prese il gonfalone del Popolo e si affacciò da solo al balcone della sala maggiore di sopra.
23. **Destenneva... semmianti**: tendeva la mano, faceva segno.
24. **Sine... svaragliata**: Senza dubbio, se lo avessero ascoltato, li avrebbe del tutto vinti e spinti a cambiare opinione e l'opera dei suoi nemici (il tumulto) sarebbe stata distrutta. Più volte con la sua eloquenza Cola aveva dominato il popolo.
25. **valestravano**: gettavano frecce con le balestre.
26. **Curro**: corrono. Anche qui il presente, con forte effetto drammatico.
27. **verruti**: dardi.
28. **coize**: colse, colpì.
29. **stenneva... Roma**: stendeva con ambedue le mani la seta dello stendardo, mostrava le lettere dorate (S.P.Q.R.) che erano in esso, lo stemma dei cittadini di Roma.
30. **Non... intellietto**: Non valse a niente questo suo contegno, peggio fa la folla imbestialita.
31. **sostenere**: resistere. **penzao**: pensò. **aitra**: altra.
32. **Allhora... presone**: Allora prese tovaglie da tavola e se le legò alla cintura e si fece calare giù nello spiazzo davanti alla prigione (dove teneva alcuni dei suoi nemici).
33. **dubbiava**: aveva timore.
34. **con vocca... ijssino**: con la faccia rivolta al popolo, e diceva: «Eccolo che viene giù dalla parte di dietro del palazzo», e diceva che andassero (**ijssino**) **cha**: che (perché).
35. **li... zenni**: gli stessi cenni.
36. **Davali... ordine**: gli indicava la precisa direzione da seguire.
37. **confuse**: distrusse. Il popolo non aveva mai trovato un vero capo come Cola, capace di ridonargli la libertà.
38. **de fermo**: certamente.
39. **che... venire**: ché fu arsa la sala, poco dopo cadde il ponte della scala e nessuno, quindi, avrebbe potuto più raggiungerlo.
40. **per la diversitate**: perché, venendo altri popolani, vi sarebbero state tra la folla opinioni discordi. **forano**: sarebbero.
41. **overo... fora**: oppure vi sarebbe stata grande battaglia fra loro.
42. **a... fortuna**: in balia della sorte. Subito dopo: **Staienno**: stando.
43. **Questo... openione**: Questo suo agire veniva dal fatto che ebbe davvero due intenzioni contrastanti.
44. **commattevano**: combattevano. **sia**: sua.
45. **Venze**: vinse. **campare**: salvarsi.
46. **deliverao**: deliberò. **per... poteo**: in qualsiasi modo potesse.
47. **muodo... animo**: modo vergognoso e da vile.
48. **lena, vuoglio**: legna, olio.
49. **lo... fiariava**: il solaio della loggia era in fiamme.
50. **devisato... campare**: di passare travestito attraverso quel fuoco e mescolarsi agli altri e scampare.
51. **pose... recordare**: e si spogliò del tutto delle armi. È doloroso il ricordarlo. L'autore partecipa intimamente alla narrazione: non sa perdonare a Cola quell'ultima viltà, proprio per la maestà del nome romano che sembrava, dopo tanti secoli, avere richiamato a nuova vita.
52. **Forficaose... nera**: Si sforbiciò, si tagliò la barba e si tinse la faccia di tinta nera.
53. **Entrao... ioso**: Entrò là a prendere un vecchio mantello di panno vile, fatto come quelli dei pastori della campagna romana. Indossò quel vile mantello, poi si mise in capo una coltre da letto (per proteggersi dalle fiamme) e così travestito venne giù.

solaro,[54] che cascava, passa l'uitima porta liberamente. Fuoco non lo toccao; misticaose con l'aitri desformato. Desformava la favella, favellava campanino e diceva: «Suso, suso a gliu traditore!».[55] Se le uitime scale passava era campato; la iente haveva l'animo suso allo Palazzo. Passava l'uitima porta. Uno se li affece denanti e si lo reaffigurao.[56] Deoli de mano e disse: «Non ijre.[57] Dove vai tu?». Levaoli quello piumaccio de capo, e massimamente che se pareva allo splennore che daieva li braccialetti che teneva. Erano naorati: non pareva opera de riballo.[58] Allhora come fu scopierto parzese[59] lo Tribuno manifestamente: mustrao cha esso era. Non poteva più dare la voita. Nullo rimedio era se non de stare alla misericordia,[60] allo volere de aitri. Preso per le vraccia, liberamente fu addutto per tutte le scale senza offesa fi allo luoco dello lione, dove l'aitri la sententia vuodo, dove esso sententiato aitri haveva.[61] Là addutto, fu fatto uno silentio. Nullo homo era ardito toccarelo. Là stette par meno d'hora la varva tonnita, lo voito nero come fornaro in iuppariello da seta verde sciento, con li musacchini inaorati con caize de biade a muodo de Barone.[62] Le vraccia teneva piecate. In esso silentio mosse la faccia de là et de chà guardao. Allhora Cecco dello Viecchio impuniao mano ad uno stuocco e deoli nello ventre.[63] Questo fu lo primo. Immediate può esso secunnao Laurentio de Treio Notaro[64] e deoli la spada in capo. Allhora l'uno e l'aitro e l'aitri lo percuoto: chi li dao chi li promette. Nullo motto faceva: alla prima[65] morio, pena non sentio. Venne uno con una fune e annodaoli tutti doa li piedi. Dierolo in terra, strascinarolo, scortellavanollo: cosinto lo passavano come fussi criviello. Onne uno se ne iocava: alla perdonanza li pareva de stare.[66] Per questa via fu strascinato fi a Santo Marciello.[67] Là fu subito appeso per li piedi a uno mignaniello:[68] capo non haveva. Erano remase le cosse[69] per la via donne[70] era strascinato. Tante ferute haveva, pareva criviello. Non era luoco senza feruta. Le mazze de fora grasse.[71] Grasso era horrivilemente. Bianco come latte insanguinato. Tanta era la sia grassezza che pareva uno smesurato bufalo overo vacca a macieilo. Là penneo dij doi notte una. Li zitielli li iettavano le prete.[72] Lo tierzo die, de commannamento de Jugurta et de Sciarretta della Colonna fu strascinato allo campo dell'Austa.[73]

Là se addunaro tutti Judiei,[74] granne moititudine: non ne remase uno. Là fu fatto uno fuoco de cardi secchi: in quello fuoco de cardi fu messo. Era grasso: per la moita grassezza da sé ardeva volentieri. Staievano là li Judiei forte affaccennati, afforosi, affoitití,[75] attizzavano li cardi perché ardessi. Così quello cuorpo fu arzo e fu redutto in porvere: non ne rimase cica.[76] Questa fine habbe Cola de Rienzi lo quale se fece Tribuno Augusto de Roma, lo quale voize essere campione de Romani.

54. lo... solaro: la torre del solaio.
55. misticaose... traditore: si mescolava agli altri, così contraffatto. Contraffaceva anche il modo di parlare, parlava come uno degli abitanti della campagna e diceva: «Su, su al traditore».
56. Uno... reaffigurao: Uno gli si fece davanti e lo riconobbe.
57. Deoli... ijre: Lo colpì con la mano e gli disse: «Non andare», ecc.
58. Levaoli... riballo: Gli levò dal capo quella coperta, e allora soprattutto apparve chi era per via dei braccialetti che aveva. Erano d'oro: si vedeva bene che non erano cosa da povero popolano.
59. parzese: si rivelò.
60. Non... misericordia: Non poteva più fuggire. Non v'era altro rimedio che rimettersi alla misericordia.
61. Preso... haveva: Preso per le braccia fu condotto, senza che egli opponesse resistenza e senza ricevere offesa, fino alla sala del Leone, dove gli altri odono (**vuodo**) la sentenza pronunciata contro di lui, dove egli l'aveva pronunciata su altri.
62. la varva... Barone: con la barba tagliata, il volto nero come un fornaio, un giubbetto di seta verde discinto, con gli ornamenti d'oro, con le calze di colore azzurrognolo a mo' di Barone.
63. e... ventre: e lo colpì al ventre.
64. Immediate... Notaro: Immediatamente dopo di lui (**può esso** = *post ipsum*) fu secondo (a colpire) il notaio Lorenzo di Trevi.
65. alla prima: alla prima ferita.
66. Dierolo... stare: Lo stesero a terra, lo strascinarono, continuavano a pugnalarlo, così lo trapassavano come se fosse un crivello. Ognuno si prendeva giuoco di lui, pareva che fosse lì per guadagnare l'indulgenza.
67. fi... Marciello: fino alle case dei Colonna.
68. mignaniello: loggetta.
69. cosse: ossa del cranio.
70. donne: per dove.
71. Le... grasse: le budella uscivano dal ventre, grasse. Osserva, qui e oltre, le notazioni visive, rapide e raccapriccianti, di quel corpo in sfacelo.
72. Là... prete: là stette appeso due giorni e una notte. I ragazzi gli tiravano pietre.
73. allo... Austa: il luogo dove sorgeva il mausoleo d'Augusto, che i Colonnesi avevano trasformato in fortezza.
74. tutti Judiei: tutti i Giudei di Roma. Vengono scelti, probabilmente, per bruciare il cadavere in quanto «infedeli».
75. afforosi, affoititi: con aspetto spaventoso, fitti.
76. cica: nulla.

Anonimo fiorentino

La disfatta dei Ciompi

La rivolta dei Ciompi a Firenze (1378) si inserisce in un contesto più ampio di rivolte (in prevalenza contadine) che insanguinano l'Europa occidentale per tutto il secolo, soprattutto nella seconda metà. Esse riflettono il disagio profondo e spesso la disperazione delle classi più umili (contadini, salariati), oppresse economicamente e politicamente, in un'epoca in cui pestilenze, carestie, guerre e la conseguente fase di recessione economica, congiunte all'egoismo delle classi abbienti, rendono sempre più insostenibili le loro condizioni di vita.

Il tumulto dei Ciompi è una delle poche rivolte del proletariato urbano, connessa a quella che era l'industria principale di Firenze, di impianto praticamente capitalistico: quella della lana. I Ciompi erano gli operai salariati che esercitavano le mansioni più umili e faticose, senza potere entrare nel sistema corporativo delle arti e dei mestieri (le «arti») che garantivano ai propri ascritti una difesa sul piano socio-economico e, soprattutto, la partecipazione al governo della città. Costituivano, dunque, un proletariato urbano cui venivano negati non solo i diritti politici, ma anche ogni forma di organizzazione e persino di raduno. La ragione di questa discriminazione feroce, da parte dei grandi industriali e magnati dell'arte della lana, era quella di conservare una manovalanza a basso costo completamente asservita, onde non diminuire i profitti nei periodi di crisi e far fronte alla concorrenza.

La recessione economica generale di questi anni, congiunta alle ingenti spese belliche sostenute dal Comune fiorentino nella sua lotta contro lo Stato pontificio, esaspera la miseria dei Ciompi, che scendono in lotta con un programma politico ben consapevole: non chiedono, cioè, soltanto aumenti salariali, ma anche la

partecipazione alla vita politica, mediante la costituzione di una loro «arte» e il conseguente inserimento di loro rappresentanti nella suprema magistratura, il Priorato.

Alla loro insurrezione sanguinosa, fra il luglio e l'agosto, che ebbe un immediato ma effimero successo, tenne dietro una non meno sanguinosa repressione guidata dal «popolo grasso», cioè dai magnati dell'arte della lana. Traditi forse dal loro stesso gonfaloniere, Michele di Lando, e certamente dalle arti minori con cui si erano confederati, i Ciompi vengono ricondotti allo stato originario di soggezione totale; la vittoria del popolo grasso apre la via al trionfo d'un regime oligarchico a Firenze.

Le pagine che presentiamo sono tratte dalla cronaca d'un anonimo *squittinatore* (scrutinatore), che prese parte alle vicende; è notevole soprattutto per la visione chiara che l'autore ebbe delle componenti sociali e politiche del movimento.

A ore 19 del dì detto[1], i signori sì chiesero tutte le bandiere de l'arti, e che le volevano in palagio; solamente perché il popolo minuto non avesse a che ricorrere sotto loro insegna. Di che tutte le segnie de l'arti furono portate, perché sapevano il trattato ch'era fatto, e ch'era ordinato, che, come avessono dato la loro insegna, tutti fossono tagliati per pezzi e discacciati, e tutte le gorde tagliassoro alle balestra di balestrieri[2]. Di che, sendo chiesta la segnia dell'Agnolo[3], ed e' nolla vollono dare dicendo: «Se cosa fosse niuna, a che ricorreremo noi?».[4] Di che nolla diedoro.

Allora i signori fecero e tennoro altro modo e altro trattato: che da loro parte andasse un bando in sulla Piazza, che ciascheduno, di che stato o condizion si fosse, a pena del piede, istesse sotto il suo confalone di compagnia e non d'altra insegna.[5] Onde i poveri che v'erano, si meravigliavano di questo, non sapiendo la cagione. Allora, tutti que' ch'erano sotto la segnia dell'Agnolo, sì si ristrinsono insieme dall'Asevitore, e su per la ringhiera della porta del Duca.[6]

E tutti i balestrieri sì tenderono la balestra e recaronsi in punto, e sì fecero una chiusa di palvesi dinanzi alla loro insegna; e così stavano pianamente.[7] Di che, l'arte de' tavernai, cioè beccai, e que' del confalone a oro, sì si misoro innanzi e fecero una gran chiusa di palvesi a petto a costoro, com'era ordinato, che quando avessero il cenno di palagio, allora percotessoro;[8] e così furono percossi, a ore 21 del dì detto. Il popolo si difendeva gagliardamente. Quivi non aveva[9] vantaggio. Ciascuno colle spade, e mannaie, e lance si difendevano giusta la loro possanza,[10] e non temevano di niuna persona. Quando que' traditori signori, chiamati per la loro arte, e membri d'arte di lana, vidono che non si lasciavano rompere, allora sì gittarono di palagio molte priete e verettoni[11] a dosso a costoro. Quando costoro vidoro che i signori, cioè coloro di cui si fidavano e stavano alla loro sicurtà, ed e' si vidoro traditi e gittarsi adosso le priete, allora si tennono tutti morti. Allora si misoro in volta,[12] e furono rotti e discacciati. Assai furo morti e fediti per quello giorno, ma non furono seguiti fuori della Piazza; sì che ciascuno fu rotto della loro brigata.[13] Po' venne la sera; ciascuno confalone sì ritornò a casa colla sua brigata; e ciascuno si fece insin a mezza notte la guardia, ciascuno alla Piazza ed a le cantora e in ogni parte, per tutta la terra.[14] In sulla mezza notte, sì andò il confalone a oro per Belletri e da San Barnaba, cercando per le case di quella gente, la qual'era cacciata, e fecero villanìa a molte povere femmine.[15]

Ma molti cittadini temevano che costoro non facessero raunata.[16] Sonò la campana di Santo Ambruogio a martello. Allora molto temettono, i signori e gli altri cittadini, che costoro non fossoro sì forti, che il loro fallo fosse pulito.[17] «Se verrà il caso che possono più che noi, no' siamo tutti morti e disfatti d'ogni nostro bene; però ricorriamo a' rimedi, accioché no' possiamo contro a costoro».[18]

Allora i signori, vecchi e nuovi, fecero sonare tutte le campane, a martello, di palagio; sì ch'allora ciaschuno s'armò ogni grasso e ogni artefice,[19] e sì i confalonieri co' confaloni sì n'andaro, con gran paura, alla guardia della Piazza di signori; e quivi vi si fece grandissima guardia per infino alla mattina. Costoro[20] se n'andarono sì come gente rotta, e sanza capo, e sanza sentimento; però

---

1. dì detto: il 29 agosto. Il ritirare le bandiere in palazzo serve a contrastare, in questa lotta armata di piazza, la possibilità d'un raduno ordinato e quindi militarmente efficiente dei Ciompi (le altre componenti cittadine ne hanno minor bisogno, essendo ormai di fatto coalizzate fra loro).

2. Di che... balestrieri: Per questo furono portate tutte le insegne (**segnie**) delle arti, perché sapevano il patto (**tratto**) che era stato fatto, e che si era ordinato che non appena i Ciompi avessero consegnato la lor insegna sarebbero stati colpiti e scacciati e sarebbero state tagliate le corde (**gorde**) alle loro balestre, che erano le armi più temute nello scontro urbano.

3. segnia dell'Agnolo: l'insegna che raffigurava un Angelo; era quella della nuova «arte» o corporazione costituita dai Ciompi.

4. Se... noi?: sotto quale insegna potremmo raccoglierci in caso di pericolo?

5. che... insegna: che ciascuno, a pena del taglio del piede, a qualsiasi Arte appartenesse, accorresse sotto il gonfalone della propria compagnia, e cioè del proprio quartiere di residenza e non sotto quello della propria Arte. In questo modo i Signori intendono frazionare le forze dei Ciompi e togliere loro ogni organizzazione unitaria.

6. sì... Duca: I Ciompi, che subodorano un pericolo, restano uniti; si radunano nella zona della Piazza dove era la loggia dell'Esecutore, presso la ringhiera della gradinata che è di fronte alla porta del Palazzo denominata dal Duca di Atene.

7. sì... pianamente: I balestrieri Ciompi si schierano, caricano le balestre, pongono attorno alla loro insegna una barriera di difesa composta da scudi (*palvesi*) e restano tranquilli in attesa.

8. I membri delle Arti degli osti e dei macellai, uniti al gruppo degli scrutinatori (quelli che avevano come insegna un gonfalone dorato) costituiscono a loro volta una barriera di scudi contro i Ciompi, attendendo di colpirli non appena verrà il segnale dal palazzo della Signoria, secondo segreti accordi già presi.

9. non aveva: intendi il gruppo degli assalitori.

10. giusta... possanza: con tutta la loro forza.

11. priete... verettoni: pietre e grossi dardi.

12. Quando... volta: Quando videro che i signori, di cui si fidavano pienamente (**sì... sicurtà**) li tradivano e gettavano loro addosso pietre (ma nel periodo c'è un'inversione sintattica), allora si considerarono tutti morti. Allora si misero in fuga, ecc.

13. fu... brigata: fu separato dal gruppo unito dei compagni.

14. cantora... terra: crocicchi... città.

15. I quartieri citati sono quartieri operai, abitati in prevalenza dai Ciompi. I gonfalonieri li perquisiscono per trovare e arrestare i rivoltosi.

16. Temevano che i Ciompi si radunassero ancora. Infatti, subito dopo, vedi che suonano a martello la campana di S. Ambrogio, chiamando a raccolta.

17. il loro... pulito: che il loro (dei Signori) tradimento fosse punito.

18. bene: avere (temono la vendetta e il saccheggio da parte dei Ciompi). **no' possiamo:** affinché possiamo avere forza sufficiente per batterli.

19. grasso... artefice: gli appartenenti alle Arti maggiori e minori.

20. Costoro: i Ciompi.

ch'e' l'avien perduto, sì come gente che si fidavano, e furono traditi da' loro medesimi. Se pur costoro fossoro istati C [100], arebbono auto la Piazza. Non ebono cuore. Sin che fu dì, e persona non si ponea a contrario a costoro.[21]

21. Se... costoro: Se gli avversari dei Ciompi fossero anche stati appena cento, avrebbero dominato la situazione (mantenuto, cioè, saldamente la Piazza); ma i Ciompi, sconvolti dal tradimento e dalla sconfitta, non ebbero più coraggio. Nessuno si oppose a quelli che occupavano la Piazza. È la fine dell'insurrezione, cui seguirà la repressione.

I generi letterari nel Trecento

Continuano a essere coltivati per tutto il Trecento i generi letterari del Duecento, assurti ormai al livello d'una tradizione ideologica ed espressiva che viene modificandosi soltanto lentamente nel corso del secolo: dalla lirica ai poemetti didattico-allegorici alle varie forme della prosa narrativa e della letteratura religiosa. Il primato letterario acquisito dalla Toscana, nei limiti geografici cui già s'è accennato, viene ribadito dal diffondersi dell'opera di Dante, Petrarca, Boccaccio e della lingua letteraria che si era attraverso di loro definita.

La *Commedia* conosce un'ampia diffusione ed è fatta oggetto di numerosi commenti, da quello di Jacopo della Lana a quelli di Pietro, figlio di Dante, di Benvenuto Rambaldi da Imola e del Boccaccio, ma il suo influsso sulla produzione letteraria del secolo resta limitato. Il poema didascalico-allegorico, che pure continua a essere prodotto (basta qui ricordare il *Dittamondo* di Fazio degli Uberti, il *Quadriregio* di Federigo Frezzi, il *Dottrinale* di Jacopo Alighieri, l'*Acerba* di Cecco d'Ascoli, l'*Amorosa visione* e il *Ninfale d'Ameto* del Boccaccio, i *Trionfi* del Petrarca), appare ormai lontano dall'ampiezza di orizzonti culturali del poema dantesco.

Più diretta è l'influenza esercitata da Petrarca e Boccaccio, che cominciano a essere considerati (e lo saranno sempre più nei secoli seguenti) modello di lingua e di stile, rispettivamente nella poesia e nella prosa, oltre che fondatori d'una nuova cultura umanistica. Il Petrarca propone anche il nuovo ideale dello scrittore, che si isola dalla vita politica e civile contemporanea e riconosce ed esalta i valori ideali eterni dell'uomo, ritrovati attraverso il colloquio coi classici antichi, contrapposti a un presente avvertito polemicamente come età di decadenza. Questo atteggiamento si spiega con la volontà di ritrovare nuove certezze sullo sfondo della tormentata storia italiana dell'epoca. Anche il potenziale rischio d'una scissione fra il cittadino e lo scrittore che questa posizione comportava è legato alla crisi della civiltà comunale e al primo affermarsi d'una letteratura di corte connessa al sorgere delle Signorie.

La lirica

Il panorama della lirica trecentesca, ricco e variato, anche se non offre, a parte il Petrarca, figure di grande rilievo, è caratterizzato da un'ampia sperimentazione linguistica e stilistica che combina più d'un modello: dalla poesia trobadorica allo stilnovismo a Dante lirico al Petrarca. Raramente vi si ritrovano personalità vigorose, come quella di Fazio degli Uberti; questi poeti rappresentano per lo più una cultura poetica media, legata essenzialmente a due «generi»: quello amoroso-idealizzante (e qui si possono citare Guido Novello da Polenta, Giovanni e Niccolò Quirini, Matteo Frescobaldi, Sennuccio del Bene, Francesco di Vannozzo, Cino Rinuccini, Simone Serdini) e quella comico-realistica (secondo la definizione che se ne è data parlando della lirica duecentesca), caratterizzata da maggiori concessioni al quotidiano, all'autobiografismo e a tematiche giocose, ma anche politiche, coltivata in prevalenza da autori come Bindo Bonichi, Pietro dei Faitinelli, Pieraccio Tedaldi, Antonio da Ferrara, Giannozzo Sacchetti. Le due maniere, tuttavia, coesistono spesso nei singoli autori. La seconda accoglie anche tematiche morali e satiriche.

L'aspetto più interessante di questi poeti è la testimonianza che ci offrono della problematica etica, sociale, politica del tempo, che poniamo come criterio ispiratore della nostra scelta. Ne indichiamo, usando le parole del Sapegno, i temi ricorrenti: «il problema della fortuna, e cioè del comportamento dell'uomo dinanzi alle forze soverchianti della realtà circostante; il problema della povertà, e cioè delle ingiustizie e degli squilibri sociali; il motivo della tirannide, minaccia incombente alle comunità superstiti e agli individui ansiosi di libertà e al tempo stesso promessa sovente di un ordine più stabile e di una giustizia più uguale; l'anelito infine della pace, di una politica in cui trovi riposo in qualunque modo e a qualunque prezzo la travagliata sorte di tutti e di ciascuno».

Per i testi seguiamo: *Poeti minori del Trecento*, a cura di N. Sapegno, Milano-Napoli, Ricciardi, 1951.

Giovanni Quirini

Patrizio e mercante veneziano, fu amico di Dante e suo grande ammiratore, come attestano le sue rime, in cui frequenti sono gli influssi danteschi e stilnovistici, prova evidente del progressivo espandersi dell'egemonia letteraria e culturale della Toscana in alta Italia. Fiorì nel primo trentennio del Trecento. Il sonetto che presentiamo è un accorato compianto per la morte di Dante, col quale sembra al Quirini essere morta la stessa poesia.

Se per alcun puro omo avenne mai

Se per alcun puro omo avenne mai
ch'el se obscurasse il sole over la luna
o apparesse istella, che fortuna
significhi mutar con altrui guai,
5 dovean mostrarse magior segni assai
e novità men usa e men comuna
quando la morte sceva amara e bruna
estinse i chiari e luminosi rai
che uscian dal petto adorno di vertute
10 del nostro padre e poeta latino
ch'avea in sé quasi splendor divino.
Or son le Muse tornate a declino,
or son le rime in basso descadute
ch'erano in pregio e in onor cresciute.
15 Lo mondo plora il glorioso Dante;
ma tu, Ravenna, che l'avesti in vita
e or l'hai morto, ne se' più agradita.

Metro: *sonetto caudato*; schema: ABBA, ABBA, CDD, DCC, con aggiunta d'un'ulteriore terzina (EFF).

1. Se... omo: se per un semplice uomo. Nel 2° e nel 3° verso si avverte l'influsso della canzone di Dante *Donna pietosa*.
3-4. che... guai: che sia segno di mutamento di fortuna, con danno per qualcuno.
5-8. segni: prodigi celesti. **comuna**: comuni. **sceva**: crudele. **bruna**: tetra. **rai**: raggi; con allusione allo splendore della poesia e della dottrina.
10. padre: così Dante chiama il Guinizzelli; e significa ispiratore, maestro. **latino**: italiano.
12. tornate a declino: decadute, volte al declino.
15-17. plora: piange. **agradita**: onorata. A Ravenna, com'è noto, fu sepolto Dante, dopo avervi trascorsi gli ultimi tempi della sua vita.

Bindo Bonichi

Nacque nella seconda metà del sec. XIII e morì nel 1338. Fu tra le figure più rappresentative della borghesia senese, ebbe numerosi incarichi pubblici, fu uno dei governatori della città, e si dedicò, infine, ad opere assistenziali nella Compagnia di Santa Maria della Misericordia, di cui compilò gli statuti. Le sue rime, in prevalenza moraleggianti, hanno una funzione di ammaestramento e di guida per i concittadini; rientrano nel quadro di un'etica tradizionale, ma rivolta a problemi concreti. Soprattutto nei sonetti la sua ispirazione attinge una vivacità discorsiva non priva d'efficacia.

Un modo c'è a viver fra la gente

È uno sconsolato riconoscimento della crisi morale d'una generazione, si può dire, anzi, della civiltà del Comune, priva, ormai, degli antichi ideali e dominata dal gretto utilitarismo.

Un modo c'è a viver fra la gente,
e in ciascun altro tutti perdi e passi:
cessa da' magri e accostati a' grassi,
odi e guarenta e di tutto consente;

Metro: *sonetto* (schema: ABBA, ABBA, CDC, DCD).

1-4. Un modo: un solo modo. **e... passi**: e qualunque altro modo tu usi perdi i (*e*)

5 fa' bocca a riso e giuoca del piacente,
non gli riprender se avventasser sassi,
e se d'usare il ver ti dilettassi
sanza commiato partiti al presente.
Per niente hanno l'om ch'è vertudioso
10 se la Fortuna l'ha posto in bassezza,
e fanno onore all'om ricco e lebbroso.
La turba stolta la virtù disprezza,
e credon nei fiorini aver riposo,
cercan l'amaro e fuggon la dolcezza.

tuoi passi, vai fuori strada. **cessa... grassi**: allontanati dai poveri e accostati ai ricchi. **odi... consente**: ascoltali, fatti garante della verità di tutto ciò che dicono e da' loro sempre ragione.

5-8. giuoca... piacente: fa l'adulatore. **riprender**: rimproverare. **e... presente**: e se ti piace dire la verità, allontanati subito, senza prender commiato.
9-11. Per... hanno: non stimano nulla. **vertudioso**: virtuoso. **in bassezza**: in umile stato. **e... lebbroso**: e onorano il ricco anche se è contaminato dalla lebbra dei vizi peggiori.
13-14. riposo: appagamento pieno. **l'amaro... la dolcezza**: Amare sono la brama di ricchezza e quella di potenza e d'onori, che non possono mai appagare completamente; dolce sarebbe la virtù, ora spregiata.

Sta 'l mercenai' nella casa servente

Parecchi rimatori del Trecento sottolineano l'ingiustizia dei rapporti sociali, la dura situazione del povero, del popolo umile che una società precapitalistica impietosa condanna a una servitù senza speranza. Si ricordi che numerose furono le rivolte sociali del secolo, in Fiandra, in Francia (la *Jacquerie*), a Firenze (il tumulto dei Ciompi nel '78) e in altre città italiane, tutte legate alla rottura del sistema feudale e alla concentrazione di salariati nelle grandi città industriali. Il Bonichi esprime in questo sonetto lo squallore e la miseria della vita delle classi inferiori.

Sta 'l mercenai' nella casa servente
la mercenaia balia ovver fancella;
lo mercenai' la sguarda, e parli bella;
ella grosseggia, ma pur li consente.
5 Fassi il mogliazzo, onde ciascun si pente:
la dota è il saccone e la predella;
va sanza trombe la donna novella;
ragiona sé esser tristo, ella dolente.
Se tostamente non si sente pregna,
10 non ha pace se non la mena a bagno.
L'un reca l'acqua e l'altro spezza legna.
Fan poverini, e mancali il guadagno;
non hanno tanto pan che li sostegna;
l'una odia l'altro e sempre stanno in lagno.
15 E a tutti par che avvegna.
Onde perciò el non è maggior doglie
al pover uomo che aver presa moglie.

Metro: *sonetto caudato* (schema: ABBA, ABBA, CDC, DCD e *coda* c (settenario) EE).

1-2. Sta... servente: corteggia. **mercenai'**: mercantuccio; qui: uomo di umili condizioni. **fancella**: servetta.
4. grosseggia: fa la ritrosa. C'è in tutto il sonetto l'uso d'un linguaggio comico-realistico, che risale alla tradizione di Rustico di Filippo e Cecco Angiolieri, ed è sentito dal poeta adeguato al tipo di realtà rappresentata. Nonostante qualche punta ironica, si avverte tuttavia nel complesso un sentimento sofferto dell'ingiustizia dei rapporti sociali.
5-8. mogliazzo: matrimonio. **onde**: del quale. **la... predella**: la dote è costituita dal pagliericcio e da una cassapanca. **sanza trombe**: senza fasto nuziale. **ragiona... dolente**: dopo le nozze ambedue si sentono dei disgraziati. La concatenazione delle frasi nude e spoglie dà il senso d'un compiersi meccanico e ineluttabile d'un destino di miseria senza speranza.
9-10. Se... pregna: se la moglie non rimane subito incinta. **a bagno**: alla cura delle acque, che si riteneva favorisse la maternità.
12-14. Fan poverini: mettono al mondo dei disgraziati, perché poveri come loro. **stanno in lagno**: litigano fra loro.
15-17. E... moglie: È appare manifesto che ciò capita a tutti, per la qual cosa (si può concludere che) non v'è maggior causa di dolori per il povero che l'aver preso moglie.

Pieraccio Tedaldi

Fiorentino, visse nella prima metà del Trecento. Combatté a Montecatini, contro Uguccione della Faggiuola (1315), fu fatto prigioniero e portato a Pisa. Dimorò in Romagna e a Lucca. Il suo breve canzoniere, prevalentemente di materia autobiografica, riprende i modi e i temi della corrente realistico-borghese: la polemica antiuxoria, il lamento scherzoso sulla propria miseria, l'amore cantato senza idealizzazioni e, infine, una vena di riflessione morale.

El mondo vile è oggi a tal condotto

Il tema del danaro considerato come l'unico valore da una società sempre più priva d'ideali e immersa in un crasso materialismo, è frequente nei rimatori del Trecento, ma la loro polemica appare sfiduciata e mestamente rassegnata. C'è in loro il senso dello sgretolarsi fatale d'una civiltà, nell'assenza d'un contenuto nuovo di moralità e di vita. Di qui il tono amaro di questo sonetto.

El mondo vile è oggi a tal condotto
che senno non ci vale o gentilezza,
s'e' non v'è misticata la ricchezza
la qual condisce e 'nsala ogni buon cotto.
5 E chi ci vive per l'altrui ridotto
non è stimato e ciascuno lo sprezza
e ad ognuno ne vien una schifezza
con uno sdegno, e non gli è fatto motto.
Però rechisi ognun la mano al petto
10 ed in tal modo cerchi provvedere
ch'egli abbia de' danar: quest'è l'effetto.
E poi che gli ha, gli sappia mantenere,
se e' non vuole che poi gli sia detto:
Io non ti posso patir di vedere.

Metro: *sonetto* (schema: ABBA, ABBA, CDC, DCD).

1-4. a... condotto: giunto a tal punto. **ci:** in esso. **misticata**: mescolata. **la... cotto**: la ricchezza non solo condisce, rende sapida ogni vivanda, ma è anche il sale che solo può renderla commestibile; e quindi assolutamente necessaria. Il «buon cotto» è l'insieme delle virtù: il senno e la nobiltà (*gentilezza*), supremi ideali dell'etica d'un tempo.
5. per... ridotto: usando il soccorso, la protezione di altri.
9-11. Però: perciò. **rechisi... petto**: provveda consapevolmente e seriamente a se stesso. **quest'è l'effetto**: questa è la realtà delle cose, ciò che conta.

Pietro dei Faitinelli

Nacque a Lucca nell'ultimo decennio del sec. XIII, da nobile famiglia. Prese attivamente parte alla vita politica del Comune, sostenendo la causa dei Guelfi neri; nel 1314, quando i ghibellini, guidati da Uguccione della Faggiuola, presero e saccheggiarono Lucca, fu esiliato. Poté rientrarvi solo nel '31, ed esercitò la sua professione di notaio fino alla morte (1349).

Il suo breve canzoniere lo ricollega alla corrente borghese e realistica. Le rime migliori sono quelle autobiografiche, che ce lo mostrano uomo di parte appassionato e risoluto.

S'i' veggio in Lucca bella mio ritorno

È un sonetto del tempo dell'esilio. Il poeta vagheggia di ritornare in patria, con una commozione intensa e si dice disposto a rinunciare a ogni animosità politica, a fraternizzare con Bianchi e Ghibellini. S'avverte qui la desolazione che l'esilio porta con sé, la profonda stanchezza delle impietose risse cittadine, l'angoscia del sentirsi sradicati, lontani dalle cose più care. Non vale qui il raffronto con l'impeto sdegnoso di Dante; non c'è, nel Faitinelli, il sentimento d'una superiore missione e l'attesa d'un rinnovamento del mondo, la speranza di restaurazione dei valori calpestati per colpa della Chiesa e dell'Impero. La realtà politica del tempo è solo uno sfrenarsi di violenza e di lotta per il potere.

S'i' veggio in Lucca bella mio ritorno,
che fi' quando la pera fie ben mézza,
in nullo core uman tanta allegrezza
già mai non fu quant'io avrò quel giorno.
5 Le mura andrò leccando d'ogn' intorno
e gli uomini, piangendo d'allegrezza;
odio rancore guerra e ogni empiezza
porrò giù contra quei che mi cacciorno.
E qui me' voglio 'l bretto castagniccio
10 anzi ch'altrove pan di gran calvello,
anzi ch'altrove piume qui il graticcio.
Ch'i' ho provato sì amaro morsello
e provo e proverò, standο esiticcio,
che bianco e ghibellin vo' per fratello.

Metro: *sonetto* (schema: ABBA, ABBA, CDC, DCD).

1-2. S'i'... mézza: Se io penso al mio ritorno in Lucca bella, che avverrà quando la pera sarà ben fradicia (quando cadrà la dominazione ghibellina; ma può anche intendersi «quand'io sarò vecchio»).
5-6. La trovata paradossale del *leccare* mura della città e uomini, che indica, comunque, con la crudezza propria del linguaggio comico-realistico, l'amore del poeta per la sua città e la sua gente, si risolve in un moto intimo del cuore (*piangendo d'allegrezza*).
7-8. ogni empiezza: ogni proposito violento. **cacciorno**: cacciarono.
9-11. E... graticcio: Preferisco avere per nutrimento a Lucca il misero (**bretto**) pane di farina di castagne che, altrove, pane di grano fine (**calvello**); preferisco avere a Lucca un letto di vimini che uno di piume altrove.
12. sì... morsello: un boccone di pane così amaro (il pane amaro dell'esule).
13. esiticcio: esiliato.

Antonio da Ferrara

Antonio Beccari, o del Beccaio, ferrarese, visse dal 1315 al 1380. Ebbe cultura vasta e disordinata come la sua vita, fu uomo, come dice il Petrarca, stravagante. Rovinatosi col giuoco, andò errando per varie parti d'Italia, al servizio di vari signori. Nelle sue rime, numerosissime e composte nei metri più svariati, si avverte la molteplicità dei suoi interessi. Prevalgono i temi autobiografici e morali e quelli politici, dove il poeta trova accenti energici, sebbene non approfonditi da una matura visione ideale. Il sonetto che presentiamo esprime lo sdegno suo e dei ghibellini quando l'imperatore Carlo IV di Boemia decise, dopo l'incoronazione a Roma, di ritornare in Germania, pago del danaro che era riuscito a estorcere, frustrando il sogno d'una restaurazione imperiale.

Se a legger Dante mai caso m'accaggia

Se a legger Dante mai caso m'accaggia,
dov'egli scrive ne' suoi bei sermoni:
«O Alberto todesco che abandoni
costei ch'è fatta indomita e selvaggia,
5 giusto giudicio da le stelle caggia
sopra 'l tuo sangue», convien ch'io scagioni
questo Alberto todesco e ch'io ragioni
d'un altro nuovo, e 'l primo fuor ne traggia.
La carta raschierò per iscambiarlo,
10 per mettervi l'avaro ingrato e vile
imperador, re di Buemia, Carlo,
infamator del suo sangue gentile,
che tutto el mondo volea seguitarlo
ed el de' servi è fatto el più servile,
15 ed ha tradito ognun che 'n lui fidava
facendo per denari Italia isciava.

Metro: *sonetto* (schema: ABBA, ABBA, CDC, DCD) con *coda* (EE).

1-6. m'accaggia: mi capiti. La citazione dantesca è tratta dal *Purgatorio* (VI, vv. 97 sgg.), dove Dante rimprovera Alberto d'Absburgo, imperatore dal 1298 al 1308, per la sua indifferenza verso l'Italia. **costei**: l'Italia. **giusto... sangue**: un giusto giudizio, una giusta punizione cada dal cielo sulla tua stirpe.
6-8. ch'io... traggia: che io scagioni Alberto, e parli del nuovo imperatore, Carlo IV, e lo metta al posto del primo, nella comune esecrazione.
9-13. Vuol cancellare dal poema dantesco il nome di Alberto per sostituirvi quello di Carlo IV di Boemia, avido di danaro, ingrato verso i suoi seguaci e vile. **seguitarlo**: seguirlo.
16. facendo... isciava: e, per danaro, ha reso l'Italia schiava.

Braccio Bracci

Aretino, visse nella seconda metà del secolo. Fu letterato stipendiato dalla corte viscontea.

El tempio tuo che tu edificasti

Il poeta invoca Dio perché ponga fine allo Scisma d'Occidente, che, a partire dalla morte di Gregorio XI (1378), causò la divisione della cristianità tra due papi, ognuno dei quali sosteneva di essere quello legittimo, e si protrasse per un quarantennio. Lo scisma, d'altronde, teneva dietro alla cosiddetta cattività avignonese, a una grave crisi, cioè, del papato, che ebbe profonda ripercussione nell'animo dei contemporanei.

El tempio tuo che tu edificasti
sopra la pietra del tuo pescatore
(poi, che sciogliesse e fusse legatore
dell'alme nostre, albitro li donasti)
5 come puo' tu comportar che 'l si guasti?
non vedi tu come e' v'è grande errore?
Non si conosce più qual sia pastore:
chiamansen due e tu un ne criasti.
E se 'l manto di Pietro fia diviso,
10 così divider vorran poi le chiavi,
sí che non s'aprirà più 'l paradiso.
E qui questi sermon son duri e gravi;
ma nell'inferno si farà gran riso,
se questa pestilenzia tu non lavi.

Metro: *sonetto* (schema: ABBA, ABBA, CDC, DCD).

1-4. Il *tempio* è la Chiesa, la *pietra* è S. Pietro, che prima di seguire Cristo era un pescatore. La quartina riecheggia il racconto evangelico dell'investitura di Pietro a capo della Chiesa. **albitro**: arbitrio, facoltà.
5-8. comportar: sopportare. **chiamansen due**: due si fanno chiamare pastori. Allude forse al papa Urbano VI e all'antipapa Clemente VII.
12-14. qui: qui in terra. **gran riso**: vuol dire che gli uomini, senza più la loro guida spirituale, rischiano la dannazione. **pestilenzia**: lo scisma.

Francesco di Vannozzo

Nacque a Padova, fra il 1330 e il '40, da famiglia aretina. Ebbe vita randagia di poeta di corte; fu a Verona, Venezia, Padova, Bologna, e nell'89 a Milano, ai cui signori, i Visconti, era da tempo legato. Da quell'anno non abbiamo più notizie di lui. Fu, com'egli si autodefinì, «colmo di fantasie, d'animo strano»; le sue rime ci attestano una vita disordinata, vittima del giuoco e delle passioni amorose, simile a quella di altri poeti cortigiani del tempo. Il suo ampio canzoniere contiene, oltre alle poesie autobiografiche, rime d'ispirazione popolareggiante, legate alla tradizione borghese, liriche di tono aulico e altre moralistiche e satiriche: tutti i temi, insomma, della letteratura cortigiana dell'Italia settentrionale.

El gioco tristo che gli uomini sciochi

Frequente è in questi rimatori, accanto alle testimonianze or ciniche or sofferte d'una vita randagia e dissoluta, l'anelito alla purificazione, che s'esprime in sonetti pervasi d'una religiosità sincera e d'un sentimento mesto della fragilità umana.

El gioco tristo che gli uomini sciochi
sí dolcemente guida al tristo ballo,
finora m'ha fatto del vizio vassallo
scacciandomi virtude inanzi agli ochi.
5 Or par che sopra me per grazia scochi
l'arco divino che non zetta in fallo,
accoppellando, a guisa di metallo,
mio cor meschiato, con mortali stochi;
el qual me volge con l'etterno strale
10 verso le stelle sette vaghe errante,
che piegano a lor modo ogni mortale.
Lì m'encamino con sì dolci piante,
ch'io non rimembro del passato male,
sperando di veder le luci sante.

Metro: *sonetto* (schema: ABBA, ABBA, CDC, DCD).

1-3. El... ballo: Il giuoco tristo, le false immagini di gioia, di felicità, che coi loro dolci allettamenti conducono gli uomini sciocchi a vita sfrenata e dissoluta (*tristo ballo*). **vassallo**: schiavo.
5-6. scochi: scocchi. **zetta**: scaglia. L'arco della Provvidenza non fallisce il bersaglio.
7-8. accoppellando... stochi: depurando, come si depura l'oro (*metallo*) il mio cuore deturpato (*meschiato*) dai vizi, in cui il peccato ha impresso ferite (*stochi*) mortali.
9-11. el qual: l'arco divino. **le stelle**: i pianeti, che qui simboleggiano le virtù teologali e cardinali. **che... mortale**: che influenzano la vita d'ogni uomo.
12-14. piante: passi, *dolci* perché indirizzati al bene. **le... sante**: il paradiso, i beati.

Contra Fortuna non si puote andare

La precarietà e il disordine dei rapporti economici, civili e morali produce, nel secolo, un senso d'insicurezza, fa sì che l'uomo si senta in balìa d'una fortuna cieca e imperscrutabile. Il tema della Fortuna è presente in molte poesie del tempo, con una caratteristica oscillazione ideologica (a volte essa è concepita come espressione della volontà, comunque incomprensibile, di Dio, a volte come puro arbitrio del caso), riflesso d'una visione del vivere depressa e sgomenta. Tale oscillazione, intimamente contraddittoria, è evidente in questo sonetto, che rappresenta uno stato d'animo diffuso.

Contra Fortuna non si puote andare
e color ch'han diversa oppinione
sono inimici del buon Salamone,
e non vale un lupino el suo latrare.
5 Non sta libero arbitrio a noi pigliare
per nostra bona o falsa intenzione,
né può per predicanza o per sermone
corso de stella un momento cessare.
Più non m'ardisco a dir, ond'io mi taccio,
10 per gli infiniti e semplici omicelli
che vanno dietro al rasonar del paccio.

Metro: *sonetto* (schema: ABBA, ABBA, CDC, DCD) con *coda* di due versi (EE).

3-4. sono... Salamone: vanno contro l'autorità del valente (*buon*) Salomone (che si riteneva allora autore dei *Proverbi* biblici, nei quali si accenna alla forza della Fortuna). **un lupino**: nulla. **el... latrare**: le loro stolide chiacchiere.
5-6. Non... intenzione: la scelta delle nostre azioni, sia buona o cattiva la nostra volontà (*intenzione*), non dipende dal nostro libero arbitrio.
7-8. né... cessare: prediche e sermoni non possono fermare il corso delle stelle e gli influssi di esse (secondo le diffuse credenze astrologiche, le stelle indirizzavano le vicende umane; tale credenza, combattuta dalla Chiesa, si rafforzava nei periodi di crisi spirituale, politica e religiosa).
9-11. Il poeta non ardisce continuare questo discorso per non suscitare pericolose reazioni nella turba infinita degli ignoranti o dei dappoco (*omicelli*), che vanno dietro ai ragionamenti del pazzo (*paccio*), ad opinioni, cioè, assurde e convenzionali. Le concezioni astrologiche potevano essere accusate d'eresia.

Ma, con vertà, non sia chi se ribelli:
in un sol credi onnipotente braccio
e non guardar perché vela incappelli
15 né per fracasso d'arbor o d'antenna,
ch'a quel ch'è dato non manca una penna.

12-13. con.... braccio: sia detto con piena verità, nessuno deve ribellarsi: si deve credere a un braccio (a una volontà) onnipotente (quella di Dio) che ci governa imperscrutabile.
14-16. e... penna: e non guardare se la vela si ravvolge (*incappelli*) o l'albero della nave si spezza, perché a colui che ha la protezione di Dio non manca nulla.

Simone Serdini

Il Serdini, detto il Saviozzo, nacque a Siena intorno al 1360. Bandito per rissa nell'89, rientrò in patria nel 1400, ma presto passò al servizio dei Malatesta e poi di altri signori. Morì suicida a Toscanella fra il 1419 e il '20. Dettò rime politiche d'occasione, ispirate dai signori che serviva, ma non prive d'eloquenza, capitoli e «disperate», cioè canzoni in cui si lamentavano le proprie miserie e sventure, secondo la moda del tempo, e poesie moraleggianti.

Deh, non v'incresca la spesa e l'affanno

Il sonetto è rivolto ai cittadini d'un comune perché difendano la propria libertà dalla tirannide, di cui sono bollati la violenza e l'arbitrio con una certa incisività. Il tema è frequente nell'oratoria politica del Trecento, reso tristemente attuale dalla realtà storica di un'epoca che vide il passaggio dal Comune alla Signoria e l'instaurarsi spesso violento di tirannidi.

Deh, non v'incresca la spesa e l'affanno,
o cari cittadin d'esta cittade;
per mantener la vostra libertade
ispecchiatevi in quelle che non l'hanno.
5 Considerate che cosa è il tiranno:
chi più si fida in sua amistade
ispesse volte in grandi strazii cade,
e non gli vale il penter dopo 'l danno.
Tiranno tira a sé tutte sue voglie:
10 chi priva dell'aver, chi della vita,
a chi toglie la figlia, a chi la moglie:
purché gli piaccia, la cosa è fornita;
condanna il giusto e il peccator proscioglie
e non si può dir non quando dice ita.
15 Però con forza ardita
fate difesa e mai niuno si stanchi:
prima morir che libertà vi manchi.

Metro: *sonetto caudato* (schema: ABBA, ABBA, CDC, DCD, dEE).

3-4. per... hanno: se volete avere un potente incentivo a difendere la vostra libertà, guardate la condizione di coloro che l'hanno perduta.
8. e... danno: e a nulla serve il pentirsi di avere accolto il tiranno quando questi ha stabilito il suo potere.
9. Tiranno... voglie: il tiranno soddisfa ogni sua brama. Nota il giuoco di parole.
12. purché... fornita: purché una cosa gli piaccia, è gia fatta. Non ha altra legge che il proprio egoistico arbitrio.
14. e... ita: e non si può dire no quand'egli dice sì (*ita*).
15. Però: perciò. Il tono robusto del sonetto si innalza, nella *coda*, a un vigoroso grido di battaglia.

Cantàri epici e leggendari

Assai vasta è, nel Trecento, la produzione di *cantàri* in ottave, spesso giunti a noi anonimi, di argomenti svariati: dalla cronaca contemporanea (i *Cantari della guerra di Pisa* di Antonio Pucci), alle leggende religiose, ai romanzi bretoni (*Lancillotto, Tristano*), alle gesta carolinge (*Rinaldo, Spagna, Orlando*), alla materia dei *lais* francesi (la *Donna del Vergiù*), alla mitologia e alla novellistica. È una letteratura semipopolare, che instaura una tradizione narrativa, distinta da quella lirica, caratterizzata dall'uso d'un metro fluido e aperto come l'ottava, da un linguaggio rapido e scorrevole, senza compiacimenti formali.

Questa letteratura, rivolta, insieme, a un pubblico culturalmente evoluto e agli strati cittadini più umili, esercitò un effettivo influsso sulla poesia d'arte, dal Pulci al Boiardo all'Ariosto. Intanto, veniva incontro a una diffusa richiesta — da parte di tutte le classi di utenti — di una letteratura narrativa.

I cantari venivano recitati sulle piazze con accompagnamento strumentale da *canterini* professionali (o *cantimbanchi*) o, i più lunghi, letti.

Dalla «Spagna»: Morte d'Orlando

La *Spagna* è un poema in quaranta cantàri, composto nella seconda metà del secolo, attribuibile a un Sostegno di Zanobi, fiorentino. Modello fu probabilmente un testo franco-italiano, nel quale doveva essere riunita la materia dell'*Entrée d'Espagne* e del *Roland*. Riportiamo un passo del cantare XXXVI.

Già era il sole a mezzodì passato
e tra la nona e 'l vespro tramezzava.
Orlando con Turpin si fu scontrato
e degli altri compagni el domandava.
5 Disse Turpino: — Niuno n'è campato. —
El conte allora forte addolorava.
Dicea Turpino: — Andiamci a riposare
e questa gente omai lasciamo stare. —
Subitamente al padiglion n'andaro
10 e, come quivi furon dismontati,
disse Turpino: — Compagno mio caro,
tutti i mie sensi sento travagliati. —
Cosí dicendo, tosto scorto e chiaro
gli angioli furon dal cielo smontati,
15 l'anima di Turpin con canti e festa
ne la portaron nella santa gesta.
Rimase Orlando tutto sconsolato
con grave pena e con molto dolore.
Essendo ad una fonte rinfrescato,
20 ringraziava el sommo Creatore
dicendo: — Dio, da po' niuno è campato,
dammi la morte, verace signore. —
Subitamente uno splendore apparse
e inverso Orlando tal parole sparse:
25 — El vero Dio ti darà compagnia
sí come tu avevi primamente,
uomini forti e pien' di vigoria
della tua gesta, e ciascuno possente. —
Rispose Orlando: — Se può esser sia
30 che que' che sono morti ora al presente
che Dio padre gli fa resuscitare,
contento son; se non, non vo' scampare. —
Un'altra voce disse: — A Dio non piace
di far resuscitar que' che son morti.
35 Da po' ch'ha' chiesto la morte fallace,
tosto l'arai, ma fa che ti conforti. —
Poi la voce sparí, e Orlando tace
e tornò a pensieri oscuri e forti.
Cosí, pensando del re di Parigi
40 a lui apparve el suo scudier Terigi.

Orlando tenta di infrangere la spada Durlindana contro un masso, ma invano, e allora esalta la sua arma bella e forte:

— S'io t'avessi, come ora, cognosciuta,

Metro: *ottave* (ABABABCC).

2. e... tramezzava: era fra le quindici e il vespro. È il momento finale della battaglia di Roncisvalle. Soli superstiti dei paladini sono Orlando e l'arcivescovo Turpino.
13-16. scorto e chiaro: visibilmente e chiaramente. **santa gesta**: lo stuolo dei guerrieri morti per la fede.
21. da po': poiché. Non vuole sopravvivere alla sua *gesta* (la parola significava famiglia, ma anche schiera guerriera animata da comuni ideali, come i paladini di Carlo Magno).
35. fallace: in quanto, in realtà, è inizio di nuova vita.

non are' auto del mondo dottanza. —
Sendo sul poggio, di forza compiuta
el corno in bocca si pose in certanza;
45 sí forte el suona che suo cor se muta
e uscigli il sangue per la gran possanza.
E saracin ch'eran rimasi al campo,
sentendo el corno, fugieno per scampo.

42. non... dottanza: non avrei avuto timore di nessuna cosa al mondo.

43. Sendo: stando. **di... compiuta**: con tutte le sue forze.

45. se muta: si smuove, spezzandosi per lo sforzo. Re Carlo ode il suono, ma frattanto Orlando muore e gli angeli lo portano in cielo. Rispetto alla *Chanson de Roland*, più breve e meno poeticamente intenso è il discorso alla spada e il racconto degli ultimi istanti d'Orlando; non v'è qui il sentimento epico e religioso dell'originale, ma una più semplice e agile tonalità narrativa e favolosa, che non esclude, però, una sincera emozione.

Franco Sacchetti

Franco Sacchetti nacque a Ragusa in Dalmazia da padre fiorentino intorno al 1330. Apparteneva ad antica e nobile famiglia, da tempo però dedita alla mercatura (questo spiega la sua nascita fuori di Firenze), e a tale attività si dedicò egli stesso per un certo numero di anni. Ma da un certo momento, lo troviamo stabilmente impegnato nella vita politica di Firenze: fu ambasciatore, «osservatore» al seguito di ambascerie, membro delle più importanti magistrature cittadine e, nel 1384, priore; e, prima e dopo questa data, podestà in molte città della Toscana e dell'Emilia, costretto a quest'ufficio anche dal bisogno, soprattutto quando, nel 1397, un'incursione di milizie mercenarie nemiche devastò completamente le sue possessioni. Morì di peste, nel 1400, a San Miniato.

Il Sacchetti è figura rappresentativa della borghesia fiorentina del Trecento, intraprendente, dotata di una lucida e spregiudicata intelligenza di uomini e cose, di un solido buon senso, di principi morali semplici e concreti. Non ha lo spirito del riformatore, ma accetta la realtà nella quale si trova a vivere, pur trovandola disforme dai suoi ideali, e osserva il mondo con una saggezza comprensiva.

C'è in lui un interesse vivissimo per la cultura, che egli persegue però con spirito di autodidatta nelle pause di una vita movimentata e operosa. Essa è da lui sentita come un bene che eleva l'uomo, disponendolo anche alla soluzione dei problemi concreti dell'esperienza quotidiana, traducendosi in saggezza operante nell'ambito di una società, quella del proprio comune, della sua vita, della sua politica, secondo l'ideale che era già apparso un secolo prima in Brunetto Latini, uno dei massimi fondatori, a Firenze, di una cultura che conducesse a un armonico vivere civile.

Il primo fra gli scritti del Sacchetti è *La battaglia delle belle donne*, un poemetto in ottave, di scanzonato gusto popolano, che narra la battaglia delle donne giovani e belle di Firenze contro quelle vecchie e brutte, e la vittoria delle prime. Assai più interessanti sono le *Sposizioni dei Vangeli*, scritte dopo il 1378, nelle quali l'autore, meditando sui Vangeli, affronta e si sforza di risolvere problemi concreti di moralità. Vengono poi le *Rime*, che possiamo dividere in due gruppi: quelle per musica (delle quali parliamo più avanti), legate a una consuetudine di vita elegante e festosa ed esempio di una poesia sentita come ornamento delle ore liete; e quelle politiche e morali, nelle quali appare evidente la saldezza di convinzioni del Sacchetti uomo e cittadino, il suo ideale di uno stato lontano dalla demagogia e dalla tirannide, fondato su una classe media libera e operosa, e il suo amore per Firenze, la sua libertà e la sua grandezza.

L'opera maggiore del Sacchetti, nella quale confluiscono i temi delle opere precedenti, è il *Trecentonovelle*. Il libro fu in parte scritto e ordinato organicamente a partire dal 1392, alle soglie della vecchiaia e nel periodo più tormentato della vita dell'autore, e appare da un lato come un conforto, dall'altro come una meditazione della propria esperienza passata. Comprendeva trecento novelle, ma settantotto sono perdute, altre sono giunte in forma frammentaria, soprattutto perché l'opera non venne largamente diffusa, ma il Sacchetti conservò gelosamente il manoscritto senza lasciarne trarre copie. Una ragione va forse ricercata nel fatto che, allora, la novella era considerata un genere letterario popolaresco e, per così dire, inferiore, tanto è vero che, soprattutto nei primi decenni dopo la sua morte, persino il Boccaccio fu ricordato e celebrato per le sue opere che noi consideriamo meno importanti e non per il *Decameron*.

Il *Trecentonovelle* è opera letterariamente meno elaborata del capolavoro boccaccesco, per esplicita intenzione del Sacchetti, il quale, nell'introduzione, si proclama modestamente «uomo discolo e grosso» (cioè di scarsa e non raffinata cultura) e afferma di avere scritto il suo libro per procurare ai lettori un sollievo in tempi così tristi, mediante letture semplici, facili, che uniscano al sorriso qualche non inopportuna considerazione morale.

Il *Trecentonovelle* non ha una cornice: le singole novelle sono autonome e conservano il carattere proprio della novellistica anteriore all'esempio illustre del Boccaccio. In esse, cioè, confluiscono ricordi, cronache, parabole: esse sono, insomma, specchio e racconto di vita vissuta, sollevata però a un significato morale esemplare. Conforme a questo carattere di esempio, non hanno un vero e proprio svolgimento narrativo, ma si concentrano spesso in una scena significativa, magari ribadendola più volte, e si concludono quasi tutte con una morale.

Il loro pregio maggiore sta nella rappresentazione vivacissima di folle, di atti e di gesti colti dal vero, in una rapidissima successione. Il Sacchetti, a differenza del Boccaccio, ritrae di preferenza il popolo comune, la borghesia, cogliendoli nella vita quotidiana, sempre piena di vicende imprevedibili, di stranezze, di imprevisto.

Quella realtà in continuo movimento è espressa dall'autore con uno stile aderente alla vivacità e immediatezza del linguaggio parlato, attento a cogliere la battuta rapida e la mimica cangiante della folla multicolore, sì che spesso la novella sembra la trascrizione immediata di un racconto orale. Per questo la sintassi è elementare, il periodare rapido e breve, onde meglio cogliere lo snodarsi rapido e a volte tumultuoso della realtà.

Per il testo seguiamo: *Opere di Franco Sacchetti*, a cura di A. Borlenghi, Milano, Rizzoli, 1957.

Lapaccio e il morto

In questa, che è una delle novelle meglio caratterizzate e costruite, possiamo notare alcuni tratti distintivi dell'arte del Sacchetti. In primo luogo, la scarsità di notazioni psicologiche: il personaggio, infatti, è tutto risolto nel gesto, nella battuta rapida del dialogo. Di qui viene il carattere di bozzetto, di caricatura schizzata alla brava. Inoltre, la novella si concentra e si esaurisce tutta in una scena centrale (il monologo, che si crede dialogo, di Lapaccio col morto), ed esaurita questa si può dire che non abbia svolgimento: la caricatura, infatti, del superstizioso, dalla quale pure il Sacchetti ha preso le mosse, rimane generica. All'autore non interessa tanto l'approfondimento psicologico del personaggio, quanto l'osservazione dei casi vari e bizzarri. La *morale* non è qui espressa molto felicemente, ma è, come sempre nel *Trecentonovelle*, l'occasione del racconto.

... Lapaccio di Geri da Montelupo... fu a' mie' dì, ed io il conobbi,[1] e spesso mi trovava con lui,[2] perocché era piacevole ed assai semplice uomo. Quando uno gli avesse detto:[3] — Il tale è morto; — ed avesselo ritocco[4] con la mano, sùbito volea ritoccare lui; e, se colui si fuggìa, e non lo potea ritoccare, andava a ritoccare un altro che passasse per la via, e se non avesse potuto ritoccare un altro che passasse per la via, e se non avesse potuto ritoccare qualche persona, avrebbe ritocco o un cane o una gatta; e se ciò non avesse trovato, nell'ultimo ritoccava il ferro del coltellino; e tanto ubbioso[5] vivea, che se sùbito, essendo stato tocco, per la maniera detta non avesse ritocco altrui, aveva per certo di far quella morte che colui per cui era stato tocco, e tostamente.[6] E per questa cagione, se un malfattore era menato alla iustizia[7] e se una bara o una croce fosse passata, tanto avea preso forma la cosa,[8] che ciascuno correa a ritoccarlo, ed egli correndo[9] or dietro all'uno or dietro all'altro, come uno che uscisse

---

Novella XLVIII.

1. **ed io il conobbi**: frequentissimo nelle novelle il riferimento del S. alla propria esperienza personale (a volte egli stesso è il protagonista del racconto); è, come abbiamo visto, un tratto caratteristico della sua ispirazione, corrispondente al suo gusto per l'osservazione concreta.
2. **e spesso mi trovava con lui,** ecc.: C'è nel Sacchetti il culto dell'intelligenza agile e pronta, e conseguentemente, il divertimento spassosissimo alle spalle dei gonzi. Lapaccio è uomo *assai semplice*, cioè balordo, e per questo l'autore lo frequenta e lo trova divertente (*piacevole*).
3. **Quando uno gli avesse detto,** ecc.: È una di quelle scenette piene di movimento di cui si compiace l'arte del S.: il superstizioso tocca il primo che passa, o, in mancanza di meglio, il ferro del suo coltello, per scaricare altrove il malocchio; la gente, a sua volta, tocca Lapaccio per divertirsi alle sue spalle. Ne nasce una spassosa vicenda di toccamenti e ritoccamenti che dà l'impressione di un balletto comico: al centro sta Lapaccio, fuori di sé, con gli occhi stralunati. È lo stesso ritmo agilissimo delle *cacce*, cioè di quelle poesie che rappresentano una scena movimentata.
4. **ritocco**: toccato.
5. **ubbioso**: pieno di stolide ubbìe.
6. **aveva per certo... tostamente**: era assolutamente sicuro di morire, e subito, come colui per la morte del quale era stato toccato da un altro superstizioso o da un buontempone.
7. **alla iustizia**: ad essere giustiziato.
8. **tanto avea preso forma la cosa**: la cosa era giunta a tal punto.
9. **correndo**: correva. Ma il gerundio, che lascia sospeso il periodo, si addice al correre qua e là, come un mentecatto, di Lapaccio.

di sé; e per questo quelli che lo ritoccavano, ne pigliavano grandissimo diletto.

Avvenne per caso che costui, essendo per lo comune di Firenze mandato ad eleggere uno podestà,[10] ed essendo di quaresima, uscìo di Firenze, e tenne verso Bologna e poi a Ferrara, e, passando più oltre, pervenne una sera al tardi in un luogo assai ostico[11] e pantanoso che si chiama Ca' Salvàdega. E disceso all'albergo, trovato modo d'acconciare i cavalli e male, perocché vi erano Ungheri e romei[12] assai, che erano già andati a letto; e trovato modo di cenare, cenato che ebbe, disse all'oste dove dovea dormire. Rispose l'oste: — Tu starai come tu potrai; entra qui che ci sono quelle letta che io ho, ed hacci[13] molti romei; guarda se c'è qualche proda; fa ed acconciati il meglio che puoi, ché altre letta o altra camera non ho. —

Lapaccio n'andò nel detto luogo, e guardando di letto in letto così al barlume tutti li trovò pieni salvo che uno, là dove da l'una proda era un Unghero, il quale il dì innanzi s'era morto. Lapaccio, non sapendo questo (ché prima si sarebbe coricato in un fuoco che[14] essersi coricato in quel letto), vedendo che dall'altra proda non era persona, entrò a dormire in quella. E come spesso interviene che volgendosi l'uomo per acconciarsi,[15] gli pare che il compagno occupi troppo del suo terreno, disse: — Fatti un poco in là, buon uomo. — L'amico stava cheto e fermo, ché era nell'altro mondo. Stando un poco, e Lapaccio il tocca, dice: — O, tu dormi fiso:[16] fammi un poco di luogo, te ne priego. — E 'l buon uomo cheto. Lapaccio, veggendo che non si movea, il tocca forte: — Deh, fatti in là con la mala pasqua.[17] — Al muro:[18] ché non era per muoversi. Di che Lapaccio si comincia a versare,[19] dicendo: — Deh, morto sia tu a ghiado, che tu dèi essere uno rubaldo.[20]

E recandosi alla traversa[21] con le gambe verso costui, e poggiate le mani alla lettiera, trae a costui un gran paio di calci, e colselo sì di netto che il corpo morto cadde in terra dello letto tanto grave, e con sì gran busso, che Lapaccio cominciò fra sé stesso a dire: «Oimè! che ho io fatto?» e palpando il copertoio[22] si fece alla sponda, appié della quale l'amico era ito in terra: e comincia a dire pianamente:[23] — Sta su; ha' ti fatto male? Torna nel letto. —

E colui cheto com'olio,[24] e lascia dire Lapaccio quantunche vuole, ché non era né per rispondere, né per tornare nel letto. Avendo sentito Lapaccio la soda caduta di costui, e veggendo che non si dolea, e di terra non si levava, comincia a dire in sé: «Oimé sventurato! che io l'avrò morto».[25] E guata e riguata,[26] quando più mirava, più gli pareva averlo morto; e dice: — O Lapaccio doloroso, che farò? dove n'andrò? che almeno me ne potess'io andare! ma io non so donde, ché qui non fu' io mai più. Così foss'io innanzi morto a Firenze, che trovarmi qui ancora! E se io sto, serò mandato a Ferrara o in altro luogo, e serammi tagliato il capo. Se io il dico all'oste, elli vorrà che io muoia in prima ch'elli n'abbia danno.

E stando tutta notte in questo affanno e in pena, come colui che ha ricevuto il comandamento dell'anima,[27] la mattina vegnente aspetta la morte. Apparendo l'alba del dì, li romei si cominciano a levare e uscir fuori. Lapaccio, che parea più morto che 'l morto, si comincia a levare anco elli, e studiossi d'uscir fuor[28] più tosto che poteo per due cagioni, che non so quale gli desse maggior tormento: la prima era, per fuggire il pericolo, e andarsene anzi che l'oste se ne avvedesse; la seconda per dilungarsi dal morto, e fuggire l'ubbia che sempre si recava de' morti. Uscito fuori Lapaccio, studia il fante[29] che selli le bestie; e truova l'oste, e fatta ragione[30] con lui, il pagava, ed annoverando[31] li danari, le mane gli tremavano come verga. Dice l'oste: — O, fatti freddo? — Lapaccio appena poté dire, che credea che fosse per la nebbia che era levata in quel palude. Mentreché l'oste e Lapaccio erano a questo punto, e un romeo[32] giunge, e dice all'oste che non trovava una sua bisaccia nel luogo dove avea dormito; di che[33] l'oste con un lume acceso che avea in mano, sùbito va nella camera, e cercando, e Lapaccio con gli occhi sospettosi stando dalla lunga, abbattendosi l'albergatore al letto dove Lapaccio avea dormito, guardando per terra col detto lume, vide l'Ungaro morto appiè del letto. Come ciò vede, comincia a dire: — Che diavolo è questo? chi dormì in questo

10. per lo comune... podestà: essendo stato mandato dal comune fiorentino a comunicare a uno che era stato eletto podestà di Firenze. In quei tempi veniva eletto podestà un forestiero, che fosse fuori della rissa delle fazioni cittadine.
11. ostico: malagevole.
12. Ungheri e romei: gli Ungheri erano i soldati di ventura, i romei erano i pellegrini che si recavano a Roma. Nel 1350 vi fu un giubileo.
13. letta... hacci: letti, ci sono. L'albergo è pieno, e per questo l'oste dice a Lapaccio di cercarsi una *proda*, cioè una sponda, un margine libero in qualche letto già occupato. Come si vede dal resto della novella, la cosa, a quei tempi, non appariva molto strana; si pensi, poi, che l'oste ha un cliente morto in un letto e non ha ancora pensato a toglierlo di mezzo.
14. prima... che: piuttosto che.
15. interviene... acconciarsi: rispettivamente: avviene, sistemarsi a proprio agio.
16. dormi fiso: dormi della grossa.
17. con la mala pasqua: che Dio ti dia una mala pasqua. Imprecazione allora frequente.
18. Al muro: come se parlasse al muro. **non era per muoversi**: non mostrava intenzione alcuna di muoversi.
19. a versare: ad uscire dai gangheri.
20. morto sia tu... rubaldo: che tu possa morire ammazzato, tu devi essere un gran ribaldo. *Ghiado* viene dal latino *gladius* (spada). Nota la vivacità di questo monologo che Lapaccio crede dialogo; lo stile è quello di un racconto parlato (*e 'l buon omo cheto; al muro*). Naturalissimi la mimica, il progressivo arrabbiarsi di Lapaccio, il tonfo greve del corpo inanimato, la disperazione quasi insensata del protagonista, le mani che gli tremano, al mattino, come verga. È la scena centrale nella quale si concentra ed esaurisce tutto l'interesse artistico del racconto.
21. recandosi alla traversa: Osserva la precisione divertita con cui è ritratto il gesto: Lapaccio si pone di traverso, prende la mira esattamente, afferra con le mani la spalliera per darsi la spinta, sferra un calcio magistrale. E il cadavere cade *grave* e con *gran busso*; è ben colto il crollo della massa inanimata.
22. palpando il copertoio: palpando le coperte. Il gran busso è tanto più impressionante in quanto la scena si svolge al buio.
23. pianamente: sottovoce. Il tono di Lapaccio si fa premurosissimo e gentile, come per cancellare quello che ha fatto.
24. cheto com'olio: un altro modo di dire del linguaggio popolare.
25. morto: ucciso.
26. guata e riguata: lo guarda con gli occhi sbarrati nel buio.
27. il comandamento dell'anima: il condannato a morte, alla vigilia dell'esecuzione, veniva esortato a provvedere alla sua anima (cioè a ricevere i sacramenti).
28. studiossi d'uscir fuor, ecc.: cercò di andarsene al più presto, sia, come spiega l'autore subito dopo, per cavarsi dall'impiccio, sia per fuggire dalla paura superstiziosa che sempre aveva avuto dei morti. Ma questo secondo motivo, che dovrebbe essere centrale nella novella, resta psicologicamente poco approfondito.
29. studia il fante: sollecita il servo.
30. fatta ragione: fatti i conti.
31. annoverando: contando, mentre contava.
32. e un romeo, ecc.: la congiunzione *e* ha qui un significato vicino a *ecco che*.
33. di che: per la qual cosa.

letto? — Lapaccio, che tremando stava in ascolto, non sapea se era morto o vivo; e un romeo, e forse quello che avea perduta la bisaccia, disse: — Dormìvi colui, — accennando verso Lapaccio.

Lapaccio ciò veggendo, come colui a cui parea già aver la mannaia sul collo, chiamò l'oste da parte dicendo: — Io mi ti raccomando per l'amor di Dio, che io dormii in quel letto, e non potei mai fare che colui mi facessi luogo, e stesse nella sua proda; onde io pignendo con li calci, cadde in terra; io non credetti ucciderlo: questa è stata una sventura, e non malizia. — Disse l'oste: — Come hai tu nome? — E colui glielo disse. Di che, seguendo oltre l'oste, disse: — Che vuoi tu che ti costi, e camperotti?[34] — Disse Lapaccio: — Fratel mio,[35] acconciami come ti piace e cavami di qui. Io ho a Firenze tanto di valuta, io te ne fo carta. — Veggendo l'oste quanto costui era semplice, dice: — Doh, sventurato! che Dio ti dia gramezza;[36] non vedestu lume iersera?[37] o, tu ti mettesti a giacere con un Unghero che morì ieri dopo vespro. — Quando Lapaccio udì questo, gli parve stare un poco meglio, ma non troppo; perocché poca difficultà[38] fece da essergli tagliato il capo, ad esser dormito con un corpo morto; e preso un poco di spirito e di sicurtà,[39] cominciò a dire all'oste: — In buona fé che tu se' un piacevol uomo;[40] o che non mi dicevi tu iersera: egli è un morto in uno di quelli letti? Se tu me l'avessi detto, non che io ci fosse albergato, ma io serei camminato più oltre parecchie miglia, se io dovessi essere rimaso nelle valli tra le cannucci;[41] ché m'hai dato sì fatta battisoffia[42] che io non sarò mai lieto, e forse me ne morrò. —

L'albergatore, che avea chiesto premio, se lo campasse,[43] udendo le parole di Lapaccio, ebbe paura di non averlo a fare a lui; e con le migliori parole che poteo, si riconciliò insieme col detto Lapaccio. E 'l detto Lapaccio si partì, andando tosto quanto potea, guardandosi spesso in drieto per paura che la Ca' Salvàdega nol seguisse, portandone uno viso assai più spunto[44] che l'Unghero morto, il quale gittò a terra del letto; e andonne con questa pena nell'anima che non gli fu piccola, per un messer Andresagio Rosso[45] da Parma che aveva meno un occhio[46] il quale venne podestà di Firenze; e Lapaccio si tornò, rapportando aver fatta elezione al detto podestà, ed esso l'aveva accettata. Tornato che fu il detto Lapaccio a Firenze ebbe una malattia che ne venne presso a morte.

Io credo che la fortuna, udendo costui essere così obbioso, e recarsi così il ritoccare de' morti in augurio, volesse avere diletto di lui per lo modo narrato di sopra, che per certo e' fu nuovo caso avvenendo in costui: in un altro non serebbe stato caso nuovo.[47] Ma quanto sono differenti le nature degli uomeni! che' seranno molti che non che temino gli augurii, ma elli non vi daranno alcuna cosa di giacere, e di stare tra' corpi morti;[48] e altri saranno che non si cureranno di stare nel letto, dove siano serpenti; altri non principierebbono alcun fatto in venerdì ed è quello dì nel quale fu la nostra salute;[49] e così di molte altre cose fantastice e di poco senno,[50] che sono tante che non capirebbono in questo libro.

34. **Che vuoi tu... e camperotti?**: quanto sei disposto a spendere perché io ti salvi da codesto malanno?
35. **Fratel mio,** ecc.: Fratello, dice pateticamente il disperato Lapaccio, conciami come ti pare, ma cavami da quest'imbroglio. Io possiedo tanto, a Firenze; ti rilascio un'obbligazione scritta per tutto quello che vuoi.
36. **che Dio ti dia gramezza**: che Dio ti mandi ogni male. L'oste resta costernato dinanzi alla balordaggine di Lapaccio.
37. **non vedestu lume**: non ci vedevi ieri sera, eri fuor di senno?
38. **poca difficultà**: poca differenza.
39. **spirito, sicurtà**: coraggio, sicurezza.
40. **un piacevol uomo**: un bel tipo.
41. **se io dovessi... fra le cannucci**: a costo di rimanere tutta notte fra il fango e le canne della palude.
42. **battisoffia**: batticuore, affanno.
43. **che avea chiesto premio,** ecc.: che aveva chiesto un compenso per salvarlo, ebbe timore di non doverlo dare a lui.
44. **spunto**: sparuto, cadaverico.
45. **Andresagio Rosso**: fu podestà di Firenze nel 1350.
46. **che aveva meno un occhio**: che aveva un occhio solo.
47. **Io credo che la fortuna... nuovo**: Credo che la Fortuna, avendo saputo che costui era così pieno d'ubbie superstiziose, e che prendeva come malo augurio il toccare un morto, volesse divertirsi alle sue spalle facendogli capitare il caso suddetto, che fu certamente straordinario (*nuovo*) in quanto capitò a costui.
48. **che' seranno molti... morti**: vi saranno senz'altro molte persone che non solo non temono il malaugurio, ma potrebbero dormire fra dei morti senza impressionarsi affatto della cosa.
49. **che è quello dì... salute**: Gesù Cristo morì sulla croce di venerdì; in questo giorno, quindi, l'uomo fu redento dal peccato.
50. **fantastice e di poco senno**: gli uomini si abbandonano a manie e superstizioni tutte fantastiche e dissennate; e sono tante che non potrebbero esser contenute (*non capirebbono*) in tutto il libro delle novelle.

Gonella medico e i gozzuti

«Chi nasce smemorato, e gozzuto, non ne guarisce mai». Questa è la morale della novella, condensata (e non diluita come in molte altre occasioni) in una frase di gusto proverbioso, conforme alla concreta e popolaresca saggezza del Sacchetti. La stolidità, cioè, è una malattia incurabile, come l'aver gozzi; ma una malattia che non merita compatimento, sì che la simpatia del narratore è pienamente rivolta a Gonella, astuto buffone, protagonista di parecchi racconti del *Trecentonovelle*.

Anche qui, abbiamo una scena centrale: l'irruzione della polizia nella stanza dove gli otto gozzuti soffiano a perdifiato con lunghe canne su un gran fuoco, persuasi che con tale cura suggerita dal gran medico Gonella, i gozzi spariranno. È una scena di grande vivacità comica, anch'essa risolta, come nella novella di Lapaccio, in mimica e gesto.

Il Gonella il più della sua vita stette col marchese di Ferrara, e alcuna volta venìa a Firenze; e fra le altre, venendo una fiata,[1] e avendo passato Bologna, e giugnendo una mattina a desinare a Scaricalasino,[2] ebbe veduto per la sala in

Novella CLXXIII.

1. **una fiata**: una volta.
2. **Scaricalasino**: nell'Appennino bolo-

terreno certi contadini gozzuti;[3] di che come vide il fatto, subito informò in camera uno suo famiglio,[4] e fecesi trovare una roba da medico[5] che nella valigia avea, e miselasi in dosso; e venendo alla mensa, ed essendo posto a mangiare, il suo famiglio s'accostò a uno lavoratore gozzuto che era nella sala, e disse:

— Buon uomo, quel valente medico che è colà a tavola, è gran maestro di guerire di questi gozzi; e non n'è alcuno sì grande che non abbia già guerito, quando egli ha voluto.

Disse il lavoratore:

— Doh, fratel mio, e' n' ha in questa montagna assai;[6] io ti priego che sappi,[7] quand'egli ha mangiato, se ne volesse curare parecchi che, secondo uomeni d'Alpe,[8] sono assai agiati.

Gnaffe![9] costui nol disse a sordo, ché come il medico Gonella ebbe desinato, il famiglio gli s'accostò da parte, e tirollo in camera, e dissegli il fatto; onde il medico fece chiamare il contadino, e disse:

— Questo mio famiglio mi dice sì e sì; se tu vogli guarire, io non mi impaccerei[10] per uno solo, perocché mi serà un grande sconcio[11] di tornare a Bologna, e recare molte cose. Ma fa così; se ti dà cuore d'accozzarne[12] otto o dieci, va subito, e menali qui, e togli[13] uomeni che possono spendere fiorini quattro o cinque per uno.

Il contadino disse subito farlo; e partitosi non andò molto di lungi che ne accozzò con lui otto, o più. I quali subito vennono al maestro[14] Gonella, e là ragionato per buono spazio con lui, el medico disse:

— È m'incresce che io non sono in luogo più abile alle cose che bisognano,[15] poiché così è, io tornerò a Bologna, e bisognerà due fiorini per uno di voi; e tanto che io torni, ordinerò ciò che avete a fare, e lascerocci il fante mio. Se voi volete, ditelo; e io darò ordine ad ogni cosa.

Tutti risposono:

— Sì per Dio, e danari[16] son presti.

Disse il medico:

— Aveteci voi niuna casa adatta, dove possiate in una sala stare tutti, e fare fuoco di per sé ciascuno?

— Sì bene, — risposono.

Allora disse:

— Trovate per ciascuno una conca, o calderone di rame, o altro vaso di terra, e trovate de' carboni del cerro,[17] e legne di castagno, e abbiate uno doccione di canna[18] per ciascuno e ciascuno per quello[19] soffi ne' carboni e nel fuoco; questo soffiare con alcuna unzione[20] che io vi farò nel gozzo, assottiglierà molto la materia del vostro difetto; e 'l fante mio non si partirà da questo albergo, infinch'io torno.

Come detto, così fu fatto; che questo medico ebbe fiorini dua per uno, e prima che si movesse, gli acconciò in una casa, ciascuno col fuoco e col trombone a bocca,[21] e unse loro i gozzi, e disse non si partissono, finché tornasse. Quelli dissono così fare. Maestro Gonella si partì, e vennesene a Bologna; e spiato[22] che là era un Podestà giovane, desideroso d'onore, se n'andò a lui, e disse:

— Messer lo Podestà, io credo che per avere onore voi fareste ogni spendio;[23] e pertanto se mi volete dare fiorini cinquanta che son povero uomo, io ho alle mani cosa che vi darà il maggiore onore che voi aveste mai.

Il rettore volenteroso disse che era contento, ma che gli dicesse di che materia[24] era la cosa. E quelli disse:

— Io vel dirò. In una casa sono una brigata che fanno moneta falsa; date buona compagnia al vostro cavaliero,[25] ed io li metterò sul fatto;[26] sì veramente che, perché sono uomeni di buone famiglie, non vorrei loro nimistà.[27] Quando io avrò messo il vostro cavaliero sul fatto, io mi voglio andare a mio cammino.

Questa cosa piacque al Podestà; e apparecchiato il cavaliero con buona famiglia,[28] sappiendo che avea andare da lungi, diede fiorini cinquanta al Go-

gnese; è un villaggio del comune di Monghidoro.
3. gozzuti: con quell'enfiagione alla gola che si chiama gozzo.
4. famiglio: servitore.
5. roba da medico: un abito da medico.
6. e' n'ha... assai: ve ne sono molti.
7. ti priego che sappi: ti prego d'informarti.
8. secondo uomeni d'Alpe: rispetto alla loro condizione di montanari. *Alpe* era detta ogni montagna, e quindi anche l'Appennino.
9. Gnaffe!: interiezione allora comunemente usata. Equivale a *in fede mia*.
10. non mi impaccerei: non mi prenderei questa briga per un solo ammalato.
11. perocché mi serà un grande sconcio, ecc.: dovrò tornare a Bologna e prendere molte cose, e questo sarà per me un grande disturbo.
12. se ti dà cuore d'accozzarne: se te la senti di riunirne otto o dieci.
13. togli: prendi.
14. maestro: si diceva allora anche il medico.
15. più abile alle cose che bisognano: più opportuno alle cose, cioè dove si possano agevolmente trovare le cose necessarie per la cura.
16. e danari: i denari.
17. carboni del cerro: carboni fatti di legno di cerro.
18. doccione di canna: un pezzo di canna lungo e grosso, un tubo.
19. per quello: attraverso il *doccione*.
20. con alcuna unzione: con una certa unzione.
21. trombone a bocca: è sempre il *doccione*.
22. spiato: saputo.
23. voi fareste ogni spendio: fareste le più grandi spese.
24. di che materia, ecc.: di che si tratta-va.
25. date... cavaliero: date un buon gruppo di sbirri al vostro capo delle guardie.
26. il metterò sul fatto: lo condurrò sul luogo.
27. sì veramente... nimistà: c'è un fatto, però, che essendo essi uomini di famiglie ragguardevoli, non vorrei procurarmi la loro inimicizia; quindi, appena avrò condotto sul luogo il vostro ufficiale, voglio andarmene per i fatti miei.
28. con buona famiglia: con buona scorta di sbirri.

nella, e la notte gli mandò via, tanto che giunsono alla casa, dove si conciavano[29] i gozzi. E trovato il fante suo che era in punto,[30] dissono:

— Qui sono la brigata; e fatevi con Dio,[31] ch'io non voglio che paia che io abbia fatto questo.

Il cavaliero disse:

— Va' pur via; — e dando nella porta,[32] dice: — Avrite zà.[33]

Quelli rispondeano:

— Siete voi il maestro?[34]

— Che maestro? aprite zà.

— Siete voi il maestro?

— Che maestro?

Spezza la porta, ed entrarono dentro, dove trovarono la brigata tutta soffiare sanza mantachi[35] nel fuoco. Piglia qua, piglia là; costoro furono tutti presi, sanza poter dire: «Domine aiutami»; e se voleano dire alcuna cosa, non erano uditi: e' gozzi loro erano divenuti due tanti, come spesso incontra a simili, quando hanno paura con impeto d'ira.[36]

Brievemente, a furore ne furono menati a Bologna; là dove giunti al Podestà, e 'l Podestà, veggendoli tutti gozzuti, si maravigliò e fra sé stesso disse: «Questa è una cosa molto strana»; e menatigli da parte l'uno dall'altro, prima che elli li mettesse alla colla,[37] domandò che moneta elli faceano. Elli diceano ogni cosa come stato era, e oltre a questo giunse lo albergatore, e altri da Scaricalasino, e dissono ordinatamente come il fatto stava; e accordossi ciascuno di per sé, e quelli che vennono,[38] che questo era che un medico di gozzi era passato di là, e dicea di guarirli, e acconciolli a soffiare nel fuoco, come gli trovaste,[39] e poi disse venire a Bologna per cose che bisognavano, e che l'aspettassono in quella casa così soffiando nel fuoco.

Il cavaliero, udendo questo, tirò da parte il Podestà, e disse:

— Ello dee essere vero; però che come io giunsi alla porta, là dove erano, e bussando, dicendo che aprissono, e' diceano: «Sete voi il maestro?» e poi voi vedete che costoro son tutti co' gozzi; la cosa rinverga[40] assai, ché, a fare moneta falsa, otto sarebbe impossibile fosson tutti gozzuti. Ma sapete, che vi voglio dire? questo medego[41] dee essere assottigliatore più di borse che di gozzi; e così egli ha assottigliata la borsa di questi poveri uomeni, e ancor la vostra: a buon fine il faceste; da' tradimenti non si poté guardare Cristo: rimandate costoro alle loro famiglie, e pensate di sapere chi è questo mal uomo che ha beffato e loro e voi; e se mai potete, gli date o fate dare di quello che merita.

Elle furono novelle;[42] la brigata fu lasciata, e tornaronsi tutti a Scaricalasino; e 'l Podestà poté assai cercare che trovasse chi costui era stato; però che io non voglio che alcun pensi che venisse allora a Firenze, anzi diede volta ad altra terra.[43] E quando era cavaliere, e quando medico, e quando giudice, e quando uomo di Corte, e quando barattieri,[44] come meglio vedesse da tirare l'aiuolo,[45] sì che posta[46] di lui non si potea avere, come colui che sempre stava avvisato[47] in queste faccende. La brigata gozzuta giunti a Scaricalasino aspettarono il medico, non ostante a questo, più dì, credendo che tornasse; e non tornando, guatavano i gozzi l'uno dell'altro per maraviglia,[48] quasi dicendo: «È scemato gnuno?, o: È scemato l'uno più che l'altro?». Poi se ne dierono pace; ma non s'avvisorono mai, come gente alpigiana e grossa, come il fatto fosse andato;[49] e avvisoronsi[50] che qualche malivolo,[51] perché non guerissono de' gozzi, avesse condotto là quella famiglia,[52] e pensando or una cosa e or un'altra, se prima erano grossi, diventarono poi grossissimi e stupefatti.[53] E ancora per maggiore novità parve ch'e' gozzi loro, non che altro, ne ingrossassono.

Perché chi nasce smemorato o gozzuto, non ne guarisce mai.

29. **dove si conciavano**: dove si acconciavano o guarivano (in senso, naturalmente, ironico).
30. **era in punto**: era pronto.
31. **fatevi con Dio**: è una formula di congedo.
32. **dando nella porta**: bussando alla porta.
33. **Avrite zà**: aprite qua. Il S. riproduce il gergo degli sbirri.
34. **Siete voi il maestro?**: Siete il medico? Il dialogo, fondato sull'equivoco, è rapido e comicissimo.
35. **sanza mantachi**: senza mantici.
36. **e' gozzi loro... ira**: i loro gozzi erano divenuti grossi due volte tanto, come spesso avviene ai gozzuti quando hanno paura e sono al tempo stesso adirati.
37. **prima che elli... colla**: prima di farli torturare con tratti di corda. Secondo l'uso giudiziario di allora, la persona sospetta veniva interrogata durante la tortura.
38. **e accordossi ciascuno... vennono**: la deposizione fatta singolarmente da ciascuno dei gozzuti e da quelli che erano venuti da Scaricalasino, fu che...
39. **acconciolli... gli trovaste**: li mise a soffiare nel fuoco, come li avete trovati. Riferisce indirettamente il discorso degli amici dei gozzuti, con un certo ritmo rapido, affannoso, che fa sentire la sollecitudine della difesa.
40. **rinverga**: concorda, corrisponde.
41. **medego**: medico, con inflessione dialettale bolognese.
42. **Elle furono novelle**: furono chiacchiere. Il Podestà, cioè, non poté trovare il colpevole.
43. **diede volta ad altra terra**: si diresse verso un'altra città.
44. **barattieri**: sensale o cambiatore. Significa anche trafficante di pubbliche cariche.
45. **come meglio vedesse... aiuolo** secondo che gli sembrava di potere meglio tirare la sua rete (*aiuolo* era una rete per acchiappare uccelli).
46. **posta**: traccia.
47. **come colui... avvisato**: poiché stava sempre sull'avviso.
48. **per maraviglia**: sono così ingenuamente fiduciosi nei riguardi del loro medico, che attendono fiduciosi lo scemare, il diminuire dei loro gozzi. Ma non si dicono nulla: si guatano muti e ansiosi in attesa del miracolo.
49. **non s'avvisorono mai... andato**: non compresero mai, essendo montanari tonti, come fossero andate realmente le cose.
50. **avvisoronsi**: furono d'avviso.
51. **malivolo**: malevolo. La notazione è molto sobria, ma psicologicamente assai fine. Non vogliono ammettere di essersi lasciati menar pel naso, e cercano di scaricare la colpa sui soliti ignoti.
52. **famiglia**: gli sbirri.
53. **e pensando... stupefatti**: Pensano, rimuginando sull'accaduto e diventano sempre più tonti e *stupefatti* (di una balordaggine cronica); intanto i gozzi ingrossano come il loro cervello.

La tenzone per il cimiero

L'interesse della novella non consiste nella vivacità dei casi e, comunque, nel racconto. Essa è piuttosto fondata su di una osservazione di costume, di particolare interesse storico. Sono a fronte due uomini che impersonano due civiltà: un cavaliere tedesco che rappresenta il concetto medioevale e feudale dell'onore, ed è disposto a battersi all'ultimo sangue perché nessuno al mondo porti

un cimiero simile al suo: e, dall'altra parte, un cavaliere fiorentino, che rappresenta la nuova civiltà borghese e mercantile, col suo amore per la concretezza, la sua ripugnanza per la violenza guerriera e le assurde pretese dell'onore cavalleresco, disposta a un vivere civile non romantico e avventuroso, ma costruttivo e ordinato. Il fiorentino non si scompone davanti alle minacce e alla burbanza del tedesco. Vuole il suo cimiero? Lo prenda pure, ma glielo paghi, ché non d'onore qui si tratta, bensì di quattrini. Finisce che il tedesco ha il cimiero e si considera un eroe da canzone di gesta, ma il fiorentino ci guadagna ben tre fiorini, più il danaro per comprarsi un cimiero nuovo. Il suo cedere non nasce da paura: è la sua civiltà più matura che si scontra con l'avanzo di un'altra, ormai superata dalla storia.

Uno cavaliere de' Bardi[1] di Firenze, piccolissimo della persona, e poco o quasi mai niente, non che uso fosse in arme, ma eziandio poco s'era mai esercitato a cavallo,[2] il quale ebbe nome messer... essendo eletto Podestà di Padova,[3] e avendo accettato, cominciò a fornirsi di quelli arnesi che bisognavano d'andare al detto officio: venendo a voler fare un cimiero,[4] ebbe consiglio co' suoi consorti, che cosa dovesse fare per suo cimiero. Li consorti[5] si strinsero[6] insieme e dicono: — Costui è molto sparuto e piccolo della persona; e pertanto ci par che noi facciamo il contrario che fanno le donne, le quali, essendo piccole, s'aggiungono sotto i piedi, e noi alzeremo e faremo grande costui sopra il capo.[7]

Ed ebbono trovato uno cimiero d'un mezzo orso[8] con le zampe rilevate e rampanti, e certe parole che diceano: «Non ischerzare con l'orso, se non vuogli esser morso». E fatto questo e ogni suo arnese, ed essendo venuto il tempo, il detto cavaliere molto orrevolmente partì di Firenze per andare nel detto officio.

E giungendo a Bologna, fece la mostra[9] della maggior parte delle sue orrevoli cose; e poi passando più oltre, intrando in Ferrara, la fece via maggiore[10] immaginandosi tuttavia accostarsi a entrare nel detto officio. E mandato innanzi e barbute[11] e sopraveste, e 'l suo gran cimiero dell'orso, passando per la piazza del Marchese, essendo nella piazza molti soldati del Marchese, passando costui per mezzo di loro, uno cavaliere tedesco, veggendo il cimiero dell'orso, comincia a levarsi[12] del luogo dove sedea, e favellare in sua lingua superbamente[13] dicendo:

— E chi è questo che porta il mio cimiero? — e comanda a uno suo scudiere che meni il cavallo, e rechi le sue armadure, però ch'egli intende di combattere con colui, ch'l porta e intende di appellarlo[14] di tradimento.

Era questo cavaliere tedesco uno uomo valentissimo di sua persona,[15] grande quasi come terzuolo di gigante,[16] e avea nome messer Scindigher. Veggendo alcuni e tedeschi e italiani tanta fierezza, furono intorno a costui per rattemperarlo e niente venia a dire;[17] se non che due per sua parte andarono all'albergo a dirli[18] che convenia combatterlo con messer Scindigher tedesco, il quale loro lui mandava, dicendo che questo era il suo cimiero. Il cavaliere fiorentino, non uso di questa faccenda, risponde che elli per sé non era venuto a Ferrara per combattere, ma per passar oltre e andare alla podesteria di Padova; e che elli avea ognuno per fratello e per amico: e altro non ebbono.[19] Tornando a messer Scindigher con questo, egli era già armato, cominciando a menar maggior tempesta, e chiamando li fosse menato il cavallo. Gli ambasciadori il pregano si rattemperi e che vogliono ritornare a lui:[20] e così feciono. E giunti all'albergo, dicono a questo cavaliero:

— Egli è il meglio che qui si veggia modo,[21] però ch'egli è tanta la furia del cavaliere tedesco, ch'egli è tutto armato, e crediamo ora che sia a cavallo.

Dicea il cavaliere de' Bardi:

— È può armarsi e fare ciò che vuole, che io non sono uomo da combattere, e combattere non intendo.

Alla per fine dopo molte parole dice costui:

Novella CL.

1. **de' Bardi**: era una delle più antiche e illustri casate fiorentine.
2. **e poco o quasi mai niente... cavallo**: e che non solo era inesperto nelle armi, ma sapeva a mala pena cavalcare.
3. **Podestà di Padova**: i comuni italiani eleggevano, per l'amministrazione della giustizia, un podestà forestiero, che fosse fuori della rissa delle fazioni cittadine. Il nome del cavaliere manca nei manoscritti.
4. **a voler fare un cimiero**: vuole farsi un elmo. Non gli serviva affatto, ma era un omaggio alle consuetudini cavalleresche e feudali che vedevano nelle armi l'emblema della dignità stessa dell'uomo. La novella è una discreta, ma decisa satira anche di queste costumanze. Sul cimiero veniva posta una figura emblematica o *impresa*.
5. **consorti**: i famigliari e le persone legate con patto a formare la *consorteria*, un raggruppamento anche di più famiglie legate da comuni interessi.
6. **si strinsero**: s'adunarono; il verbo allude a un adunarsi intimo e segreto.
7. **ci par... capo**: ci sembra opportuno di fare il contrario di quello che fan le donne: loro, per sembrare più alte, portano i tacchi, costui invece noi faremo più alto aggiungendo qualcosa dalla parte del capo, cioè con un alto e pomposo cimiero.
8. **uno cimiero d'un mezzo orso**: trovano un cimiero costituito da un mezzo orso, e per giunta, rampante, cioè in posizione eretta, in atto di arrampicarsi e con tanto di motto, probabilmente in latino; insomma, un cimiero rispettabilissimo, tanto che il cavaliere parte da Firenze molto onorevolmente (*orrevolmente*) e la consorteria fa un'ottima figura.
9. **fece la mostra**: sfila in corteo per la città con scudieri e insegne.
10. **la fece via maggiore**: fece un corteo ancor più pomposo, pensando ch'era ancor più vicino a Padova. La cosa diverte il S.
11. **barbute**: elmi che ricoprivano il volto per intero. Ma al centro, è il *gran cimiero*. La piazza del Marchese è quella dove sorgeva il palazzo degli Estensi, signori di Ferrara.
12. **comincia a levarsi**: nei momenti di azione più intensa, spesso il tempo del verbo passa dal passato al presente.
13. **superbamente**: è il tratto distintivo del cavaliere tedesco, uno dei tanti mercenari assoldati da comuni e signorie per le loro guerre continue.
14. **appellarlo**: accusarlo. Quel suo chiedere immediatamente armi e cavallo per attaccare subito battaglia è sostanzialmente comico; mostra comunque la barbarica irruenza del tedesco.
15. **valentissimo di sua persona**: fisicamente fortissimo.
16. **terzuolo di gigante**: terzuolo è il maschio del falcone. Il tedesco è cioè grande come un gigante nella prima adolescenza. La metafora animalesca ha un evidente spirito caricaturale.
17. **per rattemperarlo... dire**: per mitigarne l'ira, ma a nulla valevano le parole.
18. **a dirli**: a dire al fiorentino. Sono i padrini del tedesco, e gli ingiungono a nome di lui o di disfarsi del suo cimiero o di duellare con messer Scindigher per vedere chi avesse il diritto di portarlo.
19. **e altro non ebbono**: e non ne cavarono altro. Il fiorentino è innanzitutto stupito: costumanze del genere nella civilissima Firenze erano ormai un anacronismo. Alla pacatezza giudiziosa di costui fa comicamente riscontro lo smaniare del tedesco (*cominciando a menare maggior tempesta*), il suo urlare (*chiamando*) che gli portino il cavallo.
20. **che vogliono... lui**: (gli dicono) che vogliono tornare dal fiorentino.
21. **che qui si veggia modo**: che si trovi un accordo.

— Or bene, rechianla a fiorini, e l'onore stia dall'uno de' lati;[22] se vuole che io vada a mio viaggio, come io c'entrai, io me ne andrò incontenente; se vuole dire che io non porti il cimiero suo, io giuro su le sante di Dio guagnele, ch'egli è mio, e che io lo feci fare a Firenze a Luchino dipintore, e costommi cinque fiorini; se egli il vuole, mandimi fiorini cinque, e tolgasi il cimiero.

Costoro ritornorono con questo messer Scindigher, il quale come gli udì, chiama un suo famiglio, e fa dare a costoro cinque ducati di zecca, e dice al famiglio, vada con loro per quello cimiero, e così feciono, che portarono fiorini cinque, e 'l cavaliere per lo migliore[23] se gli tolse e diede il cimiero; il quale con un mantello coperto il portarono a messer Scindigher, al quale parve aver vinto una città.[24] E 'l Podestà che andava a Padova, rimaso sanza il cimiero, fece andar cercando se in tutta Ferrara si trovasse qualche cimiero, il quale con seco portasse in scambio dell'orso. E per avventura trovò a uno dipintore uno cimiero d'uno mezzo babbuino,[25] vestito di giallo con una spada in mano; e copertamente essendoli recato, disse uno suo giudice:

— È v'è venuta la più bella avventura del mondo; fate levare a questo la spada di mano, e per iscambio di quella abbia un piccone rosso[26] in mano, e serà l'arma vostra.

Al Podestà piacque, e così fu fatto, che gli costò in tutto forse un fiorino; ed in spignere e ripignere[27] alcuna targhetta, costò un altro, e in tutte l'altre cose era l'arma sua alla distesa. Sì che egli avanzò fiorini tre, e 'l tedesco rimase con l'orso, e costui lo rimutò babbuino, e andossene alla podesteria dove dovea.

Ma, se costui[28] avesse fatto di quelle che uno fece in simil caso, forse se ne sarebbe riuscito più netto, il quale avendo uno cimiere d'una testa di cavallo, uno todesco gli mandò a dire che portava il suo cimiero, e che lo ponesse giù, o elli lo volea combattere con lui. E quelli rispose:

— O che cimiero è quello che porta questo valentre[29] uomo?

E colui disse:

— Una testa di cavallo.

E quelli rispose:

— E la mia è una testa di cavalla; sì che non ha fare nulla con quello.

E rimase il todesco per contento, e colui ne riuscì con questa sottile risposta, e schifò[30] la battaglia, della quale non ne sarebbe stato molto vago.

22. **rechianla a fiorini... lati** riduciamo la questione a fiorini, cioè in sani termini commerciali e lasciamo da parte l'onore, che in questo caso non c'entra. È notevole il sangue freddo del buffo ometto che disdegna il barbarico uso delle armi e che rifiuta di prendere in considerazione l'idea di un duello, perché per lui è assolutamente assurda. È disposto ad andarsene subito (**incontenente**) da Ferrara, dato che nessun interesse lo trattiene colà; quanto al cimiero che il tedesco dichiara suo, giura sul santo Vangelo di Dio (**su le sante di Dio guagnele**), che lo ha comperato e pagato regolarmente. Se il tedesco lo vuole è disposto a venderglielo, cosa ben più sensata che uno stupido e insensato duello.
23. **per lo migliore**: per evitare liti.
24. **al quale parve aver vinto una città**: nell'espressione è riflessa la stolida gioia del tedesco per il suo vano acquisto.
25. **d'uno mezzo babbuino**: con una mezza scimmia. È ancor più comico di quello precedente: ha però il gran merito di costare meno.
26. **un piccone rosso**: non si capisce bene l'allusione. Certo, un tale emblema non offenderà più la suscettibilità di alcun cavaliere di ventura: è più degno di un artigiano che d'un guerriero.
27. **in spignere e ripignere**: il fiorentino deve anche cancellare l'orso da alcuni scudi del suo corredo e farvi dipingere il babbuino, che è ora il suo emblema (*arme*).
28. **Ma, se costui**: il carattere di esempio con un significato morale delle novelle del S. (qui la morale non è espressa alla fine, ma è già sufficientemente evidente nel racconto) si vede anche da quelle *code* che troviamo a volte aggiunte al primo racconto. Si tratta, come qui, di casi consimili, che il S. raggruppa per meglio ribadire l'esempio e l'insegnamento che ne ritrae.
29. **valentre**: valente.
30. **schifò**: schivò.

Le rime di Franco Sacchetti e la poesia per musica

La poesia del Sacchetti appare, come dice il Sapegno, non come un momento centrale della sua vita, bensì come «garbata effusione d'affetti in tono minore, sorriso che fiorisce ai margini di un'esistenza onesta e solerte». Non troviamo in essa la problematica spirituale di Dante o del Petrarca, neppure nelle numerose liriche di ispirazione morale, che pure esprimono un interesse costante dello scrittore. La sua migliore poesia è quella per musica: le *ballate*, i *madrigali*, le *cacce*, a volte musicati da lui stesso.

La poesia per musica costituì, nel Trecento, la parte maggiore e, in genere, migliore della letteratura borghese, soprattutto nella seconda metà del secolo. È legata a un profondo rinnovamento del gusto musicale che dalla Francia si diffonde in Italia, particolarmente a Firenze, dove però accoglie anche l'influsso della musica popolare, melodicamente più libera, così come l'accoglie nei testi poetici che vengono *intonati* o musicati spesso dal poeta.

Si tratta di una musica e di una poesia volte soprattutto a sottolineare con grazia un po' manierata i momenti più eleganti di una raffinata vita di società (i canti e le danze erano ornamento delle feste cui partecipavano le liete brigate), sentite più come ricreazione che non come elevazione dell'animo. Così le rime per musica del Sacchetti intendono soprattutto determinare un'atmosfera di leggiadria, o immagini idilliche nelle quali la natura e l'amore suggeriscono un senso di vita serena, di riposo e di svago. Non colpisce il singolo verso, ma la tonalità d'insieme.

È assente dalle rime per musica del Sacchetti (che vanno collocate all'inizio della sua carriera poetica) l'osservazione moralmente impegnata dell'uomo che troviamo nel *Trecentonovelle*; vi si manifesta però un senso vivo e fresco della realtà, e, soprattutto nelle *cacce*, il gusto per i quadri ariosi e mossi, per la rappresentazione incalzante di atti e gesti che costituiscono, come abbiamo visto, il momento artisticamente più felice dei suoi racconti.

Passando con pensier per un boschetto

È questa la *caccia* più famosa del Sacchetti. La *caccia* era una rappresentazione di una scena di caccia o, comunque, di movimento vivacissimo, scritta in metro libero, con un andamento rapido, sì da imitare anche nel ritmo lo svolgersi incalzante della scena. Analogo era l'andamento della musica (la *caccia* era cantata a più voci che entravano successivamente nel coro).

Il Sacchetti rappresenta un gruppo di giovani donne che raccolgono fiori e vengono messe in fuga dall'improvviso apparire di una serpe; un acquazzone giunge poi a completare il disordine e a rendere più precipitosa la fuga.

Passando con pensier per un boschetto,
donne per quello givan fior cogliendo,
— To' quel, to' quel — dicendo. —
— Eccolo, eccolo. —
5 — Che è, che è? —
— È fior alliso. —
— Va là per le viole. —
— Omé, che 'l prun mi punge! —
— Quell'altra me' v'aggiunge. —
10 — Uh! uh!, o che è quel che salta? —
— È un grillo. —
— Venite qua, correte:
raperonzoli cogliete. —
— È non son essi. —
15 — Sì, sono. —
— Colei,
o colei,
vie' qua,
vie' qua
20 pe' funghi. —
— Costà,
costà,
pe 'l sermollino. —
— No' starém troppo,
25 ché 'l tempo si turba. —
— È balena. —
— È truona. —
— E vespero già suona. —
— Non è egli ancor nona. —
30 — Odi, odi:
è l'usignol che canta:
Più bel v'è,
più bel v'è. —
— I' sento, e non so che. —
35 — Ove? —
— Dove? —
— In quel cespuglio. —
Tocca, picchia, ritòcca:
mentre che 'l busso cresce,
40 ed una serpe n'esce.
— O me trista! — o me lassa! —

1-2. Passando: mentre io passavo. Osserva la grazia di questi versi. Il primo, con quel gerundio, con la mancanza di articolo davanti a *pensier* e con l'assenza di ogni concreto riferimento alla qualità dei pensieri stessi (ma tutto suggerisce che si tratti di pensieri d'amore), proietta la figura del S. su di uno sfondo di solitudine sognante e pensosa. Il secondo, anch'esso così indeterminato, fa corrispondere alla figura del poeta assorto la grazia di quelle fanciulle che raccolgono fiori.
3. To': prendi. Si ha da questo momento un'animazione progressiva e un ritmo sempre più incalzante che si spezza in rapidissime battute di dialogo colto dal vero. Sono versi liberi, a volte bisillabi che in sé non hanno ritmo poetico ma lo ricevono dal contesto, dalle rime, dal loro intreccio con versi di misura meglio definita.
6. fior alliso: fiordaliso.
7. Va là per le viole: va là, se vuoi cogliere viole.
9. Quell'altra me' v'aggiunge: quell'altra vi giunge meglio (a cogliere certi fiori, posti, evidentemente in posizione a cui è arduo arrivare).
23. sermollino: è un'erba odorosa.
25. ché 'l tempo si turba: s'intravvede il motivo del temporale che concluderà la *caccia*.
27. E balena: lampeggia (l'*e*, soggetto di terza persona, è pleonastico; è frequente nella parlata toscana).
29. nona: sono le quindici.
32-33. Più bel v'è: la donna rifà il verso all'usignuolo.
34. I' sento, e non so che: Sento qualcosa muoversi e non so che sia.
38-40. Le fanciulle frugano e rifrugano nei cespugli, mentre cresce il loro clamore (*busso*); ed ecco (*ed*) n'esce una serpe.

— O me! —
Fuggendo tutte di paura piene,
una gran piova viene.
45 Qual sdrucciola, qual cade,
qual si punge lo piede:
a terra van ghirlande:
tal ciò c'ha còlto lascia, e tal percuote:
tiensi beata chi più correr puote.
50 Sì fiso stetti il dì che lor mirai,
ch'io non m'avvidi, e tutto mi bagnai.

43. Fuggendo: mentre fuggono.
48. tal percuote: e una inciampa in ciò che ha lasciato cadere.

Inamorato pruno

Inamorato pruno
già mai non vidi, come l'altr'ier uno.
Su la verde erba e sotto spine e fronde
giovinetta sedea,
5 lucente più che stella.
Quando pigliava il prun le chiome bionde,
ella da sé il pignea
con bianca mano e bella;
spesso tornando a quella,
10 ardito più che mai fosse altro pruno.
Amorosa battaglia mai non vidi,
qual vidi, essendo sciolte
le trecce e punto il viso.
Oh quanti in me alor nascosi stridi
15 il cor mosse più volte
mostrando di fuor riso,
dicendo nel mio aviso:
— Volesse Dio ch'i' diventasse pruno! —

3. sotto spine e fronde: sono le spine e le foglie del pruno innamorato. Ma il paesaggio è, al solito, indefinito. Basta un rapido tocco, l'erba verde, a dare un senso di primavera, diffusa nel paesaggio e nell'animo. Tutto è gentile e sfumato; osserva, ad esempio, la mancanza di articoli (*giovinetta sedea - con bianca mano e bella*).
5. lucente più che stella: in questa e in altre immagini si avverte un'eco stilnovistica, non più risolta, però, come nello Stil Novo in una rarefatta atmosfera spirituale, ma in una visione di grazia femminile.
7. da sé il pignea: lo allontanava da sé.
9. spesso tornando a quella: eppure il pruno spesso tornava a prenderle le chiome.
12-13. essendo sciolte, ecc.: quando le chiome furono sciolte e il viso della fanciulla punto dai reiterati attacchi del pruno.
14. nascosi stridi: grida mute, che risuonano non all'esterno, ma nel silenzio dell'animo. Sul volto il poeta mostra un sorriso divertito, ma nel suo pensiero formula il desiderio di diventare pruno. Si avverte un senso di struggimento: il pruno è la proiezione all'esterno del suo desiderio d'amore.

Metro: *ballata* con ripresa (aA), e stanze di endecasillabi e settenari, con due mutazioni (Bcd, Bcd) e volta (dA).

1-2. Costruisci: non ho mai visto un pruno innamorato come quello che vidi l'altro ieri.

Letteratura di devozione

Per tutto il secolo si riscontra un'abbondante produzione di letteratura religiosa (prediche, trattati dottrinali, vite di Santi, laude, sacre rappresentazioni) che per la semplice immediatezza del contenuto e dello stile può essere definita di carattere popolare. Con questo non si vuole dire che sia rivolta ai ceti più umili, ma che intende accogliere anche questi nel giro della propria comunicazione, seguendo l'esempio dei testi sacri, scritti, dicono i commentatori medievali, in modo da essere aperti a vari livelli di comprensione, secondo la cultura del lettore, ma capaci tuttavia di esprimere le verità fondamentali a un livello di persuasione immediata. La scelta d'uno stile «umile» è quindi, in questi testi, morale prima che letteraria.

Non più d'un rapido cenno merita la poesia religiosa del secolo (basta qui ricordare le laude del Bianco da Siena), mentre assai più importante, sul piano artistico, è la prosa. Gli autori, che sono molto spesso dei religiosi, si propongono come fine l'edificazione del lettore attraverso degli «esempi», brevi narrazioni che sottolineano incisivamente i momenti fondamentali d'una vita nella sua diretta connessione con la trascendenza divina. Così il dramma del peccato è rappresentato dal Passavanti nel rapporto immediato con la giustizia e la misericordia di Dio, e l'umiltà di S. Francesco e dei suoi frati, rievocata nei Fioretti in brevi narrazioni esemplari, ripropone la costante attualità, la presenza effettiva di Cristo nel mondo.

Molti di questi testi ne sviluppano o traducono altri più antichi, quasi ignorando lo sforzo intellettuale della filosofia scolastica, per rifarsi piuttosto a un ideale cristianesimo primitivo, rimasto vivo nel cuore e nell'attesa delle moltitudini. In questa prospettiva, cose, persone, eventi divengono segni d'una realtà più alta, secondo quella visione simbolica che, nata alle origini del Medioevo, ne rimane pur sempre uno dei fondamentali modelli conoscitivi. Il richiamo a un'esperienza religiosa, ritrovata nell'intimità della coscienza e legata più direttamente al vissuto è proprio di questa letteratura, che sembra intesa a riproporre una più autentica testimonianza cristiana sullo sfondo delle sventure (la peste, la carestia, la guerra) che travagliano il secolo.

I «Fioretti di San Francesco»

Nella letteratura religiosa del Trecento i volgarizzamenti, cioè le traduzioni di opere più antiche in latino, hanno spesso la freschezza e vivacità di opere originali. Fra queste, troviamo l'opera forse più bella, certo più famosa, della letteratura di devozione del secolo: i *Fioretti di San Francesco*, cioè un «florilegio» o «antologia» degli episodi più edificanti della vita del Santo e dei suoi discepoli.

I *Fioretti* sono la libera traduzione, compiuta nella seconda metà del Trecento, di una parte degli *Actus Beati Francisci et sociorum eius (Atti del Beato Francesco e dei suoi compagni)*, uno scritto latino dei primi decenni del secolo, dipendente a sua volta dal *Floretum* composto, sempre in latino, verso la fine del Duecento, dal frate Ugolino da Montegiorgio. Tutti questi scritti attestano il fascino vivissimo che esercitò la figura di San Francesco d'Assisi, un santo veramente popolare per la sua umiltà e povertà, che lo avvicinavano alla vita e all'esperienza delle classi più umili, delle quali, anzi, espresse, in una forma rispettosa dell'ortodossia, quei fermenti di rinnovamento spirituale, di ritorno al puro spirito evangelico, frequentemente affermati dai movimenti religiosi popolari del Medioevo.

Come fonte storica i *Fioretti* hanno poca importanza, perché non molto ci dicono della vita del Santo, trasfigurata, anzi, in una luce leggendaria, e della sua dottrina. Essi costituiscono un gruppo di episodi o esempi, senza un vero collegamento fra loro, ognuno dei quali è avvolto in un'atmosfera di stupito miracolo; quasi una breve lirica che ripropone in situazioni diverse i temi centrali del libro: l'umiltà, la carità, l'amor di Dio.

Il miracolo è una presenza continua nei *Fioretti*, continuo il colloquio fra l'anima del Santo o dei suoi discepoli e il soprannaturale: un colloquio in cui si riflette non tanto il dramma del peccato, ma un fiducioso abbandono a Dio, reso possibile dalla serena accettazione della povertà, cioè del distacco totale dai beni del mondo.

Anche per questo distacco dall'asprezza della vita e delle sue lotte, per questo protendersi verso una beatificante rivelazione che discende su di un'esistenza purificata e redenta, i *Fioretti* hanno un tono d'interiorità serena e un senso di letizia che sembrano ricondurre a un'infanzia favolosa del mondo. Questa è la ragione del fascino poetico che emana da alcune pagine e consiste nel vagheggiamento di una fraternità ritrovata fra l'uomo e l'uomo, fra l'uomo e le cose.

Per il testo seguiamo: *Prosatori minori del Trecento, scrittori di religione*, a cura di D.G. De Luca, Milano-Napoli, Ricciardi, 1954.

La perfetta letizia

È uno dei capitoli più celebri dei *Fioretti*, di cui esprime il motivo e l'insegnamento fondamentali. La perfetta letizia, ossia la vera pienezza della vita spirituale viene posta «nel vincere sé medesimo e volentieri per l'amor di Cristo sostenere pene, ingiurie, obbrobri, disagi», cioè nell'accettare serenamente il dolore come un mezzo di purificazione e di redenzione.

Il tema dottrinale è risolto in un dialogo, fra San Francesco e frate Leone, che si svolge su di uno sfondo invernale, mentre i due

frati percorrono un solitario cammino nel freddo e nel fango. Dalla bocca del Santo esce come un salmo, un cantico che esalta la perfetta letizia; e diciamo cantico perché qui la prosa rivela una cadenza liturgica. Potrebbe essere diviso in due parti: nella prima il Santo enumera con tono sempre più elevato e ispirato le cose, pur altissime (la sapienza, la capacità di compiere ogni miracolo, la conversione a Cristo di tutti gli infedeli) nelle quali non è la perfetta letizia; nella seconda eleva un inno alla perfetta letizia, che è l'imitazione di Cristo e della sua passione, nella quale consiste la suprema virtù cristiana.

Nell'una e nell'altra parte il discorso di S. Francesco è suddiviso in periodi fortemente scanditi, come le strofe di una poesia, con un ritmo sempre più concitato e incalzante che si placa, alla fine del passo, nel ritrovamento di una beatificante verità.

Vegnendo una volta santo Francesco da Perugia a Santa Maria degli Angeli[1] con frate Leone[2] a tempo di verno, e il freddo grandissimo fortemente il cruciava,[3] chiamò frate Leone il quale andava un poco innanzi, e disse così: — Frate Leone, avvegna Dio che' frati minori,[4] in ogni terra, dieno grande esemplo di santità e buona edificazione:[5] nondimeno scrivi,[6] e nota diligentemente, che non è ivi perfetta letizia.

E andando più oltre, santo Francesco il chiamò la seconda volta:[7] — O frate Leone, benché 'l frate minore illumini i ciechi, distenda gli attratti,[8] cacci i demòni, renda l'udire a' sordi, l'andare a' zoppi, il parlare a' mutoli, e, che maggior cosa è, risusciti il morto di quattro dì: scrivi che non è in ciò perfetta letizia.

E andando un poco, santo Francesco grida forte: — O frate Leone, se 'l frate minore sapesse tutte le lingue e tutte le scienzie e tutte le scritture,[9] sì ch'e' sapesse profetare e rilevare non solamente le cose future, ma eziandio[10] i segreti delle coscienze e degli animi: scrivi che non è in ciò perfetta letizia.

Andando un poco più oltre, santo Francesco ancora chiamò forte: — O frate Leone, pecorella[11] di Dio, benché 'l frate minore parli con lingua d'angelo e sappi i corsi delle stelle e le virtù dell'erbe,[12] e fòssongli[13] rilevati tutti i tesori della terra e cognoscesse le nature degli uccelli e de' pesci e di tutti gli animali e degli uomini e degli àrbori e delle pietre e delle radici e dell'acque: scrivi che non ci è[14] perfetta letizia.

E andando anche un pezzo, santo Francesco chiama forte: — O frate Leone, benché 'l frate minore sapesse sì bene predicare, che convertisse tutti gl'infedeli[15] alla fede di Cristo: scrivi che non è ivi perfetta letizia.

E durando questo modo di parlare bene due miglia, frate Leone con grande ammirazione[16] il domandò, e disse: — Padre, io ti prego dalla parte di Dio,[17] che tu mi dica ove è perfetta letizia.

E santo Francesco gli rispuose: — Quando noi giugneremo a Santa Maria degli Angeli, così bagnati per la piova e agghiacciati per lo freddo e infangati di loto[18] e afflitti di fame, e picchieremo la porta del luogo, e 'l portinaio verrà adirato e dirà: «Chi siete voi?», e noi diremo: «Noi siamo due de' vostri frati», e colui dirà: «Voi non dite vero, anzi siete due ribaldi, che andate ingannando il mondo e rubando le limosine de' poveri; andate via», e non ci aprirà, e faràcci stare di fuori alla neve e all'acqua, col freddo e colla fame, infino alla notte, allora, se noi tante ingiurie e tanta crudeltà e tanti commiati sosterremo pazientemente sanza turbazioni[19] e sanza mormorazione, e penseremo umilmente e caritativamente che quel portinaio veracemente ci cognosca[20] e che Iddio il faccia parlare contra noi, o frate Leone, scrivi che ivi è perfetta letizia.

E se noi perseverremo[21] picchiando, ed egli uscirà fuori turbato e come gaglioffi importuni ci caccerà con villanie e con gotate,[22] dicendo: «Partitevi quinci,[23] ladroncelli vilissimi, andate allo spedale,[24] ché qui non mangerete voi,

---

1. **Santa Maria degli Angeli**: era allora una cappella di Assisi, nella quale volle morire il Santo.
2. **frate Leone**: fu uno dei compagni prediletti di San Francesco.
3. **a tempo... cruciava**: era inverno e il freddo tormentava (*cruciava*); l'accenno al paesaggio è sobrio, eppure ha notevole importanza nel passo: proprio dal tormento e dal dolore s'innalza più alto e più puro il messaggio del Santo.
4. **avvegna Dio che' frati minori**: sebbene i frati minori, cioè quelli dell'ordine francescano.
5. **edificazione**: elevazione ed eccellenza spirituale; costruzione perfetta di sé.
6. **scrivi**: il verbo dà un tono di solennità al monologo di S. Francesco; sono parole da scrivere a lettere indelebili nella propria anima e da tramandare come una rivelazione.
7. **il chiamò la seconda volta**: nota in questa e nelle «strofe» successive del discorso del Santo, un crescendo d'intensità e di concitazione, quasi la gioia di avvicinarsi sempre di più a un'illuminazione. Dapprima S. Francesco «dice» semplicemente; poi «chiama», poi «grida forte», poi «chiama forte»: e percorrono, lui e Leone, due miglia. Fra le singole affermazioni vi sono lunghe pause di silenzio e di meditazione: alla fine di ognuna di esse, erompe quel grido.
8. **illumini i ciechi, distenda gli attratti**: ridoni la vista ai ciechi, raddrizzi gli storpi.
9. **tutte le scritture**: tutti i libri, tutte le opere scritte dai savi.
10. **eziandio**: anche.
11. **pecorella**: il nome denota la mansuetudine e la mitezza, virtù francescane per eccellenza.
12. **le virtù dell'erbe**: le proprietà medicinali delle erbe.
13. **fòssongli**: gli fossero.
14. **che non ci è**: che non è qui (*ci*), che non consiste in questo.
15. **che convertisse tutti gl'infedeli**: sembrerebbe la beatitudine suprema, la perfetta letizia; per questo il Santo l'ha tenuta per ultima nel suo discorso. Osserva in questa prima parte del *fioretto* il parallelismo: ogni «momento» della rivelazione del Santo incomincia con un gerundio; poi il nome del Santo con un verbo di dire, poi il vocativo «Frate Leone», e l'ammaestramento che si conclude sempre con la stessa formula.
16. **con grande ammirazione**: con grande stupore, perché il Santo ha negato che vi sia perfetta letizia in beni che pure appaiono altissimi.
17. **dalla parte di Dio**: in nome di Dio.
18. **loto**: fango. La *porta del luogo* è quella del convento. Segue ora, prima della conclusione, una rappresentazione realistica di traversie, di dolore e di umiliazione, espressa con un tono ardente di desiderio di martirio. Gli esempi non sono tratti da una realtà in qualche modo eccezionale e fantastica, ma dalla vita di tutti i giorni: è un'eroica conquista della perfezione spirituale, quella prospettata, che va vissuta ora per ora, nelle occasioni della vita, che sembrano umili e non lo sono, perché in ogni attimo, secondo il Santo, si compie una scelta essenziale per l'eternità.
19. **sanza turbazioni**: senza ira o rancore.
20. **veracemente ci cognosca**, ecc.: sappia veramente chi siamo, ma Dio lo faccia parlare così, per mettere alla prova la nostra virtù di sopportazione. S. Francesco immagina di essere respinto proprio dall'ordine che egli ha fondato; rinnegato, come fu rinnegato Cristo. Fin dall'inizio, i *Fioretti* insistono sul fatto «che il glorioso messer santo Francesco in tutti gli atti della vita sua fu conformato a Cristo».
21. **perseverremo**: persevereremo, insisteremo a picchiare all'uscio.
22. **gotate**: schiaffi.
23. **quinci**: di qui.
24. **allo spedale**: all'ospizio dei pellegrini.

né albergherete», se noi questo sosterremo pazientemente e con allegrezza e con buono amore: o frate Leone, scrivi che qui è perfetta letizia.

E se noi, pur costretti dalla fame e dal freddo e dalla notte, più picchieremo e chiameremo e pregheremo per l'amor di Dio con gran pianto che ci apra e méttaci pur dentro, e quelli più scandalezzato dirà: «Costoro sono gaglioffi importuni: io gli pagherò bene come sono degni», e uscirà fuori con uno bastone nocchieruto, e piglieràcci per lo cappuccio e gitteràcci in terra e involgeràcci nella neve e batteràcci a nodo a nodo[25] con quello bastone; se noi tutte queste cose sosterremo pazientemente e con allegrezza, pensando le pene di Cristo benedetto, le quali noi dobbiamo sostenere per lo suo amore: o frate Leone, scrivi che in questo è perfetta letizia.

E però odi la conclusione, frate Leone; sopra tutte le cose e grazie e doni dello Spirito Santo, le quali Cristo concede agli amici suoi, si è di vincere[26] sé medesimo e volentieri per l'amor di Cristo sostenere pene, ingiurie, obbrobri, disagi. Però che in tutti gli altri doni di Dio noi non ci possiamo gloriare, però che non sono nostri ma di Dio, onde dice l'Apostolo: «Che hai tu, che tu non l'abbi da Dio? e se tu l'hai avuto da lui, perché te ne glorii come se tu l'avessi da te?». Ma nella croce della tribolazione e della afflizione ci possiamo gloriare, però che questo è nostro. E però dice l'Apostolo: «Io non mi voglio gloriare se non nella croce del nostro signore Gesù Cristo» —.

Al quale sia sempre onore e gloria *in saecula saeculorum. Amen.*

25. a nodo a nodo: in tutte le giunture.
26. si è di vincere, ecc.: il maggior dono, la *perfetta letizia*, è quello di vincere se stessi, la propria superbia, e sostenere, per amore di Cristo, pene, ingiurie, ecc.

San Francesco e il lupo di Gubbio

Anche qui, come nel *fioretto* della perfetta letizia, la prosa acquista un vago senso di canto: le parole di Francesco si articolano in una successione come di strofe, che svolgono il tema della bontà, della mitezza, del perdono, di un universo pacificato nella luce della carità e dell'amore e culminano nella predica finale al popolo, nella quale si rivela il significato morale del miracolo. Ma qui l'autore dispone intorno alla figura di S. Francesco una scena più vasta e mossa: dai gesti del lupo che concludono i momenti della predica del Santo, allo sfondo corale del popolo d'Assisi testimone del prodigio, alla «storia» finale del lupo, diciamo così, convertito, che attesta il perdurare del miracolo, la presenza viva del santo e del suo messaggio nella realtà di tutti i giorni. Ne scaturisce come un vasto affresco che rivela un significato simbolico: la vittoria dell'amore sul male (il lupo), il ritrovamento, mediante l'umiltà e la bontà, di una vita redenta.

Al tempo che santo Francesco dimorava nella città d'Agobbio, nel contado d'Agobbio[1] apparì uno lupo grandissimo e terribile e feroce. Il quale non solamente divorava gli animali, ma eziandio[2] gli uomini; in tanto che[3] i cittadini stavano in gran paura, però che spesse volte s'appressava alla città. E tutti andavano armati, quando uscivano della terra,[4] come s'eglino andassero a combattere, e con tutto ciò non si poteva difendere da lui, chi in lui si scontrava solo.[5] E per paura di questo lupo vennono a tanto,[6] che niuno era ardito d'uscire fuori della terra.

Per la qual cosa santo Francesco, avendo compassione agli uomini della terra, sì volle uscire fuori a questo lupo,[7] benché i cittadini al tutto lo ne sconsigliavano.[8] E facendosi il segno della santa croce, uscì fuori della terra, egli co' suoi compagni, tutta la sua confidenzia ponendo in Dio.

E dubitando[9] gli altri d'andare più oltre, santo Francesco prende il cammino inverso il luogo ove era il lupo. Ed ecco che, veggendo molti contadini, i quali erano venuti a vedere questo miracolo, il detto lupo si fa incontro a santo Francesco, colla bocca aperta, e appressandosi a lui, santo Francesco sì gli fa il segno della croce e chiamalo a sé, e dice così: — Vieni qua, frate lupo, io ti comando dalla parte di Cristo che tu non facci male né a me né a persona.

Mirabile cosa a dire, immantanente che[10] santo Francesco ebbe fatta la croce, il lupo terribile chiuse la bocca e ristette di correre. E fatto il comandamento, venne mansuetamente come un agnello, e gittòssi a' piedi di santo Francesco a giacere.

Allora santo Francesco gli parla così: — Frate lupo, tu fai molti danni in queste parti, e hai fatti grandissimi malefici, guastando e uccidendo le creature

1. Agobbio: Gubbio.
2. eziandio: anche.
3. in tanto che: tanto che.
4. terra: è la città, l'abitato.
5. chi in lui... solo: se uno da solo s'imbatteva in esso.
6. vennono a tanto: giunsero al punto che...
7. volle uscire fuori a questo lupo: volle uscire dalla città e andare ad esso.
8. lo ne sconsigliavano: ne lo sconsigliavano; lo sconsigliavano di far ciò.
9. dubitando: avendo timore.
10. immantanente che: non appena.

di Dio sanza sua licenza.[11] E non solamente hai ucciso e divorato le bestie, ma hai avuto ardimento d'uccidere e di guastare gli uomini, fatti alla immagine di Dio, per la qual cosa tu se' degno delle forche come ladro e omicida pessimo, e ogni gente grida e mormora di te, e tutta questa terra t'è nimica. Ma io voglio, frate lupo, far pace fra te e costoro, sì che tu non gli offenda più, ed eglino ti perdoneranno ogni offesa passata, e né gli uomini né i cani ti perseguiteranno più.

Dette queste parole, il lupo con atti di corpo e di coda e d'orecchi, e con inchinare il capo, mostrava di accettare ciò che santo Francesco diceva e di volerlo osservare. Allora santo Francesco disse: — Frate lupo, da poi che ti piace di fare e di tenere questa pace,[12] io ti prometto ch'io ti farò dare le spese[13] continuamente, mentre che tu viverai,[14] dagli uomini di questa terra, sì che tu non patirai più fame, imperò ch'io so bene che per la fame tu hai fatto ogni male.[15] Ma poiché io t'accatterò questa grazia, io voglio, frate lupo, che tu mi promette che tu non nocerai mai a gnuno uomo, né a gnuno animale. Promettimi tu questo? — E il lupo, con inchinare il capo, fece evidente segnale che prometteva.

E santo Francesco dice: — Frate lupo, io voglio che tu mi faccia fede di questa promessa, a ciò che io me ne possa fidare. — E distendendo santo Francesco la mano per ricevere fede, il lupo levò su il pié dinanzi, e dimesticamente[16] il puose sopra la mano di santo Francesco, dandogli quel segnale di fede che poteva. Allora disse santo Francesco — Frate lupo, io ti comando nel nome di Gesù Cristo, che tu venga meco sanza dubitar[17] di nulla, e andiamo a fermare questa pace al nome di Dio. — E il lupo, ubbidiente, se ne va con lui come uno agnello mansueto.[18]

Di che, i cittadini, veggendo questo, forte si maravigliavano. E subitamente questa novità si seppe per tutta la terra; di che ogni gente, grandi, e piccoli, maschi e femmine, giovani e vecchi, traggono alla piazza[19] a vedere il lupo con santo Francesco. Ed essendo ragunato ivi tutto il popolo, lèvasi su santo Francesco e predica loro, dicendo tra l'altre cose come per li peccati Iddio permette cotali pestilenze; e troppo è più pericolosa la fiamma dello 'nferno, la quale ha a durare eternalmente a' dannati, che non è la rabbia del lupo, il quale non può uccidere se non il corpo; quanto è dunque da temere[20] la bocca dello 'nferno, quando tanta moltitudine tiene in paura e in terrore la bocca d'uno piccolo animale! — Tornate adunque, carissimi, a Dio, e fate degna penitenza de' vostri peccati, e Iddio vi libererà dal lupo nel presente, e, nel futuro, dal fuoco eternale.

E fatta la predica, disse santo Francesco: — Udite, fratelli miei: frate lupo, che è qui dinanzi a voi, ha promesso e fàttomene fede di fare pace con voi e di non offendervi mai in cosa veruna, se voi gli promettete dargli ogni dì le spese necessarie. E io entro mallevadore per lui, che 'l patto della pace egli osserverà fermamente. — Allora il popolo tutto a una voce promìsono di nutricarlo continuamente. E santo Francesco, innanzi a tutto il popolo, disse al lupo: — E tu, frate lupo, prometti d'osservare i patti della pace a costoro, e che tu non offenderai né gli animali, né gli uomini, né niuna creatura? — E il lupo, inginocchiandosi e inchinando il capo, e con atti mansueti di corpo e di coda e d'orecchi dimostrava, quanto è possibile, di volere osservare loro ogni patto.

Dice santo Francesco: — Io voglio, frate lupo, che, come tu mi desti fede di questa promessa fuori della porta, così qui, dinanzi a tutto il popolo, mi dia fede della tua promessa, e che tu non mi ingannerai della mia malleveria ch'i' ho fatta per te. — Allora il lupo, levando il piede ritto, sì lo puose in mano a santo Francesco. Onde, tra di questo atto e degli altri[21] detti di sopra, fu tanta ammirazione e allegrezza in tutto il popolo, sì per la divozione del santo, e sì per la novità del miracolo e sì per la pace del lupo, che tutti cominciarono a gridare a cielo,[22] lodando e benedicendo Iddio, il quale avea mandato loro santo Francesco, che per li suoi meriti gli avea liberati dalla bocca della crudele bestia.

E poi il detto lupo vivette due anni in Agobbio, ed entravasi dimesticamente per le case a uscio a uscio,[23] sanza fare male a persona e sanza esserne fatto[24] a lui, e fu nutricato cortesemente dalla genti, e andavasi così per la

11. **licenzia**: permesso.
12. **tenere questa pace**: mantenere stabilmente.
13. **ti farò dare le spese**: ti farò mantenere.
14. **mentre che tu viverai**: finché vivrai.
15. **imperò ch'io so bene... male**: la mitezza e la carità francescana portano a scusare il lupo, colpevole, sì, e «degno delle forche», ma spinto a ciò dalla fame. Dietro l'apologo del discorso al lupo intravediamo una profonda pietà per la debolezza della natura umana.
16. **dimesticamente**: come un animale domestico, porgendo la zampa a S. Francesco, s'impegna solennemente a mantenere la promessa. Siamo al limite fra la leggenda e la favola.
17. **sanza dubitar**: senza temere.
18. **come uno agnello mansueto**: la metamorfosi del lupo, preparata progressivamente dai suoi atti precedenti, è completa. E l'allusione all'agnello, che nella Scrittura simboleggia Cristo, ci riconduce dalla favola al simbolo, all'ideale francescano d'una natura redenta dall'amore.
19. **Di che ogni gente... traggono alla piazza**: e per questo tutti si dirigono alla piazza. Si delinea sullo sfondo del quadro il popolo testimone del miracolo.
20. **quanto è dunque da temere**, ecc.: osserva, nella predica, il passaggio spontaneo dal discorso indiretto a quello diretto, che dà alla *morale* del racconto un tono più vivacemente intonato al ritmo della narrazione.
21. **tra di questo atto e degli altri**: sia per questo atto sia per gli altri.
22. **tutti cominciarono a gridare a cielo**: cominciarono a innalzare grazie a Dio. L'espressione dà il senso di un coro d'esultanza a voce spiegata.
23. **a uscio a uscio**: entrando di casa in casa.
24. **e sanza esserne fatto**: e senza che ne fosse fatto.

terra e per le case, e giammai niuno cane gli abbaiava dietro. Finalmente, dopo due anni, frate lupo[25] si morì di vecchiaia. Di che i cittadini molto si dolevano, imperò che, veggendolo andare così mansueto per la città, si ricordavano meglio delle virtù e santità di santo Francesco. A laude di Cristo. Amen.

25. frate lupo: ormai era chiamato così da tutta la gente.

San Francesco e le tortore

In questo passo s'avverte un'eco del *Cantico di Frate Sole*, e cioè il motivo francescano della fraternità fra tutte le creature dell'universo. La comunione di san Francesco con la natura esprime l'aspirazione, comune a molte pagine dei *Fioretti*, a un nuovo paradiso terrestre, che l'anima può riconquistare ritrovando la propria purezza nativa e quell'umiltà che il peccato originale ha infranto. Ma, a prescindere dall'ispirazione religiosa, possiamo ammirare nel *fioretto* la limpida freschezza del breve racconto, quella stupita dolcezza con la quale l'autore scopre l'intima bellezza delle cose, in questo caso delle tortore mansuete e innocenti.

Uno giovane avea prese un dì molte tòrtore e portàvale a vendere. Iscontrandosi in lui santo Francesco, il quale sempre avea singulare pietà agli animali mansueti, ragguardando quelle tòrtore con l'occhio pietoso,[1] sì disse a quel giovane: — O buon giovane, io ti priego che tu mi dia coteste tòrtore, a ciò che uccelli così mansueti e innocenti, a' quali nella santa Scrittura[2] sono assimiliate l'anime caste e umili e fedeli, non vengono alle mani de' crudeli che l'uccidano. — Di subito colui, spirato[3] da Dio, tutte le diede a santo Francesco; ed egli, ricevendole in grembo, cominciò a parlare loro dolcemente: — O sirocchie[4] mie tòrtore, semplici, innocenti e caste, perché vi lasciate pigliare?[5] or è ch'io vi voglio scampare dalla morte, e faròvvi i nidi a ciò che voi facciate frutto, e multiplichiate secondo il comandamento di Dio[6] vostro creatore. — E va santo Francesco, e a tutte fece il nido, ed elleno, usandogli,[7] cominciarono a fare uova e figliare, innanzi a' frati; e così dimesticamente si stavano e usavano con santo Francesco e con gli altri frati, come s'elle fussino state galline, sempre nutricate da loro. E mai non si partirono, insino che santo Francesco, colla sua benedizione, diede loro licenza di partirsi.

E al giovane che gliele avea date disse santo Francesco: — Figliuolo, tu sarai ancora frate in questo Ordine, e servirai graziosamente a Gesù Cristo. E così fu, imperò che lo detto giovane si fece frate,[8] e vivette nell'Ordine con grande santità. A laude di Cristo. Amen.

1. con l'occhio pietoso: lo sguardo affettuoso è specchio dell'anima che vagheggia la redenzione di ogni cosa creata dalla violenza e dalla morte.
2. a' quali nella santa Scrittura, ecc.: la meditazione dei testi sacri ha disposto il Santo a sentire l'intima bellezza e bontà d'ogni cosa, a vedere in ognuna di esse il simbolo di una verità profonda.
3. spirato: ispirato.
4. sirocchie: sorelle. Nell'affettuoso discorso alle tortore è implicita la lode della castità e dell'innocenza.
5. perché vi lasciate pigliare?: si avverte un tremito nella voce del Santo, un lamento sul male che è nel mondo.
6. secondo il comandamento di Dio: dice la Bibbia: «E Dio creò... ogni volatile secondo la sua specie. E Dio vide che ciò era buono. E li benedisse dicendo: ... si moltiplichino gli uccelli sopra la terra» (*Genesi*, I, 22). È come se il Santo vagheggiasse l'armonia primitiva della creazione.
7. elleno, usandogli: esse, standovi, ecc.
8. lo detto giovane si fece frate il racconto delle colombe accolte dal Santo prefigura il destino del giovane che gliele dona, anch'egli accolto nell'ordine come anima «casta, umile, fedele».

L'umiltà di frate Masseo

Questo *fioretto* ci dà un'immagine viva della vita francescana: insiste sul tema dell'umiltà, una delle essenziali virtù perseguite da S. Francesco e dai suoi seguaci, ma anche sulla fermezza dell'ascesi mistica. Altro tema fondamentale dei *Fioretti*, espresso in questo passo, è la presenza continua di Cristo, quel continuo calarsi del soprannaturale nel mondo e nella coscienza umana che, al lettore del libro, dà, a un certo momento, l'idea non di un miracolo ma di un fatto consueto, di una dimensione nuova dello spirito divenuta spontanea. La voce di «giubilo» che esce, alla fine, dalla bocca del frate rapito in estasi è l'espressione della perfetta letizia che l'autore dei *Fioretti* vagheggia, dal ricordo della quale sembrano prendere le mosse le pagine più limpide del libro.

I primi compagni di santo Francesco[1] con tutto il loro sforzo s'ingegnavano d'essere poveri di cose terrene e ricchi di virtù, per le quali si perviene alle vere ricchezze celestiali ed eterne.

Addivenne un dì, che essendo eglino raccolti insieme a parlare di Dio, l'uno di loro disse questo esemplo: — È fu uno il quale era grande amico di Dio, e avea grande grazia di vita attiva e di contemplativa,[2] e con questa avea

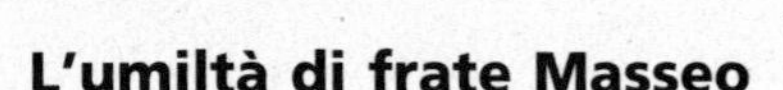

1. I primi compagni di Santo Francesco, ecc.: C'è nei *Fioretti*, or più or meno esplicita, ma sempre contenuta, una polemica contro la decadenza dell'ordine. Questo spiega la nostalgia con cui è rievocata la vita dei primi francescani e il tono non tanto favoloso quanto mitico dei racconti, che mescolano alla storia una nostalgica aspirazione ideale. Questo primo periodo, poi, spiega chiaramente l'ideale della povertà evangelica, abbracciata da S. Francesco: è il ripudio dei beni del mondo, per conseguire la vera ricchezza, quella dello spirito.
2. grande grazia di vita attiva e di contemplativa: la grazia di Dio lo assisteva sì da fargli attingere la perfezione nella vita attiva e in quella contemplativa; le due forme di vita religiosa che i francescani si sforzarono di contemperare pienamente.

sì eccessiva[3] e sì profonda umiltà, ch'egli si riputava grandissimo peccatore; la quale umiltà il santificava e confermava in grazia, e faceva continuamente crescere in virtù e doni di Dio, e mai non lo lasciava cadere in peccato.

Udendo frate Masseo così maravigliose cose della umiltà, e cognoscendo ch'ella era il tesoro di vita eterna, cominciò a essere sì infiammato d'amore e disiderio di questa virtù dell'umiltà che, in grande fervore levando la faccia al cielo, fece voto e proponimento fermissimo di non si rallegrare mai in questo mondo, insino a tanto ch'e' sentisse la detta virtù perfettamente nell'anima sua.[4] E d'allora innanzi si stava quasi di continuo rinchiuso in cella macerandosi con digiuni e vigilie, orazioni e pianti grandissimi dinanzi a Dio, per impetrare da lui questa virtù, sanza la quale egli si riputava degno dello inferno, e della quale virtù quello amico di Dio ch'egli avea udito era così dotato.

E frate Masseo stando per molti dì in questo desiderio, addivenne un dì ch'egli entrò nella selva,[5] e in fervore di spirito andava per essa gittando lagrime, sospiri e voci, domandando con fervente desiderio a Dio questa virtù divina. E però che Iddio esaudisce volentieri l'orazioni degli umili e contrite, stando così frate Masseo, venne a lui una voce da cielo, la quale il chiamò due volte: — Frate Masseo, frate Masseo! — Ed egli cognoscendo per ispirito[6] che quella era la voce di Cristo, sì rispuose: — Signor mio, Signor mio! — E Cristo disse a lui: — Che vuo' tu dare per avere questa grazia che tu mi domandi? — Risponde frate Masseo: — Signor mio, voglio dare occhi del capo mio. — E Cristo disse a lui: — E io voglio che tu abbi la grazia, e anche gli occhi. — E detto questo, la voce disparve.

E frate Masseo rimase pieno di tanta grazia della desiderata virtù e de lume di Dio,[7] che d'allora innanzi egli era sempre in giubilo.[8] E spesse volte quando egli orava, facea uno giubilo uniforme con suono, a modo di colomba, ottuso:[9] — u, u, u, — e con faccia lieta e cuor giocondo stava così in contemplazione. E con questo, essendo diventato umilissimo, si riputava minimo di tutti quanti gli uomini del mondo.

Domandato da frate Iacopo da Fallerone perché nel suo giubilo e' non mutava verso,[10] rispuose con grande letizia che, quando in una cosa si truova ogni bene non bisogna mutare verso. A laude di Cristo. Amen.

3. **eccessiva**: straordinaria.
4. **di non si rallegrare... nell'anima sua**: di non trovare mai pace, appagamento e gioia finché non sentisse profondamente questa virtù nella sua anima.
5. **ch'egli entrò nella selva**: l'accenno paesistico è, come al solito, sobrio: sullo sfondo solitario della selva acquista maggiore intensità il racconto dell'avventura dell'anima, che va dai sospiri, dalle lacrime, dalle voci, dall'ardente passione del cuore, al colloquio con Cristo.
6. **cognoscendo per ispirito**: conoscendo per spirituale rivelazione, per intuizione estatica. Il colloquio fra Masseo e Cristo è scarno, essenziale, e si concentra su quell'ardore eroico di sacrificio del frate che rende possibile il dono della grazia.
7. **del lume di Dio**: è la luce della grazia.
8. **era sempre in giubilo**: in stato di mistica ebbrezza.
9. **facea... ottuso**: emetteva una voce uniforme, con un suono simile al tubare di una colomba. Lo dice *ottuso* perché non è un grido, ma un suono non articolato, quasi un mormorio smorzato. La colomba è simbolo di purezza, mansuetudine, candore. *Jubilus*, nella musica e nella ritmica medioevale, era un modo di canto fermo su una nota.
10. **non mutava verso**: insisteva cioè su una sola nota senza variazioni. Quella sorta di canto fermo e immoto sembra simboleggiare la raggiunta fusione con Dio, suprema unità.

Jacopo Passavanti

Jacopo Passavanti nacque a Firenze intorno al 1302 e ivi morì nel 1357. Fu frate domenicano e compì i suoi studi di teologia a Parigi; tornato in Italia, fu maestro di teologia a Pisa, a Siena, a Roma, poi fu di nuovo a Firenze dove nel 1354, in occasione della quaresima, pronunciò molte prediche che costituirono il nucleo più importante della sua opera dottrinale in volgare, *Lo specchio di vera penitenza*. È questo un trattato in cui l'autore indaga l'essenza e i caratteri della penitenza, la confessione e la contrizione, la superbia, l'umiltà, la vanagloria, con ragionamento vigoroso e serrato. La parte artisticamente migliore del libro è costituita dagli esempi, brevi racconti a sostegno delle tesi principali dell'autore.

Tema fondamentale del libro è una visione pessimistica della natura umana, avvilita dal peccato originale e incline al male più che al bene, e, accanto a questa, il sentimento della giustizia divina, inesorabile col peccatore che non si penta. Affiora, a tratti, anche il motivo della misericordia divina, ma più spesso il Passavanti insiste sulla terribilità della dannazione e delle pene infernali.

Gli esempi si condensano in una rapida scena essenziale, il più delle volte esprimente la tragedia dell'uomo, la sua irrevocabile condanna. Al Passavanti non interessa tanto la visione dell'oltretomba o del giudizio universale, ma l'orrore della dannazione individuale, e spesso il racconto termina col grido disperato dell'anima, unito a quello dei demoni che la trascinano nel baratro infernale.

Tutto questo non nasce da un gusto del tenebroso e del terribile, ma dall'intenzione di richiamare al significato essenziale della vita: il Passavanti vuol far sí che il lettore senta, attraverso i suoi racconti, che la vera realtà si proietta su di uno sfondo eterno, nel quale la scelta terrena acquista un carattere irrevocabile. E vuol far sentire l'inferno continuamente in agguato sulle strade del mondo.

Lo stile degli esempi è asciutto e rapidissimo; la psicologia dei personaggi è limitata a pochi tratti essenziali, come il racconto, che procede senza indugi descrittivi ma con vigore drammatico.

Per i testi seguiamo: *Prosatori Minori del Trecento. Scrittori di religione*, cit.

Il conte di Matiscona

Troppo spesso, secondo il Passavanti, l'uomo vive nel mondo immemore del suo destino eterno, del fatto che la morte e la dannazione incombono costantemente su di lui. La «favola» che l'autore intesse su questo motivo è fortemente significativa: si noti l'improvviso silenzio nel palazzo festoso, l'uomo sconosciuto, inesorabile, sul gran cavallo, le sue parole che suonano come irrevocabile condanna, il grido finale di angoscia che si prolunga nello spazio sterminato dell'eternità. Fra questa vita e l'altra non c'è soluzione di continuità; la stessa rapidità travolgente dell'azione diffonde intorno un senso di stupefatto sgomento.

Leggesi scritto da Elinando,[1] che in Matiscona[2] fu uno conte, il quale era uomo mondano[3] e grande peccatore, contro a Dio superbo, e contro al prossimo spietato e crudele. Et essendo in grande stato,[4] con signoria e con le molte ricchezze, sano e forte, non pensava di dovere morire,[5] né che le cose di questo mondo dovessono venire meno, né dovere essere iudicato da Dio. Un dì di Pasqua, essendo egli nel palazzo suo proprio, attorniato da molti cavalieri e donzelli, e da molti orrevoli cittadini, che pasquavano[6] con lui, subito[7] uno uomo isconosciuto, in su uno grande cavallo, entrò per la porta del palazzo, sanza dire alcuna cosa a persona; e, venendo insino là, dove era il conte con la sua compagnia, veggendolo tutti e udendolo, disse al conte: «Sù, conte! lèvati sù e sèguitami». Il quale, tutto ispaurito, tremando si levò, e andava dietro a questo isconosciuto cavaliere, al quale niuno era ardito di dire nulla. E venendo alla porta del palazzo, comandò il cavaliere al conte che montasse in su uno cavallo che ivi era apparecchiato; e prendendolo per le redini e traendolosi dietro, lo menava suso per l'aria correndo alla distesa.[8] E così lo tirava su in alto veggendolo tutta la gente della città, gridando il conte doloroso, con dolorosi guai:[9] «Soccorretemi, cittadini; soccorrete il vostro conte misero, isventurato».[10]. E così gridando, sparì degli occhi degli uomini, e andò ad essere, sanza fine, nello inferno co' demonii.

1. **Elinando**: cronista e verseggiatore francese del secolo XII, dal quale il Passavanti trasse la materia di numerosi «esempi».
2. **Matiscona**: Maçon, in Borgogna.
3. **mondano**: dedito ai piaceri mondani.
4. **in grande stato**: avendo grande potenza.
5. **non pensava di dovere morire**: è questo, come abbiamo visto, il tema essenziale dell'esempio. La presentazione del peccatore è potentemente sintetica, da un punto di vista intellettuale. Il P. non intende però delineare un personaggio con caratteristiche personali, ma una figura nella quale tutti si possano riconoscere.
6. **orrevoli... pasquavano**: onorevoli... festeggiavano la Pasqua.
7. **subito**: all'improvviso, come un'apparizione fantomatica. L'essere sconosciuto, il grande cavallo, il silenzio dell'uomo, quel suo dirigersi rapido e deciso verso il conte, le sue parole semplicissime e che pure in quel momento gettano nel cuore uno sgomento arcano, tanto che il conte va dietro al cavaliere spaurito e tremante, tutto contribuisce a creare un'atmosfera soprannaturale. Prima ancora di aver potuto formulare un pensiero, il conte e i convitati hanno compreso, nel fondo della loro coscienza, che qualcosa d'invincibile, di irrevocabile è piombato sulla loro vita.
8. **alla distesa**: a gran carriera.
9. **guai**: lamenti.
10. **il vostro conte misero, isventurato**: Finalmente una voce: ma è voce d'angoscia e di agonia. Forse, più che i demoni nominati alla fine, ciò che più resta impresso è il senso pauroso della morte come improvviso venir meno di ogni cosa, come repentino oblio della vita e del mondo.

Il carbonaio di Niversa

Questo, che è il più celebre «esempio» del Passavanti, racconta la leggenda della «caccia infernale», cioè la leggenda, assai diffusa nel Medioevo, dei colpevoli amanti che ritornano dopo morti sulla terra per scontare orrendamente il loro peccato. Ritroviamo una diversa trascrizione di questo motivo nella novella di Nastagio degli Onesti, nel *Decameron*; ma quella che nel Boccaccio è visione favolosa, nel Passavanti diviene meditazione sulle pene del Purgatorio, e il fatto che questo tormento avrà un giorno fine nulla toglie al suo orrore. Il Passavanti riesce, con la sua prosa nuda ed essenziale, a creare un'atmosfera sinistra e spaventosa. Nella seconda parte del racconto prevale l'interesse morale e predicatorio, ma quell'invocazione finale del cavaliere, quello sparire dei due peccatori come saetta ci riconducono al tema iniziale dell'apparizione.

Leggesi scritto da Elinando,[1] che nel contado di Niversa[2] fu uno povero uomo, il quale era buono, e temeva Iddio; ed era carbonaio, e di quell'arte si viveva. E avendo egli accesa la fossa de' carboni, una volta, istando la notte in una sua capannetta a guardia dell'accesa fossa, sentì, in su l'ora della mezza-

1. **Elinando**: Cronista e verseggiatore francese del sec. XII.
2. **Niversa**: Nevers, in Francia.

notte, grandi strida.[3] Uscì fuori per vedere che fusse, e vide venire in verso la fossa correndo e stridendo una femmina iscapigliata e ignuda; e dietro le veniva uno cavaliere in su uno cavallo nero, correndo, con uno coltello ignudo in mano; e dalla bocca, e dagli occhi, e dal naso del cavaliere e del cavallo usciva una fiamma di fuoco ardente.[4] Giugnendo la femmina alla fossa che ardeva, non passò più oltre, e nella fossa non ardiva di gittarsi, ma correndo intorno alla fossa fu sopraggiunta dal cavaliere, che dietro le correva: la quale traendo guai, presa per li svolazzanti capelli, crudelmente la ferì per lo mezzo del petto col coltello che tenea in mano. E, cadendo in terra, con molto spargimento di sangue, sì la riprese per li insanguinati capelli, e gittolla nella fossa de' carboni ardenti: dove, lasciandola stare per alcuno spazio di tempo, tutta focosa[5] e arsa la ritolse; e ponèndolasi davanti un su il collo del cavallo, correndo se ne andò per la via onde era venuto. E così la seconda e terza notte vide il carbonaio simile visione. Onde, essendo egli dimestico del Conte di Niversa, tra per l'arte sua de' carboni e per la bontà sua la quale il Conte, che era uomo d'anima,[6] gradiva, venne al Conte, e dìssegli la visione che tre notti avea veduta. Venne il Conte col carbonaio al luogo della fossa. E vegghiando[7] il Conte e il carbonaio insieme nella capannetta, nell'ora usata venne la femmina stridendo, e il cavaliere dietro, e feciono tutto ciò che il carbonaio aveva veduto. Il Conte, avvegna che[8] per l'orribile fatto che aveva veduto fosse molto spaventato, prese ardire. E partendosi il cavaliere ispietato con la donna arsa, attraversata[9] in su 'l nero cavallo, gridò iscongiurandolo che dovesse ristare, e isporre la mostrata visione.[10] Volse il cavaliere il cavallo, e fortemente piangendo[11] rispuose e disse: — Da poi, Conte, che[12] tu vuoi sapere i nostri martìri, i quali Dio t'ha voluto mostrare, sappi ch'io fui Giuffredi tuo cavaliere, e in tua corte nutrito. Questa femmina contro alla quale io sono tanto crudele e fiero,[13] è dama Beatrice, moglie che fu[14] del tuo caro cavaliere Berlinghieri. Noi, prendendo piacere di disonesto amore l'uno dell'altro, ci conducemmo a consentimento di peccato;[15] il quale a tanto condusse lei che, per potere più liberamente fare il male, uccise il suo marito. E perseverammo nel peccato insino alla infermitade della morte,[16] ma nella infermitade della morte in prima ella e poi io tornammo a penitenzia; e, confessando il nostro peccato, ricevemmo misericordia da Dio, il quale mutò la pena eterna dello inferno in pena temporale di purgatorio. Onde sappi che non siamo dannati, ma facciamo in cotale guisa come hai veduto, per nostro purgatorio,[17] e averanno fine, quando che sia, i nostri gravi tormenti. — E domandando il Conte che gli desse ad intendere[18] le loro pene più specificatamente, rispuose con lacrime e con sospiri, e disse:[19] — Imperò che questa donna per amore di me uccise il marito suo, le è data questa penitenzia, che ogni notte, tanto quanto ha istanziato[20] la divina iustizia, patisca per le mie mani duolo di penosa morte di coltello; e imperò ch'ella ebbe in verso di me ardente amore di carnale concupiscienzia, per le mie mani ogni notte è gittata ad ardere nel fuoco, come nella visione vi fu mostrato. E come già ci vedemmo con grande disio e con piacere di grande diletto, così ora ci veggiamo con grande odio, e ci perseguitàmo con grande sdegno. E come l'uno fu cagione all'altro d'accedimento di disonesto amore, così l'uno è cagione all'altro di crudele tormento; ché ogni pena ch'io fo patire a lei, sostengo io, ché il coltello di che io la ferisco, tutto è fuoco che non si spegne; e, gittandola nel fuoco, e traèndonela e portandola, tutto ardo io di quello medesimo fuoco che arde ella. Il cavallo è uno dimonio, al quale noi siamo dati, che ci ha a tormentare. Molte altre sono le nostre pene. Pregate Iddio, per noi, e fate limosine e dire messe, acciò che Dio alleggèri[21] i nostri martìri. — E detto questo sparirono come fussono una saetta.[22]

3. grandi strida: le urla disperate risuonano più angosciose nel silenzio della mezzanotte e preparano la scena d'orrore che erompe improvvisa dalle tenebre.
4. del naso... ardente: Questa fiamma, che esce dalla bocca, dagli occhi, dal naso del cavaliere e del cavallo, diffonde un senso di orrore soprannaturale.
5. focosa: infuocata. La donna non solo è arsa per tutto il corpo, ma avvolta di fiamme.
6. che era uomo d'anima: che era uomo d'animo eletto.
7. vegghiando: vegliando.
8. avvegna che: sebbene.
9. attraversata: posta di traverso.
10. gridò.... visione: lo pregò che si fermasse ed esponesse il significato di quella visione.
11. fortemente piangendo: questo pianto umanizza la tetra figura del cavaliere e l'orrore della visione raccapricciante e introduce la seconda parte della novella.
12. Da poi... che: dal momento che.
13. fiero: feroce.
14. moglie che fu: che fu moglie.
15. ci conducemmo a consentimento di peccato: giungemmo ad acconsentire insieme al desiderio peccaminoso.
16. infermitade della morte: alla malattia che ci condusse alla morte.
17. per nostro purgatorio: per purgarci dai peccati commessi.
18. gli desse ad intendere, ecc.: che gli spiegasse più dettagliatamente il carattere delle loro pene.
19. e disse, ecc.: abbiamo qui l'esempio di quello che Dante chiama il *contrapasso*; la qualità della pena riflette, per adesione o per contrasto, il peccato commesso.
20. ha istanziato: ha stabilito.
21. alleggèri: alleggerisca.
22. sparirono... saetta: questo disparire repentino è coerente con l'azione rapida e travolgente della prima parte.

Il cavaliere che rinnegò Iddio

È questa una delle non molte pagine nelle quali il Passavanti, più che sul tema della tremenda giustizia divina, insiste su quello della misericordia. Per questo la fantasia dello scrittore s'incentra sulla materna figura della Vergine.

L'esempio ha più degli altri il carattere d'una novella; non si fissa infatti su di una scena paurosa, ma si articola in tre scene:

quella dell'evocazione demoniaca, quella centrale, senz'altro la più incisiva, della preghiera di Maria, e quella finale del dialogo fra i due cavalieri, più scialba ma avvivata dal tratto indimenticabile di quel solitario piangere, della commozione del peccatore perdonato. Non v'è un vero compiacimento narrativo, ché l'attenzione dello scrittore è tutta rivolta al fine edificante, ma un indugiare sulla psicologia del personaggio, colta con alcuni tratti intensi, che non è frequente nel Passavanti. Nella scena della preghiera di Maria vediamo quella capacità sintetica che costituisce il pregio delle pagine migliori dello scrittore.

Leggesi scritto da Cesareo che, nel contado di Lovagno, fu uno cavaliere giovane di nobile legnaggio, il quale in torneamenti e in molte venitadi[1] avea consumato ciò che avea, ed era venuto in grande povertà. E non potendo comparire[2] cogli altri cavalieri, e come uscito di sé, divenne a tanta tristizia che si volea disperare.[3] Veggendolo uno suo castaldo,[4] il quale è[5] grande incantatore delle dimonia, e' dicea: — Messere, se voi volete fare secondo il mio consiglio, io vi farò ricchо, e ritornare al primo onorevole stato. — E nel fine dicendo che sì,[6] una notte lo menò in una selva molto scura; e faccendo sue arti, invocato le demonia come era usato di chiamare, venne un demonio e disse quello che[7] volea e addomandava. Al quale dicendo come gli avea menato uno nobile cavaliere suo signore, il quale era venuto in povertà e voleva l'aiuto suo che lo riponesse in suo stato e rendéssegli le sue ricchezze; il diavolo disse di farlo di subito e volentieri, ma gli convenìa che negasse[8] in prima Cristo e la sua fede. Udendo il cavaliere, disse: — Al tutto questo non voglio fare.[9] — El castaldo si rivolse con animo adirato, istigato dal diavolo, e disse: — Dunque, non volete voi tornare nelle vostre ricchezze e negli onori usati? Andiamme. Perché m'avete fatto affaticare indarno?[10] — Veggendo il cavaliere quello che gli convenia fare se volea essere ricco, e la voglia avea pure di ritornare nel primo stato, lasciossi cadere, e consentì al consiglio del castaldo suo, e, avvegna che[11] mal volentieri e con grande paura, rinegò Cristo e la sua fede. Fatto ciò, disse il diavolo: — Ancora è di bisogno che nieghi la Madre,[12] e sarà di subito fornito[13] il suo volere. — Il cavaliere, ancora aiutato dalla Vergine Maria, disse: — Questo non lo farei mai. — E di subito dette la volta, e partìssi. E vegnendo per la via, e ripensando il suo grande peccato d'avere rinegato Cristo, pentuto con molto dolore e con molta contrizione, entrò in una chiesa, là dove era la imagine della Vergine Maria col Figliuolo in braccio, di legname scolpita; alla quale riverentemente inginocchiandosi, e dirottamente piangendo, domandò misericordia e perdonanza del grande peccato che avea commesso. Onde, odi miracolo[14] della Vergine Maria, in quella ora un altro forte cavaliere, il quale avea comperato ciò che costui avea, entrò dirietro a questo cavaliere pentuto, e puosesi secretamente dirietro a una colonna della chiesa, e stava a vedere e a udire ciò che dicea questo cavaliere pentuto; e udendo la divozione e 'l peccato ch'esso confessava, fortemente si cominciò a maravigliare, e pregare, e fare orazioni per lui; e aspettava il fine della sua orazione. E stando, la Vergine Maria cominciò, per bocca della imagine, a parlare sì che ciascuno di loro l'udìa, e dicea al Figliuolo ch'ella avea in braccio: — Dolcissimo mio Figliuolo, io ti priego che abbi misericordia di questo cavaliere pentuto, il quale è stato ingannato. — Ai quali prieghi, il Figliuolo, no' la volendo esaudire, le volse la faccia;[15] e la dolce Madre, avvocata de' peccatori pur pregandolo, rispuose il Figliuolo e disse: — Dolce Madre, costui per cui tu prieghi m'ha negato: che debbo fare in verso di lui? — Udendo questo la Madre, si levò la imagine in piede,[16] e puose il fanciullo in sull'altare, e tosto si gittò ginocchioni dinanzi al suo Figliuolo, dicendo: — Dolcissimo mio Figliuolo, io ti priego divotamente per questo cavaliere, pentuto e contrito del suo peccato. Dolcissimo mio Figliuolo, per mio amore voglio che tu gli perdoni, che è dolente e pentuto e contrito del suo peccato. Dolcissimo mio Figliuolo, perdònagli. — Al quale priego della Madre si levò il Figliuolo e prese la Madre per la mano, e disse: — Madre, io non ti posso negare niente, ma sia perdonato[17] al cavaliere il suo peccato. — E la Madre riprese il Figliuolo, e tornò nel luogo suo. Il cavaliere certo del perdono, per le parole della Madre, uscì dalla chiesa molto contento della grazia ricevuta, e dolente e contrito del suo peccato. E uscendo fuori dalla chiesa, el cavaliere

1. **legnaggio... torneamenti... vanitadi**: rispettivamente: lignaggio, tornei, vanità (cioè vani piaceri e ostentazioni mondane).
2. **non potendo comparire**: non potendo più far bella mostra di sé, apparire decorosamente e onorevolmente fra gli altri.
3. **che si volea disperare**: che si voleva abbandonare del tutto alla disperazione, uccidendosi.
4. **castaldo**: amministratore, maggiordomo.
5. **è**: intendi: era (può essere un errore del copista).
6. **nel fine dicendo che sì**: soggetto sottinteso è il cavaliere, che finalmente si lascia convincere.
7. **disse quello che,** ecc.: gli chiese che cosa volesse e domandasse.
8. **negasse**: rinnegasse.
9. **Al tutto... fare**: Non voglio assolutamente fare questo.
10. **Perché m'avete... indarno**: nelle parole adirate del castaldo istigato dal demonio si coglie la sua figura, sinistra e demoniaca anch'essa.
11. **avvegna che**: sebbene.
12. **la Madre**: la Madonna, madre di Cristo.
13. **fornito**: accontentato.
14. **odi miracolo**: l'inciso è conforme a quel tono di predica popolare che è caratteristico degli esempi passavantini.
15. **le volse la faccia**: questo atto e l'altro della Vergine che pone il Figlio che prima aveva in braccio sull'altare per inginocchiarsi davanti a lui, hanno un pieno rilievo drammatico. I motivi teologici sono qui rappresentati in una forma semplice ed essenziale. Osserva la preghiera della Vergine, che si articola in quella triplice invocazione al «dolcissimo figlio».
16. **si levò la imagine in piede**: naturalmente l'immagine lignea della Vergine. Il predicatore tiene scrupolosamente distinte la Madonna e la sua immagine, preoccupazione non infondata, data l'esistenza, allora, di certo feticismo religioso.
17. **ma sia perdonato**: la congiunzione avversativa sembra avvertire che c'è una frase sottintesa, quale, ad es.: Egli non merita alcun perdono...

ch'era stato nascosto nella chiesa gli tenne drieto celatamente; e giungendolo disse: — Doh, messere cotale: Iddio vi dia il buon dì, o donde venite voi? Voi siete così lacrimoso; che avete voi? — Rispuose il cavaliere e disse: — È stato il vento,[18] io vengo per alcuna faccenda di presso. — Disse il cavaliere che avea veduto e udito ciò ch'era stato: — Messere tale, non mi celate quello che v'è intervenuto, che io sono stato nella chiesa, e ho udito e veduto ogni cosa. Benedetto sia Iddio e la sua dolcissima Madre Vergine Maria, la quale non abbandona i peccatori, quella che v'ha fatto grande misericordia. E io per suo amore voglio essere partecipe a questo bene, e voglio porgere la mano ad atarvi,[19] per lo suo amore. Io ho una figliuola, la quale io vi voglio dare per sposa; e vògliovi rendere ciò che io ho comperato da voi, e farvi mio reda[20] di ciò che io ho, e vògliovi per mio figliuolo se v'è di piacere. — E udendo ciò, il cavaliere, molto più lento, ringraziò Iddio e la Vergine Maria e lui, e disse che riceveva bene e graziosamente il matrimonio. E adempiuto ciò che gli fu promesso, con grandissima riverenzia e divozione sempre della Vergine Maria vivette, e poi finì i suoi dì santamente pe' meriti della Vergine Maria, la quale sempre sia ringraziata; e sempre, peccatori, l'abbiate in divozione, che sempre priega per noi il suo Figliuolo dolce, e non lascia perire chi ha divozione in lei.

18. È stato il vento, ecc.: il particolare è sobriamente accennato, ma finissimo. Il cavaliere piange, si direbbe, per la dolcezza suscitata in lui dalla materna immagine di Maria e per la contrizione descritta magistralmente dal P. nel suo trattato («la divina bontade mitiga e tempera questo dolore — intendi il dolore del peccato — con una dolcezza e con una consolazione che egli dà alla mente che si duole del peccato, la quale dolendosi gliene giova e dilettasi di dolersene»); si tratta comunque di un'esperienza tutta interiore che ha pudore di manifestarsi ad altri.

19. atarvi: aiutarvi.

20. reda: erede.

Domenico Cavalca

Domenico Cavalca nacque a Vico Pisano, verso il 1270. Fu frate domenicano e congiunse allo studio assiduo delle sacre dottrine e alla predicazione un esercizio costante di carità attiva, assistendo i poveri, gli infermi, i carcerati e dedicandosi a un fervido apostolato. Morì universalmente compianto nel 1342. Scrisse numerose opere di carattere edificante, come lo *Specchio della croce*, il *Trattato delle trenta stoltizie*, il *Pungilingua*, ma la sua fama è affidata soprattutto alle *Vite dei Santi Padri*, volgarizzamento di una raccolta di biografie di santi eremiti e monaci in latino, intitolato *Vitae patrum*, che comprendeva opere di parecchi autori del più antico Medioevo.

La traduzione del Cavalca è condotta con molta libertà, e può essere considerata un rifacimento dell'originale. L'intenzione dell'autore non è quella di fare opera d'arte, ma morale e divulgativa; tuttavia l'atmosfera di stupore davanti al miracolo conferisce spesso alla sua pagina un colore fantastico, dovuto anche al fatto che quelle narrazioni riguardano i tempi lontani ed eroici del cristianesimo primitivo, un'esperienza ascetica, compiuta nei deserti della Tebaide e in altri luoghi, nei quali si sviluppò il monachesimo cristiano delle origini, che si trasfigura spontaneamente, dopo tanti secoli, in leggenda.

Il tema centrale delle *Vite* è quello del distacco dal mondo, della rinuncia, dell'ascesi contemplativa, della lotta continua per il raggiungimento della perfezione spirituale; ma il Cavalca di rado rappresenta questa lotta cogliendola nell'intimo della coscienza; la proietta più spesso all'esterno in atti e gesti, in figure dai contorni a volte irreali, come quando rappresenta la tentazione come un assalto di demoni che infliggono al santo battiture e scompaiono vinti da un segno di croce. Tuttavia la fede ingenua e popolare che permea i racconti conferisce loro un tono suggestivo.

Per il testo seguiamo: D. Cavalca, *Le vite dei SS. Padri*, a cura di C. Maselli, Torino, Utet, 1926.

Vita di Malco monaco

Fra le *Vite* del Cavalca questa è una delle più significative. Risale a un testo di un grande scrittore cristiano dei primi secoli, San Girolamo, monaco egli stesso, che ha saputo ben rendere il fascino che la vita monacale esercitava sulla sua anima. Il racconto può essere diviso in due parti: la prima, che culmina nell'episodio delle formiche è la più bella, risolta com'è in atmosfere psicologicamente intense; la seconda ha un tono più novellistico, con quella fuga nel deserto, piena di rapidità incalzante e di sgomento. In confronto però alla prima parte è più esteriore: quella leonessa, ad esempio, che rimette a posto ogni cosa, è una trovata macchinosa; serve soltanto alla «morale» (la castità si può mantenere anche fra i coltelli e le bisce e nei deserti). Ma la parte migliore del racconto insiste sul lento ritorno dell'animo di Malco a una vocazione perduta. Nella capacità di approfondimento di atmosfere contemplative sta, infatti, il meglio delle *Vite* del Cavalca; la descrizione dei miracoli ha invece spesso un carattere convenzionale.

In una villa[1] di Siria presso ad Antiochia a trenta miglia, la quale si chiama Maronia, trovai un antico[2] e santissimo uomo che aveva nome Malco con una compagna anche molto antica e santa. La fama e la santità de' quali udendo, dimandai curiosamente da' vicini se questa sua compagna era per copula di matrimonio o d'altra parenteria o spirituale amistade.[3] Della qual cosa non sapendomi eglino bene dichiarare,[4] ma rispondendo tutti che quelli erano molto santi, e congiunti insieme con mirabile amore di carità, anda'mene a costui, e curiosamente lo incominciai a dimandare del suo istato e della sua condizione e di questa sua compagna che avea. Allora egli umilmente mi rispuose e disse: «Al tempo della mia gioventù, essendo io unico figliuolo al mio padre e alla mia madre in quella villa, acciocché la loro eredità non perisse, vollommi molto tosto[5] dare moglie; la qual cosa rinunziando io, e rispondendo che io volea essere monaco, incominciàrommi a lusingare e minacciare in molti modi e con molti argomenti trarre a loro volontà; la molestia de' quali non potendo io più sofferire, avendo al tutto diliberato di farmi monaco, e acceso d'un buon disiderio, raccomandandomi a Dio, fuggi' da loro occultamente e misimi verso l'occidente, portando meco alcuna poca cosa da mangiare. E guidandomi e guardandomi Iddio, dopo molte giornate pervenni a quell'eremo che si chiama Chalchidos,[6] e quivi trovando santissimi monaci, diventai loro discepolo, e procurava la vita mia lavorando colle mie mani, e domava lo mio corpo e per fatica[7] e per digiuni. E dopo molti anni vennemi in cuore, per operazione del nimico,[8] di visitare li miei e, se fossono morti, vendere le possessioni, e parte del prezzo dare a' poveri e parte al monisterio di quelli monaci dove io stava, e (con vergogna il dico) parte serbarmene per mie necessitadi, come infedele e imperfetto monaco.[9] Della qual cosa sconfortandomi l'abate mio, e, come uomo esperto e discreto, dicendomi che questo era inganno e pensiero del nimico, lo quale sotto ispezie di bene e d'onestade mi volea far tornare al secolo;[10] e provandomi per molte scritture ed esempli di molti che in simile modo erano caduti e ingannati, dicevami che questo era un tornare e un guatare a dietro, poiché io avea messo mano all'aratro;[11] e all'ultimo eziandio pregandomi e scongiurandomi ch'io non lo abbandonassi; io misero, come ostinato e superbo, immaginando e credendomi che tutto ciò mi dicesse non per mio vantaggio, ma perch'io gli era utile al monisterio, non gli volli credere né consentire. Onde vedendomi al postutto disposto a partirmi, accomiatandosi da me, con gran dolore, come chi si traesse un suo figliuolo morto di casa, e accompagnandomi alquanto, diceva: — Veggioti, figliuolo mio, nelle mani di Satanasso, e nulla buona cagione, né legittima scusa hai di partirti. La pecora che fugge del pecuglio,[12] spesse volte viene a mano del lupo. — Per le quali tutte parole non potendomi rivocare,[13] raccomandandomi a Dio, tornossi al suo monisterio con gran dolore. Or andando io verso Edissa, pervenni a Beroi;[14] nel qual luogo, perciocché quivi presso ha una solitudine molto dubbiosa,[15] per la quale ladroni e saracini discorrono[16] e rubano e prendono li viandanti, si sogliono ragunare molti che vogliono passare, acciocché andando molti insieme sien più securi. Trovandomi quivi con ben settanta tra maschi e femmine, vecchi e giovani, mettemmoci a passare; e andando noi, ecco subitamente giunse sopra noi molti uomini Ismaeliti[17] Saracini in su cammelli con archi e saette correndo e arrecando[18] contro a noi, ed erano quasi mezzi ignudi, e avevano la testa legata[19] con certi panni. E conchiudendoci[20] tutti, presonci e menaronci prigioni; e poi partendoci fra loro, io e questa femmina venimmo in parte d'uno di quelli cavalieri,[21] e in cibo[22] carne mezzo cruda e latte di cammelli. E passato che menandocene in su cammelli per quella solitudine, davanci avemmo un gran fiume,[23] pervenimmo a un terribile diserto in una gran pianura, nella quale trovando la moglie e i figliuoli di questo nostro signore, fummo costretti come schiavi d'inchinare e d'adorargli. Furommi date a guardare le pecore, e fra i molti miei mali questo m'era gran sollazzo che rade volte vedeva li miei signori o conservi, per cagione che mi conveniva stare alla pastura colle pecore, e stavami volentieri solo; e ricordandomi di Jacob e di Moisè, e degli altri antichi Padri che furono pastori, confortaimi.[24] Prendea in mio cibo cacio fresco e latte; orava quasi continuamente e

1. **In una villa**, ecc.: in una città della Siria, distante circa trenta miglia da Antiochia.
2. **antico**: vecchio.
3. **era... amistade**: era congiunta a lui da vincolo matrimoniale, o di parentela o d'amicizia spirituale.
4. **dichiarare**: dare una spiegazione.
5. **vollomi molto tosto**: vollero molto presto.
6. **Chalchidos**: è la penisola calcidica, dove si trovavano anticamente molti eremi.
7. **per fatica**, ecc.: per mezzo di fatiche e digiuni.
8. **nimico**: diavolo.
9. **infedele e imperfetto monaco**: perché tradiva il voto di povertà assoluta.
10. **far tornare al secolo**: far tornare a vivere nel mondo, distogliendolo dalla vita monacale. La tentazione è sottile: il demonio, infatti, lo tenta con un pensiero in sé non riprovevole, quello di rivedere i suoi e di disfarsi completamente o quasi, qualora essi siano morti, delle proprie ricchezze. Ma il carattere primo della vita monastica consiste nell'abbandono di ogni cosa terrena e anche degli affetti più cari per consacrarsi integralmente al servizio di Dio.
11. **un guatare a dietro... all'aratro**: allude a un'espressione del Vangelo, che dice che non è adatto al regno di Dio chi, dopo aver messo mano all'aratro, si rivolge indietro: occorre cioè andare avanti senza pentimenti sulla via della perfezione.
12. **del pecuglio**: del gregge. Non sembri eccessiva l'insistenza dell'abate: la durissima vita monacale nel deserto è esposta a tentazioni sconvolgenti, secondo i racconti del Cavalca. Contro i santi padri si accanisce lo sforzo del demonio.
13. **rivocare**: richiamare indietro, farmi abbandonare la decisione presa.
14. **Edissa... Beroi**: sono Edessa, nella Mesopotamia, e Berea nella Macedonia.
15. **solitudine... dubbiosa**: una zona desertica e piena di pericoli, rappresentati soprattutto dai predoni.
16. **discorrono**: compiono continue scorrerie.
17. **Ismaeliti**: arabi.
18. **arrecando**: vibrando contro di noi le armi, puntandocele contro.
19. **la testa legata**, ecc.: la testa avvolta nel turbante.
20. **conchiudendoci**: accerchiandoci.
21. **partendoci... cavalieri**: li distribuiscono fra loro; Malco e la donna sono assegnati come preda, nella spartizione (*venimmo in parte*) allo stesso cavaliere.
22. **e in cibo**: ed avemmo per cibo.
23. **passato che... fiume**: dopo che, condotti sui cammelli per quel deserto, giungemmo davanti (*davanci*) a un gran fiume.
24. **confortaimi**: mi confortavo. Dopo la scena selvaggia del deserto e dei predoni, evocata con pochi ma vividi tratti, subentra questa scena pastorale, di pace contemplativa, che preannuncia quella, che vedremo più avanti, delle formiche, e si lega intimamente al tema centrale della storia: il rimpianto della vita monacale perduta e l'ansia di riconquistarla.

cantava quelli salmi ch'io avea impresi nel monistero; onde vedendomi tanto agio e tempo di ben fare, standomi così solo, incominciai a dilettarmi della mia solitudine e ringraziare lo giudicio di Dio, che la vita e lo stato monacile,[25] che avrei perduto se fossi giunto alla mia patria, avea trovato e tenere poteva in quella solitudine. E dopo alquanto tempo vedendo e considerando questo mio signore lo suo gregge delle pecore multiplicare, e trovandomi fedele e sollecito, volendomi e credendomi quasi rimunerare del buon servigio, e per meglio animarmi a ben fare ed essere sollecito e fedele, dissemi che volea ch'io prendessi per moglie quella femmina ch'era stata con meco. E rispondendo ch'io era cristiano, e questo fare non poteva, perciocché il marito era ancora vivo ed era stato preso con noi e venuto in parte[26] a un altro signore; provocato ad ira, vennemi addosso col coltello ignudo, e se incontanente non la prendessi per mano e per mia sposa, che mi ucciderebbe; onde infingendomi io di consentirgli, presila[27] la sera e menaila in quella spelonca dove io tornava. Allora incominciai a conoscere la mia prigionia e servitù, e gittandomi in terra incominciai a piagnere la perfezione monastica e la verginità ch'io temea di perdere; e diceva: — Or a questo sono venuto, misero, a questo m'hanno recato li miei peccati che, essendo già vecchio e canuto e avendo servato insino a ora la mia verginitade, ora in vecchiezza mi conviene essere marito. Che prode m'è stato[28] che fuggii la mia patria e i miei parenti per non prendere la moglie, poiché questo sono costretto ora di fare? Ma veramente credo che però questo sono costretto ora di fare? Ma veramente credo che però questo m'avviene perché io, contro al consiglio e volontà del mio abate, volli tornare alla mia patria. — E crescendomi il dolore e l'amaritudine, immaginandomi d'uccidermi prima che di corrompermi e perdere la verginità, incominciai a dire a me stesso: — Che faremo, anima mia? periremo o saremo vincitori? aspetteremo che Iddio ci soccorra o uccideremoci ispacciatamente?[29] Ucciderommi certo, perciocché più m'è da temere la morte dell'anima che quella del corpo; se per amore d'osservare castitade,[30] forse Iddio, mi reputerà quella morte a martirio. E così parlando presi il coltello e rivolgendomi la punta verso di me, vollimi percuotere:[31] e dissi verso quella mia nuova moglie: — Statti con Dio, infelice femmina; innanzi voglio che m'abbi martire che marito. — Allora ella, gittandomisi a' piedi, piagnendo disse: — Priegoti per Gesù Cristo che non ti uccidi, che sai ch'io ne sarei cagionata[32] e sarei uccisa; e se pure morire ti piace, uccidi prima me che te: ma sappi che, eziandio se 'l mio marito tornasse, osserverei castità in quanto potessi, la quale m'ha insegnata tenere e amare questa mia servitudine, e intanto[33] m'è venuta in amore che innanzi vorrei morire che perderla. Perché dunque tu vuoi uccidere per non congiugnerti, poiché io vorrei inanzi morire che consentirti,[34] eziandio se tu volessi? Tiemmi dunque per compagna di pudicizia, e più ama l'anima mia che lo corpo.[35] Leggieremente[36] faremo credere a' nostri signori che tegnamo matrimonio,[37] se ci vedranno stare insieme e portarci amore; e nientedimeno Cristo ci vedrà stare insieme e portarci amore come sirocchia[38] e fratello. — Le quali parole udendo e maravigliandomi io di tanta virtù e senno di questa femmina, credettile e consolaimi e amavala molto più che moglie. E vedendoci li nostri signori così amare l'uno coll'altro, essendo noi già in questo cotale matrimonio quanto alla vista[39] stati più tempi, incominciaronsi a confidare di noi[40] e darci più libertade.

E dopo gran tempo standomi una fiata[41] solo nell'ermo alla pastura, in luogo che io non vedeva se non lo cielo e la terra,[42] incominciai sospirando a pensare e ricordarmi de' miei compagni monaci, massimamente del mio reverendissimo maestro abate. E stando in questo pensiero, vidi molte formiche entrare e uscire per uno stretto pertugio e portare maggiori pesi che non era lo proprio corpo;[43] e alquante cavavano la terra delle fosse, e facevano la para[44] alla tana loro, perché non v'entrasse l'acqua; e alquante vi tiravano dentro alcune fronde d'alberi, e alcune altre fendevano le granella,[45] acciocché non nascessono in erba per l'umidità della terra; alcune altre quasi con pianto[46] portavano l'altre morte; e, che più mirabili cosa è, in tanta moltitudine quelle che uscivano, non impedimentavano quelle che portavano; anzi se ne vedeva-

25. **monacile**: monastico.
26. **venuto in parte**: assegnato in proprietà.
27. **presila**: la presi e la condussi, ecc.
28. **Che prode m'è stato**: che vantaggio mi è derivato dal fatto.
29. **ispacciatamente**: immediatamente.
30. **se per amore d'osservare castitade**, ecc.: se mi ucciderò per conservare la mia castità (il primo fra i voti monastici) forse Dio non considererà peccato il mio suicidio, ma una forma di martirio.
31. **vollimi percuotere**: mi apprestai a colpirmi.
32. **cagionata**: incolpata.
33. **intanto**: tanto.
34. **consentirti**: corrispondere al tuo amore.
35. **più ama l'anima mia che lo corpo**: meno violenta ed esasperata, ma più profonda e spiritualmente elevata la fermezza della donna, non dominata dall'ascetico terrore del peccato, ma dal sentimento della propria dignità.
36. **Leggieremente**: facilmente.
37. **che tegnamo matrimonio**: che viviamo in rapporto coniugale.
38. **sirocchia**: sorella.
39. **matrimonio quanto alla vista**: matrimonio apparente.
40. **confidare di noi**: fidarsi di noi.
41. **una fiata**: una volta.
42. **in luogo che io non vedeva se non lo cielo e la terra**: siamo nel momento più alto del racconto: la solitudine fra le plaghe sterminate della terra e del cielo dispone l'animo di Malco alla meditazione. Su questo sfondo indefinito di paesaggio si stagliano lenti e intensi i ricordi di quell'altra solitudine claustrale che è rimasta indelebilmente scolpita nel cuore del monaco. Poi, viene la scena delle formiche, resa dal Cavalca con tratti netti, concreti, essenziali: nei loro atti, guardati uno per uno, Malco ritrova un'analogia con la vita claustrale e gli nasce nell'animo il desiderio sempre più definito di essa.
43. **maggiori pesi... corpo**: pesi più grandi del loro stesso corpo.
44. **facevano la para**: con la terra estratta dai cunicoli che si erano scavati, costruivano, ammucchiandola, dei ripari, come piccole dighe, perché l'acqua non entrasse nei formicai.
45. **fendevano le granella**: rompevano i semi perché non ne nascesse erba.
46. **quasi con pianto**: il quadro lentamente si umanizza agli occhi attenti di Malco: la vita laboriosa, concorde e travagliata dei monaci (ma è il dolore che purifica e affina lo spirito) emerge, evocata dallo spettacolo delle formiche, dal fondo del suo cuore, e suscita un desiderio struggente di ritornare a quella vita santa, dolorosa e pur bella. Dalla scena di Malco pastore, a quella appassionata e disperata della difesa della propria purezza, a questa improvvisa illuminazione, nata non da uno dei tanti fatti miracolosi di cui abbondano le *Vite* del Cavalca, c'è una vera continuità, una progressione resa dallo scrittore con notevole acume psicologico.

no alcuna per troppo gran peso essere caduta, l'altre là correvano ad aiutare e rilevavanla.[47] E in questo spettacolo tutto il giorno istetti con gran diletto. E ricordandomi dell'ammonimento di Salomone che dice: *Va' alla formica, o pigro, e considera le sue vie*; volendo per suo esempio[48] eccitare a sollecitudine le menti pigre, incominciaimi a dolere e portare con tedio la mia servitudine per disiderio della vita del munistero, la quale mi ridussono a memoria[49] quelle formiche, vedendole abitare insieme e in comune congregare[50] e lavorare e l'una aiutare l'altra a similitudine della vita monastica. E tornandomene a casa maninconico[51] con questo pensiero, questa mia compagna, di ciò avvedendosi, domandommi la cagione della mia maninconia; e rispondendole io per ordine secondo il mio pensiero e desiderio e confortandola a fuggire con meco, consentì volentieri e tennemi credenza.[52] Or avea fra le pecore due becchi grandissimi, li quali uccisi, e apparecchiai la carne per portare per la via, e delle pelli feci due otri. E fatto questo, una sera, nel principio della notte, credendo li nostri signori che noi dormissimo e giacessimo insieme e però non fossimo iti a loro, movemmoci e fuggimmo, ma con grande paura; e giunti noi al fiume, che v'era di lungi dieci miglia, enfiammo gli otri soffiandovi e mettendogli nell'acqua. Salimmovi su e remando co' piedi, come potevamo, passammo di là; ma, passando, lasciammoci correre[53] secondo il corso del fiume più in giù, e poi passammo alla ripa, acciocché se altri ci venisse dietro seguitando le nostre vestigie, dall'altro lato della ripa del fiume non fossono corrispondenti a quelle della prima ripa. E avendo noi a passare una grande e sterile solitudine,[54] bevemmo molta di quell'acqua di quel fiume, volendo provvedere per la sete che dovea venire. Correvamo, fuggendoci e sempre dietro guardandoci, e massimamente la notte andavamo, sì per paura dei ladroni che il dì discorrono per quella solitudine, sì per lo caldo del dì; e con tanta paura fuggivamo che eziandio pure ora ciò narrando impaurisco che tutto triemo. Ecco dopo il terzo giorno, mirandomi io indietro, ebbi veduto molto da lungi due uomini, in su cammelli molto correndo, venirci dietro; li quali vedendo, immaginandomi, com'era, che fosse lo signore nostro, incominciammo a temere. E aspettando la morte, vedendo che non ci potevamo bene nascondere per le vestigie nostre, ch'erano impresse nella rena, dopo le quali quelli correvano seguitandoci;[55] e fuggendo, poi raccomandandoci a Dio, vedemmo a mano dritta una spilonca[56] ch'andava molto sotterra, nella quale avvegnaché[57] temessimo entrare per le vipere e scarpioni[58] e serpi, che sogliono entrare in queste cotali caverne, fuggendo il caldo del sole lo giorno, pur vedendoci sapraggiugnere,[59] entrammovi, raccomandandoci a Dio; ma non essendo arditi d'andare molto addentro, allogammoci in un luogo dalla mano sinistra, dicendo così fra noi: — Istiamo qui; se Iddio ci aiuta, camperemo qui; se ci dispregia come peccatori a lasciarci[60] qui morire, almeno abbiamo sepolcro. — Oh in che paura istavamo e chente[61] cuore era il nostro! pure avale[62] dicendolo sì triemo che la lingua non lo può speditamente proferire questo fatto. Ed ecco dopo un poco questo nostro signore con un fante, seguitate le nostre vestigie, fu giunto alla spilonca, e chiamava e gridava ch'io uscissi fuori; ma io non era ardito di rispondere. Mandò dentro lo servo suo che ce ne traesse, ed egli tenendo li cammelli colla spada ignuda in mano aspettava d'ucciderci. E perciocché la caverna era oscura e larga, e anche che, come usa che chi viene dal sole all'ombra ogni cosa gli pare quasi oscura, entrando il servo dentro, non ci vide; ma rimanendo noi in quel cantone presso alla bocca della spilonca, e stando cheti con paura, quegli andò più addentro gridando: — Uscite fuori, ladroni, che bisogno è che siate morti; uscite che 'l signore vi chiama. — Ed essendo dilungato da noi forse tre o quattri cubiti andando così gridando, ecco sì subitamente una leonessa gli uscì incontra, la quale erasi dentro nascosa co' suoi leoncini, e gittòglisi al collo e strozzollo e trasselo dentro. O Gesù buono, e che paura e che allegrezza insieme! Avemmo paura che la leonessa non ci vedesse; allegrezza vedendo perire quegli da cui aspettavamo d'essere morti. E aspettando lo signore di fuori, e vedendo ch'egli non tornava, immaginossi che noi gli risistessimo. Venne irato alla spilonca e gridando entrò dentro, riprendendo[63] la nigligenza del servo. Ed ecco subita-

47. **rilevavanla**: la rialzavano.
48. **per suo esempio**: mediante l'esempio della formica.
49. **mi ridussono a memoria**: mi ricondussero alla memoria.
50. **in comune congregare**: vivere in comune.
51. **maninconico**: malinconico; ma nella parola è implicito anche un senso di cupo scontento.
52. **tennemi credenza**: mantenne il segreto.
53. **lasciammoci correre,** ecc.: ci lasciammo trasportare dalla corrente.
54. **solitudine**: deserto, *sterile* perché privo d'acqua e di vegetazione.
55. **dopo le quali... seguitandoci** dietro le quali... inseguendoci.
56. **spilonca**: spelonca.
57. **avvegnaché**: sebbene.
58. **scarpioni**: scorpioni.
59. **vedendoci sopraggiugnere**: vedendoci ormai raggiunti.
60. **a lasciarci**: così da lasciarci.
61. **chente**: quale.
62. **pure avale**: anche adesso.
63. **riprendendo**: rimproverando.

mente innanzi agli occhi nostri venne la leonessa e, presolo, tirollo dentro. Or ecco liberati dall'uno pericolo, temevamo l'altro simile, cioè della leonessa; se non che più tollerabile ci pareva a sostenere l'ira di quella bestia che quella degli uomini; e stavamo con gran paura: e, non essendo arditi di muoverci, aspettavamo il fine di questo fatto, e fra tanti pericoli, armati solamente della coscienza della castità, cominciammoci a confortare in Dio. Ed ecco subitamente la leonessa, vedendosi sentita, e temendo ch'altra gente maggiore non sopravvenisse, prese un suo leoncino in bocca, e la mattina per tempo fuggì; ma non però, affidandoci,[64] incontanente fuggimmo fuori, ma aspettammo insino a sera, sempre immaginandoci, se uscissimo fuori, di trovarla.

Ma pure poi la sera uscimmo fuori, e trovando li cammelli di quel nostro signore con alquanti cibi da mangiare, salimmovi su, e continovando le giornate,[65] lo decimo dì giugnemmo nelle contrade di Siria, ed essendo menati innanzi al tribuno che v'era per li Romani,[66] narrammogli ciò che ci era incontrato;[67] e quindi partendo e andando in Mesopotamia, vendemmo li cammelli a Sabiniano duca della contrada. E perocché intesi che quel primo mio abate era morto, venni a queste contrade e accompagna' mi con questi altri romiti e monaci che sono per questa contrada; e costei raccomandai a certe religiose donne, amandola come suora». Queste cose mi disse questo Malco, infino ch'io[68] era giovane; e però ora l'ho volute scrivere con altre a commendazione[69] della castità, acciocché ogni uomo sappia che, eziandio fra i coltelli e fra le bisce e ne' diserti, la castità si può mantenere, se l'uomo l'amasse perfettamente, e che l'uomo ch'è dato a Cristo, può essere morto, ma non convinto.[70]

64. ma non però, affidandoci: ma non per questo fidandoci.
65. continovando le giornate: procedendo per giorni e giorni senza interruzione.
66. al tribuno che v'era per li Romani: al governatore romano che era là.
67. incontrato: avvenuto.
68. infino ch'io: quando io.
69. a commendazione: per elogio, lode.
70. può essere morto, ma non convinto: può essere ucciso ma non vinto.

Santa Caterina da Siena

La crisi generale che nel Trecento disintegrò il mondo medioevale (crollo dell'Impero, tramonto del feudalismo, delle istituzioni cavalleresche, delle repubbliche comunali) colpì profondamente anche la Chiesa. L'ideale di supremazia politica affermato da Bonifazio VIII fu irreparabilmente compromesso dall'esilio avignonese del papato e, terminato questo, dallo scisma d'Occidente; nello stesso tempo, il clero era minato da un rilassamento dei costumi e la società laicale, straziata da lotte violente, inclinava a una pratica di vita ambiziosa e materialisticamente spregiudicata. Contro questa crisi morale Santa Caterina riaffermò l'esigenza di ricostruire la spiritualità religiosa.

Appena quindicenne (era nata a Siena, da umile famiglia nel 1347) si iscrisse alle Mantellate di S. Domenico e visse per tre anni nella sua casa una vita di clausura e di aspre penitenze. Ma ben presto l'ardore stesso della sua carità la spinse a tornare nel mondo, per difendere e rinsaldare i fondamenti della Chiesa e della fede cristiana. Fu in varie città italiane, poi in Francia, ad Avignone, e dovunque raccolse intorno a sé discepoli entusiasti; fece udire la sua parola ispirata a principi, religiosi, pontefici. Il suo ideale fu quello di riportare la pace in seno alle singole città, in Italia e in Europa; pensava infatti che la pace avrebbe consentito al papa di ritornare a Roma, cosa questa indispensabile per la sua indipendenza, e di compiere una riforma del clero e della vita religiosa.

Caterina ebbe la gioia di vedere ritornare il pontefice a Roma, ma ebbe subito dopo l'angoscia di vedere una nuova ferita, ancor più grave, inferta alla Chiesa: lo scisma d'Occidente. Morì nel 1380, offrendo la sua vita in olocausto a Dio per la pacificazione religiosa.

Le opere di S. Caterina sono un trattato ascetico, il *Dialogo della divina Provvidenza*, e le *Lettere* che, in numero di 381, dettò ai discepoli più fedeli. In queste soprattutto si avverte l'animo ardente della Santa, che sa unire a una tenerezza e dolcezza materne una fermezza virile. Ella si rivolge a papi, re e principi con la forza e la sicurezza incrollabile di chi si sente portatrice di un messaggio che Dio stesso le ha ispirato. L'esperienza mistica la conduce ad una rivelazione che Ella intende rendere comune a tutti gli uomini in nome dalla carità.

Per il testo seguiamo: *Lettere* a cura di Niccolò Tommaseo (1860), ristampate a cura di P. Misciattelli, Siena, 1913-20.

A frate Raimondo da Capua dell'ordine dei Predicatori

Caterina racconta gli ultimi istanti di un uomo condannato a morte, forse ingiustamente, Nicolò di Tuldo. Ella è accanto a lui, lo conforta con la dolcezza di una madre, gli fa ritrovare la pace con gli uomini e con Dio. Questo fatto non è presentato e vissuto dalla Santa secondo la comune dimensione umana, ma secondo la sua mentalità mistico-religiosa.

La vicenda è ridotta a pochi tratti essenziali: il sorriso del condannato redento, il suo dire soltanto, davanti alla morte, «Gesù» e «Caterina». Quello che domina nella rappresentazione è il calore, l'«odore» del sangue. Realtà e simbolo si fondono: nel martirio Nicolò e Caterina vivono in una sorta d'intima comunione d'amore, si ritrovano misticamente uniti con Cristo e col suo sangue.

Questo anelito mistico, questa scoperta di una dimensione diversa nella realtà della vita, si sottraggono a una definizione concettuale: sono vissuti e presentati come effetto di una rivelazione. Di qui viene l'oscurità di questa lettera, dove tutto è avvolto in un'atmosfera di miracolo, dove il racconto è pervaso di un senso d'ebbrezza dell'anima sconvolta dalla mistica passione. La sintassi è semplice, elementare (le singole proposizioni sono spesso semplicemente coordinate da una *e*), il discorso procede, si direbbe, a ondate, con un accavallarsi di immagini e visioni estatiche.

Andai a visitare colui che sapete;[1] onde elli ricevette tanto conforto e consolazione, che si confessò, e disposesi molto bene. E fecemisi promettere per l'amor di Dio, che, quando venisse el tempo della giustizia,[2] io fussi con lui. E così promisi, e feci. Poi la mattina, innanzi la campana,[3] andai a lui; e ricevette grande consolazione. Menàlo[4] a udire la messa; e ricevette la santa Comunione, la quale mai più aveva ricevuta. Era quella volontà accordata e sottoposta alla volontà di Dio;[5] e solo v'era rimasto uno timore di non essere forte in su quello punto.[6] Ma la smisurata e affocata[7] bontà di Dio lo ingannò,[8] creandogli tanto affetto ed amore, nel desiderio di me in Dio, che non sapeva stare senza lui,[9] dicendo: «Sta' meco, e non mi abbandonare, e così non starò altro che bene, e morrò contento». E teneva il capo suo in sul petto mio. Io allora sentiva un giubilo e un odore del sangue suo;[10] e non era senza l'odore del mio, el quale io desidero di spandere per lo dolce sposo Gesù.

E crescendo il desiderio dell'anima mia, e sentendo il timore suo, dissi: «Confortati, fratello mio dolce; perocché tosto giognaremo alle nozze.[11] Tu v'anderai bagnato nel sangue dolce del Figliolo di Dio, col dolce nome di Gesù, il quale non voglio che t'esca mai dalla memoria. E io t'aspettarò al luogo della giustizia».[12] Or pensate, padre e figliuolo,[13] che il cuore suo perdette allora ogni timore, e la faccia sua si trasmutò di tristizia in letizia; e godeva, e esultava, e diceva: «Unde[14] mi viene tanta grazia, che la dolcezza dell'anima mia[15] m'aspettarà al luogo santo della giustizia?». Vedete che era giunto a tanto lume,[16] che chiamava il luogo della giustizia santo! E diceva: «Io anderò gioioso e forte; e parrammi mille anni che io ne venga, pensando che voi m'aspettarete ine».[17] E diceva parole tanto dolci, che è da scoppiare,[18] della bontà di Dio.

Aspettàlo[19] dunque al luogo della giustizia; e aspettai ivi con continua orazione e presentia[20] di Maria e di Catarina vergine e martire. Prima che giungesse egli, io mi posi giù, e distesi il collo in sul ceppo; ma non mi venne fatto che io avessi l'effetto pieno di me.[21] Ivi su, pregai e costrinsi Maria[22] che io voleva questa grazia, che in su quello punto[23] gli desse uno lume e una pace di cuore, e poi il vedessi tornare al fine suo.[24] Empissi allora l'anima mia tanto, che, essendo ivi moltitudine del popolo, non poteva vedere creatura, per la dolce promessa[25] fatta a me.

Poi egli giunse, come uno agnello mansueto: e vedendomi, cominciò a ridere;[26] e volse che io gli facessi il segno della croce. E ricevuto il segno, dissi

---

1. **colui che sapete**: Nicolò di Tuldo. Fu condannato a morte per tradimento senza che vi fossero prove della sua colpevolezza. Ma Caterina non insiste su questo fatto; la suprema innocenza di Nicolò sta nel fatto che, convertito, affronta la morte nel nome di Dio.
2. **el tempo della giustizia**: il momento dell'esecuzione.
3. **innanzi la campana**: prima del suono della campana dell'alba.
4. **Menàlo**: lo condussi.
5. **Era... Dio**: la volontà di Nicolò era pienamente accordata e soggetta a quella di Dio.
6. **in su quello punto**: nel momento in cui sarebbe stato giustiziato.
7. **affocata**: infuocata, ardente d'amore per l'uomo.
8. **lo ingannò**, ecc.: l'«inganno» di Dio consiste nel suscitare nel cuore del giovane il desiderio affettuoso della presenza di Caterina, che con la sua ardente carità diviene l'espressione sensibile della misericordia e dell'amore divino. Attraverso questo affetto ancora umano ma purissimo, il giovane riceve la rivelazione di un amore più grande.
9. **che non sapeva stare senza lui**, ecc.: non sapeva stare senza Caterina e teneva il capo sul suo petto; ma la Santa riferisce, conforme a quanto abbiamo detto nella nota precedente, ogni atto e sentimento del condannato a Dio, che gli si rivela attraverso la presenza di lei.
10. **un odore del sangue suo**, ecc.: sono parole che appaiono strane se staccate dal loro contesto. Qui hanno ormai un senso chiaro: il sangue di Nicolò richiama quello di Cristo, la sua passione; il martirio diventa l'espressione più alta dell'uomo, la strada che lo conduce alla suprema elevazione. Al sangue di Nicolò si mescola quello di Caterina, che nella morte di lui pregusta l'olocausto, il sacrificio di se stessa a Dio.
11. **tosto giognaremo alle nozze**: presto giungeremo alle mistiche nozze dell'anima con Dio, a quel pieno congiungimento, cioè, che avverrà dopo la morte.
12. **al luogo della giustizia**: al luogo dove sarai giustiziato.
13. **padre e figliuolo**: si rivolge a frate Raimondo.
14. **Unde**: donde.
15. **la dolcezza dell'anima mia**: Caterina. Nicolò è come trasfigurato: dalle sue parole Caterina comprende che ha ricevuto in sé la grazia divina.
16. **tanto lume**: tanta grazia. La grazia illuminante di Dio è penetrata in lui, ed egli chiama per questo *santo* il luogo dove sarà giustiziato perché ha compreso che la morte significa il ricongiungimento con Dio. E la presenza in quel luogo di Caterina è per lui una prova.
17. **ine**: ivi.
18. **che è da scoppiare**: da sentirsi scoppiare il cuore di tenerezza.
19. **Aspettàlo**: lo aspettai.
20. **con continua... presentia**: Ella prega la Madonna e S. Caterina d'Alessandria, martire del IV secolo, così ardentemente che le sente vicine e presenti.
21. **ma... l'effetto pieno di me**: pone il capo sul ceppo, per congiungersi a lui nel martirio, intimamente, ma è tanto protesa verso Nicolò che non riesce a provare questa esperienza nella sua anima; vive solo per lui, anche nella preghiera estatica che subito dopo racconta.
22. **costrinsi Maria**: con tanto amore prega la Madonna da costringerla ad esaudire la sua preghiera.
23. **che in su quello punto**, ecc.: prega che Nicolò possa ritrovare nel momento della morte una suprema illuminazione e pace del cuore che lo facciano ritornare a Dio, fine di tutti gli uomini e dell'universo.
24. **al fine suo**: a Dio.
25. **Empissi... promessa**: la sua anima si riempì di estasi per la dolce promessa di esaudirla che la Madonna le ha fatto. Per questo non vede la folla radunata, come allora usava, per vedere il triste spettacolo. Ma per tutta la lettera vediamo che gli uomini, la folla cieca, sono assenti. La vera presenza reale è quella di Cristo che accoglie l'anima di Nicolò e la pone nella ferita aperta del proprio costato, secondo la visione che la Santa rivela più avanti.
26. **cominciò a ridere**: si compie la trasfigurazione di Nicolò, creatura, ormai, celeste, già chiamato alla gioia dei santi.

io: «Giuso alle nozze,[27] fratello mio dolce! ché tosto sarai alla vita durabile». Posesi giù con grande mansuetudine; e io gli distesi il collo, e chinàmi giù e rammentali[28] il sangue dell'Agnello. La bocca sua non diceva se non «Gesù» e «Catarina». E, così dicendo,[29] ricevetti il capo nelle mani mie, fermando l'occhio nella divina bontà, e dicendo: «Io voglio!».[30]

Allora si vedeva Dio-e-uomo,[31] come si vedesse la chiarità del sole; e stava aperto,[32] e riceveva nel sangue suo un fuoco di desiderio santo[33] dato e nascosto nell'anima sua per grazia; riceveva nel fuoco della divina sua carità. Poiché ebbe ricevuto il sangue e il desiderio suo, ed egli ricevette l'anima sua,[34] la quale mise nella bottiga aperta del costato suo, piena di misericordia, manifestando la prima Verità,[35] che per sola grazia e misericordia egli il riceveva, e non per veruna altra operazione. O quanto era dolce e inestimabile a vedere la bontà di Dio! con quanta dolcezza e amore aspettava quella anima partita dal corpo! voltò l'occhio della misericordia verso di lei, quando venne a intrare dentro nel costato bagnato nel sangue suo, che valeva per lo sangue[36] del Figliuolo di Dio.

Ma elli[37] faceva uno atto dolce da trarre mille cuori. E non me ne maraviglio; però che già gustava la divina dolcezza. Volsesi come fa la sposa quando è giunta all'uscio dello sposo suo, che volge l'occhio e il capo a dietro, inchinando chi l'ha accompagnata,[38] e con l'atto dimostra segni di ringraziamento.

Riposto[39] che fu, l'anima si riposò in pace e in quiete, in tanto odore di sangue,[40] che io non potevo sostenere di levarmi il sangue, che mi era venuto addosso, di lui. Oimè misera miserabile! non voglio dir più. Rimasi nella terra con grandissima invidia.[41] E parmi che la prima pietra[42] sia già posta. E però non vi maravigliate, se io non v'impongo altro che 'l desiderio di vedervi annegati nel sangue e nel fuoco che versa il costato del Figliuolo di Dio. Or non più dunque negligenzia, figliuoli miei dolcissimi, poiché 'l sangue comincia a versare,[43] e a ricevere la vita. Gesù dolce, Gesù amore.

27. **Giuso alle nozze**: lo esorta a chinare il capo e a porlo sul ceppo; ma, ovviamente, non parla di morte, bensì di nozze, perché l'anima di Nicolò sta per congiungersi, per sempre e indissolubilmente con Dio. La metafora delle *nozze* è in questo senso comune agli scrittori religiosi e anche a Dante. La *vita durabile* è la vita eterna.
28. **rammentali,** ecc.: gli ricordai il sangue dell'Agnello, cioè di Cristo.
29. **E, così dicendo**: e mentre egli così diceva.
30. **fermando... Io voglio!**: Caterina guarda fissamente Dio, con una fermezza che supera l'orrore di quel supplizio, e dice: Io voglio! Non è facile definire il senso esatto di queste parole: c'è in esse, nello stesso tempo, l'accettazione del martirio, un atto di suprema dedizione alla volontà di Dio, compiuto da Caterina in nome suo e insieme in nome di Nicolò, e la fermezza fiduciosa con la quale chiede alla divina bontà di accogliere l'anima di Nicolò.
31. **Allora si vedeva Dio-e-uomo**: allora si vedeva Cristo. Ormai la scena dell'esecuzione è completamente lontana, superata: appare luminoso Cristo che accoglie in una eterna comunione d'amore l'uomo che nella morte lo ha ritrovato.
32. **stava aperto**: e aveva il costato aperto, per ricevere l'anima di Nicolò; il sangue di questi nel sangue suo.
33. **un fuoco di desiderio santo,** ecc.: (riceveva) nel fuoco della sua carità il fuoco del desiderio santo di Nicolò, che gli aveva offerto se stesso e la sua vita; la grazia divina aveva posto questo desiderio nel cuore di Nicolò, il cui merito stava nell'averlo accolto.
34. **ed egli ricevette l'anima sua**: accolto il sangue e il desiderio di Nicolò, Cristo ne accoglie l'anima, nella *bottiga aperta*, cioè nel ricettacolo del suo costato trafitto.
35. **manifestando la Prima Verità,** ecc.: Dio, suprema verità, mostra chiaramente di ricevere Nicolò solo per sua grazia e misericordia, non per le opere compiute da questi nel mondo. L'uomo con le sue sole forze non potrebbe mai giungere ad essere pienamente degno dell'amore di Dio.
36. **che valeva per lo sangue,** ecc.: il sangue di Nicolò acquistava valore perché versato in memoria della passione di Cristo, che col suo sacrificio ha santificato il dolore umano.
37. **Ma elli**: Nicolò.
38. **inchinando chi l'ha accompagnata**: l'anima di Nicolò, prima di entrare nel costato di Cristo, si volge indietro e fa un inchino a Caterina che l'ha accompagnata, come una sposa saluta coloro che l'hanno accompagnata alla casa dello sposo.
39. **Riposto**: sepolto.
40. **in tanto odore di sangue,** ecc.: resta, di tutta la vicenda, quell'ebbrezza del sangue, cioè del martirio di cui la morte di Nicolò ha acceso un desiderio vivissimo nel cuore di Caterina.
41. **con grandissima invidia**: in quanto anche lei vorrebbe spargere per Cristo il proprio sangue.
42. **la prima pietra**: l'assistenza al condannato le appare ora come la prima pietra di un edificio di carità e di fede che ella vorrebbe erigere insieme coi suoi discepoli. Vorrebbe vederli annegati nel sangue e nel fuoco di Cristo, impegnati cioè in un'opera di redenzione dell'umanità, simile a quella da lei compiuta nei confronti di Nicolò.
43. **poiché... versare**: il sangue di Cristo ha cominciato a riversarsi su di loro e a riprendere nel mondo la sua funzione vivificatrice.

Letture critiche

Poeti minori del Trecento

Dante, Boccaccio, Petrarca additano i momenti più importanti, le fasi di un trapasso, di una trasformazione radicale delle strutture politiche, dei costumi, delle concezioni del mondo. In essi l'esperienza culturale attinge a quel supremo rigore che caratterizza le punte più consapevoli e riflesse di una civiltà. I minori del Trecento sono invece lontanissimi da un rigore siffatto, come pure da quello scolastico, ma pur sempre indice di una vicenda intellettuale cosciente delle sue direttive e dei suoi limiti, che aveva guidato e regolato i progressi dell'attività letteraria del secolo XIII. Essi presentano un quadro più vario, ma più incerto, più difficile ad affermarsi, più dispersivo e più ibrido, in cui galleggiano i residui inerti di una cultura già spenta e ridotta a bagaglio di formule astratte, ma anche affiorano a tratti voci nuove, più facili e cordiali.

Guardate i lirici, ad esempio. Ciò che più spicca, a paragone della coerenza della scuola dai siciliani allo Stil novo, è proprio il carattere estremamente empirico dei loro tentativi, la loro riluttanza ad accettare un sistema preciso di schemi contenutistici e di linguaggio, la prontezza con cui obbediscono di volta in volta alle suggestioni più disparate dell'ambiente: insomma una cultura ed un gusto tipicamente informi [...].

Ciò che conta è la varietà grande, dall'uno all'altro, degli spunti e dei motivi di ispirazione; e in tutti la presenza di una sollecitazione autobiografica immediata e di una continua occasionalità dei temi, e insieme la esigenza di un vario sperimentare di forme e di tecniche e di linguaggi aperto tutto in una volta agli echi della grande tradizione trobadorica e dantesca, alla suggestiva novità del lirismo petrarchesco, alle eleganze fiorite della poesia musicale, al «parlato» incisivo e mordente dell'Angiolieri, al gusto dei suggerimenti popolareschi, allo squallido mitologismo ornamentale dei grammatici preumanisti [...].

Oltre tutto, è proprio da questi testi minori, dove il valore documentario prevale quasi sempre sul proposito artistico, che noi possiamo ricavare meglio l'immagine reale del secolo: un'immagine minuta varia, contraddittoria se si vuole, e nell'insieme torbida e angosciosa. L'impressione che sorge più insistente [...] è un'impressione di decadenza, che investe e travolge tutte le forme di una civiltà. Mentre un sistema di rapporti umani e civili si spezza e cede il posto ad un altro, in cui più angusto è il margine concesso all'armonico sviluppo della vita individuale, il cuore degli uomini sembra stretto da un senso di paura e di sconforto.

I grandi istituti, su cui poggiava l'assetto della cristianità medievale, sono ormai vuoti nomi. La Chiesa, lacerata dagli scismi e dall'interna corruzione, ha smarrito il senso della sua funzione: in alto, prelati lussuriosi e simoniaci; in basso, preti e frati ipocriti e avidi di guadagno e di sopraffazione. I compiti affidati ai vicari di Cristo «sono tutti trasmutati In sparger sangue e vender benefici, In vizi scellerati», afferma Antonio da Ferrara; e Giannozzo Sacchetti conferma che «ipocrisia... per sacerdoti ogni ben dissigilla»; e Pietro Alighieri ritrae i prìncipi della Chiesa «tratti a lussuria e a ricchir parenti»; e Braccio Bracci stupisce che le forze dello spirito e una dottrina di pace siano messi al servizio degli interessi terreni e ridotti a strumenti di guerra: «El Vangelo di Dio leggesti invano, Che pace predicò per ogni via, E tu fai guerra e mettici in resia...». L'invocazione di una giustizia di Dio, che sopravvenga ad atterrare «l'avara Babilonia», è così frequente da diventare quasi un luogo comune; mentre da ogni parte insorge la richiesta di una riforma profonda di tutta la vita religiosa. Né minore è la vergogna, e più ridicola l'impotenza, dell'Impero; sempre più evidente appare la vanità di ogni speranza riposta in un suo intervento, che rimetta ordine e giustizia negli Stati della penisola. La situazione dell'Italia, nei suoi rapporti soprattutto con l'autorità imperiale, è efficacemente riassunta nelle parole di uno scrittore pur di tradizione ghibellina, Pietro di Dante: «rege sanza possa e leggi vane»; un sovrano che «è tenuto più a ciancia Che non fu mai il ciocco delle rane» e per causa del quale «quasi a tiranno è ogni terra».

Ma più grave del declino delle istituzioni medievali è la profonda crisi degli ordinamenti del Comune. Già nei testi più antichi, anche in quelli dove la nuova concezione del costume borghese si esprime in termini più orgogliosamente polemici, come nel *Fiore*, o in quelli che teorizzano in modi ingenui le idealità della classe dirigente, come i trattati di Francesco da Barberino o la canzone del «pregio» di Dino Compagni, il lettore intravvede di scorcio il rovescio reale di una condizione apparentemente vivace, florida e superba: venuta meno l'onestà delle relazioni mercantili, corrotte le magistrature, resa venale la giustizia, smascherata l'ipocrisia dei giuramenti cavallereschi. E il lamento cresce negli anni seguenti (perfino sulle labbra dei modesti fiorentini, di un Pucci, di un Adriano de' Rossi), quanto più si fa grave dall'esterno e dall'interno la minaccia delle soluzioni violente, della rivolta del popolo minuto ovvero della prepotenza degli avventurieri spregiudicati e fortunati. Il Comune non è riuscito a creare un sistema stabile di ordine e di giustizia; le lotte civili hanno preso il sopravvento; il contado è rimasto distaccato ed estraneo, se non ostile. La storia di Firenze, fra la tirannide del duca d'Atene e il tumulto dei Ciompi, è quasi un simbolo dell'interna debolezza e dell'incapacità di sviluppo degli ordinamenti comunali.

Perfino l'affermazione della ricchezza e della potenza, che era stata in un primo tempo l'orgogliosa affermazione di un modo nuovo terreno e mondano di concepire la vita, si vien rivelando a poco a poco nella sua grettezza e diventa la norma e il presupposto di un'ingiustizia più profonda: «E il mondo vile è oggi a tal condotto. Che senno non ci vale o gentilezza, Se e' non v'è misticata la ricchezza La qual condisce e 'nsala ogni buon cotto»; afferma Pieraccio Tedaldi; e Niccolò Soldanieri rincalza: «Il vulgo cari Tien zappator pur ch'egli abbian denari... Al mondo è maggior chi ha più fortuna». La querela per un siffatto travolgimento dei valori si estende e sottolinea l'ingiustizia dei rapporti sociali: al povero tutto è negato; anche le offese perpetrate a suo danno restano impunite; una società dura e gretta lo condanna a una condizione di servitù senza speranza di redenzione. E mentre per alcuni, pur nelle forme familiari di una ideologia religiosa e di un richiamo all'ideale evangelico, la povertà è bandiera di lotta e segno di protesta; altri sorgono a smascherare il carattere utopistico di questo cristianesimo arcaico e mettono in luce la natura reale della povertà, fonte di corruzione, di avvilimento e di disordine. Ma questo senso di uno squilibrio profondo dell'assetto sociale resta pure, come il segno di una minaccia incombente, il rimorso di una legge infranta, l'ansia di una giustizia inafferrabile, e risuona con modi e toni vari nelle prose e nei versi del tempo. Fin nelle laude religiose si insinua l'utopia di un mondo dove gli uomini siano finalmente uguali: «Se noie tutte avemo un pate, Donqa semo noi frateglie: Perché non semo agguagliate De ricchezza onnechiveglie?». E sullo sfondo della polemica arditissima del *Fiore* balena ad un tratto, con straordinario vigore di rappresentazione, l'immagine delle plebi affamate e derelitte: «E quand'io veggo ignudi que' truanti Su' monti del litame star tremando, Che freddo e fame gli va sì accorando Non posson pregiar né Die né santi, El più ch'io posso lor fuggo davanti...».

In un mondo così turbato dalla coscienza dell'anarchia e della ingiustizia che lo pervade, anche la minaccia della tirannide può assumere la maschera di una speranza di ordine e di pace sociale. La signoria di uno solo può parere che assicuri, in certi limiti, una parvenza di uguaglianza e perfino, per i più oppressi e perseguitati, di maggiore libertà. L'esperienza tuttavia dissipa ben presto le illusioni: «nella terra del tiranno Folli son quei che vi stanno», ammonisce Francesco da Barberino; e il Saviozzo, o chi per lui, ribadisce: «Tiranno tira a sé tutte sue voglie: Chi priva dell'aver, chi della vita; A chi toglie la figlia, a chi la moglie»; mentre Pietro Alighieri mette in guardia contro i «nuovi pubblicani» che «rodono ognor con peggior morso».

Ad ogni modo, sopra tutte le delusioni, resta ferma l'invocazione ansiosa, insistente, dolorosa, di un ordine nuovo che dia finalmente tranquillità e sicurezza a tutti: la pace, qualunque essa debba essere, ordinata da un imperatore o promessa da un pontefice, meglio consapevoli delle loro funzioni, o magari imposta da un tiranno alle comunità faziose e rissose. L'immagine della «dolce pace» è presente, bene supremo e sempre inafferrabile, a tutti gli spiriti; sorregge le speranze degli esuli; ispira le riflessioni e i moniti dei cittadini più pensosi; risuona sulla bocca anche dei retori; è usurpata al servizio delle più varie propagande.

Intanto, nell'assenza di un assetto durevole e ordinato dei rapporti economici civili e morali, l'uomo si sente come un fuscello in balìa di forze estranee che lo opprimono. La Fortuna signoreggia il mondo: sia poi essa sentita, come talora avviene, quasi cieca ed informe potenza del caso, e ancora come espressione dell'impenetrabile volontà di Dio, o magari come una specie di forza materiale di fronte a cui l'uomo di cuore si erge, non vittorioso, ma pur tenace nel rivendicare la sua superstite umana dignità. Ai più neppure questa impotente rivendicazione di dignità è concessa: «Contra Fortuna non si puote andare», dichiara Vannozzo, «Né può per predicanza o per sermone Corso de stella un momento cessare». Non resta che acconciarsi ai cinici precetti dell'anonimo: «Per consiglio ti do di passa passa...», o a quelli più avvilenti che van sotto il nome di Bindo Bonichi: «Un modo c'è a viver fra gente:... Cessa da' magri e accòstati a' grassi...». L'impressione che si leva da molte di queste pagine è quella di una civiltà che si estingue, con i suoi ordini politici e morali, e anche con la sua pazienza e la sua poesia: al lamento di Giovanni Quirini per la morte di Dante («Or son le Muse tornate a declino, Or son le rime in basso descadute») risponde alla fine del secolo quello di Franco Sacchetti per la morte di Boccaccio («Or è mancata ogni poesia E vote son le case di Parnaso»).

Al lettore accorto non sfuggirà il ricorrere frequente da un testo all'altro di alcuni temi insistenti, e dunque indubbiamente vivi e ugualmente presenti alla coscienza dei lirici come dei didascalici, dei canterini e dei laudesi: il problema della fortuna, e cioè del comportamento dell'uomo dinanzi alle forze soverchianti della realtà circostante; il problema della povertà, e cioè degli squilibri e delle ingiustizie sociali; il motivo della tirannide, minaccia incombente alle comunità superstiti e agli individui ansiosi di libertà e al tempo stesso promessa sovente di un ordine più stabile e di una giustizia più uguale; l'anelito infine della pace, di una politica in cui trovi riposo in qualunque modo e a qualunque prezzo la travagliata sorte di tutti e di ciascuno. È proprio nel ricorrere di questi temi (d'altronde strettamente legati fra loro e radicati in una medesima situazione civile e morale) che si delinea l'atmosfera comune da cui nascono, pur così dissimili negli aspetti, tutti i testi qui raccolti: ed è, come s'è visto, l'atmosfera di una civiltà che si spegne, in un rigoglio estremo di superstite effimera vitalità, ma squilibrata e dispersa, già disposta ad accasciarsi nell'immobile splendore di una lunga decadenza confortata da splendidi sogni.

Natalino Sapegno

(Dall'introduzione a *Poeti minori del Trecento*, Milano-Napoli, Ricciardi, 1964, pp. 10 sgg.).

Francesco Petrarca

La vita

Francesco Petrarca nacque ad Arezzo nel 1304 da Ser Petracco, notaio fiorentino esiliato da Firenze nel 1302 perché guelfo di parte bianca (come Dante), e da Eletta Canigiani. Dopo aver dimorato all'Incisa e a Pisa, il padre si trasferì ad Avignone (1312), avendo trovato colà occupazione presso la corte pontificia, e collocò la moglie e i figli nella vicina Carpentras, dove Francesco compì i primi studi sotto la guida di Convenevole da Prato. Avviato, col fratello Gherardo, agli studi giuridici, li frequentò prima a Montpellier (1316), poi a Bologna, dove visse dal 1320 al 1326. Ritornato ad Avignone, probabilmente in seguito alla morte del padre, frequentò col fratello il mondo elegante della città; qui, il 6 aprile 1327, nella chiesa di Santa Chiara, vide per la prima volta Laura, la donna che amò per molti anni invano e che fu l'ispiratrice della sua poesia più grande, ma anche la causa d'un lungo tormento interiore. È di questi anni l'inizio della sua attività di poeta d'amore; gli studi giuridici, apprezzati nel loro aspetto storico, ma ben presto ripudiati come scala a una professione, servirono soprattutto a metterlo in contatto con l'ammirato mondo dell'antica Roma.

Verso il '30, costretto a cercare una sistemazione, abbracciò lo stato ecclesiastico, prendendo gli ordini minori, dato che questa carriera, intesa fuori d'ogni reale impegno pastorale, consentiva di godere una certa rendita e di porsi al seguito dei dignitari della corte papale. Nell'autunno del '30 fu infatti assunto nel proprio seguito dal cardinale Giacomo Colonna e divenne poi cappellano del di lui fratello Giovanni; nel '35 ottenne un canonicato nella cattedrale di Lombez.

La protezione della famiglia Colonna, assai potente in Italia, in Francia, in Provenza, fu decisiva. Per loro mezzo il Petrarca fu messo in contatto con i più importanti intellettuali del tempo, poté essere introdotto in ricche biblioteche private e consultare o possedere libri costosi e rari. I Colonna, inoltre, favorirono il conferimento della sua laurea di poeta, creandogli attorno una notorietà e un'atmosfera di attesa che certo da solo egli non avrebbe conseguito. Nel primo decennio di Avignone, dopo l'abbandono dell'Università di Bologna, il Petrarca poteva essere noto come poeta d'amore, ma si trattava pur sempre d'una notorietà non tenuta in gran pregio; e la sua fertile attività filologica, mediante la quale aveva per così dire riconquistato il mondo dei Classici antichi, era conosciuta da una cerchia ristretta, e non ancora approdata alle grandi opere latine, che, pur se incompiute, sanzionarono giustamente, in seguito, la sua fama.

Qualcosa di analogo va detto intorno ai suoi rapporti con Avignone, città non mai amata, ma grosso centro di cultura e di relazioni fra i migliori intellettuali del tempo, nella sua qualità di sede della corte pontificia. Questi incontri furono importanti per lui, ormai escluso sempre più da un'affermazione in campo universitario, connessa, allora, a prospettive culturali non più sue. Comunque sia, in questi anni il Petrarca acquistò un'ampia erudizione filologica relativa al mondo dei Classici latini e alla loro lingua che imparò a padroneggiare perfettamente.

Nel '33 viaggiò a lungo in Francia, nelle Fiandre, in Germania, spinto da irrequietezza, dal bisogno di vedere cose nuove. Alla fine del '36 fu a Roma, ospite di Giacomo Colonna, e ammirò reverente e commosso i monumenti dell'antichità classica e cristiana; qui forse si rafforzò in lui l'intenzione di approfondire sistematicamente lo studio degli Antichi e di dedicarsi alla prosa e alla poesia in latino. Ritornato ad Avignone, si ritirò in una casa acquistata a Valchiusa, a poche miglia dalla città. Qui, nel venerdì Santo del 1338 (o '39), concepì un poema epico in latino, l'*Africa*, dedicato alla glorificazione di Scipione l'Africano, e ne incominciò la stesura insieme a quella del *De viris illustribus*, dedicato, inizialmente, alla biografia dei grandi dell'antichità classica.

La ricerca d'un rifugio solitario, lontano dalla folla, dal clamore, dalle risse cittadine, dove vivere una vita raccolta e pensosa, dedita agli studi, alla poesia e a un costante colloquio col proprio animo perturbato, è un motivo ricorrente nella biografia e nell'autobiografia del Petrarca. All'ideale d'una vita integralmente cristiana si contrapponevano in lui il desiderio d'onori, la brama smodata di gloria, l'amore insoddisfatto e tormentoso per Laura, l'ardore delle passioni (ebbe due figli naturali: Giovanni nel '37, Francesca nel '43), il suo stesso amore per la poesia. Valchiusa e, più tardi, in Italia, Selvapiana e Arquà sono le tappe dell'ideale pellegrinaggio del poeta alla ricerca d'un equilibrio spirituale sempre sfuggente; ma anche i luoghi della sua libertà dal servizio dei potenti, ove dedicarsi alla professione delle lettere, che egli sentì come scopo fondamentale della sua vita.

Nel settembre del 1340 gli giunse contemporaneamente da Parigi e da Roma l'offerta della corona poetica. Scelse Roma, dove fu solennemente incoronato in Campidoglio l'8 aprile 1341, dopo essersi fatto esaminare per tre giorni a Napoli, da re Roberto d'Angiò, sovrano di vasta cultura. Si ritirò poi per quasi un anno nella solitudine di Selvapiana, presso Parma, ospite dei Correggio, signori della città, e terminò una prima stesura dell'*Africa*, il poema al quale riteneva affidata la sua gloria. Nella primavera del '42 era di nuovo ad Avignone, e si accentuava anche la sua crisi spirituale, soprattutto nel '43, quando gli nacque la figlia e il fratello Gherardo si fece monaco presso la Certosa di Montrieux.

Dal '42 al '53 mantenne la propria dimora di Valchiusa, ma compì numerosi viaggi in Italia, dove aveva deciso di stabilirsi; anzi, fino al 1351 visse soprattutto qui, in varie città. Fu a Napoli, nel '43, come ambasciatore, poi visse più d'un anno a Parma, dove contava di rimanere. Nel '47 si diresse alla volta di Roma, affascinato dal sogno di Cola di Rienzo di fare della ricostituita Repubblica romana la promotrice della pacificazione dell'Italia e della resurrezione d'un Impero latino e cristiano che portasse alla rigenerazione morale dell'umanità. Ma si fermò a Genova, avuta notizia del fallimento ormai totale del tentativo, e soggiornò poi in altre città (Verona, Parma, Padova, Mantova), stringendo contatti con intellettuali e portando avanti le numerose opere latine intraprese e le liriche italiane. Nel '47 aveva deciso, come attesta l'egloga latina *Divortium* (*Bucolicum carmen*, VIII), di abbandonare il servizio presso Giacomo Colonna. A Parma, nel 1348, gli giunse la notizia della morte di Laura, vittima della terribile peste che desolò, quell'anno, tutta l'Europa. Questa morte e quella di numerosi amici, fra i quali il Colonna, accrebbero il suo sentimento scorato della labilità d'ogni cosa terrena.

Nel '50 ritornò a Roma, in occasione dell'anno santo, e si fermò, all'andata e al ritorno, a Firenze, dove strinse col Boccaccio un'amicizia fervida, fondata sulla comunanza di interessi culturali e letterari. Nel '51 il Boccaccio lo raggiunse a Verona, per offrirgli, a nome del Comune di Firenze, una cattedra nello Studio di quella città. Ma il Petrarca declinò l'offerta, come declinò, di lì a poco, quella, rivoltagli dal papa, che lo aveva richiamato in Provenza, d'un posto di segretario e del cardinalato. Aveva, in quegli anni, fieramente criticato la corruzione della corte pontificia, sia in alcuni sonetti, sia nelle epistole che chiamò *Sine nomine*, senza il nome, cioè, del destinatario.

Alla fine del '52 lasciò definitivamente la Provenza e si stabilì in Italia. Dal '53 al '61 fu a Milano, presso i Visconti, per i quali compì varie missioni diplomatiche; dal '61 al '70 visse prima a Padova, presso Francesco da Carrara, poi a Venezia, nella casa offertagli dalla Repubblica sulla Riva degli Schiavoni, poi di nuovo a Padova. Dal 1370 si ritirò nel suo ultimo rifugio, la sua casa di Arquà, dove visse «lungi dai tumulti, dai rumori, dalle cure, leggendo continuamente, scrivendo e lodando Dio». Morì nel 1374.

Dante e Petrarca

Guardata dall'esterno, la vita del Petrarca potrebbe essere considerata quasi felice. Fu riverito, ammirato, ottenne i riconoscimenti più prestigiosi (l'incoronazione poetica), non conobbe l'esilio e la povertà come Dante. E invece, come s'è accennato, essa fu tormentata da un dissidio, che egli non riuscì mai a comporre stabilmente, fra gli ideali della vita cristiana e quelli dell'amore, della gloria, della poesia, intensamente bramati, come un miraggio di felicità assoluta, e, nel contempo, avvertiti come caduchi, con un fluttuare continuo e alterno di illusione e disinganno.

Seguiremo l'alternarsi e il contrapporsi di questi motivi nell'esame delle singole opere, che appaiono come i frammenti d'una lunga confessione. Va però rilevato il fatto che in questo dissidio si riflette anche il contrasto fra due civiltà: fra quella medievale, incentrata sull'idea della trascendenza e dell'altra vita come guida e giustificazione radicale d'ogni momento dell'esistenza terrena, e quella umanistico-rinascimentale, intesa a rivalutare l'autonomia, dignità e bellezza di questa, e la capacità dell'uomo di costruire valori nel mondo e per il mondo, cercandone la ricompensa non solo e non tanto nell'eternità dei cieli, ma nella gloria che perpetua l'individuo nella storia.

Può essere utile, a tale proposito, un rapido raffronto fra Petrarca e Dante, il poeta che espresse una sintesi pregnante della cultura e della mentalità medievali.

La cultura di Dante è ancorata all'idea gerarchica del sapere della Scolastica, incentrata sulla scienza del divino o teologia, concepita come il culmine e l'inveramento d'ogni dottrina. Filosofia, scienza, poesia, morale, politica collaborano alla ricerca della suprema verità (l'intelligenza del divino il cui vestigio è impresso in ogni forma della realtà), che è la necessaria premessa all'amore di Dio e del prossimo. Dante ama i poeti classici (Virgilio), ma ne inquadra il messaggio, attraverso l'interpretazione allegorica, nella rivelazione cristiana, e così fa d'ogni scienza e dottrina, con un'ansia di giustificazione radicale della vita propria e di tutti che lo conduce all'impeto riformatore e profetico della *Commedia*.

La meditazione del Petrarca si svolge in un ambito più ristretto. Scarsa presa hanno su di lui la Scolastica e il pensiero scientifico; lo interessano le scienze morali, il dramma di peccato e redenzione colto nella coscienza individuale: nella propria coscienza. I suoi testi sono da un lato i Vangeli e i Padri della Chiesa (soprattutto S. Agostino), dall'altro i grandi scrittori latini (Virgilio, Livio, Seneca, Cicerone), che per la loro conoscenza profonda dell'uomo diventano per lui modelli attuali di umanità e di saggezza, armonicamente cospiranti con la spiritualità cristiana. Essi gli appaiono quindi maestri di vita e di stile, da emulare nella loro lingua perfetta, il latino. Questo spiega il fatto che quasi tutta la produzione petrarchesca, dall'*Africa* al *De viris illustribus*, alle *Epistole*, familiari, senili e metriche, al *Secretum* alla *Vita solitaria*, per citare le opere più importanti, è scritta nel latino dei Classici, non in quello medievale della Scolastica e di Dante. Soltanto il *Canzoniere* e i *Trionfi* sono scritti in un volgare affinato e armonioso, che aspira tuttavia anch'esso a una sua classicità.

Una nuova figura d'intellettuale

Gli ideali politici del Petrarca, ove si eccettui la breve parentesi di entusiasmo per Cola di Rienzo, furono assai meno fervidi di quelli di Dante. Questi visse il tempestoso epilogo della vita del Comune, intrecciato alle ultime battute della lotta secolare fra Impero e Chiesa; fu uomo della civiltà comunale, intellettuale impegnato e militante. Il Petrarca nasce in esilio; non è — né può sentirsi — legato alla piccola patria fiorentina, ma si sente italiano e, in quanto tale, erede della grande civiltà romana. Sogna una nazione italiana autonoma, non più parte dell'Impero universale di Dante. La Roma che egli esalta, e di cui l'Italia dovrebbe essere la grande continuatrice, non è quella imperiale di Dante, ma la Roma repubblicana, nobile ed eroica, quale l'avevano esaltata i grandi scrittori latini.

Questo ideale nasce dai libri, non da un'esperienza politica reale. Va ricordato, infatti, che il Petrarca vive nell'Italia delle Signorie, che fondano il proprio diritto sulla forza e si combattono di continuo, con una politica espansionistica, scatenando sul Paese la piaga gravissima delle milizie mercenarie, mentre l'antica classe dirigente del Comune ha ceduto al Signore ogni potere politico. Si aggiunga il fatto che in quest'età si ha la crisi definitiva, sia sul piano politico sia su quello ideologico, delle grandi istituzioni universalistiche medievali, la Chiesa e l'Impero, concepite come un modello unificatore di là dalla dispersione delle singole vicende e delle singole lotte.

Il Petrarca si tenne, in realtà, lontano dalla politica attiva; cercò il rifugio (Valchiusa, Selvapiana, Arquà) dove isolarsi nel colloquio coi grandi del passato e con se stesso, nell'ansia di superare un presente che egli avvertiva di irreparabile decadenza. Il suo fu un ideale di vita non attiva, ma contemplativa, intesa al colloquio con gli antichi e coi posteri, alla conoscenza e all'attestazione dei più alti valori della storia dell'uomo.

Egli tuttavia fu non il primo, ma certo il più illustre esempio del nuovo rapporto fra intellettuali e potere nell'età signorile. Anticipando una scelta di molti scrittori italiani dell'età umanistico-rinascimentale, intraprende la carriera ecclesiastica per godere certi benefici economici e avere la possibilità di entrare a far parte del seguito di potenti prelati; poi, quando lascia definitivamente Valchiusa, ottiene la protezione di vari Signori, dai Correggio ai Visconti ai Carrara, e della Repubblica di Venezia. Ogni volta la dinamica è analoga: il Signore garantisce rendite, onori, protezione e tiene il Petrarca come ospite d'onore, la cui presenza conferisce lustro al principato, lo usa come oratore ufficiale nelle ambascerie, gli affida incarichi di rappresentanza. Col tempo gli scrittori divennero sempre più uomini di corte, ed eseguirono opere su commissione, di carattere encomiastico. Nel caso del Petrarca è sintomatico il fatto che, quando accettò l'ospitalità dei Visconti e gli amici, primo fra tutti il Boccaccio, lo accusarono di essersi asservito a dei tiranni, scrisse difendendo i Visconti e affermando di vivere presso di loro con assoluta dignità e libertà.

Il Petrarca, intellettuale di fama europea, passa dall'una all'altra corte riverito e onorato, senza obblighi gravosi, mantenendo una propria indipendenza e una dimora privata dove poteva studiare e scrivere, assumendo la figura di consigliere dei principi sul piano morale, per la sua saggezza di uomo di vasta cultura; anche se questo non comportava una sua reale partecipazione alla vita politica.

Il nuovo rapporto col Signore si giustifica anche col prestigio che assume, quanto più ci si avvicina all'età umanistica, la letteratura. Lo scrittore è considerato come testimone e coscienza dei più alti valori umani e dispensatore, attraverso le sue opere, di immortalità: per questo, il letterato diventa l'intellettuale per eccellenza.

Siamo, così, lontani dall'immagine del libero scrittore dell'età comunale, implicato nella realtà e nella vita politica cittadina e portato a rifletterla nella propria opera. La nuova letteratura di corte nasce con una forte tendenza idealizzante, parla ai posteri, prima che ai contemporanei, e si rivolge, comunque sia, ai dotti, intesi al dialogo coi grandi antichi e alla meditazione dei valori umani perenni, rifiutando l'impegno con la realtà contingente.

Petrarca e i Classici

In tal modo il Petrarca diveniva il fondatore ideale del movimento di cultura, sviluppatosi fra il tardo Trecento e il tardo Quattrocento, che si è convenuto di chiamare Umanesimo; il cui nome sussiste ancora, spogliato del suo specifico riferimento storico, a indicare un atteggiamento culturale. Fondamentale in esso fu l'importanza attribuita agli *studia humanitatis*, e cioè a poesia, eloquenza, storiografia, meditazione morale, come quelli che rendono pienamente umano l'uomo, dandogli coscienza di sé, attraverso il dialogo coi grandi scrittori del passato, considerati come modelli di umanità, ossia di civiltà, di esplicazione piena dei valori spirituali. Al rinnovato interesse per il mondo antico si accompagnò la volontà di ricostruirlo nella sua integrità, e dunque anche nella sua distinzione nei confronti del presente. Nacque di qui una nuova filologia, la dottrina che insegna a ricostruire un testo nella sua integrità, liberandolo dagli errori che lo hanno in parte corrotto nella sua trasmissione (in questo caso: i copisti medievali), ma anche dalle interpretazioni — soprattutto quelle allegoriche — che avevano contribuito a modificarne e a falsarne il significato. Si definiva così una nuova scienza dell'interpretazione, che comportava un'ampia dottrina linguistica e storica, uno studio approfondito della civiltà, degli usi e costumi, della storia e della mentalità della classicità latina. Più tardi subentrerà lo studio di quella greca.

Il Petrarca fu il primo grande maestro dell'Umanesimo letterario, sia recuperando e rimettendo in circolazione opere come le lettere famigliari di Cicerone, da lui ritrovate a Verona, sia ricostruendo il testo delle storie di Tito Livio, sia elaborando una prosa e una poesia latina sul modello linguistico e stilistico di Virgilio, Livio, Cicerone, Sant'Agostino.

Il recupero d'una lingua fu anche il recupero d'un mondo. Ai grandi classici il Petrarca chiese un insegnamento di vita, ritrovandolo, attraverso Cicerone e Seneca, nel pensiero dello Stoicismo antico. Nacque di qui il suo ideale di saggezza come equilibrio d'una coscienza capace di dominare le passioni e invitta davanti ai colpi della fortuna cioè alle vicissitudini della vita associata; anelante a ritrovare in se stessa, nell'attività spirituale espressa attraverso la cultura delle scienze umane, un pieno appagamento.

Lo sforzo maggiore del Petrarca fu inteso a comporre questo ideale classico con quello cristiano, rivissuto soprattutto attraverso l'insegnamento di S. Agostino, col suo perentorio richiamo all'interiorità, alla riconquista del divino che l'uomo porta nella sua coscienza profonda: una riconquista ardua e sovente drammatica, come indicano le *Confessioni*, l'opera agostiniana che esercitò su di lui il fascino maggiore. Egli rinunciava alla filosofia teoretica, alle ardite speculazioni teologiche, per adeguarsi alla fede semplice degli umili; la sua ricerca intellettuale e umana era essenzialmente morale. Ma il pensiero classico-stoico finiva per entrare in contrasto con quello cristiano, nel senso che la religione rivelava al poeta la labilità dei più ambiziosi progetti dell'intelligenza, e riproponeva con drammatica urgenza il problema della giustificazione dell'io, del suo riscatto dalle passioni, della sua volontà reale di redenzione. Di fronte, anzi, in opposizione all'ideale di stabilità e armonia spirituale stava, cioè, il senso doloroso delle proprie contraddizioni morali, colto nel vivo dell'esperienza, nel viluppo contraddittorio e spesso inestricabile del sentire.

Se Dante aveva conciliato Virgilio e Beatrice, ragione umana e fede, passando attraverso l'esperienza drammatica del peccato, fiducioso, tuttavia, in un riscatto del mondo garantito da Dio, il Petrarca avvertiva in sé un dissidio spirituale non mai concluso, e lo poneva al centro della sua meditazione.

Il dissidio del Petrarca

Si può affermare, a conclusione di questo succinto discorso sulla cultura petrarchesca, che il suo significato non sta tanto in un nucleo definito di pensiero, quanto nella complessità d'una testimonianza vissuta. Per questo, alcune delle soluzioni più importanti del pensiero petrarchesco e della sua sofferta indagine morale vanno ricercate nella sua poesia, nella sua attività di scrittore, inteso a un costante scandaglio della propria coscienza e, attraverso di essa, della condizione umana. Il suo pensiero, pertanto, non va colto soltanto nelle affermazioni dottrinali, ma nell'oscillazione della sua pagina fra speranza e disinganno, volontà di costruirsi e coscienza della propria fragilità; in quello che è stato indicato come il suo dissidio, la sua incapacità di trovare appagamento sicuro in una certezza, o almeno in una speranza che si presentassero come risolutive. «Sento nel mio cuore sempre qualcosa di inappagato»: è questa una delle proposizioni con cui egli si è meglio definito; e se, dietro di essa, si avverte il ricordo di quella agostiniana («Inquieta è la mia anima, Signore, finché non riposi in te»), il merito originale del Petrarca è l'averla vissuta con coerenza strenua e con altrettanto strenua sincerità.

Riprendendo e concludendo quanto si è fin qui affermato: la nuova coscienza dell'uomo e della sua storia comportava, per il cristiano Petrarca, l'assunzione della loro fragilità e labilità. Il suo ideale di un'umanità generosa ed eroica si collocava fra un passato perduto e un futuro ipotetico; in un presente di attesa e di testimonianza non confortato dalla certezza profetica di Dante. La vita terrena gli appariva — e glielo ribadivano i suoi autori classici e cristiani — continuamente insidiata dalla morte, e, prima ancora, da quella morte nella vita che era l'incapacità, sempre latente nell'uomo, di attingere una sicura fermezza nel concepire e conseguire i propri ideali. Dal sentimento ossessivo della fuga del tempo e della vita, egli tentava di risollevarsi verso i valori cristiani che non deludono, verso una promessa d'eternità; ma l'eternità che egli sognava era, in realtà, quella del tempo: l'attuazione e la persistenza dei valori umani (gloria, amore, eroismo, poesia) che gli si rivelavano insieme affascinanti e precari. In tal modo egli scopriva lo spazio e il tempo umano (la storia dell'uomo, la sua stessa storia) come spazio e tempo d'illusione: come dimensione dell'attesa e del disinganno, della ricerca che non conosce fine né la certezza del cammino.

Questo dissido che durò, si può dire, sino al termine della sua vita, è l'anima segreta delle sue pagine più grandi, nelle quali non contano tanto le soluzioni via via presentate, ma la profondità con la quale lo scrittore vive questa problematica, lo sguardo lucido con cui domina intellettualmente la propria contraddizione esistenziale, accettandola come un segno del suo essere uomo. Per questo si può dire che, mentre vive l'autunno del Medioevo, il Petrarca anticipa la concezione umanistica della vita che si affermerà nel secolo seguente; e soprattutto che preannuncia, con limpida intelligenza e con umile ma invitta fermezza, il dramma della coscienza dell'uomo dell'età moderna, fra lo smarrimento della certezza religiosa e la ricerca della piena giustificazione della propria vicenda terrena, della propria storia.

Di molte opere latine del Petrarca manca ancora un'edizione critica sicura e definitiva. La nostra traduzione dei passi delle *Familiari* è stata condotta sul testo critico stabilito da V. Rossi e U. Bosco (*Le Familiari*, Firenze, 4 voll., 1933-1934-1937-1942). Gli altri testi, con ottime traduzioni che abbiamo tenute presenti, sono compresi nel volume: F. Petrarca, *Prose*, a cura di G. Martellotti, P.G. Ricci, E. Carrara, E. Bianchi, Milano-Napoli, Ricciardi, 1955. Diamo il testo latino soltanto di alcune delle letture proposte.

Un'autobiografia per i posteri

Da quanto si è detto, risulta che l'autobiografismo è una costante di tutta la produzione petrarchesca intesa a costruire una nuova idea dell'uomo attraverso lo scavo nella propria interiorità. Se ne presenta qui una prima immagine, l'epistola latina *Posteritati* (= «Alla posterità»), anteriore al 1367, ma con aggiunte apportate nel '70/'71, iniziata con ogni probabilità a Milano, per giustificare la permanenza del poeta presso i Visconti, considerati tiranni dal Boccaccio e da altri amici. Alle critiche il Petrarca oppone un'autobiografia che dimostri la rettitudine della sua vita e, con un tono di cauta modestia, la sua importanza d'intellettuale superiore alle parti. L'epistola, rimasta interrotta agli eventi del 1351, doveva concludere la raccolta delle *Senili* (quella delle *Familiari* era stata conclusa con lettere rivolte a grandi figure dell'Antichità).

All'incessante correre della vita alla morte e alla vanificazione, il Petrarca oppone un'idea della storia come monumento, ricordo, cioè, e celebrazione di atti umani esemplari. Il suo colloquio non è con un presente fluido e contraddittorio, ma col passato (i grandi modelli classici) e col futuro: la posterità, cui qui affida un'immagine conclusa di sé come intellettuale, come scrittore che esprime, nell'opera e nella vita in quanto ordinata all'opera, valori eterni.

Questo comporta la scelta non più del modello autobiografico agostiniano, bensì di quello dei classici (Svetonio), che non esclude qualche curiosità aneddotica, ma orienta soprattutto il racconto verso la prassi letteraria: gli studi, la formazione culturale in quanto sfocia nelle opere, il rapporto col pubblico che si esprime come riconoscimento del valore dello scrittore. Una mentalità cristiana si avverte all'inizio, nel valutare la propria moralità in relazione ai sette peccati capitali, o nell'accenno rapido alla passione per Laura; ma le disarmonie vengono rappresentate come ormai composte dallo scorrere dell'età, che spegne gli ardori giovanili e induce alla saggezza. La rappresentazione di sé come personaggio è pervasa da questo ideale (stoico ancor prima che cristiano) del sereno dominio delle passioni, senza l'idea drammatica del peccato e il tormento interiore del *Secretum*. L'umiltà cristiana è qui motivata dal riconoscimento della difficoltà di passare ai posteri, e dal senso della labilità della gloria, che appare anch'essa insidiata dalla fragilità umana, anche se è vista come capace di risolvere l'oscuro travaglio esistenziale in un significato.

Per questo il Petrarca si sofferma sui suoi gesti pubblici, a cominciare dall'incoronazione poetica che prefigura quella attesa dalla posterità, e non parla del *Canzoniere*, affidato all'incerta trasmissione del «volgo», ma dell'*Africa*, e delle altre opere latine, situate fra il grande passato dei Classici e la presagita rinascita di esso.

La lettera configura anche il nuovo rapporto fra intellettuali e potere. Il Petrarca non è più lo scrittore integrato nella vita del Comune, ma lo scrittore richiesto da re, papi, signori, come decoro della loro corte e dispensatore d'immortalità. Consapevole della sua funzione, rifiuta la partecipazione al mondo politico, alla sua rissa contingente. I suoi rifugi (Valchiusa, Selvapiana) sono presentati come i luoghi dove nascono le sue opere grandi, come il simbolo del suo distacco dal vano agitarsi degli uomini: un'estrinsecazione della sua autonomia di scrittore inteso a elaborare un messaggio che dura nei secoli.

Ti capiterà, forse, di udire qualcosa di me; anche se dubito che questo mio nome modesto e oscuro possa giungere lontano nello spazio e nel tempo. E questo, forse, ti piacerà sapere: che tipo d'uomo io sia stato, o quale la sorte delle mie opere, di quelle, soprattutto, di cui ti sia pervenuta la fama o una vaga notizia. Intorno al primo punto, diverse saranno le chiacchiere, perché, certo, ciascuno parla non spinto dalla verità, ma dal capriccio, e non v'è misura giusta né della lode né del biasimo. Fui uno della vostra specie, un piccolo uomo mortale, di stirpe né nobile né vile, di famiglia, come dice di sé Cesare Augusto,[1] antica, di animo, per natura non malvagio né privo di scrupoli, se

1. Continuo questo compararsi del P. coi grandi Antichi, tramandati, a suo avviso, dagli scrittori come modello sempre attuale di vita.

non gli avesse nuociuto il contagio dell'usanza corrente.[2] L'adolescenza m'illuse, la gioventù mi traviò, ma la vecchiaia mi corresse e mi convinse, con l'esperienza, che era vero ciò che tanto tempo prima avevo letto: che le brame della prima giovinezza sono vane. Anzi, me ne convinse il Creatore di tutte le età e di tutti i tempi, che permette talvolta ai miseri mortali, superbi del loro nulla, di andar fuori strada, affinché possano conoscere se stessi, ricordando, sia pur tardi, i loro peccati. M'era toccato, da giovane, un corpo di non grande vigore, ma agile. Non mi vanto di avere avuto grande bellezza, ma in gioventù potevo piacere. Avevo un colorito vivace, fra bianco e bruno, occhi espressivi e di vista acutissima, per molto tempo, che, contro la mia speranza, s'indebolì, passati i sessant'anni, sì da costringermi riluttante all'uso delle lenti. La vecchiaia aggredì un corpo che era stato sempre sano e lo circondò con la schiera dei soliti acciacchi.

Ebbi sempre gran disprezzo del danaro: non perché non desiderassi essere ricco, ma perché odiavo gli affanni e le preoccupazioni che sono compagni inseparabili della ricchezza. Non ebbi la possibilità, e quindi non me ne preoccupai, di lauti pranzi; mangiando poco e semplicemente vissi più lietamente che i successori di Apicio[3] con le loro vivande raffinatissime. Sempre mi dispiacquero quelli che vengono chiamati banchetti e sono invece gozzoviglie contrarie alla moderazione e ai buoni costumi, e ho giudicato fatica inutile invitarvi altri ed esservi invitato; ma mi piacque tanto pranzare con amici, che sempre mi fu graditissimo invitarli, né mai, di mia volontà, ho mangiato senza compagnia. Nulla mi dispiacque tanto quanto il lusso, non solo perché peccaminoso e contrario all'umiltà, ma perché complicato e avverso alla tranquillità. Mi travagliò, in gioventù, un amore appassionato, ma fu il solo e fu puro; e più a lungo ne sarei stato travagliato se la morte, crudele ma provvidenziale, non avesse estinto la fiamma ormai affievolita.[4] Certo, vorrei potermi dire del tutto privo di lussuria, ma se lo dicessi mentirei. Questo dirò con certezza: che sebbene vi fossi spinto dal calore dell'età e del temperamento, sempre nell'animo esecrai questa bassezza. Poi, quando mi avvicinavo ai quarant'anni, e quando avevo ancora sufficiente calore e forza, non solo ripudiai quell'atto osceno, ma ogni memoria di esso, come se mai avessi guardato una donna. Pongo questa fra le mie più grandi fortune, ringraziando Dio che liberò me, ancora integro e vigoroso, da questa vile e a me sempre odiosa schiavitù.[5] Ma passo ad altro.

La superbia l'ho avvertita negli altri, ma non in me; ed essendo un uomo di poco conto, sempre mi considerai ancor da meno. La mia iracondia nocque assai spesso a me, mai agli altri. Mi vanto con franchezza, perché so di dire la verità, d'avere animo molto suscettibile, ma prontissimo a dimenticare le offese, e sempre memore dei benefici ricevuti. Fui sempre desiderosissimo delle amicizie oneste e le coltivai con grande fedeltà. Ma il supplizio di chi invecchia è il piangere troppo spesso la morte degli amici. Ebbi la fortuna di godere la famigliarità di principi e di re e l'amicizia di nobili, fino ad essere invidiato. Mi tenni lontano, tuttavia, da molti di coloro che amavo; fu tanto radicato in me l'amore della libertà che evitai con ogni cura coloro il cui semplice nome sembrasse a essa contrario.[6] I più grandi re del mio tempo[7] mi amarono e mi onorarono: il perché io non lo so; lo sapranno loro. Pertanto con alcuni ebbi rapporti tali che erano loro a cercare me in qualche modo, e dalla loro grandezza non ebbi alcuna noia, ma molti vantaggi.

Fui d'intelligenza equilibrata, piuttosto che acuta, portata a ogni studio buono e salutare, ma soprattutto inclinatissima alla filosofia morale e alla poesia. Quest'ultima l'ho tralasciata con l'avanzare dell'età, preferendo la Sacra Scrittura, in cui avvertii una riposta dolcezza, che un tempo avevo disprezzato, e riservai la forma poetica solo per ornamento. Fra le molte altre attività, studiai singolarmente il mondo antico, perché sempre mi dispiacque questa nostra età; cosicché se non me ne dissuadesse l'amore per i miei cari, desidererei essere nato in qualsiasi altra età e dimenticare questa, sforzandomi con tutto l'animo di inserirmi in altre. Pertanto mi sono piaciuti sempre gli storici;

2. Il P. in più luoghi afferma di vivere in un'età di irreparabile decadenza.
3. Apicio: Personaggio vissuto nell'età di Tiberio (I sec. d. C.). Ghiottone emerito, sperperò il patrimonio in banchetti. Scrisse una raccolta di ricette, *De re coquinaria*.
4. Il P. dice di avere avuto questa passione nell'*adolescentia*, che durava, a suo avviso, fino al ventottesimo anno (1332). Ma a quanto sembra, essa occupò una parte assai maggiore della sua vita.
5. Alle soglie dei quarant'anni il P. ebbe la seconda figlia naturale. Si noti qui la differenza stabilita fra *amor*, quello per Laura, e *libido* o lussuria.
6. Allude ai Signori tirannici.
7. Roberto d'Angiò, re di Napoli, l'Imperatore Carlo IV, il papa Urbano V, e altri.

ma altrettanto offeso dalle loro discordanze, ho seguito, nel dubbio, la verisimiglianza o l'autorità dello scrittore.

Nel parlare, come dissero alcuni, fui chiaro ed efficace; ma, a mio vedere, fiacco e oscuro. Né invero ebbi mai cura alcuna di riuscire eloquente nella conversazione comune con amici e famigliari, e mi stupisco che l'abbia avuta Cesare Augusto. Quando invece la situazione o il luogo o l'ascoltatore sembravano richiedere altrimenti, mi sono un po' sforzato; e questo non so con quanta efficacia: lo giudichino coloro di fronte ai quali parlai. Io, purché abbia vissuto rettamente, mi curo ben poco della mia eloquenza; è una gloria vana cercare la fama soltanto nello splendore delle parole.

[*Il P. comincia a questo punto a tracciare la propria biografia, dalla nascita al soggiorno avignonese ai primi studi al soggiorno a Bologna al suo impiego presso i Colonna, fino al viaggio a Roma del '36*].

Tornato anche di là, non potendo sopportare il fastidio e l'odio, insiti costituzionalmente in me per tutte le città, ma in primo luogo per quella tediosissima Avignone, ricercando un rifugio come si cerca il porto, trovai una valle piccolissima ma solitaria e amena, detta Valchiusa, a quindici miglia da Avignone, dove nasce la Sorga, regina di tutte le fonti.[8] Affascinato dalla dolcezza del luogo, mi trasferii colà con tutti i miei libri (avevo quasi trentaquattro anni). Sarebbe lungo se volessi raccontare ciò che ho fatto là, per tanti e tanti anni. In breve: tutte le mie modeste opere le ho scritte o cominciate o concepite là; e furono tante che ancora in questa età mi tengono intensamente occupato. Ebbi infatti l'intelligenza come il corpo: più capace di agilità che di forza; e per questo molti lavori che avevo concepito con facilità, lasciai da parte per la difficoltà di compierli.[9]

Un Venerdì Santo,[10] mentre passeggiavo fra quei colli, mi venne la forte ispirazione di scrivere un poema epico sul primo Scipione Africano, il cui nome mi era stato singolarmente caro fin dalla prima età, ma, dal nome del soggetto, intitolai il poema *Africa*; un'opera, non so se per sua o mia ventura, cara a molti prima di essere conosciuta. Dopo averla cominciata allora con gran lena, tosto, distratto da varie occupazioni, la interruppi.

Mentre soggiornavo là, mi giunsero, nello stesso giorno,[11] due lettere (sembra una favola), una del Senato di Roma, l'altra della Cancelleria dell'Università di Parigi, che mi invitavano, a gara, a ricevere l'alloro di poeta in quelle due città. Gloriandomene, da giovane qual ero, e giudicandomi degno di quell'onore di cui mi giudicavano degno uomini tanto autorevoli, valutando non i miei meriti, ma le attestazioni altrui, esitai tuttavia un poco a chi dare la preferenza. Chiesi consiglio per lettera al Cardinale Giovanni Colonna: abitava infatti così vicino che, avendogli scritto la sera, ebbi la sua risposta il giorno dopo, prima delle nove. Seguendo il suo consiglio, decisi di preferire a tutte la maestà della città di Roma; e della mia richiesta e dell'approvazione del suo consiglio restano due mie lettere a lui. Andai, dunque, e, sebbene, come tutti i giovani, fossi giudice assai indulgente delle mie cose, ebbi tuttavia pudore di seguire il giudizio che davo io di me stesso o quello di coloro che mi invitavano; cosa che senza dubbio non avrebbero fatto se non mi avessero giudicato degno dell'onore che mi offrivano. Così stabilii di andare prima a Napoli e mi presentai a Roberto, sommo re e sommo filosofo, non meno illustre per la cultura che per lo scettro, l'unico re amico del sapere e della virtù che la nostra età abbia avuto, affinché mi giudicasse. Io stesso ancora mi meraviglio (e penso che tu, lettore, sapendolo ti meraviglierai) pensando a quale gli sembrai e quanto gli sia piaciuto. Udita, infatti, la causa della mia venuta, se ne rallegrò straordinariamente, pensando alla mia giovanile fiducia e forse al fatto che l'onore che gli chiedevo non era senza sua gloria, perché lo avevo scelto come il solo giudice idoneo fra tutti gli uomini. In breve: dopo che gli mostrai la mia *Africa*, che gli piacque tanto che mi chiese, come grande dono, di dedicarla a lui (cosa che non potei né volli rifiutare), mi fissò un giorno per la prova per cui ero venuto e mi trattenne da mezzogiorno a sera. E poiché il

8. La «scoperta» del luogo avvenne nell'estate del 1337.
9. In un breve passo qui omesso, il P. allude al *Bucolicum carmen* e al *De vita solitaria*.
10. Siamo nel 1338 (o, secondo altri, '39).
11. Il primo settembre 1340. Iniziò il viaggio alla volta di Napoli il 16 febbraio 1341 e fu coronato in Campidoglio l'8 aprile dal senatore Orso dell'Anguillara. A Roma si trattenne poco: il 23 maggio era a Parma, dove rimase fino al gennaio del 1342.

tempo apparve breve, crescendo sempre più gli argomenti ripeté la cosa nei due giorni successivi. Così, sondata per tre giorni la mia ignoranza, il terzo giorno mi giudicò degno dell'alloro. Me lo offriva a Napoli e mi pregava con insistenza perché accettassi; ma l'amore di Roma vinse l'insistenza degna di ogni riguardo d'un così grande re. Pertanto, vedendo il mio proposito, inflessibile, mi diede una lettera e messaggeri per il Senato romano, coi quali professò con grande benevolenza il suo giudizio su di me. Il giudizio del re fu allora consono a quello di molti e al mio in primo luogo. Io oggi non approvo quel giudizio unanime, suo, mio e degli altri: sul re ebbe maggior forza il desiderio di incoraggiare la mia giovinezza che la ricerca della verità. Andai tuttavia a Roma e, sebbene indegno, rinfrancato e pieno di fiducia per un tal giudizio, con somma gioia dei Romani che poterono partecipare alla cerimonia solenne, ottenni la laurea di poeta quando ero ancora uno scolaro da dirozzare. Intorno a questo esistono delle mie lettere in versi e in prosa. Questa laurea non mi procurò sapienza, ma molta invidia; ma anche questa storia è troppo lunga per potere essere trattata qui.

Partito di là venni a Parma e passai qualche tempo coi Da Correggio, signori liberalissimi e ottimi verso di me, ma discordi fra loro, che governavano quella città con un regime che mai prima, a memoria d'uomo, aveva goduto, né godrà, prevedo, in questo secolo. E memore dell'onore ricevuto, preoccupato che non sembrasse attribuito indegnamente, un giorno, salendo una collina, giunsi in un bosco chiamato Selvapiana, di là dall'Enza, nel territorio di Reggio. All'improvviso, colpito dalla bellezza del luogo, ripresi l'*Africa* che avevo interrotto e, ridestatosi il fervore dell'ispirazione, scrissi qualcosa in quel giorno, poi qualcosa in ognuno dei giorni seguenti, finché, tornato a Parma e trovata una casa appartata e tranquilla (che in seguito acquistai ed è ancora mia), con tanto ardore in un tempo non lungo condussi a termine quell'opera che ancora me ne stupisco.

Ritornai di là alle fonti di Sorga e alla solitudine d'Oltralpe...[12] Dopo molto tempo, acquistata la benevolenza per fama di un ottimo uomo e Signore, quale non so se in questo secolo ce n'è stato uno simile (anzi, so che non ce n'è stato nessuno), Giacomo da Carrara il giovane,[13] con messi e con lettere fin oltre le Alpi, quand'ero là e per l'Italia dovunque fui, per molti anni ebbi così insistenti preghiere e sollecitazioni a entrare nella sua amicizia che, sebbene non speri mai nulla dai potenti, tuttavia decisi di andare da lui e di vedere cosa volesse una così grande insistenza di un uomo grande e a me sconosciuto. E così, sia pure tardi, dopo avere dimorato a lungo a Parma e a Verona, in entrambi i luoghi, per grazia di Dio avuto caro più di quanto non meritassi, andai a Padova, dove da quell'uomo di illustre memoria fui ricevuto non come qui nel mondo, ma come in cielo sono accolte le anime beate, con tanta gioia e inestimabile affetto e riverenza che devo passarla sotto silenzio, perché non spero di poterla esprimere adeguatamente. Fra le molte altre cose, sapendo che io, fin dalla prima giovinezza, ero chierico, per legarmi più strettamente non solo a sé ma anche alla città, mi fece eleggere canonico di Padova. Insomma, se fosse vissuto più a lungo, avrei finito tutti i mei viaggi e il mio vagabondare. Ma, ahimè, nulla dura fra noi mortali, e quando si affaccia qualcosa di gradevole, presto si conclude con una fine amara. Dopo averlo lasciato meno di due anni a me, alla patria, al mondo, Dio lo portò via, perché non eravamo degni di lui (non è che m'inganni l'affetto) né io, né la patria, né il mondo. E sebbene gli sia successo il figlio, uomo prudentissimo e illustre, che, sulle orme del padre, sempre mi ebbe caro e mi onorò, io tuttavia, perduto lui che era un mio coetaneo, tornai di nuovo in Francia, incapace di star fermo non tanto per il desiderio di rivedere cose viste mille volte, quanto per cercare, come fanno i malati, di rimediare alla smania cambiando posizione.

12. Rimase a Valchiusa dalla primavera del '42 al settembre del '43. A questo punto c'è un'evidente lacuna nel manoscritto: il P. non parla del secondo soggiorno a Parma ('43/'45) e d'un nuovo soggiorno a Valchiusa ('46/'47).

13. Giacomo da Carrara governò Padova fino al dicembre del 1350, quando fu assassinato. P. ritornò a Valchiusa nell'estate del '51. Ma qui l'epistola rimane interrotta, con quell'immagine di inquietudine e irrequietezza spirituale che è forse il suo accenno autobiografico più intenso.

Petrarca e Dante

Questa epistola latina (*Familiari*, XXI, 15) conclude la lunga disputa fra Petrarca e Boccaccio. Questi, in due successive visite (1351 e 1359), aveva esaltato Dante con l'amico, inviandogli, fra l'una e l'altra, copia della *Commedia* e due lettere nelle quali affermava che Dante aveva usato, nella sua poesia, il volgare per mostrarne l'alta capacità poetica, non per ignoranza del latino.

Petrarca risponde ora con un discorso che a molti critici è apparso ambiguo, ma che non lo è se si considera il contesto in cui nasce.

Egli sa che la sua lettera, secondo l'uso del tempo, verrà divulgata; parla a un amico che è anche un fervido ammiratore di Dante; deve difendersi dall'accusa insidiosa e diffusa che il suo disinteresse per Dante nasca da invidia: accusa difficile da smontare senza esaltare o diminuire troppo se stesso. Di qui il tono cauto della lettera, precisa, tuttavia, là dove egli afferma: a) di non avere voluto leggere Dante quando, da giovane, sognava di attingere l'eccellenza nella poesia in volgare, per non esserne influenzato, a scapito della propria originalità; b) che Dante sarebbe stato ancor più grande se si fosse espresso, in prosa e in poesia, in latino.

Riguardo al primo punto va osservato che quello della originalità e novità del proprio sentire e dire d'amore è un luogo comune di tutta la lirica amorosa, dai Provenzali alla *Vita nuova*; anche se poi nelle rime petrarchesche non sono infrequenti i dantismi. Il secondo punto, invece, ribadisce una scelta del Petrarca, divenuta, cogli anni, sempre più convinta: la letteratura va scritta nella lingua perfetta e non mutevole dei classici, per riallacciarsi al loro grande esempio e conservare inalterato nel tempo il proprio messaggio. Petrarca non vuole una letteratura «di consumo», come rischiano di diventare, sulla bocca del popolo incolto, sia la *Commedia* sia i suoi versi d'amore, modificati e «straziati» nella tradizione orale; la poesia è scritta, a suo avviso, per i grandi intellettuali, che possono comprenderne l'alto messaggio umano, trasmetterla intatta, continuarla. Il suo correggere anche le poesie in volgare fino alle soglie della morte, con minuta attenzione non soltanto alle parole e alle immagini, ma ai ritmi e ai suoni, come attestano le sue correzioni autografe al *Canzoniere*, dimostra che, anche negli scritti in volgare, egli perseguì una lingua perfetta ed esemplare.

Tu comprendi che odioso e insieme ridicolo è l'odio che certa gente ha finto che io provi per lui,[1] perché, come vedi, non ho alcuna ragione di odiarlo, ma molte di amarlo: la patria comune, cioè, il fatto che fosse amico di mio padre, l'ingegno e lo stile, ottimo nel suo genere, che lo rende largamente immune da ogni disprezzo. L'altra accusa calunniosa che mi si rivolgeva si fonda sul fatto che nella giovinezza, che è bramosissima di tali cose, mentre mi dilettavo di cercare libri d'ogni genere, non ho mai posseduto il suo, e mentre con tanto ardore cercavo quelli che quasi non avevo speranza di poter trovare, per una stranezza, che non è del mio carattere, mi disinteressai di questo soltanto, che avrei potuto procurarmi senza difficoltà. Confesso che è così, ma nego di averlo fatto per le ragioni addotte da costoro. Io allora, dedito al suo stesso genere di poesia, scrivevo in volgare — nulla mi sembrava più elegante — e non sapevo ancora aspirare a una meta più alta;[2] ma temevo, se mi fossi imbevuto dello stile di questo o di un altro, dal momento che l'età giovanile è pieghevole e proclive all'ammirazione di tutti, di diventare un imitatore suo, senza volerlo e senza rendermene conto. Da questo, nella mia baldanza giovanile, aborrivo, e avevo tanta fiducia (o audacia) che, senza l'aiuto di alcun mortale, l'ingegno mi sarebbe bastato per conseguire, in quel genere letterario,[3] un mio stile originale. Giudichino gli altri se avevo ragione di crederlo. Questo non dissimulo: che se ho scritto in quella lingua qualcosa di analogo alle cose scritte da quel poeta o da altri, o qualche invenzione casualmente simile a quella di un altro, non lo feci per plagio o per volontà d'imitazione, due cose che ho sempre cercato di evitare, soprattutto nei miei scritti in volgare, ma o per un caso fortuito, o, come dice Cicerone, ricalcando senza saperlo le orme altrui per affinità d'ingegno. È così, credimi, se mai hai qualche fiducia in me; è assolutamente vero. E se la causa di ciò non fu, come si dovrebbe credere, il ritegno o la modestia, appare ora chiaro che fu il mio orgoglio di giovane. Ma oggi sono ben lontano da questi scrupoli, e poiché mi sono del tutto allontanato da tale produzione, è cessato il timore che avevo allora; e quindi accolgo, convinto, nella mia stima tutti gli altri e questo davanti agli altri. Io che mi sottoponevo al giudizio degli altri, un tempo, ora, giudicando io, fra me e me, gli altri, esprimo vari apprezzamenti su tutti, ma a questo attribuisco senza esitazione la palma della letteratura in volgare.

[...] Per conto mio l'ammiro e lo amo, non lo disprezzo; oserei dire che se gli fosse stato concesso di giungere a questa età, pochi avrebbe avuto più amici di me, se mi fosse piaciuto per i suoi costumi tanto quanto mi piace per il suo ingegno; e che, al contrario, da nessuno sarebbe stato più odiato che da questi sciocchi lodatori, che non sanno mai veramente perché lodino o biasimino qualcosa e — con un'ingiuria che è la maggiore che si possa fare a un poeta —, recitando i suoi versi, li lacerano e li guastano; e io forse, se non mi chiamassero ad altro le mie occupazioni, per quanto sta in me lo libererei da questa vergogna.

Mi lamento, soprattutto, e provo indignazione per il fatto che lo splendido

1. Dante non è mai direttamente citato, se non attraverso pronomi o perifrasi, in questa lettera, per il timore (dice speciosamente il P.) che i lettori di essa possano considerarla denigratoria, comprendendola male.
2. La meta più alta è la poesia e prosa in latino.
3. Il genere letterario è la poesia d'amore scritta in volgare.

volto della sua poesia sia sputacchiato e insozzato dalle loro rozze lingue e colgo qui l'occasione per affermare che questa fu la causa non ultima per me di abbandonare la poesia in volgare alla quale m'ero dedicato da giovane. Temevo, infatti, che accadesse ai miei scritti ciò che vedevo accadere a quelli degli altri, soprattutto a quelli di colui del quale parliamo; e non sperai che le lingue del volgo fossero più favorevoli, o gli animi più benevoli verso le mie poesie, di quanto lo fossero state verso quelle di coloro che l'antichità e il favore del pubblico avevano reso celebri nei teatri e nelle piazze. I fatti mostrano che i miei timori non erano vani, perché in quelle poesie che giovanilmente mi vennero composte durante la giovinezza, sono continuamente fatto a brani dalle lingue del volgo e m'indigno e odio ciò che un tempo avevo amato; e ogni giorno, contro voglia e adirandomi col mio ingegno, mi aggiro per le strade e trovo dappertutto un esercito di ignoranti e il mio Dameta che usa nei trivi «spargere al vento un mio carme con stonata zampogna».[4]

[...] Quanto a una delle lodi che gli rivolgesti, che, cioè, avrebbe potuto, se lo avesse voluto, dedicarsi ad altro stile, io credo, perché grande è l'opinione che ho del suo ingegno, che avrebbe potuto fare bene tutto ciò a cui si fosse dedicato; ma appare chiaro a che cosa si è dedicato.[5] E ammettiamo che lo avesse fatto, che ne fosse stato capace, che fosse riuscito: e con questo? Sarebbe questa materia d'invidia o non, piuttosto di piacere? E come potrei invidiarlo io, che non invidio neppure Virgilio? A meno che io non voglia invidiargli il plauso e il roco assenso dei lavandai, degli osti, dei lanaioli o degli altri che vituperano, di fatto, quello che vogliono lodare e del cui assenso sono ben lieto di essere privo, come Virgilio, come Omero.

[...] Questo solo risposi una volta a chi me lo chiedeva con insistenza: che non fu pari a se stesso perché è più famoso e più bravo negli scritti in volgare che nella poesia e nella prosa latina.

4. È citazione dalle *Bucoliche* di Virgilio (III, 27); Dameta è un rozzo pastore, prototipo dei falsi (per la loro ignoranza) cultori della poesia.

5. Cioè alla poesia in volgare.

Le opere latine in prosa

La produzione latina in versi e in prosa del Petrarca è quantitativamente assai più ampia che non quella italiana (che è tutta in versi). A essa egli riteneva che fosse affidata la sua fama presso i posteri.

Rispetto al latino usato nei trattati medioevali, quello del Petrarca è incomparabilmente più fluido ed elegante, più vicino ai classici (Seneca, Cicerone, Sant'Agostino). È la lingua di chi nei grandi scrittori antichi ricerca un modello di stile e di vita, e ad esso si sforza di commisurare il proprio animo, con una costante imitazione che spontaneamente diviene consonanza di spirito e di forme, libera emulazione. È questo ciò che chiamiamo *classicismo*, o meglio, *umanesimo* del Petrarca.

Possiamo idealmente accentrare il contenuto delle opere latine del Petrarca intorno a due motivi fondamentali: l'*autobiografismo*, cioè quella lucida confessione con la quale egli si proponeva di comprendere e dominare intellettualmente l'oscuro, ambiguo travaglio della sua anima; e la *scienza morale*, o *studio dell'uomo*, volto anch'esso alla fondazione di un ideale di vita nobile e stabile, che unisse alla dignità, magnanimità e misura spirituale dei classici l'aspirazione alla conquista del divino dell'anima cristiana.

Gli epistolari

Numerosissime furono le lettere scritte dal Petrarca nel corso della sua vita. Di esse ci restano quattro raccolte.

Il Petrarca stesso ordinò e pubblicò i 24 libri *Rerum Familiarium (Le Familiari)*, comprendenti 350 lettere indirizzate a conoscenti e amici fra il 1325 e il 1361; ve ne sono però alcune posteriori a questa data, aggiunte quando la raccolta fu definitivamente ordinata, cioè nel 1366. Un gruppo di esse sono rivolte a grandi scrittori dell'età classica, a Cicerone, ad es., a Virgilio, a Orazio (quelle indirizzate ai due ultimi sono le uniche epistole in versi della raccolta).

Altre 125 epistole, divise in 17 libri, scritte fra il 1361 e il 1374, sono comprese sotto il titolo di *Senili* (*Senilium rerum libri*). Non sembra che la raccolta abbia avuto il suo assetto definitivo dall'autore; essa doveva probabilmente essere conclusa dall'epistola *Posteritati* («Alla posterità»), pervenutaci isolata, comprendente un'ampia autobiografia, rimasta interrotta al 1351.

Sotto il titolo di *Variae* furono pubblicate altre 57 lettere ad amici ed estimatori; abbiamo infine le 19 epistole *Sine nomine*, nelle quali il Petrarca si scaglia contro la corruzione della corte papale di Avignone. Per questo loro compromettente contenuto, le conservò senza il nome del destinatario.

Queste lettere mostrano la fitta rete di relazioni che si formò intorno al Petrarca, il grandissimo conto, in cui fu tenuto già in vita. Alcune sono cerimoniose e solenni, scritte quasi per obbligo di società, ma la maggior parte contengono racconti di casi della sua vita, confessioni e meditazioni personali, conversazioni con amici diletti, o coi classici amati e sentiti come ancor vivi.

Ricchissima è dunque la materia autobiografica delle epistole. Ma esse sono anche opere d'arte, non solo perché il poeta le rimaneggiò a lungo per dare loro perfezione di stile, ma anche perché in esse intendeva dare una biografia ideale di se stesso, riconducendo i casi esterni e intimi della sua esistenza a un'effigie esemplare. Le confessioni del Petrarca tendono sempre a un significato universale, a ritrovare, nella propria esperienza spirituale, quella di tutti. Questa è la sua *filosofia morale* (com'egli stesso la chiamava): uno studio costante, attraverso la meditazione su se stesso, dell'uomo, della sua essenza, del suo destino, del significato della sua vita. Tale filosofia non richiedeva, a suo avviso, ragionamenti astratti e sottili, ma doveva essere condensata in parole eloquenti, frutto di personale esperienza e della saggezza appresa dai libri dei grandi scrittori antichi.

Le opere storiche

L'amore per i grandi del passato spinse il Petrarca a rievocarne in latino, sia in poesia sia in prosa, le figure e le gesta. A Valchiusa, intorno al 1338, concepì il disegno di un'opera vasta, comprendente la biografia degli eroi più illustri della storia romana, il *De viris illustribus*. Successivamente allargò il disegno, vagheggiando un'opera che parlasse degli uomini illustri di tutti i tempi a cominciare da Adamo. L'opera rimase incompiuta; l'autore scrisse solo 23 biografie, da Romolo a Cesare; altre 12, di figure dell'Antico Testamento, da Adamo a Mosè; due di eroi della mitologia classica, Giasone ed Ercole, furono in seguito aggiunte. Le biografie di Scipione e di Cesare furono più tardi ampliate.

Fra il 1343 e il 1345, fu scritta in parte l'opera, anch'essa incompiuta, *Rerum memorandarum libri*; doveva essere una vasta compilazione di aneddoti storici che illustrassero le singole virtù morali, con gusto prettamente medioevale.

Le opere morali e religiose

Nel 1346 fu scritto il libro, più volte, in seguito, rimaneggiato, *De vita solitaria (La vita solitaria)*, che esalta la vita ritirata e solitaria, dedita alla meditazione e agli studi: uno dei supremi ideali del Petrarca. Sebbene l'opera si proponesse un significato ascetico e religioso, la parte più viva è quella nella quale l'autore vagheggia i suoi ozi sereni di Valchiusa, il suo sdegnoso appartarsi dal volgo, fra i libri amati, in mezzo a una natura piena di serenità e di pace, per esercitare la sua professione di letterato.

Affine è il libro *De otio religioso (L'ozio contemplativo dei religiosi)*, scritto nel 1347, nel quale il Petrarca vagheggia un «ozio» (latinamente: una vita ritirata, lontana dagli affari e dalla politica, e dedita allo studio), aperto alla contemplazione religiosa.

Fra il 1354 e il 1366 fu scritto il *De remediis utriusque fortunae*, nel quale si indicano i mezzi coi quali l'animo può resistere agli oltraggi e alle lusinghe della fortuna. Il libro s'ispira alla concezione stoica della vita, appresa dalle opere di Cicerone e di Seneca, secondo la quale l'uomo deve cercare nel suo animo la vera felicità, svalutando il mondo dominato dalla volubile, cieca fortuna, senza mai abbandonarsi né alla speranza né alla disperazione.

A questi trattati possiamo aggiungere le opere polemiche. La più importante è il *De sui ipsius et multorum ignorantia (L'ignoranza sua e di molti)* scritta nel 1367 contro quattro filosofi veneziani che avevano accusato il poeta di essere un uomo dabbene ma ignorante. Il Petrarca contrappone alla boriosa scienza dei filosofi la vera scienza, che riguarda l'uomo e le ragioni della sua vita, scienza che noi possiamo trovare, piuttosto che nelle astratte dispute dei filosofi, nella saggezza umana dei classici e nella rivelazione cristiana. Un'altra invettiva, di contenuto affine, fu scritta dal Petrarca nel 1353 contro un medico e filosofo (*Invectivarum contra medicum quendam libri IV*, *Invettiva contro un medico. Libri quattro*); un'altra, di carattere strettamente personale, contro un suo detrattore (*Invectiva contra quendam magni status hominem sed nullius scientiae aut virtutis*, *Invettiva contro un uomo di importante livello sociale ma privo di scienza e virtù*, 1355). Infine, il Petrarca scrisse un'invettiva contro un francese che aveva offeso l'Italia (*Invectiva contra eum qui maledixit Italiae*, 1373) piena d'amor patrio e di un forte orgoglio nazionale, fondato soprattutto sull'esaltazione della romanità di cui l'Italia gli appariva continuatrice. Scarsa importanza ha il breve scritto *Itinerarium Syriacum*, nel 1358, scritto per invito di uno che si recava pellegrino in Terra Santa: è una guida dei paesi da attraversare.

Ricordiamo infine i *Psalmi poenitentiales*, sette preghiere o confessioni in versetti prosastici. A parte parliamo del *Secretum*, la più importante di queste opere. La scelta delle altre tiene conto d'un ordine tematico, piuttosto che cronologico, soprattutto per il fatto che molte opere del Petrarca furono a lungo rielaborate.

Cultura e religione

Questo e il passo che segue sono tratti dal *De sui ipsius et multorum ignorantia* (*L'ignoranza sua e di molti*), un libro che possediamo scritto in due versioni pressoché uguali e di mano del Petrarca, terminato alla fine del 1367, anche se pubblicato più tardi (1371). L'occasione risale al 1366, quando quattro giovani filosofi averroisti, che frequentavano come amici la casa veneziana del poeta, indispettiti dal fatto che questi si mostrasse assai poco favorevole alle dottrine di Aristotele, contrapponendo a esse quelle di Cristo e della Chiesa, lo giudicarono un buon uomo, ma ignorante.

L'ampia e meditata risposta del Petrarca segnala un reale conflitto di culture, significativo in quell'autunno del Medioevo, perché oppone al naturalismo e razionalismo aristotelici la semplice testimonianza cristiana, quale può essere vissuta dagli umili, ai quali il Petrarca volentieri si equipara.

Sul piano della storia della cultura la soluzione appare ambigua. Rifiutare Averroè e l'Aristotelismo significa, per il Petrarca, rifiutare il grande edificio di pensiero della Scolastica, che aveva sostenuto, pur essendo chiaramente in crisi a quel tempo, il pensiero di Dante. Il Petrarca indica con ragione i limiti vistosi della teoria: la rigidezza con cui è seguito il principio di autorità, che coarta il libero pensiero, il modo di ragionare deduttivo, privo di verifiche nell'esperienza: è il caso, per esempio, delle assurde notizie accolte ancora dalle scienze naturali, quale la credenza che esista l'araba fenice, che muore ogni cinquecento anni e poi risuscita: una mera leggenda alla quale, però, Dante credeva ancora.

D'altra parte la linea di pensiero fideistico-cattolica che il Petrarca oppone, anche se è meno vicina alla fede umile del volgo di quanto egli non affermi, sostanziata com'è di pensiero platonico-agostiniano, si può definire per certi aspetti un progresso; ma si limita troppo alla tematica della conoscenza dell'io e della sua finalità eterna. Come altrove, il Petrarca misconosce l'importanza degli studi scientifici, che, sulla scia dell'averroismo padovano, avranno, nei secoli seguenti, una grande importanza nella storia della civiltà. Ma la sua voce autentica era proprio quel suo richiamo all'interiorità, vissuto nella crisi, ormai piena, della mentalità medievale.

La cultura è per molti strumento di follia, per quasi tutti di superbia, a meno che — ma avviene di rado — non sia capitata in un'anima buona e bene educata. Così un tale sa molte cose su belve, uccelli, pesci: quanti peli ha il leone sulla testa, quante penne l'avvoltoio nella coda, con quante spire il polipo incateni il naufrago, come gli elefanti si accoppino volgendosi il tergo e abbiano gravidanze di due anni, come vi siano animali docili e di lunga vita, di intelligenza vicina a quella dell'uomo, capaci di giungere a due o tre secoli di vita, come la fenice si bruci in un fuoco profumato, e rinasca dalle sue ceneri, come il riccio marino riesca a frenare una nave, spinta a qualsiasi velocità, mentre portato fuori dell'acqua non ha più forza, come il cacciatore inganni la tigre con uno specchio. [...] Queste cose tutte, invero, sono o in gran parte false — come si è visto in molti animali di questa specie quando sono stati portati nei nostri paesi, alla vista di tutti — o certamente non furono verificate da chi ne parlò, o, perché remote, furono credute fin troppo rapidamente o inventate troppo arbitrariamente; ma in conclusione, quand'anche fossero vere, non gioverebbero assolutamente nulla alla felicità. Infatti, di grazia, a che potrebbe giovare conoscere la natura delle belve, degli uccelli, dei pesci, dei serpenti e non sapere o sdegnar di sapere, la natura degli uomini, il fine della nostra vita, donde veniamo e dove andiamo?

Queste e altre cose del genere io discutevo spesso con questi scribi, dottissimi, come essi credevano, non nella legge mosaica e cristiana, ma in quella aristotelica; e lo facevo più liberamente di quanto essi non siano avvezzi a sentire parlare, perché, pensando di trovarmi fra amici, non prevedevo alcun pericolo. Ma quelli prima si stupirono, poi si adirarono. E poiché si persuasero che io parlassi contro la loro setta e le leggi del loro padre (Aristotele), convocarono una sorta di concilio, per condannare con accusa di ignoranza non me, che tutto sommato amano, ma la mia fama, che odiano. [...]

La cultura, dunque, appartenga pure a costoro che me la vogliono negare, oppure, poiché, se non mi inganno, non può essere di costoro, sia di chiunque altro la possa conseguire; a costoro rimanga l'opinione fin troppo alta che hanno di sé e il nudo nome di Aristotele, che con queste sue cinque sillabe procura gran piacere agli ignoranti; e inoltre una gioia vacua e una presunzione povera di fondamento e vicina alla rovina e tutti i frutti che, ignoranti e superbi dei loro stessi errori, possono raccogliere dalla loro facile ed errante credulità. Siano miei invece l'umiltà, la conoscenza della mia ignoranza e della mia fragilità, il disprezzo soltanto del mondo, di me stesso e dell'insolenza di chi mi disprezza; la diffidenza verso me stesso, la speranza in Te; insomma, mi restino Dio e la virtù non bisognosa di cultura: quella che non mi invidiano. Rideranno, certo, a udir ciò, e diranno che io parlo con la devozione d'una vecchietta priva di cultura. Per costoro, infatti, che sono tronfi della loro idea di cultura, non vi è nulla di più trascurabile della devozione religiosa, mentre per i veri sapienti e per coloro che usano misuratamente la cultura, nulla vi è di più caro. Per questi sta scritto: «La religione è la vera sapienza». Ma quegli altri saranno sempre più confermati da questo mio discorso nella persuasione che io sia un uomo buono, ma ignorante.

Contro Aristotele

Il rifiuto di Aristotele, già delineato nel passo precedente, viene qui ribadito. Non sono più singole conclusioni a essere soggette a critica, ma l'impostazione generale del pensiero aristotelico, di cui vengono respinte le conclusioni ultime: la soluzione data al problema della felicità, non risolvibile, secondo il Petrarca, fuori della rivelazione cristiana. È soprattutto importante la critica dell'*Etica a Nicomaco*, un trattato aristotelico fra i più amati, nel Medioevo, tanto da potere essere assunto da Dante come modello ideologico per la suddivisione delle pene e dei peccatori infernali. Il Petrarca sembra qui riaprire ed esasperare il contrasto tra ragione e fede, che il Duecento aveva tentato di superare, sembra ritornare alla posizione rigoristica della prima cultura cristiana, impegnata nella lotta col Paganesimo, risalendo ai «fondatori» della mentalità medievale, Boezio e S. Agostino; o Platone, magari, in quanto meglio conciliabile, almeno in apparenza, con l'idealismo cristiano. La sua posizione intimistica, congruente col patetismo dell'esperienza religiosa che si stava allora diffondendo, ha, comunque sia, il merito di postulare un dialogo diretto fra Dio e l'uomo guidato dal cuore piuttosto che dalla filosofia.

Io ritengo che Aristotele sia stato un grande uomo e di grande dottrina, ma che sia stato pur sempre un uomo, e per questo sono convinto che abbia potuto ignorare qualche cosa, anzi, molte cose, se me lo consentono questi amici non del vero, ma delle sette; e non ho il minimo dubbio sul fatto che egli sbagliasse completamente strada, come si suol dire, non soltanto in argomenti di poco conto, nelle quali piccolo e quasi per nulla pericoloso è l'errore, ma in cose importantissime, che riguardano la salvazione dell'uomo. E sebbene a lungo, nell'*Etica*, in principio e alla fine, abbia disquisito intorno alla felicità, oserò affermare — e gridino quanto vogliono i miei censori — che egli ignorasse così radicalmente che cosa sia la vera felicità, che nella conoscenza di questa potrebbe essere non dico più intellettualmente sottile, ma certo più felice una vecchierella devota, o un pastore o un pescatore o un contadino con la loro semplice fede. E mi stupisco ancor più, per questo, del fatto che alcuni dei nostri ammirino tanto quel trattato aristotelico da considerare sacrilego, come hanno testimoniato nei loro scritti, che qualcuno possa parlare di felicità dopo di esso. Io invece, lo dirò con audacia, ma, se non m'inganno, con ragione, penso che egli abbia visto la felicità come la nottola può vedere il sole: cioè la sua luce, i suoi raggi, non essa in sé. Egli non l'ha fondata, come si fa con gli edifici altissimi, in terreno adatto e solido, ma lontano, in territorio malfido e in terreno cedevole. Non ha capito, o, se le ha comprese, ha negletto, le cose senza le quali non vi può essere felicità, cioè la fede e l'immortalità. [...]

Mi accusino di lesa religione perché non mi curo di ciò che dice Aristotele, ma di quello che dice Cristo: ma allora accusino, con me, Girolamo. Per parte mia, non esiterei a chiamarli empi e sacrileghi se hanno un'opinione diversa, e Dio mi tolga la vita e quanto ho di più caro prima che io mi induca a rifiutare questa fede religiosa, vera, pia, o a negare Cristo per amore di Aristotele.

Difesa della poesia

Un altro episodio della lotta fra le due culture, scientifica e umanistica, si ebbe fra il 1352 e il 1353. Il Petrarca consigliò, con un'epistola, il papa Clemente VI a liberarsi dalla turba dei medici che mettevano in pericolo la sua vita; e uno di questi gli inviò una lettera aspramente polemica, che ebbe pronta risposta e diede luogo a due libretti di accuse, uno per parte. L'ultimo del Petrarca, l'*Invectiva contra medicum quendam* (*Invettiva contro un medico*, 1353), raccolto con gli altri suoi testi della polemica, ebbe grande successo; il che rivela, appunto, che si trattava d'una lotta di culture.

Il Petrarca trova buon giuoco a rispondere alle accuse del medico contro gli studi umanistici e a controbatterli, dato il livello nel complesso basso della scienza del tempo e della medicina in particolare, ancora troppo legata alla filosofia. Ma interessa soprattutto la posizione che egli assume nel confronto degli studi umanistici, e cioè della grande tradizione classica.

Legato a un cristianesimo prima e piuttosto etico che dogmatico, fondato non tanto sulla ricerca teologica quanto sulla testimonianza, egli si trova ad affrontare il problema cristiano delle origini: se e come accettare la classicità pagana. Qui, col riconoscimento dei poeti come primi teologi (il tema, non originale, del resto, verrà discusso anche dal Boccaccio) lo risolve in senso chiaramente favorevole ai Classici. I grandi poeti antichi giunsero, per la stessa grandezza del loro spirito, vicini alla verità. L'originale classicismo del Petrarca supera d'un balzo tutta l'esegesi medievale, e, magari, l'allegorismo mediante il quale si cristianizzavano in qualche modo gli antichi e propone un colloquio diretto con essi, puntando su una filologia che cerca di interpretare i testi senza imporre loro un'altra verità.

Certamente anche i maggiori filosofi testimoniano che i primi teologi presso le genti furono i poeti, e lo conferma l'attestazione autorevole dei Santi e lo indica, se non lo sai, il nome stesso di poeta. Fra di essi il più illustre fu Orfeo, che Agostino ricorda nel libro XVIII del *De Civitate Dei*. «Ma — dirà qualcuno — non ebbero la forza di giungere al punto al quale si erano prefissi di arrivare. Lo ammetto. Infatti la perfetta conoscenza del vero Dio non è opera di attività umana, ma della Grazia celeste. È tuttavia da lodare l'animo di quegli uomini tanto seriamente impegnati che anelavano alla bramata cima del vero per le vie che potevano percorrere, al punto da precedere anche gli stessi filosofi in questa ricerca così importante e necessaria. È credibile che anche questi ardentissimi ricercatori del vero siano giunti almeno al punto al quale si poteva giungere con l'ingegno umano, sì da conseguire una prima conoscenza, qual che ella fosse, dell'esistenza d'un solo Dio, causa prima di ogni cosa, avendo intuito e penetrato, per usare le parole dell'Apostolo, le cose invisibili attraverso le creature; e che quindi siano giunti a far sì, in tutti i modi — di nascosto, perché non osavano dirlo in pubblico, dal momento che non ancora la viva verità aveva illuminato il mondo — di persuadere che erano falsi gli dei venerati dalla plebe illusa [...]. Se uno poi mi domanda perché mai non denunciassero apertamente l'insana credenza popolare, potrei rispondere con Agostino che non sono in grado di giudicare se l'abbiano fatto per timore o per una forma di cultura del tempo. Tuttavia non mi meraviglierò se il timore è stata l'unica causa, vedendo che anche nel tempo di Cristo persino gli Apostoli ebbero paura, prima della discesa dello Spirito Santo. [...] Proporrei pertanto, intorno ai poeti antichi, questa ipotesi come verisimile: se essi credettero in un solo Dio, non hai ragione di accusarli; se, invece, credendo in uno solo, ne nominarono parecchi, e magari anche li adorarono, puoi certo accusarli. Io però non potrò mai persuadermi che ingegni così elevati possano avere creduto all'esistenza di tanti dei. Ma sia: poniamo che ci abbiano creduto. Ebbene: sbagliarono; ma questo non fu colpa della poesia, bensì della natura umana, dei tempi e del loro intelletto, non dell'arte; e questo non impedisce che in altro tempo e con altro ingegno e con più alta illuminazione della grazia non vi possa essere un poeta grande e religioso.

L'ascensione al monte Ventoso

Il Petrarca racconta al teologo Dionigi di Borgo San Sepolcro l'ascensione al Monte Ventoso, presso Valchiusa, in Provenza, compiuta da lui, l'anno 1336, col fratello Gherardo, durante la quale giunse a un momento risolutivo una sua crisi spirituale e religiosa. Questa stesura definitiva dell'epistola è tuttavia posteriore di quasi un ventennio e corrisponde alla coscienza che il poeta ebbe di sé nella maturità.

Due piani di racconto s'intrecciano con limpida e suggestiva armonia in questa lettera: da una parte lo sguardo che libero spazia nell'ampio orizzonte montano, evocato con pochi tratti sintetici e ariosi; dall'altro uno sguardo tutto interiore che sommuove e scruta il paesaggio indefinito e sfuggente dell'anima. Ed è il secondo sguardo, che finisce per prevalere e risolvere in sé anche il primo; come se l'infinito spazio che la vista del poeta scopre lo inducesse a ricercare quell'infinito più vero che porta nel cuore.

La religiosità del Petrarca e la sua filosofia si risolvono in questa disamina acuta e sottile, e intimamente sofferta, della complessità della propria vita psicologica; la sincerità radicale e autentica dell'esame, la confessione pacata e limpidissima fanno sì che la considerazione personale attinga un valore non meramente soggettivo.

...Primum omnium spiritu quodam aeris insolito et spectaculo liberiore permotus, stupenti similis steti. Respicio: nubes erant sub pedibus; iamque mihi minus incredibiles facti sunt Athos et Olimpus, dum quod de illis audieram et legeram, in minoris fame monte conspicio. Dirigo dehinc oculorum radios ad partes italicas, quo magis inclinat animus; Alpes ipse rigentes ac nivose, per quas ferus ille quondam hostis romani nominis transivit, aceto, si fame credimus, saxa perrumpens, iuxta mihi vise sunt, cum tamen magno distent intervallo. Suspiravi, fateor, ad italicum aerem animo potius quam oculis apparentem, atque inextimabilis me ardor invasit et amicum et patriam revidendi, ita tamen ut interim in utroque nondum virilis affectus mollitiem increparem, quamvis excusatio utrobique non deforet magnorum testium fulta presidio. Occupavit inde animum nova cogitatio atque a locis traduxit ad tempora. Dicebam enim ad me ipsum: «Hodie decimus annus completur, ex quo, puerilibus studiis dimissis, Bononia excessisti; et, o Deus immortalis, o immutabilis Sapientia, quot et quantas morum tuorum mutationes hoc medium tempus vidit! Infinita pretereo; nondum enim in portu sum, ut securus preteritarum meminerim procellarum. Tempus forsan veniet, quando eodem quo

Dapprima, intimamente colpito da quella brezza pura e sottile che mai avevo provato e dallo spaziare più libero e vasto dello sguardo rimasi immobile, come stupefatto. Mi guardo intorno: le nubi sotto i miei piedi, e già meno incredibili erano divenuti per me il monte Athos e l'Olimpo,[1] poi che vedo in un monte di minor fama quei caratteri che avevo letto e udito essere attribuiti ad essi. Poi, rivolgo gli sguardi verso l'Italia, là dove più tende l'anima mia;[2] ed ecco le Alpi, coperte di ghiacci e di nevi, attraverso le quali, un tempo, quel feroce nemico del nome romano[3] passò, con aceto, se vogliam credere a quel che si racconta, frangendo le rupi; e vicine mi parvero, sebbene siano tanto lontane. Mandai un sospiro, te lo confesso, verso quell'italico cielo che appariva, più che ai miei occhi, al mio cuore, e un desiderio immenso mi pervase di rivedere l'amico, la patria, e, al tempo stesso, mi rimproveravo per la tenerezza struggente, non del tutto virile, con cui sentivo l'uno e l'altro affetto, sebbene non mi mancassero, per ambedue, buone scuse, confermate autorevolmente da ottimi autori.[4] Poi, avvinse a sé il mio animo un nuovo pensiero, e mi fece passare dalla considerazione dei luoghi a quella del tempo. Dicevo fra me: Si compie oggi il decimo anno da quando, lasciati gli studi giovanili, abbandonasti Bologna,[5] e, o Dio immortale, o Sapienza che mai non muta, quanti e quanto grandi mutamenti del tuo animo ha visto questo tempo! Ne tralascio infiniti; non sono ancora infatti giunto in porto, sì che sereno possa ricordare le passate tempeste. Verrà forse un giorno in cui tutte le narrerò, nell'ordine in cui

---

1. Sono due monti della regione greca: in cospetto del primo affondò la flotta persiana di Dario; l'Olimpo era, secondo la credenza popolare antica, il monte abitato dagli Dei. L'uno e l'altro erano stati celebrati dai poeti antichi.

2. Costante l'amore del P. per la patria, bella e ricca di memorie di un passato glorioso.

3. Allude al cartaginese Annibale; quando passò le Alpi col suo esercito, secondo il racconto di Livio, si aprì una via tra le rocce corrodendole, per meglio spaccarle, con aceto.

4. Il P. cerca continuamente di modellare anche i minimi avvenimenti della sua vita sull'esempio dei grandi del passato, soprattutto, anzi, quasi esclusivamente, sui classici. Essi rappresentavano per lui un esemplare modello di umanità. L'amico che desidera rivedere è Giacomo Colonna che si trovava, allora a Roma.

5. Il P. aveva lasciato nel 1326 questa città, dove si era recato a studiare diritto.

gesta sunt ordine universa percurram, prefatus illud Augustini tui: "Recordari volo transactas feditates meas et carnales corruptiones anime mee, non quod eas amem, sed ut amem te, Deus meus". Mihi quidem multum adhuc ambigui molestique negotii superest. Quod amare solebam, iam non amo, mentior: amo, sed parcius; iterum ecce mentitus sum: amo, sed verecundius, sed tristius; iamtandem verum dixi. Sic est enim; amo, sed quod non amare amem, quod odisse cupiam; amo tamen, sed invitus, sed coactus, sed mestus et lugens. Et in me ipso versiculi illius famosissimi sententiam miser experior:

odero, si potero; si non, invitus amabo

Nondum mihi tertius annus effluxit, ex quo voluntas illa perversa et nequam, que me totum habebat et in aula cordis mei sola sine contradictore regnabat, cepit aliam habere rebellem et reluctantem sibi, inter quas iamdudum in campis cogitationum mearum de utriusque hominis, imperio laboriosissima et anceps etiam nunc pugna conseritur». Sic per exactum decennium cogitatione volvebar. Hinc iam curas meas in anteriora mittebam, et querebam ex me ipse: «Si tibi forte contingeret per alia duo lustra volatilem hanc vitam producere, tantumque pro rata temporis ad virtutem accedere quantum hoc biennio, per congressum nove contra veterem voluntatis, ab obstinatione pristina recessisti, nonne tunc posses, etsi non certus at saltem sperans, quadragesimo etatis anno mortem oppetere et illud residuum vite in senium abeuntis equa mente negligere?». Hec atque his similes cogitationes in pectore meo recursabant, pater. De provectu meo gaudebam, imperfectum meum flebam et mutabilitatem communem humanorum actuum miserabar; et quem in locum, quam ob causam venissem, quodammodo videbar oblitus, donec, ut omissis curis, quibus alter locus esset oportunior, respicerem et viderem que visurus adveneram — instare enim tempus abeundi, quod inclinaret iam sol et umbra montis excresceret, admonitus et velut expergefactus —, verto me in tergum, ad occidentem respiciens. Limes ille Galliarum et Hispanie, Pireneus vertex, inde non cernitur, nullius quem sciam obicis interventu, sed sola fragilitate mortalis visus; Lugdunensis autem provincie montes ad dexteram, ad levam vero Massilie fretum et quod Aquas Mortuas verberat, ali-

si svolsero, premettendovi quelle parole del tuo Agostino: «Io voglio ricordare le turpitudini mie passate, e le carnali corruzioni dell'anima mia, non perché le ami, ma per amare Te, mio Dio».[6] Ma in me molto ancora rimane di ambiguo e molesto travaglio. Quel che solevo amare, ora non l'amo più; no, mento: l'amo, sì, ma meno; ma ecco, ho mentito ancora: l'amo, ma con maggior vergogna, con maggior tristezza; finalmente ho detto la verità.[7] Così è infatti; amo, ma quello che amerei di non amare, ciò che bramerei odiare; amo, tuttavia, ma contro voglia, ma costretto, ma tristemente, e piangendo. E in me stesso — misero — avverto tutta la verità di quel verso di un famosissimo poeta: «Ti odierò, se potrò, altrimenti ti amerò, mio malgrado».[8]

Non sono ancor trascorsi tre anni, da quando quella volontà perversa e malvagia che mi possedeva interamente e regnava senza rivali nella camera del mio cuore cominciò ad averne un'altra, contro di lei riluttante e ribelle,[9] e fra loro, da tempo nel campo dei miei pensieri, ancora si svolge incerta e fierissima battaglia per il pieno dominio su quel duplice uomo ch'io sono. Così mi aggiravo coi miei pensieri su questo decennio trascorso. Di qui trasportavo ogni mia cura all'avvenire e mi chiedevo: «Se a te per caso toccasse di trascinare per altri due lustri questa fuggevole vita, e tanto in questa parte di tempo, avvicinarti alla virtù, quanto in questi due anni, per il contrasto della nuova volontà con l'antica, ti allontanasti dall'antica protervia, non potresti ora, anche se non certo, almeno sperando,[10] morire a quaranta anni, e con animo sereno trascurare quella restante parte della vita che alla vecchiezza declina?» Questi pensieri ed altri simili a questi mi si rivolgevano nel cuore, o Padre mio. Godevo dei miei progressi, piangevo sulle mie imperfezioni, e mi addoloravo della instabilità comune a tutti gli atti umani; e in certo modo mi sembrava di aver scordato in qual luogo fossi venuto e perché; finché, come se avessi dimenticato i miei pensieri affannosi, ai quali più opportuno sarebbe stato un altro luogo, decisi di riguardarmi attorno e di osservare le cose per vedere le quali ero venuto, poiché mi ero accorto, come destandomi da un sogno,[11] che era ormai tempo di andare, e già declinava il sole e un'ombra crescente si espandeva dal monte; mi volsi allora indietro, ficcando gli occhi verso l'occidente. Non si vede, di là, la catena dei Pirenei, confine fra la Francia e la Spagna, non, io credo, per alcun ostacolo che si frapponga, ma per la sola fragilità della vista mortale; ma si distinguevano benissimo a destra i monti della provincia di Lione, e a sinistra, il mare di Marsiglia e quello che

6. La frase è tratta dalle *Confessioni*; il ricordo delle passate iniquità porta ad amare maggiormente Dio che lo ha aiutato con la sua grazia a liberarsene.

7. Il P., scavando a fondo nel suo animo, vi trova l'ambiguità del peccato; comprende l'importanza che assume, nella professione di fede e moralità cristiana, l'affondare con decisione spietata, con sincerità strenua lo sguardo in quello che un altro grande poeta cristiano, il Manzoni, chiamerà il «guazzabuglio» del cuore umano. In questa introspezione lo soccorrono l'esempio di uno scrittore classico, Seneca, e di uno cristiano, S. Agostino, e lo si avverte anche nella consonanza stilistica fra il P. di queste pagine e gli altri due grandi; ma non si tratta di imitazione, bensì di spontanea adesione spirituale. Quanto a ciò che dice d'amare con vergogna e tristezza, si può intendere un'allusione a Laura, e, più generalmente, a tutte le seduzioni terrene.

8. Ovidio, *Amores*, III, II, 55.

9. È la volontà buona di purificazione e redenzione.

10. Se non certo della eterna salvazione, almeno sperandola.

11. L'alta meditazione lo ha quasi completamente astratto dalla realtà circostante. Ora di nuovo il P. si guarda attorno e ammira il paesaggio, come all'inizio di questo passo; ma, come allora, ritorna subito a meditare su se stesso. È l'alternarsi che indica subito dopo: «ora mi immergevo in qualche pensiero terreno, ora sollevavo l'anima... a cime più alte». Anche nella prima parte della lettera, che abbiamo omessa, le notazioni paesistiche sono continuamente ricondotte alla visione del paesaggio dell'anima.

quot dierum spatio distantia, preclarissime videbantur; Rodanus ipse sub oculis nostris erat. Que dum mirarer singula et nunc terrenum aliquid saperem, nunc exemplo corporis animum ad altiora subveherem, visum est mihi *Confessionum* Augustini librum, caritatis tue munus, inspicere; quem et conditoris et donatoris in memoriam servo habeoque semper in manibus: pugillare opusculum, perexigui voluminis sed infinite dulcedinis. Aperio, lecturus quidquid occurreret; quid enim nisi pium et devotum posset occurrere? Forte autem decimus illius operis liber oblatus est. Frater expectans per os meum ab Augustino aliquid audire, intentis auribus stabat. Deum testor ipsumque qui aderat, quod ubi primum defixi oculos, scriptum erat: «Et eunt homines admirari alta montium et ingentes fluctus maris et latissimos lapsus fluminum et oceani ambitum et giros siderum, et relinquunt se ipsos». Obstupui, fateor; audiendique avidum fratrem rogans ne mihi molestus esset, librum clausi, iratus mihimet quod nunc etiam terrestria mirarer, qui iampridem ab ipsis gentium philosophis discere debuissem nihil preter animum esse mirabile, cui magno nihil est magnum.

bagna Aigues Mortes, distanti alcuni giorni di cammino; il Rodano era proprio sotto i nostri occhi. E mentre tutte queste cose ad una ad una ammiravo, e ora mi immergevo in un qualche pensiero terreno, ora sollevavo l'anima, come avevo fatto per il mio corpo, a cime più alte, mi venne in mente di consultare il libro di S. Agostino, le *Confessioni*, dono della tua amicizia,[12] che conservo in memoria di chi lo ha scritto e di chi me lo ha donato e ho sempre tra le mani, libretto di piccola mole ma di infinita dolcezza. Lo apro, per leggere quel che mi capitava; che cosa, infatti, mi poteva capitare che non fosse pieno di pietà e di devozione? Mi venne per caso sott'occhio il decimo libro. Mio fratello,[13] aspettando di udir dalla mia bocca una parola di Agostino, era tutt'orecchi. Chiamo a testimone Dio e lui ch'era presente che dove prima affisai il mio sguardo era scritto: «E vanno gli uomini ad ammirare le alte cime dei monti e i flutti ingenti del mare e i vastissimi corsi dei fiumi e l'immensa distesa dell'oceano e il corso delle stelle, e di se stessi non prendono cura».[14] Attonito rimasi, lo confesso, e pregando mio fratello, che era avido di udire, che non mi disturbasse, chiusi il libro, irato contro me stesso perché ancora ammiravo le cose terrene, io che da un pezzo avrei dovuto imparare dai filosofi pagani stessi che nulla è degno di ammirazione all'infuori dell'anima, alla grandezza della quale non v'è cosa degna di essere paragonata.

Tunc vero montem satis vidisse contentus, in me ipsum interiores oculos reflexi, et ex illa hora non fuit qui me loquentem audiret donec ad ima pervenimus; satis mihi taciti negotii verbum illud attulerat. Nec opinari poteram id fortuito contigisse, sed quicquid ibi legeram, mihi et non alteri dictum rebar; recolens quod idem de se ipso suspicatus olim esset Augustinus, quando in lectione codicis Apostolici, ut ipse refert, primum sibi illud occurrit: «Non in comessationibus et ebrietatibus, non in cubilibus et impudicitiis, non in contentione et emulatione; sed induite Dominum Iesum Cristum, et carnis providentiam ne feceritis in concupiscentiis vestris»...

Sazio ormai e soddisfatto di aver visto quel monte, volsi in me stesso gli occhi della mente, e da quel momento nessuno mi udì parlare finché non giungemmo al piano; quelle parole mi tenevano del tutto occupato in silenziosa meditazione. Né potevo pensare che mi fossero capitate a caso, ma tutto ciò che avevo letto ritenevo che per me, non per un altro fosse stato scritto; ricordando ciò che di se stesso un giorno aveva pensato Agostino quando, leggendo, com'egli narra, il libro dell'Apostolo, queste parole, per prime, gli vennero agli occhi: «Non nei conviti e nelle crapule, non nei convegni impudichi, non nelle contese e nelle gare, ma vivete nel Signore Gesù Cristo, e non abbiate cura del corpo per la vostra concupiscenza»[15] [...].

Quotiens, putas, illo die, rediens et in tergum versus, cacumen montis aspexi! et vix unius cubiti altitudo visa est pre altitudine contemplationis humane, siquis eam non in lutum terrene feditatis immergeret. Illud quoque per singulos passus occurrebat: si tantum sudoris ac laboris, ut corpus celo paululum proximius fieret, subire non piguit, que crux, quis carcer, quisi equuleus deberet terrere animum appropinquantem Deo, turgidumque cacumen insolentie et mortalia fata calcantem? et hoc: quotocuique accidet, ut ab hac semita, vel dura-

Quante volte, credimi, quel giorno, ritornando e volgendomi indietro, riguardai la cima di quel monte! E mi parve alta appena un cubito, in confronto all'altezza della contemplazione umana, se non la immergessimo nel fango della turpitudine terrena. Questo pure mi veniva in mente ad ogni passo: se non mi rincrebbe affrontare tanto sudore e tanta fatica per portare il mio corpo un poco più vicino al cielo qual croce, qual carcere, qual tormento dovrebbe atterrire un'anima che si avvicina a Dio calpestando la superba vetta dell'insolenza e il destino mortale? E ancora: quanti mai sono coloro che non si distolgono da questo cammino o per pau-

12. Gli erano state regalate da Dionigi, l'amico a cui è indirizzata la lettera. Le *Confessioni* sono uno dei libri più importanti di S. Agostino (Tagaste 354 d. C. - Ippona 430), uno dei libri più amati e meditati dal P. In esso il Santo aveva dato un primo e insuperato esempio di un'autobiografia come introspezione e ritrovamento nella coscienza delle verità più alte, e quindi come testimonianza di esse.

13. Gherardo, fratello minore del P.

14. Il passo è nel l. X, cap. 8 delle *Confessioni*; è un richiamo all'interiorità, che, giunto in quel momento, in quella disposizione d'animo, appare al P. non come qualcosa di casuale, ma un solenne e quasi miracoloso ammonimento.

15. S. Paolo, *Epistole ai Romani*, XIII, 13-14. Agostino racconta di questa lettura in *Confess.* VII, XII, 29.

rum metu rerum vel mollium cupidine, non divertat? O nimium felix! siquis usquam est, de illo sensisse arbitrer poetam:

Felix qui potuit rerum cognoscere causas
atque metus omnes et inexorabile fatum
subiecit pedibus strepitumque Acherontis avari!

O quanto studio laborandum esset, non ut altiorem terram, sed ut elatos terrenis impulsibus appetitus sub pedibus haberemus!

Hos inter undosi pectoris motus, sine sensu scrupulosi tramitis, ad illud hospitiolum rusticum unde ante lucem moveram, profunda nocte remeavi, et luna pernox gratum obsequium prestabat euntibus. Interim ergo, dum famulos apparande cene studium exercet, solus ego in partem domus abditam perrexi, hec tibi, raptim et ex tempore, scripturus; ne, si distulissem, pro varietate locorum mutatis forsan affectibus, scribendi propositum deferveret. Vide itaque, pater amantissime, quam nihil in me oculis tuis occultum velim, qui tibi nedum universam vitam meam sed cogitatus singulos tam diligenter aperio; pro quibus ora, queso, ut tamdiu vagi et instabiles aliquando subsistant, et inutiliter per multa iactati, ad unum, bonum, verum, certum, stabile se convertant. Vale.

VI Kal. Maias, Malausanae.

(*Ep. Fam.* IV, I)

ra delle difficoltà o per desiderio di mollezze? O, veramente felice chi non se ne lascia distogliere! Di lui certamente volle parlare il poeta che disse: «Felice chi poté conoscere le cagioni delle cose, e gettò sotto i suoi piedi tutti i timori, e l'inesorabile fato, e lo strepito dell'avido Acheronte».[16] Oh, quanta fatica dovremmo amorosamente imprendere per avere sotto i nostri piedi non un monte più alto ma gli appetiti nati da impulsi terreni!

Tra questi affetti dell'animo ondeggiante, senza accorgermi del sentiero sassoso, ritornai a notte fonda a quella capanna donde ero partito sul far dell'alba, e la luna colma era compagna utile e gradita ai viaggiatori. E io, mentre i servi si affaccendavano a preparare la cena, solo mi ritirai in un angolo solitario della casa, per scriverti, in fretta e improvvisando, questa lettera perché non mi venisse meno il desiderio di scriverti quando forse, col mutar dei luoghi, fossero mutati anche questi miei sentimenti.[17] Vedi dunque, padre amatissimo, come nulla di ciò che è nel mio intimo io vorrei che restasse celato ai tuoi occhi, come io non solo tutta la mia vita, ma anche i singoli pensieri diligentemente ti sveli; prega Dio, ti supplico, che questi, da tanto tempo instabili ed errabondi, abbiano un giorno posa, e dopo esser stati sbattuti fra tante vanità, si volgano a ciò che è unico, buono, vero, sicuro, stabile. Addio. Malaucena, 26 aprile 1336 (?). (*Epistole Familiari*, IV, I).

16. Virgilio, *Georgiche*, II, 490-92. L'interpretazione che di questi versi dà il P. non è esatta; si tratta, anzi, di interpretazione allegorica di tipo medioevale, poco rispettosa del testo.

17. Appare costante nel P. questo tema della labilità di ogni cosa, ma anche del proprio animo, anche dei sentimenti più nobili e sinceri. Per questo egli ricerca in Dio verità, bontà, ma soprattutto sicurezza, stabilità, come vedi nella chiusa.

L'«otium» di Valchiusa

La vita del Petrarca è una continua e appassionata ricerca della solitudine, di un rifugio sereno dove l'animo, lontano dal tumulto cieco e insensato delle ambiziose gare cittadine, possa rivolgersi alla meditazione di se stesso e della vita, e, quindi, agli studi letterari e filosofici, che vennero chiamati «liberali» perché non sono volti alla ricerca del lucro, ma a liberare lo spirito da ogni altro desiderio che non sia quello della propria maturazione e perfezione. Era questa la vita ritirata e contemplativa che i classici latini chiamavano *otium*.

***Otium*, conseguentemente, significa anche tranquillità dell'anima e armonia spirituale.**

Il Petrarca afferma per primo questo ideale, che sarà fervidamente vissuto dagli uomini del Rinascimento. Certo, in lui e in loro esso diviene qualcosa di troppo esclusivo: un aristocratico appartarsi, fuggendo il *volgo*, anche dai doveri e dalle responsabilità concrete che la vita impone. Ma nell'ozio e nella meditazione il Petrarca cercava la pace per il suo animo travagliato; nello scrivere, qualcosa che desse stabilità e significato al cammino incerto della sua esistenza.

...Eccoti il Sorga,[1] il più placido dei fiumi, e se risalirai il suo corso per circa quindici miglia, vedrai una sorgente che non è seconda a nessuna, origine di quel fiume limpido e chiaro, e una rupe che sovrasta le sua scaturigine, alta, davanti a te, sì che non si può né conviene passare oltre. [...] Mi vedrai contento di piccoli ma ombrosi giardini e di una piccola casa [...], vedrai colui che desideri, in ottima salute, non bisognoso di nulla, che nulla aspetta particolarmente dalle mani della fortuna;[2] mi vedrai da mattina a sera vagare solitario, fra l'erbe dei prati, fra i monti, le fonti, e abitare nelle selve, nei campi; fuggire le vestigia dell'uomo, cercare i sentieri fuori mano, e amare le ombre degli alberi, godere degli antri roridi, dei prati verdeggianti; detestare le preoccupazioni della curia,[3] evitare la tumultuosa vita delle città, tenermi lontano dalle soglie dei superbi, deridere le cose per le quali s'affanna il volgo, tenen-

1. Il P. scrive questa lettera a un amico, Giovanni Colonna, che si trova in Italia, e lo invita a venirgli a fare visita a Valchiusa, tracciandogli l'itinerario. A Valchiusa, a poche miglia da Avignone, il P. si era rifugiato per la prima volta nel 1337, attirato dalla bellezza e dalla pace serena di quei luoghi campestri e solitari, presso le sorgenti del Sorga.
2. È l'impassibilità del saggio, che ricerca la felicità in se stesso, nel dominio delle passioni.
3. La corte d'Avignone.

domi egualmente lontano dalla letizia e dalla tristezza; mi vedrai per giorni interi e notti immerso in un ozio meditativo e sereno, gloriandomi della compagnia delle Muse, del canto degli uccelli, del mormorio dei boschi e delle acque, in compagnia di pochi servi ma di molti libri; e ora stare in casa, ora andare, ora soffermarmi, ora adagiare il capo affaticato e le membra stanche sulla mormorante riva, ora sull'erba tenera; e, non ultima ragione di consolazione, nessuno capitare là se non molto raramente, che possa indovinare neppure la millesima parte delle mie segrete cure; e infine mi vedrai ora tacere, assorto e con gli occhi fissi a terra, ora parlare a lungo con me stesso, e infine tenere in poco conto me stesso e tutte le cose mortali.[4] (*Epistole Familiari*, VI, 3).

4. È il distacco supremo dall'ambizione, dall'egoismo, da tutto ciò che s'oppone all'equilibrio e alla tranquillità dell'animo.

Il «colloquio» coi classici antichi

La solitudine dell'*otium* petrarchesco si popola delle magnanime ombre dei grandi che ancora parlano, dopo secoli, dalle pagine dei codici alla mente e al cuore.

Nei grandi uomini della storia e nelle grandi opere classiche il Petrarca ritrovava un modello ideale di umanità e di vita magnanima; di là dalla fuga inesorabile del tempo e dallo svanire di ogni cosa, di là dalle debolezze e perplessità della sua esistenza riaffermava la fede nella perennità dei valori umani.

Fare andare indietro nel tempo la memoria e vagare con l'animo per tutte le terre, per tutti i secoli, incontrarsi qua e là e parlare con tutti coloro che furono uomini illustri, e, dimenticare così i presenti artefici di tutti i nostri mali, e talvolta anche te stesso, e spingere l'animo, innalzandolo sopra se stesso, fra le cose celesti, meditare su ciò che accade lassù, e rendere più caldo, in seguito a tale meditazione, il desiderio del cielo... Questo, e chi non l'ha provato non può capirlo, è uno dei frutti, e non certo l'ultimo, della vita solitaria. Frattanto, per non tacere di cose più note, dedicarsi alla scrittura e alla lettura, e, stanco dell'una, ricercare nell'altra ristoro; leggere ciò che scrissero gli antichi, scrivere ciò che leggeranno i posteri, e per il dono della cultura e dell'arte letteraria ricevuto dagli antichi mostrare ai posteri, poiché agli antichi non possiamo mostrarlo, un animo memore e grato;[1] ma anche verso gli antichi, non mostrarci ingrati, per quanto ci è possibile, ma rendere noti i loro nomi, se sconosciuti, se sono caduti in oblio farli ritornare in onore, trarli alla luce se sono sepolti fra le macerie del tempo, e trasmetterli[2] come degni di venerazione ai pronipoti tutti; averli nel cuore, e sempre sulle labbra come una dolce cosa, e infine, amandoli, ricordandoli, celebrandoli, rendere loro un tributo di riconoscenza, se non pienamente adeguato, certo dovuto ai loro meriti (*De vita solitaria*, libro I).

1. **un animo... grato**: La cultura e le lettere rendono l'uomo pienamente consapevole della sua umanità genuina: su questa persuasione si fondano gli studi umanistici.
2. Il Petrarca allude qui a quella che fu sua opera assidua e ancor più lo sarà per gli uomini dell'Umanesimo: ricercare e trarre alla luce dai conventi medioevali, ov'erano a lungo rimasti nell'oblio, i codici nei quali erano state trascritte le opere degli antichi quando le invasioni barbariche sembravano aver sommerso l'antica civiltà, commentarle, verificare l'esattezza del testo che aveva ricevuto guasti dal tempo o da trascrizioni frettolose e leggerle, meditarle, comprenderle. Il P. ritrovò due orazioni di Cicerone e le Epistole ad Attico, sempre di Cicerone, conservate in antiche biblioteche, ma dimenticate.

Studia humanitatis

Molte cose sparsamente dico, molte anche scrivo, non tanto per giovare agli uomini del mio tempo, la cui miseria è ormai irrimediabile, ma per togliermi gli affanni e consolare il mio animo cogli scritti. Tuttavia se mi si chiede la ragione per la quale talvolta io sia tutto pieno di esempi antichi e con tanta cura mediti a lungo su di essi, risponderò che ritengo che il lettore abbia una disposizione d'animo simile alla mia. Nulla, in verità, ha tanta presa sul mio animo quanto gli esempi degli uomini famosi. Mi piace, infatti, meditandoli, sentirmi più grande, ed esperimentare se il mio animo abbia in sé qualcosa di forte, di nobile, tale da renderlo indomito e invitto contro i colpi della fortuna,[1] o se in malafede si sia illuso di essere tale. E certamente non posso far questo in modo migliore, a prescindere dall'esperienza che è la più sicura maestra, che avvicinandolo a coloro ai quali desidero di assomigliare quanto più è possibile. Così, come io sono riconoscente a tutti coloro che leggo se mi

1. È questo l'ideale antico del saggio, forte e generoso, superiore ad ogni evento contingente, che trova l'unica, vera felicità nella pienezza della propria vita spirituale, nell'affermazione magnanima della propria dignità di uomo contro la morte e il destino. Tale ideale attirava irresistibilmente l'animo del P., così profondamente turbato dal desolato sentimento della labilità d'ogni cosa umana e dall'oscuro timore della morte.

danno modo, con gli esempi che spesso mi propongono, di sperimentare in tal modo il mio animo, così spero che mi saranno riconoscenti coloro che mi leggeranno. Forse m'inganno in questa speranza, ma non t'inganno con codeste affermazioni; questa è proprio la prima ragione del mio meditare gli esempi antichi. La seconda è che io scrivo anche per me, e mentre scrivo avidamente vivo coi nostri antenati nel solo modo che posso; e costoro ai quali un'iniqua stella ha voluto ch'io fossi contemporaneo, dimentico con grandissima gioia; e in questo adopero tutte le forze del mio animo: nel fuggire questi, nell'imitare quelli. Come infatti gravemente m'infastidisce la vista dei contemporanei, così il ricordo degli antichi, le loro magnifiche gesta e gli illustri nomi mi riempiono di una gioia incredibile e immensa,[2] che, se fosse nota a tutti, susciterebbe in molti stupore del fatto che io mi diletti a stare coi morti piuttosto che coi vivi. A costoro si potrebbe rispondere, e con piena verità, che quelli veramente sono vivi, poiché con virtù e con gloria compirono la loro giornata terrena; mentre questi che se la godono fra i piaceri e le false gioie, fradici di lussuria e di torpore, pieni di vino, anche se sembrano vivere, sono dei cadaveri, che respirano ancora, ma già sono turpi e orrendi. (*Epistole Familiari*, VI, 4).

2. di una gioia... immensa: è la gioia, tutta umana e laica (non c'è, in questa pagina, nessun tema di meditazione cristiana), potremmo dire pienamente umanistica, di sentirsi uomo, partecipe di quella grandezza, di quell'eroica tensione verso i valori più alti che gli eroi e gli scrittori antichi esprimono.

La fuga inesorabile del tempo

Uomo della contraddizione, il Petrarca. Se, da un lato, come abbiamo visto, leggeva nelle opere dei classici una speranza di immortalità e di persistenza dei valori umani, dall'altra vi trovava anche espresso, con parole limpide ma implacabili, quel sentimento della labilità, della caducità di ogni cosa, dell'ineluttabile cammino verso la morte, che fu il tormento di tutta la sua vita.

In questa epistola indirizzata a Filippo, vescovo di Cavaillon, negli anni intorno al 1360, il Petrarca, ormai alle soglie della vecchiaia, ripercorre tutta la sua vita passata, incentrandola intorno al motivo dominante del senso della caducità d'ogni cosa umana, a lui balenato, come qui attesta, fin dalla prima giovinezza: una di quelle fondamentali intuizioni del vivere che, apparse al primo ingresso nella vita, ne sembrano configurare tutto il futuro cammino e il significato.

Non lo turba il fatto di dover morire un giorno, ma di dover morire giorno per giorno, lui e quanto di più bello è nella vita; lo angoscia l'essere effimero di ogni cosa umana. Gloria, bellezza, amore, poesia, tutto ciò con cui l'uomo cerca di essere, di durare, di sottrarsi al nulla, alla fuga del tempo, alla morte, sono soltanto un sogno fugace. La religione e la ragione lo esortano a cercare la pace, la felicità, l'appagamento della sua sete d'infinito in Dio, l'Aurora, egli dice, che non conosce tramonto; ma il cuore non si rassegna a vedere morire gli ideali più cari. È il dissidio del Petrarca, la sua malinconia di uomo che conosce solo il tempo e nel tempo vorrebbe la felicità che pure sa di non poter conseguire.

[...] Sentivo Seneca dirmi: «La nostra vita scorre veloce come un fiume; tutto ciò che vedi corre via insieme col tempo; nulla, fra tutto ciò che vediamo, dura. Io stesso, mentre dico che codeste cose si mutano già sono mutato». E Cicerone mi diceva: «La vita vola». E ancora: «Chi è tanto stolto, per quanto giovane sia, che possa affermare con assoluta certezza che vivrà fino a sera?» E poco dopo: «È certo che si deve morire: e non sappiamo se proprio in questo giorno...».

Tralascio gli altri; troppa fatica sarebbe ricordarli uno per uno, loro e le loro sentenze, ed è studio degno di un giovanetto, non di un vecchio collezionare fioriti esempi letterari; ma questi esempi e mille simili a questi spesso da me, spesso con me raccogliesti da quegli scrittori. Per quel che mi riguarda, di quale intenso desiderio di raccoglierli ardessi da giovane e per alcuni anni, quando non conoscevo ancora così familiarmente altro genere di scrittori, lo attestano i libri di quel tempo che ancor mi restano e i segni coi quali di mio pugno sottolineavo soprattutto quelle sentenze, dalle quali estraevo e meditavo, con meditazione più matura dei miei giovani anni, fin d'allora il presente e futuro mio stato. Notavo, con sicura convinzione,[1] non gli ornamenti verbali, ma la sostanza, e cioè le angustie di questa misera vita, la sua brevità, velocità, l'affrettarsi affannoso, il suo dileguarsi, la sua corsa, il suo volo e le occulte fallacie, il tempo irrevocabile, il caduco e mutevole fiore della giovinezza, la bellezza effimera di un roseo volto, la sfrenata fuga della giovinezza che non ritorna, l'insidia della vecchiezza che tacita e furtiva s'insinua; e alla fine le

1. In questa scoperta dolente del giovinetto, c'è già l'uomo futuro, la sua malinconia. Le citazioni dei classici si compongono in un coro sconsolato: dal fondo dei secoli questa voce di dolore risponde alla prima e fondamentale intuizione del P.

rughe, le malattie e la tristezza e il travaglio e la spietatezza e la crudeltà implacabile dell'indomabile morte. E mentre ai coetanei e condiscepoli questi pensieri sembravano una sorta di sogni, a me già allora — chiamo a testimonio Dio che vede ogni cosa — sembravano cose vere e quasi presenti.

[...] Questa era la differenza fra me e i miei coetanei, anzi, fra me e i nostri maestri: che a loro sembrava sicuro e immenso il cammino della vita, a me esiguo e incerto, come è in realtà. E intorno a questo frequenti erano i discorsi e le rissose dispute fra noi giovani e in esse predominava l'autorità dei vecchi e io ero reputato quasi pazzo. Non sapevo, infatti, esprimere ciò che sentivo nell'animo, e quand'anche avessi saputo, l'età novella e la novità di tale mia opinione meritavano scarso credito; pertanto, vinto nella disputa, mi rifugiavo nel mio silenzio come in una rocca; tuttavia, anche se non parlavamo, si vedeva dagli atteggiamenti qual fosse l'opinione mia e quella degli altri. Quelli infatti, e non solo i giovinetti, ma anche i vecchi, si proponevano lunghe speranze, onerosi matrimoni, travagliosa milizia, pericolosa navigazione, desideri di lucro; io, chiamo ancora Cristo a testimone, già da quell'età non avevo quasi nessuna speranza, già allora i miei teneri progetti vacillavano ai primi colpi della fortuna. Così tutto ciò che mi avvenne di fortunato — ed è molto, per l'aiuto di Dio — mi avvenne fuor di speranza; e se talvolta sperai qualche cosa di alto, non accadde: credo, affinché disimparassi a sperare. E, in verità, ho disimparato, a tal punto che sebbene di giorno in giorno abbia nuovi doni dalla fortuna, li accolgo con animo grato, ma non spero nulla più di quanto non spererei se non avessi ricevuto nulla da essa; e questa è la sola contesa che ho con gli amici, quando essi pongono innanzi a me, che so di dover morire, speranze che si prolungano in un futuro lontano, mentre, come ho detto, già le rifiutavo al mio entrare nella vita.

[...] Ecco,[2] ero giunto a questo punto della presente lettera e deliberando su che cosa dire ancora e che cosa non dire, frattanto, com'è mia abitudine, rivoltata la penna, battevo con essa la carta ancor bianca. Questo fatto materiale mi diede occasione di pensare che fra i brevi intervalli di questo ritmico battito, il tempo fuggiva via, e io intanto fuggivo con lui, me ne andavo, svanivo, e, per parlar propriamente, morivo. Continuamente moriamo, io mentre scrivo queste cose; tu, mentre leggerai, altri, mentre ascolteranno e non ascolteranno, e anch'io, mentre tu leggerai queste mie parole starò morendo, tu stai morendo mentre ti scrivo queste cose, ambedue moriamo, tutti moriamo, sempre moriamo, non viviamo mai mentre siamo qui, in terra, ad eccezione del tempo in cui, facendo qualche azione virtuosa, ci prepariamo la strada verso la vita vera, dove al contrario nessuno muore, tutti vivono e sempre vivono, dove ciò che piacque una volta sempre piace, né l'animo può concepire quanto grande sia l'ineffabile e inesausta dolcezza di quella vita, né si avverte un suo mutamento, né si teme che possa finire.

[...] Distinguiamo, come ti piace, moltiplichiamo il numero degli anni, troviamo nomi per le varie età: la vita intera dell'uomo non è che un sol giorno, neppure estivo, ma invernale, nel quale chi al mattino, chi a mezzogiorno, chi nel meriggio, chi a sera muore; questo tenero e fiorente, questo maturo, questo già arido, consunto... (*Epistole Familiari*, XXIV, I).

2. Da qui in avanti l'epistola è un trionfo della morte, un suo incalzare inesorabile, in ogni istante del vivere. Essa è la vera, unica realtà, di là dalle speranze fallaci, l'unica certezza. E se, alla fine, la tensione della pagina sembra placarsi nel conseguimento d'una superiore certezza religiosa, sentiamo che questa, più che una conquista, è un'appassionata ma problematica aspirazione.

La vocazione

Questa lettera, che appartiene alla raccolta delle *Senili* (XVII, 2), fu scritta dal Petrarca al Boccaccio un anno prima della morte, e costituisce il suo testamento spirituale. Nello stesso tempo sembra il completamento ideale della lettera precedentemente riportata. È vero, la vita fugge inesorabilmente e continuamente la morte incalza; anzi, non è mai stata vicina come ora, e il poeta, ammalato e stanco, la sente imminente. Ma dinanzi alla sua ombra cupa si afferma chiara la dignità dell'uomo, che consiste nel suo lavoro, nella ricerca incessante di perfezione, magnanimità e grandezza. Scrivere è la vocazione del Petrarca, per coloro che verranno, per conquistare la sua immortalità terrena nella memoria degli uomini. Egli desidera che la morte lo trovi intento a leggere e a scrivere, o a piangere e a pregare; in ogni caso, a meditare sulla vita e a comprenderla, ad affinare il suo spirito.

...Ultimum rogas ut tibi ignoscam, qui michi consulere vivendique modum prescribere ausus sis: ut scilicet intentione animi vigiliisque et laboribus consuetis abstineam et etatem fessam annis simul ac studiis pingui otio ac sopore refoveam. Ego autem non ignosco, sed tibi gratias ago, tui conscius amoris qui te, quod in tuis non es, meis in rebus medicum faciat. Tu potius michi ut parcas queso, qui tibi non paream, et sic tibi persuadeas me, etsi cupidissimus vite essem, quod non sum, tamen si consilio tuo stem aliquanto citius periturum. Labor iugis et intentio pabulum animi mei sunt; cum quiescere cepero atque lentescere, mox et vivere desinam. Nosco ipse vires meas: non sum ydoneus ad reliquos labores, ut soleo. Legere hoc meum et scribere, quod laxari iubes, levis est labor, imo dulcis est requies, que laborum gravium parit oblivionem. Nulla calamo agilior est sarcina, nulla iucundior; voluptates alie fugiunt et mulcendo ledunt; calamus et in manus sumptus mulcet, et depositus delectat, ac prodest non domino suo tantum sed aliis multis sepe etiam absentibus, nonnunquam et posteris post annorum milia.

...Infine, mi preghi di perdonarti per il fatto che hai osato darmi consigli e prescrivermi una condotta di vita, esortandomi ad astenermi dall'intensa applicazione mentale, dalle veglie e dalle fatiche consuete e a ristorare la mia vecchiezza affaticata dagli anni e dagli studi con un ozio confortevole e con lunghi sonni. Non solo ti perdono, ma ti ringrazio, perché comprendo bene che è l'amore a renderti medico dei miei mali, mentre non lo sai essere ugualmente dei tuoi. Ti prego piuttosto di perdonarmi se non ti ubbidisco: ma sii persuaso che se anche io fossi bramosissimo di vivere (e non lo sono), obbedendo ai tuoi consigli morirei prima. Il lavoro e l'applicazione ininterrotta sono alimento necessario per la mia anima: quando comincerò ad allentare il ritmo e a stare in ozio, presto cesserò anche di vivere. Conosco bene le mie forze: non sono più in grado di attendere, come solevo, ad altre fatiche. Questo mio leggere e scrivere, che tu mi ordini di tralasciare, sono per me fatica lieve, anzi, un dolce riposo, che mi arreca l'oblio di affanni più gravi. Nessun peso è più facile da portare di quello della penna, nessuno più gradito; gli altri piaceri fuggono labili, e mentre dilettano, nuocciono; la penna, presa in mano, ricrea, posata, dona diletto, e giova non soltanto al padrone, ma a molti altri, spesso lontani, e talvolta anche ai posteri, dopo migliaia d'anni.

Verissime michi videor dicturus: omnium terrestrium delectationum ut nulla literis honestior, sic nulla diuturnior, nulla suavior, nulla fidelior, nulla que per omnes casus possessorem suum tam facili apparatu, tam nullo fastidio comitetur. Parce, igitur, frater, parce: tibi omnia crediturus, hoc non credam. Quemcumque me feceris — nichil est enim quod non possit docti disertique viri stilus — michi tamen enitendum est, si sum nichil ut sim aliquid, si sum aliquid ut sim pluscululum, et si essem magnus — quod utique non sum — ut qua datum esset fierem maior ac maximus. An non michi liceret Maximini illius immanis et barbari verbum usurpare? Cui cum suaderetur ut iam satis magnus nimio parceret labori, «Ego vero, inquit, quo maior fuero eo plus laborabo». Dignum verbum quod non a barbaro diceretur!

Mi sembra di essere assolutamente nel vero dicendo che fra tutti i diletti terreni, come nessuno è più nobile degli studi letterari, così nessuno è più duraturo, nessuno più dolce, nessuno più fedele, nessuno accompagna il suo possessore attraverso tutti i casi della vita più facile a procacciarsi, così privo di noia o sazietà. Perdonami, fratello, perdonami: sono disposto a crederti tutto ma non questo. Tu puoi ritrarmi come vuoi (tutto è possibile alla penna di un uomo dotto ed eloquente qual sei), ma io devo sforzarmi se non sono nulla di essere qualcosa, se sono qualcosa di migliorare almeno un poco e se fossi grande — ma purtroppo non lo sono — di divenire, come meglio potessi, più grande e grandissimo. Non potrei far mio il detto del crudele e barbaro Massimino?[1] Egli, a chi lo consigliava di risparmiarsi e di non faticar troppo perché era già abbastanza grande rispose: «Ma io, quanto più sarò grande tanto più mi travaglierò». Parole degne di essere pronunciate da uomo non barbaro.

Hoc michi igitur fixum est; quamque sim procul ab inertibus consiliis, sequens ad te epystola erit indicio. Non contentus enim ceptis ingentibus, ad que brevis hec vita non sufficit, nec si esset duplicata sufficeret, novos quotidie et externos aucupor labores: tantum somni et languide odium est quietis. An tu vero forsitan non ecclesiasticum illum audisti: «Cum consumaverit

Questa è dunque la mia decisione irremovibile; e quanto io sia lontano dal volermi abbandonare all'inerzia, te lo mostrerà la mia prossima lettera. Non contento, infatti, delle opere intraprese, così grandiose che non basta, a condurle a compimento quel po' di vita che ormai mi resta, né basterebbe se fosse raddoppiata, vado ogni giorno in cerca di lavori nuovi fuori di quelle: tanto ho in odio il sonno e il riposo che illanguidisce. Ma non hai forse udito quel detto dell'Ecclesiaste:

1. Massimino, detto il Trace, fu imperatore romano dal 235 al 238 d. C.; morì assassinato dai soldati.

homo tunc incipiet, et cum quieverit tunc operabitur»? Equidem nunc cepisse michi videor; quicquid tibi, quicquid aliis videar, hoc de me iudicium meum est. Si hec inter vite finis adveniat, qui certe iam longinquus esse non potest, optarem — fateor — me, quod aiunt, vita peracta viventem inveniret. Id quia ut sunt res non spero, opto ut legentem aut scribentem vel, si Christo placuerit, orantem ac plorantem mors inveniat. Tu vale, mei memor, et vive feliciter ac viriliter persevera.

Patavii, IIII Kal. Maias ad vesperam.

«Quando l'uomo avrà compiuto la sua opera, allora comincerà; e quando starà in riposo, allora si darà al lavoro?». A me, par di avere cominciato adesso; qualunque cosa sembri a te e agli altri questo è quel che penso di me. E se frattanto verrà la fine della mia vita, che certo ormai non può essere lontano, vorrei, lo confesso, che mi trovasse, come si suol dire, a vivere una vita già armonicamente compiuta. Ma poiché non posso sperare questo, al punto in cui stanno le mie cose, desidero che la morte mi trovi intento a leggere o a scrivere, o, se piacerà a Cristo, a pregare e a piangere. Tu sta sano, e ricordati di me, e vivi felice e persevera virilmente.

Padova, 28 aprile (1373), a sera.

Il «Secretum»

La storia del libro

Il *Secretum*, senza dubbio l'opera più significativa del grande progetto autobiografico del Petrarca, e quella in cui più penetrante è lo scavo dell'autore nella propria coscienza, è, per queste ragioni, la più importante fra le sue opere latine e un'introduzione indispensabile alla comprensione del *Canzoniere*. Il titolo esatto è *Secretum meum* ('il mio segreto'; ma si potrebbe anche tradurre 'il segreto della mia coscienza'), chiarito, in alcuni codici che ce lo hanno tramandato, dalla didascalia *de secreto conflictu curarum mearum*, e cioè 'l'intima lotta dei miei affanni spirituali'.

La data di composizione non è certa. Le allusioni interne dell'opera riconducono a un'epoca fra l'autunno del 1342 e l'inverno del 1343, a Valchiusa, ma certo il libro, pubblicato soltanto dopo la morte del poeta, fu rielaborato a lungo e a più riprese, a cominciare dal '47, e in particolare fra il '53 e il '58. Un critico (il Rico) propone di datarlo al '47; e persuasiva, comunque sia, rimane l'ipotesi d'una sua rielaborazione profonda nei primi anni cinquanta. In questi anni, infatti, la morte di Laura nella peste del '48, e quella di Giacomo Colonna e di altri amici per lo stesso flagello inducono nel Petrarca la persuasione di essere a una conclusione di tutto un passato e a una svolta decisiva (lo si è già visto, in parte, nella prima epistola delle *Familiari* qui riportata). Ne risulta la volontà d'una costruzione autobiografica che interpreti il significato profondo d'una vita, riconducendolo a quella che era, per il Petrarca, la tematica fondamentale dell'esistere terreno: il riscatto, la giustificazione dell'io nell'oscura e contraddittoria vicenda nel tempo.

Queste considerazioni sulla cronologia non devono ingenerare nel lettore odierno l'idea che si tratti di un'opera, o meglio, di un'autobiografia in qualche modo insincera. Intanto il Petrarca scrive, oltre che per se stesso, per offrire agli altri una vicenda esemplare e di sempre; e non ai contemporanei, ma ai posteri. In questo senso l'esattezza della cronologia è, per lui, assai meno importante di quella dei significati, e lo stesso vale per l'interpretazione dei fatti. Non va dimenticato che questo libro, pur di profonda e verace ricerca nel proprio animo, nella propria vita, d'un valore autentico, non è un diario, ma assume la forma letteraria del dialogo, con le sue convenzioni stilistiche, col suo impegno artistico; vorremmo dire con una dimensione fantastica, purché si intenda che tale dimensione è un tentativo di approccio alla verità, a una vicenda più vera, dietro la cronaca dei giorni. Nel Petrarca, insomma, appassionato lettore di S. Agostino, un'autobiografia è, prima di tutto, anche dove assuma una forma narrativa, una testimonianza, un ritrovamento in se stessi della verità di sempre. Il *conflictus*, infine, cioè il dissidio interiore, è rappresentato drammaticamente in due «personaggi», Augustinus e Franciscus, che sono entrambi autobiografici, entrambi «figura» dell'animo del Petrarca, nei suoi contrastanti indirizzi di spiritualità e di vita.

Il dialogo

L'opera è divisa in tre libri, corrispondenti ciascuno a una delle tre giornate di colloquio che il Petrarca immagina di avere con S. Agostino, alla presenza di una fulgida figura di donna, la Verità.

Tema unificatore del triplice dialogo è, fin dal I libro, la meditazione cristiana della morte e il conseguente sentimento della labilità d'ogni gioia terrena, della stessa vita. Davanti alla morte che incombe continua e inesorabile, gloria, amore, desiderio d'onore e di fama, e tutta l'esistenza divengono un travaglio vano, destinato a perdersi, prima ancora che nel buio della tomba, in un desolato senso di vuoto dell'anima inappagata. Di qui la necessità, per il Petrarca, di tendere ai beni veri, che non deludono, cioè alla virtù e a Dio. Sarebbe questa la via che conduce alla pace dell'anima, alla vera felicità, ma egli non sa decisamente intraprenderla: troppo vive sono nel suo cuore le seduzioni dei beni mondani, e non tanto le suggestioni peccaminose e turpi alle quali potrebbe con più strenua decisione ribellarsi, proprio per il loro carattere meschino, ma soprattutto quei beni, quegli ideali quali l'amore, la bellezza, la gloria, la poesia, che egli non sa rassegnarsi a sentire caduchi e inconsistenti, proprio perché esprimono la sua umanità più generosa. Il Petrarca li sente, sì, continuamente insidiati dal tempo e dalla morte, ma, nel contempo, li ama come espressione di vita eletta.

Da un angolo visuale religioso, il dissidio petrarchesco deriva dall'incapacità di una scelta netta e definitiva, dalla debolezza della volontà. Su questo punto insiste S. Agostino, sempre nel I libro: l'infelicità del Petrarca, a suo avviso, nasce dal peccato, ma dal peccato ci si può liberare: basta volerlo fermamente. Mediti il poeta sulla morte, comprenda che vani fantasmi sono gli allettamenti del mondo, li disprezzi e voglia energicamente e virilmente il bene. Inutilmente il Petrarca obietta che spesso ha voluto questo, senza peraltro riuscire a conseguirlo: Agostino ribatte che si trattava di velleità, non di volontà vera.

Nel II libro, Agostino fruga nelle pieghe più riposte dell'anima del poeta, mettendone in luce tutti i peccati. Si tratta dei sette peccati capitali, secondo lo schema usuale della morale cristiana; ma nuova è la sincerità con la quale il Petrarca si scruta e si confessa, il coraggio e la chiarezza intellettuale con cui smonta le speciose costruzioni con le quali ciascuno cerca di mascherare le proprie colpe, dando loro, magari, un falso aspetto di virtù.

Il tono della confessione s'innalza quando il Petrarca afferma di sentire sempre nel suo cuore qualcosa d'inappagato, e quando parla del suo peggiore morbo spirituale, strettamente connesso a quell'inappagamento, l'*accidia*. È questa come un'inerzia languida e scorata, nata dal disinganno, dal sentimento della precarietà di tutti i valori umani, della miseria dell'umana condizione, che sommerge l'anima in una continua mestizia senza conforto. Eppure essa ha in sé una sorta di amara dolcezza: è un dolore in qualche modo compiaciuto, e incapace, proprio per questo compiacimento, che è spia di un continuo vagheggiare gli ideali pur ritenuti vani, di sollevarsi a una decisa scelta del bene.

Più drammatica si fa la confessione nel III libro. Agostino intende, infatti, estirpare dall'animo del Poeta i due errori più perniciosi: l'amore per Laura e l'amore per la gloria, dicendo che sia l'uno sia l'altro sono tali da assorbire tutte le potenze dell'animo, distogliendolo dal vero amore, quello cioè, che deve essere rivolto a Dio. Ma se i rimproveri e i consigli del Santo sono prevedibili e scontati, la parte più bella del III libro è l'appassionata, anche se vana, difesa, da parte del Petrarca, dei suoi due ideali supremi: «Quando mai ho meritato che tu mi voglia strappare i due più luminosi sentimenti e condannare a perpetue tenebre la più serena parte dell'anima mia?».

Ancor più significative sono le ultime battute del dialogo. Nonostante un'estrema perorazione di Agostino, il Petrarca non giunge al fermo proposito di cambiar vita. Prima compirà le sue opere, poi si dedicherà, con l'aiuto di Dio al «retto cammino della salute». Dovrebbe farlo subito, e abbandonare ogni altra cosa, ma non può vincere la sua natura. Agostino, amaramente osserva che sono rimasti al punto iniziale: il poeta non sa, non vuole volere fermamente il bene. L'unica promessa che sa fare è questa: «Sarò presente a me stesso quanto potrò, raccoglierò gli sparsi frammenti della mia anima e diligentemente vigilerò su di me».

La soluzione del Petrarca non era quella del fratello Gherardo; egli accettava di rimanere nel mondo, fra le dubbie tempeste dell'anima, alla ricerca di una conciliazione fra umano e divino difficile e sempre precaria; accettava se stesso, le sue lotte, le sue miserie, l'alterno e incessante fluttuare fra desolazione e speranza, fra gioia e tristezza, solo sperando che l'aiuto di Dio valesse a condurre in porto la sua vita tormentata. Non sembra, eppure è una conclusione. Il travagliato dibattito spirituale del *Secretum* si conclude con l'accertamento della complessità dell'animo umano e della sua problematicità. La dignità del Petrarca sta in questa ricerca di comprensione integrale del proprio io, nel superamento dei piccoli compromessi meschini che tanto spesso aduggiano la vita spirituale. Agostino gli aveva insegnato che la verità è nell'intimo della coscienza; ed egli ricercava, attraverso un continuo e difficile dialogo con se stesso, la luce che illuminasse la sua vita.

Manca un'edizione critica del *Secretum*; ci siamo serviti di quella, provvisoria, curata da E. Carrara nel volume *F. Petrarca, Prose*, Milano-Napoli, Ricciardi, 1955, e abbiamo tenuto presente l'ottima traduzione italiana dello stesso Carrara.

La meditazione della morte

Il *Secretum* si apre con l'apostrofe perentoria di S. Agostino, e la non meno perentoria risposta di Francesco: perentoria non nel senso etico-razionale che le parole del Santo conservano, pur nell'oratoria violenza dell'appello, ma in un senso d'angoscia che coinvolge, sin dall'inizio, la coscienza del Petrarca, provocato dall'ossessione della morte. Essa comporta un senso di desolazione e d'inappagamento, che si tradurranno in un pessimismo esistenziale o «*acedia*», anch'esso tipico dell'uomo Petrarca, e fonte non trascurabile della sua ispirazione. L'inizio drammatico del dialogo e lo svolgimento di questa tematica in forma essenzialmente sentimentale sono conformi alla religiosità tormentata e fondata soprattutto su caratteri emotivi, che molti storici, a cominciare da Johan Huizinga, hanno riscontrato come tipica di questo «autunno del Medioevo». È difficile immaginare Dante che si sottopone all'«esercizio spirituale» che consiste nel sognare ossessivamente la propria morte; ma non sarebbe dantesca neppure la funzione centrale che assume, in questa prima parte del dialogo, il tema della volontà malata, di quella che Dante avrebbe visto come «viltade» o ignavia spirituale. Petrarca la pone, invece, al centro della meditazione; non cerca la verità nelle grandi avventure teologiche della ragione, ma nell'oscuro groviglio psicologico, nel *caos* del sentimento; qui, anzi, ritrova un'immagine vera di sé.

Agostino — Che fai, pover uomo? che sogni? che ti aspetti? Così totalmente hai obliato le tue miserie? O non ricordi che sei mortale?

Francesco — Lo ricordo bene, e mai senza un brivido d'orrore questo pensiero mi entra nell'animo.

Ma S. Agostino non è soddisfatto della risposta. Si tratta, egli dimostra, d'una consapevolezza che deve divenire coscienza profonda, assillante. La cristiana meditazione della morte domina le prime pagine del dialogo, diventando sempre più persuasione esistenziale e angoscia, soprattutto quando il Santo prospetta a Francesco il giudizio divino e le pene infernali.

Fr. — Confesso che mi hai profondamente sconvolto ammucchiandomi davanti agli occhi così grandi miserie. Ma mi sia largo di perdono Dio, se è vero, com'è vero, che io m'immergo ogni giorno in questi pensieri, soprattutto di notte, quando l'animo, liberato dalle cure e affanni del giorno, si raccoglie in sé. Allora compongo questo mio corpo facendogli assumere l'atteggiamento dei morenti, e mi fingo io stesso, con totale abbandono, persino l'ora della morte, e quanto di più orrendo intorno a essa il mio pensiero può escogitare, al punto che mi sembra, posto sul punto stesso dell'agonia, di vedere talvolta l'Inferno e tutti i mali di cui parli; e da questa visione sono così gravemente sconvolto, che balzo su atterrito e tremante e spesso, fino a ispirar terrore in chi mi sta vicino, prorompo in queste parole: «Ahimé, che faccio? che sento? a qual rovina mi riserba la sorte? Abbi pietà, Gesù, aiutami: strappami, tu, invitto, a questi mali; porgi al misero la tua destra, e guidami con te sulle onde, sì che almeno in morte io possa trovar ristoro in una dimora di pace». Molte altre cose, oltre a queste, dico fra me, con l'atteggiamento d'un frenetico, secondo che il trasporto della passione travolge l'animo errante e spaventato; e altre cose anche con gli amici, e piangendo su di esse, molte volte costrinsi tutti gli altri al pianto, anche se poi, dopo le lacrime, io e loro ritornassimo ad agire come prima. Stando così le cose, che cos'è, dunque, che mi trattiene? Qual è il latente ostacolo per il quale fino a ora questo mio pensare non ha prodotto altro, per me, che affanni e terrori, e io sono rimasto quello che ero prima, uguale a costoro ai quali forse non capitò mai nella vita un turbamento simile? E sono tanto più misero in quanto loro, quale che sia per essere il loro esito futuro, almeno godono dei piaceri presenti; mentre a me incerta appare la conclusione, e nessun piacere mi giunge se non cosparso di tali amarezze[1].

1. Il Petrarca individua qui con sicurezza ciò che lo ha reso diverso dagli altri: la profondità con cui vive il senso cristiano della caducità e vanità d'ogni cosa terrena.

L'«accidia»

Agostino — Ti possiede una funesta e rovinosa malattia dell'anima, che i moderni hanno chiamato «accidia»,[1] gli antichi «aegritudo».

Francesco — Il solo nome di questo male mi fa inorridire.

Ag. — Non mi meraviglia: a lungo e gravemente sei stato tormentato da esso.

Fr. — Lo confesso; e vi si aggiunge questo, che mentre a tutti gli altri mali da cui sono travagliato è commista una qualche sorta di dolcezza, anche se falsa, in questa angosciosa desolazione tutto è duro, miserabile, spaventoso, e c'è sempre in lei una strada aperta alla disperazione e a tutto ciò che spinge le anime infelici a completa rovina. Inoltre, io soffro, sì, gli assalti anche delle altre passioni, ma come sono frequenti, così sono anche brevi, di un momento; questa peste, invece, talvolta mi afferra con sì implacabile tenacia, che interi giorni e intere notti mi tiene incatenato e mi tortura, e questo non è più tempo, per me, di luce o di vita, ma è notte d'inferno e crudelissima morte. E — questo può ben essere detto il colmo d'ogni miseria — mi pasco di lacrime e di dolori con una sorta di cupa voluttà,[2] tanto che a malincuore e con sforzo mi libero da questo stato.

Ag. — Conosci benissimo il tuo male; ora ne conoscerai la cagione. Dimmi, dunque: che cos'è che a tal punto ti contrista? il troppo rapido svanire dei beni mondani, o i dolori fisici, o una particolare ingiuria di troppo avversa fortuna?

Fr. — Uno solo di codesti motivi non avrebbe, di per sé, tanta forza. Se fossi messo alla prova in un cimento singolo, certo resisterei; ma ora sono travolto da tutto un esercito.

Ag. — Spiega più particolarmente che cosa ti assale.

Fr. — Ogni volta che mi è inferta una ferita dalla fortuna, resisto impavido, ricordando che spesso io, pur gravemente da lei colpito, sono uscito vincitore. Se, subito dopo, essa raddoppia il colpo, comincio un poco a vacillare; ma se ai primi due colpi ne succedono un terzo o un quarto, allora, costretto, mi ritiro nella rocca della ragione, certo, non con precipitosa fuga, ma lentamente rinculando. Ivi, se la fortuna mi incombe, dopo avermi circondato con tutto il suo esercito, e, per espugnarmi, mi lancia addosso il pensiero miserando della condizione umana[3] e la memoria degli affanni passati e la paura di quelli che verranno, allora finalmente, da ogni parte disfatto, e atterrito da sì fiera congerie di mali, levo alti lamenti. Di lì sorge quel mio dolore profondo. Son come uno circondato da innumerevoli schiere di nemici, a cui non s'apra alcuna via di scampo, che non abbia speranza alcuna di trovare pietà, alcun conforto, ma tutte le armi sono puntate contro di lui, le macchine di guerra son lì, pronte all'offesa, scavate, sotto terra, le gallerie: già s'accostan le torri, ondeggiano minacciose, già le scale sono avvicinate ai bastioni, i ponti sono agganciati alle mura, il fuoco s'apprende alle palizzate. Da ogni parte vedendo un balenar di spade e i volti minacciosi dei nemici e pensando vicino l'eccidio,

1. Per la definizione di questa parola, confronta la nostra introduzione. In breve, si tratta di un'inerzia languida e scorata dell'animo, deluso dalla precarietà della vita, di un'insoddisfazione che nasce dal sentirsi sempre inappagato nelle speranze più care: da una sorta di pessimismo esistenziale che distoglie l'uomo dalla speranza cristiana.
2. Questa cupa voluttà non è la dolcezza, sia pure effimera e tempestosa che possono dare le altre passioni, ma il gusto amaro che a volte accompagna la disperazione.
3. Il senso della miseria della vita umana è la causa fondamentale dell'*accidia*; ad essa si possono ricondurre anche le considerazioni sugli oltraggi della fortuna. Il sentimento della labilità e precarietà di ogni ideale ne è la vera ragione prima.

non avrà forse paura, non piangerà, costui, dal momento che, anche se cessano i pericoli più gravi, già solo la perdita della libertà è dolorosissima per gli uomini fieri?

Ag. — Sebbene il tuo discorso sia stato un po' confuso, comprendo tuttavia che la causa di tutti i tuoi mali è un'opinione falsa, che già prostrò e prostrerà innumerevoli altri. Sei ben convinto di essere infelice?

Fr. — Anzi, infelicissimo.

Ag. — E per quale ragione?

Fr. — Non certo per una, ma per infinite.

Ag. — Ti accade la stessa cosa che accade a coloro i quali per la più piccola offesa tornano col ricordo ad antichi e più gravi contrasti.

Fr. — Non vi è in me ferita tanto antica da essere stata cancellata dall'oblio, recenti sono tutte le cose che mi tormentano. E se qualche ferita avesse potuto essere cancellata dal tempo, così spesso la fortuna ha tornato a colpirmi nel medesimo punto che nessuna cicatrice è mai riuscita a chiudere la piaga aperta. Vi si aggiunge anche l'odio e il disprezzo della condizione umana,[4] e io, oppresso da tutti questi mali, non sono capace di non essere pieno di mestizia. Chiama pur questa «aegritudo», o «accidia», o come vuoi: la cosa per me ha poca importanza. Sulla sostanza, siamo d'accordo.

4. È questo il rovello di chi si sente inesorabilmente chiuso nella finitezza e nella caducità. Il resto del dialogo insiste su questo inappagamento.

Laura

È uno dei momenti più impegnati del dialogo. Agostino intende estirpare dall'anima di Francesco quella che considera una delle sue colpe più gravi, l'amore per Laura; e procede con inesorabili accuse, mentre Francesco tenta disperatamente di difendere quell'amore che sente come vita della sua anima. Due momenti, altrettanto sinceri e profondi anche se irrimediabilmente contrastanti, dell'animo del P. sono messi qui a fronte, sotto la finzione del dialogo: da una parte la concezione cortese dell'amore, illusione, forse, ma intimamente vissuta; dall'altra la concezione cristiana, altrettanto radicata che avverte, sotto il mito dell'amor cortese, un colpevole inganno, una via che porta non alla virtù ma al peccato.

Francesco — Almeno questo, sia da ascrivere a gratitudine sia a ingenuità, non tacerò, che, quel poco che mi vedi essere, lo sono per merito di lei; né mai sarei giunto a questo grado di fama o di rinomanza, qual ch'esso sia, se la tenuissima semente di virtù che la natura aveva posto in questo mio petto, ella non avesse alimentato ispirandomi nobilissimi sentimenti. Ella distolse il mio animo giovanile da ogni turpitudine, lo ritrasse, come si suol dire, con l'uncino, e lo spinse a mirare in alto. Perché, infatti, non avrei dovuto trasformarmi secondo i costumi dell'amata? E invero non si trovò mai un maligno così mordace che osasse neppure toccare col suo dente di cane la fama di costei; che osasse dire di aver visto alcunché degno di essere ripreso non dirò nei suoi atti, ma neppure nel suo portamento, nelle sue parole; cosicché coloro che nulla avevano lasciato intatto, la risparmiarono ammirati e pieni di riverenza. Non v'è dunque affatto da stupirsi se codesta fama sua così diffusa indusse anche in me il desiderio di una fama più illustre, e attenuò le fatiche durissime mediante le quali potessi ottenere ciò che desideravo. Che altro, infatti, da giovane desideravo se non di piacere proprio a lei sola che sola fra tutte a me era piaciuta? E per riuscire a ciò, disprezzati i mille allettamenti di men nobili piaceri, sai bene a quanti affanni anzi tempo e a quante fatiche mi sottoposi. E mi comandi di dimenticarla, o di amarla meno, lei che mi ha allontanato dalla schiera volgare,[1] che, mia guida per ogni cammino, spronò il mio torpido ingegno e ridestò il mio animo semisopito?

Agostino — Infelice! Quanto ti sarebbe stato meglio tacere che parlare! Benché, anche se tu tacessi, io ti riscontrerei tale, guardandoti nel cuore, tuttavia questa tua così sfacciata affermazione mi muove la nausea e lo sdegno.

Fr. — Perché, di grazia?

Ag. — Perché pensare il falso è proprio di un ignorante, asserire impudentemente il falso è proprio di un uomo insieme ignorante e superbo.

1. Amore ha spinto il P. alla ricerca di una perfezione umana (è chiara l'eco della concezione cortese e stilnovistica), che culmina nella sete di gloria, di eccellenza: in pratica, con la poesia che esprime questa nobile tensione spirituale. Si spiega così la frequente compresenza, nel *Canzoniere*, del duplice simbolo Laura-lauro: amore di donna e amore di poesia (la corona d'alloro era riserbata ai poeti come segno d'onore; in alloro era stata tramutata Dafne, invano amata da Apollo, dio dei poeti).

Fr. — Che cosa ti prova che io abbia pensato o detto il falso?

Ag. — Ma tutto quello che hai detto! E in primo luogo quando dici di essere quello che sei per grazia sua. Se intendi dire che ella ti ha reso quello che sei, senza dubbio mentisci, se invece che ella non ti ha permesso di essere migliore, allora dici la verità. Oh, che grande uomo avresti potuto riuscire,[2] se ella non te lo avesse impedito con le seduzioni della sua bellezza! Quello che sei, dunque, te lo ha dato la bontà della tua natura, quello che avresti potuto essere te lo ha strappato lei, o meglio, l'hai gettato via tu, ché costei è innocente. La sua bellezza, invero, ti è apparsa così lusinghiera, così dolce, che con gli ardori di un infuocato desiderio e con assidua pioggia di lacrime[3] ha devastato la messe che sarebbe venuta dai nativi semi di virtù che erano in te. Falsamente, poi, ti sei gloriato del fatto che ella ti abbia distolto da ogni turpitudine; ti distolse forse da molte, ma ti gettò in più gravi sventure. Infatti, né chi, dopo averci ammonito di evitare una strada piena di lordure, ci getta poi in un precipizio, né colui che, sanandoci le minori ferite, ci vibri frattanto alla gola una ferita mortale, sarà da dirsi nostro liberatore piuttosto che nostro uccisore. Anche costei che tu vai esaltando come una guida che ti ha distolto da molte brutture, ti ha spinto in uno splendido baratro. Senza dubbio, costei che esalti, alla quale asserisci di dovere ogni cosa, proprio costei ti rovina.

Fr. — Buon Dio, in che modo potrò persuadermene?

Ag. — Ella ha allontanato l'anima tua dall'amore delle cose celesti, e ha deviato il tuo desiderio dal Creatore alla creatura;[4] e questa è sempre stata l'unica e più spedita via verso la morte dell'anima.

Fr. — Ti prego, non dare una sentenza precipitosa: l'amore di lei, ti assicuro, mi spinse ad amare Dio.

Ag. — Ma invertì l'ordine.

Fr. — In che modo?

Ag. — Perché mentre tutto il creato deve essere amato per amore del Creatore, tu, preso dal fascino di una creatura, non amasti il Creatore, come si conveniva, ma ammirasti in Lui l'artefice di lei, come se non avesse creato nulla di più bello, mentre la bellezza corporea è l'infima delle bellezze.

Fr. — Chiamo per testimonio Costei ch'è qui presente,[5] e, insieme, la mia coscienza, che, come ho già detto, non ho amato il suo corpo più che la sua anima. Da questo puoi averne la prova, che, quanto più ella è avanzata negli anni, e, questo, è come un fulmine devastatore per la bellezza corporea, tanto più saldo sono rimasto nel pensiero che avevo di lei. Infatti, anche se il fiore della giovinezza appassiva visibilmente col trascorrere degli anni, cresceva cogli anni la bellezza dell'anima sua, che, come mi porse principio all'amore, così mi fece perseverare in esso. Altrimenti, se mi fossi smarrito dietro il corpo, già da un pezzo sarebbe stato tempo di mutare proposito.

Ag. — Vuoi prendermi in giro? Se quello stesso animo abitasse in un corpo squallido e rozzo, ti sarebbe ugualmente piaciuto?

Fr. — Non oso, veramente, dir questo; né infatti l'animo si può vedere, né una tale immagine corporea me l'avrebbe fatta sperare tale, ma se potesse apparire agli occhi, amerei certamente la bellezza dell'animo anche se avesse un deforme albergo.

Ag. — Cerchi di puntellarti su vuote parole: se, infatti, non puoi amare se non quello che appare ai tuoi occhi, hai amato, dunque, il corpo. Non negherò, tuttavia, che anche l'anima di lei e i suoi costumi abbiano fornito alimento alle tue fiamme, né v'è da stupirsi, perché, come dirò tra breve, persino il suo nome ha aggiunto qualcosa, anzi, moltissimo, a codesti tuoi furori. Come infatti avviene in tutte le passioni, così soprattutto in questa da minime scintille spesso nascono grandi incendi.

Fr. — Vedo a che tu mi sforzi: a confessare con Ovidio:[6] «L'animo amai insieme col corpo».

2. Grande non nel senso di famoso o illustre, ma nel senso spirituale e cristiano; vera grandezza dell'animo è la vittoria sul peccato, il rendersi degni della Grazia.

3. La pioggia di lacrime nata dall'amore ardente e insoddisfatto.

4. Sono queste le due accuse fondamentali di S. Agostino, e anch'esse sono frutto di un'appassionata e intensa meditazione del P.; sono verità di fede, ma riscoperte e vissute, come lo è la concezione cortese dell'amore.

5. La Verità, che assiste muta al colloquio, e sta a indicare la sincerità con cui il P. si confessa.

6. Ovidio: l'autore delle *Metamorfosi*, dell'*Arte di amare*, di elegie amorose, e di altre opere di carattere erotico nelle quali spesso è contenuta una finissima analisi della psicologia amorosa. Fu molto letto e amato nel Medioevo, fu anzi una delle fonti che servirono all'elaborazione della concezione cortese dell'amore.

La conclusione del «Secretum»

Ag. — Conosco da qual piede zoppichi: preferisci abbandonare te stesso piuttosto che le tue opericciuole. Io, tuttavia, compirò il mio dovere fino in fondo, con qual riuscita vedrai tu, ma certo fedelmente. Getta via l'immane carico della storia:[1] abbastanza le gesta dei Romani sono state illustrate e dalla loro stessa fama e dagli ingegni di altri. Metti da parte l'Africa,[2] e lasciala ai suoi possessori; non potrai accrescere gloria né al tuo Scipione né a te; quello non può essere sollevato più in alto, tu dietro di lui arranchi per una via traversa. Lasciate, dunque, da parte queste opere, restituisciti, una buona volta, a te stesso, e, per tornare al punto dal quale siamo partiti, comincia a meditare fra te e te sulla morte,[3] alla quale a poco a poco e senza accorgertene ti avvicini. Strappato ogni velo e dissipate le tenebre, ficca in quella lo sguardo. Guarda che non passi giorno né notte che non ti riconduca la memoria dell'istante supremo. Tutto ciò che agli occhi o all'animo, mentre mediti, ti si presenta, riconducilo a questo solo pensiero.

Questo pensa, questo giorno e notte medita, come s'addice non solo a un uomo serio e memore della sua natura, ma ad un filosofo, e così ritieni che si debba intendere il detto: «Tutta la vita dei filosofi è meditazione della morte». Questa riflessione ti insegnerà a disprezzare le cose mortali e ti mostrerà l'altra via che tu dovrai prendere nella tua vita. Mi chiederai qual mai sia questa via o per quali cammini si possa raggiungere. Ti risponderò che non hai bisogno di lunghe ammonizioni; basta che tu presti orecchio allo spirito che insistentemente ti chiama e t'esorta dicendo: «Per di qua è il cammino che conduce in patria».[4] Sai ciò che esso ti suggerisce, quali strade ti dice di percorrere e quali no, che cosa ti ordini di seguire, che cosa evitare. A lui obbedisci[5] se salvo, se libero essere brami. Non c'è bisogno di deliberare a lungo incerto, la natura del pericolo ti impone di agire, e subito. Il nemico t'incalza alle spalle e ti assale di fronte: tremano le pareti della rocca ove sei assediato; non devi più a lungo esitare. Che ti giova cantare dolcemente per gli altri, se non ascolti te stesso? Qui finisco. Fuggi gli scogli, mettiti in salvo. Segui l'impulso dell'anima tua, ché questa impulsività, se è vergognosa in altri casi, è bellissima quando è rivolta al bene.

A questo punto, Francesco, commosso, ringrazia Agostino sia di queste parole, sia di quanto gli ha detto nelle tre giornate di colloquio, dissipando nell'anima sua tenebre ed errori. Lo esorta di restargli sempre vicino e di assisterlo, insieme con la Verità, testimone muta, ma essenziale di tutto il colloquio.

Ag. — Tienilo per ottenuto, purché tu non abbandoni te stesso: altrimenti, a buon diritto sarai abbandonato da tutti.

Fr. — Sarò presente a me stesso quanto potrò; raccoglierò gli sparsi frammenti dell'anima mia e diligentemente vigilerò su di me. Ma ora, mentre parliamo, mi attendono molte e grandi faccende, per quanto profane.[6]

Ag. — Al volgo forse parrà che ci sia qualcosa di più importante (di ciò che ti ho detto), ma in verità non c'è nulla di più utile e nulla che possa con maggior frutto essere meditato. Gli altri pensieri, infatti, possono riuscire vani, l'esito inevitabile, invece, dimostra che questi sono sempre necessari.

Fr. — Lo riconosco, né per altra ragione mi affretto ora così sollecito agli altri lavori se non per ritornare, liberatomi di quelli, a queste cure: non ignoro, come poco fa dicevi, che molto più sicuro mi sarebbe attendere soltanto a tale studio, e, lasciando le deviazioni, intraprendere il retto cammino della salvezza. Ma non sono capace di frenare il mio desiderio.

Ag. — Ricadiamo nell'antica contesa: chiami impotenza la volontà.[7] Ma vada pur così, poiché non può andare altrimenti. Io supplico Dio che ti accompagni nel tuo cammino e faccia giungere al sicuro i tuoi passi, ancor che erranti.

Fr. — Oh, possa toccarmi ciò che tu domandi, sicché sotto la guida di Dio

1. Allusione all'opera *De viris illustribus*, serie di biografie di uomini illustri, cominciata circa nel 1338.
2. Allusione all'omonimo poema in esametri latini, che il P. non compì mai, ma dal quale si attendeva la gloria. Esso canta la seconda guerra punica e celebra Scipione l'Africano.
3. Da questo momento il tono di Agostino si innalza. Il P. esprime uno dei più profondi temi della sua meditazione, uno dei più alti della sua poesia: quello della morte, cioè della caducità umana. Alla meditazione cristiana si accostano spontaneamente, in un passo che abbiamo omesso, le grandi, definitive parole dei classici antichi, come a formare una virile e mesta elegia che è di tutti i tempi e di tutti gli uomini.
4. Lo spirito è la voce di Dio, che parla dal profondo del cuore, e che indica il cammino per la vera patria, il cielo.
5. Ancora una volta Agostino esorta il P. ad ascoltare la voce della coscienza; ivi, piuttosto che nei libri dei filosofi, è riposta la suprema verità.
6. Per la chiusa rimandiamo alla nostra introduzione. Le faccende alle quali il P. qui allude sono le sue opere ancora incompiute; si riafferma, così, invincibile l'amore della gloria.
7. Agostino chiama antica la contesa perché il *Secretum* è cominciato proprio con questa disputa sulla volontà, ed essa da anni si svolge, senza mai concludersi, nel P.

io esca salvo da tanti avvolgimenti; e mentre seguo Lui che mi chiama, non mi getti da solo la polvere negli occhi; e si plachino i flutti dell'anima, e taccia il mondo e non rumoreggi contro di me la fortuna.

Le opere latine in versi

Le poesie latine sono quelle dalle quali il Petrarca si attendeva la fama maggiore e più duratura presso i posteri.

L'opera più complessa e ambiziosa è l'*Africa*, poema in esametri in nove libri. Fu iniziato a Valchiusa fra il 1338 e il 1339, e nel '41 il poeta poteva mostrarne una parte, in occasione dell'esame sostenuto per essere insignito della laurea poetica, a re Roberto d'Angiò, cui l'opera fu dedicata. Nel '41, a Selvapiana e a Parma, il poema fu ripreso e portato quasi a compimento; ma subentrò poi un lungo periodo di revisione e di arricchimento che durò molti anni, senza mai giungere a termine. Materia è la seconda guerra punica e l'esaltazione di Scipione Africano che libera la patria della minaccia di Annibale; ma attraverso questo episodio il Petrarca celebra la grandezza della Roma antica, e, quindi, le glorie italiane, dato che l'Italia, nel suo pensiero, è inscindibile da Roma. Fonti sono i grandi classici latini, Livio, che nelle sue *Storie* ha lasciato una descrizione drammatica della seconda guerra punica, Virgilio, Cicerone.

Al Petrarca mancava la capacità costruttiva di un poema epico; egli si limitò quindi a riecheggiare con calda e commossa eloquenza il racconto dei suoi modelli antichi. Le pagine migliori sono quelle in cui appare l'inquietudine spirituale che abbiamo già visto essere sostanza autentica dell'ispirazione petrarchesca: ad es. il monologo di Magone morente, pervaso del senso della caducità umana.

Fra il 1346 e il 1348 il Petrarca compose il *Bucolicum carmen*, una raccolta di dodici egloghe, nelle quali, secondo il modello virgiliano, tratta argomenti storici e morali (il proprio dissidio religioso, le lodi della poesia, le stragi della peste, le lodi di Cola di Rienzo, il compianto per la morte di Re Roberto, ecc.), ponendoli in bocca a dei pastori che celano lui stesso o altre persone realmente esistenti. Anche questa opera fu a lungo rielaborata, fino almeno al 1364.

Di notevole interesse sono le *Epistolae metricae*, raccolta di 66 lettere in esametri, scritte fra il 1333 e il 1354 e successivamente rielaborate. Sono suddivise in tre libri. Per esse potremmo ripetere quello che abbiamo detto per le epistole in prosa. Le più notevoli sono quelle di intima confessione, come la settima del libro I, indirizzata a Giacomo Colonna, nella quale il poeta descrive il suo animo ossessionato dall'indomabile amore di Laura, o quella al Barbato (I, I) dove rappresenta la fine di quell'amore e il lento comporsi dell'animo in una pace stanca, o, infine, la XXIV del III libro, amoroso e commosso saluto all'Italia.

Per i testi seguiamo: F. P., *Rime, Trionfi e Poesie latine*, a cura di F. Neri, Milano-Napoli, Ricciardi, 1951.

Lamento di Magone morente

Il passo è tratto dal libro VI (vv. 885-918) dell'*Africa*. Magone, fratello d'Annibale, ferito, si è imbarcato a Genova, per rientrare a Cartagine, come gli è stato ordinato dal senato cartaginese, ma morrà durante il viaggio. Nel lamento del morituro palpita la malinconia del Petrarca, nata dal sentimento della labilità delle cose umane.

Hic postquam medio iuvenis stetit equore Poenus,
vulneris increscens dolor et vicinia dure
mortis agens stimulis ardentibus urget anhelum.
Ille videns propius supremi temporis horam,
5 incipit: «Heu qualis fortune terminus alte est!
Quam letis mens ceca bonis! furor ecce potentum:
precipiti gaudere loco. Status iste procellis
subiacet innumeris et finis ad alta levatis

est ruere. Heu tremulum magnorum culmen honorum,
10 spesque hominum fallax et inanis gloria fictis
illita blanditiis! heu vita incerta labori
dedita perpetuo, semperque heu certa nec umquam
sat mortis provisa dies! Heu sortis inique
natus homo in terris! animalia cuncta quiescunt;
15 irrequietus homo perque omnes anxius annos
ad mortem festinat iter. Mors, optima rerum,
tu retegis sola errores, et somnia vite
discutis exacte. Video nunc quanta paravi,
ah miser, in cassum, subii quot sponte labores,
20 quos licuit transire mihi. Moriturus ad astra
scandere querit homo, sed Mors docet omnia quo sint
nostra loco. Latio quid profuit arma potenti,
quid tectis inferre faces? Quid federa mundi
turbare atque urbes tristi miscere tumultu?
25 Aurea marmoreis quidve alta palatia muris
erexisse iuvat, postquam sic sidere levo
in pelago periturus eram? Carissime frater,
quanta paras animis? heu fati ignarus acerbi
ignarusque mei!». Dixit; tum liber in auras
30 spiritus egreditur, spatiis unde altior equis
despiceret Romam simul et Carthaginis urbem,
ante diem felix abiens, ne summa videret
excidia et claris quod restat dedecus armis
fraternosque suosque simul patrieque dolores.

Allora, mentre il giovane cartaginese si trovava in mezzo alla vasta distesa del mare, il dolore crescente della ferita e l'approssimarsi dell'impietosa morte, travagliandolo con febbre ardente, gli mozzano il respiro nel petto. Egli, vedendo l'approssimarsi dell'ora suprema, così cominciò a dire: «Ahimè, qual è il termine della mia alta fortuna! Come è cieca la mente nei prosperi eventi! È proprio una follia di chi è potente, godere di trovarsi in una posizione da cui si dovrà precipitosamente crollare. Questo loro stato è soggetto a innumerevoli tempeste, e il destino finale di chi si è innalzato è quello di crollare rovinosamente. Ahimè, com'è vacillante la sommità dei grandi onori, e fallace la speranza umana, e vana la nostra gloria, adorna di allettamenti falsi! Ahimè, come incerta è la nostra vita, schiava di un incessante travaglio, e come, invece sempre è certo e non mai abbastanza previsto il giorno della morte! Con che iniquo destino è nato l'uomo sulla terra! Gli animali tutti hanno quiete; l'uomo invece non sa trovar pace, e per tutti i suoi anni ansioso non fa che affrettare il cammino verso la morte. O morte, ottima fra le cose! Tu sola sveli gli errori nostri e dissipi i sogni della vita trascorsa. Vedo ora, ahimè misero, quante cose mi sobbarcai invano, quanti travagli mi addossai spontaneamente che avrei ben potuto e dovuto tralasciare. Destinato a morire, l'uomo cerca di salire alle stelle, ma la morte c'insegna quale sia il posto di tutte le cose umane. Che valse portar l'armi contro il Lazio potente, distruggere con fiamme le case? Che valse turbare la pace del mondo e sconvolgere con triste tumulto le città? E che giova aver eretto palazzi adorni d'oro su marmoree mura, dato che ero qui in terra per morire sotto stella maligna? Carissimo fratello, quali grandi imprese prepari nel tuo animo, ignaro dell'acerbo fato, ignaro di me?» Così disse; e tosto l'anima, liberata dal corpo, s'innalza nell'aria, in uno spazio donde a egual distanza potesse vedere giù in terra Roma e Cartagine, fortunato partendo anzi tempo dal mondo, prima di vedere l'estrema rovina e il disonore[1] che attendeva le armi famose, e il dolore futuro del fratello, e suo, insieme, e della patria.

Metro: *esametri latini.*

1. Il disonore è la futura sconfitta di Annibale (a Zama) e di Cartagine.

Saluto all'Italia

L'anno 1353 il Petrarca ritornava definitivamente in Italia, dopo aver lasciato per sempre Avignone. Dall'alto del Monginevro, rivolse questo commosso saluto alla patria. Le grandi memorie della storia gloriosa di lei, della sua altissima civiltà, l'ammirazione profonda della sua bellezza, si fondono con la gioia del ritrovamento nel grembo della propria terra, un riposato porto.

Salve, cara Deo tellus sanctissima, salve
tellus tuta bonis, tellus metuenda superbis,
tellus nobilibus multum generosior oris,
fertilior cunctis, terra formosior omni,
5 cincta mari gemino, famoso splendida monte,
armorum legumque eadem veneranda sacrarum,
Pyeridumque domus, auroque opulenta virisque,
cuius ad eximios ars et natura favores
incubuere simul, mundoque dedere magistram.
10 Ad te nunc cupide post tempora longa revertor
incola perpetuus. Tu diversoria vite
grata dabis fesse. Tu quantam pallida tandem
membra tegant, prestabis humum. Te letus ab alto
Italiam video frondentis colle Gebenne.
15 Nubila post tergum remanent; ferit ora serenus
spiritus, et blandis assurgens motibus aer
excipit. Agnosco patriam, gaudensque saluto.
Salve, pulchra parens, terrarum gloria, salve!

Ti saluto, o terra cara a Dio, ti saluto, o terra santissima, terra sicura ai buoni, terra tremenda per i malvagi, terra molto più nobile di quelle più illustri, più fertile, più bella, cinta dal duplice mare, splendida per l'Alpi famose, venerabile per le tue armi e per le tue leggi sacre, dimora delle Muse, ricca d'oro e d'eroi; l'arte e la natura ti diedero ogni più alta virtù, e ti vollero maestra del mondo. A te ora con intensa brama dopo tanto tempo ritorno, per non allontanarmi più da te: tu darai conforto alla mia stanca vita, tu, infine, mi darai la terra necessaria per ricoprire le mie membra quando sarò morto. Pieno di gioia, o Italia, ti vedo dal Monginevro frondoso. Alle spalle mi resta ogni nube, il tuo aere sereno m'inonda il viso e un soave vento che dolcemente si leva m'accoglie. Riconosco la mia patria e gioioso la saluto: salve, o mia madre bella, salve, o gloria del mondo.

Il «Canzoniere»

Il libro

Rerum vulgarium fragmenta, e cioè «frammenti (poetici) in volgare» intitolò il Petrarca la raccolta delle sue rime italiane; frammenti, evidentemente, perché lontane dalla compattezza unitaria d'un poema. I posteri preferirono il titolo di *Rime sparse*, che riprendeva la definizione contenuta nel primo verso del primo sonetto dell'opera, e, ancor più, quello di *Canzoniere*, e cioè il canzoniere o raccolta di liriche per eccellenza, dal momento che queste rime furono considerate, per secoli, il capolavoro e il modello della lirica italiana.

Come si è visto, la produzione petrarchesca, fino alla metà, circa, degli anni quaranta, fu soprattutto questa, della poesia d'amore in italiano; e forse una grande parte di quella giovanile è andata perduta, o distrutta dall'incontentabile artefice. Certamente ogni componimento ha dietro di sé una vicenda, spesso lunga, di correzioni, pentimenti, rifacimenti, che rende difficile delineare una storia degli sviluppi reali dell'arte del Petrarca. La redazione definitiva, quella che noi leggiamo, e anche le altre che si susseguono a partire, quasi tutte, dall'età matura, appaiono ormai sotto il segno d'una perfezione formale raggiunta. Soltanto un prezioso codice, quasi tutto di mano del Petrarca, il Vaticano latino 3196, comprende abbozzi e stesure successive delle stesse liriche, e anche rime scartate, dando un'immagine significativa della raffinatezza del lavoro del nostro autore, capace di correggere uno dei 317 sonetti perché, alla fine, aveva un ritmo simile a quello di un altro.

Gli studiosi hanno individuato o ricostruito per congettura nove redazioni dell'opera; ma alcuni, con maggior ragione, distinguono fra raccolte più o meno parziali e vere e proprie edizioni del *Canzoniere* come opera unitaria, atta a delineare una congruente vicenda spirituale. Ad esempio, abbiamo, nel '42, una prima ordinata selezione di 14 testi che aspirano a una loro unità e compiutezza, ma a ben vedere si tratta soltanto d'un nucleo del futuro *Canzoniere*, incentrato sulla prima tematica che possiamo definire di Laura/lauro, amore e poesia, colti in una stretta fusione, tradizionale, peraltro, nella lirica cortese.

Di recente uno studioso, Marco Santagata, ha cercato di mettere ordine in questa «selva» di redazioni — alcune delle quali sono costituite da modiche aggiunte di componimenti a una già esistente —, partendo dall'analisi della nuova volontà che il Petrarca manifesta, nel '48 e negli anni immediatamente seguenti, di collocare la trama dispersiva della sua vita nella struttura d'un cammino progressivo, anche se di continuo insidiato dalle fluttuazioni spirituali di cui ci ha offerto un esempio il *Secretum*, opera legata agli stessi anni e ad analoga volontà di progettazione. Il *Canzoniere* nasce così come una storia, che rivela una tensione: il tentativo, costante nel Petrarca, di risolvere in unità esemplare e significativa la sua travagliata vicenda. Sul Santagata hanno inciso profondamente le parole poste quasi a conclusione del *Secretum*, in cui l'autore dichiara di voler raccogliere gli sparsi frammenti della sua anima. Secondo questa prospettiva, il *Canzoniere* nascerebbe come progetto ben consapevole verso il 1360, come attesterebbe la redazione preparata per l'amico Azzo da Correggio e comprendente 171 testi, divisi in due parti; quelle che i posteri chiameranno le rime in vita e le rime in morte di Laura. Questo testo è stato peraltro ricostruito in forma congetturale (non lo possediamo più); mentre abbiamo una redazione posteriore, quella del codice Chigiano L.V. 176 della Biblioteca Vaticana, con 215 componimenti, dalla quale trasse una copia il Boccaccio. Ulteriori incrementi di testi si hanno nella redazione inviata a Pandolfo Malatesta nel 1373; ma sarebbe qui inutile enumerare le differenze fra i vari codici. Converrà fermarsi su quella definitiva, contenuta nel Vaticano latino 3195, scritta in gran parte dal copista Giovanni Malpaghini, poi continuata, dopo che questi si licenziò, dal Petrarca stesso, che, oltre a rivederla accuratamente, vi aggiunse numerose liriche. È questa la redazione che noi leggiamo, e comprende 366 componimenti: 317 sonetti, 29 canzoni, 9 sestine, 7 ballate e 4 madrigali.

La stragrande maggioranza di essi sono legati all'amore del Petrarca per Laura; un amore, peraltro, che ripercorre tematiche che vanno dalla lirica in lingua d'oc, ai Siciliani, agli Stilnovisti, a Dante: dalla ripresa, cioè, dei temi cortesi, all'identificazione di amore e poesia (il mito di Dafne, amata e inseguita da Apollo, dio della Poesia, e tramutata in alloro, col quale si incoronavano i poeti), all'amore come sinonimo di perfezione spirituale; e non manca neppure qui, come nel caso di Dante, la morte della donna amata e il suo riapparire divenuta spirito celeste. Ma di nuovo, come si vedrà meglio in seguito, c'è la tematica religiosa, già apparsa nel *Secretum*, dell'amore esclusivistico per una sia pur alta creatura mortale come allontanamento dall'amore supremo che va rivolto a Dio, e una stanca volontà di pentimento e di pace, che culmina in alcune liriche, vive soprattutto per il senso d'un dissidio che il Petrarca non sa comporre, nonostante la sincerità del suo anelito di purificazione.

Per dare un'idea evidente di questa vicenda, il Petrarca pose all'inizio del *Canzoniere* un sonetto, *Voi ch'ascoltate*, in cui esprime il proprio pentimento per essersi perduto dietro un vano sogno d'amore, e, alla fine, la canzone alla Vergine, in cui attesta la sincerità del suo pentimento e si propone di scrivere un altro canzoniere in lode della Madonna. Il resto dell'opera non presenta la rigida consequenzialità dell'ultima canzone e di altre rime poste accanto a essa, ma tenta un accostamento delle liriche su basi cronologiche (non sempre rigorose) o, a volte, tematiche, mantenendosi tuttavia fedele alla descrizione del labirinto d'un tormento d'amore insoddisfatto, vissuto come un sogno impossibile, sia per l'avversa volontà dell'amata, sia per scrupoli morali e religiosi che non lo spengono, ma finiscono per situarlo nella zona indefinita del possibile, della fantasia, della consapevole illusione.

La tematica etico-religiosa non è certo l'unica o quella predominante, ma si sostiene su un piccolo gruppo di liriche particolarmente intense, e anche su elementi strutturali della raccolta, non privi di interesse per il pubblico coevo. È stato osservato che il numero delle liriche, 366, è uguale a quelli dei giorni dell'anno, più uno. Anche questa eccedenza è tuttavia significativa, perché ritorna, compiuto quell'anno ideale (che ne assomma in sé almeno 21, quanti ne intercorsero dalla prima visione di Laura alla morte di lei) al «dì sesto d'aprile», un ideale venerdì santo, come a una promessa cristiana di redenzione. Quanto al 6 aprile, presentato come la data dell'innamoramento e come venerdì santo, è stato osservato che il 6 aprile 1327 non fu venerdì, anche se era pur sempre un giorno della settimana santa. Il Calcaterra ha spiegato la contraddizione col fatto che, secondo una tradizione del tempo, questo giorno indicava l'anniversario della morte di Cristo, come data fissa e non mobile. Ma si è anche pensato che il Petrarca abbia confuso il giorno dell'innamoramento con un anniversario, negli anni che segnarono la sua volontà di comporre il libro. Comunque sia, la più o meno stretta interrelazione fra le date indica emblematicamente il dramma della coscienza cristiana del poeta; un dramma di peccato e redenzione, di seduzione terrena opposta al richiamo celeste, centrale, come s'è visto, nella vicenda delineata dai *Rerum vulgarium fragmenta*.

Un io diviso

Raccogliere i frammenti dell'anima, strappandoli al «volgo» che li leggeva e li cantava, magari straziandone forma e sostanza, significava, per il Petrarca, sottrarre la sua poesia alla vicenda fluida, alla consunzione del tempo. Il comporli, infatti, in un disegno organico di canzoniere comportava l'ordinarli, il correggerli, il disporli sulla linea d'un valore: conferire, cioè, una stabilità, un'autenticità nuove al suo io diviso; presentare il «giovanile errore» (ossia i momenti dell'appassionata vicenda amorosa) superato in una dimensione di razionalità, di moralità ritrovata, di saggezza conseguita attraverso il dominio della passione, sublimata in un progetto di redenzione.

L'unità reale del libro non è nel disegnato duplice approdo stoico e cristiano, che possiamo esemplificare rispettivamente con la prima lirica (l'anelito a un ritrovato equilibrio) e la canzone alla Vergine, ma piuttosto in qualcosa che coinvolge ambedue gli approdi, per immergerli nella situazione dell'io diviso e del suo sforzo per dominarsi. È pertanto nel continuo fluttuare dell'animo del poeta in una vicenda alterna di illusione e delusione, di sogno e di consapevolezza amara, di dolcezza e melanconia, di coscienza del peccato e di ansia di redenzione: insomma, in una storia spirituale non mai conclusa.

Vero protagonista dell'opera è il Petrarca, la sua anima tormentata. Si può dire, sì, che Laura ne sta al centro con la sua figura soave e bella, la luce dei biondi capelli e dello sguardo. Ma è figura vicina e insieme lontana, irraggiungibile; viva nel sentimento e nell'immaginazione del suo poeta, ma non dotata di una propria consistenza di personaggio. Rarissimamente è colta con un gesto preciso, che alluda a un episodio di vita vissuta; tanto che già i primi lettori e gli stessi amici del Petrarca dubitarono che non fosse donna reale e l'interpretarono piuttosto come un simbolo. Avevano ragione e torto al tempo stesso, perché veramente Laura fu un'esperienza concreta, fondamentale nella vita dell'uomo Petrarca, ma nella poesia appare trasfigurata, diviene un mito che esprime un momento essenziale dell'anima petrarchesca: l'aspirazione a una felicità terrena totale e non caduca, la tensione verso una vita più bella, sentita come irraggiungibile e tuttavia appassionatamente vagheggiata.

Accade, insomma, a lei quello che accade a ogni figura poetica, e quindi alle donne amate e cantate dai poeti, che, anche quando si riesce a trovar loro un casato, un matrimonio, una vita (Beatrice Portinari, Laura de Sade), non hanno altra vita se non quella che la poesia costruisce per loro: diventano, cioè, personaggi, metafora della visione del mondo che il loro cantore esprime attraverso di loro. In questo senso Laura ha una sua storia entro il *Canzoniere*: dapprima è la donna amata e insensibile, che assomiglia un poco alla Donna-Pietra dantesca, mentre la gentilezza dell'evocazione non nasconde il tormento sensuale del Petrarca. Poi passa attraverso la mitizzazione stilnovistica (lo si è visto anche nel *Secretum*) dell'ispiratrice d'un amore spirituale nobilitante; diviene fonte di perfezione morale e di poesia, con una perfetta reversibilità di Laura e lauro, di amore, cioè, e dire d'amore, che era stata una tematica cortese di fondo, fino ai capitoli centrali della *Vita nuova* di Dante. Poi, morta, è la creatura celeste che attende in cielo il poeta, lo consola, gli indica la via, gli confida, con riconoscimento tardivo, dolce e amaro insieme, che la sua riluttanza verso l'amante fu imposta dalla ricerca d'una perfezione morale per lui e per lei. Ma con un percorso inverso rispetto a quello di Dante, il Petrarca è il primo a demistificare le proprie idealizzazioni fantastiche. La Laura stilnovistica, ammette egli pur riluttante nel dialogo con Agostino, era una mera metafora del desiderio («Ho amato l'anima insieme col corpo»), e, comunque sia, un invertire l'ordine naturale del vero amore cristiano, che impone di mettere al primo posto Dio e soltanto dopo la creatura. Anche la Laura celeste permane un mito di gioia d'amore che non sfugge alle precedenti condanne, al punto che il poeta avverte il forte limite morale implicito in queste sue fantasie, fino a rifiutarle per sempre (così «racconta» il libro) con la canzone alla Vergine.

Di là dalle mitologie cortesi, Laura rimane tuttavia un mito intramontabile: nella sua immagine il Petrarca vagheggia tutta la bellezza del mondo: una suggestione che rinasce di là da ogni condanna. Ella è sempre evocata nella memoria, nella fantasia, nel sogno: nei versi che ispira non si avverte tanto il linguaggio immediato della passione presente, quanto l'incanto d'un sogno d'amore e di vita sottratti al perire d'ogni cosa nel tempo. Per questo diviene più viva, in atti e in parole, proprio quando dopo la sua morte il poeta può meglio sentirla come creatura sua, memoria nostalgica della giovinezza perduta.

Tutto, nel *Canzoniere*, è veduto nel suo riflettersi nel cuore del Petrarca, tutto diventa un'intima vibrazione della sua anima, della sua storia ideale, fuori da uno spazio e da un tempo concreti. Il paesaggio di Valchiusa, così spesso evocato e pur così indefinito (erba verde, chiarità d'acque e di cieli, luce radiosa di primavera o malinconia di notte solinga e lamento soave d'uccelli) non è che il riflettersi esterno dell'estasi del poeta o del suo pianto. E il tempo s'è come fermato: Laura è sempre giovane e bella, egli la vede sempre come la prima volta, la sogna bellissima nel più soave incanto della natura e non chiederebbe altro se non che continuasse per sempre quel soave errore della fantasia. L'unico accadimento, la sua morte, non fa che sviluppare un senso accorato di caducità umana e di delusione vitale, un ansioso e mesto protendersi verso Dio, già impliciti, anzi fondamentali, nella prima parte dell'opera; ma non limita in alcun modo la bellezza di Laura; le aggiunge soltanto il nuovo fascino della pietà per l'amante infelice, ossia una nuova compensazione nel sogno della delusione esistenziale di cui l'amore negato diviene il simbolo.

Uno spazio d'illusione

Questo rovesciamento consapevole (e sofferto) della realtà nel sogno, che si esprime, ad esempio, in sonetti come *Erano i capei d'oro*, dove la bellissima Laura d'un giorno è vista come più *vera* di quella presente, o nella canzone *Chiare, fresche e dolci acque*, o nell'altra, *Di pensier in pensier*, in cui l'errare della fantasia è assunto come unica, fragile felicità possibile («se l'error durasse, altro non cheggio»), e cioè questa accettazione della poesia come vocazione profonda e destino, sembra a noi la «scoperta» autentica della lirica del Petrarca. Egli sa benissimo di collocare, in tal modo, la propria vita entro uno spazio d'illusione, e sa anche che questo è il suo «peccato» più vero, perché proprio il disinganno lo conduce all'*acedia* di cui parla nel *Secretum*: a uno scoramento esistenziale che gli nega l'approdo alla mèta cristiana.

Possiamo dunque definire quella del *Canzoniere* poesia d'amore, ma ricordando che la lirica precedente, provenzale e italiana, aveva elaborato un concetto psicologico e filosofico di questo sentimento, facendolo assurgere a simbolo della vita molteplice e profonda della coscienza. E tale esso è anche per il Petrarca, che però lo spoglia di ogni velo allegorico, di ogni rigido concettualismo e lo incentra su una vicenda psicologica individuale. Esso è il cardine attorno al quale ruota la vita più intima del suo spirito, col suo contrasto fra un'incerta, anche se sincera, aspirazione religiosa e i fulgidi miti dell'amore, della poesia, della gloria; l'ideale di una vita, insomma, redenta dalla caducità e dalla morte. Ma approfondendo il suo contrasto, il poeta sente che la sua storia personale è quella di tutti, e liberandosi, nella contemplazione poetica, dall'urgenza della passione, proietta i propri sentimenti su uno sfondo universale. Così quello che lucidamente si confessa nelle pagine del *Canzoniere* diviene il simbolo dell'uomo, del contrasto fra finito e infinito che questi avverte in sé, dell'ansiosa ricerca di un significato che illumini e giustifichi la vita.

Laura e l'amore per lei, con le sue estasi e le sue angosce, esprimono in forma fantastica il sentimento petrarchesco della vita e del mondo. C'è nel Petrarca il desiderio di una vita in cui i più alti ideali umani, la gloria, l'amore, non siano preda del tempo che scorre e muta ogni cosa, della morte che tutto dissolve. La bellezza di Laura sembra suggerire proprio questo sogno. Ma l'amore negato prima, la morte della donna poi, dispongono il poeta a sentire più profondamente la delusione che ineluttabilmente accompagna ogni gioia; e attorno a questa esperienza si condensano il senso della fugacità della vita, della fallacia d'ogni speranza, d'ogni ideale, d'ogni sogno terreno. Il viso di Laura dischiude allo sguardo un paradiso terreno di gioia, ma mentre egli si oblia in questa contemplazione, sempre reca con sé la consapevolezza che si tratta di un attimo destinato a spegnersi nel fluire d'ogni cosa: nel nostro continuo morire. Perché, per il Petrarca, la morte è già nella vita, nell'instabilità dell'essere, dello stesso sognare; è il senso del relativo, del limite umano. E anche quando egli si rivolge a Dio, come a una promessa di stabilità, di pace, non sa obliare i suoi affetti umani. Nasce così l'impossibile sogno di un'eternità che dia stabilità e consistenza alle fugaci e pure dolcissime gioie terrene; un'eternità che il Petrarca vorrebbe attuata qui in terra. Questa permane l'invincibile seduzione del mondo; la radice di quella malinconia che pervade anche i momenti di più intenso abbandono alla gioia del sognare l'amore.

Il «Canzoniere» nella storia della poesia italiana

L'impegnatissima cura formale, le revisioni, la pianificazione complessa del libro rivelano la chiara coscienza del Petrarca di comporre un'opera di alto valore ideologico e artistico: un poema dell'anima, come s'è detto all'inizio, quale lo poteva concepire un poeta dell'autunno del Medioevo.

Il Petrarca è stato definito da Charles Singleton come l'ultimo trovatore, e la definizione è giusta se con essa s'intende che la sua poesia tende a sintetizzare tutta la tematica precedente della lirica romanza. Va però sottolineato il fatto che, mentre assume l'esperienza poetica del passato, come per condurla formalmente a esiti definitivi, egli avverte le nuove istanze della civiltà che è intorno a lui e si sforza di rispondere alle nuove attese del pubblico, e cioè della cultura viva dei contemporanei.

La lirica d'amore del Duecento, dai Siciliani agli Stilnovisti, al Dante della *Vita nuova*, era stata l'espressione di un'aristocrazia culturale, spirituale, umana perseguita dai poeti in uno stile eletto, «tragico», come lo chiamò Dante, adeguato alla nobiltà dei contenuti. Soltanto all'inizio del Trecento era nata una prosa d'arte, preceduta dalla *Vita nuova*, in cui essa accompagnava e approfondiva il pensiero espresso nelle liriche, disponendole sulle linee di un'autobiografia progressiva.

Il Petrarca assegna ancora alla lirica il primato, tralasciando la prosa. Tuttavia anche i *Rerum vulgarium fragmenta* si collocano nella dimensione d'un racconto che si sforza di configurare i frammenti lirici atemporali in un tempo, in una storia, in uno sviluppo autobiografico. È stata giustamente vista in questo l'adesione del Petrarca alla lirica trecentesca, che viene ormai cedendo il campo davanti a una poesia narrativa, come quella, coeva al Petrarca, dei poemetti del Boccaccio. Ma il Petrarca mantiene l'aristocraticismo stilnovistico, e quanto all'autobiografia, la costruisce ancora su modelli remoti, quali le *Confessioni* di S. Agostino, cui pure, per sua esplicita ammissione, si era ispirato il Dante della *Vita nuova*.

Quest'ultima, tuttavia, aveva trovato la propria conclusione nel ritorno di Beatrice nella *Commedia*: con la sublimazione d'un amore umano che era infine confluito in uno più alto, di cui era stato prima e ancora imperfetta manifestazione. Questo sostanziale ottimismo manca al Petrarca, che non giunge alla costruzione d'un io poetico-profetico come quello di Dante, suggellato da una missione in cui si risolvevano i dubbi della mente, le alternative etiche proposte dalla vita. La biografia costruita dal Petrarca rimane quella dell'io diviso, d'uno sforzo verso l'autenticità dell'essere che non riesce a esprimersi né a consistere se non nella nostalgia, nell'inappagamento; ancora una volta, dunque, in uno spazio d'illusione.

Non si vuole, con queste affermazioni, sminuire il valore dell'opera petrarchesca, né confrontarla con quella dantesca per indicarne una risonanza minore. Il «fallimento» autobiografico del Petrarca è un atto di coraggio, una nuova volontà di sondare l'animo dell'uomo in un'epoca in cui tramontano antiche certezze e la cultura e la vita cercano nuove strade. Il Petrarca crea l'autobiografia della ricerca, dell'ansia e della speranza non teologale (diversa, dunque, da quella di Dante che è recupero d'una certezza trascendente): preannuncia quella dell'uomo moderno, o, per lo meno, d'un declino della cultura medievale dal quale esce una nuova e diversa prospettiva umanistica.

Per questo la sua fama fu immediata e percorse soprattutto i due secoli seguenti con valore normativo, fino alla consacrazione del *Canzoniere* da parte del Bembo (*Prose della volgar lingua*, 1525) e del petrarchismo cinquecentesco, italiano ed europeo, che videro in esso un grande modello lirico, un classico.

Infatti nella sua poetica della confessione come testimonianza su se stesso, e, insieme, ricerca d'una verità per tutti, il Petrarca avverte il bisogno d'un nuovo universo linguistico, atto a dire le grandi parole capaci di vincere il tempo, come quelle dei Classici, e di mantenere un intatto valore di persuasione etica e di scoperta dei meandri dell'interiorità. La stessa immediatezza e semplicità con cui vuole vivere l'esperienza religiosa, fuori d'ogni astrusità teologica, lo conducono a descrivere il proprio monologo interiore nella sua nettezza e nella sua complessità. Questo significava per lui essere un classico: avere la capacità di produrre testi che valessero per sempre.

Nasce di qui la sua strenua ricerca non soltanto stilistica, ma, prima di tutto, linguistica. Dall'italiano letterario, dalla riconosciuta matrice latina, egli seppe, con fine orecchio musicale, ritrovare un'eufonia, una modulazione che rendessero un idioma ancora poco diffuso e, comunque sia, non unitario, una lingua poetica armoniosa e «bella»; certo, assai meno duttile di quella di Dante, inteso a descrivere tutto l'universo e ogni moto dell'animo, ma capace di divenire, nella sua stessa limitatezza di contenuti, esemplare, almeno per il tempo — e fu lungo — in cui rimase viva la cultura di cui egli fu uno dei primi rappresentanti: fino, cioè, per parlare dei sommi, al Leopardi, l'ultimo grande petrarchista.

Il 1348: un anno di crisi

Non tragga in inganno l'agile disinvoltura di questa lettera (la prima delle *Familiari*, diretta al suo «Socrate», come aveva battezzato l'amico Ludwig Van Kempen); essa è propria del «genere» delle lettere agli amici, dietro l'esempio di quelle di Cicerone, ammiratissime dal Petrarca che le aveva tratte alla luce della biblioteca capitolare di Verona. Dietro, però, c'è un rivolgimento complesso dell'animo e della vita dell'autore, che parte dal 1348: l'anno della peste, della morte di Laura e del cardinale Giacomo Colonna (oltre che di tanti altri amici); morti che sembrano concludere tutto il passato, amoroso, poetico, culturale, del Petrarca. Davanti a quest'ombra incombente egli sente il bisogno d'un bilancio e d'una conclusione, e quindi anche la necessità di completare le sue opere, lasciate in gran parte in sospeso. E decide: le *Epystulae metricae* andranno dedicate al Barbato, le *Familiares* in prosa al Van Kempen. C'è poi un altro protagonista, ancora informe sulla carta, ma ben vivo nell'animo dell'autore: il canzoniere in volgare, ossia i *Rerum vulgarium fragmenta*: anch'essi, come le lettere in latino, scritti di immediate occasioni, e quindi frammenti dell'anima, come è detto nel *Secretum*; momenti effusi d'una storia che va ora composta in un progetto poetico ed esistenziale. Restano sullo sfondo altre due opere incompiute, l'*Africa* e il *De viris illustribus*, d'impianto più ambizioso. Ma è sintomatico il fatto che il Petrarca non le compì mai, mentre darà sistemazione ai tre libri suddetti, quelli che meglio si prestavano a definire la sua autobiografia ideale: quella del progetto, della ricerca, del tormento, e mai del compimento: l'autobiografia dell'occasione e della speranza.

Il passo della lettera che riportiamo qui presenta un altro interesse: ci fa entrare nel laboratorio del Petrarca, fra migliaia di carte, dove l'artista incontentabile moltiplica gli abbozzi e le cor-

rezioni, al punto che è quasi sempre impossibile stabilire una cronologia precisa dei suoi lavori. Questa lettera, che riconduce a subito dopo il '48, è del '50 o del '51; o per lo meno fu scritta nel '48 e rielaborata in seguito. Questo processo di correzione a lungo termine è tipico anche di gran parte delle liriche italiane del Petrarca.

Che fare, ora, fratello?[1] Ecco: abbiamo tentato ogni cosa, e in nessuna trovammo pace. Quando possiamo sperare di averla? dove cercarla? Il tempo ci è sfuggito, come si suol dire, fra le dita; le nostre speranze antiche sono state sepolte con gli amici. Il 1348 ci ha reso poveri e soli; non ci ha, infatti, tolto ricchezze che il mare d'India o il Caspio o l'Egeo ci possano restituire;[2] irreparabili sono le ultime perdite, e dovunque la morte ha inferto il suo colpo, la ferita è immedicabile. C'è un solo conforto: anche noi seguiremo quelli che abbiamo lasciato andare avanti. Non so quanto breve possa essere questa attesa, so soltanto che non può essere lunga. Però, per quanto piccola, non può non essere dolorosa. Ma bisogna, almeno ora, all'inizio,[3] moderare i lamenti. Qual cura tu abbia di te, fratello, che cosa pensi, intorno a te stesso, non so; io sto facendo ormai i bagagli, e come fanno quelli che stanno per partire, medito, guardandomi attorno, su che cosa portare con me, che cosa distribuire fra gli amici, che cosa dare alle fiamme. Ma non ho nulla da vendere. Sono tuttavia, più ricco, o meglio, più impacciato di quel che credevo; ho, infatti, in casa una quantità di scritti di vario genere, sparsa, però, e trascurata. Ho frugato cassetti ormai consumati dal tempo e dall'inerzia e ho scorso, riempiendomi di polvere, carte mezzo corrose. Mi nocquero il topo importuno e il voracissimo popolo delle tignole, e il ragno nemico di Pallade sbaragliò me che esercitavo le arti di Pallade.[4] Ma non c'è nulla che non venga vinto da un duro e continuato impegno. Pertanto, circondato da quei cumuli confusi di scritti e bloccato da quella carta ormai deformata, il mio primo impulso fu di bruciare tutto e di evitare una fatica senza gloria; poi, come i pensieri nascono dai pensieri, mi dissi: «Che cosa vieta che un viandante stanco per il lungo cammino riguardi, come da un posto di vedetta, la strada compiuta e ripercorra, misurandoli a uno a uno, gli affanni della giovinezza? Vinse questo parere, e mi parve una fatica sicuramente non magnifica, ma neppure sgradevole ricordare che cosa avevo pensato e quando. Ma mentre sfogliavo quelle carte messe lì a caso e senz'ordine, mi si presentava una realtà non omogenea e disordinata; alcuni scritti riuscivo a stento a riconoscerli, non tanto perché avessero mutato carattere, ma perché era mutato il mio modo di pensare,[5] mentre altri mi suscitavano la memoria del passato accompagnata da un certo piacere. Una parte di essi erano in prosa, un'altra costretta entro le cadenze omeriche, perché raramente ho usato il ritmo prosastico di Isocrate;[6] una parte poi, intesa a lusingare le orecchie del volgo, aveva una sua specifica struttura.[7] Questo genere letterario, rinato presso i Siciliani, com'è fama, non molto tempo fa, si diffuse in breve per tutta l'Italia e oltre, mentre una volta era assai diffuso presso i Greci e i Latini antichi, se è vero quel che abbiamo appreso, cioè che Attici e Romani, nelle scritture dedicate al popolo, usavano soltanto la poesia ritmica.[8] Tanta confusione mi tenne occupato per più giorni e sebbene fossi trattenuto dalla non piccola dolcezza e dall'amore che spontaneamente si ha per le proprie invenzioni, vinse tuttavia, alla fine, l'amore delle opere più importanti che, già da lungo tempo interrotte, non senza l'attesa di molti, ho ancora alle mani; vinse il ricordo della brevità della vita.[9] Temetti, lo confesso, le sue insidie; che cosa vi è, infatti, di più fugace della vita, che cosa più incalzante della morte? [...] Perché insistere? ti dirò una cosa forse incredibile, ma vera: diedi da correggere al fuoco mille o più fra sparse poesie d'ogni genere ed epistole ad amici, non perché nulla in essi mi fosse piaciuto, ma perché conservarle correggendole comportava più fatica che piacere.[10] [...] Ma mentre quelle carte ardevano ne trovai un mucchietto che giaceva in un angolo, che, o conservate per caso più che per mia volontà, o perché già da

1. Il destinatario della lettera è Ludwig Van Kempen, fiammingo, coetaneo del Petrarca, cantore di cappella del cardinale Giovanni Colonna, ma anche al seguito di Giacomo. L'autore lo ribattezzò Socrate, secondo il suo gusto di dare agli amici il nome dei grandi personaggi classici, come per illudersi di vivere con loro, di rinnovarne la civiltà.

2. Le **ricchezze** sono i numerosi amici morti per la grande peste che allora infuriò (anche il Boccaccio la considerò un evento decisivo, sì che proprio con la descrizione di essa incominciò il *Decameron*). L'allusione ai grandi mari sta ad indicare che non si trattò di perdite materiali, come quelle che una buona attività commerciale può risanare, ma di perdite spirituali e dunque irrimediabili.

3. **all'inizio**: della lettera. In questo l'autore segue un precetto retorico, confermando la ricerca di raffinata eloquenza propria di queste lettere.

4. **Pallade**: Il ragno è detto «nemico di Pallade», cioè di Pallade Atena, perché in ragno fu trasformata Aracne, rea di avere sfidato, con sacrilega tracotanza, la dea nell'arte della filatura. Atena era anche la dea che presiedeva a molte opere dell'ingegno, dette qui «arti» di lei.

5. Accanto al lamento per la fuga del tempo c'è, nel Petrarca, quello per la fuga dell'uomo da se stesso, per l'incostanza, la fluidità che egli ritrovava anche nella vita interiore.

6. **Isocrate**: grande oratore e prosatore greco (Atene, 436-338); scrisse in una prosa ritmica, con frequenti cadenze metriche. La prosa delle *Familiari* del Petrarca segue invece il modello della prosa di Cicerone nelle lettere agli amici (Attico, Bruto, il fratello Quinto), che ostenta caratteri di schiettezza immediata, emulati assai bene dal Petrarca in questa come nelle altre epistole della raccolta.

7. **una parte... struttura**: Allude alle liriche italiane, rivolte a un pubblico vasto, che può andare dagli intellettuali a gente di più limitata cultura, ritenute, comunque sia, inferiori, per intrinseca dignità, alla produzione latina. Esse erano in versi italiani rimati; la «metrica» è, invece, per l'autore, quella classica, fondata sulla quantità delle sillabe (le lunghe e le brevi).

8. **poesia ritmica**: la nuova poesia romanza. Il testo latino dice «*rithmico carmine*», nel quale termine ci sembra debba essere compresa anche la rima, segnale della nuova struttura del verso, e dunque fatto ritmico ricorrente. Sulla scia d'un commento di Servio alle *Georgiche* di Virgilio, il Petrarca ritiene che la poesia ritmica romanza continuasse l'uso di quella popolare greca e romana.

9. Il ricordarsi che la vita è breve induce l'autore, preoccupato per la molteplicità e ampiezza dei suoi progetti letterari, soprattutto dell'*Africa* e del *De viris illustribus* ancora ben lontani dalla conclusione, a una rigida selezione dei propri scartafacci, intesa a conservare soltanto quelli che possano avere svolgimento in un'opera organica.

10. Si tratta, in molti casi, di opere (probabilmente gran parte delle prime liriche giovanili) troppo lontane dalla perfezione cui il Petrarca costantemente aspirava. I suoi manoscritti rivelano un costante ritorno anche sulle liriche italiane, pur considerate meno importanti. Quando le carte in cui erano scritte e minutamente corrette divenivano sovraccariche e a stento leggibili, egli le trascriveva, continuando poi a correggerle.

tempo trascritte dai miei amanuensi, erano riuscite a resistere alla corrosione dell'invecchiamento.[11] [...] Con queste fui più indulgente: ho lasciato che vivessero, avendo riguardo non alla loro dignità, ma alla mia fatica; non mi chiedevano, infatti, l'impegno di correggerle. Dopo avere meditato sull'indole e gli interessi dei miei due amici, mi è parso opportuno spartirle in questo modo: di dedicare la prosa latina a te, la poesia latina al nostro Barbato;[12] così, infatti, ricordavo che voi eravate soliti richiedermi e che ve lo avevo promesso. [...]

11. In realtà, come si vede subito dopo, non si tratta soltanto di questo (e cioè della corrosione che subisce col tempo la pergamena), ma del fatto che erano già state ampiamente corrette ed erano quindi giunte a un buon livello stilistico-letterario.

12. Barbato: Nato a Sulmona alla fine del Duecento e morto nel 1363, notaio e per diversi anni segretario alla corte angioina di Napoli, fu uno dei più fedeli amici del Petrarca e zelante diffusore della sua fama.

Una nota ai testi

Come s'è visto, la forma definitiva impressa dal Petrarca ai Rerum vulgarium fragmenta *è quella della libera e dispersa avventura dell'animo, delle oscillazioni della coscienza in un itinerario terreno avvertito come problematico. Per questo vi si possono riscontrare non tanto le tappe d'un cammino progressivo organico, ma cellule che potremmo definire* eidetico-semantiche*: di immagini, cioè, e di significati chiave (la meditazione sull'essenza d'amore o sulla perfezione di Laura o sul turbamento etico-religioso, ecc.), che si corrispondono a volte a distanza, ma a volte anche in piccoli gruppi (sempre di poche unità) di liriche di tematica affine: per fare un esempio, i sonetti dal 249 al 255, incentrati sull'ultimo saluto a Laura e sul presentimento già fin da allora affiorato di non rivederla.*

Si cercherà qui di seguire i nuclei tematici più importanti; senza, tuttavia, isolarli, ma riportandoli nello stesso ordine di successione che hanno nel libro; col rispetto, cioè, del loro fluttuare nel labirinto del sentimento e della fantasia amorosa. Un raggruppamento per temi avrebbe, infatti, rischiato di isolare i singoli motivi in modo arbitrario, conferendo loro un'autonomia che non hanno nella raccolta, dove a un sonetto di patetico e sincero raccoglimento religioso può succedere una nuova amorosa esaltazione di Laura; e la verità dei due momenti sta, appunto, in una successione che è, in realtà, compresenza.

Per comodità del lettore, e per una seconda, ideale, lettura, presentiamo qui, tuttavia, i possibili raggruppamenti tematici. A conferma di quanto si è detto prima, il lettore scoprirà parecchi casi ambigui, che non tollerano se non a stento di essere messi sotto una rubrica unitaria, o, comunque sia, univoca. Si è per questo assegnato a ogni componimento un numero di comodo (un secondo, in cifre romane, indicante il posto che la lirica ha nel Canzoniere*, è dato, nel titolo, fra parentesi).*

1. Amore come gioia contemplativa*: 10, 11, 13, 15, 16, 18, 21 (ma 13 è per gran parte assegnabile alla distinzione seguente).*

2. Vicissitudini d'amore*: 2, 3, 5, 6, 17, 20, 22, 24, 25, 26, 27, 28, 29, 30, 31, 32, 33. Dal 22 in poi sono rime in morte di Laura, con anche il sogno di lei, spirito beato nei cieli, che non è, tuttavia, confondibile col sogno di lei, attestato nella rubrica precedente.*

3. Meditazione etico-religiosa*: 1, 4, 19, 23, 31 (con prevalenza dell'aspetto morale); 8, 9, 34, 35 (di più deciso impegno religioso).*

4. Rime etico-politiche*: 7, 12, 14.*

Per i testi si segue qui l'edizione procurata nel 1949 da Gianfranco Contini, il quale riproduce con totale fedeltà il codice Vaticano Latino 3195, come s'è detto, in parte autografo, in parte scritto dal copista, ma riveduto dall'autore. È parso, infatti, interessante conoscere anche gli usi grafici del primo grande nostro scrittore in volgare di cui ci sia giunto un testo originale. Un carattere saliente è la grafia spesso latineggiante: gli et *in luogo di* e*, cui non corrispondeva peraltro la pronuncia, e altri latinismi (non sempre osservati) come* huom *(uomo),* exemplo*,* honore*,* anchora*,* facto *(fatto),* thesauro *(tesoro),* nimpha *e* Zephiro *(da pronunciare 'ninfa' e 'Zefiro'), e così via. Alcuni di essi sono meri grafemi, che non modificano la pronuncia (*huom*); in altri casi, come* thesauro*, il Petrarca poté preferire la parola latina, che gli veniva spontanea, data la sua conoscenza di questa lingua.*

Per il testo seguiamo: F. Petrarca, *Canzoniere*, testo critico e introduz. di G. Contini. Annotazioni di D. Ponchiroli, Torino, Einaudi, 1964, con lievi mutamenti nella punteggiatura.

1. Voi ch'ascoltate in rime sparse il suono (I)

Questo sonetto iniziale del *Canzoniere* fu scritto fra il 1348 e il 1350, dopo la morte di Laura (1348), forse quando il P. cominciò a ordinare le rime che considerava, per usare un'espressione del *Secretum*, «sparsi frammenti della sua anima», disponendole in un libro che effigiasse una vicenda esemplare, fra questo riconoscimento della vanità della sua lunga passione e l'anelito religioso di liberazione della canzone alla Vergine.

Il sonetto, tuttavia, non è incentrato su una meditazione specificamente religiosa, ma sulla constatazione amara della precarietà d'ogni cosa terrena, anche di quell'amore che pure aveva riempito di sé una vita. La confessione si snoda lenta, in due periodi complessi (vv. 1-8 e 9-14), condensandosi su parole emblematiche, che appaiono il frutto d'un lungo, faticoso dibattito interiore. La prima è *errore* (v. 3), che indica un vagare senza meta, una dispersione, con un'implicita connotazione negativa; e fa sistema, in tal senso, col *suono* dei *sospiri*, presentati come unico nutrimento del *core* (vv. 1-2), preannunciando così la vicenda rappresentata nel libro: un continuo, alterno fluttuare di speranza e disinganno. A *errore* si ricollegano anche due blocchi di termini di significato affine, che possiamo definire come due campi semantici distinti e correlati. Da un lato abbiamo la *pietà* e il *perdono* richiesti al v. 8, la *vergogna* (vv. 11 e 12), il *pentersi* (v. 13); dall'altro l'accertato nulla d'un amore, pur vissuto, un tempo, come vicenda esaltante e promessa di felicità: *vane* speranze, *van* dolore (v. 6), *vaneggiar* (v. 12), *sogno* (v. 14). Si potrebbe riscontrare nel primo campo la presenza dei moralisti antichi, che il Petrarca meditava in quegli anni, mentre il tema della vanità della vita, come sogno reso breve dal continuo morire di noi stessi e d'ogni cosa, pur non ignoto ai classici, appare di più diretta esperienza cristiana.

Un errare, dunque, fra immagini vane, che produce vergogna: questo il giudizio che il P. dà del suo amore e della sua vita. Alla dispersione di questa storia corrisponde il *vario stil* delle *rime sparse*, l'inevitabile frammentarietà dell'esperienza che il P. si accinge ad affidare al suo libro, con la volontà, tuttavia, d'una meditazione approfondita e della strenua ricerca, nella propria coscienza, d'una verità di tutti (*Voi ch'ascoltate*).

Voi ch'ascoltate in rime sparse il suono
di quei sospiri ond'io nudriva 'l core
in sul mio primo giovenile errore,
quand'era in parte altr'uom da quel ch'i' sono,
5 del vario stile in ch'io piango e ragiono
fra le vane speranze e 'l van dolore,
ove sia chi per prova intenda amore,
spero trovar pietà, non che perdòno.
Ma ben veggio or sì come al popol tutto
10 favola fui gran tempo, onde sovente
di me medesmo meco mi vergogno;
et del mio vaneggiar vergogna è 'l frutto,
e 'l pentersi, e 'l conoscer chiaramente
che quanto piace al mondo è breve sogno.

Metro: *sonetto* (schema: ABBA, ABBA, CDE, CDE).

1-8. Voi ch'ascoltate, ecc.: Il vocativo rimane come sospeso, soverchiato dall'immediato accamparsi, subito dopo, di quell'io dolente che si confessa. Ma serve a chiedere una partecipazione diretta del lettore a quella che è anche la sua storia, a risolvere in una luce universale quella che altrimenti sarebbe confessione struggente. Il Petrarca la evita sempre, proteso com'è a ricercare dietro i singoli eventi il senso profondo della vita. La costruzione sintattica dei versi è questa: «O voi, che ascoltate il suono dei miei sospiri..., se c'è tra voi chi intende, per averlo provato, che cosa sia amore, spero trovare pietà e perdono del vario stile col quale piango e ragiono, sospeso fra speranze e dolore che ora riconosco vani».
1. rime sparse: chiama «sparse» le rime, perché non costituiscono opera organica.
1-2. il suono di quei sospiri, ecc.: Di quei sospiri, di quel tormento d'amore il P. pasceva la sua anima. Ma mentre allude alla potenza esclusiva di quell'amore, con la parola *suono*, viene come a vanificarla.
3-4. «al tempo del mio primo errore giovanile (l'amore per Laura), quando ero uomo diverso da quel che sono ora»; ma dice anche «in parte», perché non del tutto ha vinto l'amore per i beni terreni. Nella cadenza mesta dei versi si avverte un rimpianto della giovinezza perduta.
5. *vario* chiama il suo stile, per la varietà dei sentimenti che esprime, e quindi dei toni. Con *piango e ragiono* esprime il carattere della sua poesia, nella quale si alternano tono patetico e meditativo.
6. La ripetizione dell'aggettivo *vano* sottolinea l'amarezza del disinganno.
9-11. Ma ben veggio or, ecc.: La congiunzione avversativa segna una svolta in questa meditazione-confessione, un approfondimento. Il *giovanile errore* diventa causa di giusta vergogna e pentimento, desolata scoperta della vanità d'ogni cosa umana.
10. favola fui gran tempo: per molto tempo fui materia di chiacchiere e di riso. Riprende un'espressione d'Orazio, unendo alla sua la voce di un'antica saggezza, onde meglio dare alle sue parole un sigillo di universalità. **onde**: e per questo.
11. di me medesmo, ecc.: Osserva le ripetute allitterazioni (cioè il ripetersi della medesima lettera iniziale: *m*) secondo un gusto proprio dei classici e anche della letteratura medioevale. È caratteristica del P. questa fusione fra l'intimità del sentire e la sapiente costruzione letteraria del discorso.
12. Sembra ripetere quanto ha detto nel verso precedente, ma piuttosto lo ribadisce con più amara consapevolezza; soprattutto importante l'aggiunta di quel «vaneggiare», che riprende l'aggettivo «vano», ripetutamente usato al v. 6 e lo riflette nella disincantata chiusa del sonetto. È il sentimento centrale della poesia, quel senso avvertita inconsistenza degli affetti e delle speranze terrene. *Vaneggiare* equivale qui a «perdersi con l'anima dietro i beni vani, le false seduzioni del mondo».
14. breve sogno: l'espressione definisce l'accorato sentimento della vita che fu proprio del P. Sogno, la vita umana, ombra e fumo nell'aria, com'egli dice in una delle *Epistole familiari*, e sogno breve, cioè effimero.

2. Era il giorno ch'al sol si scoloraro (III)

Il Petrarca descrive il giorno del suo innamoramento. È un sonetto elegante, piuttosto che profondo: un foglio di diario, per così dire. La grande poesia petrarchesca nasce dalle situazioni senza tempo dell'animo, non dal racconto dei casi contingenti. Si può comunque vedere qui l'esigenza, ereditata dalla poesia stilnovistica, di sostituire al racconto dell'avvenimento concreto, una rappresentazione stilizzata dell'avventura interiore, con la tradizionale personificazione di Amore provvisto d'arco e di frecce. Più interessante è il fatto che il Petrarca sottolinea la corrispondenza fra la data del suo innamoramento, e quindi dell'inizio del suo lungo peccare, e la commemorazione della morte di Cristo, principio della redenzione dell'umanità, che proprio in quel giorno (6 aprile 1327) si teneva. In questa coincidenza il poeta sentiva come prefigurato quel dramma di peccato e redenzione che pervade, almeno come aspirazione e rimorso, tante pagine del *Canzoniere*.

Era il giorno ch'al sol si scoloraro
per la pietà del suo factore i rai,
quando i' fui preso, et non me ne guardai,
ché i be' vostr'occhi, donna, mi legaro.
5 Tempo non mi parea da far riparo
contra colpi d'Amor: però m'andai
secur, senza sospetto: onde i miei guai
nel commune dolor s'incominciaro.
Trovommi Amor del tutto disarmato,
10 et aperta la via per gli occhi al core,
che di lagrime son fatti uscio et varco.
Però, al mio parer, non li fu onore
ferir me de saetta in quello stato,
a voi armata non mostrar pur l'arco.

Metro: *sonetto* (schema: ABBA, ABBA, CDE, DCE).

1-2. Era il giorno... rai: Era il giorno (il Venerdì santo; ma cfr. la nostra introduzione) in cui il sole si oscurò per la pietà che provò vedendo la tragica agonia del suo Creatore, cioè Cristo. Questa eclissi del sole è attestata dai Vangeli.
3-4. Il P. fu preso da amore e non se ne guardò, perché i begli occhi di Laura lo avvinsero prima che egli avesse potuto pensare a difendersene.
5-8. Non sembrava quello, proprio per la mesta ricorrenza cristiana che avrebbe dovuto disporre il cuore del P. a ben altri pensieri, un giorno in cui si dovesse stare in guardia contro l'assalto delle passioni; e per questo (**però**) egli andò (nella chiesa di S. Chiara, in Avignone) sicuro della sua virtù, senza sospettare l'insidia d'Amore; così il suo dolore e l'amoroso tormento (**guai** = «gemiti») nacquero fra il dolore di tutta la cristianità per la morte di Cristo.
9-11. Amore trovò il P. completamente disarmato, e trovò in lui aperta la via che conduce dagli occhi al cuore. L'immagine di Laura, percepita dagli occhi, che non si distolsero a tempo dal contemplarla, s'insignorì immediatamente del suo cuore. Ora questi occhi sono **uscio** e **varco** donde esce un fiotto continuo di lacrime; quelle dell'amore inappagato.
12-14. La chiusa è di una compiaciuta eleganza epigrammatica: non fu cosa onorevole per Amore, fu anzi sleale, che ferisse con la sua saetta me che mi trovavo in tale stato (cioè, come ha detto prima, indifeso) e non mostrasse neppure l'arco a voi (Laura) che invece eravate saldamente sulla difensiva.

3. Movesi il vecchierel canuto et biancho (XVI)

Come il pellegrino si reca a Roma per vedere una sacra reliquia, la Veronica, e per ritrovare in essa le fattezze di Cristo, così il Petrarca, lontano da Laura, ricerca nel viso delle altre donne una qualche sembianza del volto di lei.

I critici sono rimasti spesso sconcertati davanti a questo sonetto: hanno osservato che è irriverente il paragone fra Laura (un terreno e colpevole amore) e Cristo, e che, comunque, il P. ha svolto quasi esclusivamente il primo termine della similitudine, trascurando troppo il secondo. In realtà, l'immagine del vecchierello domina il sonetto.

Quanto alla sconvenienza del paragone sacro, oltre al fatto che era meno sentita al tempo del poeta, quando si aveva maggiore dimestichezza con le immagini della vita religiosa, esperienza, allora, comune e d'ogni giorno, ricordiamo che iperboli (cioè esagerazioni retoriche usate per dar maggiore rilievo all'oggetto) di stampo religioso erano frequenti nella lirica cortese.

Movesi il vecchierel canuto et biancho
del dolce loco ov'ha sua età fornita,
et da la famigliuola sbigottita
che vede il caro padre venir manco;
5 indi trahendo poi l'antiquo fianco
per l'extreme giornate di sua vita,
quanto più pò col buon voler s'aita,
rotto dagli anni, et dal camino stanco;
et viene a Roma, seguendo 'l desio,
10 per mirar la sembianza di colui
ch'ancor lassù nel ciel vedere spera:
così, lasso, talor vo cerchand'io,
donna, quanto è possibile, in altrui
la disiata vostra forma vera.

Metro: *sonetto* (schema: ABBA, ABBA, CDE, CDE).

1. Movesi il vecchierel: sono tre quadri che si susseguono nelle due quartine e nella prima terzina: la partenza del vecchio dalla famiglia per recarsi in pellegrinaggio a Roma; poi il faticoso cammino; infine il suo giungere alla meta. In questa quartina assistiamo alla scena della partenza. Il *vecchierello* è al centro del quadro (già il diminutivo lo cinge d'una luce affettuosa); è *canuto e bianco*, ha cioè i capelli bianchi e il viso pallido; e si allontana, forse per non tornare mai più, dal luogo dove ha vissuto tutta la vita. *Dolce* è questo luogo, pieno di care memorie per lui. Quanto a *fornita*, osserva il De Sanctis che è «espressione dubbia e molto poetica, che ti presenta insieme due idee, cioè che ha passato colà tutta la sua vita, e che questa vita si può dir già finita, non restandogli che poco altro da vivere» (*fornita* vale, circa, compiuta). Attorno al vecchierello sta una scena di affettuosa intimità domestica: la *famigliuola sbigottita*, che, nel vederlo partire così vecchio e stanco, teme di non rivederlo più (lo vede venir meno, *manco*).
5. traendo... fianco: trascinando le membra vecchie (e quindi deboli).
7-8. col buon voler: lo sforzo del pellegrino, che riesce a superare la debolezza fisica con la tenace volontà di bene, ci fa sentire la sua semplice e schietta religiosità, che avvertiremo meglio nella terzina seguente. **rotto**: sebbene rotto, disfatto.
9-12. La terzina culmina nella speranza trepida della visione di Dio. Essa ha fatto sì che il vecchierello lasciasse la casa, ha sostenuto in via il suo passo malfermo. È religione semplice e umanissima, verso la quale lo spirito del P., religioso ma intimamente tormentato, sembra avvertire una segreta nostalgia.
12. lasso: non aggettivo, ma interiezione: *ahimè*.
13. in altrui: in altre donne.
14. la... vera: l'effigie vera del vostro volto, che tanto desidero vedere.

4. Quanto più m'avicino al giorno extremo (XXXII)

Questo sonetto, posto quasi all'inizio del *Canzoniere*, sembra voler subito soffondere la lunga storia d'amore di un desolato senso di vanità e caducità. Il Petrarca sente come ogni ora che passa lo avvicini alla morte, e in questa prospettiva avverte la fallacia di ogni speranza, comprende come sia vano l'affaticarsi dell'uomo dietro beni transitori. Il pensiero della morte non si risolve però in un richiamo religioso, ma in un sentimento di scorata delusione; la pace cui il poeta allude non è l'appagamento pieno nella visione di Dio, ma l'oblio del suo affanno.

Quanto più m'avicino al giorno extremo
che l'umana miseria suol far breve,
più veggio il tempo andar veloce et leve,
e 'l mio di lui sperar fallace et scemo.
5 I' dico a' miei pensier: — Non molto andremo
d'amor parlando omai, ché 'l duro e greve
terreno incarco come frescha neve
si va struggendo; onde noi pace avremo:
perché co·llui cadrà quella speranza
10 che ne fe' vaneggiar sì lungamente,
e 'l riso e 'l pianto, et la paura et l'ira;
sí vedrem chiaro poi come sovente
per le cose dubbiose altri s'avanza,
et come spesso indarno si sospira.

Metro: *sonetto* (schema: ABBA, ABBA, CDE, DCE).

1-2. Il giorno della morte suol far breve la misera vita dell'uomo.

3-4. Quanto più il P. pensa alla morte, tanto più avverte quanto sia breve la vita; il tempo, spoglio delle speranze che lo prolungano nella nostra coscienza, nell'attesa di una felicità che sempre ci sfugge, appare veloce, *leve*; quest'ultimo aggettivo ci dà insieme il senso della velocità e della vanità. Così, fallace e vana (*scemo*) appare al P. la speranza che esso possa portargli un appagamento pieno dei suoi desideri.

6-8. 'l duro e greve... si va struggendo: il corpo, duro e greve peso che il P. sembra come trascinare a fatica, si va struggendo come la neve fresca, che rapidamente si discioglie. **onde**: e in seguito a ciò.

9-11. Finalmente il P. avrà pace, perché, col morire del corpo, cadrà anche la lunga e vana speranza di un amore ricambiato che lo fece così a lungo *vaneggiare* (si trattò, infatti, di speranze vane); e cadranno gli alterni sentimenti che accompagnarono quella speranza.

12-14. La terzina è variamente interpretata; intenderemmo: allora, in punto di morte, vedremo chiaramente come spesso l'uomo (*altri* è pronome indefinito) s'affatichi invano per conseguire le incerte cose mondane, e quanto spesso siano vani i nostri sospiri.

5. Solo et pensoso i più deserti campi (XXXV)

È uno dei sonetti del *Canzoniere* in cui con maggiore intensità il Petrarca rappresenta la condizione del suo spirito, perduto in un impossibile sogno d'amore, divenuto unica e tormentosa realtà.

Il poeta vaga, solo con la sua tristezza, fra i luoghi più deserti, lentamente, come abbattuto da una ferita mortale; nello squallore del paesaggio si riverbera lo squallore dell'animo. È uno spazio reale e insieme irreale, vasto e indefinito come la sua passione, dove si svolge una meditazione tormentosa, senza tempo, senza mutamento. Il Petrarca fugge ogni vestigio umano, per il pudore che ha di mostrarsi così affranto; ma Amore è sempre con lui, implacabile.

Solo et pensoso i più deserti campi
vo mesurando a passi tardi et lenti,
e gli occhi porto per fuggire intenti
ove vestigio human l'arena stampi.
5 Altro schermo non trovo che mi scampi
dal manifesto accorger de le genti;
perché ne gli atti d'alegrezza spenti
di fuor si legge com'io dentro avampi
sì ch'io mi credo ormai che monti et piagge
10 et fiumi et selve sappian di che tempre
sia la mia vita, ch'è celata altrui.
Ma pur sì aspre vie né sì selvagge
cercar non so ch'Amor non venga sempre
ragionando con meco, et io co·llui.

Metro: *sonetto* (schema: ABBA, ABBA, CDE, CDE).

1-2. I due primi versi hanno, come ben disse il De Sanctis, «una misura lenta e grave», e danno l'avvio a quella cadenza pacata e malinconica che pervade il sonetto. Un forte accento cade su quel *deserti*, riflesso, nel paesaggio, dell'intima desolazione. Il *mesurando* (misurando) dà la impressione di un vagare a passi lentissimi, proprio di chi è immerso in una meditazione che lo assorbe totalmente, e dà anche l'idea di un corpo che si muove macchinalmente, senza meta precisa; suggerisce, infine, il vagare, anch'esso senza meta, di pensieri e ricordi.

3-4. «E se, in qualche luogo il suolo è solcato da orma umana, là volgo gli occhi, ma per fuggire». Il «dove» è avverbio di luogo e, al tempo stesso, ha un senso di eventualità (*qualora*).

5-6. «Non trovo altro riparo (se non la fuga) che impedisca alla gente di accorgersi inequivocabilmente, della mia sofferenza d'amore».

7-8. «Infatti, dai miei atteggiamenti esteriori, così totalmente privi di ogni allegrezza, si desume chiaramente l'ardore tormentoso della mia passione». Ma l'espressione «d'allegrezza spenti» fa sentire come ogni luce e calore di vita siano assenti.

9-11. «tanto che io credo ormai che monti, piagge, fiumi, selve fra i quali mi aggiro, sappiano bene quanto triste sia la mia vita (*di che tempre* = di che qualità) che tengo celata studiosamente agli uomini».

12-14. Dopo il primo verso, dal tono aspro e selvaggio (sono sempre i *deserti campi* del v. 1, ma ormai consonanti col tormento del poeta), in cui s'avverte intensa l'eco dell'inesausta passione, il tono sembra placarsi, ma si approfondisce nella espressione di un tormento senza fine. Amore vaga sempre col P., e gli parla, e il P. ragiona con lui, come perduto nel labirinto del proprio cuore.

ESERCIZIO DI ANALISI

«Solo et pensoso...»

Premessa. Possiamo distinguere, per comodità d'analisi, due registri nel *Canzoniere*: la contemplazione-esaltazione della bellezza di Laura e il doloroso colloquio interiore: il tema della gioia d'amore e quello del labirinto d'Amore. Per comodità, si è detto, in quanto essi appaiono assai spesso intrecciati; il secondo è, infatti, quasi sempre compresente al primo, dato che la bellezza di Laura, sognata o rievocata, rientra anch'essa nell'alterno fluttuare dei fantasmi del cuore. Si può tuttavia indicare, secondo la prevalenza dell'una o dell'altra tematica, una linea che va da questo sonetto alla canzone *Di pensier in pensier, di monte in monte* e un'altra che va dal sonetto *Erano i capei d'oro* alla canzone *Chiare, fresche et dolci acque*.

Questo sonetto è il primo (dopo quello proemiale) in cui si esprima esemplarmente il tema del tormento interiore. Come avviene per ogni poesia, un mero riassunto contenutistico non può che immiserirlo. Il processo della significazione poetica si articola, infatti, in vari strati dinamicamente compresenti: da quello dei significati concettuali a quello delle immagini a quelli dei ritmi, dei suoni, dell'ordinamento del discorso; soltanto dal loro intreccio emerge il contenuto vero, cioè il messaggio poetico.

Non sarà quindi inutile abbozzare qui un'analisi di alcuni aspetti formali del sonetto.

1. La struttura delle immagini. In questo testo, povero di metafore vere e proprie, spicca, invece, l'immagine del paesaggio (campi, monti, piagge, fiumi, selve, vie) che si costituisce come metafora profonda o equivalente simbolico della vicenda spirituale del poeta. È un paesaggio del tutto indefinito, dove l'aggettivo, quando c'è, ha una connotazione più intensa dei sostantivi. Il discorso vale per *deserti*, e *aspre e selvagge* nei confronti, rispettivamente, di *campi* e *vie*, nomi assolutamente generici; sono, infatti, questi aggettivi a delineare un paesaggio di solitudine e di pena, a ricondurlo a una dimensione d'interiorità.

Nei vv. 9-10, che dovrebbero costituire un'ulteriore determinazione paesistica, si ha, invece, un accumularsi di oggetti generici (*monti, piagge, fiumi, selve*), emblemi, piuttosto che oggetti definiti, espressione d'una vaga spazialità che, proprio per la sua astrattezza, giunge quasi al limite d'una trasfigurazione simbolica: quasi un'ombra o una labile proiezione esterna del solitario vagare senza tempo e senza confini dell'animo. Intendiamo dire che quell'accumularsi di sostantivi generici e nudi dissolve gli oggetti concreti, determina una sorta di spazio assente, un paesaggio non guardato e non vissuto, semplice schermo dove si proietta l'ossessione amorosa.

2. La struttura ritmico-sintattica. Sono state indicate dai critici alcune forme tipiche dello stile petrarchesco, quali la *dicotomia* o suddivisione del verso in due parti bilanciate (*solo et pensoso / i più deserti campi*; e la stessa cosa vale per il v. 2), le descrizioni suddivise in coppie di sostantivi o aggettivi (*solo et pensoso; tardi et lenti*), le frequenti antitesi (al v. 8: *di fuor... dentro*); ed è stato osservato che questi procedimenti producono un rallentamento del ritmo, corrispondente alla vena non pateticodinamica, ma meditativa, di assorto colloquio interiore della lirica petrarchesca. Tralasciando un'analisi minuta in tal senso, per la quale rimandiamo, più avanti, a quella proposta per il sonetto *Zephiro torna*, ci limitiamo qui ad alcune osservazioni sulla struttura ritmico-sintattica del discorso.

Si osservino i primi due versi, dove, oltre alla dicotomia già segnalata, si ha un perfetto bilanciarsi delle coppie di aggettivi all'inizio e alla fine del distico (*solo et pensoso/ tardi et lenti*), sottolineate dagli accenti ritmici. Si rinsalda, in tal modo, fra di esse un'affinità: la lentezza del passo trova rispondenza con l'atmosfera solitaria e meditativa dell'animo; quel cammino che non è un cammino, ma un «misurare», dissolve se stesso e lo spazio nella dimensione locale indefinita della coscienza, dà il senso d'una direzione perduta, d'un labirinto senza meta. Si osservi ancora il primo verso. Qui gli accenti ritmici cadono sulla 1ª, 4ª, 8ª, 10ª sillaba, scandiscono, cioè, nettamente tutte le parole, da un lato isolandole, dall'altro intensificandone, con una connotazione emotiva, la portata significativa o semantica. Fra la prima e la seconda parte del verso, dopo la pausa che consegue a *pensoso*, si ha un ulteriore rallentamento, provocato dalle due sillabe atone (*piu-de*), dal quale emerge con più forte evidenza quel *deserti*, che cessa in tal modo di essere una mera notazione topografica e viene connotato d'un senso tutto intimo di solitudine, abbandono, desolazione, ribadito, al v. 4, dalla forte cadenza ritmica di *vestigio human*, evocato e, nel contempo, negato, come a rendere più patetica quella ricerca di solitudine totale.

Tralasciando altre osservazioni, esaminiamo l'ordine complessivo del discorso. Esso appare suddiviso in due momenti, corrispondenti alle quartine e alle terzine (la *fronte* e la *sirma*, o coda, del sonetto).

Le quartine definiscono lo stato d'animo del poeta. La prima lo proietta in una solitudine totale, lo correla a un aggirarsi senza meta, allo sguardo che rifugge da ogni presenza umana; la seconda ne approfondisce le ragioni psicologiche: la ricerca affannosa d'una difesa dagli sguardi indiscreti (connessa, lo sappiamo dal primo sonetto, alla «vergogna» per il proprio «vaneggiare»), la volontà di nascondere quella che appare una sorta di degradazione vitale (gli atti «spenti», dove più non brilla la luce della vita).

Le due terzine sono come un corollario, l'enunciazione di conseguenze già implicite nell'immagine iniziale. La prima prolunga i confini del paesaggio, come a far meglio risaltare la misura senza fine del tormento; la seconda insiste sull'immagine d'Amore che segue dovunque implacabile il poeta.

Si avverte nelle terzine, dopo la fissità desolata delle quartine, un risentirsi doloroso, che dà luogo a un ritmo più concitato del discorso. Tale concitazione trova riscontro nei frequenti *enjambements.* L'*enjambement*, o *inarcatura*, come lo chiamavano i nostri Cinquecentisti, è la figura metrica per la quale l'enunciato discorsivo non si conclude con la fine del verso, ma nella prima metà di quello seguente, determinando un nuovo sistema di durate e pausazioni ritmico-sintattiche in opposizione dialettica a quello definito dal verso. La nuova misura del discorso diviene pertanto (segniamo con una sbarretta la pausa di fine verso, con due, quelle determinate dalle inarcature): «Sì ch'io mi credo omai che monti et piagge / et fiumi et selve sappian // di che tempre / sia la mia vita // ch'è celata altrui. / Ma pur sì aspre vie né sì selvagge / cercar non so // ch'Amor non venga sempre / ragionando con meco // et io co·llui.»; dove si crea una nuova pausazione discorsiva e insieme ritmico-patetica, che intensifica emozionalmente il dettato, illustrando: a) l'ampiezza sterminata e brulla del paesaggio (e dell'animo); b) la tristezza profonda d'una vita; c) la mesta ricerca di luoghi aspri e selvaggi, unico e paradossale schermo alla pena d'amore; d) l'implacabile presenza d'Amore, in quel ragionare-errare senza fine fra quelle che il poeta ha già definito «le vane speranze e 'l van dolore».

6. Ne la stagion che 'l ciel rapido inchina (L)

Il tema della canzone è il contrasto fra la situazione dei viventi cui la sera porta riposo e pace e quella del Petrarca che in quell'ora sente più veementi la pena e il tormento del suo amore insoddisfatto. Il viso di Laura, indelebilmente scolpito nel suo cuore, non sarà forse cancellato neppure dalla morte.

Il tema si sviluppa in un'ampia trama di variazioni, costituite da quadri paesistici dove le presenze umane (la vecchierella, il contadino, il pastore, i naviganti) appaiono come ombre sfumate; quasi un tradursi in gesto umano della promessa di pace che la sera suggerisce. Sono creature elementari, dalla semplice vita, che appare come fusa con quella della natura e sembra proporsi come emblema di un'armonia nativa con l'esistenza, che il poeta ha per sempre perduta. Più che nei concitati e a volte drammatici lamenti sull'infelicità amorosa, il sentimento che pervade la lirica è in quelle vaghissime immagini evocate con desiderio struggente di pace.

Ne la stagion che 'l ciel rapido inchina
verso occidente, et che 'l dì nostro vola
a gente che di là forse l'aspetta,
veggendosi in lontan paese sola,
5 la stancha vecchiarella pellegrina
raddoppia i passi, et più et più s'affretta;
et poi così soletta
al fin di sua giornata
talora è consolata
10 d'alcun breve riposo, ov'ella oblia
la noia e 'l mal de la passata via.
Ma, lasso, ogni dolor che 'l dì m'adduce
cresce, qualor s'invia
per partirsi da noi l'eterna luce.
15 Come 'l sol volge le 'nfiammate rote
per dar luogo a la notte, onde discende
dagli altissimi monti maggior l'ombra;
l'avaro zappador l'arme riprende,
et con parole et con alpestri note
20 ogni gravezza del suo petto sgombra;
et poi la mensa ingombra
di povere vivande,
simili a quelle ghiande
le qua' fuggendo tutto 'l mondo honora.
25 Ma chi vuol si rallegri ad ora ad ora,
ch'i' pur non ebbi anchor, non dirò lieta,
ma riposata un'hora,
né per volger di ciel, né di pianeta.
Quando vede 'l pastor calare i raggi
30 del gran pianeta al nido ov'egli alberga,

Metro: *canzone* di cinque stanze, su schema ABC, BAC (fronte): cddEEFeF (sirma). Il *congedo* ha lo stesso schema della sirma.

1-2. Ne... occidente: Nell'ora (*stagion*) in cui il sole (cielo, in quanto, secondo l'astronomia del tempo, tutta la sfera celeste si volge con esso verso occidente) inclina con moto più rapido verso il tramonto.

2-3. et che... aspetta: in cui il nostro giorno (il sole) vola verso genti che forse abitano (e lo attendono) nell'emisfero opposto. Osservava il Leopardi che quel *forse* era, quando la canzone fu scritta, «sommamente poetico, perché dava facoltà al lettore di rappresentare quella gente sconosciuta a suo modo, e di averla in tutto per favolosa: donde si deve credere che, leggendo questi versi, nascessero di quelle concezioni vaghe e indeterminate, che sono effetto principalissimo ed essenziale delle bellezze poetiche». Ma anche oggi il *forse* crea una spazialità indefinita e suggestiva.

5. pellegrina: basterà intendere «lontana da casa». E anche qui l'indefinito accenno spaziale (*lontan paese*) sottolinea il sentimento dell'avvertita solitudine (*Veggendosi... sola*; ripreso, poi, dal *soletta* del v. 7).

8. al... giornata: alla fine della sua giornata di cammino.

11. la noia e 'l mal: il disagio e la fatica.

12-14. «Ma, ahimè, ogni dolore che il giorno conduce a me aumenta, quando l'eterna luce del sole si mette in cammino (*s'invia*) per allontanarsi da noi». Qui come nelle altre strofe, alla descrizione d'un quadro naturale (animato da una presenza umana) connesso al tema del riposo della sera, si contrappone, nel finale, il lamento del poeta cui l'amore infelice non dà tregua.

15. Come... rote: quando il sole volge verso l'estremo occidente le ruote fiammeggianti del carro che la mitologia classica gli assegnava.

16-17. onde: e per questo. **discende... ombra**: è un calco del verso finale della prima bucolica virgiliana: «maioresque cadunt altis de montibus umbrae».

18. avaro: sobrio e avido di raccogliere la messe. È epiteto virgiliano (*Georgiche*, I, 47-48), divenuto poi appellativo tradizionale nel linguaggio classicheggiante. **arme**: strumenti di lavoro.

19. et... note: cantando canzoni rustiche di parole e di note (Chiorboli). Secondo altri: chiacchierando e cantando; ma preferiamo la prima interpretazione che consente di vedere anche questo personaggio avvolto dalla solitudine che circonda la vecchierella della stanza precedente e il pastore di quella seguente; e anche, poi, il poeta, che è sempre il sottinteso termine di riferimento.

20. gravezza: sia la fatica fisica sia le preoccupazioni e le pene della giornata.

21-24. ingombra: riempie, senza l'arte e il raffinato studio che caratterizzano le mense dei ricchi. **simili... honora**: simili alle ghiande di cui si cibavano gli uomini nell'età dell'oro. Si tratta cioè di cibi poveri e frugali, che tutti a parole esaltano, ma che tutti sfuggono. È una frecciata ironica contro certo moralismo convenzionale.

25. ad ora ad ora: di quando in quando.

28. né... pianeta: per nessun volger di tempo. «Distingue, secondo le dottrine astronomiche del tempo, il movimento generale di ciascun cielo da quello particolare del pianeta che in esso si muove e gli dà il nome» (Sapegno).

30. del... alberga: del sole al rifugio dove dimora durante la notte.

e 'nbrunir le contrade d'oriente;
drizzasi in piedi, et co l'usata verga,
lassando l'erba et le fontane e i faggi,
move la schiera sua soavemente;
35 poi lontan da la gente,
o casetta o spelunca
di verdi frondi ingiuncha:
ivi senza pensier s'adagia et dorme.
Ahi, crudo Amor, ma tu allor più mi 'nforme
40 a seguir d'una fera che mi strugge
la voce e i passi et l'orme,
e lei non stringi che s'appiatta et fugge.
E i naviganti in qualche chiusa valle
gettan le membra, poi che 'l sol s'asconde,
45 sul duro legno, et sotto a l'aspre gonne.
Ma io perché s'attuffi in mezzo l'onde,
et lasci Hispagna dietro a le sue spalle,
et Granata, et Marrocco, et le Colonne;
et gli uomini et le donne,
50 e 'l mondo, et gli animali
acquetino i lor mali,
fine non pongo al mio obstinato affanno:
et duolmi ch'ogni giorno arroge al danno;
ch'i' son già pur crescendo in questa voglia
55 ben presso al decim'anno,
né poss'indovinar chi me ne sciolglia.
Et perché un poco nel parlar mi sfogo,
veggio la sera i buoi tornare sciolti
da le campagne et da' solcati colli:
60 i miei sospiri a me perché non tolti
quando che sia? perché no 'l grave giogo?
perché dì et notte gli occhi miei son molli?
Misero me, che volli,
quando primier sì fiso
65 gli tenni nel bel viso,
per iscolpirlo imaginando in parte
onde mai né per forza né per arte
mosso sarà, fin ch'i' sia dato in preda
a chi tutto diparte!
70 Né so ben ancho che di lei mi creda.
Canzon, se l'esser meco
dal matino a la sera
t'à fatto di mia schiera,
tu non vorrai mostrarti in ciascun loco;
75 et d'altrui loda curerai sì poco,
ch'assai ti fia pensar di poggio in poggio,
come m'à concio 'l foco
di questa viva petra, ov'io m'appoggio.

32. usata verga: il vincastro usato solitamente.
34. la schiera: il gregge. **soavemente**: lentamente; ma c'è nell'avverbio il senso del gradito rilassarsi dopo le cure quotidiane.
37. ingiuncha: cosparge di fronde il pavimento per porsi su di esse a giacere.
39-42. mi 'nforme: mi stimoli. **una fera**: Laura, impietosa verso di lui. **non stringi**: nel laccio amoroso.
43-45. chiusa valle: insenatura appartata. **duro legno**: il legno della nave. **aspre gonne**: ruvide vesti.
46-52. Ma io... affanno: Le lunghe enumerazioni di luoghi geografici e di esseri viventi, apparentemente pleonastiche, richiamano pateticamente le rappresentazioni precedenti, ponendole in più drammatico contrasto con la pace che il poeta sente a sé negata. **perché**: per quanto, benché. **le Colonne**: le Colonne d'Ercole, che con Granata e il Marocco indicavano allora l'estremo occidente d'Europa e del mondo abitato.
53. arroge: aggiunge qualcosa. **danno**: tormento.
54-56. pur: continuamente, sempre più. **voglia**: passione amorosa. **decim'anno**: la canzone fu dunque composta verso il 1337. **sciolglia**: liberi.
57. Et... sfogo: aggiungi: dirò ancora che...
63-70. «Misero me! quale mai voglia fu la mia quando la prima volta (*primier*) tenni gli occhi così fissi nel bel viso di Laura, per scolpirlo, con la mia immaginazione, nel cuore dal quale non sarà mai più rimosso, né da violenza né da qualche meditato consiglio fino a che io sarò preda della morte che disgiunge ogni cosa; né so bene che cosa credere di lei». Non è cioè affatto sicuro che la morte possa liberarlo da questa passione.
71-73. Canzon... schiera: Il Leopardi spiega: «Canzone, se lo star continuamente meco, come sei stata fin qui, cioè mentre che io ti ho composto, ti ha fatto di quella schiera della quale io sono, di gente, cioè d'indole trista e inclinata al vivere solitario».
76-78. ch'assai... appoggio: ti basterà andare di monte in monte, pensando a come m'ha ridotto l'amore (il *foco*) per Laura, pietra, perché dura e fredda verso di me, ma viva (la pietra con cui s'accende il fuoco), nella quale ho posto ogni mia speranza e ragione di vita.

7. Spirto gentil che quelle membra reggi (LIII)

Grande incertezza regna fra gli interpreti su chi sia il personaggio al quale è rivolta questa canzone commossa ed eloquente, certo una delle espressioni più intense delle idealità politiche del Petrarca. Si sono fatti i nomi di Cola di Rienzo, l'azione del quale egli seguì, all'inizio, con entusiasmo, di Stefano Colonna, di Bosone da Gubbio e di altri. Di certo sappiamo soltanto che fu persona insignita di dignità senatoria e che parve al poeta poter ricondurre in Roma, straziata dalle lotte fra le principali famiglie feudali, soprattutto dopo che il papa si era rifugiato ad Avignone, la pace, premessa d'una resurrezione della città immersa nella violenza e nell'anarchia.

Ma l'interesse profondo della canzone è un altro: è l'esaltazione della grande civiltà romana, per il Petrarca offuscata ma non spenta, anche se decaduta ormai da un millennio; anzi, sentita come potenziale principio animatore e modello sempre attuale della civiltà italiana. Agli occhi del Petrarca, Roma è la grande città resa sacra dalla sua storia gloriosa e dal suo essere sede del vicario

di Cristo; ma in questa canzone il ricordo dei grandi di Roma antica appare più attuale di quello dei santi cristiani, più ricco di sollecitazioni per la mente e il cuore del poeta. Questo mito della romanità come tradizione anche della nazione italiana è la nuova e tutta umanistica concezione politica del Petrarca, connessa al sogno di un'umanità magnanima ed eroica piuttosto che al provvidenzialismo della concezione dantesca della storia. Certo, è concezione utopistica, se confrontata con l'effettiva realtà politica dell'Italia di allora, ma non è priva di significato. Essa resterà per secoli nella mente degli intellettuali italiani, senza diventare persuasione radicata nel popolo; su di essa si fonderà la coscienza d'una civiltà comune, nonostante la divisione politica della Penisola.

Spirto gentil, che quelle membra reggi
dentro a le qua' peregrinando alberga
un signor valoroso, accorto et saggio,
poi che se' giunto a l'onorata verga
5 colla qual Roma et suoi erranti correggi,
et la richiami al suo antiquo vïaggio,
io parlo a te, però ch'altrove un raggio
non veggio di vertù, ch'al mondo è spenta,
né trovo chi di mal far si vergogni.
10 Che s'aspetti non so, né che s'agogni
Italia, che suoi guai non par che senta:
vecchia oziosa e lenta
dormirà sempre, et non fia chi la svegli?
Le man l'avess'io avolto entro' capegli!
15 Non spero che già mai dal pigro sonno
mova la testa, per chiamar ch'uom faccia,
sì gravemente è oppressa et di tal soma;
ma non senza destino a le tue braccia,
che scuoter forte et sollevarla ponno,
20 è or commesso il nostro capo Roma.
pon man in quella venerabil chioma
securamente, et ne le trecce sparte,
sì che la neghittosa esca del fango.
i' che dì et notte del suo strazio piango,
25 di mia speranza ò in te la maggior parte:
che se 'l popol di Marte
devesse al proprio honore alzar mai gli occhi,
parmi pur ch'a' tuoi dì la gratia tocchi.
L'antiche mura, ch'anchor teme et ama,
30 et trema 'l mondo, quando si rimembra
del tempo andato e 'ndietro si rivolve;
e i sassi dove fur chiuse le membra
di ta' che non saranno senza fama,
se l'universo pria non si dissolve;
35 et tutto quel ch'una ruina involve,
per te spera saldar ogni suo vizio.
O grandi Scipïoni, o fedel Bruto,
quanto v'aggrada, s'egli è anchor venuto
romor là giù del ben locato officio!
40 Come cre' che Fabritio
si faccia lieto, udendo la novella!
Et dice: Roma mia sarà anchor bella.
Et se cosa di qua nel ciel si cura
l'anime che lassù son citadine,
45 et ànno i corpi abandonati in terra,
del lungo odio civil ti pregan fine,
per cui la gente ben non s'assecura,
onde 'l camin a' lor tecti si serra:

Metro: *canzone* di sette stanze, su schema ABC BAC (fronte): CDEEDdFF (sirma). Il congedo ha lo stesso schema della sirma.

1-3. Spirto... saggio: Anima gentile (nobile) che informi quelle membra dentro le quali dimora, nel suo pellegrinaggio terreno (la vita), un intelletto valoroso, prudente e saggio. L'intelletto è chiamato «signore» come potenza dominatrice dell'anima.

4-5. onorata verga: lo scettro d'avorio, insegna degli antichi senatori romani. **erranti**: i cittadini sviati di Roma. **correggi**: reggi, governi; ma nel verbo è implicita l'allusione al fatto che il destinatario della canzone distoglie i cittadini dalla loro presente decadenza morale, indirizzandoli su più nobile via.

6. antiquo vïaggio: il cammino dell'antica virtù, potenza e gloria di Roma.

11. Italia: La visione dolorosa della decadenza attuale di Roma si allarga a quella di tutta l'Italia, che giace immemore di sé e come inconsapevole della sua miseria.

14. Il verso riecheggia la *petrosa* di Dante *Così nel mio parlar.* Il poeta termina questa stanza, cominciata con tono austero e solenne, con un magnanimo impeto di sdegno. Vorrebbe avere afferrato l'Italia per i capelli per ridestarla dall'ignavia e dal torpore.

16. mova... faccia: scuota appena il capo, per quanto la si richiami (*uom* ha qui funzione di particella riflessiva, come il francese *on*).

17. di tal soma: d'un tal peso di vizi e disordini.

18-20. ma... Roma: ma non senza volere del destino (o meglio, della Provvidenza) è ora affidata (*commessa*) Roma, la nostra città capitale, alle tue braccia (al tuo governo) che la possono scuotere e risollevare dalla sua abiezione. Resurrezione di Roma significa, per il Petrarca, anche resurrezione dell'Italia.

21-22. venerabil: per le glorie antiche, anche se ora Roma giace neghittosamente nel *fango* della decadenza (v. 23). **securamente**: con risolutezza.

26-28. se... tocchi: se i Romani (*popolo di Marte* perché Romolo era figlio di questo dio) dovessero sollevare gli occhi agli esempi gloriosi dei loro antenati e tendere a riacquistare il proprio onore, ora perduto, questo potrebbe avvenire oggi che il destinatario della canzone guida degnamente la città.

30. trema: di cui ha ancora timore (il verbo è usato transitivamente).

30-31. quando... rivolve: È quasi un'endiadi: ma il rivolgersi indietro sembra sottolineare l'attualità del ricordo.

32-34. sassi: tombe. **chiuse**: sepolte. **ta'**: tali: allude ai grandi eroi di Roma antica, la cui fama durerà finché durerà il mondo.

35-36. et tutto... vizio: gli antichi monumenti, testimonianza d'un passato glorioso che ora non sono se non un'unica rovina, sperano per mezzo tuo di tornare a ergersi gloriosi come un tempo (*vizio* vale qui fenditura dei monumenti cadenti e sgretolati).

37-39. Bruto: il primo Bruto, fondatore, con Collatino, della Repubblica romana. **v'aggrada**: vi è grato. **romor**: fama. **là giù**: agl'Inferi. **del... officio**: della carica di senatore così felicemente e degnamente affidata.

40-42. cre': credo. **novella**: la cosa di recente accaduta (il *ben locato officio*). **bella**: grande e gloriosa.

44. l'anime... citadine: le anime dei santi, cittadine del Paradiso.

46-48. del lungo... serra: ti pregano di porre fine alle lotte civili che hanno straziato e ancora straziano Roma. Allude alle lotte feudali fra le famiglie potenti della città, a causa delle quali la gente non si sente più sicura, cosicché viene impedito (*si serra*) il cammino (il pio pellegrinaggio) alle chiese che sono dimora dei loro resti mortali (le chiama *tecti*, ossia case).

che fur già sì devoti, e ora in guerra
50 quasi spelunca di ladron son fatti,
tal ch'a' buon' solamente uscio si chiude,
et tra gli altari et tra le statue ignude
ogni impresa crudel par che se tratti.
Deh quanto diversi atti!
55 Né senza squille s'incommincia assalto,
che per Dio ringraciar fur poste in alto.
Le donne lagrimose, e 'l vulgo inerme
de la tenera etate, e i vecchi stanchi
ch'ànno sé in odio et la soverchia vita,
60 e i neri fraticelli e i bigi e i bianchi,
coll'altre schiere travagliate e 'nferme,
gridan: O signor nostro, aita, aita;
et la povera gente sbigottita
ti scopre le sue piaghe a mille a mille,
65 ch'Anibale, non ch'altri, farian pio.
Et se ben guardi a la magion di Dio,
ch'arde oggi tutta, assai poche faville
spegnendo, fien tranquille
le voglie che si mostran sì 'nfiammate:
70 onde fien l'opre tue nel ciel laudate.
Orsi, lupi, leoni, aquile, et serpi
ad una gran marmorea colonna
fanno noia sovente, et a sé danno.
Di costor piange quella gentil donna
75 che t'à chiamato a ciò che di lei sterpi
le male piante, che fiorir non sanno.
passato è già più che 'l millesimo anno
che 'n lei mancâr quell'anime leggiadre
che locata l'avean là dov'ell'era.
80 Ahi nova gente oltra misura altera,
irreverente a tanta et a tal madre!
Tu marito, tu padre;
ogni soccorso di tua man s'attende,
ché 'l maggior padre ad altr'opera intende.
85 Rade volte adiven ch'a l'alte imprese
fortuna ingiuriosa non contrasti,
ch'agli animosi fatti mal s'accorda.
Ora sgombrando 'l passo onde tu intrasti,
fàmisi perdonar molt'altre offese,
90 ch'almen qui da sé stessa si discorda:
però che, quanto 'l mondo si ricorda,
ad huom mortal non fu aperta la via
per farsi, come a te, di fama eterno,
che puoi drizzar, s'i' non falso discerno,
95 in stato la più nobil monarchia.
quanta gloria ti fia
dir: «Gli altri l'aitar giovine e forte;
questi in vecchiezza la scampò da morte».
Sopra 'l monte Tarpeio, canzon, vedrai
100 un cavalier, ch'Italia tutta honora,
pensoso più d'altrui che di se stesso.
Digli: Un che non ti vide ancor da presso
se non come per fama huom s'innamora,
dice che Roma ognora,
105 con gli occhi di dolor bagnati et molli
ti chier mercé da tutti sette i colli.

49-50. che... fatti: queste chiese furono un tempo adorate devotamente, e ora sono invece diventate spelonche dove s'annidano masnadieri e banditi.
52-53. Fra gli altari e le statue ignude (cioè spogliate d'ogni loro ornamento dai continui saccheggi), e cioè nelle chiese, si radunano i ribaldi delle varie fazioni a macchinare assalti contro le case dei loro nemici.
54-55. diversi: nefandi e snaturati. **squille**: il suono delle campane, che non vengono più usate per chiamare alla preghiera, ma per dare il segnale di attacchi sanguinosi.
57-60. vulgo... etate: la massa inerme dei fanciulli. **ch'ànno... vita**: sono ormai giunti a odiare se stessi e la loro vita che appare sempre di più di durata eccessiva, dato che non è se non un continuo scorrere di sventure e di prepotenze subite. **neri... bianchi**: benedettini, francescani, domenicani. Vittima delle atroci lotte feudali è la popolazione civile indifesa, preda delle soldatesche assoldate per le lotte fratricide.
62. Chiedono aiuto al nuovo senatore, affinché ristabilisca contro ogni violenza l'impero della legge, che è l'unica difesa dei deboli.
65. Ispirerebbero pietà anche al più feroce nemico di Roma, Annibale.
66-69. la magion di Dio: Roma, sede del pontefice, vicario di Cristo. **ch'arde... tutta**: che oggi arde, incendiata dalle lotte intestine. **assai... faville**: basterà spegnere (ridurre all'impotenza) poche faville portatrici d'incendio, ossia pochi faziosi. **voglie**: le accese cupidigie che provocano le violenze.
71-73. Orsi... danno: Orsini, due rami della famiglia dei conti di Tuscolo (*lupi e aquile*), Savelli (*leoni*), Caetani (*serpi*) arrecano spesso offesa, che sovente si risolve in loro danno, alla famiglia dei Colonna.
74-76. gentil donna: Roma. **sterpi**: estirpi. **che... sanno**: non sanno produrre fiori di opere nobili e virtuose, ma solo cieca violenza.
77. passato... anno: La decadenza di Roma ha avuto inizio da quando Costantino trasferì, oltre mille anni fa (nel 329 d.C.), la capitale dell'impero a Bisanzio.
79. «che l'avevano innalzata ai fastigi di gloria ai quali era giunta».
80. nova gente: le famiglie feudali salite in breve tempo dal nulla a tanta e così mal usata potenza. Ma si può anche intendere, con lo Zingarelli, che *nova gente* significhi gente venuta da fuori, con allusione all'origine forestiera dell'attuale nobiltà romana.
84. ché... intende: il padre maggiore, cioè il pontefice, intende ad altra impresa, cioè a pacificare i principi cristiani.
88-90. Ora... discorda: Ora, liberando dai contrasti e dalle difficoltà la via nella quale sei entrato, fa sì che io le perdoni molte altre offese; perché almeno in questa occasione ha operato diversamente da come suole (non contrasta, cioè, le imprese coraggiose e generose).
91. quanto: per quanto.
94-95. drizzar... in stato: risollevare alla sua dignità e potenza. **la... monarchia**: l'impero romano, che di diritto esisteva sempre, ma di fatto era abbattuto e andava quindi risollevato.
96-97. ti fia: ti sarà, sarà per te. **aitar**: aiutarono.
99. monte Tarpeio: il Campidoglio.
102-103. Un... innamora: Uno che non ti ha ancor visto mai di persona, eppure ti venera come avviene quando ci si innamora per fama.
106. ti chier mercé: invoca da te pietà e soccorso: **da... colli**: La precisazione geografica sta a indicare che tutta la città e tutti i cittadini invocano il liberatore.

8. Padre del ciel, dopo i perduti giorni (LXII)

È l'undicesimo anniversario dell'innamoramento, e il Petrarca si rivolge a Dio perché lo liberi dalla fiera passione col lume della sua grazia. Nel sonetto palpitano lo smarrimento e una profonda stanchezza spirituale. Osserva giustamente il Sapegno che le preghiere del Petrarca sono ad un tempo preghiera e confessione: che muovono «da un senso di stanchezza delle passioni mondane» ed esprimono lo sgomento «come di chi senta afferrarsi da un gorgo e tema di non sapere resistere alla forza che lo trascina». Osserviamo ancora lo sguardo lucido e intenso e soprattutto l'umiltà con la quale il Petrarca osserva la propria miseria; questa chiarezza d'introspezione è caratteristica di tutta la sua lirica.

Padre del ciel, dopo i perduti giorni,
dopo le notti vaneggiando spese,
con quel fero desio ch'al cor s'accese,
mirando gli atti per mio mal sí adorni,
5 piacciati omai col tuo lume ch'io torni
ad altra vita, et a più belle imprese,
sí ch'avendo le reti indarno tese,
il mio duro adversario se ne scorni.
Or volge, Signor mio, l'undecimo anno
10 ch'i' fui sommesso al dispietato giogo
che sopra i più soggetti è più feroce.
Miserere del mio non degno affanno;
redùci i pensier vaghi a miglior luogo,
ramenta lor come oggi fusti in croce.

Metro: *sonetto* (schema: ABBA, ABBA, CDE, CDE).

1. Padre del ciel: è un ricordo della più comune preghiera cristiana: «Padre nostro che sei nei cieli», che riaffiora sulla bocca del poeta. **perduti:** i giorni del colpevole amore sono perduti, secondo la considerazione cristiana della vita.
3-4. con è complemento di compagnia. Ha speso le lunghe notti in pensieri vani, in compagnia di quella implacabile passione (*fero desio*) che s'apprese come fiamma devastatrice al suo cuore, contemplando egli come estatico (*mirando*) gli atti di Laura così leggiadri per sua sventura (*per mio mal*), in quanto, proprio per la loro bellezza, suscitarono in lui il «fero desio».
5. piacciati omai: l'*ormai* denota quasi la impazienza della redenzione; il *piacciati* è sommessa, discreta preghiera di chi non si sente degno dell'aiuto divino. **col tuo lume**: con l'ausilio della tua grazia.
6. altra vita: diversa da questa vita peccaminosa. **più belle imprese**: opere più degne di un cristiano.
7-8. «cosicché il demonio (*il mio duro adversario*), avendo invano teso le sue reti per prendermi come sua preda, rimanga scornato».
10-11. Il giogo dell'amore è tanto più spietato quanto più uno si sottomette ad esso.
12-14. «miserere (cioè: abbi pietà), di questo mio travaglio, anche se indegno; riconduci (*redùci*) i pensieri erranti (*vaghi*) dietro seduzioni vane al cielo (*miglior luogo*); ricorda loro che in questo giorno si commemora il tuo sacrificio per la salvezza degli uomini».

9. Io son sí stanco sotto 'l fascio antico (LXXXI)

Altro sonetto di profonda e sincera ispirazione religiosa. Piacque al Carducci, che lo commentava così: «Quel sentimento così umano della religione, quel Cristo chiamato "grande amico", quella redenzione che continuando e permanendo si mescola divinamente ai dolori delle passioni terrene, e il lirismo più lacrimoso e anelante del Vecchio Testamento e del nuovo così puramente e serenamente ripreso, annunziano la fede vera e la poesia vera che ne emana».

Il sonetto è infatti intessuto, soprattutto alla fine, di frasi bibliche o dei Vangeli, o da essi, comunque, ispirate.

Io son sí stanco sotto 'l fascio antico
de le mie colpe et de l'usanza ria,
ch'i' temo forte di mancar tra via,
et di cader in man del mio nemico.
5 Ben venne a dilivrarmi un grande amico
per somma et ineffabil cortesia;
poi volò fuor de la veduta mia,
sí ch'a mirarlo indarno m'affatico.
Ma la sua voce ancor qua giú rimbomba:
10 «O voi che travagliate, ecco 'l camino;
venite a me, se 'l passo altri non serra».
Qual grazia, qual amore, o qual destino
mi darà penne in guisa di colomba,
ch'i' mi riposi, et levimi da terra?

Metro: *sonetto* (schema: ABBA, ABBA, CDE, DCE).

1-2. I commentatori ricordano un *Salmo* (XXXVII, 5): «Le mie iniquità hanno sopravvanzato il mio capo e come un peso greve gravarono su di me». Ma è, come si vede, spunto non immediato. Di nuovo c'è, nel verso petrarchesco, quel senso di stanchezza estrema (l'accento centrale del verso cade sull'aggettivo *stanco*, intensificandolo) e quell'aggettivo «antico», riferito al fascio delle sue colpe, che prolunga indefinitamente nel passato l'*usanza ria* (un peccato divenuto ormai abito, consuetudine) e rende più problematica la salvazione, più forte il terrore di non essere capace di risollevarsi (vv. 3-4), più umile il riconoscimento della misericordia di Dio.
3-4. Il poeta teme fortemente (*forte*) di morire prima di essersi pentito (*mancar tra via*) e di cadere in mano del demonio (*mio nemico*).
5. dilivrarmi: liberarmi. **un grande amico**: Cristo.
6. per... cortesia: per sua somma, ineffabile misericordia.
7-8. Cristo è volato fuori della vita del P., che invano cerca di ritrovarlo.
9. qua giù: in questo basso mondo; **rimbomba**: risuona potente nei Vangeli, e da essi il P. trae una speranza che non lo abbandona.
10. Riecheggia e rielabora un passo del Vangelo di Matteo (XI, 28): «O voi tutti che siete in travaglio e gravati, venite a me e io vi ristorerò».
12-14. L'ultima terzina amplia un passo dei *Salmi* (LIV, 6): «Chi mi darà ali come quelle di una colomba, e volerò e troverò pace?». La *grazia* cui il P. allude è la grazia di Dio, l'*amore* è l'amore vero del bene che spera di ritrovare in sé, il *destino* è la divina predestinazione. **mi riposi** indica la pace che si può trovare solo in Dio, abbandonati i desideri terreni che danno solo angoscia e miseria. **levimi da terra** allude al sollevarsi dell'anima e al suo stabile rimanere presso Dio.

10. Erano i capei d'oro a l'aura sparsi (XC)

È questo il vero sonetto dell'innamoramento, scritto molti anni dopo, quando, come appare da indicazioni vaghissime, la bellezza di Laura era, col passare del tempo, sfiorita. Ma la memoria ridona al poeta la donna di allora, e, insieme, l'estasi con cui la contemplò come una bellezza intangibile dal tempo, dalla morte, dal fatale declino d'ogni cosa umana. Questa immagine non consente che si risani la sua ferita d'amore.

Erano i capei d'oro a l'aura sparsi,
che 'n mille dolci nodi gli avolgea,
e 'l vago lume oltra misura ardea
di quei begli occhi, ch'or ne son sí scarsi;
5 e 'l viso di pietosi color farsi,
non so se vero o falso, mi parea:
i' che l'ésca amorosa al petto avea,
qual meraviglia se di sùbito arsi?
Non era l'andar suo cosa mortale,
10 ma d'angelica forma; e le parole
sonavan altro che pur voce humana.
Uno spirto celeste, un vivo sole
fu quel ch'i' vidi: et se non fosse or tale,
piagha per allentar d'arco non sana.

Metro: *sonetto* (schema: ABBA, ABBA, CDE, DCE).

1. a l'aura: all'aria. L'espressione coinvolge, in quella chioma, il cielo, il vento, l'animato spazio della natura; e, nel contempo, evoca, con un «bisticcio» spesso ricorrente nel *Canzoniere*, il nome amato.
3-4. vago: l'aggettivo indica bellezza, grazia, ma anche l'indefinito del desiderio. **di... scarsi**: forse, come pensano alcuni, per una malattia; più probabilmente, perché la bellezza di Laura ha già iniziato il proprio declino. Nell'un caso e nell'altro si insinua qui un patetico senso della fragilità umana.
5-6. e... mi parea: e mi sembrava, non so se questa fosse realtà o illusione, che il suo viso si rivestisse di un colore di pietà. Stando al primo sonetto dell'innamoramento, sul viso di L. doveva riflettersi la sua partecipazione alla commemorazione della morte di Cristo; ma per il P., allora come ora, quei sentimenti pietosi sono visti (o sognati) come promessa d'amore (di pietà per lui).
7-8. i'... arsi: io, che avevo un'indole disposta ad amare, qual meraviglia se arsi immediatamente d'amore per lei? L'*esca* è la materia infiammabile sulla quale era scoccata la scintilla dell'acciarino per accendere il fuoco.
9-10. Non era... forma: Il suo incedere non era manifestazione d'una creatura mortale, ma di un'essenza angelica. Così si può «tradurre» approssimativamente. Ricorda il sonetto di Dante *Tanto gentile*, dove si dice di Beatrice: «e par che sia una cosa venuta / di cielo in terra a miracol mostrare». *Cosa* vale «un essere in quanto causa di sensazioni e impressioni» (Contini), e viene, appunto, dal latino *causa*.
11. sonavan... humana: avevano un suono diverso da quello d'una semplice voce umana. Ma *sonavan* può ben qui alludere sia al suono sia al senso; e il neutro *altro* allude all'indefinita suggestione di quella voce.
12. un vivo sole: un sole fatto persona.
13-14. et... sana: e se anche ora non fosse più quel che era allora, non può risanarsi la mia ferita d'amore, così come la piaga inferta da una freccia non guarisce per il fatto che la corda dell'arco sia allentata, cioè non saetti più.

ESERCIZIO DI ANALISI

«Erano i capei d'oro...»

L'importanza del sonetto, uno dei testi esemplari del *Canzoniere*, rende opportuna un'analisi puntuale. Ci si limiterà qui a indicare alcune direzioni di ricerca.

1. La struttura delle immagini. Laura viene definita attraverso immagini emblematiche di luce. Dai *capei d'oro* (v. 1), sparsi intorno e mossi dalla brezza leggera (un'indefinita *aura*, di fatto, che allude a una pura idea di spazialità, di presenza diffusa della natura che abbraccia Laura e in lei si conclude), al *vago lume* degli occhi ardenti *oltra misura* (v. 3), ai *color* del viso, ansiosamente spiati come segno di pietà (v. 5), che per questo suscitano l'improvvisa vampa d'amore (v. 8), al *vivo sole*, in cui culmina la «gloria» luminosa di Laura, si delinea un'idea della bellezza come splendore e perfezione dell'essere, secondo un tema di fondo dell'estetica medievale. Queste immagini hanno una loro sintassi coerente. All'inizio e alla fine il fulgore immoto dell'*oro* e del *sole* concludono, come in un circolo, un movimento: il tremito della chioma nel vento, dello sguardo *vago*, del cangiante pallore, della fiamma che s'accende: tutte metafore e forme della fascinazione amorosa.

Su questa trama s'inserisce il tema dello *spirto celeste* (v. 12), in cui culmina la memoria stilnovistica (soprattutto del Dante di *Tanto gentile*) dei vv. 9-11. P. riprende la metafora della donna angelicata, spogliandola però della tensione etico-religiosa di Dante, pur rinunciando a ogni concreta suggestione figurativa: non un angelo, ma un'*angelica forma*; non una persona che cammina, ma un incedere (l'*andar suo*), un movimento privato d'ogni peso di materialità; non il suono d'una voce, ma parole che suonano *altro*. In tutti e tre i casi, immagini che, in certo modo, negano se stesse: alludono a una dismisura (di bellezza, perfezione) che la parola umana non può effigiare, chiudere, cioè, in una forma concreta e delimitata.

2. L'organizzazione sintattica. Queste immagini si organizzano in un discorso la cui struttura sintattica è anch'essa parte importante del processo di significazione. Ci limitiamo a osservare:

a) Nei vv. 1-6 si ha un affiorare progressivo dei singoli momenti della contemplazione (capelli, occhi, viso); il nesso prescelto è la semplice coordinazione, l'aggregarsi immediato delle immagini memoriali, che culmina poi nel *crescendo* affettivo dell'asserita fatalità dell'innamoramento (vv. 7-8).

b) Nei vv. 7-8, l'io (*i'*) che emerge dal precedente oblio contemplativo attualizza dinamicamente la vicenda amorosa. Lo schema si ripete nei vv. 8-14.

c) I vv. 9-11 intensificano la tonalità evocativa dei vv. 1-6 su un piano affettivo di esaltazione entusiastica; i vv. 12-13 (fino a *vidi*) propongono una nuova emergenza dell'io che riafferma l'ineludibilità dell'amore.

3. Grammatica e poesia. Ogni aspetto del linguaggio, anche le più consuete categorie grammaticali, riceve, in questo, come in ogni testo letterario, una nuova capacità connotativa. Ne diamo un esempio.

Il sonetto è costruito su una duplice e concomitante dimensione temporale: un *allora* e un *ora* il cui intreccio è scandito dai tempi dei verbi. V'è, in primo luogo, un passato espresso da imperfetti (*Erano... sonavano*) e da due passati remoti (*arsi, vidi*). L'imperfetto allontana l'evento dai confini temporali definiti, disponendolo in tal modo alla possibilità d'un continuo riproporsi; è il tempo della memoria riattualizzante, un tempo mitico, come mito è qui la bellezza di Laura. Il passato remoto localizza, invece, nel tempo un'azione precisa: il *vedere* e l'*ardere* come elementi costitutivi della storia d'amore.

Il presente è, invece, il tempo del dubbio, del potenziale disinganno (*ch'or ne son sì scarsi; non so se vero o falso; se non fosse or tale*); ma anche della scelta definitiva, che culmina, al v. 14, nel presente atemporale della massima che afferma l'accettazione, per sempre, della «servitù» amorosa.

4. La struttura dei significati. Partendo dai dati accennati finora, si può tentare una definizione più concreta del messaggio del sonetto. Anche qui ci soffermiamo su alcuni punti.

a) La bellezza di Laura non è descritta realisticamente, ma ridotta ad alcuni emblemi: capelli, occhi, viso. Gli ultimi due sono connessi alla tradizione cortese; il primo è tipicamente petrarchesco: la chioma bionda nell'aria segna un intimo contatto donna-natura.

b) La bellezza di Laura non è colta in sé, ma nel suo riflettersi, per non dire nel suo costituirsi, nell'animo del P. come gioia e rapimento, entusiasmo e tremore; come rivelazione conclusiva della bellezza del mondo.

c) Le metafore stilnovistiche, o meglio, dantesche, del sonetto restano metafore che alludono a uno struggimento o a un'esorbitanza sentimentale o all'incanto che la bellezza percepita dalla mente suscita. Laura non è, come Beatrice, una creatura che svolge nel mondo una missione salvifica. *Cosa* non mortale è il suo incedere, ma anche questa immagine ci riconduce al suo fascino di donna. Al più, in altre liriche, P., col gioco di parole *Laura-lauro*, allude a lei come fonte del *dire* poetico, riprendendo l'identificazione di amore e poesia, propria della tradizione trobadorica.

d) Il *tempo* del sonetto è misurato, agostinianamente, sull'interiorità, che è, prima di tutto, memoria: uno spaziarsi e ritrovarsi dell'io in una propria storia. Ma per S. Agostino il presente è un percepirsi attuale fra memoria (o coscienza della propria continuità, del proprio passato) e tensione verso il futuro; in questo sonetto, invece, al posto del futuro c'è il presente senza mutamento della massima finale, il perenne riattualizzarsi di ciò che è trascorso, forse finito (la bellezza «angelica» di allora) e pur continua paradossalmente a essere, come un mito riscaldato dal cuore; manca il tempo dell'edificazione, della speranza. E allora lo spazio della memoria e del sogno diventa uno spazio d'illusione, scelto, tuttavia, dal poeta come reale: alla vita che cambia o declina il P. oppone il fantasticare, il proiettare all'infinito, come in un gioco di specchi, le immagini del desiderio.

Questa scelta, ben consapevole, ispira l'abbandono alle immaginazioni, ad es., delle canzoni *Chiare, fresche et dolci acque* e *Di pensiero in pensier, di monte in monte*, nella seconda delle quali il P. riconosce che «del suo proprio error l'alma s'appaga». Nasce di qui il rimorso del *vaneggiare*, cioè del costruire la propria vita su vane immagini di sogno, che s'è già visto nel primo sonetto e che rimane uno dei temi centrali del *Canzoniere*, ma anche la volontà di esplorare fino in fondo gli oscuri meandri del proprio animo.

11. Chiare, fresche et dolci acque (CXXVI)

La canzone — una delle più importanti e celebrate del *Canzoniere* — va collegata con l'altra, *Di pensiero in pensier* (cfr. più avanti), a essa vicina nel libro. Si può dire che insieme definiscano nella forma più completa il grande tema del sogno o spazio d'illusione creato dalla poesia come compenso alla delusione esistenziale dell'amore negato, e lo assumano, anzi, come vita intima e più vera della coscienza. Continua cioè, ma in una forma tipicamente petrarchesca, l'ideale della lirica «cortese»: l'identificazione dell'amore col «dire d'amore» e della poesia come forma d'amore perfetto, sottratto alla contingenza e visto come pura idealità e creazione dell'animo. È un «mito» destinato ad ampia fortuna: verrà ripreso nel Cinquecento, che unirà le tematiche mutuate dal Petrarca col tema dell'«amor platonico».

Per una considerazione più specifica di questa canzone, rinviamo all'esercizio di analisi che la segue.

Chiare, fresche et dolci acque,
ove le belle membra
pose colei che sola a me par donna,
gentil ramo, ove piacque

Metro: *canzone* di cinque strofe di tredici versi ciascuna, divise in un *fronte* di due *piedi* (abC abC) e *sirma* su schema cdeeDfF. Congedo di tre versi (DfF).

1. Chiare, fresche et dolci acque: è un vocativo, come *ramo, erbe, fior, aer*; il verbo (*date udienza*) è al v. 12. Il P. chiama a testimoni delle sue «parole estreme» i luoghi, le cose da tanto tempo confidenti della sua pena e del suo lungo sognare, ancor pieni della presenza di Laura. Per questo le acque del Sorga sono non solo limpide (*chiare*) e *fresche*, ma anche *dolci*, dopo che Laura ha bagnato nel fiume le *belle membra*, *gentile* il ramo ove le piacque appoggiare il *bel fianco* e farsene sostegno (*colonna*), *sereno*, cioè limpido e serenatore, reso tale dagli occhi di lei, il cielo (*aer*), e *sacro*, consacrato dalla sua divina presenza. Così la memoria trasfigura i luoghi. Più che guardarli il P. li evoca con un sospiro di nostalgia (*con sospir mi rimembra*, cioè me ne ricordo sospirando). Lo stesso si può dire dei fatti, sfumati, indefiniti. Laura scese nelle chiare onde del fiume, poi si sedette fra l'erba e i fiori, appoggiando a un ramo la bella persona. Ma il P. non racconta questo, bensì esprime la gioia che provò dinanzi a quella bellezza.

3. che sola a me par donna: non v'è altra donna se non lei, per il P.

5 (con sospir mi rimembra)
a lei di fare al bel fiancho colonna,
herba et fior, che la gonna
leggiadra ricoverse
co l'angelico seno;
10 aere sacro, sereno,
ove Amor co' begli occhi il cor m'aperse:
date udienzia insieme
a le dolenti mie parole estreme.
S'egli è pur mio destino
15 e 'l cielo in ciò s'adopra
ch'Amor quest'occhi lagrimando chiuda,
qualche grazia il meschino
corpo fra voi ricopra,
e torni l'alma al proprio albergo ignuda.
20 La morte fia men cruda
se questa spene porto
a quel dubbioso passo:
ché lo spirito lasso
non poria mai in più riposato porto
25 né in piú tranquilla fossa
fuggir la carne travagliata et l'ossa.
Tempo verrà anchor forse
ch'a l'usato soggiorno
torni la fera bella et mansüeta,
30 e là 'v'ella mi scòrse
nel benedetto giorno,
volga la vista disiosa e lieta,
cercandomi; et, o pieta!,
già terra in fra le pietre
35 vedendo, Amor l'inspiri
in guisa che sospiri
sí dolcemente che mercé m'impetre,
et faccia forza al cielo,
asciugandosi gli occhi col bel velo.
40 Da' be' rami scendea
(dolce ne la memoria)
una pioggia di fior' sovra 'l suo grembo:
et ella si sedea
humile in tanta gloria,
45 coverta già de l'amoroso nembo.
Qual fior cadea sul lembo,
qual su le treccie bionde,
ch'oro forbito e perle
eran quel dí a vederle;
50 qual si posava in terra, e qual su l'onde;
qual con un vago errore
girando parea dir: — Qui regna Amore. —
Quante volte diss'io
allor pien di spavento:

9. Il Carducci interpreta *angelico seno* come «lembo, piega della veste candida»; il Sapegno dà, invece, a *seno* il significato proprio. Laura, dunque, adagiatasi fra l'erba, ricoprì erba e fiori con la veste leggiadra e col suo seno angelico. In ogni caso è difficile interpretare quell'*angelico* alla lettera: la parola è una pura vibrazione sentimentale: esprime lo smarrimento davanti a una bellezza che pare venire da un mondo diverso.
11. ove Amor, ecc.: ove Amore, mediante la vista dei begli occhi di Laura, mi aprì il cuore a sentimenti d'amore.
12-13. date udienzia... estreme: Vuole che ascoltino le sue ultime parole, piene di dolore. C'è già il presentimento di morte che viene espresso nella strofa successiva.
14-26. Amore certo lo farà morire di dolore, e ormai egli è rassegnato; ma vorrebbe che almeno il suo corpo fosse sepolto in quei luoghi cari.
15. e 'l cielo, ecc.: e il destino sembra volere proprio questo.
17-18. qualche grazia, ecc.: una qualche benigna sorte faccia sì che il mio corpo sia sepolto (*ricopra* = seppellisca) qui fra voi.
19. e torni l'alma, ecc.: e l'anima ritorni al cielo donde è discesa (*albergo* qui significa dimora) per incarnarsi, *ignuda*, priva cioè del corpo.
20. La morte sarà meno dura, se il P. potrà affrontare con questa speranza il trapasso, che è sempre *dubbioso* cioè pauroso, perché ignoriamo qual sorte ci riserberà il giudizio divino.
23-26. Meno cruda la morte: infatti lo spirito stanco (*lasso*) non potrebbe fuggire dal suo corpo travagliato dalla passione, lasciandolo in un porto più riposato, in un sepolcro più tranquillo che questi luoghi.
27-40. Al presagio di morte, subentra un nuovo fantasticare: la figura di Laura pietosa che piange sulla sua tomba. Osserva il De Sanctis: «Messosi vivo nella fossa per darsi il piacere di contemplare Laura, pietosa e lacrimante per lui, la vista della bella supplichevole nell'attitudine pittorica d'asciugarsi le lacrime col velo, 'col bel velo', può tanto sul rapito amante, che dimentica d'esser morto e sepolto, gitta via ogni pensiero funebre; e cosa resta di tutta la visione? resta Laura, la bella Laura».
27. Tempo verrà anchor forse: un tempo tutto indeterminato.
28-29. «che Laura, *fera*, cioè crudele verso il P., ma bella e *mansueta*, cioè dolce e mite in sé, ritorni in codesto luogo dove un tempo usò soggiornare».
30-33. «E volga la vista, desiderosa e lieta per vedermi, verso quel luogo ove mi vide in quel giorno benedetto in cui potei contemplarla; e mi cerchi».
33-39. o pieta... velo: e, ahimè, vedendomi già dissolto, divenuto polvere (*terra*) fra le pietre del sepolcro, Amore le ispirerà un sentimento di pietà per me, così dolce, da ottenermi la misericordia di Dio. Con la pietà che ispirano le sue lacrime Laura vincerà, cioè, il rigore della divina giustizia (*faccia forza al cielo*).
40-65. Si svolge ora per due strofe la trasfigurazione di Laura, unita all'estasi contemplativa del P. Svanito è ogni pensiero di morte e di tormento; la gioia del sogno d'amore si espande libera, superiore alla morte.
40. Da' be' rami scendea: Quando? logicamente nel giorno in cui la vide in quei luoghi, ma l'imperfetto riconduce a un luogo e a un tempo irreali, indefiniti. Laura è rivista in un tripudio di fiori, in una natura primaverile che sembra non conoscere inverno; è la sintesi di tutta la bellezza del mondo.
44. humile in tanta gloria: ritorna l'aggettivo *umile*, così frequente, abbiamo visto, nella lirica stilnovistica, e denota dolcezza, mitezza soave del cuore. Il cadere dei fiori diviene per il P. un omaggio, una glorificazione della sua donna da parte della natura, una nube (*nembo*) *amorosa*, che esprime quasi l'amore che la natura stessa prova per Laura.
46-52. Cadeva la pioggia di fiori sul lembo della gonna, sulle trecce bionde che, quel giorno, sembravano oro lucente (*forbito*) e perle, sulla terra, sull'onde del fiume; altri fiori, vagando senza meta per l'aria (*con un vago errore*), diffondevano intorno l'atmosfera di un trionfo dell'amore.
54. pien di spavento: è stupore e ammirazione, ma anche un senso di sgomento di fronte a quell'apparizione quasi sovrumana.

55 Costei per fermo nacque in paradiso.
Così carco d'oblio
il divin portamento,
e 'l volto, e le parole, e 'l dolce riso,
m'aveano, et sí diviso
60 da l'imagine vera,
ch'i' dicea sospirando:
Qui come venn'io, o quando?;
credendo esser in ciel, non là dov'era.
Da indi in qua mi piace
65 questa herba sí, ch'altrove non ò pace.
Se tu avessi ornamenti quant'ài voglia,
potresti arditamente
uscir del boscho, et gir in fra la gente.

55-63. Continua il tema dello «spavento». Certo, si dice il P., costei è nata in paradiso! A tal punto la bellezza di lei lo ha caricato d'oblio e diviso dalla realtà (*da l'imagine vera*), che egli si chiede sospirando: «Come, quando sono venuto qui?», cioè nel paradiso celeste, dove crede di trovarsi, di fronte a cosa tanto bella.
64-65. Da allora mi piace tanto quest'erba (questi luoghi) che altrove non so trovare pace.
66-68. Brevissimo, appena sussurrato il *commiato*. Se tu, mia canzone, fossi così adorna come vorresti (per poter esprimere adeguatamente la bellezza di Laura) potresti avere il coraggio di uscire da questi boschi e presentarti agli uomini.

ESERCIZIO DI ANALISI

«Chiare, fresche et dolci acque»

La canzone sviluppa il tema della contemplazione di Laura, creatura reale e, insieme, sintesi della bellezza del mondo, già apparso in *Erano i capei d'oro*. In entrambe le liriche il P. parte da un giorno — là quello dell'innamoramento, qui un «benedetto giorno» sulle rive del fiume Sorga, a Valchiusa — in cui visse la bellezza di lei come una rivelazione totale. Ma se nel sonetto questa esperienza è rievocata come giustificazione dell'ineluttabilità dell'amore, qui essa si articola in un ampio movimento fantastico che prolunga indefinitamente la fascinazione amorosa e giunge a contrapporla alla realtà come essenza vera della vita. Non sarà pertanto inutile, visto che qui il poeta propone, di fatto, una nuova idea del reale, definire le coordinate spazio-temporali del testo, confrontandole con quelle del sonetto.

Manca qui il tema del tempo che passa, evocato pateticamente nel v. 3 e nell'ultima terzina del sonetto: l'*allora* e l'*ora* tendono a identificarsi in modo ancor più radicale. Questo comporta un tentativo di distruzione del tempo: il passato coincide col suo riattualizzarsi nella memoria vissuta, il futuro (che qui compare — vv. 28-39 —, a differenza di quanto avveniva nel sonetto) è risolto nell'attualità del perpetuo fantasticare, che diviene il ritmo dell'azione rappresentata, come lo è della vita della coscienza. Su questa nuova e tutta interiorizzata dimensione del reale che la lirica configura si costruisce, cioè, la sua cadenza narrativa, organizzata sulle libere occasioni e associazioni della memoria e del sogno. P. rivive il «benedetto giorno», suscitato nella sua piena attualità dal paesaggio che ne fu con lui compartecipe e che egli chiama ora a una nuova compartecipazione (stanza 1); sogna di morire d'amore e di essere sepolto lì (stanza 2); sogna che Laura ritorni un giorno e vedendo la sua tomba provi finalmente pietà per lui (stanza 3); entusiasmato da questa fantasia, ritrova tutto l'incanto di quel giorno (stanza 4); definisce la sua contemplazione d'allora come un'estasi, che perdura per sempre (stanza 5 e congedo). È l'«errore» denunciato fin dal primo sonetto: il vagare senza mèta in un moltiplicarsi all'infinito delle immagini del desiderio è la storia non lineare ma ciclica che il *Canzoniere* configura.

Un nuovo elemento compare nella canzone, lo spazio, appena suggerito nel sonetto dall'*aura* che accoglieva i *capei d'oro* di Laura e dal suo divino incedere in una dimensione locale indefinita. È uno spazio di acque chiare, fresche e dolci, di rami gentili, di erbe e fiori, animati, come dicono gli aggettivi, dalla perdurante dolcezza dell'ideale presenza di lei: un «usato soggiorno» dove la fisicità di Laura trascolora nell'incanto della natura.

Ma come il tempo, anche lo spazio diviene illusorio; si interiorizza, come scenario del desiderio. Più che un'immagine di Valchiusa, si ha qui un vario atteggiarsi e dislocarsi, fra acque, rami e fiori, della memoria e del sogno.

Si giunge così alla stanza 4, quella del trionfo di Laura. Un forte stacco sintattico che interrompe la narrazione sentimentale, un imperfetto che annuncia la dissolvenza del tempo, e quindi un aliare di fiori su Laura, trasfigurata in emblema della bellezza del mondo, d'una gioia che non conosce tramonto. Il movimento dei fiori è un «vago errore»; in sostanza, un moto circolare d'incantesimo, che dissolve lo spazio in una pura misura di «gloria», ossia di pienezza radiosa della vita che la bellezza sembra suggerire.

Che si tratti di un'estasi d'amore lo dice il poeta stesso nella stanza che segue: è «carco d'oblio», «diviso da l'imagine vera» (cioè dalla realtà: dalla stessa realtà di Laura), crede di essere in cielo. Ancora una volta i modi dell'esperienza mistica diventano le metafore secolarizzate d'una dismisura sentimentale. Nasce il mito di Laura (bellezza, amore, poesia), come risposta, fragile e invitta, alla caducità, al perdersi fatale d'ogni cosa umana: vivo, nella poesia del *Canzoniere*, proprio nel fluttuare alterno fra verità e illusione.

12. Italia mia, ben che 'l parlar sia indarno (CXXVIII)

È la canzone politica più celebre del Petrarca. Egli si rivolge ai Signori italiani esortandoli a cessare le lotte fratricide per condurre le quali si servono di barbare milizie tedesche che, oltre ad essere infide, devastano irreparabilmente l'Italia.

La maggior parte dei critici ritiene che la canzone sia stata composta fra il 1344 e il 1345, mentre la città di Parma, nella quale si trovava il Petrarca, era disputata fra Obizzo d'Este e Filippino Gonzaga, ciascuno dei quali era alleato con altri Signori e aveva assoldato, per condurre la guerra, bande di mercenari bavaresi. Altri critici propongono altre datazioni.

Dominano il canto l'amore per la patria, la profonda pietà per le sue sventure, un desiderio di pace che trapassa, alla fine, in un'alta meditazione religiosa. A questi sentimenti si aggiunge un senso altissimo della dignità nazionale; l'Italia è, per il Petrarca, la regina delle nazioni, figlia ed erede di Roma, continuatrice della sua civiltà.

Il tono della canzone è quello di un'esortazione austera, riscaldata da un affetto sincero. Un critico, A. Momigliano, ha osservato che in essa si ritrovano i sentimenti dominanti del Petrarca: «la molle e tenera vena di affetto; la malinconia che colora di sé tutta la storia del suo amore; e quel pensiero della vanità e fugacità terrena» sempre presenti nel *Canzoniere*. Alla tematica profonda di esso ci riconduce anche il finale, allorché il tumulto degli affetti si placa nella considerazione religiosa dell'eterno e in un accorato desiderio di pace.

Italia mia, ben che 'l parlar sia indarno
a le piaghe mortali
che nel bel corpo tuo sì spesse veggio,
piacemi almeno che' miei sospir' sian quali
5 spera 'l Tevero et l'Arno,
e 'l Po, dove doglioso e grave or seggio.
Rettor del cielo, io cheggio
che la pietà che ti condusse in terra
ti volga al tuo diletto almo paese.
10 Vedi, segnor cortese,
di che lievi cagion che crudel guerra;
e i cor, che 'ndura et serra
Marte superbo et fero,
apri tu, padre, e 'ntenerisci et snoda;
15 ivi fa che 'l tuo vero,
qual io mi sia, per la mia lingua s'oda.

Voi, cui Fortuna ha posto in mano il freno
de le belle contrade,
di che nulla pietà par che vi stringa,
20 che fan qui tante pellegrine spade?
perché 'l verde terreno
del barbarico sangue si depinga?
Vano error vi lusinga;
poco vedete, et parvi veder molto,
25 ché 'n cor venale amor cercate o fede.
Qual più gente possede
colui è più da' suoi nemici avolto.
O diluvio raccolto
di che deserti strani
30 per inondar i nostri dolci campi!
Se da le proprie mani
questo n'avène, or chi fia che ne scampi?

Ben provide Natura al nostro stato,
quando de l'Alpi schermo
35 pose fra noi et la tedesca rabbia;
ma 'l desir cieco, e 'ncontra 'l suo ben fermo,
s'è poi tanto ingegnato,
ch'al corpo sano ha procurato scabbia.

Metro: *canzone* di sette strofe di endecasillabi e settenari, più un *congedo* di dieci versi. Schema delle strofe: AbC, BaC, (*fronte*) cDEeDdfGfG (*sirma*); il congedo è uguale alla sirma.

1-6. «Italia mia, sebbene il mio parlare sia vano rispetto alle piaghe mortali che vedo così fitte nel tuo bel corpo (poco, cioè, valgono le parole di fronte a così grande sventura), desidero almeno che i miei sospiri siano tali quali tu li speri». Tevere, Arno, Po indicano il Lazio, la Toscana e l'Italia settentrionale, dove il P. si trovava (**or seggio**) e meditava, pensoso e addolorato (**doglioso e grave**) sulle sventure della sua terra.
Avverti già in questi primi versi, quell'affetto mesto che costituisce il fascino della canzone. Lo senti in quel *mia*, nell'ammirazione pietosa di quel *bel corpo* lacero e ferito (la patria diviene quasi una creatura umana) e, infine, in quell'immagine appartata e pensosa del P.
7-9. «O Dio, reggitore del cielo, io ti chiedo (**cheggio**) che la misericordia, che ti fece scendere in terra per redimere gli uomini, ti faccia ora rivolgere lo sguardo all'Italia, il paese sacro e prediletto da Te». La predilezione divina per l'Italia è attestata, secondo il P., dal fatto che in essa Dio pose la sede della Chiesa e dell'Impero, Roma.
10-16. «Tu vedi, o Signore misericordioso, che crudele guerra è nata da così futili pretesti (**lievi cagion**); apri Tu, Padre, a sentimenti di umanità i cuori che ora la guerra (**Marte**), che rende superbi e feroci, indurisce e chiude a ogni voce di pietà, inteneriscili, scioglili (**snoda**) dai legami degli odi e delle passioni; fa che essi possano ascoltare la voce della tua verità attraverso le mie parole, per quanto umile e indegna persona io sia».
17. Fortuna: La fortuna, non la virtù ha dato ai Signori il governo (**freno**) di quelle terre verso le quali non mostrano alcun affetto o pietà.
20. pellegrine spade: sono i mercenari tedeschi e bavaresi, assoldati dai Signori per combattere le guerre fratricide.
21-25. Credete davvero che quei mercenari vogliano spargere il loro sangue per voi? Vano errore è questa vostra lusinghevole speranza, perché voi cercate amore e fedeltà (**fede**) nel cuore di gente venale, che solo per avidità di lucro vi serve, o finge di servirvi.
26. gente: gente d'armi, soldati.
27. I mercenari sono, in pratica, nemici.
28-30. Queste milizie sono come un diluvio devastatore, raccolto in paesi selvaggi (**deserti**) e orridi (**strani**), per inondare, sommergere le nostre terre amate.
31-32. «Se con le nostre stesse mani ci procuriamo la nostra rovina, chi vorrà salvarci?».
34. de l'Alpi... pose: pose le Alpi come difesa.
35. la tedesca rabbia: è espressione tradizionale e si ritrova in poeti e cronisti medioevali; palpita in essa l'orgoglio nazionale che contrappone la grande civiltà romana, di cui gli Italiani, e il P. in particolare, ancora si sentivano eredi, alla barbarie delle popolazioni germaniche.
36-38. «Il cieco desiderio, cioè le più basse passioni, la cupidigia di dominio, **ben**

Or dentro ad una gabbia
40 fiere selvagge et mansuete gregge
s'annidan sí che sempre il miglior geme:
et è questo del seme,
per più dolor, del popol senza legge,
al qual, come si legge,
45 Mario aperse sí 'l fianco,
che memoria de l'opra ancho non langue,
quando, assetato et stanco,
non piú bevve del fiume acqua che sangue.
Cesare taccio che per ogni piaggia
50 fece l'erbe sanguigne
di loro véne, ove 'l nostro ferro mise.
Or par, non so per che stelle maligne,
che 'l cielo in odio n'aggia:
vostra mercé, cui tanto si commise.
55 Vostre voglie divise
guastan del mondo la più bella parte.
Qual colpa, qual giudicio, o qual destino
fastidire il vicino
povero, et le fortune afflicte et sparte
60 perseguire, e 'n disparte
cercar gente, et gradire,
che sparga 'l sangue et venda l'alma a prezzo?
Io parlo per ver dire,
non per odio d'altrui né per disprezzo.
65 Né v'accorgete anchor per tante prove
del bavarico inganno
ch'alzando il dito, colla morte scherza?
Peggio è lo strazio, al mio parer, che 'l danno:
ma 'l vostro sangue piove
70 piú largamente, ch'altr'ira vi sferza.
Da la matina a terza
di voi pensate, et vederete come
tien caro altrui chi tien sé così vile.
Latin sangue gentile,
75 sgombra da te queste dannose some;
non far idolo un nome
vano senza soggetto,
ché 'l furor de lassú, gente ritrosa,
vincerne d'intelletto,
80 peccato è nostro, et non natural cosa.
Non è questo 'l terren ch'i' tocchai pria?
Non è questo il mio nido
ove nudrito fui sí dolcemente?
Non è questa la patria in ch'io mi fido,
85 madre benigna et pia,
che copre l'un et l'altro mio parente?
Per Dio, questo la mente

fermo, cioè ostinato contro il suo stesso bene, si è poi tanto adoperato che ha procurato una turpe malattia (**scabbia**) al corpo sano dell'Italia».

39-41. «In una stessa gabbia (in uno stesso paese) si trovano ora fiere selvagge (i mercenari tedeschi) e greggi mansuete (le civili popolazioni italiane) ed è forza che i migliori, gli Italiani, siano straziati».

42-48. «E quello che aumenta il nostro dolore (**per più dolor**) è il fatto che tale strazio ci viene inferto da quel popolo selvaggio (**senza legge**) al quale, come si legge nelle storie, Caio Mario diede sì mortale ferita che ancora è viva la memoria della grande impresa. Fu tale la strage, che quando, dopo la battaglia, i Romani stanchi e assetati si recarono per bere al fiume vicino, vi trovarono più sangue di barbari che acqua». Allude alla vittoria riportata da C. Mario ad Acque Sestie, in Provenza, sui Teutoni, popolazione germanica che si apprestava a invadere l'Italia, nel 102 a. C.

49. Cesare taccio: Non parlo, poi, di Cesare, che li batté sempre sanguinosamente. (*Cesare taccio* è figura retorica detta *preterizione*). Osserva nei vv. 50-51 (e ricorda il 22) come la fantasia indugi su quell'immagine di sangue; si avverte il disprezzo del P. verso i barbari. Al v. 51, le armi romane sono dette il «*nostro ferro*», come a sottolineare la piena continuità fra la Roma antica e l'Italia del tempo. Anche Dante sentiva una continuità, ma in modo diverso: egli accettava il Sacro Romano Impero di nazionalità germanica come la continuazione di quello Romano; anche se poi riserbava a Roma e all'Italia («giardino dell'Impero») una particolare dignità ideale. Per il P., invece, la grande civiltà di Roma è viva soltanto nell'Italia, è tradizione tutta e solo sua. E non tanto esalta la funzione provvidenziale dell'Impero Romano, quanto la sua gloria e grandezza, anche se la sua esaltazione di Roma è continuamente (anche in questa canzone, più avanti) temperata dal senso della labilità d'ogni cosa terrena.

52-54. Dinanzi alle gravi sventure d'Italia, per un istante il P. sembra credere che siano causate da un cattivo influsso astrale (**non so per che stelle maligne**), secondo l'opinione degli astrologi (**n'aggia** = *ci abbia*). Ma subito riprende la sua nobile rampogna: la colpa delle sventure d'Italia è tutta dei Principi ai quali fu affidato un compito così alto (**cui tanto si commise**) quale il governo dell'Italia.

55-56. «Le vostre discordi ambizioni (**voglie divise**) guastano la più bella parte del mondo, l'Italia».

57-62. Qual... prezzo?: Qual colpa degli uomini, qual giudizio di Dio (quale imperscrutabile volontà divina, che avrebbe tolto il senno agli Italiani), o quale fatalità (vi spinge ad) aborrire i vicini meno potenti, a infierire contro i loro beni, già danneggiati e distrutti, a cercare genti d'arme in paesi lontani (**'n disparte**), e volere che spargano il loro sangue e vendano la loro vita per danaro?

63-64. «Io parlo in nome della verità, non spinto da odio o disprezzo verso di voi, Signori d'Italia».

65. per tante prove: dopo tante prove.

66-67. Luigi Marsili, contemporaneo e amico del P., commentando questa canzone, afferma in proposito che i mercenari bavaresi (dalla Baviera vennero le prime milizie mercenarie in Italia) «quando combattono, alzando il dito e dicendo *iò, iò*, l'uno s'arrende all'altro per niente senza colpo aspettare; perché non tocca loro (*non interessa*) chi (si) vinca o perda, ché lor vita o libertà o signoria non va a rischio; e però solo intendono a rubare e esser pagati».

68. lo strazio: la beffa, lo scherno.

69-70. «Ma il vostro sangue sì, che viene versato largamente, perché vi spinge un feroce odio fratricida a combattervi all'ultimo sangue».

71-73. «Meditate su voi stessi anche per brevissimo tempo (dalla mattina alla terza ora del giorno) e comprenderete che non può aver caro qualcuno, sì da essergli fedele, chi ritiene se stesso cosa così vile da vendersi per danaro».

74-80. «O nobile stirpe latina, sgombra da te questo peso rovinoso (**dannose some**) dei mercenari; non farti idolo di una vuota fama cui non corrisponde sostanza alcuna (non credere, cioè al valore di questi mercenari, ché non ne hanno affatto). È colpa nostra, non cosa naturale che quella gente germanica furibonda, selvaggia (**'l furor de lassú**), restia (**ritrosa**) a ogni senso di civiltà, ci vinca in intelligenza e in astuzia (**vincerne d'intelletto**)».

86. parente: genitore.

87. Per Dio: in nome di Dio.

talor vi mova, et con pietà guardate
le lagrime del popol doloroso,
90 che sol da voi riposo
dopo Dio spera; et pur che voi mostriate
segno alcun di pietate,
vertú contra furore
prenderà l'arme; et fia 'l combatter corto,
95 ché l'antiquo valore
ne l'italici cor non è anchor morto.
Signor, mirate come 'l tempo vola,
et sí come la vita
fugge, et la morte n'è sovra le spalle.
100 Voi siete or qui; pensate a la partita;
ché l'alma ignuda et sola
conven ch'arrive a quel dubbioso calle.
Al passar questa valle,
piacciavi porre giú l'odio e lo sdegno,
105 venti contrarî a la vita serena;
et quel che 'n altrui pena
tempo si spende, in qualche acto più degno
o di mano o d'ingegno,
in qualche bella lode,
110 in qualche honesto studio si converta:
cosí qua giú si gode,
et la strada del ciel si trova aperta.
Canzone, io t'ammonisco
che tua ragion cortesemente dica,
115 perché fra gente altèra ir ti convene
et le voglie son piene
già de l'usanza pessima et antica,
del ver sempre nemica.
Proverai tua ventura
120 fra magnanimi pochi a chi 'l ben piace.
Di' lor: — Chi m'assicura?
I' vo gridando: «Pace, pace, pace!» —

89. Prima l'amore per la propria terra, poi quello per i propri connazionali, propone ora il P. ai Principi, facendo loro sentire il dovere che hanno di proteggere e difendere i loro popoli, miti e fedeli; e infine, la meditazione sul passato glorioso diventa un grido di fede, un incitamento a rinnovare l'antica grandezza.
90-91. Il popolo italiano rivolge le sue speranze di pace a Dio, ma anche, e subito dopo, ai suoi Principi.
91-96. Se i Principi mostreranno solo un poco di pietà affettuosa e comprensiva per le sue sofferenze, il valore disciplinato e saggio del popolo italiano si scaglierà contro la furia bestiale dei barbari; e breve sarà il combattimento, rapida e certa la vittoria, perché nel cuore degli Italiani ancor vive il valore latino.
97-99. Signor, mirate come 'l tempo vola ecc.: sulle risse umane si apre la visione dell'eterno, ad ispirare sentimenti profondi di moralità. Ma prevale, in questi primi versi, il sentimento così frequente nel P., dell'umana fragilità.
100. Voi siete or qui ecc.: ribadisce più drammaticamente il concetto già espresso. Dice ai Principi: «Pensate che ora siete nel mondo, ma dovrete partire da esso, morire; e l'anima 'ignuda e sola', spoglia di ogni onore mondano, priva di ogni difesa, dovrà necessariamente giungere al calle, cioè al varco periglioso (**dubbioso**), fra questa e l'altra vita: la morte».
103. Al passar questa valle: mentre passate per questa valle che è la vita.
105. venti: passioni violente come venti che portano tempesta.
106-112. E quel tempo che ora impegnate nel dar pena e affanno ad altri uomini, impiegatelo invece (**si converta**) in qualche impresa (**atto**) più degna, compiuta col braccio (come sarebbe, ad es., combattere per liberare l'Italia dai barbari) o con l'ingegno (lo studio della filosofia, della poesia, ecc.), in qualche opera bella e lodevole, in qualche proposito onorevole (**honesto studio**); solo così si può avere qui in terra pace e serenità e ci si apre la strada per il cielo, l'eterna beatitudine.
114. ragion: il tuo pensiero, i tuoi argomenti.
116-118. Gli animi (ma con *voglie* intende le passioni che si sono insignorite dell'animo dei principi) sono ormai completamente disposti ad ascoltare, com'è usanza antica e pessima, le adulazioni, non il vero.
119-121. Troverai fortuna (**ventura**) solo fra i pochi magnanimi che si curano del pubblico bene. Chiedi a loro che ti proteggano (**assicura**) sì che tu possa liberamente parlare e far udire il tuo grido di pace.

ESERCIZIO DI ANALISI

«Italia mia...»

La canzone sia per l'altezza e nobiltà dell'argomento sia perché è indirizzata a gente «altera» (i Principi italiani) è strutturata secondo un modulo di eloquenza solenne. È concepita, cioè, come un'orazione del genere che veniva detto «dimostrativo», suddivisa secondo le partizioni stabilite dalla retorica classica e riprese da quella medievale. Non si dimentichi che Brunetto Latini, mentre accoglieva l'insegnamento della tradizione ciceroniana e sottolineava il carattere politico dell'eloquenza, metteva sullo stesso piano dell'orazione anche l'epistola e la canzone.

Suddividendo le sette stanze di questa canzone e il congedo in gruppi di due, si possono riscontrarvi, sia pure con qualche approssimazione, le partizioni retoriche tradizionali. Le prime due stanze possono infatti essere considerate come l'*exordium* (esordio), il cui compito era quello di predisporre l'uditore a una benevola attesa dell'argomentazione successiva, cosa qui ottenuta attraverso il patetico appello all'Italia e la solenne invocazione a Dio. Subentra poi, nella seconda stanza, l'appello ai Signori, che sono i reali destinatari dell'orazione, con una proposizione della questione che verrà in seguito trattata, e dunque con l'inizio della *narratio* (narrazione, trattazione) vera e propria.

Questa viene poi sviluppata nelle stanze 3 e 4, dove si mostrano le conseguenze delle guerre fratricide in Italia e lo strazio apportato dalle milizie mercenarie, cui si contrappone il ricordo del valore latino; di qui si sviluppa, nelle stanze 5 e 6, la *petitio* o perorazione (si caccino i mercenari dall'Italia), mentre nell'ultima stanza e nel congedo si ha la *conclusio* o conclusione: l'esortazione alla pace, suffragata da un'alta meditazione religiosa che riallaccia la conclusione all'esordio.

Per quel che riguarda la sfera del significato, va osservato che il discorso, svolto su questo solido impianto oratorio che ne sottolinea il forte impegno ideologico, è tuttavia morale, piuttosto che effettivamente politico. Il Petrarca, infatti, impersona qui esemplarmente la nuova condizione dell'intellettuale e dello scrittore nell'età delle Signorie, avulso, ormai, dalla partecipazione attiva alla vita politica e chiuso in una solitudine meditativa, confortato dal colloquio con gli antichi, ma portato, anche per questo, a definire un'idea dell'uomo piuttosto assoluta che storica. Certamente politico è l'anelito alla pace, opposta alla barbarie della guerra e concepita come necessaria allo sviluppo della vera civiltà; ma rimane assente dalla canzone ogni considerazione delle forze politiche, economiche, sociali che stanno dietro quelle guerre e ogni considerazione delle reali possibilità d'iniziativa dei popoli.

D'altra parte, qui come nella canzone *Spirto gentil*, l'idea dell'Italia erede della grande civiltà romana riprende un motivo che non era mai venuto meno nell'alta cultura medievale, e neppure nella pratica, quando quella civiltà aveva offerto un modello di stato fondato su un ordinato vivere civile ai conquistatori barbarici. Se ne ritrova un indizio anche nelle leggende con cui molti Comuni cercano di nobilitare la loro origine riallacciandola a una diretta discendenza da Roma, o nell'interesse con cui viene accolto il tentativo di Cola di Rienzo. Ma un'unità politica italiana, esistita soltanto per alcuni secoli nell'ambito dell'Impero Romano, era tramontata a partire dal VI secolo, dando luogo allo sviluppo di una storia particolaristica e pluricentrica; e, del resto, il Petrarca mostra qui di accettarla, limitandosi alla proclamazione di un generico ideale civile e a richiamare una grande tradizione passata che ne dovrebbe costituire, a suo avviso, il fondamento perenne.

In conclusione si delinea, in questa canzone, l'idea d'una coscienza nazionale italiana, nata dal sentimento di appartenenza a una civiltà comune, che il Petrarca tramanda alla cultura successiva e che rimarrà per molti secoli ristretta a una sfera limitata di intellettuali, senza avere né la capacità né la forza né la volontà precisa di confrontarsi con la vita reale del Paese.

13. Di pensier in pensier, di monte in monte (CXXIX)

Anche questa canzone esprime il lungo e incessante ragionare del Petrarca con Amore, ma non giunge, come *Chiare, fresche et dolci acque*, a placarsi nella contemplazione di un mito serenatore. Qui è piuttosto espresso l'incessante aggirarsi dell'anima nel labirinto della passione, in un alternarsi continuo di dolore e gioia, di illusioni e delusioni che essa stessa si crea, e delle quali vive e soffre.

Lontano da Laura, il poeta vaga senza meta fra i luoghi solitari, pensando a lei, e ora s'angoscia e si dispera, ora la contempla nella fantasia riscaldata dal cuore e per un attimo s'appaga del suo stesso errore, ma è un attimo breve, ché presto ritorna il tormento, e così, sembra, all'infinito.

La canzone non ha vero svolgimento, ogni stanza è un momento di lucida e patetica confessione di una vicenda che non si conclude, come mai si conclude in tutto il *Canzoniere*. Mai, forse, il poeta si è posto davanti agli occhi con tanta chiarezza il suo dissidio, la sua alternativa di sogno e di tormento: di «dolce» (l'illusione d'amore) e di «amaro» (la coscienza del disinganno immancabile), intrecciati inscindibilmente nell'animo, senza che l'uno abbia la forza di escludere l'altro. Qui tuttavia, nella solitudine, il Petrarca dà più libero sfogo all'illusione, oppone, cioè, il sogno alla vita, come fragile ma pur sempre amato presentimento d'una gioia che si sa inattingibile.

Sostanza del canto è dunque questo fantasticare, che si svolge in un paesaggio solitario, segnato con pochi tratti incisivi; e anche Laura non è immagine che acquisti una sua personale consistenza, ma una visione di bellezza che l'anima proietta in se stessa e d'intorno, mito di una sognata e impossibile felicità.

Di pensier in pensier, di monte in monte
mi guida Amor; ch'ogni segnato calle
provo contrario a la tranquilla vita.
Se 'n solitaria piaggia, rivo, o fonte,
5 se 'nfra duo poggi siede ombrosa valle,
ivi s'acqueta l'alma sbigottita;
et come Amor l'envita,
or ride, or piange, or teme, or s'assecura:
e 'l vólto che lei segue ov'ella il mena
10 si turba et rasserena,
et in un esser picciol tempo dura;
onde a la vista huom di tal vita experto
diria: Questo arde, et di suo stato è incerto.

Metro: *canzone* di cinque stanze, composte di tredici versi endecasillabi e settenari (schema: *fronte*: ABC ABC - *sirma:* cDEeDFF) più il *congedo* (conforme alla *sirma*).

1. Di pensier in pensier, di monte in monte: Si osservi, fin dall'inizio, l'indeterminatezza del paesaggio, che corrisponde al fluttuare indefinito di sentimenti e immaginazioni. È pensando a momenti della poesia petrarchesca come questo che si è, in precedenza, parlato, qui, d'una consapevole prigionia del Petrarca in uno spazio d'illusione.

2-3. ch'ogni segnato calle, ecc.: ogni cammino ove veda vestigia umane, so per esperienza che è contrario (*provo contrario*) alla mia pace. Ricorda il sonetto *Solo e pensoso*, ai vv. 3-4.

5. siede: ha come soggetto *rivo, fonte*, oltre a *ombrosa valle*. I paesaggi così rapidamente evocati hanno in comune un'atmosfera di solitudine e di quiete, che l'*alma sbigottita*, ricerca per trovare ristoro dall'irruenza della passione.

7-8. Secondo l'impulso d'amore, secondo, cioè, che esso le ispiri sentimenti lieti o tristi, l'anima or ride, or piange, or teme, ora si rassicura in una speranza. In questi versi è sintetizzata la materia di tutta la canzone: ricerca di solitudine, per essere solo col proprio amore e coi propri sentimenti, per placare il loro tumulto in una contemplazione riscaldata dalla gioia del ricordo e del sogno. Ma questo sa di essere tale, e di qui nasce una continua alternativa di dolcezza e di malinconia.

9. «Il volto che segue l'anima dov'ella lo conduce», che riflette il vario atteggiarsi dei sentimenti.

11. in un esser: in un atteggiamento.

12-13. onde a la vista, ecc.: per questo, al solo vedermi, un uomo, che sappia che cos'è amore per averlo provato, direbbe: «Costui ama intensamente e non sa se il suo amore sia contraccambiato».

Per alti monti et per selve aspre trovo
15 qualche riposo: ogni habitato loco
è nemico mortal degli occhi miei.
A ciascun passo nasce un penser novo
de la mia donna, che sovente in gioco
gira 'l tormento ch'i' porto per lei;
20 et a pena vorrei
cangiar questo mio viver dolce amaro,
ch'i' dico: Forse anchor ti serva Amore
ad un tempo migliore;
forse, a te stesso vile, altrui se' caro.
25 Et in questa trapasso sospirando:
Or porrebbe esser vero? or come? or quando?
Ove porge ombra un pino alto od un colle
talor m'arresto, et pur nel primo sasso
disegno co la mente il suo bel viso.
30 Poi ch'a me torno, trovo il petto molle
de la pietate; et alor dico: Ahi, lasso,
dove se' giunto! et onde se' diviso!
Ma mentre tener fiso
posso al primo pensier la mente vaga,
35 et mirar lei, et obliar me stesso,
sento Amor sí da presso
che del suo proprio error l'alma s'appaga:
in tante parti et sí bella la veggio,
che se l'error durasse, altro non cheggio.
40 I' l'ò piú volte (or chi fia che mi 'l creda?)
ne l'acqua chiara, et sopra l'erba verde
veduto viva, et nel tronchon d'un faggio,
e 'n bianca nube, sí fatta che Leda
avria ben detto che sua figlia perde,
45 come stella che 'l sol copre col raggio;
et quanto in più selvaggio
loco mi trovo e 'n piú deserto lido,
tanto piú bella il mio pensier l'adombra.
Poi quando il vero sgombra
50 quel dolce error, pur lí medesmo assido
me freddo, pietra morta, in pietra viva,
in guisa d'uom che pensi et pianga et scriva.
Ove d'altra montagna ombra non tócchi,
verso 'l maggiore e 'l piú expedito giogo
55 tirar mi suol un desiderio intenso.
Indi i miei danni a misurar con gli occhi
comincio, e 'ntanto lagrimando sfogo
di dolorosa nebbia il cor condenso,
alor ch'i' miro et penso,
60 quanta aria dal bel viso mi diparte
che sempre m'è sí presso et sí lontano.

14. Per alti monti et per selve aspre, ecc.: specifica meglio il paesaggio, lo fa meglio consonare col suo cuore. I monti sono *alti, aspre* le selve fra le quali cerca un po' di pace.

17-19. Ad ogni passo nasce un nuovo pensiero di Laura, che spesso muta in gioia (**in gioco gira**) il tormento amoroso. I versi preannunciano il tema, compiutamente svolto nelle due stanze seguenti, della gioia che l'immagine di Laura, evocata dalla fantasia, dona al P.

20-26. Non appena nasce nel P. il desiderio di liberarsi da questa sua vita che insieme è dolce e amara (intessuta inestricabilmente di speranze e illusioni, disinganno e dolore), ecco nascere in lui un pensiero contrario, che è poi una nuova illusione. Forse, si dice il P., tu che sei così vile a te stesso al punto da reputarti indegno di lei, le sei invece caro (ma non osa neppure in fantasia pronunciare il nome di Laura, e dice *altrui*); forse Amore ti riserba giorni migliori, nei quali sarai confortato da questo dolore! E mentre così fantastica (**in questa**), passa sospirando ad altri pensieri (**trapasso**): «Ma potrebbe esser vero questo? e come? e quando?».

27. Ove porge ombra, ecc.: il paesaggio, pur restando indefinito, si fa più intimo: l'ombra del pino o del colle determina un'atmosfera di raccoglimento.

28. nel primo sasso: immediatamente, nel primo sasso che gli si presenta agli occhi disegna idealmente il bel viso di lei.

30-32. Poi ch'a me torno, ecc.: Quando rientra in se stesso (**a me torno** — e dobbiamo qui immaginare un'estasi contemplativa, simile a quella di *Chiare, fresche et dolci acque*), trova il petto bagnato dalle lacrime che versa per commiserazione di se stesso. Mentre sogna, ha il senso che si tratta di un'illusione, e quindi, la sofferenza è inscindibile dalla gioia. E rivolge a se stesso parole in cui palpita il dolore della delusione: «Dove sei giunto (cioè, non sei, come credevi, davanti a lei, ma ben lontano); e da chi sei diviso (quanto sei disgiunto da lei, che tanto vicina sentivi nel sogno!)».

33-39. Ma finché il P. riesce a tenere fissa la sua mente *vaga* (mutevole, anche in quel dolce sognare) al primo pensiero, cioè all'ideale figura di Laura, e perdersi nella contemplazione di lei (*mirar lei*), e dimenticare se stesso, cioè il tormento del proprio cuore, vive così intensamente il suo amore, che l'anima s'appaga di quel fantasma, di quell'illusione che essa stessa si è creata (*del suo proprio error*). La vede così bella, e in tante parti (dovunque, come dirà nella strofa successiva, in tutti gli aspetti più belli della natura) che vorrebbe vivere solo così, in questo «errore».

40-48. La fantasia d'amore acquista un tono di favola, mirabile e strano agli occhi stessi del Poeta (**or chi fia che m' il creda?** — chi potrà credere a tal miracolo?); egli l'ha vista, ma *viva* (e la pausa che viene dopo questa parola nel verso l'ingigantisce in una tensione di stupore come davanti a un miracolo) nell'acqua chiara, nel tronco d'un faggio... anzi, quanto più si trova in un luogo deserto e selvaggio, tanto più bella la disegna il suo pensiero.

43-45. e 'n bianca nube, ecc.: l'ha vista in una nube bianca, così bella, che Leda (madre di Elena, la bellissima donna causa della lunga guerra fra Greci e Troiani) avrebbe dovuto dire che sua figlia perdeva, al confronto, come una stella che è vinta, offuscata dalla luce del sole.

49-52. Poi quando il vero sgombra, ecc.: quando la coscienza della realtà riaffiora nel P. e caccia la dolce illusione, in quello stesso luogo si pone a sedere, impietrito dal dolore, sulla nuda pietra (pietra viva era detta la pietra naturale, dura), e piange, pensa, scrive. **lí medesmo**: proprio lì. **assido me freddo**: il verbo è usato transitivamente, come se il P. ponesse se stesso a sedere, come un corpo inanimato.

53-65. L'ultima strofa è incentrata sulla figura del P. che sale su di un alto monte, nell'illusione di vedere il lontano paese dove è Laura. Sembra che lassù, nell'alta solitudine, s'illuda quasi di potersi più facilmente ricongiungere a lei. Poi, di nuovo, la delusione, e l'illusione ancora; la canzone si chiude come si era aperta, col senso di un fluttuare dell'anima, senza fine e senza compimento.

53-55. «Un desiderio intenso mi suole attirare colà dove non giunge l'ombra di un'altra montagna, cioè sulla vetta (**giogo**) più alta e aperta (**expedito**) sì che l'occhio può spaziare intorno senza impedimento».

56. i miei danni: la distanza che lo separa da Laura.

58. «il cuore ottenebrato da una dolorosa caligine» (le sofferenze d'amore).

61. Il viso di Laura gli è sempre vicino (lo porta sempre nel cuore) e pure è lontano, nella realtà, irraggiungibile.

Poscia fra me pian piano:
— Che sai tu, lasso? Forse in quella parte
or di tua lontananza si sospira —.
65 Et in questo penser l'alma respira.
Canzone, oltra quell'alpe,
là dove il ciel è piú sereno e lieto,
mi rivedrai sovr'un ruscel corrente,
ove l'aura si sente
70 d'un fresco et odorifero laureto:
ivi è 'l mio cor, et quella che 'l m'invola;
qui veder pôi l'imagine mia sola.

62. pian piano: in un sussurro, come timoroso di suggerire al cuore una nuova illusione.
63-64. Ancora, come al v. 24, una particella indefinita per designare Laura (*si sospira*).
66-72. Continua anche nel congedo il fantasticare. La canzone rivedrà il P. accanto a Laura. Il suo vero io è là in ispirito; qui c'è solo la sua figura corporea (**l'imagine mia sola**). **ruscel corrente**: è il fiume Sorga.
69-70. Il bisticcio di parole cela trasparentemente il nome amato.
72. pôi: puoi.

14. Fiamma dal ciel su le tue treccie piova (CXXXVI)

Il *Canzoniere* non accoglie soltanto poesia d'amore, ma anche, come s'è visto, poesie di carattere etico-politico e — è il caso di questo sonetto e dei due che lo seguono, qui non riportati — satirico. Tali testi, tuttavia, non si allontanano dalla convenzione del «genere» della lirica amorosa, che aveva sempre più identificato l'amore con la vita profonda della coscienza e quindi con ogni forma di impegno nei confronti della realtà (si pensi alla lirica di Dante).

L'argomento è la corruzione della corte papale di Avignone, sferzata dal poeta anche nelle epistole latine *Sine nomine*; nella trattazione il Petrarca abbandona lo stile «dolce» della poesia amorosa e quello solenne delle canzoni politiche, per rifarsi allo stile «comico», alla sua violenza e asprezza fonico-verbale, e allo stile metaforico-allegorico di ascendenza biblica, al suo linguaggio con forti punte realistiche: si osservi, soprattutto, la prima terzina; ma anche la seconda, con parole come *rezzo, scalza, stecchi, lezzo*, lontane dalla ricercata e limpida melodia petrarchesca.

Fiamma dal ciel su le tue treccie piova,
malvagia, che dal fiume et da le ghiande
per l'altrui impoverir se' ricca et grande,
poi che di mal oprar tanto ti giova;
5 nido di tradimenti, in cui si cova
quanto mal per lo mondo oggi si spande:
de vin serva, di lecti et di vivande,
in cui Luxuria fa l'ultima prova.
Per le camere tue fanciulle et vecchi
10 vanno trescando, et Belzebub in mezzo
co' mantici et col foco et co li specchi.
Già non fostù nudrita in piume al rezzo,
ma nuda al vento, et scalza fra gli stecchi:
or vivi sì ch'a Dio ne venga il lezzo.

Metro: *sonetto* (schema: ABBA, ABBA, CDC, DCD).

1-4. La Chiesa è rappresentata come una meretrice (l'immagine è frequente nella Bibbia e nella *Commedia*), contrapposta (v. 2 e vv. 12-14) a quella delle origini, personificata come una anacoreta, che vive in povertà. Su di lei P. invoca la punizione divina, la fiamma del cielo che la distrugga, come distrusse le città del vizio, secondo la Bibbia, cioè Sodoma e Gomorra. **dal... ghiande**: da povera che eri all'origine (ti dissetavi con semplice acqua e ti nutrivi di ghiande, cioè di cibi semplici: di ghiande si cibarono, secondo i poeti antichi, gli uomini primitivi). **per... grande**: sei divenuta ricca e potente con l'impoverire gli altri (da cui esige decime ed elargizioni).
5. si cova: si macchina, si prepara.
8. in cui... prova: I banchetti e gli altri agi servono a fomentare al massimo la lussuria.
9-11. Nei palazzi (*camere*) pontifici e cardinalizi vanno gozzovigliando con oscene danze (*trescando*) giovani meretrici e vecchi dignitari. Fra loro è il demonio, coi mantici e il fuoco, oggetti magici che servono ad attizzare la lussuria, e gli specchi che ne moltiplicano le immagini.
12-13. Già... stecchi: Al tempo delle tue origini, non fosti allevata negli agi, cioè al fresco, all'ombra (*rezzo*) e fra le piume (cioè su comodi letti), ma fosti sottoposta alle intemperie, nuda e scalza.
14. or... lezzo: ora vivi in modo così corrotto che la puzza ne giunge fino a Dio.

15. In qual parte del ciel, in quale idea (CLIX)

Altro sonetto di esaltazione della bellezza suprema di Laura, nel quale il Petrarca, come disse di lui Ugo Foscolo, non dipinge «gli accidenti naturali dell'amore», ma «le immaginazioni ideali».

Non abbiamo, infatti, qui un'immagine definita della donna — né mai l'abbiamo nel *Canzoniere* — ma una visione esaltante e tuttavia sfumata, che esprime, nello sfolgorare della sua luce, la contemplazione rapita del poeta.

Osserva giustamente il Sapegno che questo sonetto, e l'altro che riportiamo subito dopo, «per la maniera irreale e tutta intima del quadro richiamano i modi del dolce stil nuovo, ma ravvivati di un'eleganza tutta classica e latina, e d'una soavità più tenera, più umanamente affettuosa, che non sia negli stilnovisti».

In qual parte del ciel, in quale idea
era l'exempio, onde Natura tolse
quel bel viso leggiadro, in ch'ella volse
mostrar qua giú quanto lassú potea?

Metro: *sonetto* (schema: ABBA, ABBA, CDC, DCD).

1-4. Secondo la filosofia di Platone, ripre-

5 Qual nimpha in fonti, in selve mai qual dea,
chiome d'oro sí fino a l'aura sciolse?
quando un cor tante in sé vertuti accolse?
ben che la somma è di mia morte rea.
Per divina bellezza indarno mira
10 chi gli occhi de costei già mai non vide
come soavemente ella gli gira;
non sa come Amor sana, et come ancide,
chi non sa come dolce ella sospira,
et come dolce parla, et dolce ride.

sa, poi, dalla filosofia medievale cristiana, le cose terrene sono copie di un modello ideale, le idee, che sono nel cielo, e, secondo i filosofi cristiani, nella mente di Dio. Si chiede dunque il P. da quale divina idea la natura ha tratto il modello (**exempio**) del viso mirabile di Laura, nel quale essa ha inteso mostrare quaggiù nel mondo la sua potenza creatrice e la sua perfezione.
5-6. Spontaneamente il P. ricorre alle immagini del mito, che appunto esprime una realtà umana e, al tempo stesso, sovrumana: quale ninfa (**nimpha**), divinità delle fonti, quale dea nelle selve sciolsero al vento chiome d'oro sì fino?
8. Sebbene l'insieme (*la somma*) di tante bellezze (altri intende «la più alta di codeste virtù», cioè la castità) sia colpevole della mia morte, cioè del desiderio d'amore inappagato.
9-11. Invano si sforza di trovare qui in terra la bellezza divina chi mai non vide gli occhi di Laura, e com'ella li volge soavemente.
12-14. Non può sapere come Amore risana (**sana**) e come uccide (**ancide**) chi non sa come Laura dolcemente sospira, e parla e ride. La ripetizione di quel *dolce*, usato qui come avverbio e che riprende il *soavemente* del v. 11, dà il senso di quella che il Bosco chiama «voluttuosa dolcezza contemplativa». Essa rende bello non solo l'essere «sanato», ma anche l'essere «ucciso» da Amore.

16. Amor et io sí pien di meraviglia (CLX)

L'ispirazione del sonetto è affine a quella del precedente (*In qual parte del ciel*), è, cioè, un'estatica gioia contemplativa. Ma il tono qui è più intimo. Già all'inizio quel ragionare del P. con Amore, quel mirare Laura insieme con lui, dà al sonetto un tono d'interiorità, di contemplazione commossa. La bellezza di Laura, sentita come *miracolo* (v. 9), è contemplata in uno scenario primaverile e in una solitudine pensosa che attestano la sua vita, per dir così, colma, perfetta.

Amor et io sí pien di meraviglia
come chi mai cosa incredibil vide,
miriam costei quand'ella parla o ride
che sol se stessa et nulla altra simiglia.
5 Dal bel seren de le tranquille ciglia,
sfavillan sí le mie due stelle fide,
ch'altro lume non è ch'infiammi et guide
chi d'amar altamente si consiglia.
Qual miracolo è quel, quando tra l'erba
10 quasi un fior siede, over quand'ella preme
col suo candido seno un verde cespo!
Qual dolcezza è ne la stagione acerba
vederla ir sola co 'i pensier suoi inseme,
tessendo un cerchio a l'oro terso et crespo!

Metro: *sonetto* (schema: ABBA, ABBA, CDE, CDE).
1-2. Già la prima quartina determina un'atmosfera di prodigio: «Amore ed io, così pieni di meraviglia, come lo è chi vide una volta (**mai**) un incredibile miracolo, contempliamo estatici (**miriam**) costei quando parla o ride, costei che somiglia solo a se stessa, cioè non ha alcuna pari a lei in bellezza».
5-8. Dall'espressione bella e serena delle sue ciglia tranquille, tanto sfavillano gli occhi suoi (**stelle fide**, cioè sicure e fedeli; come le stelle del cielo indicano la rotta al navigante, così gli occhi di Laura ispirano al P. un affetto che eleva la sua anima, la spinge a desiderare le cose nobili e belle), che non v'è altro lume che infiammi d'entusiasmo e guidi chi si propone un amore elevato. Il v. 5 esprime un senso di pace, nata dalla gioia che la bellezza dona al poeta, in quanto appare come il presentimento di una divina armonia.
9. Qual miracolo, ecc.: Nelle due terzine la rapita ammirazione si rapprende in figurazioni delicate, legate alla realtà (il sedersi di Laura fra l'erba, l'adagiarsi in un prato) eppure avvolte in un'atmosfera di favola. Così nella frase: *quando tra l'erba / quasi un fior siede*, l'inciso *quasi un fior* spezza la descrizione di un fatto semplice e quotidiano con il sommesso, ma intenso erompere d'un moto d'affetto.
11. un verde cespo: una zolla d'erba verde e fresca. L'aggettivo *candido* si addice a tutta la luminosa persona.
11-14. *Miracolo* è la prima parola della terzina precedente, *dolcezza* la prima di questa: i due sostantivi riassumono in sé lo stato d'animo del P. **stagione acerba**: è la primavera. È dolce per il P. contemplare Laura mentre cammina concentrata nei suoi pensieri tessendo una ghirlanda di fiori per i capelli biondi e ricciuti.

17. Or che 'l ciel et la terra e 'l vento tace (CLXIV)

Il paesaggio col quale ha inizio il sonetto è la ripresa suggestiva di uno spunto virgiliano: nella pace di una notte limpida si effonde, in contrasto con la natura, il pianto di un'anima innamorata e non corrisposta. Il Carducci disse che nelle quartine «è la natura eterna, come la sentirono gli antichi»; noi riferiremmo tale giudizio solo alla prima, ché la seconda è una caratteristica confessione petrarchesca. Più artificiose le due terzine, per quel certo compiacimento sentenzioso che, a volte, costituisce il limite e il pericolo della poesia del Petrarca, mentre nei sonetti migliori schiude improvvisi e vasti paesaggi d'interiorità (pensa, ad es., all'ultimo verso del sonetto *Voi ch'ascoltate*).

Or che 'l ciel et la terra e 'l vento tace
et le fere e gli augelli il sonno affrena,
Notte il carro stellato in giro mena,
et nel suo letto il mar senz'onda giace,
5 vegghio, penso, ardo, piango; et chi mi sface
sempre m'è inanzi per mia dolce pena:
guerra è 'l mio stato, d'ira e di duol piena;
et sol di lei pensando ho qualche pace.
Cosí sol d'una chiara fonte viva
10 move 'l dolce et l'amaro, ond'io mi pasco;
una man sola mi risana et punge.
E perché 'l mio martìr non giunga a riva
mille volte il dí moro et mille nasco;
tanto da la salute mia son lunge.

Metro: *sonetto* (schema: ABBA, ABBA, CDE, CDE).

1. Il verso ha un ampio respiro. Il verbo, al singolare, unifica i tre soggetti (il cielo, la terra, il vento) in un'unica immagine di pace, non turbata neppure dal lieve incresparsi del mare o dal sussurro della brezza.
2. affrena: mantiene immobili.
3. Spontaneamente, in questa pace, lo sguardo cerca l'immensità immota del cielo, si perde a seguire il lento cammino della luna. **il carro stellato**: anche questa suggestione gli viene dai Classici antichi che, come per il sole, così avevano favoleggiato di un carro sul quale la lampada lunare venisse condotta lungo i cammini del cielo.
5-8. La seconda quartina sviluppa il tema del continuo tormento del P., che, in questo sfondo di notturna pace, diviene, per contrasto, più intenso, e suggerisce il pensiero che solo al poeta sia negata, e per sempre, la pace. **vegghio**: veglio. — **et chi mi sface**, ecc.: e colei che mi consuma, Laura, mi è sempre presente nel cuore, e mi arreca dolcezza, sì, ma anche pena. È il consueto *viver dolce amaro* del P.
7-8. Ripete il già accennato tema del *viver dolce amaro*: lo stato del suo animo è contrasto, lotta dolorosa (*guerra*), piena di affanno e di dolore, eppure solo pensando a Laura, che pure provoca quei fieri contrasti in lui, il P. riesce a trovar qualche pace.
9. Allude a Laura.
11. punge: ferisce.
12-13. «E perché il mio martirio non abbia mai fine, mi accade di morire mille volte in un giorno, e mille volte rinascere; a tal punto sono lontano dal trovare pace e conforto».

18. Per mezz'i boschi inhospiti e selvaggi (CLXXVI)

Il poeta attraversa solitario la Selva Ardenna, selva cupa, com'egli dice in una epistola, e probabile sede, per giunta, di agguati, ché s'era in tempo di guerra. Ma egli è sereno, sicuro: pensa a Laura, la canta, la sogna, la vede: il murmure degli uccelli, dell'acque, dei rami gli sembrano la dolce voce di lei. La situazione è simile a quella di altre più celebri poesie del Petrarca: il suo continuo sognare di Laura ad occhi aperti, quel suo evocarla, viva, nella solitudine di una natura bella. Non c'è però qui il senso di una contemplazione estatica, ma piuttosto un tono di allegrezza festosa.

Per mezz'i boschi inhospiti e selvaggi,
onde vanno a gran rischio uomini et arme,
vo securo io; ché non pò spaventarme
altri che 'l sol c'ha d'Amor vivo i raggi;
5 et vo cantando (o penser miei non saggi!)
lei che 'l ciel non porìa lontana farme;
ch'i' l'ò ne gli occhi, et veder seco parme
donne et donzelle, et sono abeti et faggi.
Parme d'udirla, udendo i rami et l'òre,
10 et le frondi, et gli augei lagnarsi, et l'acque
mormorando fuggir per l'erba verde.
Raro un silenzio, un solitario horrore
d'ombrosa selva mai tanto mi piacque;
se non che dal mio sol troppo si perde.

Metro: *sonetto* (schema: ABBA, ABBA, CDE, CDE).

1. inhospiti: inospitali.
2. «Dove anche gli uomini armati si avventurano con grande rischio».
3-4. vo securo io, ecc.: nell'orrida selva il P. procede, invece sicuro, senza timore, perché può spaventarlo una sola cosa al mondo: lo sdegno di Laura, il sole nei cui occhi vive e risplende amore (**c'ha d'Amor vivo i raggi**).
5-8. Il P. va cantando lei, che neppure il cielo, non che gli uomini, potrebbe strappare alla sua anima, e l'ha veramente, viva, davanti agli occhi; e gli par di vedere con lei donne e fanciulle, e invece sono abeti e faggi. Quest'ultima notazione e anche quel lieve tono di commiserazione sulla propria amorosa follia (*o penser miei non saggi!*) rivelano quel sognare, consapevole di esser tale, che è proprio del P. Ma qui la constatazione non ingenera, come altrove, malinconia, bensì un sorriso indulgente.
9. òre: aure.
10. lagnarsi: mormorare flebilmente.
10-11. et l'acque mormorando, ecc.: Il mormorio che si perde lontano dell'acqua fuggente appare come l'eco dei ricordi passati. Spessissimo i paesaggi petrarcheschi si traducono in queste intime risonanze.
12-13. Raro: raramente. **solitario horrore**: allude alla solitudine della selva e al sottile brivido di ansia indistinta che essa gli provoca nei sensi e nell'anima. *Horrere* (essere irto) si dice, nei poeti latini, anche delle messi e dei rami, senza quell'accezione di raccapriccio che è nei derivati italiani.
14. «Se non che l'ombrosa selva troppo lontana si perde dal mio sole, Laura»; cioè, «in ogni sua parte me la raffigura, ma con un'immagine troppo inadeguata».

19. Passa la nave mia colma d'oblio (CLXXXIX)

Il sonetto svolge una lunga allegoria (l'immagine della nave in un mare tempestoso simboleggia la vita del Petrarca, travolta dalla bufera delle passioni), ma il primo verso è un lamento profondo, indimenticabile. Gli occhi di Laura appaiono alla fine, come due luci che illuminavano la vita di lui: ora non più. Per questo, alcuni studiosi hanno pensato che il poeta abbia adombrato in questi versi una sua sconvolgente passione sensuale che per un istante abbia travolto anche il suo amore per Laura. Ma diremmo che possa trattarsi sempre dell'amore per Laura, ora elevazione dell'animo, ora passione dei sensi, come egli confessa a S. Agostino nel *Secretum*.

Passa la nave mia colma d'oblio
per aspro mare, a mezza notte il verno,
enfra Scilla et Caribdi; et al governo
siede 'l signore, anzi 'l nimico mio;
5 a ciascun remo un penser pronto et rio
che la tempesta e 'l fin par ch'abbi a scherno;
la vela rompe un vento humido, eterno,
di sospir', di speranze et di desio.
Pioggia di lagrimar, nebbia di sdegni
10 bagna et rallenta le già stanche sarte,
che son d'error con ignorantia attorto.
Celansi i duo mei dolci usati segni;
morta fra l'onde è la ragion et l'arte,
tal ch'incomincio a desperar del porto.

Metro: *sonetto* (schema: ABBA, ABBA, CDE, CDE).

1. colma d'oblio: è l'oblio della coscienza morale, conseguente al disfrenarsi della passione; un vivere che non è un vivere, ma un sentirsi trascinare senza meta, in una solitudine tempestosa. Dice infatti che la nave della sua vita *passa* (né parla di meta alcuna) nella tenebra di una notte invernale.

3-4. enfra Scilla et Caribdi: la nave passa fra Scilla e Cariddi, scogli mortali per i naviganti. La fantasia popolare degli antichi li aveva rappresentati sotto forma di figure mostruose. **et al governo,** ecc.: e al timone siede non più la ragione, ma Amore, mio signore e nemico. Allude all'amore passionale.

5-6. «A ciascun remo siede un pensiero (in questo caso: un impulso passionale) *pronto* nel disfrenarsi e *rio*, cioè colpevole, che non si cura della tempesta che travolge l'anima e del suo pericolo di morte (*fin*)».

7-8. Sospiri, speranze e desideri vani rompono, come un vento umido (di pianto) ed eterno, la vela. Allude al vento della passione che batte la parte sensitiva dell'anima.

9-11. La pioggia delle lacrime colpevoli, la nebbia degli sdegni che nascono dalla passione inappagata, bagnano e infracidiscono le sartie già stanche che sono intessute di errore e di ignoranza insieme attorti. Le virtù dell'anima, cioè, già turbate dalle seduzioni colpevoli, sono disfatte dalla passione.

12-14. Gli occhi di Laura, dolci e usate guide al suo navigare, si nascondono, la scienza (*ragione*) e l'arte del navigare sono infrante dai flutti (cioè la montante marea della passione gli impedisce di vivere secondo virtù) tanto che il P. comincia a disperare della salvezza.

20. Rapido fiume che d'alpestra vena (CCVIII)

Il sonetto fu scritto forse nel 1333, quando il Petrarca, ritornando ad Avignone dalle Fiandre e dalla Germania, compì l'ultima parte del viaggio per via d'acqua, seguendo il fiume Rodano. Ad esso si rivolge il poeta, e gli affida un messaggio d'amore per la sua donna: lo porti il fiume, che non conosce come lui la stanchezza. C'è, soprattutto nella parte finale della poesia, insieme alla tenerezza, un languore che dal corpo, cui il Petrarca lo attribuisce, sembra discendere anche nell'anima.

Rapido fiume, che d'alpestra vena
rodendo intorno, onde 'l tuo nome prendi,
notte et dí meco disïoso scendi
ov'Amor me, te sol Natura mena,
5 vattene innanzi: il tuo corso non frena
né stanchezza né sonno; et pria che rendi
suo dritto al mar, fiso u' si mostri attendi
l'erba piû verde, et l'aria piû serena.
Ivi è quel nostro vivo et dolce sole,
10 ch'addorna e 'nfiora la tua riva manca:
forse (o che spero?) el mio tardar le dole.
Basciale 'l piede, o la man bella et bianca;
dille, e 'l basciar sie 'nvece di parole:
Lo spirto è pronto, ma la carne è stanca.

Metro: *sonetto* (schema: ABBA, ABBA, CDC, DCD).

1. d'alpestra vena va unito con *scendi:* scendi dalla sorgente alpina.

2. Fa derivare il nome del Rodano dal verbo «rodere», con etimologia errata.

3-4. «discendi giorno e notte con me desideroso verso quel luogo dove Amore conduce me, mentre tu vi sei condotto da natura».

5-6. Il fiume non conosce la stanchezza, il P. sì, e per questo lo manda innanzi, affidandogli un messaggio per Laura.

6-8. «prima di rendere al mare il tributo delle tue acque, che il mare ha diritto di avere da te, guarda fissamente (**fiso... attendi**) dove (**u'**) l'erba si mostri più verde e l'aria più serena».

9. Allude a Laura.

10. Sulla riva sinistra del Rodano è Avignone.

11. Sembra che ritornare verso di lei, sia per il P. un tornare alla vicenda di speranza, di dubbi, di sogni. «Forse ella si duole del mio ritardo»: così parla nel suo cuore la speranza; ma subito quasi si rimprovera di questo stesso sperare.

11-14. La frase finale, presa dal Vangelo secondo S. Marco, allude al fatto che il P. vorrebbe giungere a Laura colla stessa rapidità del fiume, ma non può, perché è impedito dal peso greve del corpo. Ma la frase acquista una risonanza più profonda, rivela la stanchezza d'un lungo amore deluso.

21. Due rose fresche, et còlte in paradiso (CCXLV)

Un rapido bozzetto narrativo, l'unico, si può dire, del *Canzoniere*. È calendimaggio; una persona attempata trova insieme Laura e il poeta, li abbraccia e dona loro una rosa, dicendo che mai il sole vide due amanti così gentili. A loro il viso si tinge di rossore, per il piacere e, insieme, per il pudore.

Due rose fresche, et còlte in paradiso
l'altrier, nascendo il dí primo di maggio,
bel dono, et d'un amante antiquo et saggio,
tra duo minori egualmente diviso,
5 con sí dolce parlar et con un riso
da far innamorare un huom selvaggio,
di sfavillante et amoroso raggio
et l'un et l'altro fe' cangiare il viso.
— Non vede un simil par d'amanti il Sole —
10 dicea, ridendo et sospirando inseme;
et stringendo ambedue, volgeasi a torno.
Cosí partìa le rose e le parole;
onde 'l cor lasso ancor s'allegra et teme;
o felice eloquentia! o lieto giorno!

Metro: *sonetto* (schema: ABBA, ABBA, CDE, CDE).

1-8. Costruisci e intendi: due rose fresche e colte in paradiso (tali appaiono ancora al P. per la memoria della felicità che gli procurarono quel giorno) fecero cambiare il viso a Laura e al Poeta, tingendolo di un rossore nel quale sfavillava l'intimo affetto. Esse furono colte (e donate) l'altro ieri, all'alba del primo giorno di maggio, e furono il bel dono di un amante attempato e saggio, che egli divise ugualmente (dandone una a ciascuno) fra due amanti minori di anni, accompagnandolo con parole così dolci e un sorriso così gentile che avrebbe reso disposto ad amare anche un uomo rozzo e selvatico.
9-11. Quella gentile persona afferma che il sole non vide mai due amanti altrettanto nobili; e mentre così dice, li abbraccia e si volge ora all'uno ora all'altro dei due (*volgeasi attorno*). E sorride, per la dolcezza che il loro amore gli ispira, e al tempo stesso sospira per i ricordi di un suo passato amore. Il dono del vecchio amante sembra come un incitamento ai due più giovani a cogliere loro, ora, il fiore d'amore e di giovinezza.
12. partìa: divideva fra Laura e il P.
13. È di questo gesto, di queste parole, il cuore del poeta ancora si rallegra e pur teme, per il pudore di vedere così dichiarato il segreto del cuore.

22. Solea lontana in sonno consolarme (CCL)

Fa parte d'un gruppo di sonetti, alla fine della prima parte del *Canzoniere*, che svolgono un unico tema: il presentimento della morte di Laura. Sono scritti in uno stile semplice e spoglio, tutto interiorità; Laura è sentita come un'immagine cara e familiare, quale apparirà prevalentemente nelle rime scritte dopo la sua morte.

Il sonetto è il racconto di un sogno, ma diviene, alla fine, un presagio di morte, che l'anima sgomenta sente, senz'ombra di dubbio, verace.

Solea lontana in sonno consolarme
con quella dolce angelica sua vista
madonna; or mi spaventa et mi contrista,
né di duol né di téma posso aitarme;
5 ché spesso nel suo vólto veder parme
vera pietà con grave dolor mista,
et udir cose, onde 'l cor fede acquista,
che di gioia et di speme si disarme.
Non ti sovèn di quella ultima sera
10 — dice ella — ch'i' lasciai li occhi tuoi molli
et sforzata dal tempo me n'andai?
I' non tel potei dir, allor, né volli;
or tel dico per cosa experta et vera:
non sperar di vedermi in terra mai.

Metro: sonetto (schema: ABBA, ABBA, CDE, DCE).

1-3. Solea lontana, ecc.: Soleva un tempo Laura quand'era lontana da me, consolarmi apparendomi in sogno con quella sua figura angelica e soave. «Apertura bellissima, che suggerisce una lunga e segreta consuetudine di pensieri e di fantasie» (Sapegno).
3-4. «Ora, invece mi appare tale nei sogni che mi dà spavento e dolore, né posso difendermi (*aitarme*) da questo dolore e da questo timore».
5-6. parme: parmi (mi pare). **vera pietà**: è una profonda pietà per il poeta, che ella abbandona nel mondo, senza più luce né gioia; una pietà affettuosa che ci fa presagire la Laura della seconda parte del *Canzoniere*.
7-8. «E (mi sembra di) udire da lei cose per le quali il mio cuore si persuade assolutamente (*fede acquista*) di dovere presto abbandonare ogni gioia, ogni speranza».
9. ti sovèn: ricordi, quella ultima sera: l'ultima sera che si videro, prima che il P. partisse per l'Italia, dove più tardi gli pervenne la notizia della morte di lei.
10. molli: di pianto, per il dolore della dipartita.
11. «E me ne andai, costretta dall'ora tarda». È un ricordo d'intimità: il poeta piange per il distacco, Laura vorrebbe restare ancora a consolarlo e solo a malincuore si decide a staccarsi da lui. Ma soprattutto ha già il presentimento della propria morte, e non può, non vuole dirlo al P., per non aggravare la sua pena: lo saluta, facendosi forza, come se dovessero rivedersi presto, e sa, invece, che non si rivedranno più.
13. experta: di cui si è fatta experienza.

Un'«amara dulcedo»

Secondo un'ipotesi critica recente, fu nel 1351, quando stava prendendo forma un primo ordinamento delle rime in canzoniere organico, che Petrarca scrisse questa pagina in latino nel suo codice di Virgilio, assiduamente letto e meditato. Sono notizie scarne, in apparenza, ma non è senza significato quel cercare tutte le possibili corrispondenze cronologiche fra gli eventi, come a ribadirne una sorta di sacralità, fino a far corrispondere i due mattini: quello in cui Laura morì e quello in cui fu portata a lui la notizia. Era un modo tipico della cultura medievale, come si vede nella *Vita nuova* di Dante, dove vengono scomodati vari tipi di calendari per far comparire il numero sacro del nove nella morte di Beatrice. Ma la maggiore originalità è, qui, negli aggettivi: la memoria di dolore che è lo scopo di quest'annotazione, e, soprattutto, la «*amara dulcedo*» che induce a scriverla. È la dolcezza non spenta

d'un ricordo d'amore congiunta alla riscoperta amara della vanità d'ogni cosa. È il «viver dolce-amaro» del Petrarca, il suo consapevole avvertirsi entro uno spazio d'illusione, fra dolcezza di sogni terreni e fatale disinganno.

Proponiamo questo passo come cesura fra quelle che gli editori distinguono come due parti del *Canzoniere*: le *Rime in vita* e quelle *in morte di Madonna Laura*; una suddivisione di cui si ha una traccia nell'autografo del Petrarca, che va a pagina nuova quando inizia quella che oggi viene data come seconda parte.

Laura, illustre per le sue virtù e per la mia poesia, apparve per la prima volta agli occhi miei al tempo della mia prima giovinezza nell'anno del Signore 1327, il giorno 6 aprile, nella chiesa di Santa Chiara di Avignone, a mattutino; e nella stessa città, nello stesso mese di aprile, nello stesso giorno, nella stessa ora del mattino la sua grande luce fu sottratta alla luce del giorno, mentre io mi trovavo allora per caso a Verona, inconsapevole, ahimé, del mio destino. La notizia infausta mi colse a Parma, resami nota da una lettera del mio Lodovico, nell'anno stesso, il 19 maggio, al mattino. Il corpo di lei, castissimo e bellissimo, fu sepolto nel luogo dei frati Minori nel giorno stesso della morte, al vespro. Io sono certo che la sua anima, come Seneca dice di Scipione Africano, sia tornata nel cielo, da cui era venuta. Ho voluto scrivere tutte queste notizie ad acerba memoria del fatto, con una sorta di dolcezza amara, e proprio in questo libro che spesso mi ritorna agli occhi, perché mi ricordi, rileggendole io spesso e meditando sul vertiginoso fuggire della vita, che non vi deve essere più nulla che mi piaccia in questa esistenza, e che è tempo, ora che infranto è il legame più forte, di fuggire da Babilonia: e concedendomi Dio la sua grazia, mi sarà facile, se ripenserò intensamente e virilmente agli inutili affanni, alle vane speranze e agli esiti, sempre disformi da esse, del passato.

23. La vita fugge, et non s'arresta una hora (CCLXXII)

È un sonetto scritto dopo la morte di Laura, come si avverte dall'ultimo verso. Come la bella persona di lei rappresentava il sogno di una pienezza di vita, di una felicità verso le quali il poeta si protendeva ansioso, pur avvertendole irreali, così la sua morte diviene il simbolo del morire, dello svanire senza speranza d'ogni cosa umana. Nascono così questi versi, desolati come la verità che contengono, già spesso presentita, ma ora soltanto pienamente vissuta. Tutta la vita riappare qui, ma per svanire in un tono di delusione totale; né il sentimento religioso è di conforto, ma arreca una più profonda angoscia.

La vita fugge, et non s'arresta una hora,
et la morte vien dietro a gran giornate,
et le cose presenti, et le passate
mi dànno guerra, et le future anchora;
5 e 'l rimembrare et l'aspettar m'accora
or quinci or quindi, sí che 'n veritate,
se non ch'i' ò di me stesso pietate,
i' sarei già di questi pensier' fòra.
Tornami avanti s'alcun dolce mai
10 ebbe 'l cor tristo; et poi da l'altra parte
veggio al mio navigar turbati i vènti;
veggio fortuna in porto, et stanco omai
il mio nocchier, et rotte àrbore et sarte,
e i lumi bei, che mirar soglio, spenti.

Metro: *sonetto* (schema: ABBA, ABBA, CDE, CDE).

2. et la morte vien dietro a gran giornate: quest'incalzare, da parte della morte, la vita fuggente a grandi marce (*a gran giornate*), costituisce un'immagine profondamente tragica; in essa si condensa tutto il destino dell'uomo.

3-4. Dinanzi all'ossessivo pensiero della morte, ogni dolce inganno della vita scolora, resta solo l'urgenza di giustificare questa vita davanti al tribunale dell'eterno. Ma proprio questo si risolve in travaglio angoscioso per il poeta: le cose presenti, cioè la sua incapacità di giungere a una piena purificazione, il ricordo del suo passato smarrirsi dietro le seduzioni mondane, il senso del prossimo giudizio divino gli *danno guerra*, lo conducono a un rimorso che confina con la disperazione.
Osserva in questa quartina il moto vario e complesso dei sentimenti: la tristezza della vita che fugge, l'angoscia della morte che incombe, un desolato esame di coscienza; considerazioni che s'affollano nell'anima con assalto cupo e violento (nota le due metafore guerriere, al v. 1 e al v. 4). La semplice congiunzione *e* dà il senso del loro improvviso, inesorabile apparire alle soglie della coscienza dopo aver lacerato ogni velo illusorio, per accamparsi nella loro nudità.

5-8. «E il ricordare il mio peccaminoso passato, e l'attesa della morte e del giudizio m'accorano, l'uno da una parte l'altro dall'altra (*or quinci or quindi*), sì che in verità, se non fosse che ho pietà di me stesso (cioè timore di incorrere nella dannazione eterna), mi sarei già tirato fuori da questi angosciosi pensieri (uccidendomi)».

9. Tornami avanti: intendi *alla memoria*. **s'alcun dolce mai**: il *se* e il *mai* danno il senso di gioie incomplete, inconsistenti (forse neppure tali), e rare, fugaci. **tristo:** dolente e affranto.

11. «vedo la navigazione della mia vita turbata dai venti delle passioni».

12. veggio fortuna in porto, ecc.: vedo una più aspra tempesta nella vecchiaia (che dovrebbe invece essere il porto sereno della vita; e la tempesta è quella descritta nei vv. precedenti), e stanco ormai il mio nocchiero (la ragione) e rotti albero e sartie (**arbore et sarte**), cioè ogni potenza dell'anima, e spente quelle luci (gli occhi di Laura, che illuminavano la difficile navigazione), che solevo (**soglio**) mirare.

24. Se lamentar augelli, o verdi fronde (CCLXXIX)

Morta, Laura, ma viva e presente nel ricordo. A poco a poco, anzi, esce dalla tomba, e il poeta la ritrova intatta nella sua bellezza, e nel proprio amore che dura oltre la morte, perché ella non era stata soltanto una donna, ma il sogno di una vita lontana da ogni miseria.

In questo sonetto, concepito nella solitudine di Valchiusa, tutta piena di dolci memorie, Laura riappare, come per incanto, evocata dal paesaggio dove il poeta la vide e la sognò, gli parla con la voce dei ricordi più cari. Non è più la donna bella e lontana, come in vita, ma un'amica affettuosa. E, per confortarlo, gli parla del cielo; ma già qui, e lo vedremo meglio in altri sonetti, si tratta d'un paradiso tutto intessuto di memorie e di affetti umani.

Se lamentar augelli, o verdi fronde
mover soavemente a l'aura estiva,
o roco mormorar di lucide onde
s'ode d'una fiorita e fresca riva,
5 là 'v'io seggia d'amor pensoso et scriva,
lei che 'l ciel ne mostrò, terra n'asconde,
veggio, et odo, et intendo ch'anchor viva,
di sì lontano a' sospir miei risponde.
— Deh, perché inanzi 'l tempo ti consume?
10 — mi dice con pietate — a che pur versi
de gli occhi tristi un doloroso fiume?
Di me non pianger tu, ché' miei dí fersi
morendo eterni, et ne l'interno lume,
quando mostrai de chiuder, gli occhi apersi.

Metro: *sonetto* (schema: ABAB, ABAB, CDC, DCD).

1. Se lamentar augelli, ecc.: il lamento degli uccelli, il roco mormorare delle onde, il moversi delle verdi fronde, sono complemento oggetto; il verbo è il **s'ode** del v. 4 (= si odono). Ma il P. ha voluto mettere in evidenza il paesaggio, tutto risolto in immagini non tanto visive quanto musicali. È come una melodia sommessa, che si risolve nell'altra musica delle parole di Laura. C'è come un sottile contrasto fra la natura ridente (le fronde verdi che soavemente oscillano alla brezza leggera, le onde lucide, cioè limpidissime e scintillanti, la riva fiorita e fresca) e il mesto lamento degli uccelli, il mormorare roco delle acque. È un contrasto che sembra rievocare la figura di Laura, la sua bellezza e il senso doloroso del suo destino di morte.

6. Laura fu come un dono concesso dal cielo per breve tempo agli uomini, ma ora la terra nasconde la sua spoglia.

7-8. veggio... odo... intendo, ecc.: i tre verbi sembrano sottolineare il miracolo della presenza ideale e pure reale di Laura; così lontana e pure così vicina che può rispondere agli accorati sospiri del P. e parlargli, come se fosse viva. Ma il P. non dice come *se fosse,* dice che realmente è ancor viva, a tal punto lo riafferra quel dolce «errore» che gliela faceva, un tempo, sognare e sentire presente nella sua solitudine, quand'ella era viva ma lontana. Ritorna il mito di Valchiusa, in un velo di nostalgia e di rimpianto.

9-14. Il miracolo si compie: Laura parla, lei che in vita era sempre stata muta, inaccessibile, e parla con pietà. Perché il poeta si consuma, affrettando, col dolore, la sua fine? perché quel lungo pianto disperato (*doloroso fiume*) che versa dagli occhi? Non deve piangere per lei, pensi piuttosto che ella è felice nel cielo.

12-14. ché' miei dí fersi, ecc.: con la morte, la mia vita (*i miei dí*) è divenuta eterna; quando sembrò che io chiudessi per sempre i miei occhi mortali, li aprii, invece, alla luce intima dell'anima (*interno lume*: è un tema agostiniano) cioè alla luce di Dio, dell'eternità (già presenti in un'ancestrale memoria della persona).

25. Alma felice, che sovente torni (CCLXXXII)

È un sonetto affine al precedente, concepito anch'esso sull'incantato sfondo di Valchiusa, e anch'esso celebra il miracolo della presenza eterna di Laura nella vita del Petrarca. Ma qui egli non insiste tanto sul miracolo di quella voce che si leva improvvisa dal sospirare della natura. Laura è ormai divenuta presenza consueta, consolatrice delle sue notti dolenti; egli rivede i suoi occhi, la persona, le vesti. È un amore che il tempo e la morte hanno purificato dalla passione, dolcissimo nella memoria.

Alma felice, che sovente torni
a consolar le mie notti dolenti
con gli occhi tuoi, che Morte non à spenti,
ma sovra 'l mortal modo fatti adorni:
5 quanto gradisco che' miei tristi giorni
a rallegrar de tua vista consenti!
Così comincio a ritrovar presenti
le tue bellezze a' suoi usati soggiorni.
Là 've cantando andai di te molt' anni,
10 or, come vedi, vo di te piangendo;
di te piangendo no, ma de' miei danni.
Sol un riposo trovo in molti affanni,
che, quando torni, te conosco e 'ntendo,
a l'andar, a la voce, al vólto, a' panni.

Metro: *sonetto* (schema: ABBA, ABBA, CDC, CDC).

1-4. Alma felice: così la chiama perché assunta alla gloria del cielo. **che sovente torni,** ecc.: ritorna ella pietosa a consolare le desolate notti del P., quando nel raccoglimento e nella solitudine più intenso si fa il suo dolore; e lo guarda con quegli occhi che la morte non è riuscita a spegnere, ma ha reso luminosi e belli più di quanto non possano essere occhi mortali (**sovra 'l mortal modo**).

7-8. Ritrova le bellezze di lei in quei luoghi dove un tempo ella era solita dimorare.

9-10. In quei luoghi, dove per tanti anni vagò, cantando di lei, ora va di lei piangendo; due versi che riassumono tutta una vita.

11. di te piangendo, no, ecc.: «Veramente non piango di te, che vivi felice nel cielo, ma della mia vita sconsolata (*dei miei danni*), perché ti ho perduta».

13. te conosco, e 'ntendo: ti riconosco, ti ravviso.

26. Gli occhi di ch'io parlai sí caldamente (CCXCII)

Nel codice vaticano 3196 (codice degli abbozzi o *scartafaccio* petrarchesco) il Petrarca scrisse in latino, accanto a questo sonetto, la seguente annotazione: «Voglio a queste mie rime del tutto porre fine, affinché mai più mi tengano avvinto». E veramente questi versi sembrano un congedo. Spenta per sempre dalla morte è Laura, e con lei è infranta per sempre la poesia nel cuore del poeta.

Che altro, infatti, se non il pianto, gli resta dinanzi alla constatazione del tragico morire d'ogni gioia umana? La sua vicenda amorosa diviene un'immagine esemplare del destino dell'uomo: quella bellezza che apparve come un paradiso in terra è ora un pugno di polvere «che nulla sente».

Gli occhi di ch'io parlai sí caldamente;
et le braccia, et le mani, e i piedi, e 'l viso,
che m'avean sí da me stesso diviso,
et fatto singular da l'altra gente;
5 le crespe chiome d'òr puro lucente,
e 'l lampeggiar de l'angelico riso
che solean fare in terra un paradiso,
poca polvere son, che nulla sente.
Et io pur vivo; onde mi doglio e sdegno,
10 rimaso senza 'l lume ch'amai tanto,
in gran fortuna e 'n disarmato legno.
Or sia qui fine al mio amoroso canto:
secca è la vena de l'usato ingegno,
et la cetera mia rivolta in pianto.

Metro: *sonetto* (schema: ABBA, ABBA, CDC, DCD).

1-8. I primi sette versi rievocano la bellezza di Laura, ma per culminare nello strazio dell'ottavo, richiamo alla realtà di disfacimento che sta dietro alla dolcezza di quel ricordare.

1. di ch'io parlai sí caldamente: soprattutto in tre belle canzoni, dette appunto *canzoni degli occhi* (sono la LXXI, LXXII, LXXIII delle *Rime sparse*). Opportuno, sin dall'inizio, il richiamo alla propria poesia, ispirata da Laura; in essa culminò e si espresse la vita più intima del P.

2. et le braccia, et le mani, e i piedi, e 'l viso: nominati soltanto i particolari della bella persona (non vi sono aggettivi, neppure un principio vago di descrizione); ma basta il semplice nome per rievocare l'incanto che avevano suscitato.

3. Quella bellezza lo aveva rapito fuor di se stesso (*da me stesso diviso*) e reso singolare, cioè diverso e strano rispetto agli altri uomini, per il suo appartarsi e vivere solo. Così i commentatori; ma aggiungeremmo, ricordando quella pagina del *Secretum* che abbiamo riportato, nella quale il P. dice a S. Agostino gli effetti benefici che l'amore per Laura ha operato in lui, che il poeta qui allude anche all'ideale di studi, di poesia, di gloria che abbracciò per rendersi degno di Laura, all'attitudine al raccoglimento, alla meditazione sull'uomo e sulla vita che questa suprema avventura della sua anima gli ispirò, o rafforzò, comunque, in lui.

5. le crespe chiome d'òr puro lucente: le chiome ricciute, bionde come oro purissimo, splendente. L'ultimo aggettivo rafforza quello precedente, riassume e risolve la contemplazione in un'immagine di luce, come quel balenare improvviso dell'angelico riso al verso seguente.

7-8. Culmina nel primo verso la rappresentazione di Laura, col ricordo dell'estasi contemplativa, vero paradiso in terra, del P. (ricorda, ad es., la canzone *Chiare, fresche et dolci acque*); e questo rende più disperato il v. seguente: quella bellezza si è ora risolta in un pugno di polvere, insensibile.

9. Et io pur vivo: espressione bellissima nella sua nuda semplicità: come, sembra dire il P., posso continuare a vivere, una volta spenta quella gioia che era tutta la mia vita? **mi doglio e sdegno**: provo dolore per la morte di Laura, disprezzo per questa vita che ora si rivela in tutta la sua vanità.

11-12. È rimasto in mezzo a una grande tempesta (*in gran fortuna*), in un *legno disarmato*, in una nave, cioè, da cui il turbine ha strappato alberi, vele, corde, timone, tutto ciò che serviva a dirigere la sua rotta, senza più Laura, la *luce* ch'egli tanto amò.

12-14. Sia dunque posta fine alla poesia: l'ingegno è inaridito dal sentimento della vanità della vita; non resta altro che il pianto. L'ultimo verso traduce un salmo biblico (*Cithara mea versa est in luctum*), tratto dal libro di Giobbe. Non si tratta di citazione erudita: come sempre il P. ama sentire la sua voce nel coro delle voci più significative che l'umanità ha espresso nei secoli.

27. Levommi il mio penser in parte ov'era (CCCII)

Il poeta è rapito in visione, e vede Laura trionfante nel cielo, ma una Laura umanissima, affettuosa e pietosa, che attende solo il suo bel corpo e lui per giungere al compimento della propria felicità.

È il sogno di un paradiso che non elimini gli affetti umani, ma li purifichi e li innalzi; di un amore che non sia passione e peccato, ma gioia tranquilla, appagamento sereno, non insidiato dalla caducità. Il solo paradiso che il Petrarca sapesse poeticamente sognare.

Levommi il mio penser in parte ov'era
quella ch'io cerco, et non ritrovo in terra:
ivi, fra lor che 'l terzo cerchio serra,
la rividi piú bella et meno altèra.
5 Per man mi prese, et disse: «In questa spera
sarai anchor meco, se 'l desir non erra;

Metro: *sonetto* (schema: ABBA, ABBA, CDE, CDE).

1-2. Levommi il mio penser, ecc.: Il mio pensiero m'innalzò, in visione, in una parte, cioè nel cielo, ov'era Laura, colei che invano ricerco ancora quaggiù.

3. fra lor che 'l terzo cerchio serra: Il terzo cerchio è il terzo cielo, quello del pianeta Venere, dove il poeta immagina che abbiano eterna dimora gli amanti virtuosi, quale appunto Laura rivela ora di essere stata nei confronti di P.

4. più bella et meno altèra: più bella perché giunta alla perfezione celeste, meno altera, cioè più dolce e affettuosa verso di lui di quanto non fosse in terra, quando cedere all'amore del P. sarebbe stato contrario a virtù.

5-6. Per man mi prese, ecc.: Semplice e affettuoso il gesto, e così le parole: «Sarai un giorno con me in questo cielo (**spera**), se il desiderio non mi inganna, se cioè non sarà deluso». Finissimo il commento del De Sanctis: «Con che grazia casta gli fa sapere il desiderio che le è rimasto di lui! 'Se il desir non erra' è una di quelle frasi tanto poetiche che al disotto del loro significato logico tengono inviluppato un sentimento. Decomponendola, vuol dire: io desidero che tu venga, e, se il desir non erra, verrai. Ma quell'*io desidero che tu venga* ci sta come velato castamente in un altro pensiero: s'intravede, non si vede; è una testimonianza d'amore espressa più con un sospiro che con la parola».

i' so' colei che ti die' tanta guerra,
et compie' mia giornata inanzi sera.
Mio ben non cape in intelletto umano:
10 te solo aspetto, et quel che tanto amasti
e là giuso è rimaso, il mio bel velo».
Deh, perché tacque, et allargò la mano?
Ch'al suon de' detti sí pietosi et casti
poco mancò ch'io non rimasi in cielo.

7-8. i' so' colei, ecc.: sono colei che tanto ti ha fatto soffrire, e sono morta prima di giungere alla vecchiezza, che è come la sera della nostra giornata terrena.

9-11. «La mia beatitudine è tale che intelletto umano non la può neppure concepire». Parla la santa; e subito dopo, con mirabile spontaneità, la donna, la quale rivela che invece alla beatitudine piena mancano ancora due cose: il poeta, su, con lei, nell'eterna gioia, e il bel corpo (*il bel velo*: velo dell'anima, e nulla più, eppure così bello; ancora la voce del P. si unisce a quella della creatura del suo sogno), che è rimasto in terra.
12-14. «Perché tacque e lasciò andare la mia mano? Per poco, all'udire accenti così pietosi e puri, non rimasi in cielo con lei».

28. Amor, che meco al buon tempo ti stavi (CCCIII)

Un altro paesaggio di Valchiusa rievocato dalla memoria con nostalgia e tristezza, ora che Laura è morta. Ad uno ad uno il poeta chiama i fiori, le fronde, i colli, tutti gli elementi di quel paesaggio, e soprattutto Amore che un tempo continuamente ragionava con lui, a testimoni della sua fatale infelicità.

Amor, che meco al buon tempo ti stavi
fra queste rive, a' pensier nostri amiche,
et per saldar le ragion' nostre antiche
meco et col fiume ragionando andavi;
5 fior', frondi, herbe, ombre, antri, onde, aure soavi,
valli chiuse, alti colli et piagge apriche,
porto de l'amorose mie fatiche,
de le fortune mie tante, et sí gravi;
o vaghi abitator de' verdi boschi,
10 o nimphe, et voi che 'l fresco herboso fondo
del liquido cristallo alberga et pasce,
i dí miei fûr sí chiari, or son sí foschi,
come Morte che 'l fa; cosí nel mondo
sua ventura à ciaschun dal dí che nasce.

Metro: *sonetto* (schema: ABBA, ABBA, CDE, CDE).

1. Comincia con un'invocazione ad Amore, compagno caro d'un giorno, in quegli stessi luoghi. Esso stava insieme col P. al buon tempo, nel tempo felice che Laura viveva, fra queste rive, amiche ai pensieri d'amore, per la loro solitaria pace.
3-4. et per saldar le ragion' nostre, ecc.: Amore continuamente ragionava col P. e col fiume (il paesaggio è interiorizzato) per saldare le loro *ragioni* (parola del linguaggio commerciale) antiche, cioè i loro conti. In credito era il P. nei confronti d'Amore, per il suo lungo servire, in debito Amore verso il P., di qualche compenso alla sua lunga pena.
5. Fu un verso molto ammirato dai petrarchisti del Cinquecento; più tardi apparve invece uno sfoggio di bravura, neppure elegante, per giunta, per quell'affollarsi di tutti quei sostantivi privi d'ogni rilievo e virtuosisticamente costretti nella misura del verso; ma piacque, nel nostro secolo, a Ungaretti. Comunque sia, l'intenzione del P., qui e nei versi che seguono sino all'ultima terzina, è quella di richiamare alla mente e al cuore quelle cose che furono testimoni mute della sua lunga pena e gioia d'amore.
7-8. porto... fatiche: che eravate come un porto di pace ai miei travagli d'amore, alle mie tante e sì gravi tempeste dell'anima.
12-13. «I miei giorni furono così luminosi, gioiosi (al buon tempo), e ora invece sono così foschi, come la Morte, che di questa cupezza è cagione».
14. ventura: destino.

29. Zephiro torna, e 'l bel tempo rimena (CCCX)

Ritorna Zefiro, e con lui primavera, dovunque è uno spettacolo di vita che si dischiude alla gioia, a una attesa e promessa d'amore; ma per il poeta, ora che Laura è morta, non tornano né primavera, né amore. Il contrasto fra l'amorosa tristezza e il rinnovellarsi della vita a primavera fu motivo assai comune alla lirica del Duecento, ma qui il Petrarca sembra riscoprirlo; par ricantare al suo cuore un'antica canzone, come sembrano suggerire anche le numerose personificazioni mitologiche (Zefiro con la sua «famiglia», Progne, Filomena, Giove, Venere), echi di antiche storie d'amore celebrate dai poeti.

Zephiro torna, e 'l bel tempo rimena,
e i fiori et l'erbe, sua dolce famiglia,
et garrir Progne, et pianger Philomena,
et primavera candida et vermiglia.
5 Ridono i prati, e 'l ciel si rasserena;

Metro: *sonetto* (schema: ABAB, ABAB, CDC, DCD).

1-4. Ritorna Zefiro, e seco riconduce il bel tempo, i fiori, l'erba, che l'accompagnano come dolce sua famiglia, e il canto della rondine e quello dell'usignuolo, e primavera, che ha il colore candido e vermiglio dei fiori. Nell'affollarsi gioioso delle immagini si esprime il fascino della primavera, quel suo improvviso erompere che ridesta nel cuore del P. un'eco di gioie di giorni lontani. **Progne** e **Philomena,** secondo un mito classico, furono tramutate rispettivamente in rondine e in usignuolo.
5-6. Ridono i prati, ove l'erba si rinnovella e tornano a sbocciare i fiori; il pianeta Giove sembra rallegrarsi nel contemplare la luce, divenuta più limpida e intensa, del pianeta di Venere (secondo la mitologia, Venere era figlia di Giove).

Giove s'allegra di mirar sua figlia;
l'aria, et l'acqua, et la terra è d'amor piena;
ogni animal d'amar si riconsiglia.
Ma per me, lasso!, tornano i più gravi
10 sospiri che del cor profondo tragge
quella ch'al ciel se ne portò le chiavi;
et cantar augelletti, et fiorir piagge,
e 'n belle donne honeste atti soavi
sono un deserto, et fere aspre et selvagge.

7-8. La rappresentazione culmina in questa visione di un trionfo d'amore, che, nel contempo, conduce il P. alla considerazione della sua solitudine, della sua immedicabile tristezza. **ogni animal**, ecc.: ogni creatura animata, in cielo, in terra, nell'acqua, si esorta, si dispone all'amore.
11. quella... chiavi: quella che ha portato con sé in cielo le chiavi del mio cuore (cioè la sua vita).
13. honeste: l'aggettivo rivela il decoro, la grazia, la dignità interiore che si rilevano negli atti e nell'aspetto.

ESERCIZIO DI ANALISI

«Zephiro torna...»

1. Una grammatica poetica. Questo sonetto presenta alcuni tratti tipici dello stile petrarchesco. In primo luogo il gusto della *dicotomia*, ossia della divisione binaria in due parti, di durata equivalente, del verso, accompagnata da un procedimento analogo nella rappresentazione dell'oggetto. Ad es., in «et garrir Progne et pianger Philomena» le due metà del verso (o *emistichi*) presentano una durata analoga, sottolineata dalla corrispondeza sintattica (congiunzione + verbo all'infinito + soggetto), così come, sul piano del significato, il cantare degli uccelli viene suddiviso in quello della rondine e in quello dell'usignolo. Tale struttura ricorre nei vv. 1, 3, 5, 12, 14 con figure analoghe: ad es., nel v. 14, un'immagine di desolazione viene suddivisa in «deserto» e «fere» (= 'fiere').

Altro esempio di dislocazione binaria è offerto dalle coppie di nomi o aggettivi: 2 «e i fiori et l'erbe»; 4 «candida et vermiglia»; 14 «aspre et selvagge», cui si può aggiungere il *chiasmo* o intreccio di 5 «Ridono i prati, e 'l ciel si rasserena», dove, se indichiamo con A i verbi e con B i sostantivi, si ha la disposizione incrociata ABBA. Analogamente si può osservare il bilanciarsi sul piano fonico, al centro del v. 8, di *animal* e *amar*, dove le due parole sono unite da una quasi-rima e da un'analogia fonica o *paronomasia* (in entrambe si ritrovano *a,m,a,r,* che è una consonante liquida affine a *l*), quasi a indicare l'identità di vita (in latino *anima*, da cui *animal*, ossia essere animato, vivente) e amore.

Fenomeno opposto, ma pur sempre connesso alla suddivisione binaria è l'*antitesi* o contrario, rappresentato dai vv. 12-13 in opposizione al 14, e, più generalmente, dall'opposizione fra quanto è detto nelle quartine e quanto è detto nelle terzine. L'antitesi è, anzi, la struttura compositiva di fondo del sonetto.

I critici hanno sottolineato questi aspetti come caratteristici dello stile del Petrarca, rilevando che essi portano a un rallentamento del ritmo, a un bilanciarsi del discorso; cioè alla ricerca di un'equilibrata euritmia in cui si ricompone il dissidio (amoroso e religioso) del poeta. Qui, ad es., la sofferenza espressa nell'ultimo verso è come attutita dalla pacatezza degli altri e ricondotta dall'angoscia alla malinconia; a una tonalità meditativa che tempera l'insorgenza del sentimento e diviene sguardo lucido e comprensivo d'una vicenda personale considerata, al tempo stesso, come emblematica.

Altri aspetti stilistici puntano in questa direzione, in primo luogo la rappresentazione stilizzata della natura. Si considerino gli oggetti evocati: *bel tempo, fiori, erbe, primavera, prati, cielo, aria, acqua, terra*. Sono nomi del tutto generali, sostanze elementari, o, com'è stato detto, *emblemi*, che alludono a tutte le primavere, ai movimenti e alle forme essenziali e di sempre (dunque elementari ed emblematiche) del loro manifestarsi. Con essi si armonizzano perfettamente i nomi-sostanze tratti dalla mitologia anch'essi emblematici, in quanto stilizzazione d'una proprietà generale degli oggetti che rappresentano e d'una scoperta corrispondenza uomo-natura. La mitologia rappresenta qui un gesto elementare di umanizzazione della natura, coerente col «ridere» dei prati, che è poi un'antica metafora, divenuta luogo comune nei trattati di retorica classici e medievali.

2. Una poesia di emblemi. Esemplare è, dunque, la natura come lo è la vicenda umana rappresentata, in uno spazio e in un tempo (l'avvicendarsi delle stagioni) che sono quelli di sempre; una vicenda, inoltre, ribadita da una lunga tradizione letteraria nella lirica amorosa medievale (risorgere della natura e risorgere del desiderio d'amore, o il suo contrario; fascino femminile e fascino della primavera).

Per questa emblematicità il *Canzoniere* si è prestato a un'imitazione secolare, come testo che presentava una sorta di norma essenziale e articolata del vivere l'amore e del dire l'amore, offrendo alla lirica posteriore situazioni tipiche e un modello di linguaggio letterario quanto meno legato a una vicenda biografica particolare tanto più atto a essere ripreso e adattato ad altre situazioni analoghe.

Con queste osservazioni non s'intende dare un giudizio sulla maggiore o minore validità della poesia del Petrarca, ma indicare certe strutture compositive che concorrono al definirsi d'un messaggio poetico, da analizzare volta per volta nella sua specifica attualità. Si può, ad es., segnalare la ricorrenza, qui e, in genere, nella poesia petrarchesca, d'una dittologia del tipo «candida e vermiglia», ma è evidente il fascino particolare che assume qui l'espressione. L'accostamento (e il contrasto) di quei colori elementari e vividi suggerisce tutti i colori dei fiori e quelli, analoghi, del cielo primaverile e, insieme, la gioia che suscitano in chi li contempla e partecipa al ritmo espansivo della stagione che rinnova il mondo.

Si veda infine la costruzione del discorso nel sonetto. Nella struttura di perennità suggerita dal ricorso di stagione e dalle bilanciate simmetrie stilistiche si inserisce un movimento di gioia e delusione. La prima è espressa da quell'affollarsi di coordinate (*et...et...et...* dei vv. 1-8, riprese poi nei vv. 12-13) che definiscono, in un accumularsi festoso, il paesaggio primaverile (un cumulo di sensazioni cui fa riscontro un senso di pienezza, di espansione vitale).

Poi succede la nuda narrazione dei vv. 9-11: una pausa riflessiva che enuncia il movimento antitetico: la vita (Laura) che non ritorna. Infine, nell'ultima terzina, riaffiorano sinteticamente la promessa della primavera e l'attuale presenza del dolore, con una perfetta e coerente armonizzazione.

In conclusione, il Petrarca non racconta qui una vicenda storicamente definita, ma esprime alcune cadenze elementari del vivere: il coesistere di morte e vita, di speranza e disinganno. L'esemplarità che si ritrova nella descrizione della stagione corrisponde a quella con cui viene presentata la vicenda autobiografica, spogliata d'ogni esibita dimensione soggettiva, secondo una precisa indicazione della cultura medievale, portata, insieme, allo scavo dell'interiorità e alla raffigurazione di essa in una forma paradigmatica, come attestano le *Confessioni* di S. Agostino e la *Vita nuova* di Dante.

3. Qualche sorpresa. Emblemi, dittologie, antitesi, persino contenuti convenzionali... Ce ne sarebbe, sembra, abbastanza per accusare il sonetto d'un eccesso di letterarietà, di soluzioni formali stereotipate, anche se, a ben vedere, si tratterebbe di imitazione di sé, d'una propria maniera collaudata e ripetuta un po' stancamente: quello che si chiamerà petrarchismo e che incomincia a delinearsi nel *Canzoniere*.

Ma, in realtà, è proprio dei grandi poeti il rapporto dialettico con la tradizione, la capacità di rinnovarla dall'interno, e questo sonetto ne è una chiara dimostrazione.

Si prenda la prima quartina. Ci dice che Zefiro ritorna e riconduce: a) il bel tempo, b) i fiori, c) le erbe, d) la garissa delle rondini, e) il pianto-canto dell'usignolo, f) la «primavera candida e vermiglia». Un paesaggio convenzionale, una mera enumerazione di cose di sempre, aggravata dal fatto che non chiama neppure, in due casi, le cose col loro nome, ma mediante una perifrasi mitologica?

Si osservi meglio. Intanto l'essenzialità di fiori ed erbe, e degli altri elementi di quella apparente enumerazione, «fa» immagine, come quella «dolce famiglia», ritrovamento, meglio, scoperta d'una dolcezza insita nelle cose, che poi è quella di sempre: la vita che si rinnova dalle fondamenta a primavera. Ma prendiamo i due infiniti *garrir* e *pianger*. Sono sostantivati? Dovrebbero esserlo, se «dipendono» da *rimena*; ma allora, *perché* manca l'articolo? (poteva esserci: «e 'l garrir Progne», bello o no che fosse). E infine quella primavera ridotta a due colori elementari.

Il fatto è che qui gli oggetti si presentano non nella dipendenza stabilita dall'analisi logica, ma nella logica-illogica d'una riscoperta poetica del mondo: affiorano come apparizioni luminose d'una vita che torna sulla tristezza d'un passato perduto. Il garrire e il piangere portano all'improvviso in scena un canto d'uccelli, una musica delle cose, così come il bianco e il vermiglio diventano un esplodere improvviso del colore, assoluto, si direbbe; la gioia di esso non è solo nei fiori, ma anche nel cielo. Abbiamo così un'oggettualità e spazialità indefinite, legate a un tempo di favola (i miti), a una «soave» e melanconica cadenza di memorie. I singoli oggetti balzano alla poesia, senza dipendenze grammaticali o sintattiche, ma nella gioia d'una scoperta. L'analisi potrebbe continuare...

Questo inizio dovrebbe servire a richiamare l'attenzione su questi punti:

1. L'analisi stilistica è fondamentale, perché insiste sul linguaggio, che è lo strumento del poeta. Ma bisogna evitare il pericolo di renderla una enumerazione astratta di fatti stilistici e formali.

2. La nostra analisi dovrebbe per lo meno mostrare la difficoltà di definire il «contenuto» d'una poesia, e l'inopportunità di ridurlo a una «traduzione» rapida e incolore parola per parola.

Un corollario: il «pianto» dell'usignolo potrebbe essere una citazione interna del *macrotesto* (il *Canzoniere*). Si veda il sonetto *Quel rosignuol*. Sono cose alle quali i poeti ci hanno abituato da sempre.

30. Quel rosigniuol che sí soave piagne (CCCXI)

Il canto d'un usignuolo, che simile ad amoroso lamento si effonde nel silenzio di una notte solitaria, desta nel cuore del poeta una consonanza di dolore, poiché sembra rammentargli il suo destino d'amore e di pianto. Da questo lamento che l'anima e insieme le cose esprimono, si svolge una meditazione accorata: chi avrebbe mai pensato che quella bellezza luminosa dovesse un giorno morire, diventare «terra oscura»? Veramente effimera è ogni gioia umana: tutto trascorre e sfuma in un lamento che si perde nella tenebra.

Quel rosigniuol che sí soave piagne,
forse suoi figli, o sua cara consorte,
di dolcezza empie il cielo et le campagne
con tante note sí pietose et scorte;
5 et tutta notte par che m'accompagne,
et mi rammente la mia dura sorte;
ch'altri che me non ò di ch'i' mi lagne,
ché 'n dee non credev'io regnasse Morte.

Metro: *sonetto* (schema: ABAB, ABAB, CDC, CDC).

1. Quel rosigniuol: l'immagine è suggerita da Virgilio (*Georgiche*, IV, 511-15): *Qualis populea moerens Philomela sub umbra / Amissos queritur foetus, quos durus arator / Observans nido implumis detraxit; at illa / Flet noctem, ramoque sedens miserabile carmen / Integrat et maestis late loca questibus implet* / («Come l'usignolo, lamentandosi nell'ombra folta d'un pioppo, piange i perduti figli che un contadino crudele scorse e ancora implumi via trascinò dal nido; esso piange tutta la notte e posato sul ramo raddoppia il suo canto angosciato e largamente intorno riempie i luoghi del suo mesto lamento»). Nel P. appare il motivo nuovo della *dolcezza*, perché il canto dell'usignuolo corrisponde al suo lamento d'amore.

4. pietose et scorte: come quelle del canto del P.: commosse e pur così sapientemente modulate (*scorte*).

5-6. Nella prima quartina il P. ascolta il canto che s'espande per la campagna; in questa, ritorna su se stesso, ritrova quello stesso lamento nel suo cuore. Tutta notte quel canto sembra accompagnarlo, ma per rammentargli la sua pena.

7-8. Ha detto *mia*, ed ora spiega e approfondisce; non è crudele il destino di Laura, ora felice nei cieli, ma il suo, e per colpa propria; ha veduto in Laura viva un'immagine sovrumana, immune dall'oltraggio del tempo, della morte. L'illusione è caduta, tanto più dolorosamente quanto più intensa era stata.

O che lieve è ingannar chi s'assecura!
10 Que' duo bei lumi assai piú che 'l sol chiari
chi pensò mai veder far terra oscura?
Or cognosco io che mia fera ventura
vuol che vivendo e lagrimando impari
come nulla qua giú diletta et dura.

9-11. «Oh, com'è facile ingannare chi s'illude e si ritiene sicuro (*chi s'assecura*)! Ma come avrei potuto pensare che quei begli occhi, più luminosi dello stesso sole, potessero, a un soffio, diventare terra oscura?».
12-14. Il dolore si placa in un'amara chiaroveggenza: «Ora comprendo che il mio crudele destino mi ha voluto fare inoppugnabilmente comprendere (**imparare**), attraverso il mio vivere e il mio soffrire (**vivendo e lagrimando**), che tutto ciò che vi è nel mondo di bello e che più diletta il cuore è caduco».

31. Tutta la mia fiorita et verde etade (CCCXV)

Il Petrarca vagheggia un quadro d'intimità affettuosa fra lui e Laura, una possibilità che la morte ha stroncato quando già stava per divenire realtà. Era ormai trascorsa la gioventù e il suo amore ardente stava diventando affetto, fiamma che illumina e non arde. Laura avrebbe potuto contraccambiare questo affetto virtuoso, e sarebbe stato allora dolce invecchiare insieme, sedere accanto, parlare, vivere un puro amore d'anima. Ma la morte ha infranto questo, come ogni altro sogno.

Lo stile del sonetto è pervaso d'una dolcezza raccolta e pensosa ed esprime un ideale che, già perseguito nelle rime in vita di Laura, verso la fine della prima parte del *Canzoniere*, ricorre spesso in questa seconda parte, soprattutto nei sonetti ove il poeta immagina quei colloqui con Laura di cui abbiamo già visto qualche esempio.

Tutta la mia fiorita et verde etade
passava, e 'ntepidir sentìa già 'l foco
ch'arse il mio core, et era giunto al loco
ove scende la vita ch'al fin cade.
5 Già incominciava a prender securtade
la mia cara nemica a poco a poco
de' suoi sospetti, et rivolgeva in gioco
mie pene acerbe sua dolce honestade.
Presso era 'l tempo dove Amor si scontra
10 con Castitate, et a gli amanti è dato
sedersi insieme, et dir che lor incontra.
Morte ebbe invidia al mio felice stato,
anzi a la speme, et feglisi a l'incontra
a mezza via come nemico armato.

Metro: *sonetto* (schema: ABBA, ABBA, CDC, DCD).

1-4. Era ormai trascorsa la giovinezza, età verde e fiorita come la primavera, e già il P. sentiva il fuoco della passione, che aveva arso il suo cuore, diventare un dolce tepore di affetto. Egli era giunto a quel punto della vita dal quale comincia lento il declino di essa, il suo cadere verso la morte (*fin*).
5-7. Già Laura, affettuosamente chiamata la *cara nemica* (nemica, perché fino allora restia all'amore del P., ma l'aggettivo tempera delicatamente il sostantivo), cominciava a poco a poco a rassicurarsi dai suoi timori (*sospetti*) che l'amore del P. non fosse conforme a onestà (per questa ragione gli era stata nemica, lo aveva tenuto lontano, più di quanto non avrebbe voluto).
7-8. et rivolgeva... honestade: la dolce onestà degli atteggiamenti di lei mutava ora in gioia (*gioco*) le acerbe pene d'amore sopportate un tempo dal P.
9-11. Era ormai vicino (*presso*) il tempo in cui amore può incontrarsi con la castità, essere cioè puro e non turbato dalla passione, e allora agli amanti è concesso sedere l'uno accanto all'altro, parlare insieme.
13. anzi a la speme: non il suo felice stato gl'invidiò la morte, ma la speranza di esso, che ancora non s'era compiuta.
13-14. feglisi... armato: la morte si fece incontro alla speranza come un nemico disposto all'offesa e la stroncò prima che avesse potuto compiere il suo cammino.

32. E' mi par d'or' in hora udire il messo (CCCXLIX)

Sembra al poeta di udire una voce, la voce di Laura che lo chiama, e la sua anima stanca si consola in questo pensiero di una morte che nulla ha ormai in sé di cupo, ma arreca soltanto un senso di bramata pace. Poi, nelle due terzine, erompe il desiderio di uscire dal carcere terreno, dalle sue tenebre, e di vedere il Signore e la sua donna. Mai forse l'anelito religioso del Petrarca ha trovato voce così pura.

E' mi par d'or' in hora udire il messo
che madonna mi mande a sé chiamando:
cosí dentro et di for mi vo cangiando,
et sono in non molt'anni sí dimesso,
5 ch'a pena riconosco omai me stesso;

Metro: *sonetto* (schema: ABBA, ABBA, CDE, DCE).

1. E': è soggetto neutro, usato nella favella toscana. **il messo**: nota il Sapegno: «angelo o visione o sogno»; è bene lasciare all'espressione la sua felice indeterminatezza.
2. madonna: Laura. **a sé chiamando**: per chiamarmi a sé.
3-5. Il P. va cangiando a tal punto nel corpo e nell'anima (*dentro et di for*: allude sia al venir meno di ogni illusione e speranza nella vita terrena, sia al declino fatale della vecchiezza) e in pochi anni (dalla morte di Laura) è divenuto così spiritualmente accasciato, che ormai a stento riconosce se stesso. Avverte stupito e quasi sgomento la fuga irreparabile degli anni, la vecchiaia, lo spegnersi della fiamma vitale.

tutto 'l viver usato ho messo in bando.
Sarei contento di sapere il quando,
ma pur devrebbe il tempo esser da presso.
O felice quel dí, che, del terreno
10 carcere uscendo, lasci rotta et sparta
questa mia grave et frale et mortal gonna,
et da sí folte tenebre mi parta,
volando tanto su nel bel sereno,
ch'i' veggia il mio Signore, et la mia donna.

6. Ha allontanato per sempre da sé ciò che prima costituiva la ragione della sua vita.

7. **Sarei contento di sapere il quando**: unico desiderio è ora quello di sapere quando la morte verrà, ma se questo gli è negato, resta al P. il conforto di sentire che quel giorno non può essere ormai lontano.

9-14. D'improvviso il tono si innalza in una luce di speranza; alla delusione vitale succede il desiderio del cielo.

9-11. «Felice quel giorno in cui, morendo, uscirò dal carcere terreno (come un carcere questa vita tiene imprigionata l'anima, impedendole il suo volo verso l'eterno), e lascerò questo corpo (*gonna* = veste; veste dell'anima) greve, fragile, destinato alla morte, disfatto e disperso».

33. Vago augelletto, che cantando vai (CCLIII)

Riprende il motivo del sonetto *Quel rosigniuol che sì soave piagne*, sviluppando il tema, là più rapidamente accennato, dell'intima consonanza fra il canto dell'uccellino nella notte solitaria e il canto, e il pianto, della sua anima. C'è qui un tono di diffusa tenerezza, il desiderio di ritrovare nella natura una corrispondenza affettuosa.

Vago augelletto, che cantando vai,
over piangendo, il tuo tempo passato,
vedendoti la notte e 'l verno a lato,
e 'l dí dopo le spalle, e i mesi gai,
5 se come i tuoi gravosi affanni sai,
cosí sapessi il mio simile stato,
verresti in grembo a questo sconsolato,
a partir seco i dolorosi guai.
I' non so se le parti sarian pari,
10 ché quella cui tu piangi, è forse in vita,
di ch'a me Morte, e 'l ciel, son tanto avari;
ma la stagione et l'ora men gradita,
col membrar de' dolci anni et de li amari,
a parlar teco con pietà m'invita.

Metro: *sonetto* (schema: ABBA, ABBA, CDC, DCD).

1. **Vago**: errabondo; ma anche: aggraziato e gentile.

2-4. over piangendo, ecc.: oppure piangendo il tempo passato, perché ora vedi accanto a te non più la primavera, ma la notte e l'inverno e dietro le tue spalle hai lasciato il giorno luminoso e i mesi della stagione bella, pieni di vita e di gioia (*gai*).

6. **il mio simile stato**: anche il P. prova dolore per il tempo perduto per sempre, per la gaia stagione di giovinezza fuggita, per la notte di dolore dalla quale, dopo la morte di Laura, è avvolto.

7-8. «Verresti in grembo a me, che sono sconsolato, infelice, e divideresti con me le comuni pene, il comune lamento (*guai*)».

9-11. Non so, dice il P., se le nostre pene sarebbero uguali, perché anche tu forse piangi l'amata, che però è ancora in vita, anche se lontana da te, della qual cosa (*di che*, cioè dell'essere in vita l'amata) il cielo e la morte sono con me tanto *avari* (mi hanno, cioè del tutto lasciato privo di questa gioia).

12-14. «Ma la stagione, prossima all'inverno, e l'ora men gradita, cioè la notte, con la sua tenebra, la sua malinconia dolorosa e il ricordo degli anni dolci, per sempre perduti e di quelli amarissimi che vivo da quando Laura è morta, m'invitano a parlar con te, a cercare in te una corrispondenza affettuosa (*pietà*)».

34. I' vo piangendo i miei passati tempi (CCCLXV)

È il commiato dalle rime d'amore, prima della canzone alla Vergine. Vi si sente il sospiro disincantato dell'anima stanca, la consapevolezza della propria colpa e della propria incapacità di redenzione, sì che la dolente invocazione a Dio, così nuda e spoglia, acquista un tono di commovente umiltà.

I' vo piangendo i miei passati tempi
i quai posi in amar cosa mortale,
senza levarmi a volo, abbiend'io l'ale,
per dar forse di me non bassi exempi.
5 Tu che vedi i miei mali indegni et empî,
Re del cielo invisibile immortale,
soccorri a l'alma disvïata et frale,
e 'l suo defetto di tua gratia adempi;
sí che, s'io vissi in guerra et in tempesta,

Metro: *sonetto* (schema: ABBA, ABBA, CDC, DCD).

2. **i quai posi**, ecc.: che ho perduto nell'amare una cosa mortale. La nuda allusione a Laura rivela un ricordo privo d'ogni dolcezza.

3-4. «senza riuscire a levarmi a volo dall'amore mortale a quello divino, pur avendo disposizioni naturali tali da poter compiere imprese non basse».

5-8. Il tono della preghiera si fa più inten-

10 mora in pace et in porto; et se la stanza
fu vana, almen sia la partita honesta.
A quel poco di viver che m'avanza
et al morir, degni esser Tua man presta:
Tu sai ben che 'n altrui non ò speranza.

so. Davanti alla fragilità umana dell'uomo deluso e pentito sta Dio, re del cielo, puro spirito, immortale; a Lui chiede il P. umilmente soccorso, per la sua anima *disviata* (che ha smarrito il retto cammino) e fragile (*frale*); e gli chiede di supplire con la sua grazia al suo *defetto*, cioè alla sua incapacità di perfezione.

9-10. Guerra e tempesta sono il confuso agitarsi delle passioni, pace e porto per l'anima è Dio.

10-11. et se la stanza, ecc.: se il mio dimorare nel mondo fu vano (perché non mi condusse alla redenzione), almeno la partenza da esso (la morte) sia moralmente onesta.

12-13. Costruisci: La tua mano si degni di essere presta, cioè soccorrevole, a quel poco di vita che ancor mi resta e al morire.

35. Vergine bella, che di sol vestita (CCCLXVI)

«È canzone insieme e lauda, inno ed elegia»: così definì il Carducci questa canzone, con la quale il P. conclude le *Rime sparse* riproponendone il contrasto di peccato e redenzione, di amore umano e amore divino, sforzandosi di pervenire, attraverso la fiduciosa preghiera, alla pace.

Dal profondo del cuore stanco, il poeta invoca la Madonna, affinché lo illumini e lo redima, lo aiuti a distaccarsi dal fascino delle seduzioni mondane, sintetizzate nella figura di Laura, e a sollevarsi all'amore dell'eterno, di Dio. La canzone è appunto lauda e inno in quanto celebra le lodi della Vergine col ritmo di una litania cristiana; elegia, in quanto il poeta, fra le lodi della Vergine, inserisce il proprio lamento per aver perduto la vita dietro un vano sognare e fragili gioie, al fondo delle quali altro non ha trovato che delusione.

Ogni strofa è divisa in due parti: dapprima le lodi, poi l'accorata preghiera; ma si può dire che nei primi 79 versi prevalga l'inno, negli altri l'elegia. Il Petrarca ripercorre, in questi ultimi, tutta la sua vita, nella sua sostanza di vanità e di dolore, e qui culmina l'accorata invocazione d'aiuto, propria di chi sente l'ansia di purificazione, ma non ne ha in sé la forza. Riappare in questi versi Laura, simbolo del protendersi vano verso un sogno di assoluta gioia terrena, ora riconosciuto non soltanto peccaminoso, ma impossibile, eppure indimenticabile, come attesta l'angoscia che accompagna l'affermazione della sua precarietà.

Nel tessuto stilistico della canzone si alternano e continuamente si compongono la preghiera e la lauda, nelle quali il Petrarca riecheggia i Salmi, gl'inni, le preghiere della Chiesa, e il linguaggio intenso e spoglio della confessione personale.

Vergine bella, che di sol vestita,
coronata di stelle, al sommo Sole
piacesti sí, che 'n te Sua luce ascose,
amor mi spinge a dir di te parole;
5 ma non so 'ncomiciar senza tu' aita,
et di Colui ch'amando in te si pose.
Invoco lei che ben sempre rispose,
chi la chiamò con fede:
Vergine, s'a mercede
10 miseria estrema de l'humane cose
già mai ti volse, al mio prego t'inchina;
soccorri a la mia guerra,
ben ch'i' sia terra, et tu del ciel regina.
Vergine saggia, et del bel numero una
15 de le beate vergini prudenti,
anzi la prima, et con più chiara lampa;
o saldo scudo de l'afflicte genti
contra' colpi di Morte et di Fortuna,
sotto 'l qual si trïumpha, non pur scampa;
20 o refrigerio al cieco ardor ch'avampa,
qui fra i mortali sciocchi;
Vergine, que' belli occhi,
che vider tristi la spietata stampa
ne' dolci membri del tuo caro figlio,
25 volgi al mio dubio stato,
che sconsigliato a te vèn per consiglio.

Metro: *canzone* di dieci *stanze*, ciascuna di tredici versi. (Schema: *fronte* - ABC, BAC - e *sirma* - CddCEfE) più il *congedo*, uguale alla *sirma*.

1-2. Vergine bella... coronata di stelle: l'immagine è tratta dall'*Apocalisse*; così in seguito (sarebbe troppo lungo accennare a tutti i riferimenti) il P. fa proprie le immagini della liturgia cristiana.

2-3. al sommo Sole: la Vergine tanto piacque a Dio che la volle madre di Cristo (*'n te Sua luce ascose*). Vi sono già i due elementi fondamentali della lauda petrarchesca: la perfezione, la luce della Madonna che il P. invoca sulla sua anima; il suo amore materno, cui il peccatore si rivolge perché impetri da Dio misericordia.

4. amor: è l'amore vero, quello che conduce a Dio e che il P. intende ora ritrovare, dopo averlo traviato nell'umana passione.

5-6. aita: aiuto. **Colui ch'amando,** ecc.: è Cristo, che per amore degli uomini, s'incarnò nel grembo di Maria.

7-8. «Invoco Te, cioè colei che sempre rispose propizia a chi la invocò (*chiamò*) con fede».

9-13. Nella seconda parte della stanza, all'elogio segue l'invocazione. «Se è vero, Vergine, che l'estrema miseria dell'uomo sempre ti mosse a pietà (*mercede*), inchina, volgi le tue orecchie alla mia preghiera, anche se io sono terra, uomo che presto ritornerà polvere, e tu la regina del cielo, soccorrimi in questa mia tormentosa, durissima lotta (*guerra*) che conduco per redimermi».

14-16. Allude a una parabola del *Vangelo di S. Matteo*: dieci vergini furono mandate incontro allo Sposo, e cinque di loro, prudenti, seppero mantenere accesa la lampada che doveva illuminare il loro notturno cammino, e per questo furono accolte alle nozze, le altre cinque stoltamente la lasciarono spegnere e non furono accolte. Cristo è lo Sposo, le nozze rappresentano il regno dei cieli, la lampada i doni dello Spirito Santo, i due gruppi di vergini i due possibili atteggiamenti dell'anima davanti all'invito alle mistiche nozze. La Madonna è la prima, fra le vergini e quella con lampada più luminosa, perché è la creatura più perfetta.

19. «Scudo sotto la protezione del quale non solo si scampa, ma si trionfa» sul peccato e sulla morte.

20-21. Il cieco ardore che brucia i mortali insensati è quello delle passioni.

23-24. La invoca in nome della sua maternità, che provò lo strazio di vedere nelle membra dolcissime del suo figlio, Cristo, le stimmate (*stampa*), segno della spietata tortura. Il ricordare che Cristo morente affidò a Maria tutti gli uomini come figli serve a fare appello alla sua maternità che coinvolge tutti gli uomini.

25-26. «Rivolgi i tuoi occhi pietosi al mio

Vergine pura, d'ogni parte intera,
del tuo parto gentil figliuola et madre,
ch'allumi questa vita, et l'altra adorni,
30 per te il tuo Figlio, et quel del sommo Padre,
o fenestra del ciel lucente, altèra,
venne a salvarne in su li estremi giorni;
et fra tutti terreni altri soggiorni
sola tu fosti electa,
35 Vergine benedetta,
che 'l pianto d'Eva in allegrezza torni.
Fammi, ché puoi, de la Sua grazia degno,
senza fine o beata,
già coronata nel superno regno.
40 Vergine santa, d'ogni gratia piena,
che per vera et altissima humiltate
salisti al ciel, onde miei preghi ascolti,
tu partoristi il fonte di pietate,
et di giustizia il sol, che rasserena
45 il secol, pien d'errori, oscuri et folti:
tre dolci et cari nomi hai in te raccolti,
madre, figliuola, et sposa;
Vergine gloriosa,
donna del re che nostri lacci ha sciolti,
50 et fatto 'l mondo libero et felice,
ne le cui sante piaghe,
prego ch'appaghe il cor, vera beatrice.
Vergine sola al mondo, senza exempio,
che 'l ciel di tue bellezze innamorasti,
55 cui né prima fu simil, né seconda,
santi pensieri, atti pietosi et casti
al vero Dio sacrato et vivo tempio
fecero in tua verginità feconda.
Per te pò la mia vita esser ioconda,
60 s'a' tuoi preghi, o Maria,
Vergine dolce et pia,
ove 'l fallo abondò la grazia abonda.
Con le ginocchia de la mente inchine,
prego che sia mia scorta,
65 et la mia torta via drizzi a buon fine.
Vergine chiara et stabile in eterno,
di questo tempestoso mare stella,
d'ogni fedel nocchier fidata guida,
pon mente in che terribile procella
70 i' mi ritrovo sol, senza governo,
et ho già da vicin l'ultime strida.
Ma pur in te l'anima mia si fida,
peccatrice, i' nol nego,
Vergine; ma ti prego
75 che 'l tuo nemico del mio mal non rida:
ricorditi che fece il peccar nostro,
prender Dio, per scamparne,
humana carne, al tuo virginal chiostro.
Vergine, quante lagrime ho già sparte,
80 quante lusinghe et quanti preghi indarno,
pur per mia pena et per mio grave danno!

stato pericoloso (*dubio*), che, incapace di trovare una decisione che abbia il potere di farlo scampare, a te per consiglio si rivolge».
27. d'ogni parte intera: assolutamente integra: allude alla verginità di Maria.
28. Maria è figlia di Dio, e madre di Dio (*il parto gentil*, cioè nobile, della Vergine, è Cristo).
29. allumi: illumini.

30-32. «Cristo, figlio tuo e di Dio, per mezzo tuo (appunto perché la scelse come madre), o luminosa e nobile finestra del cielo (*fenestra*: la chiama così perché attraverso di lei risplendette agli uomini la luce della grazia divina) ci venne a salvare negli *estremi giorni* (l'età in cui venne Cristo è, secondo i testi sacri, l'ultima età del mondo)».
34-35. Fu scelta fra tutte le donne terrene come madre di Cristo.
36. «Rivolgi, muti in letizia il pianto degli uomini, nato dalla colpa originale». Infatti per suo mezzo si compì la redenzione.
37. de la Sua grazia: della grazia di Cristo.
38. senza... beata: o creatura infinitamente beata.
43-45. Cristo è fonte di misericordia, sole di giustizia che rasserena il *secolo*, cioè il mondo, purificandolo dai tenebrosi errori del peccato, folti come nubi che ci impediscono la visione della divina luce.
47. Madre di Dio (Cristo); sua figlia, come tutti gli uomini; sposa del Padre.
49-52. Sposa (*donna*) del re che ci ha liberato dai lacci del peccato; e io ti prego che mi aiuti a placare il mio cuore in un amore sublime che può nascere solo dalla considerazione delle piaghe di Cristo, del suo sacrificio per noi.
53. sola... senza exempio: alta più d'ogni altra donna, sì che a nessuna puoi essere paragonata. Il v. 54 ripete presso a poco lo stesso concetto.
56-58. «la santità dei tuoi pensieri, la carità e la castità delle tue azioni resero il tuo grembo, vergine e pur materno, un tempio sacro e vivo del Dio vero».
59. Per te: per mezzo tuo. **ioconda**: felice.
60-62. Se, mediante le preghiere di Maria, la grazia di Dio scenderà nel cuore del P., abbondante come lo furono i suoi peccati.
63. L'immagine è nella Bibbia. Allude a preghiera umile dell'intelletto.
64. che... scorta: che tu sia mia guida.
66. Vergine chiara et stabile in eterno: nella figura della Vergine il P. esprime gli ideali che costituirono l'ansiosa ricerca di tutta la sua vita: la luce della verità, la stabilità opposta all'inconsistenza d'ogni cosa umana e dei sentimenti e pensieri dell'anima stessa, il bisogno di eternità.
67. La vita è vista come mare tempestoso, sconvolto dalle passioni. Ricorda il son. *Passa la nave mia*.
68. Il verso specifica meglio l'attributo *stella*; Maria è come la stella che dirige la nostra rotta.
69-71. Più angosciosa, preannunciando la seconda parte della canzone, si fa la considerazione, da parte del P., del proprio pericolo mortale, della propria miseria: è solo, senza timone (*governo*), con la tempesta terribile del suo cuore traviato, ancor tutto perduto nelle passioni, e, come dice con verso potente, avverte ormai vicino il naufragio, le *ultima strida*, l'ultimo disperato grido dell'anima che teme la dannazione.
72. si fida: ripone fiducia.
75. Il nemico per eccellenza della Vergine è il demonio.
79-91. Il P. getta uno sguardo su tutta la sua vita, la scopre nella sua sostanza di vana ricerca di felicità, e conseguente affanno, abbandono a seduzioni terrene, e quindi mortali, che però gli ingombrano tutta l'anima, non gli lasciano più trovare neppure la devozione necessaria per redimersi.
79-81. Vergine, quante lagrime ho già sparte, ecc.: quante lacrime ho già sparso, quante lusinghe e quante preghiere invano (perché tutte rivolte a gioie terrene che invano e affannosamente il P. cercava di conseguire; né, anche se conseguite, avrebbero

Da poi ch'i' nacqui in su la riva d'Arno,
cercando or questa et or quel'altra parte,
non è stata mia vita altro ch'affanno.
85 Mortal bellezza, atti, et parole m'hanno
tutta ingombrata l'alma.
Vergine sacra et alma,
non tardar, ch'i' son forse a l'ultimo anno.
I dí miei piú correnti che saetta,
90 fra miserie et peccati,
sonsen andati, et sol Morte n'aspetta.
Vergine, tale è terra, et posto ha in doglia
lo mio cor, che vivendo in pianto il tenne,
et de mille miei mali un non sapea;
95 et per saperlo, pur quel che n'avenne
fôra avenuto; ch'ogni altra sua voglia
era a me morte, et a lei fama rea.
Or tu donna del ciel, tu nostra dea,
se dir lice, e convensi,
100 Vergine d'alti sensi,
tu vedi il tutto; et quel che non potea
far altri, è nulla a la tua gran vertute,
por fine al mio dolore;
ch'a te honore, et a me fia salute.
105 Vergine, in cui ò tutta mia speranza,
che possi e vogli al gran bisogno aitarme,
non mi lasciare in su l'extremo passo;
non guardar me, ma chi degnò crearme;
no 'l mio valor, ma l'alta Sua sembianza,
110 ch'è in me, ti mova a curar d'uom sí basso.
Medusa, e l'error mio m'àn fatto un sasso
d'umor vano stillante:
Vergine, tu di sante
lagrime et pie, adempi 'l meo cor lasso,
115 ch'almen l'ultimo pianto sia devoto,
senza terrestro limo,
come fu 'l primo non d'insania vòto.
Vergine humana, et nemica d'orgoglio,
del comune principio amor t'induca;
120 miserere d'un cor contrito, humíle.
Che se poca mortal terra caduca
amar con sí mirabil fede soglio,
che devrò far di te cosa gentile?
Se dal mio stato assai misero et vile
125 per le tue man resurgo,
Vergine, i' sacro et purgo
al tuo nome et penseri e 'ngegno et stile,
la lingua e 'l cor, le lagrime e i sospiri.
Scorgimi al miglior guado,
130 et prendi in grado i cangiati desiri.

potuto dargli vera felicità, perché fugaci); e questa è stata per me continua pena e grave danno spirituale.

85-86. Allude a Laura, la più alta fra queste mondane seduzioni, che per questo diviene anche un simbolo del suo lungo errore. La sua bellezza, i suoi atti e le sue parole, che ora il P. riconosce *mortali*, gli hanno completamente ingombrata l'anima, rendendola incapace di trovare in sé la forza necessaria per innalzarsi fino a Dio.

89-91. È un bilancio desolato: miserie, peccati, l'ombra cupa della morte. In quel *piú correnti che saetta* è l'angoscioso senso petrarchesco della fugacità della vita. **sonsen:** se ne sono.

92-93. Esce finalmente alla luce la confessione più intima; davanti all'eternità viene dissolta ogni poetica finzione, con cui il P. s'illudeva di abbellire e purificare la sua passione colpevole. Intendi: «Vergine, c'è una persona (Laura, e non osa nominarla nella preghiera che celebra la Vergine) che ora è ritornata polvere, e con la sua morte ha *posto in doglia* il mio cuore». Lo ha cioè immerso in una disperazione sconfinata, che è, e il P. lo sa bene, la vera radice d'ogni suo peccato, ciò che maggiormente lo allontana da Dio, in quanto testimonia il suo attaccamento esclusivo a questa vita; e mentre viveva lo tenne immerso nel pianto.

94-97. de mille miei mali... rea: non sapeva, cioè, neppure la millesima parte dei mali ch'io soffrivo per lei; e anche se li avesse conosciuti (*per saperlo*), sarebbe avvenuto lo stesso ciò che avvenne, cioè non avrebbe lo stesso soddisfatta la mia passione, perché il trattarmi diversamente (*ogni altra sua voglia*) sarebbe stata morte (peccato mortale) per la mia anima e infamia per lei.

94-108. Osserva giustamente il Castelvetro, commentatore cinquecentesco del P., che la seconda parte della stanza si contrappone punto per punto alla prima: «Laura, e viva e morta, è terra, la Vergine è donna del cielo e dea; L. non sapeva lo stato del Poeta, la V. vede il tutto; L. non poteva porgere aiuto al poeta se non con morte del poeta e infamia di lei, la V. può agevolmente porgere aiuto al poeta, e, porgendoglielo, alla V. ne seguita onore, e al poeta salute».

99. «se è lecito, se conviene che un cristiano usi tale denominazione pagana (*nostra dea*)».

101. quel: cioè il porre fine al dolore del P.

106. al gran bisogno: in questa mia suprema necessità.

108-109. «Non avere riguardo a me, che sono indegno di misericordia, ma a Dio, che si degnò di crearmi, e del quale sono pur sempre figlio, anche se indegno; non guardare il mio valore (ben misero); ma l'alta sembianza di Dio che porto in me (perché l'uomo è stato creato da Dio a sua immagine e somiglianza), ti faccia prender cura di uomo tanto meschino qual io sono!».

111. Medusa: Bellissima fanciulla, secondo la mitologia classica, tramutata poi nella spaventosa Gorgone, che faceva diventar pietra chiunque la guardasse. Qui simboleggia Laura, che ha reso il P. come un sasso, insensibile ad ogni virtuoso pensiero, capace solo di stillare lacrime vane. Non si deve vedere qui, e nella stanza precedente, un'accusa a Laura, che fu anzi pudica e virtuosa; il P. accusa se stesso di averla amata colpevolmente.

113-114. «Vergine, tu colma il mio cuore di lacrime nate da un santo pensiero religioso».

115-117. «Sia devoto almeno il mio ultimo pianto, di me peccatore contrito, prima di morire; non sia pieno di scorie terrene (*terrestro limo*) come fu il mio pianto d'amore, non privo di follia».

118-119. humana: benigna. **del comune principio**, ecc.: ti induca a soccorrermi l'amore del nostro comune principio, di quell'umanità che ho in comune con te. Altri: «l'amore del padre comune, Dio».

120. miserere: abbi pietà.

121-123. «Se sono e sono stato solito amare con fede così mirabile Laura, poca caduca terra mortale, come dovrò amare te, creatura nobile, divina?». Il P. si propone nei versi seguenti, se risorgerà dalla sua miseria per merito di Maria, di consacrare a lei tutta la sua vita e la sua poesia.

Al v. 126, **sacro et purgo** significano «purifico e consacro».

129-130. «Guidami a un santo trapasso e gradisci questi miei desideri mutati (perché rivolti, ora, a Dio, non più alle cose terrene)».

Il dí s'appressa, et non pòte esser lunge,
sí corre il tempo et vola,
Vergine unica et sola,
e 'l cor or conscienzia or morte punge.
135 Raccomandami al tuo Figliuol, verace
homo et verace Dio,
ch'accolga 'l mio spirto ultimo in pace.

131. Il dí: il giorno della morte; e il v. 133 ha il sapore di un'accorata invocazione.
134. «e ora il rimorso dei peccati (*conscienzia*), ora il pensiero della morte angosciano il cuore».
137. 'l mio spirto ultimo in pace: il mio ultimo respiro nella pace del cielo. Oppure: «Accolga Dio la mia anima, nell'estremo istante della mia vita, nella pace celeste». Le parole fortemente scandite esprimono un anelito stanco ma intenso alla pace, dopo tanta terrena guerra.

I «Trionfi»

Dal 1352 alla fine della sua vita, il Petrarca lavorò a questo poemetto in volgare, con quella perizia d'artefice squisito, e anche con quella perenne insoddisfazione e ricerca di perfezione che caratterizzarono la stesura di tutte le sue opere; tanto che non giunse a lasciarcene un'edizione definitiva, come per le *Rime sparse*, ma numerosi abbozzi autografi, pieni di cancellature e correzioni.

Come la *Divina Commedia*, i *Trionfi* raccontano una visione simbolica e sono scritti in terzine. Ma accanto all'influsso dantesco e di altri poemi allegorico-didascalici del Medievo, come il *Roman de la rose*, è evidente in essi quello degli scrittori latini nelle cui opere, come abbiamo visto, il Petrarca ritrovava una saggezza esemplare, unita a un'arte eletta, superiore, a suo avviso, a quella mescolanza di stili, alla lingua (il volgare) troppo comune e quindi popolaresca che egli sentiva come un sostanziale difetto della *Commedia* dantesca.

I *Trionfi* sono divisi in sei parti concatenate, tali da costituire, attraverso un susseguirsi di visioni, il racconto di un'esperienza organica. La prima di queste parti è il *Trionfo d'Amore* (*Triumphus Cupidinis*, secondo il titolo latino del manoscritto). Racconta il Petrarca che il giorno anniversario del suo innamoramento gli appare, in Valchiusa, una visione. Vede il dio Amore, su un carro trionfale, seguito da una gran folla di amanti famosi, suoi prigionieri (sono gli amanti celebri della poesia e della leggenda). A costoro egli si unisce, accompagnato da un amico, «vago di udir novelle»; ma, mentre s'informa su di loro, è a sua volta vinto da una giovinetta (Laura) «pura assai più che candida colomba», e anch'egli, con gli altri, è condotto prigioniero a Cipro, ove dimora, con la madre Venere, il dio. Segue, poi, il *Trionfo della Pudicizia* (*Triumphus Pudicitiae*): Laura non si lascia vincere dal dio Amore, ma, insieme con una schiera di donne antiche, insigni per la loro castità, e con un corteggio di Virtù femminili personificate, vince Amore, libera i prigionieri e trasporta le spoglie del suo trionfo a Roma, nel Tempio della Pudicizia. Ma alla sua vittoria subentra il *Trionfo della Morte* (*Triumphus Mortis*). Mentre Laura torna da Roma in Provenza, le si fa incontro la Morte, che, dopo aver vantato la sua potenza, commossa dalla nobiltà di Laura, consente di farla morire senza strazio, quindi le strappa un crine d'oro dal capo, il filo al quale, secondo i poeti antichi, è legata la nostra vita, e così l'uccide. Laura, la notte seguente, appare in sogno al poeta e lo conforta mostrandogli la sua celeste beatitudine. Segue il *Trionfo della Fama* (*Triumphus Famae*), accompagnata da un corteo di uomini celebri, capitani e guerrieri dell'antica Roma, e di altre nazioni, poeti, scienziati. Ma sulla Fama trionfa il Tempo (*Trionfo del Tempo - Triumphus Temporis*), che con la velocità del suo corso dissolve le glorie e le memorie umane, uguali tutte davanti alla sua fuga irrevocabile. Conclude però la visione il *Trionfo dell'Eternità* (*Triumphus Aeternitatis*): mentre il Petrarca, sbigottito, considera il fugace fluire d'ogni umana vicenda, ritrova, raccogliendosi in se stesso, un mondo nuovo, immobile, eterno, senza tempo, illuminato dalla luce di Dio, che lo rende stabile e felice. Ivi trionferanno in eterno i beati, e qui egli potrà un giorno rivedere Laura, godere per sempre la sua bellezza.

Come si vede da questo rapido riassunto, i *Trionfi* sono, nello stesso tempo, la narrazione della storia personale del Poeta e la scoperta di una verità valida per tutti gli uomini. Le numerose gallerie di personaggi ed esempi illustri (spesso poco più che un nome, a volte accompagnato da un'allusione rapida e pregnante, secondo il gusto allegorico medioevale), o di Vizi e Virtù personificati, intendono proiettare la materia autobiografica sullo sfondo dell'eterno dramma dell'uomo nel mondo.

Ma il Petrarca è il poeta del ripiegamento interiore, il suo vero mondo poetico è la considerazione acuta e profonda della sua anima, nella sua tormentata, spesso contraddittoria vicenda. Per questo i *Trionfi* non sono se non a tratti un'opera riuscita. Esteriore rimane l'architettura, intellettualistica e troppo lontana dal vivo fluttuare della coscienza del poeta; e la rievocazione di personaggi esemplari rimane spesso generica, a differenza di quanto avviene in Dante, perché il Petrarca non sa uscire dallo studio della propria psicologia per aderire a quella degli altri. Più vive, se mai, sono certe massime disincantate nelle quali, come già nell'ultima parte del *Canzoniere*, egli esprime con eloquenza limpida e commossa il suo sentimento melanconico del destino umano. E sempre il tono della poesia s'innalza quando parla di esperienze spirituali sue, o esprime, come avviene nell'episodio della morte di Laura, il suo desiderio di quiete, di pace, e la sua aspirazione religiosa sincera a un'eternità che sublimi, non cancelli gli affetti umani, liberandoli dal peccato, dal tempo e dalla morte.

Ma, a parte questi spunti più intimi, che restano peraltro frammentari, domina nei *Trionfi* l'intenzione raffinatamente letteraria. Come dice il Sapegno, «su una materia viva di sentimenti e di persuasioni è venuta a sovrapporsi un'intenzione artistica, una volontà di gareggiare con gli antichi, nelle nobili figurazioni dei miti e sin nel linguaggio, spesso classicheggiante più che non sia nelle rime e latinamente atteggiato». Proprio per questo carattere i *Trionfi* godettero di grandissima fortuna nell'età rinascimentale, ben più della *Divina Commedia*, che al raffinato gusto umanistico apparve opera stilisticamente meno armonica e troppo permeata di concezioni e di gusto medioevali.

Per il testo seguiamo: F. P., *Trionfi*, a cura di C. Calcaterra, Torino, UTET, 1923.

La morte di Laura (vv. 145-172)

Sono gli ultimi versi del *Trionfo della Morte*. La Morte ha già lanciato l'ultimo assalto contro Laura, che, spenta, riposa sul suo letto, fra una schiera di donne gentili che la piangono ed esaltano la sua santa dipartita. L'anima di Laura è ora nel cielo, ma lo sguardo del poeta s'affisa su quel dolcissimo volto senza vita, su quel pallore mortale che a poco a poco sembra divenire candore e luce eterea, limpida e sovrumana. L'immagine della neve che fiocca candida nella pace di un colle solitario, il senso di sereno riposo dalla stanchezza del vivere, quel venir meno senza tormento, come lume cui manchi alimento, che declina e si spegne ma senza scosse; tutto concorre a raffigurare una morte senza orrore, non incubo, ma liberazione. La nuova ed eterea bellezza di Laura fa apparire la sua morte come una trasfigurazione, uno schiudersi a un mondo di luce, di purezza e di pace.

«Virtù mort'è, bellezza e leggiadria»,
le belle donne intorno al casto letto
triste diceano, «omai di noi che fia?
chi vedrà mai in donna atto perfetto?
5 chi udirà il parlar di saver pieno
e 'l canto pien d'angelico diletto?».
Lo spirto, per partir di quel bel seno
con tutte sue virtuti in sé romito,
fatto avea in quella parte il ciel sereno.
10 Nessun degli avversari fu sí ardito
ch'apparisse già mai con vista oscura
fin che Morte il suo assalto ebbe fornito.
Poi che, deposto il pianto e la paura,
pur al bel volto era ciascuna intenta,
15 per desperazion fatta sicura,

Metro: terzine di endecasillabi.

1-3. Attorno alla morente è il coro delle donne che intonano un compianto flebile e dolce, nel quale è contenuta la lode della bella creatura. Con lei, dicono le donne, sono morte virtù, bellezza e leggiadria, ch'ella rifletteva intorno quasi miracolosamente in questo triste mondo; sì che esse ora si sentono abbandonate e sole (**omai di noi che fia?**, cioè: che sarà ora di noi?).

5. saver: la parola indicava il complesso delle virtù cortesi, un complesso di gentilezza e nobiltà di cuore e di pensieri, da cui derivano atti gentili e virtuosi.

6. «e il suo canto, che dilettava il cuore come un cantar d'angeli». Nella musica, nel canto sembrava effondersi intera l'intima dolcezza di Laura.

7-9. Intendi: «Lo spirito di Laura, partendo dal suo bel seno, raccolto in sé (*romito*) nella concentrazione del trapasso dall'una all'altra vita, con tutte le sue virtù aveva rischiarato il cielo in quella parte verso la quale ascendeva». Il cielo s'illumina, esulta all'appressarsi di un'anima così pura.

10-12. Nessuno dei demoni, che, secondo la concezione cristiana, si fanno di solito attorno al morente in un estremo tentativo di impossessarsi della sua anima, ebbe il coraggio di apparire con la sua cupa vista, fino a che la morte non ebbe finito (*fornito*) il suo assalto.

13-15. Le donne sono ora intente al bel viso di Laura morta, deposti il pianto e la paura con cui ne avevano seguito il trapasso; e nessuna ha più ansia o turbamento, perché è finita ogni speranza, compiuto ineluttabilmente l'evento doloroso (*per desperazion fatta sicura*). Finisce il lamento, comincia, in un silenzio assorto, la trasfigu-

non come fiamma che per forza è spenta,
ma che per se medesma si consume,
se n'andò in pace l'anima contenta,
a guisa d'un soave e chiaro lume
20 cui nutrimento a poco a poco manca,
tenendo al fine il suo caro costume.
Pallida no ma più che neve bianca,
che senza venti in un bel colle fiocchi,
parea posar come persona stanca.
25 Quasi un dolce dormir ne' suo' belli occhi,
sendo lo spirto già da lei diviso,
era quel che morir chiaman gli sciocchi:
morte bella parea nel suo bel viso.

18. Dice *se ne andò*, non «morì», insiste sulla pace e sull'arcana delizia dell'anima che sale a più alta luce.
21. Restando sino alla fine limpido e luminoso, qual era prima che venisse meno l'alimento vitale.
22. Pallida no ma più che neve bianca: il verso suggerisce l'idea di un superamento della morte, della sua angoscia, e l'esaltazione della bellezza e della purezza sovrumana di Laura.
24. «pareva immersa nel riposo come una persona stanca».
25-27. «Quello che gli sciocchi chiamano morire era nei suoi begli occhi quasi un dolce dormire».
Osserva con quale frequenza ricorra negli ultimi versi l'aggettivo *bello*; veramente la bellezza di Laura, che non si potrebbe dire né soltanto materiale né soltanto spirituale, trionfa, a sua volta, sulla morte.

razione di Laura. Al v. 14, **pur** vale «continuamente, con intensità».

16. che per forza è spenta: che venga spenta da esterna forza.

Trionfo dell'eternità (vv. 70-99 e 121-145)

È l'ultimo canto del Petrarca, compiuto forse l'anno stesso della morte. In esso il suo lungo tormento si placa nel presentimento di una eternità in cui gli affetti terreni siano non negati, ma sublimati nella luce e nella pace suprema di Dio. Il Petrarca vagheggia la morte del tempo che tanto angoscia col continuo mutamento, ch'esso porta con sé, dei sentimenti, delle speranze, delle gioie più care. E sogna un paradiso in cui l'amore, la fama, tutti i sentimenti umani conoscano un'eterna, finalmente stabile primavera. «La divinità, dice il Bosco, non è più rifugio dell'amor di Laura vano, dell'amor di gloria deludente, e dunque diversa dall'amore e dalla gloria, ma una sola cosa con essi. Cielo e terra conciliati; è il grande, impossibile sogno di tutta l'esistenza del Petrarca».

Quasi spianati dietro e 'nanzi i poggi
ch'occupavan la vista, non fia in cui
vostro sperare e rimembrar s'appoggi;
la qual varietà fa spesso altrui
vaneggiar sí che 'l viver par un gioco,
5 pensando pur: «che sarò io? che fui?».
Non sarà più diviso a poco a poco,
ma tutto insieme, e non più state o verno,
ma morto il tempo e varïato il loco;
e non avranno in man li anni il governo
10 de le fame mortali, anzi chi fia
chiaro una volta, fia chiaro in eterno.
O felici quelle anime che 'n via
sono o saranno di venire al fine
15 di ch'io ragiono, quandunque e' si sia!
E tra l'altre leggiadre e pellegrine
beatissima lei che Morte occise
assai di qua dal natural confine!
Parranno allor l'angeliche divise
20 e l'oneste parole e i pensier casti
che nel cor giovenil natura mise.
Tanti volti, che Morte e 'l Tempo ha guasti,
torneranno al suo più fiorito stato,
e vedrassi ove, Amor, tu mi legasti,
25 ond'io a dito ne sarò mostrato:
«Ecco chi pianse sempre, e nel suo pianto
sovra 'l riso d'ogni altro fu beato!».
E quella di ch'ancor piangendo canto,
avrà gran maraviglia di se stessa

1. Come se fossero stati spianati i poggi che ingombravano la nostra vista dietro e davanti a noi (i *poggi*, come si comprende da quanto ha detto precedentemente, sono il passato e il futuro), il ricordo e la speranza non avranno dove posarsi, cioè non avranno più ragione d'essere (l'uno, infatti, si fonda sul passato, l'altra sul futuro).
4-6. Il quale avvicendarsi di ricordi e speranze fa spesso sì che gli uomini si perdano dietro immagini vane, tanto che il vivere pare un giuoco, perché non si fa che pensare al passato (e vanamente rimpiangerlo) e al futuro (e vanamente illudersi) e si trascura il presente.
7-9. Il tempo non sarà più diviso a poco a poco (ore, giorni, mesi) ma unità indifferenziata, né vi saranno più stagioni; anzi il tempo sarà morto e cambierà il luogo dove ora stanno le creature (non saremo più in questo mondo).
10-12. La fama non sarà insidiata dal tempo, ma nell'eternità chi fu *chiaro* (dal latino *clarus*, famoso) una volta lo sarà sempre (allude alla gloria dei santi).
14-15. al fine di ch'io ragiono: è la meta della beatitudine eterna.
15. quandunque, ecc.: qualunque sia il tempo in cui ciò accadrà.
16. pellegrine: rare, eccezionali per bellezza e virtù.
17-18. Beatissima Laura, che la morte uccise assai prima della vecchiezza, termine assegnato dalla natura alla nostra vita, confine fra questa e l'eternità.
19. Parranno: appariranno chiare allora, cioè nell'eternità, le angeliche forme e maniere di lei e risplenderanno più vive.
23. al suo più fiorito stato: ritorneranno al loro modo di essere più fiorente, in una sorta di eterna giovinezza.
24. «E si vedrà la bellezza di colei alla quale tu, Amore, mi legasti».
26-27. Il P. fu più beato nel suo pianto d'amore che altri per gioia d'amore corrisposto. La sublime perfezione di Laura rende l'amore del P. più alto di ogni altro amore; meglio piangere per lei che gioire per un'altra.
29-30. Laura si meraviglierà fortemente quando vedrà che sarà messa davanti a ogni altra donna per la sua bellezza e perfezione; perché paradiso sarà anche riconoscimento pieno dei più alti valori umani.

30 vedendosi fra tutte dar il vanto.

....

Questi Trionfi, i cinque in terra giuso
avem veduto, ed alla fine il sesto,
Dio permettente, vederem lassuso.
E 'l Tempo a disfar tutto cosí presto,
35 e Morte in sua ragion cotanto avara,
morti insieme saranno e quella e questo.
E quei che Fama meritaron chiara,
che 'l Tempo spense, e i be' visi leggiadri
che 'mpallidir fe' 'l Tempo e Morte amara,
40 l'oblivion, gli aspetti oscuri ed adri,
più che mai bei tornando, lasceranno
a Morte impetuosa, a' giorni ladri;
ne l'età piú fiorita e verde avranno
con immortal bellezza eterna fama.
45 Ma innanzi a tutte ch'a rifar si vanno,
è quella che piangendo il mondo chiama
con la mia lingua e con la stanca penna;
ma 'l ciel pur di vederla intera brama.
A riva un fiume che nasce in Gebenna
50 Amor mi diè per lei sí lunga guerra
che la memoria ancora il cor accenna.
Felice sasso che 'l bel viso serra!
Che, poi ch'avrà ripreso il suo bel velo,
se fu beato chi la vide in terra,
or che fia dunque a rivederla in cielo?

31-32. I cinque sono i trionfi dell'Amore, della Pudicizia, della Morte, della Fama, del Tempo; il sesto è quello dell'Eternità, riserbato agli eletti dal cielo.
35. in sua ragion cotanto avara: così avara nell'esigere ciò che le spetta di diritto (*ragion*), cioè la vita di noi tutti.
40-42. Costruisci: «gli uomini famosi lasceranno, per ritornare più che mai belli, l'oblio ai giorni ladri (al tempo che li derubò della loro fama); i bei volti, lasceranno alla morte impetuosa gli aspetti oscuri e cupi del loro disfacimento. Ma la morte e il tempo, a loro volta, saranno dissolti in seguito al trionfo dell'eternità». Il P. intende affermare che i danni subiti dalla fama e dalla bellezza saranno compensati da una fama e bellezza eterne.
43-44. I beati vivranno in un'eterna giovinezza e in un'eterna gloria.
45. «prima fra tutte quelle che si apprestano a risorgere gloriose...».
46-48. È Laura che il mondo piangendo invoca attraverso la poesia del P., e anche il cielo desidera vedere in tutta la sua perfezione.
49. Allude al fiume Durenza. **Gebenna**: Monginevra.
51. «che il cuore ancora ne porta (ne accenna) la memoria».
52. sasso: sepolcro. **viso:** sta per tutta la persona.
53-55. Quando la persona di Laura avrà ripreso, risorta, le belle sembianze, se provò un senso di beatitudine chi la contemplò in terra, quale gaudio proverà rivedendola in cielo ancor più bella e perfetta?

Letture critiche

Petrarca e gli antichi

Abbandonata ormai ogni interpretazione tendente a presentare il Petrarca come ribelle o almeno incapace d'inserirsi, per fervore di spiriti nuovi, nella tradizione cristiana, si fa strada sempre più l'opposta immagine di un Petrarca che quella tradizione accetta in pieno e continua. Il citato passo delle *Senili* può aiutarci forse, tra le due opposte tendenze, a intendere quanto vi sia di nuovo nel pensiero petrarchesco. Certo ch'egli, lungi dal contrapporre il paganesimo al cristianesimo, ne cercò una conciliazione, rifacendosi all'esempio dei padri della Chiesa, e anticipando un problema sentito da buona parte almeno degli umanisti. Ma mentre l'incontro fra i due mondi opposti era avvenuto presso gli scrittori cristiani in grazia d'una concezione provvidenziale, per cui il divenire storico tendeva ad allinearsi sopra un'unica direttiva, ora esso avveniva invece in nome d'una fondamentale uguaglianza dell'animo umano. Sicché il cristianesimo stesso appariva non solo come la vera e unica religione, ma anche come quella che più rispondeva a necessità e aspirazioni umane, ugualmente sentite in luoghi e tempi diversi.

Il bisogno di tutto commisurare alla personale esperienza, che è proprio del poeta lirico, agisce sempre o quasi sempre anche nel Petrarca scrittore latino e umanista; e in ciò forse è l'origine prima di quella speditezza di modi che in lui spesso ci sorprende, per cui lo sentiamo tanto più prossimo a noi dei suoi contemporanei, anche là dove egli resta fedele a formulazioni teoriche tutte proprie dell'età sua. Con gli antichi egli visse in una sorta di comunione fraterna: sia che dal loro esempio volesse trarre ammaestramento di vita per sé o per gli altri, sia che nel paragonarsi a loro egli intendesse scusare e nobilitare le proprie debolezze [...]. Atteggiamenti ingenui spesso e che talvolta tradiscono un'impostazione retorica; ma pur sempre sinceri, come quelli che nascono dal desiderio di evadere da una realtà presente che non soddisfa, di riposare il pensiero in valori che sembrano eterni, sfuggendo per un momento a quell'angoscioso senso della labilità, che il Bosco ha così precisamente illustrato come un momento fondamentale della psicologia petrarchesca. Convalidati da una tradizione illustre, da una *auctoritas* indiscutibile, gli esempi di quei grandi paiono fermi come scogli nel fluire eterno del tempo [...].

Se qualche linea di sviluppo vorrà indicarsi nell'opera di storico e trattatista che il Petrarca portò innanzi come un compito complesso ma unitario per tutta la sua vita, occorrerà procedere per due vie le quali, anch'esse, si commisurano solo in parte a indicazioni strettamente cronologiche. Una, un po' esterna se vogliamo, è quella che ci conduce a distinguere nell'emulazione con gli antichi un momento per dir così «recettivo», più prossimo e più affine a quello della lettura. È questo rappresentato in effetti dalle opere che il Petrarca cominciò per prime, l'*Africa* e il *De viris illustribus*: con esse il Petrarca si trasferisce idealmente nel mondo degli antichi, lo indaga attraverso la lettura dei classici, lo ricostruisce a gara nella sua fantasia.

Pochi anni dopo il principio del *De viris*, nel 1343, sappiamo dagli studi del Billanovich che il Petrarca ne lasciò in tronco la composizione per attendere all'altra opera storica, i *Rerum memorandarum libri*, in cui intendeva emulare i *Facta et dicta memorabilia* di Valerio Massimo. Ma mentre lo scrittore latino aveva distribuito i suoi *exempla* nelle due sezioni parallele dei Romani e dei non Romani (*romana* e *externa*), il Petrarca aggiungeva una terza sezione: i moderni. E a ben guardare si direbbe che sia proprio la sezione aggiuntavi dei moderni — che tratta in questo caso di un personaggio così caro e così vicino al Petrarca quale fu Roberto re di Sicilia — a dare quel senso sicuro di prospettiva, quasi una terza dimensione, a tutto il discorso. E invero il desiderio di avvicinare il moderno all'antico implica insieme la coscienza di una distanza da colmare; e la coscienza di tale distanza è principio e fonte di un intendimento storico.

Un'altra linea di sviluppo si potrebbe indicare nella complessa opera del Petrarca, e tocca problemi più profondamente radicati nel suo animo, cioè i rapporti tra la cultura classica e la dottrina cristiana. Nell'entusiasmo degli studi a cui il Petrarca s'era avviato con novità assoluta di intenti, egli appare spinto in un primo tempo da una specie di acerba intransigenza, da un amore quasi esclusivo per il mondo romano e per gli scrittori classici. È il momento questo in cui il Petrarca concepisce il disegno dell'*Africa* e del primo *De viris*, quello che cominciava da Romolo per giungere a Tito e doveva essere quasi una preparazione e un'illustrazione storica del poema. Livio, Lucano, Cicerone, Svetonio erano allora i numi incontrastati del suo Olimpo, dove piccolo posto era riservato agli scrittori cristiani: fatta eccezione per sant'Agostino, quello che nel *Secretum* appare a dirigere e districare le confessioni del Petrarca. Il tormento, che travagliava allora il Poeta e sul quale il Santo lo illumina, si riduceva a un contrasto tra la sincera fede religiosa e l'incapacità di adeguare perfettamente ad essa la propria vita per non saper rinunciare alle seduzioni terrene. Tale contrasto rimane fondamentale nella psicologia petrarchesca, dalle rime più antiche fino alla canzone alla Vergine, dal *Secretum* ai *Salmi penitenziali*, via via fino alle ultime *Senili*, ove esso appare placato soltanto — non superato, non vinto — nell'aspettazione filosoficamente consapevole della morte vicina. Di una crisi dunque non si può parlare né prima del *Secretum* né dopo; ma di un'evoluzione sì certo, soprattutto nel campo di cui è ora il discorso, ossia nel campo della cultura, nel quale il Petrarca giunge a superare le barriere d'una ammirazione esclusiva dell'antichità romana per accogliere insieme altre voci [...].

Nel *Secretum* il desiderio di conciliare la cultura classica con la cristiana è già evidente, ma l'amore per l'antico prevale. Basta considerare il gusto quasi polemico con cui il Petrarca fa che Agostino riconosca quanto deve agli scrittori antichi e soprattutto a Cicerone. Nel *De vita solitaria* l'antinomia tra letteratura cristiana e pagana appare superata completamente: numerosissimi sono gli autori cristiani, ch'egli cita con perfetta conoscenza di alcune opere discutendo filologicamente per accettarne o respingerne l'attribuzione tradizionale; in nessun modo potrebbe più dire di essere qui come un forestiero curioso fuori dalla sua patria. E, quel che più conta per noi, il Petrarca stesso è cosciente di aver tentato qualche cosa di nuovo in questo senso. Così dice infatti, alla fine del *De vita solitaria*: «Mi è stato dolce, a differenza degli antichi che di solito seguo in molte cose, inserire spesso in questa mia opericciola il nome sacro e glorioso di Cristo». La solitudine quale egli la concepiva e la praticava, più che all'ascesi cristiana era vicina all'*otium litteratum* degli antichi, un aristocratico appartarsi dal mondo per meditare e studiare; tuttavia in essa aveva trovato o creduto di trovare un punto d'incontro fra la saggezza pagana e la spiritualità cristiana; e a ugual fiducia s'ispira il *De otio religioso*.

Il problema se e quanto lo studio e l'ammirazione per gli antichi potesse conciliarsi con la fede era stato sentito profondamente dagli scrittori cristiani e risolto in complesso, non senza ondeggiamenti e timori («ciceronianus es non christianus» suonava il rimprovero a san Girolamo che il Petrarca sembra talvolta rivolgere a sé), nel senso di un'accettazione e assimilazione della cultura pagana. E tale soluzione sembra compendiarsi alla fine del mondo antico all'opera di Cassiodoro, distinguente con perfetto parallelismo, nelle sue *Institutiones*, le «lettere divine» e le «secolari»; e per suo mezzo trasmettersi al Medioevo come l'eredità di un bene stabilmente acquisito. Ma all'umanesimo il problema si poneva di nuovo come attuale, nel momento ch'esso pretendeva rivolgersi alla cultura classica attingendo alle fonti prime direttamente, quasi riscoprendole al di là delle compilazioni e raccolte del Medioevo. Uguale era il problema e uguale si prospettava, almeno in apparenza, la soluzione: accoglimento di quanto nel paganesimo coincide o non contrasta con la fede cristiana: sicché il Petrarca aveva buon gioco a mostrare che Girolamo, Agostino, Lattanzio s'eran nutriti degli stessi autori ch'egli con tanto amore ricercava e leggeva. E il nuovo consisteva appunto in quello a cui s'è accennato a principio, cioè nell'abbandono d'una concezione provvidenziale della storia per vedere nella sostanziale identità delle anime umane la possibilità di ritorni e d'incontri. Uomo era il cartaginese Magone che in punto di morte contemplava per naturale impulso la labilità della vita e la vanità delle trascorse vicende; uomo Cicerone il cui dire sembra talvolta non quello d'un filosofo pagano ma d'un apostolo.

Animi vis et acrimonia [forza ed energia dell'animo]: è proprio ciò che il Petrarca intende esaltare nelle sue opere storiche, specialmente nel *De viris illustribus*, anche in quella redazione più ampia che, cominciando da Adamo, conta tra le sue fonti prime il *De civitate Dei* di Agostino [...]. Accenti di pessimismo, che potremo anche dire agostiniano, possono udirsi qua e là: mutevolezza della sorte, triste condizione dell'uomo che non appena si eleva sugli altri s'imbatte per ciò stesso nell'invidia e nel malvolere, e così via. Ma non questi danno il tono all'intero discorso, che trae invece forza e vigore da una calda simpatia per il personaggio che agisce, da un'ammirazione vivissima per l'opera ardimentosa, dalla convinzione che l'esempio possa ancora giovare.

L'esperimento di Cola diede al Petrarca la forza di estraniarsi anche materialmente dalla Curia avignonese, dalla quale si sentiva ormai già lontano nell'animo, col crescere di quelle istanze spirituali che lo facevano compagno di santa Caterina e santa Brigida nel condannare Avignone (l'«avara Babilonia») e la cattività avignonese. Dalla guelfa Avignone il Petrarca si trasferì proprio nel campo avverso, nella roccaforte del ghibellinismo, presso i Visconti. Come è noto il fatto suscitò critiche acerbe da parte degli amici soprattutto fiorentini, e anche naturalmente della Curia pontificia. Il Petrarca se ne difese affermando: che la tirannide di un solo non è peggiore di quella dei più e che accettando la protezione dei Visconti egli non ha rinunciato minimamente alla sua «libertà».

Vero è che la libertà di cui parla il Petrarca somiglia troppo a quell'aristocratico appartarsi in solitudine — o magari in seno a una eletta *sodalitas* — che è in fondo l'ideale da lui espresso nel *De vita solitaria*, anche se per illustrarlo ricorre all'esempio di santi e di asceti la cui solitudine aveva ben altro significato. Ma poiché dalla torre d'avorio degli studi liberali il letterato esce volta a volta per diffonderne i frutti salutari tra le persone impegnate ad agire, ecco perfezionarsi ora e colorirsi il più generoso forse dei miti che il Petrarca abbia creato intorno alla sua persona: la missione del letterato che dalle esperienze di studio trae forza e autorità a dispensare ai potenti moniti e consigli, lode e vituperio, interprete tra i moderni della saggezza antica. È chiaro che tale missione era considerata dal Petrarca non il privilegio di un singolo, ma un bene che potesse idealmente trasmettersi attraverso l'esempio; come infatti si trasmise, e fu l'umanesimo.

Guido Martellotti

(Dall'introduzione a F. Petrarca, *Prose*, a c. di G. Martellotti, P.G. Ricci, E. Carrara, E. Bianchi, Milano-Napoli, Ricciardi, 1955, pp. VIII-XXII, con tagli).

Il cosiddetto «dissidio» e l'elegia del Petrarca

Senso della caducità e amore non sono due filoni distinti di poesia, e neppure è da ridurre il primo al secondo. Semmai, è da operare la riduzione inversa: ma nemmeno con questa riduzione toccheremmo il fondo dell'umanità e della poesia petrarchesca; dobbiamo ancora procedere nelle nostre approssimazioni.

Il poeta non s'inebria soltanto della labile bellezza di Laura, ma lamenta solo il suo ineluttabile sparire. La canta anche vicina e fuggente, ma spietata e irraggiungibile; delinea il contrasto tra il desiderio sempre vivo e la speranza che ad ora ad ora sembra morta, ma assiduamente rinasce per la forza di quello; insomma racconta la perenne vicenda delle sue illusioni e delusioni. E abbiamo visto che egli non si appaga neppure dell'immagine di lei mite e amante, della conquista, la quale prima egli sperava dalla vecchiezza, poi gli permette la morte: di fronte all'immagine della donna celeste, ormai conquistata, si rinsalda l'altra immagine, della donna terrena perduta. C'è sempre qualcosa che gli manca: permane sempre la scontentezza, un senso continuo d'inappagamento, che lo fa, oltre i secoli e gli eventi, singolarmente vicino al Tasso e ai Romantici. Se non ha, si strugge di non avere; se ha, teme di perdere; se non teme questo, si rammarica di aver solo una parte, o riconosce che la realtà è ben lungi dall'adeguare la pienezza del sogno. L'incoronazione segna la conquista della gloria, così fortemente desiderata: e all'indomani di essa eccolo a piegare su se stesso, a riconoscerne la vanità, a confessarsene insoddisfatto: degli anni immediatamente successivi all'incoronazione è la prima stesura del *Secretum*. Così amore e gloria — le due massime aspirazioni della sua vita — lo deludono; e la sua poesia non è che una meditazione lirica su questa delusione.

C'è nel Petrarca un desiderio di conquista integrale, un'ansia di assoluto. E il senso del relativo da ogni parte risorge, e lo preme ed angustia. Forse, il senso stesso della caducità non è che un aspetto, sia pure il più importante, di questo senso del relativo.

«Sentio inexpletum quoddam in praecordiis meis semper», «sento nel mio intimo qualcosa d'insoddisfatto, sempre»: dice il Petrarca nel *Secretum*, e un valentissimo studioso di lui, il Calcaterra, ha avuto la mano felice quando ha sintetizzato in questa frase «il nodo insolubile» dell'anima petrarchesca; ma egli non pensava a questo senso d'inappagamento costituzionale e immedicabile a cui noi pensiamo, bensì all'*inexpletum* del «peregrinante cristiano che, abbandonandosi al sogno di una inafferrabile bellezza terrena, si è trovato in uno splendido baratro, e ha cercato il varco per levarsi sopra di esso»; l'*inexpletum* del Petrarca sarebbe «la stanchezza della terra che non sazia e la sete dell'infinito; il fastidio di ogni sillogizzare e il desiderio del bene supremo, in cui l'animo trovi finalmento riposo». Insomma, quello che non appaga il Petrarca sarebbe l'umano, onde egli si volge a Dio; in fondo la tesi del Calcaterra non si discosta granché da quella, antica perché risale al Petrarca stesso, che scorge nel conflitto tra l'umano e il divino le basi della spiritualità del nostro poeta. Conflitto — ci affrettiamo ad aggiungere — innegabile: e va da sé anche che esso resta sempre tale, non si risolve nella vittoria di uno dei due termini, la quale ci avrebbe dato o un poeta meramente umano o un poeta-asceta. Oppure il canzoniere avrebbe raccontato la storia di un'anima che si svincola via via dagli allettamenti umani per placarsi finalmente nel pensiero di Dio. E questo infatti vuol essere il canzoniere nelle intenzioni del suo autore.

Ma non è meno evidente che il poeta non conquista né l'umano né il divino; come non l'appaga quello, con la riconosciuta sua caducità, e vanità, così questo non lo placa compiutamente, in quanto importa un'eroica rinunzia, che il poeta non sa consumare. C'è bensì nel Petrarca «l'anelito a Dio, che non passa»: ma quello che gli impedisce di annegare felice nel pensiero di Dio non è il «prepotere degli istinti e delle passioni», se non in quanto questo prepotere irreducibile ha le sue radici nell'oscura coscienza, che il Petrarca ha, di non potersi contentare mai, effettivamente, di Dio. E si parla, naturalmente, delle oscure profondità dell'uomo, quelle che egli stesso sa scrutare così bene, donde il suo spavento, quelle donde nasce la poesia nel suo intimo significato; non già delle convinzioni teoriche di lui, ben salde dentro i confini della dottrina e della legge cristiana [...].

C'è una forse troppo famosa pagina del *Secretum*, quella sull'«accidia», che non confessa, in fondo, altro che questo inappagamento anche del pensiero di Dio. Come hanno giustamente osservato alcuni recenti studiosi, l'«accidia» per il Petrarca — allineata come essa è con gli altri peccati capitali — non è se non quello che è per Dante: «poco di vigore» nell'amore al bene, a Dio. E in un'altra pagina non meno famosa, quella che narra l'ascensione al Ventoso, che altro il Petrarca confessa, se non il suo colpevole bisogno di conciliare umano e divino? Gherardo, il fratello che poi passerà d'un balzo dalla vita peccaminosa alla pace claustrale, se ne va verso l'alto per la via diritta e sollecita; egli, il poeta, cerca più e più volte vie più facili, illudendosi di poter raggiungere l'altura anche indulgendo alla propria pigrizia. E il Petrarca stesso ci spiega il significato della non difficile allegoria: «Quello che tante volte hai sperimentato oggi nell'ascensione di questo monte, sappi che accade a te e a molti che tendono alla vita beata» (*Fam.*, IV, 1, 12). Giacché egli non sa respingere decisamente l'umano, pur amando il divino.

È così: il Petrarca non sa rinunziare a nulla, perché desidera tutto: il grande e il piccino, il caduco e l'eterno [...].

Non si tratta di «un dissidio tra il sentimento dell'assoluto divino e del contingente umano»; nell'assoluto di Dio il Petrarca non s'immerge; il suo peccato è l'impossibile sogno di un umano che derivi dal divino il suggello della stabilità, che non sia privo «d'ogni pace e di fermezza»; e di un divino che non solo partecipi delle gioie umane, ma anzi consista esso stesso in queste gioie, potenziate e purificate. Cioè umano e divino si confondono in uno. Verrà tempo, e il sogno sarà tradotto in termini filosofici dall'epicureismo d'un Valla, il cui paradiso consisterà appunto in gioie corporee spiritualizzate dalla loro stessa eternità. Ma per intanto, la ragione mostra al Petrarca l'impossibilità di quel sogno, la dottrina religiosa gliene afferma la sconvenienza, donde il disagio perenne, i terrori del cristiano, i lamenti del poeta. Nel vagheggiare Laura tramite verso il cielo c'è, sì, l'obbedienza a un'illustre tradizione letteraria; ma questa tradizione lo aiuta a fissare in un concreto fantasma il suo sogno di conciliazione. E quando, nel *Secretum*, si fa rimproverare da Agostino di aver sconvolto l'ordine naturale, e ammonire che bisogna amare le cose create per amor del creatore, e non viceversa, il Petrarca mostra di aver penetrato l'origine del suo segreto peccato e della sua poesia.

L'interno dissidio del Petrarca non consiste dunque propriamente nel conflitto umano-divino, ma nel conflitto tra la religione e la ragione da una parte, che gli impongono la concezione di un Dio che comprenda tutto ma in cui tutto s'annulli, e l'incoercibile forza del sogno dall'altra, che lo trascina a concepire un Dio riposo degli affanni e garante dell'eternità degli affetti umani. Nel Petrarca l'antitesi non è formulata né formulabile; è una scontentezza intima, tanto più profonda quanto meno logicamente dominabile, sia del solo umano sia del solo divino [...].

Il colorito lirico dell'introspezione del Petrarca (di questo poeta che poté sorridere qualche volta, sebbene assai raramente, nella prosa e nei versi latini; in quelli volgari, mai) è l'elegia, come chiarì magistralmente il De Sanctis.

Elegia e non dramma, giacché, se un dolore implica la vittoria di una convinzione, d'un sentimento su tutti gli altri, il fluttuare delle convinzioni e dei sentimenti non può dare che malinconia, cioè uno scontento lievitante, non conscio esattamente delle sue ragioni: l'unico ambiente nel quale possano vivere contraddittorie aspirazioni, senza che l'una cancelli l'altra. Il dolore è rettilineo, la malinconia circolare. Nel Petrarca, è chiaro, non ci può essere che quest'ultima.

Umberto Bosco

(Da *Francesco Petrarca*, Bari, Laterza, 1961, pp. 83-90, con tagli).

La materia poetica delle «Rime»

Il Canzoniere è una storia d'amore, tutta pervasa dal palpito di una passione costante e non mai domata, dinanzi alla quale non pur gli altri affetti minori, ma le idealità stesse più nobili ed alte, retrocedendo, s'attenuano, diventano secondarie e marginali. Passione umana e terrena, desiderio che investe tutta l'anima, e la carne, e non si piega ad essere infrenato negli schemi platonici della tradizione letteraria, tanto più profondo e imperioso quanto meno è esaudito e soddisfatto, vivente ancora quando già, per la dipartita di Laura, ogni speranza è morta. A guardar bene, oltre la superficie limpidissima e serena delle pagine del Canzoniere, cotesto amore ha anzi qualcosa di oscuro e di morboso, nella sua natura stessa di desiderio perennemente inappagato, nella sua durata oltre la morte della donna, nella sua qualità di affetto unico e tirannico. Si comprendono certi accenni cupi e dolenti del *Secretum*, dove si parla della «peste», e dell'«insania», che «ha corrotta la mente» di Francesco, e l'ha recato a tanta miseria che «egli si pasce con mortifera voluttà di sospiri e di lagrime»: e si capisce che Agostino (che poi rappresenta la più alta aspirazione morale nella coscienza del Petrarca) lo consigli, in mancanza di meglio, di darsi a più fugaci amori, e «trasferirsi di carcere in carcere, perché forse nel passare ci sarà speranza di libertà o d'imperio più lieve»: al che Francesco risponde che egli non potrà mai amare altro, che «l'animo è assuefatto a meravigliarsi di costei, gli occhi sono assuefatti a riguardarla, e quello che non è lei stimano essere inameno e tenebroso». Le pagine del Canzoniere, così limpide e serene alla superficie, tracciano pure la storia di questo implacabile tormento. Talora pare che il poeta si rassegni nella consuetudine del desiderio e nel sogno, talora invece la passione insorge più prepotente e gli fa cercare la realtà della donna e lamentarsi e impetrare pietà e rimpiangere gli anni che fuggono senza consolazione e senza speranza; talora anche, stanco di tanto desiderare ed aspettare invano, il poeta invoca d'esser liberato dal suo travaglio, ma poi vi ricade e ritorna alle inutili speranze, ai morbidi vagheggiamenti dell'immaginazione, alle preghiere, al pianto. Morta Laura, egli trasferisce il suo amore nel cielo ove ella è salita, e la rievoca nei sogni, donna ancora bellissima, anzi più mite con lui e quasi materna, più sollecita delle sue pene, meglio disposta a consolarle; ovvero, rivolgendosi a considerare la dura realtà della morte, vede il mondo fatto squallido e vuoto, prato senza fiori, anello senza gemma, e piange inconsolabile la perduta speranza della sua beatitudine. Tale dunque, almeno in apparenza, la materia poetica del Canzoniere; gioia ed angoscia d'amore, turbamenti e sospiri; ma, a guardar meglio, in quella amorosa poesia, si vedrà confluire una ben più vasta e ricca e complessa materia sentimentale: e cioè tutte le perplessità e le oscillazioni di un'anima, nella quale un'insistente seppure indeterminata preoccupazione etica, un'incerta aspirazione religiosa, un fervore di passioni varie ancor più vagheggiante e contemplate che vissute, s'intrecciano e si mescolano, magari raccogliendosi intorno alla storia ideale d'un amore umano. Questo concetto dell'«amore» giungeva al Petrarca, attraverso la lirica provenzale e quella italiana del Due e del Trecento, carico di un contenuto psicologico e filosofico che di gran lunga trascende i limiti di una semplice passione. In esso egli poté pertanto riconoscere quasi un simbolo di quell'infermità, che altrove abbiamo tratteggiata, della sua vita priva d'un centro ideale, squilibrata, dispersa; in esso poté riassumere il gioco vario e turbinoso delle sue passioni in contrasto con l'esigenza viva sempre e mai soddisfatta d'un superiore equilibrio, d'una felicità ritrovata nella pace operosa della coscienza. E come ai trovatori dell'ultimo periodo e ai poeti dello stil novo non chiediamo tanto una rappresentazione delle loro donne beatrici, e neppure un racconto appassionato delle vicende del loro affetto, quanto piuttosto una descrizione lucida e raffinata della loro coscienza; così anche nel Canzoniere non cerchiamo la storia, così spesso lontana ed evanescente, dell'amore di Laura, bensì il tormento di un'anima che faticosamente si sforza di raggiungere, oltre l'incertezza dei propositi e la debolezza degli atti, un equilibrio poetico e contemplativo. In tal modo il Petrarca ci rivela veramente i suoi legami con un recente passato (che pur tendeva all'avvenire), e ci appare in un certo senso l'ultimo rappresentante della tradizione poetica iniziata da noi con il «dolce stil novo»; allo stesso modo che in quei poeti fiorentini, e in ispecie nel Cavalcanti, è più d'un presentimento e precorrimento dell'inquieta modernità petrarchesca.

Piuttosto che una passione, ad animare la poesia del Petrarca, come già quella degli stilnovisti, sta lo studio e la contemplazione del gioco delle passioni ormai dominate. La lirica del Canzoniere presuppone l'atteggiamento analitico acerbo e implacabile del *Secretum*; muove anzi da quell'atteggiamento stesso, ed è tutta piena ancora di quelle sottigliezze, dell'eco di quelle dispute e disquisizioni. Salvo che l'esame di coscienza perde, nella poesia, quel che di troppo individuale e determinato serbava ancora nell'opuscolo delle confessioni; s'innalza ad un tono più distaccato ed aereo; e più appassionato anche e più caldo, proprio perché meno vicino al fremito insorgente e irrequieto della passione, librato in un cielo di più vasta umanità [...].

Leggiamo il primo sonetto del Canzoniere... L'amore, con le sue vane speranze e le sue vane angosce, è cosa ormai lontana, errore giovanile, che appartiene alla vita di un altro uomo, diverso da chi ora, ricontemplando quelle esperienze, non sa più risentirne l'amara dolcezza. Tanto tumulto di affetti fervidi e dolenti si placa in una lucida descrizione dell'animo ormai stanco e distaccato, e assurge a una di quelle massime fragili e tutte poetiche, nelle quali piaceva al Petrarca di riporre tanta sostanza d'umanità. Pare una disperata affermazione di vanità di tutte le passioni, e della vita stessa, che di passioni si nutre realizzandosi: ed è invece al tempo stesso una riconquista della vita nel linguaggio pacato ed estremamente sobrio che l'esprime e ne racchiude in sé tutto il senso e la più profonda verità. Non comprende davvero questo bellissimo sonetto chi non sente il sapore psicologico ricco e denso, che il Petrarca intendeva riporre in quelle sue parole nude: «vaneggiare», «vergogna», «pentersi»: sapore individuale e scientifico, umanamente autobiografico e universalmente umano; e chi non sa rinnovare in sé il piacere, che egli dovette di certo provare, racchiudendo tutto il senso delle sue ricerche in quella formula magica e disincantata: «che quanto piace al mondo è breve sogno»; e chi non penetra la segreta compiacenza dell'uomo che ora sa di possedere appieno il contenuto della sua vita, proprio in quanto se ne distacca e può dar voce alla sua pudica commozione, riecheggiando la divina parola del poeta classico: «Heu me, per urbem (nam pudet tanti mali) Fabula quanta fui!» (Orazio, *Epod.*, XI, 7, 8).

Il tono di questo sonetto, composto probabilmente dopo la morte di Laura, quando il poeta s'accingeva a raccogliere insieme le sue *rime sparse*, dirà taluno esser proprio di un determinato momento della vicenda terrena del Petrarca, espressione di un'ora, nella quale egli era stato condotto dalle circostanze a guardare alla sua passione, e alla sua vita stessa, come a cose ormai distaccate e lontane: ed è invece il tono di tutto il Canzoniere, dove il fremito della vita psicologica non affiora mai alla superficie del verso, se non accompagnato dalla segreta gioia dell'osservatore che la contempla e la domina, nell'atto stesso in cui la ritrae. Quando il De Sanctis afferma che nel Petrarca «l'emozione è rintuzzata, oltrepassata, e non è una forza impetuosa che ti scuote l'anima, ma una bella faccia che ti diletta l'immaginazione»; mentre coglie finemente un aspetto verissimo del suo poeta, lo deprime d'altronde e l'annulla quasi nella sua qualità appunto di poeta. Vero è che il Petrarca, come gli stilnovisti e tutta la sua tradizione letteraria dalla quale deriva, non poteva giungere alla poesia, se non per la via dell'arte e della letteratura; la materia biografica era in lui redenta dall'arte appunto, prima che dalla contemplazione poetica talché, nella poesia stessa rimane, come una velatura limpida e sottile, qualcosa di quel pacato e lucido interesse intellettuale e quasi scientifico, che presiedette al primo ordinamento del tumulto interiore degli affetti. La confessione di messer Francesco non è l'immediata espressione di un sentimento, bensì il risultato d'una lunga meditazione dell'animo su se stesso, di una riflessione che non è originariamente poetica, bensì, potremmo dire, psicologica, in quanto tende a scolorire gli affetti e le vicende, a spogliarli delle loro risonanze strettamente individuali, per ritenere solo ciò che in essi vi ha di universalmente valido e di perenne. Non è vero che, alla radice della poesia petrarchesca, sia una commozione tenue e pacata, senza tempeste violente; sì piuttosto che quel che vi ha di torbido e d'incomposto nel segreto dell'animo del poeta rimane lontano da' versi, già dominato, «rintuzzato», come diceva il De Sanctis, trascritto in uno schema che ha parvenze di mera arte e letteratura, e invece risponde ad una profonda esigenza dello spirito.

Natalino Sapegno

(Da *Il Trecento*, Milano, Vallardi, 1942, pp. 247-251).

Preliminari sulla lingua del Petrarca

Dei più visibili sommarî attributi che pertengono a Dante, il primo è il plurilinguismo. Non si allude naturalmente solo a latino e volgare, ma alla poliglottia degli stili e, diciamo la parola, dei generi lettararî... Ecco in Dante, convivere l'epistolografia di piglio apocalittico, il trattato di tipo scolastico, la prosa volgare narrativa, la didascalia, la lirica tragica e la umile, la *comedía*.

In secondo luogo, pluralità di toni e pluralità di strati lessicali va intesa come compresenza: fino al punto che al lettore è imbandito non solo il sublime accusato o il grottesco accusato, ma il linguaggio qualunque.

Terzo punto: l'interesse teoretico. Basterà rammentare come l'ansia di giustificarsi linguisticamente varî dalla *Vita Nuova* al *De vulgari* (armatura teorica d'una *tragedía* in volgare già collegialmente attuata), dal *Convivio* agli spunti di quella che la *fin de siècle* avrebbe chiamata «filosofia linguistica» entro la *Commedia*.

Quarto punto: la sperimentalità incessante. A tacer d'altro, si ricordi l'inconsistenza d'un Canzoniere organico, l'interruzione, che sarebbe troppo facile considerare semplicemente casuale, di qualche opera teorica, si ricordi soprattutto la rapida derivazione delle esperienze: lo stilnovismo puro fa presto a deviare in allegorismo.

Non minor rilievo merita la contraddizione grazie alla quale la compresenza dei toni può attuarsi e portarsi a termine solo sul piano del comico [...].

Alle qualificazioni ora riassunte fanno contraltare altrettante e inverse del Petrarca. In primo luogo, dunque, unilinguismo... Il volgare è solo sede di esperienze assolute, la sua pluralità e curiosità Petrarca le sposta verso il latino.

Pertanto, se non monoglottia letterale, è certa l'unità di tono e di lessico, in particolare, benché non esclusivamente, nel volgare. Questa unificazione si compie lungi dagli estremi, ma lontano anche dalla base, sopra la base, naturale strumentale, meramente funzionale e comunicativa e pratica.

Tuttavia codesto lume trascendentale del linguaggio è un ideale assolutamente spontaneo, non compatibile con razionale opera di riflessione. Nessun lacerto teoretico sulla lingua si può avellere da Petrarca [...].

Quarto punto: nessun esperimento, ove non sia quello di lavorare tutta una vita attorno agli stessi testi fondamentali [...].

Se la lingua di Petrarca è la nostra, ciò accade perché egli si è chiuso in un giro di inevitabili oggetti eterni sottratti alla mutabilità della storia.

Petrarca eredita ancora la tradizione stilnovistica recente, ma ciò che fa dello Stil Novo il trampolino di Petrarca come, diciamo, «progresso» sui provenzali e siciliani, dei quali si sottolineava dianzi l'intercambiabilità delle strofe, e l'organizzazione logica o magari epigrammatica del tema; manca in compenso nel Petrarca volgare qualsiasi concessione al pensiero, e questo è detto non già secondo la tesi vulgata che agli stilnovisti attribuisce dignità di filosofi, ma perché nelle «*summae*» o manuali o appunti di scuola quali che fossero essi andavano rintracciando (memori del resto della fenomenologia amorosa svolta in sonetteria polemica dai tosco-siciliani) la riserva inventiva, il repertorio euristico convenienti alle loro canzoni più solenni. Tanto varrebbe mutare i cosiddetti poeti esistenziali moderni in discepoli di Heidegger o altro che sia, o magari in partigiani proprio del tale o tale professore piuttosto che del talaltro [...]. Neppure gli stilnovisti veramente posseggono interessi dottrinali pronunciati; hanno, questo sì, in uno dei più imponenti fra i loro settori d'esperimento, interessi pronunciati per il linguaggio tecnico della filosofia e per l'accensione metaforica in cui può indurre l'esposizione concettuale. In virtù di quest'opposizione sono assenti da Petrarca i termini tecnici o tecnicizzati dello stilnovismo, si attenuano gli *spiriti*, perdura più facilmente un epiteto quale *umíle*, ma smorzato nella serie dei molti *celeste, angelico, soave, sacro*, e valore del tutto ordinario possiede ormai *parere*, che non allude più all'evidenza figurativa degli eventi interni. Come lo Stil Novo, Petrarca si esercita nella fenomenologia amorosa, fa dell'autobiografismo trascendentale, accentuando con rilievo meramente formale i dati biografici sinceri o fittizî. Petrarca non è più allegorico, è emblematico.

L'impressione prima è d'un'assenza di moto, per modo che la concentrazione dei movimenti più elementari, entro i confini del ritmo, porta per solito alla dicotomia del verso; e chi dice dicotomia dice antitesi in potenza. Basta avere lo sguardo a esempî supremi di ripetizione per somma di nomi, aggettivi o sostantivi:

> Solo et pensoso i più deserti campi
> vo mesurando a passi tardi et lenti
> [...].

Impressione altrettanto immediata è quella d'una prevalenza non forse di sostanze ma certo di sostantivi, associati in sequenze di cui le endiadi, disgiunzioni e figure simili sono solo accezioni particolari. Niente importa, in questa lingua non naturalistica, dove il quotidiano *sole* e la determinata *Sorga* contengono un'identica misura di realtà, che si tratti di nomi comuni o di proprî. Nessuna differenza insomma tra

> fior', frondi, herbe, ombre, antri,
> onde, aure soavi

> Non Tesin, Po, Varo, Arno, Adige
> et Tebro. [...]

Nel proverbiale «et garrir Progne et pianger Philomena», *Progne* e *Philomena* equivalgono a sostantivi generali, con l'avvertenza che l'usignolo evidentemente sì, ma la rondine non potrebb'esser ricevuta in quest'ambiente seletto, sarebbe bocciata da questo Jockey Club lessicale. Codesta portata dei sostantivi dichiara meglio d'ogn'altra cosa la possibilità dei bisticci sull'aura e il lauro e dimostra il valore emblematico e simbolico, non allegorico, al quale si accennava più sopra [...].

Non vorrei già portare il bisturi su una cavia quale *Chiare, fresche et dolci acque*. È però fuori di dubbio che vi si ritrovano, coniugati con gli stilemi già notomizzati, quali le sequenze, per esempio, di aggettivi (*aere sacro, sereno*, quelli stessi dell'inizio); quali le coppie coordinate:

herba et fior' che la gonna...;
torni la fera bella et mansüeta

altri, fin qui inediti, stilemi. Uno di essi è l'*enjambement* (fomentato dal troppo breve settenario) fra epiteto e sostantivo: *la gonna / leggiadra; il meschino / corpo;* il suo cómpito qui è di sospendere e irrealizzare la visione [...].

Così i sonetti ci hanno mostrato versi che per intenderci rapidamente dirò dialettici, e che fanno la norma; versi violenti (sempre quanto è possibile all'autore), che sono spia e reliquato di un noviziato dantesco; infine i versi «liquidi» o «ineffabili», i quali, come materia sommamente resistente agli acidi del laboratorio, vanno sottoposti ora a un rapido esame conclusivo. È pero precisamente in clausola che essi raggiungono la lievitazione più segreta:

primavera per me pur non è mai (IX 14);
piagha per allentar d'arco non sana (XC 14);
ch'accolga 'l mïo — spirto ultimo in pace (CCCLXVI 137).

Scrutiamo cautamente la prima di queste clausole celeberrime, e verificheremo che questo effetto ineffabile è pur passibile d'una qualche misura esterna. La sua traduzione semantica («ma io sono sempre infelice») è del tutto irrilevante, è bensì rilevante la sua intraducibilità, la sua portata non semantica, laddove presso l'espressionista la traslazione in lingua normale figura sempre in un ideale interlineo; né conta il fatto che la metafora si giustifichi nel contesto concettistico (ritorno dei segni primaverili per altri), poiché anzi il «concetto», l'*agudeza* sono in funzione di questo verso — o, se si vuole adottare il linguaggio desanctisiano, ci stanno loro a pigione. Il verso è dunque caratterizzato da una litote in senso vastissimo, in quanto non solo è negativo ma è negativo per immagini, dunque conforme alla costante EVASIVITÀ di Petrarca (sostanze, ma sostanze non attualizzate, e tutto il séguito del nostro discorso). Ed è caratterizzato altresì dalla copia di vocaboli, e di accenti, entro una misura sola (la parola più corposa e aggressiva sta all'inizio, con tutte le possibilità di distendersi e ripararsi, come non accadrebbe, e mi scuso di perpetrare questo *collage*, in un eventuale **pure per me non è mai primavera*); caratterizzato, secondo una metafora invalsa, da un andante, conforme alla costante DOMINANTE RITMICA di Petrarca. Così un tipo di verso che non appartiene né ai cosiddetti dialettici né ai violenti né propriamente ai melodici intermedî né propriamente agli epigrammatici, e dunque sembrerebbe prestarsi meno ai nostri esercizî, ci ha additato meglio d'ogni altro due costanti così generali da poter fermar qui il discorso.

Gianfranco Contini

(Da *Varianti e altra linguistica*, Torino, Einaudi, 1970, pp. 170-190, con tagli).

Giovanni Boccaccio

La vita

Giovanni Boccaccio nacque a Certaldo o a Firenze (ma da famiglia di origine certaldese) nel 1313 da una relazione illegittima. Il padre, Boccaccio di Chellino, mercante, lo allevò a Firenze nella sua casa e lo inviò giovinetto a Napoli a far pratica mercantile e bancaria. Qui il Boccaccio visse per dodici anni, i più felici della sua vita, frequentando la corte e le allegre brigate di uomini e donne della nobiltà e della ricca borghesia, che vivevano una vita aristocratica, fra le feste cittadine e gli ozi spensierati nelle amene campagne e marine vicine alla città. In questi anni entrò in contatto col mondo cortese e cavalleresco, ancora ben vivo alla fastosa corte angioina, e col mondo più vasto e variegato di popolani, mercanti e avventurieri dei più diversi paesi del Mediterraneo, che aveva allora in Napoli uno dei maggiori centri politici e un grande emporio economico. La corte era però anche centro d'una vita culturale notevolissima, che andava dal culto della grande tradizione romanza francese al rinnovato interesse per la classicità, tenuto vivo da studiosi come Barbato da Sulmona e Dionigi di Borgo San Sepolcro, amici del Petrarca, e Paolo da Perugia; senza contare la ricchezza della biblioteca regia e l'Università, dove, fra il '30 e il '31, insegnò Cino da Pistoia.

A Napoli naufragò la vocazione mercantile — se pur v'era mai stata — del Boccaccio, e ne nacque una ben più esclusiva, che doveva diventare il centro di tutta la sua vita: quella della poesia. Dopo avere studiato, per volere del padre, che intendeva avviarlo a una occupazione lucrosa, poco e male il diritto canonico, si gettò avidamente sui libri dei poeti. Fu un'educazione da autodidatta, non priva di lacune, costantemente sorretta da un entusiasmo che spingeva il Boccaccio a leggere le opere dei classici latini e, insieme, quelle di letteratura medievale francese e italiana, senza disdegnare i prodotti della fantasia popolare. E subito, in margine ai suoi studi, fiorì la sua prima originale poesia, che già chiaramente esprimeva una vocazione narrativa, dal *Filocolo*, al *Filostrato*, al *Teseida*, alla *Caccia di Diana*, a parte delle *Rime*.

Intensa fu anche in questi anni l'esperienza sentimentale: il più forte amore giovanile fu quello che lo legò a Maria dei conti d'Aquino, figlia naturale di re Roberto d'Angiò e sposa a un nobile della corte. Il Boccaccio la celebrò in prosa e in versi in tutte le sue opere, fino al *Decameron*, soprattutto nella *Fiammetta*. Quell'amore, dopo un inizio felice, si concluse con l'abbandono del poeta da parte della volubile signora.

Nel 1340 il Boccaccio era costretto a ritornare, contro voglia, a Firenze, richiamato dal padre al quale, nel '45, il fallimento della banca dei Bardi causò un crollo economico. Alla vita elegante vissuta a Napoli ne faceva ora riscontro una più grigia, aggravata dalle preoccupazioni finanziarie. Il poeta comincia a frequentare le corti del Nord, alla ricerca vana d'impiego e di sistemazione, ma nello stesso tempo rafforza il suo impegno letterario. Sono dei primi anni del suo soggiorno fiorentino il *Ninfale d'Ameto*, la *Fiammetta*, l'*Amorosa Visione*, il *Ninfale Fiesolano*, tutte, tranne la *Fiammetta*, legate alla tradizione toscana.

Nel 1348 il Boccaccio è a Firenze, dove assiste alla terribile peste, e vi rimane anche negli anni successivi, dopo la morte del padre, ad amministrare lo scarso patrimonio. Godeva un posto ragguardevole fra i suoi concittadini per la fama d'ingegno e di eloquenza, cosicché gli furono affidati onorevoli uffici e ambascerie. Frattanto, fra il '49 e il '51, dava forma definitiva alla sua opera più grande, il *Decameron*.

Gli ultimi venticinque anni della sua vita sono caratterizzati da un'intimità raccolta e pensosa. Terminata la grande stagione creativa (l'ultima opera, il *Corbaccio*, scritto subito dopo il capolavoro, suona, almeno in parte, come un commiato dal passato e dalla prima ispirazione), egli si volge da un lato a cogliere nella cultura e nella vita i valori morali più validi, dall'altro a un culto vero e proprio della poesia e delle lettere, fondato sulla persuasione che esse occupano una funzione insostituibile nella civiltà. Importantissimi, a tale proposito, furono gli incontri e la profonda amicizia col Petrarca, il «glorioso maestro», come umilmente e affettuosamente lo chiamava il Certaldese, che lo aveva persuaso «a dirigere la mente verso le cose eterne lasciando da parte il diletto di quelle temporali». Grande ammiratore di lui fin dalla prima giovinezza, il Boccaccio lo conobbe personalmente solo nel '50, a Firenze, lo rivide l'anno dopo, quando, per incarico del comune fiorentino, si recò a Padova a offrirgli, invano, una cattedra nell'università di Firenze; e poi ancora nel '59 a Milano e nel '63 a Venezia. A questi incontri va aggiunta la frequente e affettuosa corrispondenza che durò fino alla morte del Petrarca. L'intesa spirituale fra i due si fondava soprattutto sulla comune coscienza dell'altissimo valore della poesia e delle lettere classiche, sentite come l'espressione più alta della civiltà umana. In questi anni, il Boccaccio viene infatti componendo quelle opere erudite in latino alle quali pure, oltre che al *Decameron*, fu legata la sua fama presso le generazioni immediatamente seguenti, dal *Buccolicum Carmen*, al *De mulieribus claris*, al *De casibus virorum illustrium*, al *De montibus, silvis, fontibus, lacubus, fluminibus, stagnis seu paludibus, et de nominibus maris*, alla *Genealogia Deorum gentilium*, grande dizionario mitologico, immediatamente diffuso in tutta Europa. Allo studio dei Latini il Boccaccio univa, primo fra i letterati dell'Europa occidentale, quello dei Greci, e per apprenderne la lingua chiamò a Firenze il monaco calabrese Leonzio Pilato. «Proprio io — affermerà con legittimo orgoglio — fui colui che per primo fra i Latini sentii tradurre e commentare l'*Iliade* a casa mia e feci sì che Omero fosse pubblicamente commentato nello studio fiorentino».

L'amicizia del Petrarca gli giovò anche a risolvere con equilibrio quella che viene da molti chiamata la crisi religiosa di quest'ultima parte della sua vita; una crisi, peraltro, che non sembra avere conosciuto momenti drammatici, ma avere coinciso con la costante, approfondita meditazione sul destino dell'uomo cui si alludeva sopra, coerentemente a quello che era stato un interesse non secondario del *Decameron*. Forte dell'esempio del Petrarca, il Boccaccio appare ora volto anch'egli a ritrovare un accordo fra sapienza classica e religiosità cristiana, fra la grande civiltà antica, rivissuta con entusiasmo ormai umanistico, e quella cristiana medievale.

Fino agli ultimi anni della vita, nonostante la salute malferma e la povertà (attenuatasi questa, dopo che, sull'esempio del Petrarca, anch'egli, nel '60, abbracciò lo stato ecclesiastico e ottenne un beneficio), il Boccaccio continuò la sua attività culturale che fece di lui uno dei maestri dell'imminente movimento umanistico. A differenza però del Petrarca tenne vivo anche l'interesse per la poesia romanza, diffondendo il culto di Dante, cui dedicò il *Trattatello in laude di Dante*. Nell'ottobre del '73 fu incaricato dal comune di Firenze di commentare pubblicamente, nella chiesa di S. Stefano di Badia, la *Commedia*; ma dopo pochi mesi dovette interrompere le sue letture per le condizioni ormai troppo precarie della sua salute. Si ritirò allora nella casa avita di Certaldo, e qui morì nel 1375.

Una vita per la poesia

«Studium fuit alma poesis» (un po' liberamente: «il suo ideale dominante fu la poesia, vivificatrice»): queste parole, conclusive dell'epitaffio che il Boccaccio si dettò, definiscono la sua costante ricerca di artista e di uomo, dal fervore creativo degli anni napoletani alla vecchiaia studiosa.

Il Boccaccio non manifestò interessi filosofici e/o teologici sistematici come Dante, né compì una meditazione approfondita dei grandi moralisti cristiani come il Petrarca. Non lo si vuole, con questo, accusare di ignoranza dei grandi temi di pensiero del suo tempo o d'incapacità filosofica, ma soltanto indicare la direzione centrale della sua cultura, intesa, sì, a un'osservazione e a una comprensione piena dell'umano, ma attraverso l'osservazione diretta e, per dir così, sperimentale, arricchita dalla meditazione delle pagine dei poeti, dalle grandi parole con le quali essi avevano dato all'uomo un'approfondita coscienza di sé. Egli manifestò, nell'ultimo ventennio, un vivo interesse per una poesia di vasto respiro conoscitivo e cosmico, che rimase un grande ideale inappagato, pur spingendolo a misurarsi col testo dantesco come umile interprete. Era una poesia che anch'egli aveva tentato, nella strutturazione allegorica di opere quali l'*Ameto* e l'*Amorosa visione*, tipicamente, proprio per questo, «medievali»; ma il suo capolavoro era nato dall'osservazione del vero e della psicologia dell'uomo: da una vocazione umanistica che sapeva unire al respiro profondo d'una civiltà millenaria (il Medioevo) l'ansia di rinnovamento culturale e ideologico che si affermerà più decisamente di lì a poco con l'Umanesimo.

È ormai evidente, per la critica moderna — dopo che per molto tempo il Boccaccio fu presentato come l'espressione d'un mondo nuovo, antimedievale, laico e immanentistico —, che la sua più esatta collocazione è, appunto, quella nel suo tempo, che è, come quello del Petrarca, un periodo in cui una civiltà si conclude e si apre a nuove prospettive. La cosa potrebbe essere detta di ogni epoca, ma il passaggio fra Medioevo e Umanesimo segna una svolta più radicale, che conduce a una cultura più decisamente secolarizzata e a una diversa idea dell'uomo.

In questa prospettiva l'idea del Boccaccio che la poesia rappresentasse un'importante, anzi, essenziale rivelazione dell'uomo a se stesso acquisterà un consenso pieno; sarà, come già lo era per lui, fondazione d'una sapienza alla quale l'uomo può aspirare con le sue forze, facendo appello all'umanità che ha in sé, ridestata, appunto, dalla poesia a piena coscienza. Così, nella *Genealogia*, in cui il Boccaccio appare più convinto di dovere cercare in essa una verità sotto il velo favoloso (un allegorismo, come si vede, di pretta ascendenza medievale), si afferma vigorosamente la necessità di grandi parole rivelatrici, d'uno stile che manifesti quella verità: in sostanza, che la costruisca negli animi. Questo appare come un esito non sempre esplicito, ma sicuramente presente nella coscienza del nostro scrittore, in quella lunga e appassionata difesa della poesia che egli compì, negli ultimi anni della sua vita, contro filosofi, religiosi e moralisti intransigenti, ma che era, implicita o esplicita, al centro della sua produzione fin dall'inizio.

Tra il vecchio e il nuovo

Anche la satira insistita contro il clero ha fatto, un tempo, parlare d'un Boccaccio «rinascimentale», senza pensare: a) che si tratta d'un tema frequentissimo nel Medioevo; b) che il Rinascimento non fu «pagano» e irreligioso. La stessa considerazione vale per lo scarso interesse che il Boccaccio rivela per la tematica religiosa (amore, fortuna, intelligenza sono, come si vedrà meglio, le forze che si fronteggiano nelle sue novelle). Qui basterà affermare che le letterature d'*oc* e d'*oïl* fornivano ampie zone «laiche» (la storia di Tristano e Isotta, di Ginevra e Lancillotto, ecc.), pur definendo un'idea dell'uomo e della sua realtà correlata con la cultura cristiana.

In realtà, le collocazioni storicistiche perentorie non sfuggono quasi mai all'astrattezza; non foss'altro perché la storia non sta ferma. Nel caso presente, poi, dire Medioevo significa dire un periodo di mille anni, con differenziazioni interne e movimenti eccentrici. Di più: una grande esperienza d'arte non riflette soltanto, ma contribuisce a modificare il proprio tempo.

D'altra parte, il «laicismo», se così lo si vuol chiamare, del Boccaccio del *Decameron* non trova riscontro negli ultimi vent'anni della sua vita, dove la preoccupazione religiosa si fa più sensibile; ma a ben vedere l'irreligiosità precedente aveva coinciso con l'insofferenza delle forme di settarismo e non aveva mai colpito veramente e programmaticamente la dogmatica cristiana. Comunque sia, non era certo sufficiente questo a fare uscire il Boccaccio dalla cultura del suo tempo e ad assegnargli una virtù innovativa così radicale. Nei suoi studi umanistici, per esempio, manca la dimensione storica (di cui era, invece, lucidamente consapevole il Petrarca) del distacco non colmabile fra l'età classica e quella attuale, cosicché Dante può essere messo tranquillamente accanto ai grandi poeti dell'età antica. Non si tratta qui di distribuire il torto o la ragione, ma di segnare delle distanze: di sottolineare la maggiore persistenza nel Boccaccio di schemi culturali già superati dal Petrarca con una proposta complessiva diversa.

Recentemente, per definire l'età e la cultura dei due poeti, si è ricorso al termine «tardogotico» (mutuato dalle arti figurative), o al termine, usato da uno storico, Huizinga, di «autunno del Medioevo». In entrambi i casi si allude a una civiltà che sta compiendo una parabola conclusiva, con un richiamo nostalgico alle tematiche della cultura cortese e di quella cittadina, di cui vengono ripetute le forme in una società non più del tutto congruente con esse, portata tuttavia a riprodurle e ammirarle come espressione d'un passato in cui ancora ci si può riconoscere. I due termini (soprattutto il primo) non sono del tutto soddisfacenti, ma possono essere utili per indicare il passaggio di cultura e civiltà che si viene compiendo nel Trecento; consapevolmente avvertito e, in parte, guidato dai nostri due scrittori.

Il poeta e la società

Il Boccaccio potrebbe essere definito il celebratore entusiasta della parola e della civile conversazione. Sia il *Decameron* nel proemio, sia il *Corbaccio* all'inizio (per prendere due opere in qualche modo opposte) insistono sul motivo del conforto arrecato all'amore infelice dal colloquio con gli amici, che si estende, poi, fino a toccare argomenti quali la struttura del cosmo e le forme più alte della moralità umana. Per tutta l'opera del Boccaccio l'eloquenza appare come fondatrice di corretti rapporti di convivenza. Di qui deriva la sua vocazione narrativa, connessa alla volontà di conoscere l'uomo attraverso il suo agire, la sua presa di posizione nel mondo e con gli altri, che è, prima di tutto, dialogo. Dal tentativo di complessa analisi psicologica evidente nelle prime «storie» raccontate nelle opere giovanili, il Boccaccio giunge alla rappresentazione d'una società che si ritrova in molte pagine del *Decameron*, raffigurata realisticamente, come gli individui che la compongono. Lontano dal ripiegamento interiore che prevale nel Petrarca, come dall'impeto profetico di Dante, egli è inteso alla rappresentazione dell'individuo studiato e colto nella sua «natura», che comprende sia la passione amorosa sia la volontà di affermazione attraverso la lotta con la fortuna e le volontà avverse degli altri.

Quanto più riesce a liberarsi dagli schemi e dalle atmosfere del romanzo cortese, tanto più il Boccaccio approda a una lucida descrizione della società del suo tempo. In tale descrizione sopravvivono forme di stilizzazione, legate, tuttavia, alle sue idealità etiche e civili, che non sono quelle d'un rivoluzionario, ma d'un uomo che riflette una vicenda storica reale, fra il mondo mercantile e quello nobiliare che sta per ricevere nuova forza nel passaggio dalla civiltà comunale a quella delle Signorie. In realtà, in un caso e nell'altro, egli è soprattutto l'interprete d'un passato, come attesta l'assenza dalla sua opera d'un impegno politico attuale: del passato «eroico» del «mercante» di fine Duecento (che è poi anche finanziere, imprenditore, commerciante), del mondo nobiliare cantato dai poeti «cortesi», e d'una civiltà comunale ormai al tramonto. Tuttavia l'arte più matura è rivolta all'osservazione dell'individuo in una dinamica di vita associata, nel libero giuoco di intelligenza e di istinti intesi l'una e gli altri alla ricerca della felicità, in una situazione storica che risponde, fondamentalmente, a quella del Trecento avanzato.

Le opere minori del Boccaccio

Il periodo napoletano

Le numerose opere in prosa e in poesia prima del *Decameron* ne anticipano temi e movenze. Il Boccaccio si volge decisamente sin dall'inizio a una letteratura d'intrattenimento, riprendendo la materia del romanzo cavalleresco francese (anche del ciclo classico) con arte raffinata, ispirandosi anche alla tradizione italiana più elevata e ai Classici, soprattutto Ovidio, Cicerone e Boezio, e alle elaboratissime regole dell'*ars dictandi* medievale.

Conviene distinguere fra le opere scritte a Napoli e quelle compiute dopo il ritorno a Firenze; si potrebbe, anzi, parlare di due cicli, in ciascuno dei quali l'autore si muove nel solco d'una cultura particolare, diversa nelle due importanti città. La datazione de11e singole opere è assai incerta: seguiremo, nel presentarle, la cronologia più attendibile.

La prima, anteriore al 1334, è la *Caccia di Diana*, un poemetto in terzine, in diciotto canti, in cui il Boccaccio racconta di avere avuto una visione in cui gli sono apparse le donne più belle di Napoli, invitate da Diana a una partita di caccia, durante la quale ciascuna uccide un animale. Ma al momento di consegnarli alla dea, si ribellano al suo imperio, per accettare quello di Venere; e allora gli animali uccisi risorgono e si tramutano negli innamorati delle gentildonne, che hanno scelto la dea dell'amore, rifiutando quella della castità. Il poemetto unisce al tema cortese tradizionale della lode delle donne belle d'una città quello delle *Metamorfosi* di Ovidio, interpretato allora per lo più allegoricamente, come fa ora il Boccaccio, con un rovesciamento malizioso del moralismo dei commentatori. Sono già qui i numerosi echi culturali cui si alludeva e l'ampia sperimentazione di temi e forme, tipica di questa prima fase.

La si coglie, potenziata, in quella che è forse la prova più impegnata di questi anni, il *Filocolo*, compiuto circa nel '37 per invito della donna amata, Fiammetta, prendendo lo spunto da una narrazione popolare assai diffusa in Francia, e trattata da noi nel popolaresco *Cantare di Florio e Biancifiore*. Nel romanzo, scritto in prosa, l'autore racconta l'amore dei due giovani, figlio, il primo, del re di Spagna, discendente, la seconda, da una nobile famiglia romana. I due s'innamorano l'uno dell'altro sin da fanciulli, ma il loro sentimento è ostacolato dai parenti di Florio, che, dopo vari inutili tentativi, vendono la fanciulla a certi mercanti che la cedono come schiava all'ammiraglio di Alessandria. Colà la raggiunge Florio, partito alla sua ricerca, dopo varie peripezie (*Filocolo* è lo pseudonimo che egli assume, e questo nome, composto di due parole greche, significa secondo il Boccaccio 'fatica d'amore'), e penetra furtivamente nella torre ov'è rinchiusa Biancofiore. Ma i due giovani sono sorpresi dalle guardie e condannati al rogo. Fortunatamente, all'ultimo momento l'ammiraglio scopre che Florio è suo nipote, e si viene anche a scoprire la nobilissima origine di Biancofiore, cosicché i due giovani possono sposarsi.

La trama diviene tuttavia pretesto a continui ampliamenti e divagazioni: dall'aggiunta di sempre nuove peripezie, a monologhi, discorsi, dialoghi che soverchiano la narrazione, a tutto un armamentario erudito, mitologico o di varia dottrina classica e medievale; con, infine, una rappresentazione idealizzante del mondo «cortese» di Napoli e della biografia dello scrittore. In tal modo egli giunge a una mescolanza di «generi» narrativi e stilistici, dal «tragico» al «comico» all'«elegiaco», e a postulare un proprio pubblico, socialmente elevato, che sia atto a gustare il racconto, ma anche ad avvertire, almeno in parte, il carattere nobilitante impresso dallo scrittore alle vicende tradizionalmente note; lasciando ai dotti e agli intenditori di riconoscerne fino in fondo lo sforzo e l'eccellenza culturali e stilistici. È il primo apparire d'un ideale artistico raffinato che accompagnerà il Boccaccio fino al *Decameron* compreso.

La terza opera di questo periodo, scritta forse nel 1338, è il *Filostrato* (= vinto d'Amore), ispirato da un episodio del *Roman de Troie*. È un poemetto in ottave condotto con più realistico studio della psicologia dei personaggi e con più scorrevole stile narrativo.

Siamo al tempo della guerra di Troia; Troiolo, figlio di Priamo, ama, riamato, Criseida, figlia di Calcante, indovino troiano passato, però, nel campo dei Greci. In occasione di uno scambio di prigionieri Criseida, richiesta dal padre, è costretta a raggiungerlo. Nonostante il giuramento di fedeltà fatto a Troiolo prima di partire, lo tradisce con Diomede, e Troiolo, saputolo, si getta nella battaglia per uccidere il rivale, ma è sconfitto e ucciso da Achille.

Il *Teseida delle nozze d'Emilia*, altro poemetto in ottave scritto forse tra il 1339 e il 1340, è probabilmente l'ultima opera del periodo napoletano, e anche quella più ambiziosa. Il Boccaccio, come vediamo dalle note apposte da lui stesso al manoscritto autografo, volle comporre, primo fra gli italiani, un poema epico, seguendo il grande modello dell'*Eneide* di Virgilio e della *Tebaide* di Stazio, un autore latino del I secolo d.C. ammiratissimo nel Medioevo, e superando i rifacimenti medioevali dei poemi dell'antichità classica quali il *Roman de Troie* o il *Roman d'Eneas*. Ma, nonostante gli sforzi dell'autore, la materia epica è ancora soverchiata da quella amorosa. Lo sfondo, cioè, è costituito dalle guerre di Teseo, re di Atene, contro le Amazzoni e contro Tebe, ma la vicenda più importante è l'amore di due prigionieri tebani, intimi amici, Arcita e Palemone, per Emilia, cognata di Teseo. Alla fine, i due giovani si contendono in un duello la mano dell'amata; vince Arcita, che però, caduto in seguito da cavallo e ferito mortalmente, induce, prima di morire, Emilia ad accettare come sposo Palemone.

Un fatto importante dei due poemetti è l'uso dell'ottava; un metro che secondo alcuni è invenzione del Boccaccio, secondo altri venne ripreso da lui dai *cantàri* popolareschi. Comunque stiano le cose, il Boccaccio la impose, attraverso queste sue opere, alla letteratura dotta, almeno fino al Seicento: in ottave sono i grandi poemi narrativi, per far solo due esempi, dell'Ariosto e del Tasso.

Alcune di queste prime opere, soprattutto il *Filocolo* e il *Teseida*, ebbero vasta risonanza europea.

Il periodo fiorentino

Ritornato a Firenze, il Boccaccio scrisse le sue opere più mature, prima del *Decameron*. In genere, se in esse perdurano ancora i caratteri generali delle prime, cioè il contenuto autobiografico e la raffinata ricerca stilistica, nell'uno e nell'altro campo l'autore viene assumendo un dominio sempre maggiore. Inoltre all'influsso della letteratura cortese cavalleresca, proprio della corte feudale di Napoli, si aggiunge ora quello della tradizione fiorentina e toscana, cioè il gusto per la poesia allegorica e didascalica, mentre la tecnica della narrazione si fa più incisiva.

Fra il 1341 e il 1342, il Boccaccio scrisse il *Ninfale d'Ameto* (o *Commedia delle ninfe fiorentine*), opera mista di prose e di canti in terzine. La vicenda è la seguente: Ameto, rozzo pastore e cacciatore che vive nel territorio fra l'Arno e il Mugnone, vede un giorno una schiera di ninfe che si bagnano in un fiume; fra di esse è Lia della quale egli si innamora. Si ritrova con lei, con sei ninfe e tre pastori, il giorno della festa di Venere e ascolta dalle ninfe il racconto dei loro amori. Quindi viene immerso da Lia in una fonte purificatrice, e solo allora gli si rivela in tutto il suo splendore la luce di Venere.

Il poema ha un intendimento allegorico: l'idea centrale è quella dell'amore come principio di civiltà, le ninfe rappresentano le virtù teologali e cardinali, Ameto l'umanità che, prima incolta e selvaggia, viene poi ingentilita dall'amore, elevata, quindi, dal culto della virtù e resa infine capace di contemplare la pura essenza divina.

L'*Amorosa Visione* (1342) è un poema in terzine, anch'esso di contenuto allegorico, che segue, praticamente, lo stesso schema dell'*Ameto*.

La migliore opera in prosa del Boccaccio prima del *Decameron* è l'*Elegia di Madonna Fiammetta* (forse 1344-'46). In questo romanzo la protagonista narra, in prima persona, la storia del suo amore per Panfilo, la tristezza del distacco, quando il giovane viene richiamato a Firenze dal padre, la desolazione della propria solitudine, con le sue alternative di ansie, attesa vana, gelosia, fino a un tentativo di suicidio quando sa che Panfilo l'ha tradita con un'altra donna. Il romanzo è idealmente autobiografico: i personaggi nascondono sotto i loro nomi quelli di Maria d'Aquino e del Boccaccio stesso, e, in parte, anche la loro vicenda reale, peraltro capovolta. Ma il Boccaccio è qui riuscito a osservarla con distacco. Notevole, nel romanzo, è la finezza dell'analisi psicologica della protagonista, più fluido il ritmo del racconto, anche se alquanto inceppato da propositi d'eloquenza raffinata.

La migliore fra le opere in versi del Boccaccio è il *Ninfale Fiesolano*.

Anch'esso tratta di una storia d'amore, proiettata su di uno sfondo mitologico. Il giovane pastore Africo s'innamora della ninfa Mensola, consacrata al culto di Diana, e, dopo varie traversie riesce nell'intento. La ninfa, però, pentita del fallo amoroso, opposto al suo voto di castità, decide di non vederlo più, e Africo, disperato, si uccide. Il suo corpo cade nelle acque di un torrente che prenderà il suo nome. Mensola, che frattanto ha avuto un figlio, viene colpita dall'ira di Diana e disciolta nelle acque di un altro ruscello che prende da lei il nome. Il figlioletto Pruneo diviene più tardi siniscalco alla corte di Attalante, fondatore di Fiesole e distruttore del crudele costume imposto da Diana alle sue ninfe.

La leggenda si lega così alle origini stesse di Firenze: i discendenti di Pruneo, dice il Boccaccio, domineranno sulle terre fiesolane e, dopo la distruzione di Fiesole ad opera dei Romani, andranno ad abitare a Firenze. L'argomento centrale resta però la storia d'amore, trattata, nonostante i riferimenti mitologici, con realistica concretezza. Il giovanile ardore amoroso di Africo, la grazia ingenua di Mensola, l'amore dei genitori di Africo per il figlio, e poi per il nipotino, sono ritratti con limpida evidenza. Lo stile s'ispira alla freschezza dei canti popolari e scorre rapido e sciolto, con un agile ritmo narrativo.

Per i testi seguiamo: G. B., *Rime, Caccia di Diana*, a cura di V. Branca, Padova, Liviana, 1958; G. B., *Decameron, Filocolo, Ameto, Fiammetta*, a cura di E. Bianchi, C. Salinari, N. Sapegno, Milano-Napoli, Ricciardi, 1952; G. B., *L'elegia di Madonna Fiammetta*, a cura di V. Pernicone, Bari, Laterza, 1939; G. B., *Il Ninfale Fiesolano*, a cura di A. F. Massera, Torino, Utet, 1926.

Le «Rime»

Nelle *Rime* del Boccaccio sono frequenti gli echi della tradizione stilnovistica, dantesca e anche del Petrarca, ma appaiono anche temi e movenze nuove: l'amore per gli spettacoli naturali, frequenti in tutte le opere in prosa e in versi del Boccaccio, la predilezione per i colori e i toni gai, sereni, e soprattutto la tendenza a narrare la propria vicenda psicologica con un realismo schietto, lontano dall'atmosfera estatica e sognante che è, in qualche modo, comune agli stilnovisti e al Petrarca. Lo stile non tende alla concentrazione lirica, ma al tono medio e discorsivo della narrazione.

Intorn'ad una fonte, in un pratello

Lo sfondo idillico sul quale sono proiettate le tre «angiolette», la grazia spontanea e maliziosa dei loro discorsi sembrano preannunciare la tonalità della *cornice* del *Decameron*. Il sonetto è un breve racconto nel quale si riflette la spregiudicatezza sorridente del poeta. L'amore delle «angiolette» non è certo quello dei poeti dello Stil novo, ma il sereno e compiaciuto abbandono a una forza di natura, al caldo invito della giovinezza.

Intorn'ad una fonte, in un pratello
di verdi erbette pieno e di bei fiori,
sedean tre angiolette, i loro amori
forse narrando, ed a ciascuna 'l bello
5 viso adombrava un verde ramicello
ch'i capei d'or cingea, al qual di fuori
e dentro insieme i dua vaghi colori
avvolgeva un suave venticello.
E dopo alquanto l'una alle due disse
10 (com'io udí): — Deh, se per avventura
di ciascuna l'amante or qui venisse,
fuggiremo noi quinci per paura? —
A cui le due risposer: — Chi fuggisse,
poco savia saria, con tal ventura!

Metro: *sonetto* (schema: ABBA, ABBA, CDC, DCD).

1-3. I primi versi definiscono un paesaggio tipico della letteratura «cortese»: una fonte, un prato d'erba fresca e di fiori, un luogo, insomma, dove è dolce restare al fresco e parlare serenamente d'amore. In questi e nei versi seguenti sono numerosi i diminutivi, che rivelano la simpatia con la quale il B. segue la vicenda.
3. tre angiolette: come quelle dello Stil novo, finché tacciono. Ma le loro parole ci ricondurranno a una realtà più quotidiana.
6-8. al qual di fuori, ecc.: fuori e dentro il quale (cioè tutt'intorno al ramicello che le fanciulle s'erano poste come ghirlanda sul capo) un venticello soave mescolava il biondo dorato dei capelli al verde delle foglie.
11. l'amante: l'innamorato.
12. quinci: di qui. Non è una vera domanda; la fanciulla sembra piuttosto attendere dalle compagne una conferma a ciò che ella pensa.
13-14. «Chi di noi fuggisse davanti a una tale fortuna, sarebbe ben poco savia!».

Il fior, che 'l valor perde

La gentile ballata canta il dileguare della giovinezza; ma più che il senso dell'ineluttabile finire d'ogni cosa umana è vivo in essa il rimpianto, o meglio, la nostalgia dell'amore.

Il fior, che 'l valor perde
da che già cade, mai non si rinverde.
Perduto ho il valor mio,
e mia bellezza non serà com'era,
5 però ch'è 'l van disio
chi perde il tempo ed acquistarlo spera;
io non son primavera,
che ogni anno si rinnova e fassi verde.
Io maledico l'ora
10 che 'l tempo giovenil fuggir lassai;
fantina essendo ancora,
esser abbandonata non pensai:
non se rallegra mai
chi 'l primo fior del primo amore perde.
15 Ballata, assai mi duole
che a me non lice di metterti in canto;
tu sai che 'l mio cor vole
vivere con sospiri doglia e pianto:
cosí farò fin tanto
20 che 'l foco di mia vita giugna al verde.

Metro: *ballata*. Schema: aA (ripresa), cD, cD (mutazioni), dA (volta).

1-2. «Il fiore che perde la sua bellezza appassendo (*da che già cade*), non rinverdisce, non rifiorisce più».
3-4. «Ho perduto ciò che mi dava valore, pregio, cioè la mia bellezza, che non sarà più com'era un tempo».
5-6. «poiché è vano desiderio quello di colui che perde il suo tempo (non godendo pienamente le gioie della giovinezza) e spera di riacquistarlo un giorno», quando sarà troppo tardi.
8. «che ogni anno si rinnovella e rinverdisce». La primavera ritorna, la giovinezza, no.
11-12. «essendo ancora fanciulla, non pensai che sarei stata abbandonata dall'amore».
13-14. «Non potrà più aver gioia chi lascia sfiorire il primo fiore d'amore».
16. che a me non lice, ecc.: «che non mi ha consentito di musicarti, perché non ne sono capace». Così gli interpreti. Preferiamo intendere, però, fondandoci sui due versi seguenti, che il poeta non alluda qui al fatto di non conoscere l'arte della musica, ma affermi piuttosto che la desolazione nata in lui dalla giovinezza perduta, i suoi sospiri, la doglia e il pianto che pervadono ormai tutta la sua vita non gli diano l'animo di abbandonarsi alla letizia del canto, di danzare la propria ballata insieme coi giovani spensierati.
19-20. «vivrò così (fra doglie, pianto e sospiri) fino alla fine della mia vita». Paragona la propria vita alla fiammella d'una candela che si spegne quando giunge al piede della candela stessa, che si usava, a quei tempi, dipingere di verde. Questa ballata fu musicata ed ebbe larga diffusione.

Su la poppa sedea d'una barchetta

Ha l'aspetto di un foglio di diario, di un concreto ricordo riassaporato con nostalgia, ma comunque lontano dalla trasfigurazione che è propria di Dante o, in diversa forma, del Petrarca. L'amata appare su di uno sfondo di consuetudini gentili, di liete brigate di giovani, quali son quelle descritte nella *Fiammetta* e nel *Decameron*. Raffiorano ricordi stilnovistici (l'*angioletta* discesa dal cielo, la donna *miracol novo*), ma ricondotti a una sfera realistica di serena gioia vitale.

Su la poppa sedea d'una barchetta,
che 'l mar segando presta era tirata,
la donna mia con altra accompagnata,
cantando or una or altra canzonetta.
5 Or questo lito et or quest'isoletta,
et ora questa et or quella brigata
di donne visitando, era mirata
qual discesa dal cielo una angioletta.
Io che seguendo lei, vedeva farsi
10 di tutte parti incontro a rimirarla
gente, vedea come miracol nuovo.
Ogni spirito mio in me destarsi
sentiva, e con amor di commendarla
sazio non vedea mai il ben ch'io provo.

Metro: *sonetto* (schema: ABBA, ABBA, CDE, CDE).

2. che 'l mar... era tirata: che solcava il mare velocemente spinta dai remi.
3-4. La brigata di giovani donne che vaga cantando sul mare e visita or questa or quella brigata sul lido è un'immagine della vita alla quale il B. partecipò alla corte napoletana.
8. qual... angioletta: su questo sfondo l'immagine stilnovista dell'angioletta perde ogni suggestione eterea, diviene solo vagheggiamento della grazia femminile.
9-11. Costruisci: Io che, mentre la seguivo, vedevo da ogni parte farsi incontro a lei la gente per rimirarla, contemplavo questa festa di uomini e donne gentili che appariva quasi come un nuovo miracolo. Anche qui il tema è tratto dalla *Vita nuova*: l'onore reso alla bellezza della donna riempie il cuore del poeta di dolcezza e di gioia.
12-13. Ogni spirito... sentiva: sentivo destarsi in me ogni spirito vitale. Qui la situazione stilnovistica è capovolta: non più lo smarrimento, il tremore dinanzi all'apparizione di madonna, ma un senso di pienezza di vita.
13-14. e con amor... provo: Seguiamo l'interpretazione del Branca: «e non vedevo mai la beatitudine, che io provo, sazia di cantarne le lodi con amore. Cioè non mi saziavo mai di cantarne amorevolmente le lodi».

Vetro son fatti i fiumi, ed i ruscelli

La costruzione del sonetto è imperniata sul contrasto fra l'aspetto arido e gelato della stagione invernale e il fuoco d'amore che arde il poeta. La parte migliore è però costituita dalle quartine, da quella bella evocazione paesistica. Essa prende le mosse dalle *rime*

petrose **di Dante: ma mentre questi condensa nelle linee di un quadro di natura un'immagine drammatica del suo spirito, il Boccaccio si arresta alla descrizione del paesaggio, goduto nella sua nitida, immota bellezza. Quando, nelle terzine, affronta la descrizione delle pene dell'animo, la poesia decade in un tono convenzionale.**

Vetro son fatti i fiumi, ed i ruscelli
gli serra di fuor ora la freddura;
vestiti son i monti e la pianura
di bianca neve e nudi gli arbuscelli,
5 l'erbette morte, e non cantan gli uccelli
per la stagion contraria a lor natura;
Borea soffia, ed ogni creatura
sta chiusa per lo freddo ne' sua ostelli.
Ed io, dolente, solo ardo ed incendo
10 in tanto foco, che quel di Vulcano
a rispetto non è una favilla:
e giorno e notte chiero, a giunta mano,
alquanto d'acqua al mio signor, piangendo
né ne posso impetrar sol una stilla.

Metro: *sonetto* (schema: ABBA, ABBA, CDE, DCE).

1. Vetro... i fiumi: i fiumi sono ghiacciati, chiari e compatti come cristallo.
1-2. i ruscelli... freddura: il freddo, dal di fuori, li blocca, ne arresta il corso ghiacciandoli. Non è una ripetizione: il secondo verso aggiunge alla nota limpida e tersa del primo il senso della immobilità invernale.
6. per la stagion, ecc.: perché la stagione è contraria alla loro natura; essi preferiscono la stagione bella.
7. Borea: il vento del nord.
8. ne' sua ostelli: nei propri ricoveri.
9. Ed io: io invece. **incendo**: brucio, avvampo; naturalmente nel fuoco di amore.
10-11. che quel di Vulcano... favilla: che il fuoco di Vulcano, al confronto, è appena una scintilla.
12. chiero, a giunta mano: chiedo a mani giunte.
13. al mio signor: ad Amore.
14. impetrar: ottenere. **stilla**: goccia.

Tanto ciascuno ad acquistar tesoro

Nelle rime più tarde del Boccaccio compare più frequente l'ispirazione morale, che dominò il poeta negli ultimi anni della sua vita, dedicati agli studi austeri e al culto della poesia. A questo appunto ci richiama il presente sonetto, pervaso dal sentimento sincero di amore per la poesia, dalla testimonianza di una vita ad essa totalmente dedicata.

Tanto ciascuno ad acquistar tesoro
con ogni ingegno s'è rivolto e dato,
che quasi a dito per matto è monstrato
chi con virtú seguisce altro lavoro.
5 Per che constante stare infra costoro
oggi conviensi, nel mondo sviato,
a chi, come tu fosti, è infiammato,
Febo, del sacro e glorioso alloro.
Ma perché tutto non può la virtute
10 ciò che la vuol, senza il divino aiuto,
a te ricorro, e prego mi sostegni
contr'alli venti adversi a mia salute,
e, dopo il giusto affanno, il già canuto
capo d'alloro incoronar ti degni.

Metro: *sonetto* (schema: ABBA, ABBA, CDE, CDE).

1. tesoro: ricchezze. Il predicato di *ciascuno* è nel v. seguente (*s'è rivolto e dato*).
2. con ogni ingegno: con tutta la sua ingegnosità e con tutti i mezzi.
3. per matto: come matto. Il verso ha una vivacità popolaresca. **monstrato**: indicato, segnato.
4. lavoro: fatica, opera.
5-8. È necessaria una decisa fermezza, per rimanere fedeli alla propria vocazione di poeta, oggi, in un mondo così sviato dietro la cupidigia.
7-8. a chi... alloro: a chi è infiammato, o Febo, come tu fosti, del santo e glorioso alloro della poesia. Febo era il dio della poesia; in alloro era stata tramutata Dafne, una ninfa da lui amata, e l'albero era rimasto il simbolo della poesia, con ghirlande d'alloro si coronavano i poeti. Il Boccaccio chiama la poesia (l'alloro) sacra e gloriosa, in quanto vedeva racchiuse nelle favole dei poeti profonde verità spirituali, atte ad educare gli uomini, ad avviarli e sostenerli nel cammino della civiltà, della conquista, cioè, della loro piena e autentica umanità; quanto alla gloria, era ormai l'unico altissimo sogno che balenava alla mente del vecchio poeta.
9-10. «Ma perché la virtù umana non può ottenere tutto ciò che vuole senza l'aiuto divino».
12. contr'alli venti, ecc.: contro ogni oltraggio della fortuna e contro ogni impedimento materiale e spirituale che si opponga al conseguimento dell'ideale supremo del poeta.
13. dopo il giusto affanno: dopo il lungo travaglio, le fatiche, gli studi, che era giusto compiere per acquistare il nome e la dignità di poeta.
14. L'anelito ad essere coronato poeta è spoglio di ogni vana e orgogliosa ostentazione: nasce dalla coscienza dei propri meriti (*il giusto affanno*) e di avere speso tutta la vita per la poesia, fino alla tarda vecchiezza (*il già canuto capo*).

Dal «Filocolo»

Innamoramento di Florio e Biancofiore

Nel *Filocolo*, pur fra le incertezze e le prolissità del racconto, si riscontrano pagine come questa, nelle quali, sotto lo stile solenne che appesantisce spesso la lettura del libro, la psicologia amorosa è colta con sguardo acuto e compartecipe.

L'antefatto di questo episodio è il seguente: Florio e Biancofiore sono educati insieme dal precettore Racheo, che fa loro leggere Ovidio, il poeta erotico latino più apprezzato nel Medioevo. Venere, soddisfatta di questo, istiga il figlio Cupido a fare innamorare reciprocamente i due giovani. A questo punto il Boccaccio si libera dal macchinoso ciarpame mitologico e descrive il tenero candore dell'amore che sboccia fra i due giovinetti. Lo stile ha una cadenza morbida e dolcissima; anche i costrutti latineggianti, lungi dall'appesantire retoricamente la pagina, contribuiscono con la loro lentezza a dare il senso del ridestarsi di un'indefinita suggestione del cuore e dei sensi.

Taciti e soli lasciò Amore i due novelli amanti,[1] i quali riguardando l'uno l'altro fiso, Florio in prima[2] chiuse il libro, e poi disse:

— Deh, che nova bellezza, t'è egli cresciuta,[3] o Biancofiore, da poco in qua, che tu mi piaci tanto? Tu già non mi solevi tanto piacere; e ora gli occhi miei non possono saziarsi di riguardarti!

Biancofiore rispose:

— Non so, se non che ti posso io dire che a me sia avvenuto il simigliante.[4] Credo che la virtù de' santi versi[5] che noi divotamente leggiamo abbia acceso le nostre menti di nuovo fuoco, e adoperato[6] in noi quello che in altri già veggiamo adoperare.

— Veramente — disse Florio — io credo che sì come tu dici sia: perciò che tu sola sopra tutte le cose del mondo mi piaci!

— Certo tu non piaci meno a me, che io a te — rispose Biancofiore.

E così stando in questi ragionamenti co' libri serrati avanti, Racheo, che per dare a' cari scolari dottrina andava, giunse nella camera, e ciò veduto, loro gravemente riprendendo,[7] cominciò a dire:

— Questa che novità è, che io veggio i vostri libri davanti a voi chiusi? Ov'è fuggita la sollecitudine[8] del vostro studio?

Florio e Biancofiore, divenuti i candidi visi come vermiglie rose per vergogna della non usata riprensione,[9] apersero i libri: ma gli occhi loro, più desiderosi dell'effetto che della cagione,[10] torti si volgevano verso le disiate bellezze, e la loro lingua, che apertamente narrar soleva i mostrati versi,[11] balbuziando andava errando.[12] Ma Racheo pieno di sottile avvedimento, veggendo i loro atti, incontanente[13] conobbe il nuovo foco acceso ne' loro cuori, la qual cosa assai gli dispiacque; ma più ferma esperienza[14] della verità volle vedere, prima che alcuna parola ne movesse ad alcuno altro, sovente sé celando in quelle parti nelle quali egli potesse lor vedere senza essere da essi veduto. E manifestamente conoscea che, come da loro partito s'era, incontanente chiusi i libri, si porgevano abbracciandosi semplici baci,[15] e mai più avanti non procedevano; perciò che la novella età in che erano, i nascosi diletti[16] non conosceva. E già il venereo foco[17] li avea sì accesi, che tardi la freddezza di Diana[18] li avrebbe potuti rattiepidire.

Dal capitolo I del libro secondo.

1. **lasciò Amore... amanti**: Cupido ha appena lasciato i due giovinetti dopo averli accesi l'uno dell'altro. Segue ora, felicemente espressa, questa pausa di stupito silenzio, quel guardarsi fissamente (*fiso*), come attoniti e affascinati.
2. **in prima**: per primo. **Il libro** è l'*Ars amandi* di Ovidio.
3. **t'è egli cresciuta**: *egli* è pleonastico, secondo l'uso fiorentino: «t'è cresciuta».
4. **Non so... simigliante**: Non lo so: posso dirti che mi è avvenuta la stessa cosa. Osserva il candore col quale i due giovinetti si confessano il loro sentimento. Ma in tal senso, il discorso di Biancofiore è meno vivo: più bello quello di Florio, carico di quello stupore lento e come remoto.
5. **la virtù de' santi versi**: il potere, la suggestione esercitata da questi versi. Il B. li chiama *santi* perché ricorre in essi di continuo il nome di Venere, la dea dell'Amore e perché sono scritti da un poeta che egli reputava grandissimo.
6. **adoperato**: operato, prodotto gli effetti.
7. **gravemente riprendendo**: rimproverandoli severamente.
8. **la sollecitudine**: la diligenza.
9. **della non usata riprensione**: del rimprovero che non erano avvezzi a sentirsi rivolgere.
10. **più desiderosi... cagione**: più desiderosi di guardarsi che di leggere il libro. Il guardarsi era stato l'effetto della lettura, e il libro, quindi, la causa del loro innamoramento.
11. **narrar... versi**: soleva ripetere chiaramente i versi spiegati dal maestro.
12. **balbuziando... errando**: balbettando, sbagliava.
13. **incontanente**: immediatamente.
14. **più ferma esperienza**: una prova più sicura.
15. **semplici baci**: soltanto baci.
16. **i nascosi diletti**: i diletti amorosi ancora ignoti.
17. **venereo foco**: il fuoco di Venere, l'ardore amoroso.
18. **la freddezza di Diana**: Diana era la dea protettrice della castità.

Dalla «Fiammetta»

Il tentato suicidio di Fiammetta

Fiammetta, avendo saputo che Panfilo a Firenze si è innamorato di un'altra donna, cade in preda alla disperazione e medita, alla fine, di uccidersi. La sua vecchia nutrice, insospettita, vigila su di lei, ma ella riesce ad allontanarla per un istante e subito s'appresta a mettere in atto il disperato proposito.

È questa una delle pagine migliori del romanzo, e ne riflette i pregi e i difetti: da un lato l'acuto realismo psicologico, dall'altro un eccessivo compiacimento letterario. Il Boccaccio ha imparato ormai a liberarsi dalla passionalità delle opere precedenti, ad acquistare una maggiore obiettività di narratore, ma è ancora impigliato nel falso ideale di una forma «bella» che nobiliti la materia.

Poi, gli occhi rivolti per la camera, la quale più mai non sperava vedere, presa da dolore subito il cielo perdei,[1] e quasi palpando[2] oppressa da non so che tremito mi volli levare, ma le membra vinte da paura orribile[3] non mi sostennero; anzi ricaddi, e non solo una, ma tre fiate sopra il mio viso,[4] e in me fierissima battaglia sentiva tra li paurosi spiriti[5] e l'adirata anima, li quali lei volente fuggire[6] a forza teneano. Ma pure l'anima vincendo, e da me la fredda paura cacciando, tutta di focoso dolore m'accese, e riebbi le forze. E già nel viso del colore pallido della morte dipinta, impetuosamente su mi levai, e, quale il forte toro ricevuto il mortal colpo furioso in qua e in là saltella,[7] sé percotendo, cotale dinanzi a gli occhi miei errando Tesìfone,[8] del letto, non conoscendo gl'impeti miei, come baccata mi gittai in terra,[9] e dietro alla furia[10] correndo, verso le scale saglienti alla somma parte delle mie case mi dirizzai; e già fuori della camera trista saltata, forte piangendo, con disordinato sguardo[11] tutte le parti della casa mirando, con voce rotta e fioca dissi:

— O casa, male a me felice,[12] rimani eterna, e la mia caduta fa manifesta all'amante, se egli torna; e tu, o caro marito, confòrtati e per innanzi cerca d'una più savia Fiammetta. O care sorelle, o parenti, o qualunque altre compagne e amiche, o servitrici fedeli, rimanete con la grazia degl'iddii. —

Io rabbiosa intendeva con tutte le parole al tristo corso,[13] ma la vecchia balia, non altramente che chi dal sonno a' furori è escitato,[14] lasciato della rocca lo studio,[15] subito stupefatta questo veggendo, levò li gravissimi membri,[16] e gridando, come poteva mi cominciò a seguire. Ella con voce appena da me creduta[17] diceva:

— O figliuola, ove corri? Qual furia ti sospigne? È questo il frutto che tu dicevi che le mie parole in te aveano di preso conforto messo?[18] Ove vai tu? Aspettami. —

Poi con voci ancora maggiori gridava:

— O giovani, venite, occupate[19] la pazza donna, e ritenete li suoi furori. —

Il suo romore era nulla, e molto meno il grave corso.[20] A me parea che fossero ali cresciute, e più veloce che alcuna aura[21] correva alla mia morte. Ma li non pensati casi, sì a' buoni come a' rei proponimenti opponentisi,[22] furono cagione che io sia viva, però che li miei panni lunghissimi, e al mio intendimento nemici, non potendo[23] con la loro lunghezza raffrenare il mio corso, ad uno forcuto legno, mentre io correva, non so come, s'avvilupparono, e la mia impetuosa fuga fermarono, né per tirare che io facessi, di sé parte alcuna lasciarono:[24] per che, mentre io tentava di riaverli,[25] la grave balia mi sopraggiunse, alla quale io con viso tinto[26] mi ricorda che io dissi con alto grido:

— O misera vecchia, fuggi di qui, se la vita t'è cara! Tu ti credi aiutarmi, e offendimi;[27] lasciami usare il mortale uficio ora a ciò disposta con somma voglia;[28] però che niuna altra cosa fa chi colui di morire impedisce che disidera di morire,[29] se non che egli l'uccide: tu di me diventi micidiale,[30] credendomi tôrre[31] dalla morte, e come nemica tenti di prolungare i danni miei.

La lingua gridava, e il cuore ardeva d'ira, e le mani per la fretta credendosi sviluppare, avviluppavano,[32] né prima a me occorse il rimedio dello spogliarmi,[33] che sopraggiunta dalla gridante balia, come ella potea così da lei era impedita; ma la sua forza in me già sviluppata niente valeva,[34] se le giovani serve al colei grido da ogni parte non fossero corse, e me avessero ritenuta,[35] delle mani[36] delle quali più volte con guizzi diversi e con forze maggiori mi credetti ritrarre,[37] ma, vinta da loro, stanchissima fui nella camera, la quale mai più vedere non credeva, menata.[38]

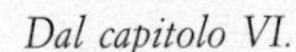

Dal capitolo VI.

1. **il cielo perdei**: svenni, perdetti conoscenza.
2. **palpando**: brancolando.
3. **vinte da paura orribile**: è la paura della morte, verso la quale, pur bramandola, prova ripugnanza istintiva.
4. **tre fiate sopra il mio viso**: tre volte bocconi.
5. **li paurosi spiriti**: gli spiriti vitali, terrorizzati al pensiero della morte.
6. **lei volente fuggire**: l'anima disperata che voleva andarsene dal corpo.
7. **il forte toro... saltella**: la similitudine è presa da Dante (*Inf.* XII, 22-24); ma qui raffredda l'impeto della pagina col suo inopportuno richiamo letterario.
8. **Tesìfone**: secondo la mitologia era una delle furie infernali, personificazione del furore disperato della passione. Essa ora erra dinanzi agli occhi di Fiammetta simile al toro ferito.
9. **del letto... terra**: mi gettai in terra dal letto, senza sapere ciò che facessi, come ebbra e invasata (**baccata**; è altra allusione mitologica alla furia da cui erano pervase le Baccanti, seguaci del dio Bacco, durante la celebrazione del suo culto).
10. **alla furia**: a Tesifone. Fuor di metafora: seguendo l'impeto suicida che ormai si era impadronito di lei.
11. **con disordinato sguardo**: guarda per l'ultima volta la casa, le stanze, ma con sguardo disperato ed errante.
12. **male a me felice**: che hai visto la mia felicità (gli amorosi convegni con Panfilo), dai quali è nata in seguito, dopo il suo abbandono, questa mortale angoscia.
13. **intendeva... corso**: mentre parlavo, continuavo a correre verso la morte.
14. **escitato**: ridestato dalla quiete del sonno a un improvviso furore.
15. **lasciato della rocca lo studio**: avendo smesso di filare.
16. **li gravissimi membri**: le membra appesantite dalla tarda età.
17. **appena da me creduta**: gridando più forte di quello che non l'avrei creduta capace.
18. **il frutto... messo?**: il frutto di quel conforto che dicevi di aver preso dalle mie parole? La balia l'aveva a lungo confortata e F. aveva finto di essere stata placata per liberarsi dalla sua custodia e mettere in atto il suo fiero proposito.
19. **occupate**: trattenete. Si rivolge alle ancelle.
20. **Il suo romore... corso**: a nulla servivano le sue grida e ancora meno valeva a trattenermi il suo correre lento e pesante.
21. **che alcuna aura**: che il vento.
22. **opponentisi**: che si oppongono.
23. **non potendo**: pur non potendo.
24. **di sé... lasciarono**: si lacerarono.
25. **per che... riaverli**: e per questo, mentre io cercavo di scioglierle, fui raggiunta, ecc.
26. **tinto**: stravolto.
27. **offendimi**: e invece mi fai del male.
28. **lasciami... voglia**: lasciami cercare la morte, ora che sono fermamente decisa ad affrontarla.
29. **chi colui... morire**: colui che impedisce di morire ad uno che lo desidera.
30. **micidiale**: assassina.
31. **tôrre**: togliere.
32. **credendosi... avviluppavano**: mentre credevano di sciogliere i vestiti impigliati nel legno forcuto, li avviluppavano maggiormente.
33. **né prima... spogliarmi**: e prima che mi venisse in mente che l'unico modo di liberarmi era quello di togliermi la veste, ecc.
34. **in me... valeva**: essendomi io già liberata dalla veste non avrebbe avuto alcun valore.
35. **ritenuta**: trattenuta.
36. **delle mani**: dalle mani.
37. **credetti ritrarre**: credetti di liberarmi.
38. **menata**: condotta.

Dal «Ninfale Fiesolano»

Africo e Mensola

Dopo lunghe ricerche, Africo innamorato ritrova finalmente Mensola sola, ma la fanciulla, non appena lo vede, fugge, anzi, poiché egli la insegue, pur sempre gridandole tenere profferte d'amore, gli lancia contro un dardo. Ma non appena glielo ha scagliato, si pente d'averlo fatto, mossa da pietà e da un vago sentimento di tenerezza che prova vedendo il viso angelico del giovinetto.

La scena delinea compiutamente il carattere dei due personaggi: Africo è un giovane impulsivo e appassionato, e si piega senza combattere a quell'inusitato sentimento d'amore che ha concepito nel suo animo e che è ora unica ragione di vita per lui. Mensola è una fanciulla tutta piena di virgineo candore, con una «adorabile ingenuità un po' trasognata ch'ella porta con sé anche nell'amore, nella maternità e nella morte. Pur investita e travolta dal turbine d'una forte e tragica passione, rimane la fanciulla quindicenne dai sentimenti tenui, delicati e segreti, fragile e ignara di fronte all'ardore di Africo, come poi dinanzi all'ira di Diana» (Sapegno). In questo episodio, ad esempio, il suo incipiente amore per Africo è evidente in quell'improvvisa pietà che la prende mirando il bel viso di lui, ma rimane celato a lei stessa, istintivamente velato dal suo pudore.

Ella lo vide prima ch'egli lei,
per ch'a fuggir del campo ella prendea;
Africo la sentí gridar — Omei —
e poi guardando fuggir la vedea,
5 e 'nfra sé disse: — Per certo costei
è Mensola — e poi dietro le correa,
e sí la priega e per nome la chiama
dicendo: — Aspetta que' che tanto t'ama!
De', o bella fanciulla, non fuggire
10 colui che t'ama sopr'ogni cosa;
io son colui che per te gran martire
sento dí e notte senz'aver mai posa;
io non ti seguo per farti morire,
né per far cosa che ti sia gravosa:
15 ma sol Amor mi fa te seguitare
non nimistà né mal ch'i' voglio fare.
Io non ti seguo come falcon face
la volante pernice cattivella,
né ancor come fa lupo rapace
20 la misera e dolente pecorella,
ma sí come colei che più mi piace
sopr'ogni cosa, e sia quanto vuol bella:
tu se' la mia speranza e 'l mio disio,
e se tu avessi mal, sí l'are' io.
25 Se tu m'aspetti, Mensola mia bella,
i' t'imprometto e giuro per gli dei
ch'io ti terrò per mia sposa novella
ed amerotti sí come colei
che se' tutto 'l mio ben e come quella
30 ch'ài in balia tutti i sensi miei;
tu se' colei che sol mi guidi e reggi,
tu sola la mia vita signoreggi [...].
La ninfa correa sí velocemente,
che parea che volasse, e' panni alzati
35 s'avea dinnanzi per più prestamente
poter fuggir e aveaglisi attaccati
alla cintura, sí ch'apertamente
disopr'a' calzerin ch'avea calzati
mostrò le gambe e 'l ginocchio vezzoso,
40 ch'ognun ne diverria desideroso.
E nella destra mano aveva un dardo,
il qual, quand'ella fu un pezzo fuggita,
si volse indietro con rigido sguardo,
e diventata per paura ardita

Metro: *ottave* di endecasillabi (schema: ABABABCC); dalla 99 alla 102 e dalla 109 alla 114.

2. a fuggir... prendea: prendeva vantaggio (*del campo*) nella sua fuga.
3. Omei: Ohimé!
4-8. Osserva la rapidità di tutta la scena, e l'impetuosità di Africo, tratto dal suo amore a inseguirla, senz'altro pensiero. Anche le sue parole sono semplici e impulsive, rozze e affettuose.
16. «non t'inseguo perché ti sia nemico o perché voglia comunque farti del male».
18. cattivella: misera, perché ormai facile preda del falco.
24. sí l'are' io: lo patirei anch'io: il tuo dolore sarebbe il mio dolore.
26. t'imprometto: ti prometto (è forma popolare). Ma la promessa non può smuovere la resistenza di Mensola che, consacrata a Diana, ha fatto voto di castità.
30. «che hai in tuo potere ogni mio senso e sentimento».
43. rigido: duro, ostile.

45 quello lanciò col buon braccio gagliardo
per ad Africo dar mortal ferita:
e ben l'arebbe morto, se non fosse
che 'n una quercia innanzi a lui percosse.
Quand'ella il dardo per l'aria vedea
50 zufolando volar, e poi nel viso
guardò del suo amante, il qual parea
veracemente fatto in paradiso,
di quel lanciar forte se ne pentea,
e tocca di pietà lo mirò fiso
55 e gridò forte: — Omé, giovane, guarti,
ch'i' non potrei omai di questo atarti! —
Il ferro era quadrato e affusolato,
e la forza fu grande, onde si caccia
entro la quercia, e tutt'oltr'è passato
60 come se dado avesse in una ghiaccia:
ell'era grossa sì, che aggavignato
un uomo non l'arebbe con le braccia;
ella s'aperse, e l'asta oltre passoe
e più che mezza per forza v'entroe.
65 Mensola allor fu lieta di quel tratto,
che non aveva il giovane ferito,
perché già Amor l'aveva del cor tratto
ogni crudel pensiero e fatto 'nvito:
non però ch'ell'aspettarlo a niun patto
70 più lo volesse, o pigliasse partito
d'esser con lui, ma lieta saria stata
di non esser da lui più seguitata.
E poi da capo a fuggir cominciava
velocissimamente, poi che vide
75 che 'l giovinetto pur la seguitava
con ratti passi e con prieghi e con gride:
per ch'ella innanzi a lui si dileguava,
e grotte e balzi passando ricide,
e 'n sul gran colle del monte pervenne,
80 dove sicura ancor non vi si tenne.

50. zufolando: sibilando. Le ninfe e Diana erano cacciatrici.
55-56. «Ohimé, giovane, guardati (*guarti*), che ormai io non potrei aiutarti (*atarti*) da questo dardo!»; cioè aiutarti a scampare dalla sua ferita.
58. onde: tanto che.
61. aggavignato: abbracciata (è riferito a *quercia*).
65. tratto: lancio.
68. fatto 'nvito: Amore già l'aveva invitata ad amare Africo.
80. tenne: ritenne.

Nascita di Pruneo - Morte di Mensola

Dopo la morte di Africo, Mensola dà alla luce Pruneo, ma poco dopo cade vittima dell'ira impietosa di Diana. Si coglie in questi versi la figura tenera e dolce, e soprattutto ingenua della fanciulla, che tale rimane anche nella maternità e nella morte. Per questo suo candore che le fa affrontare quasi inconsapevole, trasognata, il suo destino di sofferenza, è forse la figura più originale e più finemente ritratta dal poemetto.

Come che doglia grande e smisurata
Mensola aveva sentita, come quella
ch'a tal partito mai non era stata:
veggendo aversi fatto una sí bella
5 creatura, ogn'altra pena fu alleggiata;
e subito gli fece una gonnella
com'ella seppe il meglio, e poi lattollo,
e mille volte quel giorno basciollo.
Il fantin era sí vezzoso e bello
10 e tanto bianco, ch'era maraviglia,
e 'l capel com'òr biondo e ricciutello,
e 'n ogni cosa il padre suo somiglia
sí propriamente, che pare'a vedello

Metro: *ottave* (404-413).

1. Come che: sebbene.
2-3. come quella... stata: poiché non aveva mai partorito.
5. alleggiata: alleviata.
6. gonnella: veste.
7. lattollo: lo allattò.
8. La gioia di vedersi madre di una creatura così bella, la vestina, i mille baci, sono aspetti che ben si addicono al carattere tenero e ingenuo di Mensola; ma sono anche schietta poesia dei semplici affetti familiari, che ricorre per tutto il poemetto.

Africo ne' suoi occhi e nelle ciglia,
15 e tutta l'altra faccia sí verace,
ch'à Mensola per questo più le piace.
E tant'amore già posto gli avea,
che di mirarlo non si può saziare;
e a Sinedecchia portar nol volea
20 per non volerlo da sé dilungare,
parend'a lei, mentre che lui vedea,
Africo veder proprio; ed a scherzare
cominciava con lui e fargli festa,
e con le man gli lisciava la testa.
25 Diana avea più volte domandato
quel che di Mensola era le compagne;
fulle risposto da chi l'era a lato
che gran pezzo era che 'n quelle montagne
veduta non l'avean in nessun lato;
30 altre dicean che per certe magagne
e per difetto ch'ella si sentia
davanti a lei con l'altre non venia.
Per ch'un dí, di vederla pur disposta,
perché l'amava molto e tenea cara,
35 con tre ninfe se ne gí 'n quella costa
dove la sventurata si ripara;
e giunte alla caverna senza sosta,
innanzi all'altre Diana si para
credendola trovar, ma non trovolla:
40 per ch'a chiamar ciascuna cominciolla.
Ell'era andata col suo bel fantino
inverso 'l fiume giù poco lontana,
e il fanciul trastullav'a un bel caldino,
quando sentí la boce prossimana
45 chiamar sí forte con chiaro latino;
allor mirand'in sú, vide Diana
con le compagne sue che giú venièno,
ma lei ancor veduta non avieno.
Sí forte sbigottí Mensola quando
50 vide Diana, che nulla rispose;
ma per paura tututta tremando,
in un cespuglio tra' pruni nascose
il bel fantino, e lui solo lasciando,
di fuggir quindi l'animo dispose:
55 e 'nverso 'l fiume ne gia quatta quatta
tra quercia e quercia fuggendo via ratta.
Ma non potè si coperta fuggire,
che Diana fuggendo pur la vide,
e poi cominciò quel fanciullo a udire,
60 il qual forte piangea con alte stride.
Diana incominciò allotta a dire
inverso lei con grandissime grida:
— Mensola, non fuggir, ché non potrai
se io vorrò, né 'l fiume passerai.
65 Tu non potrai fuggir le mie saette
se l'arco tiro, o sciocca peccatrice! —
Mensola già per questo non ristette,
ma fugge quanto può alla pendice,
e giunt'al fiume, dentro vi si mette
70 per valicarlo; ma Diana dice
certe parole ed al fiume le manda,
e che ritenga Mensola comanda.

15-16. e tutta... piace: e così somigliante anche nel resto del viso che piace per questo ancor di più a Mensola.
19. Sinedecchia: è la vecchia Ninfa che ha dato aiuto e consiglio a Mensola. Nota la dolce rappresentazione d'amor materno.
20. dilungare: allontanare.
27. a lato: vicina, a fianco.
30-31. magagne: incomodi. **difetto**: malattia.
38. si para: si pone.
41. fantino: bimbo.
43. caldino: luogo esposto al sole.
44. boce prossimana: la voce vicina di Diana.
45. con chiaro latino: con chiare parole.
47-48. venièno... avieno: venivano, avevano.
51. tututta: tutta.
57. coperta: senza farsi scorgere.
60. stride: gridi.
61. allotta: allora.
71. le manda: le rivolge.

La sventurata era già a mezzo l'acque,
quand'ella il pié venir men si sentia,
75 e quivi, sí come a Diana piacque,
Mensola in acqua allor si convertia;
e sempre poi in quel fiume si giacque
il nome suo, ed ancor tuttavia
per lei quel fiume Mensola è chiamato
80 or v'ò del suo principio raccontato.

76. si convertia: si tramutava.
77. si giacque: rimase il suo nome legato per sempre a quel fiume.
78. ancor tuttavia: ancor oggi, tuttora.
80. or v'ò, ecc.: Ora vi ho raccontato l'origine della denominazione di quel fiume. Il torrente Mensola sfocia nell'Arno presso Rovezzano, a breve distanza da Firenze.

Pruneo e i nonni

Dopo la morte di Mensola, la ninfa Sinedecchia porta Pruneo ai nonni, cioè ad Alimena e Girafone, genitori di Africo. I vecchi accolgono il nipote con tenero affetto. Anche in questo passo troviamo espressa la semplice poesia degli affetti domestici.

Ma mentre che cota' cose costei
raccontava, Alimena ebbe mirato
nel viso quel fantino, e disse: — Omei,
questo fanciul propriamente somiglia
5 Africo mio! — e poi in braccio il piglia.
E lagrimando per grande allegrezza,
mirando quel fantin le par vedere
Africo proprio in ogni sua fattezza,
e veramente gliel pare riavere;
10 e lui basciando con gran tenerezza,
diceva: — Figliuol mio, gran dispiacere
mi fi' a contare, e grandissimo duolo,
la morte del tuo padre e mio figliuolo. —
Poi cominciò alla vecchia ninfa a dire
15 del suo figliuol per ordine ogni cosa,
e come stette gran tempo in martire,
e della morte sua tant'angosciosa.
Istando questo Sinedecchia a udire,
venne del caso d'Africo pietosa,
20 e con lei 'nsieme di questo piangea
e Girafon quivi tra lor giungea.
Quand'egli intese il fatto, similmente
per letizia piangeva e per dolore:
mirando 'l fanciul, veracemente
25 Africo gli pareva, onde maggiore
allegrezza non ebbe in suo vivente;
poi faccendogli festa con amore,
e quel fantin, quando Girafon vide,
da natural amor mosso gli ride.

Metro: *ottave* (426-429).

1. Mentre Sinedecchia raccontava la vicenda di Africo e Mensola, della quale i genitori del giovane non erano a conoscenza.
5. Africo mio!: Nota l'intensità affettuosa di queste parole e il gesto rapido e istintivo col quale prende in braccio quel bimbo nel quale le sembra di veder rivivere il figlio morto.
8. in ogni sua fattezza: in tutte le fattezze, il volto di Africo.
12. mi fi' a contare, ecc.: grande dolore sarà (*fia*) per me quando dovrò raccontarti la morte di Africo, tuo padre e mio figliuolo.
16. martire: ansia tormentosa.
19. venne... pietosa: divenne pietosa del caso (cioè della morte di lui, ignorata da Sinedecchia e da Mensola).
26. in suo vivente: nella sua vita.
27. poi faccendogli: poi si mise a fargli festa.
29. da natural amor: dall'amore istintivo, naturale; la voce del sangue, come si suol dire. Questo tenero sorriso di bimbo placa la lunga tensione dolorosa della vicenda. Pruneo, diventato adulto, sarà signore della regione in cui, più tardi, sorgerà Firenze.

Il «Decameron»

La struttura e la cornice

Fra il 1348, l'anno della peste che desolò Firenze e l'Europa, e il 1351 (o, al più, il 1353), il Boccaccio scrisse la sua opera più grande, cioè una raccolta di cento novelle alla quale pose il titolo grecizzante di *Decamerón*, o anche *Decamerone* (= dieci giornate). Molte di queste novelle furono composte, sembra, prima di questa data; entro però i suddetti limiti cronologici fu ordinata la raccolta.

Il *Decameron* presenta un tessuto connettivo fra le novelle che è detto *cornice*: una sorta di novella che in sé racchiude tutte le altre.

All'inizio del libro (dopo un breve proemio in cui dedica l'opera alle «vaghe donne» che per prova conoscono Amore) il Boccaccio immagina che durante la peste del '48, descritta in pagine di incisiva drammaticità, un martedì mattina si incontrino, in S. Maria Novella di Firenze, sette giovani donne e tre giovani uomini, e insieme decidano di fuggire dalla città, piena di lutti e di miserie atroci, e di ritirarsi nella vicina campagna. Lasciata Firenze, trascorrono insieme quindici giorni, prima in una villa, poi in un bel palazzo, vivendo una vita serena, fondata su costumanze oneste e diporti raffinati. Ogni giorno, tranne il venerdì e il sabato, dedicati alle pratiche religiose, si radunano, il pomeriggio, in un prato, per raccontare novelle, una per ciascuno, e infine danzano e cantano una ballata. Dieci sono così le giornate in cui la lieta brigata si aduna a novellare (donde il titolo del libro); ogni giorno il re o la regina, eletti per sovraintendere alla vita e alle occupazioni della compagnia, propongono un tema, attorno al quale svolgere le trame delle singole narrazioni. Questo, però, non avviene né nella prima né nella nona giornata, e inoltre uno dei giovani, Dioneo, ottiene licenza di svolgere sempre i suoi racconti su tema libero.

Alla variata invenzione delle novelle si contrappone così una volontà ordinatrice, che tuttavia non limita la libera rappresentazione della realtà, ma la inscrive in un ordine aperto, in qualche modo, alla razionalità. In tal senso i motivi strutturali della cornice sono più d'uno: nel numero dei narratori (3) e delle narratrici (7) s'è vista allusione al numero perfetto, il tre della Trinità, e a quello delle virtù teologali e cardinali. La cosa può apparire strana al lettore moderno, ma il simbolismo del numero era un elemento della cultura comune, nel Medioevo. Si aggiunga che le novelle sono cento, come i canti della *Commedia*; e, ancora, che le giovani donne riflettono nei loro nomi creature letterarie, del Boccaccio (Fiammetta) o di altri scrittori (Elissa è la Didone di Virgilio, Lauretta è la Laura del Petrarca, e così via). Analogamente, i personaggi maschili sono tre immagini diverse che il Boccaccio dà di sé, collegandoli ancora alla sua produzione artistica precedente: Panfilo, ossia il «tutto amore», è, come Filostrato, il «vinto da amore», e come Dioneo, amatore scanzonato e apertamente sensuale, un momento della psicologia e dell'esperienza dello scrittore, che, estrinsecandosi in questo modo, riesce a liberarsi dell'autobiografismo eccessivo delle opere precedenti.

Altre corrispondenze più sottili riguardano il succedersi dei racconti, con un alternarsi o un coincidere di situazioni spesso opposte, armonizzate saggiamente. A parte le due giornate a tema libero, le altre propongono i temi seguenti: complicate avventure, giunte, fuor di speranza, a lieto fine (2ª giornata); riuscito acquisto di cosa molto bramata (3ª); amori giunti a esito tragico (4ª); amori giunti a lieto compimento, dopo peripezie eccezionali (5ª); motti di spirito e battute che liberarono qualcuno dall'imbarazzo (6ª); beffe fatte dalle mogli ai mariti (7ª); beffe di qualsiasi genere (8ª); grandi esempi di magnanimità, generosità, cortesia (10ª). Dopo la libera avventura, il patetico e il basso registro comico, dopo la tragedia e la commedia dell'amore, il libro si chiude così con una proclamazione di ideali, tutti umani e terreni: di un'utopia — tale doveva ormai concepirla il Boccaccio — che poteva ancora, a suo avviso, essere ispiratrice di virtù, ossia di ordinata convivenza.

L'invenzione della *cornice* non è, dunque, un esteriore omaggio all'esigenza, propria della letteratura dell'epoca, di racchiudere anche le opere di fantasia in un rigido schema intellettuale. In essa il Boccaccio ha espresso, raccogliendolo come in un vasto arazzo, il suo ideale di vita cortese, fondato sull'aristocrazia e sulla dignità dello spirito e dei modi, su di una *onestà* che è signorile e razionale decoro, compostezza e misura intima, riflessi nel tratto, nel gesto, in un elegante vivere civile, secondo la definizione dell'autore: «cortesia par che consista negli atti civili, cioè nel vivere insieme liberalmente e lietamente, e fare onore a tutti secondo la possibiltà».

In questa riaffermata dimensione di umanità e decoro, la letteratura diviene il rifugio dal quale la realtà può essere osservata fuori della schiavitù alla passione, per essere capita e ricondotta dall'intelligenza a una misura di equilibrio e di grazia. La vicenda, pur così statica, dei dieci giovani riafferma di continuo questa speranza sull'aspetto caotico spesso e sempre complicato del vivere che il libro effigia nelle sue realistiche storie.

I temi delle novelle

Di fronte all'ideale idillico della *cornice*, a quel pacato e sereno conversare si accampa, infatti, nelle novelle, il mondo vasto e tumultuoso della vita reale, coi suoi contrasti e la molteplicità di casi e avventure. Il Boccaccio guarda l'uomo, lo coglie nella realtà, unica che lo interessi come artista, del suo vivere terreno, col disfrenarsi di istinti e passioni, con la sua intelligenza e capacità di dominio su se stesso e sulle cose, con le sue colpe, le sue debolezze e la sua virtù, la sua appassionata ricerca del successo e della felicità. È tutta una galleria di tipi umani che ci sfila davanti, schizzata con ritratti sintetici e densi, ma soprattutto colta nel ritmo rapido e incessante dell'azione.

Lontani appaiono dall'interesse del narratore i complessi problemi morali, religiosi, teologici che troviamo nel poema di Dante, o anche nella tormentata introspezione petrarchesca. Non che il Boccaccio li avversi: semplicemente li lascia in disparte. In quel compiaciuto raccontare, nel quale egli ripercorre i contenuti umani e culturali della sua esperienza, il suo atteggiamento è quello di colui che osserva con lucida intelligenza e insieme con partecipazione i modi dell'agire umano, lo spettacolo sempre nuovo e avvincente della vita. A volte il tono si fa commosso, quando lo scrittore vagheggia un ideale di nobili virtù cavalleresche, a volte ironico e maliziosamente divertito, quando osserva i vizi umani e certa bassa commedia della vita: gli amori facili e volgari, le beffe che gli intelligenti fanno ai gonzi, i religiosi che, come gli altri, cedono agli istinti o ingannano la credulità delle folle ignoranti. Da queste ultime novelle, è nata l'immagine erronea di un Boccaccio ironico e cinico, irreligioso e amorale, che si compiace soprattutto di una comicità volgare. Non si è badato al fatto che anche nelle novelle di carattere più spiccatamente erotico egli descrive con analisi attenta, con una conoscenza psicologica approfondita, i pensieri e gli affetti che danno impulso alle azioni; che sempre non al fatto bruto, ma all'uomo va il suo interesse.

In questo libro, pertanto, presentato dall'autore come opera di divertimento, senza pretese educative o ideologiche, anzi, maliziosamente, come il *Principe Galeotto*, persuasore d'amore e godimento tranquillo del piacere, c'è, alla base, una concezione del mondo, che solo lentamente si rivela e mai con pretese normative moralistiche. Pur nella sua sorridente gaiezza, il Boccaccio invita a non sciupare la vita, a essere fedeli a se stessi, ad affermare la propria intelligenza, a comprendere, e ad agire, cercando di armonizzare le proprie facoltà. In tal senso i racconti acquistano la validità di esempi, senza per questo assumere la fissità dell'*exemplum* medievale; anzi, è proprio il libero giuoco degli eventi e dei pensieri, dei sentimenti dell'uomo a costituire una nuova, sempre imprevedibile esemplarità.

La profonda adesione alla realtà lascia tuttavia individuare alcuni temi di fondo, che ci proveremo a isolare, avvertendo che essi non assumono nel *Decameron* un carattere programmatico, ma sono lasciati emergere dal vivo dell'azione.

a) *L'amore e l'intelligenza*. *L'amore* è al centro dell'esperienza vitale effigiata dal *Decameron*; un amore d'anima e insieme di sensi, una forza di natura cosmica, si direbbe, e invincibile, come il caso, come la *fortuna* che complica a volte fino all'inverosimile le peripezie dei personaggi. Ma proprio misurandosi con queste grandi forze che reggono il mondo l'uomo può rivelare la sua *virtù*, fatta insieme di «saviezza» (cioè di consapevolezza, di coerenza), e di energia. Soprattutto il Boccaccio ammira ed esalta l'*intelligenza*, la capacità di comprendere gli uomini e il mondo e se stessi; di dare, conseguentemente al proprio agire un carattere di piena efficienza e, al tempo stesso, un'impronta di compostezza e dignità, espressione di armonia fra spirito e natura, intelletto e sensi. Le figure sulle quali si abbatte, a volte pesantemente, l'ironia maliziosa dell'autore sono quelle di coloro che non sanno attuare in sé questo decoroso equilibrio.

b) *L'azione*. Il Boccaccio non è il moralista austero e appassionato che sferza i vizi, ma il moralista attento e pacato che studia l'uomo, cerca di comprenderlo nella gamma complessa dei suoi modi di sentire e d'agire, così come vede il mondo infinitamente bello e vario e desiderabile, e tutto intende abbracciarlo con la mente e coll'animo, senza precludersi alcuna esperienza. Rappresentazione della vita in atto, il *Decameron* non indulge se non raramente a lunghi ritratti o a lunghe analisi introspettive dei personaggi. Questi si rivelano nell'azione o nei discorsi, uomini fra gli uomini. Quasi sempre c'è nel libro uno sfondo corale alle singole vicende: anche la virtù non è cristianamente contenta di sé, della testimonianza della coscienza, ma cerca, come premio, l'ammirazione, l'approvazione degli altri, cioè di affermarsi anch'essa nel modo vivo e concreto dell'azione.

Sopra ogni altra cosa il *Decameron* riscopre la «natura», e cioè la forza degli istinti o «appetiti», che vanno diretti e dominati dalla ragione, nella sfera dei rapporti sociali. La «natura» non si nega: si può soltanto cercare di dirigerla, di farla giungere a un armonico equilibrio con la mente. Questo vale per l'individuo, ma anche per la società, per il Boccaccio, e lo conduce alla critica radicale dell'ascetismo, della rinuncia, e all'esaltazione della giovinezza, della vitalità generosa, contenuta nei limiti che garantiscano un'ordinata convivenza in una città terrena che cerca in sé le proprie ragioni e la propria norma.

Il «Decameron» e la società del Trecento

La rappresentazione realistica della vita che il Boccaccio persegue è connessa all'esperienza vissuta e a una lucida intelligenza della dinamica sociale del suo tempo. Si potrebbe idealmente rappresentare la sua ideologia come il punto d'incontro fra due momenti della sua esperienza biografica: quello napoletano, vissuto accanto a una corte feudale, ancora fedele al mito cavalleresco-cortese, e quello fiorentino, nel quale egli entra in più diretto contatto col mondo borghese-mercantile; certo ben presente anche a Napoli, ma senza il carattere egemonico che assume, in quegli anni, a Firenze.

Nel tardo Duecento e nel primo Trecento la borghesia fiorentina (o meglio, la classe mercantile e imprenditoriale) rafforza il proprio dominio economico e politico sulla città, allargando, nel contempo, la propria sfera d'influenza in Italia e in Europa. Questa classe, caratterizzata da un senso acuto e spregiudicato della realtà, da un vivace spirito pragmatico, vive una complessa esperienza di traffici, di imprese finanziarie capitalistiche e d'avventura, per i cammini difficili della terra e del mare, protesa alla conquista dei mercati del Mediterraneo e dell'Europa occidentale. All'immobilismo della società feudale contrappone sempre più radicalmente la mobilità sociale, la ferrea legge del profitto economico, l'esaltazione delle capacità individuali, portata fino a un radicale egoismo. Il «mercante» rappresentato dal Boccaccio può benissimo, in seguito a un rovescio di fortuna, tramutarsi in corsaro, come fa Landolfo Rufolo (Giorn. seconda, nov. quarta), e certo non tiene conto del divieto religioso di dedicarsi all'usura (così era concepita allora ogni forma di credito con interessi), che Dante considerava come peccato contro natura, ma trova la giustificazione del proprio agire nel successo. La nuova aristocrazia del danaro assume, di fatto, una concezione della vita che, mentre la porta a superare ogni ostacolo alla libera estrinsecazione delle capacità individuali, determina nuove, stridenti contraddizioni fra interesse del singolo e vita collettiva.

La classe mercantile non sa (o non vuole) accompagnare al mutamento dei modelli di comportamento che viene operando, una nuova ideologia, ma si rifà ancora, sia pure modificandoli dall'interno, agli ideali di vita della vecchia classe dirigente con la quale cerca l'alleanza contro le rivendicazioni del popolo minuto. Ne consegue una nuova forma d'immobilismo imposta alla società, che darà luogo, nel corso del secolo, a forti tensioni, anche se rimane possibile per l'individuo mutare il proprio stato sociale in base alle proprie capacità di iniziativa.

L'asprezza della lotta quotidiana, col suo disfrenarsi di egoismo e di violenza, chiede ancora alla civiltà cortese il sogno d'una vita più bella. I ricchi borghesi si sforzano di cavalcare, armeggiare, emulare l'antica aristocrazia nelle virtù della cortesia, della magnificenza, della liberalità: le virtù esaltate nell'ultima giornata del *Decameron* e, qua e là, per tutto il libro. È un fenomeno di costume che abbiamo già considerato parlando della letteratura e della cultura dell'età comunale, e in effetti il Boccaccio lo esemplifica con personaggi e situazioni del passato, degli ultimi decenni del Duecento o del primo Trecento, con una tendenza idealizzante che contrasta con la rappresentazione realistica della società a lui contemporanea. Comunque sia, il suo eroe è, com'è stato detto, «il cavaliere dell'ingegno e dell'industria umana», che si rivela nel coraggio e nella saggezza con cui affronta le difficoltà quotidiane dell'esistenza.

In tal modo il Boccaccio rappresenta il momento conclusivo della civiltà comunale, con la sua problematica e le sue ambiguità, ma anche con la sua tensione progressiva. L'aristocrazia tende, in lui, a divenire aristocrazia dell'animo: l'amore, la liberalità, la gentilezza non sono più riserbati a pochi eletti, ma possono essere conquista di gente socialmente umile (Cisti fornaio), che accetta, tuttavia, di restare entro i confini del proprio stato. Questo è senz'altro un limite dell'ideologia dello scrittore (rispondente peraltro ai concreti rapporti sociali del tempo); va però aggiunto che già nel *Decameron*, e soprattutto nella sua posteriore produzione umanistica, egli afferma una nuova idea della cultura come forza liberatrice. È una cultura non più orientata verso la trascendenza e i grandi problemi morali e religiosi di Dante, ma verso la comprensione dell'esistenza mondana, laicamente consapevole della problematicità della posizione dell'uomo nella natura e nella storia; intesa alla ricerca d'una coscienza nuova che consenta la fondazione d'una nuova cultura e di nuovi rapporti nella società.

Lo stile della narrazione

La capacità, e la volontà, di presentare i personaggi in una concreta dimensione psicologica, storica e sociale distinguono la narrazione del Boccaccio dalla tradizione narrativa precedente.

Egli crea, si può dire, un «genere» nuovo: la novella; cioè il racconto breve e in sé concluso, con una coerente logica interna, fondata sul rapporto di cause ed effetti, diversa da quella del poema o del romanzo «cortese» cui s'era dedicato nella giovinezza.

Il modello più diretto resta quello dell'*exemplum* («esempio» o narrazione esemplare), il sintetico racconto edificante (si ricordino quelli del Passavanti, o, su di un versante non religioso e non legato alla predicazione, il *Novellino*); ma certo egli ne modifica radicalmente la struttura. Alla concisione perseguita dall'*exemplum*, scritto per dimostrare sensibilmente e persuasivamente una verità morale o religiosa presentata come assoluta e sempre valida, egli oppone lo svolgimento libero e articolato della vicenda, distesa nello spazio e nel tempo, in un contesto di azioni e reazioni sia degli uomini sia del caso, con una «morale» che si costruisce volta per volta, su di un ritmo di ricerca piuttosto che di assoluta certezza. Così il personaggio non è più tipico e astratto, come negli *exempla*; ma è individualmente caratterizzato. Qualcosa di analogo si può ritrovare in alcuni grandi racconti delle anime nella *Commedia*; ma in essa la dimensione narrativa è costantemente ricondotta al tempo senza tempo del giudizio divino, all'eternità, al significato che l'azione umana assume nell'ordine ultraterreno. Quella del Boccaccio è invece una «commedia umana», attenta esclusivamente all'avventura dell'uomo nel mondo, incentrata sullo spazio indefinito del possibile e sul tempo che sta fra il desiderio e l'attuazione, coi suoi svolgimenti non rettilinei e molto spesso imprevedibili.

In tal senso il paragone con Dante, pur intensamente ammirato dal Boccaccio, anzi, presentato da lui al Petrarca come uno dei suoi grandi maestri, può essere stabilito soltanto su un piano di opposizione, anche se li accomuna lo studio della psicologia umana, la volontà di una rappresentazione realistica e l'assunzione della mescolanza degli stili (o dello stile «comico»), sentita come necessaria alla rappresentazione totale della vita, con la sua alternanza e la sua mescolanza dell'«umile» e del «sublime».

La scelta di fondo è, tuttavia, quella dell'opera scritta in stile, come si usava dire, «mezzano»; una letteratura d'intrattenimento che se, ogni tanto, può permettersi lo stile «sublime» d'una patetica storia d'amore, nel suo insieme opta per il registro medio, per una forma il più possibile conversevole, anche se sempre sorvegliatissima. Ma proprio questa capacità di nascondere lo sforzo, questa rinuncia, soltanto apparente, allo stile retoricamente elaborato, garantirono al libro un successo immediato, sia pure con l'equivoca etichetta di un'opera d'evasione, di divertimento.

In realtà, lo stile del Boccaccio aderisce ai modi dell'azione con la naturalezza, ossia la non ostentata varietà di registri che è propria dei classici, ed era già stata sentita come la loro lezione genuina da Dante. Non è possibile darne una definizione univoca proprio per questa sua capacità di variare.

Ora è commosso e solenne nelle novelle di nobiltà e cortesia, ora rapido, vivacissimo, popolaresco nelle novelle di beffatori e beffati; più spesso tende a un tono medio, che contemperi i mutevoli e a volte opposti toni della vita. La prosa del libro è piena di ritmi e di cadenze poetiche, sa essere evocativa e concreta, reale e ideale insieme come il mondo dello scrittore. Per la sua studiata armonia fonica e ritmica, congiunta al rigore e alla complessità dei nessi logico-sintattici (e si avverte qui la grande lezione dei classici latini) resterà per secoli il modello della prosa d'arte italiana.

La ricezione dell'opera

La scelta del registro medio, la signorile eleganza con la quale il Boccaccio sapeva nascondere le sue opinioni e il suo messaggio nelle pieghe della narrazione (anche se poi molte volte essi si manifestano nei commenti che la compagnia riserba ai racconti o nelle premesse dei narratori) fecero sì che il *Decameron* fosse considerata un'opera di divertimento. Lo prova il fatto che i codici che ne possediamo sono molto spesso destinati ad ambienti mercantili; uno di essi, lo Hamilton della Biblioteca di Stato di Berlino, scritto nel 1370, opera dello stesso autore, è prezioso perché ne attesta l'ultima volontà.

L'opera non ebbe sempre vita facile: messo, nel 1559, nell'*Indice dei libri proibiti*, fu poi pubblicato, più tardi, in edizione, come si diceva allora, «purgata», e cioè liberata dai tratti più licenziosi e soprattutto dalla satira contro gli ecclesiastici. Ma già prima, nel 1525, Pietro Bembo, uno degli scrittori più autorevoli del periodo, aveva indicato in esso il testo esemplare, a livello linguistico e stilistico, per chi volesse scrivere in prosa italiana.

Per il testo seguiamo: G. Boccaccio, *Decameron*, a cura di V. Branca, Milano, Mondadori, 1976 (ma si veda anche l'ediz., dello stesso, Firenze, Le Monnier, 1960), e G. Boccaccio, *Decameron, Filocolo, Ameto, Fiammetta*, cit.

Il titolo

Comincia il libro chiamato DECAMERON,[1] cognominato PRENCIPE GALEOTTO,[2] nel quale si contengono cento novelle, in diece dì dette da sette donne e da tre giovani uomini.

1. **Decameron**: il titolo, grecizzante, allude alle dieci giornate in cui vengono raccontate le novelle. È ricalcato sull'opera di S. Ambrogio *Hexaemeron*, che parla dei sei giorni della creazione, con contrapposizione scherzosa.
2. **Prencipe Galeotto**: Galeotto, amico di Lancillotto, si fa intermediario nell'amore fra questi e Ginevra, moglie di re Artù, secondo i romanzi del ciclo brettone. Va rilevato che nell'*Inferno*, ben conosciuto e ammirato dal Boccaccio, il libro che racconta questa storia diviene, per Paolo e Francesca, principio di peccato e dannazione. Anche qui si ha una citazione scherzosa e un poco impertinente: una posizione umoristica che nasconde, però, lo spregiudicato naturalismo, soprattutto nell'idea dell'amore, cui il libro avvezzerà il lettore.

Proemio

Umana cosa è l'aver compassione agli afflitti; e come che a ciascuna persona stea bene,[1] a coloro è massimamente richesto li quali hanno già di conforto avuto mestiere,[2] e hannol trovato in alcuni: fra' quali, se alcuno mai n'ebbe bisogno, o gli fu caro, o già ne ricevette piacere, io son uno di quegli. Per ciò che, dalla mia prima giovanezza infino a questo tempo oltre modo essendo stato acceso d'altissimo e nobile amore, forse più assai che alla mia bassa condizione non parrebbe, narrandolo io, si richiedesse,[3] quantunque appo coloro che discreti erano e alla cui notizia pervenne io ne fossi lodato e da

1. **Umana**: generosa, piena di umanità. **come... bene**: quantunque si addica a tutti.
2. **mestiere**: bisogno.
3. **forse... richiedesse**: forse assai più che non si addicesse alla mia condizione sociale non elevata; e lo si vede dalle mie narrazioni. La condizione era quella di uomo ben lontano dall'appartenere alla nobiltà, semplice mercante, o, al più, studente. Il Boccaccio allude qui forse all'amore per Maria

molto più reputato,[4] nondimeno mi fu egli di grandissima fatica a sofferire,[5] certo non per crudeltà della donna amata, ma per soperchio fuoco nella mente concetto da poco regolato appetito:[6] il quale, per ciò che a niuno convenevol termine mi lasciava contento stare, più di noia che bisogno non m'era[7] spesse volte sentir mi facea. Nella qual noia tanto refrigerio già mi porsero i piacevoli ragionamenti d'alcuno amico e le sue laudevoli consolazioni, che io porto fermissima oppinione per quello essere avvenuto che io non sia morto. Ma sì come a Colui piacque, il quale essendo Egli infinito, diede per legge incommutabile a tutte le cose mondane aver fine, il mio amore, oltre ad ogni altro fervente, e il quale niuna forza di proponimento o di consiglio o di vergogna evidente, o pericolo che seguir ne potesse, aveva potuto né rompere né piegare, per se medesimo in processo di tempo si diminuì in guisa, che sol di sé nella mente m'ha al presente lasciato quel piacere che egli è usato di porgere a chi troppo non si mette ne' suoi più cupi pelaghi navigando: per che, dove faticoso esser solea, ogni affanno togliendo via, dilettevole il sento esser rimaso.[8]

Il Boccaccio si è pertanto proposto di rendere questo servizio a coloro che oggi ne hanno bisogno, per offrire loro un pur modesto sollievo.

E chi negherà, questo, quantunque[9] egli si sia, non molto più alle vaghe[10] donne che agli uomini convenirsi donare? Esse dentro a' dilicati petti, temendo e vergognando, tengono l'amorose fiamme nascose, le quali quanto più di forza abbian che le palesi[11] coloro il sanno che l'hanno provato e provano; e oltre a ciò, ristrette[12] da' voleri, da' piaceri, da' comandamenti de' padri, delle madri, de' fratelli e de' mariti, il più del tempo nel piccolo circuito delle loro camere racchiuse dimorano, e quasi oziose sedendosi, volendo e non volendo in una medesima ora, seco rivolgono diversi pensieri, li quali non è possibile che sempre sieno allegri. E se per quegli alcuna malinconia, mossa da focoso disìo,[13] sopravviene nelle lor menti, in quelle conviene che con grave noia si dimori,[14] se da nuovi ragionamenti non è rimossa: senza che[15] elle sono molto men forti che gli uomini a sostenere; il che degli innamorati uomini non avviene, sì come noi possiamo apertamente vedere. Essi, se alcuna malinconia o gravezza di pensieri gli affligge, hanno molti modi da alleggiare o da passar quello;[16] per ciò che a loro, volendo essi, non manca l'andare attorno, udire e veder molte cose, uccellare, cacciare, pescare, cavalcare, giucare o mercatare;[17] de' quali modi ciascuno ha forza di trarre, o in tutto o in parte, l'animo a sé e dal noioso pensiero rimuoverlo almeno per alcuno spazio di tempo, appresso il quale, o in un modo o in un altro, o consolazion sopravviene o diventa la noia minore.

Adunque, acciò che per me in parte s'ammendi il peccato della Fortuna, la quale dove meno era di forza, sì come noi nelle dilicate donne veggiamo, quivi più avara fu di sostegno, in soccorso e rifugio di quelle che amano, per ciò che all'altre è assai[18] l'ago e il fuso e l'arcolaio, intendo di raccontare cento novelle, o favole, o parabole, o istorie che dire le vogliamo,[19] raccontate in diece giorni, come manifestamente apparirà, da una onesta brigata di sette donne e di tre giovani, nel pistilenzioso tempo della passata mortalità fatta,[20] e alcune canzonette dalle predette donne cantate al lor diletto.[21] Nelle quali novelle, piacevoli e aspri casi d'amore e altri fortunosi avvenimenti si vedranno, così ne' moderni tempi avvenuti come negli antichi; delle quali le già dette donne che quelle leggeranno, parimente diletto delle sollazzevoli cose in quelle mostrate e utile consiglio potranno pigliare, in quanto potranno cognoscere quello che sia da fuggire e che sia similmente da seguitare: le quali cose senza passamento di noia non credo che possano intervenire.[22] Il che se avviene, che voglia Iddio che così sia, ad Amore ne rendano grazie, il quale liberandomi da' suoi legami m'ha conceduto il potere attendere a' loro piaceri.

d'Aquino, o Fiammetta, di stirpe reale, com'egli disse. Ma sulle sue vicende napoletane, c'è il sospetto che abbia alquanto favoleggiato.

4. appo: presso. **discreti**: assennati. **da... reputato**: considerato persona di livello molto più elevato, ecc. La presenza del «nobile amore» rende la persona più eletta, più degna di appartenere a un mondo aristocratico. L'antico mito cortese sopravviveva nella società del Trecento, non soltanto a Napoli, dove esisteva una corte d'origine e tipo feudale, ma anche nel Comune fiorentino, dove l'antico ideale veniva emulato dai ceti più elevati.

5. mi... sofferire: fu assai faticoso per me sopportarlo.

6. soperchio... appetito: soverchio fuoco o ardore concepito e accolto nell'animo per l'eccesso della passione.

7. noia: pena, dolore. **che... era**: di quel che avrei potuto sopportare rassegnatamente.

8. pelaghi: mari profondi. Osserva la studiata simmetria ed eufonia del periodo, che termina con uno dei tanti versi (l'endecasillabo **dilettevole... rimaso**) che il Boccaccio pone nella sua prosa per darle una cadenza musicale, simile a quella raccomandata da Cicerone o dalle *artes dictandi* medievali, che insegnavano i precetti del bello scrivere in prosa latina, fra i quali il *cursus* o cadenza delle singole frasi nel periodo.

9. quantunque: quale che sia la sua entità (allude al *conforto*, promesso nel passo qui non riportato).

10. vaghe: leggiadre, graziose, ma con allusione anche alla loro vivacità d'impulsi e al loro muoversi aggraziato.

11. fiamme: sentimento amoroso. **nascose**: nascoste. **palesi**: che si manifestano negli sguardi e nell'atteggiarsi del volto.

12. ristrette: costrette, tenute a freno, non libere di esplicarsi.

13. focoso disìo: desiderio appassionato (erotico).

14. si dimori: permanga.

15. senza che: senza contare che.

16. alleggiare... quello: di alleggerire o superare ciò che s'è detto.

17. uccellare: cacciare gli uccelli. **giucare**: giuocare (a dadi, ecc.). **mercatare**: commerciare.

18. assai: abbastanza e anche troppo. È la donna che sta in casa, alleva i figli, tesse per gli usi domestici, esaltata da Dante. Ma il Boccaccio pensa soprattutto alla donna capace di «cortesia».

19. Novelle, afferma il Branca, erano narrazioni in genere, **favole** sono i *fabliaux* di tradizione francese, **parabole** sono soprattutto le «moralità» espresse nei prologhi o nella conclusione delle novelle del libro; **istorie** le narrazioni a sfondo storico, in cui compaiano personaggi illustri. In tal modo il Boccaccio sottolinea la varietà delle sue novelle, che comprendono i vari tipi di narrativa medievale.

20. fatta: composta di (riferito a **brigata**).

21. al lor diletto: per dilettarsi.

22. intervenire: capitare.

ESERCIZIO DI ANALISI

Il titolo e il proemio

1. Col tono agile e disinvolto che si addice a un'opera scritta in stile «mezzano» o «comico», il Boccaccio definisce qui la poetica del *Decameron*.

L'opera si propone come un libro d'intrattenimento, ma, al tempo stesso, capace di delineare, se non una filosofia, una forma di saggezza equilibrata, largamente comprensiva e, al tempo stesso, orientata sul «decoro»: su un ideale di composta dignità non ignara delle tempeste della passione, ma intesa a ritrovare, con un cammino che si sa faticoso e precario, una misura al loro impeto, o per lo meno un conforto, che è già una prima forma di riscatto. «Diletto», dunque, e «consiglio» vuole offrire il libro: in ogni caso un «passamento di noia», un superamento, cioè, del dolore che chiude l'animo nello sconforto.

«Piacevoli e aspri casi d'amore» e «altri fortunosi avvenimenti»: così il Boccaccio riassume la sua tematica narrativa, e con ragione, perché queste, per tutto il *Decameron*, sono le forze che stimolano l'uomo, e dunque la sorgente d'ogni peripezia o movimento di vicende: l'amore e la «fortuna», ora fautrice ora ostacolo dell'azione umana, sempre con essa coinvolta nel moto vitale che il Boccaccio coglie come ritmo della realtà. E diciamo qui *ritmo* nel senso che non si tratta d'un susseguirsi di meri scoppi di casualità; nel *Decameron*, infatti, la tendenza dominante è quella di racconti esemplari dove la violenza cieca degli eventi sia condotta dall'intervento umano (i sentimenti, l'intelligenza, la stessa brama tesa con perseveranza a un fine) a esiti coerenti col trionfo o dell'intelligenza o del nobile amore sulla brutalità istintiva. Si possono considerare figura emblematica di questo il sereno, elegante ritrovarsi dei giovani in un luogo ameno — la campagna, la «villa» — che diviene a sua volta immagine di raffinatezza e di grazia, contro il cieco impeto del flagello disumano e disumanizzante, la peste, e il ricostituirsi del vivere civile nei modi d'una società eletta.

2. L'autobiografismo. La tematica autobiografica, presente fin dai personaggi della cornice, sanziona la connessione, che il Boccaccio sottolinea, fra quest'opera conclusiva della maturità e le altre della giovinezza. È un *io* che parla fin dall'inizio, come a modulare la varietà dei casi che sarà propria dell'opera, su una propria vicenda soggettiva esemplare, coincidente col grande tema umano e letterario dell'amore.

Il Boccaccio parla di esso come della forza dominante della sua vita; sconvolgente, anche, in quanto passione che rischiò di travolgerlo e distruggerlo, «cupo pelago» in cui fu per affogare e dal quale si salvò soltanto per il conforto degli amici, del loro parlare che lo ricondusse lentamente alla ragione. Ma è anche il «nobile amore», cantato, e, si può dire, prima di tutto costruito dai poeti e imposto a una società nobiliare e a una alto-borghese, che alla prima cercava di conformarsi, mentre, di fatto, le disputava l'egemonia socio-politica. Così l'«altissimo e nobilissimo amore», superiore, dice il Boccaccio, alla sua «bassa condizione», lodato dalle persone di savio discernimento, divenne per lui, figlio d'un semplice mercante, un modo di elevarsi socialmente, di partecipare a un'aristocrazia e cioè al mondo «cortese», fortemente selettivo.

Vi fu dunque, nella passione amorosa del Boccaccio giovane, una volontà di affermazione totale nella vita, che la trasformò in un ideale, correlato a quello dell'essere poeta, e poeta, naturalmente, d'amore, quale era richiesto dal pubblico della corte napoletana. Ma prima, come s'è visto, l'amore fu anche colloquio di animi «cortesi»: un raffinato giuoco di società che rendeva degni di appartenere alla classe elevata, di vivere una vita più bella: una forma di vita che si potrebbe chiamare estetica e che coerentemente ritrova il proprio naturale sbocco nella poesia, procedendo con questa a uno scambio continuo.

L'io del poeta si propone dunque come un protagonista indiretto ma essenziale del libro, e assume nel *proemio* la veste discreta del consigliere non più implicato nel dramma della passione. Il vivere l'amore si è tramutato nel dire d'amore, il *pathos* esistenziale d'un tempo nella dolcezza del ricordare («dove faticoso esser solea [*l'amore*], ogni affanno togliendo via, dilettevole il sento esser rimaso»).

3. Le donne. Accanto alla figura del narratore si collocano, in questo proemio, le destinatarie del libro, cioè le donne; come a dire che l'opera crea il suo pubblico, che però, in questo caso, è, insieme, reale ed emblematico. La donna è, infatti, la destinataria della poesia amorosa romanza, di quella cortese-cavalleresca della lirica e dei romanzi arturiani, e donne furono anche importanti organizzatrici di cultura «cortese», come Eleonora d'Aquitania. In questo il Boccaccio è dentro i limiti d'una precisa tradizione. Ma la sua insopprimibile tendenza realistica lo conduce a re-interpretare il mito cortese in una dimensione sociologica più concreta. In tal senso l'opera viene dedicata alle donne proprio pensando alla condizione femminile del tempo, al lor dovere stare chiuse nelle loro stanze, seguendo la volontà di padri, madri, fratelli, mariti, cognati; alla mancanza, cioè, di autonomia cui le costringe la società, soprattutto quella borghese più elevata. Dietro, pertanto, un artificio del narratore — il suo collegarsi alle idealità cortesi e a un pubblico con queste consenziente — c'è il senso reale d'una problematica storica e sociale (ma anche etica), alla quale il *Decameron*, nonostante la sua apparente e sbandierata levità, dà una risposta, anche se limitata al campo della fantasia e della letteratura d'intrattenimento.

C'è, intanto, l'idea della donna capace d'amare e nobilitata da questo (per le altre, l'ago, il filo, la rocca) e di divenire nobile o «gentile» in tal modo. Il Boccaccio svolgerà questa tematica in novelle di tono «alto», anche, cioè, di amore e morte, chiamando a protagonisti persino gli umili, i contadini, che Andrea Cappellano aveva escluso dal poter godere del nobile amore, frutto d'un lungo, fantastico sognare, vietato a chi doveva lavorare la terra. Ma nelle novelle migliori l'ideale etico dell'amore si verrà spogliando della pàtina cavalleresca, per coincidere con l'elevatezza del sentimento e la fedeltà a esso. Nel proemio, invece, il tono è, più che altro, malizioso o ispirato a un maschilismo condiscendente (la superiorità dell'uomo sulla donna rimarrà fino alla fine un principio da non discutere, anche per il Boccaccio delle opere più impegnate culturalmente).

La scelta d'un pubblico femminile aveva però un'altra ragione: era la scelta d'un tipo di letteratura e d'uno stile, che da un lato imponevano una medietà di tono che si rivolgesse a un pubblico di cultura non specialistica; dall'altro poteva parlare della realtà di tutti, ritrovare così una spinta realistica.

4. Il Principe Galeotto. È su questa via che il libro viene, di fatto, a contrapporsi alla *Commedia* di Dante, non tanto perché ne voglia negare le motivazioni religiose e spirituali, ma perché le accantona, in vista d'uno studio della realtà o azione mondana nel suo svolgersi dietro l'impulso alterno di amore e fortuna. Il primo diviene espressione della volontà dell'uomo di dominare la vita e indirizzarla verso la felicità, la seconda è ciò che si oppone alla libera avventura umana. Il sottinteso incitamento all'amore diviene così incitamento allo slancio verso la vita e la felicità che è una delle tematiche profonde del *Decameron*. La qualifica di «Principe Galeotto» allude scherzosamente alla volontà del libro di scoprire la realtà positiva dei sentimenti umani e indurre al culto della generosità e dell'intelligenza, contro ogni forma di morale rinunciataria.

La Cornice

1. La peste a Firenze

La prima visione del Decameron è di squallore e di morte. Il Boccaccio descrive la terribile peste che nel 1348 desolò Firenze e buona parte d'Europa, con un'analisi acuta, un tono distaccato, in apparenza, ma commosso; potremmo dire la sua una descrizione lucida e sgomenta. Quello che soprattutto lo accora è la visione di come il flagello infranga tutti i vincoli della società umana e civile, ogni onesta costumanza, ogni affetto più caro. La descrizione, di cui riportiamo soltanto una parte, è indicativa della cultura del Boccaccio, e acquista un significato programmatico, posta com'è ad apertura di libro. Uno storico della mentalità, il Tenenti, ha di recente sottolineato il fatto che la rappresentazione del Boccaccio non è più «sacra» (intesa, cioè, alla ricerca di spiegazioni e motivazioni trascendenti), ma «profana», volta cioè a inquadrare i fenomeni inusitati in un contesto coerente, a ricercare anche in essi una logica. La conclusione del brano rivela che si era giunti al limite del disumano, ma che, nonostante le degradazioni, il sistema sociale aveva tenuto. Come conclude il Tenenti, vi fu allora a Firenze un ceto, che qui il Boccaccio interpreta con piena partecipazione, capace, di fronte al flagello, «di non farsene sopraffare né sul piano mentale né su quello ideologico, oltre che organizzativo e sociale».

Su questo sfondo la fuga della gentile brigata di vaghe fanciulle e di giovani cortesi dalla città martoriata assume un significato profondo: è come il ristabilirsi, contro il dolore e la violenza del vivere, di un mondo umano armonico nell'animo e nei costumi; il trionfo di una serena, equilibrata saggezza. Anche questa favola della cornice esprime, dunque, la fondamentale fiducia del Boccaccio nella ragione e nella virtù dell'uomo.

E in tanta afflizione e miseria[1] della nostra città era la reverenda autorità delle leggi, così divine come umane, quasi caduta e dissoluta[2] tutta per li ministri ed esecutori di quelle, li quali,[3] sì come gli altri uomini, erano tutti o morti o infermi, o sì di famigli rimasi stremi,[4] che uficio alcuno non potean fare: per la qual cosa era a ciascuno licito, quanto a grado gli era, d'adoperare.[5] Molti altri servavano, tra questi due di sopra detti, una mezzana via,[6] non strignendosi nelle vivande quanto i primi, né nel bere e nell'altre dissoluzioni allargandosi quanto i secondi; ma a sofficienza, secondo gli appetiti, le cose usavano; e senza rinchiudersi, andavano attorno, portando nelle mani chi fiori, chi erbe odorifere, e chi diverse maniere di spezierie,[7] quelle al naso ponendosi spesso, estimando essere ottima cosa il cerebro con cotali odori confortare: con ciò fosse cosa che l'aere tutto paresse dal puzzo de' morti corpi e delle infermità e delle medicine, compreso[8] e puzzolente. Alcuni erano di più crudel sentimento[9], come che[10] per avventura più fosse sicuro, dicendo niun'altra medicina essere contro alle pestilenze migliore né così buona, come il fuggire loro davanti; e da questo argomento mossi, non curando d'alcuna cosa se non di sé, assai e uomini e donne abbandonarono la propia città, le propie case, i lor luoghi, e i lor parenti e le lor cose, e cercarono l'altrui o almeno il lor contado: quasi l'ira di Dio[11] a punire le iniquità degli uomini con quella pestilenza, non dove fossero, procedesse, ma solamente a coloro opprimere li quali dentro alle mura della lor città si trovassero, commossa intendesse; o quasi avvisando, niuna persona in quella dover rimanere, e la sua ultima ora esser venuta.

E come che questi così variamente oppinanti[12] non morissero tutti, non per

---

Dall'introduzione alla prima giornata.

1. **in tanta afflizione e miseria**: ha già mostrato, nei paragrafi precedenti, il tremendo dilagare dell'epidemia e del contagio e di quella che il Tenenti chiama la «morte collettiva» o «di massa» che rischia di infrangere ogni forma di civiltà cittadina.
2. **dissoluta**: dissolta; il *tutta* rende più intenso il senso di questa dissoluzione.
3. **per li ministri... li quali**: perché coloro che dovevano amministrare e fare eseguire quelle leggi erano, ecc.
4. **stremi**: privi di dipendenti.
5. **adoperare**: fare.
6. **servavano... una mezzana via**: Ha detto prima che davanti al flagello la gente reagiva in due modi: chi si chiudeva in casa, separato da tutto il mondo, cercando di vivere con temperanza, chi, invece si dava a bagordi, come per stordirsi e dimenticare. Altri, dice ora, tenevano (**servavano**) una via di mezzo, **non strignendosi nelle vivande** (limitandosi nel cibo) come i primi, né rilassandosi (**allargandosi**) sfrenatamente nelle dissolutezze (**dissoluzioni**) quanto i secondi.
7. **maniere di spezierie**: generi di spezie; nel Medioevo si confidava assai sulle loro virtù medicinali. Il **cerebro** è il cervello, che i poveretti s'illudono di purificare dagl'influssi nefandi.
8. **compreso**: impregnato, infetto.
9. **sentimento**: sentire, animo.
10. **come che**: sebbene.
11. **quasi l'ira di Dio**, ecc.: Costruisci e intendi: come se l'ira di Dio non procedesse (si volgesse) a punire con quella pestilenza le iniquità degli uomini dovunque essi si trovassero, ma eccitata (**commossa**) si volgesse (**intendesse**) a opprimere solo coloro che si trovassero dentro alle mura della loro città; o come se credessero (**avvisando**) che più nessuna persona dovesse rimaner viva in Firenze e che fosse giunta l'ultima ora della città. Sono queste le «spiegazioni» soprannaturali che il Boccaccio rifiuta, non per empietà, ma per invitare gli uomini alla comprensione razionale del proprio mondo.
12. **variamente oppinanti**: che avevano queste varie opinioni.

ciò tutti campavano: anzi infermandone di ciascuna molti,[13] e in ogni luogo, avendo essi stessi, quando sani erano, essemplo dato a coloro che sani rimanevano, quasi abbandonati, per tutto languieno. E lasciamo stare che l'uno cittadino l'altro schifasse, e quasi niuno vicino avesse dell'altro cura, e i parenti insieme rade volte, o non mai, si visitassero, e di lontano; era con sì fatto spavento questa tribulazione entrata ne' petti degli uomini e delle donne, che l'un fratello l'altro abbandonava, e il zio il nipote, e la sorella il fratello, e spesse volte la donna il suo marito; e (che maggior cosa è e quasi non credibile) li padri e le madri i figliuoli, quasi loro non fossero, di visitare e di servire schifavano. Per la qual cosa a coloro, de' quali era la moltitudine inestimabile, e maschi e femine che infermavano, niuno altro sussidio rimase, che o la carità degli amici (e di questi fur pochi), o l'avarizia[14] de' serventi, li quali da grossi salari e sconvenevoli tratti[15] servieno, quantunque per tutto ciò molti non fossero divenuti; e quelli cotanti erano uomini e femine di grosso ingegno, e i più di tali servigi non usati; li quali quasi di niuna altra cosa servieno, che di porgere alcune cose dagl'infermi addomandate, o di riguardare quando morieno,[16] e servendo in tal servigio, sé molte volte col guadagno perdevano. E da questo essere abbandonati gl'infermi da' vicini, da' parenti e dagli amici, e avere scarsità di serventi, discorse[17] un uso, quasi davanti[18] mai non udito: che niuna, quantunque leggiadra o bella o gentil donna fosse, infermando, non curava d'avere a' suoi servigi[19] uomo, qual che egli si fosse o giovane o altro, e a lui senza alcuna vergogna ogni parte del suo corpo aprire, non altrimenti che ad una femina avrebbe fatto, solo che la necessità della sua infermità il richiedesse: il che, in quelle che ne guarirono, fu forse di minore onestà, nel tempo che succedette, cagione.[20] E oltre a questo ne seguio la morte di molti che per avventura, se stati fossero atati, campati sarieno:[21] di che,[22] tra per lo difetto degli opportuni servigi li quali gl'infermi aver non poteano, e per la forza della pestilenza, era tanta nella città la moltitudine di quelli che di dì e di notte morieno, che uno stupore era ad udir dire, non che a riguardarlo. Per che, quasi di necessità, cose assai contrarie a' primi costumi de' cittadini nacquero tra coloro i quali rimanean vivi.

Era usanza[23], sì come ancora oggi veggiamo usare, che le donne parenti e vicine, nella casa del morto si ragunavano, e quivi con quelle che più gli appartenevano,[24] piangevano; e d'altra parte, dinanzi alla casa del morto co' suoi prossimi si ragunavano i suoi vicini e altri cittadini assai, e secondo la qualità del morto vi veniva il chericato; ed egli sopra gli omeri de' suoi pari,[25] con funeral pompa di cera e di canti, alla chiesa da lui prima eletta anzi la morte, n'era portato. Le quali cose, poi che a montar[26] cominciò la ferocità della pistolenza, o in tutto o in maggior parte quasi cessarono, e altre nuove in loro luogo ne sopravvennero. Per ciò che, non solamente senza aver molte donne da torno morivan le genti, ma assai n'erano di quelli che di questa vita senza testimonio trapassavano; e pochissimi erano coloro a' quali i pietosi pianti e l'amare lagrime de' suoi congiunti fossero concedute; anzi in luogo di quelle s'usavano per li più risa e motti e festeggiar compagnevole:[27] la quale usanza le donne, in gran parte posposta la donnesca pietà, per la salute di loro avevano ottimamente appresa. Ed erano radi coloro, i corpi de' quali fosser più che da un diece o dodici de' suoi vicini alla chiesa accompagnati; li quali, non gli orrevoli e cari[28] cittadini sopra gli omeri portavano, ma una maniera di beccamorti sopravvenuti di minuta gente, che chiamar si facevan becchini, la quale questi servigi prezzolata faceva, sottentravano alla bara; e quella con frettolosi passi, non a quella chiesa che esso aveva anzi la morte disposto, ma alla più vicina le più volte il portavano, dietro a quattro o a sei cherici con poco lume, e tal fiata senza alcuno: li quali con l'aiuto de' detti becchini, senza faticarsi in troppo lungo uficio o solenne, in qualunque sepoltura disoccupata trovavano più tosto il mettevano.[29] Della minuta gente, e forse in gran parte

13. di ciascuna molti: molti che professavano ciascuna di queste opinioni.
14. avarizia: avidità di danaro.
15. tratti: attratti.
16. quantunque per tutto ciò... quando morieno: sebbene, nonostante questo, fossero pochi, e quei pochi fossero uomini e donne di indole grossolana (**grosso ingegno**) e i più non avvezzi a tali servizi: i quali non servivano ad altro che a porgere qualche cosa che fosse richiesta dagli infermi o a starli a guardare, impotenti, quando morivano. I tre ultimi periodi terminano con tre verbi che ci danno tre immagini di piena desolazione. Mentre la prima parte della descrizione della peste, da noi omessa, è soprattutto costruita con grande abilità letteraria, ma distaccata, da qui in avanti si avverte un contenuto senso d'orrore e di sgomento. Ciò che colpisce il B. è proprio questo dissolversi totale di ogni senso d'umanità e di civile convivenza.
17. discorse: si diffuse.
18. davanti: prima.
19. non curava d'avere a' suoi servigi: non si faceva alcuno scrupolo di farsi assistere. Altro tratto che colpisce profondamente il B.: il venir meno di quel pudore femminile, di quella grazia composta e riservata, così evidente nelle più indimenticabili figure di donne delle novelle.
20. cagione: va subito dopo **fu forse**.
21. se stati fossero... sarieno: se fossero stati soccorsi, sarebbero scampati alla morte.
22. di che: di conseguenza. Osserva lo stupore sgomento con cui si conclude il periodo: non solo il vedere, ma anche l'udire che era morta tanta gente getta l'animo in una sorta di meraviglia angosciata.
23. Era usanza, ecc.: È, diremmo, il momento culminante della descrizione. La morte stessa appare come sconsacrata; non più il pianto dei parenti, la pietà per i defunti, quel senso di compassione e di rispetto che accompagna il rito della sepoltura. Ogni civiltà è spenta, ogni umanità distrutta: ci si cura degli uomini che muoiono come se fossero capre. Il B. non indugia su tonalità patetiche, sembra, apparentemente, raccontare solo dei fatti nudi; eppure quell'insistere sulla rievocazione minuta delle cerimonie funebri di un tempo, l'incisiva descrizione della fretta, della negligenza con cui vengono celebrate ora, quelle bare stipate, quei sepolcri pieni come stive di navi, l'altra massa informe dei poveri che aspettano la morte per le strade e i loro cadaveri davanti agli usci costituiscono un'immagine agghiacciante.
24. quelle che più gli appartenevano: le parenti più strette.
25. sopra gli omeri de' suoi pari: il ritmo del periodo è lento e solenne, esprime la dignità di quella costumanza umana e pietosa; questo rende, per contrasto, più desolate le visioni seguenti. **Funeral pompa di cera e di canti** è immagine di stile solenne, ribadita dal ritmo di endecasillabo. Significa funerali frequentati da molti congiunti e amici e sacerdoti salmodianti, con molte candele accese (*cera*) in mano.
26. montar: dilagare, accrescersi.
27. festeggiar compagnevole: una festevole allegria di società, un cinismo, desolato, in fondo, e penoso, ma in sé disumano. La morte ha sinistramente preso il posto della vita, il riso quello del pianto; c'è sotto il disperato desiderio di illudersi di poter scampare, di sentirsi con questo riso dissennato superiori al flagello che schiaccia.
28. orrevoli e cari: onorati e illustri. Si tenga presente che il B. parla di ciò che avveniva fra i cittadini dei ceti sociali più elevati, non fra la plebe.
29. ma... mettevano: Il quadro si fa sempre più squallido: la genia di beccamorti venuti da povera (*minuta*) gente, prezzolati, che si fa sotto alla bara (il verbo *sottentravano* intende dare l'impressione dell'assoluta noncuranza dei becchini, che sollevano la bara come un sacco, un peso qualsiasi); poi la fretta trascurata del funerale: pochi preti, pochi ceri, o nessuno, l'ufficio

della mezzana,[30] era il ragguardamento di molto maggior miseria pieno:[31] per ciò che essi, il più o da speranza o da povertà[32] ritenuti nelle lor case, nelle lor vicinanze standosi, a migliaia per giorno infermavano; e non essendo né serviti né atati d'alcuna cosa, quasi senza alcuna redenzione tutti morivano.[33] E assai n'erano che nella strada pubblica o di dì o di notte finivano; e molti, ancora che nelle case finissero, prima col puzzo de' lor corpi corrotti che altramenti, facevano a' vicini sentire sé esser morti: e di questi, e degli altri che per tutto morivano, tutto pieno.[34] Era il più[35] da' vicini una medesima maniera servata, mossi non meno da tema che la corruzione de' morti non gli offendesse, che da carità[36] la quale avessero a' trapassati. Essi e per sé medesimi e con lo aiuto d'alcuni portatori, quando averne potevano, traevano delle lor case li corpi de' già passati; e quegli davanti agli loro usci ponevano, dove, la mattina spezialmente, n'avrebbe potuti vedere senza numero chi fosse attorno andato; e quindi fatto venir bare, e tali furono che, per difetto di quelle, sopra alcuna tavola, ne ponieno,[37] né fu una bara sola quella che due o tre ne portò insiememente, né avvenne pure una volta, ma se ne sarieno assai potute annoverare di quelle che la moglie e 'l marito, gli due o tre fratelli, o il padre e il figliuolo, o così fattamente[38] ne contenieno. E infinite volte avvenne che andando due preti con una croce per alcuno, si misero tre o quattro bare da' portatori portate, di dietro a quella; e dove un morto credevano avere i preti a seppellire, n'aveano sei o otto, e tal fiata più. Né erano per ciò questi da alcuna lagrima o lume o compagnia onorati; anzi era la cosa pervenuta a tanto, che non altramenti si curava degli uomini che morivano che ora si curerebbe di capre. Per che assai manifestamente[39] apparve che, quello che il natural corso delle cose non aveva con piccoli e radi danni a' savi mostrare doversi con pazienza passare, la grandezza de' mali, eziandio i semplici far di ciò scorti e non curanti. Alla gran moltitudine de' corpi mostrata, che ad ogni chiesa ogni dì e quasi ogni ora concorreva portata, non bastando la terra sacra alle sepolture, e massimamente volendo[40] dare a ciascun luogo propio secondo l'antico costume, si facevano per gli cimiteri delle chiese, poiché ogni parte era piena, fosse grandissime, nelle quali a centinaia si mettevano i sopravvegnenti; e in quelle stivati come si mettono le mercatantie nelle navi a suolo a suolo,[41] con poca terra si ricoprieno infino a tanto che della fossa al sommo si pervenia.

funebre detto in fretta e di malavoglia; infine quella bara gettata a casaccio nella prima sepoltura vuota che trovano.

30. minuta gente... mezzana: comincia il quadro più angoscioso, quello dei cittadini di povero e di medio ceto, ammassati nei loro stretti quartieri, preda della morte senza alcuna speranza.

31. ragguardamento... pieno: la loro vista era molto più miserevole.

32. speranza... povertà: la speranza di non contrarre il morbo, ma soprattutto la povertà li costringe a rimanere nelle loro case e nei loro rioni (*vicinanze*).

33. redenzione... morivano: morivano quasi tutti, senza scampo.

34. tutto pieno: sottintendi *era*. Ma l'omissione del verbo dà alla frase più drammatica concitazione.

35. Era il più, ecc.: Per lo più i vicini osservavano questa stessa usanza.

36. carità: affetto, pietà.

37. e quindi fatto venir bare... ne ponieno: quindi, fatte venir delle bare, li ponevano in esse, ma per mancanza di bare ne dovettero a volte porre alcuni su semplici tavole di legno.

38. o così fattamente: o gruppi di tal genere, cioè di parenti.

39. Per che assai manifestamente, ecc.: Costruisci e intendi: Per la qual cosa, apparve assai manifestamente che la grandezza dei mali aveva reso accorti (*scorti*) e rassegnati anche gli uomini più umili e ignoranti di fronte a ciò (a quelle sventure) che il corso naturale delle cose (che comporta danni e sventure minori e più rari) non aveva potuto insegnare neppure ai savi a sopportare con pazienza.

40. volendo: se si fosse voluto.

41. e in quelle stivati... a suolo a suolo: in quelle stivati, come le mercanzie che vengono disposte a strati nella stiva della nave.

2. La gentile brigata

Si incontrano un martedì mattina, nella chiesa di Santa Maria Novella in Firenze, sette giovani donne, «tutte l'una all'altra, o per amistà, o per vicinanza, o per parentado, congiunte, delle quali niuna il ventiottesimo anno passato aveva né era minor di diciotto; savia ciascuna e di sangue nobile, e bella di forme, e ornata di costumi, e di leggiadra onestà». Sono: Pampinea, Fiammetta, Filomena, Emilia, Lauretta, Neifile, Elissa. Con la presentazione di queste vaghe giovani comincia la vicenda del *Decameron*; né v'è da stupirsi, perché il libro è indirizzato alle donne gentili, che sono spesso protagoniste delle novelle. La donna del Boccaccio non ha più i tratti angelici e indefiniti di quelle dello *stil novo*, e neppure la soavità muta di Laura; è la creatura che impersona la bellezza e la grazia, che vive con intensità i propri sentimenti.

Dall'introduzione alla prima giornata.

Noi dimoriamo qui,[1] al parer mio, non altrimenti che se esser volessimo o dovessimo testimonie di quanti corpi morti ci sieno alla sepoltura recati, o d'ascoltare se i frati di qua entro, de' quali il numero è quasi venuto al niente, alle debite ore cantino il loro uficio; o a dimostrare, a qualunque ci apparisce, ne' nostri abiti la qualità e la quantità delle nostre miserie. E se di quinci usciamo, o veggiamo corpi morti o infermi trasportarsi dattorno, o veggiamo coloro li quali per li loro difetti[2] l'autorità delle publiche leggi già condannò ad essilio, quasi quelle schernendo, per ciò che sentono gli esecutori di quelle o morti o malati, con ispiacevoli impeti per la terra discorrere,[3] o la feccia della nostra città, del nostro sangue riscaldata,[4] chiamarsi becchini, e in strazio di noi andar cavalcando e discorrendo per tutto, con disoneste canzoni[5] rimproverandoci i nostri danni. Né altra cosa alcuna ci udiamo, se non: «I cotali sono morti», e «Gli altrettali sono per morire»; e se ci fosse chi fargli, per tutto

1. Noi dimoriamo qui: restiamo qui, in questa chiesa. In un quadro rapido e potente si presenta, nella prima parte del discorso di Pampinea, tutto l'orrore della peste, la vita disumana che essa ha ormai imposto alla città.

2. difetti: colpe.

3. con ispiacevoli... discorrere: scorrazzare per la città abbandonandosi a nefandezze.

4. riscaldata: avida, bramosa.

5. con disoneste canzoni, ecc.: ricorda i monatti dei *Promessi Sposi*.

dolorosi pianti udiremmo.[6] E se alle nostre case torniamo[7] (non so se a voi come a me addiviene), io, di molta famiglia, niuna altra persona in quella, se non la mia fante, trovando, impaurisco, e quasi tutti i capelli addosso mi sento arricciare; e parmi, dovunque io vado o dimoro per quella, l'ombre di coloro che sono trapassati vedere, e non con quegli visi che io soleva, ma con una vista orribile, non so donde in loro nuovamente venuta, spaventarmi. Per le quali cose, e qui e fuor di qui e in casa mi sembra star male; e tanto più ancora, quanto egli mi pare[8] che niuna persona la quale abbia alcun polso e dove possa andare, come noi abbiamo, ci sia rimasa, altri che noi. E ho sentito e veduto più volte[9] (se pure alcuni ce ne sono) quegli cotali, senza fare distinzione alcuna dalle cose oneste a quelle che oneste non sono, solo che l'appetito le cheggia, e soli e accompagnati, e di dì e di notte, quelle fare che più di diletto lor porgono. [...]

Quante volte noi ci vorrem ricordare chenti[10] e quali sieno stati i giovani e le donne vinte da questa crudel pestilenza, noi ne vedremo apertissimo argomento.[11] E perciò, acciò che noi, per ischifiltà o per traccutaggine, non cadessimo in quello, di che noi per avventura per alcuna maniera, volendo, potremmo scampare[12] (non so se a voi quello se ne parrà che a me ne parrebbe); io giudicherei ottimamente fatto che noi, sì come noi siamo, sì come molti innanzi a noi hanno fatto e fanno, di questa terra uscissimo; e fuggendo come la morte i disonesti essempli degli altri, onestamente a' nostri luoghi in contado, de' quali a ciascuna di noi è gran copia, ce ne andassimo a stare: e quivi quella festa, quella allegrezza, quello piacere che noi potessimo, senza trapassare in alcuno atto il segno della ragione,[13] prendessimo. Quivi s'odono[14] gli uccelletti cantare, veggionvisi verdeggiare i colli e le pianure, e i campi pieni di biade non altramente ondeggiare che il mare, e d'alberi ben mille maniere, e il cielo più apertamente, il quale ancora che crucciato ne sia, non perciò le sue bellezze etterne[15] ne nega, le quali molto più belle sono a riguardare che le mura vote della nostra città. Ed èvvi oltre a questo l'aere assai più fresco; e di quelle cose che alla vita bisognano in questi tempi, v'è la copia maggiore, e minore il numero delle noie. Per ciò che, quantunque quivi così muoiano i lavoratori come qui fanno i cittadini, v'è tanto minore il dispiacere, quanto vi sono, più che nella città, rade le case[16] e gli abitanti. E qui d'altra parte, se io ben veggio, noi non abbandoniam persona, anzi ne possiamo con verità dire molto più tosto abbandonate; per ciò che i nostri, o morendo o da morte fuggendo, quasi non fossimo loro, sole in tanta afflizione n'hanno lasciate. Niuna riprensione adunque può cadere in cotal consiglio seguire: dolore e noia e forse morte, non seguendolo, potrebbe avvenire. E per ciò, quando vi paia, prendendo le nostre fanti, e con le cose opportune faccendoci seguitare, oggi in questo luogo e domane in quello, quella allegrezza e festa prendendo che questo tempo può porgere, credo che sia ben fatto a dover fare; e tanto dimorare in tal guisa, che noi veggiamo, se prima da morte non siamo sopraggiunte, che fine il cielo riserbi a queste cose. E ricordovi che egli non si disdice più a noi l'onestamente andare, che faccia a gran parte dell'altre lo star disonestamente.

L'altre donne, udita Pampinea, non solamente il suo consiglio lodarono, ma, desiderose di seguitarlo,[17] avien già più particularmente tra sé cominciato a trattar del modo, quasi, quindi levandosi da sedere, a mano a mano dovessono entrare in cammino.[18] Ma Filomena, la quale discretissima[19] era, disse:

— Donne, quantunque ciò che ragiona Pampinea sia ottimamente detto, non è perciò così da correre a farlo, come mostra[20] che voi vogliate fare. Ricordivi che noi siam tutte femine; e non ce n'ha niuna sì fanciulla, che non possa ben conoscere[21] come le femine sieno ragionate insieme, e senza la provedenza d'alcuno uomo, si sappiano regolare. Noi siamo mobili, ritrose, sospettose, pusillanime e paurose: per le quali cose io dubito forte, se noi alcuna altra guida non prendiamo che la nostra, che questa compagnia non si dissolva troppo più tosto, e con meno onor di noi, che non ci bisognerebbe. E per ciò è buono[22] a provvederci avanti che cominciamo.

Disse allora Elissa:

6. per tutto dolorosi pianti, ecc.: Nelle parole di Pampinea, c'è un progressivo crescendo drammatico. Uno dei tratti più tragici del suo lamento è questo silenzio che grava sulla città, rotto solo da annunci di morte.

7. E se alle nostre case torniamo, ecc.: culmina in questo periodo potente l'incubo della morte. Prima quel ritrovarsi desolatamente sola con una sola fantesca, unico avanzo di numerosa famiglia, e l'improvvisa paura, un senso di raccapriccio, come se la solitudine le presentasse viva l'immagine della morte incombente, non solo nella città, ma lì, nella sua dimora. Poi l'altro e più crudo incubo: le ombre dei morti, in atto spaventoso, in ogni parte della casa. Gli accenti più intensi del periodo, che, come è consueto alla prosa del B., ha una sua modulazione musicale, cadono su *impaurisco, vedere, orribile, spaventarmi*, sottolineando l'atmosfera di orrore.

8. quanto egli mi pare, ecc.: in quanto mi sembra che oltre a noi non sia rimasta a Firenze alcuna persona che abbia qualche ricchezza (**polso**) e un luogo ove rifugiarsi.

9. E ho sentito e veduto più volte, ecc.: L'esempio degli altri ha aumentato in lei il desiderio di sottrarsi a tante miserie, di vivere una vita vera, non quella continua morte.

10. chenti: quali.

11. argomento: prova.

12. per ischifiltà o per traccutaggine... scampare: affinché noi, per soverchia ritrosia (*ischifiltà*) o per eccessiva fiducia (*traccutaggine*) non cadessimo in quella sventura (la peste e la morte) dalla quale, forse, potremmo scampare.

13. il segno della ragione: i limiti imposti dalla ragione e dalla saviezza, cioè l'onestà e il decoro.

14. Quivi s'odono, ecc.: dopo la patetica e sgomenta elegia, nasce come una musica fresca d'idillio, un terreno paradiso vagheggiato con nostalgia.

15. le sue bellezze etterne: è un ricordo dantesco. Il cielo *crucciato* riconduce il tema, appena accennato dal B. durante la precedente descrizione della peste, dell'ira di Dio che si abbatte sulla città; ma l'improvviso schiudersi della sua bellezza sembra offrire una nuova speranza.

16. quanto vi sono... rade le case: in quanto là più radi sono case e abitanti e quindi meno frequente e opprimente lo spettacolo della morte.

17. seguitarlo: seguirlo.

18. quasi, quindi... cammino: come se dovessero, alzatesi di lì, mettersi immediatamente (**a mano a mano**) in cammino.

19. discretissima: assennatissima.

20. come mostra: come sembra.

21. che non possa ben conoscere, ecc.: che non sappia quanto poco le donne, insieme adunate, si lascino guidare dalla ragione, e quanto poco si sappiano regolare senza la guida d'un uomo. Affiora la sorridente malizia del B. qui e soprattutto nelle parole immediatamente seguenti: le donne sono *mobili*, cioè incostanti, ritrose, sospettose, ecc.; Filomena già prevede i litigi che fatalmente scoppierebbero nella compagnia.

22. è buono: è bene.

— Veramente gli uomini sono delle femine capo; e senza l'ordine loro, rade volte riesce alcuna nostra opera a laudevole fine; ma come possiam noi aver questi uomini? Ciascuna di noi sa che de' suoi sono la maggior parte morti; e gli altri che vivi rimasi sono, chi qua e chi là, in diverse brigate, senza saper noi dove, vanno fuggendo quello che noi cerchiamo di fuggire; e il prendere gli strani[23] non saria convenevole. Per che, se alla nostra salute vogliamo andar dietro, trovare si convien modo di sì fattamente ordinarci che, dove per diletto e per riposo andiamo, noia e scandalo non ne segua.

Mentre tra le donne erano così fatti ragionamenti, ecco entrar nella chiesa tre giovani, non per ciò tanto che meno di venticinque anni fosse l'età di colui che più giovane era di loro; ne' quali né perversità di tempo, né perdita d'amici o di parenti, né paura di sé medesimi avea potuto amor, non che spegnere, ma raffreddare. De' quali, l'uno era chiamato Panfilo, e Filostrato il secondo e l'ultimo Dioneo,[24] assai piacevole e costumato ciascuno; e andavano cercando, per loro somma consolazione, in tanta turbazione di cose, di vedere le lor donne, le quali per ventura tutte e tre erano tra le predette sette; come che dell'altre alcune ne fossero congiunte parenti d'alcuni di loro. Né prima esse agli occhi corsero di costoro, che costoro furono da esse veduti; per che Pampinea allor cominciò sorridendo:

— Ecco che la fortuna a' nostri cominciamenti è favorevole, e hacci davanti posti discreti giovani e valorosi, li quali volentieri e guida e servidor ne saranno, se di prendergli a questo uficio non schiferemo.

Neifile allora, tutta nel viso divenuta per vergogna vermiglia,[25] per ciò che l'una era di quelle che dall'un de' giovani era amata, disse:

— Pampinea, per Dio, guarda ciò che tu dichi! Io conosco assai apertamente, niun'altra cosa che tutta buona dir potersi di qualunque s'è l'uno di costoro; e credogli a troppo maggior cosa che questa non è sofficienti; e similmente avviso loro buona compagnia e onesta dover tenere, non che a noi, ma a molto più belle e più care che noi non siamo. Ma, per ciò che assai manifesta cosa è loro essere d'alcune che qui ne sono innamorati, temo che infamia e riprensione, senza nostra colpa o di loro, non ce ne segua, se gli meniamo.[26]

Disse allora Filomena:[27]

— Questo non monta niente: là dov'io onestamente viva, né mi rimorda d'alcuna cosa la coscienza, parli chi vuole in contrario; Iddio e la verità l'arme per me prenderanno. Ora, fossero essi pur già disposti a venire! ché veramente, come Pampinea disse, potremmo dire la fortuna essere alla nostra andata favoreggiante.

23. gli strani: gli estranei.
24. Panfilo... Filostrato... Dioneo: Panfilo (= tutto amoroso) è il protagonista maschile del romanzo *Fiammetta*, Filostrato (= abbattuto da amore) è il titolo del poemetto giovanile che canta le pene d'amore di Troiolo, Dioneo (= lussurioso; Venere era figlia di Dione) è personaggio di cui si parla nell'*Ameto*. Ritornano così nel *Decameron* personaggi dell'opera giovanile, in qualche modo autobiografici.
25. Neifile... vermiglia: È il momento più vivo del dialogo: osserva prima il sorriso fra ironico e comprensivo di Pampinea, poi il rossore di Neifile, infine il suo pudico e impacciato discorso.
26. gli meniamo: li conduciamo con noi.
27. Il discorso di Filomena è vigoroso e deciso. I giovani, naturalmente, accetteranno la graditissima proposta. Il B. intende comunque insistere sul decoro e l'onestà delle fanciulle, inseparabile dall'atmosfera cortese della cornice.

3. Gli onesti diporti

Il giorno seguente, la brigata raggiunge una deliziosa villa in collina e stabilisce di eleggere ogni giorno un re o una regina che regoli e disponga la vita comune. Viene eletta, per la prima giornata, Pampinea.

La peste è ormai un ricordo remoto, come di un altro mondo. Comincia una vita serena, spensierata, ma signorile e onesta. La natura intorno, nella pienezza dell'estate, è come un invito alla vita e alla gioia, e ad essa fa riscontro la lieta giovinezza della brigata, che nel fresco contatto con la natura, nel calore cordiale di una civile convivenza ritrova la propria integra umanità. È questo lo sfondo ideale delle novelle: il *Decameron* è tutto pervaso da un'ottimistica fiducia nell'uomo, da un ideale d'armonia fra uomo e natura, fra spirito e sensi, individuo e società. È un libro pieno di giovinezza, di cordiale adesione alla vita.

Licenziata[1] adunque dalla nuova reina la lieta brigata, li giovani, insieme con le belle donne, ragionando dilettevoli cose, con lento passo si misono per uno giardino, belle ghirlande di varie frondi faccendosi, e amorosamente cantando. E poi che in quello tanto fur dimorati, quanto di spazio[2] dalla reina avuto aveano, a casa tornati, trovarono Parmeno studiosamente[3] aver dato principio al suo uficio, per ciò che, entrati in una sala terrena, quivi le tavole messe videro con tovaglie bianchissime e con bicchieri che d'ariento[4] parevano, e

Dall'introduzione alla prima giornata.

1. Licenziata: la regina dà licenza alla brigata di passeggiare per i prati e i giardini, in attesa di riunirsi per il desinare. Il periodo ha un tono di riposata compostezza, che continua anche in quelli seguenti, e che dà il senso di una pace ritrovata. Spiccano, nel contesto, quel *lento passo*, le *belle* donne, le *belle* ghirlande, l'*amorosamente cantando* (cantano canzoni d'amore, l'avverbio indica anche la dolcezza di cui il canto riempie l'animo dei giovani).
2. spazio: tempo.
3. Parmeno studiosamente, ecc.: Parmeno è il servitore di Dioneo; è stato nominato maggiordomo. *Studiosamente* significa: con zelo.
4. ariento: argento. Osserva la fresca lindura dei particolari, altro motivo che s'aggiunge alla grazia del quadro.

ogni cosa di fiori di ginestra coperta: per che, data l'acqua alle mani, come piacque alla reina, secondo il giudicio[5] di Parmeno, tutti andarono a sedere. Le vivande dilicatamente fatte vennero, e finissimi vini fur presti;[6] e senza più chetamente li tre famigliari servirono le tavole. Dalle quali cose, per ciò che belle e ordinate erano, rallegrato ciascuno, con piacevoli motti e con festa mangiarono; e levate le tavole, con ciò fosse cosa che tutte le donne carolar[7] sapessero e similmente i giovani, e parte di loro ottimamente e sonare e cantare, comandò la reina che gli strumenti venissero; e per comandamento di lei Dioneo preso un liuto e la Fiammetta una viuola, cominciarono soavemente[8] una danza a sonare. Per che la reina con l'altre donne, insieme co' due giovani presa una carola con lento passo,[9] mandati i famigliari a mangiare, a carolar cominciarono; e quella finita, canzoni vaghette e liete cominciarono a cantare. E in questa maniera stettero tanto, che tempo parve alla reina d'andare a dormire: per che, data a tutti la licenzia, li tre giovani alle lor camere, da quelle delle donne separate, se n'andarono. Le quali co' letti ben fatti e così di fiori piene come la sala trovarono, e simigliantemente le donne le loro: per che, spogliatesi, s'andarono a riposare.

Non era di molto spazio sonata nona,[10] che la reina, levatasi, tutte l'altre fece levare, e similmente i giovani, affermando esser nocivo il troppo dormire di giorno. E così se n'andarono in un pratello, nel quale l'erba era verde e grande, né vi poteva[11] d'alcuna parte il sole; e quivi, sentendo un soave venticello venire, sì come volle la loro reina, tutti sopra la verde erba si puosero in cerchio a sedere. A' quali ella disse così:

— Come voi vedete, il sole è alto e il caldo è grande, né altro s'ode che le cicale su per gli ulivi,[12] per che l'andare al presente in alcun luogo sarebbe senza dubbio sciocchezza. Qui è bello e fresco stare, e hacci, come voi vedete, e tavolieri e scacchieri,[13] e puote ciascuno, secondo che all'animo gli è più di piacere, diletto pigliare. Ma se in questo il mio parer si seguisse, non giucando, nel quale l'animo dell'una delle parti convien che si turbi senza troppo piacere dell'altra o di chi sta a vedere,[14] ma novellando (il che può porgere, dicendo uno, a tutta la compagnia che ascolta diletto) questa calda parte del giorno trapasseremo. Voi non avrete compiuta[15] ciascuno di dire una sua novelletta, che il sole fia declinato e il caldo mancato, e potremo, dove più a grado vi fia, andare prendendo diletto. E per ciò, quando questo che io dico vi piaccia ché disposta sono in ciò di seguire il piacer vostro, facciamlo; e dove non vi piacesse, ciascuno infino all'ora del vespro quello faccia che più gli piace.

Le donne parimente e gli uomini tutti lodarono il novellare.

— Adunque, disse la reina, se questo vi piace, per questa prima giornata[16] voglio che libero sia a ciascuno di quella materia ragionare che più gli sarà a grado.

E rivolta a Panfilo, il quale alla sua destra sedea, piacevolmente gli disse che con una delle sue novelle all'altre desse principio. Laonde Panfilo, udito il comandamento, prestamente essendo da tutti ascoltato, cominciò così...[17]

5. secondo il giudicio, ecc.: prendono i posti assegnati da Parmeno.
6. fur presti: furono prontamente portati in tavola; tutto in questa tavola è bello, elegante, ordinato. Anche i gesti dei servi che servono *chetamente* fanno parte dell'ambiente raffinato.
7. carolar: danzare in cerchio, tenendosi per mano.
8. cominciarono soavemente, ecc.: osserva la cadenza musicale del periodo, a cui concorre anche la disposizione delle parole, ad es. il *sonare* posposto al complemento oggetto *danza*.
9. presa una carola, ecc.: La regina dà inizio alla danza lenta.
10. di molto spazio sonata nona: non era da molto tempo passata l'ora nona del giorno a partire dal sorgere del sole (circa le sei). Nel Trecento si computava il giorno dall'alba al tramonto del sole.
11. né vi poteva: né aveva potere di penetrarvi.
12. il sole... le cicale su per gli ulivi: Con pochi tratti Pampinea ci fa sentire la pace di quel meriggio estivo, il suo silenzio rotto soltanto dal canto uguale delle cicale sugli alberi. È un silenzio che dispone alla pace tranquilla, che crea un vago sfondo di serena bellezza al piacevole novellare.
13. hacci... tavolieri e scacchieri: vi sono tavolette per giuocare a dama, a scacchi, a «tavole»: i giuochi di società preferiti nel Trecento.
14. l'una delle parti convien... vedere: il giuoco porta un piacere vero solo a chi vince, non a chi perde o a chi sta a vedere.
15. compiuta: terminato.
16. per questa prima giornata: nelle altre (tranne che nella nona) il re o la regina stabiliranno, invece, un tema obbligato.
17. cominciò così: racconta la prima novella.

4. Io son sì vaga della mia bellezza (fine della prima giornata)

Questa ballata riecheggia movenze stilnovistiche, e ancor più, per il tema della contemplazione estatica della propria bellezza, la Lia e la Rachele di Dante nel Paradiso terrestre. C'è forse qui il motivo della contemplazione dell'essenza divina, presentita attraverso quella della bellezza spirituale, che imprime nel cuore una dolcezza ineffabile. Più che nei concetti, l'incanto di questi versi sta nella loro modulazione suggestiva, che esprime una dolcezza intima nel suo farsi canto. Il fascino di questa melodia conclude la prima giornata, riproponendo il tema della cornice: il sogno d'una vita fondata sull'equilibrio di intelligenza e di grazia, il culto della bellezza sentita come apparizione sensibile della ritrovata armonia di spirito e natura.

[...] E da seder levatasi, verso un rivo d'acqua chiarissima, il quale d'una montagnetta discendeva in una valle ombrosa da molti arbori fra vive pietre e verdi erbette, con lento passo se n'andarono.

Quivi, scalze e con le braccia nude per l'acqua andando, cominciarono a prendere vari diletti fra se medesime. E appressandosi l'ora della cena, verso il palagio tornatesi, con diletto cenarono. Dopo la qual cena, fatti venir gli strumenti, comandò la Reina che una danza fosse presa, e quella menando[1] la Lauretta, Emilia cantasse una canzone dal leuto di Dioneo aiutata.[2] Per lo qual comandamento Lauretta prestamente prese una danza e quella menò, cantando Emilia la seguente canzone amorosamente:

Io son sí vaga della mia bellezza,
che d'altro amor giammai
non curerò, né credo aver vaghezza.
Io veggio in quella, ognora ch'io mi specchio,
5 quel ben che fa contento lo 'ntelletto:
né accidente nuovo o pensier vecchio
mi può privar di sí caro diletto.
Qual altro dunque piacevole oggetto
potrei veder giammai,
10 che mi mettesse in cuor nuova vaghezza?
Non fugge questo ben, qualor disio
di rimirarlo in mia consolazione;
anzi si fa incontro al piacer mio
tanto soave a sentir, che sermone
15 dir nol poría, né prendere intenzione
d'alcun mortal giammai,
che non ardesse di cotal vaghezza.
Et io che ciascun'ora più m'accendo,
quanto più fiso tengo gli occhi in esso,
20 tutta mi dono a lui, tutta mi rendo,
gustando già di ciò ch'el m'ha promesso,
e maggior gioia spero più da presso
sí fatta, che giammai
simil non si sentí qui di vaghezza.

1. **menando**: guidando. Lauretta, cioè, era la prima delle danzatrici che si tenevano per mano durante la danza, e alla fine d'ogni stanza cantavano la ripresa.
2. **aiutata**: accompagnata.

Metro: *ballata*, con *ripresa* di tre versi (AbA) e tre stanze, ciascuna con due *mutazioni* (CD, CD), e *volta* (DbA).

3. **vaghezza**: desiderio.
5. **quel... 'ntelletto**: potrebbe essere Dio, o, secondo altri, la Sapienza, presentati nell'immagine che l'uomo ne porta al fondo dell'animo.
7. **di... diletto**: la sua bellezza, espressione d'una profonda armonia dell'essere.
14-17. **tanto.. vaghezza**: tanto soave a sentirsi che non si potrebbe dire con parole, né potrebbe essere inteso (*prendere intenzione*) se non da chi prova tale vaghezza.
19. **in esso**: in questo bene.

5. *La valle delle donne (fine della sesta giornata)*

È un tipico paesaggio della cornice, spoglio della funzionalità narrativo-drammatica che hanno quelli delle novelle. Appare composto nella stessa legge di euritmia e di grazia che è vagheggiata nella vita della brigata gentile, ed esprime l'abbandono fiducioso del poeta alla bontà delle cose, alla bellezza del mondo. L'immagine finale delle vaghissime donne che si bagnano nelle onde chiare ne è, in tal senso, la sintesi conclusiva.

... Era ancora il sol molto alto, per ciò che il ragionamento era stato brieve;[1] per che, essendosi Dioneo con gli altri giovani messo a giucare a tavole,[2] Elissa, chiamate l'altre donne da una parte, disse:

— Poi che noi fummo qui, ho io disiderato di menarvi in parte assai vicina di questo luogo, dove io non credo che mai fosse alcuna di voi, e chiamavisi *La valle delle donne*; né ancora vidi tempo di potervi quivi menare, se non oggi, sì è alto ancora il sole. E per ciò se di venirvi vi piace, io non dubito punto che, quando vi sarete, non siate contentissime d'esservi state.

Le donne risposono che erano apparecchiate. E chiamata una delle lor fanti, senza farne alcuna cosa sentire[3] a' giovani, si misero in via; né guari più d'un miglio furono andate, che alla Valle delle donne pervennero. Dentro alla quale per una via assai stretta, dall'una delle parti della quale correva un chiarissimo fiumicello, entrarono; e viderla tanto bella e tanto dilettevole, e spezialmente in quel tempo che era il caldo grande, quanto più si potesse divisare.[4] E secondo che alcuna di loro poi mi ridisse, il piano che nella valle era, così era ritondo come se a sesta fosse stato fatto, quantunque artificio della natura e non manual paresse,[5] et era di giro poco più che un mezzo

1. **era... brieve**: le novelle della sesta giornata, imperniate su un motto, sono, infatti, le più brevi.
2. **a tavole**: a dadi.
3. **senza... sentire**: senza lasciare trapelare in alcun modo la loro intenzione.
4. **quanto... divisare**: quanto più si potesse immaginare, pensare. È un endecasillabo, e altri potrai trovarne in questa prosa poetica (vedi, ad es., più avanti: *di giro poco più che un mezzo miglio / intorniato di sei montagnette*).
5. **come... paresse**: come se fosse stato disegnato col compasso, quantunque apparisse essere un'opera d'arte fatta dalla natura, non dalla mano dell'uomo.

miglio, intorniato di sei montagnette di non troppo altezza, e in su la sommità di ciascuna si vedeva un palagio quasi in forma fatto d'un bel castelletto. Le piagge delle quali montagnette così digradando giù verso 'l piano discendevano, come ne' teatri veggiamo dalla lor sommità i gradi infino all'infimo venire successivamente ordinati, sempre ristrignendo il cerchio loro.[6] Ed erano queste piagge, quante alla plaga del mezzogiorno ne riguardavano,[7] tutte di vigne, d'ulivi, di mandorli, di ciriegi, di fichi e d'altre maniere assai d'alberi fruttiferi piene, senza spanna perdersene.[8] Quelle le quali il carro di tramontana guardava,[9] tutte eran di boschetti, di querciuoli, di frassini e d'altri alberi verdissimi e ritti, quanto più essere poteano. Il piano appresso, senza aver più entrate che quella donde le donne venute v'erano, era pieno d'abeti, di cipressi, d'allori, e d'alcuni pini sì ben composti e sì bene ordinati, come se qualunque è di ciò il migliore artefice gli avesse piantati: e fra essi poco sole o niente, allora che egli era alto, entrava infino al suolo, il quale era tutto un prato d'erba minutissima e piena di fiori porporini e d'altri. E oltre a questo, quel che non meno che altro di diletto porgeva, era un fiumicello, il qual d'una delle valli che due di quelle montagnette dividea, cadeva giù per balzi di pietra viva,[10] e cadendo faceva un romore ad udire assai dilettevole, e sprizzando pareva da lungi ariento vivo[11] che d'alcuna cosa premuta minutamente sprizzasse; e come giù al piccol pian pervenía, così quivi in un bel canaletto raccolta infino al mezzo del piano velocissima discorreva, e ivi faceva un picciol laghetto, quale talvolta per modo di vivaio fanno ne' lor giardini i cittadini che di ciò hanno destro.[12] Et era questo laghetto non più profondo che sia una statura d'uomo infino al petto lunga; e senza avere in sé mistura alcuna,[13] chiarissimo il suo fondo mostrava esser d'una minutissima ghiaia, la qual tutta, chi altro non avesse avuto a fare, avrebbe, volendo, potuta annoverare.[14] Né solamente nell'acqua riguardando vi si vedeva il fondo, ma tanto pesce in qua e in là andar discorrendo, che oltre al diletto era una maraviglia. Né da altra ripa era chiuso che dal suolo del prato, tanto d'intorno a quel più bello, quanto più dell'umido sentiva di quello.[15] L'acqua la quale alla sua capacità soprabbondava, un altro canaletto riceveva,[16] per lo qual fuori del valloncello uscendo, alle parti più basse sen correva.

In questo adunque venute le giovani donne, poi che per tutto riguardato ebbero e molto commendato il luogo, essendo il caldo grande, e vedendosi il pelaghetto[17] davanti e senza alcun sospetto d'esser vedute, deliberaron di volersi bagnare. E comandato alla lor fante che sopra la via per la quale quivi s'entrava dimorasse, e guardasse se alcun venisse e loro il facesse sentire, tutte e sette si spogliarono et entrarono in esso; il quale non altrimenti li lor corpi candidi nascondeva, che farebbe una vermiglia rosa un sottil vetro.[18] Le quali essendo in quello, né per ciò alcuna turbazion d'acqua nascendone,[19] cominciarono come poterono ad andare in qua e in là dietro a' pesci, i quali male avevan dove nascondersi, e a volerne con esso le mani[20] pigliare. E poi che in così fatta festa, avendone presi alcuni, dimorate furono alquanto, uscite di quello, si rivestirono, e senza poter più commendare il luogo che commendato l'avessero, parendo lor tempo da dover tornar verso casa, con soave passo, molto della bellezza del luogo parlando, in cammino si misero.

6. **Le piagge... il cerchio loro**: I pendii di questi poggi scendevano restringendosi progressivamente come le gradinate (**gradi**) d'un anfiteatro.
7. **quante... riguardavano**: quelle esposte a mezzogiorno.
8. **senza... perdersene**: senza che vi fosse neppure un palmo di terreno incolto.
9. Le parti rivolte a nord. Il *carro* è l'Orsa maggiore.
10. Il fiumicello, forse l'Africo, scorre in una valle che sta fra due di quelle montagne, fra pietre di schietta roccia.
11. **ariento vivo**: mercurio. Più avanti: **minutamente sprizzasse** ti dà l'immagine del frangersi della corrente per minuti rivoli.
12. **destro**: comodità, opportunità.
13. L'acqua, cioè, era limpidissima (la espressione ricorda Dante, *Purg.*, XXVIII, 28-29: è la descrizione del paradiso terrestre). Osserva, in questa descrizione, il realismo puntiglioso dei particolari, che ritrovi anche nei paesaggi più fantasiosi del B., congiunta a una tendenza idealizzante, che riprende un motivo letterario tradizionale e frequente nella retorica medievale; quello del *locus amoenus*, del luogo delizioso, che richiama, appunto, il tema del paradiso terrestre.
14. L'acqua era così limpida che chi avesse voluto avrebbe potuto contare i ciottoli del fondo.
15. In prossimità del laghetto il prato è più rigoglioso, per via dell'umidità.
16. **L'acqua... riceveva**: l'acqua che traboccava dal laghetto era ricevuta da un altro canaletto.
17. **commendato**: lodato. **pelaghetto**: piccolo mare.
18. Con trapasso analogico, quei corpi candidi divengono una rosa vermiglia: l'immagine del fiore allude alla loro fresca bellezza.
19. L'acqua rimane limpida, sebbene agitata dalle donne.
20. **con... mani**: proprio con le mani, con le sole mani.

6. *Dall'introduzione alla quarta giornata: difesa dell'opera*

Con tono gaio e conversevole di novelliere, ma in realtà profondamente impegnato, il Boccaccio si difende qui dai critici malevoli del *Decameron*, enunciando le linee maestre della sua concezione di vita e della sua poetica. Le sue dichiarazioni sono decisamente orientate in senso realistico, sia che egli riaffermi la sua fedeltà alla donna e all'amore, dietro la quale si avverte l'abbandono fiducioso dello scrittore alla natura, e cioè la convinzione di un'intima razionalità del reale, sia che contrapponga alla poesia d'ispirazione libresca (le Muse di Parnaso) quella che nasce dall'osservazione diretta della vita, sia che difenda il proprio stile («umile» per la qualità del mondo rappresentato, secondo i canoni scolastici) affermandone l'intima poeticità ed esprimendo in tal modo la sua volontà d'una rappresentazione totale della realtà fuori degli astratti schemi intellettualistici delle scuole di retorica. E si veda alla fine l'esaltazione umanistica della poesia, concepita come apportatrice d'umanità e di civiltà, contro ogni banale e gretto utilitarismo. Quest'ultima persuasione si verrà sempre più approfondendo nella produzione umanistico-erudita posteriore al *Decameron*.

Sono adunque, discrete donne, stati alcuni che, queste novellette leggendo,[1] hanno detto che voi mi piacete troppo e che onesta cosa non è che io tanto diletto prenda di piacervi e di consolarvi, e alcuni han detto peggio, di commendarvi,[2] come io fo. Altri, più maturamente[3] mostrando di voler dire, hanno detto che alla mia età non sta bene l'andare ormai dietro a queste cose, cioè a ragionar di donne o a compiacer loro. E molti, molto teneri della mia fama mostrandosi, dicono che io farei più saviamente a starmi con le Muse in Parnaso[4] che con queste ciance mescolarmi tra voi. E son di quegli ancora che, più dispettosamente che saviamente parlando, hanno detto che io farei più discretamente[5] a pensare dond'io dovessi aver del pane che dietro a queste frasche[6] andarmi pascendo di vento. [...]

Dicono adunque alquanti de' miei riprenditori che io fo male, o giovani donne, troppo ingegnandomi di piacervi, e che voi troppo piacete a me. Le quali cose io apertissimamente confesso, cioè che voi mi piacete e che io m'ingegno di piacere a voi: e domandogli se di questo essi si maravigliano, riguardando, lasciamo stare l'aver conosciuti gli amorosi basciari e i piacevoli abbracciari che di voi, dolcissime donne, sovente si prendono, ma solamente ad aver veduto e vedere continuamente gli ornati costumi e la vaga bellezza e l'ornata leggiadria e oltre a ciò la vostra donnesca onestà.[7] [...]

Che io con le Muse in Parnaso mi debba stare, affermo che è buon consiglio, ma tuttavia[8] né noi possiamo dimorare con le Muse né esse con essonoi. Se quando avviene che l'uomo da lor si parte, dilettarsi di veder cosa che le somigli, questo non è cosa da biasimare:[9] le Muse son donne, e benché le donne quello che le Muse vagliono non vagliano, pure esse hanno nel primo aspetto simiglianza di quelle, sì che, quando per altro non mi piacessero, per quello mi dovrebber piacere; senza che le donne già mi fur cagione di comporre mille versi,[10] dove le Muse mai non mi furono di farne alcun cagione. Aiutaronmi elle bene, e mostraronmi comporre que' mille; e forse a queste cose scrivere,[11] quantunque siano umilissime, sì sono elle venute parecchie volte a starsi meco, in servigio forse e in onore della somiglianza che le donne hanno ad esse: per che, queste cose tessendo,[12] né dal monte Parnaso né dalle Muse non mi allontano quanto molti per avventura s'avvisano.

Ma che direm noi a coloro che della mia fame hanno tanta compassione che mi consigliano che io procuri del pane? Certo io non so, se non che, volendo meco pensare qual sarebbe la loro risposta se io per bisogno loro ne dimandassi, m'avviso che direbbono: «Va, cercane tra le favole». E già più ne trovarono tra le lor favole i poeti, che molti ricchi tra' lor tesori, e assai già dietro alle lor favole andando, fecero la loro età fiorire, dove in contrario molti nel cercare d'aver più pane che bisogno non era loro, perirono acerbi.[13]

1. **che... leggendo**: Sembra, dunque, che le novelle fossero via via diffuse prima di essere raccolte in opera unitaria.
2. **commendarvi**: lodarvi, esaltarvi.
3. **più maturamente**: in modo più avveduto.
4. **a... Parnaso**: a dedicarmi a poesia più elevata, ad argomenti più seri e svolti con stile più nobile; ad una poesia dottrinale o più vicina ai grandi modelli classici.
5. **farei... discretamente**: agirei in modo più conveniente e avveduto.
6. **frasche**: ciance. La rappresentazione del reale è spesso apparsa agli accademici togati futile e impoetica.
7. C'è, in questo omaggio cavalleresco alla donna, la rivendicazione della validità di quell'ideale di grazia e leggiadria e di adesione cordiale alla natura e agli affetti umani che è diffuso per tutto il *Decameron*.
8. **tuttavia**: sempre, continuamente.
9. **Se... biasimare**: non è cosa da biasimare se l'uomo, quando talvolta (*quando*) si allontana da loro, si diletta di vedere qualcosa che a loro somigli.
10. **versi**: linee, righe, con allusione sia alle opere in poesia sia a quelle in prosa.
11. **a... scrivere**: per guidarmi nello scrivere il *Decameron*.
12. **tessendo**: componendo. Oltre al sentimento della dignità poetica del reale che rappresenta, c'è anche, nel B., la consapevolezza d'avere usato uno stile eletto, che applica genialmente le regole dell'arte del bello scrivere codificate dalla scuola medievale sulle orme dell'insegnamento dei classici. Ricordiamo l'uso del *cursus* e la presenza nella prosa del *Decameron* di numerosi versi, che le danno una diffusa tonalità poetica, la sapiente dosatura stilistica, che muta secondo le situazioni narrative.
13. **acerbi**: immaturi; senza avere attuato pienamente la loro *umanità*.

Ser Ciappelletto

La novella racconta come un uomo tristissimo, ser Cepperello da Prato, inganni, con una falsa confessione in punto di morte, un candido frate, sì da farsi ritenere santo e da essere, dopo morto, ritenuto degno di culto religioso. Tutta la novella è incentrata sulla figura sinistra di Ciappelletto, sull'ipocrisia e falsità di quella confessione, che diviene peraltro un capolavoro d'intelligenza, anche se cinica e perversa. Ciò che interessa al Boccaccio è il giuoco d'intelligenza e astuzia, la dinamica dell'azione umana.

Ragionasi adunque, che essendo Musciatto Franzesi,[1] di ricchissimo e gran mercatante in Francia cavalier divenuto, e dovendone in Toscana venire con messer Carlo Senzaterra,[2] fratello del re di Francia, da papa Bonifazio addomandato e al venir promosso, sentendo egli gli fatti suoi, sì come le più volte son quegli de' mercatanti, molto intralciati in qua e in là, e non potersi di leggiere né subitamente stralciare, pensò quegli commettere[3] a più persone. E

Giornata prima; novella prima.

1. **Musciatto Franzesi**: Un contadino di Firenze divenuto poi gran mercante e affarista alla corte di Filippo il Bello di Francia, e arricchitosi con traffici e usura. Così pure ser Ciappelletto sembra essere persona realmente vissuta. Il B., secondo la poetica medioevale, dà uno sfondo storico alle sue novelle (come si usava nelle raccolte di «esempi» a scopo edificante); qui, però, interessa soprattutto la concretezza con la quale rievoca la vita dei mercanti italiani in terra di Francia, e, in genere, nella società trecentesca.
2. **Carlo Senzaterra**: È Carlo di Valois, mandato poi da papa Bonifazio VIII come paciere in Firenze nel 1301. **al venir promosso**: sollecitato a venire.
3. **stralciare... commettere**: Musciatto, non potendo regolare i suoi affari, o liquidarli immediatamente, li *commette*, cioè li affida a degli agenti.

a tutti trovò modo: fuor solamente il dubbio gli rimase, cui lasciar potesse sofficiente[4] a riscuoter suoi crediti fatti a più Borgognoni. E la cagion del dubbio era il sentire li Borgognoni uomini riottosi e di mala condizione e misleali,[5] e a lui non andava per la memoria chi tanto malvagio uom fosse, in cui egli potesse alcuna fidanza avere che opporre alla loro malvagità si potesse. E sopra questa essaminazione[6] pensando lungamente stato, gli venne a memoria un ser Cepperello da Prato, il qual molto alla sua casa in Parigi si riparava: il quale, per ciò che piccolo di persona era e molto assettatuzzo,[7] non sapiendo li Franceschi che si volesse dire Cepperello, credendo che cappello, cioè ghirlanda[8] secondo il loro volgare, a dir venisse, per ciò che piccolo era come dicemmo, non Ciappello, ma Ciappelletto il chiamavano: e per Ciappelletto era conosciuto per tutto, là dove pochi per ser Cepperello il conoscieno.

Era questo Ciappelletto di questa vita:[9] egli, essendo notaio, aveva grandissima vergogna quando uno de' suoi strumenti[10] (come che pochi ne facesse) fosse altro che falso trovato; de' quali tanti avrebbe fatti di quanti fosse stato richiesto, e quelli più volentieri in dono che alcun altro grandemente salariato.[11] Testimonianze false con sommo diletto diceva, richiesto e non richiesto,[12] e, dandosi a que' tempi in Francia a' saramenti[13] grandissima fede, non curandosi fargli falsi, tante quistioni malvagiamente vincea a quante a giurare di dire il vero sopra la sua fede era chiamato. Aveva oltre modo piacere, e forte vi studiava, in commettere[14] tra amici e parenti e qualunque altra persona, mali e inimicizie e scandali, de' quali quanto maggiori mali vedeva seguire, tanto più d'allegrezza prendea. Invitato ad un omicidio o a qualunque altra rea cosa, senza negarlo mai volonterosamente v'andava; e più volte a fedire[15] e ad uccidere uomini colle propie mani si trovò volentieri. Bestemmiatore di Dio e de' Santi era grandissimo; e per ogni piccola cosa, sì come colui che più che alcun altro era iracundo. A chiesa non usava giammai; e i sacramenti di quella tutti, come vil cosa, con abominevoli parole scherniva: e così in contrario le taverne e gli altri disonesti luoghi visitava volentieri e usavagli. Delle femine era così vago come sono i cani de' bastoni; del contrario più che alcun altro tristo uomo si dilettava. Imbolato avrebbe e rubato con quella conscienza che un santo uomo offerrebbe.[16] Gulosissimo e bevitore grande, tanto che alcuna volta sconciamente gli facea noia: giucatore, e mettitor di malvagi dadi[17] era solenne. Perché non distendo io in tante parole? egli era il piggiore uomo forse che mai nascesse. La cui malizia lungo tempo sostenne la potenzia e lo stato di messer Musciatto, per cui molte volte, e dalle private persone, alle quali assai sovente faceva ingiuria, e dalla corte, a cui tuttavia la facea, fu riguardato.[18]

Venuto adunque questo ser Cepperello nell'animo a messer Musciatto, il quale ottimamente la sua vita conosceva, si pensò il detto messer Musciatto, costui dovere essere tale quale la malvagità de' Borgognoni il richiedea. E perciò, fattolsi chiamare, gli disse così:

— Ser Ciappelletto, come tu sai, io sono per ritrarmi del tutto di qui; e avendo tra gli altri a fare co' Borgognoni, uomini pieni d'inganni, non so cui io mi possa lasciare a riscuotere il mio da loro, più convenevole di te:[19] e perciò, con ciò sia cosa che[20] tu niente facci al presente, ove a questo vogli intendere, io intendo di farti avere il favore della corte,[21] e di donarti quella parte di ciò che tu riscoterai, che convenevole sia.

Ser Ciappelletto, che scioperato[22] si vedea e male agiato delle cose del mondo, e lui ne vedeva andare che suo sostegno e ritegno era lungamente stato, senza niuno indugio, e quasi da necessità costretto, si diliberò, e disse che volea volentieri. Per che, convenutisi insieme, ricevuta ser Ciappelletto la procura e le lettere favorevoli del re,[23] partitosi messer Musciatto, n'andò in Borgogna, dove quasi niuno il conoscea: e quivi, fuor di sua natura, benignamente e mansuetamente cominciò a voler riscuotere, e fare quello per che andato v'era, quasi si riserbasse l'adirarsi al da sezzo.[24] E così faccendo, riparandosi[25] in casa di due fratelli fiorentini, li quali quivi ad usura prestavano, e lui per amor di messer Musciatto onoravano molto, avvenne che egli infermò; al quale i due fratelli fecero prestamente venire medici e fanti che il servissero,

4. **sofficiente**: capace, adatto a.
5. **riottosi... misleali**: litigiosi, di malvagia e immorale indole, sleali. Il periodo fa già presagire l'indole malvagia di Ciappelletto, l'unica persona che Musciatto confidi di poter opporre con successo a quei tristi Borgognoni.
6. **E sopra questa essaminazione**: dopo aver a lungo e ponderatamente esaminato le persone che conosceva per trovare uno capace dell'incarico, gli venne in mente ser Cepperello che spesse volte albergava (**si riparava**) in casa sua a Parigi.
7. **assettatuzzo**: di eleganza affettata.
8. **che cappello, cioè ghirlanda,** ecc.: Cepperello era in realtà diminutivo di Ciapo, deformazione di Jacopo; ma i Francesi (*Franceschi*) pensano che venga da *chapel*, cioè ghirlanda (che allora in italiano era detta anche *cappello*).
9. **Era questo Ciappelletto di questa vita**: È uno dei pochi ritratti del *Decameron*; di solito la figura dei personaggi balza fuori dalle loro azioni. Ma qui il B. ha bisogno del ritratto, perché Ciappelletto, nella falsa confessione, lo rovescerà meticolosamente punto per punto. Ciappelletto appare veramente un genio del male, meticoloso, accurato e gioioso nel compierlo (osserva i *volontieri*, i *con sommo diletto* che punteggiano la descrizione, e gli aggettivi *grande, solenne* e simili con i quali il B. sottolinea la descrizione dei suoi più laidi peccati). La solennità del periodare ampio e disteso, del linguaggio eletto, punteggiato qua e là da guizzi sardonici, è tipico dell'ironia boccaccesca.
10. **strumenti**: atti notarili.
11. **e quelli più volentieri in dono... salariato**: Avrebbe fatto tutti gli atti notarili falsi che poteva gratuitamente, con maggior piacere di quello che avrebbe provato nel farne degli autentici anche se lautamente ricompensati. Ciappelletto è un puro e disinteressato artista della malvagità.
12. **richiesto e non richiesto**: è proprio un'intima vocazione spirituale!
13. **saramenti**: giuramenti.
14. **commettere**: suscitare; **scandali** vuol qui dire ragioni di fiera discordia.
15. **fedire**: ferire.
16. **Imbolato... rubato... offerrebbe**: commesso furti... rapine... offrirebbe in elemosina.
17. **malvagi dadi**: dadi falsi.
18. **La cui malizia,** ecc.: malizia è la disposizione malvagia; il soggetto della frase è *la potenzia e lo stato* (la potenza e la condizione) di Musciatto. La **corte**: la polizia. **tuttavia**: continuamente. **fu riguardato**: fu risparmiato (gli si usò ogni riguardo).
19. **più convenevole di te**: le parole, che sarebbero grave offesa per un uomo onesto, sono dette con piena e trascurata naturalezza fra i due compari.
20. **con ciò sia cosa che**: poiché.
21. **corte**: qui si tratta della corte del re.
22. **scioperato,** ecc.: Ciappelletto si trova disoccupato e in cattive condizioni, sia economiche sia per quel che riguarda la sua reputazione sociale, irreparabilmente compromessa. Inoltre, la partenza di Musciatto lo priva di ogni sostegno e difesa (*ritegno*).
23. **lettere favorevoli del re**: credenziali; evidentemente Musciatto riscuoteva imposte.
24. **al da sezzo**: da ultimo, se le buone maniere non fossero contate.
25. **riparandosi**: essendo ospite.

e ogni cosa opportuna alla sua santà[26] racquistare. Ma ogni aiuto era nullo, per ciò che 'l buono uomo, il quale già era vecchio e disordinatamente vivuto, secondo che i medici dicevano, andava di giorno in giorno di male in peggio, come colui ch'aveva il male della morte; di che li due fratelli si dolevan forte. E un giorno, assai vicini della camera nella quale ser Ciappelletto giaceva infermo, seco medesimi cominciarono a ragionare:

— Che farem noi, diceva l'uno all'altro, di costui? Noi abbiamo dei fatti suoi pessimo partito alle mani,[27] per ciò che il mandarlo fuori di casa nostra così infermo ne sarebbe gran biasimo e segno manifesto di poco senno, veggendo la gente che noi l'avessimo ricevuto prima, e poi fatto servire e medicare così sollecitamente, e ora, senza potere egli aver fatta cosa alcuna che dispiacer ci debba, così subitamente di casa nostra, e infermo a morte, vederlo mandar fuori. D'altra parte, egli è stato sì malvagio uomo, che egli non si vorrà confessare né prendere alcuno sacramento della Chiesa; e, morendo senza confessione, niuna chiesa vorrà il suo corpo ricevere, anzi sarà gittato a' fossi a guisa d'un cane. E, se egli si pur confessa, i peccati suoi son tanti e sì orribili, che il simigliante n'avverrà, per ciò che frate né prete ci sarà che 'l voglia né possa assolvere: per che, non assoluto, anche[28] sarà gittato a' fossi. E se questo avviene,[29] il popolo di questa terra, il quale sì per lo mestier nostro, il quale loro pare iniquissimo e tutto 'l giorno ne dicon male, e sì per la volontà che hanno di rubarci, veggendo ciò, si leverà a romore e griderrà: Questi Lombardi cani, li quali a chiesa non sono voluti ricevere, non ci si vogliono più sostenere;[30] e correrannoci alle case, e per avventura, non solamente l'avere ci ruberanno, ma forse ci torranno, oltre a ciò, le persone. Di che noi in ogni guisa stiam male, se costui muore.

Ser Ciappelletto, il quale, come dicemmo, presso giacea là dove costoro così ragionavano, avendo l'udire sottile, sì come le più volte veggiamo avere gl'infermi, udì ciò che costoro di lui dicevano; li quali egli si fece chiamare, e disse loro:

— Io non voglio che voi di niuna cosa di me dubitiate, né abbiate paura di ricevere per me alcun danno. Io ho inteso ciò che di me ragionato avete, e son certissimo che così n'avverrebbe come voi dite, dove così andasse la bisogna[31] come avvisate: ma ella andrà altramenti. Io ho, vivendo, tante ingiurie fatte a Domenedio che, per farnegli io una ora in su la mia morte, né più né meno ne farà.[32] E perciò procacciate di farmi venire un santo e valente frate, il più che aver potete, se alcun ce n'è, e lasciate fare a me; ché fermamente io acconcerò i fatti vostri e i miei in maniera che starà bene, e che dovrete esser contenti.

I due fratelli, come che molta speranza non prendessono di questo, nondimeno se n'andarono ad una religione[33] di frati, e domandarono alcuno santo e savio uomo che udisse la confessione d'un lombardo che in casa loro era infermo. E fu lor dato un frate antico,[34] di santa e di buona vita, e gran maestro di Iscrittura, e molto venerabile uomo, nel quale tutti i cittadini grandissima e spezial devozione avevano; e lui menarono.

Il quale, giunto nella camera dove ser Ciappelletto giacea, e allato postoglisi a sedere, prima benignamente il cominciò a confortare, e appresso il domandò quanto tempo era che egli altra volta confessato si fosse. Al quale ser Ciappelletto, che mai confessato non s'era, rispose:

— Padre mio,[35] la mia usanza suole essere di confessarmi ogni settimana almeno una volta, senza che assai sono di quelle che io mi confesso più. È il vero che poi ch'io infermai, che sono presso a otto dì, io non mi confessai, tanta è stata la noia che la mia infermità m'ha data.

Disse allora il frate:

— Figliuol mio, bene hai fatto, e così si vuol fare per innanzi; e veggio che poi[36] sì spesso ti confessi, poca fatica avrò d'udire o di domandare.

— Messer lo frate, non dite così! Io non mi confessai mai tante volte né sì spesso, che io sempre non mi volessi confessare generalmente di tutti i miei peccati che io mi ricordassi dal dì ch'io nacqui infino a quello che confessato mi sono. E per ciò vi priego, padre mio buono, che così puntualmente d'ogni cosa mi domandiate come se mai confessato non mi fossi. E non mi riguardate

26. santà: sanità.

27. Noi abbiamo... alle mani: Costui ci ha messo in una situazione sommamente imbarazzante.

28. non assoluto, anche, ecc.: e per questo, non avendo avuto l'assoluzione sarà ugualmente sepolto in terra non consacrata.

29. E se questo avviene, ecc.: I due fratelli temono che il mancato accoglimento di Ciappelletto in terra consacrata sia un pretesto, per gli abitanti di quella città (**terra**), di saccheggiare le loro case. **Lombardi**, spesso con l'aggiunta di *cani*, erano chiamati i mercanti e appaltatori dell'Italia settentrionale (dove un tempo si erano stanziati i Longobardi), Toscana inclusa, che prestavano anche ad usura; di qui l'odio delle popolazioni francesi contro di loro (tanto più che l'usura era colpita da scomunica da parte della Chiesa), che, a volte, si sfogava nella violenza e nel saccheggio.

30. non ci si vogliono più sostenere: non li vogliamo più tollerare qui (*ci*).

31. la bisogna: la faccenda.

32. Io ho, vivendo, tante ingiurie fatte a Domenedio, ecc.: La malvagità di Ciappelletto acquista qui una grandezza epica, soprattutto per il tono pacatissimo e *assettatuzzo*, come la sua persona, del cinico discorso. Non pensa alla morte e al vicino giudizio di Dio; ingiuria più, ingiuria meno, ormai non importa. Non nega Dio, semplicemente non se ne cura: a lui importa soltanto concludere coerentemente la propria vita di malvagio. Ma il raffinato gusto del male che è in lui non s'accontenta di strappare una semplice assoluzione, cosa troppo facile e banale per Ciappelletto. Vuole diventare santo, concludere la sua vita con un capolavoro perfetto.

33. religione: convento.

34. un frate antico: vecchio, ma la parola suscita il senso di una canizie veneranda. E, in genere, la figura del santo frate è piena di semplicità e nobile candore. Se a volte diviene comica, ciò avviene non per sua colpa, ma perché così comporta la situazione, la beffa sottile e perversa di Ciappelletto. Troppo intimamente onesto e pio è il frate perché possa pensare a tale abisso di cinismo e di malvagità in un morente. Come hanno notato i critici, ci sarebbe voluta una persona scaltra e non troppo spiritualmente distante da Ciappelletto per comprendere, da qualche segno appena percettibile, l'astuzia della confessione menzognera.

35. Padre mio, ecc.: Osserva il tono affettuosamente pio. Ciappelletto dà l'impressione di conoscere profondamente la mentalità dei religiosi; comincia con un candore semplice e schietto, con una compunzione che ha tutta l'aria di essere sincera.

36. poi: poiché.

perch'io infermo sia, ché io amo molto meglio di dispiacere a queste mie carni, che, faccendo agio loro,[37] io facessi cosa che potesse essere perdizione della anima mia, la quale il mio Salvatore ricomperò col suo prezioso sangue.

Queste parole piacquero molto al santo uomo, e parvongli argomento[38] di bene disposta mente. E poi che a ser Ciappelletto ebbe molto commendato[39] questa sua usanza, il cominciò a domandare se egli mai lussuria con alcuna femina peccato avesse. Al qual ser Ciappelletto sospirando[40] rispose:

— Padre mio, di questa parte mi vergogno io di dirvene il vero, temendo di non peccare in vanagloria.

Al quale il santo frate disse:

— Di' sicuramente, ché, il ver dicendo, né in confessione né in altro atto si peccò giammai.

Disse allor ser Ciappelletto:

— Poiché voi di questo mi fate sicuro, e io vi dirò: io son così vergine come io usci' dal corpo della mamma mia.

— O benedetto sia tu da Dio! disse il frate; come bene hai fatto! E faccendolo, hai tanto più meritato, quanto, volendo,[41] avevi più d'arbitrio di fare il contrario che non abbiam noi, e qualunque altri son quegli che sotto alcuna regola sono costretti.

E appreso questo, il domandò se nel peccato della gola aveva a Dio dispiaciuto. Al quale, sospirando forte,[42] ser Ciappelletto rispuose di sì, e molte volte, perciò che, con ciò fosse cosa che egli, oltre a' digiuni delle quaresime[43] che nell'anno si fanno dalle divote persone, ogni settimana almeno tre dì fosse uso di digiunare in pane e in acqua, con quello diletto e con quello appetito l'acqua bevuta avea, e spezialmente quando avesse alcuna fatica durata o adorando[44] o andando in pellegrinaggio, che fanno i gran bevitori il vino; e molte volte aveva disiderato d'avere cotali insalatuzze[45] d'erbucce, come le donne fanno quando vanno in villa; e alcuna volta gli era paruto migliore il mangiare che non pareva a lui che dovesse parere a chi digiuna per divozione, come digiunava egli. Al quale il frate disse:

— Figliuol mio, questi peccati sono naturali, e sono assai leggieri; e per ciò io non voglio che tu ne gravi più la conscienzia tua che bisogni. Ad ogni uomo addiviene, quantunque santissimo sia, il parergli, dopo lungo digiuno, buono il manicare,[46] e dopo la fatica il bere.

— Oh, disse ser Ciappelletto, padre mio, non mi dite questo per confortarmi:[47] ben sapete che io so le cose, che al servigio di Dio si fanno, si deono fare tutte nettamente e senza alcuna ruggine[48] d'animo; e chiunque altrimenti le fa, pecca.

Il frate contentissimo disse:

— E io son contento che così ti cappia nell'animo,[49] e piacemi forte la tua pura e buona conscienzia in ciò. Ma, dimmi, in avarizia, hai tu peccato, disiderando più che il convenevole, o tenendo quello che tu tener non dovesti?

Al qual ser Ciappelletto disse:

— Padre mio, io non vorrei che voi guardaste perché io sia in casa di questi usurieri: io non ci ho a far nulla; anzi ci era venuto per dovergli ammonire e gastigare,[50] e torgli da questo abbominevole guadagno: e credo mi sarebbe venuto fatto, se Iddio non m'avesse così visitato.[51] Ma voi dovete sapere che mio padre mi lasciò ricco uomo, del cui avere, come egli fu morto, diedi la maggior parte per Dio;[52] e poi per sostentare la vita mia e per potere aiutare i poveri di Cristo, ho fatte mie picciole mercatantie, e in quelle ho disiderato di guadagnare, e sempre co' poveri di Dio quello che ho guadagnato ho partito per mezzo, l'una metà convertendo ne' miei bisogni, l'altra metà dando loro. E di ciò m'ha sì bene il mio Creatore aiutato, che io ho sempre di bene in meglio fatto i fatti miei.

— Bene hai fatto, disse il frate: ma come ti se' tu spesso[53] adirato?

— Oh, disse ser Ciappelletto, cotesto vi dico io bene che io ho molto spesso fatto. E chi se ne potrebbe tenere, veggendo tutto il dì gli uomini fare le sconce cose, non servare i comandamenti di Dio, non temere i suoi giudìci?

37. che, faccendo agio loro, ecc.: piuttosto che fare cosa che potesse portare a perdizione la mia anima indulgendo a queste mie carni. L'accenno finale a Cristo è veramente perverso su tale bocca, ma, per il frate, che non sa nulla, religiosamente ineccepibile.

38. argomento: prova, indizio.

39. commendato: lodato.

40. sospirando: è un attore consumato. Ma la comicità scaturisce dal fatto che è forse l'unica volta che Ciappelletto dice la verità; e sarebbe verità ripugnante se il frate non la intendesse (ma è Ciappelletto che l'ha messo su questa via) nel modo migliore.

41. quanto, volendo, ecc.: Ciappelletto, dice il frate, ha acquistato un merito maggiore, conservandosi puro, in quanto, se avesse voluto, avrebbe potuto soddisfare i suoi appetiti senza essere trattenuto, come i religiosi, da una regola.

42. sospirando forte: continua Ciappelletto, con accompagnamento di contriti sospiri, a contrapporre alla confessione di peccati che ci attenderemmo, e che sarebbe logico e normale attendersi da chiunque, esempi di santità, pronunciati con un modesto, umilissimo candore.

43. quaresime: periodi di digiuno.

44. adorando: pregando.

45. insalatuzze: sembra ancora, sul letto di morte, provare un brivido di concupiscenza. È un particolare minimo, ma serve a dare una maggior parvenza di sincerità alla confessione, come i sospiri e certi falsi sdegni che vedremo fra poco.

46. manicare: mangiare.

47. non mi dite questo, ecc.: è il capolavoro di Ciappelletto. Lentamente la situazione si capovolgerà: è lui che dà lezioni di santità al buon frate.

48. ruggine: ciò che offusca la limpida disposizione che deve avere l'animo quando si volge al servizio di Dio. Ciappelletto fa qui proprio il vocabolario dei religiosi.

49. così ti cappia nell'animo: che tali siano le tue intime convinzioni.

50. gastigare: rimproverare.

51. così visitato: con la sventura della malattia. Ma è parola del linguaggio usato dai religiosi.

52. per Dio: in elemosina, per amore di Dio.

53. come ti se' tu spesso, ecc.: Quante volte ti sei adirato?

Egli sono state assai volte il dì che io vorrei più tosto essere stato morto che vivo, veggendo i giovani andare dietro alle vanità, e vedendogli giurare e spergiurare, andare alle taverne, non visitare le chiese, e seguir più tosto le vie del mondo che quella di Dio.[54]

Disse allora il frate:

— Figliuol mio, cotesta è buona ira, né io per me te ne saprei penitenzia imporre. Ma, per alcuno caso, avrebbeti l'ira potuto inducere a fare alcuno omicidio o a dire villania a persona, o a fare alcun'altra ingiuria?

A cui ser Ciappelletto rispose:

— Oimè, messere,[55] o, voi mi parete uom di Dio: come dite voi coteste parole? O, s'io avessi avuto pure un pensieruzzo di fare qualunque s'è l'una delle cose che voi dite, credete voi che io creda che Iddio m'avesse tanto sostenuto? Coteste son cose da farle gli scherani[56] e i rei uomini; de' quali qualunque ora io n'ho mai veduto alcuno, sempre ho detto: Va, che Dio ti converta!

Allora disse il frate:

— Or mi di', figliuol mio, che benedetto sia tu da Dio:[57] hai tu mai testimonianza niuna falsa detta contro alcuno, o detto mal d'altrui, o tolte dell'altrui cose senza piacer di colui di cui sono?

— Mai, messere, sì,[58] rispose ser Ciappelletto, che io ho detto male d'altrui; per ciò che io ebbi già un mio vicino che, al maggior torto del mondo, non faceva altro che battere la moglie, sì che io dissi una volta mal di lui alli parenti della moglie, sì gran pietà mi venne di quella cattivella, la quale egli, ogni volta che bevuto avea troppo, conciava come Dio vel dica.

Disse allora il frate:

— Or bene, tu mi di' che se' stato mercatante: ingannasti tu mai persona così come fanno i mercatanti?

— Gnaffe,[59] disse ser Ciappelletto, messer sì; ma io non so chi egli si fu, se non che uno, avendomi recati danari che egli mi dovea dare di panno che io gli avea venduto, e io messogli in una mia cassa senza annoverare, ivi bene ad un mese trovai ch'egli erano quattro piccioli[60] più che essere non doveano: per che, non rivedendo colui, e avendogli serbati bene un anno per rendergliene, io gli diedi per l'amor di Dio.

Disse il frate:

— Cotesta fu piccola cosa, e facesti bene a farne quello che ne facesti.

E, oltre a questo, il domandò il santo frate di molte altre cose, delle quali di tutte rispose a questo modo: e, volendo egli già procedere alla assoluzione, disse ser Ciappelletto:

— Messere, io ho ancora alcun peccato che io non v'ho detto.

Il frate il domandò quale: ed egli disse:

— Io mi ricordo che io feci al fante mio, un sabato dopo nona, spazzare la casa, e non ebbi alla santa domenica quella reverenza che io dovea.

— Oh, disse il frate, figliuol mio, cotesta è legger cosa.

— Non, disse ser Ciappelletto, non dite legger cosa, ché la domenica è troppo da onorare, però che in così fatto dì risuscitò da morte a vita il nostro Signore.

Disse allora il frate:

— O, altro hai tu fatto?

— Messer sì, rispose ser Ciappelletto, ché io, non avvedendomene, sputai una volta nella chiesa di Dio.

Il frate cominciò a sorridere, e disse:

— Figliuol mio, cotesta non è cosa da curarsene: noi che siamo religiosi, tutto il dì vi sputiamo.[61]

Disse allora ser Ciappelletto:

— E voi fate gran villania, per ciò che niuna cosa si convien tener netta come il santo tempio, nel quale si rende sacrificio a Dio.

E in brieve de' così fatti ne gli disse molti; e ultimamente cominciò a sospirare, e appresso a piagner forte, come colui che il sapeva troppo ben fare quando volea. Disse il santo frate:

54. le vie del mondo che quella di Dio: nobilissimo lo sdegno di Ciappelletto, ed espresso, per giunta in un linguaggio evangelico ed ecclesiastico tale da riuscire usuale agli orecchi del frate.

55. Oimè, messere, ecc.: La limpida coscienza di Ser Ciappelletto insorge sdegnata; certe cose, a lui, non si dicono neppure!

56. scherani: malandrini.

57. che benedetto sia tu da Dio: l'ammirazione del frate cresce; comincia la marcia trionfale di Ciappelletto sulla via della santificazione.

58. Mai... sì: sì. Anche qui comincia con una frase di pentimento per finire con una apparentemente ingenua esaltazione di una propria virtù. Opera meritoria è infatti l'avere avuto pietà di quella moglie infelice (**cattivella**).

59. Gnaffe: in fede mia.

60. quattro piccioli: era la moneta fiorentina di minor valore.

61. tutto il dì vi sputiamo: è frase a doppio senso, comica, ma poco felice. Vi si sente una troppo facile ironia anticlericale. Il B. qui dimentica che, se rende gonzo il frate, abbassa l'incisività della figura di Ciappelletto.

— Figliuol mio, che hai tu?

Rispose ser Ciappelletto:

— Oimé, messere, ché un peccato m'è rimaso, del quale io non mi confessai mai, sì gran vergogna ho di doverlo dire: e ogni volta ch'io me ne ricordo, piango come voi vedete, e parmi essere molto certo che Iddio mai non avrà misericordia di me per questo peccato.

Allora il santo frate disse:

— Va via, figliuol, che è ciò che tu di'? Se tutti i peccati che furono mai fatti da tutti gli uomini, o che si debbon fare da tutti gli uomini mentre che il mondo durerà, fosser tutti in uno uom solo ed egli ne fosse pentuto e contrito come io veggio te, si è tanta la benignità e la misericordia di Dio, che, confessandogli egli, gliele perdonerebbe liberamente; e per ciò dillo sicuramente.

Disse allora ser Ciappelletto, sempre piagnendo forte:

— Oimè, padre mio, il mio è troppo gran peccato, e appena posso credere, se i vostri prieghi non ci si adoperano, che egli mi debba mai da Dio esser perdonato.

A cui il frate disse:

— Dillo sicuramente, ché io ti prometto di pregare Iddio per te.

Ser Ciappelletto pur piagnea, e nol dicea; e il frate pur il confortava a dire. Ma, poi che ser Ciappelletto piagnendo ebbe un grandissimo pezzo tenuto il frate così sospeso, ed egli gittò un gran sospiro, e disse:[62]

— Padre mio, poscia che voi mi promettete di pregare Iddio per me, e io il vi dirò: sappiate che, quando io era piccolino, io bestemmiai una volta la mamma mia!

E così detto, ricominciò a piagnere forte. Disse il frate:

— O figliuol mio, or parti questo così grande peccato? O gli uomini bestemmiano tutto 'l giorno Iddio, e sì perdona Egli volentieri a chi si pente d'averlo bestemmiato; e tu non credi che Egli perdoni a te questo? Non piagner, confortati, ché fermamente, se tu fossi stato un di quegli che il posero in croce, avendo la contrizione ch'io ti veggio, sí ti perdonerebbe Egli.

Disse allora ser Ciappelletto:

— Oimè, padre mio, che dite voi? La mamma mia dolce,[63] che mi portò in corpo nove mesi il dì e la notte, e portommi in collo più di cento volte! Troppo feci male a bestemmiarla, e troppo è gran peccato; e se voi non pregate Iddio per me, egli non mi sarà perdonato.

Veggendo il frate non essere altro restato a dire a ser Ciappelletto, gli fece l'assoluzione, e diedegli la sua benedizione, avendolo per santissimo uomo, sì come colui che pienamente credeva esser vero ciò che ser Ciappelletto avea detto. E chi sarebbe colui che nol credesse, veggendo uno uomo in caso di morte confessandosi dir così? E poi, dopo tutto questo, gli disse:

— Ser Ciappelletto, coll'aiuto di Dio, voi sarete tosto sano; ma, se pure avvenisse che Iddio la vostra benedetta e ben disposta anima chiamasse a sé, piacev'egli che 'l vostro corpo sia seppellito al nostro luogo?[64]

Al quale ser Ciappelletto rispose:

— Messer sì; anzi non vorre' io essere altrove, poscia che voi mi avete promesso di pregare Iddio per me: senza che io ho avuta sempre spezial divozione al vostro Ordine. E per ciò vi priego, che come voi al vostro luogo sarete, facciate che a me vegna quel veracissimo Corpo di Cristo, il qual voi la mattina sopra l'altare consecrate; per ciò che (come che io degno non ne sia) io intendo, con la vostra licenzia, di prenderlo, e appresso la santa e ultima unzione, acciò che io, se vivuto son come peccatore, almeno muoia come cristiano.

Il santo uomo disse che molto gli piacea, e che egli dicea bene, e farebbe che di presente[65] gli sarebbe apportato; e così fu.

Li due fratelli, li quali dubitavan forte non ser Ciappelletto gl'ingannasse, s'eran posti appresso ad un tavolato, il quale la camera dove ser Ciappelletto giaceva, divideva da un'altra, e ascoltando, leggermente[66] udivano e intendevano ciò che ser Ciappelletto al frate diceva; e avevano alcuna volta sì gran

62. gittò un gran sospiro, e disse: Ciappelletto tiene il frate a lungo sospeso col suo pianto, poi, finalmente, fra le lacrime confessa un vero peccato, quello di aver ingiuriato (**bestemmiai**) la mamma sua (nota la patetica dolcezza del possessivo). Aggiunge subito un *quando io era piccolino* che sminuisce il peccato e lascia intatta la reputazione di santità, ad ogni modo termina la confessione in modo più convincente che non le trovate un po' sforzate dei *quattro piccioli* e simili.

63. La mamma mia dolce, ecc.: è veramente il tono di un uomo integro, retto; ma è invenzione impudica che offende più d'una bestemmia e rende più sinistra la figura di Ciappelletto.

64. al nostro luogo: nel nostro convento. Il frate ha già fiutato il futuro santo.

65. di presente: subito.

66. leggermente: facilmente.

voglia di ridere, udendo le cose le quali egli confessava d'aver fatte, che quasi scoppiavano e fra sé talora dicevano: — Che uomo è costui[67] il quale né vecchiezza, né infermità, né paura di morte, alla qual si vede vicino, né ancora di Dio, dinanzi al giudicio del quale di qui a picciola ora s'aspetta di dovere essere, dalla sua malvagità l'hanno potuto rimuovere, né far ch'egli così non voglia morire come egli è vivuto? — Ma pur vedendo che sì aveva detto che[68] egli sarebbe a sepoltura ricevuto in chiesa, niente del rimaso si curarono.

Ser Ciapparello poco appresso si comunicò, e peggiorando senza modo, ebbe l'ultima unzione; e poco passato vespro, quel dì stesso che la buona confessione fatta avea, si morì. Per la qual cosa, li due fratelli, ordinato[69] di quello lui medesimo come egli fosse onorevolmente seppellitto, e mandatolo a dire al luogo de' frati e che essi vi venissero la sera a far la vigilia secondo l'usanza, e la mattina per lo corpo, ogni cosa a ciò opportuna disposero.

Il santo frate che confessato l'avea, udendo che egli era trapassato, fu insieme col priore del luogo, e fatto sonare a capitolo,[70] alli frati ragunati in quello mostrò ser Ciappelletto essere stato santo uomo, secondo che per la sua confessione conceputo avea; e sperando per lui Domenedio dover molti miracoli dimostrare, persuadette loro che con grandissima reverenzia e divozione quello corpo si dovesse ricevere. Alla qual cosa il priore e gli altri frati creduli s'accordarono. E la sera, andati tutti là dove il corpo di ser Ciappelletto giaceva, sopr'esso fecero una grande e solenne vigilia; e la mattina, tutti vestiti co' camici e co' pievali,[71] co' libri in mano e con le croci innanzi, cantando, andaron per questo corpo, e con grandissima festa e solennità il recarono alla lor chiesa, seguendo quasi tutto il popolo della città, uomini e donne. E nella chiesa postolo, il santo frate che confessato l'avea, salito in sul pergamo, di lui cominciò, e della sua vita, de' suoi digiuni, della sua virginità, della sua semplicità e innocenzia e santità maravigliose cose a predicare; tra l'altre cose narrando quello che ser Ciappelletto per lo suo maggior peccato piagnendo gli aveva confessato, e come esso appena gli avea potuto mettere nel capo che Iddio gliele dovesse perdonare, da questo volgendosi a riprendere il popolo che ascoltava, dicendo: — E voi, maledetti da Dio, per ogni fuscello di paglia che vi si volge tra' piedi, bestemmiate Iddio e la Madre, e tutta la Corte di Paradiso. — E oltre a queste, molte altre cose disse della sua lealtà e della sua purità: e in brieve con le sue parole, alle quali era dalla gente della contrada data intera fede, sì il mise nel capo e nella divozion di tutti coloro che v'erano, che, poi che fornito fu l'uficio, con la maggior calca del mondo da tutti fu andato a baciargli i piedi e le mani, tutti i panni gli furono indosso stracciati, tenendosi beato chi pure un poco di quegli potesse avere. E convenne che tutto il giorno così fosse tenuto, acciò che da tutti potesse essere veduto e visitato. Poi, la vegnente notte, in una arca di marmo seppellito fu onorevolmente in una cappella, e a mano a mano[72] il dì seguente vi cominciarono le genti ad andare e ad accender lumi e ad adorarlo, e per conseguente a botarsi,[73] e ad appiccarvi le imagini della cera, secondo la promession fatta. E in tanto crebbe la fama della sua santità e divozione a lui, che quasi niuno era, che in alcuna avversità fosse, che ad altro santo che a lui si botasse, e chiamaronlo e chiamano san Ciappelletto: e affermano molti miracoli Iddio aver mostrati per lui e mostrare tutto giorno, a chi divotamente si raccomanda a lui.

67. **Che uomo è costui**, ecc.: nello stupore dei fratelli pare quasi di avvertire quello del B. stesso davanti a questa creatura evocata così potentemente dalla sua fantasia.
68. **sì aveva detto che**: aveva parlato in modo che. Più sotto: **rimaso**: rimanente.
69. **ordinato**, ecc.: avendo ordinato che fosse onorevolmente seppellito usando all'uopo i denari di lui e mandata la notizia della sua morte al convento, e invitatili a partecipare alla veglia funebre, ecc.
70. **fu insieme... a capitolo**: si accordò col priore e fece radunare i frati.
71. **co' camici e co' pievali**: si ha ora l'apoteosi di Ciappelletto. Prima la scena solenne della funebre processione, poi, comicissimo e grottesco, il discorso del frate che esalta il morto come modello di cristiana virtù, infine la gente che straccia i panni di Ciappelletto per ricavarne sante reliquie.
72. **a mano a mano**: subito.
73. **botarsi**: far voti.

ESERCIZIO DI ANALISI

Ser Ciappelletto

1. Fino a che punto la novella di ser Ciappelletto è incentrata su un messaggio ideologico? L'interrogativo nasce dalla lettura dell'introduzione e del commento finale del narratore, Panfilo, il quale, dopo aver solennemente affermato di voler dare inizio al comune novellare (è questa la prima novella della prima giornata) nel nome di Dio, svolge le seguenti considerazioni:

a) le pene e i travagli del vivere (allusione alla peste) rendono necessario il continuo aiuto di Dio, invocato spesso da noi attraverso l'intercessione dei santi, che non possiamo però sapere con certezza se lo siano veramente;

b) può dunque accadere di ricorrere all'intercessione d'uno che è creduto santo («San» Ciappelletto), ma che è, con ogni probabilità, dannato;

c) anche in questo caso, tuttavia, Dio guarda alla purezza di intenzioni di chi lo invoca; possiamo dunque rivolgerci fiduciosamente a lui.

Vien fatto di chiedersi se queste considerazioni emergano spontaneamente dal racconto, o non siano piuttosto una «morale» aggiunta dall'esterno.

In effetti l'interesse maggiore della novella appare incentrato sulla sacrilega beffa giuocata da ser Ciappelletto al buon frate, preda del cinico interlocutore non per dabbenaggine, ma per la sua onesta buona fede. Riprovevole, se mai, è, alla fine della novella, la fretta con cui vuol donare al convento un nuovo santo; e qui solamente s'avverte l'ironia sorniona e, in fondo, polemica del narratore.

La «morale» non resta tuttavia isolata. In questa prima giornata cinque delle dieci novelle sono tematicamente connesse con la pratica religiosa del tempo. C'è un Giudeo che, dopo aver visto, a Roma, la sfrenata corruzione del clero, si converte al Cristianesimo, convinto che altissima dev'essere la santità di questa religione, se essa può continuare a vivere e a diffondersi pur essendo a tal punto tradita (nov. 2); viene ripudiata ogni forma di intolleranza religiosa in nome del primato della purezza del cuore del credente sul contenuto dogmatico d'una fede (nov. 3); vengono satireggiati sia il cedere dei monaci ai peccati della «carne», nonostante il loro tuonare contro di essi dal pulpito (nov. 4), sia la loro ipocrisia (nov. 6).

2. La polemica non riguarda l'aspetto teologico e dogmatico del Cristianesimo, ma quelli che al Boccaccio appaiono aspetti irrazionali del costume e della mentalità religiosa del suo tempo: le santificazioni troppo disinvolte, il feticismo delle reliquie, le incoerenze negli atteggiamenti del clero, l'acquiescenza supina delle moltitudini, avvezze a un culto non privo di forme superstiziose e vagamente idolatriche (senza che peraltro l'autore ne affronti le motivazioni etiche, politiche e sociali), il dispregio e la condanna della «carne», cioè degli istinti naturali dell'uomo. L'appello all'intelligenza, l'avversione alle forme astrattamente rigoristiche nel campo morale, la satira contro il clero corrotto non nascono, però, da un'esigenza di religiosità più autentica; denotano piuttosto la volontà d'una considerazione dell'uomo e del suo mondo condotta con mentalità laica, intesa alla ricerca d'una nuova moralità, fondata su un razionale equilibrio fra natura e spirito, intelletto e sensibilità.

La «morale» proposta per la novella trova dunque piena giustificazione non tanto in essa, ma nel contesto di tutta l'opera; rappresenta un momento di liberazione da quelle concezioni che il Boccaccio considera come impedimenti all'osservazione realistica e comprensiva della vita e della complessa psicologia dell'uomo, che è il suo fondamentale interesse di narratore.

In questa novella, infatti, l'attenzione verte sulla psicologia dei due interlocutori, che si costruiscono, come i personaggi teatrali, attraverso il dialogo. Al dignitoso e coerente candore del frate si contrappone la perversità di Ciappelletto, abile non solo e non tanto nel mentire, quanto nell'appropriarsi del linguaggio dell'altro («amo meglio dispiacere *a questa mia carne*...»; «le cose che al servigio di Dio si fanno... si deono fare *senza ruggine d'animo*»; «se Iddio non m'avesse così *visitato*», ecc.). Tutto il discorso di Ciappelletto è il rovesciamento dissimulato del codice linguistico del religioso, compiuto attraverso la simulata assunzione di esso. Il linguaggio come segno e comunicazione fra gli uomini, come eloquenza e forza di persuasione diviene così uno dei protagonisti della novella.

3. Il realismo del Boccaccio lo induce, d'altra parte, a storicizzare quello che altrimenti sarebbe un *exemplum* o narrazione esemplare d'un vizio (o d'una virtù) secondo un modello assai diffuso nella prosa narrativa dei primi secoli. La vicenda è ambientata in una società reale, quella «mercantile» dei primi del Trecento: Musciatto Franzesi, i Lombardi che prestano a usura, esposti di continuo alla rivolta popolare (si ricordi il timore dei due di essere aggrediti, rapinati, uccisi). L'azione di Ciappelletto va situata in questo mondo dominato dalla legge economica, dalla sua logica fredda e spietata, dove anche la parola può divenire merce di scambio.

Il «messaggio» della novella non consiste dunque nella «morale» aggiunta da Panfilo. Questa è, se mai, funzionale alla rappresentazione spregiudicata della difficile vita dell'individuo nella società, dell'energia e dell'intelligenza che gli sono necessarie contro il «caso», la «fortuna», le asprezze e i pericoli della vita associata, soprattutto nell'età «precapitalistica» che l'autore rappresenta, così avversa alle tradizionali virtù cristiane.

In questa stessa giornata, oltre alle cinque novelle connesse a una tematica religiosa, ne troviamo quattro rivolte alla satira contro i principi. Tutte insieme esse riflettono la consapevolezza del Boccaccio d'una crisi generale di valori, sotto la spinta delle trasformazioni economiche, politiche, sociali, ideologiche che investe la società del suo tempo. Lo sguardo critico e attento, libero da preconcetti e pregiudizi con cui il Boccaccio si sforza di scrutare la vicenda dell'uomo è, insieme, prodotto e ricerca di superamento di questa crisi.

Melchisedec e il Saladino

Il nucleo centrale della novella, cioè l'apologo del savio ebreo, non è originale, ma ricorre in molte raccolte di esempi medioevali. Del Boccaccio, è il tono signorile del colloquio, il culto dell'intelligenza e della saviezza armonica dell'uomo che conosce la vita e riesce a districarsi dalle sue complesse e difficili situazioni. I due personaggi hanno scarso rilievo; l'autore concentra il suo interesse sulla gara di quei due ingegni fini e aristocratici, pieni di decoro e di affabile liberalità. Altro tema, legato a quello dell'intelligenza, è quello della tolleranza religiosa, che si risolve in un invito a valutare il valore effettivo dell'uomo fuori da ogni preclusione nata da fanatismo ideologico.

Il Saladino,[1] il valore del qual fu tanto che non solamente di piccolo uomo il fé di Babillonia soldano, ma ancora molte vittorie sopra li re saracini e cristiani gli fece avere, avendo in diverse guerre, e in grandissime sue magnificenze,[2] speso tutto il suo tesoro, e, per alcuno accidente sopravenutogli, bisognandogli una buona quantità di danari, né veggendo donde così prestamente, come gli bisognavano, avergli potesse, gli venne a memoria un ricco giudeo, il cui nome era Melchisedech, il quale prestava ad usura in Alessandria,[3] e pensossi costui avere da poterlo servire,[4] quando volesse. Ma sì era avaro che di sua volontà non l'avrebbe mai fatto, e forza non gli voleva fare.[5] Per che, strignendolo il bisogno, rivoltosi tutto a dover trovar modo come il giudeo il servisse, s'avvisò, di fargli una forza da alcuna ragion colorata. E fattolsi chiamare, e familiarmente[6] ricevutolo, seco il fece sedere, e appresso gli disse:

— Valente uomo, io ho da più persone inteso che tu se' savissimo, e nelle cose di Dio senti molto avanti,[7] e per ciò io saprei volentieri da te, quale delle tre leggi[8] tu reputi la verace: o la giudaica, o la saracina o la cristiana.

Il giudeo, il quale veramente era savio uomo, s'avvisò troppo bene che il Saladino guardava di pigliarlo nelle parole, per dovergli muovere alcuna quistione,[9] e pensò non potere alcuna di queste tre più l'una che l'altre lodare, che il Saladino non avesse la sua intenzione.[10] Per che, come colui il qual pareva d'aver bisogno di risposta per la quale preso non potesse essere,[11] aguzzato lo 'ngegno, gli venne prestamente avanti quello che dir dovesse; e disse:

— Signor mio, la quistione la qual voi mi fate è bella, e a volervene dire ciò che io ne sento,[12] mi vi convien dire una novelletta, qual voi udirete. Se io non erro, io mi ricordo aver molte volte udito dire che un grande uomo e ricco fu già, il quale, intra l'altre gioie più care che nel suo tesoro avesse, era[13] uno anello bellissimo e prezioso; al quale per lo suo valore e per la sua bellezza volendo fare onore,[14] e in perpetuo lasciarlo ne'[15] suoi discendenti, ordinò che colui de' suoi figliuoli appo il quale, sì come lasciatogli da lui, fosse questo anello trovato, che colui s'intendesse essere il suo erede,[16] e dovesse da tutti gli altri essere, come maggiore, onorato e riverito. E colui al quale da costui fu lasciato, tenne simigliante ordine ne' suoi discendenti, e così fece come fatto avea il suo predecessore. E in brieve andò questo anello di mano in mano a molti successori; e ultimamente pervenne alle mani ad uno, il quale avea tre figliuoli belli e virtuosi, e molto al padre loro obedienti; per la qual cosa tutti e tre parimente gli amava. E i giovani, li quali la consuetudine dello anello sapevano, sì come vaghi d'essere ciascuno il più onorato tra' suoi, ciascuno per sé, come meglio sapeva, pregava il padre, il quale era già vecchio, che, quando a morte venisse, a lui quello anello lasciasse. Il valente uomo, che parimenti tutti gli amava, né sapeva esso medesimo eleggere[17] a qual più tosto lasciar lo volesse, pensò, avendolo a ciascuno promesso, di volergli tutti e tre sodisfare: e segretamente ad un buono maestro[18] ne fece fare due altri, li quali sì furono simiglianti al primiero,[19] che esso medesimo che fatti gli avea fare, appena conosceva qual si fosse il vero. E venendo a morte, segretamente diede il suo a ciascuno de' figliuoli. Li quali, dopo la morte del padre, volendo ciascuno la eredità e l'onore occupare, e l'uno negandolo all'altro, in testimonianza di dover ciò ragionevolmente fare, ciascuno produsse fuori il suo anello; e trovatisi gli anelli sì simili l'uno all'altro, che qual di costoro fosse il vero non si sapeva conoscere, si rimase la quistione, qual fosse il vero erede del padre, in pendente, e ancor pende.[20] E così vi dico, signor mio, delle tre leggi alli tre popoli date da Dio Padre, delle quali la quistion proponeste:[21] ciascuno la sua eredità, la sua vera legge, e i suoi comandamenti dirittamente si crede avere e fare; ma chi se l'abbia,[22] come degli anelli, ancora ne pende la quistione.

Il Saladino conobbe costui ottimamente essere saputo uscire dal laccio il quale davanti a' piedi teso gli aveva: e per ciò dispose d'aprirgli il suo bisogno, e vedere se servire il volesse; e così fece, aprendogli[23] ciò che in animo avesse avuto di fare, se così discretamente,[24] come fatto avea, non gli avesse risposto.

Giornata prima; novella terza.

1. **Saladino**: Salah ed-din (1137-1193) riconquistò Gerusalemme (1187), già conquistata dai Cristiani al termine della prima Crociata, e fu sultano del Cairo (Babilonia). Fu molto ammirato in Occidente per le sue qualità di grande sovrano e di uomo saggio.
2. **grandissime sue magnificenze**: la liberalità, unita alla prodezza guerriera, fa del Saladino una nobile figura cavalleresca.
3. **Alessandria**: Alessandria d'Egitto.
4. **da poterlo servire**: pensò che costui, se voleva, poteva procurargli il denaro.
5. **forza non gli voleva fare**: la preoccupazione rivela il signorile costume del Saladino, anche se, proseguendo il racconto, esso ci appare più formale che sostanziale, almeno nel proposito di fargli una *forza da alcuna ragion colorata* (usargli cioè violenza, ma che abbia parvenza di ragione o giustizia). Ma il trionfo della *gentilezza* si ha alla fine, quando il Saladino, affascinato dall'intelligenza e saviezza di Melchisedec, si pente della tentazione *villana* e lo onora come richiede *cortesia*. Allo stesso modo, Melchisedec depone la sua avarizia e diviene, anch'egli secondo le leggi della *cortesia*, munifico e liberale.
6. **familiarmente**: confidenzialmente.
7. **senti molto avanti**: sei sapientissimo nelle questioni religiose.
8. **leggi**: religioni. La domanda è assai insidiosa: si ricordi che il Saladino è musulmano.
9. **guardava di pigliarlo... quistione**: cercava di coglierlo in fallo nelle parole, cioè di fargli pronunciare parole imprudenti, per poi intentargli qualche accusa e averlo, in tal modo, in sua balìa.
10. **e pensò non potere... intenzione**: pensò che non poteva lodare alcuna di queste tre religioni senza consentire al Saladino di raggiungere il suo intento.
11. **Per che, come... essere**: per questo, poiché sentiva d'aver bisogno di una risposta che non lo mettesse nei guai.
12. **ne sento**: ne penso.
13. **era**: frequenti sono in questa novella le fratture sintattiche o *anacoluti*, che rendono a volte impacciato il discorso. Qui puoi sostituire ad *era, aveva*.
14. **volendo fare onore**: è proprio della concezione cavalleresca questo onore, riconoscere cioè il pregio non solo della persona ma anche delle cose belle ed eccellenti.
15. **ne'**: ai. Ma la preposizione usata dal B. dà il senso di una presenza viva e attiva, si direbbe, del mirabile oggetto degno d'onore.
16. **che colui... suo erede**: che fosse considerato erede e capo della famiglia quello dei suoi figliuoli presso il quale fosse trovato l'anello da lui lasciatogli.
17. **eleggere**: scegliere.
18. **buono maestro**: valente artigiano. In questo caso, è un orefice.
19. **primiero**: primo.
20. **si rimase... in pendente, e ancor pende**: rimase, ed è ancora, irrisolta.
21. **delle quali... proponeste**: intorno alle quali mi avete proposta la questione. Melchisedec, però, affermando che le tre religioni vengono da Dio, le considera tutte e tre ugualmente degne d'onore, e con questo supera la domanda insidiosa.
22. **chi se l'abbia**: sottintendi: la sua eredità e la sua vera legge. La questione, viene a dire Melchisedec, è in sospeso e non sta a me giudicarla.
23. **aprendogli**: rivelandogli.
24. **discretamente**: saggiamente.

Il giudeo liberamente d'ogni quantità[25] che il Saladino il richiese il servì; e il Saladino poi interamente il soddisfece:[26] e oltre a ciò gli donò grandissimi doni, e sempre per suo amico l'ebbe, e in grande e onorevole stato appreso di sé il mantenne.

25. quantità: di danaro.
26. il soddisfece: gli restituì la somma.

Andreuccio da Perugia

La novella d'Andreuccio da Perugia è una grande novella d'avventure.

Protagonista di essa è, come ha detto il Croce, il Caso, con la sua bizzarria e il suo imprevisto, che, nel giro di una notte, fa di Andreuccio «un ingannato e un ingannatore, un derubato e un derubante, un mercante che va a comprare cavalli e un ladro che invece si arricchisce di gemme; e col condurlo a un precipizio gli salva la vita; col metterlo a rischio di morte imminente gli ridà il danaro perduto».

Ma il Caso e l'avventura, nel Boccaccio, non divengono pura favola, bensì si rivestono di particolari realistici, concreti, sono immersi in una realtà storica definita. Infine, da essi emerge la figura dell'uomo, studiato nella sua psicologia, colta attraverso l'azione, nel suo reagire al molteplice e multiforme atteggiarsi delle situazioni della vita.

In questa novella, infatti, lo sfondo della Napoli trecentesca si delinea con una concretezza che appare fondata su precisi ricordi dello scrittore, e la vicenda si svolge in quell'ambiente pittoresco della malavita napoletana, che di per se stesso sembra creare l'atmosfera di continuo imprevisto, di un fantasmagorico succedersi di avventure.

Andreuccio acquista dall'azione un carattere e una coerenza; è un personaggio dinamico, che gli avvenimenti plasmano e modificano. Ingenuo e balordo inizialmente, via via si scaltrisce fino a conseguire una sorta di dominio sugli eventi, ad apprendere quell'astuzia, quella prontezza ed energia nell'affrontare le complesse e sempre imprevedibili situazioni della vita, che costituiscono per il Boccaccio una virtù necessaria.

L'interesse dello scrittore è tutto rivolto all'avventura, all'azione; a coglierne e a rappresentarne il ritmo complesso e sempre nuovo, senza dare alcun giudizio morale sui personaggi, e sulle vicende, alcune delle quali sono macabre e turpi. Il suo è, come ha detto un romanziere moderno, Alberto Moravia, un «togliere dal mondo il colore unico e bruno della normalità e riconoscerne la sconfinata ricchezza e varietà».

Fu, secondo che io già intesi, in Perugia un giovane, il cui nome era Andreuccio di Pietro, cozzone[1] di cavalli: il quale, avendo inteso che a Napoli era buon mercato di cavalli,[2] messisi in borsa cinquecento fiorin d'oro, non essendo mai più[3] fuor di casa stato, con altri mercatanti là se n'andò: dove giunto una domenica sera in sul vespro, dall'oste suo informato, la seguente mattina fu in sul Mercato e molti ne vide, e assai ne gli piacquero, e di più e più mercato tenne[4] né di niuno potendosi accordare, per mostrare che per comperar fosse, sì come rozzo e poco cauto,[5] più volte in presenza di chi andava e di chi veniva trasse fuori questa sua borsa de' fiorini che aveva. E in questi trattati[6] stando, avendo esso la sua borsa mostrata, avvenne che una giovane ciciliana[7] bellissima, ma disposta per piccol pregio[8] a compiacere a qualunque uomo, senza vederla egli, passò appresso di lui e la sua borsa vide; e subito seco disse: — Chi starebbe meglio di me[9] se quegli denari fosser miei? — e passò oltre. Era con questa giovane una vecchia similmente ciciliana, la quale, come vide Andreuccio, lasciata oltre la giovane andare, affettuosamente corse ad abbracciarlo: il che la giovane veggendo, senza dire alcuna cosa, da una delle parti la cominciò ad attendere.[10] Andreuccio, alla vecchia rivoltosi e conosciutala, le fece gran festa; e promettendogli essa di venire a lui all'albergo, senza quivi tenere troppo lungo sermone, si partì, e Andreuccio si tornò a mercatare, ma niente comperò la mattina.

La giovane, che prima la borsa d'Andreuccio e poi la contezza[11] della sua vecchia con lui aveva veduta, per tentare se modo alcuno trovar potesse a dovere aver quelli denari, o tutti o parte, cautamente incominciò a domandare chi colui fosse, e donde, e che quivi facesse, e come il conoscesse. La quale[12] ogni cosa così particularmente de' fatti d'Andreuccio le disse, come avrebbe per poco[13] detto egli stesso, sì come colei che lungamente in Cicilia col padre di lui, e poi a Perugia dimorata era; e similmente le contò dove tornasse[14] e perché venuto fosse.

La giovane, pienamente informata e del parentado di lui e de' nomi, al suo appetito fornire con una sottil malizia, sopra questo fondò la sua intenzione.[15] E a casa tornatasi, mise la vecchia in faccenda per tutto il giorno, acciò che ad Andreuccio non potesse tornare; e presa una sua fanticella, la quale essa assai bene a così fatti servigi aveva ammaestrata, in sul vespro la mandò allo albergo dove Andreuccio tornava. La qual quivi venuta, per ventura lui medesimo e

Giornata seconda; novella quinta.

1. cozzone: sensale.
2. che a Napoli era buon mercato, ecc.: il commercio di cavalli era, nel Trecento, veramente fiorente, in questa città. Altri particolari storici della novella sono la scarsa sicurezza pubblica della Napoli d'allora, il fatto che nella malfamata via Malpertugio abitasse un Francesco Buttafuoco, siciliano e una madonna Flora, siciliana, molto simili ai personaggi ricordati dal B., e, in genere, la topografia e i costumi. Fra queste linee reali si svolge però la vicenda tutta fantastica della novella.
3. mai più: mai. È importante il particolare che questo sia il primo viaggio di Andreuccio: serve a spiegare la sua inesperienza e ingenuità.
4. e di più... tenne: entrò in trattative per l'acquisto di parecchi cavalli.
5. sì come rozzo e poco cauto: altro particolare importante per lo svolgimento della novella. Quell'ostentare il proprio denaro per farsi prendere sul serio fa un po' pensare a Calandrino.
6. trattati: trattative.
7. ciciliana: siciliana. E *Cicilia* era detta la Sicilia.
8. ma disposta per piccol pregio, ecc.: era una prostituta. **Pregio** significa prezzo.
9. Chi starebbe meglio di me, ecc.: Nota la scattante avidità della donna.
10. da una... attendere: cominciò ad osservarla stando in disparte. E intanto macchina la truffa ingegnosa.
11. contezza: famigliarità che nasce dalla conoscenza.
12. La quale: la vecchia.
13. per poco: quasi.
14. dove tornasse: dove albergasse.
15. al suo appetito... intenzione: per soddisfare la sua cupidigia, con una malizia sottile, fondò su questo (cioè sulle informazioni avute dalla vecchia) il suo piano (**intenzione**).

solo trovò in su la porta, e di lui stesso il domandò.[16] Alla quale dicendole egli che era desso, essa, tiratolo da parte, disse:

— Messer, una gentil donna di questa terra,[17] quando vi piacesse, vi parleria volentieri.

Il quale udendola, tutto postosi mente, e parendogli essere un bel fante della persona,[18] s'avvisò questa donna dover essere di lui innamorata, quasi altro bel giovane che egli non si trovasse allora in Napoli; e prestamente rispose ch'era apparecchiato,[19] e domandolla dove e quando questa donna parlar gli volesse. A cui la fanticella rispose:

— Messere, quando di venir vi piaccia, ella v'attende in casa sua.

Andreuccio presto, senza alcuna cosa dire[20] nell'albergo, disse:

— Or via, mettiti avanti, io ti verrò appresso — Laonde la fanticella a casa di costei il condusse; la quale dimorava in una contrada chiamata Malpertugio,[21] la quale quanto sia onesta contrada il nome medesimo il dimostra. Ma esso, niente di ciò sappiendo né suspicando,[22] credendosi in uno onestissimo luogo andare e a una cara[23] donna, liberamente, andata la fanticella avanti, se n'entrò nella sua casa; e salendo su per le scale, avendo la fanticella già la sua donna chiamata e detto: «Ecco Andreuccio»,[24] la vide in capo della scala farsi ad aspettarlo. Ella era ancora assai giovane, di persona grande e con bellissimo viso, vestita e ornata assai orrevolmente.[25] Alla quale come Andreuccio fu presso, essa incòntrogli da tre gradi discese con le braccia aperte, e avvinghiatogli il collo, alquanto stette senza alcuna cosa dire, quasi da soperchia tenerezza impedita: poi lagrimando gli basciò la fronte,[26] e con voce alquanto rotta disse:

— O Andreuccio mio, tu sii il benvenuto.

Esso, maravigliandosi di così tenere carezze, tutto stupefatto rispose:

— Madonna, voi siate la ben trovata.

Ella appresso, per la mano presolo, suso nella sua sala il menò, e di quella, senza alcuna altra cosa parlare, con lui nella sua camera se n'entrò,[27] la quale di rose, di fiori d'aranci e d'altri odori tutta oliva,[28] là dove egli un bellissimo letto incortinato,[29] e molte robe su per le stanghe,[30] secondo il costume di là, e altri assai belli e ricchi arnesi vide. Per le quali cose, sì come nuovo,[31] fermamente credette lei dovere essere non men che gran donna. E postisi a sedere insieme sopra una cassa che a piè del suo letto era, così gli cominciò a parlare:

— Andreuccio, io sono molto certa che tu ti maravigli e delle carezze le quali io ti fo, e delle mie lagrime, sì come colui che[32] non mi conosci, e per avventura mai ricordar non mi udisti. Ma tu udirai tosto cosa la qual più ti farà forse maravigliare, sì come è[33] che io sia tua sorella. E dicoti che, poi che Iddio m'ha fatta[34] tanta grazia che io anzi la mia morte ho veduto alcuno de' miei fratelli (come che io desideri di vedervi tutti), io non morrò a quella ora, che io consolata non muoia:[35] e se tu forse questo mai più[36] non udisti, io te 'l vo' dire. Pietro, mio padre e tuo, come io credo che tu abbi potuto sapere, dimorò lungamente in Palermo, e per la sua bontà e piacevolezza vi fu ed è ancora da quegli che il conobbero amato assai. Ma tra gli altri che molto l'amarono, mia madre, che gentil donna fu e allora era vedova, fu quella che più l'amò: tanto che, posta giù la paura del padre e de' fratelli e il suo onore, in tal guisa con lui si dimesticò, che io ne nacqui, e sonne[37] qual tu mi vedi. Poi sopravenuta cagione a Pietro di partirsi di Palermo e tornare in Perugia, me colla mia madre piccola fanciulla lasciò, né mai, per quello che io sentissi, più né di me né di lei si ricordò: di che io, se mio padre stato non fosse, forte il riprenderei, avendo riguardo alla ingratitudine di lui verso mia madre mostrata (lasciamo stare allo amore che a me, come a sua figliuola, non nata d'una fante né di vil femina, dovea portare), la quale le sue cose e sé parimente, senza sapere altrimenti[38] chi egli si fosse, da fedelissimo amore mossa, rimise nelle sue mani. Ma che è? le cose mal fatte e di gran tempo passate sono troppo più agevoli a riprendere che ad emendare: la cosa andò pur così.[39] Egli mi lasciò piccola fanciulla in Palermo, dove, cresciuta quasi com'io mi sono, mia madre, che ricca donna era, mi diede per moglie ad uno da

16. di lui stesso il domandò: gli chiese di Andreuccio.
17. terra: città.
18. tutto... persona: si considera tutto da capo a piedi e gli sembra di essere proprio un bel ragazzo. Veramente, come dice il Moravia, il personaggio di Andreuccio è tutto nell'azione e da essa trae un carattere. Il B. non indugia in descrizioni del personaggio, ma, soprattutto in questa prima parte della novella, sottolinea qua e là sobriamente quei tratti che sono necessari alla logica concatenazione dei fatti: l'ingenuità e l'inesperienza di Andreuccio, la sua vanità che lo spinge all'avventura galante senza prudenza alcuna.
19. prestamente... apparecchiato: subito dice d'essere pronto, timoroso di lasciar scappare la buona occasione.
20. presto, senza alcuna cosa dire, ecc.: ancora un avverbio che denota la sua sciocca impazienza e poi uno di quei particolari discreti ma necessari in questa novella di avventure imprevedibili, svolte però dal B. su di una rigorosa trama realistica e razionale: non dice a nessuno dove va, e così si priva di ogni possibilità di soccorso, o almeno di consiglio da parte degli esperti.
21. Malpertugio: la contrada era così chiamata per un'apertura praticata nelle mura onde consentire di giungere più speditamente al porto. Ma, nota il B., quel prefisso *mal* avrebbe dovuto mettere in guardia il giovane.
22. suspicando: sospettando.
23. cara: dabbene. Non aveva alcuna ragione di pensare che si trattasse di una gentildonna, è la sua stolida vanità che glielo fa credere, e perciò va senza sospetto (*liberamente*).
24. Ecco Andreuccio: la spontaneità con la quale viene pronunciando il suo nome lo fa sentire veramente atteso; già Andreuccio sogna la grande conquista.
25. orrevolmente: con onestà e decoro.
26. gli basciò la fronte, ecc.: il casto bacio, la tenerezza affettuosa, l'emozione della magnifica creatura lasciano Andreuccio conquistato e stupefatto.
27. con lui... se n'entrò: la donna eccita il desiderio di Andreuccio, trattandolo con intimità affettuosa, ed egli aspetta che ella parli come trasognato, senza pensare a chiedere spiegazioni, solo aspettando la bella avventura. La donna, poi, dirà di essere sua sorella, ma intanto, quell'aria di seduzione che è nella sua persona e in quella camera elegante e profumata ha come addormentato ogni senso critico di Andreuccio.
28. oliva: olezzava.
29. letto incorniciato: con cortine; quindi un letto di lusso.
30. molte robe... stanghe: molte vesti appese a pertiche di legno (non usavano gli armadi).
31. sì come nuovo: ingenuo e inesperto qual era.
32. sì come... conosci: dato che tu non mi conosci.
33. sì come è, ecc.: cioè che sono tua sorella. Al primo, subentra un secondo stupore, una nuova avventura diversa da quella sognata, ma pur sempre avvincente.
34. poi che Iddio m'ha fatta, ecc.: Soprattutto quando ricorda il padre, il discorso della donna è nobile ed elevato, tale da destare ammirazione.
35. io... non muoia: in qualunque ora morirò, morirò contenta.
36. mai più: mai.
37. e sonne, ecc.: e sono, io che tu vedi davanti a te, sua figlia.
38. altrimenti: affatto.
39. la cosa andò pur così: facile emendare le colpe passate, ma ormai impossibile

Gergenti,[40] gentile uomo e da bene, il quale, per amor di mia madre e di me, tornò a stare[41] in Palermo. E quivi, come colui che è molto guelfo, cominciò ad avere alcuno trattato col nostro re Carlo; il quale, sentito dal re Federigo prima che dare gli si potesse effetto, fu cagione di farci fuggire di Cicilia quando io aspettava essere la maggior cavaleressa[42] che mai in quella isola fosse. Donde, prese quelle poche cose che prender potemmo (poche dico per rispetto alle molte le quali avavamo), lasciate le terre e li palazzi, in questa terra ne rifuggimmo; dove il re Carlo verso di noi trovammo sì grato che, ristoratici in parte li danni li quali per lui ricevuti avavamo, e possessioni e case ci ha date; e dà continuamente al mio marito, e tuo cognato che è, buona provisione,[43] sì come tu potrai ancor vedere. E in questa maniera son qui, dove io, la buona mercé di Dio e non tua,[44] fratel mio dolce, ti veggio.

E così detto, da capo il rabbracciò, e ancora teneramente lagrimando gli basciò la fronte.

Andreuccio, udendo questa favola così ordinatamente, così compostamente[45] detta da costei, alla quale in niuno atto[46] moriva la parola tra' denti, né balbettava la lingua; e ricordandosi esser vero che il padre era stato in Palermo, e per sé medesimo[47] de' giovani conoscendo i costumi, che volentieri amano nella giovanezza; e veggendo la tenere lagrime, gli abbracciari e gli onesti basci; ebbe ciò che ella diceva più che per vero: e poscia che ella tacque, le rispose:

— Madonna, egli non vi dee parer gran cosa se io mi meraviglio; per ciò che nel vero,[48], o che mio padre, per che che egli se 'l facesse,[49] di vostra madre e di voi non ragionasse giammai; o che, se egli ne ragionò, a mia notizia venuto non sia; io per me niuna conoscenza aveva di voi, se non come se non foste. Ed èmmi[50] tanto più caro l'avervi qui mia sorella trovata, quanto io ci sono più solo e meno questo sperava. E nel vero io non conosco uomo di sì alto affare al quale voi non doveste esser cara, non che a me che un picciol mercatante sono. Ma d'una cosa vi priego mi facciate chiaro: come sapeste voi che io qui fossi?

Al quale ella rispose:

— Questa mattina me 'l fé sapere una povera femina la quale meco molto si ritiene,[51] per ciò che con nostro padre (per quello che ella mi dica) lungamente e in Palermo e in Perugia stette; e se non fosse che più onesta cosa mi parea che tu a me venissi in casa mia che io a te nell'altrui, egli è gran pezza[52] che io a te venuta sarei.

Appresso queste parole ella cominciò distintamente a domandare di tutti i suoi parenti nominatamente,[53] alla quale di tutti Andreuccio rispose, per questo ancora più credendo quello che meno di credere[54] gli bisognava.

Essendo stati i ragionamenti lunghi e il caldo grande, ella fece venir greco e confetti,[55] e fé dar bere ad Andreuccio; il quale dopo questo, partir volendosi, per ciò che ora di cena era, in niuna guisa il sostenne, ma, sembiante fatto di forte turbarsi,[56] abbracciandol disse:

— Ahi lassa me, che assai chiaro conosco come io ti sia poco cara! Che è a pensare che tu sii[57] con una tua sorella, mai più[58] da te non veduta, e in casa sua, dove, qui venendo, smontato[59] esser dovresti, e vogli di quella uscire per andare a cenare all'albergo? Di vero tu cenerai con esso meco: e perché mio marito[60] non ci sia, di che forte mi grava, io ti saprò bene, secondo donna, fare un poco d'onore.

Alla quale Andreuccio non sappiendo altro che rispondersi, disse:

— Io v'ho cara quanto sorella si dee avere; ma, se io non ne vado, io sarò tutta sera aspettato a cena, e farò villania.[61]

Ed ella allora disse:

— Lodato sia Iddio, se io non ho in casa per cui mandare a dire che tu non sii aspettato! Benché tu faresti assai maggior cortesia, e tuo dovere, mandare[62] a dire a' tuoi compagni che qui venissero a cenare; e poi, se pure andar te ne volessi, ve ne potresti tutti andare di brigata.[63]

correggerle. E poi non sta a lei giudicare il proprio padre, anche se colpevole, anche se sente pietà per la madre infelice.

40. Gergenti: Girgenti.

41. tornò a stare: stabilì di abitare.

42. come colui che... cavaleressa: essendo egli un guelfo convinto, ebbe qualche intesa segreta con Carlo II d'Angiò, la quale cosa (*il quale*), essendo stata risaputa da re Federico d'Aragona, prima che la cospirazione potesse avere effetto, fu la cagione per la quale dovemmo fuggire dalla Sicilia quando ormai stavo per divenire moglie del più grande cavaliere dell'isola. Dopo i Vespri Siciliani (1282) i francesi e i signori angioini furono cacciati dalla Sicilia, ma a lungo durò la guerra fra loro e gli Aragonesi (e gli ultimi furono alla fine vincitori) per il possesso dell'isola. I guelfi appoggiavano gli Angioini.

43. provisione: pensione.

44. la buona... non tua: per grazia di Dio e non tua, ché non mi hai mai cercato.

45. così compostamente: con così scaltro artificio.

46. in niuno atto: in nessun suo atto, cioè qualunque cosa dicesse.

47. per sé medesimo: per propria esperienza.

48. nel vero: in verità.

49. per che che... facesse: qualunque fosse la ragione per la quale lo facesse.

50. èmmi: mi è. Il povero Andreuccio si commuove davanti alla sorella ritrovata, così affettuosa e cara. E bisogna dire che il discorso di costei è veramente persuasivo, e allude a fatti che capitavano, allora, con una certa frequenza. Andreuccio, poi, si sente quasi umiliato, lui, semplice mercante, nei confronti di così nobile gentildonna.

51. molto si ritiene: si trattiene spesso con me.

52. gran pezza: molto tempo.

53. nominatamente: per nome.

54. quello che meno di credere, ecc.: quello che avrebbe avuto bisogno di non credere affatto (sarebbe stato meglio per lui).

55. greco e confetti: vino greco e biscotti.

56. in niuna guisa... turbarsi: non lo volle permettere a nessun patto, ma fingendo di rattristarsi fortemente, ecc.

57. Che è a pensare... sii: come è possibile pensare che tu ti trovi.

58. mai più: mai.

59. smontato: avresti dovuto prendere alloggio.

60. e perché mio marito, ecc.: e quantunque non sia qui mio marito, cosa che mi dispiace veramente (**mi grava**), io ti saprò bene onorare un poco, come può farlo una donna.

61. farò villania: compirò un atto scortese, offensivo per i compagni. **Lodato sia Iddio, se**, ecc.: Grazie a Dio, immaginarsi se non ho qualcuno in casa che possa andare a dire ai tuoi compagni che non ti aspettino a cena.

62. mandare: a mandare (se mandassi).

63. di brigata: in compagnia. Quest'ultima offerta chiude degnamente l'abilissimo discorso della Ciciliana, ed è tale da togliere ogni sospetto. Bisogna dire che il povero Andreuccio è ingenuo e imprudente, ma la sua sciocchezza vera è quella di recarsi con la fantesca al primo invito, senza sapere dove vada, in Via Malpertugio. Dopo, è vittima di una commediante così straordinariamente astuta e intelligente, che ci sentiamo di condannare assai meno la sua dabbenaggine. Il discorso della donna è sapientemente costruito, soprattutto perché fondato su un'intimità tale di affetti familiari (basterebbe quel suo misurato e nobile ricordo del padre, che, pure, l'ha abban-

Andreuccio rispose[64] che de' suoi compagni non volea quella sera; ma poi che pure a grado l'era, di lui facesse il piacer suo. Ella allora fé vista di mandare a dire allo albergo che egli non fosse atteso a cena; e poi, dopo molti altri ragionamenti, postisi a cena e splendidamente di più vivande serviti, astutamente quella menò per lunga infino alla notte oscura. Ed essendo da tavola levati, Andreuccio partir volendosi, ella disse che ciò in niuna guisa sofferrebbe,[65] per ciò che Napoli non era terra da andarvi per entro di notte,[66] e massimamente un forestiere; e che come che egli a cena non fosse atteso aveva mandato a dire,[67] così aveva dello albergo fatto il simigliante. Egli, questo credendo, e dilettandogli (da falsa credenza ingannato) d'essere con costei, stette.[68]

Furono adunque dopo cena i ragionamenti molti e lunghi, non senza cagione tenuti: ed essendo della notte una parte passata, ella, lasciato Andreuccio a dormir nella sua camera con un piccol fanciullo che gli mostrasse se egli volesse nulla, con le sue femine in un'altra camera se n'andò.

Era il caldo grande: per la quale cosa Andreuccio, veggendosi solo rimaso, subitamente si spogliò in farsetto,[69] e trassesi i panni di gamba,[70] e al capo del letto gli si pose e richiedendo il naturale uso di dover diporre il superfluo peso del ventre, dove ciò si facesse domandò quel fanciullo, il quale nell'uno de' canti della camera gli mostrò un uscio, e disse:

— Andate là entro.

Andreuccio, dentro sicuramente passato, gli venne per ventura[71] posto il pié sopra una tavola, la quale dalla contrapposta parte sconfitta dal travicello, sopra il quale era, per la qual cosa, capolevando questa tavola con lui insieme se n'andò quindi giuso:[72] e di tanto l'amò Iddio, che niuno male si fece nella caduta, quantunque alquanto cadesse da alto, ma tutto della bruttura, della quale il luogo era pieno, s'imbrattò. Il qual luogo, acciò che meglio intendiate e quello che è detto e ciò che segue, come stesse vi mostrerò.

Egli era in un chiassetto[73] stretto (come spesso tra due case veggiamo) sopra due travicelli, tra l'una casa e l'altra posti, alcune tavole erano confitte e il luogo da seder posto; delle quali tavole quella che con lui cadde era l'una. Ritrovandosi adunque là giù nel chiassetto, Andreuccio, dolente del caso, cominciò a chiamare il fanciullo; ma il fanciullo, come sentito l'ebbe cadere, così corse a dirlo alla donna. La quale corsa alla sua camera, prestamente cercò se i suoi panni v'erano; e trovati i panni, e con essi i denari, li quali esso non fidandosi mattamente[74] sempre portava addosso, avendo quello a che ella di Palermo, sirocchia d'un Perugino faccendosi, aveva teso il lacciuolo, più di lui non curandosi,[75] prestamente andò a chiuder l'uscio del quale egli era uscito quando cadde. Andreuccio, non rispondendogli il fanciullo, cominciò più forte a chiamare: ma ciò era niente.[76] Per che egli, già sospettando, e tardi dello inganno cominciandosi ad accorgere, salito sopra un muretto che quel chiassolino dalla strada chiudeva, e nella via disceso, all'uscio di casa, il quale egli molto ben riconobbe, se n'andò; e quivi invano lungamente chiamò, e molto il dimenò e percosse. Di che egli piagnendo, come colui che chiara vedea la sua disavventura, cominciò a dire: — Oimè lasso, in come piccol tempo ho io perduti cinquecento fiorini, e una sorella! — E dopo molte altre parole, da capo cominciò a batter l'uscio e a gridare: e tanto fece così, che molti de' circustanti vicini, desti, non potendo la noia sofferire, si levarono; e una delle servigiali[77] della donna, in vista[78] tutta sonnocchiosa, fattasi alla finestra, proverbiosamente[79] disse:

— Chi picchia là giù?

— Oh, disse Andreuccio, o non mi conosci tu? Io sono Andreuccio, fratello di madonna Fiordaliso.

Al quale ella rispose:

— Buono uomo, se tu hai troppo bevuto, va dormi[80] e tornerai domattina. Io non so che Andreuccio né che ciance son quelle che tu di'; va in buona ora e lasciaci dormire, se ti piace.

— Come? disse Andreuccio, non sai che io mi dico?[81] Certo sì sai; ma se

donata) da mettere l'interlocutore a proprio agio, completamente. Quel domestico calore ha tanto maggior potere sull'animo di Andreuccio quanto più egli si sente solo e sperduto nella città grande e sconosciuta (*èmmi tanto più caro l'avervi qui mia sorella trovata, quanto io ci sono più solo*), ed è la prima volta che si trova tanto lontano da casa. È questo un particolare che il B. ha accennato sobriamente all'inizio; ma il realismo del B. consiste in gran parte in questi rapidi e concretissimi accenni che danno carattere di veridicità e di logica concatenazione alle avventure più fantasiose.

64. Andreuccio rispose, ecc.: Non vuole stare coi compagni quella sera (perché turbare quest'atmosfera di gioia famigliare?); ma, poiché la cosa le è gradita, disponga pure liberamente di lui.

65. in niuna guisa sofferrebbe: in nessun modo avrebbe sopportato ciò.

66. Napoli non era... notte: Napoli non era una città nella quale ci si potesse avventurare a girar di notte.

67. come che egli... a dire: come aveva mandato a dire che egli non fosse atteso.

68. stette: si trattenne.

69. farsetto: sottoveste.

70. panni di gamba: mutande, brache e calze.

71. per ventura: per caso. Nota il brusco cambiamento di soggetto.

72. la quale... giuso: essendo questa tavola sconficcata dal travicello su cui era posta, si capovolse, e, capovolgendosi (*capolevando*), cadde giù con lui, nel *chiassetto*, che costituisce il fondo della latrina. La costruzione contorta del periodo sembra volere dar l'impressione di quel susseguirsi di fatti tutti imprevisti e che si svolgono affannosamente nell'oscurità della notte.

73. Egli era in un chiassetto, ecc.: Vi erano in un vicoletto (*chiassetto*) stretto fra due case, due travicelli, in alto, posti fra una casa e l'altra, con sopra alcune tavole e un luogo dove sedere. Il chiassetto è dunque il deposito della latrina, una specie di letamaio.

74. mattamente: stoltamente.

75. quello... di lui non curandosi: avendo in sua mano quella borsa (*quello*) a cui ella, palermitana, aveva teso il laccio, fingendosi sorella d'un perugino, senza più curarsi di costui, ecc. Nota l'assoluta e cinica indifferenza condensata in quell'avverbio *prestamente*.

76. ma ciò era niente: non serviva a nulla.

77. servigiali: serve.

78. in vista: all'apparenza.

79. proverbiosamente: rimproverandolo, e cioè con tono villano.

80. va dormi: va a dormire.

81. non sai che io mi dico?: non comprendi nulla di ciò che dico?

pur son così fatti i parentadi di Cicilia, che in sì piccol termine si dimentichino, rendimi almeno i panni miei, li quali lasciati v'ho, e io m'andrò volentieri con Dio.

Al quale ella, quasi ridendo,[82] disse:

— Buono uomo, e' mi par che tu sogni.

E il dir questo, e il tornarsi dentro, e chiuder la finestra, fu una cosa. Di che Andreuccio, già certissimo de' suoi danni, quasi per doglia[83] fu presso a convertire in rabbia la sua grande ira; e per ingiuria propose di rivolere quello che per parole riavere non potea. Per che da capo[84] presa una gran pietra, con troppi maggior colpi[85] che prima, fieramente cominciò a percuotere la porta.

La qual cosa molti de' vicini, avanti destisi e levatisi,[86] credendo lui essere alcuno spiacevole, il quale queste parole fingesse per noiare quella buona femina, recatosi a noia il picchiare il quale egli faceva, fattisi alle finestre, non altramenti che ad un cane forestiere tutti quegli della contrada abbaiano addosso, cominciarono a dire:[87]

— Questa è una gran villania a venire a quest'ora a casa le buone femine[88] e dire queste ciance: deh va con Dio, buono uomo; lasciaci dormire, se ti piace; e se tu hai nulla a fare con lei,[89] tornerai domane, e non ci dar questa seccaggine stanotte.

Dalle quali parole forse assicurato[90] uno che dentro dalla casa era, ruffiano della buona femina, il qual egli né veduto né sentito avea, si fece alle finestre, e con una boce grossa, orribile e fiera[91] disse:

— Chi è laggiù?

Andreuccio, a quella boce levata la testa, vide uno il quale, per quel poco che comprender poté, mostrava di dovere essere un gran bacalare,[92] con una barba nera e folta al volto, e come se del letto o da alto sonno si levasse, sbadigliava e stropicciavasi gli occhi. A cui egli, non senza paura, rispose:

— Io sono un fratello[93] della donna di là entro.

Ma colui non aspettò che Andreuccio finisse la risposta, anzi, più rigido[94] assai che prima, disse:

— Io non so a che io mi tegno che io non vegna laggiù, e deati tante bastonate quante io ti vegga muovere,[95] asino fastidioso ed ebriaco che tu dei essere, che questa notte non ci lascerai dormire persona;[96] e tornatosi dentro, serrò la finestra.

Alcuni de' vicini, che meglio conosciено la condizion di colui, umilmente[97] parlando, ad Andreuccio dissono:

— Per Dio, buono uomo, vatti con Dio, non volere stanotte essere ucciso costì: vattene per lo tuo migliore.[98]

Laonde Andreuccio, spaventato dalla voce di colui e dalla vista, e sospinto da' conforti di coloro, li quali gli pareva che da carità mossi parlassero, doloroso quanto mai alcuno altro, e de' suoi denari disperato,[99] verso quella parte onde il dì[100] aveva la fanticella seguita, senza sapere dove s'andasse, prese la via per tornarsi all'albergo.

E a sé medesimo dispiacendo per lo puzzo che a lui di lui veniva,[101] disideroso di volgersi al mare per lavarsi, si torse a man sinistra, e su per una via,[102] chiamata la Ruga catalana, si mise; e verso l'alto della città andando, per ventura davanti si vide due che verso di lui con una lanterna in mano venieno. Li quali temendo non fosser della famiglia della corte,[103] o altri uomini a mal far disposti, per fuggirgli, in un casolare, il quale si vide vicino, pianamente[104] ricoverò. Ma costoro, quasi come[105] a quello proprio luogo inviati andassero, in quello medesimo casolare se n'entrarono; e quivi l'un di loro, scaricati certi ferramenti[106] che in collo avea, coll'altro insieme gl'incominciò a guardare, varie cose sopra quegli ragionando. E mentre parlavano disse l'uno:

— Che vuol dir questo? io sento il maggior puzzo che mai mi paresse sentire!

E questo detto, alzata alquanto la lanterna, ebber veduto il cattivel[107] d'Andreuccio, e stupefatti domandar: — Chi è là? — Andreuccio taceva; ma essi avvicinatiglisi col lume, il domandarono che quivi così brutto facesse.[108] Alli

82. quasi ridendo: lo scherno chiude degnamente la triste avventura. La finestra si chiude implacabile.
83. quasi per doglia, ecc.: per il dolore di vedersi così chiaramente derubato e beffato sta per perdere completamente ogni controllo, e si propone di ottenere con la violenza (*per ingiuria*) quello che non può riavere per mezzo delle parole.
84. Per che da capo: per questo, di nuovo, ecc.
85. con... colpi: con colpi di gran lunga più forti.
86. avanti destisi e levatisi: destatisi e levatisi già quando aveva, la prima volta, bussato.
87. alcuno spiacevole... cominciarono a dire: Credono che sia un importuno, magari un ubriaco che racconti delle frottole per recar noia a quella buona femmina (espressione eufemistica, per alludere discretamente al suo «mestiere»). Seccati soprattutto per quel picchiare che non li lascia dormire, gli abbaiano contro, come fanno i cani di una contrada al giungere di un cane forestiero. Si anima la scena nel vicolo equivoco, buio e maleodorante; e si vede anche l'omertà che regna fra quella gentaglia.
88. a casa le buone femine: a casa delle, ecc.
89. se tu hai nulla a fare: se hai qualche questione.
90. assicurato: incoraggiato; **egli** è riferito ad Andreuccio.
91. boce grossa, orribile e fiera: la voce del bravaccio, «protettore» di Fiordaliso, risuona spaventosa e sinistra nel buio, fra le voci ostili degli altri.
92. un gran bacalare: persona autorevole (*baccalaureus* era il dottore coronato di alloro: era voce del linguaggio accademico). La barba nera e folta, la vociaccia, quello stropicciarsi gli occhi danno l'impressione di un orco che si desti e impauriscono ancor più Andreuccio.
93. Io sono un fratello: è una povera scusa, di cui il giovane sa ormai tutta l'inconsistenza. Ma che altro potrebbe rispondere alla perentoria domanda?
94. rigido: duro, aspro.
95. deati... muovere: e ti bastoni finché non ti veda più muovere.
96. non... persona: nessuno.
97. condizion... umilmente: alcuni, che ben conoscono le funzioni di quell'uomo in quella casa, sottovoce, e quasi paurosamente, esortano Andreuccio ad andarsene.
98. per lo tuo migliore: per il tuo bene. La duplice invocazione a Dio fa sì che Andreuccio creda che essi parlino *mossi da carità*. Essi vogliono solo toglierlo dai piedi, ma il pericolo che gli fanno balenare davanti agli occhi potrebbe diventare reale.
99. de' suoi denari disperato: senza più alcuna speranza di riottenere il danaro.
100. onde il dì: per la quale, quand'era giorno.
101. che a lui di lui veniva: che si sentiva addosso. Quel puzzo sta per diventare causa di nuove peripezie.
102. su per una via, ecc.: Sbaglia strada e va verso la parte opposta a quella del mare.
103. temendo non fosser... corte: teme che appartengano alla famiglia della corte, cioè che siano sbirri.
104. pianamente: senza far rumore.
105. quasi come, ecc.: come se si fossero mossi proprio per andare in quel luogo.
106. ferramenti: arnesi di ferro.
107. il cattivel: quel poveretto.
108. il domandarono... facesse: gli chiesero che cosa facesse lì, così sozzo.

quali Andreuccio ciò che avvenuto gli era narrò interamente. Costoro, imaginando dove ciò gli potesse essere avvenuto, dissero fra sé: — Veramente in casa lo Scarabone[109] Buttafuoco fia stato questo —. E a lui rivolti disse l'uno:

— Buono uomo, come che[110] tu abbi perduti i tuoi denari, tu hai molto a lodare Iddio, che quel caso ti venne che tu cadesti, né potesti poi in casa rientrare; per ciò che, se caduto non fossi, vivi sicuro che, come prima[111] addormentato ti fossi, saresti stato ammazzato, e co' denari avresti la persona perduta. Ma che giova oggimai[112] di piagnere? Tu ne potresti così riavere un denaio, come avere delle stelle del cielo: ucciso ne potrai tu bene essere, se colui sente che tu mai ne facci parola.

E detto questo, consigliatisi alquanto[113] gli dissero:

— Vedi, a noi è presa compassion di te;[114] e perciò, dove tu vogli con noi essere a fare alcuna cosa la quale a fare andiamo, egli ci pare essere molto certi che in parte ti toccherà il valere di troppo più che perduto non hai.[115]

Andreuccio, sì come disperato, rispuose ch'era presto.[116]

Era quel dì seppellito uno Arcivescovo di Napoli, chiamato messer Filippo Minutolo,[117] ed era stato sepellito con ricchissimi ornamenti, e con uno rubino in dito, il quale valeva oltre a cinquecento fiorin d'oro;[118] il quale costoro volevano andare a spogliare. E così ad Andreuccio fecer veduto.[119] Laonde Andreuccio, più cupido che consigliato,[120] con loro si mise in via; e andando verso la chiesa maggiore, e Andreuccio putendo forte,[121] disse l'uno:

— Non potremo noi trovar modo che costui si lavasse un poco dove che sia, che egli non putisse così fieramente?

Disse l'altro:

— Sì, noi siam qui presso ad un pozzo, al quale suole sempre essere la carrucola e un gran secchione; andianne là, e laveremlo spacciatamente.[122]

Giunti a questo pozzo, trovarono che la fune v'era, ma il secchione n'era stato levato: per che insieme diliberarono di legarlo alla fune, e di collarlo[123] nel pozzo, ed egli là giù si lavasse, e, come lavato fosse, crollasse[124] la fune, ed essi il tirerebber suso. E così fecero.

Avvenne che[125] avendol costor nel pozzo collato, alcuni della famiglia della signoria,[126] li quali, e per lo caldo e perché corsi erano dietro ad alcuno, avendo sete, a quel pozzo venieno a bere; li quali[127] come quelli due videro, incontanente[128] cominciarono a fuggire, li famigliari, che quivi venivano a bere, non avendoli veduti. Costoro assetati, posti giù lor tavolacci[129] e loro armi e loro gonnelle, cominciarono la fune a tirare, credendo a quella il secchion pien d'acqua essere appiccato. Come Andreuccio si vide alla sponda del pozzo vicino, così, lasciata la fune, con le mani si gittò sopra quella. La qual cosa costor vedendo, da subita paura presi, senza altro dire, lasciarono la fune, e cominciarono quanto più poterono a fuggire: di che Andreuccio si maravigliò forte, e se egli non si fosse bene attenuto,[130] egli sarebbe infin nel fondo caduto, forse non senza suo gran danno o morte. Ma pure uscitone, e queste armi trovate, le quali egli sapeva che i suoi compagni non avean portate, ancora più s'incominciò a maravigliare. Ma, dubitando e non sappiendo che, della sua fortuna dolendosi, senza alcuna cosa toccare, quindi[131] diliberò di partirsi; e andava senza saper dove.[132]

Così andando, si venne scontrato[133] in que' due suoi compagni, li quali a trarlo del pozzo venivano: e come il videro, maravigliandosi forte, il domandarono chi del pozzo l'avesse tratto. Andreuccio rispose che nol sapea, e loro ordinatamente disse come era avvenuto e quello che trovato aveva fuori del pozzo. Di che costoro, avvisatisi come stato era, ridendo gli contarono perché s'eran fuggiti, e chi stati eran coloro che su l'avean tirato. E senza più parole fare, essendo già mezza notte, n'andarono alla chiesa maggiore, e in quella assai leggermente[134] entrarono, e furono all'arca, la quale era di marmo e molto grande; e con loro ferro il coperchio, che era gravissimo, sollevaron tanto, quanto uno uomo vi potesse entrare, e puntellaronlo. E fatto questo, cominciò l'uno a dire:

— Chi enterrà[135] dentro?

109. Scarabone: significa, forse, capo di una lega di malviventi, o camorristi.

110. come che: sebbene.

111. vivi sicuro che, come prima: sta pur sicuro che non appena ti fossi addormentato, ecc.

112. oggimai: oramai.

113. consigliatisi alquanto: confabulano fra loro e decidono di servirsi del malcapitato, pronti a disfarsene alla prima occasione.

114. compassion di te: come Fiordaliso, fanno leva sul sentimento.

115. dove... non hai: se tu vuoi essere nostro complice nel fare una cosa che andiamo a fare (osserva la reticenza dei malandrini; gli diranno di che si tratta quando saranno ben sicuri di lui) siamo sicuri che la parte del bottino che ti toccherà avrà un valore doppio di quello che hai perduto.

116. sì come disperato... presto: disperato com'era, disse che era pronto. Ha capito che si tratta di malfattori, ma seminudo, senza un soldo, nella città straniera e ostile, non vede altra soluzione che andare con loro, per cercare di risalire a galla. E perseguirà questo scopo fino in fondo con estrema decisione. La lunga notte gli insegnerà a vivere, a difendersi nella giungla cittadina; ma ora l'affidarsi ai due malandrini è cosa assai imprudente.

117. Filippo Minutolo: il personaggio è storico.

118. valeva oltre a cinquecento, ecc.: Nota la precisione mercantile con cui il B. fa la stima di quel rubino che dovrà compensare Andreuccio dei fiorini perduti, dandogli anche, com'è giusto dopo le fatiche e i pericoli affrontati, un certo guadagno.

119. fecer veduto: esposero il loro disegno.

120. più cupido che consigliato: più bramoso di danaro che prudente.

121. putendo forte: puzzando fortemente.

122. spacciatamente: alla svelta.

123. collarlo: sospenderlo alla fune e quindi calarlo nel pozzo.

124. crollasse: desse un crollo, tirasse.

125. Avvenne che: l'ultima parte della novella è ricca di colpi di scena che danno al racconto un ritmo vertiginoso. Il buio sembra divenuto il grande regno del Caso, dei subitanei incontri, delle repentine apparizioni.

126. famiglia della signoria: sono i poliziotti.

127. li quali: è complemento oggetto; *quelli due* (i malandrini), soggetto.

128. incontanente: subito, non avendoli gli sbirri veduti.

129. tavolacci: scudi di legno. *Gonnella* è la sopravveste.

130. bene attenuto: tenuto ben stretto all'orlo del pozzo.

131. quindi: di qui.

132. e andava senza saper dove: Bella questa chiusa del «secondo tempo» delle avventure di Andreuccio; lo stupore per la situazione fantasmagoricamente mutata, quel suo andarsene, smarrito e dolente, senza saper dove, nel buio, riflettono la sua spossatezza profonda che per un attimo sembra abbatterlo.

133. si venne scontrato: s'imbatté per caso. Ricomincia così il gran giuoco della sorte.

134. leggermente: facilmente. Ma nota, prima, il silenzio furtivo dei tre nel cuore della notte.

135. enterrà: entrerà. I movimenti e il dialogo sono rapidi, concisi: non c'è tempo da perdere.

A cui l'altro rispose:

— Non io.

— Né io, disse colui; ma entrivi Andreuccio.

— Questo non farò io, disse Andreuccio —. Verso il quale amenduni costoro rivolti, dissero:

— Come non v'enterrai? In fé di Dio, se tu non v'entri, noi ti darem tante[136] d'un di questi pali di ferro sopra la testa, che noi ti farem cader morto.

Andreuccio, temendo, v'entrò, ed entrandovi pensò seco:[137] — Costoro mi ci fanno entrare per ingannarmi, per ciò che, come io avrò loro ogni cosa dato, mentre che io penerò a uscir dall'arca, essi se n'andranno pe' fatti loro, e io rimarrò senza cosa alcuna —. E perciò s'avvisò di farsi innanzi tratto[138] la parte sua; e ricordatosi del caro[139] anello che aveva loro udito dire, come fu giù disceso, così di dito il trasse all'arcivescovo, e miselo a sé; e poi dato il pasturale[140] e la mitra e i guanti, e spogliatolo infino alla camiscia, ogni cosa dié loro, dicendo che più niente v'avea. Costoro, affermando che esser vi dovea l'anello, gli dissero che cercasse per tutto; ma esso, rispondendo che nol trovava, e sembiante faccendo[141] di cercarne, alquanto gli tenne in aspettare. Costoro, che d'altra parte erano sì come lui maliziosi, dicendo pur che ben cercasse, preso tempo,[142] tiraron via il puntello che il coperchio dell'arca sostenea, e fuggendosi, lui dentro dall'arca lasciaron racchiuso.

La qual cosa sentendo Andreuccio, quale egli allora divenisse, ciascun sel può pensare. Egli tentò più volte, e col capo e colle spalle, se alzare potesse il coperchio, ma invano si faticava: per che da grave dolor vinto,[143] venendo meno, cadde sopra il morto corpo dell'arcivescovo; e chi allora veduti gli avesse, malagevolmente avrebbe conosciuto chi più si fosse morto, o l'arcivescovo o egli. Ma poi che in sé fu ritornato, dirottissimamente cominciò a piagnere, veggendosi quivi senza dubbio all'uno de' due fini[144] dover pervenire: o in quella arca, non venendovi alcuni più ad aprirla, di fame e di puzzo tra' vermini del morto corpo convenirli morire; o, venendovi alcuni, e trovandovi lui dentro, sì come ladro dovere essere appiccato.[145] E in così fatti pensieri e doloroso molto stando, sentì per la chiesa andar genti, e parlar molte persone, le quali, sì come egli avvisava, quello andavano a fare che esso co' suoi compagni avean già fatto: di che la paura gli crebbe forte. Ma poi che costoro ebbero l'arca aperta e puntellata,[146] in quistion caddero,[147] chi vi dovesse entrare, e niuno il voleva fare: pur, dopo lunga tencione, un prete disse:

— Che paura avete voi?[148] Credete voi che egli vi manuchi?[149] Li morti non mangiano gli uomini: io v'enterrò dentro, io.

E, così detto, posto il petto sopra l'orlo dell'arca, volse il capo in fuori, e dentro mandò le gambe per doversi giuso calare. Andreuccio, questo vedendo, in pié levatosi, prese il prete[150] per l'una delle gambe, e fé sembiante di volerlo giù tirare. La qual cosa sentendo il prete, mise uno strido grandissimo,[151] e presto dell'arca si gittò fuori. Della qual cosa tutti gli altri spaventati, lasciata l'arca aperta, non altramenti a fuggir cominciarono che se da cento milia diavoli fosser perseguitati. La qual cosa veggendo Andreuccio, lieto oltre a quello che sperava,[152] subito si gittò fuori, e per quella via onde era venuto se n'uscì della chiesa.

E già avvicinandosi al giorno, con quello anello in dito andando alla ventura,[153] pervenne alla marina, e quindi al suo albergo si abbatté,[154] dove gli suoi compagni e l'albergatore trovò tutta la notte stati in sollecitudine[155] de' fatti suoi. A' quali, ciò che avvenuto gli era, raccontato, parve per lo consiglio dell'oste loro che costui incontanente[156] si dovesse di Napoli partire. La qual cosa egli fece prestamente, e a Perugia tornossi, avendo il suo investito in uno anello, dove per comperare cavalli era andato.[157]

136. tante: sottintendi «botte».
137. Andreuccio... pensò seco, ecc.: nonostante il timore e l'orrore ispirato da quella tomba, Andreuccio, ammaestrato dalla sventura, comincia a diventare anch'egli astuto.
138. s'avvisò di farsi innanzi tratto, ecc.: decise di farsi innanzitutto la sua parte.
139. caro: prezioso.
140. pasturale: pastorale.
141. sembiante faccendo, ecc.: facendo finta di cercarlo, li fece a lungo attendere, sperando che se ne andassero per timore d'essere sorpresi.
142. dicendo pur... preso tempo: continuano a dire che cerchi, e, colto il momento opportuno, chiudono il pesante coperchio, con malvagità cinica.
143. da grave dolor vinto, ecc.: è qui che il povero Andreuccio tocca il fondo della sventura. Sviene per il dolore e cade sopra il cadavere e cadavere sembra anch'egli.
144. all'uno de' due fini: lo attendeva ormai una di quelle due morti.
145. appiccato: impiccato.
146. puntellata: mettono i puntelli al coperchio.
147. in quistion caddero: cominciarono a discutere. In quella notte è tutto un pullulare di malandrini!
148. Che paura avete voi?: fortemente scolpita, in queste rapide battutte, la turpe figura del prete-brigante, con la sua cinica volgarità e la sua decisione, propria del delinquente incallito e brutale (nota quell'*io* ripetuto con forza, tronfio e reciso).
149. manuchi: mangi.
150. prese il prete: tosto afferra il prete per una gamba e fa l'atto (*fé sembiante*) di tirarlo giù. È uno scatto energico e svelto, preciso e ben calcolato nei suoi effetti. Andreuccio ha finalmente trovato in sé la forza di opporsi, usando le sue stesse armi, a quel mondo della malavita che per poco non lo ha sommerso.
151. uno strido grandissimo: oculatissima la scelta dei vocaboli: par di udire il grido straziante che rimbomba per le navate silenziose, moltiplicando il terrore agghiacciante dei compari. Nelle svolte decisive dell'azione l'arte del B. è sempre sintetica.
152. lieto... sperava: il suo è stato uno scatto d'energia, non ben calcolato, o meglio non del tutto calcolato dall'intelligenza, ma frutto della vitalità istintiva.
153. andando alla ventura: è ancora il tema dominante di tante pagine, ma ormai c'è una sicurezza nuova nei movimenti del personaggio. L'incubo è finito.
154. abbatté: capitò.
155. sollecitudine: apprensione.
156. incontanente: subito. Non c'è nessun giudizio, né da parte dell'oste né dei compagni, sulla poco edificante avventura di Andreuccio. L'unica cosa da fare è svignarsela subito. Sembra che siano tutti avvezzi ad avventure del genere. E non c'è alcun giudizio del B., pago di aver rappresentato il puro e complesso ritmo dell'azione, l'avventura umana nel mondo. Del resto, troviamo nel *Decameron* mercanti che diventano corsari, senza troppo pensarci su. Anche quella dei mercanti era continua avventura e conquista, fra mille pericoli che si potevano superare solo con indomita vitalità ed energia.
157. avendo... andato: dopo aver investito il suo denaro in un anello, mentre era andato a Napoli per comperar cavalli.

ESERCIZIO DI ANALISI

Andreuccio

1. Quantunque dominata dal caso, dalle sue scosse e svolte impreviste che tramano l'intreccio d'una molteplicità di figure e di vicende, con un ritmo avventuroso apparentemente dispersivo, la novella ha una costruzione solida e ordinata, che si svolge, dopo una rapida ma incisiva caratterizzazione del personaggio di Andreuccio, su quattro (o tre) nuclei narrativi:

a) l'uscita dall'osteria, l'avventura con la siciliana, la caduta nel chiassetto, il dialogo concitato coi vicini e con Buttafuoco e una prima pausa di solitudine e smarrimento;

b) l'incontro coi ladri, la calata nel pozzo e l'uscita, con un nuovo momento di solitudine e smarrimento;

c) il nuovo incontro coi ladri, la calata nella tomba, il furto, la chiusura nella tomba e un terzo e più grave momento di smarrimento;

d) l'arrivo del nuovo gruppo di ladri, la risalita dalla tomba, il ritorno all'osteria e di lì a Perugia.

I punti c) e d) possono essere considerati strettamente complementari, dato l'intrecciarsi delle due azioni e lo svolgimento rapidissimo della seconda. Possiamo pertanto considerare la narrazione articolata su tre momenti, che presentano un'analogia strutturale di fondo. Si ha, cioè, in tutti e tre un particolare schema d'azione fondamentale: un movimento discendente del personaggio nel letamaio-pozzo-tomba, cui segue una risalita e uno smarrimento che sembra preparare una nuova svolta del caso.

Le tre discese portano Andreuccio vicino alla morte; per puro caso non subisce danni irreparabili precipitando nel chiassetto (d'altra parte, la caduta lo salva dal pericolo d'essere ucciso nella casa falsamente ospitale), ma ne resta, sia pur temporaneamente, deturpato, marchiato in modo vergognoso; il pozzo, dove attinge una sorta di purificazione, si tramuta in un rischio mortale; l'arca dove viene calato dai ladri per poco non diventa la sua tomba (col pensiero, mentre vi è disperatamente chiuso, dei vermi e della putrefazione, che richiamano la sozzura del chiassetto, e dell'impiccagione come ladro, che ricorda l'incontro a stento schivato con le guardie nell'episodio del pozzo). E come ogni caduta presenta un pericolo di morte sempre più grave, una sorta di potenziamento negativo di quelle precedenti, così ogni riemersione alla vita porta un progresso in senso positivo della sua situazione.

2. La moderna narratologia, o scienza del racconto, ritrova e definisce i modelli narrativi ricorrenti in una tradizione culturale, dietro le varie forme di racconto, orale e scritto, popolare o letterario. Questi modelli o schemi d'azione appaiono connessi a esperienze culturali remote, rimaste tuttavia nella coscienza comune, nella comune percezione del mondo. In questa prospettiva, la novella d'Andreuccio appare modellata sullo schema dell'iniziazione, presente nel rituale delle culture primitive, ma anche, ad es., nelle strutture narrative del poema cavalleresco, ben noto al Boccaccio.

Nel rito dell'iniziazione, che segna il passaggio a una forma superiore di vita (l'accoglimento dell'adolescente fra i guerrieri della tribù, o nell'istituzione cavalleresca), l'iniziando passa attraverso prove che rappresentano liturgicamente una sorta di umiliazione e di morte, rispetto alla sua condizione passata, e di rinascita nella nuova dignità della vita a cui viene iniziato.

Questo schema è parso evidente nella struttura della novella di Andreuccio che passa, nella sua durissima notte, da uno stato di ingenuità rovinosamente disarmata di fronte alla vita, a uno di consapevolezza e di ritrovata efficienza, attraverso i tre momenti di caduta in basso, che simboleggiano la sua disfatta totale, la morte, e il suo risollevarsi ogni volta con uno scatto vittorioso di vitalità, prima istintiva, poi, alla fine, consapevole, che lo ridona all'azione, alla vita.

Qualcosa di analogo può essere ritrovato, ad esempio, nell'avventura di Lancillotto al ponte della spada o nel suo viaggio al paese dal quale non si ritorna. In genere, nel romanzo cavalleresco l'avventura è la prova che rende degni, a rischio della vita, di appartenere a un ordine eletto; è come un ripetersi dell'originale iniziazione o investitura, che comporta una liturgia di umiliazione-sofferenza e di riscatto.

Nella novella questo schema viene però inserito in una cultura diversa. L'iniziazione di Andreuccio riguarda il suo ingresso nel mondo che, con qualche approssimazione, può essere definito «mercantile» o «borghese», dominato da una spietata legge economica; un mondo di interessi economici e di lotta per il profitto che non attendono di essere giustificati alla luce d'una superiore razionalità umana o provvidenzialistica e si presenta, quindi, dominato dall'oscura potenza del caso, che diviene spontaneo simbolo dell'irrazionale, confuso disfrenarsi degli egoismi individuali. Il realismo del Boccaccio è in questo presentarci una vicenda ambientata in un concreto contesto sociale intuendone, nel contempo, le strutture profonde, la logica interna.

3. Contro il caso l'individuo non ha che la propria energia vitale e la propria intelligenza, capaci di aderire al ritmo turbinoso e a volte caotico degli eventi per volgerlo, per quanto è possibile, al proprio profitto o alla propria salvezza. Ed è qui la «morale» della novella: la necessità di dominare quel mondo con una sintesi di intelligenza e di energia vitale da essa guidata.

Le allusioni al mondo mercantile sono di continuo presenti nella novella: nella piena indifferenza con la quale Andreuccio passa dalla truffa subita al furto (così, in un'altra novella, Landolfo Ruffolo, mercante depredato dai corsari, si fa corsaro egli stesso, restaurando in tal modo le sue fortune), nello stesso lieto fine che pareggia anche il bilancio mercantile del protagonista (cinquecento i fiorini rubatigli dalla Siciliana e analogo il valore dell'anello rubato al vescovo defunto). Legata a quel mondo è anche Napoli, grande città di traffici, accanto ai quali si sviluppa la malavita, che si scatena nella notte per le sue strade inestricabili.

La città è, in genere, un'importante presenza nel *Decameron*, come sede della vicenda quotidiana del vivere, con le sue case e le sue strade piene del multiforme spettacolo della vita, con le sue lotte e la sua violenza; ma anche, in altre novelle, con la sua capacità di attuare, attraverso l'incontro degli uomini, un'ordinata e armonica civiltà.

Gerbino

Accanto alla società operosa e avventurosa dei contemporanei, dei cavalieri dell'ingegno e dell'industria umana, il Boccaccio rievoca, nel *Decameron*, un Medioevo più antico, quello dei cavalieri della spada, cingendolo d'un alone d'epopea e di nostalgia, e anche di tragicità e di magnanimità, come avviene in questa novella d'amore e morte. Essenziali, qui, in tal senso sono l'amore che nasce fra Gerbino e la figlia del re di Tunisi, senza che i due giovani si siano mai visti (ed è questo un tema caro alla letteratura provenzale: si pensi a Jaufré Rudel e a Melisenda), la ferocia di quella disperata battaglia sul mare, nella quale Gerbino acquista un rilievo epico, la magnanimità di re Guglielmo che condanna a morte il nipote diletto, «volendo avanti senza nepote rimanere che esser tenuto re senza fede». Rivive qui il mondo dell'epopea cavalleresca, quale era stato idealizzato dai poeti e studiato e imitato dal Boccaccio giovane.

Guiglielmo secondo, re di Cicilia, come i Ciciliani vogliono, ebbe due figliuoli, l'uno maschio e chiamato Ruggieri, e l'altro femina, chiamata Gostanza. Il quale Ruggieri, anzi che il padre morendo, lasciò un figliuolo nominato Gerbino; il quale dal suo avolo con diligenzia allevato, divenne bellissimo giovane, e famoso in prodezza e in cortesia.[1] Né solamente dentro a' termini di Cicilia stette la sua fama racchiusa, ma in varie parti del mondo sonando, in Barberia era chiarissima, la quale in que' tempi al re di Cicilia tributaria era.[2] E tra gli altri alli cui orecchi la magnifica fama delle virtù e della cortesia del Gerbin venne, fu a una figliuola del re di Tunisi; la qual, secondo che ciascun che veduta l'avea ragionava, era una delle più belle creature che mai dalla natura fosse stata formata, e la più costumata, e con nobile e grande animo. La quale volentieri de' valorosi uomini ragionare udendo, con tanta affezione le cose valorosamente operate dal Gerbino, da uno e da un altro raccontate, raccolse, e sì le piacevano, che essa, seco stessa immaginando come fatto essere dovesse, ferventemente di lui s'innamorò, e più volentieri che d'altro di lui ragionava, e chi ne ragionava ascoltava. D'altra parte era, sì come altrove, in Cicilia pervenuta la grandissima fama della bellezza parimente e del valor[3] di lei, e non senza gran diletto né invano gli orecchi del Gerbino aveva tocchi; anzi, non meno che di lui la giovane infiammata fosse, lui di lei aveva infiammato.[4] Per la qual cosa, infino a tanto che con onesta cagione dallo avolo d'andare a Tunisi la licenzia impetrasse,[5] disideroso oltre modo di vederla, ad ogni suo amico che là andava imponeva che a suo potere il suo segreto e grande amor facesse, per quel modo che miglior gli paresse, sentire,[6] e di lei novelle gli recasse. De' quali alcuno sagacissimamente il fece, gioie da donne portandole, come i mercatanti fanno, a vedere; e interamente l'ardore del Gerbino apertole, lui e le sue cose a' suoi comandamenti offerse apparecchiate.[7] La quale con lieto viso e l'ambasciadore e l'ambasciata ricevette: e rispostogli che ella di pari amore ardeva, una delle sue più care gioie,[8] in testimonianza di ciò, gli mandò. La quale il Gerbino con tanta allegrezza ricevette, con quanta qualunque cara cosa ricever si possa; e a lei per costui medesimo più volte scrisse, e mandò carissimi doni, con lei certi trattati tenendo, da doversi, se la fortuna conceduto lo avesse, vedere e toccare.[9]

Ma andando le cose in questa guisa, e un poco più lunghe che bisognato non sarebbe, ardendo d'una parte la giovane e d'altra il Gerbino, avvenne che il re di Tunisi la maritò al re di Granata. Di che ella fu crucciosa oltre modo, pensando che non solamente per lunga distanzia al suo amante s'allontanava, ma che quasi del tutto tolta gli era; e se modo veduto avesse, volentieri, acciò che questo avvenuto non fosse, fuggita si sarebbe dal padre, e venutasene al Gerbino. Similmente il Gerbino, questo maritaggio[10] sentendo, senza misura ne viveva dolente; e seco spesso pensava, se modo potesse, di volerla tôrre per forza, se avvenisse che per mare a marito n'andasse. Il re di Tunisi, sentendo alcuna cosa di questo amore e del proponimento del Gerbino e del suo valore e della potenzia dubitando;[11] venendo il tempo che mandar ne la dovea, al re Guiglielmo mandò significando ciò che fare intendeva, e che sicurato da lui che né dal Gerbino né da altri per lui in ciò impedito sarebbe, lo 'ntendeva di fare.[12] Il re Guiglielmo, che vecchio signore era, né dello innamoramento del Gerbino aveva alcuna cosa sentita, non imaginandosi che per questo addomandata fosse tal sicurtà, liberamente la concedette;[13] e in segno di ciò, mandò al re di Tunisi un suo guanto. Il quale, poi che la sicurtà ricevuta ebbe, fece

Giornata quarta; novella quarta.

1. Guglielmo II il buono fu re di Sicilia dal 1166 al 1189. Non ebbe figli: Ruggero e Costanza furono, invece, suoi zii, e Gerbino è personaggio del tutto immaginario. Così le notizie storiche date in questa novella sono del tutto favolose, secondo un tipico procedimento del B., che lavora di fantasia, ma su un fondamento spesso storico, richiesto dalla tradizione narrativa medievale. **anzi che il padre**: prima del padre.
2. **termini**: confini. **sonando**: risuonando, essendo diffusa. **Barberia**: la parte dell'Africa settentrionale ad occidente dell'Egitto. In realtà, solo la Tunisia era allora tributaria del re di Sicilia.
3. **valor**: virtù, soprattutto quella, tipicamente cavalleresca, che la spinge ad amare Gerbino per la sua prodezza, senza averlo mai visto.
4. **lui... infiammato**: soggetto è «la grandissima fama».
5. **che... impetrasse**: che ottenesse da Guglielmo il permesso d'andare a Tunisi, con un pretesto conveniente.
6. **che... sentire**: che facesse conoscere alla fanciulla il suo amore, ecc. **a suo potere**: quanto più poteva.
7. **apertole**: rivelatole. **lui... apparecchiate**: mostrò che Gerbino, con tutte le sue cose, era pronto ai suoi comandi.
8. **una... gioie**: uno dei suoi gioielli più preziosi.
9. **per costui**: per mezzo di costui. **con... tenendo**: prendendo con lei segreti accordi.
10. **maritaggio**: patto nuziale. Più avanti: **tôrre per forza**: prenderla, rapirla con la violenza (latino *per vim*).
11. **sentendo**: avendo qualche sentore. **dubitando**: temendo.
12. **mandò significando**: mandò un messaggio dove esponeva. **sicurato**, ecc.: affermando che intendeva di farlo dopo aver avuto da lui assicurazione che non sarebbe stato impedito in questo né da Gerbino né dagli amici di lui.
13. **che... concedette**: che tale garanzia gli fosse chiesta a cagione di lui, la concedette senza restrizione alcuna. L'invio del guanto indica, secondo un antico uso germanico, la serietà con cui viene assunto l'impegno.

una grandissima e bella nave nel porto di Cartagine apprestare, e fornirla di ciò che bisogno aveva a chi su vi doveva andare, e ornarla et acconciarla per su mandarvi la figliuola in Granata; né altro aspettava che tempo.[14]

La giovane donna che tutto questo sapeva e vedeva, occultamente un suo servidore mandò a Palermo, e imposegli che il bel Gerbino da sua parte salutasse, e gli dicesse che ella infra pochi dì era per andare in Granata; per che ora si parrebbe se così fosse valente uomo come si diceva,[15] e se cotanto l'amasse quanto più volte significato le aveva. Costui a cui imposta fu, ottimamente fe' l'ambasciata, e a Tunisi ritornossi. Gerbino questo udendo, e sappiendo che il re Guiglielmo suo avolo data avea la sicurtà al re di Tunisi, non sapeva che farsi. Ma pur da amor sospinto, avendo le parole della donna intese, e per non parer vile, andatosene a Messina, quivi prestamente fece due galee sottili[16] armare, e messivi su di valenti uomini, con esse sopra la Sardigna n'andò, avvisando quindi dovere la nave della donna passare.

Né fu di lungi l'affetto al suo avviso:[17] per ciò che pochi dì quivi fu stato, che la nave, con poco vento, non guari lontana al luogo dove aspettandola riposto s'era, sopravvenne.[18] La qual veggendo Gerbino, a' suoi compagni disse:

— Signori, se voi così valorosi siete come io vi tegno,[19] niun di voi senza aver sentito o sentire amore credo che sia, senza il quale, sì come io meco medesimo estimo, niun mortal può alcuna virtù o bene in sé avere; e se innamorati stati siete, o siete, leggier cosa vi fia comprendere il mio desio. Io amo, e amor m'indusse a darvi la presente fatica; e ciò che io amo, nella nave che qui davanti ne vedete dimora. La quale, insieme con quella cosa che io più disidero, è piena di grandissime ricchezze, le quali, se valorosi uomini sete, con poca fatica, virilmente combattendo, acquistar possiamo.[20] Della qual vittoria io non cerco che in parte mi venga se non una donna,[21] per lo cui amore i' muovo l'arme: ogni altra cosa sia vostra liberamente infin da ora. Andiamo adunque, e bene avventurosamente assagliamo la nave; Iddio alla nostra impresa favorevole, senza vento prestarle, la ci tien ferma.[22]

Non erano al bel[23] Gerbino tante parole bisogno, per ciò che i Messinesi che con lui erano, vaghi della rapina, già con l'animo erano a far quello di che il Gerbino gli confortava con le parole. Per che, fatto un grandissimo romore nella fine del suo parlare che così fosse,[24] le trombe sonarono; e prese l'armi, dierono de' remi in acqua e alla nave pervennero. Coloro che sopra la nave erano, veggendo di lontan venir le galee, non potendosi partire, s'apprestarono alla difesa. Il bel Gerbino a quella pervenuto, fe' comandare che i padroni di quella sopra le galee mandati fossero, se la battaglia non voleano. I Saracini, certificati[25] chi erano e che domandassero, dissero sé essere, contro alla fede lor data dal re, da loro assaliti; e in segno di ciò, mostrarono il guanto di re Guiglielmo, e del tutto negaron di mai, se non per battaglia vinti, arrendersi,[26] o cosa che sopra la nave fosse lor dare. Gerbino il qual sopra la poppa della nave veduta aveva la donna troppo più bella assai che egli seco non estimava, infiammato più che prima, al mostrar del guanto rispose che quivi non avea falconi al presente, perché guanto v'avesse luogo;[27] e per ciò, ove dar non volesser la donna, a ricevere la battaglia s'apprestassero. La qual senza più attendere, a saettare e a gittar pietre l'un verso l'altro fieramente incominciarono e lungamente con danno di ciascuna delle parti in tal guisa combatterono.

Ultimamente, veggendosi il Gerbin poco util fare, prese un legnetto che di Sardigna menato aveano, e in quel messo fuoco, con amendue le galee quello accostò alla nave.[28] Il che veggendo i Saracini e conoscendo sé di necessità o doversi arrendere o morire; fatto sopra coverta la figliuola del re venire che sotto coverta piagnea, e quella menata alla proda della nave, e chiamato il Gerbino, presente agli occhi suoi, lei gridante mercè e aiuto, svenarono, e in mar gittandola, dissono:

— Togli; noi la ti diamo qual noi possiamo, e chente la tua fede l'ha meritata![29]

Gerbino, veggendo la crudeltà di costoro, quasi di morir vago, non curan-

14. che tempo: che le condizioni atmosferiche favorevoli alla navigazione.

15. per... diceva: e per questo ora sarebbe parso chiaro se era un uomo veramente valoroso come si diceva.

16. galee sottili: adatte cioè alla guerra di corsa, al corseggiare.

17. Né... avviso: la cosa andò come egli aveva pensato.

18. non guari: non molto. **riposto**: appostato. **sopravvenne**: giunse.

19. vi tegno: vi considero. Questo periodo comprende in sintesi la concezione cavalleresca dell'amore, quale si era venuta definendo fino allo stilnovismo. Questo mito dell'amore si compone nel B. con la sua nuova visione realistica e naturalistica dell'uomo. Amore, oltre a rendere fine e gentile l'animo, ne suscita tutte le energie, dà all'uomo coraggio e risolutezza eroica.

20. È un discorso-azione, diverso dalle parlate oratorie di altri personaggi, attraverso le quali il B. dà una spiegazione logica della vicenda. Le parole di Gerbino, concentrate e appassionate, sono un grido di guerra, in cui da un lato erompe la sua passione, dall'altro c'è l'incitamento alla lotta e alla preda per i compagni.

21. Sua parte del bottino sarà soltanto la donna.

22. senza... ferma: la bonaccia che impedisce alla nave di fuggire è presentata come un aiuto di Dio stesso all'impresa.

23. bel: l'aggettivo non allude soltanto alla bellezza fisica, ma anche alla prodezza, che è anch'essa ornamento del cavaliere.

24. fatto... fosse: alla fine dell'esortazione, la ciurma grida «Così sia», mostrandosi pronta alla battaglia. Hai di qui in avanti una delle poche pagine veramente epiche del *Decàmeron*, la migliore, forse, che il B. abbia scritto. Osserva l'impeto sintetico e risentito della rappresentazione, la drammatica velocità della prosa.

25. certificati: informati.

26. e... arrendersi: e affermarono risolutamente che mai, ecc.

27. che... luogo: che lì non v'era bisogno di guanti, dato che non v'erano falconi (i falconieri portavano un guanto per non essere feriti alla mano dall'uccello). La risolutezza dei Saracini e lo scherno di Gerbino hanno anch'essi tonalità epica.

28. Si tratta d'un battello incendiario o brulotto.

29. Togli... meritata: Prendi, te la diamo come possiamo dartela e quale la tua lealtà l'ha meritata. La tragica ferocia dell'atto e delle parole è coerente col disperato eroismo dei Saracini e col loro furore per il tradimento di cui sono vittime.

do di saetta né di pietra, alla nave si fece accostare; e quivi sù, mal grado di quanti ve n'eran, montato, non altrimenti che un leon famelico nell'armento di giovenchi venuto, or questo or quello svenando, prima co' denti e con l'unghie la sua ira sazia che la fame; con una spada in mano or questo or quel tagliando de' Saracini, crudelmente molti n'uccise Gerbino.[30] E già crescente il fuoco nella accesa nave, fattone a' marinai trarre quello che si poté per appagamento di loro,[31] giù se ne scese, con poco lieta vittoria de' suoi avversarii avere acquistata.[32] Quindi, fatto il corpo della bella donna ricoglier di mare, lungamente e con molte lagrime il pianse; e in Cicilia tornandosi, in Ustica, piccioletta isola quasi a Trapani dirimpetto, onorevolmente il fe' sepellire. E a casa più doloroso che altro uomo si tornò.

Il re di Tunisi, saputa la novella, suoi ambasciatori di nero vestiti al re Guiglielmo mandò, dogliendosi della fede che gli era stata male osservata; e raccontarono il come. Di che il re Guiglielmo turbato forte, né vedendo via da poter la giustizia negare[33] (ché la dimandavano), fece prendere il Gerbino: ed egli medesimo, non essendo alcun de' baron suoi che con prieghi di ciò si sforzasse di rimuoverlo, il condannò nella testa,[34] e in sua presenzia gliele fece tagliare; volendo avanti senza nepote rimanere, che esser tenuto re senza fede.[35]

Adunque così miseramente in pochi giorni i due amanti senza alcun frutto del loro amore aver sentito, di mala morte morirono, com'io v'ho detto.

30. Il periodo esprime potentemente il furore e l'angoscia selvaggia di Gerbino. Il suo nome campeggia all'inizio e alla fine, con effetto drammatico. Anche l'immagine del leone, tradizionale nella poesia epica, è qui avvivata da un senso di disperata ferocia (*prima co' denti e con l'unghie la sua ira sazia che la fame*).
31. per... loro: per appagare il loro desiderio di preda.
32. con... acquistata: avendo acquistata.
33. né... negare: non vedendo alcun modo, alcun pretesto per negar giustizia.
34. il... testa: lo condannò a esser decapitato.
35. volendo... fede: preferendo restare senza nipote piuttosto che essere considerato re spergiuro. La crudeltà dell'atto è, per il B., pienamente riscattata dalla magnanimità; il re obbedisce a una superiore etica cavalleresca.

Lisabetta da Messina

È una storia condotta su di un tono più lirico che narrativo, e sfocia, alla fine, nel ricordo di un canto popolare d'amore e di dolore. Più che le azioni, conta la figura di Lisabetta, appassionata e pur sempre muta, chiusa nella sua angoscia che giunge a una sorta di patetica fissità. L'amore, qui come altrove, è per il Boccaccio un sentimento invincibile, che domina, insieme, i sensi e l'anima intera, che sa ugualmente essere pienezza gioiosa di vita e morte. Ma anche passione eroica, che Lisabetta, nonostante la sua femminilità indifesa, sa conservare fino al sacrificio totale.

Giornata quarta; novella quinta.

Erano adunque in Messina tre giovani fratelli e mercatanti, e assai ricchi uomini rimasti dopo la morte del padre loro, il quale fu da San Gimignano,[1] e avevano una lor sorella chiamata Lisabetta, giovane assai bella e costumata, la quale, che che se ne fosse cagione,[2] ancora maritata non aveano. E avevano oltre a ciò questi tre fratelli in uno lor fondaco[3] un giovinetto pisano chiamato Lorenzo, che tutti i lor fatti guidava e faceva; il quale, essendo assai bello della persona e leggiadro molto, avendolo più volte Lisabetta guatato, avvenne che egli le 'ncominciò stranamente a piacere.[4] Di che Lorenzo accortosi e una volta e altra, similmente, lasciati suoi altri innamoramenti di fuori incominciò a porre l'animo a lei; e sì andò la bisogna che piacendo l'uno all'altro igualmente, non passò gran tempo che, assicuratisi,[5] fecero di quello che più desiderava ciascuno. E in questo continuando e avendo insieme assai di buon tempo e di piacere, non seppero sì segretamente fare, che una notte, andando Lisabetta là dove Lorenzo dormiva, che il maggior de' fratelli, senza accorgersene ella, non se ne accorgesse. Il quale, per ciò che savio giovane era, quantunque molto noioso[6] gli fosse a ciò sapere, pur, mosso da più onesto consiglio,[7] senza far motto o dir cosa alcuna, varie cose fra sé rivolgendo intorno a questo fatto, infino alla mattina seguente trapassò. Poi, venuto il giorno, a' suoi fratelli ciò che veduto avea la passata notte di Lisabetta e di Lorenzo raccontò; e con loro insieme, dopo lungo consiglio, diliberò di questa cosa, acciò che né a loro né alla sirocchia[8] alcuna infamia ne seguisse, di passarsene tacitamente, e d'infignersi[9] del tutto d'averne alcuna cosa veduta o saputa, infino a tanto che tempo venisse nel qual essi, senza danno o sconcio di loro, questa vergogna, avanti che più andasse innanzi, si potessero torre dal viso.[10] E in tal disposizion dimorando, così cianciando e ridendo con Lorenzo come usati erano, avvenne che, sembianti faccendo d'andare fuori della città a diletto tutti e tre, seco menaron Lorenzo: e pervenuti in un luogo molto solitario e rimoto, veggendosi il destro, Lorenzo, che di ciò niuna guardia prendeva, uccisono[11] e sotterra-

1. da San Gimignano: esistevano, nel '200 e '300, parecchie colonie commerciali di mercanti di San Gimignano a Messina.
2. che che se ne fosse, ecc.: qualunque ne fosse la cagione. La presentazione di Lisabetta, *bella e costumata*, la pone vicina all'ideale boccaccesco della donna.
3. fondaco: bottega.
4. guatato... piacere: *guatare* è guardare fissamente, con trasporto; *stranamente* significa in modo straordinario. Scarsissimi gli accenni al nascere di questa passione: un lungo sguardo di Lisabetta, un accendersi rapidissimo del sentimento. Poi tutto si concentra sulla dolorosa elegia.
5. assicuratisi: fattisi animo.
6. molto noioso: causa di grande dolore, perché si trattava di relazione illecita.
7. più onesto consiglio: pensiero più cauto e più attento all'onore della famiglia. La relazione deve rimanere nascosta a tutti per il buon nome della famiglia. Ma il resto del periodo ti mostra il muto rovello dell'uomo, che non riesce a dormire per l'onta ricevuta e la brama di vendetta. E questa, sarà fredda e feroce.
8. sirocchia: sorella.
9. passarsene tacitamente... infignersi: non fare parola della cosa e dissimulare.
10. sconcio... torre dal viso: vogliono togliere dal proprio sguardo tale disonore.
11. veggendosi il destro... uccisono: vedendo l'opportunità di farlo segretamente... uccisero. Lo uccidono con la stessa indifferenza con cui ucciderebbero un animale, e credendo, per giunta, d'essere nel loro diritto.

rono in guisa che niuna persona se ne accorse, e in Messina tornati, dieder voce d'averlo per lor bisogne mandato in alcuno luogo: il che leggiermente creduto fu, per ciò che spesse volte eran di mandarlo attorno usati.

Non tornando Lorenzo, e Lisabetta molto spesso e sollicitamente i fratei domandandone, sì come colei a cui la dimora[12] lunga gravava, avvenne un giorno che, domandandone ella molto instantemente,[13] che l'uno de' fratelli disse:

— Che vuol dire questo?[14] Che hai tu a fare di Lorenzo, che tu ne domandi così spesso? Se tu ne domanderai più, noi ti faremo quella risposta che ti si conviene.

Per che la giovane dolente e trista, temendo e non sappiendo che, senza più domandarne si stava, e assai volte la notte pietosamente il chiamava e pregava che ne venisse, e alcuna volta con molte lagrime della sua lunga dimora si doleva, e senza punto rallegrarsi sempre aspettando si stava.[15]

Avvenne una notte che, avendo costei molto pianto Lorenzo che non tornava, ed essendosi alla fine piagnendo addormentata, Lorenzo l'apparve nel sonno,[16] pallido e tutto rabbuffato, e co' panni tutti stracciati e fracidi, e parvele che egli dicesse:

— O Lisabetta,[17] tu non mi fai altro che chiamare, e della mia lunga dimora t'attristi, e me con le tue lagrime fieramente accusi; e per ciò sappi che io non posso più ritornarci, per ciò che l'ultimo dì che tu mi vedesti, i tuoi fratelli m'uccisono.

E disegnatole il luogo dove sotterrato l'avevano, le disse che più nol chiamasse né l'aspettasse; e disparve.

La giovane, destatasi e dando fede alla visione, amaramente pianse. Poi la mattina levata, non avendo ardire di dire alcuna cosa a' fratelli, propose di volere andare al mostrato luogo, e di vedere se ciò fosse vero che nel sonno l'era paruto: e avuta la licenzia d'andare alquanto fuor della terra[18] a diporto, in compagnia d'una che altra volta[19] con loro era stata e tutti i suoi fatti sapeva, quanto più tosto poté là se n'andò, e tolte via foglie secche che nel luogo erano, dove men dura le parve la terra quivi cavò.[20] Né ebbe guari[21] cavato, che ella trovò il corpo del suo misero amante in niuna cosa ancora guasto né corrotto: per che manifestamente conobbe, essere stata vera la sua visione.

Di che più che altra femina dolorosa, conoscendo che quivi non era da piagnere, se avesse potuto volentieri tutto il corpo n'avrebbe portato, per dargli più convenevole sepoltura: ma, veggendo che ciò essere non poteva, con un coltello il meglio che poté gli spiccò dallo 'mbusto[22] la testa, e quella in uno asciugatoio inviluppata, e la terra sopra l'altro corpo gittata, messala in grembo alla fante, senza essere stata da alcuna veduta, quindi si dipartì, e tornossene a casa sua.

Quivi con questa testa nella sua camera rinchiusasi, sopra essa lungamente e amaramente pianse, tanto che tutta con le sue lagrime la lavò, mille basci dandole in ogni parte. Poi prese un grande e un bel testo,[23] di questi ne' quali si pianta la persa o il bassilico, e dentro la vi mise fasciata in un bel drappo, e poi messovi su la terra, su vi piantò parecchi piedi[24] di bellissimo bassilico salernetano, e quegli di niuna altra acqua, che o rosata o di fior d'aranci[25] o delle sue lagrime, non inaffiava giammai. E per usanza avea preso di sedersi sempre a questo testo vicina, e quello con tutto il suo disidero vagheggiare, sì come quello che il suo Lorenzo[26] teneva nascoso: e poi che molto vagheggiato l'avea, sopr'esso andatasene, cominciava a piagnere, e per lungo spazio, tanto che tutto il bassilico bagnava, piagnea.

Il bassilico,[27] sì per lo lungo e continuo studio, sì per la grassezza della terra procedente dalla testa corrotta che dentro v'era, divenne bellissimo e odorifero molto. E servando la giovane questa maniera del continuo,[28] più volte da' suoi vicini fu veduta. Li quali, maravigliandosi i fratelli della sua guasta bellezza, e di ciò che gli occhi le parevano della testa fuggiti,[29] il disser loro: — Noi ci siamo accorti, che ella ogni dì tiene la cotal maniera —. Il che udendo i fratelli e accorgendosene, avendonela alcuna volta ripresa e non

12. **la dimora**: l'indugio.
13. **instantemente**: con sollecitudine e insistenza.
14. **Che vuol dir questo?**, ecc.: Nella risposta secca, allusiva (quali rapporti hai con Lorenzo?), indefinita e feroce, c'è qualcosa che imprime nell'anima di Lisabetta un oscuro sgomento, sì da gettarla nella tristezza e in un presentimento angosciato (*temendo e non sapendo che*); è una fine notazione psicologica che prepara e rende meglio credibile l'atmosfera del sogno.
15. **sempre aspettando si stava**: Dopo le azioni rapide e nette comincia l'indefinito del piangere e sospirare, di quella sofferenza continua e implacabile che si conclude solamente con la morte.
16. **l'apparve nel sonno,** ecc.: È simile a un fantasma, pallido e rabbuffato, con le vesti strappate e fradicie: già al suo apparire porta con sé una visione di morte e di tormento, nata, si direbbe, nell'inconscio di Lisabetta, in seguito al discorso cupo e feroce del fratello, che, non compreso dalla mente della giovane, le ha tuttavia messo nell'anima uno smisurato spavento.
17. **O Lisabetta**: Anche le parole di Lorenzo sono nude e scarne, desolate come la triste storia del loro amore. Potente, nella sua nudità, anche quel *le disse che più nol chiamasse né l'aspettasse*. La nettezza delle immagini del sogno, la sua logica implacabile fanno sì che Lisabetta dia immediatamente fede a esse. Nel sogno, infatti, prende consistenza un presentimento che già stava acquistando carattere di certezza.
18. **fuor della terra**: fuori della città.
19. **una che altra volta,** ecc.: una donna che era stata al loro servizio.
20. **cavò**: scavò.
21. **guari**: molto (a lungo).
22. **'mbusto**: busto. Macabro appare in sé il gesto, come, subito dopo, i baci dati a quella povera testa mozzata e il seppellirla in un vaso di basilico. Ma l'impressione è superata da quel sentimento struggente d'amore che palpita in quella sorta di calma follia, nata dall'angoscia del dolore segreto e senza sfogo.
23. **testo**: vaso; la *persa* è la maggiorana.
24. **piedi**: pianticelle.
25. **rosata o di fior d'aranci**: acqua distillata di rose o di fior d'aranci, che erano, allora, i profumi più lussuosi e raffinati.
26. **il suo Lorenzo**: osserva la patetica dolcezza di quel possessivo. E non dice «teneva sepolto» ma *nascosto*, non parla di un cranio, ma del suo Lorenzo. La frase è poi una ripresa indiretta del pensare di Lisabetta; sono parole formulate nel suo vaneggiare e non parole del B. E si avverte infine quel gemito lungo e sommesso, nel quale, come nel vagheggiare il ricordo dell'amato, è ormai l'unica manifestazione della vita della fanciulla. Anche il passaggio improvviso, nel racconto, dal passato remoto all'imperfetto dà il senso di questo tempo ormai indefinito, in cui non sembrano più alternarsi il giorno e la notte.
27. **Il bassilico,** ecc.: Il particolare è macabro, ma il B. lo accenna senza orrore, in armonia col tono di tutta la novella. Ciò è dovuto alla ben modulata disposizione delle parole e da quei due aggettivi, *bellissimo e odorifero molto*, che risolvono in una tonalità gentile la crudezza del fatto descritto (la terra ingrassata dal teschio che si decompone). *Studio* vale «zelo».
28. **questa maniera del continuo**: di continuo questa usanza.
29. **della testa fuggiti**: gli occhi sono infossati.

giovando, nascosamente da lei fecer porta via questo testo. Il quale, non ritrovandolo ella, con grandissima instanzia molte volte richiese,[30] e non essendole renduto, non cessando il pianto e le lagrime, infermò, né altro che il testo suo nella sua infermità domandava. I giovani si maravigliavan forte di questo adimandare, e per ciò vollero vedere che dentro vi fosse; e versata la terra, videro il drappo e in quello la testa, non ancor sì consumata che essi alla capellatura crespa non conoscessero lei esser quella di Lorenzo. Di che essi si maravigliaron forte, e temettero non[31] questo cosa si risapesse: e sotterrata quella, senza altro dire, cautamente di Messina uscitisi e ordinato come di quindi si ritraessono,[32] se n'andarono a Napoli.

La giovane non restando di piagnere, e pure[33] il suo testo addimandando, piagnendo si morì; e così il suo disavventurato amore ebbe termine. Ma poi a certo tempo divenuta questa cosa manifesta a molti, fu alcuno che compuose quella canzone la quale ancora oggi si canta; cioè:

> Quale esso fu lo malo cristiano
> che mi furò la grasta[34] ecc.

30. con grandissima instanzia molte volte richiese: lo richiese molte volte con grandissima insistenza. Lisabetta non parla coi fratelli, non li rimprovera del delitto atroce. Il pudore, o meglio, la profondità del dolore e della passione le impediscono di parlare.
31. temettero non: costruzione latineggiante; sostituisci al *non* un *che*. L'unica preoccupazione dei fratelli è la paura dello scandalo; mostrando pur senza commentarlo questo loro agire feroce e meschino, non sostenuto da alcuna nobile ragione, il B. si schiera risolutamente e con pietà dalla parte di Lisabetta, in nome di una moralità nuova, più consona alla natura umana.
32. ordinato... si ritraessono: date disposizioni per troncare ogni loro affare in Messina.
33. pure: continuamente.
34. che mi furò la grasta: che mi rubò il vaso. Possediamo la ballata, ove però non si accenna alla storia d'amore e di morte della novella.

Cimone

La novella presenta successivamente due temi: quello idillico-amoroso, che è, artisticamente, il più riuscito, e quello avventuroso, in accordo col tema della quinta giornata (peripezie d'amore coronate da lieto fine). Il primo si esaurisce nelle prime pagine, là dove si racconta come Cimone, giovane rozzo e quasi bestiale, si ridesti all'umanità vera in seguito alla rivelazione della bellezza e dell'amore. Il Boccaccio, nell'incontro del giovane con Efigenìa in uno stupendo scenario primaverile che avvolge con un'atmosfera di sogno l'innamoramento, riprende una situazione tipica della tematica cortese, approfondendola psicologicamente: canta, come già nella sua poesia giovanile, il mito dell'amore come adesione gioiosa alla natura e mezzo di conquista di un'interiore aristocrazia. Il tema avventuroso (la contrastata e violenta conquista della fanciulla) è invece un susseguirsi fin troppo complicato d'avventure (che riportiamo solo in parte), svolte con tecnica narrativa più esteriore.

Tuttavia le due parti, pur così disuguali artisticamente, rivelano una continuità ideologica. L'etica spregiudicata che la seconda rappresenta, fondata sulla capacità di afferrare l'occasione e di piegarla con indomita energia ai propri fini, l'etica, insomma, del successo, deriva dallo stesso naturalismo che pervade il sogno «cortese» delle prime pagine. Sotto un velo di favola e di avventura traspare la nuova concezione individualistica e realistica dei rapporti umani cui s'ispira la civiltà borghese e mercantile del Trecento.

Nell'isola di Cipri fu uno nobilissimo uomo, il quale per nome fu chiamato Aristippo, oltre ad ogn'altro paesano di tutte le temporali cose[1] ricchissimo: e se d'una cosa sola non lo avesse la fortuna fatto dolente, più che altro si potea contentare. E questo era che egli, tra gli altri suoi figliuoli, n'aveva uno il quale di grandezza e di bellezza di corpo tutti gli altri giovani trapassava, ma quasi matto era e di perduta speranza,[2] il cui vero nome era Galeso; ma, per ciò che mai né per fatica di maestro né per lusinga o battitura del padre, o ingegno d'alcuno altro, gli s'era potuto mettere nel capo né lettera né costume alcuno,[3] anzi con la voce grossa e deforme,[4] e con modi più convenienti a bestia che ad uomo quasi per ischerno da tutti era chiamato Cimone, il che nella lor lingua sonava quanto nella nostra Bestione. La cui perduta vita il padre con gravissima noia portava: e già essendosi ogni speranza a lui di lui fuggita, per non aver sempre davanti la cagione del suo dolore, gli comandò che alla villa n'andasse, e quivi co' suoi lavoratori si dimorasse; la qual cosa a Cimone fu carissima, per ciò che i costumi e l'usanza degli uomini grossi[5] gli eran più a grado che le cittadine.

Andatosene adunque Cimone alla villa, e quivi nelle cose pertinenti a quella essercitandosi, avvenne che un giorno, passato già il mezzodì, passando egli da una possessione ad un'altra, con un bastone in collo,[6] entrò in un boschetto il quale era in quella contrada bellissimo, e, per ciò che del mese di maggio era, tutto era fronzuto: per lo quale andando s'avenne, sì come la sua fortuna il vi guidò, in un pratello d'altissimi alberi circuito,[7] nell'un de' canti del quale era una bellissima fontana e fredda, allato alla quale vide sopra il verde prato dormire una bellissima giovane con un vestimento indosso tanto sottile, che quasi niente delle candide carni nascondea, ed era solamente dalla cintura in

Giornata quinta; novella prima.

1. le... cose: i beni di fortuna.
2. ma... speranza: ma era quasi stolido e tale che da lui nulla di buono si poteva sperare.
3. né... alcuno: alcuna cognizione e alcun buon costume, alcun portamento signorile.
4. anzi... deforme: avendo egli una voce grossa e deforme. Essa è il segno del suo animo rozzo e informe. L'etimologia del nome Cimone (v. subito dopo) è tutta fantastica.
5. alla villa... lavoratori... grossi: in campagna; contadini; rozzi.
6. in collo: sulla spalla. Il particolare non è inutile: serve a definire la figura contadinesca.
7. circuito: circondato. «La vaga descrizione naturalistica corrisponde puntualmente a quelle calligrafiche della cornice e a quella delle opere giovanili del B.; e la visione di Efigenia dormente (di maggio, nel bosco, presso la fontana) ai canoni dei romanzi amorosi e cavallereschi del tempo» (Branca). Ma osserva la capacità evocativa di questa prosa, affidata soprattutto agli aggettivi e alla modulazione musicale del periodo, sottolineata da due endecasillabi (*tanto sottile, che quasi niente / delle candide carni nascondea*).

giù coperta d'una coltre bianchissima e sottile; e a piè di lei similmente dormivano due femine e uno uomo, servi di questa giovane. La quale come[8] Cimon vide, non altramenti che se mai più forma di femina veduta non avesse, fermatosi sopra il suo bastone,[9] senza dire alcuna cosa, con ammirazione grandissima la incominciò intentissimo a riguardare. E nel rozzo petto, nel quale per mille ammaestramenti non era alcuna impressione di cittadinesco[10] piacere potuta entrare, sentì destarsi un pensiero il quale nella materiale e grossa mente gli ragionava, costei essere la più bella cosa che giammai per[11] alcuno vivente veduta fosse. E quinci cominciò a distinguer le parti di lei, lodando i capelli, li quali d'oro estimava, la fronte, il naso e la bocca, la gola e le braccia, e sommamente il petto, poco ancora rilevato: e di lavoratore, di bellezza subitamente giudice divenuto, seco sommamente disiderava di veder gli occhi, li quali ella, da alto sonno gravati,[12] teneva chiusi, e per vederli, più volte ebbe volontà di destarla. Ma parendogli oltre modo più bella che l'altre femine più addietro da lui vedute, dubitava non fosse alcuna dea; e pur tanto di sentimento avea, che egli giudicava le divine cose esser di più reverenza degne che le mondane, e per questo si riteneva,[13] aspettando che da sé medesima si svegliasse: e come che lo 'ndugio gli paresse troppo, pur, da non usato piacer preso, non si sapeva partire. Avvenne adunque che, dopo lungo spazio, la giovane, il cui nome era Efigenìa, prima che alcun de' suoi si risentì, e levato il capo e aperti gli occhi, e veggendosi sopra il suo bastone appoggiato star davanti Cimone, si maravigliò forte e disse:

— Cimone, che vai tu a questa ora per questo bosco cercando?

Era Cimone, sì per la sua forma[14] e sì per la sua rozzezza e sì per la nobiltà e ricchezza del padre, quasi noto a ciascun del paese. Egli non rispose alle parole d'Efigenìa alcuna cosa, ma come gli occhi di lei vide aperti, così in quegli fiso cominciò a guardare, seco stesso parendogli che da quegli una soavità si movesse, la quale il riempiesse di piacere mai da lui non provato; il che la giovane veggendo, cominciò a dubitare non quel suo guardar così fiso movesse la sua rusticità ad alcuna cosa che vergogna le potesse tornare: per che, chiamate le sue femine, si levò su dicendo: — Cimone, rimanti con Dio.

A cui allora Cimon rispose: — Io ne verrò teco.[15]

E quantunque la giovane sua compagnia rifiutasse, sempre di lui temendo, mai da sé partir nol poté infino a tanto che egli non l'ebbe infino alla casa di lei accompagnata; e di quindi n'andò a casa il padre,[16] affermando sé in niuna guisa più in villa voler ritornare: il che quantunque grave fosse al padre e a' suoi, pure il lasciarono stare, aspettando di veder qual cagion fosse quella che fatto gli avesse mutar consiglio.

Essendo adunque a Cimone nel cuore, nel quale niuna dottrina era potuta entrare, entrata la saetta d'Amore per la bellezza d'Efigenìa, in brevissimo tempo, d'uno in altro pensiero pervenendo, fece maravigliare il padre e tutti i suoi e ciascuno altro che il conoscea. Egli primieramente richiese il padre che il facesse andare di vestimenti e d'ogni altra cosa ornato come i fratelli di lui andavano; il che il padre contentissimo fece. Quindi usando co'[17] giovani valorosi, e udendo i modi i quali a' gentili uomini si convenieno, e massimamente agli innamorati, prima, con grandissima ammirazione d'ognuno, in assai brieve spazio di tempo non solamente le prime lettere apparò, ma valorisissimo tra' fiosofanti divenne; e appresso questo (essendo di tutto ciò cagione l'amore il quale ad Efigenìa portava) non solamente la rozza voce e rustica in convenevole e citadina ridusse, ma di canto divenne maestro e di suono, nel cavalcare e nelle cose belliche, così marine come di terra, espertissimo e feroce[18] divenne. E in brieve (acciò che io non vada ogni particular cosa delle sue virtù raccontando) egli non si compiè il quarto anno dal dì del suo primiero innamoramento, che egli riuscì il più leggiadro e il meglio costumato, e con più particolarli virtù che altro giovane alcuno che nell'isola fosse di Cipri.

Che dunque, piacevoli donne, diremo di Cimone? Certo niuna altra cosa, se non che l'alte virtù dal cielo infuse nella valorosa anima fossono da invidiosa Fortuna in piccolissima parte del suo cuore con legami fortissimi legate e racchiuse, li quali tutti Amor ruppe e spezzò, sì come molto più potente di lei;

8. **La quale**: è compl. oggetto. **come**: non appena.
9. **fermatosi... bastone**: appoggiandosi al suo bastone. La fissità della contemplazione trasognata di Cimone segna il dischiudersi in lui di una vita nuova.
10. **cittadinesco**: civile, e quindi gentile e raffinato. Il culto della bellezza e dell'amore son qui visti, secondo la tradizione cortese, come indice di aristocrazia.
11. **per**: da. È questa una prima intuizione, ancora confusa, che poi si amplia, con gradazione psicologica nitidamente rappresentata, a una rivelazione sempre più completa, che dalla trepida sensualità con cui è contemplato quel tenero corpo giunge al desiderio di vedere gli occhi della fanciulla e a quella sorta di reverente tremore che il miracolo della bellezza suscita in Cimone.
12. **da... gravati**: «Notate l'incanto di questo particolare, che diffonde intorno il silenzio e sembra fare più profonda la fissità misteriosa e improvvisa di Cimone» (Momigliano). *Alto* vale «profondo».
13. **si riteneva**: si tratteneva.
14. **forma**: bellezza fisica.
15. Il silenzio di Cimone prima, e poi queste semplici parole riflettono il suo stupore profondo e il ridestarsi di una forza ignota e invincibile.
16. **a... padre**: a casa del padre.
17. **usando co'**: frequentando i. Il noto motivo dell'amore che ispira gentilezza è qui esposto in forma oratoria, ben lontana dall'intonazione lirica della pagina precedente, e con maniera iperbolica troppo insistita.
18. **feroce**: valoroso, prode.

e come eccitatore degli addormentati ingegni, quelle da crudele obumbrazione offuscate con la sua forza sospinse in chiara luce,[19] apertamente mostrando di che luogo tragga gli spiriti a lui suggetti, e in quale gli conduca co' raggi suoi.

Cimone tenta invano d'avere in sposa Efigenìa, già promessa dal padre a un giovane di Rodi, Pasimunda. S'avvicina anzi il tempo delle nozze e la giovane viene inviata per mare al marito. Cimone assalta la nave che la trasporta e s'impadronisce di lei, ma subito dopo una fiera tempesta lo trascina a Rodi, dove, su denuncia di Pasimunda, egli e i suoi compagni vengono imprigionati.

Efigenìa da molte nobili donne di Rodi fu ricevuta e riconfortata, sì dal dolore avuto della sua presura[20] e sì della fatica sostenuta del turbato mare; e appo quelle stette infino al giorno diterminato alle sue nozze. A Cimone e a' suoi compagni, per la libertà il dì davanti data a' giovani rodiani, fu donata la vita,[21] la qual Pasimunda a suo poter sollicitava di far loro torre, e a prigion perpetua fur dannati: nella quale, come si può credere, dolorosi stavano e senza speranza mai d'alcun piacere.

Ma Pasimunda quanto poteva l'apprestamento sollicitava delle future nozze. La Fortuna, quasi pentuta della subita ingiuria fatta a Cimone, nuovo accidente produsse per la sua salute.[22] Aveva Pasimunda un fratello minor di tempo di lui ma non di virtù, il quale avea nome Ormisda, stato in lungo trattato di dover torre per moglie una nobile giovane e bella della città, e era chiamata Cassandrea, la quale Lisimaco[23] sommamente amava, ed erasi il matrimonio per diversi accidenti più volte frastornato. Ora, veggendosi Pasimunda per dovere con grandissima festa celebrare[24] le sue nozze, pensò ottimamente esser fatto, se in questa medesima festa, per non tornar più alle spese e al festeggiare, egli potesse far che Ormisda similmente menasse moglie: per che co' parenti di Cassandrea ricominciò le parole e perdussele ad effetto,[25] e insieme egli e 'l fratello con loro diliberarono che quello medesimo dì che Pasimunda menasse Efigenìa, quello Ormisda menasse Cassandrea. La qual cosa sentendo Lisimaco, oltre modo gli dispiacque, per ciò che si vedeva della sua speranza privare, nella quale portava, che, se Ormisda non la prendesse, fermamente doverla avere egli. Ma, sì come savio, la noia sua dentro tenne nascosa,[26] e cominciò a pensare in che maniera potesse impedire che ciò non avesse effetto; né alcuna via vide possibile, se non il rapirla.

Questo gli parve agevole per lo uficio il quale aveva, ma troppo più disonesto il reputava che se l'uficio non avesse avuto: ma in brieve, dopo lunga diliberazione, l'onestà diè luogo ad amore,[27] e prese per partito, che che avvenir ne dovesse, di rapir Cassandrea. E pensando della compagnia che a far questo dovesse avere, e dell'ordine che tener dovesse, si ricordò di Cimone, il quale co' suoi compagni in prigione avea, e imaginò niun altro compagno migliore né più fido dover potere avere che Cimone in questa cosa. Per che la seguente notte occultamente nella sua camera il fé venire, e cominciogli in cotal guisa a favellare:

— Cimone, così come gl'iddii sono ottimi e liberali donatori delle cose agli uomini, così sono sagacissimi provatori delle lor virtù, e coloro li quali essi truovano fermi e constanti a tutti i casi, sì come più valorosi, di più alti meriti[28] fanno degni. Essi hanno della tua virtù voluta più certa esperienza che quella che per te si fosse potuta mostrare dentro a' termini della casa del padre tuo, il quale io conosco abondantissimo di ricchezze: e prima con le pugnenti sollicitudini d'amore, da insensato animale, sì come io ho inteso, ti recarono ad essere uomo; poi con dura fortuna, e al presente con noiosa prigione voglion vedere se l'animo tuo si muta da quello ch'era, quando poco tempo lieto fosti della guadagnata preda.[29] Il quale, se quel medesimo è che già fu,[30] niuna cosa tanto lieta ti prestarono quanto è quella che al presente s'apparecchiano a donarti: la quale, acciò che tu l'usate forze ripigli e divenghi animoso, io intendo di dimostrarti. Pasimunda, lieto della tua disaventura e sollicito procuratore della tua morte, quanto può s'affretta di celebrare le nozze della tua Efigenìa, acciò che in quelle goda della preda la qual prima lieta fortuna

19. **quelle... luce**: portò alla luce con la sua forza le virtù che la fortuna aveva prima crudelmente immerso nelle tenebre.
20. **presura**: il rapimento subito. **della... mare**: il travaglio sofferto durante la tempesta.
21. Cimone, dopo avere conquistato la nave che portava Efigenia, aveva concesso la vita ai Rodiesi che ne formavano l'equipaggio, pago di portare con sé la donna amata.
22. **quasi... salute**: come pentita dell'ingiustizia fatta a Cimone, produsse un nuovo evento atto a salvarlo.
23. **Lisimaco**: era, quell'anno, il supremo magistrato di Rodi, e aveva, coi suoi soldati, preso e imprigionato Cimone. **la quale**: è complemento oggetto.
24. **veggendosi... celebrare**: vedendo Pasimunda sul punto di celebrare.
25. **ricominciò... effetto**: ricominciò le trattative e le concluse.
26. **Ma... savio**: essendo savio. **noia**: dolore. **nascosa**: nascosta.
27. **diè luogo**: cedette. Questa descrizione della psicologia di Lisimaco è troppo sommaria, come, in genere, la descrizione delle avventure che abbiamo omesso più sopra.
28. **meriti**: ricompense. Tutto il discorso di Lisimaco è una perorazione eloquente, condotta dal B. con scaltrita perizia rettorica, ma in forma troppo lontana da quella rappresentativa e drammatica che l'azione richiederebbe. Interessante, comunque, è il tema, tipicamente rinascimentale, della *virtù* che deve affrontare indomita la *fortuna* per piegarla a sé; e si noti che la parola *virtù* è qui spogliata del significato etico-religioso tradizionale, ed è sinonimo di energia consapevole, di capacità d'imporre agli eventi il suggello della propria volontà.
29. **guadagnata preda**: Efigenia. Non c'è più qui l'adorazione trepida delle pagine iniziali: la fanciulla è ora un bene da conquistare, e questa conquista è espressione di virtù. S'avverte qui l'influsso della nuova etica mercantile e borghese, tutta rivolta al successo mondano.
30. **Il... fu**: Se il tuo animo è rimasto impavido nella sua determinazione. **prestarono**: concessero (soggetto: *gli iddii*).

t'avea conceduta, e subitamente turbata ti tolse. La qual cosa quanto ti debba dolere, se così ami come io credo, per me medesimo il cognosco, al quale pari ingiuria alla tua in un medesimo giorno Ormisda suo fratello s'apparecchia di fare a me di Cassandrea, la quale io sopra tutte l'altre cose amo. E a fuggire tanta ingiuria e tanta noia della fortuna, niuna via ci veggio da lei essere stata lasciata aperta, se non la virtù de' nostri animi e delle nostre destre, nelle quali aver ci convien le spade e farci far via,[31] a te alla seconda rapina e a me alla prima delle due nostre donne; per che, se la tua, non vo' dir libertà, la qual credo che poco senza la tua donna curi, ma la tua donna t'è cara di riavere, nelle tue mani, volendo me alla mia impresa seguire, l'hanno posta gl'iddii.

Queste parole tutte feciono lo smarrito animo ritornare in Cimone, e senza troppo rispitto[32] prendere alla risposta, disse:

— Lisimaco, né più forte né più fido compagno di me puoi avere a così fatta cosa, se quello me ne dee seguire che tu ragioni,[33] e per ciò quello che a te pare che per me s'abbia a fare imponlomi, e vedera' ti con maravigliosa forza seguire.

Al quale Lisimaco disse:

— Oggi al terzo dì[34] le novelle spose entreranno primieramente nelle case de' lor mariti, nelle quali tu co' tuoi compagni armato, e io con alquanti miei ne' quali io mi fido assai, in su 'l far della sera entreremo, e quelle del mezzo de' conviti rapite, ad una nave, la quale io ho fatta segretamente apprestare, ne meneremo, uccidendo chiunque ciò contrastare presumesse.

Piacque l'ordine a Cimone, e tacito infino al tempo posto si stette in prigione. Venuto il giorno delle nozze, la pompa fu grande e magnifica, e ogni parte della casa de' due fratelli fu di lieta festa ripiena. Lisimaco, ogni cosa opportuna avendo apprestata, Cimone e i suoi compagni e similmente i suoi amici, tutti sotto i vestimenti armati, quando tempo gli parve, avendogli prima con molte parole al suo proponimento accesi, in tre parti divise; delle quali cautamente l'una mandò al porto, acciò che niun potesse impedire il salire sopra la nave quando bisognasse, e con l'altre due alle case di Pasimunda venuti, una ne lasciò alla porta, acciò che alcun dentro non gli potesse rinchiudere o a loro l'uscita vietare, e col rimanente insieme con Cimone montò su per le scale. E pervenuti nella sala dove le nuove spose con molte altre donne già a tavola erano per mangiare assettate[35] ordinatamente, fattisi innanzi e gittate le tavole a terra, ciascun prese la sua, e nelle braccia de' compagni messala, comandarono che alla nave apprestata le menassero di presente.[36] Le novelle spose cominciarono a piagnere e a gridare, e il simigliante l'altre donne e i servidori, e subitamente fu ogni cosa di romore e di pianto ripieno. Ma Cimone e Lisimaco e' lor compagni, tirate le spade fuori, senza alcun contasto,[37] data loro da tutti la via, verso le scale se ne vennero; e quelle scendendo, occorse loro Pasimunda, il quale con un gran bastone in mano al romor traeva, cui animosamente Cimone sopra la testa ferì, e ricisegliele ben mezza, e morto sel fece cadere a' piedi. Allo aiuto del quale correndo il misero Ormisda, similmente da un de' colpi di Cimone fu ucciso: e alcuni altri che appressar si vollono, da' compagni di Lisimaco e di Cimone fediti e ributtati indietro furono.

Essi, lasciata piena la casa di sangue, di romore e di pianto e di tristizia, senza alcuno impedimento, stretti insieme con la loro rapina[38] alla nave pervennero: sopra la quale messe le donne e saliti essi e tutti i loro compagni, essendo già il lito pien di gente armata che alla riscossa delle donne veniva, dato de' remi in acqua, lieti andaron pe' fatti loro. E pervenuti in Creti, quivi da molti amici e parenti lietamente ricevuti furono, e sposate le donne e fatta la festa grande, lieti della loro rapina goderono.

In Cipri e in Rodi furono i romori e' turbamenti grandi e lungo tempo per le costoro opere. Ultimamente, interponendosi e nell'un luogo e nell'altro gli amici e i parenti di costoro, trovaron modo che, dopo alcuno essilio,[39] Cimone con Efigenìa lieto si tornò a Cipri, e Lisimaco similmente con Cassandrea ritornò in Rodi, e ciascun lietamente con la sua visse lungamente contento nella sua terra.

31. farci... via: aprirci la strada, trovare il modo.
32. rispitto: indugio.
33. se... ragioni: se me ne deve seguire il bene che tu dici. Più avanti: **imponlomi**: imponimelo. **vederà' ti**: ti vedrai.
34. Oggi... dì: fra tre giorni.
35. assettate: sedute.
36. di presente: immediatamente. Tutta questa scena è vivace e rapida, condotta con indubbia vigorìa rappresentativa.
37. contasto: contrasto, resistenza. Più avanti: **occorse**: mosse incontro. Dinanzi alla scena di sangue e di violenza il B. appare impassibile, intento solo alla rappresentazione realistica dei fatti. Non c'è in lui il senso della moralità come dramma e tensione: egli non conosce altra tensione se non quella che sta fra il nascere del desiderio e il suo compimento; è poeta dell'azione, che rivela la capacità dell'uomo di dominare gli eventi.
38. stretti... rapina: compatti per essere pronti alla difesa e con la loro preda.
39. dopo... essilio: dopo un periodo di esilio.

Pietro Boccamazza e l'Agnolella

È una novella avventurosa. Due giovani innamorati, fuggiti di casa, si aggirano negli inestricabili avvolgimenti di una selva, piena di pericoli di morte e di paura, ma per ritrovarsi felicemente alla fine e sposarsi.

La presenza della selva è veramente centrale in questa novella. Essa non è un luogo completamente irreale: siamo a Roma, e nei dintorni immediati, nel periodo in cui la sede pontificia si trovava ad Avignone e la città era in preda alle sanguinose lotte delle fazioni; questo, oltre che nei particolari delle bande di masnadieri e dei reciproci agguati, si rivela in quel tono di desolazione che pervade tutto il paesaggio, dove ogni temperato vivere civile appare spento e trionfa l'oscuro capriccio del caso.

Altro tema importante è quello del dolce e quasi timido amore dei due giovani fidanzati.

In Roma, la quale, come è oggi coda,[1] così già fu capo del mondo, fu un giovane, poco tempo fa, chiamato Pietro Boccamazza, di famiglia tralle romane assai onorevole, il quale s'innamorò d'una bellissima e vaga giovane, chiamata Agnolella, figliuola d'uno ch'ebbe nome Gigliuozzo Saullo, uomo plebeio, ma assai caro a' romani. E amandola, tanto seppe operare, che la giovane cominciò non meno ad amar lui che egli amasse lei. Pietro, da fervente amor costretto,[2] e non parendogli più dover sofferire l'aspra pena[3] che il disiderio che aveva di costei gli dava, la domandò per moglie. La qual cosa come i suoi parenti seppero, tutti furono a lui[4] e biasimarongli forte ciò che egli voleva fare; e d'altra parte fecero dire a Gigliuozzo Saullo che a niun partito attendesse[5] alle parole di Pietro, per ciò che, se 'l facesse, mai per amico né per parente l'avrebbero. Pietro, veggendosi quella via impedita, per la qual sola si credeva potere al suo disio pervenire, volle morir di dolore;[6] e se Gigliuozzo l'avesse consentito, contro al piacer di quanti parenti avea, per moglie la figliuola avrebbe presa. Ma pur si mise in cuore, se alla giovane piacesse, di far che questa cosa avrebbe effetto; e per interposita persona sentito che a grado l'era,[7] con lei si convenne di doversi con lui di Roma fuggire. Alla qual cosa dato ordine, Pietro una mattina per tempissimo levatosi, con lei insieme montò a cavallo, e presero il cammin verso Alagna,[8] là dove Pietro aveva certi amici de' quali esso molto si confidava:[9] e così cavalcando, non avendo spazio di far nozze, per ciò che temevano d'esser seguitati, del loro amore andando insieme ragionando, alcuna volta l'un l'altro basciava.[10]

Ora avvenne che, non essendo a Pietro troppo noto il cammino, come forse otto miglia da Roma dilungati furono, dovendo a man destra tenere, si misero per una via a sinistra. Né furono guari più di due miglia cavalcati,[11] che essi si videro vicini ad un castelletto, del quale, essendo stati veduti, subitamente uscirono da[12] dodici fanti. E già essendo loro assai vicini, la giovane gli vide, per che gridando disse: — Pietro, campiamo[13] ché noi siamo assaliti! — E come seppe, verso una selva grandissima volse il suo ronzino, e tenendogli gli sproni[14] stretti al corpo, attenendosi all'arcione, il ronzino, sentendosi pugnere, correndo, per quella selva ne la portava.

Pietro, che più al viso di lei[15] andava guardando che al cammino, non essendo tosto come lei de' fanti che venieno avveduto, mentre che egli senza vedergli ancora andava guardando donde venissero, fu da loro sopraggiunto e preso e fatto del ronzino smontare; e domandato chi egli era, e avendol detto, costor cominciaron fra loro ad aver consiglio[16] e a dire:

— Questi è degli amici de' nimici nostri: che ne dobbiam fare altro, se non torgli quei panni e quel ronzino e impiccarlo per dispetto degli Orsini[17] ad una di queste querce?

Ed essendosi tutti a questo consiglio accordati, avevano a Pietro comandato che si spogliasse. Il quale spogliandosi, già del suo male indovino, avvenne che un guato[18] di ben venticinque fanti subitamente uscì addosso a costoro gridando: «Alla morte, alla morte!». Li quali soprappresi[19] da questo, lasciato star Pietro, si volsero alla lor difesa; ma, veggendosi molti meno che gli assalitori, cominciarono a fuggire, e costoro a seguirgli. La qual cosa Pietro veggendo, subitamente prese le cose sue e salì sopra il suo ronzino, e cominciò quanto poteva a fuggire per quella via donde aveva veduto che la giovane era fuggita. Ma non vedendo per la selva né via né sentiero, né pedata di caval conoscendosi, poscia che a lui parve esser sicuro e fuori delle mani di coloro che preso l'aveano, e degli altri ancora da cui quegli erano stati assaliti; non

Giornata quinta; novella terza.

1. **la quale... è oggi coda**: allude alla triste decadenza di Roma al tempo in cui le sede pontificia era stata trasportata ad Avignone.
2. **costretto**: spinto e tormentato.
3. **aspra pena**: naturalmente amorosa.
4. **furono a lui**: andarono da lui.
5. **a niun partito attendesse**: che non desse alcun ascolto.
6. **volle morir di dolore**: fu sul punto di morir di dolore.
7. **a grado l'era**: che la decisione le era gradita.
8. **Alagna**: Anagni.
9. **si confidava**: nei quali nutriva piena fiducia.
10. **e così cavalcando... basciava**: «il periodo gentile e sognante, punteggiato di ritmi e movenze poetiche si conclude con una coppia di endecasillabi» (Branca). Essi sono: *amore... ragionando* e *alcuna... basciava*. Nella prosa del Boccaccio, così spesso pervasa di ritmi e cadenze poetiche, sono frequenti i versi veri e propri. Comunque, questo periodo dà il tono alla novella, che racconta un amore tenero e gentile di due personaggi che danno la netta sensazione di essere giovanissimi, alla loro prima esperienza.
11. **Né furono guari... cavalcati**: né ebbero cavalcato molto più di due miglia.
12. **da**: circa. Cominciano le peripezie angosciose dei due giovani. Il ritmo fantastico delle avventure si giustifica su di una storica realtà di guerre di fazioni e di violenza, proprie della Roma di quel tempo. Sentiamo i luoghi incolti e desolati, i pochi abitanti soggetti alle prepotenze della soldataglia.
13. **campiamo**: cerchiamo scampo.
14. **tenendogli gli sproni**, ecc.: «Una serie di gerundi ben atta a farci sentire lo sforzo della donna nel tenersi al ronzino e lo sforzo del ronzino nel correre» (Fornaciari). Osserva anche quell'imperfetto finale che dà un senso di tempo indefinito all'azione (come prima quel *basciava*, e, più avanti, il *vegghiava* di Pietro, la notte, sull'albero) e quindi un vago tono di favola, sottolineato anche dallo sfondo della selva *grandissima*.
15. **più al viso di lei**, ecc.: altra soavissima, e sobria, espressione dell'amore dei due giovani.
16. **aver consiglio**: tener consiglio.
17. **Orsini**: Osserva la brutale rapidità di quel canagliesco consiglio di guerra. La famiglia avversa agli Orsini era quella dei Colonna.
18. **guato**: agguato.
19. **soprappresi**: presi alla sprovvista.

ritrovando la sua giovane, più doloroso che altro uomo, cominciò a piagnere[20] e ad andarla or qua or là per la selva chiamando. Ma niuna persona gli rispondeva, ed esso non ardiva a tornare addietro, e andando innanzi non conosceva dove arrivar si dovesse;[21] e d'altra parte, delle fiere che nelle selve sogliono abitare, aveva ad una ora di se stesso paura, e della sua giovane, la qual tuttavia gli pareva vedere o da orso o da lupo strangolare.[22]

Andò adunque questo Pietro sventurato tutto il giorno per questa selva gridando e chiamando, a tal ora tornando indietro, che egli si credeva innanzi andare;[23] e già, tra per lo gridare e per lo piagnere e per la paura e per lo lungo digiuno, era sì vinto, che più avanti non poteva.[24] E vedendo la notte sopravvenuta, non sappiendo che altro consiglio pigliarsi, trovata una grandissima quercia, smontato del ronzino, a quella il legò; e appresso, per non essere dalle fiere divorato la notte, su vi montò. E poco appresso levatasi la luna, e 'l tempo essendo chiarissimo, non avendo Pietro ardir d'adormentarsi per non cadere, come che, perché pure agio avuto n'avesse, il dolore né i pensieri che della sua giovane avea non l'avrebbero lasciato;[25] per che egli,[26] sospirando e piagnendo e seco la sua disaventura maladicendo, vegghiava.

La giovane fuggendo, come davanti dicemmo, non sappiendo dove andarsi, se non come[27] il suo ronzino stesso dove più gli pareva la ne portava, si mise tanto fra la selva, che ella non poteva vedere il luogo donde in quella entrata era; per che, non altramenti che avesse fatto Pietro, tutto 'l dì, ora aspettando e ora andando, e piagnendo e chiamando e della sua sciagura dolendosi, per lo salvatico luogo s'andò avvolgendo.[28] Alla fine, veggendo che Pietro non venia, essendo già vespro, s'abbatté ad un sentieruolo, per lo qual messasi e seguitandolo il ronzino[29] poi che più di due miglia fu cavalcata, di lontano si vide davanti una casetta,[30] alla quale essa come più tosto poté se n'andò; e quivi trovò un buono uomo attempato molto con una sua moglie che similmente era vecchia. Li quali, quando la videra sola, dissero:

— O figliuola, che vai tu a questa ora così sola faccendo per questa contrada?

La giovane piagnendo rispose che aveva la sua compagnia nella selva smarrita, e domandò come presso fosse[31] ad Alagna. A cui il buono uomo rispose:

— Figliuola mia, questa non è la via d'andare ad Alagna; egli ci ha delle miglia più di dodici.

Disse allora la giovane:

— E come ci sono abitanze presso,[32] da potere albergare?

A cui il buono uomo rispose:

— Non ci sono in niun luogo sì presso, che tu di giorno[33] vi potessi andare.

Disse la giovane allora:

— Piacerebbev'egli, poi che altrove andar non posso, di qui ritenermi per l'amor di Dio stanotte?

Il buono uomo rispose:

— Giovane, che tu con noi ti rimanga per questa sera n'è caro; ma tuttavia ti vogliam ricordare che per queste contrade e di dì e di notte, e d'amici e di nimici vanno di male brigate assai, le quali molte volte ne fanno di gran dispiaceri e di gran danni; e se per isciagura, essendoci tu, ce ne venisse alcuna, e', veggendoti bella e giovane come tu se', e' ti farebbono dispiacere e vergogna, e noi non te ne potremmo aiutare. Vogliamtelo aver detto, acciò che tu poi, se questo avvenisse, non ti possi di noi rammaricare.

La giovane, veggendo che l'ora era tarda, ancora che[34] le parole del vecchio la spaventassero, disse:

— Se a Dio piacerà, egli ci guarderà e voi e me di questa noia,[35] la quale, se pur m'avvenisse, è molto men male essere dagli uomini straziata, che sbranata per li boschi dalle fiere.[36]

E così detto, discesa del suo ronzino, se n'entrò nella casa del pover'uomo, e quivi con essoloro di quello che avevano poveramente cenò, e appresso tutta vestita in su un loro letticello con loro insieme a giacer si gittò, né in tutta la notte di sospirare né di piagnere la sua sventura e quella di Pietro, del quale non sapea che si dovesse sperare altro che male, non rifinò.[37] Ed essendo già

20. cominciò a piagnere, ecc.: Il pianto risuona più desolato in quella solitudine. Ma anche *or qua or là per la selva chiamando* è un endecasillabo, e un ritmo di mesta elegia è in tutta la descrizione di Pietro che cerca febbrilmente e invano, fra dolorosi presentimenti, fino a venir quasi meno per la stanchezza fisica e spirituale, la sua Agnolella. E lo vediamo alla fine, in un incantato paesaggio lunare, mentre veglia solitario su di un albero, sospirando e piangendo; e si ha l'impressione di un pianto che risuona indefinito per la selva, ancor più desolato nella solitudine della notte tranquilla. In questa novella c'è una delicata fusione di realtà e sogno.

21. dove arrivar si dovesse: dove sarebbe andato a finire.

22. ad una ora... strangolare: aveva contemporaneamente paura, per se stesso e per la sua donna, delle belve feroci e continuamente (*tuttavia*) la fantasia gli presentava l'Agnolella nell'atto di essere strangolata da un orso o da un lupo.

23. a tal ora tornando... andare: tornando senza avvedersene sui suoi passi allorquando gli sembrava di procedere innanzi.

24. che più avanti non poteva: che non poteva più proseguire.

25. come che, perché pure... lasciato, ecc.: sebbene, anche se avesse avuto agio di dormire, non vi sarebbe riuscito, tanto era addolorato e in ansia per Agnolella.

26. per che egli: per questo egli.

27. se non come, ecc.: andava seguendo il capriccio della sua cavalcatura.

28. s'andò avvolgendo: andò errando qua e là per la selva, senza riuscire a districarsene.

29. seguitandolo il ronzino: seguendo il ronzino quel sentiero.

30. una casetta: apparizione che sa di favola, come, del resto quella dei buoni vecchietti.

31. come presso fosse: quanto distasse Anagni. Ma dice *come presso* perché s'illude che il paese sia vicino.

32. come ci sono... presso: ci sono case qui vicino, ecc.

33. che tu di giorno, ecc.: che tu vi possa andare prima che venga buio.

34. ancora che: sebbene.

35. noia: sventura.

36. men male... dagli uomini... fiere: la considerazione non è del tutto opportuna, ma è consona al buon senso boccaccesco.

37. che si dovesse sperare... non rifinò: non cessò mai di piangere pensando a Pietro, del quale non poteva aspettarsi altro che male, nel senso che temeva per la sua vita. Nota il compiaciuto parallelismo nella situazione dei due personaggi.

vicino al matutino,[38] ella sentò un gran calpestio di gente andare: per la qual cosa, levatasi, se n'andò in una gran corte, che la piccola casetta di dietro a sé avea, e vedendo dall'una delle parti di quella molto fieno, in quello s'andò a nascondere, acciò che, se quella gente quivi venisse, non fosse così tosto trovata. E appena di nasconder compiuta s'era,[39] che coloro, che una gran brigata di malvagi uomini era, furono alla porta della piccola casa, e fattosi aprire e dentro entrati e trovato il ronzino della giovane ancora con tutta la sella, domandarono chi vi fosse. Il buono uomo, non vedendo la giovane, rispose:

— Niuna persona ci è altro che noi; ma questo ronzino, a cui che fuggito si sia,[40] ci capitò iersera, e noi cel mettemmo in casa, acciò che i lupi nol manicassero.[41]

— Adunque, disse il maggior della brigata,[42] sarà egli buon per noi, poi che altro signor non ha.

Sparti[43] adunque costoro tutti per la piccola casa, parte n'andò nella corte; e poste giù lor lance e lor tavolacci,[44] avvenne che uno di loro, non sappiendo altro che farsi,[45] gittò la sua lancia nel fieno e assai vicin fu ad uccidere la nascosa giovane, ed ella a palesarsi, per ciò che la lancia le venne allato alla sinistra poppa, tanto che col ferro le stracciò de' vestimenti. Laonde ella fu per mettere un grande strido, temendo d'esser fedita;[46] ma ricordandosi là dove era, tutta riscossasi[47] stette cheta. La brigata chi qua e chi là, cotti lor cavretti e loro altra carne, e mangiato e bevuto s'andarono pe' fatti loro, e menaronsene il ronzino della giovane. Ed essendo già dilungati alquanto, il buono uomo cominciò a domandar la moglie:

— Che fu della nostra giovane che iersera ci capitò, che io veduta non la ci ho poi che noi ci levammo?

La buona femina rispose che non sapea, e andonne guatando.[48] La giovane, sentendo coloro esser partiti, uscì del fieno: di che il buono uomo forte contento,[49] poi che vide che alle mani di coloro non era venuta, e faccendosi già dì, le disse:

— Omai che il dì ne viene, se ti piace, noi t'accompagneremo infino ad un castello che è presso di qui cinque miglia, e sarai in luogo sicuro; ma converratti venire a piè, per ciò che questa mala gente che ora di qui si parte se n'ha menato il ronzin tuo.

La giovane, datasi pace di ciò, gli pregò per Dio che al castello la menassero: per che entrati in via, in su la mezza terza[50] vi giunsero.

Era il castello d'uno degli Orsini, il quale si chiamava Liello di Camo di Fiore; e per ventura v'era una sua donna,[51] la qual bonissima e santa donna era; e veggendo la giovane, prestamente la riconobbe e con festa la ricevette, e ordinatamente volle sapere come quivi arrivata fosse. La giovane gliele contò tutto. La donna, che cognoscea similmente Pietro, sì come amico del marito di lei, dolente fu del caso avvenuto, e udendo dove stato fosse preso, s'avvisò che morto fosse stato. Disse adunque alla giovane:

— Poi che così è che Pietro tu non sai,[52] tu dimorerai qui meco infino a tanto che fatto mi verrà di potertene sicuramente mandare a Roma.

Pietro, stando sopra la quercia quanto più doloroso essere potea, vide in sul primo sonno[53] venir ben venti lupi, li quali tutti, come il ronzin videro, gli furono dintorno. Il ronzino sentendogli, tirata la testa, ruppe le cavezzine e cominciò a volersi fuggire; ma essendo intorniato[54] e non potendo, gran pezza co' denti e co' calci si difese: alla fine da loro atterrato e strozzato fu, e subitamente sventrato; e tutti pascendosi, senza altro lasciarvi che l'ossa, il divorarono e andar via. Di che Pietro,[55] al qual pareva del ronzino avere una compagnia e un sostegno delle sue fatiche, forte sbigottì, e imaginossi di non dover mai di quella selva potere uscire. Ed essendo già vicino al dì, morendosi egli sopra la quercia di freddo, sì come quegli che sempre dattorno guardava, si vide innanzi forse un miglio un grandissimo fuoco. Per che, come fatto fu il dì chiaro, non senza paura dalla quercia disceso, verso là si dirizzò, e tanto andò che a quello pervenne; dintorno al quale trovò pastori che mangiavano e davansi buon tempo, da' quali essi per pietà fu raccolto.[56] E poi che egli

38. **già vicino al matutino**: quasi all'alba.
39. **compiuta s'era**: aveva terminato.
40. **a cui che fuggito**, ecc.: a chiunque sia sfuggito (cosa che non sappiamo), ecc.
41. **manicassero**: mangiassero.
42. **Adunque, disse il maggior della brigata**, ecc.: Nota la spavalderia e la prepotenza dei bravacci; si sente che è cosa tanto usuale che il vecchio, tristemente avvezzo, non si spaventa. La sua sicurezza nasce dalla sua povertà estrema.
43. **Sparti**: essendosi sparsi.
44. **tavolacci**: scudi di legno.
45. **non sappiendo altro che farsi**, ecc.: gesto da bravaccio.
46. **fedita**: ferita.
47. **riscossasi**: reagendo allo spavento.
48. **andonne guatando**: si pose a cercarla.
49. **forte contento**: Ordina: il buon uomo, assai contento di ciò... le disse.
50. **in su la mezza terza**: un'ora e mezzo dopo lo spuntare del sole, cioè circa alle sette e mezzo.
51. **una sua donna**: sua moglie; è proprio una *ventura* (fortuna).
52. **Poi che così è**, ecc.: poiché tu non sai che cosa ne sia di Pietro, ecc. La donna gentile non le rivela le sue tristi supposizioni, ma cerca di confortarla col pensiero della sua casa.
53. **in sul primo sonno**: verso le undici, quando generalmente la gente dorme.
54. **cavezzine... intorniato**: redini... circondato.
55. **Di che Pietro**, ecc.: Finissima l'osservazione psicologica; quell'animale è la sua unica compagnia nell'orrida e solitaria selva; e la feroce scena del suo sventramento gli mette nell'anima un disperato terrore.
56. **per pietà fu raccolto**: fu pietosamente accolto, come l'Agnolella dai due vecchietti.

mangiato ebbe e fu riscaldato, contata loro la sua disaventura, e come quivi solo arrivato fosse, gli domandò se in quelle parti fosse villa o castello, dove egli andar potesse. I pastori dissero che ivi forse a tre miglia era un castello di Liello di Campo di Fiore, nel quale al presente era la donna sua:[57] di che Pietro contentissimo gli pregò che alcuno di loro infino al castello l'accompagnasse; il che due di loro fecero volentieri. Al quale pervenuto Pietro, e quivi avendo trovato alcun suo conoscente, cercando di trovar modo che la giovane fosse per la selva cercata, fu da parte della donna fatto chiamare; il quale incontanente andò a lei, e vedendo con lei l'Agnolella, mai pari letizia non fu alla sua. Egli si struggeva tutto[58] d'andarla ad abbracciare, ma per vergogna, la quale avea della donna, lasciava.[59] E se egli fu lieto assai, la letizia della giovane vedendolo non fu minore.

La gentil donna, raccoltolo e fattogli festa, e avendo da lui ciò che intervenuto[60] gli era udito, il riprese molto di ciò che contro al piacer de' parenti suoi far voleva. Ma veggendo che egli era pure a questo disposto e che alla giovane aggradiva disse:

— In che m'affatico io? Costor s'amano, costor si conoscono, ciascuno è parimente amico del mio marito, e il lor desiderio è onesto; e credo che egli piaccia a Dio, poi che l'uno dalle forche ha campato, e l'altra dalla lancia, e amenduni dalle fiere selvatiche: e però facciasi.[61]

E a loro rivolta disse:

— Se pure questo v'è all'animo di volere essere moglie e marito insieme, e a me;[62] facciasi, e qui le nozze s'ordinino alle spese di Liello: la pace poi tra voi e' vostri parenti farò io ben fare.

Pietro lietissimo, e l'Agnolella più, quivi si sposarono, e come in montagna si poté, la gentil donna fé loro onorevoli nozze,[63] e quivi i primi frutti del loro amore dolcissimamente sentirono. Poi, ivi a parecchi dì, la donna insieme con loro, montati a cavallo, e bene accompagnati,[64] se ne tornarono a Roma: dove, trovati forte turbati[65] i parenti di Pietro di ciò che fatto aveva, con loro in buona pace[66] il ritornò. Ed esso con molto riposo[67] e piacere, con la sua Agnolella[68] infino alla lor vecchiezza si visse.

57. **la donna sua**: la moglie di Liello.
58. **Egli si struggeva tutto,** ecc.: tanto più intenso il desiderio dopo che è stato in pena per lei. Ritorna comunque il tema del soave amore fra i due giovani.
59. **per vergogna... lasciava**: tralasciava di farlo per pudore.
60. **intervenuto**: avvenuto.
61. **e però facciasi**: e perciò si faccia questo matrimonio.
62. **e a me**: questo è nell'animo (cioè piace) anche a me.
63. **onorevoli nozze**: una decorosa festa nuziale.
64. **bene accompagnati**: con buona scorta armata.
65. **turbati**: adirati.
66. **in buona pace,** ecc.: lo fece far pace con loro.
67. **riposo**: tranquillità.
68. **la sua Agnolella**: il consueto tono affettuoso di questo amore contrastato ma così dolce e sereno.

Nastagio degli Onesti

La novella riprende un tema frequente nella letteratura religiosa ed edificante del Medioevo, quello della caccia infernale: degli amanti, cioè, peccaminosi che, condannati all'inferno, ritornano ogni giorno sulla terra per vivere una vicenda orrenda: la donna fugge senza posa e l'uomo l'insegue, ma per straziarla ogni volta che la raggiunge. E tale visione appare agli uomini per mostrare gli orribili castighi dell'altro mondo.

Ma il Boccaccio ha invertito la situazione: il dannato è suicida per amore, e insegue e strazia la donna che fu verso di lui troppo crudele e che per questo è stata condannata. Il «significato» della visione è che la crudeltà femminile in amore è rigidamente punita dalla giustizia divina, come dice il prologo; e la conclusione rende maliziosamente noto che dopo quella visione le donne di Ravenna divennero più arrendevoli ai desideri dei loro amanti.

Ma il momento più alto della novella è la visione che appare a Nastagio, affranto da un amore infelice, nella solitaria pineta di Ravenna, quasi come una proiezione fantastica del suo intimo tormento. Nelle grandiose linee della fantomatica apparizione infernale, si leva umanissima e dolente la voce del cavaliere dannato, ad esprimere un'angoscia che consuona del tutto con quella di Nastagio.

In Ravenna, antichissima città di Romagna, furono già assai nobili e ricchi uomini, tra' quali un giovane chiamato Nastagio degli Onesti, per la morte del padre di lui e d'un suo zio, senza stima[1] rimase ricchissimo. Il quale, sì come de' giovani avviene, essendo senza moglie, s'innamorò d'una figliuola di messer Paolo Traversaro, giovane troppo più nobile che esso non era, prendendo speranza con le sue opere[2] di doverla trarre ad amar lui. Le quali, quantunque grandissime, belle e laudevoli fossero, non solamente non gli giovavano, anzi pareva che gli nocessero, tanto cruda e dura e salvatica[3] gli si mostrava la giovinetta amata, forse per la sua singular bellezza o per la sua nobiltà sì altiera e disdegnosa divenuta,[4] che né egli né cosa che gli piacesse le piaceva. La qual cosa era tanto a Nastagio gravosa a comportare,[5] che per dolore più volte, dopo essersi doluto, gli venne in disidero d'uccidersi.[6] Poi, pur tenendo-

Giornata quinta; novella ottava.

1. **senza stima**: enormemente.
2. **con le sue opere**: con opere di cortesia, cioè partecipando a tornei, dando banchetti, e dimostrando in ogni modo la propria prodezza e liberalità.
3. **salvatica**: ritrosa.
4. **forse... divenuta**: inverti la costruzione: divenuta... sì altera... per la sua bellezza, ecc.
5. **comportare**: sopportare.
6. **gli venne in disidero d'uccidersi**: gli venne desiderio, ecc. Tieni presente che il cavaliere che gli apparirà, più avanti, nella visione infernale è anch'egli suicida per amore.

sene,[7] molte volte si mise in cuore di doverla del tutto lasciare stare, o, se potesse, d'averla in odio come ella aveva lui. Ma invano tal proponimento prendeva, per ciò che pareva che quanto più la speranza mancava, tanto più moltiplicasse il suo amore. Perseverando adunque il giovane e nello amare e nello spendere smisuratamente, parve a certi suoi amici e parenti, che egli sé e 'l suo avere parimente fosse per consumare: per la qual cosa più volte il pregarono e consigliarono che si dovesse di Ravenna partire, e in alcun altro luogo per alquanto tempo andare a dimorare; per ciò che, così faccendo, scemerebbe l'amore e le spese.[8] Di questo consiglio più volte fece beffe Nastagio; ma pure, essendo da loro sollicitato,[9] non potendo tanto dir di no, disse di farlo. E fatto fare un grande apparecchiamento,[10] come se in Francia o in Ispagna, o in alcuno altro luogo lontano andar volesse, montato a cavallo e da' suoi molti amici accompagnato, di Ravenna uscì, e andossene ad un luogo forse tre miglia fuor di Ravenna, che si chiamava Chiassi,[11] e quivi, fatti venir padiglioni e trabacche,[12] disse a coloro che accompagnato l'aveano che starsi volea,[13] e che essi a Ravenna se ne tornassono.[14] Attendatosi adunque quivi Nastagio, cominciò a fare la più bella vita e la più magnifica che mai si facesse, or questi e or quegli invitando a cena o a desinare, come usato s'era.

Ora avvenne che venendo quasi all'entrata di maggio, essendo un bellissimo tempo, ed egli entrato in pensiero della sua crudel donna, comandato a tutta la sua famiglia che solo il lasciassero, per più potere pensare a suo piacere, piede innanzi piè sé medesimo trasportò, pensando, infino alla pigneta.[15] Ed essendo già passata presso che la quinta ora del giorno,[16] ed esso bene un mezzo miglio per la pigneta entrato, non ricordandosi di mangiare né d'altra cosa,[17] subitamente gli parve udire un grandissimo pianto e guai altissimi messi da una donna. Per che, rotto il suo dolce pensiero, alzò il capo per veder che fosse, e maravigliossi nella pigneta veggendosi.[18] E oltre a ciò, davanti guardandosi, vide venire per un boschetto assai folto d'albuscelli e di pruni, correndo verso il luogo dove egli era, una bellissima giovane ignuda, scapigliata e tutta graffiata dalle frasche e da' pruni, piagnendo e gridando forte mercé; e oltre a questo le vide a' fianchi due grandi e fieri mastini, li quali duramente appresso correndole, spesse volte crudelmente dove la giugnevano la mordevano; e dietro a lei vide venire sopra un corsier nero un cavalier bruno, forte nel viso crucciato, con uno stocco in mano, lei di morte con parole spaventevoli e villane minacciando.[19] Questa cosa ad una ora maraviglia e spavento gli mise nell'animo, e ultimamente compassione della sventurata donna; dalla qual nacque disidero di liberarla[20] da sì fatta angoscia e morte, se el potesse. Ma, senza arme trovandosi, ricorse a prendere un ramo d'albero in luogo di bastone, e cominciò a farsi incontro a' cani e contro il cavaliere. Ma il cavalier che questo vide, gli gridò di lontano:

— Nastagio, non t'impacciare,[21] lascia fare a' cani e a me quello che questa malvagia femina ha meritato.

E così dicendo, i cani, presa forte la giovane ne' fianchi, la fermarono, e il cavaliere sopraggiunto smontò da cavallo. Al quale Nastagio avvicinatosi disse:

— Io non so chi tu ti se' che me così cognosci; ma tanto ti dico che gran viltà è d'un cavaliere armato volere uccidere una femina ignuda, e averle i cani alle coste messi, come se ella fosse una fiera salvatica: io per certo la difenderò quant'io potrò.[22]

Il cavaliere allora disse:

— Nastagio, io fui d'una medesima terra teco,[23] ed eri tu ancora piccol fanciullo quando io, il quale fui chiamato messer Guido degli Anastagi, era troppo più innamorato di costei, che tu ora non se' di quella de' Traversari. E per la sua fierezza[24] e crudeltà andò sì la mia sciagura, che io un dì con questo

7. pur tenendosene: pur astenendosi da ciò.
8. scemerebbe l'amore e le spese: diminuirebbero l'amore e le spese che faceva. Si avverte il realistico buon senso dei familiari contro l'acceso idealismo amoroso di Nastagio, che, infatti, si fa beffe del consiglio.
9. essendo da loro sollicitato, ecc.: Nastagio, a un certo punto, cede alle loro affettuose sollecitazioni, per non essere scortese con persone che mostrano d'amarlo.
10. grande apparecchiamento: grandiosi preparativi.
11. Chiassi: Classe. Esce, sì, di Ravenna, ma non vuole allontanarsi dalla sua donna.
12. padiglioni e trabacche: tipi di tende; le prime sono più sontuose.
13. che starsi volea: che intendeva fermarsi e stabilirsi in quel luogo.
14. tornassono: tornassero.
15. Ora avvenne... pigneta: Con pochi tocchi il Boccaccio definisce un'atmosfera tutta interiore, sullo sfondo solitario della pineta. La visione che ne emerge è presentata come soprannaturale, ma appare anche come una proiezione esterna dell'amoroso e dolente fantasticare di Nastagio. Nelle espressioni **entrato in pensiero** e **piede... trasportò** si ha la trasposizione fisica di un moto d'interiorità, che ne fa sentire la forza totale, assoluta: il perdersi tutto nel pensiero esclusivistico, il corpo che segue la mente come oggetto meccanico, inanimato. La solitudine della pineta folta di ombre e di mistero è il luogo ideale di questa meditazione trasognata.
16. la quinta ora del giorno: le undici.
17. non ricordandosi di mangiare né d'altra cosa: è come perduto in un profondo oblio, fisso nel dolce pensiero. In tal modo il B. ha sapientemente graduato il passaggio dalla realtà quotidiana a quella straordinaria e favolosa dell'apparizione.
18. subitamente... veggendosi: d'improvviso gli par d'udire un grandissimo pianto e lamenti (*guai*) altissimi emessi da una donna, che più tragicamente risuonano nel profondo silenzio. E allora *rotto* il suo dolce fantasticare (nota la forza espressiva di quel participio) alza il capo, richiamato bruscamente alla realtà esterna e si meraviglia vedendosi nella pineta. L'ultimo tocco è magistrale: Nastagio ha vissuto, in queste ore, un tempo senza tempo, nello spazio irreale del sogno, andando senza saper dove, con gli occhi fissi soltanto alla fantastica immagine della sua donna.
19. E oltre a ciò... minacciando: L'apparizione ha la nettezza e la violenza di toni propri delle allucinazioni. I tre *vide* isolano i tre momenti della visione, e, al tempo stesso, li uniscono in una paurosa sequenza. Osservali uno per uno. Dapprima vedi emergere dalla boscaglia folta e misteriosa la donna, immagine di terrore e disperazione (ignuda, scapigliata, tutta graffiata), che ispira pietà tanto maggiore in quanto è *bellissima*, e poi per il suo pianto e per il disperato chiedere pietà (*mercé*). Poi l'immagine orrida e muta dei mastini, il loro morso feroce. Infine il cavaliere, immagine tutta infernale. Nero è il cavallo, bruno il viso, incupito dall'espressione di cruccio feroce e delle grida spaventose.
20. disidero di liberarla, ecc.: Una rapida successione di sentimenti nell'anima di Nastagio, non più spettatore visionario, ma attore del dramma. Prevale, alla fine, la generosità cavalleresca, il culto per la donna, la pietà che egli, innamorato pieno d'angoscia, avverte più viva.
21. non t'impacciare: non immischiarti. Più avanti: **E così dicendo**: e mentre egli così diceva.
22. Io non so... potrò: Il discorso di Nastagio ha una dignità cavalleresca ed eroica (*io per certo la difenderò quant'io potrò*). **tanto ti dico**: questo solo ti dico. **alle coste**: alle costole. **salvatica**: selvaggia.
23. io fui d'una medesima terra, ecc.: fui anch'io di Ravenna; il passato remoto dice che chi parla è un morto.
24. E per la sua fierezza: il racconto è tutto fondato su toni cupi e parole crude. **Fierezza** è *ferocia*; il racconto di disperazione, morte, dannazione eterna è svolto con poche parole ma di intensa drammaticità.

stocco, il quale tu mi vedi in mano, come disperato m'uccisi, e sono alle pene etternali dannato. Né stette poi guari tempo[25] che costei, la qual della mia morte fu lieta oltre misura, morì, e per lo peccato della sua crudeltà e della letizia avuta de' miei tormenti, non pentendosene, come colei che non credeva[26] in ciò aver peccato ma meritato, similmente fu ed è dannata alle pene del ninferno.[27] Nel quale come ella discese, così ne fu e a lei e a me per pena dato, a lei di fuggirmi davanti, e a me, che già cotanto l'amai,[28] di seguitarla come mortal nimica, non come amata donna. E quante volte io la giungo,[29] tante con questo stocco, col quale io uccisi me,[30] uccido lei, e aprola per ischiena, e quel cuor duro e freddo, nel qual mai né amor né pietà poterono entrare, con l'altre interiora insieme, sì come tu vedrai incontanente, le caccio di corpo, e dòlle mangiare a questi cani.[31] Né sta poi grande spazio[32] che ella, sì come la giustizia e la potenzia di Dio vuole,[33] come se morta non fosse stata, risurge, e da capo incomincia la dolorosa fugga,[34] e i cani e io a seguitarla. E avviene che ogni venerdì in su questa ora io la giungo[35] qui, e qui ne fo lo strazio che vederai. E gli altri dì non creder che noi riposiamo, ma giungola in altri luoghi, ne' quali ella crudelmente contro a me pensò o operò. Ed essendole d'amante divenuto nimico come tu vedi, me la conviene in questa guisa tanti anni seguitare, quanti mesi ella fu contro a me crudele. Adunque lasciami la divina giustizia mandare ad esecuzione, né ti volere opporre a quello che tu non potresti contrastare.

Nastagio, udendo queste parole, tutto timido[36] divenuto, e quasi non avendo pelo addosso che arricciato non fosse, tirandosi addietro e riguardando alla misera giovane,[37] cominciò pauroso ad aspettare quello che facesse il cavaliere. Il quale, finito il suo ragionare, a guisa d'un cane rabbioso,[38] con lo stocco in mano corse addosso alla giovane, la quale inginocchiata, e da' due mastini tenuta forte, gli gridava mercé; e a quella con tutta sua forza diede per mezzo il petto e passolla dall'altra parte. Il qual colpo come la giovane ebbe ricevuto, così cadde boccone, sempre piagnendo e gridando: e il cavaliere, messo mano ad un coltello, quella aprì nelle reni, e fuori trattone il cuore e ogni altra cosa da torno,[39] a' due mastini il gittò, li quali affamatissimi,[40] incontanente il mangiarono. Né stette guari che la giovane, quasi niuna di queste cose stata fosse, subitamente si levò in piè e cominciò a fuggire verso il mare, e i cani appresso di lei, sempre lacerandola: e il cavaliere rimontato a cavallo e ripreso il suo stocco, la cominciò a seguitare, e in picciola ora si dileguarono[41] in maniera che più Nastagio non gli poté vedere.

Il quale, avendo queste cose vedute, gran pezza stette tra pietoso e pauroso; e dopo alquanto gli venne nella mente questa cosa dovergli molto poter valere,[42] poi che ogni venerdì avvenia. Per che, segnato il luogo,[43] a' suoi famigli se ne tornò, e appresso, quando gli parve, mandato per[44] più suoi parenti e amici, disse loro:

— Voi m'avete lungo tempo stimolato che io d'amare questa mia nemica mi rimanga[45] e ponga fine al mio spendere; e io son presto[46] di farlo, dove voi una grazia m'impetriate. La quale è questa: che venerdì che viene voi facciate sì che messer Paolo Traversaro e la moglie e la figliuola e tutte le donne loro parenti, e altre chi vi piacerà, qui sieno a desinar meco. Quello per che io[47] questo voglia, voi il vedrete allora.

A costor parve questa assai piccola cosa a dover fare e promissongliele;[48] e a Ravenna tornati, quando tempo fu, coloro invitarono li quali Nastagio voleva. E come che dura[49] cosa fosse il potervi menare la giovane da Nastagio amata, pur v'andò con gli altri insieme. Nastagio fece magnificamente apprestare da mangiare, e fece le tavole mettere sotto i pini dintorno a quel luogo dove veduto aveva lo strazio della crudel donna; e fatti mettere gli uomini e le donne a tavola, sì ordinò,[50] che appunto la giovane amata da lui fu posta a sedere dirimpetto al luogo dove doveva il fatto intervenire.

Essendo adunque già venuta l'ultima vivanda, e il romore[51] disperato della cacciata giovane da tutti fu cominciato ad udire. Di che maravigliandosi forte ciascuno, e domandando che ciò fosse, e niun sappiendol dire, levatisi tutti diritti[52] e riguardando che ciò potesse essere, videre la dolente giovane e 'l

25. guari tempo: né passò molto tempo. Il suicidio del cavaliere richiama Nastagio a un desiderio che egli stesso ha accarezzato; la donna feroce gli fa pensare alla sua donna impietosa. La visione fa rivivere a Nastagio la sua storia dolorosa, più intensamente perché proiettata su di uno sfondo soprannaturale.
26. come colei che non credeva, ecc.: poiché ella non credeva, ecc.
27. ninferno: è forma popolare per inferno.
28. che già cotanto l'amai: l'accenno alla propria passione interrompe più volte l'orrido racconto del cavaliere, facendola sentire ancor viva, presente e disperata.
29. quante volte... giungo: ogni volta che la raggiungo.
30. con questo stocco... uccisi me: è una sorta di pena del taglione o *contrapasso*, come lo chiama Dante nell'*Inferno*.
31. aprola per ischiena... cani: le squarcia il dorso, le caccia fuori dal corpo quel cuore duro e freddo... lo dà da mangiare ai cani. I particolari sono raccapriccianti, descritti con parole impietose. Si sente in esse il complesso stato d'animo del cavaliere: una sorta di gioia feroce della vendetta e l'angoscia che questa stessa vendetta gli procura. **incontanente**: subito.
32. grande spazio: di tempo.
33. vuole: il verbo è al singolare perché i due soggetti sono, in realtà, uno (Dio che è potenza e giustizia).
34. dolorosa fugga: dolorosa fuga; palpita nell'aggettivo il senso della comune, eterna pena.
35. la giungo: la raggiungo.
36. timido: timoroso, ora che gli si è rivelato il carattere soprannaturale della apparizione.
37. riguardando alla misera giovane: senti in questo sguardo la pietà del cavaliere gentile per l'oltraggiata bellezza.
38. a guisa d'un cane rabbioso: il particolare introduce mirabilmente la scena selvaggia.
39. ogni altra cosa da torno: le interiora.
40. affamatissimi: il particolare animalesco e orribile conclude degnamente la scena, feroce, ma descritta nitidamente.
41. in picciola ora si dileguarono: sfumano nell'orizzonte indefinito del mare.
42. dovergli molto poter valere: poteva essergli molto utile. Dopo l'orrore della scena infernale, Nastagio ritorna alla vita, non però più come uomo trasognato, bensì lucidamente proteso alla conquista della sua donna.
43. Per che, segnato il luogo: per questo, messi dei contrassegni nel luogo per ritrovarlo sicuramente.
44. mandato per, ecc.: mandati a chiamare.
45. mi rimanga: cessi. La donna, per riflesso della visione, è ora la sua nemica.
46. son presto: sono pronto.
47. Quello per che io: la ragione per la quale.
48. promissongliele: gliela promisero.
49. dura: difficile.
50. sì ordinò: li dispose in tal modo.
51. e il romore: quell'*e* ha lo stesso senso di *quand'ecco*.
52. tutti diritti: in piedi.

cavaliere e' cani; né guari stette che essi tutti furono quivi tra loro. Il romore fu fatto grande e a' cani e al cavaliere,[53] e molti per aiutare la giovane si fecero innanzi. Ma il cavaliere, parlando loro come a Nastagio aveva parlato, non solamente gli fece indietro tirare, ma tutti gli spaventò e riempié di maraviglia: e faccendo quello che altra volta aveva fatto, quante donne v'avea (ché ve ne aveva[54] assai che parenti erano state e della dolente giovane e del cavaliere, e che si ricordavano e dell'amore e della morte di lui) tutte così miseramente piagnevano, come se a sé medesime quello avesser veduto fare. La qual cosa al suo termine fornita,[55] e andata via la donna e 'l cavaliere, mise costoro che ciò veduto aveano in molti e vari ragionamenti.

Ma tra gli altri che più di spavento ebbero, fu la crudel giovane da Nastagio amata. La quale ogni cosa distintamente veduta avea e udita, e conosciuto che a sé più che ad altra persona che vi fosse queste cose toccavano,[56] ricordandosi della crudeltà sempre da lei usata verso Nastagio: per che già le parea fuggir dinnanzi da lui adirato, e avere i mastini a' fianchi. E tanta fu la paura che di questo le nacque, che acciò che questo a lei non avvenisse, prima tempo non si vide (il quale quella medesima sera prestato le fu)[57] che ella, avendo l'odio in amore tramutato, una sua fida cameriera segretamente a Nastagio mandò, la quale da parte di lei il pregò che gli dovesse piacer d'andare a lei,[58] per ciò ch'ella era presta[59] di far tutto ciò che fosse piacer di lui. Alla qual Nastagio fece rispondere che questo gli era a grado[60] molto, ma che, dove le piacesse, con onor di lei[61] voleva il suo piacere, e questo era sposandola per moglie. La giovane, la qual sapeva che da altrui che da lei rimaso non era[62] che moglie di Nastagio stata non fosse, gli fece risponder che le piacea. Per che, essendo ella medesima la messaggera,[63] al padre e alla madre disse che era contenta d'essere sposa di Nastagio; di che essi furon contenti molto. E la domenica seguente Nastagio sposatala e fatte le sue nozze, con lei più tempo lietamente visse. E non fu questa paura cagione solamente di questo bene: anzi sì tutte le ravignane donne paurose ne divennero, che sempre poi troppo più[64] arrendevoli a piaceri degli uomini furono, che prima state non erano.

53. Il romore fu fatto grande, ecc.: furono levate alte grida contro i cani e il cavaliere, come aveva fatto Nastagio.
54. ve ne aveva: ve n'erano.
55. La qual cosa al suo termine fornita, ecc.: questa visione, quando fu finita, diede ampia materia di discorso a tutti.
56. conosciuto... toccavano: comprende che la visione riguarda soprattutto lei.
57. prima tempo... prestato le fu: non appena vide un'occasione opportuna, che le fu offerta la sera stessa.
58. gli dovesse piacer d'andare a lei: soggetto è Nastagio; *lei* è, ovviamente, la giovane dei Traversari.
59. era presta, ecc.: era pronta a soddisfare del tutto l'amore di lui.
60. a grado: gradito.
61. con onor di lei, ecc.: intendeva soddisfare il suo amore in modo pienamente onorevole per lei, cioè sposandola.
62. da altrui... non era, ecc.: non era dipeso da altri che da lei il fatto che non fosse ancora andata sposa a Nastagio.
63. la messaggera: era la persona che faceva la domanda di matrimonio.
64. troppo più: molto più.

ESERCIZIO DI ANALISI

Nastagio

Come s'è accennato, il soggetto della novella è ripreso da un'antica leggenda germanica di origine popolare, assunta nella letteratura religiosa ed edificante degli *exempla*, le sintetiche narrazioni esemplificatrici ed esemplari usate dai predicatori per imprimere più vivamente negli uditori il loro insegnamento. Un raffronto fra il testo del Boccaccio e quello, riportato in precedenza col titolo *Il carbonaio di Niversa*, d'un predicatore trecentesco, Jacopo Passavanti, che traduce un testo più antico di Elinando (sec. XII), consente di definire alcuni aspetti originali della narrativa boccacciana, illuminandone anche gli aspetti ideologici.

Limitiamo il raffronto al solo livello tematico, dato che i due testi appartengono a generi letterari differenti per finalità e, conseguentemente, nell'organizzazione del racconto, negli effetti perseguiti e nell'atteggiamento che richiedono al pubblico, cioè nel tipo di *ricezione* che configurano. Bastino, per il Passavanti, pochi cenni.

In conformità all'intento edificante, il Passavanti insiste, per oltre la metà del testo, sulla spiegazione della visione, compiuta dal cavaliere (divenuto, in quel momento, pura voce recitante), definendo un rapporto sin puntiglioso fra peccato e pena. I due testimoni, il carbonaio e il conte, non hanno alcun rilievo di personaggi (il secondo è scelto come testimone privilegiato per la sua condizione culturale e sociale, che conferirà maggiore attendibilità alla sua testimonianza): in primo piano è l'evento, rappresentato con concentrazione drammatica in vista dell'effetto da produrre sulle coscienze. Esso assume un carattere liturgico: azione sacra (liturgia di pena) è, infatti, quella dei due peccatori, presentata sin dall'inizio come soprannaturale (il fuoco che esce dalla bocca del cavallo e del cavaliere).

Il Boccaccio sovverte questa tecnica, assumendo l'esempio in un libero e vario movimento narrativo. I punti di distacco sono essenzialmente i seguenti:

a) una de-sacralizzazione della vicenda, che resta un evento mirabile, ma ricondotto alla vita quotidiana, persino mondana (si veda la seconda apparizione, che avviene in un predisposto teatro di pubblico);

b) una volontà (conseguente al punto precedente) di risolvere il mirabile in una dimensione psicologica riferita al personaggio principale, che non è più mero testimone, ma attore;

c) l'assunzione dell'*exemplum* in una prospettiva ideologica capovolta; laica, cioè, e non priva di punte polemiche e parodistiche contro un certo tipo di religiosità medievale (quella che nel Passavanti garantisce la credibilità dell'*exemplum*), e, comunque sia, ispirata a una diversa idea della vita e dei rapporti umani.

Possiamo unire i punti a) e b). L'evento miracoloso appare, nella novella, incentrato sul personaggio di Nastagio, che lo usa, la seconda volta, per una finalità personale. Ma anche durante la prima visione è ben lontano dall'essere un testimone passivo, non soltanto per il suo cavalleresco tentativo di difendere la donna, ma perché la visione stessa appare talmente connessa al suo stato d'animo da sembrare una proiezione esterna di esso (non per nulla, a differenza di quanto avviene nel testo del Passavanti, non esce fuoco dalla bocca del cavallo e del cavaliere, e Nastagio sa che si tratta d'una apparizione infernale soltanto quando quest'ultimo glielo dice).

Importante è l'atmosfera di solitudine che il Boccaccio gli crea intorno. La pineta solitaria diviene lo sfondo reale e ideale del suo animo fisso in un pensiero ossessivo (il tormento d'amore). In questa dimensione di distacco dal quotidiano, la visione sembra emergere dalla profondità inconscia del suo animo. È stata osservata dal Segre la consonanza fra il suo nome e quello del cavaliere dannato (Nastagio degli Onesti / Guido degli Anastagi); e in effetti il personaggio fantasmatico è una sorta di *doppio* di Nastagio, così come la caccia infernale e lo strazio inferto alla donna riflettono, invertita, la situazione di Nastagio, straziato dalla donna crudele, e l'inconfessato desiderio di ribellione e di vendetta che s'annida nel suo inconscio, rimosso dai «tabù» cavallereschi.

La riprova è data dal fatto che Nastagio s'improvvisa regista della seconda visione, la fa diventare un messaggio all'amata crudele, che ne resta così sconvolta da offrirgli una resa incondizionata (sarà lui a concederle l'onore delle armi, il matrimonio).

La vicenda diviene così una vera e propria parodia dell'*exemplum*. In Elinando e nel Passavanti i due peccatori sono condannati per il loro amore carnale e adultero, congiunto, nella donna, all'uccisione del marito. Nel Boccaccio il peccato della donna è quello di non avere ceduto all'amore e di non essersene pentita, «come colei che non credeva in ciò aver peccato, ma meritato». Ne deriva una nuova morale: non è lecito resistere all'amore, è peccato la crudeltà in amore. La parodia si conclude con l'accenno scherzoso alle donne di Ravenna, divenute, dopo la visione, più arrendevoli nei confronti dei loro amanti.

La conclusione sorridente sembra voler smorzare l'arditezza dell'assunto (il rovesciamento drastico d'un *exemplum* canonico della letteratura religiosa) e ricondurre il significato che emerge dal racconto alla raffinata etica «cortese», valida per una società intelligente e aristocratica quale è quella che fa da sfondo alla novella, ma anche quella dei novellatori. Filomena, la narratrice, e Fiammetta, che subito dopo racconta una grande novella d'amore e cortesia, quella di Federigo degli Alberighi, insistono sulla figura della donna richiesta da questa società: disposta all'amore e alla «pietà», alla ricompensa «dovuta» all'amante. Qualcosa di analogo aveva sostenuto il maggior teorico dell'amor cortese, Andrea Cappellano.

Rimane tuttavia la contrapposizione fra ideale religioso e ideale cortese, netta, anche se dissimulata in un velo di favola e di sorridente parodia. A questo proposito va ricordato il fatto che frequente è nel *Decameron* l'ironia contro le forme feticistiche o rigoristiche della mentalità religiosa del tempo (l'intolleranza, criticata nella novella di Melchisedec, il culto superstizioso delle reliquie, messo in caricatura nella novella di Frate Cipolla, le santificazioni disinvolte, come quella di ser Ciappelletto, i molti religiosi vinti dalle seduzioni della «carne» contro le quali tuonano dal pulpito). L'ideale cortese, già modificato dalla società «borghese» trecentesca, come si vede dal fatto che le due novelle terminano con un matrimonio (ritenuto da Andrea Cappellano cosa contraria al vero amore aristocratico), si unisce al culto dell'amore come esperienza vitale esaltante (si veda la novella di Cimone), come libera avventura nel mondo.

Federigo degli Alberighi

È una novella d'amore intenso e delicato, imperniata sul colloquio fra due nobili persone, Federigo e Giovanna, specchio di una passata umanità ideale alla quale il Boccaccio guarda con ammirata nostalgia. Federigo è emblema della vera cortesia, quella dell'animo; non è più l'eroe guerriero, ma è l'uomo impegnato nella vicenda spesso dura del quotidiano, capace di liberalità, ma anche di povertà dignitosa, aperto alla generosità, ma soprattutto geloso del proprio onore.

La novella è pervasa d'un'atmosfera gentile, ma anche, e soprattutto, malinconica. L'ideale cavalleresco esce dal mondo incantato e fastoso del romanzo per inserirsi nel mondo della vita quotidiana; conserva la sua tensione eroica, ma pure avverte il limite e la durezza spesso impietosa della realtà. Non inganni il lieto fine della novella: essa racconta una storia di rinuncia (l'amore non ricambiato, il dono che si vorrebbe e non si può fare, la morte del figlio di Giovanna), e, alla fine, un matrimonio di stima, piuttosto che d'amore. La vittoria di Federigo, se mai, consiste in quel salvare, di fronte alla brutalità del destino, la sua dignità.

In Firenze fu già un giovane chiamato Federigo di messer Filippo Alberighi,[1] in opera d'arme e in cortesia[2] pregiato sopra ogn'altro donzel di Toscana. Il quale, sì come il più[3] de' gentili uomini avviene, d'una gentil donna chiamata monna Giovanna s'innamorò, ne' suoi tempi tenuta delle più belle donne e delle più leggiadre che in Firenze fossero; e acciò che egli l'amor di lei acquistar potesse, giostrava, armeggiava, faceva feste e donava, e il suo senza alcuno ritegno spendeva. Ma ella, non meno onesta che bella,[4] niente di queste

Giornata quinta; novella nona.

1. **Alberighi**: era una delle più antiche e nobili famiglie fiorentine.
2. **in opera d'arme e in cortesia**: allude alle forme essenziali del vivere cavalleresco: la prodezza mostrata in giostre e tornei, l'eleganza e munificenza nel vivere quotidiano. *Donzello* significa, qui, giovane cavaliere. La vicenda di Federigo è situata dalla narratrice della novella al tempo della precedente generazione.
3. **il più**: per lo più. Tradizionale la relazione qui stabilita fra *gentilezza* e disposizione ad amare nobilmente.
4. **onesta... bella**: C'è già, intera, la figura della protagonista femminile della novella.

cose per lei fatte, né di colui si curava che le faceva.

Spendendo adunque Federigo oltre ad ogni suo potere molto e niente acquistando,[5] sì come di leggiere[6] avviene, le ricchezze mancarono e esso rimase povero, senza altra cosa che un suo poderetto piccolo essergli rimasa, delle rendite del quale strettissimamente[7] vivea, e oltre a questo un suo falcone[8] de' migliori del mondo. Per che, amando più che mai, né parendogli più potere esser cittadino[9] come disiderava, a Campi, là dove il suo poderetto era, se n'andò a stare. Quivi, quando poteva uccellando e senza alcuna persona richiedere,[10] pazientemente la sua povertà comportava.

Ora avvenne un dì che, essendo così Federigo divenuto allo stremo,[11] che il marito di monna Giovanna infermò, e veggendosi alla morte venire, fece testamento, ed essendo ricchissimo, in quello lasciò suo erede un suo figliuolo già grandicello; e appresso questo, avendo molto amata monna Giovanna, lei, se avvenisse che il figliuolo senza erede legittimo morisse, suo erede sostituì, e morissi. Rimasa adunque vedova monna Giovanna, come usanza è delle nostre donne, l'anno di state[12] con questo suo figliuolo se n'andava in contado ad una sua possessione assai vicina a quella di Federigo. Per che avenne che questo garzoncello s'incominciò a dimesticare[13] con Federigo e a dilettarsi d'uccelli e di cani; e avendo veduto molte volte il falcone di Federigo volare, e stranamente[14] piacendogli, forte disiderava d'averlo, ma pure non s'attentava di domandarlo, veggendolo a lui essere cotanto caro. E così stando la cosa, avvenne che il garzoncello infermò: di che la madre dolorosa molto, come colei che più non n'avea[15] e lui amava quanto più si poteva, tutto 'l dì standogli dintorno, non ristava di confortarlo, e spesse volte il domandava se alcuna cosa era la quale egli disiderasse, pregandolo gliele dicesse, ché per certo, se possibile fosse ad avere, procaccerebbe come l'avesse. Il giovane, udite molte volte queste proferte, disse:

— Madre mia, se voi fate che io abbia il falcone di Federigo, io mi credo prestamente guerire.[16]

La donna, udendo questo, alquanto sopra sé stette,[17] e cominciò a pensare quello che far dovesse. Ella sapeva[18] che Federigo lungamente l'aveva amata, né mai da lei una sola guatatura aveva avuta; per che ella diceva: «Come manderò io o andrò a domandargli questo falcone, che è, per quel che io oda, il migliore che mai volasse, e oltre a ciò il mantien nel mondo?[19] E come sarò io sì sconoscente, che ad un gentile uomo, al quale niuno altro diletto è più rimaso, io questo gli voglia torre? — E in così fatto pensiero impacciata, come che[20] ella fosse certissima d'averlo se 'l domandasse, senza saper che dovere dire, non rispondeva al figliuolo, ma si stava.[21] Ultimamente tanto la vinse l'amor del figliuolo, che ella seco dispose, per contentarlo, che che esser ne dovesse,[22] di non mandare, ma d'andare ella medesima per esso e di recarglielle.[23] E risposegli:

— Figliuol mio, confortati e pensa di guerire di forza,[24] ché io ti prometto che la prima cosa che io farò domattina, io andrò per esso e sì il ti recherò.

Di che il fanciullo lieto, il dì medesimo mostrò alcun miglioramento.

La donna la mattina seguente, presa un'altra donna in compagnia, per modo di diporto se n'andò alla piccola casetta di Federigo e fecelo addimandare.[25] Egli, per ciò che non era tempo, né era stato a quei dì, d'uccellare, era in un suo orto e faceva certi suoi lavorietti[26] acconciare. Il quale udendo che monna Giovanna il domandava alla porta, maravigliandosi forte, lieto là corse.[27] La quale, vedendol venire, con una donnesca piacevolezza[28] levataglisi incontro, avendola già Federigo reverentemente salutata, disse:

— Bene stea Federigo.

E seguitò:

— Io son venuta a ristorarti[29] de' danni li quali tu hai già avuti per me, amandomi più che stato non ti sarebbe bisogno; e il ristoro è cotale, che io intendo con questa mia compagna insieme desinar teco dimesticamente stamane.

Alla qual Federigo umilmente rispose:

— Madonna, niun danno mi ricorda mai aver ricevuto per voi, ma tanto di

5. **niente acquistando**: senza raggiungere minimamente il suo scopo.
6. **di leggiere**: facilmente, in simili casi.
7. **strettissimamente**: poveramente.
8. **falcone**: è il simbolo superstite delle sue abitudini signorili. I falconi venivano addestrati per la caccia, ed era questo il prediletto passatempo dei nobili.
9. **potere essere cittadino**: vivere dignitosamente in città. Si condanna a volontario esilio, sia per la propria povertà che non gli consente più un tenor di vita decoroso, sia per non apparire spregevole agli occhi di colei che ama.
10. **senza alcuna persona richiedere**: altra prova della sua signorile finezza: non chiede l'aiuto di nessuno, vive poveramente, ma con dignità.
11. **divenuto... stremo**: ridotto in miseria.
12. **l'anno di state**: ogni anno d'estate.
13. **dimesticare**: fare amicizia, entrare in confidenza; osserva però come la madre resti discretamente in ombra.
14. **stranamente**: straordinariamente. **forte** sta per «fortemente».
15. **come colei che più non n'avea**: poiché aveva quell'unico figlio.
16. **prestamente guerire**: credo che guarirei subito.
17. **alquanto sopra sé stette**: a lungo fra sé e sé meditò.
18. **Ella sapeva**, ecc.: Evidentissime la gentilizza e l'onestà di Giovanna. Ella sa quanto Federigo l'abbia amata e l'ami ancora, sebbene da lei non abbia mai avuto uno sguardo (**guatatura**), sa che in nome di questo amore Federigo le donerebbe senza alcun compenso il falcone, ma sa anche che cosa esso significhi per lui, e per tutte queste ragioni non vuol chiederglielo. Se cede, è proprio perché l'amor materno la vince.
19. **il mantien nel mondo**: Il falcone è rimasto per Federigo l'emblema della vita signorile d'un tempo, ed è, per questo, il solo conforto nelle presenti strettezze.
20. **come che**: sebbene.
21. **ma si stava**: taceva assorta in questi pensieri.
22. **che che esser ne dovesse**: qualunque cosa ne dovesse seguire.
23. **recarglielle**: portarglielo (al figlio).
24. **pensa di guerire di forza**: pensa con tutto l'animo a guarire.
25. **fecelo addimandare**: lo fece chiamare.
26. **faceva certi suoi lavorietti**, ecc.: soprastava a certi modesti lavori nel suo poderetto.
27. **maravigliandosi... là corse**: rapido scatto di meraviglia gioiosa: gli sembra un sogno.
28. **donnesca piacevolezza**: signorile grazia.
29. **Io son venuta a ristorarti**: Sono venuta a ricompensarti. Le parole di Giovanna sono gentili, ma piene di ritegno. Se ella afferma di voler restare a desinare, lo fa perché non sarebbe cortese fargli quella richiesta che gli arrecherà senz'altro dolore e poi andarsene. Ma l'accenno fugace all'amore di lui, il tono del discorso alludono chiaramente a familiarità onesta, scevra d'ogni forma di civetteria.

bene che, se io mai alcuna cosa valsi,[30] per lo vostro valore, e per l'amore che portato v'ho, adivenne. E per certo questa vostra liberale venuta[31] m'è troppo più cara che non sarebbe se da capo mi fosse dato da spendere quanto per addietro ho già speso; come che a povero oste siate venuta.

E così detto, vergognosamente dentro alla sua casa la ricevette, e di quella nel suo giardino la condusse; e quivi non avendo a cui[32] farle tener compagnia ad altrui, disse:

— Madonna, poi che altri non c'è, questa buona donna, moglie di questo lavoratore, vi terrà compagnia, tanto che io vada a far metter la tavola.

Egli, con tutto che la sua povertà fosse strema, non s'era ancor tanto avveduto quanto bisogno gli facea, che egli avesse fuor d'ordine spese le sue ricchezze.[33] Ma questa mattina, niuna cosa trovandosi di che potere onorar la donna, per amore della quale egli già infiniti uomini onorati avea, il fé ravvedere: e oltre modo angoscioso,[34] seco stesso maladicendo la sua fortuna, come uomo che fuor di sé fosse, or qua e or là trascorrendo, né denari né pegno trovandosi, essendo l'ora tarda e il desidero grande di pure onorare d'alcuna cosa la gentil donna, e non volendo, non che altrui, ma il lavorator suo stesso richiedere, gli corse agli occhi il suo buon falcone, il quale nella sua saletta vide sopra la stanga. Per che, non avendo a che altri ricorrere, presolo e trovatolo grasso,[35] pensò lui esser degna vivanda di cotal donna. E però, senza più pensare, tiratogli il collo, ad una sua fanticella il fé prestamente, pelato e acconcio, mettere in uno schidone[36] e arrostire diligentemente; e messa la tavola con tovaglie bianchissime, delle quali alcuna ancora avea, con lieto viso[37] ritornò alla donna nel suo giardino, e il desinare che per lui far si potea, disse essere apparecchiato. Laonde la donna con la sua compagna levatasi andarono a tavola, e senza sapere che si mangiassero, insieme con Federigo, il quale con somma fede[38] le serviva, mangiarono il buon falcone.

E levate da tavola, e alquanto con piacevoli ragionamenti con lui dimorate, parendo alla donna tempo di dire quello per che andata era, così benignamente verso Federigo cominciò a parlare:

— Federigo, ricordandoti tu della tua preterita vita e della mia onestà, la quale per avventura tu hai reputata durezza e crudeltà, io non dubito punto che tu non ti debbi maravigliare della mia presunzione,[39] sentendo quello per che principalmente qui venuta sono; ma, se figliuoli avessi o avessi avuti, per li quali potessi conoscere di quanta forza sia l'amor che lor si porta, mi parrebbe esser certa che in parte m'avresti per iscusata. Ma, come che[40] tu non n'abbia, io che n'ho uno, non posso però le leggi comuni dell'altre madri[41] fuggire: le cui forze seguir convenendomi, mi conviene, oltre al piacer mio e oltre ad ogni convenevolezza e dovere,[42] chiederti un dono, il quale io so che sommamente t'è caro (ed è ragione,[43] per ciò che niuno altro diletto, niuno altro diporto, niuna consolazione lasciata t'ha la tua strema fortuna); e questo dono è il falcon tuo, del quale il fanciul mio è sì forte invaghito che, se io non gliele porto, io temo che egli non aggravi tanto nella infermità la quale ha, che poi ne segua cosa per la quale io il perda. E per ciò io ti priego, non per lo amore che tu mi porti, al quale tu di niente se' tenuto,[44] ma per la tua nobiltà, la quale in usar cortesia s'è maggiore che in alcuno altro mostrata, che ti debba piacere di donarlomi, acciò che io per questo dono possa dire d'avere ritenuto in vita il mio figliuolo, e per quello averloti sempre obbligato.[45]

Federigo, udendo ciò che la donna addomandava, e sentendo che servir non la potea, per ciò che mangiare gliele avea dato, cominciò in presenza di lei a piagnere,[46] anzi che alcuna parola risponder potesse. Il qual pianto la donna prima credette che da dolore di dover da sé dipartire il buon falcon divenisse,[47] più che da altro, e quasi fu per dire che nol volesse,[48] ma pur sostenutasi,[49] aspettò dopo il pianto la risposta di Federigo, il quale così disse:

— Madonna,[50] poscia che a Dio piacque che io in voi ponessi il mio

30. se io mai alcuna cosa valsi: se mai ho avuto qualche pregio, esso è nato dal mio amore per voi e per la nobiltà che voi avete ispirato in me. Sono concetti stilnovistici, ma spogliati d'ogni alone di poetica fantasia, e divenuti sostanza concreta di vita.

31. questa vostra liberale venuta, ecc.: sotto le frasi piene di onesto ritegno si sente la passione: la venuta di lei è un dono (**liberale**), tanto più caro in quanto ella non ha disdegnato la sua presente povertà, anche se (**come che**), e lo dice con un sospiro, potrà ospitarla soltanto poveramente.

32. non avendo a cui, ecc.: *ad altrui* è apposizione di *a cui*: non avendo alcun altro dal quale potesse farle tener compagnia.

33. non s'era... ricchezze: non si era ancora accorto, quanto avrebbe dovuto, di avere sperperato le sue ricchezze.

34. e oltre modo angoscioso, ecc.: Federigo si sente per la prima volta irrimediabilmente e desolatamente povero, rimpiange la sua sventura, frutto anche della sua colpa, sente che il destino si sta facendo beffe di lui, gira angosciato in qua e in là, fuori di sé, non trova denaro né oggetti da impegnare. Eppure la sua dignità non vien meno; disperato, non vuol chiedere danaro al suo contadino, e paga, come sempre, di persona sacrificando la sua cosa più cara, il *bel* falcone.

35. presolo e trovatolo grasso: Lo prende, lo palpa; ora non è più che un oggetto.

36. schidone: spiedo.

37. tovaglie bianchissime... lieto viso: È ritornato il Federigo d'un tempo, sicuro nella propria limpida, signorile dignità.

38. con somma fede: con somma riverenza.

39. Federigo... presunzione: ricordandoti della tua vita passata (**preterita**) e della mia onestà che tu forse hai reputato durezza e crudeltà, penso che tu ti debba meravigliare della mia audacia (**presunzione**).

40. come che: sebbene.

41. le leggi... madri: la comune legge dell'amor materno.

42. oltre... dovere: contro mia voglia e contro ogni doverosa convenienza.

43. ed è ragione: ed è giusto.

44. non... tenuto: non te lo chiedo in nome del tuo amore, rispetto al quale non sei obbligato per nulla.

45. averloti sempre obbligato: il mio figliuolo ti sarà sempre riconoscente per questo dono. Osserva — particolare finissimo — che non osa neppure accennare alla propria evidente riconoscenza. È come se dicesse: «Fallo per pietà verso un povero bimbo malato, non per me che da te non merito nulla». Tutto il discorso rivela la finezza di Giovanna, quella vera onestà che consiste innanzi tutto nel rispetto dell'altra persona. Non vuole minimamente far leva sui sentimenti che egli nutre per lei, dato che intende rimanere fedele alla memoria del marito, e quindi non vuole dare a Federigo speranze fallaci. Mette davanti, con piena lealtà, il suo amore di madre: esso solo poteva costringerla a venire da lui a chiedergli sì grande favore. C'è anche nel suo discorso la pietà per l'infelice amante, ma neppure un vago principio d'amore per lui. Non ultimo motivo, questo, del tono malinconico che è nella novella, nonostante il lieto fine.

46. cominciò... a piagnere: Il pianto, più eloquente d'ogni discorso, rivela la profondità, la forza invincibile di quell'amore.

47. divenisse: derivasse dal dolore, ecc.

48. che nol volesse: che non lo voleva. Giovanna è spiritualmente degna di Federigo.

49. sostenutasi: trattenutasi.

50. Madonna, ecc.: Sublime, nella sua semplicità, il discorso di Federigo. Il mirabile tema cavalleresco è ricondotto, fuori di ogni abbellimento della fantasia, alla semplicità dei sentimenti profondi. Il pianto è stato uno sfogo spontaneo, che Federigo reprime e domina per non dar dolore alla sua donna, ma nel discorso si avverte tutto il suo nobilissimo amore.

amore, in assai cose m'ho reputata la Fortuna contraria e sonmi di lei doluto;[51] ma tutte sono state leggieri a rispetto di quello che ella mi fa al presente[52]. Di che io mai pace con lei aver non debbo, pensando che voi qui alla mia povera casa venuta siete, dove, mentre, che ricca fu, venir non degnaste, e da me un picciol don vogliate, ed ella abbia sì fatto che io donar nol vi possa. E perché questo esser non possa vi dirò brievemente. Come io udii che voi, la vostra mercé,[53] meco desinar volavate, avendo riguardo alla vostra eccellenzia e al vostro valore, reputai degna e convenevole cosa che con più cara[54] vivanda, secondo la mia possibilità, io vi dovessi onorare, che con quelle che generalmente per l'altre persone s'usano. Per che, ricordandomi del falcon che mi domandate e della sua bontà, degno cibo da voi il reputai,[55] e questa mattina arrostito l'avete avuto in sul tagliere,[56] il quale io per ottimamente allogato avea.[57] Ma, vedendo ora che in altra maniera il disideravate, m'è sì gran duolo che servir non ve ne posso, che mai pace non me ne credo dare.[58]

E questo detto, le penne e i piedi e 'l becco le fé in testimonianza di ciò gittare avanti.

La quale cosa la donna vedendo e udendo, prima il biasimò[59] d'aver, per dar mangiare ad una femina, ucciso un tal falcone; e poi la grandezza dello animo suo, la quale la povertà non avea potuto né potea rintuzzare,[60] molto seco medesima commendò.[61] Poi, rimasa fuor della speranza[62] d'avere il falcone, e per quello della salute del figliuolo entrata in forse[63], tutta malinconosa[64] si dipartì e tornossi al figliuolo. Il quale, o per malinconia che il falcone aver non potea, o per la 'nfermità che pure a ciò il dovesse aver condotto, non trapassar molti giorni che egli, con grandissimo dolor della madre, di questa vita passò. La quale, poi che piena di lagrime e d'amaritudine fu stata alquanto, essendo rimasa[65] ricchissima e ancora giovane, più volte fu da' fratelli costretta[66] a rimaritarsi. La quale, come che[67] voluto non avesse, pur veggendosi infestare,[68] ricordatasi del valore di Federigo e della sua magnificenzia[69] ultima, cioè d'avere ucciso un così fatto falcone per onorarla, disse a' fratelli:

— Io volentieri, quando[70] vi piacesse, mi starei; ma, se a voi pur piace che io marito prenda, per certo io non ne prenderò mai alcuno altro, se io non ho Federigo degli Alberighi.

Alla quale i fratelli, faccendosi beffe di lei dissero:

— Sciocca, che è ciò che tu di'? Come vuoi tu lui che non ha cosa del mondo?[71]

A' quali ella rispose:

— Fratelli miei, io so bene che così è come voi dite: ma io voglio avanti uomo che abbia bisogno di ricchezza, che ricchezza che abbia bisogno d'uomo.[72]

Li fratelli, udendo l'animo di lei, e conoscendo Federigo da molto,[73] quantunque povero fosse, sì come ella volle, lei con tutte le sue ricchezze gli donarono. Il quale così fatta donna, e cui[74] egli cotanto amata avea, per moglie vedendosi, e oltre a ciò ricchissimo, in letizia con lei, miglior massaio fatto,[75] terminò gli anni suoi.

51. **e sonmi di lei doluto**: e mi sono lamentato di lei. Nota l'accenno delicatissimo e pudico all'amore non corrisposto e alle sue sventure.
52. **ma tutte... al presente**: ma ogni sventura è niente rispetto a quella che mi fa ora.
53. **la vostra mercé**: per vostra gentilezza.
54. **cara**: preziosa.
55. **bontà... riputai**: ricordandomi della sua bravura ed eccellenza lo reputai cibo degno di voi.
56. **tagliere**: desco.
57. **il quale io... avea**: e io ritenevo di averlo impiegato nel modo migliore (cioè per onorarvi).
58. **m'è sì gran duolo... dare**: è per me un dolore tale il fatto di non potervi accontentare, che non me ne potrò mai dare pace.
59. **prima il biasimò**, ecc.: Lo rimprovera di avere ucciso un falcone così prezioso per darlo da mangiare ad una femmina. La parola ha un senso spregiativo, ma non si tratta di umiltà affettata per legge di cortesia; la nobile Giovanna prova vergogna, dinanzi alla generosità di Federigo, di essere stata così poco cortese da essere venuta a richiedergli il falcone, anche se spinta dal suo amore di madre.
60. **rintuzzare**: ottundere, mortificare.
61. **commendò**: ammirò e lodò.
62. **rimasa fuor della speranza**: avendo perduto la speranza.
63. **della salute... entrata in forse**: dubitando che il figlio potesse più ristabilirsi.
64. **malinconosa**: addolorata e affranta. *Malinconia* significa, nei primi secoli, abbattimento profondo e greve dell'animo.
65. **rimasa**: rimasta.
66. **costretta**: sollecitata.
67. **come che**: sebbene.
68. **infestare**: tormentare.
69. **magnificenzia**: generosità.
70. **quando**: se.
71. **che non ha cosa del mondo?**: che del tutto privo di beni di fortuna.
72. **io voglio avanti... d'uomo**: io preferisco avere un uomo che abbia bisogno di ricchezze (ma sia veramente un uomo nel senso più nobile della parola), che delle ricchezze che abbiano bisogno d'un uomo.
73. **da molto**: come uomo di grande valore.
74. **e cui**: e che.
75. **miglior massaio fatto**: divenuto migliore amministratore dei suoi beni.

ESERCIZIO DI ANALISI

Federigo

La novella di Federigo può essere analizzata, come le altre, con vari tipi di metodologia critica: sociologica, psicologica, formale, ecc., affrontando da vari punti di vista la complessità del suo messaggio poetico. Diamo qui un sommario esempio delle suddette forme di analisi.

1. Sul piano dell'analisi sociologica, della realtà sociale e di costume effigiata qui dall'autore, attiriamo l'attenzione sui punti che seguono.

La novella è legata all'idealizzazione, che già abbiamo riscontrato, d'un passato ancora dominato dal codice «cortese» e presentato dall'autore come esemplare. Il Boccaccio guarda con nostalgia l'ideale di misura, di dignitosa compostezza, di signorilità, di civile decoro di esso, contrapponendolo alla dura realtà «mercantile» e presentandolo come un necessario contemperamento di questa. Si osservi in proposito:

a) Federigo appartiene a una nobile e antica famiglia

fiorentina; è pregiato per la prodezza manifestata nei tornei, per la sua munificenza e liberalità, l'eleganza e lo splendore della sua vita (feste, banchetti, gioia di donare), che costituiscono, insieme, le virtù cortesi.

b) L'amore per Giovanna, bella e «leggiadra», onesta nel suo signorile ritegno, è visto come il coronamento della «cortesia» di Federigo; è infatti fondato sul riconoscimento del «pregio» altissimo della donna ed è passione esclusiva, sì da condurre fino al totale sacrificio di sé, come fedeltà a un'esperienza sublimante, che rende l'animo veramente nobile o «gentile» («Madonna, niun danno mi ricordo mai aver ricevuto per voi, ma tanto di bene che, se io mai alcuna cosa valsi, per lo vostro valore e per l'amore che portato v'ho, adivenne»; dove è da notare la corrispondenza di amore e valore e la capacità di amore di portare a piena espressione la nobiltà insita nell'animo).

Su questa visione idealizzante si abbatte la violenza della «fortuna», che conduce l'eroe a un nuovo cimento. Egli ne uscirà invitto e, per certi aspetti, vittorioso, ma a patto di mutare radicalmente la sua posizione iniziale. Consideriamo anche qui alcuni passaggi essenziali:

a) L'abuso della «larghezza» o magnificenza nello spendere conduce Federigo alla povertà e quindi all'isolamento dal mondo cortese.

b) Federigo sopporta la povertà con grande dignità, apparendo vittorioso nella lotta contro la «fortuna».

c) Viene il momento della prova decisiva: la visita di Giovanna. Federigo sacrifica il falcone, l'ultimo legame fra sé e il mondo signorile.

d) Il sacrificio non è quello richiesto; di qui l'estrema umiliazione dell'eroe, il suo fallimento.

Per la dignità con cui sopporta la sconfitta e per la magnanimità che dimostra, Giovanna gli dona il suo affetto. Di colpo la situazione di Federigo si risolleva, ma, nello stesso tempo, si capovolge perché:

— Giovanna non lo ama per amore, ma per la sua generosità; il suo amore si fonda su un calcolo dell'intelligenza, non è l'assoluta e fatale dedizione cortese, che, d'altra parte, per bocca di tutti i suoi teorici, rifiuta drasticamente il matrimonio;

Federigo modifica radicalmente il suo primitivo tenor di vita; diventa «miglior massaio», cioè savio e oculato amministratore dei suoi beni; apprende, cioè, e pratica le virtù borghesi, dopo avere sperimentato che quelle cortesi portano alla rovina.

Il lieto fine voluto dall'autore denota la sua esigenza di conciliare armonicamente reale e ideale, virtù borghesi e virtù cortesi, secondo una chiara indicazione della civiltà che lo circondava. Ma nasce anche dalla simpatia per il proprio personaggio (anzi, per entrambi), la cui psicologia è presentata come esemplare, a prescindere da ogni forma di idealizzazione.

2. Percorriamo rapidamente questo secondo tipo di analisi, quella, cioè, dell'esemplarità psicologica attribuita al personaggio:

a) La nobiltà d'animo di Federigo si affina nella sventura, nella lotta sorda contro il grigiore avvilente e quotidiano della povertà. L'eroe non si esalta più nel raffronto con la società cortese, come all'inizio (la virtù cortese chiede, di solito, il riconoscimento pubblico), ma si traduce in fermezza e dignità morale vissute come libera scelta della coscienza (ad es., quando viene a lui Giovanna, Federigo non vuole chiedere un modesto aiuto materiale al suo contadino, per non imporgli un sacrificio che deve essere soltanto suo).

b) Nel mondo della cortesia entra, con Giovanna, una dimensione inedita, quella dell'amor materno, presentato con realistica sincerità.

c) Il falcone, che «mantiene (Federigo) nel mondo», è una vaga figura feticistica: l'emblema del mondo perduto e dello stesso Federigo d'un tempo. Giovanna gli chiede di sacrificarlo a un amore senza speranza, ma egli ha già prevenuto la richiesta.

d) La direzione del sacrificio è sbagliata. Giovanna gli chiede il falcone in dono, lui glielo offre come cibo. Data la sostanziale identificazione fra lui e il falcone, è come se Federigo le offrisse in pasto se stesso. La potenza d'amore appare a questo punto devastatrice; dietro i simboli s'intravede il tema amore-morte, non ignoto alla poesia medievale (Tristano e Isotta, Cavalcanti) e approfondito dalla moderna psicanalisi.

e) L'etica cavalleresca è qui vissuta fino all'autodistruzione: sperpero della ricchezza, sperpero della vita. Ma il pianto di Federigo, nella sua spoglia schiettezza, è risolutivo: riconduce, di là da ogni mitologia cortese, alla sincerità e profondità del sentimento.

Dalla vicenda emerge così la verità dell'amore di Federigo: una passione elevata, su un piano universalmente umano, che attesta, come riconosce Giovanna, «la grandezza dell'animo, la quale la povertà non avea potuto né potea rintuzzare». Ella lo prega in nome della sua nobiltà e cortesia, egli risponde seguendo la legge dell'amore come dono totale di sé, come magnanimità generosa, fuori d'ogni specifica convenzione cortese.

3. Un'analisi formale richiederebbe troppo lungo discorso. Ci limitiamo ad alcune osservazioni:

a) La psicologia dei due personaggi si definisce e si manifesta attraverso quello che si può chiamare il discorso-azione; sul dialogo è, infatti, fondato lo sviluppo del racconto, il cui argomento è la progressiva coscienza approfondita di sé e del loro rapporto che i due personaggi acquisiscono.

b) Le prime battute del dialogo riflettono il raffinato codice cortese; vi si nota la fermezza di Giovanna nel suo rifiuto di concedersi e l'umile e totale offerta d'amore di Federigo. Poi, nel nuovo dialogo dopo il pranzo, c'è l'«orazione» di Giovanna, misurata ed eloquente, che mescola al codice cortese l'espressione più diretta del sentimento materno. La risposta di Federigo è caratterizzata dal pianto e poi dal linguaggio spoglio con cui spiega ciò che è avvenuto e attesta la sua disperazione. Il dialogo, iniziato con una forma di compiaciuta eloquenza cortese, termina con poche battute rapide in discorso indiretto, in cui Giovanna alterna alla vergogna per la propria richiesta importuna l'ammirazione per la generosità di Federigo. Ormai le due persone si confrontano, fuori d'ogni convenzione, nella loro realtà psicologica schietta e immediata.

c) L'analisi del passo che comincia «Egli, con tutto che la sua povertà fosse strema...» e si conclude con «mangiarono il buon falcone», rivela la capacità d'intensa e drammatica concentrazione della narrativa del Boccaccio. Si analizzi, in particolare, il secondo periodo, dove l'affollarsi delle coordinate che iniziano con un gerundio ed esprimono la tensione spasmodica della vana e angosciosa ricerca di Federigo, si scarica, per dir così, alla fine della lunga, complessa e articolata voluta sintattica, nel risolutivo «gli corse agli occhi il suo buon falcone». Seguono poi due notazioni rapide, essenziali: «presolo e trovatolo grasso» e «tiratogli il collo», che denotano l'estrema determinazione del suo agire, anche qui con linguaggio rapido, incisivo, essenziale: il linguaggio dei fatti.

Cisti fornaio

È forse la novella più «democratica» del *Decameron*, dominata dalla figura di Cisti, uomo garbato e gentile, capace di *cortesia*, pur essendo un popolano.

Il Boccaccio mostra, meglio che in altre novelle di pregiare non tanto la nobiltà del sangue quanto piuttosto quella dell'animo; se, infatti, la Fortuna ha posto Cisti in una posizione sociale umile, la finezza della sua indole lo innalza ad una ideale aristocrazia dello spirito, che è quella che conta.

La liberalità, la discrezione, la finezza, la saviezza di Cisti sono le stesse qualità che il Boccaccio ammira nei suoi personaggi più cari. Che esse possano allignare nell'animo di un fornaio rimane cosa eccezionale, secondo il giudizio, o pregiudizio, dei tempi, ma considerata qui per nulla impossibile; e in questo riconoscimento l'autore mostra di sentire gli ideali della borghesia illuminata del Trecento, senza però alcuna spinta rivoluzionaria.

La lotta fra Fortuna e Natura (che ha impresso nell'animo di Cisti una virtù superiore al suo stato sociale) si risolve con la vittoria della seconda, possibile però soltanto in un ordinato vivere civile, quale è quello rappresentato dalla figura nobile e comprensiva di Geri Spina.

Avendo Bonifazio papa, appo il quale messer Geri Spina[1] fu in grandissimo stato, mandati in Firenze certi suoi nobili ambasciadori per certe sue gran bisogne;[2] essendo essi in casa di messer Geri smontati,[3] ed egli con loro insieme i fatti del Papa trattando; avvenne che, che se ne fosse[4] la cagione, messer Geri con questi ambasciadori del Papa, tutti a piè, quasi ogni mattina davanti a Santa Maria Ughi[5] passavano, dove Cisti[6] fornaio il suo forno aveva, e personalmente la sua arte eserceva.[7] Al quale quantunque la Fortuna arte assai umile data avesse, tanto in quella gli era stata benigna, che egli n'era ricchissimo divenuto, e senza volerla mai per alcuna altra abbandonare,[8] splendidissimamente vivea,[9] avendo tra l'altre sue buone cose sempre i migliori vini bianchi e vermigli che in Firenze si trovassero o nel contado. Il qual, veggendo ogni mattina davanti all'uscio suo passar messer Geri e gli ambasciadori del Papa, ed essendo il caldo grande, s'avvisò che gran cortesia sarebbe il dar loro bere del suo buon vin bianco; ma, avendo riguardo alla sua condizione e a quella di messer Geri, non gli pareva onesta cosa il presummere[10] d'invitarlo, ma pensossi di tener modo il quale inducesse messer Geri medesimo ad invitarsi.[11] E avendo un farsetto[12] bianchissimo indosso, e un grembiule di bucato innanzi sempre, li quali più tosto mugnaio[13] che fornaio il dimostravano, ogni mattina in su l'ora ch'egli avvisava[14] che messer Geri con gli ambasciadori dovesser passare, si faceva davanti all'uscio suo recare una secchia nuova e stagnata[15] d'acqua fresca, e un picciolo orcioletto bolognese[16] nuovo del suo buon vin bianco, e due bicchieri che parevan d'ariento,[17] sì eran chiari; e a seder postosi, come essi passavano, e egli, poi che una volta o due spurgato s'era,[18] cominciava a ber sì saporitamente questo suo vino, che egli n'avrebbe fatto venir voglia a' morti.

La qual cosa avendo messer Geri una e due mattine veduta, disse la terza:[19]

— Chente è,[20] Cisti? È buono?

Cisti, levato prestamente in piè,[21] rispose:

Giornata sesta; novella seconda.

1. **Bonifazio... Geri**: Il primo è papa Bonifazio VIII, quello stesso così aspramente accusato da Dante. Geri (Ruggeri) Spina fu uno dei capi della fazione dei Neri, e per questo in grandissimo favore (**stato**) presso (**appo**) il papa.
2. **gran bisogne**: intendeva metter pace fra Bianchi e Neri. Siamo nel 1300, e Dante è fra i Priori. L'ambasceria fallì il suo scopo.
3. **smontati**: intende dire che sono suoi ospiti.
4. **che se ne fosse**: qualunque fosse.
5. **Santa Maria Ughi**: era una chiesetta vicina a Palazzo Strozzi, così chiamata dal nome della famiglia fiorentina che l'aveva fatta costruire.
6. **Cisti**: da Bencivenisti, nome allora comune.
7. **arte**: noi diremmo mestiere. **eserceva**: esercitava.
8. **senza volerla... abbandonare**: è un particolare che definisce il carattere di Cisti, uomo che si è fatto da solo, e, anche per questo, non ha vergogna della sua condizione. Un'intima fierezza popolana e la sua intelligenza fanno sì che egli non cerchi smaniosamente un'eccellenza tutta esteriore, ma rimanga dignitosamente al suo posto.
9. **splendidissimamente**: doviziosamente.
10. **presummere**: aver la presunzione.
11. **s'avvisò... invitarsi**: pensò che sarebbe stata grande cortesia (espressione fondamentale di essa era la liberalità) il dare loro da bere il suo buon vino (l'affetto, si direbbe quasi, che Cisti nutre per il suo vino rende maggiore la sua liberalità). Ma, data la differenza di condizione sociale, comprende che non sta a lui invitare quei signori a bere (sarebbe gesto troppo familiare); deve dunque agire in modo (**tener modo**) che essi s'invitino da soli.
12. **E avendo un farsetto**, ecc.: Cisti entra subito intelligentemente in azione. In primo luogo crea un'atmosfera di pulizia che suggerisca un'immagine di finezza e di eleganza adatta ai signori; poi, tolto in tal modo dall'atto ogni sospetto di grossolanità, si mette a centellinare saporitamente, quand'essi passano, il suo vino, sì da destarne in loro il desiderio.
13. **li quali più tosto mugnaio**, ecc.: il farsetto e il grembiule bianchissimi lo fanno apparire un mugnaio, un lavoratore, cioè, che sia sempre a contatto con la candida farina.
14. **avvisava**: riteneva.
15. **stagnata**: ben stagnata e lucente.
16. **orcioletto bolognese**: un piccolo orcio, di quelli che si fabbricavano a Bologna.
17. **ariento**: d'argento. È una descrizione lentamente assaporata dal Boccaccio, un quadretto pieno di grazia: tutto è nuovo, chiaro, pulito: una pulizia esterna che ne riflette una intima.
18. **spurgato s'era**: si era liberata la gola del catarro. Il particolare ci appare non del tutto confacente alla pulizia del resto, ma era più naturale al tempo del B.; Cisti, ad ogni modo tossisce per richiamare l'attenzione di messer Geri.
19. **disse la terza**: Geri non cede subito; uomo altolocato, difende il suo contegnoso riserbo. Ma più che cedere alla tentazione, ci sembra che comprenda, o per lo meno, intuisca l'intenzione di Cisti, e si volga con gentilezza signorile e discreta, a soddisfare il suo desiderio generoso.
20. **Chente è**: com'è?
21. **levato prestamente in piè**: C'è la gioia del desiderio esaudito e il rispetto verso i signori, il piacere d'onorarli.

— Messer sì, ma quanto non vi potre' io dare ad intendere, se voi non n'assaggiaste.[22]

Messer Geri, al quale o la qualità del tempo,[23] o affanno più che l'usato avuto, o forse il saporito bere che a Cisti vedeva fare, sete avea generata, volto agli ambasciadori sorridendo[24] disse:

— Signori, egli è buon[25] che noi assaggiamo del vino di questo valente uomo: forse che è egli tale che noi non ce ne penteremo!

E con loro insieme se n'andò verso Cisti. Il quale, fatta di presente[26] una bella panca venire di fuor dal forno, gli pregò che sedessero; e alli lor famigliari,[27] che già per lavare i bicchieri si facevano innanzi, disse:

— Compagni,[28] tiratevi indietro e lasciate questo servigio fare a me, ché io so non meno ben mescere che io sappia infornare; e non aspettaste voi d'assaggiarne gocciola.

E così detto, esso stesso lavati quattro bicchieri belli e nuovi, e fatto venire un piccolo orcioletto del suo buon vino, diligentemente diè bere[29] a messer Geri e a' compagni. Alli quali il vino parve il migliore che essi avessero gran tempo davanti[30] bevuto; per che, commendatol[31] molto, mentre gli ambasciadori vi stettero,[32] quasi ogni mattina con loro insieme n'andò a ber messer Geri. A' quali, essendo espediti[33] e partir dovendosi, messer Geri fece uno magnifico convito, al quale invitò una parte de' più onorevoli cittadini, e fecevi invitare Cisti; il quale per niuna condizione[34] andar vi volle. Impose adunque messer Geri ad uno de' suoi famigliari,[35] che per un fiasco andasse del vin di Cisti, e di quello un mezzo bicchiere per uomo desse alle prime mense.[36] Il famigliare, forse sdegnato perché niuna volta bere aveva potuto del vino, tolse un gran fiasco. Il quale come Cisti vide,[37] disse:

— Figliuolo,[38] messer Geri non ti manda a me.

Il che raffermando[39] più volte il famigliare, né potendo altra risposta avere, tornò a messer Geri, e sì gliele disse. A cui messer Geri disse:

— Tornavi e digli che sì fo;[40] e se egli più così ti risponde, domandalo a cui io ti mando.

Il famigliare tornato, disse:

— Cisti, per certo messer Geri mi manda pure[41] a te.

Al qual Cisti rispose:

— Per certo, figliuol, non fa.

— Adunque, disse il famigliare, a cui mi manda?

Rispose Cisti:

— Ad Arno![42]

Il che rapportando[43] il famigliare a messer Geri, subito gli occhi gli s'apersero dello intelletto,[44] e disse al famigliare:

— Lasciami vedere che fiasco tu vi porti.

E vedutol, disse:

— Cisti dice vero!

E dettogli villania,[45] gli fece torre un fiasco convenevole. Il qual Cisti vedendo, disse:

— Or so io bene che egli ti manda a me!

E lietamente gliele empié. E poi quel medesimo dì fatto il botticello riempire d'un simil vino, e fattolo soavemente[46] portare a casa di messer Geri, andò appresso:[47] e trovatolo, gli disse:

— Messere, io non vorrei che voi credeste che il gran fiasco stamane m'avesse spaventato; ma, parendomi che vi fosse uscito di mente ciò che io a questi dì co' miei piccioli orcioletti v'ho dimostrato, cioè che questo non sia vin da famiglia, vel volli stamane raccordare.[48] Ora, per ciò che io non intendo d'esservene più guardiano,[49] tutto ve l'ho fatto venire: fatene per innanzi come vi piace.

Messer Geri ebbe il dono di Cisti carissimo, e quelle grazie gli rendé che a ciò credette si convenissero. E sempre poi per da molto l'ebbe[50] e per amico.

22. **quanto... assaggiaste**: non potrei trovare parole adeguate per dirvi quanto sia buono; conviene quindi che lo assaggiate.
23. **la qualità del tempo**: la calura estiva.
24. **sorridendo**: con modo affabile e cortese.
25. **egli è buon**: è bene, è opportuno. E chiama Cisti *valente uomo*, riconoscendo pubblicamente la sua cortesia.
26. **di presente**: immediatamente. E lui stesso li vuole servire, onorare.
27. **alli lor famigliari**: sono i servitori di Geri e degli ambasciatori.
28. **Compagni**: li chiama così perché, di fronte a quei gentiluomini, non vuole considerarsi altro che un lor servitore. Ma ristabilisce subito le distanze: «non aspettatevi di assaggiarne neppure una goccia»; ed è questa una forma di rispetto per i signori. C'è in Cisti e nel B. un rigido senso delle distinzioni sociali.
29. **diligentemente diè bere**: versò da bere con garbo.
30. **gran tempo davanti**: da molto tempo.
31. **commendatol**: apprezzatolo.
32. **mentre... stettero**: finché gli ambasciatori stettero in Firenze.
33. **essendo espediti**: avendo compiuto il loro incarico.
34. **per niuna condizione**: a nessun patto. Cisti sa stare al suo posto, con fierezza e dignità popolana.
35. **Impose... famigliari**: ordinò a uno dei suoi servitori.
36. **per un fiasco... mense**: andasse a chiedere a Cisti un fiasco di quel vino, volendo darne un mezzo bicchiere per convitato con la prima portata.
37. **Cisti**: è soggetto; *il quale* è riferito al gran fiasco.
38. **Figliuolo,** ecc.: Cisti comprende la subdola manovra del servo. Geri può, sì, chiedergli il suo vino, ma con signorile discrezione, e non usando un fiasco spropositato.
39. **raffermando**: confermando.
40. **che sì fo**: che faccio così, cioè che proprio io ti mando. **a cui**: a chi.
41. **per certo... pure**: in realtà... proprio.
42. **Ad Arno**: con un fiasco simile si va a prendere acqua, non vino, e non quel suo buon vino. Cisti si oppone pertinacemente a che i servi bevano di quel vino: non è roba per loro; è degna di signori che sia giusto e doveroso onorare.
43. **rapportando**: riportando.
44. **gli occhi... dello intelletto**: la *gentilezza* di Geri si rivela anche in quello spirito fine ed acuto, in quella saviezza che fa anch'essa parte dell'ideale cortese, e che Cisti ha in comune con lui.
45. **dettogli villania**: insolentitolo.
46. **soavemente**: delicatamente, senza urti; come un tesoro.
47. **andò appresso**: andò dietro a colui che portava la botticella.
48. **che questo... raccordare**: che questo è vino da usare con parsimonia e non da dare alla servitù...; **raccordare** significa ricordare.
49. **non intendo... guardiano**: non intendo più custodirvelo; il che è come dire, che ha inteso donarglielo fin dal primo momento, e solo come «custode» s'è permesso di rispondere come ha risposto al servitore ingordo.
50. **per da molto l'ebbe**: lo considerò uomo degno di riguardo.

Chichibío

Osserva in questa rapida novella, tutta fondata sul motto finale di Chichibío uomo goffo e un po' babbeo, che la paura fa divenire inaspettatamente arguto, la vivacità nel disegno dei caratteri e nel dialogo. La donnina capricciosa, Currado, il cavaliere fine e volontieri disposto a perdonare il cuoco per la battuta intelligente, sono figurine disegnate con garbo e concretezza. Un Boccaccio minore, ma sapido e vivace.

Currado Gianfigliazzi,[1] si come ciascuna di voi e udito e veduto puote avere, sempre della nostra città è stato notabile cittadino, liberale e magnifico, e vita cavalleresca tenendo, continuamente in cani e in uccelli[2] s'è dilettato, le sue opere maggiori al presente lasciando stare. Il quale con un suo falcone avendo un dì presso a Peretola una gru ammazzata, trovandola grassa e giovane, quella mandò ad un suo buon cuoco, il quale era chiamato Chichibio, ed era viniziano,[3] e sì gli mandò dicendo che a cena l'arrostisse e governassela bene.

Chichibio, il quale come nuovo bergolo era così pareva,[4] acconcia la gru, la mise a fuoco e con sollicitudine a cuocerla cominciò. La quale essendo già presso che cotta e grandissimo odor venendone, avvenne che una feminetta della contrada, la qual Brunetta era chiamata e di cui Chichibio era forte innamorato, entrò nella cucina; e sentendo l'odor della gru e veggendola, pregò caramente Chichibio che ne le[5] desse una coscia.

Chichibio le rispose cantando e disse:

— Voi non l'avrì da mi, donna Brunetta, voi non l'avrì da mi.[6]

Di che donna Brunetta essendo turbata, gli disse:

— In fé di Dio, se tu non la mi dài, tu non avrai mai da me cosa che ti piaccia —; e in brieve le parole furon molte. Alla fine Chichibio, per non crucciar la sua donna, spiccata l'una delle cosce alla gru, gliele[7] diede.

Essendo poi davanti a Currado e ad alcun suo forestiere messa la gru senza coscia, e Currado meravigliandosene, fece chiamare Chichibio e domandollo che fosse divenuta l'altra coscia[8] della gru. Al quale il vinizian bugiardo[9] subitamente[10] rispose:

— Signor mio, le gru non hanno se non una coscia e una gamba.

Currado allora turbato[11] disse:

— Come diavol non hanno che una coscia e una gamba? Non vid'io mai[12] più gru che questa?

Chichibio seguitò:

— Egli è, messer, com'io vi dico; e quando vi piaccia, io il vi farò veder ne' vivi.[13]

Currado, per amor dei forestieri che seco aveva, non volle dietro alle parole andare,[14] ma disse:

— Poi che tu di' di farmelo vedere ne' vivi, cosa che io mai più non vidi né udii dir che fosse, e io il voglio veder domattina e sarò contento; ma io ti giuro in sul corpo di Cristo, che, se altramenti sarà, che io ti farò conciare in maniera che tu con tuo danno ti ricorderai, sempre che tu ci viverai,[15] del nome mio.

Finite adunque per quella sera le parole, la mattina seguente come il giorno apparve, Currado, a cui non era per lo dormire l'ira cessata, tutto ancor gonfiato[16] si levò e comandò che i cavalli gli fosser menati; e fatto montar Chichibio sopra un ronzino, verso una fiumana, alla riva della quale sempre soleva in sul far del dì vedersi delle gru, nel menò[17] dicendo:

— Tosto vedremo chi avrà iersera mentito, o tu o io.

Chichibio, veggendo che ancora durava l'ira di Currado e che far gli convenìa pruova[18] della sua bugia, non sappiendo come poterlasi fare, cavalcava appresso a Currado con la maggior paura del mondo, e volentieri, se potuto avesse, si sarebbe fuggito; ma non potendo, ora innanzi e ora adietro e da lato si riguardava, e ciò che vedeva[19] credeva che gru fossero che stessero in due piedi.

Ma già vicini al fiume pervenuti, gli venner prima che ad alcun vedute sopra la riva di quello ben dodici gru, le quali tutte in un piè dimoravano[20] sì come quando dormono soglion fare. Per che egli prestamente[21] mostratele a Currado, disse:

Giornata sesta; novella quarta.

1. **Currado Gianfigliazzi**: Fu veramente nobile e liberale cavaliere; appartenne a una celebre famiglia di banchieri, a quella ricca borghesia che si sforzava di emulare il costume cavalleresco con la magnificenza e la liberalità.
2. **in cani e in uccelli**: nel passatempo della caccia, per la quale usava cani e falconi.
3. **Chichibio**: il nome va pronunciato *Chichibío*; è evidentemente un nomignolo, caricatura della sua pronuncia veneziana.
4. **come... pareva**: che appariva, e realmente era, uno strano (e quindi ridicolo) sciocco (**bergolo** indica chiacchierone leggero e poco assennato).
5. **ne le**: gliene.
6. **voi non l'avrì**, ecc.: Il B., come altre volte a scopo caricaturale, rifà il verso a Chichibío, facendolo parlare nel suo dialetto, che prende in giro perché al suo orecchio di fiorentino suona come una cantilena. Per questo dice che il cuoco risponde *cantando*.
7. **gliele**: gliela. Il chiamare *donna*, appellativo allora solenne, questa femminetta di umile condizione, ha, nel racconto del B. un'intenzione caricaturale.
8. **che... coscia**: che fosse avvenuto dell'altra coscia.
9. **vinizian bugiardo**: Il B. non ha evidentemente molta simpatia per i veneziani, e tale suo sentimento era certo diffuso tra i fiorentini (forse si trattava di rivalità fra commercianti).
10. **subitamente**: l'avverbio mette in rilievo la faccia tosta e l'improntitudine di Chichibío, ancora più evidenti nella risposta di bugiardo sfacciato e melenso.
11. **turbato**: adirato.
12. **Non vid'io mai,** ecc.: credi che non abbia mai visto altra gru che questa?
13. **io il vi farò... vivi**: io ve lo farò vedere nelle gru (la parola era usata anche al maschile) vive. La bugia è veramente grossolana, da mentitore abituale e stupido; ma è anche effetto della paura. Nel suo goffo cervello, Chichibío pensa che se riesce a scampare adesso, forse il padrone deporrà l'ira o se ne dimenticherà. E forse anche intuisce di poter godere una certa impunità per via degli invitati, dinanzi ai quali il padrone non intende, per buona creanza, questionare. Così infatti avviene.
14. **non volle... andare**: non volle continuare a discutere.
15. **sempre che tu ci viverai**: se anche tu resterai al mondo (ci = qui). La minaccia appare spropositata, ma Currado è veramente adirato per l'insolenza e la sfacciataggine del servo.
16. **gonfiato**: pieno d'ira.
17. **nel menò**: lo condusse.
18. **far... pruova**: dare dimostrazione di quanto aveva asserito mentendo.
19. **e ciò che vedeva**, ecc.: la paura di Chichibío è dipinta da B. in tono divertito e assai efficace. Dovunque giri lo sguardo, ogni oggetto gli sembra una gru, che spietatamente stia sulle due zampe, com'è naturale; naturale e al tempo stesso terribile per il cuoco bugiardo.
20. **dimoravano**: stavano ritte e ferme.
21. **prestamente**: Nota la gioia del gesto;

— Assai bene potete, messer, vedere che iersera vi dissi il vero, che le gru non hanno se non una coscia e un piè, se voi riguardate a quelle che colà stanno.

Currado vedendole disse:

— Aspèttati, che io ti mostrerò che elle n'hanno due —; e fattosi alquanto più a quelle vicino gridò: — Ho, ho —; per lo qual grido le gru, mandato l'altro piè giù, tutte dopo alquanti passi cominciarono a fuggire. Laonde Currado rivolto a Chichibio disse:

— Che ti par, ghiottone?[22] Parti ch'elle n'abbian due?

Chichibio quasi sbigottito, non sappiendo egli stesso donde si venisse,[23] rispose:

— Messer sì, ma voi non gridaste «ho, ho» a quella di iersera; che se così gridato aveste, ella avrebbe così l'altra coscia e l'altro piè fuor mandata, come hanno fatto queste.

A Currado piacque tanto questa risposta, che tutta la sua ira si convertì in festa e riso,[24] e disse:

— Chichibio, tu hai ragione, ben lo dovea fare.

Così adunque con la sua pronta e sollazzevol risposta Chichibio cessò la mala ventura e paceficossi[25] col suo signore.

è come se l'incubo si fosse dissipato. Chichibío non ha tempo di stare a ragionare: inventerebbe la scusa più balorda pur di evitare le busse. E il suo discorso è un inno di vittoria.

22. ghiottone: canaglia. Ma ormai l'ira sta bollendo, e Currado sembra durar fatica a star serio.

23. non... si venisse: non sapendo egli stesso donde gli venisse quella risposta. La paura lo ha reso inaspettatamente (anche per lui stesso) intelligente. È uno dei pochi momenti eroici della sua vita. A lui si contrappone la signorile intelligenza di Currado.

24. si convertì in festa e riso: si mutò in festosa allegria.

25. cessò... paceficossi: tenne lontano ogni malanno (cioè il castigo meritato) e si pacificò, ecc.

Guido Cavalcanti

La novella (tutta immaginaria, dato che il «motto» di cui parla, era attribuito ad altri, in altre raccolte novellistiche) si accentra intorno alla figura del Cavalcanti, poeta aristocratico e schivo, e ne disegna con simpatia nostalgica la figura. Egli, e i cavalieri eleganti che vanno a dargli briga (ma si tratta di un motteggiare per nulla volgare, bensì fine e spiritoso) appartengono a un'età che il Boccaccio guarda con ammirazione per le sue belle e lodevoli usanze; un'età liberale e cortese che lo scrittore lamenta ora perduta, soffocata dalla cupidigia di danaro e dalla volgarità che ne consegue.

Ma non soltanto la signorilità del tratto affascina il Boccaccio nella figura del Cavalcanti; bensì anche quella superiore gentilezza che nasce dalla cultura, la quale affina l'intelligenza e dà a tutta la persona il sigillo di una più autentica nobiltà. Di fronte alla gaia brigata, Cavalcanti si trova a un livello superiore, sebbene essa, o almeno il capo di essa, Betto, lo possa comprendere e onorare proprio in virtù di quell'affinamento spirituale che la cortesia gli ha dato.

Il Boccaccio esprime qui, oltre al culto delle virtù cavalleresco-borghesi, l'amore della poesia e della cultura come formatrici di una più elevata aristocrazia umana.

Dovete adunque sapere che, ne' tempi passati, furono nella nostra città assai belle e laudevoli usanze, delle quali oggi niuna ve n'è rimasa,[1] mercé dell'avarizia[2] che in quella con le ricchezze è cresciuta, la quale tutte l'ha discacciate. Tralle quali n'era una cotale, che in diversi luoghi per Firenze si ragunavano insieme i gentili uomini delle contrade e facevano lor brigate di certo numero, guardando di mettervi tali che comportar potessono acconciamente le spese,[3] e oggi l'uno, doman l'altro, e così per ordine tutti mettevan tavola,[4] ciascuno il suo dì, a tutta la brigata. E in quella spesse volte onoravano e gentili[5] uomini forestieri, quando ve ne capitavano, e ancora de' cittadini. E similmente si vestivano insieme[6] almeno una volta l'anno, e insieme i dì più notabili cavalcavano per la città, e talora armeggiavano,[7] e massimamente per le feste principali, o quando alcuna lieta novella di vittoria o d'altro fosse venuta nella città. Tralle quali brigate n'era una di messer Betto Brunelleschi, nella quale messer Betto e' compagni s'eran molto ingegnati di tirare Guido di messer Cavalcante de' Cavalcanti, e non senza cagione: per ciò che, oltre a quello che egli fu un de' migliori loici che avesse il mondo, e ottimo filosofo naturale[8] (delle quali cose poco la brigata curava),[9] sì fu egli leggiadrissimo e costumato, e parlante uomo molto, e ogni cosa che far volle, e a gentile uom pertenente, seppe meglio che altro uom fare;[10] e con questo era ricchissimo, e a chiedere a lingua sapeva onorare cui nell'animo gli capeva che il valesse.[11] Ma a messer Betto non era mai potuto venir fatto d'averlo; e credeva egli co' suoi compagni che ciò avvenisse per ciò che Guido alcuna volta, speculando,[12] molto astratto

Giornata sesta; novella nona.

1. niuna... rimasa: non ne è rimasta nessuna.

2. mercé dell'avarizia: a causa dell'avidità di danaro, che ha ucciso la liberalità cavalleresca.

3. tali che comportar... le spese: persone che potessero sostenere le spese imposte dal tenore elegante di vita, come si conveniva.

4. mettevan tavola: organizzavano un convito al quale invitavano tutta la brigata.

5. e gentili: i gentili, ecc.

6. si vestivano insieme: si vestivano allo stesso modo.

7. armeggiavano: facevano tornei.

8. tirare: attirare. **oltre a... filosofo naturale**: oltre al fatto che Guido Cavalcanti fu uno dei migliori filosofi (*loico*) del mondo e ottimo conoscitore della fisica (anche le scienze naturali, in quel tempo, facevano parte degli studi filosofici).

9. delle quali... curava: comincia ad annunciarsi il motivo centrale: l'esaltazione, ancora al di sopra delle virtù cavalleresche, della cultura.

10. sì fu egli leggiadrissimo... fare: leggiadrissimo, elegante nel tratto e nei costumi, molto eloquente (*parlante*), e seppe fare ogni cosa che fosse pertinente a un uomo «gentile», meglio di ogni altro.

11. e con questo... che il valesse: e oltre a ciò era ricchissimo e sapeva onorare (che è il sommo della liberalità) chi egli stimava che lo valesse (**cui nell'animo gli capeva**, ecc.) in sommo grado, quanto più si può chiedere (**a chiedere a lingua**).

12. speculando, ecc.: ritengono che il suo continuo pensare (**speculare**) ai supremi problemi della filosofia lo astragga dalla comune sfera degli uomini. Il tema della solitudine di Guido, che sarà sottolineata da

dagli uomini diveniva. E per ciò che egli alquanto tenea della oppinione degli epicuri,[13] si diceva tra la gente volgare[14] che queste sue speculazioni eran solo in cercare se trovar si potesse che Iddio non fosse. Ora avvenne un giorno che, essendo Guido partito d'Orto San Michele, e venutosene per lo corso degli Adimari infino a San Giovanni, il quale spesse volte era suo cammino, essendo arche[15] grandi di marmo (che oggi sono in Santa Reparata)[16] e molte altre dintorno a San Giovanni, ed egli essendo tra le colonne del porfido[17] che vi sono, e quelle arche e la porta di San Giovanni che serrata era, messer Betto con sua brigata a caval venendo su per la piazza di Santa Reparata, veduto Guido là tra quelle sepolture, dissero:

— Andiamo a dargli briga![18]

E spronati i cavalli, a guisa d'uno assalto sollazzevole gli furono, quasi prima che egli se ne avvedesse, sopra, e cominciarongli a dire:

— Guido, tu rifiuti d'esser di nostra brigata; ma ecco, quando tu arai trovato che Iddio non sia,[19] che avrai fatto?

A' quali Guido da lor veggendosi chiuso, prestamente disse:

— Signori, voi mi potete dire a casa vostra ciò che vi piace!

E posta la mano sopra una di quelle arche, che grandi erano, sì come colui che leggerissimo era, prese un salto, e fusi gittato dall'altra parte, e sviluppatosi da loro se n'andò.[20] Costoro rimaser tutti guatando l'un l'altro,[21] e cominciarono a dire che egli era uno smemorato,[22] e che quello che egli aveva risposto non veniva a dir nulla, con ciò fosse cosa che quivi dove erano non avevano essi a far più che tutti gli altri cittadini, né Guido meno che alcun di loro. Alli quali messer Betto rivolto disse:

— Gli smemorati siete voi, se voi non l'avete inteso: egli ci ha detta onestamente[23] in poche parole la maggior villania del mondo. Per ciò che, se voi riguarderete bene queste arche sono le case de' morti, per ciò che in esse si pongono e dimorano i morti; le quali egli dice che sono nostra casa, a dimostrarci che noi e gli altri uomini idioti e non litterati[24] siamo, a comparazion di lui e degli altri uomini scienziati, peggio che uomini morti; e per ciò, qui essendo, noi siamo a casa nostra.

Allora ciascuno intese quello che Guido aveva voluto dire e vergognossi; né mai più gli diedero briga, e tennero per innanzi messer Betto sottile e intendente[25] cavaliere.

quel presentarlo fra i sepolcri, comincia qui a intravedersi. Per ora è soprattutto evidente in quella ammirazione che ne fa un modello di aristocrazia culturale, spirituale e cortese che non ammette paragone.

13. epicuri: sarebbero i seguaci di Epicuro, antico filosofo greco, che, fra l'altro, non credeva all'immortalità dell'anima. Nel Medioevo venivano però chiamati così tutti coloro che ritenessero l'anima mortale.

14. si diceva tra la gente volgare: dietro l'alto speculare di Guido, l'incomprensione della gente volgare; un tratto che isola ancor più la sua figura e che il B. osserva compiaciuto, anch'egli con un certo aristocratico disdegno della opinione del volgo.

15. arche: tombe monumentali.

16. Santa Reparata: Questa cattedrale sorgeva allora davanti al Battistero di San Giovanni, nel luogo nel quale si trova ora Santa Maria del Fiore. Nelle arche di cui parla il B. si credeva che fossero sepolti i più antichi cittadini di Firenze.

17. del porfido: di porfido. La figura di Guido fra le arche sembra un simbolo di quell'astrarsi del poeta dal rumoroso e per lui futile mondo che lo circonda.

18. Andiamo a dargli briga!: andiamo a dargli noia; ma si tratta di scherzo non volgare.

19. tu... non sia: quando avrai trovato e dimostrato che Dio non esiste. È uno scherzoso invito a lasciare le profonde meditazioni e a godere serenamente con loro la giovinezza.

20. prestamente disse... se n'andò: l'avverbio ha un valore espressivo non trascurabile: la risposta è immediata, acuta e sferzante, segno d'intelligenza lucidissima e agile. E ad essa si accompagna l'agilità (**leggerissimo**) di quel corpo che d'un balzo si libera (**sviluppatosi**) dal loro assedio. Il trapassato remoto (**fussi gittato**) dà il senso della prontezza e rapidità del movimento.

21. guatando l'un l'altro: è stata quasi un'apparizione, veloce come la risposta e il movimento. Resta la brigata i cui componenti si guardano fissamente come a chiedersi spiegazione, soprattutto delle parole sibilline.

22. smemorato: svanito, stordito.

23. onestamente: con bel garbo.

24. idioti e non litterati: ignoranti e incolti. Anche nel gusto della battuta enigmatica, Cavalcanti ha rivelato la sua indole aristocratica e schiva.

25. sottile e intendente: acuto e intelligente.

Frate Cipolla

È una delle più celebri novelle del *Decameron*. Protagonista è un frate, fra Cipolla, astuto e ameno, dotato di una mirabile prontezza di spirito e di una eloquenza vertiginosa e spassosissima.

La novella parte da un indubbio spunto satirico anticlericale: la caricatura del culto delle reliquie che aveva assunto nel Medioevo forme di feticismo superstizioso e dei sistemi non certo ortodossi usati per tener viva la religione fra il popolo. Ma in realtà il Boccaccio pone in caricatura proprio i Certaldesi per la loro goffa credulità, e si diverte dinanzi alla improntitudine e all'astuzia del frate, che egli guarda con simpatia, quella stessa che prova verso le persone intelligenti e abili.

Tre sono i grandi momenti comici della novella: la presentazione del servo di fra Cipolla, Guccio Imbratta; la mirabolante predica del frate; la scena finale dei Certaldesi che si affollano attorno a lui affinché tracci miracolosi crocioni coi non meno miracolosi carboni di S. Lorenzo sul loro abito delle feste. Più che in altre novelle comiche ha qui valore l'ambiente, reso con realistico umorismo.

Certaldo,[1] come voi forse avete potuto udire, è un castel di Val d'Elsa posto nel nostro contado, il quale, quantunque picciol sia, già di nobili uomini e d'agiati fu abitato. Nel quale, per ciò che buona pastura[2] vi trovava, usò un lungo tempo d'andare ogn'anno una volta a ricogliere le limosine fatte loro dagli sciocchi, un de' frati di Santo Antonio,[3] il cui nome era frate Cipolla:

Giornata sesta; novella decima.

1. Certaldo: forse patria del B. senz'altro il luogo d'origine della sua famiglia.

2. buona pastura: larvata allusione al motivo centrale della novella: credulità dei buoni Certaldesi, sulla quale trionfa l'astuzia di fra Cipolla. *Buona pastura* (buon pascolo) è allusione ironica alle ricche elemosine che il frate riesce a spremere dai paesani gonzi.

3. fatte... Santo Antonio: Non è una generica satira anticlericale. I frati di S. Antonio abate (eremita egiziano dei primi secoli, anche oggi venerato come protettore degli animali domestici) avevano fama di impostori, spacciatori di reliquie false per carpire la fede della gente più incolta. Furono

forse non meno per lo nome che per altra divozione vedutovi volentieri,[4] con ciò sia cosa che quel terreno produca cipolle famose per tutta Toscana. Era questo frate Cipolla di persona piccolo, e di pelo rosso e lieto nel viso, e il miglior brigante del mondo:[5] e oltre a questo, niuna scienzia avendo, sì ottimo parlatore e pronto era, che chi conosciuto non l'avesse, non solamente un gran retorico l'avrebbe stimato, ma avrebbe detto esser Tulio medesimo o forse Quintiliano:[6] e quasi di tutti quegli della contrada era compare o amico o benvogliente.[7]

Il quale, secondo la sua usanza, del mese d'agosto tra l'altre v'andò una volta. E una domenica mattina, essendo tutti i buoni uomini e le femmine delle ville dattorno venuti alla messa nella calonica,[8] quando tempo gli parve fattosi innanzi disse:

— Signori e donne,[9] come voi sapete, vostra usanza è di mandare ogn'anno a' poveri del baron[10] messer Santo Antonio del vostro grano e delle vostre biade, chi poco e chi assai, secondo il podere[11] e la divozion sua, acciò che il beato Santo Antonio vi sia guardia de' buoi e degli asini e de' porci e delle pecore vostre; e oltre a ciò solete pagare, e spezialmente quegli che alla nostra compagnia[12] scritti sono, quel poco debito che ogn'anno si paga una volta. Alle quali cose ricogliere[13] io sono dal mio maggiore,[14] cioè da messer l'abate, stato mandato. E per ciò con la benedizion di Dio, dopo nona,[15] quando udirete sonar le campanelle, verrete qui di fuor della chiesa, là dove io al modo usato vi farò la predicazione, e bascerete la croce; e oltre a ciò (per ciò che divotissimi tutti vi conosco del baron messer Santo Antonio) di spezial grazia[16] vi mostrerò una santissima e bella reliquia, la quale io medesimo già recai dalle sante terre d'oltremare: e questa è una delle penne dello agnol Gabriello, la quale nella camera della Vergine Maria rimase quando egli la venne ad annunziare in Nazarette —.

E questo detto, si tacque e ritornossi alla messa.

Erano, quando frate Cipolla queste parole diceva, tra gli altri molti nella chiesa due giovani astuti molto, chiamato l'uno Giovanni del Bragoniera, e l'altro Biagio Pizzini. Li quali, poi che alquanto tra sé ebbero riso della reliquia di frate Cipolla, ancora che molto fossero suoi amici e di sua brigata,[17] seco proposero di fargli di questa penna[18] alcuna beffa. E avendo saputo che frate Cipolla la mattina desinava nel castello[19] con un suo amico, come a tavola il sentirono, così se ne scesero alla strada, e all'albergo dove il frate era smontato se n'andarono con questo proponimento, che Biagio dovesse tenere a parole[20] il fante di frate Cipolla, e Giovanni dovesse tra le cose del frate cercare di questa penna chente che ella si fosse[21] e torgliele, per vedere come egli di questo fatto poi dovesse al popolo dire.

Aveva frate Cipolla un suo fante,[22] il quale alcuni chiamavano Guccio Balena, e altri Guccio Imbratta, e chi gli diceva Guccio Porco;[23] il quale era tanto cattivo, che egli non è vero che mai Lippo Topo[24] ne facesse alcun cotanto. Di cui spesse volte frate Cipolla era usato di motteggiare[25] con la sua brigata e di dire: — Il fante mio ha in sé nove cose tali che, se qualunque è l'una di quelle fosse in Salamone o in Aristotile o in Seneca,[26] avrebbe forza di guastare ogni lor virtù, ogni lor senno, ogni lor santità. Pensate adunque che uom dee essere egli, nel quale né virtù né senno né santità alcuna è, avendone nove! — Ed essendo alcuna volta domandato quali fossero queste nove cose, ed egli avendole in rima messe,[27] rispondeva: «Dirolvi.[28] Egli è tardo, sugliar-

anche più volte puniti, per questo, dalle gerarchie ecclesiastiche.

4. forse... volentieri: Fra Cipolla piace ai Certaldesi non solo e non tanto per una particolare devozione che avessero per S. Antonio, ma per il nome, che ricorda il prodotto ortofrutticolo per il quale vanno fieri. C'è già un tono d'ironia sottile contro la dabbenaggine dei contadini ignoranti, dalla quale nascerà lo spassoso affresco finale.

5. Era questo frate Cipolla, ecc.: Attraverso la descrizione dei tratti esteriori, abbiamo già un ritratto intimo del frate. La sua piccolezza, il pelo rossiccio, uniti all'affermazione che era il miglior frequentatore di brigate del mondo (**brigante**), ci danno l'idea di un buon compagnone, svelto e intelligente.

6. niuna scienzia... Quintiliano: Fra Cipolla non ha affatto cultura (*scienzia*), ma è abilissimo parlatore, come dimostrerà in seguito, tale da sembrare uno dei due più celebri oratori e maestri dell'eloquenza dell'antichità romana: Marco Tullio Cicerone o Quintiliano. **Retorico**: maestro d'eloquenza.

7. e quasi di tutti... benvogliente: **compare** indica padrino di battesimo o cresima, ma si usava anche per indicare vincoli non stretti di parentela; **benvogliente** indica quasi protettore. Non è, la sua, cordialità mentita e subdola: fra Cipolla è un uomo naturalmente gioviale.

8. calonica: chiesa parrocchiale.

9. Signori e donne: Qui *donne* suona appellativo cortese e onorifico. Il primo discorso di fra Cipolla è ben diverso da quello che vedremo più avanti. È il discorso di un onesto professionista dell'elemosina, limpido, chiaro e stringato, perché ha bisogno che il suo pubblico, non certo evoluto, lo comprenda senza possibilità d'equivoci. Alla fine salta fuori la reliquia miracolosa: è la grande attrazione, e per questo la riserba per ultima. Ma vi accenna rapidissimamente e con spoglia dignità, sì da accrescere l'aspettazione.

10. baron: Questo feudale titolo d'onore veniva usualmente premesso anche ai nomi dei santi, e in tal senso lo usa anche Dante. Non ha dunque nulla d'ironico.

11. secondo il podere: secondo le possibilità economiche; ma aggiunge subito un discreto e significativo accenno anche alla devozione.

12. compagnia: confraternita: ad essa ogni anno si pagava una quota (*debito*).

13. ricogliere: riscuotere.

14. maggiore: superiore.

15. dopo nona: circa alle tre del pomeriggio.

16. di spezial grazia: per concessione speciale.

17. di sua brigata: facevano parte della compagnia che anche fra Cipolla frequentava quando voleva darsi il bel tempo.

18. di questa penna: che riguardasse questa penna.

19. nel castello: nella parte alta del paese.

20. tenere a parole: intrattenere con chiacchiere.

21. chente... fosse: quale mai essa fosse, e portargliela via.

22. un suo fante: un servitore. La pittura di costui è una delle cose meglio riuscite della novella. Goffo, sudicio, balordo e al tempo stesso presuntuoso, tenta anche lui, come il padrone, che deve essere il suo segreto modello, di essere buon parlatore (e lo si vede nella scena con la fantesca unta e bisunta e goffa, degno oggetto dell'amor suo), di entrare anche lui a far parte del mondo dei furbi, degli svelti. Il suo discorso alla Nuta, anticipa, ma ahimé, senza successo, quello di fra Cipolla ai Certaldesi.

23. Guccio Balena, ecc.: Nota la compiacenza divertita dello scrittore sui nomignoli affibbiati a Guccio: il primo riguarda la sua corporatura grande e sgraziata, il secondo e il terzo la sua scarsissima pulizia.

24. cattivo... Lippo Topo: cattivo significa gaglioffo; Lippo Topo era un pittore da strapazzo; ma le sue brutte pitture non riuscivano a raggiungere la sovrana bruttezza di Guccio.

25. motteggiare: scherzare; si direbbe che lo tenga apposta per divertirsi.

26. Salamone... Seneca: Salomone, re ebraico menzionato dalla Bibbia, impersona la saggezza; Aristotele, il senno; Seneca la profonda sensibilità morale (**santità**).

27. in rima messe: Osserva il gaio e compiaciuto motteggiare nella combriccola degli allegri compagnoni.

28. Dirolvi, ecc.: **sugliardo** significa sudicio, **trascutato**, significa sbadato; gli altri aggettivi della piccola litania sono facilmente comprensibili.

do e bugiardo: nigligente, disubidiente e maldicente: trascutato, smemorato e scostumato; senza che egli ha alcune altre teccherelle con queste, che si taccion per lo migliore.[29] E quel che sommamente è da ridere de' fatti suoi è che egli in ogni luogo vuol pigliar moglie e tor casa a pigione; e avendo la barba grande e nera e unta, gli par sì forte[30] esser bello e piacevole, che egli s'avisa che quante femine il veggono tutte di lui s'innamorino; ed essendo lasciato a tutte andrebbe dietro perdendo la coreggia.[31] È il vero che egli m'è d'un grande aiuto, per ciò che mai niuno non mi vuol sì segreto parlare, che egli non voglia la sua parte udire; e se avviene che io d'alcuna cosa sia domandato, ha sì gran paura che io non sappia rispondere, che prestamente risponde egli e sì e no, come giudica si convenga».

A costui, lasciandolo allo albergo, aveva frate Cipolla comandato che ben guardasse che alcuna persona non toccasse le cose sue, e spezialmente le sue bisacce, per ciò che in quelle erano le cose sacre. Ma Guccio Imbratta, il quale era più vago di stare in cucina che sopra i verdi rami l'usignuolo, e massimamente se fante vi sentiva niuna, avendone in quella dell'oste una veduta grassa e grossa e piccola e mal fatta e con un paio di poppe che parevan due ceston da letame, e con un viso che parea de' Baronci, tutta sudata, unta e affumicata, non altramenti che si gitti l'avoltoio alla carogna, lasciata la camera di frate Cipolla aperta e tutte le sue cose in abbandono, là si calò.[32] E ancora che d'agosto fosse,[33] postosi presso al fuoco a sedere, cominciò con costei, che Nuta aveva nome, ad entrare in parole e dirle che egli era gentile uomo per procuratore,[34] e che egli aveva de' fiorini più di millantanove, senza quegli che egli aveva a dare altrui, che erano anzi più che meno, e che egli sapeva tante cose fare e dire, che domine pure unquanche.[35] E, senza riguardare ad un suo cappuccio, sopra il quale era tanto untume che avrebbe condito il calderon d'Altopascio,[36] e ad un suo farsetto rotto e ripezzato,[37] e intorno al collo e sotto le ditella[38] smaltato di sucidume, con più macchie e di più colori che mai drappi fossero tartareschi o indiani,[39] e alle sue scarpette tutte rotte, e alle calze sdrucite, le disse, quasi stato fosse il Siri di Castiglione,[40] che rivestir la voleva e rimetterla in arnese, e trarla di quella cattività[41] di star con altrui, e senza gran possession d'avere,[42] ridurla in isperanza di miglior fortuna; e altre cose assai, le quali quantunque molto affettuosamente le dicesse, tutte in vento convertite, come le più delle sue imprese facevano, tornarono in niente.

Trovarono adunque i due giovani Guccio Porco intorno alla Nuta occupato. Della qual cosa contenti, per ciò che mezza la loro fatica era cessata,[43] non contradicendolo alcuno,[44] nella camera di frate Cipolla, la quale aperta trovarono, entrati, la prima cosa che venne lor presa per cercare fu la bisaccia nella quale era la penna. La quale aperta, trovarono, in un gran viluppo di zendado[45] fasciata, una piccola cassettina; la quale aperta, trovarono in essa una penna di quelle della coda d'un pappagallo, la quale avvisarono dovere esser quella che egli promessa avea di mostrare a' certaldesi. E certo egli il poteva a quel tempo leggiermente far credere, per ciò che ancora non erano le morbidezze d'Egitto,[46] se non in piccola quantità, trapassate in Toscana, come poi in grandissima copia, con disfacimento[47] di tutta Italia, son trapassate. E dove che elle poco conosciute fossero, in quella contrada quasi in niente erano dagli abitanti sapute;[48] anzi, durandovi ancora la rozza onestà degli antichi, non che veduti avesser pappagalli, ma di gran lunga la maggior parte mai uditi non gli avea ricordare. Contenti adunque i giovani d'aver la penna trovata, quella tolsero, e per non lasciare la cassetta vota, vedendo carboni in un canto della camera, di quegli la cassetta empierono; e richiusala e ogni cosa racconcia come trovata avevano, senza essere stati veduti, lieti se ne vennero con la

29. taccherelle... migliore: oltre a questi alcuni peccatucci dei quali è meglio tacere. Fra l'altro, il piacere delle avventure galanti.
30. gli par sì forte, ecc.: nel giro ampio del periodo sembra di avvertire il piacere col quale Guccio ammira la sua mirabile e sozza barba. **forte** significa *fortemente*.
31. ed essendo... coreggia: se lo si lasciasse fare, farebbe il cascamorto con tutte; e non si accorgerebbe neppure, perduto in questo suo sogno d'amore, se gli cadesse la cintura dei pantaloni. Cioè perderebbe completamente la bussola.
32. Ma Guccio Imbratta... calò: Finalmente lo vediamo in azione, ed è questo il suo ritratto vero e grande: il resto non è stato che un'introduzione. Il lungo periodo è condotto con sicuro effetto comico. Il verbo, a lungo atteso e sempre rimandato per aggiungere un particolare nuovo che desta il riso e pur lo tiene sospeso nell'attesa della conclusione, è alla fine, ed esprime con vera potenza quel calare di Guccio come un avvoltoio sulla grassa preda. La prima relativa ha un vago suono poetico (*che sopra i verdi rami l'usignuolo*) che, applicato a quella realtà (*stare in cucina*) produce una comicissima dissonanza. Poi l'inciso: soprattutto se vi *sentiva* alcuna fantesca (e qui Guccio sembra percepirla non con l'occhio, ma con tutti i sensi). Poi ancora la descrizione di quel degno oggetto d'amore, con parole nelle quali già palpita incontenibile la risata: quattro aggettivi esteticamente spietati: *grassa, grossa e piccola e mal fatta* (una palla informe, da qualsiasi punto la si guardi) il seno, diciamo così, prosperoso, tanto da suggerire l'idea di un cestone fertilizzante, la faccia da Baronci (erano una famiglia fiorentina di epica e invitta bruttezza; si diceva che Dio li avesse creati per esperimento, prima di Adamo): ma altro ci vuole per sollevare pienamente le brame di Guccio, ed ecco altri tre aggettivi, carichi della trionfale potenza d'amore: *sudata, unta, affumicata:* è la creatura dei suoi sogni.
33. E ancora che d'agosto fosse: Dopo il gesto, l'azione: il dolce colloquio amoroso. Bello anche il discorso. Comincia con lo stile di fra Cipolla (quello che gli vedremo usare nel gran discorso ai Certaldesi), dicendo cioè cose che non significano nulla, con giri di frasi ampollose e altisonanti che dovrebbero servire ad ammaliare la preda; poi passa agli argomenti solidi, da Guccio, che fanno parte di certo «segretario galante» popolaresco: sciupata è lì la bellezza di lei, vuole rivestirla, portarla via, non farle più far la serva, eccetera.
34. era gentile uomo, ecc.: era un nobile per procura. *Gentile uomo* deve far effetto sulla donna e far passare inosservata l'aggiunta *per procura*, che, in pratica, rinnega la prima affermazione; chi ha un ufficio, una dignità per procura, l'ha solo temporaneamente, non come stabile possesso.
35. ch'egli... unquanche: continua con la stessa tecnica: dice di avere dei fiorini; ma poi, quando deve dir quanti, se la cava con un numero mezzo fantastico e mezzo reale. **Millanta** era numero indeterminato, espressione scherzosa, ma lui aggiunge nove, per dargli una qualche consistenza. E ci aggiunge i debiti. Infine sa fare tante cose che neppure il suo padrone (**domine**) s'era mai (**unquanche**, dal latino *unquam* = *mai*) sognato di saperne fare tante.
36. calderon d'Altopascio: ad Altopascio c'era un calderone smisurato nel quale era preparata la minestra che i monaci distribuivano ai poveri.
37. ripezzato: rappezzato.
38. sotto le ditella: sotto le ascelle. **sucidume**: sudiciume.
39. che mai drappi... indiani: di quelli che si trovano nelle stoffe fatte da Tartari e Indiani.
40. il Siri di Castiglione: espressione proverbiale: un gran signore.
41. cattività: schiavitù.
42. senza gran possession d'avere: pur senza grandi ricchezze.
43. era cessata: era evitata.
44. non contradicendolo: non opponendosi alcuno.
45. zendado: drappo di seta.
46. le morbidezze d'Egitto: le ricercatezze orientali.
47. con disfacimento: portando con sé la rovina. L'Italia è stata rovinata da quelle mollezze, secondo il B.
48. E dove che elle... sapute: e sebbene esse fossero un po' conosciute in altre parti

penna, e cominciarono ad aspettare quello che frate Cipolla, in luogo della penna trovando carboni, dovesse dire.

Gli uomini e le femine semplici che nella chiesa erano, udendo che veder doveano la penna dello agnol Gabriello dopo nona, detta la messa si tornarono a casa; e dettolo l'un vicino all'altro e l'una comare all'altra, come desinato ebbero ogn'uomo,[49] tanti uomini e tante femine concorsono nel castello che a pena vi capeano, con desiderio aspettando di veder questa penna. Frate Cipolla, avendo ben desinato e poi alquanto dormito, un poco dopo nona levatosi, e sentendo la moltitudine grande esser venuta di contadini per dovere la penna vedere, mandò[50] a Guccio Imbratta che lassù con le campanelle venisse, e recasse le sue bisacce. Il qual, poi che con fatica dalla cucina e dalla Nuta si fu divelto,[51] con le cose addimandate con lento passo lassù n'andò. Dove ansando giunto, per ciò che il ber dell'acqua gli avea molto fatto crescere il corpo, per comandamento di frate Cipolla andatone in su la porta della chiesa, forte incominciò le campanelle a sonare. Dove, poi che tutto il popolo fu ragunato, frate Cipolla, senza essersi avveduto che niuna sua cosa fosse stata mossa, cominciò la sua predica, e in acconcio de' fatti suoi[52] disse molte parole. E dovendo venire al mostrar della penna dell'agnol Gabriello, fatta prima con gran solennità la confessione,[53] fece accender due torchi e soavemente sviluppando il zendado, avendosi prima tratto il cappuccio, fuori la cassetta ne trasse. E dette primieramente alcune parolette a laude e a commendazione dell'agnol Gabriello e della sua reliquia, la cassetta aperse. La quale come piena di carboni vide, non sospicò che ciò Guccio Balena gli avesse fatto, per ciò che nol conosceva da tanto, né il maledisse del male aver guardato che altri ciò non facesse; ma bestemmiò tacitamente sé,[54] che a lui la guardia delle sue cose aveva commessa, conoscendol, come faceva, negligente, disubbidente, trascutato e smemorato. Ma non per tanto, senza mutar colore, alzato il viso e le mani al cielo, disse sì che da tutti fu udito:

— O Iddio, lodata sia sempre la tua potenzia!

Poi richiusa la cassetta e al popolo rivolto disse:

— Signori e donne,[55] voi dovete sapere che, essendo io ancora molto giovane, io fui mandato dal mio superiore in quelle parti dove apparisce il sole, e fummi commesso con espresso comandamento che io cercassi tanto, che io trovassi i privilegi del Porcellana;[56] li quali ancora che a bollar niente costassero, molto più utili sono ad altrui che a noi. Per la qual cosa messom'io in cammino, di Vinegia partendomi e andandomene per lo Borgo de' Greci, e di quindi per lo reame del Garbo cavalcando e per Baldacca, pervenni in Parione donde non senza fatica, dopo alquanto pervenni in Sardigna.[57] Ma perché vi vo io tutti i paesi cerchi[58] da me divisando?[59] Io capitai, passato il braccio di San Giorgio,[60] in Truffia e in Buffia, paesi molto abitati e con gran popoli; e di quindi pervenni in terra di Menzogna, dove molti de' nostri frati[61] e d'altre religioni[62] trovai assai, li quali tutti il disagio andavan per l'amor di Dio schifando, poco dell'altrui fatiche curandosi, dove la loro utilità vedessero seguitare, nulla altra moneta spendendo che senza conio per que' paesi. E quindi passai in terra d'Abruzzi,[63] dove gli uomini e le femine vanno in zoccoli su pe' monti, rivestendo i porci delle lor busecchie medesime; e poco più là

della Toscana, non lo erano affatto a Certaldo, dove ancor durava il modo di vita rozzo ma onesto degli antichi.

49. ebbero ogn'uomo: tutti ebbero.

50. mandò: comandò.

51. divelto: il verbo denota la violenza che deve fare su se stesso; il lento passo, quel triste incamminarsi di malavoglia.

52. in acconcio de' fatti suoi: a lungo parlò secondo che il proprio interesse richiedeva. Esorta i Certaldesi a compiere un'elemosina generosa.

53. la confessione: fa prima recitare il *confiteor*; osserva la lenta solennità degli atti liturgici, e poi quel *soavemente* che delinea la figura del frate atteggiata a mistico fervore.

54. non sospicò... ma bestemmiò... sé: non sospettò che fosse di ciò colpevole Guccio, perché lo riteneva troppo stupido per aver organizzato lui una tal beffa, e per questo non lo maledice per aver fatto cattiva guardia, ma tacitamente insolentisce se stesso per aver affidato a un tal uomo la guardia delle sue cose. E, tristemente, gli ritorna alla mente il faceto ritornello delle «virtù» di Guccio che recitava agli amici. Ma fra Cipolla non ha un attimo di smarrimento: a tempo di primato, con una versatilità d'ingegno e una faccia di bronzo colossale risolve la situazione che sembra irrimediabilmente compromessa. L'accento d'ispirata preghiera, quell'enigmatico richiudere la cassetta sono atti d'abilità magistrale. Fra Cipolla crea un'atmosfera di attesa indefinita, di miracolo quasi, e in essa getta il fiume efficacissimo della sua eloquenza.

55. Signori e donne: Il discorso di fra Cipolla è una grande farsa della quale, a un certo momento, sembra egli stesso divertito. La tecnica è quella di frastornare il cervello dei poveri Certaldesi con un discorso solenne nell'apparenza e insensato nella sostanza. Ma l'uditorio, proprio perché non capisce nulla, ritiene che sia discorso profondissimo, tanto più che il frate l'infarcisce di nomi strani che suscitano nei Certaldesi un umile stupore d'ignoranti. Poi, dopo averli ben ben frastornati, fra Cipolla, rassicurato, dice di aver sbagliato cassetta e di aver preso quella contenente un'altra reliquia: i carboni coi quali fu arso S. Lorenzo. Era la scusa più semplice, ma senza il discorso introduttivo non sarebbe stata abbastanza plausibile, o per lo meno avrebbe prodotto nel pubblico un moto, forse, di delusione. Infine, per coronare degnamente il castello di menzogne, il frate aggiunge un richiamo a Dio: non senza divino, provvidenziale consiglio è stato il suo errore: fra due giorni è la festa di S. Lorenzo. E viene il trionfo.

56. io fui mandato... Porcellana: Cominciano le comiche ambiguità. Dice di essere stato mandato, tanti, tanti anni fa (e crea immediatamente un tono di favola che incanta i poveri Certaldesi), in quelle parti ove appare il sole (che appare, ovviamente dappertutto, anche a Certaldo, per esempio) ma la frase fa pensare ai Certaldesi a chissà quale riposto significato. Continua dicendo di avere avuto l'ordine esplicito di ritrovare i privilegi di Porcellana (altro solennissimo non-senso: Porcellana era il nome dato all'ospedale fiorentino di San Filippo).

57. Per la qual cosa... Sardigna, ecc.: I nomi si affollano e fanno girare la testa al popolo ignorante. Per coloro che non sono mai usciti da Certaldo, già Venezia e Sardegna sono nomi di terre remote e favolose, come il reame del Garbo. Ma in realtà, fra Cipolla non fa che giuocare su certi nomi: tutti quelli che pronuncia sono nomi di strade e località fiorentine, certune anche malfamate. In certo modo, però, il discorso è meno assurdo di quanto sembri. *Porcellana* potrebbe anche essere uno dei nomignoli di Guccio (e da quello comincia l'avventura, come da sua colpa è nato il pasticcio in cui si trova fra Cipolla), i paesi di Truffia e Buffia, fantastica patria dei beffatori, sembrano alludere ai burloni che hanno perpetrato il colpo ai danni del frate. Si ha, insomma l'impressione che egli reciti compiaciuto una parte; mentre inganna, divertendosi, i Certaldesi gonzi, strizza l'occhio a chi lo ha burlato; chiunque sia stato, non è certo un Guccio, ma persona spiritosa, e il frate vuol mostrarsi degno di lui.

58. cerchi: visitati.

59. divisando: descrivendo.

60. il braccio di San Giorgio: il Bosforo.

61. dove molti de' nostri frati: il B. non ha saputo resistere al gusto di una puntata polemica contro i frati; lo spendere monete senza conio allude alle chiacchiere vane e inutili con le quali compensano la credulità delle folle.

62. religioni: ordini.

63. in terra d'Abruzzi, ecc.: riprende l'agile forma dello scherzo iniziale. Le «meraviglie» che racconta sono i seguenti, usualissimi fatti: che la gente vada sui monti con gli zoccoli e non scalza, che si rivesta la carne di maiale, quando si confezionano salsicce, con le interiora (**busecchie**) degli stessi animali, che il pane fatto a ciambelle si infili su bastoni e si metta il vino negli otri, che le acque corrano all'ingiù. Ma oramai il pubblico è intontito e trascinato dal flutto ininterrotto delle parole.

trovai gente che portavano il pan nelle mazze, e 'l vin nelle sacca; da' quali alle montagne de' Baschi pervenni, dove tutte l'acque corrono alla 'ngiù. E in brieve tanto andai adentro, che io pervenni mei infino in India Pastinaca, là dove io vi giuro, per lo abito che io porto addosso, che i' vidi volare i pennati,[64] cosa incredibile a chi non gli avesse veduti. Ma di ciò non mi lasci mentire Maso del Saggio,[65] il quale gran mercatante io trovai là, che schiacciava noci e vendeva i gusci a ritaglio. Ma non potendo quello che io andava cercando trovare, per ciò che da indi in là si va per acqua, indietro tornandomene, arrivai in quelle sante terre, dove l'anno di state vi vale il pan freddo quattro denari, e il caldo[66] v'è per niente. E quivi trovai il venerabile padre messer Nonmiblasmete Sevoipiace,[67] degnissimo patriarca di Jerusalem. Il quale, per reverenzia dello abito che io ho sempre portato del baron messer Santo Antonio, volle che io vedessi tutte le sante reliquie[68] le quali egli appresso di sé aveva; e furon tante che, se io ve le volessi tutte contare, io non ne verrei a capo in parecchie miglia. Ma pure, per non lasciarvi sconsolate,[69] ve ne dirò alquante. Egli primieramente mi mostrò il dito dello Spirito Santo, così intero e saldo come fu mai; e il ciuffetto del Serafino che apparve a San Francesco; e una dell'unghie de' Cherubini; e una delle coste del Verbum-caro-fatti-alle-finestre;[70] e de' vestimenti della Santa Fé cattolica; e alquanti de' raggi della stella che apparve a' tre Magi in oriente; e una ampolla del sudore di San Michele quando combatté col Diavolo; e la mascella della Morte di San Lazzaro; e altre. E per ciò che io liberamente gli feci copia[71] delle piagge di Monte Morello in volgare, e d'alquanti capitoli del Caprezio, li quali egli lungamente era andato cercando, mi fece egli partefice[72] delle sue sante reliquie, e donommi uno de' denti della Santa Croce, e in una ampoletta alquanto del suono delle campane del tempio di Salamone, e la penna dello agnol Gabriello, della quale già detto v'ho, e l'un de' zoccoli di San Gherardo da Villamagna, il quale io, non ha molto, a Firenze donai a Gherardo di Bonsi, il quale in lui ha grandissima divozione; e diedemi de' carboni, co' quali fu il beatissimo martire San Lorenzo arrostito. Le quali cose io tutte di qua con meco divotamente ne recai, e holle tutte. È il vero che il mio maggiore non ha mai sofferto[73] che io l'abbia mostrate, infino a tanto che certificato non s'è se desse sono o no. Ma ora che per certi miracoli fatti da esse, e per lettere ricevute dal Patriarca, fatto n'è certo, m'ha conceduta licenzia che io le mostri: ma io, temendo di fidarle[74] altrui, sempre le porto meco. Vera cosa è che io porto la penna dell'agnol Gabriello, acciò che non si guasti, in una cassetta, e i carboni co' quali fu arrostito San Lorenzo in una altra; le quali son sì simiglianti l'una all'altra, che spesse volte mi vien presa l'una per l'altra; e al presente m'è avvenuto. Per ciò che credendomi io qui avere arrecata la cassetta dove era la penna, io ho arrecata quella dove sono i carboni. Il quale io non reputo[75] che stato sia errore; anzi mi pare esser certo che volontà sia stata di Dio, e che egli stesso la cassetta de' carboni ponesse nelle mie mani, ricordandom'io pur testé che la festa di San Lorenzo sia di qui a due dì. E per ciò, volendo Iddio che io, col mostrarvi i carboni co' quali esso fu arrostito, raccenda nelle vostre anime la divozione che in lui aver dovete, non la penna che io voleva, ma i benedetti carboni spenti dallo omor[76] di quel santissimo corpo mi fé pigliare. E per ciò, figliuoli benedetti,[77] trarretevi i cappucci e qua divotamente v'appresserete a vedergli. Ma prima voglio che voi sappiate, che chiunque da questi carboni in segno di croce è tocco, tutto quello anno può viver sicuro che fuoco nol cocerà che non si senta.

E poi che così detto ebbe, cantando una laude[78] di San Lorenzo, aperse la cassetta e mostrò i carboni. Li quali poi che alquanto la stolta moltitudine ebbe con ammirazione reverentemente guardati, con grandissima calca tutti s'appressarono a frate Cipolla, e migliori offerte dando che usati non erano, che con essi gli dovesse toccare il pregava ciascuno. Per la qual cosa frate Cipolla, recatisi questi carboni in mano, sopra li loro camiciotti bianchi e sopra i farsetti e sopra li veli delle donne cominciò a fare le maggior croci che vi capevano,[79] affermando che tanto quanto essi scemavano a far quelle croci, poi ricrescevano nella cassetta, sì come egli molte volte avea provato. E in

64. mei infino: nientemeno. **volare i pennati**: I *pennati* sono falcetti per potare (ma fra Cipolla giuoca sulle parole; allude ai pennuti, cioè agli uccelli). La **pastinaca** è una radice dolciastra; ma in linguaggio furbesco la parola significa anche *fandonia*.

65. A testimone delle sue straordinarie esperienze indiane chiama Maso del Saggio, insigne burlone di Firenze; singolare l'occupazione che gli assegna: schiacciare noci e vendere i gusci al minuto (**a ritaglio**).

66. e il caldo: altro giuoco di parole: all'uditorio può sembrare che egli dica che il pane caldo si dà per niente; ma egli dice in realtà che il caldo estivo non si paga.

67. Nonmiblasmete Sevoipiace: non mi biasimate per favore.

68. le sante reliquie: ora finalmente arriva alle reliquie, e cioè al discorso che gli sta a cuore. Ancora un'enumerazione di reliquie assurde come la sua geografia e il giuoco è fatto; il pubblico è sufficientemente istupidito.

69. sconsolate: delusi.

70. Verbum-caro-fatti-alle-finestre: Storpiatura di *et verbum caro factum est* (e il Verbo si fece carne), passo del Vangelo secondo Giovanni.

71. liberamente gli feci copia: liberamente gli donai. Le opere donate sono invenzioni buffonesche.

72. partefice: partecipe.

73. non ha mai sofferto, ecc.: il padre superiore non ha mai voluto che fra Cipolla le mostrasse, fino a che non si sia appurato se fossero autentiche o no. Prende ora un tono serio da religioso pieno di scrupoli; egli sa bene che in fatto di reliquie molti sono i mistificatori. Ma i miracoli ci sono stati: le sue reliquie sono autentiche.

74. fidarle: affidarle.

75. Il quale io non reputo: Lo sbaglio di cassetta è già apparso un incidente possibile, naturalissimo, dopo tante parole e tante reliquie. Ma non basta, c'è di mezzo anche un miracolo attuale. Dio stesso ha voluto lo sbaglio, affinché fosse celebrato degnamente quel santo di cui sta per ricorrere la festività.

76. dallo omor: dal grasso liquefatto.

77. figliuoli benedetti: la perorazione finale è semplice e piena di compunzione. C'è solo un'ultima eco del discorso spropositato, un ultimo frizzo: chi si lascerà segnare da quei carboni può essere sicuro che per un anno non sarà bruciato dal fuoco senza accorgersene.

78. cantando una sua laude, ecc.: ottimo epilogo: par di sentirlo intonare litanie con voce nasale, solenne, compunta.

79. che vi capevano: che vi potevano stare; e avverte i Certaldesi del nuovo miracolo: i carboni si consumano per quelle abbondanti e generose benedizioni, ma ricrescono nel fondo della cassetta. Ma è particolare ormai inutile. Occupano saldamente il centro del quadro i Certaldesi gonzi, ben degni, secondo il B., di tale santo predicatore, e i loro farsetti bianchi anneriti da quei gran crocioni, simbolo della loro stoltezza.

cotal guisa, non senza sua grandissima utilità, avendo tutti crociati i certaldesi, per presto accorgimento fece coloro rimanere scherniti, che lui, togliendogli la penna, avevan creduto schernire. Li quali stati alla sua predica, e avendo udito il nuovo riparo[80] preso da lui, e quanto da lungi fatto si fosse[81] e con che parole, avevan tanto riso che eran creduti smascellare. E poi che partito si fu il vulgo, a lui andatisene, con la maggior festa del mondo ciò che fatto avevan gli discoprirono, e appresso gli renderono la sua penna: la quale l'anno seguente gli valse non meno che quel giorno gli fosser valuti i carboni.

80. nuovo riparo: straordinario rimedio.
81. quanto da lungi fatto si fosse: come avesse preso la cosa alla lontana. È stato questo l'artificio del discorso, la gran trovata. Ci voleva questo riconoscimento degli intenditori. Fra Cipolla lo meritava e lo attendeva.

Calandrino e l'elitropia

Frequentissime sono nel *Decameron* le novelle dove si parla di beffe, di burlatori e di burlati, e si può dire che esse esprimano uno dei motivi centrali della raccolta: l'esaltazione dell'intelligenza pronta, dell'accortezza, di quella saviezza che è dominio di sé e capacità di apprendere la difficile arte del vivere.

Nei casi migliori, quale è quello della novella presente, la beffa è descritta come un lucido e disinteressato capolavoro dell'intelligenza, quasi, com'è stato detto, un'opera d'arte, goduta in sé e per sé, dal beffatore, senz'altra preoccupazione che la gioia del successo, e il gusto di sostituirsi al caso, manovrare come fa esso le fila della vita e degli eventi.

Il beffato a sua volta rappresenta lo spirito goffo e grossolano, costante fonte di riso per lo scrittore, che lo pone in caricatura allegramente. La più celebre e riuscita figura di beffato del *Decameron* è Calandrino, immortale creazione comica. È il gonzo che si crede intelligente; uomo volgare nei suoi istinti e nei suoi pensieri, fra i quali traluce a volte una vaga astuzia animalesca, eppure attivo, intraprendente, pieno di fiducia in se stesso e di vitalità. E Bruno e Buffalmacco, gli amici sornioni e burloni, sfruttano proprio la sua presunzione per fargli credere le panzane più enormi e beffarlo, dimostrandogli poi alla fine che non lui è stato burlato, ma loro.

Fra le novelle dedicate a Calandrino, la presente è quella che ce lo delinea più compiutamente, con la sua cupidigia e la sua idiozia sostenute fino all'eroismo di un martirio silenzioso, l'improvviso scoppio di furore e di violenza contro la moglie, rea, secondo lui, di avere rotto l'incantesimo della pietra che rende invisibili; così necessaria, per attuare i suoi sogni di dominio e di potenza, a lui, povero gonzo sempre gabbato, e governato (lo si comprende) dispoticamente dalla moglie.

Nella nostra città, la qual sempre di varie maniere e di nuove genti[1] è stata abondevole, fu, ancora non è gran tempo, un dipintore chiamato Calandrino,[2] uom semplice e di nuovi costumi; il quale il più del tempo con due altri dipintori usava,[3] chiamati l'un Bruno e l'altro Buffalmacco, uomini sollazzevoli molto, ma per altro avveduti e sagaci. Li quali con Calandrino usavan per ciò che de' modi suoi e della sua simplicità sovente gran festa prendevano. Era similmente allora in Firenze un giovane di maravigliosa piacevolezza, in ciascuna cosa che far voleva, astuto e avvenevole,[4] chiamato Maso del Saggio; il quale, udendo alcune cose della simplicità di Calandrino, propose di voler prender diletto de' fatti suoi[5] col fargli alcuna beffa, o fargli credere alcuna nuova[6] cosa. E per avventura trovandolo un dì nella chiesa di San Giovanni, e vedendolo stare attento a riguardar le dipinture e gl'intagli del tabernacolo il quale è sopra l'altare della detta chiesa, non molto tempo davanti postovi,[7] pensò essergli dato luogo e tempo alla sua intenzione: e informato un suo compagno di ciò che fare intendeva, insieme s'accostarono là dove Calandrino solo si sedeva, e faccendo vista di non vederlo, insieme cominciarono a ragionare delle virtù di diverse pietre, delle quali Maso così efficacemente parlava come se stato fosse un solenne e gran lapidario.[8] A' quali ragionamenti Calandrino posto orecchie, e dopo alquanto levatosi in piè, sentendo che non era credenza,[9] si congiunse con loro. Il che forte piacque a Maso:[10] il quale seguendo le sue parole, fu da Calandrin domandato dove queste pietre così virtuose si trovassero. Maso rispose[11] che le più si trovavano in Berlinzone, terra de' Baschi, in una contrada che si chiamava Bengodi,[12] nella quale si legano le vigne con le salsicce,[13] e avevavisi un'oca a denaio e un papero giunta;[14] ed eravi una montagna tutta di formaggio parmigiano grattugiato,

Giornata ottava; novella terza.

1. di varie... genti: di varie usanze e di tipi singolari, originali, o anche bizzarri. In tal senso è usato poco dopo lo stesso aggettivo, riferito ai modi (*costumi*) di Calandrino.
2. Calandrino: È persona realmente esistita. Si chiamava Giovannozzo di Pierino ed era pittore, come Bruno e Buffalmacco. Fu uomo ingenuo e sciocco (*semplice*), facile bersaglio d'innumerevoli beffe sì da divenire proverbiale.
3. usava: frequentava, stava in compagnia.
4. avvenevole: abilissimo, a cui tutto riusciva bene. Anche Maso del Saggio è persona realmente esistita, noto come gran burlone. Era sensale e nella sua bottega si radunavano i begli spiriti di Firenze.
5. prender diletto dei fatti suoi: prendersi giuoco di lui.
6. nuova: strana, incredibile.
7. non molto tempo davanti postovi: posto da non molto tempo su quell'altare.
8. un solenne e gran lapidario: i lapidari erano i conoscitori di pietre preziose, le quali si credeva nel Medioevo avessero grandi «virtù», cioè delle proprietà miracolose, impresse in loro dalle stelle (cfr. la canzone *Al cor gentil* del Guinizzelli). I due aggettivi *solenne* e *gran* ci fanno però più che altro intuire il tono affettatamente serissimo col quale parla Maso per prendere al laccio lo stolido Calandrino.
9. sentendo che non era credenza: accorgendosi che non parlavano fra loro in segreto, e non era quindi cosa indelicata unirsi a loro.
10. Il che forte piacque a Maso: era proprio quello che aspettava con ansia: ma il bravo e consumato attore non si tradisce; seguita il suo discorso (**seguendo le sue parole**) come se non si fosse neppure accorto del nuovo ascoltatore.
11. Maso rispose: Comincia un discorso indiavolato, un'arruffata girandola di trovate dette apposta per frastornare la testa del povero Calandrino (ricorda la predica di frate Cipolla ai Certaldesi). Tutto il discorso è accentrato sulla descrizione del meraviglioso paese di Bengodi, e Maso inventa i particolari che maggiormente possono far leva sull'avidità, avarizia e credulità di Calandrino.
12. Berlinzone... Bengodi: Il primo nome è probabilmente storpiatura della parola fiorentina «berlingaio» (= ghiottone); o forse di «berlingare» (= chiacchierare). Bengodi è un paese di cuccagna e il nome lo dice chiaramente.
13. nel quale... salsicce: gli occhi di Calandrino si sgranano, gli viene l'acquolina in bocca; dunque esistono paradisi in terra! E qual meraviglia se in luoghi così benedetti da Dio si trovano pietre miracolose?
14. un'oca... giunta: un'oca per un denaro e un papero per giunta.

sopra la quale stavan genti che niuna altra cosa facevan che far maccheroni e raviuoli, e cuocergli in brodo di capponi, e poi gli gittavan quindi giù, e chi più ne pigliava più se n'aveva: e ivi presso correva un fiumicel di vernaccia,[15] della migliore che mai si bevve, senza avervi entro gocciola d'acqua.

— Oh, disse Calandrino, cotesto è buon paese![16] Ma dimmi, che si fa de' capponi che cuocon coloro?

Rispose Maso:

— Mangiansegli i Baschi tutti.

Disse allora Calandrino:

— Fostivi tu mai?

A cui Maso rispose:

— Di' tu se io vi fu' mai? Sì vi sono stato così una volta come mille.[17]

Disse allora Calandrino:

— E quante miglia ci ha?

Maso rispose:

— Haccene più di millanta,[18] che tutta notte canta.

Disse Calandrino:

— Dunque dee egli essere più là che Abruzzi.[19]

— Sì bene, rispose Maso, sì è cavelle.[20]

Calandrino semplice, veggendo Maso dir queste parole con un viso fermo e senza ridere, quella fede vi dava che dar si può a qualunque verità è più manifesta, e così l'aveva per vere, e disse:

— Troppo ci è lungi a' fatti miei! Ma se più presso ci fosse, ben ti dico che io vi verrei una volta con essoteco, pur per veder fare il tomo a quei maccheroni, e tormene una satolla.[21] Ma dimmi, che lieto sie tu,[22] in queste contrade non se ne truova niuna di queste pietre così virtuose?

A cui Maso rispose:[23]

— Sì, due maniere[24] di pietre ci si truovano di grandissima virtù: l'una sono i macigni da Settignano e da Montisci,[25] per virtù de' quali, quando son macine fatti, se ne fa la farina;[26] e per ciò si dice egli in que' paesi di là, che da Dio vengono le grazie e da Montisci le macine; ma ècci di questi macigni sì gran quantità, che appo noi è poco prezzata, come appo loro gli smeraldi, de' quali v'ha maggior montagne che monte Morello, che rilucon di mezza notte[27] vatti con Dio. E sappi che chi facesse le macine belle e fatte legare in anella,[28] prima che elle si forassero, e portassele al soldano, n'avrebbe ciò che volesse. L'altra si è una pietra, la quale noi altri lapidari appelliamo elitropia,[29] pietra di troppo gran virtù, per ciò che qualunque persona la porta sopra di sé, mentre la tiene, non è da alcuna altra persona veduto dove non è.[30]

Allora Calandrin disse:

— Gran virtù son queste! ma questa seconda dove si truova?

A cui Maso rispose, che nel Mugnone se ne solevan trovare.

Disse Calandrino:

— Di che grossezza è questa pietra? o che colore è il suo?

Rispose Maso:

— Ella è di varie grossezze, ché alcuna n'è più, alcuna meno, ma tutte son di colore quasi come nero.

Calandrino, avendo tutte queste cose seco notate, fatto sembiante d'avere altro a fare,[31] si partì da Maso, e seco propose di voler cercare di questa pietra; ma diliberò di non volerlo fare senza saputa di Bruno e di Buffalmacco, li quali spezialissimamente amava. Diessi adunque a cercar di costoro, acciò che senza indugio, e prima che alcuno altro, n'andassero a cercare;[32] e tutto il rimanente di quella mattina consumò in cercargli. Ultimamente, essendo già l'ora della nona passata, ricordandosi egli che essi lavoravano nel monistero delle donne di Faenza,[33] quantunque il caldo fosse grandissimo, lasciata ogni altra sua faccenda, quasi correndo n'andò a costoro. E chiamatigli, così disse loro:

15. vernaccia: è un famoso vino bianco.

16. Oh,... cotesto è buon paese!: Nota l'*oh!* estatico e commosso. Calandrino è ormai entrato nella rete, sta sognando ad occhi aperti.

17. Sì vi sono stato... mille: Vivacissimo, incalzante il dialogo. Maso risponde con frasi che sembrano dire chissà che cosa e non dicono nulla. Dire di essere stato a Bengodi una volta come mille volte, non significa dire di esserci stato. È la brama di Calandrino che dà alla parola il senso da lui stesso voluto.

18. millanta: è un numero fantastico, altra parola nonsenso; e aggiunge un ritornello da bambini per meglio determinare il numero beffardo.

19. Disse Calandrino... Abruzzi: Osservazione comicissima. Per Calandrino che non è mai uscito da Firenze, Abruzzi è un nome favoloso, una terra remota e irraggiungibile quasi come Bengodi.

20. Sì bene... sì è cavelle: Certo, rispondе Maso, proprio un bel nulla. È un'altra frase insensata.

21. Troppo ci è lungi... miei... satolla: È troppo lontano di qui per me! È un sospiro dell'anima; e tosto erompe in espressioni di ingordigia intensa e trasognata: che bellezza andare a Bengodi e rotolare giù quei maccheroni e farne una scorpacciata (**fare il tomo a quei maccheroni, e tormene una satolla**)!

22. che lieto sie tu: lo richiama all'argomento essenziale, le pietre magiche; ma prima lo benedice commosso per quel nuovo, mirabile mondo che ha fatto balenare ai suoi occhi.

23. Maso rispose: quelle di Maso sono panzane enormi, ma il discorso sembra svolgersi logicamente coordinato, con precisione di termini e di particolari.

24. due maniere: due specie.

25. Settignano... Montisci: due collinette vicine a Firenze.

26. se ne fa la farina: quando i macigni sono divenuti macine da grano, si fa, mediante essi, la farina. Ma il discorso è fatto in modo equivoco, tanto che sembra che dai macigni esca miracolosamente la farina. **e per ciò si dice**, ecc.: ci aggiunge anche un proverbio di nuovo conio, che vuol dire ben poco; ma il nome di Dio aggiunge qualcosa di vagamente solenne.

27. ma ecci... notte: ma c'è qui da noi (*ècci*) così gran quantità di questi macigni che noi li apprezziamo poco, come presso (*appo*) di loro (gli abitanti di Berlinzone e Bengodi) sono poco apprezzati gli smeraldi, dei quali ve ne sono montagne intere più alte di monte Morello, e nel cuor della notte rilucono. E quindi lo manda a quel paese.

28. fatte legare in anella: fatte incastonare in un anello.

29. elitropia: era una pietra preziosa di colore verde e venata di sanguigno che si pensava avesse magiche virtù. Secondo Calandrino, che capisce a suo modo una frase di Maso, deve rendere invisibile chi la porta.

30. non è da alcuna altra persona... non è: Calandrino capisce solo la prima parte della frase, e non bada al *dove non è*.

31. fatto sembiante... a fare: Furbissimo! Senza parere ha carpito a Maso il segreto: sa come son fatte le magiche pietre e dove si trovano. A lui, ora! Ma ha bisogno di consigliarsi con qualcuno: è affare troppo grosso, segreto troppo straordinario. E corre dagli amici che *spezialissimamente amava*, Bruno e Buffalmacco, i suoi carnefici.

32. n'andassero a cercare: Calandrino è in uno stato di agitazione che diventa sempre più febbrile, per l'impazienza di coronare il suo sogno. Sembra che abbia bisogno di dirlo a qualcuno per essere sicuro che è ben desto. E poi, bisogna arrivare prima degli altri. Lo vediamo correre ansimante per tutta la mattina invano; poi, finalmente il lampo: ricorda (prima era troppo fuor di sé per connettere) dove lavorano; raccoglie le ultime forze, e via, la volata finale, fra il caldo bruciante delle tre del pomeriggio estivo.

33. monistero delle donne di Faenza: monastero delle monache di Via Faenza.

— Compagni,[34] quando voi vogliate credermi, noi possiamo divenire i più ricchi uomini di Firenze; per ciò che io ho inteso da uomo degno di fede,[35] che in Mugnone si truova una pietra, la qual chi la porta sopra[36] non è veduto da niun'altra persona. Per che a me parrebbe che noi senza alcuno indugio, prima che altra persona v'andasse, v'andassimo a cercare. Noi la troveremo per certo, per ciò che io la conosco;[37] e trovata che noi l'avremo, che avrem noi a fare altro, se non mettercela nella scarsella e andare alle tavole de' cambiatori,[38] le quali sapete che stanno sempre cariche di grossi[39] e di fiorini, e torcene quanti noi ne vorremo? Niuno ci vedrà; e così potremo arricchire subitamente, senza avere tutto dì a schiccherare le mura a modo che fa la lumaca.

Bruno e Buffalmacco, udendo costui, fra sé medesimi cominciarono a ridere; e guatando l'un verso l'altro fecer sembianti di maravigliarsi forte, e lodarono il consiglio di Calandrino. Ma domandò Buffalmacco, come questa pietra avesse nome. A Calandrino, che era di grossa pasta, era già il nome uscito di mente; per che egli rispose:

— Che abbiam noi a far del nome,[40] poi che noi sappiam la virtù? A me parrebbe che noi andassimo a cercar senza star più.

— Or ben, disse Bruno, come è ella fatta?

Calandrin disse:

— Egli ne son d'ogni fatta, ma tutte son quasi nere: per che a me pare che noi abbiamo a ricogliere tutte quelle che noi vedrem nere, tanto che noi ci abbattiamo ad essa.[41] E per ciò non perdiamo tempo, andiamo.

A cui Brun disse:

— Or t'aspetta.[42]

E volto a Buffalmacco disse:

— A me pare che Calandrino dica bene. Ma non mi pare che questa sia ora da ciò, per ciò che il sole è alto e dà per lo Mugnone entro e ha tutte le pietre rasciutte; per che tali paion testé bianche[43] delle pietre che vi sono, che la mattina, anzi che il sole l'abbia rasciutte, paion nere. E oltre a ciò molta gente per diverse cagioni è oggi, che è dì da lavorare, per lo Mugnone, li quali vedendoci si potrebbono indovinare quello che noi andassimo faccendo, e forse farlo essi altressì; e potrebbe venire alle mani a loro, e noi avremmo perduto il trotto[44] per l'ambiadura. A me pare, se pare a voi, che questa sia opera da dover fare da mattina, che si conoscon meglio le nere dalle bianche, e in dì di festa che non vi sarà persona che ci vegga.

Buffalmacco lodò il consiglio di Bruno, e Calandrino vi s'accordò; e ordinarono che la domenica mattina vegnente tutti e tre fossero insieme a cercar di questa pietra. Ma sopra ogni altra cosa gli pregò Calandrino che essi non dovesser questa cosa con persona del mondo ragionare, per ciò che a lui era stata posta in credenza.[45] E ragionato questo, disse loro ciò che udito avea della contrada di Bengodi, con saramenti[46] affermando che così era.

Partito Calandrino da loro, essi quello che intorno a questo avessero a fare ordinarono fra sé medesimi. Calandrino con disidero[47] aspettò la domenica mattina. La qual venuta, in sul far del dì[48] si levò, e chiamati i compagni, per la porta a San Gallo usciti e nel Mugnon discesi, cominciarono ad andare in giù,[49] della pietra cercando. Calandrino andava,[50] come più volenteroso, avanti, e prestamente or qua e or là saltando, dovunque alcuna pietra nera vedeva, si gittava, e quella ricogliendo, si metteva in seno. I compagni andavano appresso, e quando una e quando un'altra ne ricoglievano. Ma Calandrino non fu guari di via andato,[51] che egli il seno se n'ebbe pieno: per che alzandosi i gheroni della gonnella, che all'analda non era,[52] e faccendo di quegli ampio grembo, bene avendogli alla coreggia[53] attaccati d'ogni parte, non dopo molto gli empié, e similmente, dopo alquanto spazio, fatto del mantello grembo, quello di pietre empié.[54] Per che, veggendo Buffalmacco e Bruno che Calandrino era carico e l'ora del mangiare s'avvicinava, secondo l'ordine da sé posto,[55] disse Bruno a Buffalmacco:

— Calandrino dove è?

Buffalmacco, che ivi presso sel vedeva, volgendosi intorno e or qua or là riguardando rispose:

34. **Compagni**: Il discorso di Calandrino è rapido, energico, esultante. Splende davanti alla sua mente il fulgido ideale della ricchezza: divenuti invisibili, egli e i compagni potranno saccheggiare agevolmente banche; altro che imbrattare tutto il giorno i muri come lumache bavose con le loro pitture.

35. **da uomo degno di fede**: gli piace fare il misterioso.

36. **chi la porta sopra**: chi la porta addosso.

37. **per ciò che**: poiché.

38. **tavole de' cambiatori**: i banchi del cambiavalute e dei banchieri.

39. **grossi**: erano monete d'argento.

40. **Che abbiam noi a far del nome,** ecc.: L'eccitazione, la cupidigia hanno reso per un attimo Calandrino sveglio.

41. **tanto... ad essa**: finché non ci imbatteremo in essa.

42. **Or t'aspetta**: aspetta un momento. Bruno ferma la foga di Calandrino con questa pausa improvvisa cui fa seguire un discorso assennato e logico. Naturalmente i due compari vogliono andare al Mugnone con Calandrino, ma soli e a bell'agio, e aver tempo di architettare la burla.

43. **tali paion testé bianche,** ecc.: ora sembrano bianche anche le pietre che al mattino, prima di essere state arse o asciugate al sole, mantengono ancora il loro colore scuro.

44. **avremmo perduto il trotto,** ecc.: per volere troppa comodità avremmo perduto lo scopo del nostro viaggio.

45. **a lui... credenza**: perché a lui era stata comunicata in segreto. Nuova e raffinata astuzia di Calandrino, che ha paura di essere preceduto da qualcuno nella ricerca.

46. **con saramenti**: con giuramenti.

47. **con disidero**: con desiderio intenso.

48. **in sul far del dì**: all'alba; e certo non ha dormito.

49. **ad andare in giù**: cioè verso la foce del fiume.

50. **Calandrino andava,** ecc.: lo si vede attento e anelante, schizzare qua e là con rapidi balzi felini, *gittarsi* a capofitto dove vede una pietra nera e metterla in seno come un tesoro; i compagni procedono più calmi, godendosi pacatamente e diligentemente lo spettacolo.

51. **non fu... andato**: non ebbe percorsa molta strada.

52. **i gheroni della gonnella... era**: alzati i lembi della sua veste lunga, che non era stretta e lunga come quelle fatte all'uso dell'Hainault (città del Belgio celebre per le industrie tessili), e quindi era assai capace.

53. **alla coreggia**: alla cintura di cuoio.

54. **gli empié... empié**: nota la ripetizione del verbo, il senso di peso greve di tutto il periodo.

55. **secondo... posto**: secondo il piano prestabilito.

— Io non so, ma egli era pur poco fa qui dinanzi da noi.

Disse Bruno:

— Ben che fa poco! a me par egli esser certo che egli è ora a casa a desinare, e noi ha lasciati nel farnetico d'andar cercando[56] le pietre nere giù per lo Mugnone.

— Deh come egli ha ben fatto, disse allora Buffalmacco, d'averci beffati e lasciati qui, poscia che[57] noi fummo sì sciocchi che noi gli credemmo! Sappi![58] chi sarebbe stato sì stolto che avesse creduto che in Mugnone si dovesse trovare una così virtuosa pietra, altri che noi?

Calandrino, queste parole udendo, imaginò che quella pietra alle mani gli fosse venuta, e che per la virtù d'essa coloro, ancor che loro fosse presente, nol vedessero. Lieto adunque oltre modo di tal ventura,[59] senza dir loro alcuna cosa, pensò di tornarsi a casa; e volti i passi indietro, se ne cominciò a venire. Vedendo ciò, Buffalmacco disse a Bruno:

— Noi che faremo? Ché non ce ne andiam noi?

A cui Bruno rispose:

— Andianne;[60] ma io giuro a Dio che mai Calandrino non me ne farà più niuna! E se io gli fossi presso, come stato sono tutta mattina, io gli darei tale di questo ciotto nelle calcagna,[61] che egli si ricorderebbe forse un mese di questa beffa; e il dir le parole e l'aprirsi e 'l dar del ciotto[62] nel calcagno a Calandrino fu tutto uno. Calandrino, sentendo il duolo,[63] levò alto il piè e cominciò a soffiare; ma pur si tacque e andò oltre. Buffalmacco recatosi in mano uno de' codoli che raccolti avea, disse a Bruno:

— Deh! vedi bel codolo; così giugnesse egli testé nelle reni a Calandrino!

E lasciato andare, gli diè con esso nelle reni una gran percossa. E in brieve in cotal guisa or con una parola, e or con una altra, su per lo Mugnone, infino alla porta di San Gallo il vennero lapidando. Quindi, in terra gittate le pietre che ricolte aveano, alquanto con le guardie de' gabellieri[64] si ristettero. Le quali, prima da loro informate, faccendo vista di non vedere, lasciarono andar Calandrino con le maggior risa del mondo. Il quale senza arrestarsi se ne venne a casa sua, la quale era vicina al Canto alla Macina. E in tanto fu la fortuna piacevole[65] alla beffa, che, mentre Calandrino per lo fiume ne venne e poi per la città, niuna persona gli fece motto, come che pochi ne scontrasse, per ciò che quasi a desinare era ciascuno.

Entrossene adunque Calandrino così carico in casa sua. Era per avventura la moglie di lui, la quale ebbe nome monna Tessa, bella e valente donna, in capo della scala; e alquanto turbata della sua lunga dimora,[66] veggendol venire, cominciò proverbiando[67] a dire:

— Mai, frate,[68] il diavol ti ci reca! Ogni gente ha già desinato quando tu torni a desinare.

Il che udendo Calandrino, e veggendo che veduto era,[69] pieno di cruccio e di dolore, cominciò a gridare:

— Oimè, malvagia femina! O eri tu costì? Tu m'hai diserto![70] Ma in fé di Dio io te ne pagherò!

E salito in una sua saletta, e quivi scaricate le molte pietre che recate avea, niquitoso,[71] corse verso la moglie; e presala per le treccie la si gittò a' piedi, e quivi, quanto egli poté menar le braccia e' piedi, tanto le dié per tutta la persona pugna e calci, senza lasciarle in capo capello o osso addosso che macero[72] non fosse, niuna cosa valendole il chieder mercé[73] con le mani in croce.

Buffalmacco e Bruno, poi che co' guardiani della porta ebbero alquanto riso, con lento passo cominciarono alquanto lontani a seguitar Calandrino. E giunti a piè dell'uscio di lui, sentirono la fiera battitura la quale alla moglie dava; e faccendo vista di giugnere pure allora,[74] il chiamarono. Calandrino tutto sudato, rosso e affannato, si fece alla finestra, e pregogli che suso a lui dovessero andare. Essi, mostrandosi alquanto turbati, andaron suso, e videro la sala piena di pietre, e nell'un de' canti la donna, scapigliata, stracciata, tutta livida e rotta nel viso dolorosamente piagnere; e d'altra parte Calandrino, scinto e ansando, a guisa d'uom lasso[75] sedersi. Dove come alquanto ebbero riguardato, dissero:

56. **Ben che fa poco!... cercando**: Altro che poco fa! Mi sembra evidente che egli è ora a casa a desinare, e ci ha lasciati in questa follia di andar cercando, ecc. C'è un rapido, astutissimo capovolgimento di scena dei due compari: il beffato Calandrino diventa l'astutissimo beffatore.
57. **poscia che**: dal momento che.
58. **Sappi!**: Figurati! **ancor che lor,** ecc.: sebbene fosse lì davanti a loro.
59. **Lieto adunque... ventura**: Smisuratamente lieto di tal fortuna. Comincia la grande scena muta di Calandrino che contiene in sé la gioia smisurata (e così, fra poco, il dolore) e piano, senza rumore, si incammina verso casa. Si è avverato il sogno di divenire invisibile, ed egli non ha più bisogno di nessuno.
60. **Andianne**: andiamocene.
61. **io gli darei**: lo colpirei così violentemente con questo ciottolo nei calcagni.
62. **l'aprirsi**: l'allargare le braccia per lanciare il sasso (**ciotto**; più avanti **codoli** e **codolo**, con lo stesso significato).
63. **Calandrino, sentendo il duolo,** ecc.: È la grande scena della lapidazione di Calandrino martire dell'elitropia, comicissima soprattutto per il silenzio del malcapitato che non vuole rivelare la sua presenza, e alza il piede, prendendolo fra le mani e soffia. Soffre, ma eroicamente tace.
64. **le guardie de' gabellieri**: le guardie del dazio.
65. **piacevole**: favorevole.
66. **della sua lunga dimora**: del suo lungo indugiar fuori di casa.
67. **proverbiando**: rimproverandolo.
68. **Mai frate,** ecc.: finalmente una buona volta il diavolo ti riporta qui, a casa. *Fratello* è detto, come tutta la frase, in senso sarcastico. Si comprende da queste poche battute, che chi comanda in casa non è Calandrino. Se non che stavolta l'occasione eccezionale giustifica la violenta rivolta di lui, che, per una volta, è convinto d'avere ragione, e sfoga l'antico rancore contro tante sopraffazioni subite.
69. **veggendo che veduto era**: accorgendosi che non era più invisibile. L'angoscia è tanta che prima si esprime in alcune grida a stento articolate, poi si sfoga disperatamente in quel pugilato bestiale.
70. **diserto**: rovinato.
71. **niquitoso**: furibondo, accecato dall'ira.
72. **macero**: pesto.
73. **il chieder mercé**: il chiedere pietà.
74. **faccendo... allora**: fingendo di essere appena giunti.
75. **lasso**: stanco e desolato.

— Che è questo, Calandrino? Vuoi tu murare,[76] che noi veggiamo qui tante pietre?

E oltre a questo soggiunsero:

— E monna Tessa che ha? È par che tu l'abbi battuta. Che novelle[77] son queste?

Calandrino, faticato dal peso delle pietre e dalla rabbia con la quale la donna aveva battuta, e dal dolore della ventura[78] la quale perduta gli pareva avere, non poteva raccogliere lo spirito[79] a formare intera la parola alla risposta. Per che soprastando,[80] Buffalmacco ricominciò:

— Calandrino, se tu avevi altra ira, tu non ci dovevi perciò straziare come fatto hai; ché, poi sodotti ci avesti a cercar teco della pietra preziosa, senza dirci a Dio né a diavolo, a guisa di due becconi nel Mugnon ci lasciaste, e venistene. Il che noi abbiamo forte per male: ma per certo questa fia la sezzaia che tu ci farai mai.[81]

A queste parole Calandrino sforzandosi[82] rispose:

— Compagni, non vi turbate: l'opera sta altramenti che voi non pensate.[83] Io, sventurato! avea quella pietra trovata; e volete udire se io dico il vero? Quando voi primieramente di me domandaste[84] l'un l'altro, io v'era presso a men di diece braccia; e veggendo che voi ve ne venavate[85] e non mi vedavate, v'entrai innanzi,[86] e continuamente poco innanzi a voi me ne son venuto.

E, cominciandosi dall'un de' capi, infino la fine raccontò loro ciò che essi fatto e detto aveano, e mostrò loro il dosso e le calcagna come i ciotti conci gliel'avessero.[87] E poi seguitò:

— E dicovi che entrando alla porta con tutte queste pietre in seno che voi vedete qui, niuna cosa mi fu detta; ché sapete quanto esser sogliano spiacevoli e noiosi que' guardiani a volere ogni cosa vedere. E oltre a questo ho trovati per la via più miei compari e amici, li quali sempre mi soglion far motto[88] e invitarmi a bere, né alcun fu che parola mi dicesse né mezza, sí come quegli che non mi vedeano.[89] Alla fine, giunto qui a casa, questo diavolo di questa femina maladetta mi si parò dinanzi, ed ebbemi veduto; per ciò che, come voi sapete, le femine fanno perder la virtù ad ogni cosa.[90] Di che[91] io, che mi poteva dire il più avventurato[92] uom di Firenze, sono rimaso il più sventurato; e per questo l'ho tanta battuta quant'io ho potuto menar le mani, e non so a quello che io mi tengo, che io non le sego le veni:[93] che maladetta sia l'ora che io prima la vidi, e quand'ella mi venne in questa casa!

E raccesosi nell'ira, si voleva levare per tornare a batterla da capo. Buffalmacco e Bruno, queste cose udendo, facevan vista di maravigliarsi forte, e spesso affermavano[94] quello che Calandrino diceva, e avevano sì gran voglia di ridere che quasi scoppiavano. Ma, vedendolo furioso levare per battere un'altra volta la moglie, levataglisi allo 'ncontro il ritennero, dicendo di queste cose niuna colpa aver la donna, ma egli, che sapeva che le femmine facevano perder la virtù alle cose e non le aveva detto che ella si guardasse d'apparirgli innanzi quel giorno: il quale avvedimento[95] Iddio gli aveva tolto, o per ciò che la ventura non doveva esser sua, o perch'egli aveva in animo d'ingannare i suoi compagni, a' quali, come s'avvedeva d'averla trovata, il doveva palesare. E dopo molte parole, non senza gran fatica, la dolente donna riconciliata con essolui, e lasciandol malinconoso con la casa piena di pietre,[96] si partirono.

76. **Vuoi tu murare,** ecc.: gli chiedono se vuole alzare un muro con tutte quelle pietre. L'aria dei due è innocente, ma la battuta è feroce.
77. **Che novelle**: che novità.
78. **ventura**: fortuna.
79. **non... spirito**: non riusciva a ripigliare fiato, sí da formulare una risposta.
80. **soprastando**: indugiando (il soggetto è sempre C.).
81. **se tu ... mai**: se tu eri adirato con noi per altra ragione, gli dice, non dovevi fare di noi lo strazio che hai fatto. Tu ci hai lusingati (**sodotti**) con la faccenda dell'elitropia, e poi, senza neppure salutarci (**senza dirci a Dio né a diavolo**), ci hai lasciato nel Mugnone come due stupidi (**becconi**) e sei venuto a casa. Noi per questo siamo profondamente offesi, ma certo questa è l'ultima (**sezzaia**) beffa che tu ci giuochi.
82. **sforzandosi**: trovando a stento la forza di parlare.
83. **non... pensate**: non adiratevi, le cose stanno diversamente da quello che voi pensate.
84. **primieramente... domandaste**: cominciaste a chiedervi dov'ero.
85. **venavate**: ve ne venivate via.
86. **v'entrai innanzi**: vi precedetti.
87. **mostrò... 'avessero** ecc.: mostra le prove del suo martirio (**conci** significa «conciati»).
88. **mi... motto**: mi sogliono rivolgere la parola. Si intravede la vita di tutti i giorni del povero Calandrino: la gente che gli rivolge la parola e lo invita a bere per godersi la sua buaggine; lui, invece, che si ritiene persona da tutti apprezzata e simpatica. E si ha l'impressione che dietro ai due compari, altri, da loro avvertiti, si godessero la beffa, dando la loro volonterosa collaborazione.
89. **né mezza... vedeano**: neppure mezza (parola) perché essi non mi vedevano.
90. **le femine fanno perder la virtù,** ecc.: amaro risentimento contro tutte le donne. Era antico pregiudizio, che discendeva dal racconto biblico di Eva che si era lasciata sedurre dal serpente.
91. **Di che**: per questo.
92. **avventurato**: fortunato.
93. **e non... veni**: e non so che cosa mi trattenga dal tagliarle le vene.
94. **affermavano**: confermavano.
95. **il quale avvedimento,** ecc.: Dio stesso gli aveva tolto quell'accorgimento, gli aveva tolto il senno, o perché nella sua imperscrutabile provvidenza aveva destinato che a Calandrino non toccasse sí grande fortuna, o perché lo aveva voluto, e giustamente, punire di voler ingannare i compagni, ecc. L'ultima trovata dei due, è ben degna del resto. L'allusione al giudizio di Dio e a un'austera morale lasciano il povero Calandrino confuso e senza parole.
96. **malinconoso con la casa piena di pietre**: sintetico e mirabile quadretto: l'aggettivo riassume lo squallore dell'anima «stanca»; le pietre stanno lì, grevi e informi come il bel sogno infranto.

Calandrino e il porco

La figura di Calandrino è quella che ritorna in un maggior numero di novelle, nel *Decameron*, sempre con effetto comico sicuro. Qui, i due compari, Bruno e Buffalmacco gli rubano un porco, trovan modo di far credere alla gente che il poveretto ha simulato un furto inesistente, lo multano infine di soldi e di capponi.

La beffa è meno fine di quella precedente, e rasenta il codice penale. Ma a parte il fatto che certi interessi morali sono ben lontani dal gaio novellare del Boccaccio, la finezza è tutta nella descrizione dei caratteri in azione, della figura e dei gesti del babbeo, e soprattutto nel brioso umorismo col quale è descritto l'ambiente campagnolo che fa da sfondo alla vicenda, con l'allegro prete di campagna che prende volonterosamente parte alla burla e altri particolari gustosi. Anche lo stile è diverso da quello della novella dell'elitropia, rapido, incalzante, tutto azione, con dialoghi vivacissimi, con termini dialettali che sottolineano pittorescamente ambiente e persone.

Chi Calandrino, Bruno e Buffalmacco fossero, non bisogna che io vi mostri, ché assai l'avete di sopra udito. E per ciò, più avanti faccendomi,[1] dico che Calandrino avea un suo poderetto non guari lontano[2] da Firenze, che in dote aveva avuto della moglie. Del quale tra l'altre cose che su vi ricoglieva[3] n'aveva ogn'anno un porco; ed era sua usanza sempre colà di dicembre d'andarsene la moglie ed egli in villa, e ucciderlo, e quivi farlo salare. Ora avvenne una volta tra l'altre che, non essendo la moglie ben sana, Calandrino andò egli solo[4] ad uccidere il porco. La qual cosa sentendo Bruno e Buffalmacco, e sappiendo che la moglie di lui non v'andava, se n'andarono ad un prete loro grandissimo amico, vicino di Calandrino, a starsi con lui alcun dì. Aveva Calandrino, la mattina che costor giunsero il dì,[5] ucciso il porco; e vedendogli col prete, gli chiamò e disse:

— Voi siate i ben venuti. Io voglio che voi veggiate che massaio io sono.[6]

E menatigli in casa mostrò loro questo porco. Videro costoro il porco esser bellissimo,[7] e da Calandrino intesero che per la famiglia sua il voleva salare. A cui Brun disse:

— Deh come tu se' grosso![8] Vendilo e godianci i denari; e a mògliata[9] dì che ti sia stato imbolato.[10]

Calandrino disse:

— No, ella nol crederebbe, e caccerebbemi[11] fuor di casa: non v'impacciate, ché io nol farei mai.

Le parole furono assai, ma niente montarono.[12] Calandrino gl'invitò a cena cotale alla trista,[13] sì che costoro non vi vollon cenare, e partirsi da lui. Disse Bruno a Buffalmacco:

— Vogliamgli noi imbolare[14] stanotte quel porco?

Disse Buffalmacco:

— O come potremmo noi?

Disse Bruno:

— Il come ho io ben veduto, se egli nol muta di là ove egli era testé.[15]

— Adunque, disse Buffalmacco, facciamlo; perché nol faremo noi?[16] E poscia cel goderemo qui insieme col domine.

Il prete disse che gli era molto caro.[17] Disse allora Bruno:

— Qui si vuole usare un poco d'arte: tu sai, Buffalmacco, come Calandrino è avaro, e come egli bee volentieri quando altri paga: andiamo, e meniallo[18] alla taverna; e quivi il prete faccia vista di pagare tutto per onorarci, e non lasci pagare a lui nulla: egli si ciurmerà,[19] e verracci troppo ben fatto poi, per ciò che egli è solo in casa.

Come Brun disse, così fecero.

Calandrino, veggendo che il prete non lo lasciava pagare,[20] si diede in sul bere, e benché non ne gli bisognasse troppo,[21] pur si caricò bene. Ed essendo già buona ora di notte[22] quando dalla taverna si partì, senza volere altramenti cenare, se n'entrò in casa, e credendosi aver serrato l'uscio, il lasciò aperto, e andossi al letto. Buffalmacco e Bruno se n'andarono a cenare col prete; e, come cenato ebbero, presi loro argomenti[23] per entrare in casa Calandrino, là onde Bruno aveva divisato,[24] là chetamente n'andarono. Ma, trovando aperto l'uscio, entrarono dentro, e ispiccato il porco, via a casa del prete nel portarono, e ripostolo, se n'andarono a dormire. Calandrino, essendogli il vino uscito dal capo,[25] si levò la mattina; e, come scese giù, guardò e non vide il porco

---

Giornata ottava; novella sesta.

1. **più avanti faccendomi**: proseguendo senz'altro il mio discorso senza soffermarmi sulla caratterizzazione dei personaggi.
2. **non guari lontano**: non molto lontano.
3. **che su vi ricoglieva**: che ne ricavava.
4. **egli solo**: era indispensabile perché Bruno e Buffalmacco potessero «lavorare» indisturbati e sicuri del successo.
5. **il dì**: il giorno prima della mattina in cui giunsero.
6. **Voi siate i ben venuti... sono**: Commovente l'ingenuità con la quale saluta gli amici cari e spassoso il legittimo orgoglio di mostrarsi buon *massaro* (amministratore delle proprie sostanze). Calandrino ha sempre bisogno di mettere in mostra la propria eccellenza: astuto e intelligente voleva mostrarsi nella novella dell'elitropia, qui, buon amministratore del suo. Da questa sua ostentazione nasce, in chi lo conosce bene, il desiderio, il bisogno di burlarlo a dovere; ed è eroica la costanza con la quale egli si risolleva da ogni colpo sempre più fiducioso in se stesso.
7. **il porco esser bellissimo**: gli amici lo contemplano affascinati, e già nasce in loro l'idea della burla. Nella rapidità vivace del contesto, quel superlativo assume un valore espressivo intenso.
8. **grosso**: sciocco.
9. **mògliata**: tua moglie. Il modo è popolaresco.
10. **imbolato**: rubato.
11. **caccerebbemi**, ecc.: mi caccerebbe; Calandrino rivela un sacro terrore della moglie; si vede che la battitura della novella precedente è stata proprio un evento straordinario.
12. **niente montarono**: non ebbero alcun risultato.
13. **cotale alla trista**: così a malincuore. Altro particolare significativo: Calandrino è avaro, e questo rende più spassosa la beffa che già i due stanno architettando.
14. **Vogliamgli noi imbolare**: gli vogliamo rubare. È sempre Bruno l'anima dello scherzo; Buffalmacco è una buona «spalla».
15. **Il come... testé**: Ho ben veduto io il modo se non lo toglie dal luogo in cui si trovava or ora (*testé*).
16. **perché nol faremo noi**: perché non dovremmo farlo? Tutto è naturale: Calandrino è gonzo, il porco è bello; non c'è altro da fare che portarglielo via. Si aggiunga che sono venuti in villa soltanto per divertirsi alle spalle del babbeo, e che c'è anche un'altra persona con cui goderlo, il *domine* (signore, da cui il nostro *don* premesso al nome dei sacerdoti), che ha ben diritto a qualche gentile attenzione, giacché tanto generosamente li ospita.
17. **che gli era molto caro**: sentite il tono soave (e sornione) della risposta. Il prete è macchietta secondaria, ma serve a definire lo sfondo campagnuolo di allegri spassi e burle, gastronomiche, preferibilmente.
18. **meniallo**, ecc.: conduciamolo all'osteria.
19. **si ciurmerà**: si ubriacherà completamente; dopo di che, il furto sarà fin troppo facile, perché Calandrino è solo in casa. Bruno è sicuro di quello che farà il babbeo: la sua avarizia volgare lo spingerà a bere come un otre, dato che paga un altro. Anche qui, da buon massaio, non deve lasciarsi sfuggire l'occasione di accumulare risparmiando.
20. **non lo lasciava pagare**: si intravvede un «offro io» detto a denti stretti, e lasciato subito cadere davanti alla cortese protesta del prete.
21. **benché non ne gli bisognasse troppo**: non gli occorreva bere molto per ubriacarsi: il che rende ancora più stolide la sua avarizia e la sua avidità.
22. **buona ora di notte**: notte avanzata.
23. **presi loro argomenti**: presi certi loro ordigni; pensavano di dover forzare la porta.
24. **là onde Bruno aveva divisato**: dalla parte dove Bruno aveva stabilito. Gli atti dei compari sono pacati e sicuri: cenano con calma, vanno da Calandrino, *spiccano* il porco dal gancio a cui è appeso, lo portano dal prete ricettatore.
25. **Calandrino, essendogli il vino uscito del capo**, ecc.: il dramma di Calandrino è condensato in pochi e rapidi periodi, vivacissimi. Nella novella dell'elitropia c'era un maggiore indugio descrittivo (peraltro felicissimo); qui le parole seguono la mimica, il gesto. Hai dapprima la scoperta desolata: guardò, non vide il porco, vide l'uscio aperto. Calandrino non riesce a formulare un pensiero: scopre il furto e raggela. C'è solo un patetico aggettivo possessivo (il porco *suo*) che indica l'intima passione. Poi, viene la febbrile inchiesta, che culmina con quell'epico *romore grande* (quell'articolo *il* è più forte di un superlativo), e qui la parola, ogni parola, è sentita come inadeguata, non resta che registrare il grido dolente: *oisé!* (modellato su *ohimé*). Infine, l'ultimo tocco di comica disperazione: *quasi piagnendo*.

suo, e vide l'uscio aperto; per che domandato questo e quell'altro se sapessero chi il porco s'avesse avuto, e non trovandolo, incominciò a fare il romore grande: oisé, dolente sé, che il porco gli era stato imbolato! Bruno e Buffalmacco levatisi, se n'andarono verso Calandrino, per udir ciò che egli del porco dicesse. Il qual, come gli vide, quasi piagnendo chiamati, disse:

— Oimè, compagni miei, che il porco mio m'è stato imbolato!

Bruno, accostatoglisi, pianamente[26] gli disse:

— Maraviglia, che se' stato savio una volta!

— Oimè, disse Calandrino, ché io dico da dovero![27]

— Così dì, diceva Bruno: grida forte sì che paia bene che sia stato così.

Calandrino gridava allora più forte e diceva:

— Al corpo di Dio[28] che io dico da dovero che egli m'è stato imbolato!

E Brun diceva:

— Ben dì, ben dì: e' si vuol ben dir così: grida forte, fatti ben sentire, sì che egli paia vero.

Disse Calandrino:

— Tu mi faresti dar l'anima al nimico![29] Io dico che tu non mi credi, se io non sia impiccato[30] per la gola, che egli m'è stato imbolato!

Disse allora Bruno:

— Deh! come dee potere esser[31] questo? Io il vidi pure ieri costì. Credimi tu far credere che egli sia volato?

Disse Calandrino:

— Egli è come io ti dico!

— Deh! disse Bruno, può egli essere?

— Per certo, disse Calandrino, egli è così! Di che io son diserto e non so come io mi torni a casa: mòglima nol mi crederà, e se ella il mi pur crede, io non avrò uguanno pace con lei![32]

Disse allora Bruno:

— Se Dio mi salvi,[33] questo è mal fatto, se vero è; ma tu sai, Calandrino, che ieri io t'insegnai dir così: io non vorrei che tu ad un'ora ti facessi beffe di mòglieta e di noi.

Calandrino incominciò a gridare e a dire:

— Deh perché mi farete disperare e bestemmiare Iddio e' Santi e ciò che v'è? Io vi dico che il porco m'è stato stanotte imbolato.

Disse allora Buffalmacco:

— Se egli è pur così, vuolsi veder via,[34] se noi sappiamo, di riaverlo.

— E che via, disse Calandrino, potrem noi trovare?

Disse allora Buffalmacco:[35]

— Per certo egli non c'è venuto d'India niuno a torti il porco: alcuno di questi tuoi vicini dee essere stato. E perciò, se tu gli potessi ragunare,[36] io so fare la esperienza del pane e del formaggio, e vederemmo di botto chi l'ha avuto.

— Sì, disse Bruno, ben farai[37] con pane e con formaggio a certi gentilotti[38] che ci ha dattorno, ché son certo che alcun di loro l'ha avuto, e avvederebbesi del fatto, e non ci vorrebber venire!

— Come è dunque da fare? disse Buffalmacco.

Rispose Bruno:

— Vorrebbesi fare[39] con belle galle di gengiovo[40] e con bella vernaccia, e invitargli a bere. Essi non sel penserebbono e verrebbono; e così si possono benedire le galle del gengiovo, come il pane e 'l cascio.

Disse Buffalmacco:

— Per certo tu di' il vero; e tu, Calandrino, che di'?[41] Voglianlo fare?

Disse Calandrino:

— Anzi ve ne priego io per l'amor di Dio; ché, se io sapessi chi l'ha avuto, sì mi parrebbe esser mezzo consolato.

— Or via, disse Bruno, io sono acconcio[42] d'andare infino a Firenze per quelle cose in tuo servigio, se tu mi dai i denari.

Aveva Calandrino forse quaranta soldi, li quali egli gli diede. Bruno, andatosene a Firenze ad un suo amico speziale, comperò una libbra di belle galle, e

26. Bruno... pianamente, ecc.: Bruno, l'artista della beffa, gli si accosta e gli parla sottovoce, come un complice, fingendo di credere che il furto sia simulato e congratulandosi della bella finzione.

27. dico da dovero!: parlo seriamente.

28. Al corpo di Dio: la beffa di Bruno è condotta al punto estremo dell'esasperazione. Calandrino, disfatto dal furto, angosciato dal pensiero della moglie urla più forte e bestemmia.

29. Tu mi faresti... nimico: tu mi faresti dannare, dar l'anima al diavolo.

30. se io non sia impiccato, ecc.: Il *se* ha valore deprecativo: possa io non essere impiccato come è vero che mi è stato rubato.

31. Deh! come dee potere esser, ecc.: Continua la tecnica esasperante di Bruno. Ora accusa Calandrino di volergliela dare ad intendere.

32. Di che io son diserto... con lei: e per questo sono rovinato, non so come fare a tornare a casa; mia moglie non mi crederà, e, se anche mi crede, non avrò quest'anno (**uguanno**) pace con lei.

33. Se Dio mi salvi: possa Dio salvarmi. Bruno comincia vagamente, pur mostrandosi sospettoso e spiegando le ragioni del suo sospetto (*ieri io t'insegnai di dir così*) a fingere di venirsi via via convincendo di quel che dice Calandrino; ma lo fa per introdurre una nuova beffa: le «galle di gengiovo» e l'ameno «giudizio di Dio».

34. vuolsi veder via: bisogna trovare il modo di riaverlo.

35. Disse allora Buffalmacco: ovviamente il discorso è stato concertato tra i due, dà però l'impressione di nascere lì per lì, tanto è vero che Bruno disapprova il piano di Buffalmacco, con astute e valide ragioni, e ne propone un altro più sicuro.

36. ragunare: radunare. L'esperienza del pane e del formaggio era sortilegio assai diffuso, una delle forme di superstizione medioevale, come il «giudizio di Dio», che purtroppo acquistarono valore di prove giudiziarie. Dopo aver benedetto questi cibi, li distribuivano ai presunti colpevoli, con la fiducia che chi lo era veramente non sarebbe riuscito a inghiottirli.

37. Sì... ben farai, ecc.: è detto ironicamente.

38. gentilotti: signorotti di contado con lieve sfumatura di disprezzo.

39. Vorrebbesi fare: sottintendi l'incantesimo.

40. galle di gengiovo: sono pallottole di zenzero; al posto dell'acqua santa, è meglio usare la vernaccia. Officiante sarà lo stesso Bruno. La riunione perderà così ogni carattere inquisitorio.

41. e tu, Calandrino, che di'?: comicissimo candore. E il poveretto sborsa danari.

42. sono acconcio: sono disposto ad andare sino a Firenze, per farti un piacere (*in tuo servigio*).

fecene far due di quelle del cane[43] le quali egli fece confettare in uno aloè patico fresco; poscia fece dar loro le coverte del zucchero, come avevan l'altre, e per non ismarrirle o scambiarle, fece lor fare un certo segnaluzzo, per lo quale egli molto bene le conoscea; e comperato un fiasco d'una buona vernaccia, se ne tornò in villa a Calandrino e dissegli:

— Farai che tu inviti domattina a ber con teco tutti coloro di cui tu hai sospetto: egli è festa, ciascun verrà volentieri, e io farò stanotte insieme con Buffalmacco la 'ncantagione sopra le galle, e recherolleti domattina a casa, e per tuo amore io stesso[44] le darò, e farò e dirò ciò che fia da dire e da fare.

Calandrino così fece. Ragunata adunque una buona brigata, tra di giovani fiorentini, che per la villa erano, e di lavoratori, la mattina vegnente, dinanzi alla chiesa intorno all'olmo,[45] Bruno e Buffalmacco vennono con una scatola di galle e col fiasco del vino; e fatti stare costoro in cerchio, disse Bruno:

— Signori, e' mi vi convien dir la cagione per che voi siete qui, acciò che, se altro avvenisse che non vi piacesse, voi non v'abbiate a rammaricar di me. A Calandrino, che qui è, fu ier notte tolto un suo bel porco, né sa trovare chi avuto se l'abbia; e per ciò che altri, che alcun di noi che qui siamo, non gliele dee potere aver tolto, esso, per ritrovar chi avuto l'ha, vi dà a mangiar queste galle una per uno, e bere. E infino da ora sappiate che chi avuto avrà il porco, non potrà mandar giù la galla, anzi gli parrà più amara che veleno, e sputeralla; e per ciò, anzi che questa vergogna gli sia fatta[46] in presenza di tanti, è forse il meglio che quel cotale che avuto l'avesse, in penitenzia il dica al sere, e io mi rimarrò di questo fatto.[47]

Ciascun che v'era disse che ne voleva volentier mangiare:[48] per che Bruno, ordinatigli e messo Calandrino tra loro,[49] cominciatosi all'un de' capi, cominciò a dare a ciascun la sua. E come fu per mei[50] Calandrino presa una delle canine, gliele pose in mano. Calandrino prestamente[51] la si gittò in bocca e cominciò a masticare; ma sì tosto come la lingua sentì l'aloè, così Calandrino, non potendo l'amaritudine sostenere, la sputò fuori. Quivi ciascun guatava[52] nel viso l'uno all'altro, per veder chi la sua sputasse. E non avendo Bruno ancor compiuto di darle, non faccendo sembianti d'intendere a ciò, s'udì dir dietro:

— Eia, Calandrino, che vuol dire questo?

Per che[53] prestamente rivolto, e veduto che Calandrino la sua aveva sputata, disse:

— Aspettati, forse che alcuna altra cosa gliele fece sputare: tenne[54] un'altra.

E presa la seconda, gliele mise in bocca, e fornì di dare[55] l'altre che a dare aveva. Calandrino, se la prima[56] gli era paruta amara, questa gli parve amarissima: ma pur vergognandosi di sputarla, alquanto masticandola la tenne in bocca, e tenendola cominciò a gittar le lagrime che parevan nocciuole, sì eran grosse; e ultimamente, non potendo più, la gittò fuori come la prima aveva fatto. Buffalmacco faceva dar bere[57] alla brigata, e Bruno.[58] Li quali insieme con gli altri questo vedendo, tutti dissero che per certo[59] Calandrino se l'aveva imbolato egli stesso; e furonvene di quegli che aspramente il ripresono. Ma pur, poi che partiti si furono, rimasi Bruno e Buffalmacco con Calandrino, gl'incominciò Buffalmacco a dire:

— Io l'aveva per lo certo tuttavia che tu te l'avevi avuto tu, e a noi volevi mostrare che ti fosse stato imbolato, per non darci una volta bere de' denari che tu n'avesti.[60]

Calandrino, il quale ancora non aveva sputata l'amaritudine dello aloè, incominciò a giurare che egli avuto non l'avea.

Disse Buffalmacco:

— Ma che n'avesti, sozio, alla buona fé? Avestine sei?[61]

Calandrino, udendo questo, s'incominciò a disperare.[62] A cui Brun disse:

— Intendi sanamente, Calandrino, che egli fu tale nella brigata che con noi mangiò e bevve, che mi disse che tu avevi quinci su una giovinetta che tu tenevi a tua posta, e davile ciò che tu potevi rimedire,[63] e che egli aveva per certo che tu l'avevi mandato questo porco. Tu sì hai apparato ad esser beffardo![64] Tu ci menasti una volta giù per lo Mugnone ricogliendo pietre nere; e

43. di quelle del cane: di sterco di cane, che fece preparare in forma di «galla» con succo d'aloè (pianta dal succo amarissimo) appena spremuto e buono per la cura del fegato (**patico** = *epatico*), poi le fece ricoprire di zucchero come le altre *galle*.
44. per tuo amore io stesso: il tono di protettore e amico sincero rassicura Calandrino che volontieri gli affida tutto quanto.
45. dinanzi alla chiesa intorno all'olmo: il paesaggio in questa novella è ridotto all'essenziale, come sempre, o quasi, nel *Decameron*, dove al centro dell'interesse dell'artista è l'uomo, la sua psicologia. Ma le scarne notazioni, come questa, bastano a definire l'ambiente rustico con concretezza. L'ampia brigata, che comprende anche villeggianti fiorentini (e questo assicura che la beffa verrà risaputa a Firenze) renderà pubblico e tanto più bruciante lo smacco di Calandrino.
46. anzi che... fatta: prima di incorrere in questa pubblica vergogna.
47. in penitenzia... fatto: lo dica al parroco (*sere*, cioè signore) e io rinuncerò (*mi rimarrò*) alla prova.
48. ne voleva volentier mangiare: era pronto, liberamente, a sottoporsi alla prova.
49. ordinategli e messo Calandrino, ecc.: li dispone in ordine, mette, naturalmente, Calandrino in mezzo, ecc.
50. per mei Calandrino: di fronte a.
51. prestamente: rapidamente e con sicurezza, perché è in buona fede.
52. ciascun guatava: guardava con ansia e curiosità. Bruno fa conto di nulla, di non stare attento (*intendere*) a quel che fa Calandrino, è sempre gran maestro di finzione.
53. Per che: per la qual cosa.
54. tenne: eccotene.
55. fornì di dare, ecc.: terminò di dare.
56. Calandrino, se la prima, ecc.: Dopo il nome dell'eroe, al centro del quadro, sul quale si appuntano ormai gli occhi di tutti, un brusco cambiamento di soggetto che mette in rilievo la diabolica galla, il diffondersi di quell'amaro sempre più forte (*amara... amarissima*) per tutta la persona del poveretto sì da togliergli per un momento ogni altro senso e pensiero. Poi, la preoccupazione affannosa di non sputarla, ché ciò equivarrebbe a una confessione di colpa; e poco importa che egli sappia benissimo di non averla commessa: una volta accettata con fiducia quella prova, come riuscire a convincere gli altri? E quindi risorge il Calandrino eroico del Mugnone: la tiene in bocca, con disperata energia, ma è costretto a sputarla.
57. dar bere: dar da bere.
58. e Bruno: e così Bruno.
59. per certo: tutti, a una voce, affermano solennemente che di sicuro il colpevole è Calandrino, e scoppia l'indignazione.
60. Io l'aveva per lo certo... avesti: io ero pienamente sicuro che il porco l'avevi rubato tu, e volevi farci credere che te l'avessero rubato altri per non offrirci neppure una volta da bere coi danari che n'avevi ricavati.
61. Ma che n'avesti?... sei?: ma di' la verità, compagnone (*sozio*) quanto ne hai ricavato? Sei fiorini? Nota il linguaggio furbesco, volgarmente canzonatorio.
62. disperare: giunge a un parossismo di furore disperato; immaginiamo bestemmie, giuramenti, un parlare affannoso.
63. quinci su... rimedire: che tu hai da queste parti una giovane amante che mantieni per tuo piacere, dandole ciò che puoi rimediare (*rimedire*). Ecco perché Calandrino s'è rubato il porco! Il cerchio si chiude inesorabilmente.
64. Tu sì hai... beffardo: Hai proprio imparato a fare il beffatore!

quando tu ci avesti messi in galea senza biscotto,[65] e tu te ne venisti;[66] e poscia ci volevi far credere che tu l'avessi trovata! E ora similmente ti credi co' tuoi giuramenti far credere altressì che il porco, che tu hai donato o ver venduto, ti sia stato imbolato. Noi sì siamo usi delle tue beffe e conoscianle: tu non ce ne potresti far più![67] E per ciò, a dirti il vero,[68] noi ci abbiamo durata fatica in far l'arte; per che noi intendiamo che tu ci doni due paia di capponi, se non che[69] noi diremo a monna Tessa ogni cosa. Calandrino, vedendo che creduto non gli era, parendogli avere assai[70] dolore, non volendo anche il riscaldamento[71] della moglie, diede a costoro due paia di capponi. Li quali, avendo essi salato il porco, portatisene[72] a Firenze, lasciaron Calandrino col danno e con le beffe.

65. **in galea senza biscotto**: negli impicci (imbarcati senza viveri).
66. **e tu te ne venisti**: ebbene, tu te ne venisti via.
67. **non ce ne potresti far più!**: ti conosciamo; tu non ci befferai più!
68. **E per ciò, a dirti il vero,** ecc.: e siccome in realtà abbiamo fatto gran fatica a compiere l'incantesimo delle *galle*, ecc.
69. **se non che**: altrimenti.
70. **assai**: abbastanza.
71. **riscaldamento**: la scenata (e peggio).
72. **Li quali... portatisene**: avendo portato con sé a Firenze questi capponi.

Ghino di Tacco e l'abate di Clignì

Argomento delle novelle della decima giornata è la cortesia, nelle due forme della liberalità e della magnificenza o magnanimità, nel loro manifestarsi negli atti e, prima, nell'animo. Si ritrova così in esse quel gusto aristocratico e idealizzante che è componente fondamentale del *Decameron* (basta ricordare la gentile brigata dei novellatori), insieme con quella del realismo spregiudicato e del trionfante naturalismo. In tal modo il libro esprime i caratteri profondi della civiltà comunale: d'una borghesia portata all'esaltazione dell'intelligenza e dell'energia tese con ogni mezzo al successo, ma, nel contempo, affascinata dalla raffinatezza signorile della precedente classe egemonica, la nobiltà, proprio mentre si appresta a prenderne il posto, continuandone, peraltro, la fondamentale ideologia aristocratica e individualistica.

Mentre però in alcune novelle di questa giornata il culto del bel gesto si esaspera fino all'esagerazione favolosa, in questa è contenuto nei limiti concreti d'una vicenda e d'una psicologia pienamente attendibili. Ghino e l'Abate si fronteggiano alla pari: sono due gentiluomini che credono nei valori della cortesia, due signori franchi e audaci, liberali e magnanimi. La puntata anticlericale contenuta nel proemio della novella (mostrare come un fatto straordinario e quasi miracoloso l'esistenza della liberalità in un ecclesiastico) viene accantonata, e i minimi atti e gesti dei due personaggi rivelano la finezza come abito ormai inscindibile dalla loro persona, mentre nei discorsi l'etica del mondo nobiliare viene espressa senza enfasi, con un tono di persuasione sicura e calata realisticamente nei fatti.

Ghino di Tacco,[1] per la sua fierezza e per le sue ruberie uomo assai famoso, essendo di Siena cacciato e nimico de' conti di Santafiore, ribellò Radicofani alla Chiesa di Roma; e in quel dimorando, chiunque per le circustanti parti passava rubar faceva a' suoi masnadieri. Ora, essendo Bonifazio papa ottavo in Roma, venne a corte l'abate di Clignì,[2] il quale si crede essere un de' più ricchi prelati del mondo; e quivi guastatoglisi lo stomaco, fu da' medici consigliato che egli andasse a' bagni di Siena, e guerirebbe senza fallo. Per la qual cosa, concedutogliele il Papa, senza curar della fama di Ghino, con grande pompa d'arnesi e di some e di cavalli e di famiglia[3] entrò in cammino. Ghino di Tacco, sentendo la sua venuta, tese le reti, e, senza perderne un sol ragazzetto,[4] l'abate con tutta la sua famiglia e le sue cose in uno stretto luogo racchiuse. E questo fatto, un de' suoi, il più saccente,[5] bene accompagnato mandò allo abate, al qual da parte di lui assai amorevolmente gli disse, che gli dovesse piacere d'andare a smontare con esso Ghino al castello. Il che l'abate udendo, tutto furioso rispose che egli non ne voleva far niente, sì come quegli che con Ghino niente aveva a fare; ma che egli andrebbe avanti, e vorrebbe veder chi l'andar gli vietasse. Al quale l'ambasciadore umilmente parlando disse:

— Messere, voi siete in parte venuto dove, dalla forza di Dio in fuori, di niente ci si teme per noi,[6] e dove le scomunicazioni e gl'interdetti sono scomunicati tutti; e per ciò piacciavi per lo migliore di compiacere a Ghino di questo.

Era già, mentre queste parole erano, tutto il luogo di masnadieri circundato: per che l'abate, co' suoi preso veggendosi, disdegnoso forte, con l'ambasciadore prese la via verso il castello, e tutta la sua brigata e li suoi arnesi con lui. E smontato, come Ghino volle, tutto solo fu messo in una cameretta d'un palagio assai obscura e disagiata, e ogn'altro uomo secondo la sua qualità per lo castello fu assai bene adagiato,[7] e i cavalli e tutto l'arnese messo in salvo, senza alcuna cosa toccarne. E questo fatto, se n'andò Ghino all'abate e dissegli:

— Messere, Ghino, di cui voi siete oste, vi manda pregando[8] che vi piaccia di significargli dove voi andavate, e per qual cagione.

Giornata decima; novella seconda.

1. **Ghino di Tacco**: Gentiluomo senese, della famiglia dei conti della Fratta, ricordato anche da Dante (*Purg.* VI), celebre per la sua audacia di masnadiero ma anche per la sua signorilità, tanto che, come affermano Benvenuto da Imola e Cristoforo Landino commentando Dante, «esercitava il latrocinio non per avarizia, ma per potere usare liberalità».
2. **Clignì**: Cluny.
3. **arnesi**: bagagli. **famiglia**: servitù.
4. **le reti**: l'agguato. **senza... ragazzetto**: senza che gli sfuggisse neppure un mozzo di stalla.
5. **saccente**: avveduto, accorto. Più avanti: **amorevolmente**: con bel garbo.
6. **in parte... noi**: in un luogo dove, da parte nostra (*per noi*) non si teme nulla (*ci* = qui è pleonastico) fuorché la forza di Dio (non, cioè, quella di alcun uomo). — Si osservi la finezza del dialogo. All'ira dell'abate, gentiluomo impetuoso per la sua stessa dignità signorile (ma poi, come si vedrà in seguito anche accorto e capace di gentilezza e liberalità), fa riscontro la parlata melliflua ma non volgare del brigante, audace (come si vede nell'accenno al dispregio in cui tengono le scomuniche) e tuttavia contenuta in termini di cortesia formale. Dietro il messo avveduto si intravede già la figura di Ghino.
7. **adagiato**: sistemato comodamente. **arnese**: bagagli.
8. **oste**: ospite. **vi... pregando**: vi manda a pregare.

L'abate che, come savio, aveva l'altierezza giù posta, gli significò dove andasse e perché. Ghino, udito questo, si partì, e pensossi di volerlo guerire senza bagno. E faccendo nella cameretta sempre ardere un gran fuoco e ben guardarla, non tornò a lui infino alla seguente mattina, e allora in una tovagliuola bianchissima gli portò due fette di pane arrostito e un gran bicchiere di vernaccia da Corniglia,[9] di quella dello abate medesimo, e sì disse all'abate:

— Messer, quando Ghino era più giovane, egli studiò in medicina; e dice che apparò niuna medicina al mal dello stomaco esser[10] miglior che quella che egli vi farà, della quale queste cose che io vi reco sono il cominciamento. E per ciò prendetele e confortatevi.

L'abate, che maggior fame aveva che voglia di motteggiare, ancora che con isdegno il facesse, si mangiò il pane e bevve la vernaccia; e poi molte cose altiere disse e di molte domandò e molte ne consigliò, e in ispezieltà[11] chiese di poter veder Ghino. Ghino, udendo quelle, parte ne lasciò andar sì come vane, e ad alcuna assai cortesemente rispose, affermando che, come Ghino più tosto potesse, il visiterebbe; e questo detto, da lui si partì, né prima vi tornò che il seguente dì con altrettanto pane arrostito e con altrettanta vernaccia, e così il tenne più giorni, tanto che egli s'accorse l'abate aver mangiate fave secche, le quali egli studiosamente[12] e di nascoso portate v'aveva e lasciate. Per la qual cosa egli il domandò da parte di Ghino come star gli pareva dello stomaco. Al quale l'abate rispose:

— A me parrebbe star bene, se io fossi fuori delle sue mani; e appresso questo, niun altro talento[13] ho maggiore che di mangiare, sì ben m'hanno le sue medicine guerito.

Ghino adunque avendogli de' suoi arnesi medesimi e alla sua famiglia fatta acconciare una bella camera, e fatta apparecchiare un gran convito, al quale con molti uomini del castello fu tutta la famiglia dello abate, a lui se n'andò la mattina seguente e dissegli:

— Messere, poi che voi ben vi sentite, tempo è d'uscire d'infermeria; e per la man presolo, nella camera apparecchiatagli nel menò, e in quella co' suoi medesimi lasciatolo, a far che il convito fosse magnifico attese. L'abate co' suoi alquanto si ricreò,[14] e qual fosse la sua vita stata narrò loro; dove essi in contrario tutti dissero sé essere stati maravigliosamente onorati da Ghino. Ma l'ora del mangiar venuta, l'abate e tutti gli altri ordinatamente e di buone vivande e di buoni vini serviti furono, senza lasciarsi Ghino ancora all'abate conoscere.

Ma poi che l'abate alquanti dì in questa maniera fu dimorato, avendo Ghino in una sala tutti li suoi arnesi fatti venire, e in una corte, che di sotto a quella era, tutti i suoi cavalli infino al più misero ronzino, allo abate se n'andò, e domandollo come star gli pareva e se forte si credeva essere da cavalcare. A cui l'abate rispose che forte era egli assai e dello stomaco ben guerito, e che starebbe bene qualora fosse fuori delle mani di Ghino. Menò allora Ghino l'abate nella sala dove erano i suoi arnesi e la sua famiglia tutta, e fattolo ad una finestra accostare donde egli poteva tutti i suoi cavalli vedere, disse:

— Messer l'abate, voi dovete sapere che l'esser gentile uomo e cacciato di casa sua e povero, e avere molti e possenti nimici, hanno, per potere la sua vita e la sua nobiltà difendere, e non malvagità d'animo, condotto Ghino di Tacco, il quale io sono, ad essere rubatore delle strade e nimico della corte di Roma. Ma per ciò che voi mi parete valente signore, avendovi io dello stomaco guerito come io ho, non intendo di trattarvi come un altro farei, a cui, quando nelle mie mani fosse come voi siete, quella parte delle sue cose mi farei che mi paresse.[15] Ma io intendo che voi a me, il mio bisogno considerato, quella parte delle vostre cose facciate che voi medesimo volete. Elle sono interamente qui dinanzi da voi tutte, e i vostri cavalli potete voi da cotesta finestra nella corte vedere; e per ciò e la parte e il tutto, come vi piace, prendete, e da questa ora innanzi sia e l'andare e lo stare nel piacer vostro.[16]

Maravigliossi l'abate che in un rubator di strada fosser parole sì libere.[17] E piacendogli molto, subitamente la sua ira e lo sdegno caduti, anzi in benivolenzia mutatisi, col cuore amico di Ghino divenuto, il corse ad abbracciar, dicendo:

9. **vernaccia da Corniglia**: vino pregiato, così chiamato da Vernazza, nelle *cinque terre*, in provincia di La Spezia, dove è pure Corniglia. — Ghino vuol guarire l'abate con una opportuna dieta: ma si osservi la finezza della tovaglia bianchissima e del vino pregiato, anche se poi il fatto che esso sia dell'abate acquista un sapore di burla.
10. **apparò... esser**: appurò che nessuna medicina è.
11. **in ispezieltà**: specialmente.
12. **studiosamente**: a bella posta.
13. **talento**: voglia.
14. **si ricreò**: si confortò.
15. **a cui... mi paresse**: nei confronti del quale, prenderei come mia la parte dei suoi averi che mi paresse di prendere.
16. **e... vostro**: È una formula signorile di commiato, come è signorile il dire all'abate che delle sue cose può portar con sé una parte o anche il tutto. Ma è proprio su questo comune culto della signorilità e della cortesia che i due personaggi si riconosceranno intimamente congiunti. L'abate lascerà a Ghino quasi tutto il suo e vorrà vincerlo in liberalità, l'unica vera gara che conta fra due gentiluomini di là dal capriccio della fortuna che ha concesso in questo momento uno sterile vantaggio a Ghino.
17. **libere**: liberali, generose.

— Io giuro a Dio che, per dover guadagnare l'amistà d'uno uomo fatto come omai io giudico che tu sii, io sofferrei di ricevere troppo maggiore ingiuria che quella che infino a qui paruta m'è che tu m'abbi fatta.[18] Maladetta sia la fortuna, la quale a sì dannevole[19] mestier ti costrigne!

E appresso questo, fatto delle sue molte cose pochissime e opportune[20] prendere, e de' cavalli similmente, e l'altre lasciategli tutte, a Roma se ne tornò.

Aveva il Papa saputa la presura[21] dello abate, e, come che molto gravata[22] gli fosse, veggendolo il domandò come i bagni fatto gli avesser pro. Al quale l'abate sorridendo rispose:

— Santo Padre, io trovai più vicino che i bagni un valente medico, il quale ottimamente guerito m'ha; e contogli il modo; di che il Papa rise. Al quale l'abate, seguitando il suo parlare, da magnifico animo mosso, domandò una grazia. Il Papa credendo lui dover domandare altro, liberamente[23] offerse di far ciò che domandasse. Allora l'abate disse:

— Santo Padre, quello che io intendo di domandarvi è che voi rendiate la grazia vostra a Ghino di Tacco mio medico, per ciò che tra gli altri uomini valorosi e da molto che io accontai[24] mai, egli è per certo un de' più; e quel male il quale egli fa, io il reputo molto maggior peccato della fortuna che suo. La qual se voi con alcuna cosa dandogli,[25] donde egli possa secondo lo stato suo vivere, mutate, io non dubito punto che in poco tempo non ne paia a voi quello che a me ne pare.

Il Papa, udendo questo, sì come colui che di grande animo fu e vago[26] de' valenti uomini, disse di farlo volentieri, se da tanto fosse come diceva; e che egli il facesse sicuramente venire. Venne adunque Ghino fidato,[27] come allo abate piacque, a corte; né guari appresso del Papa fu,[28] che egli il reputò valoroso, e riconciliatoselo gli donò una gran prioria di quelle dello Spedale,[29] di quello avendol fatto far cavaliere. La quale egli, amico e servidore di santa Chiesa e dello abate di Clignì, tenne mentre visse.

18. sofferrei: sopporterei. **paruta**: parsa.
19. dannevole: biasimevole. Tuttavia l'aggettivo è grandemente temperato da quel *ti costrigne* e dalla riconosciuta colpa della *fortuna*.
20. opportune: necessarie.
21. presura: cattura.
22. come che: sebbene. **gravata**: rincresciuta.
23. liberamente: incondizionatamente.
24. accontai: conobbi, frequentai.
25. con... dandogli: col dargli, col donargli. — L'abate è convinto di quanto gli ha detto Ghino, che egli, cioè, è costretto a vivere come bandito per la povertà che non gli consente di vivere secondo il proprio lignaggio, la propria condizione di nobile.
26. vago: amante. Anche il papa ha il culto dell'aristocrazia.
27. fidato: sicuro, sulla fede del papa, dell'incolumità.
28. né... fu: Al papa bastò trattenerlo poco tempo presso di sé per riconoscerne il valore.
29. dello Spedale: dell'ordine degli Spedalieri di S. Giovanni di Gerusalemme.

Re Carlo e le fanciulle

Il tema della decima giornata, l'elogio delle virtù cavalleresche e in particolar modo della liberalità e magnanimità, compiuto da ogni novellatore in gara con quello precedente, conduce spesso il Boccaccio a un idealismo enfatico, al racconto di casi inverosimili. Ma la presente novella sfugge a questo difetto, perché non insiste su uno sfoggio plateale di virtù, ma su di un motivo tutto intimo: l'innamoramento e la rinuncia al proprio amore, che, in questo caso, sarebbe colpevole e indegno di una nobile figura di sovrano, da parte di re Carlo d'Angiò. Ed è rinuncia tanto più generosa, quanto più l'amore è sentito dal Boccaccio come sentimento forte e invincibile, come piena e gioiosa affermazione vitale.

Al centro della novella sta l'apparizione delle due fanciulle, una rappresentazione delicatissima che attesta il fascino profondo che la bellezza esercitava sul Boccaccio. Accanto alla sfolgorante immagine di loro, la figura del re, ormai «alla vecchiezza vicino», con la sua patetica rinuncia, sembra esprimere il rimpianto per la giovinezza perduta.

Ciascuna di voi molte volte può avere udito ricordare il re Carlo vecchio,[1] ovver primo, per la cui magnifica impresa, e poi per la gloriosa vittoria avuta del re Manfredi, furono di Firenze i Ghibellin cacciati, e ritornaronvi i Guelfi. Per la qual cosa un cavalier, chiamato messer Neri degli Uberti,[2] con tutta la sua famiglia e con molti denari uscendone, non si volle altrove che sotto le braccia del re Carlo riducere. E per essere in solitario luogo e quivi finire in riposo la vita sua, a Castello a mare di Stabia se n'andò; e ivi forse una balestrata rimossa[3] dall'altre abitazioni della terra,[4] tra ulivi e nocciuoli e castagni, de' quali la contrada è abondevole, comperò una possessione, sopra la quale un bel casamento e agiato fece, e allato a quello un dilettevole giardino, nel mezzo del quale, a nostro modo,[5] avendo d'acqua viva copia, fece un bel vivaio e chiaro, e quello di molto pesce riempié leggiermente.[6] E a niun'altra

Giornata decima; novella sesta.

1. re Carlo vecchio: è Carlo I d'Angiò, che vinse nella battaglia di Benevento (1266) re Manfredi, figlio di Federico II, re di Sicilia e capo del partito ghibellino in Italia, instaurando il dominio angioino nell'Italia meridionale. Qui, *vecchio* significa *primo*.
2. Neri degli Uberti: personaggio storicamente non identificabile. La famiglia degli Uberti era, comunque, fieramente ghibellina. Tuttavia, Neri si affida alla protezione (*sotto le braccia... riducere*) del massimo sostenitore del partito a lui avverso, confidando nella magnanimità di quel re.
3. una balestrata rimossa: lontana un tiro di balestra.
4. terra: città.
5. a nostro modo: secondo l'usanza fiorentina.
6. leggiermente: facilmente. Con rapidi tocchi, il B. crea un'atmosfera serena ed elegante, sfondo necessario all'apparizione radiosa delle fanciulle, ma anche all'atmosfera «cortese» della vicenda.

cosa attendendo che a fare ogni dì più bello il suo giardino, avvenne che il re Carlo, nel tempo caldo, per riposarsi alquanto, a Castello a mar se n'andò; dove udita la bellezza del giardino di messer Neri, disiderò di vederlo. E avendo udito di cui era, pensò che, per ciò che di parte avversa alla sua era il cavaliere, più familiarmente con lui si volesse fare,[7] e mandogli a dire che con quattro compagni chetamente[8] la seguente sera con lui voleva cenare nel suo giardino. Il che a messer Neri fu molto caro; e magnificamente avendo apparecchiato, e con la sua famiglia[9] avendo ordinato ciò che far si dovesse, come più lietamente poté e seppe, il re nel suo bel giardino ricevette. Il qual, poi che il giardin tutto e la casa di messer Neri ebbe veduta e commendata,[10] essendo le tavole messe allato al vivaio, ad una di quelle, lavato,[11] si mise a sedere, e al conte Guido di Monteforte, che l'un de' compagni era, comandò che dall'un de' lati di lui sedesse, e messer Neri dall'altro, e ad altri tre, che con loro erano venuti, comandò che servissero secondo l'ordine posto da messer Neri. Le vivande vi vennero dilicate, e i vini vi furono ottimi e preziosi, e l'ordine bello e laudevole molto, senza alcun sentore[12] e senza noia; il che il re commendò molto.

E mangiando egli lietamente e del luogo solitario giovandogli,[13] e nel giardino entrarono[14] due giovinette d'età forse di quindici anni l'una,[15] bionde come fila d'oro, e co' capelli tutti inanellati e sopr'essi sciolti una leggiera ghirlandetta di provinca,[16] e nelli lor visi più tosto agnoli parevan che altra cosa, tanto gli avevan dilicati e belli; ed eran vestite d'un vestimento di lino sottilissimo e bianco[17] come neve in su le carni; il quale dalla cintura in su era strettissimo e da indi in giù largo a guisa d'un padiglione[18] e lungo infino a' piedi. E quella che dinanzi veniva, recava in su le spalle un paio di vangaiole,[19] le quali con la sinistra man tenea, e nella destra aveva un baston lungo. L'altra che veniva appresso, aveva sopra la spalla sinistra una padella e sotto quel braccio medesimo un fascetto di legne, e nella mano un treppiede, e nell'altra mano uno utel[20] d'olio e una facellina accesa. Le quali il re vedendo[21] si maravigliò, e sospeso attese quello che questo volesse dire. Le giovinette, venute innanzi onestamente e vergognose,[22] fecero la reverenzia al re; e appresso, là andatesene onde nel vivaio s'entrava, quella che la padella aveva, postala giù, e l'altre cose appresso, prese il baston che l'altra portava, e amendune nel vivaio, l'acqua del quale loro infino al petto agiugnea,[23] se n'entrarono. Uno de' famigliari di messer Neri prestamente quivi accese il fuoco, e posta la padella sopra il treppié e dell'olio messovi, cominciò ad aspettare che le giovani gli gittasser del pesce. Delle quali, l'una frugando in quelle parti dove sapeva che i pesci si nascondevano, e l'altra le vangaiole parando,[24], con grandissimo piacere del re, che ciò attentamente guardava,[25] in piccolo spazio di tempo presero pesce assai; e al famigliar gittatine che quasi vivi nella padella gli metteva, sì come ammaestrate erano state, cominciarono a prendere de' più belli e a gittare su per la tavola davanti al re e al conte Guido e al padre. Questi pesci su per la mensa guizzavano:[26] di che il re aveva maraviglioso piacere; e similmente egli prendendo di questi, alle giovani cortesemente gli gittava indietro. E così per alquanto spazio cianciarono,[27] tanto che[28] il famigliare quello ebbe cotto che dato gli era stato; il qual più per uno intramettere,[29] che per molto cara o dilettevol vivanda, avendol messer Neri ordinato, fu messo davanti al re. Le fanciulle, veggendo il pesce cotto e avendo assai pescato, essendosi tutto il bianco vestimento e sottile loro appiccicato alle carni né quasi cosa alcuna del dilicato lor corpo celando, usciron del vivaio; e ciascuna le cose recate avendo riprese, davanti al re vergognosamente passando,[30] in casa se ne tornarono.

Il re e 'l conte e gli altri che servivano, avevano molto queste giovinette considerate, e molto in sé medesimo l'avea lodate ciascuno per belle e per ben fatte, e oltre ciò per piacevoli e per costumate; ma sopra ad ogn'altro erano al re piaciute. Il quale sì attentamente ogni parte del corpo loro aveva considerata, uscendo esse dell'acqua, che chi allora l'avesse punto non si sarebbe sentito:[31] e più a loro ripensando, senza sapere chi si fossero né come, si sentì nel cuor destare un ferventissimo disidero di piacer loro.[32] Per lo quale assai ben

7. più familiarmente... fare: pensò di doverlo trattare con familiarità cortese e discreta.
8. chetamente: semplicemente e senza dar troppo nell'occhio, quasi in incognito.
9. famiglia: servitù.
10. commendata: lodata.
11. lavato: lavatosi le mani.
12. senza alcun sentore: senza strepito, e cioè con piena segretezza, come voleva il re.
13. giovandogli: godendo, prendendo piacere.
14. e nel giardino entrarono: improvvisa, come di sogno, l'apparizione.
15. l'una: ciascuna.
16. provinca: pervinca.
17. vestimento... sottilissimo e bianco: l'abito sottile asseconda la grazia della loro figura, e col suo candore ne sottolinea l'aspetto luminoso. C'è in tutta la descrizione della loro figura, e, più tardi, in quella dei loro atti e dei loro gesti, una sensualità delicata, trasfigurata in una rapita contemplazione della bellezza. Alla prosa si mescolano versi (*tanto gli avevan dilicati e belli* e *bianco come nevi in su le carni*), conformemente al tono fiabesco dell'apparizione.
18. a guisa d'un padiglione: vesti a campana.
19. vangaiole: reti da pesca.
20. utel: vasetto di terracotta.
21. il re vedendo, ecc.: si determina un'atmosfera sospesa, preludio dell'innamoramento del re.
22. onestamente e vergognose: con verecondia decorosa e aggraziata.
23. agiugnea: giungeva.
24. parando: disponendo.
25. L'avverbio sottolinea la suggestione esercitata sul re.
26. su per la mensa guizzavano: il guizzo argentino dei pesci sottolinea la vivacità della scena.
27. cianciarono: scherzarono.
28. tanto che: fino a che.
29. più per uno intramettere: *intramessi* erano i piatti serviti fra vivanda e vivanda per stuzzicare l'appetito.
30. vergognosamente passando: con aggraziata verecondia.
31. che chi... non si sarebbe sentito: che se uno... non se ne sarebbe accorto.
32. un ferventissimo disidero di piacer loro: è un primo, istintivo moto d'amore, anche se non si è ancora fissato su una delle due fanciulle, ma sulla loro immagine di giovinezza e di grazia.

conobbe sé divenire innamorato, se guardia non se ne prendesse; né sapeva egli stesso qual di loro due si fosse quella che più gli piacesse, sì era di tutte cose[33] l'una simiglievole all'altra. Ma, poi che alquanto fu sopra questo pensier dimorato, rivolto a messer Neri, il domandò chi fossero le due damigelle; a cui messer Neri rispose:

— Monsignore, queste son mie figliuole ad un medesimo parto[34] nate, delle quali l'una ha nome Ginevra la bella, e l'altra Isotta la bionda.

A cui il re le commendò[35] molto, confortandolo a maritarle. Dal che messer Neri, per più non poter,[36] si scusò. E in questo niuna cosa fuor che le frutte restando a dar nella cena, vennero le due giovinette in due giubbe di zendado[37] bellissime, con due grandissimi piattelli d'argento in mano pieni di vari frutti, secondo che la stagion portava, e quegli davanti al re posarono sopra la tavola. E questo fatto, alquanto indietro tiratesi, cominciarono a cantare un suono,[38] le cui parole cominciarono:

Là ov'io son giunto, Amore,
Non si poria contare lungamente,

con tanta dolcezza e sì piacevolmente, che al re, che con diletto le riguardava e ascoltava, pareva che tutte le gerarchie degli angeli quivi fossero discese a cantare. E quel detto,[39] inginocchiatesi, reverentemente commiato domandarono al re; il quale, ancora che la loro partita gli gravasse, pure in vista lietamente il diede. Finita adunque la cena e il re co' suoi compagni rimontati a cavallo e messer Neri lasciato, ragionando d'una cosa e d'altra, al reale ostiere[40] se ne tornarono.

Quivi, tenendo il re la sua affezion nascosa, né per grande affare che sopravvenisse potendo dimenticar la bellezza e la piacevolezza di Ginevra la bella, per amor di cui la sorella a lei simigliante ancora amava, sì nell'amorose panie s'invescò, che quasi ad altro pensar non poteva; e altre cagioni[41] dimostrando, con messer Neri teneva una stretta dimestichezza, e assai sovente il suo bel giardin visitava per veder la Ginevra. E già più avanti sofferir[42] non potendo, ed essendogli, non sappiendo altro modo vedere, nel pensier caduto di dover, non solamente l'una, ma amendune le giovinette al padre torre, e il suo amore e la sua intenzione fé manifesta al conte Guido, il quale, per ciò che valente uomo era, gli disse:

— Monsignore, io ho gran maraviglia di ciò che voi mi dite, e tanto ne l'ho maggiore[43] che un altro non avrebbe, quanto mi par meglio dalla vostra fanciullezza infino a questo dì avere i vostri costumi conosciuti, che alcun altro. E non essendomi paruto giammai nella vostra giovanezza, nella quale amor più leggiermente doveva i suoi artigli ficcare, aver tal passion conosciuta,[44] sentendovi ora che già siete alla vecchiezza vicino, m'è sì nuovo e sì strano che voi per amore amiate, che quasi un miracol mi pare; e se a me di ciò cadesse[45] il riprendervi, io so bene ciò che io ve ne direi, avendo riguardo che voi ancora siete con l'arme indosso[46] nel regno nuovamente acquistato, tra nazion non conosciuta e piena d'inganni e di tradimenti, e tutto occupato di grandissime sollicitudini e d'alto affare, né ancora vi siete potuto porre a sedere, e intra tante cose abbiate fatto luogo al lusinghevole amore! Questo non è atto di re magnanimo, anzi d'un pusillanimo[47] giovinetto. E oltre a questo, che è molto peggio, dite che diliberato avete di dovere le due figliuole torre al povero cavaliere, il quale, in casa sua, oltre al poter suo v'ha onorato, e per più onorarvi quelle quasi ignude v'ha dimostrate, testificando per quello quanta sia la fede che egli ha in voi, e che esso fermamente creda voi essere re e non lupo rapace. Ora evvi così tosto della memoria caduto le violenze fatte alle donne da Manfredi avervi l'entrata aperta in questo regno?[48] Qual tradimento si commise giammai più degno d'etterno supplicio, che saria questo, che voi a colui che v'onora togliate il suo onore e la sua speranza e la sua consolazione? Che si direbbe di voi, se voi il faceste? Voi forse estimate che sufficiente scusa fosse il dire: «Io il feci per ciò che egli è ghibellino». Ora è questo della giustizia dei re, che coloro che nelle lor braccia ricorrono in cotal forma, chi

33. **di tutte cose**: in tutto.
34. **ad un medesimo parto**: gemelle. I nomi aggiungono alle fanciulle un vago fascino cavalleresco: Ginevra è moglie di re Artù, Isotta la donna amata da Tristano. Sono eroine dei più celebri romanzi cavallereschi francesi, nei quali hanno gli stessi attributi che Neri assegna alle figlie (*bella, bionda*).
35. **A cui il re le commendò**, ecc.: gliele lodò e lo esortò a maritarle.
36. **per più non poter**, ecc.: si scusò di non poterlo fare perché non ne aveva i mezzi (non poteva dotarle convenientemente).
37. **zendado**: seta finissima. Anche i piatti colmi di frutti le fanno apparire quasi come divinità antiche.
38. **un suono**: una canzonetta. La musica e il canto d'amore (dice: Non si potrebbe raccontare lungamente, o Amore, ché ogni parola sarebbe inadeguata, dove tu hai condotto il mio cuore) compiono l'effetto della prima apparizione, aggiungendo un nuovo e invincibile fascino alle due fanciulle. Al re, rapito, par di sentire una musica d'angeli.
39. **quel detto**: cantata la canzone.
40. **ostiere**: palazzo.
41. **cagioni**: pretesti.
42. **sofferir**: aspettando. La passione diventa bruciante, lo induce per un attimo a macchinar un tradimento e una violenza nefandi, purtroppo a quei tempi tutt'altro che infrequenti.
43. **ne l'ho maggiore**: meraviglia maggiore di ciò (di questa vostra intenzione). E unisci *meglio* a *che alcun altro*.
44. **aver tal passion conosciuta**: che voi abbiate provato tanto ardente passione. Eppure nella giovinezza più facilmente (*leggiermente*) amore avrebbe potuto ficcare a fondo i suoi artigli nel cuore e nei sensi del re.
45. **cadesse**: toccasse. Il periodo ipotetico ha solo una ragione di rispetto e di cortesia; effettivamente Guido rimprovera il re con fermezza rispettosa e con saggezza.
46. **che voi ancora siete con l'arme indosso**, ecc.: avete appena finita la guerra, siete in un regno conquistato da poco, fra un popolo che ancor non conoscete, fra il quale i fedeli del re precedente tessono inganni e tradimenti; ebbene, nonostante che siate pieno di preoccupazioni e di gravi e complesse cure di governo (*alto affare*), voi vi preoccupate delle labili lusinghe d'amore! Il lungo discorso del conte unisce a motivi ideali osservazioni politiche di estrema concretezza, con un solido impianto intellettuale e nobile e grave eloquenza.
47. **pusillanimo**: animo futile, dappoco.
48. **evvi... caduto... regno**: avete così presto dimenticato che le violenze fatte alle donne onorate da Manfredi hanno spinto molti nobili alla ribellione che vi ha spianato la conquista di questo regno?

che essi si sieno, in così fatta guisa si trattino?[49] Io vi ricordo, re, che grandissima gloria v'è aver vinto Manfredi, ma molto maggiore è sé medesimo vincere; e per ciò voi, che avete gli altri a correggere,[50] vincete voi medesimo e questo appetito raffrenate, né vogliate con così fatta macchia ciò che gloriosamente acquistato avete guastare.

Queste parole amaramente punsero l'animo del re, e tanto più l'afflissero quanto più vere le conoscea; per che, dopo alcun caldo sospiro, disse:

— Conte, per certo ogn'altro nimico, quantunque forte, estimo che sia al bene ammaestrato guerriere[51] assai debole e agevole a vincere a rispetto del suo medesimo appetito; ma quantunque l'affanno sia grande e la forza bisogni inestimabile,[52] sì m'hanno le vostre parole spronato, che conviene, avanti che troppi giorni trapassino, che io vi faccia per opera vedere che, come io so altrui vincere, così similmente so a me medesimo soprastare.[53]

Né molti giorni appresso a queste parole passarono, che tornato il re a Napoli, sì per torre a sé stesso materia d'operar vilmente[54] alcuna cosa, e sì per premiare il cavaliere dello onore ricevuto da lui, quantunque duro gli fosse il fare altrui possessor di quello che egli sommamente per sé disiderava, nondimen si dispose di voler maritare le due giovani, e non come figliuole di messer Neri, ma come sue. E con piacer di messer Neri, senza niuno indugio magnificamente dotatele, Ginevra la bella diede a messer Maffeo da Palizzi, e Isotta la bionda a messer Guglielmo della Magna, nobili cavalieri e gran baron ciascuno; e loro assegnatele, con dolore inestimabile[55] in Puglia se n'andò, e con fatiche continue tanto e sì macerò il suo fiero appetito, che, spezzate e rotte l'amorose catene, per quanto viver dovea libero rimase da tal passione.

49. è questo della giustizia... trattino?: vi pare degno di un re giusto trattare in modo tale chi si affida a voi, chiunque egli sia?
50. correggere: governare.
51. al bene ammaestrato guerriere: al più forte guerriero.
52. e la forza bisogni inestimabile: e mi occorra una forza straordinaria per vincere la mia passione.
53. per opera... soprastare: coi fatti... vincere.
54. torre... vilmente: togliere a se stesso l'occasione di compiere un atto vile.
55. con dolore inestimabile, ecc.: dopo i discorsi artisticamente pesanti, ritorna, vivo, il tema della passione (*fiero appetito*), che il duro travaglio della rinuncia fa sentire in tutta la sua potenza (*macerò... spezzate e rotte l'amorose catene*). Non è il teatrale trionfo della magnanimità astratta che troviamo in altre novelle di questa giornata, ma una conquista che nasce da una sofferenza vera.

La Lisa e il re Piero

È anche questa una novella cavalleresca, d'amore e cortesia. Il re Piero, saputo che una fanciulla di origine modesta, Lisa, è innamorata di lui, al punto di essere inferma, la va benignamente a trovare, la dà in sposa a un nobile giovane e chiede, infine, come compenso di baciarla in fronte e di potersi proclamare suo cavaliere.

Il racconto è ambientato negli ultimi decenni del Duecento, cioè in quell'età *cortese* alla quale il Boccaccio guardava con nostalgia, e ha i toni smorzati proprio di un aristocratico e delicato sentire. Figura centrale è Lisa, con la sua dedizione tenera e forte che è caratteristica delle eroine femminili del Decameron.

Nel tempo che i franceschi[1] di Cicilia furon cacciati, era in Palermo un nostro fiorentino speziale,[2] chiamato Bernardo Puccini, ricchissimo uomo, il quale d'una sua donna senza più aveva una figliuola[3] bellissima e già da marito: ed essendo il re Pietro di Raona[4] signore della isola divenuto, faceva in Palermo maravigliosa festa co' suoi baroni. Nella qual festa armeggiando egli alla catalana,[5] avvenne che la figliuola di Bernardo, il cui nome era Lisa, da una finestra dove ella era con altre donne, il vide correndo egli,[6] e sì meravigliosamente le piacque, che, una volta e altra poi riguardandolo, di lui ferventemente s'innamorò. E cessata la festa, ed ella in casa del padre standosi, a niun'altra cosa poteva pensare, se non a questo suo magnifico e alto amore.[7] E quello che intorno a ciò più l'offendeva[8] era il cognoscimento della sua infima condizione, il quale niuna speranza appena le lasciava pigliare di lieto fine; ma non per tanto[9] da amare il re indietro si voleva tirare, e per paura di maggior noia[10] a manifestar non l'ardiva. Il re di questa cosa non s'era accorto né si curava: di che ella, oltre a quello che si potesse estimare, portava intollerabil dolore. Per la qual cosa avvenne che, crescendo in lei amor continuamente, e una malinconia[11] sopr' altra agiugnendosi, la bella giovane più non potendo infermò,[12] ed evidentemente[13] di giorno in giorno, come la neve al sole, si consumava. Il padre di lei e la madre, dolorosi di questo accidente, con conforti continui e con medici e con medicine in ciò che si poteva l'atavano: ma niente era[14] per ciò che ella, sì come del suo amore disperata,[15] aveva eletto[16] di più non volere vivere.

Ora avvenne che, offerendole il padre di lei ogni suo piacere,[17] le venne in

3. d'una sua donna... figliuola: aveva avuto da sua moglie soltanto una figlia.
4. Pietro di Raona: Pietro d'Aragona, che fu fatto re a Palermo subito dopo la cacciata dei Francesi.
5. armeggiando egli alla catalana: facendo un torneo secondo l'usanza della Catalogna (regione spagnuola allora già da più di un secolo unita all'Aragona).
6. il vide correndo egli: lo vide mentre correva nel torneo.
7. magnifico e alto amore: perché rivolto a persona nobilissima.
8. l'offendeva: l'addolorava. Riconosce la propria condizione infima rispetto a quella del re.
9. non per tanto: per questo non, ecc.
10. noia: dolore.
11. malinconia: struggimento.
12. più non potendo infermò: non potendo più sopportare l'amoroso tormento, si ammalò.
13. evidentemente: a vista d'occhio.
14. l'atavano: ma niente era: l'aiutavano, ma non serviva a nulla.
15. sì come, ecc.: perché era disperata di potere soddisfare il proprio amore.
16. aveva eletto: aveva scelto, deliberato fermamente.
17. ogni suo piacere: ogni cosa che desiderasse.

Giornata decima; novella settima.

1. i franceschi: i Francesi. Furono cacciati dalla Sicilia in seguito ai Vespri Siciliani (1282).
2. speziale: che esercitava l'arte del farmacista.

pensiero, se acconciamente potesse, di volere il suo amore e il suo proponimento, prima che morisse, fare al re sentire: e per ciò un dì il pregò che egli le facesse venire Minuccio d'Arezzo.[18]

Era in que' tempi Minuccio tenuto un finissimo cantatore e sonatore, e volentieri dal re Pietro veduto; il quale Bernardo avvisò che la Lisa volesse per udirlo alquanto e sonare e cantare. Per che, fattogliele[19] dire, egli, che piacevole[20] uomo era, incontanente[21] a lei venne; e poi che alquanto con amorevoli parole confortata l'ebbe, con una sua viuola dolcemente sonò alcuna stampita,[22] e cantò appresso alcuna canzone; le quali allo amor della giovane erano fuoco e fiamma,[23] là dove egli la credea consolare. Appresso questo disse la giovane che a lui solo alquante parole voleva dire; per che, partitosi ciascun altro, ella gli disse:

— Minuccio, io ho eletto te per fidissimo guardatore[24] d'un mio segreto, sperando primieramente che tu quello a niuna persona, se non a colui che io ti dirò, debbi manifestar giammai; e appresso, che in quello che per te si possa[25] tu mi debbi aiutare: così ti priego. Dei adunque sapere, Minuccio mio, che il giorno che il nostro signor re Pietro fece la gran festa della sua esaltazione,[26] mel venne, armeggiando egli, in sì forte punto veduto,[27] che dello amor di lui mi s'accese un fuoco nell'anima, che al partito[28] m'ha recata che tu mi vedi; e conoscendo io quanto male il mio amore ad un re si convenga,[29] e non potendolo non che cacciare ma diminuire, ed egli essendomi oltre modo grave a comportare,[30] ho per minor doglia eletto di voler morire,[31] e così farò. È il vero che io fieramente n'andrei sconsolata,[32] se prima egli[33] nol sapesse; e non sappiendo per cui potergli questa mia disposizion fargli sentire più acconciamente che per te, a te commettere la voglio,[34] e priegoti che non rifiuti di farlo; e quando fatto l'avrai, assapere[35] mel facci, acciò che io, consolata morendo, mi sviluppi[36] da queste pene: e questo detto piagnendo, si tacque. Maravigliossi Minuccio dell'altezza dello animo di costei e del suo fiero proponimento, e increbbenegli forte[37], e subitamente nello animo corsogli[38] come onestamente la poteva servire, le disse:

— Lisa, io t'obbligo la mia fede,[39] della quale vivi sicura che mai ingannata non ti troverrai; e appresso commendandoti[40] di sì alta impresa, come è aver l'animo posto a così gran re, t'offero il mio aiuto, col quale io spero, dove tu confortar ti vogli, sì adoperare, che, avanti che passi il terzo giorno, ti credo recar novelle che sommamente ti saran care; e per non perder tempo, voglio andare a cominciare.

La Lisa, di ciò da capo pregatol molto e promessogli di confortarsi, disse che s'andasse con Dio. Minuccio partitosi, ritrovò un Mico da Siena assai buon dicitore in rima a quei tempi, e con prieghi lo strinse a far la canzonetta[41] che segue:

Muoviti, Amore,[42] e vattene a Messere,
E contagli[43] le pene ch'io sostegno;
Digli ch'a morte vegno,
Celando per temenza il mio volere.
Merzede, Amore, a man giunte ti chiamo,
Ch'a Messer vadi là dove dimora.
Dì che sovente lui disio e amo,
Sì dolcemente lo cor m'innamora;
E per lo foco, ond'io tutta m'infiamo,
Temo morire, e già non saccio l'ora
Ch'i' parta da sì grave pena dura,[44]
La qual sostegno per lui, disiando,
Temendo e vergognando.
Deh! il mal mio, per Dio, fagli assapere.[45]
Poi che di lui, Amor, fu' innamorata,
Non mi donasti ardir quanto temenza,
Che io potessi sola una fiata
Lo mio voler dimostrare in parvenza[46]

18. Minuccio d'Arezzo: non si hanno notizie su di lui. Tuttavia alle corti di Napoli e di Palermo vi erano molti cantori e suonatori toscani.
19. fattogliele: fattoglielo.
20. piacevole: cortese, compiacente.
21. incontanente: subito.
22. stampita: canzonetta amorosa.
23. le quali allo amor della giovane, ecc.: le dolci canzoni danno nuova esca all'ardore amoroso della fanciulla. È un tocco rapido, che, unito agli altri dà il senso del lungo e romantico sognare di lei.
24. fidissimo guardatore: fedelissimo custode.
25. che... si possa: che sia nelle tue possibilità.
26. esaltazione: al trono.
27. mel venne... in sì forte punto veduto: corrisponde a: lo vidi in un momento così fatale.
28. al partito, ecc.: mi ha condotta allo stato in cui tu mi vedi.
29. conoscendo... quanto male, ecc.: ben sapendo che a un re non si conviene stabilire un rapporto d'amore con lei (troppo diversa è la condizione sociale perché possa stabilirsi fra loro un rapporto che presuppone uguaglianza).
30. a comportare: a sopportare; egli è riferito ad *amore*.
31. ho per minor doglia... morire: ho scelto di morire, considerandolo un dolore minore di quello che mi procura il mio amore senza speranza.
32. fieramente... sconsolata: morrei profondamente disperata.
33. egli: il re.
34. e non sappiendo... la voglio, ecc.: non conoscendo persona più adatta di te, per mezzo della quale rendergli palese il mio sentimento, a te voglio affidare (*commettere*) questo incarico.
35. assapere: sapere.
36. mi sviluppi: mi liberi. Il discorso di Lisa, accorato e composto, rivela però tutta la forza di quella passione, che conduce la fanciulla ad un rassegnato e stanco desiderio di morte.
37. increbbenegli forte: gliene increbbe profondamente.
38. nello animo corsogli, ecc.: venutogli in mente come soddisfare il desiderio di lei, senza farle perdere la sua dignità.
39. t'obbligo la mia fede: ti prometto sul mio onore.
40. commendandoti: lodandoti. Chiama *alta* la sua *impresa* di aver posto l'animo a sì gran re, cioè di essersene innamorata, perché è indizio di magnanimità il concepire sentimenti d'amore per persona nobile ed elevata, così come è proprio della liberalità e magnanimità cavalleresca ammirare e onorare profondamente chi vale.
41. con prieghi lo strinse: lo indusse, con preghiere insistenti. **canzonetta**: il vocabolo è usato genericamente per «componimento poetico messo in musica e cantato». Si tratta, in realtà, d'una ballata (schema: ABbA (*ripresa*) e stanza con tre *mutazioni* CD,CD,CD, e *volta* DEeA), di endecasillabi e settenari.
42. Muoviti, Amore, ecc.: i primi quattro versi descrivono la situazione di Lisa.
43. contagli: raccontagli.
44. non saccio... dura: non so (ma non può essere lontana) l'ora in cui io mi liberi da pena così grave e aspra.
45. per Dio... assapere: in nome di Dio... sapere.
46. lo mio voler dimostrare, ecc.: mostrare chiaramente, sì che apparisse all'esterno, il mio sentimento d'amore, a colui per causa del quale sono in questo affanno.

A quegli che mi tien tanto affannata:
Così morendo il morir m'è gravenza.[47]
Forse che non gli saria spiacenza,[48]
Se el sapesse quanta pena i' sento,
S'a me dato ardimento
Avesse in fargli mio stato sapere.[49]
Poi che 'n piacere non ti fu, Amore,
Ch'a me donassi tanta sicuranza,[50]
Ch'a Messer far savessi lo mio core,
Lasso, per messo mai, o per sembianza,
Mercé ti chero, dolce mio signore,
Che vadi a lui, e donagli membranza[51]
Del giorno ch'io li vidi a scudo e lanza
Con altri cavalieri arme portare;
Presilo a riguardare
Innamorata sì che 'l mio cor pere.[52]

Le quali parole Minuccio prestamente intonò d'un suono[53] soave e pietoso, sì come la materia di quelle richiedeva. E il terzo dì se n'andò a corte, essendo ancora il re Pietro a mangiare; dal quale gli fu detto che egli alcuna cosa cantasse con la sua viuola. Laonde egli cominciò sì dolcemente sonando a cantar questo suono, che quanti nella real sala n'erano parevano uomini adombrati,[54] sì tutti stavano taciti e sospesi ad ascoltare, e il re per poco più che gli altri. E avendo Minuccio il suo canto fornito,[55] il re il domandò donde questo venisse che mai più non gliele pareva avere udito.

— Monsignore, rispose Minuccio, e' non sono ancora tre giorni che le parole si fecero e 'l suono.

Il quale, avendo il re domandato per cui,[56] rispose:

— Io non l'oso scovrir se non a voi.

Il re disideroso d'udirlo, levate le tavole, nella camera sel fé venire; dove Minuccio ordinatamente ogni cosa udita gli raccontò. Di che il re fece gran festa,[57] e commendò la giovane assai, e disse che di sì valorosa giovane si voleva aver compassione; e per ciò andasse da sua parte a lei e la confortasse, e le dicesse che senza fallo quel giorno in sul vespro la verrebbe a visitare. Minuccio, lietissimo di portare così piacevole novella alla giovane, senza ristare, con la sua viuola n'andò, e con lei sola parlando, ogni cosa stata raccontò, e poi la canzone cantò con la sua viuola. Di questo fu la giovane tanto lieta e tanto contenta, che evidentemente senza alcuno indugio apparver segni grandissimi della sua sanità; e con disidero, senza sapere o presummere alcun della casa[58] che ciò si fosse, cominciò ad aspettare il vespro, nel quale il suo signor[59] veder dovea.

Il re, il quale liberale e benigno signore era, avendo poi più volte pensato alle cose udite da Minuccio, e conoscendo ottimamente la giovane e la sua bellezza, divenne ancora più che non era di lei pietoso; e in sull'ora del vespro montato a cavallo, sembiante faccendo d'andare a suo diporto, pervenne là dov'era la casa dello speziale: e quivi, fatto domandare che aperto gli fosse un bellissimo giardino il quale lo speziale avea, in quello smontò e dopo alquanto domandò Bernardo che fosse della figliuola, se egli ancora maritata l'avesse. Rispose Bernardo:

— Monsignore, ella non è maritata, anzi è stata e ancora è forte malata: è il vero che da nona in qua ella è maravigliosamente[60] migliorata.

Il re intese prestamente quello che questo miglioramento voleva dire, e disse:

— In buona fé, danno sarebbe che ancora[61] fosse tolta al mondo sì bella cosa: noi la vogliamo venire a visitare.

E con due compagni solamente e con Bernardo nella camera di lei poco appresso se n'andò; e come là entro fu, s'accostò al letto dove la giovane alquanto sollevata con disio l'aspettava, e lei per la man prese dicendo:

— Madonna, che vuol dir questo? Voi siete giovane e dovreste l'altre

47. così morendo... gravenza: così io muoio, e la morte è piena di dolore (*gravenza*).
48. non... spiacenza: non gli dispiacerebbe.
49. S' a me dato ardimento... sapere: se mi desse il coraggio sufficiente per fargli conoscere il mio stato.
50. sicuranza: ardire.
51. per messo... membranza: ti chiedo, di grazia, o Amore, dolce mio signore, che tu vada a lui, o per mezzo di un messo o col mio aspetto (dia cioè a lei stessa l'ardire di presentarsi all'amato), e gli faccia ricordare, ecc.
52. pere: perisce.
53. intonò d'un suono: musicò con una melodia.
54. adombrati: incantati, trasognati; e il re quasi (*per poco*) più degli altri. Il re più degli altri apprezza, pur senza sapere a chi sia diretto, il messaggio d'amore di quella canzone perché, avendo animo più degli altri gentile, è naturalmente portato a sentire maggiormente il fascino di Amore.
55. fornito: terminato.
56. per cui: a chi fosse dedicata la canzone.
57. Di che il re fece gran festa: secondo la concezione cavalleresca, amore è qualcosa che nobilita e ingentilisce l'animo, degno, quindi, d'ammirazione e di elogio (*commendò la giovane assai*); è come una luce che illumina la vita, un valore a cui gli animi gentili guardano ogni volta con stupore e ammirazione commossa. Di qui nasce la *festa* del re, non dal fatto di essere lui oggetto di quell'amore.
58. senza sapere o presummere alcun della casa, ecc.: senza che nessuno dei familiari sapesse o immaginasse la ragione di questo così improvviso miglioramento delle sue condizioni di salute.
59. il suo signor: l'espressione è piena d'affetto: *signor* allude non tanto al fatto che Pietro sia il suo re, ma al fatto che è signore del suo cuore.
60. da nona in qua... meravigliosamente: dalle quindici in poi... miracolosamente.
61. ancora: già.

confortare, e voi vi lasciate aver male: noi vi vogliamo pregare[62] che vi piaccia, per amor di noi, di confortarvi in maniera che voi siate tosto guerita.

La giovane, sentendosi toccare alle mani[63] di colui il quale ella sopra tutta le cose amava, come che ella alquanto si vergognasse, pur sentiva tanto piacer nell'animo, quanto se stata fosse in paradiso; e, come poté, gli rispose:

— Signor mio, il volere io le mie poche forze sottoporre a gravissimi pesi,[64] m'è di questa infermità stata cagione, dalla quale voi, vostra buona mercé, tosto libera mi vedrete.

Solo il re intendeva il coperto parlare della giovane, e da più ogn'ora la reputava, e più volte seco stesso maladisse la fortuna, che di tale uomo l'aveva fatta figliuola: e poi che alquanto fu con lei dimorato e più ancora confortatala, si partì. Questa umanità del re fu commendata assai, e in grande onor fu attribuita allo speziale e alla figliuola, la quale tanto contenta rimase, quanto altra donna di suo amante fosse già mai: e da migliore speranza aiutata, in pochi giorni guerita, più bella diventò che mai fosse.[65] Ma poi che guerita fu, avendo il re con la reina diliberato qual merito[66] di tanto amore le volesse rendere, montato un dì a cavallo[67] con molti de' suoi baroni, a casa dello spezial se n'andò, e nel giardino entratosene, fece lo spezial chiamare e la sua figliuola: e in questo venuta la reina con molte donne, e la giovane tra lor ricevuta, cominciarono maravigliosa festa. E dopo alquanto il re insieme con la reina, chiamata la Lisa, le disse il re:

— Valorosa[68] giovane, il grande amor che portato n'avete, v'ha grande onore da noi impetrato, del quale noi vogliamo che per amor di noi siate contenta: e l'onore è questo, che, con ciò sia cosa che voi da marito siate, noi vogliamo che colui prendiate per marito, che noi vi daremo, intendendo sempre, non ostante questo, vostro cavaliere appellarci,[69] senza più[70] di tanto amor voler da voi che un sol bascio.

La giovane, che di vergona tutta era nel viso divenuta vermiglia, faccendo suo il piacer del re,[71] con bassa voce così rispose:

— Signor mio, io son molto certa che, se egli si sapesse che io di voi innamorata mi fossi, la più della gente me ne reputerebbe matta, credendo forse che io a me medesima fossi uscita di mente,[72] e che io la mia condizione e oltre a questo la vostra non conoscessi; ma come Iddio sa, che solo i cuori de' mortali vede, io nell'ora che voi prima mi piaceste, conobbi voi essere re, e me figliuola di Bernardo speziale, e male a me convenirsi in sì alto luogo l'ardore dello animo dirizzare. Ma, sì come voi molto meglio di me conoscete, niuno secondo debita elezione ci s'innamora,[73] ma secondo l'appetito e il piacere: alla qual legge più volte s'opposero le forze mie, e più non potendo, v'amai e amo e amerò sempre.[74] È il vero che, com'io ad amore di voi mi sentii prendere, così mi disposi di far sempre, del vostro, voler mio;[75] e per ciò, non che io faccia questo di prender volentier marito e d'aver caro quello il quale vi piacerà di donarmi, che mio onore e stato sarà, ma se voi diceste che io dimorassi nel fuoco, credendovi io piacere, mi sarebbe diletto. Avere uno re per cavaliere, sapete quanto mi si conviene, e per ciò più a ciò non rispondo; né il bascio che solo del mio amor volete, senza licenzia di madama la reina[76] vi sarà per me conceduto. Nondimeno di tanta benignità verso me, quanta è la vostra e quella di madama la reina che è qui, Iddio per me vi renda e grazia e merito,[77] ché io da render non l'ho.

E qui si tacque. Alla reina piacque molto la risposta della giovane, e parvele così savia come il re l'aveva detto. Il re fece chiamare il padre della giovane e la madre, e sentendogli contenti di ciò che fare intendeva, si fece chiamare un giovane il quale era gentile uomo ma povero, ch'avea nome Perdicone, e postegli certe anella in mano, a lui, non recusante di farlo, fece sposare la Lisa. A' quali incontanente il re, oltre a molte gioie e care che egli e la reina alla giovane donarono, gli [78] donò Cefalù e Calatabellotta, due bonissime terre[79] e di gran frutto, dicendo:

— Queste ti doniam noi per dote della donna: quello che noi vorremo fare a te, tu tel vedrai nel tempo avvenire.

E questo detto, rivolto alla giovane, disse:

62. non vi vogliam pregare, ecc.: evidenti, nelle parole del re, la sua nobilità e gentilezza. La conforta senza illuderla, pregandola in nome dell'amore che ella gli porta, ma con un tono discreto che solo loro due intendono.

63. La giovane, sentendosi, ecc.: Lisa è sospesa fra la gioia che le procura l'atto del re e quel pudore delicato, che è proprio dei sentimenti profondi.

64. gravissimi pesi: un amore che di tanto supera le mie forze.

65. più bella diventò che mai fosse: è come un fulgido dischiudersi d'un fiore. La pietà del re ha appagato il suo amore disperato, l'ha distolta dai cupi pensieri di morte. Resta ora in lei una tristezza raccolta, ma non disperata; fin dall'inizio Lisa sapeva che il suo era solo un sogno.

66. qual merito: quale compenso. Il fatto che si consigli con la regina mostra l'aristocratica gentilezza della coppia.

67. montato... a cavallo, ecc.: Le virtù cortesi hanno bisogno di uno scenario fastoso; non basta quel colloquio solitario fra il re e la Lisa. Il premio di tali virtù è l'onore, cioè l'ammirazione e la lode di tutti gli spiriti gentili. Esse, cioè, si concretano in gesti e atti esemplari.

68. Valorosa: è la consacrazione della giovane di modesti natali, che le consente di entrare a far parte dell'ideale mondo della *cortesia*. *Valore* è l'insieme delle virtù cavalleresche.

69. appellarci: chiamarci.

70. senza più: senza altro.

71. faccendo suo il piacer del re: sono frequenti nella novella queste espressioni delicate che mostrano, nello stesso tempo, la forza dell'amore di Lisa. Tale è l'intonazione di tutto il discorso che segue. Ma mentre si leggono quelle parole così nobili va tenuto ben presente il pudico rossore della giovinetta, il suo rispondere a bassa voce e con gli occhi bassi.

72. che io a me medesima, ecc.: che avessi dimenticato la mia condizione.

73. niuno secondo debita elezione, ecc.: nessuno a questo mondo (*ci*) s'innamora seguendo una scelta della ragione, ma secondo un impulso istintivo.

74. più non potendo... sempre: non potendo vincermi... v'amerò sempre. È una confessione nella cui pacatezza s'avverte l'ardore della passione.

75. far sempre, del vostro, voler mio: è la fondamentale legge dell'amore: il totale disinteressato dono di sé alla persona amata. La profondità e la forza del suo sentimento fanno di Lisa una delle più nobili eroine femminili del *Decameron*.

76. senza licenzia di madama la reina, ecc.: un ultimo tocco delicatissimo che pone in vivo rilievo l'onestà di Lisa. L'ideale cavalleresco, nella sua forma più autentica, tende a questo dominio di sé, a questa generosità dell'animo, a elevare la passione dei sensi, attraverso la rinuncia, quando sia necessario, a sentimento purissimo e disinteressato come intendeva elevare la violenza guerriera a lotta per gli ideali più nobili (la difesa della fede, dei deboli, o l'avventura ove la prodezza trovasse in sé il suo compenso).

77. merito: compenso.

78. gli: a loro (da omettere).

79. terre: città. Il frutto è la rendita che se ne può ricavare.

— Ora vogliam noi prender[80] quel frutto che noi del vostro amor aver dobbiamo.

E presole con amenduni le mani il capo, le basciò la fronte. Perdicone e 'l padre e la madre della Lisa ed ella altressì contenti, grandissima festa fecero e liete nozze. E secondo che molti affermano, il re molto bene servò alla giovane il convenente,[81] per ciò che mentre visse sempre s'appellò suo cavaliere, né mai in alcun fatto d'arme[82] andò, che egli altra sopransegna portasse che quella che dalla giovane mandata gli fosse.

80. Ora vogliam noi prender, ecc.: Il bacio del re è un commosso omaggio al nobile amore della fanciulla e conclude degnamente la novella cavalleresca.
81. il convenente: il patto.
82. né mai in alcun fatto d'arme, ecc.: la dama donava al suo cavaliere, in occasione del torneo, un oggetto simbolico (nastro, sciarpa, ecc.) da portare sull'armatura. È questa la sopransegna.

Il Boccaccio umanista

Petrarca, Boccaccio e l'Umanesimo

A partire dal 1350, l'amicizia col Petrarca rafforzò, nel Boccaccio, l'amore per i Classici, già amati e imitati fin dal periodo napoletano. Ora, però, all'ammirazione si accompagna la volontà di studi severi che meglio consentano un recupero storico del loro mondo: una prospettiva, cioè, umanistica. La volontà di liberare i Classici latini e greci da interpretazioni fuorvianti, provocate, nell'età medievale, o da ignoranza storico-filologica, o dalla volontà di adeguarli troppo frettolosamente al messaggio cristiano, è, come si è accennato parlando del Petrarca, l'aspetto fondamentale dell'incipiente Umanesimo del tardo Trecento. Alla volontà di questa rilettura si accompagnò una nuova dimensione che potremmo chiamare laica della cultura: non nel senso che la tematica religiosa venisse soppiantata, ma nel senso che la si riserbava a teologi e uomini di Chiesa, mentre si elaborava un ideale di cultura che nei libri degli Antichi ricercava un insegnamento di umanità. E *studia humanitatis* cominciarono a essere definiti gli studi letterari, storici, filosofici (e delle materie preparatorie a queste discipline) perché essi portavano a una conoscenza profonda dell'uomo.

L'umanesimo del Boccaccio, pur nascendo e svolgendosi, in parte, nell'alveo dell'insegnamento petrarchesco, presenta caratteri suoi propri. Il Petrarca s'impegnava in un campo di conoscenze più ampio, accogliendo, accanto a quella dei poeti, la lezione dei grandi moralisti e storici latini, il Boccaccio era più portato all'interesse quasi esclusivo per la poesia; il Petrarca esaltava i grandi scrittori latini, il Boccaccio, a parte la curiosità appassionata che lo spinse a far tradurre Omero, leggeva e ammirava anche i grandi contemporanei, a cominciare da Dante e dallo stesso Petrarca, fino a divenire umile copista della *Commedia* e del *Canzoniere*; per lui ogni autentica voce di poesia era degna di studio e di venerazione. Come diede inizio al culto di Dante, cui dedicò un trattato, con un'analisi ammirata della sua figura (il *Trattatello in laude di Dante*) oltre a un commento ai primi diciassette canti dell'*Inferno* (cfr. più avanti), così fu un iniziatore nel recupero diretto della tradizione greca classica, quasi sconosciuta in Occidente per tutto il Medioevo, a parte il gruppo di opere aristoteliche tramandate dalla cultura araba e commentate da vari filosofi, fino a S. Tommaso d'Aquino. Non badando a spese e sacrifici, tenne per due anni nella sua casa uno scontroso monaco calabrese, Leonzio Pilato, dal quale apprese i rudimenti della lingua greca. Gli fece poi tradurre l'*Iliade e l'Odissea*, avvertendo la continuità fra le due grandi letterature classiche. Anche qui agiva su di lui il fascino d'un mondo che, conosciuto parzialmente attraverso i poemi in lingua d'oil di materia classica, aveva avuto grande ascendente sulla sua fantasia, come dimostra, per esempio, il *Teseida*.

Le opere latine del Boccaccio

Sembra pertanto da accogliere con qualche cautela l'opinione dei critici che vedono nell'ultimo Boccaccio, e cioè nella produzione posteriore al *Decameron*, compiuta nell'ultimo ventennio della sua vita, una sorta di rinnegamento della prima in volgare, che coinvolgerebbe il suo stesso capolavoro. È vero che, come si vedrà più avanti, l'ultima sua opera creativa in italiano, il *Corbaccio* (1365 circa), rinnega la concezione cortese dell'amore e della donna, che era stata una tematica fondamentale della produzione romanza e sua; ed è anche vero che in un'opera di cui faremo un discorso a parte, la *Genealogia deorum gentilium*, condotta avanti fino agli ultimi anni, si afferma un'idea di poesia sapienziale, come ideale supremo, che accoglie la *Commedia*, ma non, per esempio, la *Vita nuova*, e non sembra potersi bene adattare al *Decameron*; ma piuttosto che parlare di «rinnegamento» preferiamo parlare di una nuova fase dell'impegno letterario e culturale dello scrittore.

L'amicizia col Petrarca, guardato con ammirazione come modello di vita, di cultura, di poesia, l'adesione al programma umanistico portavano il Boccaccio alla ricerca d'una poesia densa di significazioni conoscitive e morali e scritta nel prestigioso latino classico secondo l'ideale di verità e bellezza perseguito dal Petrarca. In questa prospettiva, il suo richiamare la vecchia idea medievale della poesia come allegoria, o bel velo che nascondesse (e, insieme, rivelasse) una verità, coincideva con la volontà di fondare una cultura umanistica che unisse bellezza e profondità ideologica. D'altra parte un certo allegorismo era già evidente nella cultura tardo-antica, dagli Stoici a Orazio e Virgilio, quando l'*Eneide* a Roma o l'*Iliade* in Grecia erano letti come testimonianza della civiltà d'un popolo, sì da divenire libri di lettura fin dalla prima formazione dei giovani della classe elevata. In questa direzione si comprende la composizione del *Buccolicum carmen* (circa 1367), che il Boccaccio intraprese come riecheggiando il *Bucolicum carmen* del Petrarca. Qui lo scrittore parlava di momenti e persuasioni della propria vita sotto il velo della favola o dei personaggi pastorali, come aveva fatto Virgilio nelle *Bucoliche*: erano egloghe, dunque, allegoriche, come erano state anche quelle di Dante nella sua corrispondenza poetica col maestro dello studio bolognese Giovanni del Virgilio.

Il Boccaccio era, però, anche un servitore della poesia. Lo dimostra l'opera ponderosa che egli scrisse fra il 1355 e il 1374, il vasto repertorio di geografia poetica che s'intitola *De montibus, silvis, lacubus, fluminibus, stagnis seu paludibus, et de nominibus maris* (*Monti, selve, laghi, fiumi, stagni o paludi e nomi del mare*) e spiega tutte le allusioni geografiche che si trovano nei libri dei poeti classici. Il repertorio, diligentissimo e frutto di grandi fatiche, ebbe fortuna secolare in Europa.

Più aderenti alla vocazione narrativa dell'autore sono le altre due opere latine che godettero analoga fama e diffusione, *De mulieribus claris* (*Donne famose*) e *De casibus virorum illustrium* (*Le sventure di uomini illustri*). La prima è un seguito di biografie che va da Eva alla regina Giovanna di Napoli, senza però cercare, come avveniva nel «genere» medievale corrispondente, esempi edificanti, ma congiungendo figure elette ad altre che tali non furono. La seconda prende spunto da personaggi che dopo un'alta fortuna conobbero il crollo. Della *Genealogia deorum gentilium* conviene parlare a parte.

Uniremo in questo settore dell'antologia tutta questa produzione, a cominciare dal *Corbaccio* e dalle opere su Dante ai testi latini, per concludere con quello più interessante, la *Genealogia*. Un motivo conduttore che accomuna i diversi libri è l'esaltazione della poesia, cui s'accompagna il senso della dignità dell'uomo di lettere.

Per i testi seguiamo: G. Boccaccio, *Opere in versi, Corbaccio, In laude di Dante, Prose latine, Epistole*, a cura di P.G. Ricci, Milano-Napoli, Ricciardi, 1965.

Il «Trattatello in laude di Dante»

Come abbiamo rilevato, il Boccaccio sentì profondamente la grandezza di Dante. Al Petrarca, nel 1351, donava una copia della *Divina Commedia*, esortandolo con insistenza a leggerla; alla fine della sua vita, fra il 1373 e il 1374, commentò pubblicamente, nella chiesa di S. Stefano di Badia, i primi diciassette canti dell'*Inferno*. Le lezioni dantesche sono raccolte nel *Comento*, opera disuguale, forse rimaneggiata da altri, ma non priva di spunti acuti. Importante è poi il *Trattatello in laude di Dante*, commossa biografia del poeta, soprattutto spirituale. Di Dante, il Boccaccio mette in rilievo gli studi, la dottrina, l'energica personalità; lo vede come una figura esemplare di poeta, e la sua *laude* si tramuta spontaneamente in una lode della poesia (alla quale sono anche esplicitamente dedicate le pagine centrali del trattato) e della figura del letterato, sì che l'opera è piena di spiriti umanistici, cioè di quella «esaltazione dei cavalieri dello spirito al posto di quelli della spada» che un critico moderno ha visto come un tema fondamentale dell'*Umanesimo*. Secondo questo ideale, il Boccaccio esalta l'amore di Dante per i classici, mentre biasima il suo mescolarsi alle lotte politiche e partigiane, indegne della sublime attività del letterato, il quale secondo il suo ideale deve vivere vita ritirata e solitaria, avulso da ogni altra cura che non sia quella degli studi, avendo di mira non il presente, ma il colloquio coi grandi del passato e la gloria, il supremo ideale di un'eternità umana e terrena.

Fattezze e costumi di Dante

Abbiamo già detto come il *Trattatello in laude di Dante* testimoni l'ammirazione sincera del Boccaccio per l'Alighieri, e come, descrivendo la figura e l'opera di quel grande, egli esalti implicitamente l'ideale della propria vita, la poesia. Ma vi sono inoltre in quest'opera pagine narrative vivide e fresche, come l'innamoramento di Dante, quando, a nove anni, in un primaverile giorno di festa, vide per la prima volta Beatrice, e anche queste pagine sulle fattezze e i costumi di Dante, dalle quali emerge un ritratto incisivo del poeta della *Commedia*, della sua figura nobile e altera, della sua capacità di concentrazione, della sua sensibilità aristocratica e schiva.

Fu adunque questo nostro poeta di mediocre statura, e poi che alla matura età fu pervenuto, andò alquanto curvetto, e era il suo andare grave e mansueto, d'onestissimi panni sempre vestito, in quello abito che era alla sua maturità convenevole. Il suo volto fu lungo, e 'l naso aquilino, e gli occhi anzi grossi che piccioli, le mascelle grandi, e dal labro di sotto era quel di sopra avanzato; e il colore era bruno, e i capelli e la barba spessi, neri e crespi e sempre nella faccia malinconico e pensoso.[1] Per la qual cosa avvenne un giorno in Verona (essendo già divulgata per tutto la fama delle sue opere, e massimamente quella parte della sua *Comedia*, la quale egli intitola *Inferno*, e esso conosciuto da molti uomini e donne) che, passando egli davanti a una porta, dove più donne sedevano, una di quelle pianamente, non però tanto che bene da lui e da chi con lui era non fosse udita, disse all'altre donne: «Vedete colui, che va nell'inferno e torna quando gli piace, e quassù reca novelle di coloro, che laggiù sono?» Alla quale una dell'altre rispose semplicemente:[2] «In verità tu dèi dir vero; non vedi tu come ha la barba crespa e 'l color bruno per lo caldo e per lo fummo, che è laggiù?» Le quali parole udendo egli dir dietro a sé, e conoscendo che da pura credenza[3] delle donne veniano, piacendogli, e quasi contento ch'esse in cotale oppinione fossero, sorridendo alquanto, passò avanti.

Ne' costumi domestici e pubblici mirabilmente fu ordinato e composto, e in tutti più che alcuno altro cortese e civile. Nel cibo e nel poto[4] fu modestissimo,[5] sì in prenderlo all'ore ordinate e sì in non trapassare il segno della necessità quel prendendo; né alcuna curiosità ebbe mai più in uno che in un altro:[6] li dilicati lodava, e il più si pasceva di grossi,[7] oltre modo biasimando coloro, li quali gran parte di loro studio pongono in avere le cose elette, e quelle fare con somma diligenzia apparare;[8] affermando questi cotali non mangiar per vivere, ma piuttosto vivere per mangiare. Niuno altro fu più vigilante di lui e negli studi e in qualunque altra sollecitudine il pugnesse;[9] intanto che più volte e la sua famiglia e la donna se ne dolfono, prima che, ai suoi costumi adusate, ciò mettessero in non calere.[10] Rade volte, se non domandato, parlava, e quelle pensatamente e con voce conveniente alla materia, di che diceva; non pertanto, là dove si richiedeva, eloquentissimo fu e facondo, e con ottima e pronta prolazione.[11]

Sommamente si dilettò in suoni e in canti nella sua giovanezza, e a ciascuno, che a que' tempi era ottimo cantatore e sonatore, fu amico e ebbe sua usanza;[12] e assai cose, da questo diletto tirato, compose, le quali di piacevole e

1. **malinconico e pensoso**: più che i tratti fisici, rimangono impressi la gravità dell'incedere e la tristezza pensosa, propria di chi a lungo e appassionatamente medita sulla vita e il destino umano.
2. **semplicemente**: con ingenuità.
3. **da pura credenza**: Dante comprende che non si tratta di scherno, ma di ingenua e radicata persuasione, ed esce in quel sorriso che illumina simpaticamente il suo volto pensoso. La narrazione del B. è rapida e incisiva, sempre attenta a definire la psicologia del personaggio.
4. **poto**: nel bere.
5. **modestissimo**: singolarmente temperante. Il B. tratteggia, anche quando, come qui, sembra indugiare su aspetti umili ed esteriori, la figura ideale del saggio.
6. **più in uno che in un altro**: sottintendi *cibo*. **Curiosità**: cura, desiderio.
7. **grossi**: cibi cioè semplici, non ricercati.
8. **apparare**: preparare.
9. **e in qualunque altra sollecitudine**, ecc.: in qualunque altro interesse di natura intellettuale che lo attirasse a sé.
10. **intanto... dolfono... ciò mettessero in non calere**: rispettivamente: tanto, se ne dolsero, non ci fecero più caso.
11. **prolazione**: pronuncia.
12. **ebbe sua usanza**: lo frequentò assiduamente.

maestrevole nota[13] a questi cotali facea rivestire. Quanto ferventemente esso fosse ad amore sottoposto, assai chiaro è già mostrato: questo amore è ferma credenza di tutti che fosse movitore del suo ingegno[14] a dover, prima imitando, divenire dicitore in vulgare, poi per vaghezza di più solennemente dimostrare le sue passioni, e di gloria, sollecitamente esercitandosi in quella,[15] non solamente passò ciascuno suo contemporaneo, ma in tanto la dilucidò e fece bella, che molti allora e poi di drieto a sé n'ha fatti e farà vaghi d'essere esperti.[16] Dilettossi similmente d'essere solitario e rimoto dalle genti, acciò che le sue contemplazioni[17] non gli fossono interrotte; e se per alcuna che molto piaciuta gli fosse, ne gli veniva,[18] essendo tra gente, quantunque d'alcuna cosa fosse stato addomandato, giammai infino a tanto che fermata o dannata[19] la sua imaginazione avesse, non avrebbe risposto al dimandante. Il che molte volte, essendo egli alla mensa, e essendo in cammino con compagni, e in altre parti dimandato, gli avvenne.

Ne' suoi studi fu assiduissimo,[20] quanto a quel tempo,[21] che ad essi si disponea, in tanto che niuna novità, che s'udisse, da quegli il potea rimuovere. E, secondo che alcuni degni di fede raccontano di questo darsi tutto a cosa, che gli piacesse, egli, essendo una volta tra le altre in Siena, e avvenutosi per accidente alla stazzone[22] d'uno speziale, e quivi statogli[23] recato uno libretto davanti[24] promessogli e tra' valenti uomini molto famoso né da lui stato giammai veduto; non avendo per avventura spazio di portarlo in altra parte, sopra la panca, che davanti allo speziale era, si puose col petto,[25] e messosi il libretto davanti, quello cupidissimamente cominciò a vedere; e come che poco appresso[26] in quella contrada stessa, dinanzi da lui, per alcuna general festa de' Sanesi si cominciasse da gentil giovani e facesse una grande armeggiata,[27] e con quella grandissimi romori da' circustanti (siccome in cotali casi con istrumenti vari e con voci applaudenti suol farsi), e altre cose assai v'avvenissero da dover tirare altrui a vedersi, siccome balli di vaghe donne e giuochi molti di giovani; mai non fu alcuno, che muovere quindi il vedesse, né alcuna volta levar gli occhi dal libro; anzi, postovisi quasi a ora di nona, prima fu passato vespro,[28] e tutto l'ebbe veduto e quasi sommariamente[29] compreso, ch'egli da ciò si levasse; affermando poi ad alcuni, che 'l domandavano come s'era potuto tenere[30] di riguardare a così bella festa come davanti da lui si era fatta, sé niente averne sentito:[31] per che, alla prima maraviglia, non indebitamente la seconda s'aggiunse a' dimandanti.

Fu ancora questo poeta di maravigliosa capacità, e di memoria fermissima e di perspicace intelletto, intanto[32] che, essendo egli a Parigi, e quivi sostenendo in una disputazione *de quolibet*,[33] che nelle scuole della teologia si facea, quattordici quistioni da diversi valenti uomini e di diverse materie, cogli loro argomenti pro e contra fatta dagli opponenti, sanza mettere in mezzo,[34] raccolse, e ordinatamente, come poste erano state, recitò poi, quel medesimo ordine seguendo, sottilmente solvendo e rispondendo agli argomenti contrari: la qual cosa quasi miracolo da tutti i circostanti fu riputata. Di altissimo ingegno e di sottile invenzione fu similmente, siccome le sue opere troppo più manifestano agli intendenti che non potrebbero far le mie lettere.[35] Vaghissimo fu e d'onore e di pompa, per avventura più che alla sua inclita virtù non si sarebbe richesto. Ma che? Qual vita è tanto umile, che dalla dolcezza della gloria[36] non sia tocca? E per questa vaghezza credo che, oltre a ogni altro studio, amasse la poesia, veggendo, comeché la filosofia ogni altra trapassi di nobiltà, la eccellenzia di quella con pochi potersi comunicare, e esserne per lo mondo molti famosi; e la poesia più essere apparente e dilettevole a ciascuno, e li poeti rarissimi.[37] E però sperando per la poesì[38] allo inusitato e pomposo onore della coronazione dell'alloro poter pervenire, tutto a lei si diede e studiando e componendo. E certo il suo desiderio venìa intero,[39] se tanto gli fosse stata la fortuna graziosa, che egli fosse giammai potuto tornare in Firenze, nella qual sola, sopra la fonte di San Giovanni, s'era disposto di coronare;[40] acciò che quivi, dove per lo battesimo avea preso il primo nome, quivi

13. **nota**: musica. Dante compone, naturalmente, il testo poetico.
14. **che fosse movitore del suo ingegno**, ecc.: l'amore spinse Dante a divenire poeta in lingua volgare.
15. **in quella**: nella lingua volgare.
16. **vaghi d'essere esperti**: desiderosi di provare il proprio ingegno poetando in lingua volgare. Il B. riconosce giustamente la grande importanza di Dante nella storia della letteratura italiana.
17. **contemplazioni**: meditazioni e immaginazioni poetiche e filosofiche che si svolgono nell'assorta solitudine.
18. **ne gli veniva**: gliene veniva.
19. **che fermata o dannata**: o fissata completamente o rigettata. **addomandato**: interrogato.
20. **assiduissimo**: qui vale *concentrato*.
21. **quanto a quel tempo**: nel tempo.
22. **stazzone**: bottega; gli speziali vendevano anche libri.
23. **statogli**: essendogli stato.
24. **davanti**: precedentemente.
25. **si puose col petto**: si appoggiò col petto.
26. **come che poco appresso**: sebbene poco dopo.
27. **armeggiata**: torneo, sfilata.
28. **nona... vespro**: circa dalle tre alle sette del pomeriggio.
29. **sommariamente**: completamente, nei punti essenziali.
30. **s'era potuto tenere**, ecc.: s'era potuto trattenere dal...
31. **sé niente averne sentito**: costrutto latineggiante: che non s'era accorto di nulla.
32. **intanto**: tanto.
33. **disputazione de quolibet**: con questo termine s'indicava una disputa filosofica teologica su qualsiasi argomento. L'università di Parigi era la più celebre e importante del Medioevo, per quel che riguardava lo studio della filosofia e della teologia; quanto al viaggio di Dante a Parigi, i critici moderni lo mettono in dubbio.
34. **sanza mettere in mezzo**: immediatamente. La *questione* era costituita dall'impostazione di un arduo problema filosofico accompagnata dall'enunciazione degli argomenti favorevoli e contrari alla soluzione proposta.
35. **le mie lettere**: questo mio scritto.
36. **dalla dolcezza della gloria**: l'ideale puro del saggio, quale era stato formulato dall'antichità classica e accolto dagli uomini del Medioevo, comprendeva anche il disprezzo della gloria e di ogni altra cosa che non fosse la sapienza in sé e per sé. Invece il B. sentiva la dolcezza della gloria, e qui difende anche se stesso.
37. **comeché la filosofia... rarissimi**: «sebbene la filosofia superi per nobiltà ogni altra scienza e disciplina, la sua eccellenza può essere compresa da pochi, e, per giunta, vi sono molti filosofi famosi nel mondo: la poesia, invece, è più facilmente comunicabile, può essere apprezzata da tutti, e pochi sono nel mondo i poeti grandi». La superiorità della filosofia e della teologia era generalmente ammessa nel Medioevo, dato che portava alla scienza delle cose divine e delle supreme verità. Ma l'amore del B. va alla poesia.
38. **per la poesì**: per mezzo della poesia. Chiama *inusitato* l'onore della corona poetica perché l'usanza era stata per molto tempo perduta; e *pomposo* nel senso di glorioso e onorifico.
39. **venìa intero**: sarebbe stato pienamente appagato. **graziosa**: favorevole.
40. **di coronare**: di ottenere la corona poetica. Tale desiderio di essere coronato poeta nel proprio battistero è espresso da Dante nel canto XXV del *Paradiso*.

medesimo per la coronazione prendesse il secondo.[41] Ma così andò che, quantunque la sua sufficienzia[42] fosse molta, e per quella, in ogni parte ove piaciuto gli fusse, avesse potuto l'onore della laurea pigliare (la quale non iscienzia accresce, ma è dell'acquistata certissimo testimonio e ornamento), pur quella tornata,[43] che mai non doveva essere, aspettando, altrove pigliar non la volle, e così sanza il molto desiderato onore avere, si morì.

41. prendesse il secondo: Sottintendi: nome (quello di poeta).
42. la sua sufficienza: la sua capacità che lo rendeva degno di quell'onore.
43. tornata: ritorno in patria. Il passo, cominciato con la visione del poeta melanconico e pensoso, termina con la visione dell'esilio, proiettando la figura di Dante su di uno sfondo di grandezza e di sventura.

Il «Corbaccio»

Come s'è detto, questa, che è l'ultima opera creativa in italiano del Boccaccio, scritta intorno al 1365, ha un titolo che non è facile interpretare con sicurezza: o allude al corvo, cui il Boccaccio aggiunge la parte finale del proprio nome con intento auto-caricaturale, o trae spunto da una parola spagnola che significa «scudiscio», e dunque punizione. La materia è, infatti, (o è presentata come) autobiografica: la rivolta contro una donna che rifiuta al Boccaccio il proprio amore, facendosene, per giunta, beffe; e l'intenzione che presiede all'opera è la vendetta contro di lei. Ne deriva questo libello diffamatorio, pervaso d'una violenza sarcastica e satirica che non rifugge da accuse disgustose rivolte non soltanto alla colpevole, ma a tutte le donne e all'idea stessa dell'amore come fonte di gentilezza, quale l'avevano cantato i poeti fin dalle origini delle letterature romanze, e il Boccaccio stesso.

Il *Corbaccio* ha un andamento narrativo, anche se, per la maggior parte, si fonda sul monologo-dialogo. Manteniamo correlati strettamente i due termini perché vi sono qui due personaggi, evidente sdoppiamento dell'animo dell'autore. A lui, che si dibatte fra le spire della passione insoddisfatta e umiliata, appare in sogno il primo marito, ora defunto, della donna, inviatogli dalla misericordia divina per risanarlo. Lo spirito, che in realtà impersona la coscienza dello scrittore, gli rivela la miseria fisica e morale di lei e di tutte le donne, e lo esorta a liberarsi, ora che è vicino alla maturità, dalla passione amorosa, nemica di ragione e di saggezza, e anche degli studi e dell'eccellenza poetica cui il Boccaccio aspira. Concluso il sogno, questi si desta, guarito e disposto alla vendetta, rappresentata soprattutto da questo libro.

L'esasperato odio anti-femminile (o *misoginia*), oltre a trovare qualche autorizzazione nelle letterature classiche (Giovenale, per esempio), era presente nella letteratura ascetica medievale; ma certo non andava d'accordo con la produzione boccacciana precedente. Basta pensare, a parte l'esaltazione dell'amore delle prime opere, al fatto che il *Decameron* è dedicato alle donne, considerate ispiratrici privilegiate, superiori alle Muse, e al fatto che se anche a volte, nel libro, la passione sensuale dà origine a beffe o a un soddisfacimento degli istinti che nulla ha di «gentile» e si presta, pertanto, anche alla deformazione caricaturale, numerosi sono gli esempi di nobile amore, che sa giungere fino a una morte eroica, e frequente l'esaltazione di questo sentimento come principio di armonia vitale e umana (si pensi alla novella di Cimone, che, innamoratosi, perde la sua precedente brutalità e diventa uomo di valore).

Come si accennava, alcuni critici hanno pensato, per questo, al *Corbaccio* come opera di polemico abbandono dell'ispirazione precedente; cioè come una sorta di palinodia. Ma è forse più corretto parlare, anche indipendentemente da esso, d'una nuova iniziativa culturale e letteraria che il Boccaccio perseguì in quest'ultima parte della sua produzione. Preferiamo, cioè, non vedere quest'opera in dichiarata polemica con la produzione di prima. Essa costituì, se mai, la presa di coscienza del fatto che una tematica era conclusa; e presentava, nelle pagine più vive, la volontà di perseguire una nuova poesia più alta: quella sapienziale di cui ritroviamo l'esaltazione qui, come nel trattato dantesco, come nella *Genealogia*.

La violenza della denuncia cinge d'un velo di sofferta amarezza l'addio del Boccaccio alla giovinezza; ma nelle parti polemiche, soprattutto nelle caricature della piccola commedia quotidiana (della donna che non vuole invecchiare, che si affida disperatamente ai cosmetici, della donna che investe il marito al ritorno a casa, ecc.), si ritrova la vivacità del *Decameron*, la capacità di cogliere con realismo e intelligenza la battuta, il gesto, nella loro spontaneità: quella virtù narrativa o, com'è stata chiamata, poesia dell'azione, che è uno dei doni maggiori del Boccaccio.

L'amore nemico degli studi

Parla lo spirito venuto in soccorso dell'autore, nella finzione dell'opera, ma, in realtà, è questi che parla a se stesso, facendo leva, contro l'avvilimento presente, nato da sconsiderata passione, sul suo ideale più caro e più vero: la poesia, gli studi che, fin dalla prima età, lo allontanarono dalla mercatura, e, come dirà altrove, da ogni professione lucrosa, e che ancora sono sentiti come la più autentica elevazione dell'animo.

Tu, se io già bene intesi, mentre vivea, e ora così essere il vero apertamente conosco, mai alcuna manuale arte non imparasti e sempre l'essere mercatante avesti in odio; di che più volte ti se' e con altrui e teco medesimo gloriato, avendo riguardo al tuo ingegno, poco atto a quelle cose nelle quali assai invecchiano d'anni, e di senno ciascuno giorno diventano più giovani.[1] Della qual cosa il primo argomento[2] e che a loro par più che tutti gli altri sapere, come alquanto sono loro bene disposti i guadagni, secondo gli avvisi fatti,[3] oppure per avventura,[4] come suole le più volte avvenire; là dove essi, del tutto ignoranti, niuna cosa più oltre sanno che quanti passi ha[5] dal fondaco o dalla bottega alla lor casa; e par loro ogni uomo, che di ciò li volesse sgannare, aver vinto e confuso,[6] quando dicono: «Di' che mi venga ad ingannare», o dicono: «All'uscio mi si pare»;[7] quasi in niun'altra cosa stia il sapere, se non in ingannare o in guadagnare.

Gli studi adunque alla sacra filosofia pertinenti, infino dalla tua puerizia, più assai che il tuo padre non arebbe vo1uto, ti piacquero; e massimamente in quella parte che a poesia s'appartiene;[8] la quale per avventura tu hai con più fervore d'animo che con altezza d'ingegno seguito. Questa, non menoma[9] tra l'altre scienze, ti dovea parimente mostrare che cosa è amore e che cosa le femine sono, e chi tu medesimo sii e quel che a te s'appartiene. Vedere adunque dovevi amore essere una passione accecatrice dell'animo, disviatrice dello 'ngegno, ingrossatrice,[10] anzi, privatrice della memoria, dissipatrice delle terrene facultà, guastatrice delle forze del corpo, nemica della giovanezza e della vecchiezza morte, genitrice de' vizi e abitatrice de' vacui petti; cosa senza ragione e senza ordine e senza stabilità alcuna, vizio delle menti non sane e sommergitrice della umana libertà. Oh quante e quali cose son queste da dovere, non che i savi, ma gli stolti spaventare! Vien teco medesimo rivolgendo[11] l'antiche istorie e le cose moderne e guarda di quanti mali, di quanti incendi, di quante morti, di quanti disfacimenti, di quante ruine ed esterminazioni[12] questa dannevole passione è stata cagione. E una gente[13] di voi miseri mortali, tra i quali tu medesimo, avendo il conoscimento[14] gittato via, il chiamate «iddio», e quasi a sommo aiutatore, ne' bisogni sacrificio gli fate delle vostre menti e divotissime orazioni gli porgete! La qual cosa quante volte tu hai già fatto o fai o farai, tante ti ricordo, se tu da te, uscito forse del diritto sentimento, nol vedi, che a Dio tu e a' tuoi studi e a te medesimo fai ingiuria.[15]

1. **assai... giovani**: molti invecchiano negli anni, ma diventano ogni giorno più immaturi di senno.
2. **argomento**: prova.
3. **come... fatti**: quando il guadagno corrisponde alle loro previsioni e disposizioni.
4. **per avventura**: per caso. Polemicamente l'autore afferma che il guadagno del mercante è frutto spesso di congiunture favorevoli più che del loro merito.
5. **ha**: vi sono.
6. **sgannare**: togliere da questa ingannevole persuasione. **confuso**: completamente confutato.
7. Il primo motto vale: «A me non la si fa» («provino, se son capaci, d'ingannare uno come me»); il secondo vale: «Colgo (ogni cosa) a volo», con esaltazione della propria intuizione fulminea, quando si tratta d'affari.
8. **s'appartiene**: riguarda. La stretta unione di filosofia e poesia, o l'idea sapienziale di questa è tipica dell'ultimo Boccaccio.
9. **non menoma**: certo non minima d'importanza e dignità.
10. **ingrossatrice**: tale da ottundere.
11. **rivolgendo**: passando in rassegna.
12. **esterminazioni**: stermini.
13. **una gente**: un cospicuo numero. La **e** vale qui «eppure».
14. **conoscimento**: l'intelletto, la retta ragione.
15. **La qual... ingiuria**: Ti ricordo, se non lo comprendi da solo, essendo uscito fuori dalla capacità di ragionare rettamente, che ogni volta che facesti, fai o farai questa cosa (l'asservirti alla passione amorosa) fai torto a Dio, a te stesso e alla tua attività di intellettuale e poeta.

«Femine» e Muse

È un passo di notevole valore ideologico nell'economia dell'opera, perché, tralasciando la violenza dell'attacco deformante al mondo femminile, insiste su una tematica profonda: in primo luogo la naturale superiorità dell'uomo sulla donna, affermata con la «complicità» di Dio stesso e ribadita dal vecchio tema misogino di Eva come prima peccatrice. Che si tratti di «femine» e non di «donne» non sposta veramente i termini del discorso, dal momento che il *Corbaccio* ha già risolutamente affermato la rarità estrema di «donne» nel senso cortese della parola. È una tematica maschilista presente anche nel *Decameron*, dove, a tacer d'altro, le giovani che decidono di ritirarsi in campagna avvertono l'esigenza d'una compagnia maschile, riconoscendo anche loro il primato dell'uomo. Ma la posizione del *Decameron* è ribaltata dove si riconosce alle Muse una decisiva superiorità sulle donne, al contrario di quel che avveniva nell'introduzione alla quarta giornata, dove queste e non le Muse erano dichiarate le vere ispiratrici, di un'opera, per giunta, che il Boccaccio vantava di dedicare a loro. La contraddizione è in parte spiegabile con la differenza di «genere» letterario

e di situazione. Ma alla fine la descrizione degli argomenti dei colloqui con le Muse indica anche la volontà d'una poesia nuova, di elevato livello conoscitivo e spirituale, che alla «favola» dell'amore sostituisca la meditazione sui principi supremi della vita dell'uomo e del cosmo, sull'esempio di Virgilio e (sebbene non nominato) di Dante e forse del Petrarca latino (la tematica storica cui qui si allude potrebbe riferirsi all'*Africa*). È una tensione che percorre tutta l'attività dell'ultimo Boccaccio, che si dedica umilmente al servizio di queste nuove Muse, con un'entusiastica fede nel trionfo della poesia.

Nella vicenda configurata dal libro, è proprio questa coscienza dell'altezza del proprio ideale e della dignità che esso conferisce a chi lo persegue, il riscatto del protagonista dall'umiliazione subita da parte della donna, che giunge fino a sollecitare da lui una lettera d'amore per schernirla fra le braccia del suo ennesimo amante. Il fatto che l'autobiografismo medievale abbia sempre una forte tendenza all'esemplar1tà induce a pensare che nella sua rivolta contro l'amore negato, il Boccaccio coinvolgesse anche il risentimento per l'avaro riconoscimento che veniva dato al suo lavoro e il senso mesto della vecchiaia incipiente, che rendeva l'amore una favola ormai remota.

Dovevanti ancora gli studi tuoi dimostrare chi tu medesimo sii, quando il naturale conoscimento[1] mostrato non te l'avesse, e ricordarti e dichiararti[2] che tu se' uomo fatto alla imagine e alla similitudine di Dio, animale perfetto, e nato a signoreggiare, e non ad esser signoreggiato. La qual cosa nel nostro primo padre ottimamente dimostrò Colui,[3] il quale poco davanti l'aveva creato, mettendogli tutti gli altri animali dinanzi e faccendoglieli nomare[4] e alla sua signoria sopponendoli; il simigliante appresso faccendo di quella una e sola femina ch'era al mondo,[5] la cui gola e la cui disubbidienza e le cui persuasioni[6] furono di tutte le nostre miserie cagione e origine. Il quale ordine l'antichità ottimamente servò[7] e ancora serva il mondo presente, ne' papati, negli imperi, ne' reami, ne' principati, nelle provincie, ne' popoli e generalmente in tutti i maestrati e sacerdozi e nell'altre maggioranze così divine come umane,[8] gli uomini solamente, e non le femine preponendo e loro commettendo il governo degli altri e di quelle.[9] La qual cosa quanto valido e come possente argomento sia a dimostrare quanto la nobiltà dell'uomo ecceda quella della femina e d'ogni altro animale leggiermente a chi ha sentimento[10] puote apparere. E non solamente da questo si può o dee pigliare[11] che solamente ad alcuni eccellenti uomini questo così ampio privilegio di nobiltà sia conceduto; anzi s'intenderà essere ancora de' più menomi, per rispetto alle femine e agli altri animali;[12] per che ottimamente si comprenderà il più vile e 'l più menomo uomo del mondo il quale del bene dello 'ntelletto privato non sia, prevalere a quella femina, in quanto femina che temporalmente è tenuta più che alcuna delle altre eccellente.[13]

Nobilissima cosa adunque è l'uomo il quale dal suo Fattore fu creato poco minore che gli angeli. E, se il minore uomo è da tanto, da quanto[14] dovrà essere colui la cui virtù ha fatto ch'egli dagli altri ad alcuna eccellenza sia elevato? Da quanto dovrà essere colui il quale i sacri studi, la filosofia ha dalla meccanica turba[15] separato? Del numero della quale tu per tuo ingegno e per tuo studio, aiutandoti la grazia di Dio, la quale a niuno che se ne faccia degno, domandandola, è negata, se' uscito, e tra' maggiori devenuto degno di mescolarti. Come non ti conosci tu? Come così ti avvilisci? Come t'hai così poco caro che tu ad una femina iniqua insensatamente di lei credendo quello che mai non le piacque,[16] ti vada a sottomettere?

[...] A te s'appartiene, e so che tu 'l conosci, più d'usare i solitari luoghi che le moltitudini, ne' templi e negli altri publici luoghi raccolte, visitare;[17] e quivi studiando, operando,[18] versificando, esercitare lo 'ngegno e sforzarti di divenire migliore e d'ampliare a tuo podere, più con cose fatte che con parole, la fama tua; che appresso a quella salute ed etterno riposo, il quale ciascuno che dirittamente disidera dee volere, è il fine della tua lunga sollecitudine.[19] Mentre tu sarai ne' boschi e ne' remoti luoghi, le Ninfe castalide,[20] alle quali queste malvage femine si vogliono assomigliare,[21] non t'abbandoneranno già mai; la bellezza delle quali, sì come io ho inteso, è celestiale; dalle quali, così belle, tu non se' né schifato né schernito, ma è loro a grado il potere stare, andare e usare teco.[22] E, come tu medesimo sai, che molto meglio le conosci che io non fo, elle non ti metteranno in disputare o discutere quanta cenere si voglia a cuocere una matassa d'accia, o se il lino viterbese è più sottile che 'l romagnuolo; né che troppo abbia il forno la fornaia scaldato e la fante meno lasciato il pane levitare; o che da provedere sia donde vegnano delle granate

1. **conoscimento**: senno. Parla sempre lo spirito inviato a salvamento dell'autore.
2. **dichiararti**: rivelarti chiaramente.
3. **nel nostro**: nel caso del nostro. **primo padre**: Adamo.
4. **nomare**: nominare. Secondo il racconto biblico, Dio invitò Adamo a dare un nome agli animali e alle cose; questo, per il Boccaccio, diviene un segno di dominio su di essi.
5. **una... mondo**: Eva, anch'essa «nominata» da Adamo.
6. **persuasioni**: 1e ragioni addotte per persuadere Adamo a cibarsi del frutto proibito.
7. **servò**: conservò (l'ordine è quello del primato del maschio sulla femmina).
8. Premetti a **ne' papati** ecc. **gli uomini... preponendo. maestrati**: magistrature. **maggioranze**: cariche maggiori.
9. **commettendo**: affidando. **di quelle**: delle donne.
10. **leggiermente**: facilmente. **sentimento**: retto giudizio.
11. **pigliare**: desumere.
12. **menomi... rispetto**: minimi (di minore peso e dignità), che sono sempre più importanti delle donne e degli altri esseri animati.
13. **prevalere... eccellente**: prevalga per dignità sulla donna che sia ritenuta più eccellente delle altre prescindendo dal potere che le possa venire dal rango sociale occupato qui, in questa vita; considerata, pertanto nella sua pura condizione femminile.
14. **da quanto**: quanto nobile e importante.
15. **meccanica turba**: la folla di coloro che si dedicano ad attività inferiori per dignità alle discipline liberali: ossia i mestieri e le professioni esercitate a scopo di lucro.
16. **quello... piacque**: credendo che fosse donna di elevate virtù, che, invece, non le sono mai piaciute.
17. **visitare**: frequentare. Costruisci: A te s'appartiene... usare i solitari luoghi (piuttosto) che visitare (= frequentare) le moltitudini raccolte ecc.
18. **operando**: allude all'esercizio creativo, soprattutto ai trattati.
19. **sollecitudine**: operosità appassionate. La gloria terrena, dunque, e quella eterna sono le due supreme idealità per il Boccaccio, in questo più vicino a Dante che non al Petrarca, che insiste sulla fugacità della gloria e sulla sua incapacità a dare la felicità all'uomo.
20. **castalide**: Le Muse, dette Castalie dalla fonte sul Parnaso consacrata a loro.
21. **si... assomigliare**: pretendono di assomigliare. Ma era stato il Boccaccio ad affermarlo, nel proemio alla quarta giornata del *Decameron*.
22. **usare teco**: vivere amichevolmente con te, frequentarti.

che la casa si spazzi;[23] non ti diranno quel ch'abbia fatto la notte passata monna cotale, e monna altrettale; né quanti paternostri ell'abbian detti al predicare;[24] né s'egli è il meglio alla cotale roba mutare le sale[25] o lasciarle stare; non ti domanderanno danari né per liscio, né per bossoli, né per unguenti.[26] Esse con angelica voce ti narreranno le cose dal principio del mondo state sino a questo giorno; e sopra l'erbe e sopra i fiori alle dilettevoli ombre teco sedendo, a lato a quel fonte le cui ultime onde non si videro già mai,[27] ti mosterranno le cagioni de' variamenti de' tempi e delle fatiche del sole e di quelle della luna; e qual nascosa virtù le piante nutrichi e insieme faccia li bruti animali amichevoli; e donde piovano le anime degli uomini; e l'essere la divina bontà etterna e infinita; e per quali scale ad essa si salga e per quali balzi si trarupi[28] alla parte contraria; e teco, poi che i versi d'Omero, di Virgilio e degli altri antichi valorosi avranno cantati, i tuoi medesimi, se tu vorrai, canteranno. La lor bellezza non ti inciterà al disonesto fuoco, anzi, il caccerà via; e i lor costumi ti fieno inreprobabile dottrina[29] alle virtuose opere.

Che dunque, potendo così fatta compagnia avere, quando tu la vogli, e quanto tu la vogli, vai cercando sotto i mantelli delle vedove, anzi de' diavoli, dove leggermente potresti trovare cosa che ti putirebbe?[30]

23. Qui e subito dopo il Boccaccio rifà il verso ai discorsi che le donne fanno in casa, insistendo sulla loro vacuità e volgarità banale, che si spinge fino al basso pettegolezzo. **accia**: filo torto o refe. **viterbese... romagnuolo**: due specie di lino, allora pregiate.
24. **al predicare**: alla funzione religiosa accompagnata da predica.
25. **le sale**: guarnizioni, ricami.
26. **liscio... unguenti**: cosmetici, vasetti per contenerli, profumi.
27. **quel fonte... mai**: il fonte è quello Castalio, e simboleggia la sapienza, mai veduta nella sua interezza. Più avanti: **mosterranno**: mostreranno.
28. **trarupi**: si cada nel baratro costituito dalla parte contraria alla bontà divina.
29. **disonesto fuoco**: la sensualità. **inreprobabile**: non criticabile.
30. **ti putirebbe**: ti spiacerebbe col suo puzzo.

Un'acconciatura complicata

L'«attacco» del defunto marito alla vedova è, come s'è detto, violentissimo, e parte sempre dal presupposto che i difetti, le colpe, le miserie di lei sono quelli di tutte le donne. La «cura» cui viene sottoposto l'autore è decisamente forte: lo spirito soccorritore gli enumera le macchie del corpo e dell'anima femminile fino ai particolari fisici più volgari. Solo qua e là aleggiano il sorriso e l'ironia caricaturale come in questo passo, in cui, di là del critico esacerbato e offeso, riappare il novellatore spiritoso, capace di agili caricature come questa della donna allo specchio, che cerca invano e studiosamente di porre rimedio ai primi guasti dell'età. Non per questo l'invettiva generale perde efficacia: si unisca questo passo ai discorsi femminili presi in giro nel passo precedente; i due momenti bastano alla demistificazione della tematica «cortese», della donna come «*domina*». Ma vi s'intravede anche la sostanziale miseria della condizione della donna di ceto medio-alto; l'ignoranza in cui è tenuta, la condanna a piacere; una condizione che balenava anche nella prefazione del *Decameron*. L'età, la delusione amorosa hanno posto il Boccaccio più direttamente davanti al gusto amaro della verità.

Sopra tutte l'altre cose, a cui caluto non ne fosse, era da ridere[1] l'averla veduta quando s'acconciava la testa, con quanta arte, con quanta diligenza, con quanta cautela ciò si facesse; in quello certo pendevano le leggi e' profeti.[2] Essa primieramente negli anni più giovani (quantunque più vicini a quaranta che a trentasei fossono, posto che ella, non così buona abbachiera,[3] li dicesse ventotto), fatti, lasciamo stare l'aprile e 'l maggio, ma il dicembre e il gennaio, di sei maniere d'erbette verdi o d'altrettante di fiori, donde ch'ella se li avesse, apparecchiare[4] e di quelle certe sue ghirlanduzze composte, levata per tempissimo e fatta venire la fante, poi che molto s'era il viso e la gola e lo collo con diverse lavature strebbiata[5] e quelli vestimenti messisi che più all'animo l'erano, a sedere postasi in alcuna parte della nostra camera, primieramente si mettea davanti un grande specchio e talor due, acciò che bene potesse in quelli di sé ogni parte vedere e qual di loro men che vera la forma sua mostrasse;[6] e quivi dall'una delle parti si faceva la fante stare e dall'altra avea forse sei ampolluzze e vetro sottile e orochico e così fatte bazzicature.[7] E, poi che diligentemente s'avea fatta pettinare, ravvoltisi i capelli al capo, sopr'essi non so che viluppo di seta, il quale essa chiamava «trecce», si poneva; e, quelle con una reticella di seta sottilissima fermate, fattosi l'acconce ghirlande e i fiori porgere, quelle primieramente in capo postesi, andando per tutto fioretti compartendo, così il capo se ne dipignea, come talvolta d'occhi la coda del paone avea veduta dipinta; né niuno ne fermava che prima allo specchio non ne chiedesse consiglio.[8]

Ma poi che l'età venne troppo parendosi[9] e i capelli, che bianchi cominciarono a divenire, quantunque molti tutto 'l dì se ne facesse cavare, richiedeano i veli, come l'erba e' fiori solea prendere,[10] così di quelli il grembo e il petto di spilletti s'empieva e collo aiuto della fante si cominciava a velare; alla quale, credo, con mille rimbrotti ogni volta dicea: «Questo velo fu poco ingiallato; e

1. **a cui... ridere**: era cosa ridevole per chi avesse potuto disinteressarsene (e dunque non per il marito che subiva tutte le bizze e le lungaggini di quella acconciatura mattutina).
2. **in quello... profeti**: certo la cosa riguardava le leggi umane e divine.
3. **non... abbachiera**: non esperta d'abbaco, e dunque di calcolo (non sapeva, dice sarcasticamente, fare il conto esatto dei suoi anni). **fossono**: fossero.
4. **apparecchiare**: va con **fatti**. Si faceva non soltanto in primavera, ma anche in inverno preparare una gran varietà d'erbe e di fiori.
5. **strebbiata**: stropicciata; era un lavoro non facile, data la quantità di creme e unguenti che vi aveva steso sopra.
6. I due specchi servono a controllare, attraverso un attento confronto quale dei due fosse meno attendibile (avrebbe poi provveduto a spostarli ecc.).
7. **vetri sottili**: sottili scaglie di vetro per curare la pelle, togliendone le impurità. **orochico**: resina gommosa. **bazzicature**: bazzeccole.
8. **ne fermava**: ne fissava.
9. **parendosi**: manifestandosi.
10. **come... prendere**: doveva usare il velo, così come prima soleva adornarsi d'erbe e fiori.

questo altro pende troppo da questa parte; manda questo altro più giù; fa' stare più tirato quello, ché mi cuopre la fronte; lieva quello spilletto che m'hai sopra le orecchie posto, e ponlo più in là un poco; e fa' più stretta piega a quello che andar mi dee sotto 'l mento; togli[11] quel vetro e levami quel peluzzo che m'è nella gota di sotto all'occhio manco. Delle quali cose e di molte altre, che essa le comandava, se una sola meno a suo modo le avesse fatta, cento volte, cacciandola, la bestemmiava,[12] dicendo: «Va' via; tu non se' da altro che da lavare scodelle; va': chiamami donna cotale». La quale venuta, tutta in ordine si rimetteva; e dopo tutto questo, le dita colla lingua bagnatesi, a guisa che fa la gatta or qua or là si lisciava, or questo capello or quello nel suo luogo tornando;[13] e di quinci[14] forse cinquanta volte or dinanzi, or da lato nello specchio si riguardava e, quasi molto a se stessa piacesse, appena da quello si sapea spiccare.[15]

11. togli: prendi.
12. bestemmiava: rimproverava acerbamente.
13. tornando: riportando.
14. di quinci: da questo momento in poi.
15. spiccare: staccare.

La «Genealogia deorum gentilium»

Quest'opera («Genealogia» o «origine degli dèi pagani»), la più importante fra quelle latine, fu composta dal Boccaccio dopo il 1351, nel periodo di maggior fervore dei suoi studi storico-letterari ed eruditi, conseguito a quello propriamente creativo. Risente dell'influsso del Petrarca e si colloca al centro della ricerca umanistica intrapresa dai due scrittori, che postulava un ampliamento filologico delle conoscenze intorno al mondo classico e una lettura dei testi più rispettosa della loro reale significazione.

Il libro nasce come un grande repertorio, ricco, sul piano dell'informazione, più delle opere del genere apparse fino ad allora. Ma ciò che maggiormente lo distingue da esse è la rilettura delle favole antiche, e cioè della mitologia, indagata nei suoi aspetti storico-ideologici, sì da recuperarla come momento significativo d'una civiltà.

Sul piano tecnico, il recupero si avvale della forma tipica dell'esegesi medievale: l'interpretazione allegorica. La mitologia (ossia le «favole» dei poeti antichi), è un «velo» o «velame» o «corteccia»; una «*fictio*», insomma, o invenzione fantastica, escogitata per nascondere (e rivelare) profondi significati spirituali; è, nel contempo, modo intuitivo, per i più semplici, di partecipazione alla verità, e stimolo alle menti più acute a penetrarla più a fondo, dato che ogni verità è scala ad altre più comprensive: quelle che saranno rivelate dal Cristianesimo. Ma l'indagine si limita qui al momento umano (o umanistico) della conquista del vero; si potrebbe anzi dire a quello storico, nel senso che la mitologia antica viene considerata, appunto, nella storia della civiltà, prima della Rivelazione di Cristo; non priva, tuttavia, di intuizioni profonde, come il culto delle grandi virtù, celebrate dai poeti attraverso l'esaltazione degli eroi.

Il Boccaccio ammette una sostanziale identità, nel modo di procedere, fra poesia e Sacra Scrittura (la poesia di Dio); il fatto che anche questa usi una forma poetica e parli spesso per allegorie ed enigmi, dimostra la piena funzionalità e necessità della comunicazione poetica. Su questa persuasione si fonda l'appassionata difesa della poesia negli ultimi libri (XIV e XV) soprattutto nel penultimo, che prescinde da ogni facile e immediata cristianizzazione delle favole antiche, per dimostrare ai denigratori della poesia (filosofi e religiosi rigoristi), il suo valore etico-conoscitivo fin dai tempi antichi. A questa persuasione il Boccaccio unisce due concetti importanti. Il primo, di origine platonica, è quello della poesia come «fervore» o ispirazione concessa immediatamente da Dio a pochi eletti (in tal modo la poesia riceve una sorta di sanzione divina); il secondo è quello dell'inscindibilità fra ispirazione profonda e capacità tecnica, linguistica, stilistica e d'organizzazione strutturale in ogni suo aspetto fantastico e ideologico: una capacità che rende possibile trasmettere sublimi concepimenti. In tal modo il messaggio poetico è visto come sintesi di fantasia e stile, di moralità e bellezza; capace di giungere a intuire e descrivere l'armonia del mondo e della vita. Soprattutto esso è discorso umano agli uomini, fautore di quella civiltà che si attua essenzialmente nel dialogo, secondo una tipica prospettiva umanistica. Uniamo qui a passi tradotti dalla *Genealogia*, altri del *Trattatello* dantesco (scritto in italiano), di ispirazione analoga.

Essenza, nome e funzione della poesia

Il libro XIV della *Genealogia* è una brillante difesa della poesia dalla condanna di filosofi e teologi, riacutizzatasi allora proprio per la secolarizzazione della cultura che si veniva operando a opera di intellettuali come Petrarca e Boccaccio. Si rinnovavano pertanto condanne antiche della poesia e dei poeti, da quella di Platone a quelle del Cristianesimo delle origini, impegnato strenuamente a definirsi in opposizione alla cultura pagana classica, e dunque alla mitologia come sistema di culto e di credenze. In queste pagine il Boccaccio parte tuttavia da una difesa della poesia spesso usata, come compromesso onorevole, nel Medioevo: la poesia è *integumentum*, velo, corteccia o bella finzione che ricopre un parlare nascosto, ossia una verità profonda; è *allegoria* d'una verità che essa rende meglio accessibile al lettore, soprattutto non filosofo, con la «dolcezza» della favola o invenzione fantastica. Era un'idea sapienziale della poesia, già condivisa dagli Stoici e da Orazio: il *diletto* provocato dall'evocazione fantastica era una via che conduceva all'*utile*, ossia all'edificazione morale e/o religiosa; diveniva conoscenza sensibile di verità che non sono alla portata dei sensi. L'interpretazione allegorica appariva pertanto necessaria alla comprensione di tutta la poesia, a cominciare da quella del passato; e quest'ultima comprendeva la Sacra Scrittura e i Classici.

Il Boccaccio aderisce a questa soluzione, vedendo nelle forme e nei procedimenti del testo biblico (la poesia di Dio) un'autorizzazione anche della poesia umana. Questa ora sarà al servizio, sul piano filosofico-dottrinario, d'una verità già data (mentre i poeti dei Gentili furono anche teologi) ma conserva una sua specificità e funzione. Creazione fantastica, fondata su un uso particolare del linguaggio, dotata del potere suasivo come e più della retorica, essa configura una coscienza del mondo, della verità e dei rapporti umani: rende l'uomo meglio adatto al colloquio con gli altri in cui consiste la civiltà.

Riportiamo buona parte del cap. VII.

La poesia, rigettata da ignoranti e ignavi, è una sorta di ispirazione fervida che induce a inventare e a esprimere, in parole e scritti, queste invenzioni. Questa ispirazione, che viene direttamente da Dio,[1] a poche menti, come penso, è concessa sotto l'aspetto creativo; per questo suo aspetto mirabile,[2] sempre furono rarissimi i poeti. Sublimi sono, infatti, gli effetti di questa ispirazione, come, per esempio, spingere la mente alla volontà di dire, escogitare peregrine e inaudite invenzioni fantastiche, e, dopo averle meditate, comporle in ordine sicuro, ornare la composizione con un originale contesto di parole e di pensieri e ricoprire la verità d'un velo appropriato di favole.[3] Inoltre, se l'invenzione lo chiede, deve armare re, condurli in guerra, mandar fuori dai porti arsenali le flotte, descrivere il cielo, la terra, il mare, porre sul capo alle fanciulle ghirlande di fiori, rappresentare gli atti degli uomini in relazione alla loro qualità, ridestare i torpidi, dar coraggio agli ignavi, rattenere i temerari, incatenare i colpevoli, innalzare gli uomini egregi con le meritate lodi, e tante altre cose di tal genere.[4] Se qualcuno di coloro al quale Dio infonde quel fervore d'ispirazione non avrà fatto debitamente queste cose, non sarà, a mio giudizio, poeta degno di gloria. Ancora: per quanto possa incitare gli animi in cui è infuso, rarissimamente quell'impulso consegue qualcosa di veramente lodevole, se verranno meno gli strumenti con cui si usa da sempre portare a compimento le invenzioni poetiche; per esempio, i precetti della grammatica e della retorica latine, la cui piena conoscenza è opportuna, anche se alcuni hanno già composto poesia in modo mirabile nella lingua materna e hanno saputo trattare adeguatamente le singole componenti del dettato poetico.[5] Di conseguenza è necessario conoscere almeno i principi delle altre arti liberali e di quelle morali e naturali; e, anche, avere grande competenza linguistica, avere visto i capolavori degli scrittori precedenti, e infine, ricordare le storie dei popoli, le regioni del mondo, l'aspetto dei mari, dei fiumi, dei monti.[6] [...] E poiché da questa ispirazione che acuisce e affina esteticamente le forze degli ingegni, nulla è prodotto, se non fatto a regola d'arte, la poesia è stata per lo più chiamata «arte». Infatti la parola «poesia» non deriva, come moltissimi avventatamente credono da «poio pois», che significa «immagino, invento», ma dalla parola «poetes», antichissimo vocabolo greco, che ha il significato di «elocuzione raffinata».[7] Infatti i primi che, pervasi da questa ispirazione, cominciarono a parlare in modo artisticamente raffinato a generazioni ancor rozze, per esempio in versi, un modo di parlare allora sconosciuto, affinché paresse anche musicale alle orecchie degli ascoltatori, lo modularono su tempi commisurati, e affinché per l'eccessiva brevità non scemasse il diletto o non paresse apportare tedio per lunghezza eccedente, misuratolo su ben definite regole, lo costrinsero entro un numero limitato di versi e sillabe.[8] E quello che nasceva da un tanto accurato ordine di discorso non era più chiamato «poesia», ma «poema». [...] In breve: appare chiaro agli uomini che abbiano un'idea religiosa del mondo[9] che la poesia è una facoltà operativa, che ha origine nel grembo di Dio, prende nome da ciò che produce; e che le appar-

1. Il ricondurre a Dio la concessione della superiore attività fantastica ed espressiva di cui il genio è capace, è già una prima giustificazione radicale dell'esistenza della poesia.

2. Il **mirabile** è, appunto, dato dall'eccezionalità del genio poetico.

3. Nel testo latino: «velamento fabuloso atque decenti veritatem contegere». In questa prima definizione il Boccaccio insiste essenzialmente sulle doti che caratterizzano il poeta. Ma si noti, fin da ora, l'insistenza sulla poesia come «*ars*», che comprende la capacità di strutturare ed esprimere adeguatamente sul piano formale le invenzioni fantastiche.

4. Sono qui addotti, invece, gli effetti della poesia sul lettore, sul piano etico (esortazione a una moralità più alta, celebrazione delle personalità eroiche che l'hanno espressa), ma anche psicologico ed estetico: la visione commossa e partecipe della grandiosità e armonia del mondo, il culto della bellezza — le ghirlande di fiori alle fanciulle —, il senso del giusto e della moralità impresso negli animi come persuasione intuitiva immediata.

5. Per il suo alto ufficio, la poesia presuppone dottrina, a cominciare da quella retorica e, prima, linguistica. È qui interessante vedere come esista ancora una sudditanza al latino, grande lingua di cultura e di poesia, di cui il Boccaccio riconosce la funzione formatrice anche per lo scrittore italiano. In effetti il latino era stato il modello dominante nella creazione della lingua letteraria italiana, e continuava a esserlo.

6. Accanto alla sapienza linguistico-stilistica, il Boccaccio chiede al poeta anche quella relativa alla storia letteraria e civile, alla geografia, alla filosofia morale e alle arti liberali del trivio e del quadrivio (grammatica, dialettica, retorica, musica, aritmetica, astronomia, geometria); e cioè la conoscenza di tutto lo scibile umano. Sono, invece, assenti la metafisica, la filosofia teoretica e la teologia.

7. L'etimologia è cervellotica; ma al Boccaccio preme mettere in rilievo la poesia come forma di colloquio umano eletto.

8. Cfr. il passo seguente.

9. L'autore vuole liberare le sue affermazioni da ogni sospetto di irreligiosità; il suo scopo è trovare una specificità dell'attività letteraria, non sostituirla alla religione e alle operazioni che questa richiede e che egli reputa legittime in quell'ambito. La polemica è, se mai, contro i religiosi estremisti che rifiutano di considerare le realtà umane che non collimino espressamente e immediatamerte con quelle religiose.

tengono molte cose insigni e fauste, di cui spesso si servono quegli stessi che la negano.[10] Se chiedono dove e quando, glielo dico subito. Confessino sotto la guida e per opera di chi compongono le loro fantasie, quando ergono al cielo le loro scale, distinte nei vari gradini, mentre alti alberi ricchi di rami ergono fino al cielo, mentre percorrono nelle varie terrazze monti eccelsi.[11] Diranno forse, per togliere merito alla poesia che ignorano, che usano qui l'arte della retorica, cosa che, in parte, non negherò. La retorica ha, infatti, le sue invenzioni, ma nei velami dell'invenzione poetica non ha parte; è pura poesia tutto ciò che viene composto sotto un velo fantastico e viene esposto con espressione artisticamente raffinata.[12]

10. Vuol dire che anche i religiosi, negatori della funzione della poesia, devono usare un linguaggio fantastico per esprimere certi misteri della fede.

11. Dà alcuni esempi di ciò che ha appena affermato: le **scale** sono i gradi dell'ascesa mistica, **alberi di virtù** erano particolari rappresentazioni delle virtù, delle loro figliazioni e rapporti, il **monte** cui si allude è il Purgatorio, qual è stato concepito da Dante.

12. Alla possibile obiezione dei religiosi che essi nei casi sopra citati usano un linguaggio metaforico, definito dall'arte retorica, il Boccaccio oppone che le grandi immaginazioni e le grandi espressioni capaci veramente di trascinare gli animi, come quelle di persuasione collettiva che si sono viste, non sono di pertinenza della retorica, ma della poesia.

La nascita della poesia

Inseriamo qui una pagina tratta dal *Trattatello in laude di Dante*, che corrisponde alle affermazioni centrali del capitolo VIII del libro XIV della *Genealogia*, intitolato *In qual parte del mondo prima risplendette la poesia*. Si è preferito offrire un testo originale piuttosto che una traduzione, per sua natura sempre imprecisa; ma il capitolo del trattato latino affrontava anche un altro importante discorso, proponendo due tradizioni: se la poesia fosse incominciata con Mosè o con gli antichi e mitici cantori greci, come Orfeo o Museo (sintomatico il sospetto che possa trattarsi dello stesso Mosè). Ambedue le notizie erano date come possibili, anzi probabili, e il lettore era chiamato a scegliere liberamente. Sembra cosa da poco, ma è significativa d'un mutamento di cultura e civiltà questo non rifarsi (come avrebbe fatto Dante) a una testimonianza biblica, privilegiandola su tutte: tanto più che si assegna qui alla poesia un'origine sacrale. La poesia nasce, infatti, secondo il Boccaccio, per onorare la divinità, e i primi poeti sono anche teologi (come pensava anche il Petrarca, la cui presenza è qui evidente); questo serve al Boccaccio a conferirle una dignità altissima, a toglierla dalla sudditanza ad altre arti o discipline, dalla filosofia alla teologia. Altrettanto notevole è l'insistenza sulla specificità della poesia collocata non nella scoperta della verità — che essa avrebbe in comune con altre discipline — ma con un certo tipo di discorso: con una tecnica, cioè, atta a produrre certi effetti psicologici, e soprattutto a essere una modalità autonoma di espressione dell'uomo.

La prima gente de' primi secoli, come che rozzissima e inculta fusse,[1] ardentissima fu di conoscere il vero con istudio, sì come noi veggiamo ancora naturalmente disiderare a ciascuno.[2] La quale, veggendo il cielo muoversi con ordinata legge continuo,[3] e le cose terrene avere certo ordine e diverse operazioni in diversi tempi,[4] pensarono di necessità dovere[5] essere alcuna cosa, dalla quale tutte queste cose procedessero, e che tutte l'altre ordinasse, sì come superiore potenzia da niuna altra potenziata.[6] E, questa investigazione seco diligentemente avuta, s'immaginarono quella, la quale «divinità» ovvero «deità» nominarono, con ogni coltivazione, con ogni onore e con più che umano servigio esser[7] da venerare. E perciò ordinarono, a reverenza del nome di questa suprema potenzia, ampissime e egregie case, le quali ancora estimarono fossero da separare così di nome, come di forma separate erano, da quelle che generalmente per gli[8] uomini s'abitavano, e nominaronle «templi». E similmente avvisarono doversi ordinar ministri, li quali fossero sacri e, da ogni mondana sollicitudine rimoti, solamente a' divini servigi vacassero.[9] [...] gli quali appellaroro sacerdoti [...]. E acciò che a questa cotale potenzia tacito onore o quasi mutolo non si facesse, parve loro che con parole d'alto suono essa fosse da umiliare[10] e alle loro necessità rendere propizia. E così come essi estimavano questa eccedere ciascuna altra cosa di nobiltà, così vollono che, di lungi da ogni plebeio o pubblico stilo di parlare,[11] si trovassero parole degne di ragionare dinanzi alla divinità, nelle quali le si porgessero sacrate lusinghe.[12] E oltre a questo, acciò che queste parole paressero avere più d'efficacia, vollero che fossero sotto legge di certi numeri composte, per li quali alcuna dolcezza si sentisse, e cacciassesi il rincrescimento e la noia.[13] E certo questo non in volgar forma o usitata, ma con artificiosa e esquisita e nuova[14] convenne che si

1. Come che... fusse: sebbene fosse.

2. a ciascuno: da parte di ciascuno. **istudio**: indica desiderio vivo e strenua attività per soddisfarlo.

3. continuo: continuamente (va con **cielo**).

4. certo: sicuro, ben definito. L'aggettivo va riferito anche alle **operazioni**, o attività (si pensi alle stagioni). Si tratta dell'ideale pitagorico-platonico, passato poi nella cultura cristiana e proseguito fino al secolo scorso, dell'«armonia del mondo»; avvertita, ovviamente, nel Medioevo come espressione della Mente ordinatrice di Dio.

5. pensarono... dovere: pensarono che dovesse. È la costruzione latina dell'accusativo con l'infinito, più volte usata nel passo. Questi latinismi (si veda, in precedenza «istudio», «inculta», o, più avanti, «vacassero») conferiscono, nell'intenzione dell'autore, nobiltà stilistica e solennità al discorso.

6. potenziata: la parola **potenzia** indica qui un essere dotato di virtù operativa capace di essere, come allora si diceva secondo la filosofia aristotelica, **motore** d'un altro essere o cosa. Dio era concepito come primo motore immobile. Più avanti: **coltivazione**: culto.

7. esser: che fosse.

8. a... nome: per diffondere la riverenza dovuta al nome (e al nume). **ancora**: inoltre. **forma**: aspetto. **per gli**: dagli.

9. e da... vacassero: e, rimossi da ogni altra cura mondana, dedicassero se stessi soltanto al culto divino.

10. umiliare: addolcire.

11. vollono: vollero. **di lungi da**: lontano da. **stilo... parlare**: modo di parlare.

12. sacrate lusinghe: preghiere, nelle quali si onora la divinità.

13. acciò che: affinché. **certi numeri**: allude al ritmo, al numero delle sillabe nel verso e dei versi nella strofa (o dei *piedi*, se si tratta di versificazione latina); comunque sia, alla strutturazione metrica. **noia**: fastidio: La metrica, e cioè la versificazione, causa diletto per la musicalità o eufonia che imprime al dettato e lo libera da ogni senso di prolissità o fastidio.

14. artificiosa... nuova: il primo termine non ha il senso negativo che ha oggi, ma indica consapevole e ben dotato prodotto artistico, il secondo ne è un'intensificazione (riprende il termine latino che allude a

facesse. La quale forma li Greci appellano *poetes*; laonde nacque che quello che in cotale forma fatto fosse s'appellasse *poesis*; e quegli che ciò facessero o cotale modo di parlare usassono, si chiamassero «poeti».[15]

sottolineare quella che era l'arte, o operazione specifica e meditata, dei poeti. **usassono**: usassero.

ricercatezza raffinata e originale); **nuova** indica la novità di questo tipo d'espressione.

15. La stessa etimologia errata nella *Genealogia deorum gentilium*; ma al Boccaccio stava a cuore

Le «favole» dei poeti

Di interesse notevolissimo è questo cap. IX del libro XIV della *Genealogia*, che riassume anch'esso una disputa secolare della cultura medievale, presente fin da Sant'Agostino: quella della liceità delle favole dei poeti, che coinvolgeva, alle origini del Cristianesimo, il destino della letteratura classica, fondata essenzialmente sulla mitologia, e cioè sugli dèi «falsi e bugiardi» (Dante), e, tramite essi, su una visione del mondo avversa alla prospettiva cristiana.

Il problema era quello di verità e menzogna, che conduceva a salvare *in extremis* la «bella menzogna», come diceva Dante, dei poeti, purché le si trovasse una giustificazione sul piano teoretico e/o etico, attraverso l'interpretazione allegorico-sapienziale. Il Boccaccio è decisamente su una posizione ormai del tutto diversa, lui, autore non d'un «poema sacro», ma della commedia dell'uomo, di una letteratura di intrattenimento portata a esaltare l'amore, l'intelligenza, la vittoria sulla «fortuna», indipendentemente dalle motivazioni religiose. Di conseguenza egli incomincia il capitolo (nella parte qui omessa) affermando che i poeti sono «fabulosi», cioè «fabularum compositores»: narratori e inventori di azioni narrative. Ma *fabula*, che ha la stessa etimologia di *for* (parlo, dico), è parola che riguarda anche la Sacra Scrittura. E allora si tratterà non di accettare o condannare, ma di spiegare, dice la nuova civiltà laica che egli impersona, sottolineando il fatto che i quattro tipi di favola individuati qui hanno tutti un esempio (e dunque un'autorizzazione) nella Bibbia. Il più interessante è il terzo, suddiviso in due forme: quella dell'epopea e quella degli esempi o vicende tratti dal quotidiano; entrambi sono posti dal Boccaccio sotto un denominatore comune, la somiglianza con la storia; il secondo, in particolare, è il genere di favola (o meglio *fabula*, nel senso che viene dato oggi alla parola, di «tematica narrativa») del *Decameron*. Tutti i tipi di *fabula* vengono comunque sia, accettati, anche quello delle vecchiette al focolare, che rivela la ricerca d'una comprensione logica degli eventi, d'un ordine che l'intelligenza possa riconoscere o imporre al loro caotico fluire. È in questa pagina, ci sembra, la più profonda giustificazione estetica che il Boccaccio abbia offerto del suo capolavoro.

Alcuni definirono in tal modo la favola: «La favola è un discorso esemplare o dimostrativo sotto un'invenzione immaginaria, e rimossane la corteccia[1] si vede chiaro l'intento del suo inventore. Io credo che ve ne possano essere quattro specie; la prima è totalmente priva di verità nella corteccia, e si ha, per esempio, quando rappresentiamo animali bruti o anche cose inanimate che parlano fra loro. Il più grande autore di queste fu Esopo, uomo greco, venerabile per antichità e per gravità di concetti. [...] La seconda specie mescola, in superficie, il vero col favoloso, almeno talvolta, come quando diciamo che le figlie di Mineo, mentre tessevano e disprezzavano le cerimonie sacre di Bacco, furono tramutate in pipistrelli. Queste favole fin dall'età più remota ritrovarono i poeti primitivi, che ebbero cura di nascondere insieme sotto veli fantastici le cose divine e umane[2] [...]. La terza specie è più simile alla storia che alla favola. Questa i poeti celebri usarono in due modi diversi. Infatti i poeti epici, per quanto sembrino scrivere una storia, come Virgilio, quando rappresenta Enea sbattuto dalla tempesta e Omero, quando rappresenta Ulisse legato all'albero della nave per non essere trascinato dal canto delle sirene, sotto questo velo fantastico[3] alludono a cosa ben diversa da quella che mostrano. Anche i poeti comici di maggior elevatezza morale, come Plauto e Terenzio, usarono questa forma di favoleggiamento, senza intendere altro da quello che dice la lettera, ma volendo tuttavia con la loro arte descrivere parole e costumi di uomini diversi e intanto ammaestrare i lettori e renderli cauti. E le cose che raccontano, se anche, di fatto, non furono, pure, essendo legate alla comune esperienza, poterono o avrebbero potuto essere.[4] La quarta specie di favole non ha alcuna verità implicita né in superficie né in profondità, essendo invenzione di vecchiette fuori del mondo.[5] Fra questi tipi di favola, se i nostri esimi negatori[6] condanneranno la prima specie, dovrà essere condannato anche ciò che leggiamo nella Sacra Scrittura, cioè che gli alberi della selva tennero fra loro un'assemblea per eleggersi un re. Se verrà, invece, rigettata la seconda, quasi tutto il sacro volume del Vecchio Testamento dovrà essere confutato (il che non sia!), vedendo che le cose in esso scritte si muovono come quelle rappresentate dai poeti, per quel che riguarda la struttura compositiva. Infatti, ove non si tratti di eventi storici in nessuno dei due casi ci si cura del livello di credibilità del senso dato immediatamente, e ciò che il poeta chiama "favola"

1. invenzione immaginaria: il testo latino ha **figmentum**, cui si collegano, in un campo semantico unitario, parole (usate altrove) come *fictio*, *figura*, ecc., derivate dal verbo latino *fingo*, che indica sia l'attività del vasaio (*figulus*), e cioè il dare una forma materiale inventata, sia la finzione fantastica. Non è facile tradurre questi termini in italiano, perché manca alla nostra lingua un termine come l'inglese *fiction*, e il nostro «finzione» ha, per lo più, senso peggiorativo; o indica, comunque sia, prevalentemente il distacco dalla realtà. **corteccia**: è la «finzione» (la *fabula* inventata dal poeta) entro la quale viene «nascosta» una verità. Quanto alla ragione di questo nascondere, la teoria non fu mai chiara. S. Agostino se la cavò dicendo che nella Scrittura questa oscurità (derivante dal nascondere) nasceva da un significato complesso di misteri non alla portata di tutti, e che serviva ad allontanare dal testo gli indegni; ma è giustificazione problematica; in parte, comunque sia, accolta anche dal Boccaccio.

2. La differenza fra queste e le favole del terzo tipo sta nel fatto che queste mescolano cose umane e divine, come nell'esempio qui dato. Le prime cadono nella categoria del favoloso (le Miniadi, la loro metamorfosi): alle cose divine appartiene la punizione della loro tracotanza sacrilega.

3. velo fantastico: nel testo latino **velamen**, che è la *corteccia* o *favola*. La parola *velame* è usata anche da Dante nell'*Inferno* (IX, 63).

4. Anche secondo Aristotele la poesia rappresenta non le cose avvenute, come la storiografia, ma quelle che avrebbero potuto essere, secondo verisimiglianza e coerenza col vero.

5. Il Boccaccio parla di «*vetulae delirantes*», e quest'ultimo aggettivo indica etimologicamente l'uscire dal seminato. Donde la nostra traduzione.

6. negatori: i filosofi ed ecclesiastici che condannano la poesia come cumulo di falo "invenzione fantastica", i nostri teologi chiamarono "figura".[7] Se le cose stiano così, lo vedano giudici più onesti, soppesando con equità la superficie delle visioni di Isaia, Ezechiele, Daniele e degli altri Santi, nelle Sacre Scritture, e poi quella delle invenzioni fantastiche dei poeti, e se le vedranno discrepanti nel modo di organizzare il velo di copertura fantastica del significato profondo, consentirò alla condanna della poesia. Se dissero che sia da condannare la terza specie (ma non possono), condanneranno insieme la forma di discorso che usò Gesù Cristo, figlio di Dio e nostro Salvatore, mentre era qui in terra, sebbene la Sacra Scrittura usi un vocabolo diverso da quello dei poeti, parlando di "parabole", o, a volte di "esempi", perché si tratta di discorsi formulati a mo' di esempio.[8] Quanto poi al fatto che la quarta specie sia condannata, dal momento che non sembra mossa da alcun principio importante, né avallata dal suffragio dell'arte, né avere uno sviluppo congruo, non me ne curo più di tanto. Hanno poco a che vedere con le favole dei poeti, anche se i detrattori di cui parliamo pensano che non differiscano in nulla da esse.[9]

Il Boccaccio si sofferma su esempi del valore che hanno avuto le favole nel calmare gli animi (esempio di Menenio Agrippa), nel rasserenarli, nel ricrearli, nell'eccitare il desiderio di nobili imprese; e cioè sulla loro importanza etica e psicologica. Dà poi nuove dimostrazioni ed esempi nel capitolo X, che conclude così:

È da credere che poeti insigni, nutriti dal latte delle Muse e allevati nelle case della filosofia e tempratisi nello studio delle cose sacre, posero sempre nei loro poemi significati profondissimi.[10] E, allo stesso modo, non esiste una vecchietta così pazza che, a veglia accanto al focolare, nelle notti d'inverno quando inventa e racconta favole di orchi, fate, streghe e simili, sotto il velo di ciò che racconta non includa, secondo le forze del suo debole intelletto, qualche significato, a volte per nulla degno di riso, per mezzo del quale voglia mettere paura ai piccini o rallegrare le ragazze o almeno mostrare il potere della fortuna».

sità capaci soltanto di nuocere alla formazione morale.

7. figura: Veramente il termine indicava più specificamente la cosiddetta *allegoria in factis* (un fatto, come il sacrificio di Isacco, che prefigurava quello di Cristo); la *fabula* o *fictio* è piuttosto il racconto immaginario con implicita un'allegoria.

8. Parabole o **esempi** possono essere visti come il genere cui meglio si avvicinano le *fabulae* del *Decameron*, fatte spesso precedere e/o seguire, dai narratori da un commento che può essere detto morale, nel senso che si occupa dei *mores* o costumi dell'uomo, non tanto o non sempre a scopo di giustificazione o di condanna, ma, prima di tutto, di comprensione e giudizio razionali sull'agire umano.

9. La ragione per cui il Boccaccio le tiene distinte è soprattutto la mancanza d'arte, di stile, ma anche di intreccio organizzato con coerenza.

10. Il Boccaccio sembra qui ritornare decisamente all'estetica medievale. Ma a ben vedere ciò che lo distingue da essa è la ricerca, nelle favole o fantasie dei poeti d'un contenuto di moralità o saggezza, o magari anche sapienza, meno programmatico, meno direttamente incentrato su preoccupazioni religiose troppo esclusivistiche o riducibili a forme di modesto catechismo. La sua novità non va ricercata in strumenti o principi filosofici nuovi, che non ebbe, ma in un senso più largo e ideologicamente disinteressato di cultura.

Poesia e verità

Si uniscono qui due passi: il primo, dal *Trattatello in laude di Dante*, è parafrasi d'un passo del Petrarca delle *Familiari* (X,4); il secondo è preso dalla *Genealogia* (XIV, x). Li accomuna l'entusiasmo per la poesia, di cui si rivendicano la verità e serietà profonde, pari a quelle della teologia, con la quale, nelle sue espressioni più alte essa finisce per coincidere. Ma è importante vedere come il Boccaccio ritrovasse questa dignità anche nell'opera dei suoi grandi contemporanei, Dante e Petrarca, di cui si rivela lettore attento. Del Petrarca presenta la parafrasi d'un passo che egli dovette sentire come una rivelazione e che può quindi far suo. Esso dimostra, pur nella diversità, la concordanza dei due grandi scrittori dell'autunno del Medioevo, fondatori consapevoli d'una nuova idea di letteratura e di cultura non solo letteraria.

Dico che la teologia e la poesia quasi una cosa[1] si possono dire, dove uno medesimo sia il suggetto; anzi dico più: che la teologia niuna altra cosa è che una poesia di Dio. E che altra cosa è che poetica finzione, nella Scrittura, dire Cristo essere ora leone e ora agnello e ora vermine,[2] e quando drago e quando pietra, e in altre maniere molte, le quali volere tutte raccontare sarebbe lunghissimo? che altro suonano le parole del Salvatore nello Evangelio, se non uno sermone da' sensi alieno? il quale parlare noi con più usato vocabolo chiamiamo «allegoria». Dunque bene appare, non solamente la poesì essere teologia, ma ancora la teologia essere poesia. E certo, se le mie parole meritano poca fede in sì gran cosa, io non me ne turberò; ma credasi ad Aristotele, degnissimo testimonio ad ogni gran cosa, il quale afferma sé avere trovato li poeti essere stati li primi teologizzanti.

Chi sarà così ignorante che, accorgendosi che il nostro Dante spessissimo con mirabile dimostrazione scioglie i nodi intricati della teologia, non si avveda che egli fu non soltanto filosofo, ma anche insigne teologo? E se penserà ciò, su qual ragione fondandosi penserà che egli abbia immaginato un grifone

1. una cosa: una sola cosa, la stessa cosa.
2. vermine: serpente.

bimembre che trascina un carro sulla vetta del monte dell'espiazione, accompagnato da sette candelabri e da altrettante ninfe, e il resto di quella pompa trionfare?[3] Solo per mostrare che sapeva comporre versi e favole? Chi, inoltre, sarà tanto pazzo da pensare che l'illustrissimo e cristianissimo Francesco Petrarca, la cui vita e i suoi costumi santissimi io stesso ho veduto e, con l'aiuto di Dio, spero che vedremo ancora a lungo, e del quale non ho conosciuto nessuno che tanto conto faccia non dirò del tempo, ma dei minimi atomi del tempo fuggente, abbia speso tante veglie, tante sacre meditazioni, tante ore, giorni, anni, quanti a buon diritto possiamo pensare che abbia speso, se del suo *Bucolicum carmen* soppeseremo la dignità del verso, l'ornato, la squisita eleganza delle parole, soltanto per fingere Gallo che domanda a Tirreno la sua zampogna o Panfilo e Mitione in lite fra loro e altri pastori del pari deliranti?[4]

3. Allude alla processione sacra che Dante vede in cima alla montagna del Purgatorio (*Pg* XXIX), tutta di figure allegoriche: col grifone, animale di due nature (Cristo) che tira il carro (la Chiesa), accompagnato da sette candelabri (i doni dello Spirito Santo), sette ninfe (le virtù cardinali e teologali) e altre figure allegoriche.
4. Il carme è in versi latini, e quindi frutto di arte dotta e difficile. Ove si tolga la significazione allegorica (e cioè la verità), esso rimane un dialogo banale e persino irragionevole di pastori.

I poeti non sono scimmie dei filosofi

Viene qui rintuzzata un'ulteriore accusa dei nemici della poesia, coerente, peraltro, con la loro posizione generale. Se, per difendere la poesia, si punta troppo sul contenuto di verità che essa può, sia pure con mezzi tutti suoi, presentare, la si mette in pericoloso confronto con la filosofia e con la teologia che questa verità cercano direttamente e con tecnica appropriata. Molto sagacemente il Boccaccio si rende conto di dover puntare altrove, nella sua difesa, cioè sullo specifico della poesia. A questo proposito, non chiama più in causa la verità, ma la natura, che il poeta imita nelle sue forme esterne e nella potenza plasmatrice di cui l'arte è, in qualche modo, emula. Quest'ultimo concetto è importante, perché pone l'imitazione nella prospettiva non banale dell'emulazione, che sarà la via percorsa dall'estetica rinascimentale. Va anche considerato il potere di effigiare fantasticamente ma incisivamente la realtà che il Boccaccio riconosce alla poesia, come si vede da quella enumerazione di oggetti di natura «imitati» dai poeti, che porta nel rigore del ragionamento il senso d'una suggestione poetica (*Genealogia*, XIV, XVII).

Alcuni detrattori della poesia, che si considerano superiori a tutti, dicono che i poeti sono scimmie dei filosofi. [...] Ma solo gli ignoranti possono ingannarsi su ciò. Infatti, se potessero comprendere i carmi dei poeti, si accorgerebbero che questi non sono da considerare scimmie, ma vanno computati nel numero dei filosofi, dal momento che i poeti non nascondono sotto un velo di favola nulla che non sia consono alla filosofia, come pensavano gli antichi. Inoltre il mero imitatore in nessun modo si allontana dalle orme dell'imitato; cosa questa che non si vede per nulla nei poeti. Infatti anche se non si allontanano dalle conclusioni filosofiche non pervengono a esse seguendo lo stesso percorso. Il filosofo, com'è noto, riprova con sillogismi quello che non ritiene vero, e allo stesso modo comprova ciò che considera tale, e fa questo nel modo più aperto che può. Il poeta, invece, ciò che meditando concepì sotto velame fantastico, messi da parte i sillogismi, nasconde con arte raffinata. Il filosofo scrive per lo più in prosa e come disprezzando ogni ornamento; il poeta scrive in versi, con grandissima cura e ricercando ornamenti notabili. Il filosofo, inoltre, disputa nelle accademie, il poeta canta in solitudine. Ora, siccome in queste cose differiscono, il poeta non può essere, come dicono, scimmia dei filosofi. Se dicessero che i poeti sono scimmie della natura, si potrebbe meglio sopportare questo, dal momento che il poeta si sforza di descrivere in versi eccellenti tutto ciò che essa opera e tutto quello che per impulso suo si opera secondo norme perpetue. Se costoro vorranno considerare questo aspetto, vedranno le forme, i costumi, le parole e gli atti di tutti gli esseri animati, i moti ricorrenti del cielo e delle stelle, il fragore e l'impeto dei venti, il crepitìo delle fiamme, i fragori sonanti delle onde, le eccelse altezze dei monti e le ombre dei boschi e il corso dei fiumi essere così bene raffigurati che queste cose parranno situate stabilmente nelle piccole lettere alfabetiche che compongono un carme. In questo ammetterò che i poeti siano scimmie, in questa opera, cioè, che io considero onorevolissima: di tentare con l'arte quello che la natura opera con la sua potenza.

La vocazione

È la difesa più appassionata che il B. abbia compiuto della sua vocazione alla poesia. Essa è vista, alle soglie della vecchiezza, come il motivo conduttore, l'ideale di tutta la sua vita. Ed è particolarmente bella, accanto alla recisa proclamazione del proprio ideale supremo, l'umiltà schietta, sincera di chi, proprio per l'altissimo concetto che ha della poesia, sente di non essere ancora degno del grande nome di poeta (*Genealogia*, XV, x).

Verum ad quoscumque actus natura produxerit alios, me quidem experientia teste ad poeticas meditationes dispositum ex utero matris eduxit et meo iudicio in hoc natus sum. Satis enim memini apposuisse patrem meum a pueritia mea conatus omnes, ut negociator efficerer, meque, adulescentiam nondum intrantem, arismetrica instructum maximo mercatori dedit discipulum, quem penes sex annis nil aliud egi, quam non recuperabile tempus in vacuum terere. Hinc quoniam visum est, aliquibus ostendentibus indiciis, me aptiorem fore licterarum studiis, iussit genitor idem, ut pontificum sanctiones, dives exinde futurus, auditurus intrarem, et sub preceptore clarissimo fere tantundem temporis in cassum etiam laboravi. Fastidiebat hec animus adeo, ut in neutrum horum officiorum, aut preceptoris doctrina, aut genitoris autoritate, qua novis mandatis angebar continue, aut amicorum precibus seu obiurgationibus inclinari posset, in tantum illum ad poeticam singulari traebat affectio! Nec ex novo sumpto consilio in poesim animus totis tendebat pedibus, quin imo a vetustissima dispositione ibat impulsus. Nam satis memor sum, nondum ad septimum etatis annum deveneram, nec dum fictiones videram, non doctores aliquos audiveram, vix prima licterarum elementa cognoveram, et ecce, ipsa impellente natura, fingendi desiderium affuit, et si nullius essent momenti, tamen aliquas fictiunculas edidi, non enim suppetebant tenelle etati officio tanto vires ingenii.

Attamen iam fere maturus etate et mei iuris factus, nemine impellente, nemine docente, imo, obsistente patre et studium tale damnante, quod modicum novi poetice, sua sponte sumpsit ingenium, eamque summa aviditate secutus sum, et precipua cum delectatione autorum eiusdem libros vidi legique, et, uti potui, intelligere conatus sum. Et mirabile dictu, cum nondum novissem, quibus seu quot pedibus carmen incederet, me etiam pro viribus renitente, quod nondum sum, poeta fere a notis omnibus vocatus fui. Nec dubito, dum etas in hoc aptior erat, si equo genitor tulisset animo, quin inter celebres poetas unus evasissem, verum dum in lucrosas artes primo, inde in lucrosam facultatem ingenium flectere conatur meum, factum est, ut nec negociator sim, nec evaderem canonista, et perderem poetam esse conspicuum. [...]

Et ideo, cum existimem Dei beneplacito me in hac

Quanto a me, io so bene e per esperienza che la natura ha impresso in me fin dalla nascita la vocazione della poesia, e, secondo il mio ponderato convincimento, son nato per questo. Ben ricordo, infatti, che mio padre, fin da quando ero bambino, rivolse ogni suo sforzo a far di me un mercante, e quando non ero ancora entrato nell'adolescenza, dopo avermi istruito nell'aritmetica, mi affidò come discepolo a un grosso mercante, stando presso il quale, non feci altro per sei anni che consumare invano un tempo che poi non si ricupera più. In seguito, poiché apparve chiaro da alcuni indizi che io sarei stato più adatto agli studi letterari, mio padre mi comandò di abbracciare lo studio del diritto canonico, affinché io potessi un giorno procacciarmi, da tale studio, ricchezza, e sotto un maestro famosissimo, mi affaticai circa per altrettanto tempo, e ancora invano. A tal punto il mio animo aveva in uggia tali cose, che né l'autorità di mio padre, che mi tormentava continuamente con nuove imposizioni, né preghiere o rimproveri di amici riuscivano a farlo inclinare ad una di queste due carriere; tanto lo trascinava un singolare amore verso la poesia! Né spinto da improvviso capriccio il mio animo tendeva alla poesia con ogni sua forza, ma andava verso di lei spinto da una disposizione antichissima. Ricordo bene infatti: non avevo ancora sette anni, non avevo visto composizioni poetiche, non avevo ancora udito alcun maestro, avevo appena appreso i primi rudimenti delle lettere; ed ecco, per impulso della stessa natura, mi venne desiderio di scrivere, e scrissi certe immaginazioni poetiche, sia pur prive d'ogni valore: le forze dell'ingegno non erano infatti adeguate, in età così tenera, a così grave ufficio.

Tuttavia, quando fui divenuto ormai maturo d'età e padrone di me, senza che nessuno mi spingesse, senza che nessuno mi insegnasse, anzi, contro la resistenza di mio padre che condannava un tale studio, appresi da solo quel poco che so dell'arte poetica, e mi diedi a lei con avidità grandissima, e con sublime diletto vidi e lessi i libri dei poeti, e tentai, come potevo, di comprenderli. E, mirabile a dirsi, quando non sapevo ancora di quanti e di quali piedi si componesse un verso, ebbi quasi da tutti coloro che mi conoscevano il nome di poeta, per quanto protestassi con tutte le mie forze, io che poeta non sono ancora. Ma sono certo che se mio padre avesse sopportato con animo sereno che io mi dedicassi a questi studi quando la mia età era più adatta, io sarei divenuto poeta grande fra tutti; e invece, mentre egli si sforzava di piegare il mio ingegno prima a un'arte lucrosa, poi a una professione lucrosa, avvenne che io non divenissi né commerciante né canonista e perdessi la possibilità di riuscire poeta illustre. Convinto che col beneplacito di Dio io sia stato chiamato a que-

vocatione vocatum, in eadem consistere mens est, et, quod egerim hactenus, his monstrantibus studiis laudare. Querant alii, quod videtur! Qui ergo patiuntur cerdonem subule setisque vacare, lanistam pecori, sculptorem statuis, me etiam queso, vacasse poetis equo animo patiantur.

sta vocazione, sono fermamente deciso a perseverare in questa, e a lodare l'attività cui finora mi sono dedicato, come mostrano codesti miei studi. Gli altri facciano il mestiere che vogliono. Coloro dunque che sopportano che il calzolaio si dedichi alla lesina e allo spago, lo scultore alle statue, sopportino in pace, li prego, che io mi dedichi alla poesia.

L'epitaffio del Boccaccio

Questi versi latini furono incisi sulla tomba del Boccaccio, nella chiesa di S. Jacopo a Certaldo, e molto probabilmente furono composti dal poeta stesso. L'ultimo verso soprattutto esprime l'anelito profondo di tutta la sua esistenza, quel valore che egli appassionatamente sentì come il più alto, il più degno dell'uomo. Quel semplice aggettivo, *alma*, rivela sinteticamente che il Boccaccio sentì la poesia come il più vero nutrimento dell'anima.

Hac sub mole iacent cineres ac ossa Johannis.
Mens sedet ante Deum, meritis ornata laborum
mortalis vitae. Genitor Boccaccius illi,
patria Certaldum, studium fuit alma poesis.

Giacciono sotto questo sasso le ceneri e le ossa di Giovanni. L'anima sua sta davanti a Dio, ornata dei meriti acquistati coi suoi travagli nella vita mortale. Gli fu padre Boccaccio, patria Certaldo, culto l'alma poesia (*che dà, cioè, vita e nutrimento allo spirito*).

Letture critiche

La posizione del «Decameron»

L'ideale, del Boccaccio è cavalleresco e cortese; ma, vivendo egli a metà del Trecento, è costretto a respingere questo suo ideale indietro nel tempo, perché l'età nella quale egli vive è veramente *meccanica*: le corti feudali non esistono più, e non esistono ancora le grandi corti principesche del Rinascimento: l'Italia tutta si agita, come già la Romagna dantesca, tra «tirannia» e «stato franco», tra Comuni di fieri rissosi mercanti e Signorie di tiranni preoccupati del domani, non ancora ammorbiditi dal tempo e dalla sicurezza del dominio. Il mecenatismo era stato e sarebbe stato; i magnanimi baroni feudali erano morti, i signori magnifici del Rinascimento non erano ancora nati; i cavalieri contemporanei erano gretti e tirannici, come i cavalieri che formavano le «corti» e le «famiglie» dei podestà, come il giudice marchigiano del *Decameron* a cui tre giovani traggono le brache mentre amministra giustizia.

Il mondo cavalleresco appartiene dunque al passato; ma, naturalmente, celebrando quelle età e quegli uomini, il Boccaccio esprime un ideale suo presente e colloca in anni non lontani certe aspirazioni che avrebbe volute realizzate negli anni in cui vive. Ecco, perciò, che egli esalta con ammirato stupore la cavalleresca lealtà di re Guglielmo II il Normanno, che, per mantenere la parola data, fa uccidere il giovane nipote amatissimo; ecco che avvolge di tanta luce ideale la magnanimità cavalleresca di chi per amore consuma tutti i suoi beni, e pure resta sempre fedele alla donna e al culto di lei; ecco che nella decima giornata rivaria e ripete l'esaltazione della magnanimità e della cortesia in tutti i suoi aspetti, fino alla rinunzia all'amore e alla vita stessa; ecco che continuamente, ogni volta che può, inveisce contro il grande nemico, l'avarizia, la gretta cupidigia, che spegne ogni moto liberale dell'animo; eccolo che tuona spesso contro i «costumi corrotti e vituperevoli di coloro li quali al presente vogliono essere gentili uomini e signor chiamati e riputati», e dovrebbero invece esser detti piuttosto «asini nella bruttura di tutta la cattività de' vilissimi uomini allevati».

Tuttavia non per questo il Boccaccio rappresenta ed esalta solo ideali del passato, ignorando o misconoscendo il presente. Come ogni grande scrittore, egli ha la capacità di osservare con occhio attento e di rappresentare con animo sgombro il mondo che realmente gli si muove dintorno, e la rappresentazione della realtà sociale contemporanea è, nel *Decameron*, più larga e più vivace di quanto potrebbe apparire dalle citazioni di sopra. Il significato profondo della rivoluzione comunale è che essa aveva dato luogo ad una nuova cultura, la quale, prendendo l'avvio dall'antica, religiosa e chiericale, vi aveva innestato motivi laici e terreni, sgombrando la strada all'Umanesimo e al Rinascimento. Il Comune aveva rinnovato il senso della vita e della cultura, e non solo aveva distrutto politicamente la vecchia nobiltà feudale (distrutto, s'intende, come classe egemonica), ma aveva dissolto la sua maniera di considerare gli uomini, le loro virtù, il loro lavoro. Il denaro acquista un nuovo valore, che nasce non dalla sua intrinseca forza, ma dall'attività dell'uomo; la nobiltà non è più un fatto di sangue e di eredità, ma un fatto individuale, di intima *gentilezza*, di personale *valore* [...].

Intanto, nobili spiantati si davano a professioni borghesi o addirittura mercantili, mercanti arricchiti divenivano cavalieri e venivano accolti, per via di matrimoni, tra i nobili: l'abisso tra le antiche classi sociali spariva, e si formava una nuova aristocrazia del lavoro, dei traffici, del predominio politico.

Questo processo continua lungo tutto il Trecento, quando il Comune, perdendo sempre più il suo carattere popolare, determina il costituirsi di una nuova classe egemonica di ricchi mercanti e di agiati proprietari terrieri, una nuova aristocrazia mercantile e fondiaria, che avrà il suo rigoglio più tardi, negli anni tra la sconfitta dei Ciompi e l'inizio della signoria medicea: «meritamente si dice che quello è stato el più savio, el più glorioso, el più felice governo che mai per alcun tempo abbia avuto la città nostra», noterà molto tempo dopo il Guicciardini (*Storie fiorentine*, I, 1).

Di questa nuova borghese aristocrazia comunale il Boccaccio è il poeta. È vero che spesso egli si scaglia contro l'inurbarsi di gente dei campi, che introduce a Firenze sensi e costumi volgari; è vero che tante volte astrattamente pare risognare e rimpiangere l'antico morto mondo cavalleresco; ma in realtà egli è il poeta dei ceti più elevati della nuova società trecentesca, di quei ceti che, mercantili per interessi e per nascita, pure tendevano a differenziarsi dai meno abbienti e meno fini per costituirsi in una aristocrazia dell'intelletto, del sentimento, del gusto. Ecco, allora, Federico degli Alberighi, «in opera d'amore ed in cortesia pregiato sopra ogni altro donzel di Toscana»: dove quella parola *donzello* ci indica un che di astratto e di letterario, poiché se *donzello* nel senso di «giovane aspirante cavaliere» era frequente nella letteratura provenzale, era però raro in Toscana, in cui le tradizioni cavalleresche erano state sempre assai deboli. E infatti Federigo, nobile di famiglia e di cortesi costumi, attua la sua gentilezza secondo i canoni cavallereschi tradizionali: amando, armeggiando, spendendo senza misura. Ma intanto un non so che di più moderno, di più umano, di *borghese*, spira pure in tutta la storia, e la novella termina, borghesemente, contro tutte le norme della tradizione cortese, col matrimonio. Matrimonio e amore si escludono a vicenda, aveva insegnato Andrea Capellano, il grande teorico dell'amore cortese; e il matrimonio era stato infatti estraneo a tutta la lirica d'arte, e provenzale e italiana, come a tutta la letteratura cavalleresca; ma qui, invece, monna Giovanna sposa borghesemente Federigo, e questi, addirittura, ammaestrato dalla dura esperienza, vive serenamente con lei «miglior massaio fatto»; il nobile e cortese *donzello* si tramuta in un cultore della *masserizia* e della *misura*, le virtù del mercante Paolo da Certaldo e di Leon Battista Alberti: un mondo è veramente finito, e il Boccaccio ne registra fedelmente la fine.

E con la fine del vecchio mondo, registra il nascer del nuovo: Cisti fornaio. Naturalmente, la novella va letta col proemio che la precede, perché solo così è possibile scorgere il contrasto, in cui si dibatte il Boccaccio, tra certe sue convinzioni ideologiche e la sua lealtà di narratore realista. Che Cisti, l'uomo di cui egli ammira tanto la discrezione signorile e garbata sia stato solo un fornaio, questo il Boccaccio ideologo non riesce proprio a capirlo. Per lui la nobiltà dello spirito dovrebbe essere legata se non proprio alla nobiltà del sangue, per lo meno all'elevatezza sociale, ad una indipendenza economica che permetta l'educazione dell'intelletto e una lunga pratica di raffinati costumi. Ma a questi pregiudizi tradizionali e non del tutto spenti contrasta la nuova realtà sociale, che mostra con tanti esempi («sì come in Cisti nostro cittadino ed in molti ancora abbiamo potuto vedere») come spesso la fortuna apparecchi «ad un corpo dotato d'anima nobile vil mestiere», ed il Boccaccio, anche se si meraviglia della cosa, non può non notarla: tra quei popolani delle arti minori che prendono parte ai consigli del Comune, sono non solo «meccanici» dall'animo gretto inteso a guadagni vili, ma uomini cortesi, disinteressati, dall'intelletto affinatosi nella partecipazione al potere politico, dallo spirito istintivamente «magnifico». E il Boccaccio, nel suo onesto realismo, può solo cercare alla cosa, per lui strana, una fantasiosa, mitica spiegazione: «E così le due ministre del mondo — la Natura e la Fortuna — spesso le loro cose più care nascondono sotto l'ombra delle arti reputate più vili, acciò che di quelle alle necessità traendole, più chiaro appaia il loro splendore». Ma proprio il carattere mitico di questa spiegazione, sottolineando l'imbarazzo del Boccaccio, chiarisce le contraddizioni che si urtano in lui mentre scrive, e il trionfo del suo realismo di artista sui suoi pregiudizi di educazione e di classe.

Del resto, a intendere la serietà con cui il Boccaccio sa cogliere e rendere la fisionomia del suo tempo, si ricostruisca il quadro che il *Decameron* ci traccia della Firenze trecentesca. Le novelle di cortesia e di tragedia, le novelle retoriche e astratte, non sono mai fiorentine: i grandi (troppo grandi!) eroi della cortesia sono sovrani (re Carlo e re Pietro) abitano le terre di Lombardia — nel significato medievale suo vasto — ricche di feudi e di signori (messer Torello, il marchese di Saluzzo), sono stranieri, antichi, personaggi di favola; i Fiorentini quand'anche siano nobili, cortesi, colti, sono sempre, per così dire, concreti, di una cortesia realisticamente terrena ed umana: è Federigo degli Alberighi, di cui si è sottolineato il carattere tutto trecentesco; è Guido Cavalcanti, filosofo naturale, loico, poeta, spesso «astratto dagli uomini», eppur così vivo, balzato fuori da un mondo così fiorentino; sono quei gentili uomini e quelle gentili donne dalla lingua pronta e pungente, così abili a ritorcere un motto od un frizzo, sono il padrone di Chichibio, tanto signorile, eppure tanto realisticamente rappresentato; sono intellettuali geniali e dall'ingegno mordace, come Giotto e messer Forese da Rabatta; e sono ancor artigiani quali Cisti fornaio, artisti popolani quali Bruno, Buffalmacco, Calandrino; medici borghesi quale maestro Simone; mercatanti ricchi come il geloso e i protagonisti della storia di Gerolamo; popolani plebei come la Simona e Pasquino, buontemponi come Michele Scalza, mezzi «uomini di corte» cioè parassiti per bene quali Ciacco e Biondello, capi scarichi quali i giovani che traggono le brache al giudice marchigiano, e poi ancora, tutto intorno, è il contado con i suoi «seri» (quello che fa la corte alla Belcore o quello che tiene bordone alle beffe di Bruno e Buffalmacco), i suoi osti e le loro famiglie, le contadine pronte a stendersi sulla paglia, i fratacchioni spregiudicati, i contadini di pasta grossa. Tutta, veramente, la Firenze trecentesca è lì con le sue diverse stratificazioni sociali, eppure ormai tutta guelfa e borghese; e i dieci dell'*onesta* brigata, che queste storie raccontano e nei quali il Boccaccio ha raffigurato se stesso, i suoi ideali e i suoi gusti, sono i rappresentanti della nuova aristocrazia borghese fiorentina, ricchi, educati, *onesti* scanzonati, eppure già idealizzati e stilizzati, come il simbolo e l'idealizzazione della loro classe, una nuova aristocrazia del censo che vuol essere anche aristocrazia dello spirito, che non ha più nulla a che vedere con l'antico mondo feudale, ma pure si sente lontana dai «meccanici» e dai loro costumi volgari, e disprezza grettezza e avarizia, e risogna le antiche brigate cortesi, e rimpiange le donne e i cavalieri, gli affanni e gli agi di un tempo, ma a modo suo, nei limiti che abbiamo già segnati, e che erano poi quanto distingueva il secolo nuovo e dalla società feudale e dal secolo precedente, e faceva di questo secondo o terzo «popolo» trecentesco qualcosa di fondamentalmente diverso dal «primo popolo» duecentesco.

Il *Decameron* così pare nascere sullo spartiacque che divide due mondi e due età, in anni ricchi di contraddizioni stridenti, che si riflettono, anche se sfumate e armonizzate, nel libro. Sono gli anni in cui nel Comune, che non ha saputo diventar popolare, fermenta già la Signoria, e in cui una nuova casta intellettuale va già staccandosi dal popolo-nazione con cui non sa fondersi. Chi resti alla superficie può vedere nelle tante novelle *cortesi, liberali, magnanime,* solo una stanca continuazione della letteratura feudale; e, in un certo senso, in parte, vi è anche questo. Ma non questo solo, e *liberalità* e *cortesia*, se alcune volte sono letteratura, altre volte sono un elemento vivo di quel mondo del Trecento che il *Decameron* riflette in tutta la sua complessa struttura.

Giuseppe Petronio

(Da *Antologia della critica letteraria*, Bari, Laterza, 1963, I, pp. 485-489; pubbl. in «La Rassegna della letteratura italiana», a. 61, s. VII, 2, aprile-giugno 1957).

L'epopea dei mercatanti

La rievocazione della civiltà italiana nell'autunno del Medioevo, che si è rivelata nel *Decameron* grandiosa e suggestiva, trova uno dei suoi centri più vivi e affascinanti nella serie di avventurosi e mossi affreschi in cui si riflette la ricchissima vita mercantile fra il Duecento e il Trecento. Per la prima volta nella letteratura europea riceve alta consacrazione questo movimento decisivo per la nostra storia, promosso e diretto da quei veri eroi dell'intraprendenza e della tenacia umana, da quel pugno d'uomini lanciati alla conquista dell'Europa e dell'Oriente, che, dopo le incomprensioni e le deformazioni del Sombart, siamo venuti sempre meglio scoprendo nella loro statura di uomini d'eccezione.

Isolata ancora nell'opera di Dante in un cerchio di aristocratico disprezzo per «la gente nova e i subiti guadagni», ignorata come inferiore o estranea dalla raffinata esperienza del Petrarca, restata ai margini persino nelle opere storiche di un Compagni o nello stilizzato narrare del *Novellino*, questa società irrompe nella «commedia umana» del *Decameron* e la domina con la sua esuberante vitalità. Non ci riferiamo solo alla folla di temi, di ambienti, di personaggi, di usi, di riferimenti vari che colora più della metà delle novelle con le tinte vivaci e sanguigne proprie a questo mondo. È la centralità nello stesso disegno ideale dell'opera, nel suo significato esemplare in senso umano e artistico, a configurare la presenza di questo ceto nella fantasia narrativa del Boccaccio come caratteristica, e si vorrebbe dire insostituibile, allo svolgersi del *Decameron*.

Perché il grandioso tema di questa «commedia umana del Medioevo», cioè la rappresentazione della misura che l'uomo dà delle sue doti e delle sue capacità al confronto delle grandi forze che sembrano dominare l'umanità (Fortuna, Amore, Ingegno), non poteva trovare in quella età esempi di più potente e prepotente eloquenza rappresentativa. Dopo le dorate sequenze dei cavalieri della spada, accarezzate ormai solo dalla memoria e da una sottile nostalgia, è proprio il mondo dei nostri mercatanti che, fra il Duecento e il Trecento, offre i campioni più vivi e aggressivi nell'agone con quelle forze sovrumane. È in quel mondo che, per ripetere Stendhal, la «pianta uomo» cresceva ormai più vigoreggiante: fra quella gente che correva il mondo sempre in lotta con gli agguati della Fortuna, sempre pronta a provare la sua elegante sveltezza umana nelle più diverse avventure d'Amore, sempre protesa a vincere col proprio Ingegno le iniziative e le insidie dell'ingegno altrui.

Erano i veri pionieri dell'ultima civiltà medievale: pionieri — per ripetere il loro più autorevole studioso — «dalla mente aperta, dall'intelligenza pronta, dalla cultura solida, dalle aspirazioni che arrivavano all'ambizione e all'orgoglio, tenaci e audaci»; gente che imponeva dappertutto «una tale personalità che sollecitava i principi alla blandizia e le popolazioni al rancore, che tornava a casa onusta di esperienze e di ricchezze, per applicare le une e le altre anche alle ambizioni della politica» e alle sublimi creazioni dell'arte, consacrandole negli splendidi palazzi pubblici e privati, nelle chiese e nei conventi che hanno eternato la civiltà di quel secolo [...].

Se la società italiana d'allora era tutta sonante di questa fortunosa e grandiosa impresa che aveva l'epicentro in Firenze e l'arma universale nel fiorino che aveva soppiantato i perperi bizantini e dinari arabi, era nel cuore stesso della sua famiglia, era nelle sue stesse prime esperienze che il Boccaccio ne aveva vissuto episodi fulgidi ed appassionati. Come mercanti in proprio e soprattutto come agenti e «fattori» di una delle più potenti «compagnie», quella dei Bardi — che costituivano, con gli alleati Peruzzi e Acciaiuoli, le «colonne della cristianità» (Villani) —, il padre e gli zii avevano per più di quarant'anni percorso le grandi vie del traffico europeo, tra Firenze, Napoli, Parigi, e le grandi fiere francesi: e il Boccaccio ancora nelle sue opere latine rievoca commosso i racconti che il padre gli aveva fatto di quelle sue esperienze avventurose e spesso paurose. Ed egli stesso, divenuto fin da ragazzo buon «abbachista», aveva visto aprirsi la sua giovinezza a Napoli nell'ombra del banco dei Bardi, accanto al fondaco dei Frescobaldi, in quella zona di traffici che sarà ritrovata vivissima dalla sua memoria come sfondo allucinante al notturno picaresco di Andreuccio. In quegli anni consumati nello stare al banco, nel ricevere i clienti, nel maneggiare lo «scacchiere» e nel tenere i libri «della ragione», «dell'asse», «della cassa», «delle tratte», «delle compere e delle vendite», nel preparare «revisioni della ragione», che servissero per il «saldamento di ragione», cioè il bilancio finale, ai «compagni» (e in tutti gli altri compiti propri a un «discepolo» quale egli era), il Boccaccio visse e scontò ora per ora la fatica e il rischio di quella esistenza di finezze, di audacie, di agguati [...]. È questo l'aspetto più nuovo che il Boccaccio acutamente ritrae nel presentare quella classe potente e operosa: una società in cui i sentimenti, le passioni e le stesse leggi morali, civili, politiche rischiano di essere subordinate e dominate da questa «ragion di mercatura», ferrea e inesorabile come due secoli dopo sarà la «ragion di stato». È la grande, smisurata forza di questi uomini per cui, le leggi «costituivano... soltanto schermi provvidenziali dietro ai quali e al riparo dei quali potevano svolgere una operosità che li conduceva alle loro mete»; di questi uomini che «quando, nonostante tutto, incontravano per avventura nella legge, pur da loro abilissimamente fabbricata, un vero ostacolo, e il nascondere o giustificare una violazione appariva davvero impossibile, toglievano di mezzo l'inciampo con audacia e spregiudicatezza».

A illuminare questo mondo di una luce fredda e livida (ma grandiosa e quasi titanica) il Boccaccio proprio sulle soglie del suo *Decameron* ha posto l'episodio dove il dominio della «ragion di mercatura» è più assoluto e spietato, fino al disumano. Alludo alla novella di Ser Ciappelletto, troppo spesso e troppo esclusivamente considerata, secondo le diverse tendenze dei critici, o come un'empia *moquerie* sul culto dei santi o come un ritratto a tutto tondo di un ipocrita di ribalderia eccezionale. Ed è sfuggito così che il racconto muove da una esasperata rappresentazione della durissima vita dei mercanti e degli appaltatori in Francia: vita di aguzzini sempre sorvegliati dall'odio della popolazione, di *conquistadores* accampati in terre straniere piene d'agguati e fra genti sempre pronte alle vampate di rivolta e di distruzione. Nel terrificato sgomento dei due usurai fiorentini (I, 1, 26) opera proprio quell'inesorabile cerchio di rancore e di ostilità che sempre li serra e li minaccia, e balenano paurosamente allucinanti i bagliori dei *pogrom* e dei massacri nelle persecuzioni che si susseguirono in Francia ('227, '299, '308, '311, '312, '329 e così via); mentre in quel tagliente blasone di disprezzo, «questi lombardi cani», sembra ripercuotersi l'eco delle maledizioni e dei lazzi che sempre contrappuntavano il nome dei nostri mercatanti nei discorsi di ogni giorno, nelle canzoni e nelle cronache. E allora si comprende la legge assoluta che determina l'agire dei protagonisti della novella: costi quel che costi, non possono e non devono permettere che la loro inesorabile tirannide subisca la minima incrinatura, che dai piedi di argilla dell'immane e splendido colosso della loro signoria si stacchi il granellino fatale, pena il crollo totale della loro potenza e la loro stessa vita. È questa ferrea legge che colora di potenza sinistra anche i loro ritratti: Musciatto Franzesi, calcolatore «di gran malizia» (Compagni), non esita a mandare allo sbaraglio l'amico vecchio, scioperato, malato, pur di rafforzare il suo dominio in Borgogna, pur di tenere a freno senza badare ai mezzi quei «borgognoni... pieni di inganni... riottosi» a pagare le taglie gravosissime; gli usurai fiorentini che accolgono in casa loro Ciappelletto si preoccupano soltanto del danno che potrebbe venire ai loro affari, e non hanno il minimo pensiero per la malattia, per la morte, per la dannazione del loro ospite (veramente inumane le parole di conclusione dopo la confessione sacrilega, che soffocano in una gelida oscurità il disperato destino di Ciappelletto: «vedendo che egli sarebbe a sepoltura ricevuto in chiesa, niente del rimaso curarono»). Esempio estremo, quello di Ciappelletto che piuttosto di mettere in pericolo il dominio dei banchieri italiani in Borgogna, piuttosto di ribellarsi alla «ragion di mercatura» sceglie di perdersi per l'eternità con piena coscienza della sua dannazione. È questa la «ragione» che induce lui, credente (e non scettico, come è stato detto), alla confessione sacrilega in punto di morte: è questo il motivo dell'ammirazione dei fratelli usurai per la sua empietà inaudita, alla Capanco, per la sua forza sovrumana o meglio disumana [...].

Perché al centro dell'atteggiamento in cui il Boccaccio scopre e contempla la smisurata forza della «ragion di mercatura» sta un'esitazione, che soltanto qualche volta (come nelle figure di Musciatto e di Ser Ciappelletto) si colora di tinte oscure e di biasimo. È un'esitazione, uno sgomento, fatto insieme di stupore e di orrore, che può richiamare quello di Dante — sia pure di passaggio sottolineato dal Boccaccio (*Esposizioni*, V, 1, 177 ss.) — di fronte a certi peccatori, come Paolo e Francesca, e alla forza delle passioni e delle suggestioni che li condussero alla dannazione («Quand'io intesi quell'anime offense...»). Sembra che il Boccaccio proprio mentre innalza questa nuova epopea, avverta anche i limiti o meglio gli aspetti disumani di questa potente e prepotente civiltà. Ed è questa consapevolezza che gli consente un certo distacco, e lo tiene al di qua della freddezza dell'elogio e dell'encomio; che gli permette di chiaroscurare potentemente i suoi grandiosi affreschi con la coscienza — e forse la sofferenza — di quei contrasti, di quelle spietate durezze, di quelle inesorabili necessità su cui si fondava l'impero europeo di quel pugno d'uomini invitti.

Vittore Branca

(Da *Boccaccio Medievale*, Firenze, Sansoni, 1975, pp. 134-138 e 156-159).

Gli orientamenti morali del «Decameron»

Quali sono, allora, gli elementi orientativi di una moralità del *Decameron*? Sono elementi che rispondono, in termini concettuali semplificati, alla visione aperta e intuitiva che del mondo ha il Boccaccio...

I cardini sono essenzialmente due: Fortuna e Natura, «le due ministre del mondo» (VI, 2, 6). La vita è avventura fortunosa, che impegna tutte le risorse dell'uomo; ed è senso che non va negato o eluso, ma disciplinato con un intervento razionale dell'uomo sulla propria reale natura. L'uomo si definisce, innanzi tutto, entro queste due forze: una a lui esterna, la Fortuna, che lo condiziona continuamente; l'altra interna, la Natura, con istinti e appetiti che deve riconoscere per farne l'uso migliore. Ecco perché l'uomo, colto tra queste due componenti fondamentali, ha bisogno di «avvedimento», di intelligenza per capirle, e di «forza», di industriosa energia per sfruttarle ed agire [...].

Nel *Decameron*, la Fortuna interviene insistentemente come rivelazione sensibile del mondo esterno, e delle possibilità ambivalenti di sorpresa che esso offre all'agire degli uomini. Essa costituisce subito l'animazione profonda della descrizione della peste, nell'Introduzione, ed è implicitamente e dolorosamente ammessa come determinante nei primi rilievi di Panfilo (I, 1). L'individuo potrà reagirvi in varia misura: il *Decameron* rassegna tutti gli aspetti di tale reazione, da quelli più miseri e locali a quelli più alti e generosi, da quelli che suscitano il riflesso di un attimo a quelli che riguardano tutta una vita. Resta però fondamentale che il mondo esterno, nel *Decameron*, costringe gli uomini a un continuo gioco rischioso, a una vigilanza e a una tensione che difficilmente si possono allentare... Il «giudicio» della Fortuna è solo ritenuto «occulto» per gli uomini, frustrati nelle loro brame di possesso e pur capaci di affermarsi anche quando tale «giudicio» sembra contrastare con i doni della Natura (VI, 2, 3-6): la problematica è soltanto mondana, e implica l'abbandono, per un'analisi degli eventi, di ogni logica provvidenziale. In questo senso il disordine e il mutamento con cui si presentano all'uomo le cose temporali non solo legittimano la struttura di novelle in cui le vicende si svolgono come concatenazione imprevedibile di «casi» e di «accidenti», ma spiegano anche come l'uomo, se dev'essere consapevole di una legge generale intrinseca alle cose, non possa sempre dominarne il corso: può tutt'al più non provocarle, o adattarsi ad esse [...]; tra la Fortuna e l'energia più o meno avveduta dell'uomo non esiste armonia, ideale pacificazione, ma lotta continua e serrata. In tale permanente dissidio tra uomo e fortuna consiste l'autenticità anche morale del racconto boccacciano, che testimonia la sincera adesione dello scrittore al meraviglioso terreno, all'imprevisto immanente alla realtà mondana.

La Natura è il secondo aspetto di una realtà affrontata in tutta la sua concretezza: una realtà, ora, interna all'uomo, vitale e possente, non tanto esaminata in una concezione complessiva e con un rigoroso approfondimento concettuale, quanto intuita nella sua forza senza ombre di pregiudizio o mortificazioni. In questa recisa affermazione degli istinti naturali non è tanto la malizia più o meno sensuale che ha reso equivoco l'aggettivo «boccaccesco», quanto una sorta di limpida e comprensiva saggezza, che da una parte si fonda sull'esperienza, e dall'altra riconosce la validità di uno studio iniziato fin dal giovanile *Filocolo*, e reso più sensibile dalla lezione dei classici (e innanzi tutto del prediletto Ovidio). La realtà naturale serve a stabilire un nuovo rapporto tra l'individuo e sé stesso, e dunque tra l'individuo e il mondo, perché questa realtà libera nuove energie dell'uomo, anche quando viene in conflitto con un codice di convenzioni sociale. La natura si presenta come una realtà primordiale la cui espressione prima è Amore, impulso comune agli uomini, fonte di diletto e anche di dolore, quando non può realizzarsi, occasione di inganno e di sacrificio, di elevazione e di morte; perché si tratta di una forza insopprimibile la quale, agendo nelle situazioni più varie e nei più diversi strati sociali, può scontrarsi con inveterati pregiudizi culturali e di costume. L'avventura è sollecitata, in quest'ambito, dal carattere univoco e comune a tutti, e quindi potenzialmente eversore di un ordine costituito, dal desiderio amoroso. Proprio su questo tema, più che sull'atto sessuale, insiste anzi il Boccaccio. Non sono reperibili nel *Decameron*, ed è stato più volte notato, compiacimenti di natura procace o morbosa (l'attività sessuale è colta con schemi rapidi e topici, ravvivati solo dal gioco linguistico e metaforico): è vero piuttosto che il Boccaccio ha individuato con chiarezza, senza ipocrisie, senza mistificazioni o sublimazioni, l'esigenza sessuale che anche la più alta passione contiene in sé. Tale esigenza può essere dominata e superata, ma amore è sempre, all'origine, impulso erotico: è questo una convinzione fondamentale del Boccaccio [...].

Nel *Decameron,* in ogni modo, resta acquisito che di fronte al pessimismo provocato nella vita umana dal caso, dalla Fortuna, si spiega la bontà dell'esistenza vissuta come natura, come ottimistica liberazione di forze a lungo compresse. Parole come «piacere», «diletto», «sollazzo», e simili ricorrono nel libro con gioia inesausta, e hanno la luce della sanità non avvilita, la limpidezza di una ragione che stabilisce una nuova armonia tra istinto naturale e virtù. Perché la virtù non è più mortificazione dell'istinto, ma capacità di riconoscere, di appagare e di dominare, gli impulsi naturali [...].

Se queste due forze sono essenziali, al punto che Fortuna e Natura indicano una nuova struttura bipolare, di carattere morale, dell'opera, l'avvedimento dei personaggi migliori del *Decameron* si precisa in primo luogo come un costante e vigile riconoscimento di una duplice realtà, esterna e interna, che condiziona la vita dell'uomo. Si tratta, si noti, di un riconoscimento affidato ai singoli, tutt'altro che facile da trasformare in abito culturale da tutti riconosciuto: esso pure segna, storicamente, un momento delicato nello svolgimento di una civiltà. Si afferma il gusto dell'agire pratico, ma esso non è ancora in rapporto con una conoscenza più sistematica, scientifica dell'uomo: non a caso il Boccaccio ricorre, per i propri strumenti interpretativi, a valori derivati da una cultura classica, di tipo umanistico, sovrapposti per così dire alla realtà. L'individuo è liberato, e nello stesso tempo si trova in un mondo che non può ancora «comprendere» nella sua totalità. Perciò, nel *Decameron*, il personaggio ora è fiducioso nella propria forza, ora patisce rassegnato l'aggressione di eventi insuperabili; ora è combattivo, ora quasi disarmato; ora è padrone di sé, responsabile dei propri atti, ora invece è schiavo di impulsi e passioni indomabili; ora rompe con audacia le convenzioni sociali, ora vi si sottomette e vi si adatta. L'azione degli uomini è sempre, nel *Decameron*, in rapporto col mutevole divenire delle cose terrene, con le sorprese e le insidie che provengono dagli altri. Rotti i legami con Dio, gli uomini cercano di affermarsi con le proprie forze sulla realtà; e trovano ad ogni passo degli ostacoli, perché contro la fortuna non valgono talora «forza», «avvedutezza», «ingegno», ed essa può togliere di colpo quello che ha dato per imperscrutabile capriccio. Solo la grandezza d'animo (un'altra virtù di ascendenza classica) può renderci «fermi e costanti a tutti i casi» (V, 1, 55): ma è una virtù, anche se rapportata a un ideale pratico, inevitabilmente elitaria.

Al di là della Natura e della Fortuna, che costringono l'individuo a consistere e a risentirsi, è fondamentale nel *Decameron* una terza dimensione, che potremmo chiamare della socialità, entro la quale le prime due forze tendono a comporsi in norme di convivenza tra gli uomini. Anche su questo piano il *Decameron* suggerisce una serie di valori e miti sociali, riferimenti di gusto e di costume che pure attestano tendenze storicamente significative. Il Boccaccio elabora nelle novelle un ideale di morale sociale (o meglio socievole) che ha la sua origine prima in un costume cortese di origine feudale, ma si va ora trasformando in un'esigenza di galateo, di saper vivere, propria di gruppi sociali e culturali moderni, di una *élite* cittadina di «signori» e di «valenti uomini» (I, 7) ad essi legati. Sono i rapporti di questi gruppi, e i modelli che possono derivarne, che attirano l'interesse del Boccaccio sul piano della socialità: come prova, tra l'altro, la quantità delle novelle in cui tale interesse si manifesta. L'aggettivo «costumato», frequente nel Boccaccio, indica innanzi tutto l'armonia che l'individuo riesce a stabilire col proprio ambiente, il modo con cui sa collocarsi in una gerarchia sociale, con un'avveduta conquista di riflessi socievoli che sono sentiti come essenziali al proprio perfezionamento: si potrebbe anzi affermare che nel *Decameron* l'educazione è il risultato di un'ascesi morale [...].

È ripercorrendo a ritroso il libro che possiamo situare la decima giornata: e riconoscere come dal ricordo sublimato di una civiltà cavalleresca tramontata affiori e si precisi nel *Decameron* un nuovo gusto cortese, proprio di *élites* sociali e intellettuali, che troverà nella trattatistica del Rinascimento la sua sistemazione conclusiva. Nell'elaborazione aperta dal Boccaccio si intrecciano così le leggi di una cavalleria più delimitata ma concreta, l'esercizio più quotidiano della cortesia e della liberalità, l'abitudine, spinta talvolta al limite dello stoicismo, al dominio di sé, un galateo di rapporti più ravvicinati tra re, signori, nobili e intellettuali, la raffinatezza anche esteriore di una casistica amorosa e di una gerarchia di gruppo. È un altro indizio della gestazione critica che il *Decameron* documenta: rispetto all'affermarsi di nuove signorie, al consolidarsi dei primi nuclei di corte, all'affacciarsi di una più moderna ideologia elitaria, l'attività economica e il senso utilitario del mercante tendono a collocarsi su un piano subalterno, costituiscono il supporto indispensabile più che l'ideale normativo della convivenza umana, il segno di una vitalità naturale più che il fondamento di un modello culturale [...].

La classe borghese non distrugge i miti cortesi, non sa opporre ad essi un galateo esemplare: spetta dunque all'intellettuale, in quanto elaboratore specifico di valori, operare la sintesi tra la vitalità naturale che agisce in tutti e una socialità decorosa, raffinata, cortese, in cui quella vitalità deve comporsi, per chi ha la ricchezza e il potere, e sublimarsi come prestigio. In questo senso l'ultima giornata del *Decameron* è una sorta di ponte mitico lanciato tra una vecchia aristocrazia feudale e la nascente aristocrazia politica e del censo delle corti moderne: annunciando, per questa via, l'involuzione e la crisi della borghesia italiana.

Mario Baratto

(Da *Realtà e stile nel «Decameron»*, Vicenza, Neri Pozza, 1970, pp. 54-64, con tagli).

Boccaccio poeta dell'azione

Il mondo doveva apparire all'invaghito Boccaccio infinitamente bello e vario, tutto godibile e desiderabile; e doveva sembrargli un gran peccato scegliere in questa varietà e ricchezza un cantuccio in cui porre radici profonde; sacrificare tante possibilità a quella sola che gli spettava.

Per questi motivi rimproverare al Boccaccio di non essere morale, di essere scettico e vuoto, è vana accusa. Coloro che ammirano, poniamo, la novella di Andreuccio da Perugia e poi rimproverano al Boccaccio di essere vuoto, cadono in contraddizione. Che ne sarebbe rimasto dell'avventura di Andreuccio, se il Boccaccio avesse scandagliato ciò che si nascondeva dietro quella disponibilità e quella disinvoltura? Il gioco, la leggerezza, l'incanto di quelle pagine sarebbero per forza sfumati.

Vagheggiamento dell'azione che porta come conseguenza a precipitare l'azione stessa e a goderne il più presto possibile: ecco il meccanismo a cui obbedisce, secondo noi, il mondo boccaccesco [...].

Il Boccaccio, preoccupato soprattutto di far agire i suoi personaggi e di farli agire senza residui né esitazioni, ci fornisce precipitosamente nei preamboli delle novelle i caratteri e i dati essenziali dell'intrigo. Sgombrato il terreno dai quali, non gli resta che dedicarsi anima e corpo alle modalità dell'azione. Da questa convenzionalità, da questo anticipato liberarsi del fardello dei caratteri e dei moventi, deriva al Boccaccio l'ornato, la magia, la voluttà, la leggerezza dell'azione.

Per questo è errato, a parere nostro, definire il Boccaccio uno scrittore erotico. Invero l'amore non interessa gran che il Boccaccio sebbene la maggioranza delle novelle del *Decamerone* passi per novelle d'amore. L'amore vi figura soltanto, qual è in realtà, come una delle molle più importanti dell'azione umana; ma, scattata la molla, l'attenzione del Boccaccio si volge esclusivamente all'azione. Insomma l'amore non è visto che come una sottospecie dell'azione, vagheggiabile non più di tante altre [...].

Ma l'azione libera da ogni sottinteso, l'azione fine a se stessa, l'azione per l'azione, l'avventura insomma, è sempre in fondo alle più segrete aspirazioni del Boccaccio. Come è già stato notato, il pericolo che incombe a questo genere di azione è quello di apparire gratuita e però irreale. L'Ariosto, altro contemplativo invaghito di azione, rimedia a questo inconveniente con l'ironia. Il Boccaccio, molto meno deluso dell'Ariosto, sventa il pericolo dell'irrealtà con quello che potremo chiamare, con termine abusato, una specie di realismo magico. Una precisione, cioè, insieme visionaria e concreta dei particolari, affidata, in un'aria rarefatta e ineffabile, ad uno straordinario senso delle combinazioni che offre la realtà stessa nel momento in cui la si narra. Ho detto che il Boccaccio con questo realismo magico sventa il pericolo dell'irrealtà propria dell'avventura. Ma forse sarebbe più esatto osservare che questa magia gli viene proprio da quell'indifferenza per il fatto etico, da quello scetticismo in cui tuttora molti si ostinano a vedere uno dei difetti dell'arte boccaccesca. Cos'è infatti il sogno, dove la magia sembra di casa, se non una realtà da cui sono del tutto assenti gli elementi razionali, pratici, morali, e intellettuali; in cui si esprime, insomma, la fantasia dell'incosciente? Nei moralisti la realtà tende a suffragare un giudizio, per questo si intona realisticamente ai personaggi e alle vicende; ma nei sognatori dell'avventura essa è ineffabile e misteriosa come sono appunto misteriosi ed ineffabili i luoghi, gli oggetti e le persone che dormendo accarezziamo con i nostri istinti più profondi. I surrealisti nelle loro ricerche hanno più volte dimostrato il carattere magico e metafisico di certi particolari di antiche pitture, staccandoli dal quadro e ingrandendoli. In questi particolari si rivela una lucida incoerenza ignota agli impressionisti e ai realisti moderni. Gli è che i pittori antichi, come il Boccaccio, spesso sognavano; e che il sogno è fecondo di analogie e di enimmi. Guardati con la lente di ingrandimento, certi sfondi, certi luoghi, certe notazioni del Boccaccio si rivelano arcani e suggestivi come appunto le minuscole nature morte, gli angoli di paesaggio, le figure di sfondo dei nostri pittori del tre, quattro e cinquecento. L'azione, la pura azione senza significati e senza morale, riceve da quei particolari una profondità, una lucidità e un mistero che nessuna serietà di intenti etici avrebbe potuto fornirle.

Di tale mistura della magia dei particolari con il vagheggiamento dell'azione, è esempio insigne la novella di Andreuccio da Perugia. Anche perché qui il gusto dell'avventura è scoperto e totale. Vi mancano infatti quegli elementi erotici che sembrerebbero a prima vista inseparabili dall'arte boccaccesca. Andreuccio è un giovane, senza più; non sappiamo nulla di lui all'infuori che è venuto a Napoli per comprare cavalli. Il personaggio insomma è tutto nell'azione e dall'azione trae, se non un carattere, almeno una coerenza; fuori di essa non ha faccia, non ha carattere, non ha psicologia. Il punto di partenza della novella è l'imbroglio ordito ai suoi danni dalla meretrice napoletana. Senza troppo impacciarsi dalla verosimiglianza di questa storia di sorella perduta e ritrovata, il Boccaccio entra subito in un'aria incalzante e trasognata, magica veramente. Ecco «il letto incortinato» con «le molte robe sulle stanghe» in casa della meretrice; ecco «il chiassetto stretto» dove piomba il malcapitato Andreuccio; ecco il «bacalare con una gran barba nera e folta al volto» il quale «come se dal letto o dal alto sonno si levasse, sbadigliava e stropicciavasi gli occhi»; ecco quei due ladri che al racconto di Andreuccio esclamano «veramente in casa lo scarabone Buttafuoco fia stato questo»; ecco, da ultimo, la cattedrale in cui è stato sepolto l'arcivescovo; quella cattedrale, dico, che non è descritta ma di cui sembra di vedere l'alta navata nell'ombra, il vasto pavimento debolmente lustrante, i gruppi massicci e bruni di pilastri e di colonne, e, in fondo, tutto scintillante di ceri, l'altare con il sarcofago del prelato. Andreuccio entra nella tomba e ci viene abbandonato dai ladri. Chiuso nel sepolcro insieme con il morto, Andreuccio sfiora per un momento una situazione angosciosa degna di Poe. Ma la chiesa echeggia di passi, altri ladri sopravvengono (a proposito quanti ladri nel Boccaccio: ma in un mondo di umanisti, di mercanti e di cortigiani la malavita è la sola che agisca), il coperchio viene sollevato, l'angoscia svanisce. Ora, diciamo, che importa che Andreuccio da onorato mercante diventi ladro e profanatore di tombe, che importa che più tardi i suoi compagni, come c'informa il Boccaccio, non senza ingenuità, si congratulino con lui e lo aiutino a dileguare con il prodotto del suo furto, se lo scrittore è riuscito in un fiato solo, a portarci attraverso l'avventura?

In realtà il Boccaccio vagheggiava fortuna e sfortuna con eguale intensità; e questo perché la fortuna e la sfortuna non sono che le due facce del caso, sola divinità che, scomparse tutte le altre, risplenda nel cielo sereno del *Decamerone*. Il caso per il Boccaccio tiene il luogo del fato nelle tragedie greche; ma più che a scetticismo, questa ammirazione del caso si deve, come tutto il resto, al gusto per l'azione e per l'avventura. Che cos'è infatti il caso nelle novelle del Boccaccio se non l'espressione di un rapito vagheggiamento della molteplicità della vita? Fidano nel caso tutti coloro che fidano nella vita come in un fiume dalle numerose correnti a cui conviene abbandonarsi perché è sicuro che in qualche luogo porteranno. Inoltre il caso permette che ogni azione si giustifichi da sé nel momento stesso in cui avviene. Donde la libertà, varietà e bellezza di tutte le azioni, senza eccezioni, il loro innestarsi non in un fosco e ristretto mondo morale bensì nel più vago e variopinto dei mondi estetici. La fortuna e la sfortuna hanno ambedue un bellissimo viso, sono ambedue da accarezzarsi e rimirare con sentimento di lasciva invidia. Tutto finisce in bellezza.

Da questo estetismo dell'avventura, cui presiede soltanto il caso bifronte, nasce forse che le novelle, diciamo così, «sfortunate» siano da annoverarsi non soltanto tra le più belle, ma anche, contrariamente alla tradizione che vuole il Boccaccio tipico narratore grasso, tra le più caratteristiche della sua arte. Ce ne sono sparse in tutto il libro; ma un'intera giornata è addirittura dedicata a coloro i cui amori ebbero infelice fine. La partecipazione del Boccaccio in queste novelle luttuose è la stessa che abbiamo già veduto dimostrargli nella descrizione della peste: specie di voluttuoso e sognante accarezzamento dell'azione tragica fatto da chi era lontanissimo da qualsiasi situazione del genere. Non è forse molto, ma abbastanza per non far cadere il Boccaccio nella piattezza e grossolanità di tanti altri che si arrischiarono su tali temi, come il Giraldi e il Bandello. Da questa attitudine deriva alle novelle «sfortunate» un'aria incantata di fosca e immobile fatalità e al tempo stesso un sapore di leggenda; proprio come di storie dalle quali, per la lontananza dell'argomento, sia evaporata ogni pietà e in cui non rimanga, carica di mistero, che la nuda azione.

Alberto Moravia

(Da *L'uomo come fine e altri saggi*, Milano, Bompiani, 1964, pp. 138-40; 147-50; 154-57, con tagli).

UMANESIMO E RINASCIMENTO

Introduzione storica

Col nome di *Rinascimento* si indica il periodo della storia della civiltà che si svolse nei secoli XV e XVI, ed ebbe, soprattutto per la cultura, le lettere e le arti, il primo e più importante centro d'irradiazione in Italia.

È un periodo di trasformazioni profonde nella vita e nel costume dell'Europa. Dopo la peste allo stato endemico che la desolò anche dopo il 1348 e le conseguenti crisi demografiche ed economiche, si rinnovano le strutture politiche, nascono o si rafforzano istituzioni statali in senso più moderno (le Signorie in Italia, gli Stati nazionali in Francia, Inghilterra, Spagna, ecc.), si sviluppano le attività produttive, dall'agricoltura, alle prime industrie, al commercio. A questo processo è legata la liquidazione di molte strutture feudali. Nel contempo, mentre le grandi scoperte geografiche allargano i confini del mondo conosciuto, le importanti invenzioni della stampa e della polvere da sparo portano mutamenti radicali nei rapporti della vita associata. Il nuovo fervore di vita, però, segna anche, con la liquidazione dell'idea medievale dello Stato come amministratore di giustizia, il prevalere dell'idea di esso come potenza, e il conseguente disfrenarsi di politiche imperialistiche che condurranno alle guerre d'Italia a partire dagli ultimi anni del Quattrocento fino al 1530.

L'Italia, forte ancora del grande sviluppo economico, culturale, civile che aveva avuto dalla seconda metà del Duecento a buona parte del Trecento, risana le proprie ferite, ma non riesce a porre le premesse per l'eliminazione progressiva delle strutture feudali ancora esistenti. Queste, anzi, si rafforzano nelle mani della ricca borghesia che si coalizza con la vecchia aristocrazia, impedendo una revisione del rapporto città-campagna (la prima continua a esercitare un duro dominio sulla seconda) e rendendo più grave il distacco fra l'oligarchia dirigente e il popolo. Ne deriva un grave indebolimento politico che apparirà in forma macroscopica alle prime invasioni straniere.

Nonostante ciò, l'Italia dà vita a una nuova cultura e a una nuova civiltà, nelle arti e nel pensiero, che rimarrà per almeno due secoli esemplare per l'Europa.

Il nuovo movimento, che ha i suoi inizi verso la fine del Trecento, ma giunge a piena coscienza di sé nel Quattrocento, s'impernia su una concezione laica e mondana, anche se non necessariamente anti-religiosa, del vivere, fondata sulla dignità e creatività dell'uomo nel mondo, accantonando la dominante preoccupazione dell'aldilà che era stata tipica del Medioevo.

Preciseremo, più avanti, questo nucleo ideologico, che assunse, peraltro, forme e sviluppi diversi sia nei vari gruppi intellettuali, sia nei vari centri di cultura, sia nel corso del tempo, nei successivi svolgimenti di questo nuovo «sistema» di letteratura, arte, pensiero.

Si trattava per i nuovi intellettuali o *Umanisti* (la parola comparirà soltanto alla fine del secolo, ma definisce senz'altro studiosi e scrittori di tutto il Quattrocento) di assumere una propria caratterizzazione e una propria origine; essi le posero nella civiltà antica della Grecia e di Roma, convinti che l'uomo fosse allora giunto a un'esplicazione armonica della sua vita vera. Si trattava d'un mito: eppure esso portava con sé una coscienza storica assente dalla cultura di prima. Se il Medioevo ipotizzava una continuità fra sé e l'età precedente (si pensi al Sacro Romano Impero), proponendosi come l'era cristiana che aveva in sé assommato la verità e dunque tutte le precedenti conquiste del pensiero, gli Umanisti avvertono che si è verificata una frattura fra loro e gli Antichi, e vogliono riconquistarli nella realtà e interezza dell'arte, del pensiero, della storia, della civiltà che essi avevano espresso luminosamente, in forma perennemente esemplare.

Col termine di *rinascita* o *renovatio* gli Umanisti espressero polemicamente la persuasione di vivere in un'età nuova, profondamente diversa da quella che allora cominciò a chiamarsi, con sbrigativa sufficienza, «età di mezzo» (*Medioevo*, appunto): un'età di resurrezione dalla barbarie e di ritorno ai «Padri». Attraverso il colloquio coi grandi scrittori classici si proposero di acquistare una *humanitas* o civiltà genuina, esaltando, nel contempo, l'Italia come figlia ed erede di Roma.

Nell'ambito della storia letteraria possiamo distinguere, in questo movimento, due momenti: l'*Umanesimo*, dalla morte del Petrarca fin verso la fine del Quattrocento, e il *Rinascimento*, compimento del primo, situabile, all'incirca entro il primo cinquantennio del Cinquecento; avvertendo che vi è stretta complementarità, sul piano ideologico, fra di essi, e che, di là da questa divisione di comodo, c'è tutta una storia viva e cangiante che si cercherà di cogliere negli aspetti e figure più significativi.

La nuova concezione dell'uomo e della vita

Il rinnovato interesse per gli studi letterari, ritenuti capaci di svolgere e rafforzare i più alti valori della persona, e l'esaltazione del mondo classico, sono caratteri fondamentali dell'Umanesimo. Ma in realtà, mentre proclamavano entusiasticamente il mito d'un impossibile ritorno agli antichi, gli umanisti creavano un mondo moderno, definivano una nuova concezione dell'uomo e della realtà.

Essa appare essenzialmente fondata sull'esaltazione della nobiltà e dignità dell'uomo, capace di comprendere le leggi e l'intima razionalità della natura e di emularne la capacità creatrice. L'uomo, posto al centro dell'universo, in questo mondo che è come la scena grandiosa in cui si svolge la sua vicenda ancor più grandiosa di storia e di civiltà, concilia e armonizza in sé la vita di tutti gli esseri: è partecipe, con la sua essenza corporea, della vita della natura, con la sua intelligenza, di quella degli angeli; è un *microcosmo*, o piccolo mondo, nel quale quello più vasto, o *macrocosmo*, si conclude e s'illumina di razionale consapevolezza. Come affermava Leonardo Bruni, è epilogo, re e armonia d'ogni cosa, perché attua in sé la sintesi perfetta di natura e spirito, riflettendo così la struttura profonda della creazione divina.

L'esaltazione della libertà, con la quale l'uomo può creare la propria vita e il proprio destino terreno, e della sua dignità, nasce, in fondo, dal seno stesso del Cristianesimo, che aveva detto l'uomo fatto a immagine e somiglianza di Dio, e aveva esaltato la libertà dell'arbitrio. Ma il Medioevo aveva insistito sulla fragilità umana, conseguente al peccato originale, e sulla necessità, quindi, del continuo intervento della Grazia. Gli umanisti, invece, pongono in secondo piano il problema della giustificazione e della Grazia, per esaltare la bellezza e dignità di questa vita, non più valle di lacrime, ma palestra dove si svolge la libera azione dell'uomo, considerato quasi vicario di Dio in terra e suo degno figlio, proprio in quanto esplica anch'egli un'attività creatrice, costruendo la sua civiltà e la sua storia. Il pensiero rinascimentale esalta concordemente il *regnum hominis* (regno dell'uomo), che è quello dell'operosità intesa a plasmare la realtà in misura umana. Di qui provengono la condanna dell'ozio, della contemplazione solitaria e l'esaltazione dei valori terreni, come la ricchezza, la grazia e la bellezza fisica, l'attività politica e la creazione artistica; delle occupazioni civili, della sapienza e soprattutto delle *humanae litterae* che costituiscono un dialogo perenne fra gli uomini, un mezzo di comunione spirituale, che rende possibile e asseconda il comune impegno costruttivo. L'ideale della gloria diviene immagine mitica di questa comunione, segno della persistenza nella storia dell'individuo e dei valori più alti da lui espressi.

D'altra parte, la perfetta corrispondenza che si stabilisce fra spirito umano e natura, fra microcosmo e macrocosmo, si traduce in un'umanizzazione di tutto il creato. «La natura intera, scrive un moderno studioso, il Garin, sembra ritrovarsi nell'uomo e l'uomo nella natura; l'universo viene a confluire nell'uomo, perché ha lo stesso linguaggio umano, la stessa *ragione*, le stesse voci, le stesse attitudini e tendenze». Accanto alle lettere, alle scienze, alla filosofia, si celebra la magia, che presuppone un universo tutto animato (l'«anima del mondo») e legato da una sorta di *eros* cosmico, e consente di comprendere il linguaggio delle cose e di piegarle, dominandole intellettualmente e vitalisticamente, alle esigenze della volontà umana.

Le «humanae litterae»

Nell'uomo libero artefice di sé, che abbraccia tutte le cose e costruisce se stesso e il proprio mondo, che è vincolo dell'universo, trasfiguratore della natura e centro della storia, si raffigura soprattutto — afferma ancora il Garin — la potenza dell'artista, del poeta. Non a caso la civiltà umanistico-rinascimentale, nata sul terreno delle lettere, aspirò «ad affermarsi sotto il segno della bellezza e della grazia, che è simbolo di libertà creatrice e di luce spirituale che s'incarna, nell'ordine e nella misura». Essa sentì profondamente il mito del poeta civilizzatore (Orfeo): la poesia come espressione piena dell'uomo. E analogamente esaltò il linguaggio, mezzo di comunione spirituale fra gli uomini, e, in genere, le lettere, gli *studia humanitatis* (la grammatica e la retorica, come scienze del linguaggio e dell'espressione, la filosofia, la storia), concepiti come strumento indispensabile di quella *reformatio* o nuova formazione umana che è ricostruzione morale: come studi che fanno più umani. La cultura letteraria insegna, rivelando l'interiorità dei grandi scrittori che hanno scavato e compreso a fondo la propria umanità, a comprendere e definire la nostra, a porci con essi in un dialogo vivo, attraverso il quale diventiamo veramente partecipi della tradizione umana più genuina, attuando la nostra potenziale civiltà e immettendoci in quella comune. Nasce di qui il concetto rinascimentale di *imitazione*, che consiste nell'imparare, seguendo l'esempio e il procedimento dei grandi, a ritrovare ed esprimere compiutamente, emulandoli, l'*humanitas* che è in noi. Così l'altro canone dell'imitazione della natura, proprio della poetica rinascimentale, non consiste nella copia servile delle cose, ma nella capacità di comprendere ed effigiare la direzione essenziale della realtà, la sua legge di razionalità e di euritmia di cui l'uomo è partecipe.

L'Umanesimo è soprattutto caratterizzato dalla riscoperta dei Classici latini (e, in un secondo momento, di quelli greci), che gli studiosi vogliono ora cogliere nel loro significato autentico, di là dalle deformazioni medievali. Il Medioevo aveva letto e ammirato i Classici, ma piegando spesso i loro testi a significazioni allegoriche, per giustificarne il contenuto alla luce della rivelazione cristiana; gli umanisti intendono, invece, collocarli nella loro reale prospettiva storica ed espressiva. La storia, la lingua, l'arte, la letteratura latina vengono ora studiate con entusiasmo e con metodo rigoroso; gli studiosi percorrono tutta l'Europa per ritrovare, nelle biblioteche dei monaci dove erano rimaste sepolte per secoli, le opere dimenticate dei Classici, affermando di voler liberare i padri dagli «ergastoli». E a queste ricerche si unisce un imponente lavoro di trascrizione di testi, interpretazione, commento. Nasce una nuova scienza, la *filologia* (etimologicamente: «amore della parola»), che si propone di ricostituire i testi degli antichi nella loro integrità, eliminando gli errori che si sono accumulati, per secoli, nella loro tradizione manoscritta, o anche le spiegazioni (o *glosse*) che avevano finito per entrare a farne parte. Questo comporta una conoscenza approfondita delle lingue, dei costumi, delle vicende, delle letterature classiche e, al tempo stesso, la volontà di interpretarle nel loro contesto culturale e storico. La filologia diventa così una metodologia scientificamente rigorosa: è studio, attraverso l'analisi della parola, della realtà umana che essa configura, in una prospettiva storica coerente. Pertanto la conoscenza linguistica e grammaticale (*peritia litterarum*) fu vista dagli umanisti coincidente con la conoscenza delle cose (*scientia rerum*), e la filologia, in quanto scienza della comunicazione umana, apparve loro come fondamento d'ogni sapere.

L'umanesimo e la società italiana

La cultura umanistica va inquadrata nello sviluppo della civiltà politica delle Signorie, già iniziato nel Trecento, di origine a volte violenta (gli Sforza a Milano) o non motivata da antichi privilegi o investiture (i Medici a Firenze). Esse sono fondate sul potere assoluto del Principe, che trova appoggio nel patriziato (nobiltà e alta borghesia), cui assicura la pace all'interno e la possibilità di mantenere i propri privilegi contro ogni spinta dal basso, mentre il popolo è considerato una componente priva di autonomia, da reggere e governare, educandolo a una tranquilla vita associata, fondata sulla soggezione.

I nuovi signori non possono, né vogliono più cercare l'autenticazione di questo loro potere nelle motivazioni medievali, connesse pur sempre a una certa sacralità e a un coinvolgimento di responsabilità etiche: il mondo classico posto come ideale era una prospettiva sufficientemente remota per non porre intralci ideologici; e la cultura nuova si prestava a conferire decoro a un potere che non aveva tradizioni.

Gli intellettuali anelano a porsi accanto al Principe come consiglieri di saggezza, di moderazione, di elevati costumi; gli propongono il modello dei grandi eroi antichi, collaborano alla elegante vita di corte. Se inizialmente partecipano più attivamente alla vita politica (per esempio, in ambascerie) e all'amministrazione statale complessa che richiedeva una nuova professionalità intellettuale, ben presto rinunciano a questo loro intervento diretto. Difficile qui stabilire limiti cronologici per via degli sviluppi diversi nelle varie sedi; a Firenze dura più a lungo uno stato repubblicano, e quindi l'intervento attivo degli Umanisti nella sua vita, poi lentamente si afferma il dominio mediceo, anche se pur sempre con un aspetto di liberalità antitirannica. In genere, comunque sia, si può dire che poco prima della metà del secolo si sia stabilizzata la situazione di distacco degli Umanisti dalla vita politica cui si alludeva più sopra.

Deriva di qui il grande sviluppo d'una produzione letteraria encomiastica e idealizzante, rivolta alla lode del Principe e della sua stirpe, trasformando la realtà contingente in modelli ideali ispirati o all'antica mitologia o ai personaggi eroici eternati dai grandi scrittori dell'Antichità. La storiografia greca e latina, ispirata a una concezione individualistica della politica, s'accorda col nuovo individualismo aristocratico, con la concezione diffusa dell'uomo artefice del proprio destino. Cesare, Augusto saranno i modelli di principe; e ve ne saranno anche per gli oppositori: Bruto e Timoleone per i tirannicidi: tutta una mitologia politica che durerà per secoli, fin oltre la Rivoluzione francese.

Il classicismo, dunque, come strumento di organizzazione del consenso. Ma l'operazione coinvolge anche i doveri del Principe, che dovrà prima di tutto cercare di ispirarsi, in qualche modo, ai grandi modelli etici, fra i quali c'è anche Mecenate. Ammesso che il letterato è dispensatore di gloria e d'immortalità, colui che dà splendore a una corte e a una dinastia, sarà compito del Principe accoglierlo e farlo vivere dignitosamente (si avrà, talvolta, una gara fra varie corti, per assicurarsi un letterato o umanista famoso) e garantirgli i mezzi di sussistenza culturali: biblioteche ricche di manoscritti, a volte costosissimi, e di libri, dopo lo sviluppo della stampa. È questo il periodo in cui sorgono grandi e benemerite biblioteche, in gran parte ancora oggi presenti e importanti: la *Medicea*, fondata a Firenze da Cosimo de' Medici (1437), la *Marciana* di Venezia (1460), la *Vaticana* di Roma, fondata nell''84 da Sisto IV. In quella di Urbino vennero soprattutto accolti preziosi e raffinati manoscritti, anche dopo l'invenzione della stampa. Che alla letteratura venisse attribuita tanta importanza politica nell'organizzazione del consenso è un segno di forza della nuova civiltà letteraria, di penetrazione della prospettiva umanistica nella vita civile.

La posizione della Chiesa, per molti anni impegnata nella lotta contro lo Scisma d'Occidente, non fu mai propriamente avversa al movimento; molti Umanisti, il cinquanta per cento, secondo un'attenta stima di Carlo Dionisotti, furono ecclesiastici, altri oscillarono spesso fra stato libero (magari coniugale; anche se da molti la moglie e la famiglia erano viste come un grave impedimento agli studi) e ordini minori, che consentissero di godere qualche «beneficio», com'erano chiamate le rendite ecclesiastiche. Fra gli Umanisti, in genere, vi furono osservanti e increduli: contro questi ultimi la Chiesa intervenne secondo i mezzi di disciplina usuali, senza peraltro accusare l'Umanesimo come fonte di deviazioni; ed è forse il caso di dire con prevalente rispetto, visto che molto spesso i presunti colpevoli avevano l'appoggio di potenti famiglie signorili (è il caso di Marsilio Ficino). Del resto le idee umanistiche penetrarono largamente nel mondo cattolico ed ecclesiastico: umanisti furono due papi, Enea Silvio Piccolomini (Pio II), Tommaso Parentuccelli (Niccolò V); e si possono aggiungere Eugenio IV e Sisto IV. La Chiesa non si sentì particolarmente colpita dall'esaltazione dell'uomo, che aveva dietro una lunga storia anche cristiana, né dal Platonismo del Ficino; la sorveglianza divenne, se mai, più aspra con la Riforma protestante e le lotte religiose del Cinquecento.

L'indifferenza degli Umanisti nei confronti del dogma fece sì che fosse loro lasciata, per dir così, mano libera. Tale indifferenza non va intesa nel senso d'una professione a-religiosa; è soltanto la coerente affermazione d'una cultura che si svolge in relazione ad altri ordini di problemi. Sul piano religioso — prescindendo dalle scelte individuali, lasciate, del resto, libere — si affermava una mentalità non nuova, e che poteva essere bene accolta da ampi settori ecclesiastici. L'abbiamo già intravista in Petrarca, e comprende sia la *devotio moderna*, ossia una religione impegnata non in dispute teologiche, ma in un'adesione sentimentale fervida e umile, sia la volontà d'una riforma del clero che eliminasse immoralità e abusi. Entrambe le istanze erano largamente diffuse anche a livello europeo.

Un rapporto, invece, parzialmente conflittuale fu quello degli Umanisti con le Università, rimaste per lo più entro i limiti dell'Aristotelismo medievale (con eccezioni, come quella, importante, di Padova, che rielaborò il pensiero aristotelico sul piano scientifico, con esiti di notevole interesse e modernità). Questo derivò, in parte, anche dalla scarsa stima in cui gli Umanisti tennero ogni sapere che potesse essere in qualche modo «venduto», ossia destinato a carriere professionali lucrose.

Gli scambi frequenti fra Umanisti, il loro muoversi in una dimensione interregionale, con liberi spostamenti di sede, aiutarono il formarsi d'un latino diverso da quello medievale, e direttamente ispirato ai modelli classici, che divenne lingua di cultura e di scambio, importantissima in un momento in cui ancora non s'era formata un'egemonia linguistica dell'italiano letterario, che si venne tuttavia preparando nel corso del secolo, come si vedrà a suo tempo.

La seconda metà del Quattrocento vide, com'è noto, la rinuncia a un'unificazione italiana. Tuttavia le dottrine umanistiche e l'infittirsi di scambi culturali svilupparono, nelle classi più colte, l'idea d'una comune tradizione di civiltà, ribadita dall'attualità riconosciuta alla cultura classica in genere, e primariamente alla cultura e alla lingua dell'antica Roma. Fu questa, e rimase per secoli, l'unica e tutta ideale persuasione d'una tradizione italiana unitaria, limitata peraltro, come si è detto, a pochi.

Centri di cultura umanistica

I principali centri d'irradiazione della cultura umanistica furono Firenze, Roma e Napoli.

A Firenze continua la grande tradizione di studi, iniziata dal Petrarca e dal Boccaccio, con *Coluccio Salutati*; di Stignano in Val di Nievole (1331-1406), cancelliere della Signoria fiorentina, che trascrisse le lettere *Ad familiares* di Cicerone, *Niccolò Niccoli*, fiorentino (1364-1437), che, fra l'altro, scrisse una guida per i ricercatori di manoscritti in Germania, *Leonardo Bruni*, aretino (1374-1444), autore di una *Historia florentina*, modellata sull'esempio della storiografia latina, *Poggio Bracciolini*, di Terranova in Valdarno (1380-1459), che riportò alla luce numerosi testi latini: il *De rerum natura* di Lucrezio, le *Selve* di Stazio, la *Institutio* di Quintiliano, le *Puniche* di Silio Italico, e altri. Accanto a questi, che furono più propriamente dei letterati, ricordiamo i filosofi, in primo luogo *Marsilio Ficino*, di Figline (1433-1499), autore della *Theologia Platonica*, ove tentava di conciliare la filosofia di Platone col cristianesimo, *Giannozzo Manetti*, fiorentino (1369-1459), autore del *De dignitate et excellentia hominis* («Dignità ed eccellenza dell'uomo»), che contiene, insieme al *De hominis dignitate* («Dignità dell'uomo») di *Pico della Mirandola* (1463-1494) e alle opere del Ficino, la più alta lode della natura umana, *Cristoforo Landino* (1424-1498).

I Medici, signori di Firenze, favorirono, con splendido mecenatismo, lo sviluppo della cultura.

Anche Roma fu un grande centro umanistico, sotto la protezione dei pontefici, alcuni dei quali, come *Niccolò V e Pio II*, furono umanisti essi stessi. Alla corte pontificia, i principali studiosi furono *Lorenzo Valla*, romano (1407-1457), filosofo e filologo, autore, fra l'altro, di un'opera in cui studiava il perfetto linguaggio classico latino (*Elegantiarum latinae linguae libri*) e di un libro in cui dimostrava con argomenti filologici la falsità del documento secondo il quale l'imperatore Costantino avrebbe donato Roma ai pontefici, e *Giulio Pomponio Leto,* fondatore dell'Accademia romana.

A Napoli, sotto la protezione dei re Aragonesi, sorse l'Accademia pontaniana, fondata da *Antonio Beccadelli* (1394-1471), ma così chiamata per onorare colui che ne fu il principale animatore, *Giovanni Pontano*, nato a Cerreto nel 1426 e morto a Napoli, dove diresse per un ventennio in qualità di ministro la politica del regno, nel 1503. Il Pontano scrisse dialoghi e poesie in latino, e fu l'esempio più insigne dell'illusione umanistica di potere far rivivere la civiltà classica anche nel linguaggio, sostituendo all'italiano il latino anche nei componimenti propriamente letterari.

Fra gli altri centri umanistici ricordiamo Ferrara, dove insegnò *Guarino Guarini*, veronese (1374-1460) e dove i signori Estensi furono magnifici mecenati; lo stesso può dirsi dei Gonzaga, signori di Mantova, dove operò il grande pedagogista *Vittorino da Feltre* (1373 o '78-1446).

Con l'umanesimo si venne poi diffondendo in Italia lo studio del greco, che il Medioevo aveva praticamente ignorato. Già nel 1397 un greco, *Manuele Crisolora* veniva invitato allo Studio di Firenze affinché vi insegnasse la sua lingua. Molti altri greci vennero in Italia nel 1438 e nel 1439, quando si tentò di riconciliare la chiesa greca e quella latina, e soprattutto dopo che, nel 1453, Costantinopoli, e con essa il dominio bizantino, cadde in mano dei Turchi. Ricordiamo fra questi il cardinale *Bessarione, Giovanni Argiropulo, Giorgio Gemisto, Costantino Lascaris, Giovanni Aurispa*. Questo incontro dei nostri umanisti con la cultura greca classica fu molto importante, sia perché consentì di comprendere più a fondo quella latina, che fin dalle sue origini aveva tratto da quella greca un vitale nutrimento, sia perché consentì una diretta lettura dei testi di Platone e d'Aristotele, i due sommi pensatori della Grecia antica ai quali s'ispirò, tentando inoltre di conciliarne le dottrine, la filosofia rinascimentale.

La letteratura umanistica

Dalla morte del Petrarca all'ultimo trentennio del Quattrocento abbiamo quello che è stato chiamato il «secolo senza poesia»: manca, cioè, fino alla pubblicazione delle opere del Poliziano, del Magnifico e degli altri poeti quattrocenteschi che vissero nella seconda metà del secolo, una personalità poetica di grande rilievo.

In quest'epoca s'afferma e, al tempo stesso, si esaurisce la grande illusione umanistica di un totale ritorno alla classicità anche per quel che riguarda la letteratura e la lingua letteraria. Vengono scritti in latino non soltanto i trattati, come pure era avvenuto nel Medioevo, ma anche le opere più propriamente letterarie e poetiche. Abbiamo già ricordato Giovanni Pontano, che fu poeta esclusivamente latino, e numerosi altri ve ne furono. Anche il Poliziano e il Sannazaro, che furono fra i maggiori scrittori in lingua italiana nella seconda metà del secolo, scrissero poesie e prose in latino. Si tratta, però, d'un latino ben diverso da quello medievale, in quanto ricalca nel lessico e nello stile i modelli classici, imitandone il nitore, l'armonia, la limpidezza formale; fu una lingua, tuttavia, agile e viva, che conciliava verità ed eleganza, sapienza ed eloquenza, secondo l'ideale estetico del Rinascimento.

L'uso del latino classico fu motivato dalla persuasione, già ricordata, che l'intimità e la profondità dell'uomo si traducono perfettamente nella parola e che quindi un linguaggio barbaro e corrotto riflette una realtà spirituale deformata. L'esigenza di cogliere la lingua nella sua purezza spinse gli scrittori a ritrovarla qual era prima dei secoli «barbari» del Medioevo, in cui s'era corrotta, e a ritornare direttamente al latino classico. Era un atteggiamento antistorico, in quanto rigettava tutta una civiltà e una tradizione da cui l'umanità, e gli stessi umanisti, non potevano più prescindere, perché era ormai parte essenziale del loro spirito. Il latino classico, lingua d'una civiltà conclusa, era destinato col tempo a diventare lingua morta, perché ormai incapace di esprimere la nuova realtà storica e spirituale.

Fra la produzione latina del Quattrocento le opere migliori sono i trattati, svolti spesso in forma di dialogo, le epistole, le opere storiche. Dialoghi ed epistole riflettono quell'esigenza d'un colloquio, di quella «conversazione civile» fra gli uomini, che abbiamo visto esigenza e aspirazione fondamentale della civiltà umanistica. Le opere storiche, invece, sono intese a immettere il passato nella vita presente, a celebrare i valori più alti che la stirpe umana fonda e afferma nel tempo, garantendo loro l'immortalità, la persistenza. Ma proprio perché vuol essere specchio e modello di vita civile, la storiografia umanistica diventa discorso eloquente, trattato politico, pedagogico, morale, o assume un intento celebrativo, spesso indirizzato dai principi a scopo propagandistico (fra le eccezioni vanno però ricordate le *Historiarum ab inclinatione Romanorum decades* dell'umanista forlivese Flavio Biondo, instauratore del moderno metodo scientifico ed erudito negli studi storici). Encomiastici sono anche quasi tutti i poemi epici, ispirati, in genere, da spirito cortigiano.

Presentiamo alcuni testi che offrono un'idea essenziale della nuova *religio hominis* (religione dell'uomo, come fu indicata metaforicamente), e alcuni aspetti tipici della nuova cultura: il concetto di imitazione, la lingua latina e il linguaggio in genere come vincolo sacro o «sacramentum», come lo definisce il Valla, fra gli uomini, e anche dell'uomo con se stesso, dal momento che nella parola si rivela a se stessi e agli altri la propria interiorità, dando così vita alla civiltà (*humanitas*), ossia alla storia fatta dall'uomo. Non si è tenuto conto della cronologia (Bracciolini e Valla appartengono a una generazione diversa da quella degli altri: rientrano nella prima metà del secolo, dopo la quale prevalgono nuovi atteggiamenti), e neppure delle prospettive filosofiche di fondo; ma soltanto di alcune persuasioni concordi per tutto il secolo e oltre.

Per i testi (che diamo per lo più in traduzione italiana) seguiamo: *Prosatori latini del Quattrocento*, a cura di E. Garin, Milano-Napoli, Ricciardi, 1952, salvo indicazione contraria.

La liberazione dei padri dagli «ergastoli» (Poggio Bracciolini)

Poggio Bracciolini fu una delle figure principali del primo umanesimo. Nato a Terranova di Valdarno nel 1380, fu prima al servizio dei papi come scrittore apostolico, poi segretario apostolico, quindi cancelliere dello stato fiorentino, e a Firenze morì nel 1459.

Le pubbliche cariche non lo distolsero da una fervida attività d'umanista. La sua fama è soprattutto legata al ritrovamento di antichi codici contenenti opere importantissime della letteratura latina, che giacevano dimenticate nei monasteri di Francia e soprattutto di Germania. Nei primi secoli del Medioevo i monaci le avevano trascritte, salvandole così dalla distruzione, ma poi, durante le ultime invasioni barbariche e al tempo dell'anarchia feudale, quando la vita e gli scambi culturali si erano quasi spenti in Europa, erano in gran parte cadute in oblio, restando mute e perdute per la civiltà.

La lettera di Poggio, che presentiamo qui tradotta dal latino, attesta il fervore e l'entusiasmo con cui gli umanisti italiani riportarono alla luce queste grandi voci di una tradizione gloriosa, consapevoli che questo ritorno al proprio passato costituiva l'inizio di una nuova civiltà.

Poggio fiorentino, segretario apostolico, invia molti saluti al suo caro Guarino veronese[1]

Sebbene io sappia che, pur fra le tue tante occupazioni quotidiane, l'arrivo di una mia lettera ti è sempre profondo motivo di gioia, perché, come tu hai un animo gentile verso tutti così nutri una particolare benevolenza nei miei confronti, tuttavia ti scongiuro più che mai di prestare una particolare attenzione a codesta mia lettera, non certo perché vi sia in me qualcosa che possa destare l'interesse di un sommo letterato, ma per l'estrema importanza dell'argomento di cui mi accingo a scriverti. Io sono sicuro che, proprio perché sei un uomo dottissimo, recherà a te e agli altri studiosi non piccola gioia.

Qual cosa infatti, in nome di Dio, potrebbe essere a te e agli altri uomini più dotti, più piacevole, più gradita, più accetta, della conoscenza di quelle opere mediante l'uso delle quali diventiamo più dotti, e, ciò che più conta, meglio capaci di esprimere noi stessi?[2] La natura, infatti, madre comune, ha dato al genere umano l'intelletto e la ragione, egregie guide per vivere bene e felicemente, e non so se si potrebbe trovare qualcosa di più eccellente; ma io credo che il dono più alto che essa ci ha elargito sia la capacità di usare consapevolmente la parola; senza questa facoltà né la ragione né l'intelletto avrebbero valore alcuno. Infatti è solo il linguaggio quel dono mediante il quale riusciamo ad esprimere l'intima essenza dell'animo nostro, e ci distinguiamo da tutti gli altri esseri. Dobbiamo dunque avere una riconoscenza grandissima, oltre che nei confronti degli inventori delle altre arti liberali, soprattutto nei confronti di coloro che col loro studio assiduo ci hanno tra-

1. Il Guarino, nato a Verona nel 1374 e morto nel 1460 a Ferrara, creò in questa città un fiorente centro di studi umanistici.
2. **Qual... stessi?**: Comincia qui un entusiastico elogio dell'eloquenza che serve d'introduzione all'argomento centrale della lettera: l'annuncio di avere ritrovato il testo della *Institutio oratoria* di Fabio Quintiliano, scrittore del I secolo d.C., che è, insieme con Cicerone, il massimo teorico dell'eloquenza latina.

mandato i precetti della retorica e la norma per potere perfettamente esprimerci. Essi hanno fatto sì che noi potessimo superare anche gli uomini in quella virtù per la quale gli uomini superano gli altri animali.[3]

Come tu sai, molti autori latini sono stati famosi nell'ornare e raffinare l'arte della parola; ma il più illustre ed eccellente è stato Marco Fabio Quintiliano. Egli con tanta eloquenza e perfezione e con sì grande diligenza espone le doti necessarie a formare un oratore perfetto, che, a mio giudizio, nulla sembra che gli manchi per conseguire la più alta dottrina e la più alta eloquenza. E col suo solo aiuto, anche se mancasse Cicerone, padre dell'eloquenza romana, potremmo conseguire una perfetta scienza dell'arte del dire. Ma finora presso noi Italiani, egli era così lacerato,[4] così mutilato, per colpa, io penso, dei tempi, che non si riconosceva più in lui alcuna forma, alcun aspetto d'uomo.[5]... Un caso fortunato per lui, e soprattutto per noi, volle che mentre mi trovavo ozioso a Costanza,[6] mi venisse il desiderio di andare a visitare quel luogo nel quale egli era tenuto in prigionia. Il Monastero di San Gallo è infatti nei pressi di questa città, a circa venti miglia. Là, fra una massa stragrande di codici, che ora sarebbe lungo elencare, ho ritrovato Quintiliano, ancora salvo e incolume, pieno tuttavia di muffa e sporco di polvere. Quei libri infatti non erano in una biblioteca, come avrebbe richiesto la loro dignità, ma in uno squallido e oscuro carcere, nel fondo di una torre dove non si getterebbero neppure dei condannati a morte. Eppure io sono sicuro che se vi fossero degli uomini che, per amore dei nostri padri, spalancassero ed esplorassero questi ergastoli dei barbari[7] nei quali sono tenuti prigionieri questi grandi, troverebbero che uguale sorte è toccata a molti dei quali ormai si considera sicura la perdita. Ho inoltre trovato i primi tre libri e la metà del quarto delle *Argonautiche* di Caio Valerio Flacco,[8] e le esposizioni in forma di sommari, di otto orazioni di Cicerone opera del dottissimo Asconio Pediano,[9] delle quali fa cenno anche Quintiliano. Ho ricopiato di mio pugno questi scritti, e in fretta, per mandarli a Leonardo Aretino e a Niccolò Fiorentino,[10] i quali, non appena seppero che avevo trovato questo tesoro mi sollecitarono per lettera con grandi preghiere perché mandassi loro al più presto Quintiliano. Tu accogli, mio carissimo Guarino, ciò che ti può essere dato ora da un tuo fedelissimo amico. Avrei voluto poterti mandare anche il libro, ma dovevo contentare il nostro Leonardo. Comunque, sai dov'è, e se vuoi averlo, e penso che tu lo voglia avere al più presto, potrai facilmente ottenerlo. Addio, e voglimi bene come anch'io te ne voglio.

Costanza, 15 dicembre 1416.

3. Valgano, a commento del passo, le parole con le quali uno dei maggiori studiosi contemporanei del Rinascimento, E. Garin, definisce il significato che la retorica (o arte del dire) ebbe per gli umanisti: «L'uomo, che nel linguaggio celebra veramente se stesso... come si costituisce in pienezza definendosi attraverso la cultura... così raggiunge ogni sua efficacia mondana mediante la parola persuasiva, mediante la *retorica* intesa nel suo significato profondo di medicina dell'anima, signora delle passioni, educatrice vera dell'uomo, costruttrice e distruttrice di città... (nel Quattrocento) tutto è veramente *retorica*, sol che si ricordi che retorica è umanità, ossia spiritualità, consapevolezza, ragione, discorso di uomini».

4. così lacerato: l'opera di Quintiliano era andata in gran parte perduta nel Medioevo; se ne conservavano solo frammenti di lezione malsicura.

5. Tralasciamo una parte della lettera nella quale Poggio insiste, con letterario compiacimento, a parlare delle condizioni miserande nelle quali si trovava l'opera di Quintiliano.

6. A Costanza, in Svizzera, si teneva il Concilio che doveva porre fine allo scisma d'Occidente. Poggio vi si era recato, in qualità di segretario apostolico, al seguito del pontefice.

7. ergastoli: Poggio chiama *padri* i classici antichi, perché, come italiano, si sente figlio e partecipe della grande tradizione di Roma, e vuole salvarli dalla prigionia nella quale li tengono quei popoli germanici che con orgoglio latino egli chiama barbari.

8. Poeta epico vissuto nel I secolo d.C.

9. Erudito del I sec. d.C., commentatore di Cicerone.

10. Si tratta di Leonardo Bruni (1374-1444), autore di una storia di Firenze scritta in latino e condotta secondo il modello della grande storiografia latina, e di Niccolò Niccoli (1364-1437), uno dei maggiori animatori degli studi umanistici a Firenze. Raccolse una ricca biblioteca che dedicò a tutti i cittadini desiderosi di cultura; dopo la sua morte essa divenne la prima biblioteca pubblica fiorentina.

Dignità dell'uomo (Giovanni Pico della Mirandola)

Giovanni Pico della Mirandola (1463-1494) nacque da famiglia principesca alla Mirandola di Modena e morì ancor giovane, dopo avere frequentato le più celebri università dell'Europa ed essersi formata una cultura immensa, anche se disordinata. Fu discepolo di Marsilio Ficino, fondatore, a Firenze, dell'Accademia platonica, ma giunse a un suo pensiero originale. Il passo che presentiamo costituisce la sintesi di esso, ed è anche una delle più significative affermazioni del nuovo culto dell'uomo su cui s'incentra la cultura rinascimentale. È tratto dal *De hominis dignitate* (*Dignità dell'uomo*). L'idea che esso contiene di una missione terrena dell'uomo, creato da Dio per comprendere la ragione e la bellezza dell'universo, posto al centro di questo, partecipe di tutte le nature, e soprattutto libero creatore di se stesso e del suo destino, è un tema fondamentale della filosofia dell'epoca, anche se non tutti i pensatori condividevano l'indirizzo di pensiero neoplatonico di Pico.

Iam summus Pater architectus Deus, hanc quam videmus mundanam domum divinitatis, templum augustissimum, arcanae legibus sapientiae fabrefecerat: supercaelestem regionem mentibus decoraverat, excrementarias ac faeculentas inferioris mundi partes omnigena animalium turba compleverat. Sed, opere consumato, desiderabat artifex esse aliquem qui tanti operis ratio-

Già il sommo padre Iddio, architetto del mondo, aveva fabbricato, secondo le leggi della sua sapienza arcana, questa che noi vediamo mondana dimora della divinità, e suo augustissimo tempio;[1] aveva abbellito la regione che sta al di sopra del cielo[2] con intelligenze angeliche, aveva popolato con una turba d'animali d'ogni specie le parti putrescenti e fermentanti del mondo inferiore. Ma, portata a compimento la sua opera, l'Artefice sen-

1. Perché per tutto l'universo è presente lo spirito creatore di Dio.

2. L'Empireo, sede di Dio e degli angeli.

nem perpenderet, pulchritudinem amaret, magnitudinem admiraretur. Idcirco iam rebus omnibus absolutis, de producendo homine postremo cogitavit. Verum nec erat in archetypis unde novam subolem effingeret, nec in thesauris quod novo filio haereditarium largiretur, nec in subselliis totius orbis ubi universi contemplator iste sederet. Iam plena omnia: omnia summis, mediis, infimisque ordinibus fuerant distributa. Sed non erat paternae Potestatis in extrema fetura quasi effetam defecisse; non erat Sapientiae consilii inopia in re necessaria fluctuasse; non erat benefici Amoris ut qui in aliis esset divinam liberalitatem laudaturus in se illam damnare cogeretur.

Statuit tandem optimus opifex ut cui dari nihil proprium poterat, commune esset quicquid privatum singulis fuerat. Igitur hominem accepit, indiscretae opus imaginis, atque in mundi positum meditullio, sic est allocutus: «Nec certam sedem, nec propriam faciem, nec munus ullum, peculiare tibi dedimus, o Adam, ut quam sedem, quam faciem, quae munera tute optaveris, ea pro voto, pro tua sententia, habeas et possideas. Definita ceteris natura intra praescriptas a nobis leges coercetur. Tu, nullis angustiis coercitus, pro tuo arbitrio in cuius manu te posui, tibi illam praefinies. Medium te mundi posui ut circumspiceres inde commodius quidquid est in mundo. Nec te caelestem neque terrenum, neque mortalem neque immortalem fecimus, ut tui ipsius quasi arbitrarius honorariusque plastes et fictor, in quam malueris, tute formam effingas. Poteris in inferiora quae sunt bruta degenerare; poteris in superiora quae sunt divina, ex tui animi sententia, regenerari».

O summam Dei Patris liberalitatem, summam et admirandam hominis felicitatem! cui datum id habere quod optat, id esse quod velit. Bruta simul atque nascuntur id secum afferunt e bulga matris quod possessura sunt. Supremi spiritus, aut ab initio aut paulo mox, id fuerunt quod sunt in perpetuas aeternitates. Nascenti homini omnifaria semina ed omnigenae vitae germina indidit Pater, quae quisque excoluerit, illa adolescent et fructus suos ferent in illo: si vegetalia, planta fiet; si sensualia abbrutescet; si rationalia, caeleste evadet ani-

tiva il desiderio che vi fosse qualcuno che sapesse meditare e valutare l'essenza e l'intima legge di un'opera così mirabile, e amarne la bellezza, ammirarne la grandiosità. Perciò, alla fine, quando già tutto l'universo era stato portato a compimento, pensò di creare l'uomo. Ma non c'era negli archetipi[3] nulla di cui dare un'essenza propria alla nuova creatura, né nei tesori[4] qualcosa da elargire come eredità specifica al nuovo figlio, né luogo in tutto il mondo dove questo contemplatore dell'universo potesse avere propria e definita sede. Già ogni spazio era pieno: tutto era già stato distribuito fra i sommi, i medi, gl'infimi ordini delle creature. Ma non sarebbe stato degno della potestà del Padre all'ultimo del generare, quasi per esaurimento, venir meno, non della sua sapienza rimanere incerto, nel compimento di un'opera necessaria, per mancanza di consiglio, non del suo benefico amore che colui ch'era destinato a lodare nelle altre creature la liberalità divina fosse costretto a sentirne la mancanza per quel che riguarda la sua natura.

Stabilì al fine l'ottimo artefice che a colui al quale non poteva essere dato nulla di proprio e di peculiare fosse comune tutto ciò che era stato dato in particolare alle singole nature.[5] Perciò assunse l'uomo come opera di natura indefinita e postolo nel cuore dell'universo così gli parlò:

«Né determinata sede, né un aspetto tuo peculiare, né alcuna prerogativa tua propria[6] ti diedi, o Adamo, affinché quella sede, quell'aspetto, quelle prerogative che tu stesso avrai desiderato, secondo il tuo volere e la tua libera persuasione tu abbia e possieda. La definita natura degli altri esseri è costretta entro leggi da me prescritte, immutabili; tu, non costretto da nessun ristretto confine, definirai la tua stessa natura secondo la tua libera volontà, nel cui potere ti ho posto. Ti ho collocato al centro dell'universo affinché più comodamente, guardandoti attorno, tu veda ciò che esiste in esso. Non ti ho fatto né celeste né terreno, né mortale né immortale, affinché tu, quasi libero e sovrano creatore di te stesso, ti plasmi secondo la forma che preferirai. Potrai degenerare verso gli esseri inferiori, che sono i bruti, potrai, seguendo l'impulso dell'anima tua, rigenerarti nelle cose superiori, cioè in quelle divine.

O somma liberalità di Dio Padre, o suprema e mirabile fortuna dell'uomo! A lui, infatti, è concesso di avere ciò che desidera, di essere ciò che vuole. I bruti, appena nascono, recano dal seno materno i caratteri immutabili della loro natura. Gli angeli, o fin dall'inizio o poco dopo,[7] furono quali saranno per sempre. Invece all'uomo in sul nascere, il Padre diede i semi d'ogni specie, i germi d'ogni vita. Quali ciascuno avrà coltivato, codesti allignerranno e produrranno in lui i loro frutti: se saranno vegetali, diventerà pianta, se sensuali,

3. Pico pensa che l'essenza di ogni creatura derivi da un'idea pura o *archetipo* che è nella mente divina.
4. Le molteplici e mirabili qualità e attribuzioni degli esseri erano già state elargite alle singole creature.
5. All'uomo Dio assegna come natura i germi di ogni vita che si trova nel mondo: da quella vegetativa delle piante, a quella sensitiva degli animali, a quella spirituale degli angeli.
6. Non definita, cioè, una volta per sempre. Nell'uomo vi sono molteplici possibilità, egli è libero di definire la propria natura secondo la sua libera volontà: potrà degradarsi fino alla bestialità o innalzarsi al di sopra degli angeli. Sua vera natura è dunque la libertà del volere. Dio affida alla volontà dell'uomo il potere di scegliere il proprio destino. Si potrebbe dire che dopo la creazione da parte di Dio vi sia per l'uomo un'altra creazione, dipendente da lui stesso, una possibilità infinita d'ascesa, di perfezione.
7. Allude al fatto che anche gli angeli hanno avuto, inizialmente, da compiere una

mal; si intellectualia, angelus erit, et Dei filius. Et si nulla creaturarum sorte contentus, in unitatis centrum suae se receperit, unus cum Deo spiritus factus, in solitaria patris caligine, qui est super omnia constitutus, omnibus antestabit.

bruto, se razionali diverrà creatura celeste, se intellettuali, sarà angelo e figlio di Dio. E se, non contento della sorte di alcuna creatura, si raccoglierà nel centro della sua unità, divenuto allora uno spirito solo con Dio, nella solitaria tenebra del Padre, lui, la creatura che fu posta sopra tutte le altre, sovrasterà su tutti gli esseri.[8]

scelta che ha determinato il loro destino: essere fedeli a Dio o schierarsi dalla parte del ribelle Satana.

8. L'uomo, creato da Dio come creatore di se stesso, può sollevarsi fino a Dio, entrare con Lui in una comunione intima, sviluppando in se stesso quelle doti, l'intelletto e la libertà del volere, per le quali si può dire che sia stato creato a Sua immagine e somiglianza. Quest'ultimo spunto di Pico non è condiviso da molti pensatori rinascimentali: gli altri, cioè la dignità, libertà e grandezza dell'uomo, la sua centralità nell'universo, la sua signoria su tutte le creature, sono invece comuni.

La dignità del corpo (Giannozzo Manetti)

Il Manetti, fiorentino (1396-1459), fu uomo politico che esercitò importanti mansioni non soltanto a Firenze, ma in varie parti d'Italia. Congiunse alla sicura preparazione umanistica una profonda convinzione religiosa, come attesta l'opera *Adversus Judaeos et gentes pro catholica fide*, e fu autore di opere storiche e biografie, fra le quali ricordiamo il *Chronicon Pistoriense* e le *Vitae Dantis, Petrarchae ac Boccaccii*. Su invito di re Alfonso d'Aragona compose, fra il 1451 e il '52, i quattro libri del *De dignitate et excellentia hominis* (*Dignità ed eccellenza dell'uomo*), contro le tesi sostenute dall'umanista ligure Bartolomeo Fazio, il quale sosteneva che l'unica superiorità dell'uomo sugli animali consisteva nel suo essere destinato alla beatitudine celeste. In realtà il Manetti critica tutta una linea ascetica, che aveva fra i più autorevoli rappresentanti papa Innocenzo III (1198-1216), portata a insistere pessimisticamente sulla condizione terrena dell'uomo. Come si vede anche da questo brano, importante per la rivalutazione del corpo contro ogni ascetismo cattolico o neoplatonico, il Manetti non esce dalla tradizione di pensiero cristiano, rifacendosi sia alla Bibbia sia ai Padri della Chiesa: la tesi centrale è, infatti, la dignità del corpo umano, creato direttamente da Dio, e, se mai, indebolito dal primo peccato, ma non tanto da non manifestare ancora una sua eccellenza. Da questo «riscatto» del corpo ha poi inizio la rivalutazione del lavoro dell'uomo, che rende più belli i doni avuti da Dio ed esprime, asseconda, celebra la dignità da Lui conferitagli nella costruzione della città terrena.

Per il testo seguiamo la traduzione del testo latino di G. Ponte, *Il Quattrocento*, Bologna, Zanichelli, 1966.

Dovremmo affermare esplicitamente che usufruiamo più di piaceri che di affanni; infatti non c'è azione dell'uomo, se consideriamo con diligenza e accuratezza la sua natura, che non lo diletti almeno un poco. Poiché per mezzo dei sensi esterni della vista, dell'udito, dell'olfatto, del gusto e del tatto egli prova sempre tanti piaceri e così intensi, che talora sembrano eccessivi e del tutto superflui. È difficile a dirsi quanto piacere prenda l'uomo dalla visione chiara e nitida di bei corpi, dall'ascoltare suoni e sinfonie e armonie varie, dall'odorare fiori e simili cose profumate, dal degustare tutta la varietà dei cibi dolci e gradevoli, e infine dal palpeggiare le cose più molli. Che diremo dei sensi interni? Quanto diletto nello stabilire le varie distinzioni delle cose sensibili si dice che arrechi quel senso che i filosofi chiamano comune, e quanto ci dilettino il vario immaginare sostanze e accidenti diversi, il calcolarli, il ricordarli, il comprenderli, quando decidiamo di immaginare, comporre, ricordare e interpretare ciò che cogliamo con qualche senso particolare, non potremmo spiegare a sufficienza con le nostre parole. [...] Come ci dilettiamo meravigliosamente nello scacciare la fame e la sete quando mangiamo e beviamo, così ugualmente quando ci riscaldiamo, ci rinfreschiamo, riposiamo. Ma le sensazioni del gusto appaiono in certo qual modo più piacevoli delle comuni sensazioni tattili, escluso il contatto sessuale; e i filosofi hanno insegnato che la natura, attentissima e acutissima e senz'altro unica maestra delle cose, non a caso ha fatto in modo che si provasse maggior piacere nell'unione sessuale che nel mangiare e nel bere, poiché essa mirava a conservare la specie prima che gli individui; e si raggiungeva il primo scopo col congiungimento del maschio e della femmina, il secondo con l'assimilazione del cibo, per rimediare alle perdite dell'organismo.

[...] questa terrestre fabbrica umana avrebbe dovuto sembrargli [*al pontefice Innocenzo III di cui l'autore sta confutando le idee pessimistiche sul corpo*] di tanto più nobile ed eccellente di ogni altra, di quanto era più nobile dei venti e dei pianeti e delle stelle, che, sebbene fatti di aria e di fuoco, risultavano tuttavia insensibili e inanimati; ed anche dei pesci, degli uccelli, animati e fatti con la medesima aria, e dei mammiferi, animati ed usciti come lui dalla terra, il nostro corpo appariva più eccellente. Infatti questo animale razionale, provvido e sagace, aveva un corpo molto più nobile dei giumenti, dei bovini e degli ovini, con cui pure sembrava convenire rispetto alla materia, poiché era di gran lunga più adatto a parlare e a comprendere, facoltà di cui essi mancavano. Ugualmente si poteva ritenere superiore ai venti e alle stelle, cose prive del tutto di senso, ed anche ai pesci e agli uccelli, che sono animati [...] e similmente [...] agli animali acquatici ed aerei, poiché per propria natura era stato fatto tale che, se non avesse peccato, non poteva morire.

L'opera dell'uomo (Marsilio Ficino)

Marsilio Ficino (Figline Valdarno 1433-Careggi 1499) fu il filosofo del gruppo fiorentino (Lorenzo de' Medici, Poliziano, Pulci, Landino; più tardi Pico della Mirandola; e altri), che svolgeva nella villa donatagli dai Medici, discussioni di alta cultura filosofica e letteraria. Tradusse in latino le opere di Platone, poi, divenuto sacerdote, scrisse il *De christiana religione* e la *Theologia platonica* (1482), opera di vasta risonanza europea, in cui tentava di conciliare platonismo e cristianesimo. Evidente è il suo influsso sui poeti medicei, a cominciare da Lorenzo, soprattutto per la sua concezione, di ascendenza platonica, della bellezza e dell'amore. Tralasciando un esame del suo pensiero filosofico (per il quale cfr., più avanti, le pagine a lui dedicate), presentiamo questo elogio della dignità dell'uomo per la sua operosità, che rivela la sua capacità di comprendere l'essenza profonda della natura e di emularne la capacità creativa. Il mondo creato dal lavoro dell'uomo, che di continuo trasforma la natura, le opere della sua mente e delle sue mani, dalle arti manuali alla pittura e alla poesia, dall'agricoltura alla costruzione delle città, dalla geometria alla musica alla fondazione e al governo della società, rivelano la sua somiglianza con Dio, ne fanno, anzi, un vicario di Dio in terra.

Per il testo seguiamo la traduzione del testo latino (*Theologia platonica*, XIII, 3) di G. Ponte, da *Il Quattrocento*, op. cit.

Gli altri animali vivono senza conoscere arti, o ne conoscono una sola per spiecie, al cui esercizio non si dànno per iniziativa propria, ma sono tratti dal loro inevitabile destino. Ne è indizio il fatto che nella loro attività costruttiva non si perfezionano con il passar del tempo. All'opposto, gli uomini sono inventori di innumerevoli arti, che praticano a loro arbitrio. Ciò è dimostrato dal fatto che ciascuno di loro esercita molte arti, le muta, e diviene più attivo con la continua pratica. E — cosa mirabile — le arti umane producono di per sé tutto ciò che produce la natura stessa, quasi non fossimo servi della natura, ma rivali [...].

L'uomo, insomma, imita tutte le opere della natura divina, e perfeziona, corregge, ed emenda le opere della natura inferiore. Quindi l'essenza dell'uomo è fondamentalmente simile alla natura divina, dal momento che l'uomo di per se stesso, cioè con il suo senno e la sua abilità governa se stesso, per nulla circoscritto entro i limiti della natura corporea, ed emula le singole opere della natura superiore. Ed ha tanto minor bisogno, in confronto ai bruti, dell'aiuto della natura inferiore, quanto minore è, in confronto ai bruti, il numero delle difese che ha ricevuto dalla natura; ma da se stesso, con i propri mezzi, si procura quelle difese: alimenti, vesti, giacigli, abitazioni, suppellettili, armi. Quindi, sostenendosi con i propri mezzi, si sostiene più efficacemente di quanto la stessa natura faccia per gli animali.

Di qui deriva un'interminabile varietà di piaceri che dilettano questi cinque sensi corporei, piaceri che noi stessi ci procuriamo con il nostro ingegno. I bruti sono costretti entro gli angusti limiti della natura; invece il nostro animo non considera soltanto le nostre necessità fisiche, ma anche i vari diletti dei sensi, quasi un nutrimento della fantasia. E non solo il nostro animo lusinga la fantasia con varie attrattive, mentre ogni giorno quasi per gioco blandisce la fantasia con diversi diletti, ma di tanto in tanto anche la ragione pensante opera, più tardi, e desiderosa di propagare le sue creazioni splende fuori di sé, e rivela in modo evidente quanta potenza abbia il nostro ingegno, attraverso le varie tessiture dei lanaioli e dei setaioli, le pitture, le sculture, le architetture. E nel creare queste opere spesso non considera affatto la comodità del corpo, l'appagamento dei sensi (ché talora sopporta spontaneamente disagi e molestie che da esse gli derivano) ma il perfezionamento della sua facoltà espressiva, e la dimostrazione della propria capacità. In queste opere d'arte si può scorgere come l'uomo usi tutte le materie di ogni parte del mondo, quasi all'uomo siano tutte soggette. Usa, dico, gli elementi, le pietre, i metalli e le piante e gli animali, e li traspone in numerose forme, cosa che le bestie non riescono a fare mai. Né si accontenta d'un solo elemento, o di alcuni, come i bruti, ma si vale di tutti, come se di tutti fosse signore. Calca la terra, solca l'acqua, sale nel cielo su altissime torri, per non parlar delle penne di Dedalo e Icaro. Accende il fuoco e se ne vale abitualmente, e se ne diletta grandemente lui solo.

A ragione si diletta dell'elemento celeste, perché è l'unico vivente che ha origine dal cielo. Con la sua potenza celeste si innalza al cielo e lo misura. Con la sua mente, che è più che celeste, supera il cielo. Né si vale soltanto degli elementi l'uomo, ma li abbellisce: ciò che non fa nessuno dei bruti. Come è ammirevole in tutto il mondo la coltivazione della terra! Come è stupenda la costruzione degli edifici e delle città! Come è ingegnosa l'irrigazione per mezzo delle acque! Fa le veci di Dio, l'uomo, che abita in tutti gli elementi, di tutti ha cura, e, presente sulla terra, non è assente dal cielo. E non solo si serve degli elementi, ma anche di tutti gli esseri che negli elementi vivono: dei terrestri, acquatici, volatili, per cibarsene, per sua comodità, per suo diletto; degli esseri superiori e celesti per la dottrina magica ed i suoi prodigi [...].

Non soltanto l'uomo domina gli animali con la crudeltà, ma anche li governa, li assiste, li ammaestra. Sua è l'universale provvidenza di Dio, che è causa universale. L'uomo dunque, che provvede universalmente sia agli esseri viventi sia alle cose inanimate, è in certo senso un dio. È senza dubbio dio degli animali: si serve di tutti, a tutti comanda, moltissimi ammaestra. È evidente che sia anche dio degli elementi: tutti li abita e di tutti ha cura. È dio infine di tutte le materie: tutte le usa, le muta, e modella in nuove forme. Chi domina sulla materia in tante e tali cose, e fa le veci dell'immortale Iddio, è senza dubbio immortale. Ma le arti di questo genere, benché diano forma alla materia del mondo, e diano legge agli animali, e imitino così Dio artefice della natura, sono tuttavia inferiori a quelle arti che, imitando il regno di Dio, mirano al governo dell'uomo.

I singoli animali provvedono bastantemente, con difficoltà, a se stessi o, per breve tempo, ai loro piccoli; l'uomo solo abbonda di tanta perfezione che anzitutto comanda a se stesso — ciò che nessuna bestia riesce a fare — e poi governa la famiglia, amministra lo stato, ha autorità su popoli, e comanda al mondo intero. E quasi fosse nato a regnare, è del tutto insofferente di servitù. Aggiungi che per il bene comune affronta la morte, cosa che gli animali non fanno, poiché sa disprezzare ciascuno di questi beni caduchi, fondandosi sulla certezza di quel bene che è comune ed eterno.

D'altra parte sembrerà a qualcuno che arti di tal genere riguardino la vita presente, sebbene tanta cura della vita presente non sia necessaria, ma debba rivolgersi piuttosto ad imitare la provvidenza divina. Consideriamo dunque le arti che non solo non sono necessarie al sostentamento del corpo, ma assai spesso nocive, come sono tutte le arti liberali, il cui studio snerva il corpo, e non lascia usufruire di comodità della vita: l'acuto calcolo aritmetico, l'accurata rappresentazione delle figure geometriche, gli oscurissimi movimenti in senso lineare, gli arcani accordi musicali, la continua osservazione degli astri, l'eloquenza del parlare, l'ispirazione poetica. In tutte queste attività l'animo umano disprezza l'aiuto del corpo, poiché quando può, e già fin d'ora, comincia a vivere senza l'aiuto del corpo.

Bisogna solo tener presente che chiunque non può comprendere secondo quale criterio e in qual modo sia fatta un'opera ingegnosa d'un artefice solerte, ma soltanto lo può chi ha la stessa capacità costruttiva [...]. E chi comprende a causa dell'affinità d'ingegno, certamente potrebbe costruire un'opera identica, dopo averne avuto piena conoscenza, purché avesse a disposizione il materiale occorrente. Dunque, poiché l'uomo ha veduto l'ordinamento dei cieli, le cause del loro moto, la meta cui si volgono, le loro misure, i loro effetti, chi negherebbe che egli avesse quasi lo stesso ingegno (per così dire) del Fattore dei cieli, e potesse in qualche modo fare i cieli stessi, se si fosse procurato i mezzi adatti e la materia celeste, dal momento che già ora li riproduce, sebbene con materia diversa, tuttavia del tutto simili nel loro ordinamento?

Lode dell'eloquenza (Angelo Poliziano)

Angelo Poliziano, che studieremo più avanti fra i poeti maggiori in lingua italiana del Quattrocento, fu anche poeta e prosatore insigne in latino. Dal 1480 fu professore allo Studio di Firenze, e lesse e commentò autori latini e in latino scrisse le prolusioni ai suoi corsi. Da una di esse, l'*Oratio super Fabio Quintiliano et Statii Sylvis*, che serve d'introduzione al corso su Stazio e Quintiliano (il maggiore teorico dell'eloquenza, insieme con Cicerone, fra i Latini) è tratto il passo che presentiamo.

Esso mostra chiaramente, nel pensiero e nello stile, l'influsso di Cicerone, eppure è nello stesso tempo cosa originale e viva, tutta permeata del nuovo spirito umanistico. La retorica e l'eloquenza vi sono esaltate come educatrici vere dell'uomo, fondatrici dell'umana convivenza, di quella *humanitas* che è spiritualità, consapevolezza, umano colloquio: insomma, civiltà che si attua attraverso il dialogo armonico e vivo dell'uomo con gli uomini.

Quid est, quaeso, praestabilius quam in eo te unum vel maxime praestare hominibus, in quo homines ipsi ceteris animalibus antecellant? Quid admirabilius quam te in maxima multitudine hominum dicentem, ita in hominum pectora mentesque irrumpere, ut et voluntates impellas quo velis atque unde velis retrahas, et affectus omnes vel hos mitiores, vel concitatiores illos emodereris, et in hominum denique animis volentibus cupientibusque domineris? Quid vero praeclarius, quam praestantes virtute viros eorumque egregie res gestas exornare atque extollere dicendo, contraque improbos pernitiososque homines orandi viribus fundere ac profligare ipsorumque turpia facta vituperando prosternere atque proculcare? Quid autem tam utile tamque fructuosum est, quam quae tuae reipublicae carissimisque tibi hominibus utilia conducibiliaque inveneris, posse illa dicendo persuadere eosque ipsos a malis inutilibusque rationibus absterrere? Quid autem tam est necessarium quam loricam semper eloquentiae telumque tenere, quo et propugnare te ipse et incessere adversarium et circumventum a pessimis hominibus tuam innocentiam tueri possis? Quid autem tam munificum tamque bene institutis animi consentaneum, quam calamitiosos consolari, sublevare afflictos, auxiliari supplicibus, amicitias clientelasque beneficio sibi adiungere atque retinere? Age vero ut numquam forum, numquam rostra, numquam subsellia, numquam conciones ineamus, quid, tandem est in hoc ocio atque in hac privata vita iucundius, quid dulcius, quid humanitati accomodatius, quam eo sermonis genere uti, qui sententiis refertus, verbis ornatus, facetiis urbanitateque expolitus, nihil rude, nihil ineptum habeat atque agreste? In quo omnia comitate, omnia gravitate et suavitate condita sunt. Haec igitur una res et dispersos primum homines in una moenia congregavit, et dissidentes inter se conciliavit, et legibus moribusque omnique denique humano cultu civilique coniunxit.

Che cosa v'è di più nobile che eccellere massimamente fra gli uomini proprio in quella dote, l'eloquenza, per la quale gli uomini eccellono sugli altri animali? Che cosa vi è di più meraviglioso che, parlando alle grandi moltitudini, irrompere a tal punto negli animi e nelle menti degli uomini da spingerne e ritrarne il volere a tuo piacimento, da moderarne i sentimenti più miti o più violenti, da dominare, insomma, la volontà e i sentimenti di tutti? Che cosa c'è di più egregio che potere abbellire ed esaltare con la parola gli uomini eccellenti per la virtù e le loro azioni egregie, e, al contrario, abbattere e sconfiggere gli uomini malvagi e dannosi con la forza della parola, e svergognarne e schiacciarne le azioni turpi, vituperandole? Che cosa vi può essere di così utile e fruttuoso quanto potere convincere con la parola i tuoi concittadini, a te carissimi, a far tutte quelle cose che tu abbia trovato convenienti allo stato, distogliendoli, nello stesso tempo, dai propositi inutili e cattivi? Che cosa è poi tanto necessario quanto aver sempre pronta l'armatura e la spada dell'eloquenza con cui proteggere se stessi, attaccare gli avversari e difendere la propria innocenza insidiata dai malvagi? Che cosa v'è di così magnanimo e conforme a un animo ben educato quanto il potere consolare gli sventurati, sollevare gli afflitti, soccorrere i supplici, procurarsi e mantenersi amicizie e clientele? Ma se anche non andremo mai nel foro, ai rostri, ai tribunali, alle concioni, che cosa vi può essere di più bello in una vita ritirata e tranquilla, che cosa di più dolce, di più adatto a un uomo colto che un modo di parlare concettoso, elegante, spiritoso e fine, che non abbia nulla di insulso, di rozzo, d'inurbano, in cui tutto sia pieno di garbo, di gravità, di dolcezza? Fu soprattutto l'eloquenza che raccolse, in origine, entro le mura della città gli uomini dispersi nei campi, li fece collaborare mentre prima erano fra loro ostili, li congiunse con leggi, costumanze, e, insomma, con un modo di vita degno d'un consorzio umano e civile.

Elogio della lingua latina (Lorenzo Valla)

Lorenzo Valla, romano (1407-1457), è il promotore della nuova e approfondita scienza filologica che si sviluppò nella seconda metà del Quattrocento. Negli *Elegantiarum linguae latinae libri* studia e definisce le forme del perfetto linguaggio classico, ispirandosi ai due maggiori teorici dell'eloquenza latina, Cicerone e Quintiliano. Il passo che riportiamo, tratto dalla prefazione dell'opera, esalta il latino classico (che gli umanisti contrapposero a quello scolastico medioevale o *parigino*, in quanto l'università di Parigi fu nel Medioevo il più importante centro di studi), come lingua nazionale romana, espressione di una luminosa tradizione di civiltà della quale il Valla, come gli altri umanisti, si sente partecipe e continuatore. La diffusione della lingua latina è stata l'autentica gloria di Roma, ben più grande e ben più vera di quella delle conquiste militari. Con la propria lingua, infatti, Roma ha comunicato ai popoli assoggettati un'altissima civiltà, i cui effetti durano ancora. E ancora la grande città continua a dominare spiritualmente il mondo, attraverso la sua lingua, espressione di una vera e profonda *humanitas* o cultura della quale il Valla si sente partecipe e continuatore.

L'importanza e il significato di questa esaltazione appaiono chiari se si pensa che per gli umanisti il linguaggio è il vincolo spirituale per eccellenza fra gli uomini. Nel linguaggio l'uomo definisce ed esprime la sua intima natura, entra in contatto e in confronto con gli altri, formula, diffonde e tramanda sia in vita e per la vita, sia oltre la morte le proprie conquiste spirituali e il ricordo delle azioni egregie; il linguaggio è dunque tradizione e civiltà. Il Valla non esita pertanto a chiamarlo *sacramentum*: vincolo sacro di comunione fra gli uomini.

Quando, come spesso mi avviene, considero le imprese dei nostri antenati o di altri popoli e re, mi sembra che i nostri antichi abbiano superato tutti gli altri uomini non solo per la diffusione del loro dominio, ma anche per quella della loro lingua. È chiaro infatti, che i Persiani, i Medi, gli Assiri, i Greci e molti altri popoli hanno costituito amplissimi domini; quelli di certuni, poi, anche se furono alquanto inferiori a quelli dei Romani, durarono tuttavia molto più a lungo; ma nessuno tuttavia diffuse la propria lingua come i nostri padri, i quali, per non parlare di quella parte d'Italia che un tempo era detta Magna Grecia, o della Sicilia, che un tempo fu greca, o dell'Italia tutta, in breve tempo fecero sì che fosse universalmente diffusa e, per così dire, regina, la lingua romana (detta anche latina dal Lazio, dove si trova Roma) per tutto l'occidente, quasi, e per non piccola parte dell'Europa settentrionale e dell'Africa, e, per quel che riguarda le loro province, la offrirono agli uomini come un'ottima messe per fare sementa. E fu questa opera senz'altro molto più splendida e molto più degna di lode che non la propagazione del loro impero. Coloro infatti che estendono i propri domini, sogliono essere grandemente celebrati e vengono chiamati imperatori; ma coloro che hanno arrecato un qualche beneficio al genere umano, sono celebrati con lodi non degne soltanto di uomini, ma di dei, poiché non provvedono solo alla gloria e alla grandezza della loro città, ma anche alla utilità e alla salvezza comune di tutti gli uomini. Pertanto i nostri antenati superarono, sì, gli altri uomini nelle imprese guerriere e in molte altre glorie, ma nella diffusione della loro lingua furono superiori a se stessi; si potrebbe dire che, lasciato il loro terreno impero, abbiano, con questo, raggiunto il consorzio degli dèi in cielo. O diremo forse che mentre Cerere per avere trovato il frumento, Bacco per aver trovato il vino, Minerva per aver trovato l'olivo, e molti altri per qualche altro bene di tal genere arrecato agli uomini, sono stati collocati fra gli dèi, dovrà essere considerato un merito minore l'avere diffuso fra i popoli la lingua latina, messe ottima e veramente divina, cibo non del corpo ma dell'anima? Fu essa infatti a educare le genti e i popoli tutti in tutte quelle arti che vengono chiamate liberali; questa insegnò le leggi migliori, questa aprì loro la via a ogni forma di sapienza, questa, infine, fece sì che non potessero più essere chiamati barbari. Perciò qual giusto estimatore non preferirà coloro che furono illustri per essersi dedicati al culto veramente sacro delle lettere a coloro che lo furono per avere condotto orribili guerre? Uomini regi potresti chiamare questi, ma giustamente potrai chiamare divini quelli, perché non fecero soltanto progredire lo stato e la maestà del popolo romano, impresa, questa, puramente umana, ma, come gli dèi, provvidero anche alla salute di tutto il mondo. Tanto più che coloro i quali venivano assoggettati al nostro dominio, ritenevano di perdere i loro beni e, cosa ben più dura, di essere privati della libertà, né forse avevano torto; ma capivano invece che la lingua latina non mortificava la loro, ma in qualche modo la migliorava. E questo basti aver detto a proposito del paragone fra l'impero romano e la lingua di Roma; quello già da tempo le genti e le nazioni gettarono via come un peso ingrato, questa considerarono più soave d'ogni nettare, più splendida d'ogni seta, più preziosa d'oro e di gemme, e la conservarono come una divinità discesa fra loro dal cielo.

Dunque la lingua latina è come un sacro pegno fra gli uomini, e grande senza dubbio è la sua potenza divina, che viene custodita piamente e religiosamente da tanti secoli da parte di stranieri, barbari, nemici, tanto che noi Romani non dobbiamo dolerci, ma esultare e persino gloriarci davanti a tutto il mondo. Perdemmo Roma, perdemmo il dominio e l'impero, sebbene non per colpa nostra ma dei tempi: tuttavia per mezzo di questo dominio ben più splendido, la lingua, continuiamo a regnare in gran parte del mondo, perché l'impero romano è dovunque impera la lingua di Roma.

Conviene leggere nell'originale latino quest'ultimo periodo:

Magnum ergo latini sermonis sacramentum est, magnum profecto numen quod apud peregrinos, apud barbaros, apud hostes, sancte, religiose per tot secula custoditur; ut non tam dolendum nobis Romanis quam gaudendum sit atque ipso etiam orbe terrarum exaudiente gloriandum. Amisimus Romam, amisimus regnum atque dominatum; tametsi non nostra sed temporum culpa; verum tamen per hunc splendidiorem dominatum in magna adhuc orbis parte regnamus. [...] Ibi namque romanum imperium est ubicumque romana lingua dominatur.

Originalità e imitazione dei Classici (Angelo Poliziano - Paolo Cortese)

Riportiamo i punti salienti della celebre polemica fra il Poliziano e il Cortese, a proposito dell'imitazione dei classici. Essa riguarda propriamente l'uso del latino come lingua letteraria, ma è al tempo stesso un documento importante che può essere riferito alla poetica rinascimentale in genere.

L'imitazione, abbiamo visto, è un concetto fondamentale di questa poetica. Ammesso che i Classici hanno creato dei modelli perfetti d'umanità e di stile, ne consegue che ogni scrittore dovrà accostarsi il più possibile a tale perfezione, imitando il procedimento creativo dei Classici stessi. Il Cortese insiste particolarmente su questo concetto: l'imitazione, però, tende ad essere per lui non copia pedissequa, ma accoglimento, attraverso lo stile, di una genuina e profonda tradizione di umanità, che è sempre e universalmente valida.

Il Poliziano è d'accordo, fondamentalmente, su questo, ma sente che l'adesione entusiastica ai modelli può condurre a smarrire il senso della propria personalità, e insiste per questo sull'originalità che lo scrittore deve mantenere, pur accogliendo l'insegnamento degli antichi.

In realtà, il pericolo di un'imitazione esteriore, d'un vuoto formalismo è sempre presente nella letteratura umanistica. Il Poliziano, come i più grandi scrittori di quest'età, è proteso invece alla ricerca di un difficile equilibrio fra imitazione e creazione. Bisogna, sì, riprendere l'altissimo discorso degli antichi, ma per emularlo; aderire alla grande tradizione di civiltà che le loro opere esprimono, ma riviverla integralmente e farla propria.

Per il testo seguiamo la traduzione di E. Garin, *op. cit.*; abbiamo scelto i punti salienti delle due lettere.

Angelo Poliziano al suo Paolo Cortese

...C'è una cosa, a proposito dello stile, in cui io dissento da te. A quel che mi sembra tu non approvi se non chi riproduca, nel suo stile, quello di Cicerone. A me sembra più rispettabile l'aspetto del toro o del leone che non quello della scimmia, anche se la scimmia rassomiglia di più all'uomo... Quelli che compongono solamente imitando mi sembrano simili ai pappagalli che dicono cose che non intendono. Quanti scrivono in tal modo, mancano di forza e di vita; mancano di energia, di affetto, di personalità; stanno sdraiati, dormono, russano. Non dicono niente di vero, niente di solido, niente di efficace. Tu non ti esprimi come Cicerone, dice qualcuno. Ebbene? Io non sono Cicerone:[1] io esprimo me stesso.

...Quando avrai letto abbondantemente e a lungo Cicerone ed altri buoni autori, e li avrai studiati, imparati, digeriti; quando avrai riempito il tuo animo con la cognizione di molte cose e ti deciderai a comporre finalmente qualcosa di tuo, vorrei che tu procedessi con le tue stesse forze, vorrei che tu fossi una buona volta te stesso, vorrei che tu abbandonassi codesta troppo ansiosa preoccupazione di riprodurre esclusivamente Cicerone, vorrei che tu rischiassi[2] mettendo in giuoco tutte le tue capacità... Come non può correre velocemente chi si preoccupa solo di porre il piede sulle orme altrui, così non potrà mai scrivere bene chi non ha coraggio di uscire dalla via segnata. E ricordati infine che solo un ingegno sterile imita sempre, senza trarre mai nulla da sé.

1. **Io non sono Cicerone,** ecc.: è il momento più importante dell'argomentazione del Poliziano: l'«imitazione» degli antichi non toglie l'originalità.
2. **vorrei che tu rischiassi,** ecc.: Il Poliziano afferma che si devono leggere i Classici, fare propria la loro lezione di arte, di stile, di umanità; ma questo colloquio con loro deve soprattutto servire a farci comprendere e conoscere noi stessi; e noi stessi dovremo poi esprimere nelle nostre opere.

Paolo Cortese ad Angelo Poliziano

...Di buon grado confesso che vedendo in tanta decadenza di studi l'arte oratoria,[3] e quasi inesistente l'oratoria forense, come se gli uomini del nostro tempo avessero perso la nativa parola, più di una volta ho apertamente dichiarato che non era possibile ai nostri giorni parlare in modo elegante e variato se non si imitasse un qualche modello, a quel modo che gli stranieri ignari della lingua non potrebbero percorrere le terre altrui senza una guida. E benché molti siano stati insigni in ogni genere d'eloquenza, io ricordo d'avere scelto Marco Tullio[4] come esemplare degno d'essere proposto a tutti gli uomini dotti.

...Perciò non hai motivo, caro Poliziano, di distogliermi dall'imitazione di Cicerone. Rimproverami piuttosto l'incapacità d'imitarlo bene, sebbene io preferisca essere seguace e scimmia di Cicerone piuttosto che alunno e figlio di altri. C'è tuttavia una grande differenza fra il metodo dell'imitazione e chi non intende imitare nessuno. Secondo me, non solo nell'eloquenza, ma in tutte quante le arti è necessaria l'imitazione. Ogni sapere si fonda su una precedente cognizione; nulla v'è nella mente che non sia stato prima afferrato dai sensi. Si comprende così che ogni arte è imitazione della natura,[5] anche se accade poi che si generi una certa dissomiglianza...[6] Così unica è l'arte dell'eloquenza, unica l'immagine, unica la forma.

...Mio caro Poliziano, bisogna rimanere fedeli a certi autori sui quali i nostri ingegni si formino e quasi si alimentino. Gettano essi nell'anima nostra come dei semi, che poi col tempo quasi spontaneamente vengono germogliando. Quelli che senza imitare nessuno, senza rassomigliare a nessuno vogliono raggiungere la gloria, non hanno, credimi, alcun vigore nello scrivere, e pur affermando di fondarsi tutti sulle risorse del proprio ingegno, non possono fare a meno di rubacchiare qualcosa dagli altrui scritti, mescolandola nei loro.

Fra chi non imita nessuno e chi sceglie una guida, io trovo che c'è la stessa differenza che si nota fra chi vaga a caso e chi percorre una via diritta. Tutti sanno ormai che chi si propone Cicerone come modello, anche se non consegue gloria per non averlo saputo imitare, tuttavia merita considerazione per essersi scelto un tale esemplare; la sua incapacità potrà attribuirsi a insufficienza di natura o d'ingegno; ma quella scelta è già indizio della sua saggezza.[7]

3. vedendo in tanta decadenza... l'arte oratoria: il Cortese, più che alla poesia, pensa all'eloquenza, agli usi pratici e quotidiani del linguaggio.
4. Marco Tullio: Marco Tullio Cicerone, che fu, oltre che uno dei sommi teorici dell'eloquenza fra i Latini, il più grande oratore romano.
5. ogni arte è imitazione della natura: è un'affermazione fondamentale dell'estetica, cioè della concezione dell'arte, rinascimentale. Come immutabile è la natura, così immutabili devono essere le norme fondamentali dell'arte che deve rappresentare ed esprimere la natura. Sono quindi necessarie le regole e l'imitazione dei sommi artisti, cioè dei Classici.
6. una certa dissomiglianza: come spiega in una parte che abbiamo omessa, è la stessa dissomiglianza che c'è fra gli uomini, che hanno figura e forma dotate di aspetti diversi (statura, colorito, ecc.), ma sono fondamentalmente uguali nella struttura.
7. quella scelta... saggezza: più che nei concetti, la differenza fra il Poliziano e il Cortese è nel tono: nel primo sentiamo una vigorosa difesa della propria personalità, pur nell'ossequio che egli rivolge ai Classici; nel secondo l'ammirazione per Cicerone rischia di diventare feticismo, di sommergere completamente la sua personalità di scrittore.

Giovanni Pontano

Giovanni (latinizzato poi in Gioviano) Pontano, una delle più importanti figure dell'Umanesimo napoletano, tanto che al suo nome fu intitolata l'Accademia umanistica fondata da Antonio Beccadelli, fu scrittore esclusivamente latino. Nato a Cerreto, in Umbria, nel 1426, passò gran parte della sua vita a Napoli, dove fu al servizio di Alfonso il Magnanimo e poi ministro di Ferdinando I, Alfonso II e Ferdinando II d'Aragona e diresse per lunghi anni la politica del regno, negoziando, fra l'altro, con grande abilità diplomatica, la pace di Bagnolo (1484), uno dei cardini della politica d'equilibrio fra gli Stati italiani, e quella col Pontefice Innocenzo VIII. Nella carica di segretario di stato, che ricoprì dal 1486, rivelò doti di spregiudicato realismo, conformi al nuovo ideale rinascimentale dello stato che teorizzò, con accenti pre-machiavelliani, nel *Liber de principe*, scritto quand'era precettore d'Alfonso II d'Aragona. Tentò inoltre di ispirare ai sovrani una politica energica fondata sulla realtà effettuale, ma quando Carlo VIII entrò in Napoli, si piegò alla «fortuna» degli eventi e si sottomise, chiedendo solo libertà e franchigie per il popolo. Per questo, durante l'effimero ritorno degli Aragonesi, fu allontanato dalla vita politica, e visse fino alla morte (1503) nella sua villa di Antignano, riordinando la sua vasta produzione di scrittore.

La letteratura, e, in genere, gli studi umanistici furono la sua passione dominante e non mai intermessa. I suoi numerosi scritti attestano un'ampia cultura letteraria e filosofica, e un'intima adesione al mondo classico che lo portò a sentire il latino come lingua d'espressione attuale, nel campo del pensiero come in quello della poesia.

Fra le sue opere vanno ricordati innanzitutto i dialoghi latini, *Charon, Antonius, Actius, Aegidius, Asinus*, splendido esempio della trattatistica latina rinascimentale, e forse il capolavoro di essa dal punto di vista stilistico. Sono ispirati a un ideale di conversazione socratica su questioni di varia umanità, filologiche (con analisi fini di passi di scrittori classici), filosofiche e di costume, che si svolge fra personaggi reali, rappresentando, oltre alle idee, l'uomo che se ne fa portatore e situandosi in un'occasione e in uno sfondo precisi (a prescindere dagli inferi lucianeschi del *Charon*), ad es. la Napoli dell'*Antonius*, con la sua folla multicolore e la sua vita animata e pittoresca.

Meno felici appaiono le opere più ambiziosamente sistematiche, come il *De prudentia* e gli altri scritti sulla virtù, e il *De rebus coelestibus*, un trattato d'astronomia e d'astrologia, interessanti tuttavia come documento della cultura quattrocentesca. Il Pontano svolge qui il tema, che appassionò tutto il Rinascimento, del rapporto fra la *fortuna*, connessa agli influssi degli astri, e la *virtù* e il libero arbitrio individuale, con un tentativo non perfettamente ortodosso di conciliare la tradizione etica cristiana con spunti di pensiero stoici e aristotelici. Ma in effetti il suo cristianesimo fu sempre assai precario; la sua vera vocazione fu razionalistica e soprattutto naturalistica, come attestano le sue poesie più impegnate.

Fra le numerose raccolte poetiche ricordiamo gli *Amorum libri*, composti fra il '55 e il '58, e più volte rielaborati, e gli *Hendecasyllaborum sive Baiarum libri* (1490-1500), in cui s'effonde, sull'esempio degli elegiaci latini e di Catullo, una vena sensuale, edonistica e voluttuosa, ingentilita, però, dalla squisita eleganza formale e dal giuoco arguto dell'intelligenza. Accanto a questi, i *De amore coniugali libri* rivelano la natura sentimentale ed esuberantemente affettiva che il poeta riversò negli affetti domestici, soprattutto in quelli per la moglie Adriana (Ariadna) e per due figli morti prematuramente, Lucio e Lucia Marzia, più volte cantati con accorato rimpianto e con intima tenerezza. E anche negli *Eridani* (1483-'90), dov'è cantata la passione senile per Stella d'Argenta, l'immagine della moglie morta e di Lucio, vaganti nei felici prati degli Elisi, ritorna con immutata forza di commozione. Molti critici, anzi, vedono in questa ispirazione familiare e quotidiana i migliori esiti della poesia del Pontano.

Il compianto dei lutti familiari e la speranza vaga d'una felicità oltremondana, paganamente immaginata come un dolce porto ove s'estinguano gli affanni del vivere, pervadono i *Tumuli*, una raccolta di epitaffi poetici, alcuni dei quali, dedicati alle tombe di familiari e di amici, hanno una limpida schiettezza di sentimento.

Fra i carmi più ampi, ricordiamo anzitutto due poemetti, l'*Urania* e la *Lepidina*. Il primo, in cinque libri, rielaborato dal 1456 al 1501, è di contenuto astrologico, trattato però in forma mitologica. Ma le favole antiche non sono elemento puramente decorativo e fantastico, bensì espressione d'un modo di concepire la sorte umana «entro l'universale vicenda cosmica, con un senso pieno e vitale della natura e un'idea lucida ed entusiastica dell'assoluto nesso che unisce ogni aspetto della realtà» (Vasoli). La *Lepidina*, composta nel '96, canta le nozze del dio Sebeto e della ninfa Partenope, ma la vicenda è un semplice pretesto per cantare la bellezza di Napoli e la festosa vita popolare che vi si svolge.

Ricordiamo infine, trascurando altre cose minori, il *De hortis Hesperidum* (sulla coltivazione dei cedri) e i *Meteororum libri*, poemetti di gusto didascalico, sporadicamente avvivati da immagini poetiche.

Per i testi seguiamo i *Carmina*, a c. di M. Soldati, voll. 2, Firenze, Sansoni, 1902, e *Carmina, egloghe, elegie, liriche*, a c. di O. Oescheberg, Bari, Laterza, 1948.

Ariadna

Il passo è tratto dal poemetto *De hortis Hesperidum*, che tratta della coltivazione dei cedri. Il poeta immagina che sia giunto il momento della raccolta, compiuta dal contadino e dalla moglie che l'aiuta a colmare i canestri. Questo gli ricorda il tempo lontano in cui anch'egli raccoglieva quei frutti con la moglie accanto, e insieme cantavano e scherzavano felici. Ma ora egli è vecchio e solo, la moglie è morta, la sua vita è adagiata in un crepuscolo di tristezza e di sventura. Nasce così la tenera invocazione alla sua donna lontana, negli Elisi, immemore di lui e del comune amore: la sente per un attimo aleggiare nell'aria, ancora l'invita a cogliere con lui i fiori del cedro, simbolo d'una gioia che non ritorna.

Et (memini) astabat coniunx, floresque legentem
idalium in rorem et Veneris mollissima dona
amplexata virum, molli desedit in herba
et mecum dulces egit per carmina ludos;
5 quae nunc elysios, o fortunata, recessus
laeta colis sine me, sine me per opaca vagaris
culta roseta legens et serta recentia nectis;
immemor, ah, nimiumque tui studiosa, quietos
umbrarum saltus et grata silentia captas.
10 Sparge, puer, violas, manes salvete beati:
uxor adest Ariadna meis oneranda lacertis.
O felix obitu, quae non violenta Brigantum
perpessa imperia, quae non miserabile nati
funus et orbati senis immedicabile vulnus
15 vidisti et patrios foedata sede penates.
Sed solamen ades, coniunx; amplectere, neu me
lude diu, amplexare virum et solare querentem,
et mecum solitos citriorum collige flores.

Anche mia moglie, ricordo, mi stava vicina, e io coglievo fiori di cedro, per ricavarne la soave essenza profumata, e quei frutti dolcissimi sacri a Venere, e lei m'abbracciò e sedette sull'erba folta e con me dolcemente scherzava e cantava. Ora tu, fortunata, abiti senza me i lieti recessi degli Elisi, e senza di me vaghi per gli ombrosi giardini cogliendo rose e intrecci ai capelli sempre nuove ghirlande; immemore, ahimè, e troppo solo di te pensosa, godi le ombrose selve tranquille e il loro grato silenzio. Spargi, ragazzo, viole, salute a voi, o anime beate: è qui Ariadna, la mia sposa, e voglio stringerla fra le mie braccia. O fortunata tu che sei morta, che non hai subìto l'onta della violenta oppressione francese, che non hai visto la misera fine di tuo figlio e l'immedicabile ferita di me, rimasto vecchio e solo, e contaminata la dimora dei patri lari. Ma vieni, sposa, confortami, abbracciami, non deludermi ancora, abbraccia il tuo sposo e consola il suo pianto, e con me, come un tempo, raccogli i fiori del cedro.

Metro: *esametri.*

2. idalium... rorem: per ricavarne un'acqua profumata. La chiama *idalia* perché sul promontorio Idalio, nell'isola di Cipro, c'era un tempio di Venere, e il poeta immagina che la dea abbia trasformato Adone, dopo la sua morte, in cedro, dando origine all'albero e alla sua coltivazione.

5. elysios... recessus: le romite plaghe degli Elisi, destinate alle anime pie. Ma il poeta immagina che esse vivano colà immemori della vita e dei loro cari.

10. Sparge... violas: Il P. accenna qui a un sacrificio in onore dei morti, e sembra che, come evocata dalla sua preghiera, la moglie ritorni, presenza immateriale, in quei luoghi.

12. Brigantum: allude ai Francesi. Non è chiaro perché li chiami così: forse estende a loro il nome d'una popolazione britannica di cui parla Tacito, o forse «briganti» sta qui per «uomini d'arme», in quanto così erano chiamati i soldati francesi protetti da una speciale armatura (*brigantina*).

13. nati: il figlio del P., Lucio Francesco, era morto giovane nel 1498.

Le ninfe

Il passo è tratto dal *Meteororum libri*. L'evocazione delle Ninfe ha qui il sapore e l'incanto d'una favola antica, d'un mito ritrovato con adesione allo spirito e alle forme della poesia classica.

Ergo, nudatis pedibusque et pectore nudo,
caeruleae per stagna agitant liquentia nymphae,
alternisque implent undantes roribus urnas,
alternis simul effundunt: tum murmure magno
5 it praeceps per saxa sonans spumantia rivus,
mox crescens findit tacito plana aequora cursu.
Nunc fessae laetas ducunt per prata choreas
arboribus tectae ac circum variantibus umbris;
nunc tenues mulcent gratis concentibus auras,
10 aut amne in medio ludunt, vitreisque sub undis
lascivae alternant agiles per brachia motus,
lubricaque intorquent niveis vestigia plantis.
Enatat haec levesque manus et brachia monstrat,
aut tenerum latus, aut molles cum poplite suras;
15 desilit illa petens imum, splendetque sub undis
marmoreum foemur et cervix argentea...
mox resilit flavumque caput nigrantiaque effert
lumina, tum niveo quae purpura fulget in ore.

Ecco, coi piedi nudi e il seno ignudo, le ninfe di color cerulo guizzano fra le limpide acque, e con getto alterno ora riempiono le urne fluttuanti, ora insieme le versano, e allora con murmure grande scorre veloce tra i sassi spumeggianti il risonante rivo, poi, gonfiandosi, solca le piane distese con tacito corso. Ora le ninfe, stanche di questa fatica, intrecciano liete danze fra i prati, riparate dall'ombra svariante degli alberi intorno, ora col canto accarezzano le brezze leggere, o giuocano in mezzo al fiume e sotto le onde di cristallo liberamente, alternano le braccia negli agili moti e orme fuggenti intrecciano coi candidi piedi. Balza una fuori dall'onda e mostra le lisce mani e le braccia, o il tenero fianco o il polpaccio morbido e il ginocchio; si tuffa l'altra giù al fondo e sotto le onde risplende la candida gamba e l'argenteo collo, e tosto risale e disvela la testa bionda e gli occhi neri e ancora la porpora che splende nel candido viso.

Metro: *esametri.*

5-6. Osserva la musicalità dei versi. Il primo dà l'immagine viva del fresco spumare dell'acqua, il secondo del placido scorrere del fiume per l'ampia pianura.

11. lascivae: vuol dare il senso d'un libero movimento di queste creature fuse col fluttuare danzante nell'onda.

Quinta ninna-nanna per Lucio

Questa e la seguente sono due delle dodici ninne-nanne (*naeniae*) per il figlio Lucio, tratte dal secondo libro della raccolta *De amore coniugali*, dove il poeta esprime i suoi affetti domestici con quell'immediatezza tenera che è propria di molte delle sue poesie migliori. C'è anche, qui, una dolcezza che rischia di cadere nel manierato, contenuta, però, da una sapientissima capacità di modulazione stilistica.

Scite puer, mellite puer, nate unice, dormi;
claude, tenelle, oculos, conde, tenelle, genas.
Ipse sopor: «Non condis, ait, non claudis ocellos?»
En cubat ante tuos Luscula lassa pedes.
5 Languidulos bene habet, conditque et claudit ocellos
Lucius, et roseo est fusus in ore sopor.
Aura, veni, foveasque meum placidissima natum.
An strepitant frondes? Tam levis aura venit.
Scite puer, mellite puer, nate unice, dormi;
10 aura fovet flatu, mater amata sinu.

Bimbo vezzoso, bimbo di miele, o mio figlio unico, dormi; chiudi, tesoro, gli occhietti, nascondi, tesoro, il faccino. Ti dice il sonno: «Non chiudi, ti dice, non chiudi gli occhietti?». Ecco che Luscula stanca già dorme davanti ai tuoi piedi. Ecco da bravo già chiude, nasconde gli occhietti assonnati, Lucio, e il sopore si spande sul suo visetto di rosa. Or vieni, auretta, e il mio bimbo con placido soffio accarezza. Frusciano forse le fronde? No, placidissima è l'aria. Bimbo vezzoso, di miele, o mio figlio unico, dormi. Il vento col lieve respiro, la mamma ti scalda col seno.

Metro: *distici elegiaci* (esametro+pentametro). Si noti il ritmo cantilenante musicalissimo.

1. **nate unice**: era l'unico figlio maschio, Lucio Francesco.
3. **Ipse sopor**: il sonno è qui personificato.
4. **Luscula**: la cagnetta.
10. La carezza della mamma e quella dell'aria si fondono in un'unica impressione di tenera e calda dolcezza.

Settima ninna-nanna per Lucio

Più complessa della precedente, questa ninna-nanna dà più il senso dell'ombra e del silenzio notturno, ma d'una tenebra resa amica da quel canto di madre, anche se attorno svolazza l'Orco, minaccia oscura che sembra però invitare soprattutto il bimbo a stringersi al seno materno e la mamma ad esprimere in questa forma favolosa e in un giuoco caro, che la fa ritornare per un attimo anch'essa fanciulla, il suo bisogno di proteggerlo. Ancora una volta è la poesia dei semplici affetti domestici che il Pontano ritrova con spontanea felicità di canto.

Fuscula nox. Orcus quoque fusculus; aspice ut alis
per noctem volitet fusculus ille nigris.
Hic vigiles captat pueros vigilesque puellas.
Nate, oculos cohibe, ne capiare vigil.
5 Hic captat seu quas sensit vagire puellas,
seu pueros; voces comprime, nate, tuas.
Ecce volat nigraque caput caligine densat,
et quaerit natum fusculus ille meum.
Ore fremit dentemque ferus iam dente lacessit,
10 ipse vorat querulos pervigilesque vorat;
et niger est nigrisque comis nigroque galero.
Tu puerum clauso, Lisa, reconde sinu.
Luciolum tege, Lisa. Ferox, quos pandit hiatus!
quosque aperit fauces! ut quatit usque caput!
15 Me miseram, an ferulas gestat quoque? Parce: queiscit
Lucius et sunt qui rus abiisse putent.
Rura meus Lucillus habent; nil ipse molestus,
nec vigilat nocte conquiriturque die.
Ne saevi, hirsutasque manus tibi comprime, saeve;
20 et tacet et dormit Lucius ipse meus,
et matri blanditur et oscula dulcia figit
bellaque cum bella verba sorore canit.

Nera è la notte e nero è anche l'Orco, oh, guarda com'egli là nella notte s'aggiri nero con ali nere. Porta via i bimbi e le bimbe, lui, che non voglion dormire. Su, figlio, chiudi gli occhi, ché non ti trovi sveglio. Lui porta via le bimbe, se alcuna ne sente vagire, porta via i bimbi; figlio, non piangere, non farti sentire. Vola e la testa s'avvolge di densa caligine scura; eccolo, tutto nero, è qui e vuole il mio bimbo. Con la sua bocca ruggisce e arrota dente con dente, lui mangia ogni bimbo che piange e che non vuole dormire; è tutto nero ed ha neri i capelli ed ha nero il cappuccio. Lisa, nascondi il bimbo, tienilo stretto al seno. Lisa, proteggi Lucietto; che bocca spalanca, il cattivo! che gola grande apre, e come scuote la testa! Povera me, porta anche la sferza? Perdonalo, dorme Lucio, e dicon certuni che se n'è andato in campagna. Il mio Lucietto è in campagna, e non è mai cattivello, e non sta sveglio la notte, non fa capricci di giorno. Suvvia, non esser cattivo, tieni ferme le mani pelose, il mio Lucietto è buono, il mio Lucietto dorme, e fa carezze alla mamma e le dà dolci baci, con la graziosa sorella canta graziose canzoni.

Metro: *distici elegiaci*.

1. **Fuscula**: il diminutivo, praticamente intraducibile, evoca il simulato sgomento e, insieme, la tenerezza che sono nella voce della madre.
4. **ne... vigil**: che tu non sia colto, sorpreso da lui sveglio.
12. **Lisa**: la nutrice. La madre l'invita a nascondere il capo del bimbo nel suo seno.

Epitaffio per la figlia Lucia

È la più bella, fra le poesia scritte dal Pontano in memoria dei figli morti. È tratta dal *De tumulis*, raccolta di epigrafi funerarie, e dedicata alla figlioletta, morta a tredici anni. La raffinatezza stilistica è qui soverchiata dalla schiettezza e profondità dell'affetto, da un dolore che sa quanto sia effimero ogni conforto e s'amplia a un sentimento elegiaco della vita umana.

Liquisti patrem in tenebris, mea Lucia, postquam
e luce in tenebras, filia, rapta mihi es.
Sed neque tu in tenebras rapta es; quin ipsa tenebras
liquisti, et medio lucida sole micas.
5 Coelo te natam aspicio: num nata parentem
aspicis? An fingit haec sibi vana pater?
Solamen mortis miserae te, nata, sepulcrum
hoc tegit; haud cineri sensus inesse potest;
siqua tamen de te superat pars, nata, fatere
10 felicem quod te prima iuventa rapit.
At nos in tenebris vitam luctuque trahemus:
hoc pretium patri, filia, quod genui.

Hai lasciato tuo padre nelle tenebre, o mia Lucia, da quando dalla luce nelle tenebre, figlia, mi sei stata rapita. Ma no, tu non sei stata rapita nelle tenebre, tu hai lasciato le tenebre e luminosa rifulgi nel sole. In cielo, o figlia, ti vedo: e tu, figlia, lo vedi tuo padre? O vana illusione è questa che egli si finge? Conforto per la tua miseranda morte, te questo sepolcro, o figlia, ricopre, ma le tue ceneri non possono sentire più nulla. Pure, se qualche parte di te sopravvive, o figlia, confessati fortunata, ché sei morta nel primo fiore di giovinezza. Ma noi trarremo la vita nel lutto e nelle tenebre: questa la ricompensa che ho io, tuo padre, o figlia, per averti generata.

Metro: *distici elegiaci.*

3-4. Per un attimo il padre cerca conforto nel pensiero che la figlia abbia abbandonato le tenebre vere, quelle, cioè, della triste vita, e risplenda radiosa nella luce del cielo. Ma forse anche questa è un'illusione; unico conforto è l'affetto, il ritrovarla viva nel suo dolore, in quella sua memoria desolata.

Letture critiche

Gli umanisti e la società italiana

Il posto che gli intellettuali e i dotti come ceto sociale e come casta occupano nella società italiana della fine del XIV e della prima metà del XV secolo è ancora maggiore di quello, già rilevante, che essi occupavano nell'età comunale e ai tempi di Dante. La formazione di organismi territoriali considerevolmente estesi, dotati di un apparato amministrativo complesso, la necessità, data la complicazione dei rapporti tra gli Stati, di intrattenere una diplomazia numerosa e un nutrito corpo di rappresentanti, la nascita infine presso i vari signori di vere e proprie corti, concepite come strumenti di prestigio e centri di propaganda politica, sono altrettanti elementi che contribuiscono ad aumentare la richiesta del personale intellettuale qualificato e a farne salire la già alta quotazione.

A questa accresciuta domanda le università stentavano ormai a corrispondere. E non solo perché esse non fossero sufficienti, ché anzi nel corso del periodo del quale ci occupiamo ne sorsero delle nuove, a Ferrara, a Firenze e altrove; ma soprattutto perché, ancorate com'erano nei programmi e nelle impostazioni didattiche all'enciclopedismo scolastico e aristotelico sotto il segno del quale esse erano sorte e cresciute, cominciavano a non essere più in grado di fornire un tipo di preparazione moderna e adeguata alle mutate necessità dei tempi. Sorsero così nuove scuole a carattere privato, presso le corti o nelle dimore stesse dei dotti, accademie in cui sul modello socratico, il rapporto tra maestro e allievo era ancora più diretto e comunicativo e gli insegnamenti profondamente rinnovati.

I più celebri e più accreditati tra i nuovi intellettuali e umanisti erano letteralmente corteggiati dalle varie città e dai vari signori e la loro carriera si configurava come un continuo peregrinare attraverso i maggiori centri della penisola [...].

Da questi viaggi, da queste varie esperienze, dalle amicizie e dalle corrispondenze cui essi davano luogo e che continuavano ad esser coltivate attraverso gli epistolari, i vincoli di solidarietà e di colleganza che già esistevano nell'ambito dell'*intellighenzia* italiana si vennero rinsaldando, infittendo e rinserrando sino a divenire piena consapevolezza della funzione particolare riservata ai dotti e ai letterati nella *koiné* italiana. E da questa consapevolezza prese l'avvio la grande avventura intellettuale dell'Umanesimo.

Generalmente — è questa almeno la nozione più scolastica e più corrente — quando si pensa agli umanisti, l'immagine che si presenta alla nostra mente è quella di un esercito di dotti instancabili ricercatori e collezionatori di codici, il cui merito storico essenziale fu quello di arricchire e restaurare le nostre conoscenze del patrimonio culturale della classicità. Se fossero stati solo questo (ma non furono solo questo), il debito della cultura e della civiltà moderna verso gli umanisti sarebbe egualmente inestimabile. Senza le loro scoperte, i loro ritrovamenti, la loro opera di restauro, gli sviluppi successivi della cultura europea non sarebbero neppure pensabili. Si pensi soltanto a quello che significò nella storia della cultura moderna l'avvio dato dagli umanisti allo studio della filosofia greca: attraverso i dotti greci che dalla fine del secolo XIV alla caduta di Costantinopoli, vennero sollecitati a venire in Italia per insegnare nelle scuole e nelle accademie della penisola, tutto il grande patrimonio che l'erudizione e la filosofia bizantina, da Psello in poi, avevano elaborato veniva acquisito alla cultura dell'Europa occidentale. Si pensi ancora a quello che significò poter leggere i grandi classici greci negli originali e in edizioni attendibili. O ancora alla importanza della riscoperta di Platone nella sua integrità, forse il maggiore tra gli eventi culturali dell'età umanistica, o a quella del *De rerum natura* di Lucrezio che Poggio Bracciolini scoprì trepidante, assieme ad altri grandi testi della classicità, nelle cantine di un monastero svizzero [...].

Attraverso il lavoro di restauro, di edizione di testi, di commento si vennero infatti gradualmente formando — e fu questa l'acquisizione più importante e più duratura — alcuni dei criteri di metodo che ancora oggi presiedono alla ricerca scientifica. Primo fra tutti quello del carattere disinteressato della ricerca stessa: nessun idolo politico, religioso o passionale, nessuna considerazione esterna deve guidare il dotto nel suo lavoro. Guai a chi manomette un testo o altera la sua autenticità! La filologia è la base e la chiave di ogni sapere, l'edizione critica il presupposto per la lettura di qualsiasi testo. L'esempio classico di questo nuovo metodo e stile di lavoro degli umanisti è senza dubbio quello costituito dall'esemplare dimostrazione che Lorenzo Valla dette della falsità della celeberrima donazione di Costantino, il documento medievale che la Chiesa invocava per giustificare la legittimità delle sue aspirazioni temporali, dimostrazione che è tutta fondata su elementi di carattere testuale e filologico. Ma intendere e comprendere un testo significava anche collocarlo nella sua età, assegnargli un posto ben individuato nel *corpus* letterario di cui esso era parte. La dimensione della filologia generava quella della storicità [...].

Gli umanisti ebbero piena consapevolezza della novità e dell'importanza di questa loro scoperta. Essi si resero conto che il loro merito storico non consisteva soltanto nell'aver riscoperto e restaurato i testi degli antichi autori, ma nell'averne compreso la lezione più profonda, nell'aver cioè ritrovato il metodo con cui i classici lavoravano, la loro assenza di idoli e di pregiudizi, la loro mente sgombra e serena. Nutriti di questa consapevolezza, essi guardavano con commiserazione alla *media aetas* (il termine è forgiato dagli umanisti stessi) al Medioevo con i suoi pregiudizi e con la sua incapacità di appurare filologicamente e di ragionare storicamente, e per contro esaltavano i propri tempi e la rivoluzione intellettuale della quale era loro toccato di essere protagonisti. La passione degli antichi generava così l'orgoglio di essere moderni. Imitare gli antichi non significava ripetere ciò che essi avevano detto, ma porsi di fronte al proprio mondo, al proprio tempo con la stessa curiosità, la stessa passione, la stessa lucidità di giudizio con cui i classici si erano posti di fronte al loro mondo, al loro tempo; significava ricercare e scoprire nuove verità e nuovi cammini; significava costruire. La scienza pura generava così la scienza applicata [...].

Quale fu, se possiamo esprimerci in termini semplificativi, il pensiero politico degli umanisti e quale, soprattutto, il loro comportamento collettivo di intellettuali nella società? Non si tratta di un problema astratto, ma di un problema che gli umanisti stessi si posero e cercarono di risolvere. Il dibattito circa la superiorità della vita attiva o di quella contemplativa fu da Coluccio Salutati in poi uno dei grandi temi che percorsero tutta la letteratura umanistica. La maggior parte di coloro che vi parteciparono, e specialmente gli umanisti fiorentini, sostennero in generale la preminenza della prima sulla seconda [...].

È perciò — ci sembra — perfettamente lecito chiedersi se l'impegno civile dei singoli umanisti si concretò e si tradusse, come avverrà con l'Illuminismo, in una coscienza e in un'azione politica collettiva e rinnovatrice, sia pure, naturalmente, articolata e complessa. Ma per poter rispondere a questa domanda è necessario chiederci preliminarmente se e come era possibile un'azione politica e riformatrice degli intellettuali nella società dei secoli XIV e XV. La risposta ci è offerta dalla storia: Wycliff e Huss, i due maggiori riformatori dell'età dei grandi concili e della lotta per la riforma della Chiesa, erano entrambi degli intellettuali, dei professori universitari, ma ciò non impedì loro o ai loro seguaci di divenire agitatori politici e suscitatori di grandi movimenti collettivi. Armati di una profonda e integrale fede religiosa essi erano fermamente convinti che, se era vero che la società doveva essere ordinata secondo la legge di Dio, da essa andavano estirpati tutti gli abusi, le prepotenze dei grandi, la corruzione dei vescovi e dei prelati, le sofferenze degli umili. Forti di questa convinzione essi non esitarono a trarne le conseguenze che per la «riforma» che essi auspicavano era necessario lottare, chiamando alla buona lotta tutti i fedeli, perché questo era il comandamento di Dio.

Ma difficilmente gli umanisti avrebbero potuto agire e comportarsi in questo modo. E non solo perché la società italiana era diversa e diversamente conformata da quella boema o inglese, ma anche perché il loro universo e la formazione intellettuale, la loro stessa posizione nella società erano profondamente diverse da quella di un Wycliff e di un Huss. Essi — come già sappiamo — avevano elaborato un tipo di cultura estremamente moderna, libera da pregiudizi e da idoli, e avevano maturato una esperienza intellettuale estremamente ricca e raffinata. Ma proprio questa loro superiorità intellettuale e la piena consapevolezza che, come si è visto, essi avevano maturato della medesima, li condizionava e li induceva a concepire la politica come un monopolio dei letterati e dei dotti e il rapporto fra governanti e governati come un rapporto pedagogico, da maestro a allievo. L'ottimo loro Stato era quello che si avvicinava all'ideale della repubblica di Platone, quello in cui il principe o i magistrati fossero dei filosofi o si avvalessero del consiglio dei filosofi. Certo poteva darsi il caso di un cattivo principe, di un tiranno e allora Bruto aveva il diritto di ucciderlo, ma solo Bruto o chi avesse la sua nobiltà d'animo e la sua educazione di patrizio romano.

Nulla era loro più estraneo di una concezione del mondo ispirata ad un integralismo religioso; il loro fastidio verso la superstizione dei bigotti e verso la corruzione della Chiesa era pari a quello che essi nutrivano verso le intemperanze e i fanatismi degli eretici; e se Poggio Bracciolini, assistendo al supplizio di Girolamo da Praga a Costanza, avrà parole di profonda ammirazione per questo «secondo Catone» e di implicita condanna per i suoi persecutori, Enea Silvio Piccolomini parlando di Huss e dei suoi seguaci, definirà «follie» le loro affermazioni e le loro azioni. Ritroviamo in questo atteggiamento mentale *in nuce* quella che sarà la reazione di alcuni umanisti di fronte al Savonarola e al suo tentativo di riforma della vita religiosa e civile fiorentina e di Erasmo nei confronti del movimento luterano. Analogamente nulla era più estraneo alla maggioranza degli umanisti dell'idea che un miglioramento e la «riforma» della convivenza e della società dovessero passare attraverso una vicenda di rivolgimento totale in cui tutti gli strati sociali, dai vertici alla base, fossero coinvolti e della quale fossero protagonisti sia i dotti che gli indotti. Quel popolo in cui i riformatori religiosi vedevano il portavoce della volontà di Dio («popolo di Dio» si erano definiti anche i Ciompi) rimaneva ai loro occhi il volgo degli scrittori classici, irretito nei suoi pregiudizi e schiavo delle sue passioni. Era questo un abito mentale che certo non favoriva il sorgere di un movimento collettivo e corale di «riforma». L'impegno civile degli umanisti rimaneva confinato nei termini di una nobile scelta individuale e la società italiana si trovava così privata delle sue naturali «guide». Tutte le grandi rivoluzioni, anche quelle intellettuali, hanno un loro prezzo.

Giuliano Procacci

(Da *Storia degli Italiani*, Bari, Laterza, 1971, pp. 113-123, con tagli).

La concezione umanistica della vita

Qualunque aspetto si consideri, l'Umanesimo è stato appunto questo: l'accento posto sulla comunione degli uomini nel mondo umano; di cui le *litterae* sono l'espressione esemplare. Uomini siamo perché viviamo in questo umano mondo delle nazioni. Per questo la vita degli umanisti è continuo colloquio: uno dei più irresistibili bisogni degli umanisti era il conversare: conversare oralmente con i presenti, per lettera con gli assenti. Questa è la ragione che spiega l'abbondante produzione epistolare di quell'età [...]. È con tono di religiosa venerazione che gli umanisti ci presentano questo mondo degli umani rapporti, degli umani colloqui («excelsum et divinum quiddam... cum colloquimur inter nos»), dell'umana cultura, della storia, in cui si ritrova, nella gloria consacrata dalle lettere, una terrena immagine dell'immortalità. Solo qui gli uomini ritrovano sé e gli altri come persone [...].

Tuttavia se questo giova ad intendere, nell'ambito stesso degli *studia humanitatis*, il germe della loro corruzione, l'apporto fecondo, la *renovatio* effettiva, fu la sempre più profonda consapevolezza che l'uomo raggiunse di sé, della sua dignità, della sua funzione terrena, della sua storia, della città fondata dal suo lavoro e mantenuta nell'opera quotidiana della sua libertà. In questa conquista del suo significato terrestre, di quello che Vico chiamerà umano mondo delle nazioni, crescerà, con l'interesse per la sua storia (*liberorumpopulorum... resgestascognoscere*), un più vivo senso critico, e impazienza di vecchie oppressioni, e odi di antichi pregiudizi, e bisogno di libertà, e condanna di tutte le tirannidi («i tiranni in qualunque modo si ammazino, sieno ben morti»). Le *humanae litterae*, ricordando all'uomo la sua parentela umana, lo richiamano al suo compito e al suo orizzonte terreno. Gli pongono innanzi, col valore dell'attività produttrice dell'uomo, il significato dell'azione comune contro la contemplazione solitaria e la sterile ascesi. Lo rendono attento all'umano vincolo concreto di carne e spirito, e gli ricordano che l'uomo non è un'anima eterea, ma è un'anima incarnata, un'unità inscindibile [...].

Così la visione dell'uomo, del suo compito, della sua natura, assume via via dimensioni più precise. Si riconsacrano i valori della terra, le ricchezze, la gioia e la bellezza fisica, l'attività politica, la creazione artistica. Salutati, Bruni, Valla, Filelfo, Alberti, prima di Machiavelli e di Pomponazzi, affermano questo nostro umano operare e godere, questa vita civile, questo bene comune; questa umana virtù, che trova in sé la sua misura e la sua ricompensa. Ov'era, senza dubbio, un più forte accento mondano, e una sottintesa polemica antiascetica, ma non una necessaria empietà o lotta contro il trascendente e sostituzione dell'uomo a Dio. L'uomo è come un dio terreno, perché del suo mondo è artefice e signore; ma lo è perché fatto a simiglianza di Dio; perché Dio lo ha fatto libero e creatore. E lo ha posto nel mondo perché nel mondo e nella città degli uomini edificasse la sua Chiesa. La contemplazione, la visione beatifica attende in patria coloro che la grazia predilige; ma in terra, nella via della nostra peregrinazione, *in statu viatoris*, dobbiamo operare, e trovare nell'opera la nostra misura.

Nei pensatori di tutte le correnti, negli scrittori più vari, dal Manetti al Pomponazzi, dall'Alberti al Pico, noi troviamo questo tema sempre ripetuto: del valore dell'uomo, della sua opera, della creazione del suo lavoro; dell'equilibrio che egli in sé stabilisce fra carne e spirito, fra terra e cielo. E via via che l'uomo acquista più ampio senso di sé, il suo orizzonte si amplia, e si precisano i suoi rapporti con la natura; e quel mondo di cose, prima lasciato nell'ombra, viene ritrovato e interpretato. La stessa posizione umana, prima considerata esclusivamente nell'ambito della civile conversazione, è ricercata poi in tutte le sue relazioni con la totalità della realtà; e la celebrazione dell'uomo implica tutta una filosofia dell'uomo, e quindi della natura.

Se riprendiamo il discorso di Giannozzo Manetti, noi vi troviamo l'uomo singolarmente esaltato nell'opera sua mondana, che costituisce tutto ciò che v'è al mondo «post illam novam ac rudem mundi creationem». «Nostre infatti, e cioè umane perché fatte dagli uomini, sono tutte le cose che si vedono, le case, i villaggi, le città; tutte, infine, le costruzioni della terra che sono tante e tali, che per la loro grande eccellenza dovrebbero a buon diritto esser ritenute opere piuttosto di angeli che di uomini. Sono nostre le pitture, le sculture, le arti, le scienze; nostra la sapienza... Nostre sono tutte le invenzioni, quasi infinite; nostra opera tutti i generi delle varie lingue e delle varie lettere, i cui usi necessari quanto più profondamente andiamo ripensando, da tanto maggiore ammirazione e stupore noi siamo trascinati. Infatti quei primi uomini e i loro antichi discendenti, essendosi accorti che non potevano vivere soli, senza un reciproco e scambievole aiuto, ritrovarono il sottile ed acuto artificio del parlare, così da rendere noti a tutti gli ascoltatori, mediante la lingua, per il tramite delle parole, i riposti sensi dell'intimo loro... Nostri sono infine tutti i ritrovati, che ammirabili e quasi incredibili la potenza e l'acume dell'ingegno umano, o piuttosto divino, volle costruire ed edificare... Queste ed altre simili cose si vedono da ogni parte tanto numerose e belle che il mondo ed i suoi ornamenti, trovati e stabiliti da Dio..., appaiono resi molto più belli, più adorni, e di gran lunga più perfetti» (*De dignitate et excellentia hominis*).

Nelle pagine del Manetti l'accento batte sull'uomo creatore, nell'arte, nelle civili istituzioni. Il regno umano è il regno dell'umano lavoro, della storia. Quel regno che il Collenuccio raffigurerà con sottile finezza; quella città le cui linee vorranno delineare i politici, circoscrivendo ad essa, alla sua mondanità, ogni attenzione. Ed in questa posizione noi assistiamo a una risoluzione di ogni problema e di ogni difficoltà in termini umani.

Ma la presenza della natura non poteva non richiamare alla necessità di definire i suoi rapporti con l'uomo, che doveva pur situarsi nella realtà. La celebre orazione del Pico, così come gran parte dell'opera ficiniana, sono orientate a definire l'uomo come nodo dell'universo, come elemento mediatore fra terra e cielo, come simbolo di un incontro ideale di tutte le cose. La perfetta corrispondenza che si stabilisce fra microcosmo e macrocosmo si traduce in una umanizzazione di tutto il creato; la natura intera sembra ritrovarsi nell'uomo e l'uomo nella natura. Non ci si chiude più nel regno dell'uomo; l'orizzonte si slarga a tutto l'universo, eppure tutto l'universo viene a confluire nell'uomo. Perché è un universo che ha lo stesso linguaggio umano, la stessa ragione, le stesse voci, attitudini, tendenze. Non a caso, fra scienza e filosofia, si celebra la magia che è comprensione del vivo codice del mondo, e, attraverso il linguaggio scoperto nelle cose, colloquio con le cose e dominio di esse.

Ed ecco i temi centrali di tutta la speculazione, i cui echi si ritrovano nella letteratura: l'animazione universale, l'universale simpatia, l'eros che tutto congiunge in un cosmico circolo amoroso, fino alle corrispondenti sembianze di tutte le cose dei trattati del Della Porta.

L'uomo riconduce entro il suo mondo, nel suo dominio, tutto. Le cose vibrano all'unisono con lui, egli con le cose. «Allora l'animo e le cose sono come una sola sostanza, e una sola armonia»; ed abbiamo forse in tal modo il segreto di «quella concordia idilliaca con la fragranza delle cose», di «quell'immergersi istintivo dell'anima nelle cose», di quel «trasfondersi nelle apparenze delle cose», su cui con finezza si è insistito a proposito delle *Stanze* del Poliziano. «Lo sguardo — s'è detto (A. MOMIGLIANO, introduzione a POLIZANO, *Le Stanze - L'Orfeo e le Rime*, Torino, 1925) — è di chi contempla estatico un incanto, non di chi vede la realtà della terra».

Ma è la realtà tutta che vibra e che vive con noi. Tutto è animato; tutto consente e cospira in unico amore. Campanella, come Bruno, come Telesio, estende, francescanamente, un fraterno amore a tutte le creature viventi.

Quasi compendiandosi in lui questa visione delle cose, tutto egli stima cospirante in vita universale, trasfigurato, in una visione di vita gioiosa. Quella vita bella che gli faceva preferire «nelle immagini Gesù trionfante in gloria piuttosto che Gesù suppliziato»; quella universale luce d'amore e di vita, che nel mirabile inno al sole, con l'antico ritmo elegiaco, gli faceva raffigurare tutte le cose, disciolte da morte, unite in un solo vincolo, in un unico slancio.

Come si vede, in questa natura tutta viva, tutta cospirante con l'uomo ad un unico fine, tutta dominata da forze che il mago aduna e disciplina, l'uomo si trova al centro, come in propria dimora, libero e creatore. Anche il mondo di Leonardo rimane questo stesso mondo, ove si specchia l'effigie umana; perché anche in Leonardo la natura è tutta ragione, è tutta idea, è tutta misura. La considerazione della natura resta fondamentalmente un ampliarsi dell'orizzonte umano; «lo stesso concetto dell'uomo si trasformò in un concetto più profondo dello stesso uomo... immedesimandosi l'uomo e la natura» (GENTILE). E come quell'uomo era stato celebrato libero produttore del suo mondo, così questa natura è interpretata quale arte che mirabilmente fiorisce in se stessa. La stessa libertà creatrice, la stessa virtù, si ritrova nella scena del mondo e nell'opera umana, sigillo in entrambe di Dio. La luce e l'amore, luce universale che tutto costituisce ed avviva, amore universale che tutto congiunge e connette, sono i due termini su cui poggia questa circolarità del tutto.

Il tema della grandezza dell'uomo si dilata, e nell'uomo libero artefice di sé, che riabbraccia tutte le cose, che è costruttore insieme di sé e del suo mondo, e vincolo dell'universo, e trasfiguratore della natura, e centro della storia, si raffigura soprattutto la potenza dell'artista, del poeta, che, come ricorderà Vico in un atteggiamento simile, «lo stesso in greco, suonò che *criatore*». Ed infatti, se rileggiamo quel testo quasi esemplare che è l'orazione di Pico della Mirandola, nel discorso di Dio ad Adamo troviamo che il dono veramente divino fu la libertà di effigiarsi e di plasmarsi in totale libertà. Né a caso il mondo è presentato come una meravigliosa scena, un sublime spettacolo di sovrumana bellezza. E non a caso questa civiltà nata sul terreno delle lettere aspirò ad affermarsi sotto il segno della bellezza e della grazia, che è simbolo di libertà creatrice e di luce spirituale che si incarna, nell'ordine e nella misura. Non a caso, in quel manuale di vita, che è *Il Galateo* del Della Casa, ove si compendia il costume di un'epoca, leggiamo le parole che potrebbero costituire l'epigrafe di tanta parte del Rinascimento: «non si dee l'uomo contentare di fare le cose buone, ma dee studiare di farle anco leggiadre; e non è altro leggiadria, che una cotale quasi luce, che risplende dalla convenevolezza delle cose che sono ben composte e ben divisate l'una con l'altra, e tutte insieme; senza la qual misura eziandio il bene non è bello».

Ma questo ritrovare sotto il segno dell'arte l'unità fra uomo e natura, e, insieme, il più profondo valore del mito dell'antico, e del mito dell'uomo, non deve trarci in inganno. Che dicendosi arte s'intende, qui, la concezione di un'umanità creatrice del proprio mondo, riplasmatrice di sé e delle cose nella legge della libertà. L'Uomo è artista in quanto creatore, che nel proprio creare riconosce, nell'atto stesso in cui celebra la propria libertà, il dono che l'ha costituito libero artefice di sé; riconosce cioè e prega Dio, e nelle cose che fa, nel mondo che plasma, adora umilmente «il Nume oggetto». È l'Adamo che Dio ha costituito signore della natura, ma col compito preciso di condurre, pacificata, la natura a Dio: «tutto scrutando, ora discenderemo distinguendo l'uno nei molti..., ora raccogliendo i molti nell'uno ascenderemo fino a fonderci nel seno del Padre».

Eugenio Garin

(Da *Umanesimo e rinascimento*, in AA.VV., *Questioni e correnti di storia letteraria*, Milano, Marzorati, 1949, pp. 380-381; 384-389, con tagli).

La filologia degli umanisti

Solo la conquista del senso dell'antico come senso della storia — propria dell'umanesimo filologico — permise di valutare quelle teorie per ciò che esse erano davvero: pensamenti d'uomini, prodotti di una certa cultura, risultati di parziali e particolari esperienze: non oracoli della natura o di Dio; rivelati da Aristotele o Averroè, ma immagini ed escogitazioni umane [...].

Proprio l'atteggiamento assunto di fronte alla cultura del passato, al passato, definisce chiaramente l'essenza dell'umanesimo. E la peculiarità di tale atteggiamento non va collocata in un singolare moto d'ammirazione o d'affetto, né in una conoscenza più larga, ma in una ben definita coscienza storica. I «barbari» non furono tali per avere ignorato i classici, ma per non averli compresi nella verità della loro situazione storica. Gli umanisti scoprono i classici perché li distaccano da sé, tentando di definirli senza confondere col proprio il loro latino. Perciò l'Umanesimo ha veramente scoperto gli antichi, siano essi Virgilio o Aristotele pur notissimi nel Medioevo: perché ha restituito Virgilio al suo tempo e al suo mondo, e ha cercato di spiegare Aristotele nell'ambito dei problemi e delle conoscenze dell'Atene del quarto secolo avanti Cristo. Onde non può né deve distinguersi nell'Umanesimo la scoperta del mondo antico e la scoperta dell'uomo, perché furon tutt'uno; perché scoprir l'antico come tale fu commisurare sé ad esso, e staccarsene, e porsi in rapporto con esso. Significò tempo e memoria, e senso della creazione umana e dell'opera terrena e della responsabilità. Ché non a caso i grandi umanisti furono in gran numero uomini di Stato, uomini attivi, usi al libero operare nella vita pubblica del tempo loro.

Ma il punto in cui si concretò quella presa di coscienza fu l'accendersi di una discussione critica innanzi ai documenti del passato che, indipendentemente da ogni resultato specifico, permise di stabilire una nostra distanza rispetto a quel passato: quei settecento anni di tenebre — tanti ne contava Leonardo Bruni — in cui ottenebrato era lo spirito di critica, in cui sembrava affievolita la consapevolezza della storia come farsi umano. Quel punto di crisi si concretò e prese dimensioni precise appunto nella «filologia» umanistica, che è consapevolezza del passato come tale, e visione mondana della realtà e umana spiegazione della storia degli uomini.

Quando apriamo le «miscellanee» del Poliziano subito, nel primo capitolo, ci viene innanzi «Endelechia», l'anima: ma non si tratta della Dea cantata nel secolo XII da Bernardo Silvestre, o variamente entificata nei commentarî dei platonici; e neppure si discute dell'unità dell'intelletto possibile, e dei suoi rapporti con l'individuo. La questione è di vocaboli: *entelechia* o *endelecheia*? movimento perenne o atto perfetto? Poliziano con estrema lucidezza, con le testimonianze classiche alla mano, illustra due concezioni dell'anima, Platone in rapporto ad Aristotele, ciò che importano le diverse premesse, il pensiero che si è definito in quei vocaboli. Noi vediamo il generarsi di due teorie, il loro rapporto storico: noi affermiamo il senso di un momento della storia della filosofia.

Apriamo le *Annotazioni al Nuovo Testamento* e leggiamo: «non esistono parole di Cristo, il quale parlò in ebraico e non scrisse nulla». E riferendosi all'osservazione di San Girolamo sulla corruzione dei codici biblici: «se dopo soli quattrocento anni il fiume si era così intorbidato, che meraviglia se dopo mille anni, quanti ne corrono da San Girolamo a noi, questo fiume, mai purgato, trascina fango e detriti?».

Mentre i testi più venerabili sono affrontati nella loro realtà storica, mentre le carte degli antichi privilegi sono sottoposte al vaglio di una critica demolitrice, delle concezioni del cosmo che sembravano ugualmente intangibili si vanno rintracciando le basi in vecchie superstizioni e in lontani errori. Poliziano sorride perfino del codice delle Pandette mostrato in cappella a Palazzo Vecchio a lume di candele: quelle pergamene sono per lui un problema storico: sono sacre solo nella misura in cui è sacra ogni opera umana valida, destinata non a chiudere per sempre, ma ad aprire le vie degli uomini.

Questo è il senso della «filologia»

umanistica: e ben si capisce che questi uomini fossero pedantissimi, sensibili com'erano alla fecondità di un metodo. Perché v'è tanto commovente amore in quel desiderio esasperato di recuperare quanti più ricordi è possibile dell'umana fatica. Poliziano innanzi a un verso di Teocrito o di Stazio vuol ritrovare ogni sapore, ogni allusione. Poiché la verità aperta agli uomini è tutta in quest'opera, in questo fare infaticabile, in questo nostro mondo: ed afferrarne il senso è conquistare il senso di noi, dei nostri limiti, come delle nostre possibilità. Innanzi alle sue «miscellanee» Poliziano ha scritto pagine che non costituiscono solo una grande lezione di umanità: esse definiscono un metodo valido in ogni campo di indagine. Si capisce, leggendole, perché il Rinascimento non fu solo tempo d'artisti, ma anche di scienziati, di Toscanelli e di Galileo; si capisce perché gli sterili, anche se sottilissimi dibattiti dei fisici e dei logici medievali si fecero fecondissimi solo dopo la nuova lezione, che pur sembrava così lontana nel suo significato. Si capiscono i medici nuovi usciti dalle scuole di filologia; e innanzi a quella rigorosissima, e vorrei dir spietata istanza critica, si capisce il dubbio di Cartesio. E si capisce anche perché, per circa due secoli, la cultura italiana dominasse l'intera Europa, e l'Italia potesse sembrare terra feracissima di innumerevoli ingegni filosofici.

Eugenio Garin

(Da *L'umanesimo italiano*, Bari, Laterza, 1952, pp. 17; 23-26, con tagli).

Il pensiero di Pico della Mirandola

Quando il Pico colloca al centro il tema della «dignità dell'uomo», non fa dapprima che riprendere motivi determinati, che il vecchio umanesimo aveva trattato sempre daccapo come esercizi rettorici. Già il trattato «De dignitate et excellentia hominis», che Giannozzo Manetti scrisse nel 1452, è costruito, sia dal punto di vista della forma, sia da quello del pensiero, sullo stesso schema sul quale il Pico costruisce il suo discorso. Manetti contrappone il mondo spirituale del *divenire*, il mondo della cultura, a quello della natura, inteso come mondo del semplice *divenuto*. Solo nel primo lo spirito umano si ritrova nel suo elemento; in esso mostra la sua dignità e la sua libertà.

Mentre queste proposizioni del *Manetti* non fanno, in fondo, che richiamarsi al patrimonio spirituale dello stoicismo antico, nel discorso del *Pico*, invece, si fa avanti un nuovo elemento. Tutta la sua visione infatti è piena del motivo del microcosmo, secondo il mondo caratteristico come venne trasformato prima dal Cusano e poi dal Ficino. È solo grazie ad esso che questo discorso è più di un semplice pezzo di bravura oratoria. Il suo pathos retorico ha in sé anche un pathos di pensiero specificamente moderno. La dignità umana non può risiedere nell'essere dell'uomo, non nel luogo che gli è stato assegnato una volta per sempre nell'ordine cosmico. Se il sistema gerarchico suddivide il mondo in gradi ed assegna ad ogni essere uno di questi, come il luogo che gli conviene nell'universo, tale visione si lascia sfuggire il senso ed il problema della libertà umana. Infatti questo è posto nell'*inversione* del rapporto, che siam soliti stabilire ovunque tra *essere* ed *agire* [...]. Non è l'essere che prescrive, una volta per tutte, la direzione al modo di formarsi, ma è invece il senso in cui questo è originariamente diretto, che solo determina e pone l'essere. L'essere dell'uomo nasce dal suo fare e questo fare non si limita alla sola energia della volontà, ma abbraccia la totalità delle sue forze creative. Infatti ogni vero attivo creare è più di un semplice agire sul mondo; presuppone che l'agente si differenzi dall'oggetto su cui l'azione si esercita, che il soggetto dell'azione si differenzi dal suo oggetto e gli si contrapponga coscientemente. E questo processo di contrapposizione non è tale che avvenga una volta sola e si chiuda con un risultato determinato, ma deve piuttosto venir *compiuto* sempre daccapo. Poiché, sia l'essere, sia il valore dell'uomo dipendono da questo compimento, non possono mai venir definiti staticamente, ma sempre solo in modo dinamico. Noi possiamo risalire fin che vogliamo su per la scala dell'essere, possiamo elevarci fino alle intelligenze celesti, anzi fino alla origine divina dell'essere; finché rimarremo su di un gradino di questa scala, non troveremo il valore specifico della libertà. Tale valore, per il sistema rigidamente gerarchico, è qualcosa di estraneo, un incommensurabile, un «irrazionale»: perché quest'ordine del puro *essere* non può intendere il senso ed il moto del puro *divenire*. Con questo punto di vista — per quanto la dottrina del Pico dipenda, nel suo complesso, da un lato, dalla tradizione aristotelica scolastica, e, dall'altro, da quella neoplatonica — si è compiuto un nuovo passo. Infatti ora si vede chiaramente, che né la categoria della *creazione*, né quella dell'*emanazione*, sono sufficienti a definire pienamente il rapporto che corre, sia tra Dio e l'uomo, sia tra l'uomo e il mondo. La creazione, nel significato comune, non può venir intesa se non così: che per opera sua venga, non solo partecipato alla creatura un essere determinato e limitato, ma anche prescritta una sfera determinata alla sua volontà ed al suo fare. L'uomo, però, si libera da ogni limite siffatto: il suo agire non gli viene senz'altro dettato dalla sua realtà, ma ha in sé sempre nuove possibilità che, per loro natura, vanno al di là di ogni cerchio finito. Questo è il segreto della natura umana, oggetto di invidia non solo per il mondo inferiore, ma anche per quello delle intelligenze; perché solo in suo favore la regola del creato, che dappertutto altrove vale incontestata, soffre una eccezione nella sua rigida «tipicità». Giunto al termine della creazione — così ci racconta il mito con cui si apre il discorso del Pico — nacque nel Demiurgo il desiderio di formare un essere, che fosse in grado di conoscere la ragione dell'opera sua e di amarla per la sua bellezza.

Burckhardt scrisse che questo discorso del Pico è una delle più nobili eredità che la rinascenza ci abbia lasciate; difatti ne riassume, nel modo più semplice, pregnante e completo, sia quello ch'essa volle, sia il concetto che essa si fece del conoscere. I due poli, sulla cui opposizione è imperniata la tensione morale ed intellettuale, caratteristica dello spirito della rinascenza, si contrappongono qui nettamente l'uno all'altro. Ciò che viene richiesto al volere ed al conoscere dell'uomo è che siano totalmente *diretti* al mondo, pur *differenziandosi* totalmente da esso. Volontà e conoscenza possono, anzi devono, far loro oggetto d'ogni parte dell'universo, poiché l'uomo può imparare a conoscere tutte le sue determinazioni, solo se percorre l'universo in tutta la sua estensione. Ma questo «*essere aperti*» al mondo non deve mai voler dire un *risolversi* in esso, un perdersi mistico-panteistico. La volontà umana entra infatti in pieno possesso di sé, solo quando acquista coscienza, che nessuna meta particolare può bastarle; e pure il sapere umano entra in pieno possesso di sé solo quando sa, che nessun contenuto particolare lo può soddisfare. In tal modo questo dirigersi verso la totalità del cosmo include sempre, al tempo stesso, la facoltà di non rimanere legato a nessuna delle sue parti. Alla forza di questo «darsi» totale, corrisponde quella di un totale «riprendersi».

Ernst Cassirer

(Da *Individuo e cosmo nella filosofia del Rinascimento*, Firenze, La Nuova Italia, 1950, pp. 135-140, con tagli).

L'Umanesimo volgare

Cultura e società

Fin dai suoi inizi trecenteschi l'Umanesimo sviluppò un movimento letterario su scala italiana, rafforzando la tendenza unitaria che si esprimeva nella diffusione, pur ancora parziale, della poesia toscana. Le Signorie, inoltre, desiderose d'una cultura nuova, chiamarono a collaborare alla vita politica intellettuali di varia provenienza regionale, che non fossero in dipendenza troppo diretta dalla Chiesa e neppure legati troppo strettamente alla vita dei Comuni. Fra il 1435 e il 1450 si ritrovano principi fondatori di nuove forme di organizzazione statale (Cosimo de' Medici a Firenze, i papi Eugenio IV e Niccolò V a Roma, Alfonso I d'Aragona a Napoli, Francesco Sforza a Milano; in quattro, dunque, sui cinque maggiori Stati italiani), che sono, nel contempo, grandi mecenati: Cosimo de' Medici, per esempio, commissionò al Ficino la traduzione di tutto Platone.

Tale intesa si mantiene fin poco oltre la metà del secolo; continua, in forme diverse nei diversi centri, fin verso la fine degli anni Settanta, quando la congiura dei Pazzi a Firenze e quella contro Francesco Sforza a Milano, che ebbero fra i complici degli umanisti, e la difficile politica dell'equilibrio in Italia, dopo un'aspra vicenda di guerre per il predominio fra i vari Stati, nella prima metà del secolo, diedero luogo a una politica meno liberale. Si affermò così una cultura cortigiana, tecnicamente raffinata, ma indirizzata ormai a forme contemplative, solitarie, oppure encomiastiche; comunque sia, una cultura di specialisti, legati a un ideale non più civile o cittadino o patriottico, ma universalistico.

Per questi suoi caratteri essa potrà sopravvivere al crollo degli Stati italiani, ma sempre più distaccata dalla vicenda politica, anche se dotata di grande forza di penetrazione sul piano internazionale. Essa apparirà intesa a opporre alla violenza degli eventi sconvolgenti, sia sul piano politico sia su quello religioso, che si seguiranno nei primi decenni del Cinquecento, quello che Carlo Dionisotti ha definito, con felice espressione, il «limpido splendore di gemma» di gran parte della produzione letteraria italiana del tempo.

Il trionfo del volgare e il classicismo

Nella seconda metà del Quattrocento appare ormai concluso il processo di riscoperta e assimilazione della cultura classica che aveva caratterizzato la prima metà del secolo, ma nello stesso tempo tramonta progressivamente l'ingenua illusione della resurrezione e del trionfo del latino nelle nostre lettere. Molti scrittori compongono ancora in latino, oltre che in volgare, ma nella produzione italiana esprimono più integralmente la loro personalità e gli ideali del loro tempo.

Il trionfo dell'italiano coincide, nell'ultimo trentennio del secolo, con quello che è stato chiamato *umanesimo volgare*, fondato sulla persuasione che anche il volgare può essere capace di esprimere in forma eletta alti e nobili concetti, purché lo si elevi dalla rozzezza del parlare quotidiano e gli si dia la dignità e l'eleganza necessarie ad una lingua d'arte. In tal senso l'opera degli scrittori è sollecitata e appoggiata anche da principi e signori i quali favoriscono il sorgere della nuova cultura, ma non intendono che perda il contatto con vasti strati della popolazione.

Il latino diviene così un ideale di linguaggio armonico sul quale si vuole modellare la lingua volgare per farle acquistare dignità artistica; non però nel senso di ripeterne la particolarità lessicale (infatti certi crudi latinismi vanno scomparendo, nel corso del secolo, dalla nostra lingua letteraria, soprattutto nella prosa), ma nel senso di imprimere all'italiano la compostezza e intensità espressiva, la complessa e solida struttura razionale e sintattica della frase latina.

L'influsso della letteratura latina è, ovviamente, importante anche sul piano dell'immaginario e, in particolare, della poesia, che mutua, più che in passato, temi, immagini, stilemi dai grandi autori classici. Ma ora, come s'è visto, ai latini si uniscono, soprattutto a partire dal 1453 (caduta di Costantinopoli sotto il dominio turco e conseguente emigrazione bizantina in Italia), i grandi scrittori della Grecia antica, recuperati solo in parte dal primo Umanesimo.

Gli studi umanistici rimangono fondamentali nella formazione letteraria dei nuovi scrittori, che dai Classici riprendono modi e forme espressive, immagini e sentimenti, e, soprattutto, i precetti della loro tecnica compositiva. Questo fenomeno, al quale si è dato il nome di *classicismo*, sarà per secoli, fino all'Ottocento, il motivo conduttore del gusto letterario italiano, con riflessi positivi e negativi.

Negativa sarà, prima di tutto, la tendenza a risolvere la poesia in un tecnicismo che diverrà, nei momenti peggiori, fine a se stesso, dando origine a una letteratura attenta quasi esclusivamente ai valori formali, a un ideale di vuota eleganza, indifferente al contenuto. Si avrà allora una letteratura aristocratica, concepita come un elegante gioco di società, lontana però dai profondi interessi umani, religiosi, politici e morali che erano stati così intensi nella letteratura dei primi secoli.

Positiva sarà invece l'avvertita esigenza di una solida disciplina letteraria, la ricerca, nell'espressione, di quelle doti di ordine, equilibrio, chiarezza e sapienza compositiva che, insieme alla profondità e interiorità dell'ispirazione, costituiscono un elemento fondamentale dell'opera d'arte.

Temi, figure e lingua della poesia quattrocentesca

Il classicismo quattrocentesco tende a rappresentare un mondo di serena ed equilibrata gioia vitale, la cui espressione più spontanea è l'idillio, cioè un sereno espandersi dell'uomo nella natura. Trionfano così il sentimento della bellezza del mondo, la fiducia ottimistica nella vita, nella natura, cioè nella struttura, concepita come razionale e armonica, dell'universo e nell'uomo che di esso è considerato la creatura più alta.

La letteratura del Quattrocento coglie questo ideale con la spontaneità di una civiltà che è ancora nel suo primo, entusiastico fiorire. Essa può apparire, qualora la si confronti con quella del Trecento, più povera di ideali, mentre invece, a ben guardare, esprime una nuova misura umana, un rinnovato amore alla vita e alla realtà terrena.

Essa non ha ancora un tono aristocraticamente disdegnoso. Soprattutto a Firenze, i poeti dotti non rifuggono dall'accogliere e riecheggiare forme e motivi della poesia popolare. Il loro ideale è quello di una grazia limpida volta a risolvere lo spettacolo della vita in una visione di bellezza e di equilibrio spirituale; una bellezza appena velata dal vago senso di malinconia che nasce dall'avvertita fugacità della gioventù e della vita. Ma è una malinconia che non assume toni drammatici, perché è dominata dalla dignitosa accettazione, da parte dell'uomo, del proprio destino.

Altri centri importanti della letteratura in volgare furono Ferrara, dove, per merito del Boiardo, si assiste alla grande ripresa del poema cavalleresco, Napoli, dove il Sannazaro, con l'*Arcadia*, crea un modello universalmente ammirato del «genere» bucolico, Milano e altre corti del Nord, dove fiorisce (come anche a Ferrara) una poesia lirica, rivolta al raffinato uditorio di corte, e quindi elegante e stilizzata, che si rifà alla tradizione toscana trecentesca, soprattutto al Petrarca, che proprio a partire da questi anni s'impone sempre più come modello quasi esclusivo.

Sul piano della lingua letteraria si può parlare di un'ampia sperimentazione. A Firenze, col recupero della tradizione stilnovistica operato da Lorenzo de' Medici e dalla sua cerchia (connesso anche al platonismo di Marsilio Ficino e alla sua «filosofia» dell'amore), la lirica riprende il modello linguistico trecentesco, dagli stilnovisti, appunto, a Dante al Petrarca, cui peraltro il Poliziano aggiunge sistematicamente vocaboli tratti dal latino. Un maggior realismo linguistico, e cioè una maggior adesione alla lingua parlata, si ritrova, invece, nei componimenti satirici e burleschi, secondo una ormai inveterata tradizione, e nei poemetti rusticali, come la *Nencia da Barberino* di Lorenzo; esso ha la sua più geniale espressione nel *Morgante* del Pulci, che si rifà ai toni dei cantastorie popolari. In entrambi i casi, tuttavia, siamo pur sempre nell'ambito di un'unica lingua e il mutamento avviene soprattutto a livello lessicale-stilistico.

Nel resto dell'Italia continua la penetrazione del toscano e del fiorentino letterario, nella lirica; ma a essi si mescolano sovente gli apporti delle parlate locali nei generi non lirici. È il caso, ad esempio, dell'*Orlando innamorato* del Boiardo, erede d'una tradizione narrativa padana che s'avverte ampiamente anche nel lessico (mentre le liriche dello stesso autore sono più legate a quello petrarchesco e classicheggiante); o dei *gliommeri* del Sannazaro, componimenti di tono faceto e farsesco, largamente aperti al dialetto.

La vittoria del toscano, e soprattutto del fiorentino, che avviene sulla scia del recupero della grande tradizione letteraria trecentesca, è aiutata dall'industria libraria, intesa a favorire, proprio per le sue esigenze di larga diffusione a livello nazionale, una norma comune di grammatica e lessico. Fra i primi libri a stampa di autori italiani spiccano le cosiddette «tre corone». Nel 1470 vengono pubblicati il *Canzoniere* del Petrarca e il *Decameron* del Boccaccio, cui seguono, nel '72, il *Filocolo* e la *Fiammetta*. Nello stesso anno è pubblicata, a Mantova, Foligno, Iesi, la *Commedia*: modelli letterari e modelli linguistici vengono, così, a coincidere; nei tre grandi del Trecento si poteva ritrovare anche la possibilità di prestiti dal latino, così frequenti per tutto il Quattrocento, inquadrati, però, nel sicuro fondo fiorentino e toscano della lingua letteraria che s'avvia a essere riconosciuta come italiana.

Una codificazione rigorosa d'una lingua letteraria italiana comune si avrà, come vedremo, nei primi decenni del Cinquecento. Ne presentiamo qui i prodromi, in tre momenti diversi del secolo.

Leonardo Bruni

Nato ad Arezzo nel 1370 (o '74), studiò a Firenze, dove ebbe come maestri Coluccio Salutati, Giovanni Malpaghini e Emanuele Crisolora (che gl'insegnò il greco), e come compagni e amici Giannozzo Manetti, Poggio Bracciolini, Niccolò Niccoli e altri umanisti insigni. Dal 1405 al 1415 tenne la carica di scrittore presso la Curia pontificia, poi si stabilì a Firenze, dove fu cancelliere della repubblica dal 1427 alla morte (1444).

Grande importanza, nella cultura filosofica del Quattrocento, ebbero le sue traduzioni dal greco di Platone e Aristotele, nel diffuso processo di rinnovata interpretazione dei due filosofi fuori degli schemi medievali. La rimanente, copiosa produzione del Bruni rivela una notevole molteplicità di interessi: dall'etica (*Isagocicon moralis disciplinae*), alla pedagogia (*De studiis et litteris liber*), alla storiografia, alla politica, alla biografia. Notevoli soprattutto gli *Historiarum florentini populi libri XII*, una storia di Firenze dalle origini al 1402, i *Rerum suo tempore gestarum commentarii*, una storia dell'Italia dal 1378 al 1440 e la *Laudatio florentinae urbis*, dove sono esaltate la bellezza, la potenza economica e politica e il buon governo di Firenze, ideale custode della libertà.

Al centro dell'opera del Bruni sta il «mito» di Firenze, sentita come erede della grande civiltà della Roma repubblicana nella politica, nelle lettere, nelle arti, nell'ordinato vivere civile, congiunto con l'esaltazione della latinità, glorioso retaggio di tutta l'Italia. Il Bruni avvertì la possibilità d'una resurrezione della grande poesia degli antichi nella lingua italiana, e segno di essa gli apparve la letteratura fiorentina del Trecento, di cui riconobbe ed esaltò il valore nei giovanili *Dialoghi ad Petrum Paulum Histrum* (1401-1406) e quindi nella *Vita di Dante e di Petrarca* (1436), seguita da un parallelo fra i due poeti e da una *Notizia* sul Boccaccio. In tal modo egli contrapponeva all'illusione d'un impossibile ritorno al passato il riconoscimento della dignità del volgare e della sua letteratura, espressione l'uno e l'altra della nuova civiltà italiana nata nell'età del Comune. Con questa persuasione era connesso il suo umanesimo civile (ben distinto da quello cortigiano che prevarrà nella seconda metà del secolo), fondato sull'ideale della piena concordanza fra libertà culturale e libertà politica, di cui, ancora una volta, la civiltà fiorentina gli appariva modello esemplare. Per questo esaltò in Dante la figura dello scrittore impegnato nella vita politica, oltre che in quella culturale, del suo tempo: l'uomo che aveva saputo congiungere alla creatività poetica e allo splendore di un'arte raffinata la profonda dottrina e la partecipazione attiva e responsabile alla vita associata.

Per il testo seguiamo: G. Ponte, *Il Quattrocento*, cit.

Sulla poesia volgare e ancora su Dante

Oltre che per il riconoscimento della grandezza di Dante, di cui s'è parlato nell'introduzione, queste pagine sono importanti come espressione della concezione umanistica della poesia. Il Bruni accoglie qui la tradizione (che risale allo *Ione* di Platone e sarà in seguito ripresa dai filosofi del neoplatonismo fiorentino) del poeta come invasato, rapito in una sorta di rivelazione sovrumana, ma la fonde con quella del poeta *doctus*, che unisce all'«eccellente e ammirabile stile in versi» la profonda dottrina, che pervade la sua «alta finzione». In ambedue i casi, la poesia diviene ammaestramento spirituale: nelle favole dei poeti si ritrova un messaggio che rivela l'uomo a se stesso. Tale carattere sapienzale era assegnato alla poesia anche dall'estetica del Medioevo; ma nuovo è qui l'accento posto sul valore morale e psicologico, non immediatamente religioso, di questa rivelazione (si veda qui il giudizio sulla *Commedia*, rappresentazione, per il Bruni, di «meriti e pene della vita umana», espressione di essa nella sua dimensione terrena). Originale è anche l'insistenza sulla creatività del poeta sulla sua capacità di originale creazione fantastica e stilistica, che induce il Bruni a rigettare il mito d'una lingua poetica esemplare e superiore, quale era allora da molti considerato il latino classico, pur mentre ne rivendica la bellezza, di contro al latino «barbaro» usato dalla Scolastica e il carattere di modello per chi voglia ora scrivere prose e versi latini.

E per darmi ad intendere meglio a chi legge, dico che in due modi diviene alcuno poeta. Un modo si è per ingegno proprio agitato o commosso da alcun vigore interno e nascoso, il quale si chiama furore ed occupazione di mente.[1] Darò una similitudine di quello che io voglio dire: Beato Francesco non per iscienza, né per disciplina scolastica, ma per occupazione e astrazione di mente sì forte applicava l'animo suo a Dio, che quasi si trasfigurava oltre al senso umano[2] e conosceva di Dio più, che né per istudio né per lettere[3] conoscono i teologi. Così nella poesia alcuno per interna agitazione e applicazione di mente poeta diviene, e questa è la somma e la più perfetta specie di poesia. E qualunque[4] dicono i poeti essere divini, e qualunque li chiamano sacri, e qualunque li chiamano vati, da questa astrazione e furore, che io dico, prendono l'appellazione.[5] Gli esempli li abbiamo da Orfeo e da Esiodo, de' quali l'uno e l'altro fu tale, quale di sopra è stato da me raccontato; e fu di tanta efficacia Orfeo, che e sassi e le selve moveva con la sua lira; ed Esiodo, essendo pastore rozzo e indotto, solamente bevuto l'acqua della fonte Castalia,[6] senz'altro studio poeta sommo divenne, del quale abbiamo l'opere ancora oggi, e sono tali, che niuno de' poeti litterati e scientifici lo vantaggia.[7] Una spezie adunque di poeti è per interna astrazione ed agitazione di mente; l'altra spezie è per iscienza, per istudio, per disciplina, ed arte e prudenzia. E di questa seconda spezie fu Dante; perocché per istudio di filosofia, teologia, astrologia, aritmetica, per lezione di storie, per revoluzione di molti vari libri,[8] vigilando e sudando nelli studi acquistò la scienza, la quale doveva ornare ed esplicare con li suoi versi.

E perché della qualità de' poeti abbiamo detto, diremo ora del nome, per lo quale ancora si comprenderà la substanzia.[9] Con tutto che queste sono cose, che mal si possono dire in vulgare idioma, pur m'ingegnerò di darle ad intendere,[10] perché, al parer mio, questi nostri moderni poeti non l'hanno bene intese; né è meraviglia, essendo ignari della lingua greca. Dico adunque, che questo nome Poeta è nome greco, e tanto viene a dire quanto «facitore». Per aver detto insino a qui, conosco che non sarebbe inteso il dir mio sicché più oltre bisogna aprire l'intelletto.[11] Dice adunque, che de' libri e delle opere poetiche alcuni uomini sono «leggitori» dell'opere altrui, e niente «fanno» da sé, come addiviene al più delle genti; altri uomini sono «facitori» d'esse opere, come Virgilio «fece» il libro dell'*Eneide* e Stazio fece il libro della *Tebaida* e Ovidio fece il libro *Metamorphoseos* e Omero fece l'*Odissea* e l'*Iliade*. Questi adunque che ferno[12] l'opere furono «poeti» cioè «facitori» di dette opere, che

1. **furore... mente**: Col primo termine, di ascendenza platonica, si indica il carattere irrazionalistico e intuitivo dell'ispirazione poetica, sottolineato peraltro anche dalla seconda espressione (**occupamento**) che vale «invasamento».
2. **Beato... umano**: S. Francesco d'Assisi non in virtù della filosofia e dell'organizzazione concettuale sistematica che essa impone alla mente, ma in quanto restava assorto nell'estasi e come da essa posseduto, astraendosi dai comuni concetti e dalle comuni sensazioni (cioè dal comune ordine conoscitivo), entrava in comunione con Dio, trasfigurandosi oltre la natura umana. Questa connessione fra emozione artistica ed emozione religiosa, di ascendenza platonica e neoplatonica, sarà ribadita da Marsilio Ficino, che vedrà nell'arte uno dei mezzi di elevazione dell'uomo all'intuizione del divino.
3. **né... lettere**: È una sorta d'endiadi: lo studio compiuto dai teologi sui loro libri.
4. **qualunque**: tutti coloro che.
5. **l'appellazione**: il nome (o l'attributo) con cui li definiscono (*divini, sacri, vati*).
6. **fonte Castalia**: la fonte mitica che scaturiva sul Parnaso, in Grecia, e rendeva poeta chi bevesse le sue acque.
7. **che... vantaggia**: che nessuno dei poeti formatisi attraverso una vasta cultura letteraria e filosofica lo supera.
8. **per lezione... libri**: per aver letto (mediante la lettura di) molti libri di storia, per aver sfogliato (cioè letto e studiato) molti libri di varie discipline.
9. **per... substanzia**: per mezzo del quale nome si comprenderà l'essenza del poeta.
10. **Con tutto che**: sebbene. **darle ad intendere**: farle comprendere pienamente. Dice che queste cose non si possono dir bene in lingua volgare, ossia in italiano perché mancava ancora a esso una tradizione espressiva nel linguaggio scientifico e filosofico: ancora agli inizi del Quattrocento e oltre la lingua della filosofia e dell'alta cultura era il latino.
11. **Per... qui**: per quanto ho detto finora. **aprire l'intelletto**: spiegare il significato.
12. **ferno**: fecero.

noi leggiamo; e noi siamo i «leggitori» ed essi furono i «facitori». E quando sentiamo lodare un valente uomo di studi e di lettere, usiamo dimandare: «Fa egli alcuna cosa da sé? Lascerà egli alcuna opera da sé composta e fatta?». Poeta è adunque colui che fa alcuna opera, cioè è componitore di quello che altri legge. Potrebbe dire qui alcuno che, secondo il parlar mio, il mercatante, che scrive le sue ragioni e fanne libro,[13] sarebbe poeta; e Tito Livio e Sallustio sarebbono[14] poeti, perocché ciascun di loro scrisse libri ed opere da leggere. A questo rispondo, che fare opere non si dice, se non in versi.[15] E questo addiviene per eccellenza dello stile, perocché le sillabe e la misura ed il suono è solamente di chi dice in versi.[16] E usiamo dire in nostro vulgare: «Costui fa canzone e sonetti»; ma per iscrivere una lettera a' suoi amici, non diremo che egli abbia fatto alcuna opera. Il nome del poeta significa eccellente ed ammirabile stile in versi, coperto e adombrato di leggiadria e alta finzione.[17] E come ogni presidente[18] comanda ed impera, ma solo colui si chiama «imperadore», che è sommo di tutti, così, chi compone opere in versi ed è sommo ed eccellentissimo nel comporre tali opere, si chiama «poeta».

Or questa è la verità certa e assoluta del nome e dell'effetto de' poeti. Lo scrivere in istile litterato o vulgare non ha a fare al fatto, né altra differenza è, se non come scrivere in greco od in latino.[19] Ciascuna lingua ha sua perfezione e suo suono e suo parlare limato e scientifico: pur, chi mi domandasse, per che cagione Dante piuttosto elesse scrivere[20] in vulgare che in latino e litterato stile, risponderei quello, che è la verità, cioè: che Dante conosceva se medesimo molto più atto a quello stile volgare ed in rima che a quello latino e litterato. E certo molte cose sono dette da lui leggiadramente in questa rima volgare, che né avrebbe potuto né avrebbe saputo dire in lingua latina ed in versi eroici.[21] La prova sono l'*Egloghe* da lui fatte in versi esametri, le quali posto sieno belle, niente di manco molte ne abbiamo vedute vantaggiosamente scritte.[22] E a dire il vero, la virtù di questo nostro poeta fu nella rima volgare, nella quale è eccellentissimo sopra ogni altro; ma in versi latini o in prosa non aggiugne appena a quelli che mezzanamente hanno scritto.[23] La cagione di questo è, che il secolo suo era dato[24] a dire in rima; e di gentilezza di dire in prosa o in versi latini niente intesero gli uomini di quel secolo, ma furono rozzi e grossi e senza perizia di lettere, dotti niente di meno in queste discipline al modo fratesco scolastico.[25]

Cominciossi a dire in rima, secondo scrive Dante,[26] innanzi a lui anni centocinquanta. E furono i principi[27] in Italia Guido Guinizzelli Bolognese e Guittone cavaliere gaudente d'Arezzo e Buonagiunta da Lucca e Guido da Messina; i quali tutti Dante di gran lunga soverchiò di scienze e di pulitezza e d'eleganza e di leggiadria, intanto che è opinione di chi intende, che non sarà mai uomo che Dante vantaggi di dire in rima.[28] E veramente ell'è mirabil cosa la grandezza e la dolcezza del dire suo prudente, sentenzioso e grave, con varietà e copia mirabile, con scienza di filosofia,[29] con notizia di storie antiche, con tanta cognizione delle cose moderne, che pare ad ogni atto esser stato presente. Queste belle cose, con gentilezza di rima esplicate,[30] prendono la mente di ciascuno che legge, e molto più di quelli che più intendono. La finzione sua fu mirabile e con grande ingegno trovata; nella quale concorre descrizione del mondo, descrizione de' cieli e de' pianeti, descrizione degli uomini, meriti e pene della vita umana, felicità, miseria, e mediocrità[31] di vita intra due estremi. Né credo che mai fusse chi imprendesse più ampla[32] e fertile materia, da poter esplicare la mente d'ogni suo concetto per la varietà delli spiriti loquenti[33] di diverse ragioni di cose, di diversi paesi e di vari casi di fortuna. Questa sua principale opera cominciò Dante avanti la cacciata sua, e di poi in esilio la finì, come per essa opera si può vedere apertamente. Scrisse ancora canzone morali e sonetti. Le canzone sono perfette e limate e leggiadre

13. il mercatante... libro: il mercante che scrive i suoi conti e ne fa un libro (il suo libro di cassa).

14. sarebbono: sarebbero.

15. che... versi: che non si usa l'espressione «fare opere» (nel senso che ha detto più sopra, spiegando l'etimologia del nome *poeta*) se non a proposito dello scrivere in versi.

16. perocché... versi: poiché soltanto chi scrive in versi persegue quella particolare eccellenza dello stile che consiste nella versificazione, ossia nel computo regolato delle sillabe, nelle misure ritmiche e nell'eufonia, cioè nella composizione melodica e armonica dei suoni verbali.

17. finzione: la parola (analoga alla *fictio* dantesca) indica la strutturazione fantastica e mitopoietica che è propria della poesia. L'aggettivo *alta* (profonda) fa però pensare al carattere sapienziale che era attribuito alla poesia, sia nel Medioevo sia dagli Umanisti, che nei miti dei poeti classici avvertivano una sapienza riposta.

18. ogni presidente: ogni persona che sta a capo di altri uomini.

19. Lo... latino: il fatto di scrivere in latino (*istile litterato*) o in volgare, come lo scrivere in latino o in greco, non comporta alcuna differenza per quel che riguarda la poesia. Si può dunque essere poeti scrivendo in qualsiasi lingua; infatti, come dice subito dopo, ogni lingua ha la sua perfezione formale ed eufonica e il proprio stile *limato e scientifico* (retoricamente raffinato e colto). Il Bruni combatte qui il pregiudizio di alcuni preumanisti e umanisti (e dello stesso Petrarca quando limitava il valore della *Commedia*) del latino come sola lingua perfetta, analogamente a quanto aveva già fatto Dante nel *De vulgari eloquentia*.

20. elesse scrivere: scelse di scrivere.

21. versi eroici: gli esametri, metro dell'antica epopea.

22. posto... scritte: sebbene siano belle, tuttavia ne abbiamo visto molte scritte da altri in maniera migliore.

23. non... scritto: non raggiunge neppure coloro che hanno scritto in uno stile medio e comune.

24. dato: dedito.

25. e di gentilezza... scolastico: gli uomini di quel secolo non furono per nulla buoni intenditori in fatto di stile della prosa e dei versi in latino, ma furono, in questo campo, rozzi e ignoranti; non ebbero un'adeguata educazione letteraria in proposito, ma, in queste discipline, furono altrettanto indotti che i filosofi e teologi della Scolastica. — La polemica degli Umanisti contro il latino «barbaro» della Scolastica fu radicale, coerentemente al loro classicismo.

26. Lo afferma Dante nel XXV della *Vita nuova*.

27. principi: primi. — I poeti non vengono citati in ordine cronologico. Guido da Messina è Guido delle Colonne, poeta della Scuola siciliana.

28. intanto che: tanto che. **vantaggi... rima**: superi Dante nella poesia italiana.

29. scienza di filosofia: conoscenza profonda della filosofia.

30. con... esplicate: svolte, espresse in rime eleganti.

31. mediocrità: stato intermedio. — Il Bruni sembra qui sensibile al contenuto morale piuttosto che a quello teologico della *Commedia*, che interpreta come una complessa allegoria della vita umana in terra piuttosto che nell'oltremondo, conformemente al nuovo atteggiarsi pragmatico e mondano del pensiero e della sensibilità umanistica.

32. ampla: ampia, estesa.

33. da poter... loquenti: tale che in essa la mente umana potesse esprimere pienamente ogni suo concepimento, per la varietà delle anime che parlano (che rappresentano caratteri, idee, modi di concepire e di sentire diversi), ecc.

e piene d'alte sentenze,[34] e tutte hanno generosi cominciamenti, siccome quella canzone che comincia:

Amor che muovi tua virtù dal cielo,
Come il sol lo splendore,

dove fa comparazione filosofica e sottile[35] intra gli effetti del sole e gli effetti di amore; e l'altra che comincia:

Tre donne intorno al cor mi son venute;

e l'altra che comincia:

Donne, che avete intelletto d'amore.

E così in molte altre canzone è sottile e limato e scientifico. Ne' sonetti non è di tanta virtù. Queste sono l'opere sue vulgari.[36] In latino scrisse in prosa ed in verso. In prosa un libro chiamato *Monarchia*, il quale è scritto a modo disadorno, sanza niuna gentilezza di dire. Scrisse ancora un altro libro intitolato *De vulgari eloquentia*. Ancora scrisse molte *Epistole* in prosa. In versi scrisse alcune *Eglohe* e il principio del libro suo in versi eroici; ma non gli riuscendo lo stile, non lo seguì.[37]

34. alte sentenze: profondi pensieri. **generosi cominciamenti**: inizi nobili e solenni.
35. sottile: intellettualmente e filosoficamente acuta.
36. Come si vede, il Bruni non cita il *Convivio*.
37. Il Bruni riprende qui la notizia data dal Boccaccio, secondo la quale Dante avrebbe cominciato a scrivere, in un primo momento, la *Commedia* in esametri latini. **non lo seguì**: non lo continuò.

Difesa del volgare (Leon Battista Alberti)

Presentiamo i punti salienti del proemio al terzo libro del trattato *Della famiglia*, di Leon Battista Alberti (cfr. più avanti), non lontano, cronologicamente, dal *Certame coronario*, la gara stabilita da lui a Firenze, nel settembre 1341, per premiare una prosa scritta in volgare. L'Alberti prende atto del fatto che il latino, di cui riconosce la bellezza e l'espressività, è una lingua spenta, e che al suo posto è ormai definitivamente subentrata la nuova lingua, l'italiano; egli ne indica correttamente l'affermarsi dopo le invasioni barbariche e il crollo dell'impero romano, di cui peraltro si sente erede. L'italiano andrà, a suo avviso, usato in ogni tipo di scrittura, anche nella trattatistica (è quanto egli sta facendo) per la sua comunicatività assai più ampia del latino.

Era un'impresa nuova e ardua, proprio per l'Alberti, educato umanisticamente e, per lunghi anni, lontano da Firenze. Lo si vede anche da questa prosa, dietro la quale il latino sta come un costante modello linguistico, evidente nel lessico (*antiquo*, *orti*, *avventizii*, *elimata*, ecc.) e, ancor più, nella sintassi (le costruzioni infinitive, come «*affermano... in Italia essere stata*», e le tipiche inversioni), e nell'architettura della frase in genere. Il latino classico resta, insomma, un ideale da emulare, presente, comunque sia, nella coscienza linguistica italiana, come, per l'umanista Alberti, lo sono la civiltà e la storia di Roma.

Per il testo seguiamo: L.B. Alberti, *Libri della Famiglia*, in *Opere volgari*, a cura di G. Grayson, Bari, Laterza, 1960.

Messere Antonio Alberti [...] non raro solea co' suoi studiosi amici in que' vostri bellissimi orti passeggiando disputare quale stata fosse perdita maggiore o quella dello antiquo amplissimo nostro imperio, o della antiqua nostra gentilissima lingua latina.[1] [...] Fu Italia più volte occupata e posseduta da varie nazioni: Gallici, Goti, Vandali, Longobardi, e altre simili barbare e molto asprissime genti. E, come volontà o necessità inducea, i popoli, parte per bene essere intesi, parte per più ragionando piacere a chi essi obediano, così apprendevano quella o quell'altra lingua forestiera, e quelli strani e avventizii uomini el simile se consuefaceano alla nostra, credo con molti barbarismi e corruttela nel proferire.[2] Onde per questa mistura di dì in dì insalvatichì e viziossi la nostra prima cultissima ed emendatissima lingua.

Né a me pare qui da udire coloro, e' quali di tanta perdita maravigliandosi, affermano in que' tempi e prima sempre in Italia essere stata questa una qual oggi adoperiamo lingua commune,[3] e dicono non poter credere che in que' tempi le femmine sapessero quante cose oggi sono in quella lingua latina molto a' bene dottissimi difficile e oscure,[4] e per questo concludono la lingua

1. non raro: non raramente. **orti**: giardini. **amplissimo**: grandissimo. Che la perdita (o tramonto) della lingua latina possa essere considerata ancor più grave di quella dell'impero (**nostro**, come la lingua; il che mostra quanto fosse ancor vivo il culto della romanità, sentita come fondamento della nazione italiana), rivela l'importanza assegnata dagli Umanisti al linguaggio, come vincolo di civiltà e forma privilegiata di autocoscienza personale e collettiva. **Antonio Alberti**: membro influente della famiglia, uomo di vasta cultura e di notevole importanza politica (1363-1415).
2. a chi: a coloro ai quali (ai dominatori barbarici). **strani e avventizii**: stranieri e da poco venuti in Italia. **el simile... nostra**: allo stesso modo si abituavano alla nostra lingua. **corruttela... proferire**: corrompendo la retta pronuncia.
3. Né... udire: Non mi sembrano degni di approvazione. **affermano... comune**: affermano che, sia allora sia più anticamente, vi sia stata in Italia una lingua comune, il «volgare» che usiamo oggi.
4. Non credono, cioè, che i testi letterari tramandatici dall'antichità potessero essere compresi allora da persone di scarsa cultura, per la loro difficoltà di pensiero e di espressione, quale appare ai dotti di oggi. **difficile**: difficili.

in quale scrissero e' dotti essere una quasi arte e invenzione scolastica più tosto intesa che saputa da molti.[5] Da' quali, se qui fusse luogo da disputare, dimanderei chi apresso gli antichi non dico in arti scolastice e scienze, ma di cose ben vulgari e domestice ma'[6] scrivesse alla moglie, a' figliuoli, a' servi in altro idioma che solo in latino?

L'Alberti dà alcune dimostrazioni di tale asserzione, concludendo che gli antichi scrittori scrivevano certamente in una lingua — il latino, appunto — che consentisse loro di essere intesi da tutti. Il latino non fu dunque una lingua artificiale. E questo stesso intende fare ora l'Alberti, usando la propria lingua nativa:

E chi sarà quel temerario che pur mi perseguiti biasimando s'io non scrivo in modo che lui non m'intenda?[7] Più tosto forse e' prudenti[8] mi loderanno s'io, scrivendo in modo che ciascuno m'intenda, prima[9] cerco giovare a molti che piacere a pochi, ché sai quanto siano pochissimi a questi dì e letterati.[10] E molto qui a me piacerebbe se chi sa biasimare, ancora altanto sapesse dicendo farsi lodare.[11] Ben confesso quella antiqua lingua latina essere copiosa molto e ornatissima, ma non però veggo in che sia la nostra oggi toscana tanto d'averla in odio, che in essa qualunque benché ottima cosa scritta ci dispiaccia.[12] A me par assai di presso dire quel ch'io voglio, e in modo ch'io sono pur inteso, ove questi biasimatori in quella antica sanno se non tacere, e in questa moderna sanno se non biasimare[13] chi non tace. E sento io questo: chi fusse più di me dotto, o tale quale molti vogliono essere riputati, costui in questa oggi commune[14] troverebbe non meno ornamenti che in quella, quale essi tanto prepongono e tanto in altri desiderano. [...] E sia quanto dicono quella antica apresso di tutte le genti piena d'autorità, solo perché in essa molti dotti scrissero, simile certo sarà la nostra s'e dotti la vorranno molto con suo studio e vigilie essere elimata e polita.[15]

5. **la lingua... molti**: che la lingua nella quale scrissero i dotti dell'Antichità fosse un linguaggio speciale, inventato per la trasmissione culturale, che molti riuscivano a intendere, ma non conoscevano veramente. A questa opinione inclinavano, per esempio, Giannozzo Manetti e Leonardo Bruni.
6. **apresso**: presso, fra. **scolastice**: scolastiche: è attratto da *scienze*. La stessa forma di plurale in **domestice**. **ma'**: mai; va con *chi*.
7. È una frecciata contro chi accusa l'autore di non scrivere in latino, pur avendo, l'accusatore, una conoscenza assai modesta di esso.
8. **e' prudenti**: i prudenti, cioè le persone assennate.
9. **prima... che**: cerco di giovare a molti piuttosto che etc.
10. **e letterati**: le persone colte, che sanno il latino.
11. **ancora... lodare**: sapesse anche e altrettanto (**altanto**) farsi lodare (essere degno di lode) quando scrive.
12. **copiosa... ornatissima**: ricca di vocaboli e di grande capacità espressiva. **in che sia... odio**: perché sia (in che cosa sia) tanto degna di odio.
13. **assai di presso**: con sufficiente precisione. **sanno se non**: non sanno che.
14. **in... commune**: nella lingua oggi comune, comunemente usata, ossia il volgare, che significa appunto (dal latino **vulgo**) comune, usuale.
15. **sia**: sia pure. **s'e'**: se i. **vigilie**: indica l'assiduità dello studio, le veglie o notti a esso dedicate. **elimata e polita**: limata, e cioè, forbita, e di elegante purezza.

L'armonia del volgare (Lorenzo de' Medici)

All'ultimo quarto del secolo appartiene questo passo di Lorenzo de' Medici (cfr. più avanti), tratto dall'incompiuto *Comento* a un gruppo di propri sonetti: un'opera mista di prosa e poesia, sull'esempio della *Vita nuova* dantesca. Nonostante il bilinguismo di molti scrittori della sua cerchia, primo fra tutti — e fulgido esempio — il Poliziano, Lorenzo difende essenzialmente la tradizione toscana, o meglio, fiorentina, che egli si sforza di rendere italiana, sia a livello letterario creativo, sia nella propria politica culturale. Qui non valgono tanto le teorie linguistiche, cioè i singoli «primati» delle lingue, ma la volontà di essere scrittore italiano e fautore d'una nuova letteratura che, anche per merito di Lorenzo, verrà chiamata, già nel primo quarto del Cinquecento, non più «toscana», ma «italiana». Il modello linguistico rimarrà circoscritto a quello d'una lingua letteraria, per la mancata unificazione politica dell'Italia; una lingua che ha già i suoi riconosciuti eroi fondatori, Dante, Petrarca e Boccaccio, cui Lorenzo aggiunge, si può proprio dire a titolo personale, Guido Cavalcanti. La politica delle città-stato e poi delle Signorie non aveva consentito altra unificazione. In fondo, le ragioni per le quali Lorenzo difende il volgare sono rimaste quelle addotte da Dante: la capacità di esso di esprimere adeguatamente qualsiasi concepimento della mente, la sua attuale diffusione, l'essere un «sole nuovo», cui s'aggiunge qui il senso storico d'una tradizione letteraria, non ignoto, peraltro, a Dante. Rispetto alle pagine prima riportate dell'Alberti, c'è una maggiore insistenza sull'«armonia» del volgare, ossia sulla possibilità, rivelata già dai suoi grandi scrittori, di strutturazione artistica e di bellezza.

Per il testo seguiamo: Lorenzo il Magnifico, *Opere*, a cura di E. Bigi, Torino, UTET, 1971².

Resta adunque solamente rispondere alla obiezione che potessi essere fatta, avendo scritto in lingua vulgare, secondo il giudicio di qualcuno non capace o degna di alcuna eccellente materia e subietto.[1]

Ed a questa parte si risponde: alcuna cosa non essere manco degna per essere più comune; anzi si pruova ogni bene essere tanto migliore quanto è più comunicabile ed universale, come è di natura sua quello che si chiama «sommo Bene»; perché non sarebbe sommo se non fussi infinito,[2] né alcuna cosa si può chiamare «infinita», se non quella che è comune a tutte le cose.

E però non pare che l'esser comune a tutta Italia la nostra materna lingua li tolga dignità, ma è da pensare in fatto la perfezione o imperfezione di detta lingua.[3] E, considerando quali sieno quelle condizioni che danno dignità e

1. **Resta... rispondere**: Resta da rispondere. **avendo scritto**: sia le liriche sia il commento in prosa. **subietto**: soggetto.
2. **alcuna... non essere**: che una cosa non è. **comune**: «volgare» significa, infatti, «lingua comune». **fussi**: fosse.
3. **ma... in fatto**: ma va pensata specificamente. — Che la lingua materna sia comune a tutta Italia non è esatto; l'affermazione non tiene conto della varietà linguistica regionale e delle varie città. Ma Lorenzo pensa soprattutto all'italiano letterario che ormai, nell'ultimo trentennio del Quattrocento, si sta imponendo, per via dei grandi

perfezione a qualunque idioma o lingua, a me pare siano quattro; delle quali una o al più due sieno proprie e vere laudi della lingua, l'altre più tosto dipendino dalla consuetudine ed oppinione degli uomini o dalla fortuna. Quella che è vera laude della lingua è l'essere copiosa e abondante ed atta ad esprimere bene il senso e il concetto della mente.[4] E però si giudica la lingua greca più perfetta che la latina e la latina più che l'ebrea, perché l'una più che l'altra meglio esprime la mente di chi ha o detto o scritto alcuna cosa. L'altra condizione che più degnifica la lingua è la dolcezza ed armonia. [...]

Lorenzo riconosce che quello dell'armonia è criterio soggettivo, accettabile, tuttavia, perché proporzionato con l'anima e col corpo di chi la avverte; cioè non definibile intellettualmente, ma accettabile come intuizione. Considera poi le «laudi» della lingua legate alla «fortuna», ossia la presenza in essa d'una tradizione di pensiero e la sua universale divulgazione.

Questa tale dignità d'essere prezzata per successo prospero della fortuna[5] è molto appropriata alla lingua latina, perché la propagazione dell'impero romano non l'ha fatta solamente comune per tutto il mondo, ma quasi necessaria. [...] E però, volendo provare la dignità della lingua nostra, solamente dobbiamo insistere nelle prime condizioni: se la lingua nostra facilmente esprime qualunque concetto della nostra mente; e a questo nessuna migliore ragione si può introdurre che l'esperienza. Dante, il Petrarca, il Boccaccio, nostri poeti fiorentini, hanno nelli gravi e dolcissimi versi ed orazioni loro monstro assai chiaramente con molta facilità potersi in questa lingua esprimere ogni senso.[6] Perché chi legge la *Commedia* di Dante vi troverrà molte cose teologiche e naturali essere con gran destrezza e facilità espresse; troverrà ancora molto attamente nello scrivere suo quelle tre generazioni di stili che sono dagli oratori laudate, cioè umile, mediocre ed alto; ed in effetto, in uno solo, Dante ha assai perfettamente assoluto quello che in diversi autori, così greci come latini, si truova.[7] Chi negherà nel Petrarca trovarsi uno stile grave, lepido e dolce, e queste cose amorose con tanta gravità e venustà trattate, quanta senza dubbio, non si truova in Ovidio, Tibullo, Catullo, e Properzio o alcun altro latino? Le canzoni e sonetti di Dante sono di tanta gravità, sottilità ed ornato, che quasi non hanno comparazione in prosa e orazione soluta.[8] Chi ha letto il Boccaccio, uomo dottissimo e facundissimo, facilmente giudicherà singulare e sola al mondo non solamente la invenzione, ma la copia ed eloquenzia[9] sua. E, considerando l'opera sua del *Decameron*, per la diversità della materia ora grave, ora mediocre ed ora bassa, e contenente tutte le perturbazioni che agli uomini possono accadere d'amore ed odio, timore e speranza, tante nuove astuzie ed ingegni, ed avendo ad esprimere tutte le nature e passioni degli uomini che si truovano al mondo; sanza controversia giudicherà nessuna lingua meglio che la nostra essere atta ad esprimere. E Guido Cavalcanti, di chi sopra facemmo menzione, non si può dire quanto comodamente abbi insieme congiunto la gravità e la dolcezza, come mostra la canzone sopradetta[10] ed alcuni sonetti e ballate sue dolcissime. [...]

E forse saranno ancora scritte in questa lingua cose sottile e importanti e degne d'esser lette; massime[11] insino ad ora si può dire essere l'adolescenzia di questa lingua, perché ognora si fa più elegante e gentile. E potrebbe facilmente nella gioventù ed adulta età sua venire ancora in maggiore perfezione; e tanto più aggiugnendosi qualche prospero successo ed augumento al fiorentino imperio, come si debbe non solamente sperare, ma con tutto l'ingegno e le forze per li buoni cittadini aiutare.[12] [...] Basta per al presente fare questa conclusione: che di quelle laudi, che sono proprie della lingua, la nostra ne è assai bene copiosa; né giustamente ce ne possiamo dolere.

modelli toscani, Dante, Petrarca e Boccaccio; e anche per opera di Lorenzo stesso; basta pensare al suo invio d'una antologia della poesia toscana al re di Napoli (cfr., più avanti, «La raccolta Aragonese»).

4. il... mente: il pensiero, ciò che la mente ha concepito.

5. prezzata: apprezzata. **successo... fortuna**: per un complesso di eventi fortunati.

6. monstro: mostrato. **senso**: pensiero, concepimento.

7. attamente: convenientemente, con appropriatezza. **in uno solo**: in una sola scrittura, in un'unica cifra stilistica (nel senso che ha scritto un poema unitario dove si ha una mescolanza dei tre stili). **generazioni**: generi.

8. gravità... ornato: Sono qui usate le categorie della retorica antica, assunte poi da Medioevo e Rinascimento: la *gravitas*, che è lo stile solenne, per dignità di affetti e/o di pensiero; la *subtilitas*, che è finezza e acutezza di pensieri, affetti, espressione, l'*ornato*, che è l'ornamento di metafore e tropi, insegnati, appunto, dalla retorica. Nel Petrarca erano ammirate *lepidezza* e *dolcezza* (vedi sopra), che sono, in certo modo, antitetiche rispetto alla *gravitas*, anche se con essa armonizzabili, e sono acutezza di pensiero e grazia, quale si addice alla poesia amorosa. **orazione soluta**: quella non costretta nelle leggi del metro, e dunque la prosa. I due sinonimi creano un'endiadi, usitata nella prosa classica.

9. copia ed eloquenzia: un'altra endiadi: eloquenza copiosa.

10. sopradetta: di cui s'è prima parlato. È la canzone *Donna me prega perch'io voglia dire*, che fu commentata ancora nel Quattrocento, e ammirata per la sua acutezza filosofica. Lorenzo è, nel suo tempo, un grande fautore del Cavalcanti e degli stilnovisti, che sentiva in qualche modo vicini al platonismo del Ficino, filosofo amico e ammirato.

11. massime: soprattutto perché. **augumento**: aumento. Lorenzo, uomo politico, spera in un aumento della potenza fiorentina.

12. per... aiutare: da favorire con tutte le forze da parte dei buoni cittadini.

Letture critiche

Gli umanisti fiorentini e il volgare

Flavio Biondo aveva sostenuto, e alla fine messo per iscritto nel trattato *De verbis romanae locutionis*, che il volgare si era diramato dal latino durante il periodo in cui l'Italia romana veniva trasformata dalle invasioni germaniche. In queste circostanze il volgare sembrava al Biondo un figlio bastardo della latinità e dell'uso linguistico goto-vandalico — un bastardo poiché il Biondo, oltre a una grande penetrazione critica e ad una erudizione superiore, mostrava il disdegno tipicamente classicistico per una lingua alienatasi dai modelli dell'antichità. Dopo la conquista di Roma da parte dei barbari, egli affermava in termini di evidente disprezzo, «tutti furono contaminati e profondamente insozzati da questa barbara lingua; e un po' alla volta è avvenuto che, in luogo della latinità romana, si sia avuta questa lingua volgare adulterata mista a quella barbarica» [...]

Alle opinioni del Biondo il Bruni oppose la tesi, oggetto delle critiche sprezzanti della maggior parte degli studiosi moderni, che il volgare fosse stato un prodotto dell'antichità stessa. Era sempre esistito, com'egli argomentava in una lettera importante (*Epistola VI 10*), un modo popolare di parlare, accanto al «*literatus sermo*»; e questo linguaggio popolare era essenzialmente identico al volgare persino ai tempi di Cicerone e di Terenzio. Esso non aveva alcuna somiglianza con la «maniera di concludere le frasi, l'inflessione, l'uso preciso di parole, la costruzione e l'accentatura» impiegati nel latino letterario. Tutto ciò era al di là delle possibilità della gente comune e in particolare delle nutrici e delle altre donne da cui i giovani romani ricevevano i rudimenti del loro linguaggio [...].

Gli umanisti del XV secolo poterono usare la teoria storica che il latino e il volgare fossero coesistiti nell'antica Roma per rinforzare la convinzione che l'idioma volgare, oltre al raffinato linguaggio latino, svolgeva un ruolo importante e indispensabile nell'educazione del loro tempo. È del tutto vero che Leon Battista Alberti ed altri dopo di lui furono soliti condannare la teoria del Bruni proprio per la ragione che l'ipotesi della coesistenza di due lingue a Roma appariva detestabile ai loro sforzi di fare del volgare la lingua dominante così nella letteratura come nel linguaggio popolare. D'altra parte, l'assunto del Biondo che tutti i romani avessero usato una lingua sola incoraggiò l'Alberti nei suoi tentativi di fare del volgare la lingua di tutti ai suoi tempi [...].

Una volta emerso, il concetto di un parallelismo storico fra tre lingue di pari dignità — il greco, il latino e il volgare — cominciò ad agire come un lievito a danno dei pregiudizi classicistici. Dopo che una difesa decisiva del volgare fu pronunciata dal maggiore umanista fiorentino in un'opera scritta essa stessa in volgare e letta fra i cittadini di Firenze più di qualsiasi altro suo scritto, il problema della dignità e del valore del volgare assillò la mente dei fiorentini fino al momento in cui l'opinione del cancelliere umanista non fu diventata l'opinione generale [...].

In particolare tre nomi ben noti — Leon Battista Alberti, Lorenzo de' Medici e Cristoforo Landino — possono rappresentare le fasi attraverso le quali lo spregiudicato concetto bruniano del pari diritto di ogni lingua si venne sviluppando in una teoria umanistica capace di giustificare e di incoraggiare il sorgere di una nuova letteratura fiorentina volgare.

Riguardo alla disputa sul rapporto del volgare fiorentino con l'antica lingua di Roma, si nota che l'Alberti, dopo la controversia fra il Bruni e il Biondo del 1435-36, premise una difesa del volgare al terzo libro del *Della famiglia*. In questa sede egli dapprima si prepara il terreno accettando le obiezioni del Biondo circa la teoria dell'esistenza di due idiomi a Roma e ripetendo l'asserzione del Biondo che il volgare aveva avuto origine dalla contaminazione barbarica della nobile lingua di Roma ai tempi dei galli, dei vandali e dei longobardi. Ma, una volta accettate queste premesse, egli avvia in modo del tutto inaspettato una nuova argomentazione e, come il Bruni nella propria biografia dantesca, costruisce la sua tesi principale sull'analogia storica del latino e del volgare considerati come lingue in diritto di rivendicare lo stesso rango e pari funzione, ciascuna nel proprio tempo. Nella reinterpretazione di questo umanista fiorentino, le congetture del Biondo circa l'universalità della lingua latina nell'antica Roma significano che i letterati romani avevano scritto non nel linguaggio esoterico di una ristretta cerchia di privilegiati, ma «in modo che da tutti e suoi voleano essere intesi». Non era dunque legittimo che un umanista moderno desiderasse anch'egli scrivere nella lingua comprensibile a tutti i suoi contemporanei? «Ben confesso quella antiqua latina lingua essere copiosa molto e ornatissima», ma ciò non significa che «la nostra oggi toscana [lingua]» non offra un mezzo potenzialmente altrettanto pratico ai bravi scrittori di quello offerto dalla lingua antica, purché essi siano disposti ad avvalersene. L'autorità dell'idioma latino era stata accettata in tutto il mondo grazie al suo impiego da parte di molti eminenti intelletti: «Simile certo sarà [all'idioma latino] la nostra [lingua], se i dotti la vorranno molto con suo studio e vigilie essere limata et polita».

Mentre per quanto concerne la storiografia e il pensiero politico fiorentino l'era di Lorenzo de' Medici, con la sua restrizione della libertà e della vitalità civili, deve essere considerata un periodo di declino, la fusione dell'umanesimo con la tradizione volgare procedette indisturbata a Firenze durante la seconda metà del Quattrocento e raggiunse il culmine nel circolo di Lorenzo. Dopo il Poliziano fu Lorenzo stesso che, come poeta e come uomo di stato, contribuì ad accrescere la fiducia nell'idioma fiorentino. Egli lo difese non solo dal punto di vista della poesia volgare ma anche con argomenti che sostenevano il parallelo tra Firenze e Roma per mezzo di considerazioni ricavate dalla sfera politica. Nel commento che accompagna la raccolta dei sonetti di Lorenzo, scritto dopo il 1476, si asserisce che il latino, come qualsiasi altra lingua, era stato in origine la lingua di una sola città o provincia. La sua ascesa alla posizione di lingua universale, non fu dovuta alla sua superiorità (la lingua greca, infatti, era stata più grande), ma al fatto che «la propagazione dell'imperio romano non l'ha fatta solamente comune per tutto il mondo, ma quasi necessaria». Fin dall'inizio dell'umanesimo civile, la concezione della storia espressa dagli scrittori fiorentini si era orientata a interpretare lo sviluppo di Roma come un fenomeno naturale che poteva trovare dei paralleli nello sviluppo di altre nazioni; ora, lo stesso concetto viene applicato al rapporto fra la lingua di Roma e quella di Firenze. Tutte le grandi lingue letterarie, sostiene il commento — l'ebraico, il greco e il latino — erano state «lingue materne e naturali» nelle loro prime fasi. Di conseguenza, un fiorentino poteva a buon diritto considerare la propria lingua in questi stessi termini e nutrire simili speranze nei suoi riguardi. Gli splendidi frutti del volgare nel Trecento erano stati dei semplici inizi; essi avevano dimostrato che il volgare fiorentino poteva essere adattato a qualsiasi bisogno. Dopo di allora aveva raggiunto la propria «adolescenzia», e si stava avvicinando alla «gioventù ed adulta età» che potevano essere aiutate da «qualche prospero successo ed augumento al fiorentino imperio». C'erano dunque ragionevoli speranze che la lingua fiorentina si affermasse un giorno come competitrice alla pari con le lingue antiche.

In Cristoforo Landino, l'età di Lorenzo ebbe un dotto umanista destinato a creare una sintesi di durevole celebrità fra queste rivendicazioni fiorentine e il classicismo dominante del secolo. In frasi quasi identiche a quelle usate un tempo dai difensori della vecchia scuola volgare nel periodo di Cino Rinuccini e di Giovanni da Prato, il Landino poneva in rilievo che Dante aveva dimostrato l'attitudine dell'idioma fiorentino a servire per l'espressione e la discussione di qualsiasi tema intellettuale; e tracciava, allo stesso modo del cittadino e umanista Giannozzo Manetti, un parallelo storico al fine di dimostrare che Dante aveva fatto per il volgare quanto, se non di più, Omero aveva fatto per il greco e Virgilio per il latino. Questi motivi della vecchia scuola fiorentina nel Landino riuscirono ad armonizzarsi con la dottrina classicistica. Nelle letture tenute presso l'università fiorentina e nel celebre commento alla *Divina Commedia*, egli insegnava che Dante era stato preparato alla sua grande opera dallo studio degli antichi. Solo dopo che il poeta ebbe acquistato un'intima familiarità con la poesia e l'eloquenza latine e si fu reso capace di trasfondere le conquiste delle età precedenti nella lingua fiorentina, si sviluppò nell'artista compiuto della *Commedia*. Perciò non v'è alcun conflitto fra gli studi latini e quelli volgari: la coltivazione umanistica del latino è necessaria proprio nell'interesse del volgare. Come il latino si arricchì facendo proprie le conquiste del greco, così il volgare, accogliendo gli insegnamenti del latino, diventerà ancora più ricco. La parola d'ordine ora è questa: « ... è necessario essere Latino chi vuole essere buono Toscano».

Avendo presente questo sviluppo delle idee del tardo Quattrocento fiorentino, possiamo finalmente discernere il significato storico della contesa fra l'umanesimo e la scuola volgare all'alba del nuovo secolo. Perfino al tempo di Lorenzo la pratica e la teoria letterarie si trovavano certamente in una fase di classicismo; ma si trattava di un tipo nuovo di classicismo, essenzialmente diverso dall'estremismo che intorno al 1400 aveva ripudiato ogni interesse per la storia e per la lingua fiorentina in base all'argomento che l'unica cosa davvero importante e degna di essere ricordata era l'antichità. Il classicismo che era venuto gradualmente emergendo prima della fine del Quattrocento fu una sintesi di correnti originariamente opposte; fu un prototipo di quell'atteggiamento verso l'antichità che si diffuse nel XVI e nel XVII secolo in molti paesi occidentali fino a che, su scala maggiore e con conseguenze ancor più decisive per la formazione della mentalità moderna, esso raggiunse la sua fase finale in Francia nell'età di Luigi XIV. In tutti questi vari sviluppi troviamo in definitiva un classicismo umanistico volto a impiegare il modello dell'antichità come guida nella edificazione di una nuova letteratura, con una lingua nuova in una nazione nuova.

Hans Baron

(Da *La crisi del primo Rinascimento italiano*, Firenze, Sansoni, 1970, pp. 368-72; 374; 376-82, con tagli).

Leon Battista Alberti

La vita

Leon Battista Alberti nacque a Genova nel 1404. La sua famiglia, fiorentina e di origine nobile, si era dedicata al commercio e all'attività bancaria sin dalla fine del secolo XIII, ed era divenuta ricchissima e potente non solo in Italia, ma in tutta Europa. Aveva anche avuto un peso notevole nella vita politica di Firenze, fino a che, nel 1387, il prevalere della famiglia rivale degli Albizzi non aveva costretto all'esilio tutti i suoi componenti.

L'Alberti ancor fanciullo seguì il padre a Venezia e fu quindi inviato a Padova e a Bologna a compiere i suoi studi. La sua istruzione fu fondata sullo studio del latino, del diritto canonico e, più tardi, della matematica, quando s'affermò in lui una profonda vocazione per l'architettura e le arti.

Nel 1421 morì il padre e cominciarono per lui anni tristi, a causa di una grave crisi economica e dell'ostilità dei parenti. Ma egli superò vittoriosamente le gravi traversie, mentre veniva distaccandosi dallo studio delle leggi per dedicarsi ai prediletti studi scientifici e letterari. Frattanto, nel '28, gli Alberti venivano riammessi a Firenze; ma Leon Battista dal 1432 abitò prevalentemente a Roma, dove entrò a far parte del collegio degli «abbreviatori» pontifici e dove morì nel 1472.

Nel 1441, per ispirazione e incitamento dell'Alberti, che approfittò della presenza nella città della Curia pontificia e di molti dotti, venne bandito a Firenze il *certame coronario* (così chiamato perché il vincitore doveva ricevere in premio una corona d'argento), cioè una gara di composizione letteraria in lingua volgare, destinata a rafforzare il prestigio del volgare stesso. L'Alberti vi partecipò con una serie di esametri sul tema dell'amicizia, che tentavano di conciliare la metrica latina con quella italiana, e con un trattato in prosa, sullo stesso argomento, che aggiunse come quarto libro ai primi tre del suo trattato *Della famiglia*.

Soprattutto dopo il 1450 l'Alberti si dedicò all'architettura, cercando di trasferire nei suoi monumenti un alto e dignitoso senso della romanità, conciliando il moderno con l'antico, come tentò costantemente di fare nelle sue opere letterarie. Ricordiamo fra le sue opere architettoniche la facciata del tempio di S. Francesco a Rimini (detto anche Tempio Malatestiano), il palazzo e la loggia Rucellai, la cappella del Santo Sepolcro e la facciata di Santa Maria Novella a Firenze, il tempio di S. Sebastiano e la basilica di S. Andrea a Mantova. Sono notevoli anche i suoi scritti teorici, soprattutto il trattato *Della pittura*, il *De re aedificatoria* (sull'architettura), il trattato *Sulla statua*. Ricordiamo infine, sempre in questo periodo, i suoi studi di meccanica, di ottica, di geodesia.

Gli scritti di carattere più propriamente letterario, in latino e in volgare, dell'Alberti, indicano la molteplicità e ampiezza dei suoi interessi culturali e la sua adesione allo spirito e agli ideali del Rinascimento. Notevoli sono, fra quelli latini, i dieci libri delle *Intercoenales*, dialoghi satirico-allegorici, e il *Momus*, romanzo mitologico allegorico. Le prime opere latine rivelano un sentimento cupo e sfiduciato della vita, conforme alla tristezza dell'esperienza giovanile dell'autore, ma già vi si intravede la fiducia nell'uomo, nella sua ragione e nella sua volontà, capace di dominare la fortuna. È questa la convinzione che ispira più decisamente le opere in volgare, fra le quali sono significative il *Teogenio* (1441), che insegna a disprezzare i beni terreni e a ricercare nell'esercizio della virtù lo scudo contro le avversità della fortuna; il trattato *Della tranquillità dell'animo* (1443), che esorta a resistere con rassegnazione e fermezza ai dolori della vita; il *De*

Iciarchia (1470), che parla del governo della famiglia e dello stato e pone il fondamento dell'autorità nella superiorità morale e intellettuale.

L'opera più nota dell'Alberti è il trattato *Della famiglia*, concepito poco dopo il 1432, in forma di dialogo in tre libri, cui fu aggiunto il quarto sull'amicizia dopo il 1441, e che fu poi rielaborato e presentato al pubblico in forma definitiva fra il '41 e il '43. L'Alberti vi parla dell'educazione dei figli (I libro), dell'amore e del matrimonio (II libro), del modo di far *masserizia*, cioè di acquistare e di amministrare le ricchezze, e del buon uso dell'animo, del corpo, del tempo (III libro), dell'amicizia (IV libro).

Il libro è un'esaltazione della famiglia, sentita come la più importante istituzione naturale e civile, superiore allo stato stesso e alla vita politica, che l'Alberti guarda con sospetto, come costruzione più artificiosa e inferiore alla vita domestica operosa e raccolta, fondata sull'amore e sulla collaborazione. Dalla considerazione della famiglia lo sguardo dello scrittore si allarga a quella della vita umana, dei suoi valori e del suo significato, coincidente con le tendenze fondamentali e coll'ideale morale del suo secolo. L'Alberti rivendica la libertà umana contro il cieco ostacolo della fortuna, la potenza costruttiva dell'uomo, della sua volontà creatrice di valori; sente come supremo ideale di vita la «virtù», che è saggezza, moderazione, temperanza, fermezza e virilità di propositi, e arte di saper vivere con animo sereno e con onore. Questi ideali sono considerati nella concretezza dell'esistenza quotidiana. Per questo l'Alberti esalta anche il buon governo economico della famiglia, fonte di sanità, di benessere, di una vita onorata e serena, ed elogia la ricchezza, che è premio dell'attività operosa, incentivo agli scambi fra i popoli, riserva della patria nei momenti difficili, mezzo per creare opere d'arte grandiose, strumento di dignità e di vita civile.

L'Alberti teorizza, dunque, un'arte del saper vivere, di affermare quotidianamente il proprio dominio sulla realtà, di saper attingere la felicità, che corrisponde a una vita costruttiva ed equilibrata, e vagheggia nelle cose e nelle azioni umane un ideale di bellezza serena, di solidità e insieme di grazia. Lo si vede nella sua esaltazione della campagna, nella quale l'ammirazione per la bella natura è fusa con la considerazione dell'utilità della campagna stessa, ai fini di una vita agiata, autonoma e tranquilla.

Questo ideale di bellezza e di euritmia, che unisca la «gracilità vezzosa» e la «sodezza robusta e piena» (che l'Alberti ammirava nell'architettura di S. Maria del Fiore) si rispecchia anche nella sua prosa, nella quale egli ha inteso amalgamare il decoro e la maestà dell'espressione dei classici con la disinvolta freschezza del linguaggio vivo e parlato. Ne risulta una prosa ricca di latinismi nel lessico e nella sintassi, che intendono dare al periodo una solida ossatura, dignitosa ed eloquente, ma non priva di vivacità espressiva.

Per il testo seguiamo: L.B. ALBERTI, *I Libri della Famiglia*, a cura di C. Grayson, cit.

Dal trattato «Della Famiglia»

Fortuna e virtù

Il proemio al trattato *Della Famiglia*, dal quale sono tratte le pagine che riportiamo, assurge alla dignità di una considerazione filosofica generale sulla storia umana. L'Alberti si stupisce di vedere intorno a sé tante nobili famiglie spente (egli considera non le famiglie comuni, ma quelle grandi, che hanno avuto un'effettiva presenza e un'alta funzione nella storia), ed è portato a chiedersi se questo fatale crollo di ogni gloria umana sia determinato dalla cieca violenza dell'instabile fortuna. Ma il pensiero che la famiglia Alberti ha superato più volte vittoriosamente i colpi del destino lo induce piuttosto a pensare che la forza della virtù sia superiore a quella della fortuna, che, cioè, la volontà virile e consapevole dei propri scopi, la prudenza, la saggezza, l'equità, la disciplina, la fermezza, siano capaci di trionfare sugli eventi, di dare alla nostra vita il significato di una nobile costruzione di valori e di civiltà.

La soluzione data dall'Alberti al problema del rapporto fra virtù e fortuna (problema intorno al quale si travagliò tutto il Rinascimento), preannuncia quella del Machiavelli; e così pure al Machiavelli fa pensare l'esaltazione dei Romani antichi, dei padri gloriosi, visti come modello di umanità esemplare. Né stupisca il fatto che l'Alberti fondi sui gloriosi esempi della storia l'esordio di un libro che parla delle cure semplici e quotidiane della famiglia. Egli infatti considera la famiglia come la comunità naturale per eccellenza, il nerbo dello stato; e sente inoltre che non solo nella grande storia, ma anche in quella piccola, d'ogni giorno, si afferma la capacità costruttiva dell'uomo.

Stimeremo noi suggetto[1] alla volubilità e alla volontà della fortuna quel che gli uomini con maturissimo consiglio con fortissime e strenuissime[2] opere a sé prescrivono? E come diremo noi la fortuna con sue ambiguità e inconstantie potere disperdere et discipare quel che noi vorremo sia più sotto nostra cura e ragione che sotto altrui temerità?[3] Come confesseremo noi non essere più nostro che della fortuna quel che noi con sollecitudine e diligentia deliberaremo mantenere e conservare? Non è potere della fortuna, non è, come alcuni sciocchi credono, così facile vincere chi non voglia essere vinto. Tiene gioco la fortuna solo a chi se gli sottomette.[4] E in quanti modi si vide con ogni sua possa e malitia a Canne, a Trebia, a Trasimene,[5] fra le Gallie, nelle Ispanie e in altri luoghi non con minor odio e ira che crudelissimi e inmanissimi inimici la fortuna contro gli esserciti latini militari travagliarsi e combattere e in molti modi affaticarsi per opprimere e abbattere l'imperio e la gloria nostra e tutta Italia, la quale con assidui et innumerabili trionfi di dì in dì maravigliosa cresceva!

E chi mai raccontasse[6] come spesso et in che modi contro noi,[7] a que' tempi et poi, la fortuna istessa ci fusse iniqua e infesta[8] sollevando ad invidia[9] populi, principi, nationi e a tutto il mondo[10] perseminando adverso di noi[11] odio e malivolentia? Né lei pur valse mai con alcuna sua furia o bestiale alcuno impeto frangere[12] gli animi di que' buoni patritii[13] senatori latini e quali vincendo e superchiando[14] ogni adversità, domorono e oppressorono tutte le genti superbe e tutto in provincie el mondo ridussero, e persino fuori degli ambiti e circuiti della terra[15] affissero e termini dello incredibile nostro latino imperio.[16] Poterono adunque gli avoli nostri latini ivi opporsi e sostenere ogni inimico impeto, ove[17] mai per niuna sinistra fortuna quegli animi virilissimi, quelle menti divine restorono di volere, come volendo poterono e potendo saperono, grandirsi e augumentarsi triunfando. Se fu la loro immensa gloria spesso dalla invidiosa fortuna interrupta, non però fu denegata[18] alla virtù; né mentre che iudicorono l'opere virtuose insieme colle buone patrie discipline essere ornamento et eterna fermezza dello imperio, all'ultimo mai con loro sequì la fortuna se non facile e seconda.[19] E quanto tempo[20] in loro quegli animi elevati et divini, que' consigli gravi e maturissimi, quella fede interissima e fermissima verso la patria fioriva, et quanto tempo ancora in loro più valse l'amore delle publice cose che delle private, più la volontà della patria che le proprie cupiditati,[21] tanto sempre con loro fu imperio, gloria e anche fortuna. Ma subito che la libidine del tiranneggiare,[22] e singulari commodi,[23] le iniuste voglie in Italia più poterono che le buone legge e sanctissime consuete discipline, subito incominciò lo imperio latino a debilitarsi e inanire,[24] a perdere la gratia, il decoro e le sue pristine forze e videsi offuscata e obcecata[25] la divina gloria latina, quale persino fuori dello Occeano prima risplendea per tutto e collustrava.[26] E tu, Italia nobilissima, capo e arce[27] di tutto l'universo mondo, mentre che tu fusti unita, unanime e concorde a mantenere virtù, a conseguire laude, ad ampliarti gloria; mentre che tuo studio e arte fu debellar e superbi e essere umanissima e iustissima co' tuoi subdidi, e mentre che tu sapesti con animo rilevato e dritto sostenere qualunque impetuosa adversità, e riputasti non minor lode in ogni ardua e laboriosissima cosa vincere sofferendo, che evitarla schifando,[28] et quanto tempo gl'inimici virtù, gli amici fede, e vinti misericordia in te essere conobbero;[29] tanto tempo allora potesti contro alla fortuna e sopra tutti e mortali, e potesti in tutte l'universe nationi inmettere tue sanctissime leggi, e magistrati,[30] e persino al termine degl'Indii ti fu permesso constituire fulgentissimi insignii[31] della tua inextimabile e divina merita-

---

Dal *proemio.*

1. suggetto: soggetto.

2. strenuissime: valorosissime (è un latinismo). **prescrivono**: stabiliscono fermamente di conseguire.

3. la fortuna... temerità: che la fortuna abbia potere di disperdere e distruggere, con la sua ambiguità e la sua incostanza, ciò che noi vorremmo fermamente porre sotto la nostra cura e il nostro deliberato proposito più che sotto la casualità irrazionale?

4. Tiene... sottomette: la fortuna prende a scherno solo coloro che ad essa volontariamente, per viltà e incapacità, si assoggettano.

5. Canne, Trebia, Trasimene: Sono le più disastrose sconfitte subite dai Romani per opera di Annibale: presso il fiume Trebbia, presso il lago Trasimeno e infine a Canne. Parla poi di Gallie, perché vi era quella Cisalpina e quella Transalpina e così di Ispanie, perché la Spagna era suddivisa in Citeriore e Ulteriore. In queste regioni gli eserciti romani subirono varie sconfitte. Avvertiamo che Roma e l'Italia sono per l'Alberti un'unità inscindibile e che degli avi latini egli si sente figlio.

6. E chi mai raccontasse: e chi mai potrebbe raccontare.

7. contro noi: contro i Romani, i Latini, e, quindi, contro noi italiani. Il *ci* aggiunto più avanti è pleonastico.

8. infesta: nemica.

9. sollevando ad invidia: eccitando contro di noi l'odio.

10. a tutto il mondo: in tutto il mondo.

11. perseminando adverso di noi: seminando contro di noi. *Adverso* è un latinismo, e così pure il prefisso *per* congiunto al verbo con valore di intensivo.

12. valse... frangere: fu capace di infrangere, abbattere.

13. patritii: patrizi; la classe dirigente della Roma repubblicana, alla quale, piuttosto che a quella imperiale, andò la simpatia dei nostri umanisti, a cominciare dal Petrarca.

14. e quali... superchiando: i quali vincendo e superando. Qui e in molti punti del passo, secondo l'uso toscano, trovi *e* al posto dell'articolo *i*.

15. fuori... terra: persino fuori della terra abitata e percorsa dagli uomini.

16. affissero... imperio: piantarono i confini di quel nostro impero latino la cui grandezza fu così sorprendente che pare incredibile, favolosa.

17. ivi... ove, ecc.: allora... quando; cioè: ogni qualvolta gli animi veramente virili e le menti divine dei nostri avi latini non cessarono di volere fermamente ingrandire e aumentare trionfalmente il loro dominio; e lo poterono perché lo vollero virilmente e seppero unire alla fermezza della volontà l'intelligenza, ecc. Gli avi latini divengono così i mitici rappresentanti di quella *virtù* fatta di prudenza e di fermezza, di capacità di azione illuminata ed energica che costituisce il supremo ideale per gli uomini del Rinascimento.

18. Se... interrupta... denegata: Se... contrastata temporaneamente... rifiutata per sempre. La virtù latina ebbe sempre come compagna una giusta gloria. Il periodo è infarcito di latinismi.

19. né mentre che... seconda: e finché (**mentre che**) giudicarono che l'operare con valore e l'osservare le buone leggi e istituzioni (**discipline**) patrie erano il fondamento e il decoro del loro impero, sempre, alla fine (**all'ultimo**) la fortuna fu con loro benevola (**facile e seconda**).

20. E quanto tempo... tanto: e per tutto il tempo che... sempre.

21. che le proprie cupiditati: che le loro ambizioni personali.

22. Ma... tiranneggiare: ma non appena la sfrenata brama del tiranneggiare.

23. e singulari commodi: gli egoistici interessi dei singoli.

24. inanire: perdere forza e consistenza (*inanis*, in latino, significa vano).

25. obcecata: acciecata, appannata.

26. collustrava: risplendeva.

27. arce: roccaforte.

28. schifando: schivando le sofferenze che le imprese difficili (**ardua**) e travagliose (**laboriosissima**) portano con sé.

29. et... conobbero: e finché i nemici videro che in te era virtù, gli amici che in te era lealtà, i vinti, pietà.

30. magistrati: magistrature.

31. al termine... insignii: potesti stabilire splendidi monumenti della tua gloria fino ai lontani confini con l'India.

ta gloria; et per le tue prestantissime virtù, pe' tuoi magnificentissimi, validissimi e fortissimi animi fusti pari agli dii, riverita, amata e temuta. Or poi[32] con tue discordie e civili dissensioni[33] subito[34] incominciasti cadere di[35] tua antica maiestà, subito le are, templi e teatri tuoi latini, quali[36] soleano di giuochi, feste e letitia vedersi pieni, et coperte e carche[37] di ostili essuvie, victoriosi voti, e lauree trionfali,[38] subito cominciarono essere piene di calamità e miseria, asperse di lacrime, celebrati con merore e pianti.[39] E le barbare nationi, le serve remotissime genti, quali soleano al tuo venerando nome, Italia, rimettere ogni superbia,[40] ogni ira, e tremare, subito queste tutte presero audacia d'irumpere in mezzo al tuo sanctissimo seno, Italia, sino ad incendere el nido e la propria antica sedia[41] dello imperio di tutti gli imperii. E ora poiché o l'altre nationi se l'ànno[42] per nostra negligentia e desidia usurpato, o poiché noi Latini abbiamo tanta a noi dovuta gloria abbandonata e derelicta,[43] chi è che speri più mai recuperare el perduto nostro imperial sceptro, o che iudichi più mai riavere o rivedere la purpura e diadema[44] nel suo qui in Italia[45] primevo, sacratissimo, e felicissimo domicilio e sedia, la qual già da tanto tempo, nostro difetto,[46] n'è rimasa spogliata e nuda? Et chi adunque stimasse tanta incomparabile et maravigliosa nostra amplitudine et gloria latina per altri che noi medesimi essere dal suo vero receptaculo e nido exterminata e perduta?[47] Qual multitudine di genti arebbe mai potuto contro a chi[48] tutto el mondo ubidiva? E chi avesse potuto, non volendo né llo permettendo noi, non obbedirci? Così adunque si può statuire[49] la fortuna essere[50] invalida e debolissima a rapirci qualunque nostra minima virtù, et dobbiamo iudicare la virtù sufficiente a conscendere[51] e occupare ogni sublime ed eccelsa cosa, amplissimi principati, supreme laude, eterna fama e immortal gloria. E conviensi non dubitare che cosa qual si sia,[52] ove[53] tu la cerchi e ami, non t'è più facile ad averla e ottenerla che la virtù. Solo è sanza virtù chi nolla vuole.[54] E se così si conosce la virtù,[55] costumi et opere virili, le quali tanto sono de' mortali quanto e' le vogliono, e consigli[56] optimi, la prudenzia, e forti, constanti et perseveranti animi,[57] la ragione ordine et modo,[58] le buoni arti et discipline, l'equità, la iustitia, la diligenza e cura delle cose, adempiono e abracciano[59] tanto imperio, et contro l'insidiosa fortuna salgono in ultimo supremo grado e fastigio di gloria;[60] o giovani Alberti,[61] chi di voi per questa quale spesso si vede volubilità e inconstantia delle cose caduche e fragili mai stimasse facile persuadermi[62] che quello el qual non può a' mortali essere vetato in modo che a loro arbitrio et volontà essi non lo apprendino o rendanselo suo, questo già in possessione degli uomini riducto possa non sanza grandissima difficultà a' diligenti et vigilanti possessori essere subtratto, o a' virili et forti defensori rapito?[63] Saremo adunque sempre di questa opinione, nella qual credo siate ancora[64] voi, e quali[65] tutti siete prudenti e savi, che nelle cose civili e nel viver degli uomini più di certo stimeremo vaglia[66] la ragion che la fortuna, più la prudentia che alcuno caso.[67]

32. Or poi: ora, poiché.
33. dissensioni: è praticamente sinonimo di *discordie*.
34. subito: repentinamente.
35. cadere di: a decadere dalla.
36. quali: i quali.
37. coperte e carche, ecc.: è riferito ad **are**.
38. di ostili... trionfali le **ostili essuvie** (latinismo maldestramente italianizzato) sono le spoglie strappate ai nemici; i **victoriosi voti** sono i doni votivi promessi per ottenere la vittoria; le **lauree trionfali** sono le corone d'alloro di cui venivano insigniti i consoli vittoriosi.
39. celebrati con merore e pianti: le are e i templi sono frequentati (**celebrati**) ma da gente immersa nel dolore (**merore**) e nel pianto, per il crollo dell'impero e le conseguenti invasioni e dominazioni barbariche.
40. quali... superbia: le quali solevano al solo udire il tuo nome venerando deporre ogni superbia.
41. sedia: sede. È Roma.
42. se l'ànno, ecc.: altre genti hanno usurpato l'impero (allude al fatto che l'autorità imperiale è passata ai principi tedeschi, cioè ai barbari Germani) per nostra negligenza e inerzia (**desidia**).
43. derelicta: è più forte di *abbandonata*.
44. purpura e diadema: sono le insegne dell'autorità imperiale.
45. qui in Italia: costruisci mettendo queste parole dopo **sedia** (sede).
46. nostro difetto: per nostra colpa.
47. Et chi... perduta?: E chi dunque stimerebbe che la così grande e incomparabile e meravigliosa grandezza e gloria di noi latini sia stata perduta e cacciata via (**exterminata**) da (**per**) altri se non da noi stessi, dal suo vero nido e ricettacolo, cioè dall'Italia e da Roma, sua vera sede?
48. contro a chi: contro coloro ai quali.
49. statuire: stabilire, concludere.
50. la... essere: che la fortuna è. È la costruzione infinitiva propria della sintassi latina.
51. conscendere: ascendere.
52. cosa qual si sia: qualunque cosa.
53. ove: se, quando.
54. La virtù è conquista della libera volontà umana.
55. E se... la virtù: se si riconosce che la virtù.
56. e consigli: i consigli.
57. e forti... animi: i forti... animi.
58. ordine et modo: insieme con *ragione* equivalgono a: modo disciplinato e consapevole di agire, con misura e assennatezza.
59. adempiono e abracciano: conducono a conquistare e mantenere saldamente.
60. et contro... gloria: e, vincendo le insidie della fortuna, riescono a conseguire una somma gloria.
61. o giovani Alberti, ecc.: Se, dunque, come ha detto, la virtù vince la fortuna e procura altissima gloria, e può essere conseguita da tutti coloro che la vogliano fermamente, è chiaro che la fortuna non può togliere facilmente agli uomini il possesso di essa.
62. chi di voi... persuadermi: chi di voi potrebbe stimare cosa facile il persuadermi, adducendo come prova la volubilità e incostanza, che spesso vediamo, delle cose fragili e caduche.
63. quello... rapito?: (persuadermi che) ciò che non può essere impedito agli uomini, ma che anzi essi, con la loro libera volontà, possono conquistare e fare proprio, possa, una volta che lo abbiano acquisito, essere loro strappato senza grandissima difficoltà, se essi lo possiedono con vigile diligenza e lo difendono con virile fortezza?
64. ancora: anche.
65. e quali: i quali.
66. vaglia: valga.
67. che alcuno caso: che il caso, cioè la fortuna.

La natura dell'uomo

È un alto elogio dell'uomo, creatura prediletta da Dio, in quanto esprime nella figura mirabile del suo corpo la più grande armonia e bellezza della natura e partecipa, con l'anima, alla suprema essenza divina. L'Alberti accoglie qui la più alta concezione della dignità umana, quale era stata elaborata dagli scrittori classici e cristiani, pervadendola del fiducioso ottimismo vitale che fu proprio del Rinascimento. Ma soprattutto sente la dignità dell'uomo come capacità di agire nel mondo, nell'umana civiltà. L'uomo, egli dice, è nato per usare le cose ed essere felice. Si tratta di una felicità terrena che egli consegue operando costruttivamente nel mondo, a beneficio di sé e degli altri, conquistando in tal modo la «lode», cioè la gloria.

Ma sopra tutte lodo quella verissima et probatissima sentenza[1] di coloro, e quali dicono l'uomo essere creato per piacere a Dio, per riconoscere uno primo e vero principio alle cose, ove si vegga[2] tanta varietà, tanta dissimilitudine, bellezza e moltitudine d'animali, di loro forme, stature[3] vestimenti e colori; per ancora lodare Iddio[4] insieme con tutta l'universa natura, vedendo tante e sì differentiate et così consonante[5] armonie di voci, versi e canti in ciascuno animante concinni e soavi; per ancora ringraziare[6] Iddio ricevendo et sentendo tanta utilità nelle cose produtte a' bisogni umani contro alla infermità a cacciarla, per la sanità a conservalla;[7] per ancora temere e onorare Iddio udendo, vedendo, conoscendo el sole, le stelle, el corso de' cieli, e tuoni, e saette, le quali tutte cose non può non confessar l'uomo essere ordinate, fatte e dateci solo da esso Iddio. Agiugni qui a queste quanto l'uomo abia a render premio a Dio,[8] a satisfarli con buone opere per e doni di tanta virtù quanta Egli diede all'anima de l'uomo sopra tutti gli altri terreni animanti[9] grandissima e prestantissima.[10] Fece la natura, cioè Iddio, l'uomo composto parte celeste e divino, parte sopra ogni mortale cosa formosissimo[11] et nobilissimo; concessegli forma e membra acomodatissime a ogni movimento e quanto basta a ssentire e fuggire ciò che fusse nocivo et contrario; attribuìgli discorso e giudicio[12] a seguire e apprendere le cose necessarie e utili; diegli movimento e sentimento, cupidità e stimoli pe' quali aperto[13] sentisse e meglio seguisse le utili, fuggisse le incommode e dannose; donògli[14] ingegno, docilità,[15] memoria et ragione, cose divine e aptissime ad investigare, distinguere, et conoscere qual cosa sia da fugire e qual da seguire per ben conservare sé stessi.[16] Et aggiunse a questi tanti e inextimabili doni Iddio ancora nell'animo e mente dell'uomo, moderatione e freno[17] contro alle cupidità e contro a' superchi appetiti con pudore, modestia e desiderio di laude.[18] Statuì ancora Iddio negli animi umani uno fermo vincolo a contenere la umana compagnia,[19] giustitia, equità,[20] liberalità, e amore, colle quali l'uomo potesse apresso li altri mortali meritare gratia e lode, et apresso el Procreatore suo pietà e clementia.[21] Fermòvvi[22] ancora Iddio ne' petti virili a sostenere ogni fatica, ogni aversità, ogni impeto della fortuna, a conseguire cose difficillime, a vincere il dolore, e non temere la morte, fermezza, stabilità, costantia e forza, e spregio delle cose caduche, colle quali tutte virtù noi possiamo quanto dobbiamo onorare et servire a Dio con giustitia, pietà, moderanza, et con ogni altra perfetta e lodatissima operatione. Sia adunque persuato[23] che l'uomo nacque non per atristirsi in otio, ma per adoperarsi in cose magnifiche e ample,[24] colle quali e' possa piacere e onorare Iddio in prima, et per avere in sé stessi come uso di perfetta virtù, così frutto di felicità.[25] Forse a voi pareva mi fossi troppo dal proposito alienato;[26] ma non sono state se non necessarie queste recitate cose[27] a provare quanto[28] io stimo avervi persuaso. Ma non disputiamo testè quale di quelle opinioni più sia vera e da tenere. Diciamo al nostro proposito che l'uomo sia[29] posto in vita per usare le cose, per essere virtuoso e diventare felice:[30] imperò che colui il quale si potrà dire felice costui agli uomini sarà buono, e colui il quale ora è buono agli uomini,[31] certo ancora è grato a Dio. Chi male usa le cose nuoce agli uomini et non poco dispiace a Dio: e chi

---

Dal libro secondo.

1. sentenza: opinione. **probatissima**: degna di incondizionata approvazione. Ambedue le parole sono latinismi, e così pure, subito dopo la costruzione infinitiva (*dicono essere* = dicono che sia).
2. ove si vegga: nelle quali cose, nel loro complesso, si vede tanta varietà e bellezza. La bellezza e l'armonia del creato elevano l'anima dell'uomo alla contemplazione della divinità creatrice.
3. stature: nature, atteggiamenti tipici.
4. per ancora lodare Iddio: e anche per lodare Dio.
5. sì differentiate et così consonante: In tutto questo primo periodo è evidente il richiamo alle Sacre Scritture. Qui, come nel *Cantico dei tre fanciulli* della Bibbia, tutte le creature vengono esortate a innalzare a Dio una voce di lode riconoscente. Le voci di ciascun essere animato (**animante**) sono diverse e pure consonanti, armoniose (**concinni**) e soavi.
6. per ancora ringraziare: e anche per ringraziare.
7. nelle cose... conservalla: nelle cose create da Dio per venire incontro ai bisogni dell'uomo, soprattutto per cacciare ogni infermità e conservare una vita sana.
8. abia a render premio a Dio: debba corrispondere alla grazia ricevuta da Dio con opere buone, a Lui accette.
9. animanti: animali.
10. prestantissima: eccellente, superiore.
11. formosissimo: bellissimo. È propria del Rinascimento anche questa esaltazione della bellezza del corpo umano e della sua nobiltà, che gli viene dall'esser sede dell'anima. Queste idee non sono del tutto nuove, ma rivelano la propria derivazione dal pensiero cristiano e da quello classico. Nuovo però è l'accento, quel tono di ottimismo vitale, che nel Medioevo era soverchiato dal senso del peccato e della conseguente corruzione dell'uomo.
12. attribuìgli discorso e giudicio: gli diede ragione (discorso mentale) e discernimento.
13. pe' quali aperto: per mezzo dei quali apertamente, e cioè con chiara e piena consapevolezza, ecc.
14. donògli: gli donò.
15. docilità: capacità di apprendere, versatilità.
16. per ben conservare sé stessi: Le qualità che l'Alberti esalta nell'uomo, tendono, per lui, soprattutto a una finalità mondana.
17. moderatione e freno: capacità di moderare e frenare le cupidigie e gli appetiti, soverchi (**superchi**), sfrenati.
18. pudore, modestia e desiderio di laude: È qui espresso l'ideale di una vita saggia, temperante, onesta, che ambisce soprattutto alla lode e al riconoscimento degli uomini.
19. a contenere la umana compagnia: a mantenere salda e durevole la società umana.
20. giustitia, equità ecc.: sono apposizioni di *uno fermo vincolo*; il vincolo che tiene unita la società umana è costituito, cioè, da quelle virtù.
21. colle quali... pietà e clementia: Accanto al desiderio di meritare clemenza e pietà da parte di Dio, si afferma ancora vivissimo il desiderio di favore e gloria (**gratia e lode**) nel mondo.
22. Fermòvvi: formò. La particella *vi* anticipa *ne' petti virili* e la si può omettere nella parafrasi. Complemento oggetto è: *fermezza, stabilità* ecc. *A sostenere* significa per sostenere. La *a* introduce qui e nelle coordinate seguenti una proposizione finale.
23. Sia adunque persuato: Appaia dunque ben chiaro che...
24. non per... ample: L'uomo non è nato per intristire nell'ozio, ma per agire, per operare cose splendide e grandiose (**ample**).
25. et per avere... felicità: per avere in sé sia una virtù perfetta e attuale sia una piena felicità.
26. dal proposito alienato: allontanato dall'argomento propostomi. Lionardo sta parlando dell'educazione dei giovani, ai quali va ispirato prima di tutto l'aborrimento dell'ozio e il desiderio di acquistare virtù e meritare fama.
27. recitate cose: i concetti esposti.
28. a provare quanto, ecc.: a dimostrare i concetti dei quali spero di avervi persuaso.
29. che l'uomo sia: che l'uomo è.
30. per usare... felice: per trarre frutto dalle cose che Dio ha fatto per lui, per seguire la virtù, mediante la quale consegue la pienezza della sua umanità, per attingere la felicità. E si noti che qui all'Alberti interessa non immediatamente la felicità eterna, di cui non parla, ma quella terrena, che consegue a una vita degna di lode fra gli uomini. L'ideale della famiglia le toglie ogni forma di esasperato individualismo, lega la vita del singolo a quella della specie umana.
31. agli uomini: benefico, utile al prossimo.

dispiace a Dio stolto è se si reputa felice. Adunque si può statuire così: l'uomo da natura essere atto a usufruttare le cose,[32] e nato per esser felice. Ma questa felicità da tutti non è conosciuta, anzi da diversi diversa stimata.

32. usufruttare le cose: porre ad usufrutto le cose, saperle usare per la propria vita.

Elogio della ricchezza

Fin dall'antichità un luogo comune obbligatorio di tutti i moralisti rispettabili era che non le ricchezze, ma la virtù rende l'uomo beato. Con maggior realismo e amore di concretezza, l'Alberti, che pure esalta le virtù dell'animo, avverte l'importanza della ricchezza, che è frutto di operosità fattiva e mezzo di liberalità, di magnificenza, e soprattutto è necessaria alle fondamentali esigenze dello stato, della famiglia, di ogni comunità. La lode della ricchezza porta con sé la rivalutazione del lavoro, anche di quelle attività mercantili e bancarie che un vecchio pregiudizio aristocratico nobiliare considerava inferiori, spregevoli. L'Alberti esalta così l'ideale della borghesia attiva e intraprendente, laboriosa e produttiva, di cui la sua famiglia era espressione: di quella borghesia che aveva reso possibile la fioritura della grande civiltà italiana fra il XIII e gli inizi del XV secolo.

Abiamo detto la gioventù non stia indarno,[1] ma pigli onesto essercizio, nel quale sé eserciti con virile opera, e seguasi quello essercizio quale renda più utile e fama alla famiglia, e eleggasi essercizio quale sia più atto alla natura e alla fortuna[2] nostra, e in quello si perseguiti in modo essercitando che per noi non manchi agiugnere a' supremi gradi.[3] Ora perché le ricchezze, per le quali quasi ciascuno in prima[4] si essercita, sono utilissime a perseverare nelle principiate faccende col lodo[5] e gratia ad acquistarsi amistà, onore e fama, però sarà luogo a dire[6] in che modo s'acquisti ricchezza, e in che modo quelle si conservino. La qual cosa era una delle quattro[7] quali dicemmo essere necessarie a rendere e mantenere felice una famiglia. Adunque ora cominceremo[8] ad accumulare ricchezze. Forse questo tempo,[9] che già siamo presso al brunire[10] della sera, s'acconfarà a questi ragionamenti. Niuno essercizio, a chi àne[11] l'animo erto[12] e liberale, pare manco splendido che paiono quelli instituti exercitii per coadunare ricchezze.[13] Se voi qui alquanto considererete e discorrerete riducendo a memoria quali sieno essercizii acomodati a roba,[14] voi gli troverete tutti posti non in altro che in comperare e vendere, prestare e riscuotere.[15] E io stimo che a voi e quali, quanto giudico,[16] pur non avete l'animo né piccolo, né vile, que' tutti essercizii sugetti[17] solo al guadagno potranno parervi bassi e con piccolo lume di lode e autorità. Già poi che in verità[18] el vendere nonn' è si non cosa mercenaria, tu servi alla utilità del compratore, paghiti della fatica tua, ricevi premio sopraponendo ad altri quello che manco era costato a te. In quel modo adunque vendi non la roba, ma la fatica tua: per la roba rimane a te commutato el danaio: per la fatica ricevi il soprapagato.[19] Il prestare sarebbe lodata liberalità, se tu non ne richiedessi premio, ma non sarebbe essercizio d'aricchirne.[20] Né pare ad alcuni questi essercizii, come gli chiameremo, pecuniarii mai[21] stieno netti,[22] sanza molte bugie, e stimano non poche volte in quelli intervenire patti spurchi e scritture non oneste. Però dicono al tutto questi come brutti e mercenarii sono a' liberali ingegni molto da fuggire.[23] Ma costoro, quali[24] così giudicano di tutti gli essercizii pecuniarii, a mio parere errano. Se l'acquistare ricchezze non è quanto gli altri essercizii maggiori glorioso, non però sarà da spregiar colui el quale non sia di natura atto[25] a ben travagliarsi in quelle molto magnifiche essercitazioni, se si trametterà in questo, al quale essercizio conosce sé essere non inetto,[26] e quale per tutti si confessa alle repubbliche essere molto e alle famiglie utilissimo. Sono atte le ricchezze ad acquistare amistà e lodo,[27] servendo[28] a chi à bisogno; puossi con le ricchezze conseguire fama e auctorità adoperandole in cose amplissime[29] e

Dal libro secondo.

1. non stia indarno: non stia inoperosa. I giovani della famiglia debbono al più presto intraprendere una carriera, dedicarsi a un'onesta decorosa occupazione (*essercizio*), quella che possa procurare la maggiore utilità alla famiglia e si confaccia all'indole del giovane che la intraprende.
2. natura... fortuna: indole... condizione sociale.
3. e in quello... gradi: e si perseveri in codesta occupazione, operando in modo da riuscire a primeggiare.
4. in prima: principalmente.
5. col lodo: con lode; meritando la lode e il compiacimento universali.
6. sarà luogo a dire: converrà ora dire.
7. una delle quattro: le altre sono: la moltitudine dei membri della famiglia, la buona fama, la benevolenza e amicizia di molti. **dicemmo**: dicemmo, nelle pagine precedenti.
8. ora cominceremo, ecc.: Frase scherzosa. Significa: ora vedremo come si possono accumulare ricchezze.
9. Forse questo tempo, ecc.: Lionardo, l'interlocutore, intende scherzosamente dire che c'è a volte qualcosa di tenebroso e di segreto nell'acquisto delle ricchezze.
10. brunire: imbrunire.
11. àne: ha.
12. erto: nobile, alto.
13. pare... ricchezze: pare più spregevole delle attività che s'intraprendono per accumulare ricchezze.
14. discorrerete... roba: richiamerete alla memoria quali siano le attività che conducono a mettere insieme averi.
15. voi... riscuotere: vedrete che consistono nella mercatura e nell'attività bancaria.
16. e quali, quanto giudico: i quali, per quel che io ritengo.
17. sugetti: soggetti, tesi a...
18. Già poi che in verità, ecc.: passa in rassegna, per poi confutarle, le accuse che vengono comunemente rivolte alle attività della mercatura e bancaria. La prima è: il vendere è occupazione *mercenaria*, cioè simile a quella di chi lavora per mercede (diremmo oggi di un operaio, di un salariato; allora, tale attività era considerata umilissima e plebea, non decorosa): tu, infatti, vendendo, fai opera utile al compratore, gli vendi la tua opera e ne ricevi compenso (**paghiti della fatica tua**), ricevi infine un premio, in quanto fai pagare di più agli altri quello che a te era costato di meno.
19. per la roba... soprapagato: in cambio della roba che vendi hai il danaro, il guadagno è ricompensa della tua fatica.
20. se tu... aricchirne: se tu non ne richiedessi un interesse; ma se presti senza richiedere interesse non puoi arricchire con codesta attività.
21. Né pare... mai: e pare che non mai.
22. stieno netti: siano puliti, onesti, contrapposto a **spurchi** (sporchi) di più avanti.
23. Però... fuggire: Perciò dicono che gli uomini *liberali* di indole, cioè dotati di nobili sentimenti debbono fuggire queste attività, perché sono brutte e mercenarie.
24. Ma costoro, quali: Ma costoro i quali. Segue ora la confutazione.
25. atto: adatto. **Le molto magnifiche essercitazioni** sono le arti più nobili, gli studi e le lettere.
26. se si trametterà... non inetto: (Non sarà da biasimare) se si dedica a questa attività commerciale alla quale riconosce di essere portato e che viene (giustamente, secondo l'Alberti) considerata utile alle famiglie e allo stato.
27. amistà e lodo: amicizia e buona fama.
28. servendo: quando colui che le ha le dà in servigio di chi ne ha bisogno.
29. in cose amplissime, ecc.: Molto probabilmente l'Alberti pensa qui alle grandi opere architettoniche.

nobilissime con molta larghezza e magnificenza. E sono negli ultimi casi[30] e bisogni alla patria le ricchezze de' privati cittadini, come tutto il dì si truova, molto utilissime. Non si può sempre nutrire chi con l'arme e sangue difenda la libertà e dignità della patria solo con stipendi del[31] publico erario; né possono le repubbliche ampliarsi con autorità e imperio sanza grandissima spesa. Anzi soleva dire messer Cipriano nostro Alberti[32] che lo 'mperio delle genti si compra dalla fortuna a peso d'oro e di sangue: el quale detto d'uomo prudentissimo, se si può reputare, quanto a me pare, verissimo, certo le ricchezze de' privati cittadini le quali soppriranno a' bisogni della patria saranno da crederle utilissime.

30. negli ultimi casi: nelle estreme necessità.
31. del: tratti dal.
32. Cipriano nostro Alberti: più volte i componenti illustri della famiglia sono citati nel dialogo come modello per i giovani.

La villa

Il terzo libro del trattato *Della Famiglia* parla della *masserizia*, cioè della buona conduzione dell'azienda famigliare. Uno dei culmini del libro è questo ispirato elogio della «villa», cioè della campagna, che offre alla famiglia, oltre al sostentamento, una vita sana e serena.

La proprietà terriera è considerata dall'Alberti l'investimento economico più solido, ben più sicuro dell'attività mercantile, dalla quale pure era nata la ricchezza della sua potente famiglia, perché meno soggetta a pericoli e ansie, alla malvagità degli uomini e della fortuna; e qui l'autore accenna a un nuovo indirizzo economico che verrà sempre più seguito, in questo e nel secolo seguente, dalla borghesia arricchita.

Questo elogio della campagna non ha, comunque, nulla di idillico: esso esprime piuttosto l'aspirazione a una vita non turbata dal bisogno o dalla brama di lucro, ma volta al godimento dell'acquisita agiatezza, del buon cibo, dell'aria salubre. Naturalmente la campagna non è vista con gli occhi del contadino che lavora, ma del possidente agiato, del cittadino che desidera una vita meno condizionata dagli altri e autosufficiente. Anche questo desiderio di evadere dalla vita politica comunale, di isolarsi nella cerchia del proprio piccolo mondo famigliare è caratteristico dei nuovi tempi, rivela il progressivo distacco dei cittadini dalla vita dello stato, avvenuto durante l'età delle Signorie.

Lionardo. — Quale uomo fusse,[1] il quale non si traesse[2] piacere della villa?[3] Porge la villa utile grandissimo, onestissimo e certissimo;[4] e pruovasi qualunque altro essercizio intopparsi in mille pericoli,[5] ànno seco mille sospecti, seguongli molti damni et molti pentimenti. In comperare cura, in condurre paura, in serbare pericolo, in vendere sollicitudine, in credere sospecto, in ritrarre fatica, nel commutare inganno;[6] et così sempre degli altri essercizii ti premono infiniti affanni et agonie di mente. La villa sola sopra tutti si truova conoscente, graziosa,[7] fidata, veridica; se tu la governi con diligenzia et con amore, mai a lei parerà averti satisfatto,[8] sempre agiugne premio a' premii. Alla primavera la villa ti dona infiniti sollazzi; verzure, fiori, odori, canti; sforzasi in più modi farti lieto, tutta ti ride et ti promette grandissima ricolta,[9] empieti[10] di buona speranza et di piaceri assai. Poi et quanto la truovi tu teco alla state cortese![11] Ella ti manda a casa ora uno, ora uno altro frutto, mai ti lascia la casa vota di qualche sua liberalità. Eccoti poi presso l'autunno: qui rende la villa alle tue fatiche et a' tuoi meriti smisurato premio et copiosissime mercé;[12] et quando volentieri et quanto abundante, et con quanta fede! per uno dodici,[13] per uno piccolo sudore più et più botti di vino. Et quello che tu aresti vecchio et tarmato[14] in casa, la villa con grandissima usura[15] te lo rende nuovo, stagionato, netto et buono. Ancora ti dona le pàssule[16] et l'altre uve da pendere et da seccare, et ancora a questo agiungne che ti riempie la casa per tutto il verno di noci, pere et pomi odoriferi et bellissimi. Ancora non resta la villa di dì in dì mandarti de' frutti suoi più serotini.[17] Poi né anche il verno[18] si dimentica teco essere la villa liberale: ella ti manda la legna, l'olio, ginepri, e lauri[19] per, quando ti conduca in casa dalle nevi et dal vento, farti quella

Dal libro terzo.

1. fusse: potrebbe esservi. L'uso del congiuntivo rivela l'influenza del latino classico sulla prosa volgare dell'Alberti.
2. si traesse: (non) traesse piacere per sé.
3. villa: È la campagna, e più precisamente la possessione in campagna, una piccola azienda agricola che dia alla famiglia non tanto ulteriori guadagni, quanto i prodotti necessari al suo fabbisogno alimentare. La famiglia vagheggiata dall'Alberti tende ad essere una comunità, autosufficiente, amministratrice oculata del proprio reddito, senza avarizia e senza spese eccessive.
4. onestissimo e certissimo: decorosissimo e sicurissimo. Proseguendo il discorso, l'Alberti contrappone la sicurezza del reddito agricolo alla difficoltà e alla costante incertezza del commercio. Nel Quattrocento la borghesia mercantile, arricchitasi coi traffici, è sempre più portata ad investire i propri capitali nella proprietà terriera, considerata economicamente più stabile e proficua, meno soggetta alle insidie e oscillazioni del mercato e fonte, anche, di maggior prestigio sociale.
5. e pruovasi... pericoli: e si può infatti dimostrare che qualunque altra attività economica si espone a mille pericoli, ecc.
6. In comperare cura, ecc.: Descrive gli affanni che accompagnano le altre attività economiche, e soprattutto quella mercantile: preoccupazione (**cura**) al momento di comperare, paura durante il trasporto delle merci (**in condurre**), pericoli quando le merci vengono conservate (**in serbare**) nel fondaco, l'ansietà al momento della vendita, la diffidenza quando si deve vendere a credito (**in credere**), la fatica che si dura a riscuotere (**in ritrarre**), gli inganni che si subiscono negli scambi di merci (**nel commutare**).
7. conoscente, graziosa, ecc.: riconoscente (nel premiare le fatiche), generosa, e soprattutto (il concetto è ribadito dai due aggettivi di significato affine) leale e sincera, tale, cioè, da non ingannare le aspettative di chi la possiede.
8. mai a lei... satisfatto: non le sembrerà mai di averti sufficientemente ricompensato. In tutto il passo, la campagna è, per così dire, personificata; fra essa e il possessore s'intuisce un rapporto affettivo. Questo perché l'Alberti vagheggia la vita campestre come una vita sana, che ristora e nutre, al tempo stesso, il corpo e l'anima. La «villa» sintetizza in sé utilità e bellezza.
9. ricolta: raccolto.
10. empieti: ti riempie.
11. alla state cortese: cortese, liberale, nell'estate.
12. mercé: mercedi, ricompense.
13. per uno dodici: ti ripaga abbondantemente di ogni fatica.
14. aresti vecchio et tarmato: potresti avere vecchio e guasto.
15. usura: vantaggio, interesse.
16. pàssule: uve passe.
17. non resta... serotini: non cessa, neppure durante il tardo autunno di mandarti quotidianamente in casa qualche suo frutto tardivo.
18. né... verno: neppure d'inverno.
19. ginepri e lauri: rami di ginepro e alloro, che, quando il freddo invernale ti costringe a restare chiuso in casa, rendono la fiamma del focolare lieta e profumatissima (**redolentissima**).

fiamma lieta et redolentissima; et, se ti degni starti seco,[20] la villa ti fa parte del suo splendidissimo sole, et porgeti la leprettina, il capro, il cervo, che tu gli corra drieto,[21] avendone piacere et vincendone il freddo et la forza del verno. Non dico de' polli, del cavretto, delle giuncate[22] et delle altre delizie quali tutto l'anno la villa t'alieva et serba. Al tutto così è: la villa si sforza a te in casa manchi nulla,[23] cerca che all'animo tuo stia niuna malinconia, èmpieti di piaceri et d'utile; et se la villa da te richiede opera alcuna, non vuole come gli altri essercizii[24] tu ivi te atristi, né vi ti carchi di pensieri, né punto vi ti vuole affannato et lasso; ma piace alla villa la tua opera et essercizio pieno di diletto, il quale sia non meno alla sanità tua che alla cultura[25] utilissimo.

Giannozzo. — Che bisogna dire, Lionardo? tu non potresti lodare a mezzo[26] quanto sia la villa utile alla sanità, comoda al vivere, conveniente alla famiglia. Sempre si dice la villa essere opera de' veri buoni uomini et giusti massari,[27] e conosce ogni uomo la villa in prima essere di guadagno non piccolo, e, come tu dicevi, dilettoso et onesto. Non ti conviene,[28] come negli altri mestieri, temere perfidia o fallacie di debitori o procuratori; nulla vi si fa in obscuro, nulla non veduto e conosciuto da molti, né puoi esservi ingannato, né bisogna chiamare notari e testimoni, non seguire litigii et l'altre simili cose acerbissime e piene di malinconie, che alle più fiate[29] sarebbe meglio perdere che con quelle suste d'animo guadagnare. Agiugni qui che tu puoi ridurti in villa[30] et viverti in riposo pascendo la famigliuola tua, procurando tu stesso a' fatti tuoi; la festa sotto l'ombra ragionarti piacevole[31] del bue, della lana, delle vigne, o delle sementi, sensa sentire romori, o relationi, o alcuna altra di quelle furie quali dentro alla terra fra cittadini mai restano;[32] sospecti, paure, maledicenti, ingiustizie, risse, et l'altre molte bruttissime a ragionarne cose, et orribili a ricordarsene. In tutti e ragionamenti della villa nulla può non molto piacerti, di tutte si ragiona con diletto, da tutti se' con piacere et volentieri ascoltato; ciascuno porge in mezzo[33] quello che conosce utile alla cultura. Ciascuno t'insegna et emenda ove tu errassi in piantare qualche cosa. Niuna invidia, niuno odio, niuna malivolentia ti nasce dal cultivare et governare il campo.

Lionardo. —[34] E anche vi godete in villa quelli giorni aerosi et puri, aperti e lietissimi, avete legiadrissimo spectacolo rimirando quelli colletti ftonditi, et quelli piani verzosi, et quelli fonti et rivoli chiari, che seguono saltellando et perdendosi fra quelle chiome de l'erba.

Giannozzo. —[35] Sì, Dio, uno proprio paradiso. Et anche, quello che più giova, puoi alla villa fuggire questi strepiti, questi tumulti, questa tempesta della terra, della piazza, del palagio. Puoi in villa nasconderti per non vedere le rubalderie, le sceleratagine et la tanta quantità de' pessimi mali uomini, quali pella terra continuo ti farfallano inanti agli occhi, quali mai restano di cicalarti torno a l'orecchie, quali d'ora in ora seguono stridendo e mugghiando[36] per tutta la terra, bestie furiosissime et orribilissime. Quanto sarà beatissimo lo starsi in villa, felicità non conosciuta![37]

20. starti seco: abitarvi.
21. che tu gli corra drieto: sì che tu possa avere il piacere della caccia.
22. giuncate: ricotte.
23. a te in casa manchi nulla: aggiungi un *non*, e così nella proposizione seguente. L'Alberti segue qui l'uso latino.
24. come gli altri essercizii: Se anche la villa chiede al proprietario qualche attività, queste sono tali da non generare tristezza, preoccupazioni, affanni, non ti rendono stanco e affranto (**lasso**) come quelle richieste dalle altre attività economiche.
25. cultura: coltivazione. È da notare che il padrone non lavora la terra, ma si limita al più a dirigere il lavoro dei contadini, a sorvegliarli, come dice altrove l'Alberti, per non essere in qualche modo derubato. Per questo nell'elogio precedente, riguardante le quattro stagioni, non hai in alcun modo il senso della coltivazione dei campi, delle fatiche e delle soddisfazioni che comporta, ma la gioia di vedere affluire in casa i frutti della terra, il piacere di trascorrere le giornate invernali accanto al fuoco odoroso e di andare a caccia.
26. tu non potresti lodare a mezzo: non riusciresti a lodare neppure a metà.
27. giusti massari: La *masserizia* è la virtù del risparmio e della sana amministrazione dei beni, che rende possibile una vita agiata e decorosa e, al tempo stesso, misurata ed equilibrata.
28. Non ti conviene: non devi.
29. alle più fiate: il più delle volte sarebbe meglio rimetterci, piuttosto che guadagnare a prezzo di tali affanni (**suste**) dell'animo.
30. ridurti in villa: ritirarti a vivere in campagna.
31. ragionarti piacevole: ragionare piacevolmente, serenamente. Il discorso di Giannozzo è più schietto e alla buona di quello di Lionardo (che, a differenza di lui, è uomo di raffinata cultura) ma anche più concreto e vivace. Osserva qui, ad esempio, il particolare realistico del ragionare il giorno di festa all'ombra di un albero: è un particolare di vita campagnuola colto con verità e freschezza.
32. romori... restano: chiacchiere o maldicenze o qualcun'altra di quelle folli contese che in città (**dentro alla terra**) non cessano mai di sorgere fra i cittadini.
33. ciascuno porge in mezzo: ciascuno espone liberamente a tutti quello che ritiene utile alla coltivazione dei campi: si parla, cioè, di cose concrete, sensate, di comune utilità.
34. Lionardo: Lionardo conclude il proprio elogio della campagna con questa vaghissima rimembranza, che riprende, del resto, il suo precedente elogio, così attento, oltre e più che all'utile, alla bellezza della campagna, alla gioia spirituale che la sua vita semplice ci offre.
35. Giannozzo: Anche questa battuta di Giannozzo è conclusiva e si rifà al precedente discorso di questo interlocutore, uomo non colto ma assennato e onesto, comunque meno, per così dire, sognatore di Lionardo, più attento alle cose concrete. Anch'egli esprime un ideale albertiano: la fuga dalla città, dai contrasti della vita politica. Vi si sente la voce di una borghesia che ha ormai rinunciato alla partecipazione attiva e appassionata alla vita dello stato. Ora essa ha lasciato ogni potere nelle mani del *Signore* o del *Principe*, e pensa a godere in pace le ricchezze accumulate in tanti decenni di audace e intraprendente attività mercantile. L'ideale albertiano della *famiglia* intesa come comunità autosufficiente esprime questo bisogno di evasione dalla vita politica.
36. stridendo e mugghiando: sono i capi-fazione, o i demagoghi che Giannozzo disprezza profondamente.
37. felicità non conosciuta: Vita felice è quella della campagna: volesse il cielo che tutti la conoscessero e sapessero goderla adeguatamente!

Leonardo da Vinci

La vita

Leonardo nacque a Vinci, in Valdarno, nel 1452. Dal 1467 al '72 frequentò la bottega del Verrocchio, pittore e scultore rinomato, per apprendere le belle arti. In tali botteghe i giovani venivano istruiti non solo nelle arti, ma anche nelle varie tecniche applicabili alle costruzioni meccaniche, idrauliche, militari; divenivano cioè ingegneri, tecnici-artisti, capaci di scolpire, di dipingere, ma anche di progettare una costruzione, di costruire una fortezza, o una macchina teatrale, richiesta per accentuare il fascino e lo splendore delle rappresentazioni di corte. Imparavano, cioè, il complesso delle arti dette «meccaniche», per distinguerle da quelle «liberali» — la poesia, la filosofia — che erano tenute in maggior onore.

Leonardo non ebbe quindi un'educazione propriamente umanistica (non conobbe, ad esempio, se non scarsissimamente, il latino, e per questo chiamava se stesso *omo sanza lettere*), ma ebbe conoscenze di matematica, geometria e, in genere, scientifiche, che egli approfondì poi col suo ingegno prodigioso. Tuttavia negli anni vissuti a Firenze ebbe modo di ampliare la sua cultura, di avere contatti coi maggiori dotti dell'epoca, ad esempio con Marsilio Ficino, del cui pensiero risentì profondamente l'influsso, con letterati e con artisti grandi. Appartengono a questo periodo alcuni suoi celebri quadri, l'*Annunciazione*, l'*Adorazione dei Magi*, il *San Girolamo*.

Dal 1482 al 1489 fu a Milano, presso la corte di Ludovico il Moro. Furono anni di operosità intensa, nei quali dipinse il famoso *Cenacolo* e la mirabile *Vergine delle Rocce*. Ma oltre che all'attività artistica si dedicò a costruzioni di macchine, a originali opere d'architettura e d'ingegneria e a meditazioni scientifiche e filosofiche, di cui le annotazioni che troviamo nelle sue carte rivelano l'originalità e l'ampiezza.

Alla morte di Ludovico il Moro lasciò Milano, e cominciò una vita errabonda. Fu, nel 1500 a Venezia, poi a Firenze, dove dipinse la *Sant'Anna*, poi in Romagna, dove, per conto di Cesare Borgia, visitò le fortificazioni della regione. Nel 1503 era di nuovo a Firenze, dove ebbe vari incarichi ed eseguì un grande affresco, la *Battaglia d'Anghiari*, che andò quasi subito distrutto. Nel 1507 passò al servizio del re di Francia Luigi XII, che lo nominò suo pittore e ingegnere, ma continuò la sua vita errabonda. Nel 1513 si recò a Roma, dove si trattenne tre anni e dipinse una delle sue opere più celebri, la *Gioconda.* Nel 1517 si recò in Francia, invitato dal re Francesco I, che lo ebbe caro e gli offrì come residenza il palazzo di Cloux vicino al proprio castello di Amboise. Quivi si spense nel 1519.

Leonardo fu non soltanto un sommo pittore, ma anche un pensatore originalissimo per la vastità e molteplicità dei suoi interessi, che egli seppe concentrare intorno a un pensiero unitario. La sua meditazione nacque, inizialmente, da un senso di ribellione contro i «letterati» che consideravano la pittura e la scultura come arti inferiori, «meccaniche», cioè artigianali. Contro costoro egli affermò che la pittura era non solo abilità manuale, ma «discorso mentale», che non coglieva soltanto la superficie esterna dei corpi, ma la loro intima vita, e sapeva comprendere ed esprimere la mirabile armonia che l'occhio dello scienziato e del filosofo ritrova contemplando la vita del cosmo.

La pittura era per Leonardo «filosofia», cioè adesione al moto che regge la vita dell'universo, conoscenza delle leggi che lo governano. Tale persuasione lo portò a uno studio amoroso della natura che egli venne via via approfondendo fino agli ultimi anni. Ma questo studio scientifico non fu da lui condotto secondo il tradizionale metodo deduttivo che trascurava il fenomeno concreto e schematizzava il complesso movimento della realtà in concetti astrattamente razionalistici. Leonardo fu uno dei fondatori del moderno metodo scientifico, in quanto fondò le sue analisi sullo studio dell'esperienza, accompagnato anzi, illuminato dalla geometria e dal calcolo matematico. Giunse così a vedere nell'universo un moto organico e armonico, una *Necessità* che presiedeva con un ordine superiore alle leggi della vita. Come dice uno studioso, il Marinoni, egli non voleva scoprire la forma statica del cosmo, «ma la sua anima più intima, l'energia che come mano d'invisibile artista plasma in ogni istante le forme reali e la bellezza del mondo, la continua creazione che, obbedendo a leggi eterne, immutabili, produce esseri sempre nuovi e diversi». Leonardo, insomma, vide il mondo come una grandiosa opera d'arte, nella quale era impressa l'impronta creativa di una divinità che egli non cercò di indagare e definire in se stessa, ma contemplò nella vita continuamente rinnovellantesi dell'universo, della quale intese cogliere la dinamica nella sua opera di pittore. In questa fiducia nell'armonia della natura e nella capacità dell'uomo di comprenderla e riprodurla, Leonardo si rivela uomo del Rinascimento.

Leonardo è anche scrittore potente, sebbene la sua opera letteraria abbia un carattere di assoluta frammentarietà. Egli affida alla carta le sue balenanti intuizioni senza curarsi di esprimerle in un discorso raffinato e letterariamente forbito, perché i suoi scritti non sono rivolti a un pubblico, ma rappresentano un soliloquio dello scrittore, sono appunti vibranti e appassionati, e al tempo stesso fondati su una lucida logica intellettuale, testimonianza di una ricerca incessante.

I suoi manoscritti ci mostrano macchine, progetti, figure geometriche, disegni potentemente abbozzati, e, qua e là, una sentenza, un motto, una concisa dimostrazione, un appunto per fermare un'idea, magari una semplice parola; ma queste rapide note fanno presentire una meditazione ben più vasta, ci danno il senso di quell'anima grande e solitaria, continuamente protesa a cogliere lo spettacolo sempre nuovo e meraviglioso del mondo, le ragioni e il dramma della vita universa.

Per i testi seguiamo: *Scritti letterari di L. d. V.*, a cura di A. Marinoni, Milano, Bibl. Univers. Rizzoli, 1952; e G. FUMAGALLI, *Leonardo omo senza lettere*, Firenze, Sansoni, 1939.

Caverna

Molti frammenti di Leonardo fissano alcuni particolari potentemente espressivi di una visione incompiuta, che rimane sospesa in un'atmosfera suggestiva fra il reale e il fantastico. Così è in questa *visione*, a proposito della quale è impossibile stabilire con certezza se si tratti del racconto di un'avventura di speleologo o di un'esperienza quasi visionaria. Propendiamo per la seconda ipotesi, pensando alla prima parte del frammento, a quella similitudine, rimasta priva del secondo termine di paragone, che evoca un impetuoso e allucinante scatenarsi di forze cosmiche.

Tutto il passo ci sembra l'espressione mitica della tensione spirituale di Leonardo, della sua ansia di una conoscenza integrale della natura e del suo mistero. C'è dapprima lo stupore dinanzi all'infinita forza vitale che pervade il mondo, poi l'espressione della *bramosa voglia* dell'animo di penetrarla, di comprenderla. Due sentimenti opposti e pur congiunti indissolubilmente si agitano nell'animo di Leonardo: da un lato una sorta di religioso sgomento davanti al mistero dell'essere, dall'altro un insaziato desiderio di di comprenderlo.

Non fa sì gran muglia[1] il tempestoso mare, quando il settentrionale aquilone lo ripercuote, colle schiumose onde fra Silla e Cariddi; né Stromboli o Mongibello[2] quando le zolfuree fiamme, essendo rinchiuse, per forza rompendo e aprendo il gran monte, fulminando per l'aria pietra, terra, insieme coll'uscita e vomitata fiamma;[3] né quando le 'nfocate caverne di Mongibello rendan il mal tenuto elemento,[4] rivomitandolo e spignendolo alla sua regione con furia, cacciando innanzi qualunche ostacolo s'interpone alla sua impetuosa furia.

E tirato dalla mia bramosa voglia, vago di vedere la gran copia delle vane e strane forme fatte dalla artifiziosa natura,[5] raggiratomi alquanto infra gli ombrosi scogli, pervenni all'entrata d'una gran caverna; dinanzi alla quale, restato alquanto stupefatto e ignorante di tal cosa, piegato le mie reni[6] in arco, e

1. **Non fa sì gran muglia**, ecc.: Come abbiamo detto manca il secondo termine di paragone. Il periodo resta così logicamente sospeso, ma è un'indeterminatezza che rende ancor più potente quest'immagine grandiosa dell'agitarsi incessante di forze cosmiche nel seno della natura. **muglia**: mugghiare del mare tempestoso. **lo ripercuote**: lo sbatte e agita violentemente.
2. **Silla... Mongibello**: Scilla e Cariddi, costituivano un mortale pericolo per le navi, nello stretto di Messina; Cariddi era il nome dato al gorgo marino che schiantava le navi sulla scogliera di Scilla. Stromboli è un vulcano, come pure il Mongibello, cioè, l'Etna.
3. **per forza... fiamma**: le fiamme sulfuree del vulcano, essendo compresse, con grande violenza squarciano il monte e irrompono fuori, scagliando verso il cielo lapilli infuocati e lava, come fulmini. Osserva la potenza della descrizione di Leonardo, che spesso si compiacque di rappresentare lo scatenarsi violento delle forze della natura, il loro erompere vittorioso. Non si avverte, in questa descrizione, lo sgomento, ma un ammirato stupore davanti alle forze incoercibili e grandiose dell'universo.
4. **rendan il mal tenuto elemento**, ecc.: restituiscono il fuoco, che a stento il vulcano è riuscito a contenere nelle proprie viscere, alla sua sfera. Si pensava ancora — nei tempi di L. — che la materia fosse composta dei quattro elementi (terra, acqua, aria, fuoco) e che essi occupassero diverse zone dell'universo, secondo il loro peso. Il fuoco, il più leggero, aveva la propria regione sopra quella degli altri elementi.
5. **vago... natura**: desideroso, di vedere la grande abbondanza delle forme varie e innumerevoli plasmate dall'artefice natura.
6. **piegato le mie reni**, ecc.: si china in avanti, appoggia la sinistra sopra il ginocchio e con la destra preme sulle ciglia chiuse per intensificare l'acutezza del proprio sguardo. Secondo l'uso linguistico di oggi, le due *e* di *e colla destra* e di *e spesso piegandomi* dovrebbero essere eliminate.

ferma la stanca mano sopra il ginocchio, e colla destra mi feci tenebre alle abbassate e chiuse ciglia; e spesso piegandomi in qua e in là per vedere se dentro vi discernessi alcuna cosa; e questo vietatomi[7] per la grande oscurità che là entro era. E stato alquanto, subito salse[8] in me due cose: paura e desidero:[9] paura per la minacciante e scura spilonca, desidero per vedere se là entro fusse alcuna miracolosa cosa.

7. e questo vietatomi: e questo mi era vietato, impedito.
8. salse: salsero (salirono); cioè affiorarono al suo animo due sentimenti.
9. desidero: desiderio. Questa caverna diviene come un recesso profondo e remoto dal quale sembra diramarsi la vita *miracolosa*, cioè mirabile, dell'universo.

La natura

Leonardo contempla la natura con lo sguardo indagatore dello scienziato e, al tempo stesso, con l'animo commosso del poeta. L'universo gli si presenta come un tutto compatto e organico nel quale morte e vita sono complementari, perché l'una nasce dall'altra, in un continuo moto che agita la materia e la piega in forme vive e armoniche.

Giacché l'origine di esso non può essere nella materia inerte, Leonardo è costretto a cercarlo al di fuori, nella zona del mistero, «e da questa originaria insondabilità del movimento deriva il carattere prodigioso che assumono agli occhi suoi tutte le manifestazioni della vita universale e lo stupore religioso col quale egli le contempla» (Marinoni).

Leonardo sente questa forza che muove la natura come un impulso originariamente spirituale, che trapassa via via nei singoli corpi, fino a liberarsi nell'infinito e quindi a rifluire nel principio vitale dell'universo. Ma questi trapassi, questo continuo e complesso flusso vitale son regolati da una superiore necessità, che dà ordine e senso al movimento, cioè alla vita. Contemplandola col suo pensiero, l'uomo riesce a ritrovare un ritmo di armonia e bellezza e una profonda ragione implicita nella dinamica della natura, che testimoniano una divina potenza. Davanti al mistero di Dio la scienza di Leonardo si arresta, per volgersi invece con stupore ed entusiasmo sempre nuovi a osservare l'inesauribile fluire delle forme e a tentare di coglierne e definirne le leggi.

Contra. — Perché la natura[1] non ordinò che l'uno animale non vivessi della morte dell'altro?

Pro. — La natura essendo vaga[2] e pigliando piacere del creare e fare continuve vite e forme, perché cognosce che sono accrescimento della sua terrestre materia, è volonterosa e più presta[3] col suo creare che 'l tempo col suo consumare, e però ha ordinato che molti animali sieno cibo l'uno de l'altro, e non sodisfacendo questo a simile desiderio,[4] ispesso manda fuora certi avvelenati e pestilenti vapori e continua peste sopra le gran moltiplicazioni e congregazioni d'animali, e massime sopra gli omini che fanno grande accrescimento, perché altri animali non si cibano di loro, e tolto via le cagioni, mancheranno gli effetti.[5]

Contra. — Adunque questa terra cerca di mancare di sua vita, desiderando la continua moltiplicazione, per la tua assegnata e mostra ragione. Spesso gli effetti somigliano le loro cagioni. Gli animali sono esemplio de la vita mondiale.[6]

Pro. — Or vedi,[7] la speranza e 'l desiderio del ripatriarsi e ritornare nel primo caos fa a similitudine della farfalla al lume, dell'uomo,[8] che con continui desideri sempre con festa aspetta la nuova primavera, sempre la nuova state, sempre e nuovi mesi, e nuovi anni, parendogli che le desiderate cose, venendo, sieno troppo tarde, e non s'avvede che desidera la sua disfazione;[9] ma questo desidero ene in quella quintessenza, spirito degli elementi,[10] che trovandosi rinchiusa per anima dello umano corpo, desidera sempre ritornare al suo mandatario. E vo', che sappi che questo desiderio è 'n quella quinta essenza compagna della natura, e l'omo è modello dello mondo.[11]

1. Perché la natura, ecc.: È una specie di dialogo di Leonardo con se stesso, fra il suo sentimento e la sua mente. La prima domanda sembra volersi opporre alla legge spietata e crudele della natura, per la quale la vita dell'uno non può nascere che dalla morte dell'altro. Il dibattito si concluderà con la serena accettazione di questa Necessità, che si rivela espressione di un ordine dell'universo.
2. essendo vaga: essendo vogliosa (di creare continue vite e forme).
3. è volenterosa e più presta, ecc.: la potenza creatrice della natura è inesauribile; è una forza traboccante di vita, e sovrabbondante, che si propagherebbe all'infinito se non intervenisse la distruzione. Ma questa altro non è che una legge di ordine e di equilibrio. L'entusiastica accettazione della vita porta Leonardo a una serena accettazione della morte, sentita come elemento indispensabile dell'armonia del mondo.
4. non sodisfacendo... desiderio: non essendo sufficiente la reciproca distruzione degli animali a produrre il desiderato equilibrio.
5. tolto... effetti: tolta la distruzione (causa d'equilibrio) verrebbe meno l'equilibrio tra il numero grandemente accresciuto degli uomini e lo spazio o il cibo disponibile.
6. cerca... mondiale: Ma allora la natura mentre cerca il proprio accrescimento cerca anche la propria fine? Ma allora l'effetto (la morte) è simile alla vita (la vita produce la morte)? Gli animali rivelano il modo di procedere (**sono esemplio**) della natura (**vita mondiale**); ma questa legge sembra una contraddizione.
7. Or vedi, ecc.: È vero, risponde la mente; l'uomo attende con ansia il futuro, eppure questo che è desiderio di vita lo conduce inesorabilmente verso la morte. Ma questo desiderio rivela nell'uomo il senso inconsapevole di una vita più grande cui il nostro essere anela. È l'istinto che ci spinge a ritornare alla nostra origine prima, al primo moto che ci produsse e a rifluire nel principio vitale di tutto l'universo.
8. la speranza... dell'uomo: La speranza e il desiderio di ritornare alla propria patria originaria, al primo caos (allo stato anteriore alla nostra esistenza terrena e definita) fanno sì che l'uomo agisca come la farfalla col lume, la quale, mentre affascinata da esso se ne lascia attrarre, incontra, inconsapevolmente, la morte. Leonardo non nomina Dio, si arresta davanti al primo mistero senza dargli un nome, ma lo identifica con la pienezza originaria della vita cosmica di cui l'uomo è parte e alla quale tornerà.
9. la sua disfazione: la sua morte.
10. ma questo desidero... elementi: Questo desiderio istintivo, inconsapevole fa parte (*ene = è*) della nostra essenza. Ogni elemento ha, per Leonardo, un proprio principio, un'intima forza spirituale che dirige il suo movimento: in noi è l'anima, rinchiusa nel corpo e anelante a ritornare al suo principio, alla fonte che l'ha prodotta.
11. E vo'... mondo: Sappi che questo desiderio coincide con quel principio vitale (o forza spirituale) che è in tutta la natura; quindi quello che avviene all'uomo avviene a tutte le cose del mondo, di cui l'uomo è il modello, cioè la sintesi, la ricapitolazione.

Metodo e scienza

Nello studio della natura, il metodo di Leonardo si fonda sulla matematica e sull'esperienza. L'esperienza consente di aderire alla realtà concreta dei fenomeni, la matematica fa ritrovare le *ragioni* o leggi fisse e costanti che regolano il perpetuo e complesso moto delle cose.

Leonardo polemizza contro la scienza tradizionale che si fondava su astratte deduzioni filosofiche ricavate non da principi convalidati dall'esperienza, ma dall'autorità di presunti maestri, accettata passivamente, senza discussione, e invita filosofi e scienziati (ancora, al suo tempo, la scienza non era distinta dalla filosofia) a leggere non i libri degli altri, ma il grande libro della natura. La vera scienza deve infatti essere fondata non sulle vane dispute dei filosofanti, ma sulla certezza che nasce dal ritrovamento delle leggi solide e immutabili che imprimono un ordine armonico allo svolgimento della vita.

1. So bene che, per non essere io litterato,[1] che alcuno prosuntuoso gli parrà ragionevolmente potermi biasimare coll'allegare io essere omo sanza lettere.[2] Gente stolta! Non sanno questi tali ch'io potrei, sì come Mario rispose contro a' patrizi romani, io sì rispondere, dicendo: «Quelli che dall'altrui fatiche[3] se medesimi fanno ornati, le mie a me medesimo non vogliano concedere». Diranno che, per non avere io lettere, non potere ben dire[4] quello di che voglio trattare. Or non sanno questi che le mie cose son più[5] da esser tratte dalla sperienzia, che d'altrui parola; la quale fu maestra di chi bene scrisse,[6] e così per maestra la piglio e quella in tutti i casi allegherò.

2. Molti mi crederanno ragionevolmente potere riprendere allegando le mie prove esser contro all'alturità[1] d'alquanti omini di gran reverenza appresso de' loro inesperti iudizi, non considerando le mie cose essere nate sotto la semplice e mera esperienza, la quale è maestra vera.

3. Chi disputa allegando l'alturità non adopera lo 'ngegno, ma più tosto la memoria.[1]

4. Nessuna certezza è dove non si pò applicare una delle scienzie matematiche, ovver che non sono unite con esse matematiche.[1]

5. Chi biasima la somma certezza delle matematiche[1] si pasce di confusione, e mai porrà silenzio alle contraddizioni delle sofistiche scienzie, colle quali s'impara uno eterno gridore.[2]

6. I sensi sono terrestri, la ragione sta for di quelli quando contempla.

7. Il corpo nostro è sottoposto al cielo e lo cielo è sottoposto allo spirito.

1.
1. **per non essere io litterato**: Leonardo, cioè, era privo di una sicura conoscenza del latino, la lingua, allora, della scienza; e questo gli veniva rinfacciato dai filosofi e letterati come una deficienza sostanziale della sua cultura e del suo pensiero. Ma egli reagisce proclamando la superiorità della natura sui libri, affermando che la vera scienza nasce dall'esperienza, cioè dall'osservazione metodica dei fenomeni e non dallo studio dei libri altrui: contrappone, insomma, lo studio scientifico sperimentale alla filosofia astratta.
2. **che alcuno... omo sanza lettere**: a qualche presuntuoso sembrerà di potermi biasimare con pieno diritto, affermando che io sono privo di cultura letteraria.
3. **Quelli che dall'altrui fatiche**, ecc.: Il console Caio Mario, plebeo, rimproverava i patrizi perché ostentavano come proprio merito le imprese e la gloria dei loro antenati, disprezzando lui che non era nato di nobile famiglia. Non gli concedevano, cioè, di ornarsi di quelle glorie e di quelle imprese che erano ben sue, personali. Così i *litterati* si fanno belli del pensiero altrui che essi apprendono dai libri e ripetono pedissequamente; non concedendo a Leonardo il giusto vanto che gli viene dalle sue scoperte originali.
4. **non potere ben dire**, ecc.: la mancanza di una cultura specializzata, del gergo filosofico dei banali e presuntuosi imitatori dovrebbe, secondo costoro, costituire un ostacolo insormontabile alla speculazione scientifica e filosofica di Leonardo. La scienza era ancora considerata tutt'uno con la filosofia, e consisteva in definizioni di concetti astratti; dati certi principi si deducevano da questi i fatti, contrariamente al metodo scientifico induttivo, che parte dall'osservazione dei fenomeni per ricavarne le leggi.
5. **che le mie cose son più**, ecc.: che preferisco ricavare i miei pensieri e le mie deduzioni scientifiche dall'esperienza, non dalle parole altrui. E dice *parole* in senso spregiativo, contrapponendo ad esse la realtà concreta dei fatti.
6. **la quale fu maestra di chi bene scrisse**: l'esperienza personale, concreta, effettiva è la vera fonte del sapere.

2.
Riprende, in forma più sintetica il tema del pensiero precedente, insistendo però più esplicitamente contro il cosiddetto «principio d'autorità» (**alturità**), secondo il quale le affermazioni dei filosofi considerati maestri dovevano essere accettate come principi inoppugnabili e indiscutibili. In tal modo, soprattutto nel campo scientifico, si perpetuavano i più vieti pregiudizi e veniva completamente misconosciuto il valore dell'esperienza.
1. **all'alturità**, ecc.: all'autorità di certi uomini degni di grande reverenza, secondo i **giudizi inesperti**, perché privi, o quasi, di senso critico, degli oppositori di Leonardo.

3.
1. **più tosto la memoria**: costui infatti non fa altro che ripetere ciò che ha meccanicamente appreso da altri.

4.
1. L'esperienza trova il suo compimento nella matematica; questa riduce la massa indefinita dei fenomeni a rapporti e regole fisse, distingue cioè le *ragioni* o leggi che determinano il movimento dei fenomeni.

5.
1. **la somma certezza delle matematiche**: da Leonardo «la matematica vien posta al centro del conoscere, perché certezza c'è solo là dove si possa usare una scienza matematica» (Cassirer).
2. **sofistiche scienzie... eterno gridore**: è una frecciata polemica contro la filosofia di scuola, fondata sul principio d'autorità, sulle dispute cavillose e astratte; esse appaiono a L. un eterno gridare per far trionfare principi ingannevoli e vani.

6-7.
I due pensieri possono essere, in certo modo, considerati la conclusione degli altri. Il primo ammonisce che i sensi sono terrestri e che la ragione quando contempla la verità della natura e della vita sta fuori di essi. L'esperienza, cioè, si completa, come forma conoscitiva, con la pura speculazione del pensiero, che, confrontando e ponendo in rapporto i fenomeni, scopre l'armonica legge dell'universo.
Il secondo, con un ulteriore slancio, esalta la capacità dello spirito umano di accogliere in sé l'universo, comprenderlo, definirlo. Il corpo nostro è sottoposto al cielo, cioè alle leggi e alle forze della natura; ma la natura è a sua volta sottoposta allo spirito, alla ragione capace di definirne l'intima struttura.

Pensieri

Raccogliamo sotto questo titolo le massime incisive e sintetiche, occasionali, rapidamente schizzate, nei codici di Leonardo, accanto a un disegno, a un progetto di macchina, o al primo abbozzo di una stesura di una trattazione scientifica più ampia.

Le massime di Leonardo appaiono come rivelazione finalmente raggiunta, come la scoperta del significato del vivere. Nel loro

breve giro sono espresse drammaticamente la passione e la tensione di un'anima, che, chiusa nella propria assorta e meditativa solitudine, solleva lo sguardo alle stelle, riconosce una propria missione e una propria dignità nel ritmo vorticoso e molteplice della vita universa. Lo stile delle massime riflette questa lucida passione intellettuale che si placa in una convinta adesione alla vita.

1. Il voto nasce quando la speranza more.[1]
2. Chi non punisce il male, comanda che si facci.[1]
3. Non si pò avere maggior, né minor signoria che quella di se medesimo.[1]
4. Chi poco pensa molto erra.[1]
5. Non si dimanda[1] ricchezza quella che si può perdere. La virtù è vero nostro bene ed è vero premio del suo possessore. Lei non si può perdere, lei non ci abbandona, se prima la vita non ci lascia. Le robe e le esterne dovizie sempre le tieni con timore, ispesso lasciano con iscorno e sbeffato il loro possessore, perdendo[2] lor possessione.
6. Non ci manca modi né vie di compartire e misurare[1] questi nostri miseri giorni,[2] i quali ci debba ancor piacere di non ispenderli e trapassagli indarno e sanza alcuna loda e sanza lasciare di sé alcuna memoria nelle menti de' mortali. Acciò che questo nostro misero corso non trapassi indarno.
7. O dormiente che cosa è sonno? Il sonno ha similitudine colla morte; o perché non fai adunque tale opera che dopo la morte tu abbi similitudine di perfetto vivo, che vivendo[1] farsi col sonno simile ai tristi morti?
8. L'omo e li animali sono propio transito e condotto di cibo, sepoltura d'animali, albergo de' morti, facendo a sé vita dell'altrui morte, guaina di corruzione.[1]
9. Quando io crederò imparare a vivere, e io imparerò a morire.[1]
10. Salvatico è quel che si salva.[1]
11. Siccome una giornata bene spesa dà lieto dormire, così una vita bene usata dà lieto morire.[1]
12. Dov'è più sentimento, lì è più, ne' martiri, gran martire.[1]
13. La vita bene spesa lunga è.[1]
14. E questo omo ha una somma pazzia, cioè che sempre stenta per non istentare, e la vita se li fugge sotto speranza di godere i beni con somma fatica acquistati.[1]
15. Tristo è quel discepolo che non avanza[1] il maestro.
16. Ecci alcuni[1] che altro che transito di cibo e aumentatori di sterco — e riempitori di destri[2] — chiamar si debbono, perché per loro — altro nel mondo appare — alcuna virtù in opera si mette;[3] perché di loro altro che pieni e destri non resta.[4]
17. O tempo, consumatore delle cose, e o invidiosa antichità,[1] tu distruggi tutte le cose, e consummate[2] tutte le cose da' duri denti della vecchiezza a

---

1.
1. La speranza è la vita dell'anima, il suo continuo protendersi verso la vita, l'azione. Quando essa muore, nasce in noi il vuoto.

2.
1. Nei confronti del male non vi può essere acquiescenza: essa è colpevole quanto il male, perché lo consente e se ne rende complice.

3.
1. La signoria (cioè il pieno dominio) su se stessi è la più difficile e la più grande. Ma spesso nulla possediamo meno di noi stessi, quando ci lasciamo travolgere dai più perversi istinti.

4.
1. La dignità dell'uomo è nel pensiero.

5.
1. **Non si dimanda**: non si chiama.
2. **perdendo**: quando egli perde. I beni materiali non sono soggetti alla nostra volontà, ma al caso, spesso alla violenza rapace degli altri. Solo la virtù, da noi liberamente scelta, è cosa nostra, perché dipende unicamente dalla nostra ragione e dalla nostra volontà.

6.
1. **di compartire e misurare**: di dedicare ordinatamente e consapevolmente a qualche nobile attività.
2. **questi nostri miseri giorni**: miseri perché brevi e fugaci (sotto, dirà *misero tempo*). Leonardo accetta con virile rassegnazione la nostra suprema necessità, la nostra condanna a morire; ciò che conta è non vivere invano, ma seguendo un ideale che dia un senso alla nostra esistenza, che giovi a noi e agli altri.

7.
1. **che vivendo**: piuttosto che. Il contenuto è presso a poco quello del pensiero precedente, espresso con vibrazione drammatica più intensa.

8.
1. Qui è considerato l'aspetto naturalistico dell'uomo, visto come momento nello svolgersi della vita cosmica, nel continuo alternarsi di morte e vita. L'uomo si ciba degli animali e per questo diventa albergo di morte, dalla quale trae però la sua vita. Racchiude in sé l'altrui corruzione; ma anche questa non fa che preparare un novello dischiudersi della vita.

9.
1. È una massima profonda e intensissima. Il nostro desiderio di vivere ci spinge verso un avvenire al termine del quale è la morte. Si può dire che portiamo in noi ugualmente la nostra vita e la nostra morte.

10.
1. Colui che si isola dal volgo (*salvatico*, quasi selvaggio, lontano dal consorzio umano) si salva; ritrova infatti nell'approfondita e non distratta meditazione solitaria la verità, unica, autentica dignità dell'uomo.

11.
1. Cfr. i pensieri 6 e 7.

12.
1. Quanto più un'anima è sensibile e profonda tanto più è aperta alla sofferenza.

13.
1. Ha parlato, in un'altra massima, del *misero tempo* della nostra vita. Ma la vita non è né misera né breve se è spesa in nome di un ideale che le dia un significato e la prolunghi, oltre la morte, nella memoria degli uomini.

14.
1. È il contrario della situazione spirituale adombrata nel pensiero precedente. Breve e fugace è la vita per chi non cerca in essa che il piacere. Costui stenta, si travaglia per trovare un'effimera felicità; spera di godere quei beni che persegue di continuo, insaziabile; e mentre spera, la vita fugge, senza gioia, senza significato.

15.
1. **che non avanza**: che non supera. È vile e disposto al male (tristo), cioè a macchiare la propria dignità di uomo chi non sente il bisogno di superare il maestro, di procedere più avanti nella via che questi gli ha additato. Per Leonardo la vita è continua e generosa conquista.

16.
1. **Ecci alcuni**: vi sono alcuni.
2. **destri**: latrine. L'aggiunta fra lineette è posteriore alla prima stesura del testo. Ritornando sul suo pensiero, Leonardo ha provato un rinnovato senso di disprezzo, anzi, di disgusto verso gli ignavi, verso, cioè, coloro che vivono come animali, senza un ideale che illumini la loro vita. Costoro vegetano — sono «transito di cibo» — non servono che a concimare la terra.
3. **per loro... alcuna virtù in opera si mette**: perché da loro nessuna virtù e abilità viene esercitata, nessun ideale viene perseguito. **altro nel mondo appare**: È un'altra aggiunta posteriore; vi senti l'amarezza dello spirito nobile e solitario, proteso a un ideale altissimo di conoscenza e di virtù, ma che vede troppo spesso trionfare nel mondo la grettezza spirituale.
4. **altro che pieni e destri**: di loro non resta altro che luoghi pieni di sterco e latrine.

17.
1. **o invidiosa antichità**: è una ripetizione del concetto di tempo. Solo che la parola *antichità* esprime l'allontanarsi, lo svanire delle cose in un passato remoto, irrevocabile, già ormai di là dalla memoria; è quindi: *invidiosa*, cioè rapace, perché tutto sottrae.
2. **e consummate**: sott. «sono».

poco a poco con lenta morte. Elena, quando si specchiava,[3] vedendo le vizze grinze del suo viso fatte per la vecchiezza, piagne e pensa seco perché fu rapita due volte.

18. L'acqua che tocchi de' fiumi è l'ultima di quella che andò e la prima di quella che viene. Così il tempo presente.[1]

19. No si volta chi a stella è fisso.[1]

20. La passione dell'animo caccia via la lussuria.

3. Elena, quando si specchiava: L'accorata meditazione si tramuta in un incisivo quadro drammatico: Elena greca due volte fu rapita, prima da Teseo poi da Paride, per il fascino che esercitava la sua bellezza. Ora si guarda allo specchio, e vede che la vecchiaia ha inesorabilmente sfigurato il suo viso, e si chiede piangendo perché fu rapita due volte, dov'è, cioè, fuggita quella bellezza luminosa e labile che il tempo ha irrevocabilmente distrutto, e collocato in un remoto passato che non ritorna. Il pensiero è la traduzione libera di un passo d'Ovidio; ma Leonardo v'ha aggiunto un sentimento drammatico dello svanire della nostra vita.

18.
1. Un altro pensiero sul tempo, sulla sua fuga irrevocabile, espresso con una potente concentrazione drammatica. Il presente è come l'acqua che tu tocchi di un fiume: è l'ultima di quella che è già trascorsa verso la foce, la prima di quella che fluisce dalla sorgente verso la tua mano posata nell'onda. Il presente, cioè, è un momento infinitesimale, sfuggente, fra il passato e il futuro; il tempo ci trascina nella sua corsa senza respiro.

19-20.
1. Ci piace concludere questa breve antologia dei pensieri di Leonardo con due massime concise e profonde che racchiudono in sé il senso più intimo della sua esistenza, protesa verso un ideale di scienza, di virtù, di umana grandezza.
Il primo dice che chi ha lo sguardo incrollabilmente fisso alle stelle, cioè a un ideale nobile e sublime, non si lascia in nessun modo distogliere da esso. Il secondo ribadisce che la passione dell'anima protesa verso gl'ideali più alti ci fa superare tutti i vani allettamenti mondani. La bellezza delle due massime è in quel tono di certezza irrevocabile, nella fede, che esse sottintendono, nella grandezza e dignità dell'uomo, capace di trionfare sulla dolorosa fuga del tempo.

Favole

Numerose sono le favole scritte da Leonardo. Alcune sono abbozzi essenziali e incisivi, altre, come quelle qui riportate, hanno un andamento più disteso e letterariamente elaborato. In tutte s'avverte una vivace concentrazione drammatica e la tendenza dell'autore a cogliere ed esprimere una situazione attraverso pochi tratti intensi; la stessa dei suoi balenanti frammenti.

Alcune favole (la prima e la terza, ad es.) hanno un tono lirico e autobiografico, altre riflettono aspetti più generali della vita. Quasi tutte sono accompagnate da una morale, spesso, però, inferiore al racconto. Domina in tutte un senso travagliato, anche se virilmente accettato, del vivere, e, conseguentemente, l'invito a conoscere la Natura, a comprenderne la ferma necessità, per adeguare ad essa la nostra difficile esistenza.

1. Una pietra novamente per l'acque scoperta,[1] di bella grandezza, si stava sopra un certo loco rilevata, dove terminava un dilettevole boschetto sopra una sassosa strada, in compagnia d'erbette, di vari fiori di diversi colori ornata,[2] e vedea la gran somma delle pietre che nella a sé sottoposta strada[3] collocate erano. Le venne desiderio di là giù lasciarsi cadere, dicendo con seco:[4] «Che fo qui con queste erbe? io voglio con queste mie sorelle in compagnia abitare». E giù lassatosi cadere infra le desiderate compagne, finì suo volubile corso;[5] e stata alquanto cominciò a essere da le rote de' carri, dai piè de' ferrati cavalli e de' viandanti, a essere[6] in continuo travaglio; chi la volta, quale la pestava, alcuna volta si levava[7] alcuno pezzo, quando stava coperta dal fango o sterco di qualche animale, e invano riguardava il loco[8] donde partita s'era, innel loco della soletaria e tranquilla pace.

Così accade a quelli che della[9] vita soletaria e contemplativa vogliano venir a abitare nelle città, infra i popoli pieni d'infiniti mali.

2. Andando il dipinto[1] parpaglione vagabundo,[2] e discorrendo per la oscurata aria,[3] li venne visto un lume, al quale subito si dirizzò, e, con vari circuli quello attorniando,[4] forte si maravigliò[5] di tanta splendida bellezza; e non istando contento solamente al vederlo, si mise innanzi per fare di quello come delli odoriferi fiori fare solìa;[6] e, dirizzato suo volo, con ardito animo passò per esso lume, el quale gli consumò li stremi delle alie[7] e gambe e altri ornamenti. E caduto a' piè di quello, con ammirazione considerava esso caso donde intervenuto fussi,[8] non li potendo entrare nell'animo che da sì bella cosa[9] male o danno alcuno intervenire potessi; e, restaurato alquanto le man-

1.
1. novamente per l'acque scoperta: che da poco l'acqua aveva tratto alla luce disciogliendo il terriccio che l'aveva sommersa.
2. in compagnia d'erbette... ornata: Sono particolari visivi, pittorici. La prosa di Leonardo è asciutta, rapida, eppure dà un'immagine concreta e nitidissima delle cose.
3. nella a sé sottoposta strada: nella strada che correva sotto la proda sulla quale stava la pietra.
4. con seco: fra sé e sé.
5. finì suo volubile corso: arrestò il suo rotolare giù per il pendio fermandosi nella strada fra le altre pietre.
6. a essere... a essere: una delle due espressioni è pleonastica.
7. si levava, ecc.: si scheggiava.
8. invano riguardava il loco, ecc.: Il tono si anima, perché si tratta, come si vede dalla *morale*, di una favola che potremmo dire autobiografica. Qui non è più la pietra che occupa il centro della scena, ma la nostalgia di Leonardo per la vita solitaria e contemplativa, l'intima pace che nasce dal sereno spaziare della mente che si sia liberata da ogni meschina cura materiale, nella sempre rinnovantesi armonia dell'universo.
9. della: dalla.

2.
1. dipinto: variopinto.
2. parpaglione vagabundo: errabonda farfalla.
3. discorrendo... aria: vagando per l'aria oscura della notte.
4. con vari... attorniando: volando a più riprese in cerchio attorno ad esso.
5. forte si maravigliò, ecc.: il senso più profondo di questa favola non sta nella *morale* che Leonardo scrive alla fine, ma nell'anelito della farfalla verso la luce. Quantunque bruciata ritorna dentro il lume, come per un'ansia disperata di comunione col suo splendore mirabile; la bellezza sensibile l'attrae con un fascino irresistibile.
6. si mise... fare solìa: penetra nella fiamma come soleva fare coi fiori profumati, per suggerne l'essenza, l'intimo nettare.
7. li stremi delle alie: l'estremità delle ali.
8. con ammirazione... fussi: con stupore pensava come potesse essere avvenuta, donde gli fosse derivata tale sciagura.
9. che da sì bella cosa, ecc.: non riesce a concepire come da una cosa tanto bella possano derivare dolore e sventura.

cate forze, riprese un altro volo, e, passato attraverso del corpo d'esso lume, cadde subito bruciato nell'olio ch'esso lume notrìa,[10] e restogli solamente tanta vita, che poté considerare la cagion del suo danno, dicendo a quello: «O maledetta luce, io mi credevo avere in te trovato la mia felicità; io piango indarno il mio matto desiderio, e con mio danno ho conosciuto la tua consumatrice e dannosa natura». Alla quale[11] il lume rispose: «Così fo io a chi ben non mi sa usare».

Detta per quelli,[12] i quali, veduti dinanzi a sé questi lascivi e mondani piaceri, a similitudine del parpaglione, a quelli corrano, sanza considerare la natura di quelli; i quali, da essi omini, dopo lunga usanza, con loro vergogna e danno conosciuti sono.

3. La pietra, essendo battuta dall'acciarolo del foco,[1] forte si maravigliò, e con rigida[2] voce disse a quello:

«Che prusunzion ti move a darmi fatica?[3] Non mi dare affanno, che tu m'hai volto in iscambio;[4] io non dispiacei[5] mai a nessuno». Al quale l'acciarolo rispose: «Se starai paziente, vederai che maraviglioso frutto uscirà di te». Alle quale parole la pietra, datosi pace, con pazienza stette forte al martire,[6] e vide di sé nascere il maraviglioso foco, il quale, colla sua virtù, operava in infinite cose.

Detta per quelli i quali spaventano ne' prencipi delli studi, e poi che a loro medesimi[7] si dispongano potere comandare, e dare con pazienzia opera continua a essi studi, di quelli si vede resultare cose di maravigliose dimostrazione.

10. ch'esso lume notria: che nutriva quel lume (complem. oggetto).

11. Alla quale: al che. La risposta del lume, secca e spietata, conduce alla conclusione moralistica della favola.

12. Detta per quelli, ecc.: La favola è detta per coloro, ecc. Secondo questa *morale* la fiamma simboleggia i piaceri mondani che attraggono col loro splendore l'animo e poi lo distruggono. Come spesso avviene, Leonardo, nelle sue favole, esorta l'uomo alla conoscenza e al buon uso delle leggi naturali.

3.
Un'altra favola che potremmo dire autobiografica: attraverso il travaglio e la macerazione della ricerca, il saggio scopre la verità che illumina se stesso e gli altri.

1. dall'acciarolo del foco: la selce è battuta dall'acciarino, uno strumento che, percotendola, ne trae la scintilla dalla quale si accende il fuoco.
2. rigida: aspra, adirata.
3. a darmi fatica: a darmi travaglio.
4. m'hai volto in iscambio: m'hai presa per un altro.
5. non dispiacei: non dispiacqui, non diedi motivo d'ira e di odio.
6. stette forte al martire: l'espressione denota la ferrea costanza che il saggio deve avere nello studio e nella ricerca, anche se portano quasi sempre sacrificio.
7. e poi che a loro medesimi, ecc.: ma quando riescono ad acquistare un pieno dominio sulla propria volontà e a dedicarsi con pazienza al loro continuo studio, vedono da quello risultare cose mirabili.

Un'idea della pittura

La rivendicazione della piena dignità delle belle arti — pittura, scultura, architettura —, che l'estetica antica e medievale avevano considerato «meccaniche» perché implicate in qualche modo nella materia, è un tema ricorrente nel Rinascimento italiano. Cospirarono a questa persuasione sia l'idea mutata della presenza e della funzione dell'uomo nel mondo, sia l'affermarsi di numerose e grandi personalità artistiche, la cui opera era richiesta dal grande sviluppo delle città, causa ed effetto, insieme, come s'è visto, d'un profondo rivolgimento di civiltà. Tale presenza, a partire dalla fine dell'età comunale, da Giotto, che rimase, nel Quattrocento, il riconosciuto rifondatore della pittura, a Masaccio, a Piero della Francesca, al Botticelli, a Leonardo, a Donatello, al Verrocchio, all'Alberti, al Brunelleschi, al Bramante (l'elenco potrebbe continuare a lungo), ispira in tutta la categoria un orgoglio legittimo, cancella la definizione di «arti meccaniche» contrapposte a quelle «liberali», cioè alla poesia e a ogni manifestazione creativa del pensiero affidata alla scrittura.

Si aggiunge a questo l'orgoglio col quale l'uomo guarda la propria grande creazione che è la città, frutto del suo lavoro costruttivo, di cui le arti sono la manifestazione privilegiata. Leon Battista Alberti, nel trattato sull'Architettura (*De re aedificatoria*), aveva esaltato la funzione civile di quest'arte, necessaria allo sviluppo della vita associata, definendo l'architetto come colui che «con certo e ammirevole metodo razionale sa definire nella mente e nell'animo e portare a compimento nell'opera tutto ciò che, partendo dalla composizione armonica del dinamico ammassamento e congiunzione reciproca dei corpi e dei pesi, possa essere applicato nella maniera migliore agli usi più alti dell'uomo». In tal modo rivendicava l'impegno intellettuale del fare artistico, la stretta e necessaria relazione di esso con lo sviluppo della civiltà e degli oggetti che ne erano espressione e testimonianza: le macchine, la dimora dell'uomo, i templi per la divinità.

Ci soffermiamo sull'esaltazione della pittura compiuta da Leonardo nei rapidi pensieri qui antologizzati in quanto essi rivelano, nella sintesi perentoria che li collega alle ragioni supreme del vivere, alcuni caratteri tipici della nuova estetica rinascimentale, in stretto contatto con la mentalità scientifica e filosofica dell'epoca.

Come afferma un importante studioso del nostro Rinascimento, Eugenio Garin, alla radice del pensiero leonardesco, come di molta scienza dell'epoca, sta il presupposto, già affermato vigorosamente dal Ficino, «di una corrispondenza perfetta fra mente umana e realtà attraverso la matematica, in cui si rispecchia esemplarmente il ritmo preciso con cui Dio ha creato l'universo», in numero, peso, misura, e l'idea di un'armonia prestabilita fra uomo e mondo. Leonardo crede fermamente che la natura sia retta da una regola razionale, che, a suo avviso, «in lei infusamente vive»: una razionalità che si esprime, e può essere tradotta, in termini matematici. L'esperienza, cogliendola e verificandola nelle cose, apre la strada alla creazione artistica, che, in analogia con quella divina, produce oggetti coerenti con l'intima razionalità della natura.

È questa una persuasione comune dell'estetica rinascimentale, sia pure con qualche variante e con appelli a fondazioni filosofiche diverse: l'arte non imita meccanicamente o passivamente la natura nella materialità della copia, ma ne scopre e traduce nei propri prodotti, emulandola, la capacità creativa.

La Pittura

Leonardo vagheggia un tipo ideale di pittore-filosofo, che non imiti semplicemente la natura ritraendo le forme corporee, ma sappia cogliere l'intimo procedimento creativo di essa, cioè la dinamicità delle forze che producono il moto dell'universo. Il pittore deve esprimere gli oggetti cogliendoli nella loro relazione con la vita del cosmo; deve sapere unire all'evidenza, nata dalla sua piena adesione sensibile alla natura, il discorso della mente che comprende le cause e le leggi della vita. Deve, insomma, cogliere ed effigiare nella sua opera la suprema armonia del mondo. In tal modo, egli dice, «la mente del pittore si tramuta in una similitudine di mente divina, imperoché con la libera potestà discorre alla generazione di diverse essenzie».

Se 'l pittore vol vedere bellezze che lo innamorino, egli n'è signore di generarle,[1] e se vol vedere cose mostruose, che spaventino, o che sieno buffonesche e risibili, o veramente compassionevoli, ei n'è signore e dio. E se vol generare siti e deserti, boschi ombrosi o foschi ne' tempi caldi, esso li figura, e così lochi caldi ne' tempi freddi. Se vol valli, se vole delle alte cime de' monti scoprire gran campagna, e se vole dopo quelle vedere l'orizzonte del mare, egli n'è signore, e se vole dopo quelle vedere l'orizzonte del mare, egli n'è signore, e se dalle basse valli vol vedere gli alti monti, o dagli alti monti le basse valli e spiagge. E in effetto ciò ch'è nell'universo per essenzia, presenzia o immaginazione, esso lo ha prima nella mente, e poi nelle mani;[2] e quelle sono di tanta eccellenzia,[3] che in pari tempi generano una proporzionata armonia di un solo sguardo, qual fanno le cose.

1. **egli... generarle**: è padrone di generarle, di crearle. Lo stesso senso ha la frase che conclude il periodo. Il concetto è ribadito più volte: tutto il passo è un inno alla potenza del pittore, alla sua capacità di andare oltre le immagini contingenti e immediate, per intuire e raffigurare la pura, universale forma della vita.
2. **E... mani**: E in realtà egli ha prima nella mente e poi nelle mani (cioè prima comprende col suo spirito e poi raffigura sensibilmente) tutto ciò che è nell'universo, cioè le essenze (le intime leggi che regolano il continuo e molteplice fluire della vita), gli oggetti (ciò che è *per presenzia*), le cose generate dalla nostra immaginazione.
3. **e quelle... eccellenzia**: la mano del pittore traduce l'intuizione del suo spirito in una *proporzionata armonia*, esprime cioè l'armonia che la mente ha scoperto nelle cose, nella realtà.

La prospettiva

La *prospettiva*, e cioè l'arte di rappresentare lo spazio — e le figure nello spazio — dando l'idea della profondità e del rilievo, fu una delle scoperte più importanti della pittura quattrocentesca, compiuta in stretto contatto fra pittori e matematici. Grande matematico fu Luca Pacioli, di Sansepolcro (Arezzo), vissuto all'incirca fra il 1445 e il 1514, discepolo d'un grande pittore, Piero della Francesca, e amico di Leonardo, il probabile autore delle illustrazioni della sua opera maggiore, la *Divina proportione*, uscita nel 1509 a Venezia.

Esempio e testimonianza del rispecchiamento nell'uomo delle leggi matematiche su cui si fonda il ritmo universale della natura, o la «divina proporzione del mondo» (quale fu concepita sul piano teoretico), la prospettiva diviene una scoperta tecnica e, insieme, ideologica. La «piramide» delle linee ideali promananti dai corpi si riflette unitariamente in un punto, situato nell'occhio umano. Questo diviene così «universale giudice di tutti i corpi», accoglie e verifica la struttura armonica della natura, e tale visione conforta l'uomo, limitato da quello che Leonardo chiama platonicamente «carcere», ossia dal limite terreno che ostacola lo slancio infinito del pensiero, lo esalta, ne fonda l'individualità su parametri assoluti di certezza. La metafora platonica viene, almeno in parte, rovesciata da un ottimismo esistenziale che fa del senso non una prigione, ma un mezzo di adesione alla bellezza del mondo. Su questi temi è importante anche il trattato dell'Alberti, *Della pittura*.

Prospettiva è ragione dimostrativa per la quale la sperienzia conferma tutte le cose mandare all'occhio per linee piramidali la loro similitudine.[1] Linee piramidali intendo esser quelle le quali si partano dai superficiali stremi[2] de' corpi e per distante concorso[3] si conducano a uno solo punto, il quale punto in questo caso mostrerò essere collocato nell'occhio, universale giudice di tutti i corpi.

L'occhio dal quale la bellezza dell'universo è specchiata[4] dalli contemplanti, è di tanta eccellenzia che chi consente[5] alla sua perdita, si priva della rappresentazione di tutte l'opere della natura,[6] per la veduta delle quali l'anima sta contenta nelle umane carceri,[7] mediante gli occhi, per li quali essa anima si rappresenta tutte le varie cose di natura; ma chi li perde lascia essa anima in una oscura prigione, dove si perde ogni speranza di riveder il sole, luce di tutto il mondo. [...]

Certo, non è nissuno che non volesse più tosto perdere l'audito[8] o l'odorato che l'occhio: la perdita del quale audire consente la perdita di tutte le scienze c'hanno termine nelle parole,[9] e sol fa questo[10] per non perdere la bellezza del mondo, la qual consiste nella superfizie de' corpi si accidentali che naturali,[11] li quali si riflettono nell'occhio umano.

1. **Prospettiva... similitudine**: La prospettiva è la dimostrazione razionale per mezzo della quale l'esperienza conferma che tutte le cose inviano all'occhio il loro aspetto (o forma) attraverso linee piramidali, ossia convergenti nell'occhio come spigoli d'una piramide.
2. **superficiali stremi**: estremità delle superfici.
3. **per... concorso**: concentrandosi in un sol punto, pur partendo da distanze diverse.
4. **specchiata**: rispecchiata. E dice, subito dopo, «dalli contemplanti», cioè da parte di chi la contempla; ma è rispecchiamento naturale, di cui l'artista esprime la coscienza e le ragioni profonde, riflettendole ed emulandole nel proprio quadro.
5. **chi consente**: se uno consentisse.
6. **rappresentazione**: del rispecchiarsi entro di sé, attraverso l'esperienza degli occhi di tutte le cose, che sono operate dalla natura (dunque, degli oggetti esterni). Unisci a **mediante gli occhi** e a ciò che segue; mentre la frase che segue immediatamente (**per... carceri**) è un inciso.
7. **umane carceri**: il corpo, considerato qui, con immagine di ascendenza platonica, come la pura fisicità materiale che limita l'intelletto e la capacità di conoscere la verità suprema.
8. **volesse... tosto**: preferirebbe. **audito**: udito.
9. **consente**: comporta come conseguenza necessaria. **c'hanno... parole**: che vengono tramandate per via d'insegnamento, e dunque con parole destinate all'audizione. La totale sordità (da immaginare fin dalla nascita) lascerebbe l'uomo quasi privo d'ogni forma di comunicazione verbale.
10. **fa questo**: compirebbe questa scelta.
11. **accidentali**: non immediatamente naturali: gli oggetti fatti dall'uomo.

Pittura e poesia

Leonardo rovescia le posizioni tradizionali, proclamando la superiorità della pittura, che, simile in questo alla musica, ma, a quel che sembra, superiore anche a questa, offre una forma di compartecipazione simultanea all'armonia del mondo, a differenza delle arti come la poesia che disgiungono quest'unità di perfezione per via del loro necessario svolgersi nel tempo. Ma più che questo discorso sul primato, valgono qui altre considerazioni: quella del rapimento prodotto dalla musica, che lascia gli uditori con «stupefatta ammirazione» e «semivivi», o quella della bellezza come proporzione ritrovata in un bel viso: un ritrovamento non meccanico, ma frutto della profonda intuizione dell'artista, tanto da stupire anche l'amante della donna effigiata che mai l'aveva vista bella come ora, nella rivelazione artistica.

La pittura è una Poesia muta, e la Poesia è una pittura cieca, e l'una e l'altra va imitando la natura quanto è possibile alle lor potenzie,[1] per l'una e per l'altra si può dimostrare molti morali costumi, come fece Apelle co' la sua *Calumnia*.[2]

Ma della Pittura perché serve all'occhio, senso più nobile,[3] ne risulta una proporzione armonica, cioè che — sì come molte varie voci insieme aggionte ad un medesimo tempo,[4] ne risulta una proporzione armonica, la quale contenta tanto il senso dell'audito, che li auditori restano con stupefatta ammirazione, quasi semivivi — ma molto più,[5] farà' le proporzionali bellezze d'un angelico viso, posto in pittura,[6] dalla quale proporzionalità ne risulta un armonico concento, il quale serve all'occhio in un medesimo tempo che si faccia dalla musica all'orecchio,[7] e se tale armonia delle bellezze sarà mostrata all'amante di quella di che tali bellezze sono imitate, sanza dubbio esso resterà

1. **va**: vanno. **potenzie**: capacità espressive. Leonardo aderisce all'idea delle arti belle come imitazione della natura. L'idea, subito dopo aggiunta, di proporzione, toglie a tale imitazione ogni aspetto di copia meccanica e servile, conferendo all'artista la capacità di emulare lo stesso procedimento creativo della natura, che a sua volta viene fatta coincidere con l'armonia del mondo e delle cose. Il cogliere tale armonia è la suprema dignità d'ogni opera d'arte, fra le quali Leonardo dà il primato alla pittura perché la presenta simultaneamente.
2. **per**: mediante. **morali costumi**: significati morali. **Apelle**: grande pittore della Grecia classica. La notizia che egli dipingesse una figura allegorica della Calunnia risale a una fonte classica: Luciano di Samosata.
3. L'idea che l'occhio fosse il senso più nobile, accettata comunemente nel Medioevo e anch'essa di ascendenza classica, derivava dalla generica persuasione che fosse più eletto ciò che meno era «contaminato» dalla materia (e tale appariva la vista rispetto agli altri sensi); senza contare che il vedere, il contemplare sembravano direttamente correlati all'attività contemplativa della mente. **della Pittura**: dalla pittura.
4. **cioè che**: per intendere il complesso periodo, sintatticamente irregolare, conviene non tener conto di queste parole, o considerarle alla stregua di un «infatti». **insieme... tempo**: congiunte nello stesso tempo (e cioè in un coro). È quello che in latino si chiamava ablativo assoluto. Leggi: «essendo esse congiunte simultaneamente», ecc.
5. **molto più**: un effetto molto più intenso.
6. **farà'**: produrranno. **posto... pittura**: dipinto. Il **proporzionali** allude alla proporzionalità che l'artista scopre in quelle bellezze; ed è scoperta originale dell'armonia d'ogni cosa e della natura nel suo complesso. Che la scoperta sia di pertinenza dell'artista, si coglie nello stupore col quale (cfr. più avanti) l'innamorato di quella donna la vedrà, nella trasfigurazione pittorica, in una nuova, ma autentica luce di bellezza.
7. **concento**: accordo. **in... orecchio**: istantaneamente, come istantanea è la percezione sensibile dell'armonia musicale. Anche la musica, da Pitagora a tutto il Rinascimento e oltre, è vista come rapporto armonico o proporzionalità stabilita fra i toni acuti (più rapidi) e gravi (più lenti).

con istupenda ammirazione e gaudio incomparabile e superiore a tutti l'altri sensi.[8]

Ma della Poesia, la quale s'abbia estendere alla figurazione d'una perfetta bellezza, co' la figurazione particolare di ciascuna parte, della quale si compone in Pittura la predetta armonia, non ne risulta alcuna grazia, che si facessi a far sentir nella musica ciascuna voce per sé sola in vari tempi,[9] delle quali non si comporrebbe alcun concento, come se volessimo mostrare un volto a parte a parte, sempre ricoprendo quelle che prima si mostrarno,[10] delle quali dimostrazioni l'oblivione[11] non lascia comporre alcuna proporzionalità d'armonia, perché l'occhio non le abbraccia co' la sua virtù visiva a un medesimo tempo.

8. istupenda: stupenda. Insieme col sostantivo indica ammirazione che lascia stupefatti, anche per il ritrovamento, da parte dell'artista, di quella pura idea d'armonia che non si rivela immediatamente ai sensi, ma è compito dell'arte «leggere» nelle cose, in cui è inscritta. **superiore... sensi**: superiore a quella che si può provare con gli altri sensi.

9. Ma... tempi: Ma dalla (**della**) poesia che volesse estendersi alla rappresentazione d'una bellezza perfetta, raffigurando quella particolare di ciascuna parte, dal cui comporsi risulta, in pittura, l'armonia di cui s'è detto, non risulterebbe alcuna grazia diversa da quella che risulterebbe nella musica dal sentire successivamente, e dunque in tempi diversi, le voci singole d'un coro.

10. si mostrarno: si mostrarono. La percezione legata a tempi diversi (i singoli versi e lo scorrere successivamente in essi delle singole parti della descrizione), impedisce alla poesia la percezione simultanea, spaziale dell'armonia che la pittura rende invece attuale.

11. oblivione: l'oblio delle singole parti via via trascorse della descrizione poetica.

Il diluvio

Questa lunga e drammatica *sequenza* del diluvio può essere messa in relazione con un gruppo di disegni composti da Leonardo verso la fine della sua vita e rappresentanti anch'essi l'erompere turbinoso delle forze latenti della natura in una suprema catastrofe del mondo. È una scena grandiosa e terrificante, un trionfo della morte contemplato dal poeta senza sgomento, ma col lucido sguardo, con la sommessa e rassegnata pietà con cui ha a lungo indagato il mistero della morte e della vita, accettandone con animo sereno e virile la legge arcana.

Vedeasi[1] la oscura e nubolosa aria essere combattuta dal corso di diversi venti, e avviluppati[2] dalla continua pioggia e misti colla gragnuola li quali or qua or là portavano infinita ramificazione delle stracciate piante, miste con infinite foglie[3] dell'autunno. Vedeasi le antiche piante diradicate e strascinate dal furor de' venti. Vedevasi le ruine de' monti, già scalzati dal corso de' lor fiumi, ruinare sopra e medesimi fiumi e chiudere le loro valli; li quali fiumi ringorgati allagavano e sommergevano le moltissime terre colli lor popoli. Ancora aresti potuto vedere, nelle sommità di molti monti, essere insieme ridotte[4] molte varie spezie d'animali, spaventati e ridotti al fin dimesticamente[5] in compagnia de' fuggiti omini e donne colli lor figlioli. E le campagne coperte d'acqua mostravan le sue onde[6] in gran parte coperte di tavole, lettiere, barche e altri vari strumenti[7] fatti dalla necessità e paura della morte, sopra li quali era donne, omini colli lor figliuoli misti, con diverse lamentazioni e pianti, spaventati dal furor de' venti, li quali con grandissima fortuna[8] rivolgevan l'acque sottosopra e insieme colli morti da quella annegati. E nessuna cosa più lieve[9] che l'acqua era, che non fussi coperta di diversi animali, i quali, fatta tregua, stavano insieme con paurosa collegazione, infra' quali era lupi, volpe, serpe e d'ogni sorte, fuggitori[10] della morte.

Alcune congregazione[11] d'uomini aresti potuto vedere, li quali con armata mano difendevano li piccoli siti, che loro eran rimasi, con armata mano da lioni e lupi e animali rapaci, che quivi cercavan lor salute. O quanti romori spaventevoli si sentiva per l'aria scura, percossa dal furore de' tuoni e delle fùlgore[12] da quelli scacciate, che per quella ruinosamente scorrevano, percotendo ciò che s'opponea al su' corso! O quanti aresti veduti colle propie mani chiudersi li orecchi per ischifare[13] l'immensi romori, fatti per la tenebrosa aria dal furore de' venti misti con pioggia, tuoni celesti e furore di saette!

Altri, non bastando loro il chiuder li occhi, ma colle proprie mani ponendo quelle l'una sopra dell'altra, più se li coprivano, per non vedere il crudele strazio fatto della umana spezie dall'ira di Dio.

O quanti lamenti, o quanti spaventati si gittavon dalli scogli! Vedeasi le grandi ramificazioni delle gran querce, cariche d'uomini, esser portati per l'aria dal furore delli impetuosi venti.

Quante eran le barche volte sottosopra, e quale intera e quale in pezze[14] esservi sopra gente, travagliandosi per loro scampo, con atti e movimenti dolorosi, pronosticanti di spaventevole morte. Altri con movimenti disperati si

1. Vedeasi: quest'imperfetto iniziale determina un'atmosfera di prodigio leggendario. Ma tutto questo testo sembra una visione lucida e insieme allucinata della fantasia dell'artista.

2. avviluppati: commisti; ma la parola dà l'immagine di masse vorticose e turbinose di pioggia, grandine, vento che crollano rovinosamente sulla terra.

3. infinita... foglie: Non vede i tronchi, ma il complesso dei rami devastati e agitati vorticosamente dal vento, infiniti come quelle foglie che turbinano in quell'estremo autunno del mondo.

4. insieme ridotte: ammucchiate insieme.

5. ridotti al fin dimesticamente, ecc.: spinti alla fine a convivere domesticamente con gli uomini.

6. le sue onde: *sue* è riferito ad acqua.

7. altri vari strumenti, ecc.: altri vari oggetti che potessero galleggiare.

8. fortuna: tempesta.

9. nessuna cosa più lieve, ecc.: non vi era oggetto atto a galleggiare sull'acqua, ecc.

10. fuggitori: che cercavano di fuggire la morte.

11. congregazione: gruppi.

12. delle fùlgore, ecc.: delle folgori che sembravano cacciate fuori delle nubi dai tuoni.

13. ischifare: schivare.

14. e quale intera e quale in pezze, ecc.: e sia su quelle intere sia su quelle disfatte restava ancor sopra la gente, nonostante che fossero capovolte, affaticandosi per trovare scampo; e i loro gesti e movimenti angosciosi erano già presagio della morte vicina.

toglievon la vita, disperandosi di non potere sopportare tal dolore; de' quali alcuni si gittavano dalli alti scogli, altri si stringeva la gola colle propie mani, alcuni pigliava li propi figlioli e con grande impeto li sbatteva in terra, alcuni colle propie sue armi si feria, e uccidea se medesimi, altri gittandosi ginocchioni si raccomandava a Dio. O quante madri piangevano i sua annegati figlioli, quelli tenenti sopra le ginocchia, alzando le braccia aperte in verso il cielo, e con voce composte di diversi urlamenti[15] riprendevan l'ira delli Dei; altra, colle man giunte e le dita insieme tessute, morde e con sanguinosi morsi quelle divorava, piegando sé col petto alle ginocchia per lo immenso e insopportabile dolore.

Vedeasi li armenti delli animali, come cavalli, buoi, capre, pecore, esser già attorniato dalle acque e essere restati in isola[16] nell'alte cime de' monti, già restrignersi insieme, e quelli del mezzo[17] elevarsi in alto, e camminare sopra delli altri, e fare infra loro gran zuffe, de' quali assai ne moriva per carestia di cibo.

E già li uccelli[18] si posavan sopra gli omini e altri animali, non trovando più terra scoperta che non fussi occupata da' viventi; già la fame, ministra della morte, avea tolto la vita a gran parte delli animali, quando li corpi morti già levificati[19] si levavano dal fondo delle profonde acque e surgevano in alto e in fra le combattente onde, sopra le quali si sbattevano l'un nell'altro, e, come palle piene di vento, risaltavan indirieto[20] dal sito della lor percussione. Questi si facevan basa[21] de' predetti morti. E sopra queste maladizioni si vedea l'aria coperta di oscuri nuvoli, divisi dalli serpeggianti moti delle infuriate saette del cielo, alluminando[22] or qua or là in fra la oscurità delle tenebre.

15. diversi urlamenti: urla selvagge e scomposte. Al centro del quadro è la disperazione degli uomini, e, soprattutto indimenticabile, quella delle madri.

16. restati in isola: rimasti sulle cime dei monti che sole emergevano dalle acque, come isole.

17. e quelli del mezzo, ecc.: è un crescendo tumultuoso. Prima si ammucchiano insieme, poi quelli che sono nel mezzo, oppressi dalla calca, cercano scampo levandosi sopra gli altri e camminano su di essi, li calpestano e da ciò nascono fra loro zuffe tumultuose, alle quali fa drammatico contrasto la morte di molti per fame.

18. E già li uccelli: Dopo le scene tumultuose e urlanti, si ha qui il senso di un silenzio pieno di morte e di desolazione piombato sulla putrefazione del mondo sommerso. Potentissima nel suo macabro squallore l'immagine di quei corpi morti levati al sommo dell'onda che si urtano senza rumore «come palle piene di vento». Anche il cielo è mutato: ancora saette ma senza rumore di tuono, che squarciano a tratti le tenebre e illuminano il mondo esanime.

19. già levificati: gonfiati dalle acque e dalla putrefazione, i cadaveri galleggiano sull'acqua.

20. risaltavan indirieto, ecc.: cozzavano insieme e poi rimbalzavano all'indietro dal luogo ove s'erano scontrati.

21. Questi si facevan basa: gli uccelli si posavano.

22. alluminando: lanciando sprazzi di luce.

Letture critiche

Arte e pubblico nel Quattrocento

L'arte del Rinascimento ha il suo pubblico nella borghesia urbana e nella società delle corti principesche. Quanto al gusto, i due ceti hanno molti punti di contatto, nonostante l'originaria differenza. Da un lato l'arte borghese conserva ancora elementi cortesi del gotico; e, in più, con il rinnovarsi dei costumi cavallereschi, che del resto mai avevano perduto una loro attrattiva per i ceti inferiori, nuove forme di tipico gusto cortese vengono accolte dalla borghesia. D'altro canto neppure gli ambienti di corte possono sottrarsi al dominante realismo razionalistico della borghesia e finiscono per collaborare al costituirsi di una visione del mondo e dell'arte che ha le sue più profonde radici nella vita urbana. Alla fine del Quattrocento le due correnti sono così commiste, che anche un'arte profondamente borghese, come quella fiorentina, finisce per assumere un carattere più o meno aulico. Ma questo fenomeno non fa che riflettere la generale evoluzione e lascia intravvedere il cammino che dalla democrazia comunale porta al principato assoluto [...].

L'originaria struttura del capitalismo italiano è sostanzialmente mutata nel corso del Tre e del Quattrocento. Sulla primitiva avidità di guadagno è venuta prevalendo l'idea della convenienza, del metodo, del calcolo, e il razionalismo, che fin dagli inizi distingueva l'economia di profitto, si è fatto assoluto. Lo spirito di intraprendenza dei pionieri ha perduto i suoi caratteri romantici, avventurosi, pirateschi; il predone è diventato un organizzatore e un computista, un mercante previdente nei calcoli e circospetto nella condotta degli affari. Nell'economia del Rinascimento non era nuovo in sé il principio di organizzare razionalmente l'attività economica, né il semplice fatto di abbandonare prontamente un sistema tradizionale di produzione non appena se ne sperimentasse uno migliore, più rispondente allo scopo; nuova invece fu la sistematica coerenza con cui la tradizione venne sacrificata alla razionalità, la spregiudicatezza con cui ogni fattore della vita economica venne obiettivamente valutato e trasformato in una partita di contabilità. Solo questa completa razionalizzazione permise di far fronte ai nuovi compiti creati dall'aumento degli scambi. L'incremento della produzione esigeva un più intenso sfruttamento della mano d'opera, una più precisa divisione del lavoro e la graduale meccanizzazione dei metodi: non si trattava soltanto d'introdurre macchine, ma anche di rendere impersonale il lavoro umano, valutando il lavoratore unicamente a seconda del rendimento. Nulla meglio rivela la mentalità economica del nuovo tempo di questo realismo che riduce l'uomo al suo rendimento e questo al suo valore in denaro, al salario; il realismo per cui, in altre parole, l'operaio si riduce a semplice elemento di un complicato sistema d'investimenti e profitti, di possibilità di guadagno o di perdita, di attività e passività. Ma il razionalismo del tempo si esprime anche e soprattutto nel carattere in complesso commerciale che ha assunto ormai l'economia della città, un tempo essenzialmente artigiana [...].

Nello spirito capitalistico del Rinascimento entrano insieme la passione degli affari e le cosiddette «virtù borghesi»: amor del guadagno e operosità, frugalità e rispettabilità. Ma anche il nuovo sistema etico non fa che rispecchiare la generale tendenza razionalizzatrice. Il borghese infatti segue positive considerazioni d'interesse anche là dove pare che si tratti solo del suo prestigio; e per rispettabilità egli intende solidità commerciale e buon nome; lealtà, nel suo linguaggio, significa solvibilità. Soltanto nella seconda metà del Quattrocento questi principî di vita positiva e razionale cedono all'ideale del *rentier* e solo allora la vita del borghese assume caratteri signorili. Il processo si svolge in tre tappe. Al «tempo eroico del capitalismo» l'aspetto saliente dell'imprenditore è quello del combattivo predone, dell'audace avventuriero che fida solo in se stesso e non si adatta alla relativa sicurezza dell'economia medievale. L'abitante delle città a quei tempi combatte realmente contro la nobiltà nemica, i Comuni rivali e le inospiti città marinare. Quando a queste lotte segue una relativa tranquillità e i traffici convogliati per vie sicure permettono ed esigono una produzione più sistematica e più intensa, il tipo del borghese perde a poco a poco i suoi caratteri romantici; tutta la sua vita si disciplina in una regola ragionevole, coerente, metodica. Ma, conseguita la sicurezza economica, la disciplina della morale borghese si allenta, e si cede con soddisfazione crescente agli ideali dell'ozio e della bella vita. Il borghese si avvicina a uno stile di vita irrazionale proprio quando i principi, che ormai pensano secondo criteri fiscali, cominciano ad ispirarsi a norme non diverse da quelle professionali di un solido mercante, probo e solvibile. La corte e la borghesia s'incontrano a mezza strada. I principi diventano sempre più progressisti, mostrandosi anche nella loro attività culturale non meno innovatori dell'alta borghesia; questa per contro si fa sempre più conservatrice e favorisce un'arte che torna agli ideali della cavalleria e dello spiritualismo gotico, o per meglio dire — poiché essi non sono mai scomparsi del tutto dall'arte — torna a metterli in rilievo [...].

A differenza di quanto accadeva alle corti, nelle città a governo comunale l'arte nel Trecento era di carattere prevalentemente sacro. Solo nel Quattrocento ne mutano lo spirito e lo stile; solo ora, rispondendo alle nuove esigenze dei privati e al generale orientamento razionalistico, essa prende carattere mondano. Non solo si diffondono nuovi generi, come la pittura di storia e il ritratto, ma anche i soggetti sacri si riempiono di motivi profani. Certo anche così l'arte dei Comuni mantiene con la Chiesa e con la religione legami più stretti che non l'arte delle Signorie e, almeno in questo, la borghesia è più conservatrice della società di corte. Ma a metà del secolo anche nei Comuni, specialmente a Firenze, si possono notare nell'arte elementi cortesi e cavallereschi. I romanzi, diffusi dai giullari, penetrano fra la gente più umile e in forma popolare giungono anche nelle città toscane; frattanto essi perdono il loro idealismo originario diventando semplice letteratura amena. Infine l'alta borghesia, ormai ricca e potente, comincia a far propri i costumi del mondo aristocratico e nella materia del romanzo cavalleresco non vede più soltanto qualcosa di esotico, ma anche, in certo senso, dei modelli di vita.

All'inizio del Quattrocento questa evoluzione in senso aulico si nota appena. I maestri della prima generazione, sopra tutti Masaccio e Donatello, son più vicini all'arte severa di Giotto, tutta intesa all'unità dello spazio e al rilievo statuario delle figure, che non al gusto prezioso delle corti o, anche, alle forme leggiadre e spesso indisciplinate della pittura trecentesca. Dopo le scosse della crisi finanziaria, della peste e del tumulto dei Ciompi, questa generazione deve, si può dire, rifarsi dal principio. La borghesia, nei costumi come nel gusto, si mostra ora più semplice, più sobria e puritana di prima. A Firenze torna a dominare una mentalità obiettiva e realistica, aliena dal romanzesco; e contro la concezione aristocratica e cortese dell'arte un nuovo, fresco, robusto naturalismo riesce ad affermarsi, man mano che la borghesia torna a consolidarsi. Quella di Masaccio e di Donatello giovane è l'arte di una società ancora in lotta, benché profondamente ottimista e sicura della vittoria, è l'arte di un nuovo tempo eroico del capitalismo, di una nuova epoca di conquistatori. Come nei provvedimenti politici di quegli anni, così nel grandioso realismo dell'arte si esprime un fiducioso, se pur non sempre sereno, senso di forza. Scompare la fatua sensibilità, il capriccioso linearismo, il decorativismo calligrafico della pittura trecentesca. Le figure ridiventan più solide, ferme, massicce, stan più salde sulle gambe, si muovono più libere e naturali nello spazio. Piuttosto compatte che fragili, rudi piuttosto che leggiadre, esprimono forza, energia, dignità e serietà. Il senso del mondo e della vita in quest'arte è sostanzialmente antigotico, cioè alieno dalla metafisica e dal simbolismo, dal romanzo e dal cerimoniale. Questa, almeno, è la tendenza prevalente, anche se non l'unica [...].

Il tardo Quattrocento è stato definito come la cultura di una «seconda generazione», la generazione cioè dei figli viziati e dei ricchi eredi; e il contrasto con la prima metà del secolo parve così deciso, che si credette di poter parlare di una cosciente reazione, di una voluta «restaurazione del gotico» e insomma di un «antirinascimento». A questa tesi si obiettò giustamente che la tendenza che essa indicava come un ritorno al gotico non fa la sua comparsa solo nella seconda metà del Quattrocento, ne costituisce invece un aspetto più o meno palese, ma costante. Ma per quanto sia innegabile il perdurare anche nel Quattrocento delle tradizioni medievali e un persistente contrasto tra spirito borghese e ideali gotici, non si può disconoscere che nella borghesia fino a metà del secolo è prevalente un atteggiamento spiritualmente avverso al gotico, realistico e antiromantico, liberale e democratico; e che solo al tempo di Lorenzo lo spiritualismo, il gusto delle convenzioni e le tendenze conservatrici prendono il sopravvento [...].

Nella seconda metà del Quattrocento sono veramente gli elementi conservatori a dare il tono a Firenze, ma l'avvicendamento sociale non è affatto cessato; ci sono sempre, notevolmente attive, forze dinamiche che evitano l'irrigidirsi dell'arte nel preziosismo aulico, nell'artificio e nella convenzionalità. Malgrado l'inclinazione a sottigliezze manierate e a un'eleganza spesso vacua, continuano ad affermarsi nuovi impulsi naturalistici. Anche se assume molti aspetti aulici, e prende toni formalistici e artificiosi, l'arte di questo tempo non si preclude mai la possibilità di rinnovare e ampliare la sua visione. Rimane un'arte innamorata della realtà, aperta a nuove esperienze: espressione di una società forse un po' affettata e difficoltosa, ma non certo contraria all'accoglimento di nuovi impulsi.

Arnold Hauser

(Da *Storia sociale dell'arte*, Torino, Einaudi, 1956, vol. II, pp. 32; 42-45; 52-55; 59-61).

Artisti fiorentini del Quattrocento

Rinascimento significa rinascita, reviviscenza, e l'idea di questa rinascita aveva cominciato a diffondersi in Italia fin dal tempo di Giotto. A quel tempo quando la gente voleva elogiare un poeta o un artista, diceva che la sua opera non era per nulla inferiore a quella degli antichi. Così Giotto era stato esaltato per aver fatto rinascere l'arte: con questa espressione si intendeva che la sua arte poteva stare alla pari con quella dei famosi maestri elogiati dagli scrittori greci e romani. E non può sorprendere che proprio in Italia questo modo di considerare l'arte diventasse popolare. Gli italiani sapevano che nell'antichità, la loro terra, sotto la guida di Roma, era stata il centro del mondo civile, e che la sua potenza e la sua gloria erano finite il giorno in cui le tribù germaniche, i goti e i vandali, avevano invaso il paese e spezzato l'unità dell'impero romano. L'idea di una rinascita era nella mente degli italiani legata a quella di una reviviscenza della grandezza romana. Il periodo fra l'età classica, cui guardavano con orgoglio, e la nuova epoca di rinascita in cui speravano, era soltanto un triste lasso di tempo, «l'età di mezzo». Così da questo concetto di rinascita, o rinascimento, derivò l'altro, di un periodo intermedio, di un medioevo: termini tuttora in uso. E poiché gli italiani accusavano i goti della caduta dell'impero romano, l'arte di quel periodo intermedio fu per loro gotica, ossia barbarica; mentre tuttora parliamo di vandalismo quando alludiamo a una inutile distruzione di cose belle.

Ora sappiamo che questo modo di vedere i fatti storici aveva scarso fondamento nella realtà. Nella migliore delle ipotesi, non si trattava che di una raffigurazione sommaria e molto semplificata del vero corso degli eventi. Abbiamo visto che circa settecento anni separavano i goti da ciò che veniva chiamato «gotico». Sappiamo anche che la rinascita dell'arte, dopo i tumulti e i rivolgimenti dell'alto medioevo, si produsse gradualmente, e che proprio nel periodo gotico essa ebbe i suoi inizi. Forse scopriremo la ragione per cui gli italiani riuscirono più difficilmente dei popoli nordici ad acquistare coscienza di questa graduale crescita e fioritura dell'arte. Abbiamo visto come durante una parte del medioevo essi erano rimasti alla retroguardia, cosicché le nuove conquiste di Giotto apparvero loro un'innovazione formidabile, una rinascita di tutto quanto era nobile e grande nell'arte. Gli italiani del Trecento ritenevano che arte, scienza e cultura fiorite nel periodo classico, fossero state distrutte dai barbari del Nord e che ora fosse loro compito far rivivere il glorioso passato aprendo un'era nuova.

In nessuna città questa speranza e questa fede furono più intense come in Firenze, ricco centro mercantile. Fu lì che nelle prime decadi del Quattrocento un gruppo d'artisti volle creare un'arte nuova, rompendo con le teorie del passato.

L'eminente guida di questo gruppo di giovani artisti fiorentini era un architetto che lavorava al completamento del duomo, Filippo Brunelleschi (1377-1446). Il duomo era gotico, e Brunelleschi conosceva perfettamente le innovazioni tecniche della tradizione gotica. La sua fama, infatti, poggia in gran parte su alcune scoperte che fece nell'ambito della costruzione e della progettistica e che presupponevano la conoscenza dei metodi gotici di campar le volte. I fiorentini desideravano il loro duomo coronato da una cupola possente, ma nessun artista sarebbe stato in grado di coprire l'immensa distanza fra i pilastri sui quali la cupola avrebbe dovuto poggiare se Brunelleschi non avesse trovato il sistema adatto. Egli fu chiamato a progettare nuove chiese o altre costruzioni e ruppe completamente con lo stile tradizionale, abbracciando le idee di quanti aspiravano a una rinascita della grandezza romana. Si dice che si recasse a Roma per misurare le rovine dei templi e dei palazzi e che ne rilevasse le linee e i motivi ornamentali. Non fu però mai sua intenzione copiare pedissequamente questi antichi edifici, che, del resto, si sarebbero adattati male alle esigenze della Firenze quattrocentesca. Mirava piuttosto alla creazione di una nuova maniera architettonica nella quale le forme classiche, liberamente usate, contribuissero a creare nuove espressioni di armonia e di bellezza.

Ma ciò che maggiormente stupisce è che Brunelleschi sia realmente riuscito a realizzare il suo programma. Per quasi cinquecent'anni gli architetti d'Europa e d'America hanno seguito le sue orme. Ovunque andiamo, in città e villaggi, troviamo edifici di ispirazione classica, con frontoni e colonne. Solo poco più di una generazione fa alcuni architetti cominciarono a discutere i metodi di Brunelleschi, ribellandosi alla tradizione architettonica rinascimentale, proprio come egli si era ribellato alla tradizione gotica. Ma la maggior parte delle case che si costruiscono oggi, perfino quelle senza colonne o ornamenti del genere, conservano ancora tracce di forme classiche nelle modanature delle porte e nelle cornici delle finestre, o nelle misure e proporzioni dell'edificio. Se l'intento di Brunelleschi fu di creare l'architettura di una nuova era, è indubbio che vi riuscì [...].

Brunelleschi non fu soltanto l'iniziatore del Rinascimento in architettura: pare che gli sia dovuta un'altra importante scoperta nel campo dell'arte, destinata a dominare nei secoli seguenti: la prospettiva. Abbiamo visto che anche i greci, che pure padroneggiavano lo scorcio, e i maestri ellenistici abili nel creare l'illusione della profondità non conoscevano le leggi matematiche secondo le quali gli oggetti diminuiscono di grandezza man mano che s'allontanano nello sfondo. Ricordiamo che nessun artista classico sarebbe riuscito a disegnare il famoso filare di alberi che retrocede, fino a svanire all'orizzonte. Fu Brunelleschi a dare agli artisti i mezzi matematici per risolvere tale problema, e l'emozione che destò fra gli amici pittori dovette essere enorme.

Il più importante scultore della cerchia di Brunelleschi fu il maestro fiorentino Donatello (1386?-1466). Se ripensiamo alle statue gotiche poste all'esterno delle grandi cattedrali ci rendiamo conto fino a che punto Donatello abbia rotto completamente col passato. Le statue gotiche si allineavano ai lati dei portali in teorie calme e solenni, simili a creature di un mondo diverso. Il San Giorgio di Donatello poggia invece solidamente sulla terra, i suoi piedi sono piantati risoluti sul suolo, come se egli fosse ben deciso a non indietreggiare d'un sol palmo. Il volto non ha nulla della bellezza vaga e serena dei santi medievali: è energico e intento. Sembra scruti l'avvicinarsi del mostro e ne misuri la grandezza, le mani appoggiate allo scudo, tutto teso in un atteggiamento di sfida. La statua è famosa come insuperabile espressione del coraggio e dell'impeto giovanili. Ad accendere la nostra ammirazione non sono solo la fantasia di Donatello e la sua capacità di rappresentare il cavaliere con tanta freschezza e concretezza, ma l'intero suo atteggiamento verso la scultura, indice di una concezione completamente nuova. Benché la statua sia ricca di vita e di movimento, essa rimane pur sempre chiaramente delineata e solida come una roccia. Come le pitture di Masaccio, essa indica la volontà di Donatello di sostituire alla squisita raffinatezza dei suoi predecessori una nuova e vigorosa osservazione della natura. Alcuni particolari, come le mani o le sopracciglia del santo, mostrano una netta indipendenza dai modelli tradizionali, e sono frutto di un'autonoma e nuova osservazione delle vere fattezze umane. I maestri fiorentini del primo Quattrocento non si accontentavano più di ripetere le vecchie formule degli artisti medievali. Come i greci e i romani che tanto ammiravano, essi cominciarono a osservare attentamente negli studi e nelle botteghe il corpo umano, chiedendo a modelli o a compagni d'arte di posare per loro negli atteggiamenti desiderati. È questo nuovo metodo, è questo nuovo interesse che conferisce all'opera di Donatello tanta freschezza e concretezza.

Fra gli artisti fiorentini della seconda metà del Quattrocento vi fu Sandro Botticelli (1446-1510). Uno dei suoi quadri più famosi non rappresenta una leggenda cristiana ma un mito classico: la nascita di Venere. I poeti classici erano conosciuti durante il medioevo, ma solo all'epoca del Rinascimento, quando gli italiani tentarono con tanta passione di riattingere all'antica gloria di Roma, i miti degli ammirati greci e romani divennero popolari fra gli studiosi, e rappresentarono qualcosa di più che un insieme di gaie e graziose favole. Gli uomini del Quattrocento erano tanto persuasi della superiore saggezza degli antichi da credere che quelle leggende classiche dovessero contenere una qualche verità profonda e misteriosa. Il mecenate che ordinò la pittura botticelliana per la sua villa di campagna era un membro della ricca e potente famiglia dei Medici. Egli stesso, o uno dei suoi dotti amici, probabilmente spiegò al pittore tutto quanto si sapeva delle antiche raffigurazioni di Venere che sorgeva dal mare. La storia di quella nascita simboleggiava il mistero attraverso il quale era stato trasmesso ai mortali il divino messaggio della bellezza. Possiamo immaginare che il pittore si sia messo al lavoro con reverenza per rappresentare degnamente il mito. Il soggetto del quadro è facilmente comprensibile: Venere, emersa dal mare su una conchiglia, viene spinta verso terra dalle divinità dei venti in volo tra una pioggia di rose. Mentre Venere sta approdando una delle Ore o Ninfe la riceve offrendole un manto porporino. Botticelli è riuscito là dove Pollaiolo era fallito. La composizione infatti è estremamente armoniosa. Ma Pollaiolo avrebbe potuto affermare che il Botticelli vi era riuscito col sacrificio di una delle conquiste che egli si era sforzato con tanto impegno di conservare. Le figure del Botticelli sono meno solide. Non hanno la correttezza di disegno di quelle del Pollaiolo e di Masaccio. I suoi movimenti aggraziati e le sue linee melodiose ricordano la tradizione gotica di Ghiberti e di fra' Angelico, forse perfino l'arte del Trecento: opere come l'*Annunciazione* di Simone Martini o la statuetta dell'orafo francese con il corpo dolcemente ondeggiante e il drappeggio che ricade in pieghe sapienti. La Venere di Botticelli è tanto bella che non rileviamo l'innaturale lunghezza del collo, le spalle spioventi e lo strano modo con cui il braccio sinistro è raccordato al corpo. O, piuttosto, dovremmo dire che tutte queste libertà che Botticelli si prese con la natura per ottenere la grazia della linea, accrescono la bellezza e l'armonia del disegno, in quanto accentuano l'impressione d'un essere infinitamente tenero e delicato, spinto alle nostre rive come un dono del cielo.

H.G. Gombrich

(Da *La storia dell'arte raccontata da H.G. Gombrich*, Torino, Einaudi, 1966, pp. 214-232 e 252-253, con tagli).

La cosmologia di Leonardo Da Vinci

Le grandi linee della cosmologia tradizionale che Leonardo potè ricevere da testi quali — fra molti — Dante e, colle debite differenze, il Ficino, opponevano due sostanze fondamentali: una corporea o materiale, opaca, inerte, passiva, estesa, ed una incorporea o spirituale, dinamica, energica, attiva, inestesa. La materia si diversifica in cinque elementi incapsulati come sfere concentriche di densità e opacità crescente verso il centro: grummo oscuro, avvolto e penetrato, «secondo ch'è degno», dal mare infinito dell'energia. Questa scaturisce da Dio, Primo Motore, in forma di «luce intellettual piena d'amore», la quale investendo le sfere della materia celeste diviene luce fisica, sensibile all'occhio, e mille altre «virtù» o potenze che muovono i cieli e piovono entro le sfere elementari suscitandovi il miracolo della vita. Luce, calore, attrazioni e ripulsioni, anche se si sono insediate nei corpi, inerti e passivi per definizione, non vi hanno la loro origine, vi penetrano dall'esterno. Il passaggio e il contatto tra l'energia incorporea e la materia è meticolosamente graduato dal Ficino. Quanto più la materia è rarefatta, cedevole, impalpabile, tanto è più pronta a imprigionare la divina energia, a scagliarsi sugli elementi più densi e inerti per smuoverli e plasmarli. «Spirito» per il Ficino non è la più pura spiritualità, che è anima e mente o intelletto e, infine, Dio; spirito è una forma intermedia fra anima e corpo, suprema rarefazione della materia, vapore corporeo, in cui il verbo della divina energia si fa carne lievissima e attivissima per animare la massa corporea. Anche lo spazio che inchiude la materia è suddiviso in luoghi e siti naturali. Ad essi sono assegnati i vari elementi che, qualora siano stati rimossi dal loro sito, vi vengono richiamati da un'attrazione detta gravità o levità.

Leonardo accoglie questa immagine del tutto, ma nel corso dei suoi studi formula alcune concezioni che potrebbero porla in crisi. Per esempio il concetto della pluralità dei mondi, che parifica la terra alla luna e alle stelle, ognuna formata da sfere concentriche di elementi. E pur ripetendo molte volte il principio dei luoghi naturali («ogni parte desidera ricongiungersi al suo tutto») improvvisamente nega ogni attrazione esercitata dal sito o dal centro dell'universo affermando che la gravità è dovuta a una forza ripulsiva o compressiva esercitata dal rotare dei cieli attorno alla terra. In tal modo lo spazio sublunare diviene uniforme, come già appariva ai maestri fiorentini di prospettiva per quanto si riferiva alla sola propagazione della luce. Ma queste osservazioni rimangono isolate e disperse senza che si possa scorgere né la coscienza della loro incompatibilità, né il tentativo di ricostruire una nuova visione sintetica e coerente del cosmo. Anche la famosa frase «Il sole non si muove» è così isolata da tarpare le ali al nostro entusiasmo e i passi famosi in cui molti credettero o credono di vedere enunciato il principio di inerzia, né hanno quel pieno significato, né comunque attestano la coscienza del loro supposto carattere rivoluzionario. Leonardo continua a muoversi nel gran quadro della cosmologia tradizionale anche se di volta in volta, avanzando in questa o quella direzione, giunge a conclusioni nuove e discrepanti. Ma la direzione in cui Leonardo spinge il suo sguardo, non tende ad abbracciare il cosmo nella sua architettura esterna. Forse per questo, quando ha pensato al sole immobile e agli astri composti come la Terra, di terra, acqua, aria e fuoco, egli non si è preoccupato di ridisegnare la forma dell'universo secondo uno schema copernicano anziché tolemaico. Altro era il segreto ch'egli voleva scoprire: non la forma statica del cosmo, ma la sua anima più intima, l'energia che come mano d'invisibile artista plasma in ogni istante le forme reali e la bellezza del mondo, la continua creazione che obbedendo a leggi eterne, immobili, produce esseri sempre nuovi e diversi. Il mondo è un'opera d'arte e l'artista Leonardo per riprodurla vuol afferrare il segreto della sua creazione. Meccanica, idraulica, aerologia, anatomia, ecc. non sono che il complesso dei segreti per cui il capolavoro divino si attua dinamicamente in ogni istante.

Dio o più semplicemente la Natura? L'indagine metafisica sulla «quiddità» degli elementi, sull'anima o l'essenza di Dio è, secondo Leonardo, sterile per l'inaccertabilità delle conclusioni: l'esperienza ci consente solo di conoscere il modo con cui gli elementi operano. Ogni operazione esige tuttavia l'intervento di un elemento dinamico o «virtù spirituale», come «calore e splendore» o la forza animata dell'uomo. Ma queste per non avere corpo e non occupare spazio ed essere invisibili, diventano oggetto d'esperienza solo attraverso il moto che imprimono ai corpi. È così stretto il rapporto tra moto e forza che Leonardo pone talvolta l'uno per l'altra. Secondo la cosmologia tradizionale l'origine ultima di queste energie è Dio. Leonardo nomina il Primo Motore, ma ironizza su quanti «vogliano abbracciare la mente di Dio, nella quale s'include l'universo, caratando e minuzzando quella in infinite parti come l'avessimo anatomizzate» (Q. An. II, 14r). Nel f. 105 r dell'Atlantico dopo aver elencato e distinto i moti corporei e quelli spirituali, Leonardo aggiunge, quasi esitando: «ancora si pò dire delli influssi de' pianeti e di Dio». Oltre il moto v'è il Primo Motore, oltre l'universo v'è la Mente che lo genera e include, ma non se ne può discorrere in quanto sfugge alla prima certezza che è dei sensi. Tuttavia è chiaro che le energie incorporee non scaturiscono dalle viscere degli elementi, dal centro del mondo materiale; non sono proprietà «naturali», stabili degli elementi, ma solo «accidentali», temporanee. Neppure il caldo nasce direttamente dal fuoco. Leonardo non descrive (se ne guarda bene) il nascere della luce e del calore da Dio prima di investire le sfere celesti, ma da quest'ultime scruta e descrive la discesa verso il mondo elementare di tutte le energie che lo animano producendovi moto e vita. C'è alla periferia del cielo un corpo che sembra possedere stabilmente, «per natura», le maggiori energie cosmiche: luce e calore cui sembra legata anche l'anima dei viventi. Il sole pare dunque essere il motore e l'animatore del mondo e perciò Leonardo gli dedica una laude (F. 5r) che quasi e per un momento lo divinizza. Dico per un momento, perché, se così non fosse, il concetto di una divinità solare avrebbe nel suo pensiero e nei suoi scritti un rilievo e un'estensione ben più grandi.

L'idea di Dio si fa più evidente nella considerazione della «mirabile Necessità» che frena, piega e dirige le energie cosmiche. Anche se vari interpreti affermano che tale legge è immanente alle forze e che queste sono proprietà immanenti della materia, le parole di Leonardo suonano diversamente: «... la legge che Dio e'l tempo dié alla genitrice Natura» (Ar. 158r); «O mirabile giustizia di Te, Primo Motore, tu non hai voluto mancare a nessuna potenza l'ordine e la qualità dei suoi necessari effetti, con ciò sia che, se una potenza debbe cacciare cento bracci... hai ordinato che la potenza del colpo ecc.». Le leggi naturali che Leonardo vuol scoprire, non rappresentano una necessità cieca e meccanica, ma il riflesso di una sapienza benefattrice. «Qual lingua fia quella che displicare possa tal maraviglia? ... Questo dirizza l'umano discorso alla contemplazione divina» (Atl. 345 vb.). Se si considera il dualismo esistente tra l'impeto sempre nuovo delle forze e la legge rigidamente immobile cui esse si piegano, l'inesplicabile meraviglia è precisamente determinata da tale obbedienza, che fa comprensibili e prevedibili le operazioni naturali. Così è chiaro il rapporto tra l'energia, l'anima e la sua operazione, tra libertà e necessità. «L'uccello è strumento operante per legge matematica», se *vorrà* volare, *dovrà* usare le ali secondo la legge imposta da Dio. I muscoli muoveranno l'ala e questa batterà il vento secondo i principî meccanici che Leonardo ha determinato studiando leve, bilance, pesi e contrappesi. Chiaro è il rapporto tra anatomia e meccanica che svela la legge matematica disciplinante i corpi vivi. La costanza di queste leggi ci consente di intuirne le operazioni anche là dove queste sfuggono alla percezione sensibile. Lo studio del moto delle acque rivela quello dell'aria e nel moto dei fluidi, più pronti a caricarsi d'energia, più docili a seguirne gli impulsi, traspare l'ars integra, la sapientia felix del sommo Maestro, inventore e legislatore delle forme e delle operazioni naturali; e la legge più universale e più segreta imposta da Dio alle forze naturali si svela non in un giro di parole, non in una formulazione di concetti, ma conformemente alle aspirazioni dell'artista scienziato, in un giro di linee, in una immagine carica di verità e di bellezza: la spirale in cui s'attorcono azzuffandosi i mille vortici dell'acqua e del vento, e l'onda in cui il moto fluendo si placa e si spegne. Probabilmente anche la vita nasce da una violenza turbinosa di energie, che poi va esaurendo il suo furore in una ondulazione sempre meno sensibile. «Vive per violenza e more per libertà».

Leonardo è stato avaro di didascalie negli undici disegni di Windsor che raffigurano il diluvio e che a più di uno studioso sembrano una conquista finale del suo pensiero e della sua arte. L'universo si dissolve in grandi vortici in cui turbinano quasi indifferenziati, indistinguibili tutti gli elementi. Le masse rotanti appaiono in primo piano senza alcuna fuga di linee prospettiche, dandoci l'impressione non di vedere, ma di essere al centro delle forze, a contatto coll'anima del mondo. La violenza dell'impeto distruttore non esplode in una furia disordinata, ma si piega docilmente alla forma spiraleggiante del vortice, alle curve larghe e piene, come scorrendo entro linee predeterminate che la frenano e guidano. L'opposizione tra le forze oscure e la legge loro imposta è ancora risolta in un equilibrio maestoso, in un ordine rigoroso che limita l'impressione terrificante e ci libera da ogni sentimento di angoscia. Se questo è il testamento finale di Leonardo, esso illumina la meta ultima del suo cammino: scoprire e figurare non tanto la forma, quanto l'anima del mondo: o meglio, la forma universale di questo nodo che lega insieme materia ed energia, corpo e anima, il cosmo col suo Inventore, Autore e Motore primo.

Augusto Marinoni

(Da *Leonardo da Vinci*, in AA.VV., *I Minori*, Milano, Marzorati, 1961, vol. I, pp. 725-729).

Fortuna e virtù nell'Alberti

In un cerchio non diverso di terrena esperienza, di preoccupazioni essenzialmente mondane, rimane anche Leon Battista Alberti, pur con la ricca complessità dei suoi temi e la vastità dei suoi orizzonti. La limitatezza della condizione umana è da lui solennemente affermata in uno dei più significativi dialoghi latini, quello intitolato al *Fato e alla Fortuna*, ove si racconta il sogno singolare del filosofo cui si viene svelando in mirabile visione il contrasto delle anime sulle rive del fiume della vita. Le ombre che vanno errando lungo le acque turbinose del fiume in attesa dell'incarnazione, scintille del fuoco divino, avvertono il troppo curioso indagatore dell'inutilità di ogni soverchio ardimento speculativo. «Desisti, uomo, desisti dall'investigare più del conveniente i segreti del Dio. A te e ad ogni altra anima imprigionata nei corpi sappi che i celesti han consentito solo di non ignorare quello che cade sotto gli occhi». Chi vuole penetrare entro i divini misteri è come il fanciullo che vuole afferrare i raggi del sole.

Altrove, come nel *De iciarchia*, l'assentarsi dalla società umana per la pura ricerca è denunciato come un tradimento; «chi, per cupidità d'imparare quello che non sa, abbandonasse il padre e gli altri suoi impotenti e destituti, sarebbe empio, inumano. *L'uomo nacque per essere utile all'uomo*». E sommamente utile all'uomo è colui che col prossimo collabora volgendo ogni suo sforzo «alla patria, al ben pubblico, allo emolumento ed utilità di tutti i cittadini.» Il tipico motivo rinascimentale *virtù vince fortuna* si inserisce, nell'Alberti, entro l'esaltazione del lavoro umano, glorificato quasi dalla prosperità delle famiglie e delle città, ove il fiorire delle ricchezze e il prosperare dei beni terreni è simbolo ed insieme espressione tangibile del favore di Dio. Così, con questo intendimento, va riletto il mirabile e celebre proemio ai libri *della Famiglia*, ove ogni pessimismo ed ogni ascetismo sono al tutto sbanditi nella certezza del valore dell'opera umana. Poggio Bracciolini tra le rovine di Roma inveiva contro la fortuna, la *maligna fortuna*, che s'era divertita a trasformare in stalle di porci le sedi solenni dei magistrati romani. Pio II, a Tivoli, sospira in pagine squisite sulle dimore delle antiche regine divenute squallidi nidi di serpi. L'Alberti si chiede pensoso la ragione di quel rapido tramonto di gloria cui ci fa assistere la vicenda alterna dei tempi. «Ah! quante si veggono famiglie molte cadute e ruinate. Onde non sanza cagione a me sempre parse da voler conoscere se mai tanto nelle cose umane possa la fortuna, o se a lei sia questa superchia licentia concessa, con sua instabilitate e incostantia porre in ruina le grandissime e prestantissime famiglie».

La risposta a questa grave e angosciosa domanda è chiara: «scorgo molti per loro stultitia scorsi ne' casi sinistri, biasimarsi della fortuna, e dolersi d'essere agitati da quelle fluctuosissime sue onde, nelle quali stolti se stessi precipitarono». L'uomo è esso stesso cagione dei suoi mali e dei suoi beni. Sempre la virtù vince la fortuna. E virtù significa qui umana virtù, operosità terrena, «la buona e santa disciplina del vivere». «Le giuste leggi, e virtuosi principi, e prudenti consigli, e forti et costanti fatti, l'amore verso la patria, la fede, la diligenzia, le castigatissime et lodatissime observantie de' cittadini sempre poterono, o senza fortuna guadagnare et aprender fama, o colla fortuna molto extendersi et propagarsi a gloria». Ove la fortuna seconda ben poco differisce nei suoi effetti da quella avversa, laddove alla virtù, intesa nel senso più pieno di virtù civile, non può mancare nella storia un sicuro trionfo [...].

Virtù significa qui, s'è detto, umanità, opera umana saggia e prudente, *virtuosa* e forte, meditata con calcolo sottile, inserita con abilità e finezza nel giuoco delle forze mondane. «Stimeremo noi suggetto alla volubilità e alla volontà della fortuna quel che gli uomini con maturissimo consiglio, con fortissime e strenuissime opere a sé prescrivono? E come diremo noi, avere balìa con sue ambiguità e incostantie la fortuna a disperdere et discipare quel che noi vorremo sia più sotto nostra cura e ragione che sotto altrui temerità? Come confesseremo noi non essere più nostro che della fortuna quel che noi con sollecitudine e diligentia deliberaremo mantenere e conservare? Non è potere della fortuna, non è, come alcuni sciocchi credono, così facile vincere chi non voglia essere vinto. Tiene giogo la fortuna solo a chi se gli sottomette».

Ove non si insisterà mai abbastanza sul ricchissimo significato della *virtù*, che è l'agire dell'uomo colto in tutta la sua pienezza di valore etico e politico, laddove fortuna è il limite dell'accadere fisico, impotente, da solo, a vincolare completamente l'azione umana, che quand'è virtuosa, anche se sfortunata, vince sempre, riscattandosi nei confini di quella città umana dove il valore infelice è non solo santificato, ma resta fecondo nella sua funzione educatrice. «Ci fu la loro [*dei latini*] immensa gloria spesso dalla invidiosa fortuna interrupta, non però fu denegata alla virtù: né mentre che indicarono l'opere virtuose insieme colle buone patrie discipline essere ornamento et eterna fermezza dello imperio, all'ultimo mai con loro seguì la fortuna se non facile e seconda. E quanto tempo in loro quegli animi elevati e divini, que' consigli gravi e maturissimi, quella fede intensissima verso la patria fioriva, e quanto tempo ancora in loro più valse l'amore delle publice cose che delle private, più la volontà della patria che le proprie cupiditati, tanto sempre con loro fu imperio, gloria e anche fortuna. Ma subito che la libidine del tiranneggiare, e singulari commodi, le iniuste voglie... più poterono che le buone leggi e santissime consuete discipline, subito incominciò lo imperio latino a debilitarsi e inanire».

L'antitesi virtù-fortuna nel Machiavelli suonerà ben diversa. Per Machiavelli *virtù* e scelleratezza non sono termini antitetici, ma possono anzi, coesistere e collaborare come già in quell'imperatore romano che fu, a un tempo, *virtuosissimo* (e cioè fortissimo) e scelleratissimo. Virtù e forza ed astuzia; è forza naturale inserita abilmente fra forze. Per l'Alberti virtù è bontà; bontà feconda e operosa, ma pur sempre bontà; giustizia costruttrice di un mondo umano ove non può non trovare rispondenza ed effetto. «Nelle cose civili e nel viver degli omini», e cioè nella nostra terrestre città, valgono solo «l'industria, le buone arti, le constanti opere a maturi consigli, le oneste exercitazioni, le iuste volontà, le ragionevoli expectazioni». Umana ragione, «questa prestanzia d'animo, questo lume d'ingegno», che ci distingue dalle bestie, è per l'uomo mezzo «con lo quale e' senta e discerna che essa sia onestà».

Perciò l'umana dignità per l'Alberti risiede nel lavoro, e solo nel lavoro. «Chi mai stimerà potere asseguire pregio alcuno o dignità, sanza ardentissimo studio di perfectissime arti, sanza assiduissima opera, sanza molto sudare in cose virilissime e faticosissime?». E queste opere sono, nell'Alberti, contatti e rapporti civili, essendo «gli uomini... nati per cagione degli uomini». Nel quale civile consorzio convergono virtù e felicità, e si fanno quasi sublime preghiera a Dio. «Pertanto così mi pare da credere sia l'uomo nato, certo non per marcire giacendo, ma per stare facendo... Sia dunque persuaso che l'uomo nacque non per atristarsi in ozio, ma per adoperarsi in cose magnifiche et ample, colle quali e' possa piacere e onorare Iddio in prima, et per avere in se stesso come uso di perfecta virtù, così fructo di felicità».

L'occhio dell'Alberti vagheggia una città terrena armoniosa come uno dei suoi palazzi, ove la natura si piega all'intenzione dell'arte come la obbediente pietra serena dei colli fiorentini. Non v'è l'aperto conflitto di Machiavelli, né il perenne dissidio cui pensa Guicciardini, e neppure l'aristotelica concezione della «buona fortuna» propria del Pontano, ove la fortuna si presenta necessario elemento della felicità ed insieme del tutto al di fuori dell'umana libertà, onde sul piano politico si apre insanabile la divergenza fra la cecità di un impeto di natura e la civile prudenza. Per l'Alberti l'uomo è fattore unico della città terrena, e la natura, e quindi la fortuna, sono strumenti e occasioni; limiti, se si vuole, ma non ciechi e irriducibili per l'uomo prudente, che li inserirà nel suo calcolo; ostacoli alla virtù, ma di cui la virtù riuscirà sempre trionfatrice, per l'assoluto imperio che essa ha nel mondo spirituale dell'uomo, ove non le potrà mai esser negata, pur nella sventura, la gloria e la fecondità perenne di un'efficacia educatrice.

Eugenio Garin

(Da *L'umanesimo italiano*, Bari, Laterza, 1952, pp. 81-87, con tagli).

La cerchia medicea

È stato osservato che, mentre il primo Umanesimo fu caratterizzato dall'entusiastica esaltazione della vita civile, della città come libera costruzione umana e dal conseguente impegno politico anche da parte degli studiosi (Bracciolini, Salutati, Manetti, Bruni), la fine del secolo rivela «un chiaro orientamento verso un'evasione dal mondo, verso la contemplazione» (Garin). Senza voler stabilire rigidi rapporti di causa ed effetto, va tuttavia rilevato che questo atteggiamento corrisponde all'affermazione sempre più radicale dei principati. Le nuove signorie protessero, sia per ragioni di decoro formale, sia per organizzare meglio il consenso, i letterati, gli artisti e ogni genere di scrittori (cui peraltro chiedevano lodi di pubblica risonanza), ma fecero di essi dei cortigiani. Veniva così meno, con le lotte politiche, anche il fervore di vita e il libero dibattito d'opinioni dei Comuni e la cultura, afferma ancora il Garin, «da espressione, strumento e programma di una classe giunta alla ricchezza e al potere», viene trasformata «in un elegante ornamento di corte, o in una disperata fuga dal mondo».

Questa tendenza andrebbe verificata attraverso l'analisi d'un complesso gioco di azioni e reazioni, d'una storia che fu diversa nei vari stati e centri di cultura italiani. La si può osservare per certa esemplarità, almeno sul piano specificamente letterario, a Firenze, prima di tutto perché la città fu uno dei più importanti, se non il più importante, centro di irradiazione della cultura, della poesia e dell'arte umanistico-rinascimentale, e sede, inoltre, di un numero cospicuo degli scrittori più importanti del secolo.

Il dominio mediceo a Firenze fu il prezzo pagato per la pace sociale, e l'avvento al potere di Lorenzo, scrittore di prima grandezza e uomo di cultura, garantì anche uno splendore nel campo della cultura e delle arti. Il dialogo fra i maggiori scrittori del tempo, dal Pulci al Poliziano al Ficino si concentrò, in casa Medici, su un livello di amicizia e di scambio di idee e ideali d'arte cui Lorenzo prese parte attiva non in qualità di principe, ma di scrittore. Questa particolare situazione fiorentina può anche spiegare, più tardi, la rivolta anti-umanistica guidata dal Savonarola, segno, di là dalla sua espressione immediata, della crisi più profonda in cui stava precipitando l'Italia, soprattutto sul piano politico, come apparirà nei primi tre decenni del secolo successivo.

Lo studio della storia politica e civile consentirà di approfondire la vicenda qui appena adombrata. Ci si limita ora a seguire la vita culturale di Firenze nella seconda metà del secolo e nel momento di massimo splendore, rappresentato dalla cerchia dei grandi scrittori intorno a Lorenzo; senza tuttavia tralasciare altre due voci: quella d'un oppositore, Alamanno Rinuccini, e quella del filosofo Marsilio Ficino. Questi raccolse l'eredità della cultura greca classica, portata nella città da studiosi greci dell'epoca, come l'Argiropulo e Giorgio Gemisto Pletone, elaborando un personale neoplatonismo, che tentò, alquanto forzosamente, di conciliare con le persuasioni cristiane. Tale filosofia fu portatrice d'uno slancio di idealità — sia pure solitarie e intese a un'evasione contemplativa — che ebbero notevole influsso sulla produzione letteraria di quegli anni.

Matteo Palmieri

Di famiglia borghese, non agiata, il Palmieri (1406-1475) fu favorevole ai Medici (fu tra coloro che richiamarono Cosimo dall'esilio). Fornito di buona cultura umanistica, conciliò l'impegno degli studi con la partecipazione alla vita politica, ricoprendo numerose cariche pubbliche, secondo un ideale che ereditò dal primo Umanesimo fiorentino. I suoi dialoghi in italiano, *Della vita civile*, in quattro libri, scritti fra il 1430 e il 1439, esprimono il suo ideale d'un sapere non avulso dalla vita, ma calato nel vivo della società, fondata su «l'amor della patria e de' propri figliuoli», sulla giustizia e sulla volontà di una gloria che s'identifica col conseguimento del bene comune. Il Palmieri scrisse inoltre, in latino, il *De captivitate Pisarum*, sulla conquista fiorentina di Pisa, la *Vita Nicolai Acciaioli*, e un poema d'imitazione dantesca, la *Città di vita* (1464), rimasto inedito perché sospetto d'eresia: una sorta di preludio in cielo della vicenda terrena. La cultura del Palmieri risente dell'insegnamento di Cicerone, che egli congiunse in qualche modo con Platone e Aristotele. Nonostante l'orientamento pragmatico e attivo del suo pensiero, l'utopia della *Città* rivela una sottile vena di platonismo idealizzante.

Per il testo seguiamo: G. Ponte, *Il Quattrocento*, cit.

L'unione civile

Ogni buono cittadino che è posto in magistrato dove rappresenti alcuno principale membro civile, innanzi ad ogn'altra cosa, intenda non essere privata persona, ma rappresentare l'universale persona di tutta la città, ed essere fatta animata repubblica.[1] Conosca essere commessa in lui la pubblica dignità, e il bene comune essere lasciato nella sua fede;[2] desideri in sì gran cosa l'aiuto divino e divotamente domandi da Dio grazia, sperando da lui merito d'ogni bene operato[3] in conservazione della civile moltitudine. Stando in così fatto proposito fermi nell'animo suo due singulari ammaestramenti di Platone, sommo di tutti i filosofi, i quali sono riferiti da Marco Tullio Cicerone in questo modo, dicendo: Coloro che desiderano fare pro alla repubblica, sopra ogni altra cosa ritenghino[4] due singolari precetti di Platone, l'uno che la utilità de' cittadini in tal modo difendino che ciò che fanno si riferisca a quella, dimenti-

1. **che... repubblica**: che sia posto in una magistratura che rappresenti una delle principali forze della società... comprenda che non è più un cittadino privato, ma rappresenta tutta la cittadinanza ed è come una personificazione dello stato.
2. **commessa in lui**: affidata a lui. **lasciato... fede**: affidato alla sua lealtà.
3. **merito... operato**: compenso d'ogni bene fatto.
4. **fare pro**: giovare. **ritenghino**: tengano bene a mente.

cando ogni proprio commodo, l'altro, che insieme tutto il corpo della repubblica conservino in modo che l'una parte[5] difendendo, non si abbandonino l'altre. Come la tutela,[6] così è fatta la repubblica, nella quale si dee riguardare non all'utilità di coloro che governano, ma di coloro che sono governati. [...]

Lo stato e fermamento di ogni repubblica è posto nell'unione civile:[7] a conservare questa è necessario la compagnia e convenienzia cittadinesca con pari ragione mantenere:[8] chi si disforma da questo e provede alla salute de' particulari cittadini, e gli altri abbandona, semina nella città scandali e discordie gravissime, donde spesso divisi i cittadini,[9] nascono divisioni e guerre intrinseche;[10] e ben che alle volte le ricchezze e potenzie delle città a tempo[11] sopportino tali mali, niente di meno il fine[12] reca seco esilii, ribellazioni, servitù ed ultimi disfacimenti.[13]

Sarebbe forse meglio tacere che raccontare l'afflizioni e miserie seguite alla nostra città, per le divisioni e discordie cittadinesche; ma per guardarsi da' mali a venire, sempre è utile ritenere nell'animo le passate miserie. Taccio di molte città vicine, le quali per le divisioni sono o serve o lagrimabilmente disfatte. Ma io non posso sanza lagrime ricordarmi che gl'ingegni e naturali forze de' Fiorentini sono da Dio tanto ottimamente disposte a qualunque cosa eccellente che, se le dissensioni e guerre civili non avessero drento dalla città quelle nei propri danni conferite,[14] certo non solo in Italia, ma fuori di quella, erano attivissimi a dilatare la loro signoria sovra le strane generazioni.[15]

5. **l'una parte**: un singolo gruppo di cittadini (o ceto, o partito).
6. **tutela**: paragona il governo dello stato alla tutela di un minore.
7. La solidità e stabilità dello stato è posto nell'unione dei cittadini.
8. **la... mantenere**: bisogna mantenere con equità la concorde convivenza civile.
9. **divisi**: essendo divisi.
10. **intrinseche**: intestine.
11. **a tempo**: per qualche tempo.
12. **il fine**: la fine, la conclusione di tali vicende.
13. **ultimi disfacimenti**: rovina totale della città.
14. **drento dalla**: dentro. **nei... conferite**: portate a proprio danno.
15. **attivissimi**: capacissimi (e già avevano cominciato a farlo) **strane generazioni**: genti straniere.

Alamanno Rinuccini

Il Rinuccini, di cospicua famiglia fiorentina (1426-1499), fu scolaro di Poggio Bracciolini e dell'Argiropulo, che Cosimo de' Medici aveva chiamato allo Studio fiorentino nel '55. Ebbe molti incarichi pubblici, nel periodo filo-mediceo della sua vita, tradusse Plutarco e altri testi greci e scrisse varie opere, fra le quali l'orazione funebre in onore di Matteo Palmieri. Il suo consenso per i Medici andò via via scemando; anzi, all'indomani della congiura dei Pazzi, scrisse, nel '79, il *Dialogus de libertate* (*Dialogo sulla libertà*), ritirandosi, di fatto dalla vita politica, anche dopo la caduta dei Medici.

Per il testo seguiamo: G. Ponte, *Il Quattrocento*, cit.

La libertà calpestata

Nel *Dialogus de libertate*, in latino, il Rinuccini rivolge una fiera requisitoria contro la politica dei Medici, accusati di avere spento le libertà cittadine. Nel passo riportato, si lamenta il fatto che la politica di Firenze sia tutta nelle mani d'un giovane (Lorenzo) e che si sia formata un'oligarchia limitatissima che in sé assomma ogni potere, da quello dell'amministrazione della giustizia alla conduzione dello stato; a ben vedere, anzi, questa oligarchia non è altro che l'espressione della volontà di un solo, attraverso l'azione di pochi seguaci audaci e perversi.

C'è qualcosa di patetico in questo rivendicare, da parte del Rinuccini, le antiche libertà democratiche (certo, d'una democrazia limitata a qualche sfera elevata di cittadini) d'una città che le ha mal gestite e che ha rinunciato a esse: a questa classe dirigente fiorentina, cui il Rinuccini stesso apparteneva, andrebbero pertanto rivolte molte delle sue rampogne. Il passo è tuttavia interessante come attestazione di un ideale repubblicano di libertà che veniva confortato dai grandi scrittori classici d'opposizione, da Cicerone a Livio a Tacito a Seneca, e che continuerà ad agire anche nel secolo XVI, a Firenze e altrove, in funzione anti-tirannica.

Abbiamo definito «libertà» la potestà di vivere; e vorrei che per «vivere» intendeste null'altro che «agire» e «operare». Perché io non accetto ora il termine «vita» nel senso in cui lo accolse in un suo testo Aristotele, quando affermò che, per i viventi, «vivere» equivale a «esistere». Tale genere di vita tocca infatti non solo agli animali ma anche alle piante e alle erbe e in conclusione a tutti gli esseri che possiedono l'anima vegetativa. Io invece chiamo ora vita quella che consiste nell'azione. [...] Quindi la mia precedente espressione «potestà di vivere» è da intendere come se avessi detto: «potestà di agire e di operare».

Aliteo continua a definire questo concetto di libertà, affermando che, nella città la somma libertà è l'obbedienza alle leggi. Invitato poi a confrontare questi suoi ideali con l'attuale situazione fiorentina, così prosegue:

Mi costringete a esporre una situazione grave e dolorosissima non solo a narrarsi ma anche a ricordarsi, o ottimi amici: una situazione che non posso mai richiamare alla mente senza piangere, al punto che mi vergogno di esser nato in quella città, in questi tempi, vedendo il popolo che un tempo domò la Toscana in gran parte, e anche regioni vicine, ora tratto qua e là senza meta secondo la voglia d'un giovane: in una città dove tanti uomini di ingegno così elevato e insigni per età e saggezza vivono oppressi sotto il giogo della servitù, a stento si accorgono invano della servitù che si sono imposti, e tuttavia non hanno il coraggio di riscattarsene, anzi — ciò che è peggio — contro la loro volontà son costretti a opporsi proprio a coloro che lo tentano. Al punto che davvero non esito ad affermare che i costumi del nostro tempo sono tanto degenerati dalle virtù dei nostri antenati, che essi, se rivivessero, direbbero che non siamo i loro discendenti. [...] Poiché fino a quando la nostra patria visse secondo le sue leggi, così a lungo crebbe in ricchezza, in dignità, in potere, fu insigne più d'ogni altra città toscana, e fu uno splendido modello non solo di potenza, ma anche di vita ben ordinata. Ora invece vedo quelle leggi così disprezzate da tutti, che nulla è più svilito, poiché la voglia di pochi malvagi cittadini prende il posto della legalità. Chi ignora che l'uguaglianza dei cittadini è il fondamento principale della libertà? Anzitutto si esige proprio questo: che i più ricchi non opprimano i meno abbienti, che reciprocamente i ricchi non abbiano a subire violenze da parte dei poveri, ma che ciascuno conservi i propri beni sicuri dalle altrui offese. Come presso di noi si rispettano questi principi, giudicate voi stessi. [...]

Un tempo la nostra città aveva tale fama per l'onestà dei suoi giudici che fin dalle terre più lontane si mandavano controversie da giudicare a Firenze. Ora invece quei dissensi che sorgono nella città non si sottopongono a giudizio se non dopo lunghissimo tempo, con grandi spese, con grandissima parzialità e abbondante corruzione o secondo le simpatie dei potenti, cosicché spessissimo riceve sentenza favorevole non chi ha ragione ma chi prevale per potenza. [...]

Perché dovrei paragonare con la taciturnità d'oggi quell'antica libertà di parlare nei Consigli e al popolo? Dove risplendevano l'acutezza d'ingegno e l'efficacia del dire e la grandezza dell'amore per la patria, propri dei singoli cittadini: quando autorevoli uomini discutevano liberamente sulle questioni da trattare, sostenendo opinioni opposte, così che facilmente si comprendeva quale parte di verità ciascuna avesse. [...] Ora invece, poiché i nostri Catoni convocano pochissime persone per decidere questioni importantissime, vediamo prendere per lo più decisioni che l'indomani i medesimi individui, ammoniti forse da altri, stabiliscono di mutare radicalmente. [...] Ora per una singolare prepotenza loro e per l'ignavia degli altri concittadini, pochissimi uomini, al tempo stesso audacissimi, usurpano per sé soli ciò che è comune a tutti i cittadini; e tutto è stabilito secondo la libidine e l'ambizione cieca di costoro, cosicché non rimane autorità alcuna di Consigli e di popolo.

Marsilio Ficino e il Neoplatonismo

Nato a Figline Valdarno nel 1433, studiò grammatica, retorica, medicina. Intorno al 1452 ebbe l'incarico, da Cosimo de' Medici, che, influenzato dal filosofo e umanista greco Giorgio Gemisto Pletone, vagheggiava di far risorgere a Firenze l'Accademia platonica, di tradurre dal greco tutto Platone. L'opera, iniziata circa nel '52, era terminata nel '68; seguirono poi la traduzione dei neoplatonici Plotino, Giamblico, Porfirio, e di altri. Divenuto sacerdote nel '73, il Ficino compose nel '74 il *De christiana religione*, dando inizio, in quell'anno stesso, alle riunioni dell'Accademia fiorentina, cui parteciparono, fra gli altri, Lorenzo de' Medici, il Poliziano, Cristoforo Landino, Pico della Mirandola. Nel 1482 pubblicò la sua opera più importante, la *Theologia platonica de immortalitate animorum* (*La teologia platonica sull'immortalità dell'anima*), nell'89, quando fu accusato invano dalla curia di Roma di eresia e di magia, il *De vita*. Morì nel '99.

Grande fu la sua influenza sul gruppo fiorentino: su Lorenzo, sul Poliziano, almeno fino alla composizione delle *Stanze*; ma essa si estese al secolo seguente (e in tutta Europa), in quanto egli contribuì alla definizione dell'ideale dell'«amor platonico» che ispirò una parte cospicua della lirica cinquecentesca.

Il platonismo del Ficino e la rinascita platonica

L'opera del Ficino si colloca nell'importante movimento della rinascita platonica del secolo XV, dopo il trionfo dell'aristotelismo, a partire dal secolo XIII. Platone era noto, nel Medioevo, soltanto per un solo dialogo, il *Timeo*, e per squarci e citazioni di Cicerone o di S. Agostino, che di molto era debitore al filosofo greco, da lui presentato, peraltro, in una versione cristianizzata. In sostanza, però, era interpretato piuttosto nella versione neoplatonica, che ispira, ad esempio, un importante filosofo amato dal Medioevo, Dionigi Areopagita, o, ancora il *Liber de causis*, che tuttavia Dante (e non solo lui) considerava di matrice aristotelica.

Il fatto nuovo e fondamentale fu, nel secolo XV, proprio la conoscenza diretta delle sue opere, portate in Italia dai bizantini esuli, dopo la conquista turca di Costantinopoli. Giorgio Gemisto Pletone, Giorgio Trapezunzio, Giovanni Bessarione furono i primi artefici, oltre che della diffusione, anche della discussione delle opere di Platone, e d'un raffronto con quelle di Aristotele, magari polemico, ma tale da portare a una conoscenza più diretta dei due filosofi. Il discorso fu continuato nel Cinquecento, con vari tentativi di conciliare le due filosofie.

Il platonismo, come s'è detto, veniva incontro, per la sua forte carica idealizzante e ascetica e l'implicita svalutazione del mondo dell'esperienza, alla tendenza al disimpegno dalla realtà politica e civile degli intellettuali italiani, conseguente al risoluto affermarsi delle Signorie e alla loro politica di organizzazione del consenso e quindi anche dell'attività intellettuale. Sarebbe, comunque sia, errato sminuire l'importanza del nuovo sforzo di pensiero e di civiltà cui esso contribuì.

Le teorie ficiniane

Si possono distinguere due grandi temi (ovviamente correlati) della filosofia del Ficino. Il primo è quello della *pia philosophia* o della *docta religio*, che segna il vagheggiato incontro e il compenetrarsi di filosofia e religione; il secondo è la tematica, di ascendenza platonico-plotiniana, dell'amore.

Il primo è chiaramente delineato già nella lettera di dedica a Cosimo della traduzione di Ermete Trismegisto (1463; pubbl. nel '71). È qui formulata la tesi d'una filosofia dotata di intima religiosità, che accoglie la perpetua rivelazione del Verbo divino o *Logos*, balenata nei poeti più antichi e nella Bibbia, approfondita da Pitagora, Platone, Plotino, Dionigi Areopagita, assommata poi nel Cristianesimo, che riassume in sé ogni conoscenza umana.

La poesia era stata un velo (*velamen*), un'espressione simbolica in cui i primi teologi avevano celato i misteri divini da loro intuiti, per non divulgarli temerariamente alle menti che, o per ignoranza o per superbia, non fossero degni di accoglierli e comprenderne la verità profonda. Un'unica verità il Ficino vedeva manifestarsi, in una sorta di rivelazione perenne e sempre attuale, nelle religioni, nei canti dei poeti, nelle bellezze della natura e nella struttura armonica di essa, nell'animo umano, dove andava ricercato il Verbo che illumina la mente, liberandola dall'inganno del senso e della fantasia. Di là dalla natura, dai sensi, dalla stessa mente, l'uomo doveva porsi in immediato contatto con Dio attraverso un mistico atto d'amore.

La «teologia platonica» del Ficino (legato, tuttavia, piuttosto a una prospettiva plotiniana) giungeva così a una visione unitaria e concatenata in ogni suo aspetto della realtà, dove ogni cosa poteva apparire specchio del divino e sua rivelazione. Secondo questa concezione, Dio è fuori del mondo, immutabile, eterno nella sua perfezione, ma tutto procede da Lui e a Lui tende. La realtà si scandisce su gradi che sono tutti Sue emanazioni: gli Angeli o idee delle cose, l'anima del mondo, di cui quella dell'individuo è un frammento, le qualità e, infine, la materia bruta. L'uomo, chiuso nel carcere materiale del corpo, può tuttavia congiungersi misticamente a Dio, traducendo in luce o pura illuminazione la sua capacità conoscitiva e in termini di calore e amore la sua sostanza vitale profonda; ritrovando in sé l'entusiasmo o «furore». La forma più alta di questo era, per il Ficino, l'Amore, suscitato dalla visione della bellezza, intuita nella sua essenza profonda come luce, splendore nell'essere della divinità. La bellezza intravista nei corpi diveniva così impulso a superarli e a superarla, intuitiva rivelazione e slancio entusiastico verso la suprema bellezza di Dio che in essa si rivela.

Il Ficino e la cultura rinascimentale

Difficilmente il pensiero del Ficino poteva sfuggire ad accuse di eterodossia sul piano religioso tradizionale; ma esso costituiva pur sempre un invito alla tolleranza religiosa e al rispetto d'ogni fede, vista come un generoso sforzo della mente verso il divino. Su questa strada si porrà anche Pico della Mirandola, che vagheggiò un congresso di dotti d'ogni paese per tentare una soluzione unitaria del problema filosofico e religioso. Ma il Ficino dava, inoltre, un nuovo impulso all'accoglimento del passato, e cioè alla filologia umanistica, conferendo autenticità e dignità come a ogni espressione profonda del pensiero, così a ogni testo che la tramandasse.

La sua idea dell'amore, motivato, nell'uomo, dall'esperienza della bellezza sensibile, di cui egli rivendicava, peraltro, il carattere di esperienza fondamentalmente spirituale, sarà al centro della meditazione rinascimentale sulla bellezza e sull'amore, affidata a una nutrita e appassionata trattatistica. L'amore così spiritualizzato assumeva un carattere di partecipazione all'*eros* o amore cosmico, emanazione diretta della divinità e presenza sempre attuale nel mondo.

L'idea della bellezza come luce o splendore, emanazione o manifestazione dell'Essere non fu senza influenza sulla grande pittura del tempo. Allo stesso modo l'ideale dell'amore «platonico» e dell'entusiasmo poetico come parte anch'esso dell'*eros* cosmico o d'un «furore» che guida l'uomo di là dai sensi verso la pace che si identifica con la Bellezza e il Bene supremi, attributi del divino, ispirò la poesia rinascimentale. Fu importante soprattutto il richiamo ficiniano all'interiorità, che, nonostante la forte carica mistica, veniva incontro all'individualismo dell'epoca. Ma tutto il suo sistema poteva suggerire un'immagine del mondo in una luce di Bellezza e di Amore, con una vaga cadenza panteistica, nel senso che invitava a ritrovare il divino nella natura, in tutti i modi e le forme dell'essere. La «teologia» del Ficino si prestava in tal modo anche a una trascrizione in termini poetici.

Va, infine, rilevato il fatto che qui si è tentata una rapida sintesi della filosofia ficiniana considerata essenzialmente nella sua tematica contemplativa. Ma nella stessa *Theologia platonica* si avverte una diretta partecipazione anche agli ideali attivi e operativi della civiltà umanistica. Si veda in proposito il passo riportato in precedenza, dove viene esaltata l'opera dell'uomo, visto come un vicario di Dio nel mondo, in quanto dotato di una capacità creativa che gli consente di modificare la natura e di godere i frutti della vita. Mediatore fra natura e mondo angelico, l'uomo è visto come *copula mundi*, cioè come legame fra mondo terreno e mondo celeste, di entrambi partecipe. Ne è prova, per il Ficino, la sua stessa capacità di ascesa diretta, mediante la contemplazione della bellezza e l'amore, a Dio.

Riportiamo qui due passi tratti dal commento al *Convito* (o *Simposio*) di Platone, un dialogo che ha come oggetto l'amore, presentandoli in una traduzione cinquecentesca. Il passo sulla centralità dell'uomo e della sua opera nel mondo, è a p. 592.

Per il testo seguiamo: Marsilio Ficino, *Sopra lo amore ovvero Convito di Platone*, a cura di G. Rensi, Lanciano, Carabba, 1934, che riporta la traduzione cinquecentesca (l'opera originale è in latino), riveduta dal curatore.

La bellezza

Ci soffermiamo su alcuni punti del commento relativi alla bellezza come sintesi di *materia* terrena, mondana, e di *forma*, che è il sigillo divino impresso nel cosmo e nell'animo umano, intuizione della suprema bontà, luce che si rivela come l'elemento costruttivo di tutta la realtà e di ogni forma dell'apparire; simile al sole nella cui luce si risolvono, per il Ficino, i colori, le forme, la varietà delle cose. La bellezza, per l'uomo, è questa intuizione del divino provocata dalla bellezza esterna, in sé imperfetta, come ogni cosa che dipenda dalla labilità della materia, ma occasione alla scoperta del divino nell'animo e nel mondo.

Poteva nascere da queste pagine, e in effetti nacque, o, per lo meno, da esse fu influenzata, un'idea della bellezza non oggettiva, ma soggettiva; non «imitazione» della realtà, secondo la prospettiva aristotelico-scolastica, ma intuizione della pura idea creativa di Dio, impressa dinamicamente nella natura che lo spirito dell'artista doveva ritrovare e riprodurre nella sua opera, non come «cosa» o oggetto da imitare staticamente, ma come energia creatrice dell'animo, dell'arte, della vita.

Grato è a noi il vero e ottimo costume dell'Animo: grata è la spetiosa figura del corpo: grata la consonanza delle voci.[1] [...] E questa grazia di virtù, figura, o voce, che chiama lo animo a sé e rapisce per mezzo della ragione, viso e audito,[2] rettamente si chiama Bellezza. Orfeo[3] chiama *splendore* quella grazia e bellezza dell'animo, la quale nella chiarezza delle scienze e de' costumi risplende; e chiama viridità cioè verdezza, la suavità della figura e del colore: perché questa massime nella verde gioventù fiorisce: e chiama letizia quel sincero, utile e continuo diletto che ti porge la Musica.[4] [...]

All'animo piace la spezie di alcuna persona non in quanto ella giace nella esteriore Materia, ma in quanto l'immagine di quella per il senso del vedere dallo animo si piglia;[5] e quella immagine, nel vedere e nello animo, non può essere corporale, non essendo questi corporei. [...] Lo spirito in un punto tutta l'amplitudine del corpo in modo spirituale e immagine incorporale riceve. All'animo piace quella specie sola che da lui è presa.[6] E questa benché sia similitudine di un corpo estrinseco, niente di meno nello animo è incorporale.[7] Adunque la spezie incorporale è quella che piace: e quello che piace è grato: e quello che è grato è bello. Di qui si conchiude che lo amore a cosa incorporale si riferisce: a essa Bellezza è più tosto una certa spirituale similitudine della cosa che spezie corporale.[8] [...]

La Divina Potenzia, supereminente allo Universo, agli Angeli e agli animi da lei creati, clementemente infonde, sì come a' suoi figliuoli, quel suo raggio: nel quale è virtù feconda a ogni cosa creare.[9] Questo raggio divino in questi,

---

1. Si enumerano qui le tre forme di bellezza mondana: la virtù, che è il modo di essere o **costume** autentico e ottimo spiritualmente dell'animo; la figura **spetiosa**, col quale aggettivo si allude alla bellezza della forma che appare agli occhi; e la consonanza delle voci o armonia, che può essere colta dall'udito. Il Ficino fonde, nella sua considerazione, musica e poesia, considerando anche questa come composta armonia di suoni. Per il suo aspetto contenutistico la vede, invece, soprattutto come sapienza celata in immagini o allegorie.

2. viso... audito: vista e udito, i sensi con cui si colgono il secondo e terzo tipo di bellezza. Il primo, che sta nella disposizione virtuosa dell'animo, è colto dalla **ragione**.

3. Orfeo: Si ha qui un esempio di come il Ficino accolga le tradizioni antiche come saggezza ancora attuale.

4. Si noti che alla virtù è stato aggiunto un tipo di bellezza intellettuale (le **scienze**). **chiarezza**: splendore, con probabile ricordo del fatto che la *claritas* è un attributo della bellezza secondo S. Tommaso d'Aquino (che riprende un tema dell'estetica classica, peraltro sviluppandolo, secondo l'idea medievale della luce come fonte della bellezza; un tema ripreso dal Ficino in queste pagine). **suavità**: soavità. Anche questo è un tema dell'estetica classica, ma acquista un particolare valore se si pensa a quel senso di natura fresca, intatta che si ritrova nei paesaggi e nelle figure della pittura e della poesia del Quattrocento.

5. spezie: aspetto, forma esterna. **alcuna**: una. **non... piglia**: non in quanto tale forma è materiale (partecipa della materia esterna, si manifesta attraverso di essa) ma in quanto l'animo la spiritualizza, dopo averla assunta attraverso il senso della vista. La bellezza, cioè, non è nell'oggetto materiale, ma nell'idea pura di bellezza che essa suscita o ridesta nell'animo, come memoria impallidita dello splendore divino che è la fonte della vera bellezza, che con essa e col Bene coincide.

6. è presa: è afferrata; o meglio, concepita (in realtà è un platonico ritrovarla in sé).

7. Sebbene sia immagine d'un corpo esterno, tuttavia è, nell'animo, incorporea.

8. La bellezza è, dunque, una somiglianza spirituale con l'oggetto sensibile; non nel senso che ne sia una copia, o per lo meno non è questa ri-produzione in sé dell'oggetto il suo vero carattere (cfr. la nota 5).

9. Dio infonde negli Angeli, nell'uomo, nell'universo il suo raggio che ha in sé potere creativo. È attraverso proposizioni come questa che può svilupparsi un'estetica dell'arte come creazione, non imitazione della natura e delle forme esterne.

come più vicini a Dio, dipinge lo ordine di tutto il Mondo, molto più espressamente che nella materia mondana: per la qual cosa questa pittura del mondo, la quale noi veggiamo tutta, negli Angeli e negli Animi è più espressa che innanzi agli occhi.[10] In quelli è la figura di qualunque spera,[11] del Sole, Luna e Stelle, delli Elementi, pietre, arbori e animali. Queste pitture si chiamano nelli Angeli esemplari e Idee; nelli animi ragioni e notizie; nella materia del mondo immagini e forme. Queste pitture son chiare nel mondo, più chiare nell'animo e chiarissime sono nell'Angelo. Adunque un medesimo volto di Dio riluce in tre specchi posti per ordine nell'Angelo, nell'animo e nel corpo mondano. Lo splendore e la grazia di questo volto, o nello Angelo, o nello Animo, o nella materia mondana, si deve chiamare universal Bellezza: e lo appetito che si volge inverso quella è universal Amore. [...]

Quel raggio divino, di che sopra parlammo, infuse nell'Angelo e nell'Animo la vera figura dell'uomo che si debbe generare intera:[12] ma la composizione dell'uomo nella materia del mondo, la quale è dal divino Artefice remotissima, degenera da quella sua figura intera; nella materia meglio disposta risulta più simile, nell'altra meno.[13] Quella che resulta più simile, come si confà con la idea dello Angelo e con la forza di Dio, così si confà ancora alla ragione e sigillo che è nello Animo. Lo Animo appruova questa convenienza del confarsi:[14] e in questa convenienza consiste la Bellezza; e nella approvazione consiste lo affetto di Amore.

10. La creatività spirituale, cui si alludeva nella nota precedente, trova qui un limite, che coincide peraltro con la luce e la creatività divine. Negli animi, come negli Angeli, come nell'anima universale, è dipinto l'ordine del mondo, l'intima struttura e motivazione del creato, meglio di quanto non possa esserlo nelle cose materiali, che sottostanno, appunto, al limite implicito nella materia. Deriverà di qui l'idea rinascimentale dell'arte che esprime il bello «ideale», sottratto alle imperfezioni che sono in natura.

11. spera: sfera.

12. che... intera: che deve poi attuarsi nella sua integrità.

13. La bellezza è dunque unione dell'Idea con la materia bene disposta a riceverla.

14. È l'incontro armonico di materia e forma.

Il «furore»

Si esalta in questa pagina l'*enthousiasmòs* dei Greci o *furor* dei Latini: potremmo dire l'entusiasmo creativo dell'animo, visto come sintesi delle sue facoltà intellettive e operative. La meta è, naturalmente, Dio, la suprema unità, alla quale l'uomo, disperso nelle occasioni della sua fisicità e del mondo, deve ritornare. Ma tale ritorno è, prima di tutto, un riacquistare piena coscienza di sé, un ritrovare in sé l'immagine di Dio, secondo la *pia philosophia* o *docta religio* del Ficino. Interessante ai nostri fini è qui il riconoscimento della funzione di uno di questi graduali «furori», quello poetico, identificato con la musica, come puro e superiore regno dell'armonia dal quale dipendono le varie forme che essa può assumere. Il Ficino, comunque sia, sottolinea qui l'aspetto creativo della poesia (o musica), la pone fra i momenti conclusivi della vicenda spirituale.

Quella specie di furore la quale Dio ci inspira[1] innalza l'uomo sopra lo uomo: e in Dio lo converte. Il furore divino è una certa illustrazione[2] dell'Anima razionale per la quale Dio, l'anima da le cose superiori alle inferiori caduta, senza dubbio da le inferiori a le superiori ritira.[3] [...] Quattro sono le spezie del divino furore: il primo è il furore poetico; il secondo misteriale cioè sacerdotale, il terzo la divinazione,[4] il quarto è lo affetto dello Amore.[5] [...] Certamente lo Animo non può a essa unità[6] tornare, se egli non diventa uno. E pure egli è fatto multiplice, perché egli è caduto nel corpo, in operazioni varie distratto, e inclinato alla infinita moltitudine delle cose corporee, il perché[7] le sue parti superiori quasi dormono, le inferiori soprastanno alle altre. Le prime di sonno, le seconde di perturbazione sono pregne. Adunque principalmente ci bisogna il poetico furore, il quale per toni musicali desti le parti che dormono: per la suavità armonica addolcisca quelle che sono turbate; e finalmente per la consonanzia di diverse cose scacci la dissonante discordia,[8] e le varie parti dell'Anima temperi. Non è però ancora abbastanza questo, perché nell'Animo resta ancora moltitudine e diversità di cose.[9] Aggiugnesi adunque il misterio appartenente a Bacco:[10] il quale per sacrifici e purificazioni e ogni culto divino, dirizza la intenzione di tutte le parti a la Mente con la quale Iddio si adora. Onde, essendo ciascuna delle parti dell'Animo a una Mente ridotta, già si può dire lo Animo a un certo tutto di più essere fatto.[11] Bisogna oltre a questo il terzo furore, il quale riduca la Mente a quella unità, la quale è capo dell'anima.[12] Questo adempie per la divinazione; imperocché quando l'Anima sopra la Mente a la unità della Mente surge, le future cose prevede. Finalmente poi che l'Anima è fatto uno [...] resta che di subito a Dio si riduca. Questo dono ci dà quella celeste Venere mediante lo Amore, cioè mediante il desiderio della Bellezza divina e mediante lo ardore del Bene. [...]

1. la quale: va con **specie**. **inspira**: ispira direttamente.

2. illustrazione: illuminazione.

3. ritira: il soggetto è Dio: «tira di nuovo a sé». È platonico e ancor più neoplatonico il tema dell'incarnazione dell'anima come caduta.

4. Come dice altrove, è la forma di entusiasmo che spinge alla profezia.

5. affetto: noi diremmo «sentimento».

6. essa unità: questa unità con Dio, che si attua prima di tutto attraverso il ritorno dell'uomo in se stesso, per ritrovare nella coscienza profonda la luce e la voce del Verbo divino.

7. il perché: e per questo.

8. La **consonanza** è l'armonia, essenza profonda della musica e, come s'è visto, anche dell'espressione poetica. Disarmonico è l'uomo lacerato da cure, inquietudini, desideri materiali.

9. Anche, dunque, il furore poetico non spegne del tutto le intime disarmonie.

10. Bacco: L'antica divinità pagana è citata forse in memoria dei «misteri» o cerimonie per iniziati che si svolgevano in suo nome; diviene allegoria della celebrazione dei misteri cristiani, e dunque del culto religioso.

11. a un certo... fatto: che l'animo sia uscito dalla dispersione (l'essere **più**) e ricondotto all'unità del divino di cui attraverso il culto, incomincia a divenire partecipe.

12. Il furore profetico è un'ulteriore identificazione con la suprema unità divina che è **capo dell'anima** perché ne è l'intima legge creativa.

Di tutti questi furori il potentissimo e prestantissimo è lo Amore: potentissimo, dico, perché tutti gli altri necessariamente hanno di lui bisogno. Perché non possiamo conseguitare Poesia, Misterii, Divinazione senza diligente studio, ardente pietà e continuo culto di Dio. Ma studio e pietà e culto non è altro che Amore: adunque tutti i furori stanno per la potenzia di Amore.[13] È ancora lo Amore prestantissimo, perché a questo come a fine gli altri tre furori si riferiscono; e questo prossimamente con Dio ci copula. Ma sono quattro affetti adulterati i quali contraffanno questi quattro furori; il furore poetico è contraffatto da questa musica vulgare, la quale solamente gli orecchi lusinga. Il furore misteriale, cioè de' sacrifizi, è contraffatto dalla vana superstizione della plebe. Il furore profetico dalla fallace coniettura della arte umana.[14] Quello dello Amore dallo impeto della libidine. Il vero Amore non è altro che un certo sforzo di volare a la divina bellezza, desto[15] in noi dallo aspetto della corporale bellezza.

13. stanno per: dipendono da.
14. fallace... umana: allude all'arte fallace degli indovini, ancora assai diffusi nella società del tempo.
15. desto: ridestato.

Luigi Pulci

La vita

Luigi Pulci ebbe vita travagliata, a causa delle difficoltà economiche e delle traversie famigliari che ad esse conseguirono. Nacque a Firenze nel 1432 da nobile e antica famiglia, ma già assai dissestata. Aveva diciannove anni quando il padre morì lasciando i figli in ristrettezze, e dovette cercare un impiego presso un facoltoso cittadino che lo presentò ai Medici. Dal 1461 cominciò a frequentare la casa della potente famiglia, luogo di ritrovo dei più nobili ingegni del tempo; e qui fu accolto con molta simpatia e protetto dalla colta e pia madre di Lorenzo il Magnifico, Lucrezia Tornabuoni, autrice di laudi sacre e di storie bibliche ed evangeliche in terza rima e in ottave. Fu lei, anzi, ad esortarlo a scrivere la sua opera maggiore, il *Morgante*, sperando che il Pulci avrebbe non solo dato dignitosa veste letteraria ai rifacimenti popolari (i *cantàri*, recitati nelle piazze) delle antiche storie dei paladini di Carlomagno e delle loro lotte contro i Musulmani, ma ne avrebbe posto meglio in rilievo l'originaria tematica religiosa.

In casa Medici il Pulci strinse con Lorenzo un'amicizia che durò tutta la vita, e ottenne dal potente signore incarichi e aiuti, soprattutto nei momenti più difficili, ad esempio quando il fratello fallì e finì in carcere per debiti, causando ulteriori dissesti a tutta la famiglia. Dopo il 1473, il Pulci fu spesso lontano da Firenze, essendosi messo al servizio, per risanare il bilancio familiare, di un potente condottiero dell'epoca, Roberto di Sanseverino, e dimorò, fra l'altro a Bologna, a Pisa, a Milano. Mentre accompagnava il Sanseverino, di cui era divenuto procuratore, a Venezia, morì a Padova nel 1484, e poiché era considerato eretico e dedito a pratiche di magia, fu sepolto in terra non consacrata.

Il Pulci ebbe temperamento vivace ed esuberante, spontaneamente portato, come vediamo in molte sue vivacissime lettere, a cogliere il lato comico e caricaturale delle cose. Ma c'era anche in lui la propensione a meditare, in forma libera da preconcetti o da schemi precostituiti, problemi filosofici e religiosi, che egli affrontava con intelligenza versatile, nonostante la sua cultura inadeguata. Fu soprattutto uno spirito spregiudicato, a volte paradossale e bizzarro, con un fondo però di cordialità schietta, di giocondità, nonostante la tristezza della sua vita.

Non ebbe una vera cultura umanistica, anche se qualcosa di più di un'eco di essa dovette certo giungergli attraverso i suoi dotti amici: Lorenzo, il Poliziano, Marsilio Ficino. Ma il Pulci, distratto dagli studi anche dalle necessità della vita, seguì con interesse vivissimo le voci e i modi della letteratura popolare, più vicina al suo spirito di quella dotta, e li elaborò nelle sue opere con serio impegno d'artista. Lo si potrebbe, anzi, considerare il rappresentante più vivo di quel gusto popolaresco che ritroviamo, affinato letterariamente e poeticamente, nella letteratura fiorentina del Quattrocento, accanto all'imitazione dei modi e dello spirito dei classici antichi latini e greci. Se, infatti, nel Poliziano e in Lorenzo la componente popolare coesiste con quella più dotta e raffinata, nel Pulci essa è dominante, anzi, si potrebbe dire unica.

Le opere minori del Pulci sono, oltre a numerosi strambotti e frottole, la *Beca di Dicomano*, un poemetto rusticano in ottave in cui il contadino Nuto canta la sua bella, Beca, con espressioni rozze che il Pulci conduce fino alla parodia, la *Giostra di Lorenzo de' Medici*, un poemetto scritto per celebrare la vittoria conseguita da Lorenzo in un torneo, e la *Confessione*, una professione di fede religiosa in terzine. Vivacissimi sono poi i sonetti, alla maniera del Burchiello (cfr. più avanti), scritti contro Bartolomeo Scala, Matteo Franco (un umanista che il Pulci considerava rivale), Marsilio Ficino e i suoi seguaci. Importante documento d'un interesse linguistico, popolaresco e gergale, presente nella sua opera maggiore, sono il *Vocabolarietto di lingua furbesca*, che raccoglie le voci del gergo usitato nella sfera medicea, e la frottola *Le galee per Quaracchi*, dove elenca minuziosamente gli oggetti della *toilette* femminile.

Il «Morgante» e la storia d'un genere letterario

La composizione del Morgante

L'opera più importante del Pulci è il *Morgante Maggiore*, un poema in ottave di argomento cavalleresco, del quale apparve una prima edizione in 23 canti nel 1482, seguita da una in 28 nel 1483 (l'aggettivo *maggiore* nacque forse per distinguere questa da altre precedenti più brevi, che non ci sono però giunte). Fu iniziato circa nel '62, senza che il poeta avesse, originariamente almeno, una concezione organica dell'opera. Dapprima, dietro istigazione di Lucrezia Tornabuoni, madre del Magnifico, doveva semplicemente dare forma più elegante a un rozzo *cantàre* popolaresco dell'epoca, l'*Orlando*, seguendone tuttavia l'ordine e la trama, ma più tardi la materia si ampliò, subendo tuttavia sin dall'inizio una rielaborazione profonda. L'atteggiamento del Pulci non poteva essere, infatti, quello del cantastorie popolare, che si lasciava, per dir così, trascinare da un puro ritmo d'avventura, col consenso immediato d'un pubblico che diveniva anch'esso in qualche modo protagonista della narrazione, ma era quello d'un borghese colto e smaliziato, lontano dal vagheggiamento dell'ideale cavalleresco e portato, se mai, a rievocarlo con un gusto parodistico, che, al tempo stesso, era rivolto anche contro le forme più ingenue di adesione popolare. Forse Lucrezia pensava di cingere di luce più eroica i paladini della fede cristiana; o forse vagheggiava una poesia che accompagnasse il riavvicinamento politico allora in atto con la Francia. Sta di fatto che il Pulci tramutò in forma tutta personale l'occasione, rielaborando le fantasie popolari con un tono in cui l'ironia prevale sulla simpatia, e soprattutto — in particolare negli ultimi cinque canti — distaccandosi dal modello e immettendo nel testo i suoi pensieri e le sue fantasie originali e bizzarre.

Trama e struttura del poema

La trama del *Morgante*, prescindendo da una selva di minori episodi, è la seguente. Orlando paladino abbandona sdegnato Parigi, non riuscendo a sopportare le continue calunnie di Gano di Maganza, implacabile traditore, a cui il vecchio e un po' svanito Carlo Magno presta orecchio, e si reca in Paganìa, cioè in Asia fra gli infedeli. Capita a un convento infestato da tre giganti, ne uccide due e converte il terzo, Morgante, alla fede cristiana, facendone il proprio scudiero. In Pagania Orlando è raggiunto dal cugino Rinaldo, anch'egli sdegnato contro Carlo, e da altri cavalieri cristiani, e insieme incontrano molte e mirabili avventure. Poi, quando la Francia è minacciata dai Saraceni, ritornano, dimentichi d'ogni offesa, per aiutare Carlo Magno e la cristianità minacciata, riportando una prima, grande vittoria. Ma Gano, che ha un odio mortale contro Orlando e Rinaldo, macchina col nemico un infame tradimento. A Roncisvalle Orlando, che è a capo della retroguardia francese, è assalito e circondato da uno sterminato esercito e muore dopo eroica resistenza. Carlo Magno non può far altro che vendicarne atrocemente la morte, uccidendo Marsilio, re dei saraceni di Spagna e il traditore Gano.

Questa trama si complica e si arricchisce di episodi e personaggi minori soprattutto nei primi 23 canti, che sono i più vivaci. In questi particolarmente si avverte il gusto del Pulci di riprodurre lo spirito e le espressioni dei cantambanchi con un'ironia che non esclude però un'adesione. Ma a questo s'aggiunge, ed è fondamentale nel poema, una vena novellistica e comica, che riconduce personaggi e avventure dal mondo cavalleresco e fiabesco a una sfera di realismo quotidiano. Il mondo che il Pulci rappresenta con maggior freschezza e inesauribile divertimento suo e del lettore è quello di una bassa vitalità istintiva: il mondo degli esseri furbi e senza scrupoli, goderecci e dissipati, che vivono alla giornata, senz'altra preoccupazione che la soddisfazione immediata dei sensi, ottenuta mediante la violenza o l'astuzia. È il mondo degli intrighi di corte, impersonato da Gano; di Morgante, gigante di taverna, bonario e ghiottone; di Margutte, creazione originalissima del Pulci, un mezzo gigante sfrontato e furfantesco, cinico e beffardo, artista raffinato del vizio in pensieri parole opere, essere amorale e giocondo. Ma qualcosa di questa istintività è, più o meno, in tutti i paladini, a cominciare da Rinaldo, violento, goloso e rissoso, che ad un certo momento si mette a fare a Parigi il brigante da strada, caccia Carlo Magno dal trono, per poi restituirglielo, per pietà di quel povero vecchio, quando la stizza gli è passata. Non è che a questo mondo vada una simpatia di carattere morale del Pulci, o che egli intenda, conferendogli importanza nell'azione, mettere polemicamente in caricatura la cavalleria. La sua è una simpatia d'artista per ciò che è concreto, vivace. Come dice il Getto, il Pulci non è tanto portato a rappresentare la vita segreta e intima dell'anima, ma «ad indugiare sull'esterno disegno dei volti e dei gesti, e ad esaurire in macchietta vivida il suo pittoresco senso umano». È un disegnatore di bozzetti comici incisivi, di dialoghi realistici e sapidi.

Oltre a questo, che è l'aspetto più vistoso della poesia del Pulci, c'è anche però nel *Morgante* una vena seria e a volte patetica, evidente soprattutto negli ultimi cinque canti. L'episodio della rotta di Roncisvalle ha, accanto a toni comici e grotteschi, toni patetici e meditativi, e sfiora, a tratti, una solennità epica. Inoltre, in questa seconda parte del poema a Margutte subentra Astarotte, un diavolo simpatico e intelligente, per bocca del quale il Pulci esprime la sua varia e disordinata ma a volte acuta meditazione sui problemi della fede religiosa.

Questa molteplicità di toni, che rende difficile una definizione unitaria della poesia del Pulci, rispecchia l'atteggiamento col quale egli guardava la vita, che gli sembrava «uno zibaldone mescolato di dolce e di amaro e di mille sapori vari».

Il «Morgante» e il poema cavalleresco

Il *Morgante* riprende originalmente un'iniziativa letteraria particolarmente attiva nella Firenze quattrocentesca, dai *cantàri* in ottava rima alle canzoni a ballo delle feste cittadine (ad es. il carnevale); una produzione che può essere detta «popolare» nel senso che ebbe larga divulgazione fra tutti i ceti, in particolare fra quelli medi e umili cui era direttamente rivolta. A essa va aggiunta la poesia del Burchiello, di vena schiettamente popolaresca e parodistica. La si può definire una letteratura recitata, per lo più nelle piazze, in un contatto diretto, quasi gestuale col pubblico, che le conferiva implicitamente un carattere di teatralità. Un umanista, ad esempio, restava stupito di vedere la povertà artistica d'un testo alla recita del quale da parte d'un cantambanco aveva assistito il giorno prima, provando, col pubblico, emozioni vive, quasi violente. Molto probabilmente il testo che vedeva era soltanto un canovaccio, arricchito dal modo di porgerlo dell'attore, e forse da formulari parzialmente improvvisati e parzialmente legati a strutture e stilemi tradizionali di racconto, come avviene nella poesia popolare recitata; comunque sia, quel testo non aveva più la teatralizzazione che lo faceva consistere con dignità drammatica ben diversa nell'esecuzione pubblica.

Tutta questa produzione fu seguita con grande interesse dalla cerchia medicea: il Pulci, il Poliziano, Lorenzo ne riprodussero forme e modi di stile in forma più colta, non esitarono a comporne le suggestioni con quelle che venivano a loro dai classici recuperati anche come modello di stile, ne assunsero sovente il linguaggio, mescolandolo ai latinismi e alla lingua della poesia toscana del Due e Trecento. Fu, forse, almeno in Lorenzo, un'operazione di politica culturale, suscitatrice di più ampio consenso popolare, ma certo gli scrittori colti furono attirati anche dalla vitalità che si esprimeva in quelle forme letterarie elementari e dal desiderio di emularne la diretta comunicatività. Il Pulci, uomo di cultura umanistica meno raffinata, si mosse più a suo agio in questa dimensione popolaresca che s'accordava anche col suo raffinato interesse linguistico, orientato verso l'espressività popolare del dialetto, ossia verso, tonalità impressionistiche, o anche espressionistiche, intese, cioè, a una visione polemicamente deformata della realtà, che rifletteva il suo rapporto non pacificato con le cose. L'eresia e la magia di cui fu accusato furono forse una riduzione banalizzante del suo non conformismo ideologico e spirituale, o per lo meno d'una sua irrequietezza in tal senso.

L'interesse per la tematica cavalleresca non fu un fenomeno soltanto fiorentino o popolaresco. La corte ferrarese chiedeva con impazienza notizie del *Morgante* mentre seguiva con passione il poema del Boiardo, l'*Orlando innamorato*, rafforzando una tradizione che avrebbe avuto notevolissimi svolgimenti, a livello di letteratura colta, nel Cinquecento: basta citare l'*Orlando furioso* e la *Gerusalemme liberata*.

La storia del poema cavalleresco è quella d'un genere letterario che dai modelli francesi dei secoli XI e XII (la *Chanson de Roland*, le *chansons de geste*, ossia di varie stirpi nobiliari, il ciclo della Tavola rotonda), ai poemetti franco-veneti dei secoli XIII e XIV, attraverso i cantari del Tre e Quattrocento viene di nuovo a sfociare nella letteratura dotta. Un termine medio, a livello ancora popolaresco fu Andrea da Barberino (1370- dopo il 1431), autore di romanzi cavallereschi di soggetto carolingio, dai *Reali di Francia*, all'*Aspromonte*, al *Guerrino detto il Meschino*, rimasti popolari per secoli. In Andrea come nei *cantàri* si ha la visione chiara dei mutamenti strutturali del «genere». Lontani dallo spirito vagamente epico-sacrale del ciclo carolingio o da quello aristocratico feudale degli altri cicli, i nuovi narratori uniscono sempre più strettamente armi e amori e mantengono il tema della lotta fra Cristiani e Saraceni soltanto come un elemento portante (ma essenziale) della struttura narrativa. La guerra contro gli infedeli e l'assedio di Parigi (mai avvenuto) da parte di questi servono come ragione di suddivisione in due campi dei protagonisti guerrieri e come posto di blocco cui tutti fanno capo, a cui ritorna, nei momenti di maggior dispersione, l'avventura. E questa è la protagonista incontrastata (l'amore ne è soltanto un incentivo, anche se potentissimo, anzi, per lo più determinante, quanto più si affievoliscono i motivi sacrali e ideologici); il suo movimento libero e imprevedibile diviene l'essenziale modello narrativo.

Su questo piano di disimpegno nei confronti dell'antica ideologia cavalleresco-feudale si sviluppa, soprattutto nella poesia «colta», l'ironia. I grandi colpi di spada, le magie e i prodigi, gli amori e i tradimenti, la forza immane degli eroi che li porta a imprese fiabescamente inverosimili vengono riprese dai testi popolari con tono parodistico; ma già in questi ultimi Carlo Magno e i paladini sono spesso, come nel poema del Pulci, esseri grossolani, maneschi e voraci, hanno, cioè, una prima definizione caricaturale.

Caratteri del «Morgante»

L'aggiunta più originale all'*Orlando*, il *cantàre* seguito fin pedissequamente dal Pulci, è l'invenzione di Margutte, col suo vitalismo beffardo che diviene motivo programmatico del poema, e, almeno in parte, Morgante, la cui bestialità bonaria (tranne quando ha fame) e stolida è la parodia dell'elemento meraviglioso del poema cavalleresco. Anche quando, negli ultimi canti, subentrano nuovi modelli (*La Spagna in rima, La rotta di Roncisvalle*) che sembrano contribuire a portare nel poema una vena epica, si tratta pur sempre di materia risaputa che, per questo, non sollecita veramente la fantasia dello scrittore, la cui ispirazione resta legata ai due temi: quello parodistico e quello vitalistico-istintivo, che spiega e accoglie in sé anche il primo, o costituisce la ragione prima dell'aspetto dissacratorio del poema.

Questa tematica profonda si attua soprattutto a livello di linguaggio; ed è qui che la fantasia e l'arte del Pulci si rivelano nella loro piena originalità. Si può definire, quello del *Morgante*, un linguaggio trasgressivo, nel senso che la lingua popolaresca e quotidiana di registro «basso» è in deciso contrasto con la tonalità remota e fiabesca del mondo rappresentato, e anche con la dimensione eroica delle avventure, e si adatta piuttosto al ritratto plebeo di Gano, Carlo Magno e Rinaldo. Ma al di là della parodia immediata, il linguaggio plebeo, i dialettismi, la spericolata sperimentazione linguistica, le lunghe e beffarde filze di vocaboli denotano l'atteggiamento critico dell'autore nei confronti dei conformismi culturali e morali, l'opposizione a essi d'una vitalità elementare, caotica e tuttavia portatrice, nel mondo capovolto che essa contribuisce a configurare, d'una radicale critica dell'esistente, e anche d'ogni mitologia. Si veda, ad esempio, la comica confessione (o meglio, negativa professione di fede) di Margutte, fondata su un ritmo di battute fra comiche e sarcastiche, che giungono a sfiorare tonalità sacrileghe, per concludersi poi nel lazzo e nella risata; o si legga la descrizione del campo di battaglia di Roncisvalle, dove l'epopea d'Orlando sembra come affogare in un tegame in cui bollono sangue e ossa: una sorta di pietanza plebea, il *mortito*: ma sono i «pagani» tagliati a fette dai paladini. A un certo punto la parodia linguistico-verbale sembra mordersi la coda: l'assenza di significato degli oggetti si traduce in un'assenza corrispondente nelle parole («e non dura la festa mademane/crai e poscrai e poscrigno e posquacchera) in una poesia che diviene parodia di se stessa. Era la risposta del Pulci all'esaltazione umanistica della poesia e all'idealismo ficiniano; la grande caricatura popolaresca e istintiva d'un mondo, come s'è detto, capovolto. O, si potrebbe dire, una nuova filologia del negativo. Sul piano culturale l'aspetto propositivo del Pulci rimaneva limitato, affidato, se mai, a una critica scanzonata e corrosiva, non particolarmente penetrante. Ma il suo linguaggio, e i personaggi che esso costruiva, Margutte, in primo luogo, che è tutto nelle parole che dice e in pochi gesti, andava al di là della sua ideologia, e diveniva segno incisivo di un'inquietudine, d'una crisi latente sotto la serenatrice celebrazione dell'uomo e della sua azione della civiltà cui pure il Pulci apparteneva: paradossalmente proprio per lo spirito critico con cui ne smontava alcune persuasioni di fondo, affidandosi a quella sperimentazione della realtà affidata al linguaggio che era stato il primo fondamento dell'esperienza umanistica.

Per il testo seguiamo: L. Pulci, *Il Morgante*, a cura di F. Ageno, Milano-Napoli, Ricciardi, 1955.

Orlando, i giganti, Morgante

Seccatissimo per le losche trame di quel *patito* del tradimento che è Gano di Maganza (questi lo mette in cattiva luce presso Carlo Magno che purtroppo, svanito ormai com'è, gli presta orecchio), Orlando abbandona la corte e se ne va in Paganìa. Qui incontra la sua prima avventura, la battaglia contro i giganti che seviziano i monaci di un convento, e anche colui che gli sarà scudiero affezionato e fedele, Morgante, un gigante smisurato, che Orlando converte e battezza.

Fin da queste ottave, che fanno parte del primo canto del *Morgante*, troviamo l'allegro travestimento del mondo cavalleresco in termini novellistici e popolareschi, non più eroici ma comici. Più che l'avventura, interessa al Pulci il dialogo, vivace, scanzonato e del tutto vicino a un parlare quotidiano, dei suoi personaggi. Il poeta riecheggia così il rozzo linguaggio dei cantàri popolareschi e sviluppa i lati comici impliciti in queste narrazioni.

L'abate si chiamava Chiaramonte:
era del sangue disceso d'Angrante.
Di sopra alla badia v'era un gran monte,
dove abitava alcun fero gigante,
5 de' quali uno avea nome Passamonte,
l'altro Alabastro, e 'l terzo era Morgante:
con certe frombe gittavan da alto,
ed ogni dì facevan qualche assalto.
I monachetti non potieno uscire
10 del monistero o per legne o per acque.
Orlando picchia, e non voleano aprire,
fin ch'a l'abate alla fine pur piacque.
Entrato dentro, cominciava a dire
come Colui che di Maria già nacque,
15 adora, ed era cristian battezato,
e come egli era alla badia arrivato.
Disse l'abate: — Il ben venuto sia.
Di quel ch'io ho, volentier ti daremo,
poi che tu credi al Figliuol di Maria;
20 e la cagion, cavalier, ti diremo,
acciò che non la imputi villania
perché all'entrar resistenzia facemo,
e non ti volle aprir quel monachetto:
così intervien, chi vive con sospetto.

Canto I, ottave 20-36 e 39-46.

1. L'abate... Chiaramonte: Orlando è giunto in un deserto, *in luoghi scuri e paesi lontani / ch'era a' confin tra' Cristiani e Pagani*. Qui trova un'abbazia governata da Chiaramonte. Scoprirà poi che l'abate è cugino suo e quindi anche di Rinaldo, in quanto figlio di Ansuigi, fratello di Milone, suo padre. Il capostipite della famiglia dei Chiaramontesi è Bernardo di Chiaramonte, che ebbe tre figli: Milone, padre di Orlando, Amone, padre di Rinaldo, Ansuigi, padre dell'abate. Feroce è l'odio fra questa famiglia, o *gesta*, e quella dei Maganzesi, capitanati ora dal traditore Gano.
2. Angrante: era un castello che aveva dato il titolo al padre di Orlando e a Orlando stesso.
7. con certe frombe... da alto: con le loro fionde gettavano, dall'alto del monte, massi contro il convento.
9. I monachetti: come dire: quei poveri monaci.
14. Colui... nacque: Cristo.
21. imputi: reputi.
24. così intervien... sospetto: è quello che capita a chi vive, come noi, in continuo timore.

25 Quand'io ci venni al principio abitare,
queste montagne, ben che sieno oscure
come tu vedi, pur si potea stare
sanza sospetto, ché l'eran sicure;
sol dalle fiere t'avevi a guardare:
30 fernoci spesso di strane paure.
Or ci bisogna, se vogliamo starci,
dalle bestie dimestiche guardarci.
Queste ci fan più tosto stare a segno:
sonci appariti tre feri giganti,
35 non so di qual paese o di qual regno;
ma molto son feroci tutti quanti.
La forza e 'l mal voler giunta allo 'ngegno,
sai che può il tutto; e noi non siàn bastanti:
questi perturban sì l'orazion nostra,
40 ch'io non so più che far, s'altri nol mostra.
Gli antichi padri nostri nel deserto,
se le loro opre sante erano e giuste,
del ben servir da Dio n'avean buon merto;
né creder sol vivessin di locuste:
45 piovea dal ciel la manna, questo è certo;
ma qui convien che spesso assaggi e guste
sassi, che piovon di sopra quel monte,
che gettano Alabastro e Passamonte.
Il terzo, che è Morgante, assai più fero,
50 isveglie e' pini, e' faggi, e' cerri e gli oppi,
e gettagli insin qui, questo è pur vero:
non posso far che d'ira non iscoppi. —
Mentre che parlan così in cimitero,
un sasso par che Rondel quasi sgroppi,
55 che da' giganti giù venne da alto,
tanto che e' prese sotto il tetto un salto.
— Tirati drento, cavalier, per Dio, —
disse l'abate — ché la manna casca. —
Rispose Orlando: — Caro abate mio,
60 costui non vuol che 'l mio caval più pasca:
veggo che lo guarrebbe del restio;
quel sasso par che di buon braccio nasca. —
Risponde il santo padre: — Io non t'inganno:
credo che 'l monte un giorno gitteranno. —
65 Orlando governar fece Rondello
ed ordinar per sé da collezione;
poi disse: — Abate, io voglio andare a quello
che dette al mio caval con quel cantone. —
Disse l'abate: — Come car fratello
70 consiglierotti sanza passïone:
io ti sconforto, barbon, di tal gita,
ch'io so che tu vi lascerai la vita.
Quel Passamonte porta in man tre dardi,
chi frombe, chi baston, chi mazzafrusti:
75 sai che' giganti più di noi gagliardi
son, per ragion che sono anco più giusti;
e pur se vuoi andar, fa che ti guardi,
ché questi son villan molto e robusti.
Rispose Orlando: — Io lo vedrò per certo —;
80 ed avvïossi a pié sù pel deserto.
L'abate il crocïon gli fece in fronte:
— Va, che da Dio a me sia benedetto. —
Orlando, poi che salito ebbe il monte,

26. oscure: selvagge.
30. fernoci spesso, ecc.: ci fecero spesso delle paure straordinarie.
32. bestie dimestiche: bestie umane; allude ai giganti.
33. stare a segno: vivere con estrema cautela.
34. sonci appariti: sono qui apparsi. **feri**: feroci.
37-38. La forza e 'l mal voler... il tutto: Sai che quando la forza e la volontà di male si uniscono all'ingegno, acquistano grandissima potenza. Il verso è una reminiscenza di Dante; se ne trovano di frequente nel *Morgante*.
41. Gli antichi padri: sono gli eremiti, di cui parla Domenico Cavalca, che vivevano nel deserto.
43. Erano ricompensati da Dio adeguatamente, secondo i loro meriti.
44. locuste: cavallette; erano, secondo il Vangelo, il cibo di S. Giovanni Battista nel deserto.
44-47. Il discorso dell'abate acquista un tono comicamente scanzonato. Bei tempi — sembra dire — quelli dei Santi Padri! Ora, per noi, non piove più manna, ma piovon sassi. L'immagine è ripresa ai vv. 57-58, con la stessa sfumatura ironica. Nel discorso dell'abate c'è un allegro tono novellistico, caratteristico del poema, né l'accenno non del tutto riverente agli antichi padri e alla manna va considerato espressione di irreligiosità o di polemica antireligiosa; esso fa parte dell'atteggiamento scanzonato e divertito con cui il Pulci tratta la sua materia.
48. Alabastro e Passamonte: sono due dei tre giganti. Il terzo è Morgante.
50. isveglie: svelle, sradica. **oppi**: aceri.
53. in cimitero: nel chiostro, dove venivano seppelliti i frati defunti.
54. sgroppi: sfondi la groppa. *Rondello* è il cavallo di Uggieri, che Orlando ha avuto in prestito.
56. tanto... salto: tanto che con un salto si rifugiò sotto il tetto, cioè sotto il porticato che circondava il chiostro.
57. per Dio: per amor di Dio.
60. costui, ecc.: colui che ha tirato vuole ammazzare il mio cavallo.
61. che... restio: lo guarirebbe da ogni sua bizzarria. «Il parlare per gergo, apparentemente burlesco, è una forma, anche popolare, di dominare le impressioni istintive, specialmente quella della paura» (Montanari-Puppo). Tutto questo racconto ha, del resto, un tono familiare e popolaresco, di novella, non certo di epopea eroica; e così è per tutto il poema. Il modo di fare di Orlando è in genere quello d'un brav'uomo, di animo semplice e bonario, nonostante i suoi monumentali colpi di spada.
63. Io non t'inganno: Te l'ho detto io! Un giorno o l'altro tiran giù il monte!
66. collezione: colazione. Prima di tutto mangia, cosa che i cavalieri del Pulci fanno sempre volontieri. Dopo mangiato, per aiutare, si direbbe, la digestione, andrà a trovare i giganti.
68. dette... cantone: che colpì con quel grosso sasso.
70. sanza passione: spassionatamente.
71. ti sconforto... gita: ti sconsiglio dall'andare.
74. chi frombe, ecc.: i tre giganti sono armati di fionde, di bastoni, di mazzafrusti (frusta con cinque o sei cordicelle o fili metallici muniti all'estremità di palle di piombo).
76. giusti: grandi e grossi.
79. Io lo vedrò per certo: La vedremo!
81. il crocïon: il segno della croce, per benedirlo.

si dirizzò, come l'abate detto
85 gli aveva, dove sta quel Passamonte;
il quale, Orlando veggendo soletto,
molto lo squadra di drieto e davante;
poi domandò se star volea per fante;
e prometteva di farlo godere.
90 Orlando disse: — Pazzo saracino,
io vengo a te, come è di Dio volere,
per darti morte, e non per ragazzino;
a' monaci suoi fatto hai dispiacere:
non può più comportarti, can meschino. —
95 Questo gigante armar si corse a furia,
quando sentì ch'e' gli diceva ingiuria.
E ritornato ove aspettava Orlando,
Il qual non s'era partito da bomba,
sùbito venne la corda girando,
100 e lascia un sasso andar fuor della fromba,
che in sulla testa giungea rotolando
al conte Orlando, e l'elmetto rimbomba.
E cadde per la pena tramortito,
ma più che morto par, tanto è stordito.
105 Passamonte pensò che fussi morto,
e disse: «Io voglio andarmi a disarmare;
questo poltron, per chi m'aveva scorto?»
Ma Cristo i suoi non suole abandonare,
massime Orlando, ch'Egli arebbe il torto.
110 Mentre il gigante l'arme va a spogliare,
Orlando in questo tempo si risente,
e rivocava e la forza e la mente.
E gridò forte: — Gigante, ove vai?
Ben ti pensasti d'avermi ammazzato!
115 Volgiti addietro, ché, se alie non hai,
non puoi da me fuggir, can rinnegato:
a tradimento ingiurïato m'hai —;
donde il gigante allor, maravigliato
si volse addrieto e riteneva il passo;
120 poi si chinò per tor di terra un sasso.
Orlando avea Cortana ignuda in mano;
trasse alla testa, e Cortana tagliava:
per mezzo il teschio partì del pagano,
e Passamonte morto rovinava;
125 e nel cadere il superbo e villano
divotamente Macon bestemmiava;
ma mentre che bestemia il crudo e acerbo,
Orlando ringraziava il Padre e 'l Verbo [...].
Morgante aveva al suo modo un palagio
130 fatto di frasche e di schegge e di terra;
quivi, secondo lui, si posa ad agio,
quivi la notte si rinchiude a serra.
Orlando picchia, e daràgli disagio,
per che il gigante dal sonno si sferra;
135 vennegli aprir come una cosa matta,
ch'un'aspra visïone avea fatta.
E' gli parea ch'un feroce serpente
l'avea assalito, e chiamar Macometto;
ma Macometto non valea nïente,
140 onde e' chiamava Jesù benedetto,
e liberato l'avea finalmente.
Venne alla porta ed ebbe così detto:

87-88. È una scena mimica vivace e comica. Passamonte squadra l'ometto (tale è Orlando di fronte a lui) davanti e di dietro. Lo vede solo, non vuol quindi neppure pensare che sia venuto per dargli battaglia; e gli chiede allora se vuole diventare suo servitore (fante).
89. di farlo godere: buon salario e ottimo trattamento.
92. ragazzino: servo.
94. non... meschino: Dio non ti sopporta più, cane sciagurato.
98. da bomba: si chiamava così, nel gioco fiorentino del ponte, il luogo dal quale i giuocatori partivano e nel quale dovevano ritornare per essere al sicuro. Qui vuol dire che Orlando era rimasto a piè fermo ad aspettarlo: da cavaliere leale e, diremmo noi, sportivo, aveva lasciato che andasse ad armarsi per il duello.
107. questo poltron, ecc.: questo gagliof-fo, per chi m'aveva preso?
109. ch'Egli arebbe il torto: Dio si metterebbe dalla parte del torto se abbandonasse un paladino a lui così fedele. Per la stessa ragione i giganti o i cavalieri pagani, quando sono sconfitti, dicono un sacco d'insolenze a Maometto (considerato impropriamente dal Pulci il loro Dio), perché non li ha aiutati come si deve.
112. rivocava: richiamava, riprendeva.
115. alie: ali.
121. Cortana: è la spada di Uggieri. Orlando è partito, per così dire, in incognito, lasciando a casa il suo cavallo e la sua spada.
122. trasse: colpì.
126. divotamente: con profonda convinzione. Cfr. la nota al v. 109.
128. il Padre e 'l Verbo: Dio e Cristo. Saltiamo, per economia di spazio, tre ottave che raccontano l'uccisione del gigante Alabastro da parte di Orlando.
129. al suo modo: un palazzo conforme alla sua grossolana natura.
131. Qui riposa comodamente, secondo le sue necessità.
133. daràgli disagio: gli darà noia, infatti il gigante si sveglia dal sonno. Quanto esso fosse profondo è suggerito dal verbo *sferra* (si libera dalla catena del sonno). Il futuro *daràgli* dà al racconto un tono di immediatezza, di «parlato».
135. come una cosa matta: col volto trasognato e fuori di sé per il sogno (*visione*) che aveva fatto.
141. l'avea: il soggetto è Cristo. Il feroce serpente del sogno simboleggia Orlando: solo convertendosi al cristianesimo il buon Morgante eviterà la morte.

— Chi bussa qua? — pur sempre borbottando.
— Tu 'l saprai tosto — gli rispose Orlando.
145 — Vengo per farti come a' tuoi fratelli;
son de' peccati tuoi la penitenzia,
da' monaci mandato cattivelli,
come stato è divina providenzia:
pel mal ch'avete fatto a torto a quelli,
150 è data in Ciel così questa sentenzia,
sappi che freddo già più ch'un pilastro
lasciato ho Passamonte e'l tuo Alabastro. —
Disse Morgante: — O gentil cavaliere,
per lo tuo Iddio non mi dir villania.
155 Di grazia, il nome tuo vorrei sapere;
se se' cristian, deh, dillo in cortesia. —
Rispose Orlando: — Di cotal mestiere
contenterotti, per la fede mia:
adoro Cristo, che è Signor verace,
160 e puoi tu adorarlo, se ti piace. —
Rispose il saracin con umil voce:
— Io ho fatta una strana visione:
che m'assaliva un serpente feroce;
non mi valeva, per chiamar, Macone;
165 onde al tuo Iddio, che fu confitto in croce,
rivolsi presto la mia divozione;
e' mi soccorse, e fui libero e sano,
e son disposto al tutto esser cristiano. —
Rispose Orlando: — Baron giusto e pio,
170 se questo buon voler terrai nel core,
l'anima tua arà quel vero Iddio
che ci può sol gradir d'eterno onore;
e s'tu vorrai, sarai compagno mio
ed amerotti con perfetto amore;
175 gl'idoli vostri son bugiardi e vani,
e 'l vero Iddio è lo Iddio de' cristiani.
Venne questo Signor sanza peccato
nella sua madre virgine pulzella.
Se cognoscessi quel Signor beato,
180 sanza 'l qual non risplende sole o stella,
aresti già Macon tuo rinnegato
e la sua fede iniqua, ingiusta e fella:
battézzati al mio Iddio di buon talento. —
Morgante gli rispose: — Io son contento —
185 e corse Orlando sùbito abbracciare.
Orlando gran carezze gli facea,
e disse: — Alla badia ti vo' menare. —
Morgante: — Andanvi presto, — rispondea
— co' monaci la pace si vuol fare. —
190 Della qual cosa Orlando in sé godea,
dicendo: — Fratel mio divoto e buono,
io vo' che chiegga all'abate perdono.

143. pur sempre borbottando: Morgante si delinea con tratti rapidi e sicuri al nostro sguardo: è un gigante bonario e sempliciotto: il suo brontolare ha ben poco di terribile.
146. son de' peccati, ecc.: sono la punizione dei tuoi peccati.
147-148. da' monaci... providenzia: mandato dagli infelici monaci, per disegno della divina provvidenza Orlando ha l'aria di certi *babau* delle favole per bambini; Morgante risponde umile e spaventato.
157-158. Di cotal mestiere contenterotti: Ti soddisferò in questo tuo desiderio.
164. non mi valeva, ecc.: Per quanto lo invocassi, Maometto non mi aiutava.
167-168. La conversione di Morgante è davvero repentina. Ma qui l'elemento fiabesco predomina di gran lunga su quello religioso: il Pulci segue l'ingenua rozzezza dei cantari popolari.
169. Baron: l'idea di farsi cristiano ha dato al gigante una nuova dignità agli occhi del buon Orlando. Di qui in avanti, il discorso fra i due diviene sempre più un dialogo fra buoni compari.
172. che... onore: che sicuramente ci ricompenserà con l'eterna beatitudine.
175. idoli: secondo l'errata opinione popolare, i Maomettani erano allora considerati idolatri.
178. virgine pulzella: vergine fanciulla.
183. di buon talento: di buon animo.
185-186. L'abbraccio e le gran carezze fra i due hanno un allegro tono di operetta, o meglio di balletto. Morgante, soprattutto, sembra un buon cucciolone che dimeni festosamente la coda. Da questo momento vedremo sempre in lui questa devozione affettuosa e bonaria nei confronti d'Orlando. Solo con Margutte, come vedremo, metterà in mostra altri caratteri: la voracità e certe azioni da discolo. Ma resterà, in fondo, il gigante contento quando riesce a compiere una buona azione, impulsivo e generoso. Ora andrà a chiedere perdono all'abate e gli porterà, come pegno della sua conversione, i moncherini dei fratelli morti, senza pensare minimamente alla crudeltà della macabra operazione.

Morgante e Margutte

Morgante e Margutte costituiscono la coppia più spassosa che sia uscita dalla fantasia del Pulci. Il primo è un gigante con un fondo ingenuo e bonario, impulsivo sia nei pensieri buoni sia in quelli violenti, pacioccone e ingordo; il secondo un gigante arrestatosi a metà della crescita, dall'astuzia raffinata e allegramente furfantesca. Tratti comuni ai due compagni sono la voracità, la vitalità istintiva, sfrenata e irresistibile. Avranno una morte degna della loro personalità comica: Morgante morrà per la puntura di un granchiolino; Margutte scoppierà dal ridere vedendo una scimmia cavarsi e mettersi i suoi stivali.

La confessione dei propri innumerevoli vizi con la quale Margutte si presenta (e piace subito) a Morgante, che lo ascolta a boc-

ca aperta, delinea compiutamente la sua figura di birbante allegro e matricolato. Egli snocciola un mucchio di nefandezze con un divertito compiacimento. «La religione — dice — è come il solletico: lo si soffre o, come me, non lo si soffre». Potrebbe dire lo stesso della coscienza morale: è un prurito che non sente neppure. E tuttavia vizi e delitti non appaiono in lui come tali, ma come manifestazione istintiva del suo bisogno elementare: godere la vita e stare allegri.

Giunto Morgante un dì in su 'n un crocicchio,
uscito d'una valle in un gran bosco,
vide venir di lungi per ispicchio
un uom che in volto parea tutto fosco.
5 Dette del capo del battaglio un picchio
in terra, e disse: «Costui non conosco»;
e posesi a sedere in su 'n un sasso,
tanto che questo capitoe al passo.
Morgante guata le sue membra tutte
10 più e più volte dal capo alle piante,
che gli pareano strane, orride e brutte.
«Dimmi il tuo nome», dicea, «vïandante».
Colui rispose: «Il mio nome è Margutte,
ed ebbi voglia anco io d'esser gigante,
15 poi mi penti' quando al mezzo fu' giunto;
vedi che sette braccia sono appunto».
Disse Morgante: «Tu sia il ben venuto;
ecco ch'io arò pure un fiaschetto allato,
che da due giorni in qua non ho beuto;
20 e, se con meco sarai accompagnato,
io ti farò a cammin quel ch'è dovuto.
Dimmi più oltre: io non t'ho domandato,
se se' Cristiano, o se se' Saracino,
o se tu credi in Cristo o in Apollino».
25 Rispose allor Margutte: «A dirtel tosto,
io non credo più al nero ch'all'azzurro,
ma nel cappone, o lesso o vuogli arrosto;
e credo alcuna volta anco nel burro,
nella cervogia, e, quando io n'ho, nel mosto,
30 e molto più nell'aspro che il mangurro;
ma sopra tutto nel buon vino ho fede,
e credo che sia salvo chi gli crede;
e credo nella torta e nel tortello:
l'uno è la madre, e l'altro è il suo figliolo;
35 il vero paternostro è il fegatello,
e possono esser tre, due ed un solo,
e diriva dal fegato almen quello.
E perch'io vorrei ber con un ghiacciuolo,
se Macometto il mosto vieta e biasima,
40 credo che sia il sogno o la fantasima,
ed Apollin debbe essere il farnetico,
e Trivigante forse la tregenda.

Canto XVIII, ottave 112-120.

1. Giunto Morgante: Siamo ancora in Paganìa. Morgante si sta dirigendo verso la Siria in cerca di Orlando.
3. per ispicchio: senza ancora scorgerlo bene.
5. del capo del battaglio: con la cima del battaglio di campana, la strana e comica arma di cui si è fornito al monastero. Nota la vivacità ed evidenza dei gesti: il picchio del battaglio è un improvviso e spontaneo gesto di meraviglia, il sedersi sul sasso e attenderlo mostra la curiosità vivissima di Morgante davanti all'apparizione di quella stramba (come poi si vedrà meglio) figura.
8. tanto che: finché; **al passo**: sul crocicchio.
9. guata: rimira stupito.
13. Margutte: Pare che questo personaggio sia creazione originale del Pulci. Il nome è lo stesso che veniva dato, nel Medio Evo, ai fantocci di legno, di grandezza naturale, raffiguranti un guerriero saraceno, contro i quali i cavalieri nelle giostre spezzavano la lancia, e deriva da *marabutto*, nome dei santoni musulmani.
14. ed ebbi voglia anco io: Anche Margutte ha avuto l'intenzione di diventare gigante, ma a metà della crescita s'è annoiato della cosa, ed è rimasto un gigante a metà, alto appena quattro metri (*sette braccia*).
18. un fiaschetto: Accanto a me, intende dire Morgante, farai la figura che fa un fiaschetto che un uomo di statura normale porti al fianco. Soddisfatto dell'ameno paragone, lo continua nel verso seguente, dicendo che non ha bevuto da due giorni, e quindi è lieto di aver trovato un fiaschetto: è lieto, cioè di non dover più viaggiare da solo.
21. io ti farò, ecc.: ti tratterò lungo il cammino come si conviene.
24. Apollino: Secondo la credenza popolare, i Musulmani erano idolatri, e credevano in Maometto, Apollo, Trivigante. Morgante, da bravo scudiero di Orlando, si sente in dovere di preoccuparsi della fede religiosa del compagno.
26. io non credo più al nero ch'all'azzurro: non credo in niente. Comincia così la celebre professione di fede di Margutte, vivacissima ed estrosa. A una prima affermazione della vanità di ogni fede, segue l'esaltazione della soddisfazione piena dei sensi e degli istinti, e poi una trionfale litania di tutti i vizi capitali, dei peccati mortali e veniali (basta, per questi ultimi, un rapido e sdegnoso accenno, perché son cose trascurabili). Ma, nonostante le parole empie, Margutte resta, dal principio alla fine, figura comica; non c'è in lui il cinismo sinistro di Ser Ciappelletto, si ha quasi l'impressione che bari, che inventi, cioè, le colpe più mostruose per far sgranare ancor più gli occhi all'ingenuo e stupito Morgante (*guarda* — dice dopo la trionfale esposizione del primo vizio, il giuoco — *se questo per primo ti garba*); viene piuttosto in mente quell'allegra ed esagerata «confessione» fra compagnoni d'osteria di Cecco Angiolieri, *S'i' fosse foco*.
27. ma... arrosto: ma credo nel cappone, sia lesso, sia arrosto. La prima ottava del discorso di Margutte è la più felice e delinea già compiutamente il personaggio e il tono del suo discorso.
29. cervogia: birra. **mosto**: non è il vino, ma succo di uva pigiata.
30. e molto più nell'aspro che il mangurro: è un giuoco di parole: *aspro* è aggettivo riferito a *mosto* ma è anche il nome di una moneta turca d'argento; il *mangurro* è una moneta turca di rame, di poco valore. Il significato è probabilmente questo: Margutte crede nel mosto aspro più che il *mangurro* non creda nell'*aspro* (di cui è una parte). Così spiega Franca Ageno nel commento alla sua edizione del *Morgante*.
32. che sia salvo: la frase di solito allude alla salvezza eterna dell'anima.
33-42. Segue la derisione allegramente blasfema delle due religioni, cristiana e musulmana, trattate da Margutte con empietà imparziale. Poi, la conclusione cinica e scanzonata: la fede è come il solletico, c'è chi lo sente, c'è chi non lo sente; io, non ho alcun prurito religioso.
35. paternostro: la vera divinità.
36. e posson esser tre, ecc.: allusione grossolana al dogma della Trinità. Forse il fegatello è trino, perché è composto di fegatello, rete, foglia di alloro.
38. ghiacciuolo: mastello di legno, nel quale si metteva il ghiaccio. Margutte prende ora in considerazione la religione musulmana, e la riconosce assurda proprio perché vieta l'uso del vino.
40-42. credo... tregenda: Credo che Maometto sia un fantasma, Apollino il farnetico, cioè il delirio e Trivigante la tregenda, cioè una tumultuosa adunata notturna di streghe e demoni. Margutte vuol dire che queste tre divinità (attribuite — ma

La fede è fatta, come fa il solletico:
per discrezion mi credo che tu intenda:
45 or tu potresti dir ch'io fussi eretico:
acciò che invan parola non ci spenda,
vedrai che la mia schiatta non traligna,
e ch'io non son terren da porvi vigna.
Questa fede è come l'uom se l'arreca.
50 Vuoi tu veder che fede sia la mia?
Che nato son d'una monaca greca,
e d'un papasso in Bursia, là in Turchia.
E nel principio sonar la ribeca
mi dilettai, perch'avea fantasia
55 cantar di Troia e d'Ettore e d'Achille,
non una volta già, ma mille e mille.
Poi che m'increbbe il sonar la chitarra,
io cominciai a portar l'arco e il turcasso.
Un dì ch'io fe' nella moschea poi sciarra,
60 e ch'io uccisi il mio vecchio papasso,
mi posi allato questa scimitarra,
e cominciai pel mondo andare a spasso;
e per compagni ne menai con meco
tutti i peccati o di turco o di greco,
65 anzi quanti ne son giù nello inferno:
io n'ho settanta e sette de' mortali,
che non mi lascian mai la state o 'l verno;
pensa quanti n'ho poi de' venïali!
Non credo, se durassi il mondo etterno,
70 si potessi commetter tanti mali
quanti ho commessi io solo alla mia vita:
ed ho per alfabeto ogni partita.

falsamente — alla religione musulmana e contrapposte alla Trinità Cristiana) non esistono, sono il prodotto di delirio o follia.
44. discrezion: discernimento. Come dire: sei intelligente, mi comprendi senza che mi dilunghi a spiegare il concetto.
46-48. Affinché Morgante non spenda parole e non perda tempo a convertirlo. Margutte gli dimostra che vien così di razza (*non traligna*, non è degenere). Nato da una monaca greco ortodossa e da un prete musulmano, quale religione dovrebbe avere Margutte? Meglio lasciar perdere e non scontentare nessuno.
49. Questa fede, ecc.: la fede, uno se la porta con sé dalla nascita; ciascuno cioè segue la religione nella quale i genitori l'hanno allevato. Ora, Margutte, nato da genitori appartenenti a confessioni diverse e per giunta spregiatori ciascuno della propria, come dimostra la loro unione, non è stato allevato in nessuna delle due.
52. Bursia: città dell'Anatolia, residenza dei primi sovrani ottomani.
53-55. ribeca: strumento musicale simile alla viola. **avea fantasia cantar**: avevo voglia di cantare. Margutte è stato dunque poeta e cantastorie: e come si vede dalla sua lunga e fantasiosa confessione, non ha perduto questo «vizio».
59. sciarra: rissa. Rivela finalmente la propria vocazione: uccide il *papasso* (prete turco), che è suo padre, e, per giunta, nella moschea. Ma racconta il fatto come cosa secondaria: è un trascurabile peccatuccio di gioventù...
72. ed ho per alfabeto, ecc.: li può tutti elencare in bell'ordine. Comincia l'enumerazione, che dura per ventidue ottave, forse un po' troppo compiaciuta, e alla fine un tantino stucchevole, ma ricca di spunti comici e allegramente sfacciata. Morgante ascolta attentissimo per più d'un'ora la «recita» del suo nuovo compare, e poi decide di far società con lui, visto che fra i peccati di Margutte manca il tradimento. Si costituisce così questa nuova e strana coppia cavalleresca, la smisurata forza fisica (Morgante) e l'astuzia beffarda (Margutte); elemento che li unisce intimamente è la loro voracità di ghiottoni, il gusto della beffa, della gozzoviglia, la ferma intenzione di fare sempre e dovunque i propri comodi. Tutto sommato, sono una proiezione ingrandita e deformata, sì da giungere a una spiegata e libera comicità, del mondo cavalleresco quale appare al Pulci (il suo Rinaldo, ad es., è ghiottone, anarchico, manesco e prepotente): un mondo spogliato di ogni carattere feudale o cortese e sentito con realismo popolaresco, nel suo aspetto novellistico e comico, più che in quello eroico.

♦

Morgante e Margutte all'osteria

È questa una delle pagine più allegre e festose del poema, dominata, sostanzialmente dalla figura di Margutte, artista della parola e dell'azione truffaldina.

Anche Morgante campeggia vigorosamente sullo sfondo, con la sua violenza di primitivo, con la sua voracità insaziabile e gigantesca; ma egli non fa altro che bastonare l'oste, mangiare e tacere. Consuma, non produce. È Margutte che regge le fila dell'azione con astuzia sopraffina: scova il cibo, inganna il malcapitato oste, dopo essersene accattivato la simpatia e la confidenza, non appena Morgante è andato a letto, e, alla fine, lo deruba, gli brucia l'osteria e se ne va con l'amico schiattando dalle risa. Ma questa ilarità irrefrenabile che gli sentiamo gorgogliare dentro per tutto l'episodio, ce lo lascia impresso nella memoria non come una figura sinistra, ma come un allegro furfante.

Vannosi insieme ragionando il giorno:
la sera capitorno ad uno ostiere,
e come e' giunson, costui domandorno:
«Aresti tu da mangiare e da bere?
5 e pàgati in sull'asse, o vuoi nel forno».
L'oste rispose: «È ci fia da godere;
e' c'è avanzato un grosso e bel cappone!»
disse Margutte: «È non fia un boccone.

Canto XVIII, ottave 150-174.

1-2. Vannosi... ostiere: Morgante e Margutte camminano tutto il giorno chiacchierando come vecchi amici, finché la sera capitano da un oste.
5. e pàgati... forno: fatti pagare prima o dopo, come preferisci. Allude al fatto che i fornai prendevano in pagamento, quando si portava loro il pane fatto in casa perché lo cuocessero, o una parte di pasta (delle forme da cuocere collocate sul pancone) o una parte del pane cotto.
6. È ci fia da godere: «Ci sarà da stare allegri» dice il povero oste sempliciotto, al quale Margutte risponde immediatamente con comico contrasto (v. 8): «Ma per noi quello non sarà neppure un boccone!».

Qui si conviene avere altre vivande:
10 noi siamo usati di far buona cera;
non vedi tu costui com'egli è grande?
cotesta è una pillola di gera».
Rispose l'oste: «Mangi delle ghiande!
che vuoi tu ch'i' provvegga, or ch'egli è sera?».
15 E cominciò a parlar superbamente,
tal che Morgante non fu pazïente:
comincial col battaglio a bastonare:
l'oste gridava, e non gli parea giuoco.
Disse Margutte: «Lascia un poco stare,
20 io vo' per casa cercare ogni loco;
io vidi dianzi un bufol drento entrare:
e' ti bisogna fare, oste, un gran fuoco,
e che tu intenda ad un fischiar di zufolo;
poi in qualche modo arrostirem quel bufolo».
25 Il fuoco per paura si fe' tosto.
Margutte spicca di sala una stanga:
l'oste borbotta, e Margutte ha risposto:
«Tu vai cercando il battaglio t'infranga;
a voler far quell'animale arrosto
30 che vuoi tu tôrre un manico di vanga?
lascia ordinare a me, se vuoi, il convito».
E finalmente il bufol fu arrostito;
non creder con la pelle scorticata:
e' lo sparò nel corpo solamente.
35 Parea di casa più che la granata:
comanda e grida, e per tutto si sente.
Un'asse molto lunga ha ritrovata;
apparecchiolla fuor subitamente,
e vino e carne e del pan vi ponea,
40 perché Morgante in casa non capea.
Quivi mangioron le reliquie tutte
del bufolo e tre staia di pane e piue,
e bevvono a bigonce; e poi Margutte
disse a quell'oste: «Dimmi, aresti tue
45 da darci del formaggio o delle frutte,
che questa è stata poca roba a due,
o s'altra cosa tu hai di vantaggio?».
Or udirete come andò il formaggio.
L'oste una forma di cacio trovoe,
50 ch'era sei libbre, o poco più o meno;
un canestretto di mele arrecoe
d'un quarto o manco, e non era anche pieno.
Quando Margutte ogni cosa guardoe,
disse a quell'oste: «Bestia sanza freno,
55 ancor s'arà il battaglio adoperare,
s'altro non credi trovar da mangiare.
È questo compagnon da fare ad once?
aspetta, tanto ch'io torni, un miccino,
e servi intanto qui con le bigonce;
60 fa' che non manchi al gigante del vino,
che non ti racconciassi l'ossa sconce.
Io fo per casa come il topolino;
vedrai s'io so ritrovare ogni cosa,
e s'io farò venir giù roba a iosa!».
65 Fece la cerca per tutta la casa
Margutte, e spezza e sconficca ogni cassa,
e rompe e guasta masserizie e vasa;

10. buona cera: siamo avvezzi a mangiare lautamente.
11. non vedi tu costui, ecc.: Morgante tacerà fino alla fine del pasto, poi dirà poche parole e andrà a dormire, eppure, per l'astuzia di Margutte, domina la scena, perché costui lo invoca come spauracchio per l'oste, affinché porti loro tutte le cibarie che ha in casa.
12. pillola di gera: una pillola di aloè.
13. Mangi delle ghiande!: Vivacissimo lo scatto dell'oste, che è insieme furbastro e balordo, ingenuo e bizzoso.
16. tal che Morgante: Margutte, parla, Morgante agisce con l'impassibilità di un automa. La fame lo rende impaziente e gli toglie la parola: è tutto concentrato nella sua voracità insaziabile. Questa volta si accontenterà di un bufalo; più tardi mangerà un elefante intero, lasciando a bocca asciutta l'attonito Margutte.
18. e non gli parea giuoco: quelle bastonate gli paiono tutt'altro che un giuoco. L'affollarsi delle proposizioni coordinate dà all'azione un rapido rilievo mimico.
21. bufol drento: bufalo dentro.
23. e che tu intenda, ecc.: devi obbedire rapidamente ai miei cenni.
26. una stanga: una trave.
27. l'oste borbotta: La scena è silenziosa. Il fuoco *si fe' tosto*, cioè i servi impauriti obbediscono immediatamente all'ordine: l'oste tenta invano di dir qualcosa, ma a bassa voce, borbottando, quando si vede portare via una trave per farne uno spiedo, ma ammutolisce di nuovo alla minaccia di Margutte.
28. Tu vai cercando: Vuoi proprio che Morgante ti faccia a pezzi.
34. lo sparò: lo aprì; gli fece solo un gran taglio nel ventre per cavarne le interiora.
35. Parea di casa, ecc.: pareva di casa più della scopa. È modo popolaresco.
40. non capea: non poteva entrare, tanto era grande.
41. le reliquie tutte: mangiarono il bufalo senza lasciarne neppure un pezzetto.
42. tre staia: lo staio, misura per biade, era, a Firenze, pari a litri 24,40.
46. a due: per due persone. La comicità di questa affermazione nasce dal contrasto con quella mangiata colossale.
47. di vantaggio: per aggiunta.
50. sei libbre: ogni libbra corrisponde a tre etti e mezzo circa.
51-52. arrecoe... d'un quarto: portò un canestro della capacità di un quarto di staio, e che, per giunta, non era pieno. Roba da ridere per due ghiottoni di quella fatta: donde l'indignazione impetuosa di Margutte.
57. È questo... once?: ti pare questo (cioè Morgante) un compagno da trattare con porzioni così microscopiche (l'oncia era pari a 28 grammi)?
58. aspetta... un miccino: aspetta un attimo solo, che torno subito.
61. che non... sconce: che non gli venisse in mente di metterti a posto, con una buona bastonatura, le ossa messe fuori posto dalla prima.
62. io fo per casa come il topolino: vado a frugare tutta la casa e mi insinuerò dappertutto come un topolino. Quel diminutivo finale, è pieno di sarcasmo per il povero oste.
65. Fece la cerca: fece il giro, rovistando, di tutta la casa. Ma piomba sulle masserizie del povero oste come un cataclisma, e il fracasso aumenta il terrore dell'oste e dei servi.

ciò che trovava, ogni cosa fracassa;
ch'una pentola sol non v'è rimasa:
70 di cacio e frutte raguna una massa,
e portale a Morgante in un gran sacco,
e cominciorno a rimangiare a macco.
L'oste co' servi impauriti sono,
ed a servire attendon tutti quanti,
75 e dice fra se stesso: «È sarà buono
non ricettar mai più simil briganti;
e' pagheranno domattina al suono
di quel battaglio, e saranno contanti!
Hanno mangiato tanto, che in un mese
80 non mangerà tutto questo paese».
Morgante poi che molto ebbe mangiato,
disse a quell'oste: «A dormir ce n'andremo;
e domattina, com'io sono usato
sempre a cammino, insieme conteremo;
85 e d'ogni cosa sarai ben pagato,
per modo che d'accordo resteremo».
E l'oste disse a suo modo pagassi
(ché gli parea mill'anni, e' se n'andassi).
Morgante andò a ritrovare un pagliaio
90 ed appoggiossi come il liofante;
Margutte disse: «Io spendo il mio danaio,
io non voglio, oste mio, come il gigante
far degli orecchi zufoli a rovaio;
non so s'io sono più pratico o ignorante,
95 ma ch'io non sono astrologo, so certo;
io vo' con teco posarmi al coperto.
Vorrei, prima ch'e' lumi sieno spenti,
che tu traessi ancora un po' di vino;
ché non par mai la sera io m'addormenti,
100 s'io non becco in sul legno un ciantellino,
così per risciacquare un poco i denti;
e goderenci in pace un canzoncino:
e' basta un bigonciuol così tra noi,
or che non c'è il gigante che c'ingoi».
105 «Vedes' tu mai», Margutte soggiugnea,
«un uom più bello e di tale statura,
e che tanto diluvi e tanto bea?
Non credo e' ne facessi un più natura.
È vuol, quando egli è all'oste», gli dicea,
110 «che l'oste gli trabocchi la misura;
ma al pagar poi, mai il più largo uom vedesti;
se tu nol provi, non lo crederresti».
Venne del mosto, e stanno a ragionare,
e l'oste un poco si rassicurava.
115 Margutte un canzoncin netto a spiccare
comincia, e poi del cammin domandava,
dicendo a Bambillona volea andare.
L'oste rispose che non si trovava,
da trenta miglia in là, casa né tetto,
120 per più giornate, e vassi con sospetto.
E disselo a Margutte, e non a sordo,
che vi pensò di subito malizia;

72. a macco: in gran quantità.
73-80. Tutti sono pronti, servizievoli; non c'è altro mezzo per ammansire le due belve. L'oste commenta amaramente, ma ormai rassegnato alla dura sorte.
76. non ricettar: non ospitare.
78. e saranno contanti!: il pagamento avverrà in contanti, non a credito; saranno, cioè, botte sicure.
83-84. com'io sono usato... conteremo: come sono sempre solito fare quando mi trovo in viaggio, faremo insieme i conti. Finalmente sazio, Morgante apre la bocca per parlare. Sono parole ambigue per l'oste, che è disposto perciò a perdere ogni cosa, a non presentare conti, per non avere, oltre il danno, una nuova bastonatura.
90. come il liofante: si appoggia al pagliaio come un elefante. Secondo le favolose descrizioni di quel tempo, l'elefante usava dormire in piedi, appoggiandosi a un albero. Questo suo atteggiamento, come la gran mangiata silenziosa, rendono Morgante veramente simile a un animalaccio.
91. Margutte disse: Ora che Morgante se n'è andato, Margutte riacquista la sua piena e sfrenata libertà d'azione. Finora ha fatto la parte del servo fedele del gigante; ora vuole acquistare la fiducia e la simpatia dell'oste, per completare il suo «capolavoro» derubandolo.
93. far... rovaio: non voglio dormire, giacché pago, all'aperto come il gigante, in modo che il vento di tramontana mi fischi negli orecchi come se fossero zufoli.
94-96. non so... al coperto: Non so se il mio desiderio di dormire con te al coperto nasca dal fatto che io sia più avveduto o più ignorante del gigante; so bene che io non sono un astronomo, che debba passar la notte all'aperto per studiare le stelle. Il dialogo con l'oste comincia con un tono lieve, scherzoso, amichevole, con una punta di sarcasmo verso il gigante. «Ma noi due siamo diversi», sembra dire Margutte. E l'oste comincia ad abboccare.
97-104. Il tono si fa sempre più confidenziale e insinuante, con quel frasario grossolano, da taverna, adattissimo alla psicologia dell'oste. «Ora non c'è più il gigante che c'ingoia tutto — dice Margutte con un respiro di sollievo — godiamocela insieme tu ed io: una bella bevuta in pace fra noi, e perché no? possiamo farci sopra anche una cantatina...».
99-100. ché non par mai... un ciantellino: non ce la faccio a prender sonno, la sera, se non bevo ancora un goccio sulla mensa sparecchiata.
104. che c'ingoi: che ci beva tutto.
105. Vedes' tu mai: hai mai visto.
107. e che tanto diluvi: che mangi tanto e tanto voracemente.
108. Non credo, ecc.: non credo che la natura ne abbia mai fatto uno più grande.
109-110. quando egli è all'oste... misura: quando è all'albergo, vuole che l'oste lo serva in misura eccezionalmente abbondante.
114. e l'oste un poco, ecc.: L'oste, sentendosi parlare così confidenzialmente, comincia un poco a rassicurarsi. Ha tanto bisogno di protezione, di comprensione! E gli pare di avere, fuor d'ogni speranza, trovato un alleato.
115-116. spiccare comincia: comincia a intonare una facile canzoncina. L'atmosfera fra i due si fa idillica, pienamente confidenziale. La pace della sera, il mosto, la canzone: all'oste par di respirare, finalmente, dopo la giornata disastrosa.
117. Bambillona: Babilonia.
118. L'oste rispose: L'oste risponde che per trenta miglia c'è deserto, nel quale si procede con paura (*sospetto*), perché è infestato da malandrini; con questo dà a Margutte la giustificazione del furto che egli stava già macchinando, ma in maniera ancor vaga, più per abitudine che per una decisa e specifica volontà. Se, infatti, bisogna far tanta strada senza trovare di che cibarsi, è logico far provvista dall'oste.
122. vi pensò: pensò a questo proposito.

e disse all'oste: «Questo è buon ricordo,
poi che tu di' che vi si fa tristizia.
125 Or oltre al letto; e saren ben d'accordo,
ch'io non istò a pagar con masserizia;
io son lo spenditore, e degli scotti,
come tu stesso vorrai, pagherotti:
io ho sempre calcata la scarsella.
130 Deh dimmi, tu non debbi aver domata,
per quel ch'io ne comprenda, una cammella,
ch'io vidi nella stalla tua legata,
ch'io non vi veggo né basto né sella».
Rispose l'oste: «Io la tengo appiattata
135 una sua bardelletta, ch'io gli caccio,
nella camera mia sotto il primaccio.
Per quel ch'io il facci, credo che tu intenda:
sai che qui arriva più d'un forestiere
a cena, a desinare ed a merenda».
140 Disse Margutte: «Lasciami vedere
un poco come sta questa faccenda,
poi che noi siàn per ragionare e bere,
e son le notte un gran cantar di cieco».
E l'oste gli rispose: «Io te l'arreco».
145 Recò quella bardella il sempliciotto:
Margutte vi fe' su tosto disegno,
che questa accorderà tutto lo scotto;
e disse all'oste: «È mi piace il tuo ingegno;
questo sarà il guacial ch'io terrò sotto,
150 e dormirommi qui in su questo legno;
so che letto non ha dov'io capessi,
tanto che tutto mi vi distendessi.
Or vo' saper come tu se' chiamato».
Disse l'ostier: «Tu saprai tosto come:
155 io sono il Dormi per tutto appellato».
Disse Margutte: «Fa come tu hai nome!»
così fra sé: «tu sarai ben destato
quando fia tempo, e innanzi fien le some.
Come hai tu brigatella, o vuoi figliuoli?».
160 Disse l'ostier: «La donna e io siàn soli».
Disse Margutte: «Che puoi tu pigliarci
la settimana in questa tua osteria?
come arai tu moneta, da cambiarci
qualche dobbra da spender per la via?».
165 Rispose l'oste: «Io non vo' molto starci,
ch'io non ci ho preso, per la fede mia,
da quattro mesi in qua venti ducati,
che sono in quella cassetta serrati».
Disse Margutte: «Oh solo in una volta
170 con esso noi più danar piglierai!
Tu la tien quivi: s'ella fusse tolta?».
Disse l'ostier: «Non mi fu tocca mai».
Margutte un occhiolino chiuse, e ascolta,
e disse: «A questa volta la vedrai!».
175 E per fornir in tutto la campana,
un'altra malizietta trovò strana.
«Perché persona discreta e benigna»,
dicea coll'oste, «troppo, a questo tratto,
mi se' paruto, io mi chiamo il Graffigna,
180 e 'l profferer tra noi per sempre è fatto.
Io sento un poco difetto di tigna,

123-124. Questo è buon ricordo... tristizia: hai fatto bene ad avvisarmi, dato che, come dici, vi si compiono cattive azioni.
125. Or oltre al letto: orsù, andiamocene a letto.
125-129. e saren... scarsella: Ci metteremo d'accordo sul pagamento, perché io pago in contanti, non lasciando qualche oggetto (*a masserizia*); sono io l'amministratore, e ti pagherò del vitto, come vorrai tu; ma sappi che ho sempre la borsa (*scarsella*) ben piena (calcata). È l'ultima, conclusiva, consolante notizia, data per rassicurare pienamente l'oste. Poi seguono altre chiacchiere, apparentemente fatte a casaccio; in realtà, Margutte prepara il suo furto nei particolari.
130. Deh dimmi, ecc.: Sembra un moto di curiosità improvvisa: «Come mai hai nella stalla una cammella senza basto né sella? Devi ancora domarla, abituarla a portarli?». Margutte sta cercando un mezzo di trasporto per il bottino che già pregusta.
134. appiattata: nascosta. La bardelletta (v. 135) è il basto.
136. primaccio: piumaccio, materasso di piuma.
137. Per quel ch'io il facci, ecc.: «Credo che tu comprenda perché io agisca così: qui capita certa gente della quale non ti puoi fidare...».
142. poi che noi siàn: dato che siamo qui per bere e far due chiacchiere. Margutte vuol far credere che per lui si tratta di curiosità. La notte è lunga, e bisogna pur passare il tempo!
143. e son... cieco: e le notti sono lunghe come le cantilene dei ciechi che chiedono l'elemosina.
147. che questa accorderà: pagherà tutto il conto, secondo l'usanza di Margutte, cioè servirà a portar via cammella e masserizie.
150. su questo legno: su questa mensa. L'oste, infatti, non ha un letto nel quale Margutte, mezzo gigante, possa distendersi a suo agio.
156. Fa come tu hai nome!: dormi, cioè.
158. e innanzi fien le some: e i bagagli (ciò che ti avrò rubato) saran lontani.
159. Come hai tu brigatella, ecc.: Hai tu compagnia di famiglia, cioè figli?
160. La donna: mia moglie.
164. dobbra: dobla; moneta spagnola equivalente a due scudi. Margutte chiede se l'oste ha degli spiccioli, per scambiare il denaro che egli ha con sé in abbondanza, ma di taglio grosso. L'oste risponde che ha solo spiccioli, perché l'osteria non rende. E, da stolido qual è, indica anche il posto ove tiene il suo danaro.
170. con esso noi: con noi, da noi.
174. A questa volta: stavolta.
175. per fornir... la campana: È frase proverbiale; equivale a: per portare del tutto a compimento il suo inganno.
178. troppo, a questo tratto: veramente (mi sei sembrato una gran brava persona) in questo nostro colloquio.
179. il Graffigna: il nome allude chiaramente alla sua qualità di emerito ladro. Ormai l'oste è abbindolato, e non pensa neppure a raccogliere l'allusione; quanto a Margutte è così sicuro del successo che si diverte a fare allusioni umoristiche.
180. e 'l profferer, ecc.: e abbiamo stretto per sempre amicizia.
181. Io sento... tigna: soffro un poco di tigna (è una specie di rogna che colpisce la testa).

ma sotto questo cappel pur l'appiatto:
io vo' che tu mi doni un po' di burro,
ed io ti donerò qualche mangurro».
185 L'oste rispose: «Niente non voglio;
domanda arditamente il tuo bisogno,
ché di tal cose cortese esser soglio».
Disse Margutte allora: «Io mi vergogno;
sappi che mai la notte io non mi spoglio,
190 per certo vizio ch'io mi lievo in sogno;
vorrei ch'un paio di fune m'arrecasse,
e legherommi io stesso in su questa asse.
Ma serra l'uscio ben dove tu dormi,
ch'io non ti dessi qualche sergozzone;
195 se tu sentissi per disgrazia sciormi,
e che per casa andassi a precessione,
non uscir fuor». Rispose presto il Dormi,
e disse: «Io mi starò sodo al macchione.
Così voglio avvisar la mia brigata,
200 che non toccassin qualche tentennata».

183. Il burro gli servirà per ungere, mentre s'aggirerà per la casa rubando a man salva, i cardini delle porte, affinché non destino qualcuno col loro cigolìo.
184. mangurro: moneta di scarso valore.
190. io... in sogno: sono sonnambulo.
194. sergozzone: un pugno sotto il mento, un *uppercut*. Con questa nuova storia, Margutte ottiene che l'oste e i suoi servi si chiudano in camera e non ardiscano di muoversi.
195. se tu sentissi... sciormi: se sentissi che, per disgrazia, mi sono slegato.
198. sodo al macchione: fermo nel mio cespuglio, cioè immobile in camera mia.
199. mia brigata: i miei servi.
200. tentennata: botta.
Finalmente tutto è a posto: l'oste va a dormire, Margutte ruba tutto quello che la cammella può portare e quindi, per completare l'impresa, dà fuoco all'osteria. Quando Morgante sa l'accaduto ha le mascelle «sgangherate» dal gran ridere e dice: «Quanto piacer n'arà di questo Orlando, / s'io lo vedrò mai più, che non so quando!».

Roncisvalle

Nella seconda parte del poema, dal canto XXIV al XXVIII, si avverte un impegno più complesso dello scrittore. Scompare in gran parte il gusto dell'avventura fantasiosa, della comicità pura e divertita: a Margutte succede Astarotte, diavolo quasi filosofo, per bocca del quale il Pulci esprime le sue convinzioni di libero pensatore, spregiudicato e bizzarro, e l'azione s'incentra intorno al tema fondamentale dell'epopea d'Orlando: la battaglia di Roncisvalle. La descrizione della battaglia, che si prolunga per quasi due canti, è una delle fantasie più estrose, ma anche potenti, del Pulci: difficile a definirsi, per la diversità dei toni e degli atteggiamenti sentimentali e fantastici che in essa confluiscono. Ora è commossa, ora comica, ora grottesca, come puoi vedere dal passo che riportiamo, sempre caotica, vivace e vigorosa. La descrizione si frange in tanti quadri staccati, ma rivela, vista nell'insieme, un ritmo epico. Il Pulci ha dato espressione personale allo spirito dei rozzi ma appassionati cantàri del popolo, nei quali un gusto favoloso e stupito dell'eroico si mescola alla commozione e alla comicità in un'unica e incalzante onda narrativa.

E' si vedeva tante spade e mane,
tante lance cader sopra la resta,
e' si sentia tante urle e cose strane,
che si poteva il mar dire in tempesta.
5 Tutto il dì tempelloron le campane,
sanza saper chi suoni a morto o festa:
sempre tuon sordi con baleni a secco,
e per le selve rimbombar poi Ecco.
E' si sentiva in terra e in aria zuffa,
10 perché Astarotte, non ti dico come,
e Farfarello, ognun l'anime ciuffa,
e n'avean sempre un mazzo per le chiome;
e facean pur la più strana baruffa;
e spesso fu d'alcun sentito il nome:
15 «Lascia a me il tale: a Belzebù lo porto».
L'altro diceva: «È Marsilio ancor morto?».
«E' ci farà stentar prima che muoia:
non gli ha Rinaldo ancor forbito il muso,
che noi portiàn giù l'anima e le cuoia?»

Canto XXVII, ottave 50-69.

1-8. Siamo nel momento più acceso della battaglia di Roncisvalle. Circondati da una turba innumerevole di saraceni, guidati da Marsilio re di Saragozza che ha macchinato con Gano di Maganza il tradimento, i paladini cristiani compiono prodigi di valore, mettendo in rotta l'esercito nemico, ma morendo quasi tutti sul campo. Alla fine Orlando, prima di morire, suonerà il corno e Carlo Magno, uditolo da lungi, verrà a vendicare i suoi e ucciderà Gano e Marsilio.
1-4. E' si vedeva... tempesta: si vedevano tante spade e mani, tante lance appoggiarsi alla resta (è un ferro posto sul lato destro dell'armatura, al quale si appoggiava la lancia, puntandola contro l'avversario), si sentivano tante urla e rumori strani, che si poteva assomigliare il quadro della battaglia al fluttuare e al fragore del mare in tempesta. **E'** è soggetto neutro indefinito.
5-8. tutto... Ecco: Tutto il giorno suonarono a distesa le campane, ma è un suono misterioso: ora sembra a morto, ora a festa, né si sa chi stia suonando. La natura stessa è sconvolta, come stregata: sordi tuoni rimbombano, fulmini scoppiano nel cielo senza nubi, l'eco rimbomba dalle foreste profonde. Rileggi ora questa bella ottava: è una fantasiosa e apocalittica visione della battaglia, risolta in elementi visivi (la selva fluttuante di lance e spade) e uditivi (le campane, i tuoni). Non c'è il senso tragico della guerra, ma uno stupore fra fiabesco e visionario, che culmina nei rumori cupi e sordi degli ultimi quattro versi, con un senso di pauroso mistero. **Ecco**: Eco.
9-19. Alla prima visione grandiosa subentra un tono di commedia grottesca: s'odono per l'aria le voci dei diavoli che acciuffano lieti e zelanti i saraceni morti.
10-11. Astarotte... Farfarello... ciuffa: Astarotte e Farfarello sono due demoni che, evocati dal mago Malagigi, fratello di Rinaldo, sono entrati nei cavalli di quest'ultimo e di Ricciardetto per portare i due paladini, che erano in Pagania, a Roncisvalle. Ora essi acciuffano le anime dei saraceni.
12-13. e n'avean... baruffa: Le immagini, la situazione sono, insieme, comiche e grottesche: i due diavoli afferrano anime a mazzi, per i capelli, e se le litigano fra loro.
17. E' ci farà stentar, ecc.: Sono proprio impazienti di averlo, e soffrono dell'indugio. E': egli (qui riferito a Marsilio).
18-19. non... cuoia: Ma prima che Rinaldo abbia finito di ripulirgli il muso (rendendolo bianco, del pallore della morte) noi porteremo giù all'inferno l'anima e la sua pellaccia.

20 O ciel, tu par questa volta confuso!
O battaglia crudel, qual Roma o Troia!
Questa è certo più là che al mondano uso.
Il sol pareva di fuoco sanguigno,
e così l'aire di un color maligno.
25 Credo ch'egli era più bello a vedere
certo gli abissi, il dì, che Runcisvalle:
ch'e' Saracin cadevon come pere,
e Squarciaferro gli portava a balle;
tanto che tutte l'infernal bufere
30 occupan questi, ogni roccia, ogni calle,
e le bolge e gli spaldi e le meschite,
e tutta in festa è la città di Dite.
Lucifero avea aperte tante bocche,
che pareva quel giorno i corbacchini
35 all'imbeccata, e trangugiava a ciocche
l'anime, che piovean, de' Saracini,
che par che neve monachina fiocche,
come cade la manna a' pesciolini:
non domandar se raccoglieva i bioccoli,
40 e se ne fece gozzi d'anitroccoli!
E' si faceva tante chiarentane,
che ciò ch'io dico, è, di sopra, una zacchera;
(e non dura la festa mademane,
crai e poscrai e poscrigno e posquacchera,
45 come spesso alla vigna le Romane),
e chi sonava tamburo e chi nacchera,
baldosa e cicutrenna e zufoletti;
e tutti affusolati gli scambietti.
E Runcisvalle pareva un tegame
50 dove fussi di sangue un gran mortito,
di capi e di peducci e d'altro ossame,
un certo guazzabuglio ribollito,
che pareva d'inferno il bulicame,
che innanzi a Nesso non fusse sparito:
55 il vento par certi sprazzi avviluppi
di sangue in aria con nodi e con gruppi.
La battaglia era tutta paonazza,
sì che il Mar Rosso pareva in travaglio,
ch'ognun, per parer vivo, si diguazza:
60 e' si poteva gittar lo scandaglio

20-22. Con quelle tre proposizioni esclamative il Pulci manifesta la propria partecipazione alla vicenda narrata; è una risonanza patetica frequente anche nei cantàri popolareschi. **confuso**: turbato. **Questa è certo più là**, ecc.: questa battaglia è certo più crudele e spaventosa di quanto non soglia, di solito, accadere nel mondo. Nel cielo infatti aleggiano demoni e aperto a ricevere i morti sta il baratro infernale.
24. e così l'aire: e così l'aria appariva di colore sinistro e fosco.
25. sgg. Di qui al v. 64 è uno sfrenarsi grottesco e tumultuoso della fantasia del Pulci. È un'orgia d'inferno che si esprime dapprima nelle immagini grossolane e macabre, poi nelle due dense ottave finali, nella prima delle quali la vallata di Roncisvalle è vista come un gran tegame dove bollono carne e ossa tagliate a pezzetti, nella seconda è inondata da un oceano di sangue che trabocca. La fantasia del poeta indugia fra immagini corpulente, plebee, si esprime in un tono che sta fra il macabro e il burlesco, come in tutta la lunga descrizione della battaglia. È un gigantesco trionfo della morte, presentato, quasi sempre, in forma visiva e, a volte, come qui surreale, sia per quel che riguarda le immagini sia per l'espressione.
25-26. Credo... Runcisvalle: credo che in quel giorno fosse più bello vedere gli abissi infernali che non Roncisvalle.
27-28. I Saraceni cascano giù all'inferno come pere e il diavolo Squarciaferro li porta giù accatastati, a sacchi.
29-32. tanto che... Dite: tanto che essi occupano tutte le bufere (i luoghi di tormento) dell'inferno, e ogni roccia, ogni sentiero, le bolge, gli spalti, le moschee, e la città di Dite è tutta in festa. La descrizione dell'inferno è composta di elementi ripresi dalla *Commedia* di Dante. La città di Dite è la parte più profonda dell'Inferno, secondo Dante, ed è raffigurata come una città cinta da mura e con torri come quelle delle moschee (*meschite*), *vermiglie come se di foco uscite / fossero* (Dante, *Inf.*, VIII, 72-73).
33-36. Lucifero aveva aperto tante bocche, per trangugiare le anime dei saracini che piovevano quel giorno all'inferno, che sembrava una nidiata di piccoli corvi quando spalancano la bocca per ricevere l'imbeccata. Secondo Dante, Lucifero ha tre bocche, e con ognuna di esse lacera un peccatore.
37. neve monachina: i saracini fioccano in inferno come neve di colore oscuro (come l'abito dei monaci).
38. la manna: il cibo, l'esca.
39-40. non domandar... anitroccoli!: Non domandare se si curava (Lucifero) di raccogliere uno per uno quei bioccoli di neve (cioè le anime dei saracini); veramente le ingozzava a balle, e sotto ogni testa gli rimase un gozzo come quello degli anitroccoli, che, essendo voracissimi, lo hanno sempre gonfio.
41-48. Il piovere dei dannati all'inferno, l'orgia di Lucifero e dei demoni, appaiono come una frenetica danza macabra. Al ritmo caotico e convulso sembran volersi adeguare il lessico strambo, lo stile contorto di questa strofa, ove si sente, portato fino all'esasperazione, il gusto pulciano della lingua, anzi del dialetto popolare, intenso, pittoresco, estremamente espressivo, non tanto per le immagini che le singole parole suggeriscono, ma per il suono della parola stessa. Gli ultimi quattro versi dell'ottava sono una contorta e dissonante musica infernale.
41-42. Si facevano tanti balli (la *chiarentana*, così detta perché originaria della Carinzia, era un tumultuoso ballo a tondo) che ciò ch'io dico nelle ottave precedenti è, al confronto un nulla, una bazzecola (*zacchera*). Suonano, e danzano, i diavoli ebbri e felici di sì gran preda.
43-45. e non... posquacchera: la festa non dura solo questo giorno (*mademane*) e quelli seguenti, come spesso fanno nella vigna le romane, durante le feste d'ottobre, bensì si prolunga fuori d'ogni determinazione temporale, per l'eternità. *Crai* e *poscrai* sono voci di dialetti meridionali, che significano domani e posdomani. Il Pulci aggiunge due composti suoi, *poscrigno* e *posquacchera*, con acre tono buffonesco, adeguato alla caotica ridda infernale.
47. baldosa: strumento a corde. **cicutrenna**: strumento a fiato.
48. e tutti.. scambietti: gli scambietti, i passi di danza dei diavoli, sono fatti in punta di piedi.
49-51. E Runcisvalle... ossame: La vallata di Roncisvalle (ritorniamo nella terra, ma per una nuova visione apocalittica e infernale) sembrava un tegame dove stesse cuocendo un *mortito* di sangue, di teste, piedi, e altro ossame. Il mortito era una pietanza di teste di porco e zampe di castrone, cotte in vino rosso e spezie. Fanno qui pensare ad esso le membra tagliate dalle spade, che nuotano in una fiumana vorticosa e ribollente di sangue.
52-54. un certo... sparito: era come un guazzabuglio di sangue in bollore che sembrava il fiume di sangue bollente descritto da Dante nell'Inferno (*bulicame*) prima che sparisse dinanzi a Nesso, cioè quando è ancor profondo. Nesso è il centauro che porta sulla groppa Dante e Virgilio di là dal fiume, guadandolo dove è meno profondo.
55-56. il vento... gruppi: e il vento sembra che faccia mulinelli, con groppi e nodi, degli spruzzi di sangue.
57. Tutta la scena della battaglia, cielo, uomini, cose, aveva un colore rosso paonazzo, tanto da sembrare il mar Rosso in tempesta.
59. ché ognun, ecc.: tutti si agitano per parer vivi in quel lago di sangue.
60-64. e' si poteva, ecc.: a tal punto si diguazza nel sangue che si poteva gettare lo scandaglio per misurare la profondità di quel mare sanguigno, come il capitano (*ammiraglio*) o il pilota (*nocchier*) durante

per tutto, in modo nel sangue si guazza,
e poi guardar, come e' suol l'ammiraglio,
ovver nocchier, se cognosce la fonda,
ché della valle trabocca ogni sponda.
65 Credo che Marte di sangue ristucco
a questa volta chiamar si potea;
e sopra tutto Rinaldo era il cucco,
che con la spada a suo modo facea.
Orlando intanto ha trovato Malducco,
70 che Berlinghieri ed Otton morto avea:
ma questa morte gli saprà di lezzo,
ché Durlindana lo tagliò pel mezzo.
Ed Ulivier riscontrava Brusbacca,
che per lo stormo combatteva forte,
75 e 'l capo e l'elmo ad un tratto gli fiacca,
ma non sapea ch'egli ha presso la morte;
ché l'Arcaliffa, intanto, di Baldacca
lo sopraggiunse, per disgrazia o sorte,
a tradimento, e la spada gli mise
80 nel fianco, sì che alla fine l'uccise.
Ulivier, come ardito, invitto e franco,
si volse indietro, e vide il traditore,
che ferito l'avea dal lato manco,
e gridò forte: «O crudel peccatore,
85 a tradimento mi desti nel fianco,
per riportar, come tu suoli, onore:
questa sia sempiterna egregia lalde
del re Marsilio e sue gente ribalde!».
E trasse d'Altrachiara con tanta ira,
90 che gli spezzò l'elmetto e le cervella,
sì che del Saracin l'anima spira,
ché tutto il fesse insino in sulla sella.
E, come cieco, pel campo s'aggira,
e colla spada percuote e martella:
95 ma non sapea dove si meni il brando,
e non vorrebbe anche saperlo Orlando.
Orlando aveva il Marchese sentito,
e, come il veltro, alle grida si mosse:
Ulivier, tanto sangue gli era uscito,
100 che non vedeva in che luogo e' si fosse,
tanto ch'Orlando in su l'elmo ha ferito,
che non sentì mai più simil percosse;
e disse: «Che fai tu, cognato mio?
or hai tu rinnegato il nostro Iddio?».
105 Disse Ulivier: «Perdonanza ti chieggio,
s'io t'ho ferito, o mio signore Orlando;
sappi che più niente lume veggio,
sì ch'io non so dove io mi meni il brando,
se non che presso alla morte vaneggio,
110 tanto sangue ho versato e vo versando;
ché l'Arcaliffa m'ha ferito a torto,
quel traditor ma di mie man l'ho morto».
Gran pianto Orlando di questo facea,
perché molto Ulivier gli era nel core,
115 e la battaglia perduta vedea,
e maladiva il Pagan traditore.
Ed Ulivier, così orbo, dicea:
«Se tu mi porti, come suoli, amore,
menami ancor tra la gente più stretta:

una navigazione; perché già la valle trabocca, il sangue si riversa fuori di essa.
65. ristucco: sazio e nauseato, sebbene sia il dio della strage.
67. il cucco: il beniamino di Marte perché con la sua spada faceva quel che voleva il dio, cioè strage.
71. gli saprà di lezzo: gli «puzzerà», gli sarà di danno.
72. Durlindana: la spada d'Orlando.
74. per lo stormo: fra le schiere.
77. Arcaliffa di Baldacca: l'Arcicaliffo di Bagdad.
81. Ulivier: Ulivieri è fratello di Alda, sposa di Orlando. Anche nella *Canzone d'Orlando* combatte valorosamente a fianco del cognato a Roncisvalle, gli dà, prima della battaglia il consiglio, non ascoltato, di chiamare re Carlo col corno, e muore, alla fine, eroicamente.
86. come tu suoli: come sei solito: cioè, agendo da vile e da traditore.
87. lalde: *lode*. È detto con disprezzo e con sarcasmo.
89. Altrachiara: è la spada di Ulivieri.
92. il fesse: lo fendette, lo tagliò in due.
96. e non vorrebbe: perché riceve un fiero colpo da Ulivieri, accecato, ormai, dalla morte vicina.
97-98. Orlando ha sentito il grido di Ulivieri (*il marchese*) ferito e corre per aiutarlo, come un cane veloce (*veltro*).
104. or... Iddio: Colpendo Orlando, sembra, infatti che Ulivieri si schieri dalla parte dei Saraceni.
109. vaneggio: non so più quel che mi faccio. Il dialogo fra Orlando e Ulivieri è di un'epica semplicità, fondato su sentimenti eroici e gentili. Nota la differenza con la visione iniziale della battaglia.
111. a torto: a tradimento, colpendomi slealmente alle spalle.
117. così orbo: benché ormai non ci vedesse più.
119. menami ancor, ecc.: portami ancora nel folto della mischia.

120 non mi lasciar morir sanza vendetta».
Rispose Orlando: «Sanza te non voglio
viver quel poco che di vita avanza:
io ho perduto ogni ardire, ogni orgoglio,
sì ch'io non ho più di nulla speranza.
125 E perch'io t'amo, Ulivier, come io soglio,
vienne con meco a mostrar tua possanza:
una morte, una fede, un voler solo!».
Poi lo menò nel mezzo dello stuolo.
Ulivier, sendo nella pressa entrato
130 come e' soleva, la gente rincalcia,
e par che tagli dell'erba del prato,
da ogni parte menando la falcia,
ché combatteva come disperato,
e pota e tonda e scapezza e stralcia,
135 e in ogni luogo faceva una piazza,
ché come gli orbi girava la mazza.
E tanto insieme per lo stormo vanno
Orlando ed Ulivier fedendo forte
che molti Saracin traboccar fanno.
140 Ma Ulivier già presso era alla morte:
e poi che il padiglion ritrovato hanno,
diceva Orlando: «Io vo' che ti conforte:
aspetta, Ulivier mio, che a te ritorno;
ché in su quel poggio vo a sonare il corno».
145 Disse Ulivier: «Omai non ti bisogna.
L'anima mia da me già vuol partire,
ché ritornare al suo Signore agogna...».
E non poté le parole espedire,
come chi parla molte volte e sogna;
150 e bisognòe quel che e' voleva dire
per discrezion intender: che Alda bella
raccomandar volea, la sua sorella.
Orlando, sendo spirato il marchese,
parvegli tanto solo esser rimaso,
155 che di sonar per partito pur prese,
acciò che Carlo sentissi il suo caso;
e sonò tanto forte, che lo intese,
e 'l sangue uscì per bocca e pel naso,
dice Turpino, e che il corno si fesse,
160 la terza volta che a bocca sel messe.

121-127. Le parole di Orlando sono anch'esse sublimi: c'è in esse l'affetto verso il congiunto morente, la eroica fraternità d'armi, e anche un senso di stanchezza greve e desolata. Orlando a Roncisvalle è stato veduto dal Pulci come una figura patetica. Prima della battaglia ha il senso della sconfitta, ma l'accetta come un destino; esorta con parole piene d'eroismo e di fede cristiana i suoi, e poi, quando li vede schierati e pronti, piange, sul suo cavallo, perché prova pietà di loro. Sfinito e morente, acconsente all'angelo che viene a chiedergli il permesso di lasciarlo morire, stanco della tristezza e della vanità del vivere, desolato per il tradimento subito.
124. sì ch'io non ho più di nulla speranza: in questo verso è già preannunciata l'atmosfera dolente che circonderà la morte d'Orlando. Cfr. la nota precedente.
130. rincalcia: incalza.
132. la falcia: la falce (allude alla spada).
134. pota, tonda, ecc.: continua la metafora dei vv. 130-131: pota, tosa le cime delle piante; stacca i rami dal tronco, sfronda.
136. Gira la spada alla cieca, come un orbo infuriato la sua mazza.
139. traboccar: cadere da cavallo.
141. padiglion: tenda.
144. a sonare il corno: per dare l'avviso che si trovavano in pericolo a Carlo Magno, lontano col grosso delle truppe. Ma Ulivieri, che prima della battaglia glielo aveva consigliato, gli risponde che ormai non serve più. Infatti il loro esercito è ormai completamente distrutto: Carlo potrà farne vendetta, non portargli aiuto.
148. espedire: pronunciare chiaramente.
149. come chi... sogna: faceva come chi parla in sogno, che dice parole confuse e smozzicate.
151. per discrezion: per congettura, indovinando. Alda la bella, sorella di Ulivieri e sposa di Orlando, cui il morente la raccomanda con tenerezza.
153-154. La morte di Ulivieri (*il marchese*), lascia Orlando in una desolata prostrazione. Si sente solo, disfatto; ormai può suonare il corno che prima non aveva voluto suonare per non parer vile. La morte dell'amico gli fa sentire la vanità anche di questo orgoglio.
155. «decise di suonare il corno».
157. che lo intese: il soggetto è Carlo Magno. Ma quest'ultimo sovrumano sforzo prostra fisicamente Orlando, che perde sangue dalla bocca e dal naso.
159. si fesse: si spaccò. Segue ora l'ultimo assalto di Orlando, Rinaldo e dei pochi paladini rimasti, che mettono in fuga i nemici. Poi Orlando si guarda attorno e i morti «*gli fanno paura / ché il sangue aveva trovato ricetto* (si era cioè fermato e rappreso nel fondo della valle» / *e Runcisvalle era una cosa oscura*. Segue poi la confessione di Orlando all'arcivescovo guerriero Turpino, la sua morte, il salire della sua anima al cielo.

Morte di Baldovino

Baldovino, figlio di Gano, avendo saputo del tradimento perpetrato dal padre, cerca disperato la morte a Roncisvalle, non volendo sopravvivere al disonore. Qui il Pulci ritrova un linguaggio epico essenziale, tutto risolto nella battuta drammatica, nel gesto rapido e deciso, con una commozione intensa che nasce spontanea dalla nuda trama dei fatti, senza alcun indugio descrittivo o sentimentale.

Orlando, poi che e' lasciò Buiaforte,
pargli mill'anni trovar Baldovino,
che cerca pure, e non truova, la morte,
e ricognobbe il caval Vegliantino
5 per la battaglia, e va correndo forte
dov'era Orlando, e diceva il meschino:

Canto XXVII, ottave 4-7 e 47.

1. Buiaforte: un guerriero saraceno, amico d'Orlando, che gli ha testé rivelato il tradimento di Gano. Questo episodio avviene subito prima del passo che abbiamo precedentemente riportato.
4. e ricognobbe: soggetto è Baldovino. Vegliantino è il cavallo d'Orlando.

— Sappi ch'io ho fatto oggi il mio dovuto,
e contra me nessun è mai venuto.
Molti pagani ho pur fatti morire:
10 però quel che ciò sia pensar non posso,
se non ch'io veggio la gente fuggire. —
Rispose Orlando: — Tu ti fai ben grosso
di questo fatto! S' tu ti vuoi chiarire,
la sopravvesta ti cava di dosso:
15 vedrai che Gan, come tu te la cavi,
ci ha venduti a Marsilio per ischiavi. —
Rispose Baldovin: — Se il padre mio
ci ha qui condotti come traditore,
s'i' posso oggi campar, pel nostro Iddio,
20 con questa spada passerògli il core!
Ma traditore, Orlando, non son io,
ch'io t'ho seguito con perfetto amore.
Non mi potesti dir maggiore ingiuria. —
Poi si stracciò la vesta con gran furia,
25 e disse: — Io tornerò nella battaglia,
poi che tu m'hai per traditore scorto.
Io non son traditor, se Dio mi vaglia!
Non mi vedrai più oggi se non morto —;
e inverso l'oste de' pagan si scaglia,
30 dicendo sempre: — Tu m'hai fatto torto. —
Orlando si pentea d'aver ciò detto,
ché disperato vide il giovinetto.

Poco dopo, nel cuore della battaglia, Orlando ritrova Baldovino morente.

Orlando corse alle grida e 'l romore
e trovò Baldovino, il poveretto,
35 ch'era già presso all'ultime sue ore
e da due lance avea passato il petto;
e disse: — Or non son io più traditore! —
e cadde in terra morto, così detto:
della qual cosa duolsi Orlando forte,
40 e pianse esser cagion della sua morte.

7. **il... dovuto**: il mio dovere di combattente. Ma i Saraceni hanno avuto ordine di non colpirlo, cosa di cui il giovane è ignaro, e di fuggire davanti a lui.
12-16. **Tu... ischiavi**: Tu ti fingi incapace di comprendere questo fatto (Orlando pensa che Baldovino sia consapevole del tradimento di Gano). Ma se vuoi che ti sia ben chiaro, levati la sopravvesta (da essa i Saracini lo riconoscono), e appena te la sarai tolta, vedrai che tuo padre Gano ci ha venduti a re Marsilio come schiavi. Le parole di Orlando sono dette con sprezzante sarcasmo.
23. **potesti**: avresti potuto. Nota le frasi rotte, spezzate, la passione che spira dal discorso del giovane leale e innocente.
26. **tu... scorto**: tu mi hai giudicato traditore.
29-30. **l'oste**: l'esercito. **dicendo sempre**: continuando a dire. E avverti in questo la sua determinazione disperata di morire, che rende Orlando sicuro, ma troppo tardi, della sua innocenza.

Una lettera a Lorenzo de' Medici

Gran parte dell'epistolario del Pulci ha come destinatario Lorenzo, il grande protettore e amico. Sono lettere gettate giù alla buona, ma vive e sapide. In questa, che è del '72 e che riproduciamo solo in parte, racconta una brutta avventura occorsagli a Foligno: il crollo d'una impalcatura in una chiesa in cui si trovava e il conseguente pericolo di morte; ma questo diventa occasione d'un racconto umoristico e divertito. Vi cogli quell'immediatezza mimica e caricaturale, la stringatezza efficace di narratore rapido e incisivo, il gusto del grottesco che hai già visto nella sua poesia.

...Di qua non ho che dirti, se non che domenica passata era qui tutto il popolo nella chiesa di San Domenico a udire predicare uno frate molto accepto a costoro, et meritamente, et molti erano saliti sopra a certe volte che fanno ponte, overo facevano,[1] come è a Sancta Maria Novella, e dove noi faciamo il palchetto per le nostre feste. Queste sancte volte, che benedette sieno elle da Dio e da me, rovinorno a un tratto, e copersono in tutto tra ogni cosa forse 300 persone, ma non di guardia[2] però. Pure per un pezzo fu uno trastullo: erano sotterrati tra' calcinacci, et chi mostrava uno piede, chi si portava come un paladino come a Bambillona è Morgante.[3] La polvere accecò ognuno: le madri correvano come pazze gridando et cercando i figliuoli, et chi il padre, chi il fratello et alcuno pazzo[4] la moglie; la chiesa era chiusa, e uno piccolo sportello occupato di gente caduta e incalcata[5] a traverso. Gridossi per una

1. **overo facevano**: sono infatti crollate.
2. **rovinorno**: rovinarono. **copersono**: copersero, seppellirono. **non di guardia**: espressione oscura: significa forse che non le ricoprirono per proteggerle.
3. **come... Morgante**: come Morgante si comporta da eroe all'assedio di Bambillona, nel canto XIX del poema del P.
4. **alcuno pazzo**: pazzo, dice sogghignando il P., perché non capisce la fortuna di perdere moglie.
5. **incalcata**: ammucchiata, sì da ostruire l'uscita.

hora tanta misericordia che se n'empierono le tina.[6] Il frate a piè giunti come un gatto saltò dal pergamo; non vedesti mai più strano caso: quello da Camerino[7] non fu nulla. Trassonsi questi infarinati[8] tra' saxi, chi morto, chi tramortito, chi guasto, e tutto dì andorno a predellina per la terra, pure n'è morti pochi; ma molti bollono,[9] e fu per Dio a hora che tutti quelli eravamo in chiesa, non potendo fuggire, et tuttavia pareva rovinarsi ogni cosa, ci saremo soscripti di nostra mano a una gamba rotta;[10] tanto è che fu strano caso, et merita scriverlo. Così è passato: dillo a M. Lucrezia et M. Clarice,[11] et se altro di buono seguirà ti aviserò, ma non mi credo più trovare presente a vedere simile cose, ché la prima predica scoccò la trappola.[12]

6. **che... tina**: si sarebbero potuti riempire dei tini con quelle invocazioni a Dio.

7. Un'avventura consimile, capitata al P. a Camerino, non fu nulla al confronto di questa.

8. **infarinati**: dalla povere e dai calcinacci.

9. **andarno... terra**: furono trasportati a braccia per la città. **bollono**: sono in pericolo di vita.

10. **e fu... rotta**: e si giunse al punto che noi tutti che eravamo in chiesa, non potendo fuggire, mentre sembrava che stesse per crollare ogni cosa, avremmo fatto la firma di cavarcela con la semplice rottura d'una gamba.

11. **Lucrezia... Clarice**: la madre e la moglie del Magnifico.

12. La prima volta che il P. va in chiesa a sentire prediche, subito scatta la trappola; difficilmente ci si farà trovare una seconda volta...

Lorenzo de' Medici

La vita

La figura di Lorenzo de' Medici, detto il Magnifico, va inquadrata nella civiltà fiorentina della seconda metà del Quattrocento, caratterizzata dall'incontro di tendenze diverse, quando non addirittura contrastanti. Da un lato persistono i motivi etici e culturali del primo umanesimo, cioè la fede vigorosa e salda nella *virtù* umana, dominatrice della fortuna e plasmatrice del destino terreno, un interesse vivissimo per i problemi della società e dell'organizzazione politica, il sentimento, infine, della cultura classica come formatrice di una *humanitas* atta a trovare pieno compimento nella vita civile. Dall'altro lato, invece, comincia a diffondersi un certo senso di sfiducia nell'azione dell'uomo, o almeno la coscienza di certi suoi limiti invalicabili, accompagnata da un crescente disinteresse per la vita politica. Di conseguenza, l'arte e la cultura esprimono un desiderio di evasione dall'esistenza, tendono a comporre un mondo ideale di pace e di serena armonia, nel quale l'animo trovi pieno appagamento.

Su un piano di ancor fervido attaccamento alla vita reale, di fiducia costruttiva e dinamica, insidiata, però, da un sentimento disincantato dei limiti che la realtà impone, va considerata anche l'attività politica di Lorenzo (di cui qui non si può dare se non un rapido cenno), che fu certo quella predominante nella sua vita. Appena ventunenne (era nato nel 1449, da Piero de' Medici, figlio di quel Cosimo che aveva fondato il dominio in Firenze della sua potente famiglia mercantile) fu invitato dai principali cittadini, alla morte del padre, a prendere «la cura della città e dello stato», invito che egli dice di avere accettato «mal volentieri... e solo per conservazione degli amici e sustanze nostre, perché a Firenze si può mal vivere ricco senza lo stato». Sono parole che danno in qualche modo il tono dell'azione politica di Lorenzo, fondata su una visione realistica dei fatti, intelligente e scettica, lontana dalle audaci costruzioni e caratterizzata piuttosto da una sottile arte diplomatica, volta al compromesso. I suoi scopi furono la tutela e il consolidamento dello stato fiorentino e il mantenimento della pace in Italia, conseguito mediante un'abile politica d'equilibrio che stroncasse i tentativi espansionistici delle maggiori potenze italiane. Di fatto, Lorenzo fu l'ago della bilancia politica italiana, come fu detto, e garantì all'Italia e soprattutto a Firenze alcuni decenni di pace e prosperità. Per questo il popolo fiorentino lo circondò di stima e di affetto fino alla sua morte, avvenuta nel 1492.

Non è facile valutare la sua personalità etico-politica, nel trapasso che egli si trovò a subire, ma anche, almeno in parte, a gestire, fra Comune e Signoria; cioè fra un'idea di stato di tradizione medievale, fondato, idealmente, sul diritto e la giustizia, e l'idea, e la prassi dello stato come potenza che corrisponde all'affermarsi delle Signorie. Lo stato trova ora la sua motivazione nell'efficienza, nella forza, cioè, con cui impone un ordine, di là dalle endemiche risse cittadine che avevano segnato e motivato il tramonto del Comune; anche a scapito delle motivazioni morali, pur proclamate spesso dagli umanisti, soprattutto all'inizio del secolo. Di qui, nella cultura, e anche nella prassi artistica originale di Lorenzo, l'oscillazione fra aspirazioni ideali (il neoplatonismo dell'amico Marsilio Ficino) e uno stoicismo che accetta come dura necessità la lotta per il potere.

Lorenzo e la cultura fiorentina

Lorenzo dovette assumere, sul piano culturale, un carico complementare a quello politico. Principe, di fatto, o «Signore» emerso da una famiglia mercantile, era portato a trovare una legittimazione del potere nella nuova cultura, nell'Umanesimo che aveva ispirato la vita politica fiorentina nella prima metà del secolo. Educato alla scuola di alcuni dei maggiori ingegni del tempo, come il Ficino, il Landino, l'Argiropulo, dotato d'un interesse vivissimo per le manifestazioni letterarie, artistiche, filosofiche, fu protettore e amico di letterati e intellettuali che accolse nella sua casa; fra di essi, Luigi Pulci e Angelo Poliziano. Non si trattò di mecenatismo come «strumento di regno», ma d'una reale propensione cui s'unì una volontà organizzatrice, peraltro, nella sostanza, liberale; come dimostrò l'ospitalità (che fu poi anche protezione) concessa nel 1489 a Pico della Mirandola, inquisito per eresia.

Sul piano organizzativo va ricordato il suo costante interessamento (nomine e salari) rivolto all'istruzione elementare, le cure rivolte allo Studio fiorentino, con l'importante incarico di un insegnamento fondamentale, quello dei Classici, affidato all'amico Poliziano, l'istituzione, nel '72, dello Studio di Pisa, che divenne subito importante per gli studi giuridici. Senza essere una vera e propria corte, la sua casa era un centro di irradiazione culturale, in cui il rapporto fra gli intellettuali e il signore tendeva a disporsi su un piano d'amicizia, a costituire il quale aveva grande peso la personalità culturale di prim'ordine di Lorenzo. Egli stesso fu poeta originale; la stessa vastità della sua produzione attesta che la poesia non fu per lui passatempo o capriccio, ma una genuina esigenza. La consapevolezza dei duri limiti della vita pratica faceva nascere in lui il desiderio di evadere nei campi più sereni dell'arte e della filosofia. Poco prima di morire, egli confidava al Poliziano di voler dedicare gli anni che ancora gli restavano alle elevate conversazioni con lui, con Pico, col Ficino.

Lorenzo e i suoi amici diedero vita a una cultura fiorentina, dotata di virtù espansiva, come rivela la raccolta di testi della migliore poesia toscana inviata agli Aragonesi di Napoli, con prefazione stesa probabilmente dal Poliziano, ma rispettosa delle idee e degli indirizzi di Lorenzo. Si trattava d'un gruppo d'intellettuali integrati nel governo della città, espressione di interessi e aspirazioni reali; con anche polemiche interne, come testimonia la vicenda del Pulci. Questa cultura si esplicava su due versanti. Da un lato vi era quello umanistico, dotato, in quel tempo, di capacità di diffusione sul piano italiano ed europeo. Dall'altro maturò nella cerchia medicea un vivo interesse per la cultura e le tradizioni popolari, con un rapporto complesso, che va dalla loro assunzione (per es. nei *rispetti* del Poliziano) alla parodia del Pulci e dello stesso Lorenzo.

Dietro tali predilezioni non è difficile indicare motivi politici, o meglio etico-politici, nel senso che esse venivano incontro a concrete istanze della vita e della civiltà cittadina. Il favore per le tonalità popolari rispecchiava l'origine sociale dei Medici e un pubblico di lettori e sostenitori che comprendeva il «popolo», e cioè, in primo luogo, la borghesia media e minuta, ma anche quella economicamente più elevata e potente. La tendenza idealizzante, in cui finì spesso per risolversi quella umanistica, rivelava, nel contempo, una volontà nobilitante della nuova Signoria (era quindi legata a un'ideologia egemonica), e la propensione all'evasione, al sogno che incominciava ad avvertirsi in una società priva ormai di una reale iniziativa politica sul piano internazionale, come si vide nella crisi italiana di fine secolo (la calata di Carlo VIII) e nelle vicissitudini successive che resero l'Italia preda delle più potenti nazioni europee.

La produzione letteraria di Lorenzo

Quello che ha maggiormente sconcertato i critici, nella produzione letteraria di Lorenzo, è la coesistenza di temi e toni disparati e persino contraddittori. Essa va da un vigoroso naturalismo a una capacità di idealizzazione, condotta sui modelli di Dante, del Petrarca, dello Stilnovismo, del Neoplatonismo; dai canti carnascialeschi che esortano ad abbandonarsi al piacere, alle laudi religiose di tono ascetico. E non si può parlare di uno sviluppo configurabile in una storia coerente: la sua opera sembra percorrere le varie suggestioni della cultura toscana, a volte quasi simultaneamente, senza concentrarsi su una tematica veramente dominante; permane, nell'insieme come esempio d'una sperimentazione composita ed eclettica.

Nella scarsità di indizi cronologici, la critica è oggi incline a suddividerla in tre fasi, anche se resta il dubbio che tale partizione sia forse più tematica che cronologica, almeno per certe opere. Essa è tuttavia indicativa di tre linee di tendenza che sembrano avere dominato successivamente, ma senza che ognuna di esse escludesse quella precedente.

Una prima fase, anteriore al 1469 comprenderebbe, oltre a *Rime* petrarchesche e alla novella *Ginevra*, di carattere sentimentale, un prevalere di ispirazione comico-realistica e parodistico-caricaturale, dietro l'esempio del Pulci. Appartengono a essa *L'uccellagione di starne*, descrizione briosa d'una partita di caccia, il *Simposio*, caricatura, non priva di umoristici agganci alla *Commedia*, dei beoni di Firenze, la novella *Giacoppo*, sul modello boccacciano della beffa, e *La Nencia di Barberino*, idillio rusticano caricaturale, che trattiamo a parte, considerato da alcuni il capolavoro di Lorenzo; l'opera migliore, comunque sia, di questa fase. Nella quale, come s'è detto, questo tipo d'ispirazione resta, comunque sia, prevalente e non esclusiva, in quanto già fin da ora Lorenzo accoglie la lezione di Dante, Petrarca, Boccaccio, e incomincia a muoversi fra l'ispirazione popolaresco-parodistica del Pulci e il neoplatonismo del Ficino.

Agli anni fra il 1470 e il 1484, che segnano anche il deciso impegno politico, appartengono invece opere di prevalente indirizzo neoplatonico e ficiniano; quasi in contrasto con le esperienze pubbliche, a volte drammatiche, e sempre, comunque sia, ispirate a un duro realismo. Al '73-'74 appartiene un dialogo filosofico in terzine, l'*Altercazione*, caratterizzata conclusivamente dal rifiuto dei beni mondani e dall'aspirazione al divino, in termini ispirati direttamente dalla filosofia del Ficino, e analoga ispirazione appare nei 7 *Capitoli* religiosi. Un secondo gruppo di *Rime* conferma la linea stilnovistico-dantesca-petrarchesca sulla quale viene costruita la *Raccolta Aragonese*, l'antologia della poesia toscana donata, nel '76, a Federico d'Aragona (cfr. più avanti). Agli anni '81-'84 appartiene l'incompiuto *Comento ad alcuni sonetti d'amore*, in cui, sulle orme del Dante della *Vita nuova* e del *Convivio*, ma con una decisa ispirazione neoplatonica e ficiniana, vengono commentati 41 sonetti d'ispirazione amorosa.

A un terzo e ultimo momento, posteriore all' '84, vanno assegnati i poemetti d'ispirazione classica: l'*Ambra*, nel quale è cantato il mito della ninfa Ambra che, inseguita dal fiume Ombrone innamorato di lei, ottiene dagli dèi di essere tramutata in sasso; i poemetti incompiuti *Apollo e Pan* e il *Furtum Veneris et Martis*, che canta gli amori di Venere e Marte; e, infine, il *Corinto* elegia di un pastore così chiamato, innamorato senza speranza della bella Galatea, che egli esorta a cogliere il fuggitivo fiore della giovinezza. Probabilmente appartengono a questo periodo anche le *Selve*, un poemetto lirico nel quale Lorenzo canta il vario fluttuare del suo animo fra pensieri, sogni e ricordi d'amore, rivelando una persistente fedeltà alla filosofia ficiniana. Ultima opera, in ordine di tempo, è la *Rappresentazione di San Giovanni e Paolo*, sacra rappresentazione teatrale d'argomento religioso.

Lorenzo scrisse ancora le *Canzoni a ballo* e i *Canti carnascialeschi* (cantati, cioè, durante il carnevale), di più spigliata intonazione popolaresca, e contenenti, in genere, un invito a godere la giovinezza e le gioie dell'amore, o anche aneddoti piccanti e rappresentazioni maliziose e salaci. Contrastano con quei componimenti le *Laude*, di intonazione schiettamente religiosa.

Questa rapida esposizione conferma la tendenza di Lorenzo ad accogliere ed amalgamare le suggestioni della cultura del suo tempo e della poesia precedente, classica e italiana. Non per questo lo diremo un fiacco ripetitore o un banale dilettante. C'è infatti in lui una lucida intelligenza che lo conduce spesso a invenzioni originali. Frequente appare, nei suoi versi più meditati, una forte componente realistica e naturalistica, riscontrabile nelle vivide descrizioni di paesaggi, nel sincero vagheggiamento d'una libera vita dei sensi e dello spirito, in contatto diretto con la natura, nell'analisi acuta della psicologia amorosa; ma, accanto a essa, non va sottovalutata la tendenza idealizzante neoplatonica. L'interesse maggiore che presenta la sua produzione è quel ripercorrere la tradizione poetica italiana dalle origini al suo tempo e la cultura filosofica e poetica coeva, dal Ficino al Poliziano, alle forme della poesia popolare, con una decisa volontà di sperimentazione. Piuttosto che alla concentrazione lirica, Lorenzo tende, com'è stato detto, a una forma «scenica» o corale, come nel *Trionfo di Bacco e di Arianna*, nell'idillio rusticale (la *Nencia da Barberino*) o nella poesia bucolica del *Corinto* e nella vivida narrazione «oggettiva» dell'*Ambra*.

Seguiamo, per il testo, Lorenzo de' Medici, *Scritti scelti*, a cura di E. Bigi, Torino, Utet, 1955.

Le «Rime» e il «Comento»

Il canzoniere del Magnifico è più spesso opera di cultura che d'ispirazione. Esso si riallaccia alla tradizione trecentesca, riprendendo temi, immagini e suggestioni di Dante, del Petrarca, dello Stil novo, diluendoli assai spesso in quella vena descrittiva che è caratteristica di Lorenzo, ma che spesso gli impedisce una piena concentrazione fantastica o sentimentale, anche se dà luogo a spunti psicologici e narrativi interessanti.

Una parte compatta e organica del suo canzoniere è il *Comento ad alcuni sonetti d'amore*, opera condotta sull'esempio della *Vita Nuova*, con alternanza, cioè, di sonetti e d'un racconto in prosa, nel quale sono spiegate le occasioni e il significato delle singole poesie. Lorenzo racconta come, nel vedere le mirabili sembianze d'una donna morta, portata alla sepoltura in un radioso giorno di primavera, fosse pervaso da un desiderio infinito d'amore, e si mettesse a cercare una donna pari per bellezza all'estinta. A una festa gli apparve una donna bellissima, ed egli se ne innamorò, vedendo in essa incarnata l'idea pura della bellezza che portiamo nell'anima e che la vista della morta aveva ridestato in lui (questa idea dell'amore riflette la teoria esposta da Marsilio Ficino nel commento al *Convito* di Platone).

Riportiamo alcuni sonetti tratti dal *Comento*, scelti fra quelli nei quali meno s'avverte la struttura intellettualistica e idealizzatrice dell'opera. L'ultimo sonetto della scelta appartiene, invece, alle *Rime* e riflette quel tono di contenuta ma intensa amarezza che affiora qua e là nella poesia di Lorenzo, oscillante fra «il pensieroso riconoscimento della dura asprezza della vita e delle passioni e il sogno sempre risorgente, insopprimibile anche se contemplato con disincantata consapevolezza, di amori, di esistenze, di paesaggi vigorosamente idillici» (Bigi).

Belle, fresche e purpuree viole

Belle, fresche e purpuree viole,
che quella candidissima man colse,
qual pioggia o qual puro aer produr vòlse
tanto più vaghi fior che far non suole?
5 Qual rugiada, qual terra o ver qual sole
tante vaghe bellezze in voi raccolse?
onde il suave odor Natura tolse,
o il ciel che a tanto ben degnar ne vuole?
Care mie violette, quella mano
10 che v' elesse infra l'altre, ov'eri in sorte,
v'ha di tanta eccellenzia e pregio ornate.
Quella che 'l cor mi tolse e di villano
lo fe' gentile, a cui siate consorte,
quell' adunque e non altri ringraziate.

3-4. qual pioggia... suole?: quale pioggia o quale atmosfera indicibilmente pura vollero produrre fiori come voi, più vaghi, cioè belli e gentili, di quelli che solitamente la natura produce?
7-8. onde... vuole?: Donde prese Natura — o fu forse il Cielo che mi ha voluto rendere degno di godere un bene così grande (come questi mirabili fiori, colti dalla candida mano della sua donna) — il vostro soave odore?
10. ov'eri in sorte: dove per sorte eravate; allude ai bellissimi vasi nei quali la donna amata teneva i suoi fiori.
12-14. Quella... ringraziate: quella donna che ha preso il mio cuore e da *villano* che era lo ha reso *gentile* (sono i concetti della tradizione cortese e stilnovistica); e a questo mio cuore voi siete ora consorti (avete cioè la stessa sorte di lui, in quanto anche voi siete state rese gentili dal tocco di quella mano).

Metro: *sonetto* (schema: ABBA, ABBA, CDE, CDE).

Nel *Comento* Lorenzo racconta come la sua donna, in un tempo in cui egli era molto afflitto perché non poteva vederla, gli mandasse in dono tre **viole** (garofani), per lenire la sua pena.

O sonno placidissimo, omai vieni

O sonno placidissimo, omai vieni
all'affannato cor che ti disia:
serra il perenne fonte a' pianti mia,
o dolce oblivion, che tanto peni.
5 Vieni, unica quiete, quale affreni
sola il corso al desire, e in compagnia
mena la donna mia benigna e pia
cogli occhi di pietà dolci e sereni.
Mostrami il lieto viso, ove già fêrno
10 le Grazie la lor sede, e il disio queti
un pio sembiante, una parola accorta.
Se così me la mostri, o sia eterno
il nostro sonno, o questi sonni lieti,
lasso! non passin per l'eburnea porta.

Metro: *sonetto* (schema: ABBA, ABBA, CDE, CDE).

Vorrebbe il poeta, per «temperare il desio corrente e ardentissimo» (come dice nel *Comento*) che ha della sua donna, addormentarsi e sognarla, e «dormire eternalmente, sanza destarsi mai», o ritrovare nella vita la felicità promessa dal sogno.

1. placidissimo: soprattutto perché apportatore di pace e oblio al cuore affannato dalla passione amorosa.
3. serra il perenne fonte, ecc.: chiudi i miei occhi, fonte da cui perennemente sgorga il pianto.
4. o dolce oblivion, ecc.: o dolce oblio (delle mie pene d'amore) che tanto fatichi a giungere. Lo chiama oblio perché cancella dalla sua anima ogni pensiero e dolore e gli invia dolci sogni di lei.
5-6. quale... desire: che sola raffreni l'ardente desiderio d'amore.
7. mena la donna mia: Dice Lorenzo nel *Comento*: «E perché a me medesimo pareva impossibile non solamente il dormire ma il vivere senza immaginare la donna mia, priego il sonno che venendo negli occhi miei la meni seco in compagnia, cioè me la mostri nei sogni e mi faccia vedere e sentire il suo dolcissimo riso...».
9-11. Mostrami... accorta: Mostrami il suo viso lieto (perché risplendente di una bellezza che dà gioia), nel quale le Grazie hanno posto la loro dimora; e plachi il mio desiderio d'amore uno sguardo pietoso della mia donna, una parola affettuosa, piena di comprensione per me (*accorta*).
13-14. Lorenzo desidera o di sognarla in eterno, così che non abbia mai fine quel bel sogno, o che sia un sogno verace, confermato dalla realtà. Pensavano gli antichi che i sogni fallaci uscissero dagli Inferi attraverso una porta d'avorio (*eburnea*), mentre da una porta di corno uscivano quelli veraci.

Cerchi chi vuol le pompe e gli alti onori

Cerchi chi vuol le pompe e gli alti onori,
le piazze, i templi e gli edifizi magni,
le delizie e il tesor, quale accompagni
mille duri pensier, mille dolori.
5 Un verde praticel pien di be' fiori,
un rivo che l'erbetta intorno bagni,
un augelletto che d'amor si lagni,
acqueta molto meglio i nostri ardori;
l'ombrose selve, i sassi e gli alti monti,
10 gli antri oscuri e le fere fuggitive,
qualche leggiadra ninfa paurosa:
quivi vegg'io con pensier vaghi e pronti
le belle luci come fussin vive,
qui me le toglie or una or altra cosa.

Metro: *sonetto* (schema: ABBA, ABBA, CDE, CDE).

Lorenzo esprime qui la stanchezza della vita cittadina, con le sue gare, le ambizioni meschine, quel vano affaccendarsi che non dà felicità, e sogna l'oblio nella pace serena della natura, in un'atmosfera idillica primaverile che dispone ai sogni d'amore.

1. le pompe: il fasto.
3-4. quale accompagni, ecc.: delizie e tesori che (*quale* è plurale) sono accompagnati da mille affanni e crucci e dolori.
5-10. Alla superba e vanamente fastosa vita cittadina, Lorenzo contrappone un paesaggio fatto di piccole, semplici cose, eppure più «vere», meglio capaci di donarci la felicità.
11. qualche leggiadra ninfa paurosa: la figurazione femminile rimane vagamente sospesa fra realtà e sogno, e conclude per questo efficacemente il paesaggio idillico.
12-13. quivi... vive: qui io vedo nel mio sognare ad occhi aperti, secondato dall'incanto dolce e serenatore della natura, i begli occhi della mia donna, come se fossero vivi e veri dinanzi a me.
14. qui me le toglie, ecc.: qui, in città, le varie e affannose cure mi tengono lontano da lei, dalla gioia di contemplare quei begli occhi.

Ove madonna volge gli occhi belli

Ove madonna volge gli occhi belli,
senz'altro sol questa novella Flora
fa germinar la terra e mandar fòra

Metro: *sonetto* (schema: ABBA, ABBA, CDE, CDE).

Come dice nel *Comento*, Lorenzo compose questo sonetto nel mese d'aprile, nel quale «l'anno è tanto più bello, quanto è la prima iuventù più bella che tutte l'altre età delli uomini». Mentre la sua donna era in campagna, un amico si recò da lui e gli disse: «Ora si vorrebbe essere nella tal villa e vedere la tua bella donna, perché ora cantano gli augelli, ora si rinnovano i prati d'erbe e di fiori, ora si rivestono gli alberi di frondi; le ninfe, li uomini e tutti li animali sentono al presente più le forze amorose; e però ora sarebbe tempo che fra tanti naturali ornamenti tu vedessi la tua carissima donna». Ma Lorenzo risponde che in ogni tempo era uguale il suo amore, e che comunque il mondo doveva essere intorno a lei più bello che altrove, «perché dove era lei non bisognava né sole, né stagione novella, né altra virtù che la sua a fare germinare la terra, fiorire ed empiersi di fronde li arbori, cantare li uccelli, e li altri effetti che suole far primavera».

2. questa novella Flora: Flora era la dea che faceva germogliare i fiori.

mille vari color di fior novelli.
5 Amorosa armonia rendon gli uccelli,
sentendo il cantar suo che l'innamora;
veston le selve i secchi rami allora,
che senton quanto dolce ella favelli.
Delle timide ninfe a' petti casti
10 qualche molle pensiero Amore infonde,
se trae riso o sospir la bella bocca.
Or qui lingua o pensier non par che basti
a intender ben quanta e qual grazia abbonde,
là dove quella candida man tocca.

4. mille vari color, ecc.: non dice «mille vari fiori nuovi e variopinti»; la fantasia del poeta è colpita dalla luce festante di quei colori.
5-6. Gli uccelli, sentendo il dolce canto di madonna, rendono, cioè riecheggiano, come se avessero da lei ricevuto l'intonazione, una melodia armoniosa d'amore.
8. dolce: dolcemente.
9-11. Delle timide ninfe, ecc.: Amore infonde qualche tenero pensiero amoroso anche nei casti petti delle ninfe vergini e schive, se la bella bocca di madonna sorride o sospira.
12-14. Or qui lingua, ecc.: A questo punto la parola e il pensiero umano non bastano più ad esprimere la grazia e la gioia che le candide mani di lei diffondono su ciò che toccano.

Io piansi un tempo, come volle Amore

Io piansi un tempo, come volle Amore,
la tardità delle promesse sue,
e quel che interveniva a ambo noi due,
a me del danno, a lui del suo onore.
5 Or piango, come vuole il mio amore,
ché 'l tempo fugge per non tornar piue,
e veggio esser non può quel che già fue:
or questo è quel ch'ancide e strugge il core.
Tanto è il nuovo dolor maggior che 'l primo,
10 quanto quello avea pur qualche speranza:
questo non ha se non pentersi invano.
Così il mio error fra me misuro e stimo,
e piango, e questo pianto ogni altro avanza,
la condizion del viver nostro umano.

Metro: *sonetto* (schema: ABBA, ABBA, CDE, CDE).

Il pregio del sonetto sta nella capacità meditativa e d'introspezione che non è infrequente nella poesia di Lorenzo. Vi scorgiamo, inoltre, una vena di pessimismo e di amarezza, quella stessa che pervade le ultime terzine del *Corinto* e s'insinua anche nel *Trionfo di Bacco e d'Arianna*, che è un invito a godere la gioia dell'ora, della giovinezza fuggente. Il lamento del poeta investe la condizione stessa del vivere, nel quale, la gioia, tanto intensamente e impazientemente bramata, lascia soltanto, una volta conseguita, il disinganno del suo rapido svanire.
1-4. Io piansi un tempo, ecc.: Il poeta un tempo pianse, spinto dalla vicenda dei sentimenti che Amore gli poneva nel cuore, il fatto che le gioie da lui promesse tardassero ad avverarsi, e il danno che derivava da questo lungo attendere vano sia a lui sia ad Amore stesso, che vedeva diminuito il suo onore da questo eccessivo indugio nel mantenere le sue promesse.
5-8. Ora, il poeta piange, e ancora amore lo spinge a questo, ma amore di sé, cioè la sollecitudine per la propria vita e il proprio destino, il fatto che il tempo fugge per non ritornare più. Ora sa bene che quel ch'è stato non può più ritornare e questa è la vera sofferenza che distrugge, uccide il cuore.
9-11. Il nuovo dolore, nato da questi pensieri, è maggiore di quello cagionato un tempo dalle pene d'amore; allora, infatti, al dolore si mescolava la speranza di una gioia futura; quello presente, invece, è mescolato al pentimento di avere invano speso la vita dietro piaceri resi illusori dal fuggire del tempo.
13-14. e piango, ecc.: e piango — e questo mio pianto è più doloroso di ogni altro — la condizione umana, la tristezza cioè insanabile che è implicita nella vita dell'uomo.

La «Nencia da Barberino»

La *Nencia da Barberino* è un idillio rusticano in ottave, costituito dal lungo monologo di Vallera, pastore del contado fiorentino, che canta il suo amore per Nencia, una giovane contadina ritrosa verso di lui.

Lorenzo ritrae dal vero la psicologia del rozzo e ingenuo innamorato, e anche il suo linguaggio, che è quello del Mugello, con un atteggiamento che sta fra la simpatia e la parodia. Egli cioè raffigura il suo personaggio e i suoi stati d'animo con un sorriso divertito, proprio dell'uomo signorilmente colto che avverte insieme la spontaneità e la rozzezza di quel mondo campagnolo.

Il testo assume pertanto una qualità scenico-narrativa: è, infatti, un monologo in cui il personaggio, il contadino Vallera, racconta la sua vicenda amorosa, l'attualizza ed esibisce in un insieme di battute e gesti teatrali: dalle descrizioni appassionate di Nencia, alla vicenda di incontri mancati, alle preghiere e offerte di doni; sul ritmo e la vicenda, che il monologo sottende, d'una giornata lavorativa. Si potrebbe insistere, com'è stato fatto, sul trasferimento dei modi della tradizione colta negli atteggiamenti sia dell'immaginario sia della parlata contadina, o sulla «traduzione» dell'egloga antica in forme rusticali, o sul ricordo d'un altro genere letterario caratteristico, la satira del villano, nobilitata qui attraverso una minuziosa e felice trasposizione letteraria e linguistica. Ma sembra più opportuno insistere, pur sullo sfondo di queste tradizioni, sulla gestualità verbale del poemetto. L'originalità di Lorenzo non consiste tanto nel tono parodistico e nella felicità d'invenzioni in tal senso (il cuore, ad esempio, tagliato a pezzi, ognuno dei quali continuerebbe a gridare «Nencia, Nencia bella!»), ma nell'esibito gesto verbale. L'interesse dominante è, cioè, il parlato contadino, considerato anche come un modo di vivere e presentarsi nel linguaggio. Ecco, quindi, le immagini tratte dalla realtà rustica, come spontaneo atteggiarsi dell'immaginario, oltre che della psicologia, del protagonista (il groppo sentimentale che rende Vallera simile a un graticcio, il viso morbido di Nencia che «pare un sugnaccio»). Così le iperboli del sentimento si traducono o in fantasie spropositate (Nencia ha venti denti per parte, anzi, più e più bianchi di quelli del cavallo), o in espressioni che mescolano, con involontaria comicità, ma sempre nell'ambito del patetico sentimentale che s'è detto, linguaggio aulico (i suoi cascami, giunti alla campagna nei riecheggiamenti della poesia dotta) e banalità espressiva del quotidiano (l'aggettivo cortese «leggiadra» mescolato al prosaico «testa», che, sappiamo, è anche «ben quadrata»).

La conquista di questo linguaggio rusticale — che pure conferisce ai due protagonisti, a quello che parla e a quello muto, consistenza reale e coerente di personaggi — ha, dunque, un significato che supera l'immediato interesse parodistico. Fra il latino letterario, ora riconquistato, della tradizione classica esemplare e il volgare illustre della nuova, anch'esso accolto e continuato da Lorenzo e dai suoi, e riconosciuto complementare al primo e di analoga dignità espressiva, il vernacolo viene qui riscontrato nella sua eccentricità ma anche nella sua capacità espressivo-espressionistica; come una forza linguistica elementare. C'è pertanto in Lorenzo una sperimentazione linguistica, coerente con la nuova civiltà letteraria che egli percorre in tutti i suoi aspetti e le sue suggestioni: una civiltà rinata nel segno d'una idea nuova della lingua e della parola poetica, ma anche del linguaggio in genere come mezzo di reale comunione fra gli uomini.

Ardo d'amore, e conviemme cantare
per una dama che me strugge el cuore;
ch'ogni otta ch'i' la sento ricordare,
el cor me brilla e par ch'egli esca fuore.
5 Ella non truova de bellezze pare,
cogli occhi gitta fiaccole d'amore.
I' sono stato in città e 'n castella,
e mai ne vidi ignuna tanto bella.

I' sono stato ad Empoli al mercato,
10 a Prato, a Monticegli, a San Casciano,
a Colle, a Poggibonzi e San Donato,
a Grieve e quinamonte a Decomano;
Fegghine e Castelfranco ho ricercato,
San Piero, el Borgo e Mangone e Gagliano:
15 più bel mercato ch'ento 'l mondo sia
è Barberin, dov'è la Nencia mia.

Non vidi mai fanciulla tanto onesta,
né tanto saviamente rilevata:

Metro: *ottave* di endecasillabi (ABABABCC).

1-4. Ardo d'amore, ecc.: I primi due versi hanno una certa solennità, secondo l'uso dei *cantàri* popolari, che riprendono a volte forme ed espressioni della lirica più dotta, onde elevare il proprio tono; ma negli altri due abbiamo già l'immediatezza popolaresca d'immagini e d'accenti che è propria del poemetto.

3. ch'ogni otta: poiché ogni volta che, ecc.: (*otta = ora*).

4. el cor me brilla, ecc.: il cuore mi prilla come una trottola e sembra voler uscire dal petto.

5. Ella... pare: ella non trova nessuna che sia pari a lei. Cominciano le lodi di Nencia, che occupano la parte maggiore del poemetto.

6. cogli occhi gitta fiaccole, ecc.: l'immagine è tratta dalla lirica cortese (Amore nascosto negli occhi della donna amata), ma è qui materializzata in quel lancio di fiaccole, di gusto parodistico.

8. ignuna: nessuna. Osserva già da questa ottava la sintassi semplice, discorsiva; le proposizioni sono o semplicemente accostate o unite con legami sintattici elementari. Il linguaggio, cioè, sia nei vocaboli, sia nella sintassi segue un modulo popolaresco.

9-16. I'sono stato, ecc.: Enumera tutte le località della Toscana in cui è stato, per concludere che il più bel mercato (Vallera non va in un paese come turista, ma per scopi assai più concreti) è quello di Barberino di Mugello, a una trentina di chilometri da Firenze, dove è la sua Nencia. Il lato garbatamente comico del discorso sta nel fatto che Vallera, in questa lunga enumerazione, sembra alludere a geografie sterminate, dire che la Nencia è la donna più bella del mondo, mentre nomina contrade assai vicine, dove per lui tutto il vasto mondo è raccolto.

12. quinamonte a Decomano: quassù sul monte fino a Decomano.

13. Fegghine: Figline.

16. Nencia: diminutivo di Vincenza o di Lorenza.

17. onesta: costumata.

18. saviamente rilevata: saviamente allevata. Questo e il precedente complimento sono un tentativo di linguaggio fine e fiorito, briciole che cadono dalla bocca delle

non vidi mai la più leggiadra testa,
20 né sì lucente, né sì ben quadrata;
con quelle ciglia che pare una festa
quand'ella l'alza, ched ella me guata:
entro quel mezzo è 'l naso tanto bello,
che par propio bucato col succhiello.
25 Le labbra rosse paion de corallo:
ed havvi drento duo filar de denti,
che son più bianchi che que' del cavallo;
da ogni lato ve n'ha più de venti.
Le gote bianche paion di cristallo
30 sanz'altro liscio, né scorticamenti,
rosse ento 'l mezzo, quant'è una rosa,
che non si vide mai sì bella cosa.
Ell'ha quegli occhi tanto rubacuori,
ch'ella trafiggere' con egli un muro.
35 Chiunch'ella guata convien che 'nnamori;
ma ella ha cuore com'un ciottol duro;
e sempre ha drieto un migliaio d'amadori,
che da quegli occhi tutti presi fûro.
La se rivolge e guata questo e quello:
40 i' per guatalla me struggo el cervello.
La m'ha sì concio e 'n modo governato,
ch'i' più non posso maneggiar marrone,
e hamme drento sì ravviluppato
ch'i' non ho forza de 'nghiottir boccone.
45 I' son come un graticcio deventato,
e solamente per le passione,
ch'i' ho per lei nel cuore (eppur sopportole!),
la m'ha legato con cento ritortole.
Ella potrebbe andare al paragone
50 tra un migghiaio di belle cittadine,
ch'ell'apparisce ben tra le persone
co' suoi begghi atti e dolce paroline;
l'ha ghi occhi suoi più neri ch'un carbone
di sotto a quelle trecce biondelline,
55 e ricciute le vette de' capegli,
che vi pare attaccati mill'anegli.
Ell'è dirittamente ballerina,
ch'ella se lancia com'una capretta:
girasi come ruota de mulina,
60 e dassi della man nella scarpetta.
Quand'ella compie el ballo, ella se 'nchina
po' se rivolge e due colpi iscambietta,
e fa le più leggiadre riverenze,
che gnuna cittadina da Firenze.
65 La Nencia mia non ha gnun mancamento:
l'è bianca e rossa e de bella misura,
e ha un buco ento 'l mezzo del mento,
che rabbellisce tutta sua figura.
Ell'è ripiena d'ogni sentimento:
70 credo che 'n pruova la fêsse natura
tanto leggiadra e tanto appariscente,
ch'ella diveglie il cuore a molta gente.
Ben se potrà chiamare avventurato
chi fie marito de sì bella moglie;
75 ben se potrà tener in buon dì nato
chi arà quel fioraliso sanza foglie;
ben se potrà tener santo e biato,

persone colte e che Vallera mescola con umoristico effetto al suo rozzo parlare.
20. sì ben quadrata: comico l'incontro delle espressioni delicate *leggiadra* e *lucente* con quel *quadrata*, che significa *ben proporzionata* ma con sfumatura rozza e dialettale.
23. entro quel mezzo: entro, in mezzo fra quelle ciglia.
24. che par propio bucato, ecc.: fabbricato con un succhiello, modellato in quel viso a regola d'arte.
26. ed havvi... denti: dentro vi sono due file di denti candidi, più dei denti del cavallo, e tanti! ben venti per parte!
30-31. sanz'altro liscio, né scorticamenti: La Nencia non usa belletti né unguenti, che scorticano e rovinano la pelle, come fanno le cittadine.
32. che non si vide mai: quel *che* fa parte della libera sintassi di Vallera.
34. trafiggere': trafiggerebbe.
35. Chiunch'ella... 'nnamori: È fatale che chi è guardato da quegli occhi rubacuori s'innamori di lei.
39. La se rivolge e guata: Ella si volge indietro e guarda questo e quello, e Vallera a furia di guardarla diventa pazzo.
41. concio... governato: conciato... ridotto.
42. marrone: la zappa.
43. hamme... ravviluppato: mi ha, dentro, avviluppato, intricato stomaco e intestini, sì che il cibo non va più giù.
45. come un graticcio: come una stuoia di vimini intrecciati, dove venivano poste a seccare le frutta: cioè magro e «ravviluppato».
46. le passione: le pene.
48. ritortole: ritorte, legami che non si riesce a spezzare.
49-50. potrebbe... cittadine: potrebbe sostenere vittoriosamente il confronto con mille donne di città, che a Vallera appaiono di così raffinata bellezza di forme e di costumi. **Migghiaio** per «migliaio» è forma dialettale.
51. ch'ell'apparisce... persone: perché ella fa bella figura fra le persone.
57. Ell'è dirittamente ballerina: è una ballerina abilissima.
60. e dassi... scarpetta: e tocca la scarpetta con la mano. È una figura della danza rustica.
62. po' se rivolge, ecc.: poi si volge su se stessa e fa due scambietti.
65. gnun mancamento: non le manca nulla, non ha alcun difetto.
66. de bella misura: un bel pezzo di figliuola.
67. un buco: una fossetta; ma Vallera ignora certe finezze di linguaggio.
70. credo che 'n pruova la fêsse natura: penso che la natura l'abbia fatta come modello di bellezza, per mostrare la sua potenza creatrice. La frase riecheggia un motivo della lirica dotta, del Petrarca e di Dante.
72. diveglie: divelle, sradica.
73-80. Davanti a tante bellezze la riscaldata fantasia di Vallera si getta a capofitto nel sogno più bello: averla per moglie, avere, possedere quel viso, e vederselo in braccio, morbido e bianco come un pan di strutto (**sugnaccio**). È una delle ottave più «cantate»; Lorenzo sembra abbandonarsi alla freschezza di quel linguaggio rusticano, pittoresco ed efficace.
73. avventurato: fortunato.
74. fie: sarà. **marito... moglie**: due parole che non ricorrono nella lirica cortese, volta al vagheggiamento di amori raffinati e fuori delle comuni vicende.
75. tenere in buon dì nato: ritenere se stesso nato in un fausto giorno.
76. chi arà quel fioraliso sanza foglie: chi avrà quel fiordaliso, nella sua nuda e splendida bellezza. È immagine di sensualità sana e gentile.
77. biato: beato.

e fien guarite tutte le suo' voglie,
aver quel viso e vederselo in braccio
80 morbido e bianco, che pare un sugnaccio.
Se tu sapessi, Nencia, el grande amore
ch'i' porto a' tuo' begli occhi tralucenti,
e la pena ch'i sento e 'l gran dolore,
che par che mi si svèglin tutti i denti;
85 se tu 'l pensasse, te creperre' el cuore,
e lasceresti gli altri tuo' serventi,
e ameresti solo el tuo Vallera,
ché se' colei che 'l mie cuor disidèra.
Nenciozza, tu me fai pur consumare
90 e par che tu ne pigli gran piacere.
Se sanza duol me potessi cavare,
me sparere' per darti a divedere
ch'i' t'ho 'nto 'l core e fare'tel toccare;
tel porre' in mano e fare'tel vedere:
95 se tu 'l tagghiassi con una coltella,
e' griderebbe: — Nencia, Nencia bella! —
Quando te veggo tra una brigata,
convien che sempre intorno mi t'aggiri;
e quand'io veggo ch'un altro te guata,
100 par proprio che del petto el cor me tiri.
Tu me se' sì 'nto 'l cuore intraversata,
ch'i' rovescio ognindì mille sospiri,
pien de singhiozzi tutti lucciolando,
e tutti quanti ritti a te li mando.
105 Non ho potuto stanotte dormire;
mill'anni mi parea che fusse giorno,
per poter via con le bestie venire
con elle insieme col tuo viso adorno.
E pur del letto me convenne uscire:
110 puosimi sotto 'l portico del forno;
e livi stessi più d'un'ora e mezzo,
finché la luna se ripuose, al rezzo.
Quand'i' te vidi uscir de la capanna
col cane innanzi e colle pecorelle,
115 e' me ricrebbe el cuor più d'una spanna
e le lacrime vennon pelle pelle;
e poi me caccia' giù con una canna
dirieto a' miei giovenchi e le vitelle,
e avvia'gli innanzi vie quinentro
120 per aspettarti, e tu tornasti dentro.
I' me posi a diacer lungo la gora
a bioscio su quell'erba voltoloni,
e livi stetti più d'una mezz'ora,
tanto che valicorno e tuo' castroni.
125 Che fa' tu entro, che non esci fuora?
Vientene su per questi valiconi,
ch'i' cacci le mie bestie nelle tua,
e parrem uno, eppur saremo dua.
Nenciozza mia, i' vo' sabato andare
130 sin a Firenze a vender duo somelle
de schegge, ch'i' me puosi ier a tagghiare,
mentre ch'i' ero a pascer le vitelle.
Procura ben quel ch'i' posso recare,
se tu vuo' ch'io te comperi cavelle:
135 o liscio o biacca into 'n cartoccino
o de squilletti e d'agora un quattrino.

82. tralucenti: lucentissimi.
84. che mi si svèglin: che mi siano svelti, strappati. Altra immagine pittoresca e felicissima; Vallera non sa dare se non quest'immagine fisica della sua smania amorosa.
85. te creperre' el cuore: ti si spaccherebbe il cuore. I *serventi* ai quali allude nel verso seguente sono il migliaio di amatori.
91-93. Se... toccare: Se potessi cavarmela senza farmi troppo male, mi squarterei, mi aprirei il petto per mostrarti che ti ho veramente dentro al cuore, e te lo farei toccare con mano.
95. tagghiassi: tagliassi.
96-100. tra una: in mezzo a. **intorno mi t'aggiri**: ti giri attorno (la causa, come spiega poi, è la gelosia). **del... tiri**: mi strappi il cuore dal petto.
101-104. Tu... sospiri: Tu mi sei piantata in mezzo (**'nto**) al cuore, tanto che ogni giorno mando fuori (**rovescio**: ne è proprio pieno!) mille sospiri. **lucciolando**: lacrimando (accompagna i sospiri con lacrime). **ritti**: direttamente.
108. Vuol dire che attende il giorno per incontrarla al pascolo; ma l'esprimersi rozzo lo porta a una comica mescolanza di Nencia e bestie.
111-112. livi: ivi. **al rezzo**: all'aria fresca (riferito a **stetti**); **se ripuose**: tramontò.
115-116. e'... spanna: il cuore mi si risollevò (**ricrebbe**, dopo l'abbassamento o avvilimento della notte insonne) più d'una spanna. **e'**: egli, riferito a **cuor**: pronome pleonastico, proprio dell'uso dialettale. **pelle pelle**: fra la pelle delle palpebre.
119. vie quinentro: lungo questa via (sperando di incontrare Nencia).
121-124. diacer: giacere. **a bioscio**: di traverso. **voltoloni**: sdraiato, ma rivoltandosi spesso, impaziente di vederla uscire. **valicorno... castroni**: mi passaron davanti i tuoi agnelli castrati.
126-128. valiconi: valichi, sentieri alpestri. **ch'i'... dua**: Nel mettere insieme il bestiame si cela la volontà d'incontro, per dir così, ravvicinato con Nencia. È questo il punto in cui il desiderio sensuale di Vallera erompe più esplicito.
130-131. somelle: piccoli carichi. **schegge**: legna tagliata sottile. **tagghiare**: tagliare.
133-136. Procura... recare: pensa bene qual regalo ti possa portare (dal mercato cittadino). **cavelle**: qualcosa. **liscio**: belletto. **biacca**: circa: cipria. **into 'n**: dentro un (le offre un cartoccino di biacca). **o... quattrino**: o un quattrino di spilli o di aghi.

Se tu volessi, per portare a collo,
un collarin de que' bottoncin rossi
con un dondol nel mezzo, recherollo;
140 ma dimmi se gli vuoi piccini o grossi.
S'i' me dovessi trargli del midollo
del fusol della gamba o degli altr'ossi,
o s'i' dovessi vender la gonnella,
i' te l'arrecherò, Nencia mia bella.
145 Che non me chiedi qualche zaccherella?
so che n'aopri di cento ragioni:
o uno 'ntaglio per la tuo' gonnella,
o uncinegli o magghiette o bottoni,
o vuoi pel camiciotto una scarsella?
150 o cintol per legarti gli scuffioni,
o vuoi per ammagghiar la gamurrina
de seta una cordella cilestrina?
Gigghiozzo mio, tu te farai con Dio,
perché le bestie mie son presso a casa.
155 I' non vorrei che pel baloccar mio
ne fusse ignuna in pastura rimasa.
Veggo ch'ell'hanno valicato el rio,
e odomi chiamar da mona Masa.
Rimanti lieta: i' me ne vo cantando
160 e sempre Nencia ento 'l me cuor chiamando.

137-139. a collo: al collo. **dondol**: ciondolo.
141-144. S'i'... arrecherò: Se anche dovessi trarli dal mio midollo, dallo stinco o da qualche altro osso, te li porterò.
145-152. zaccherella: sciocchezzuola, piccolo oggetto. **so... ragioni**: so che ne usi di moltissime specie. **'ntaglio**: un merletto. **tuo'**: tua. **uncinegli**: gancetti. **camiciotto**: camicia. **scarsella**: piccola borsa. **cintol**: nastro. **scuffioni**: cuffia. **per... cilestrina**: una cintura celeste per stringere la sottoveste.
153. Gigghiozzo... Dio: addio, mio dolce giglio.
155. baloccar: è il suo perdersi nelle dichiarazioni fatte a Nencia. **in pastura**: nel pascolo (invece di ritornare nella stalla).
157-158. rio: ruscello. **Masa**: la padrona.
160. ento: dentro. **chiamando**: gridando.

Dal «Corinto»

Riportiamo una scelta (82 versi su 193) del *Corinto*, poemetto d'ispirazione elegiaco-pastorale che svolge anch'esso il tema dell'insoddisfatta ansia d'amore di un animo primitivo e appassionato. Il pastore Corinto, innamorato della bella e sdegnosa Galatea, esprime il suo amore per lei, vagheggia la dolcezza di una vita vissuta insieme in contatto con la natura primaverile, e l'esorta infine, dato che bellezza e gioventù fuggono, a cogliere subito le gioie d'amore.

Rispetto alla *Nencia* c'è in questo poemetto, accanto a fresche forme popolaresche, la suggestione della poesia idillica dei classici, unita a reminiscenze dantesche e petrarchesche. Manca inoltre il tono umoristico che sottolinea in forma misurata e discreta il discorso di Vallera; c'è, anzi, un tenero abbandono alla seduzione della natura e del sogno. La descrizione finale del fiorire e sfiorire delle rose nel giardino è uno dei temi comuni, ma anche più intimi e sentiti della poesia del Quattrocento.

La luna in mezzo alle minori stelle
chiara fulgea nel ciel quieto e sereno,
quasi ascondendo lo splendor di quelle:
e 'l sonno aveva ogni animal terreno
5 dalle fatiche lor diurne sciolti:
e il mondo è d'ombre e di silenzio pieno.
Sol Corinto pastor ne' boschi folti
cantava per amor di Galatea
tra' faggi, e non v'è altri che l'ascolti:
10 né alle luci lacrimose avea
data quiete alcuna, anzi soletto
con questi versi il suo amor piangea:
— O Galatea, perché tanto in dispetto

Metro: *terzine* di endecasillabi.

1-2. La luna... sereno: È la traduzione di due versi del XV *Epodo* del poeta latino Orazio: *Nox erat et coelo fulgebat luna sereno / inter minora sidera*. I due aggettivi aggiunti *chiara* e *quieto*, danno il senso di un abbandono al fascino della pace notturna. Fin dall'inizio di questo idillio è, comunque, evidente il riecheggiamento da parte di Lorenzo, di immagini e ritmi della poesia antica. Nei vv. 4 e 5 avverti invece l'influsso dantesco.
3. lo splendor di quelle: intendi delle stelle, quasi offuscate dalla limpidissima luce lunare.
6. e il mondo è d'ombre, ecc.: quel presente improvviso sembra dilatare di là dai confini del tempo quell'immota pace lunare; con essa contrasta il solitario dolore del pastore Corinto.
10. né... quiete alcuna: piangeva senza posa, non aveva chiuso nel sonno gli occhi pieni di lacrime (*luci lacrimose*).
13. in dispetto: in dispregio.

hai Corinto pastor, che t'ama tanto?
15 perché vuoi tu che muoia il poveretto?
Qual sieno i mia sospiri e il tristo pianto
odonlo i boschi, e tu, Notte, lo senti,
poi ch'io son sotto il tuo stellato ammanto.
Sanza sospetto i ben pasciuti armenti
20 lieti si stanno nella lor quiete,
e ruminando forse erbe pallenti.
Le pecorelle ancor drento alla rete,
guardate dal can vigile, si stanno
all'aura fresca dormienti e liete.
25 Io piango non udito il duro affanno,
i pianti, i prieghi e le parole all'ugge:
che, se udite non son, che frutto fanno? [...]
Se 'l tuo crudo voler fussi più pio,
s'io ti vedessi qui, s'io ti toccassi
30 le bianche mani e 'l tuo bel viso, o Dio!
se meco sopra l'erba ti posassi,
della scorza faria d'un lento salcio
una zampogna, e vorrei tu cantassi.
L'errante chiome poi strette in un tralcio,
35 vedrei per l'erba il candido piè movere
ballando e dare al vento qualche calcio.
Poi stanca giaceresti sotto un rovere:
io pel prato côrrei diversi fiori,
e sopra il viso tuo li farei piovere:
40 di color mille e mille vari odori,
tu ridendo faresti, dove fôro
i primi còlti, uscir degli altri fuori.
Quante ghirlande sopra i bei crin d'oro
farei, miste di fronde e di fioretti!
45 Tu vinceresti ogni bellezza loro.
Il mormorio di chiari ruscelletti
risponderebbe alla nostra dolcezza
e 'l canto di amorosi augelletti.
Fugga, ninfa, da te tanta durezza:
50 questo acerbo pensier del tuo cor caccia:
deh, non far micidial la tua bellezza! [...]
L'altra mattina in un mio piccolo orto
andavo, e 'l sol surgente co' sua rai
apparia già, non ch'io 'l vedessi scorto.
55 Sonvi piantati drento alcun rosai,
a' quai rivolsi le mia vaghe ciglie,
per quel che visto non avevo mai.
Eranvi rose candide e vermiglie:
alcuna a foglia a foglia al sol si spiega;
60 stretta prima, poi par s'apra e scompiglie;
altra più giovanetta si dislega
a pena dalla boccia: eravi ancora
chi le sue chiuse foglie all'aer niega;
altra, cadendo, a piè il terreno infiora.
65 Così le vidi nascere e morire
e passar lor vaghezza in men d'un'ora.
Quando languenti e pallide vidi ire
le foglie a terra, allor mi venne a mente
che vana cosa è il giovenil fiorire.
70 Ogni arbore ha i sua fior: e immantenente
poi le tenere fronde al sol si spiegano,
quando rinnovellar l'aere si sente.

16. i mia: i miei.
21. pallenti: pallide, del colore dell'erba appassita. L'aggettivo è reminiscenza delle *Bucoliche* di Virgilio.
26-27. Pianti, preghiere, parole sono vane, perché non ascoltate da chi dovrebbe ascoltarle, cioè da Galatea. Nota, rispetto ai primi versi, un tono più popolaresco (*all'ugge*), meno letterariamente elaborato. Per dieci terzine, qui omesse, Corinto insiste sulla ritrosia della ninfa, che forse lo ascolta nascosta, impassibile dinanzi al suo dolore. Poi si abbandona per un istante al sogno di un amore corrisposto.
28. pio: pietoso.
29-30. Sono due versi d'intensa immediatezza affettiva. Vorrebbe accarezzare le bianche mani e il bel viso di lei. Poi, per alcune terzine, Corinto si immerge tutto nel sogno, e Galatea appare come una figura evanescente e dolcissima, contemplata in un incantato scenario di natura.
32. lento: flessuoso, pieghevole. Questa e la seguente terzina (a parte il *qualche calcio* del v. 36) sono fra le più felici del poemetto.
41-42. tu ridendo faresti: col tuo sorriso faresti nascere altri fiori in luogo di quelli colti da me.
50. questo acerbo pensier: il disdegno per Corinto, che ritorna bruscamente all'amara realtà.
51. deh... bellezza: non far sì che la tua bellezza divenga cagione di morte per me. Seguono nuovi lamenti e amorose profferte di Corinto, ricalcate con minore originalità su schemi ormai consueti della poesia idillica.
52. Ha inizio qui la parte finale del poemetto, quella più celebre. Può essere paragonata alla ballata del Poliziano *I' mi trovai fanciulle un bel mattino*: ambedue i poeti, infatti, attraverso l'immagine della rosa, cantano il fiorire rapido e fugace della giovinezza e invitano a coglierne la gioia prima che sia fuggita per sempre. Comune è anche la fonte, il poeta latino Ausonio. Ma diversa è l'intonazione. Nel Poliziano c'è un'atmosfera più trasognata; in Lorenzo una malinconia più profonda e amara (*vana cosa è il giovanil fiorire*), un minore abbandono alla seduzione della primavera e della giovinezza, un senso più disincantato dell'illusorietà del sognare.
54. non... scorto: senza però che io lo vedessi già in tutto il suo splendore.
57. per quel che visto, ecc.: non ha mai visto il diverso fiorire delle rose, o meglio, non lo ha mai osservato con quella limpida chiaroveggenza.
64. altra, cadendo, ecc.: reminiscenza della ballata delle rose del Poliziano (*e 'l bel pratello infiora*).
69. che... fiorire: vano è il fiorire della giovinezza perché effimero.
72. quando rinnovellar, ecc.: a primavera.

I picciol frutti ancor informi allegano,
che a poco a poco talor tanto ingrossano,
75 che pel gran peso i forti rami piegano
né sanza gran periglio portar possono
il proprio peso; a pena regger sogliono
crescendo, ad ora ad ora se l'addossano.
Viene l'autunno, e maturi si cogliono
80 i dolci pomi: e, passato il bel tempo,
di fior, di frutti e fronde alfin si spogliono.
Cogli la rosa, o ninfa, or che è il bel tempo.

73. allegano: si induriscono.
76. né sanza gran periglio: non senza grave e continuo pericolo di spezzarsi, riescono a sopportare il peso dei loro frutti.
77-78. a pena regger sogliono... se l'addossano: di solito, quando i piccoli frutti crescono, a fatica li reggono, d'ora in ora il peso si fa più greve.

Il «Trionfo di Bacco e di Arianna»

Questo, che da molti è considerato il capolavoro di Lorenzo, è un *canto carnascialesco*, uno dei canti, cioè, che venivano cantati durante il carnevale o *carnasciale* dalle allegre maschere in coro. Trionfo significa corteo trionfale: qui, è un corteo mitologico, concentrato sulla figura di Bacco, dio del vino e della frenetica gioia. Accanto a lui sta Arianna, figlia di Minosse, re di Creta, che dopo avere aiutato Teseo a vincere il Minotauro e a fuggire dal Labirinto di Creta e dopo essere fuggita con lui, fu abbandonata nell'isola di Nasso, e qui trovata e confortata da Bacco; intorno stanno altre figure mitiche legate al culto del dio.

Tema del canto è quello della gioventù lieta e fuggitiva, e il conseguente invito a cogliere la sua gioia che trasvola via rapida. È un motivo comune alla sensibilità e alla poesia del Quattrocento, e per questo è stato detto che qui Lorenzo si fa portavoce del sentimento di tutta un'età e che non si riesce a vedere dietro questi versi un uomo solo, ma una folla, una comunità festante. C'è tuttavia anche un senso di lucida e pacata amarezza, uno scetticismo che sono propri di Lorenzo e che altre volte abbiamo colto nei suoi versi. Il malinconico presentimento del tramonto della giovinezza diviene l'amara constatazione di un destino che non lascia speranza: *Ciò c'ha a esser, convien sia*.

Quant'è bella giovinezza.
che si fugge tuttavia!
Chi vuol esser lieto, sia:
di doman non c'è certezza.
5 Quest'è Bacco e Arianna,
belli, e l'un dell'altro ardenti:
perché 'l tempo fugge e inganna,
sempre insieme stan contenti.
Queste ninfe ed altre genti
10 sono allegre tuttavia.
Chi vuol esser lieto, sia:
di doman non c'è certezza.
Questi lieti satiretti,
delle ninfe innamorati,
15 per caverne e per boschetti
han lor posto cento agguati;
or da Bacco riscaldati,
ballon, salton tuttavia.
Chi vuol esser lieto, sia:
20 di doman non c'è certezza.
Queste ninfe anche hanno caro
da lor esser ingannate:
non può fare a Amor riparo,
se non gente rozze e ingrate:
25 ora insieme mescolate
suonon, canton tuttavia.
Chi vuol esser lieto, sia:
di doman non c'è certezza.
Questa soma, che vien drieto
30 sopra l'asino, è Sileno:
così vecchio è ebbro e lieto,
già di carne e d'anni pieno;
se non può star ritto, almeno
ride e gode tuttavia.
35 Chi vuol esser lieto, sia:
di doman non c'è certezza.
Mida vien drieto a costoro:
ciò che tocca, oro diventa.
E che giova aver tesoro,
40 s'altri poi non si contenta?
Che dolcezza vuoi che senta
chi ha sete tuttavia?
Chi vuol esser lieto, sia:
di doman non c'è certezza.
45 Ciascun apra ben gli orecchi,
di doman nessun si paschi;
oggi sian, giovani e vecchi,
lieti ognun, femmine e maschi;
ogni tristo pensier caschi:
50 facciam festa tuttavia.
Chi vuol esser lieto, sia:
di doman non c'è certezza.
Donne e giovinetti amanti,
viva Bacco e viva Amore!

5. Bacco e Arianna: il coro indica via via le figure del corteo.
6. belli... ardenti: esalta prima di tutto la gioia più vera della giovinezza, l'amore. La figurazione di Bacco e Arianna è ingentilita dalla loro bellezza (quell'aggettivo, all'inizio del verso, ha un tono festoso); nelle altre figurazioni prevale un tono naturalistico o malizioso. Questa gioia che dona l'oblio è soprattutto dei sensi, come vedi anche nell'elogio del vino e dell'ebbrezza. Nota poi come ogni strofa, dopo la descrizione delle figure, dei personaggi gaudenti, si spenga nella malinconia dei due versi finali, che fanno da ritornello.
13. satiretti: erano divinità agresti, di carattere istintivo e selvaggio, con piedi, gambe, coda e corna di capra e, per il resto, figura umana.
17. da Bacco: dal vino.
21. hanno caro: sono ben liete di cadere negli «agguati» tesi dai satiri.
23-24. Solo genti rozze e sgraziate possono resistere alla seduzione d'Amore.
25. insieme mescolate: unitesi, nella danza, ai satiri.
29-33. Questa soma, ecc.: Sileno, precettore di Bacco, disfatto dall'età non sembra neppure più una figura umana: è visto come una massa informe, un peso (*soma*), pieno d'anni e di carne. Non può più godere la gioia dell'amore, e cerca nel vino il piacere e l'oblio.
37. Mida: Fu re della Frigia, avidissimo, insaziabile di ricchezze. Ottenne da Bacco di poter tramutare in oro tutto ciò che toccava; ma anche il cibo diventava oro, e Mida, per non morir di fame dovette chiedere a Bacco che lo liberasse dal dono. Quest'ottava mostra la vanità dell'avidità e dell'ambizione: la vera letizia è data dal piacere naturale.
45-52. Dopo la presentazione delle figure allegoriche il coro ripete, ampliandolo, l'ammonimento a cogliere la gioia presente.

Metro: *ballata* grande, con ripresa di quattro versi e sette strofe di ottonari. Schema: abba, cdcddbba, ecc.

1-4. La *ripresa* propone già il tema del canto: il primo verso è un elogio festoso della giovinezza, ma già il secondo sfuma l'immagine gioiosa di un sentore di malinconia. Il terzo invita a goderla, a cogliere il suo fiore nel presente, che è, sì, fugace, ma sempre più sicuro del domani. Il quarto verso spande un'ombra sul tripudio gioioso, invita alla ricerca non tanto di una serena armonia vitale, ma di un piacere che doni l'oblio.
2. tuttavia!: continuamente, senza posa.

55 Ciascun suoni, balli e canti!
Arda di dolcezza il core!
Non fatica, non dolore!
Ciò c'ha a esser, convien sia.
Chi vuol esser lieto, sia:
60 di doman non c'è certezza.

58. ciò c'ha a esser, ecc.: Ciò che per destino deve accadere, accadrà: finirà la giovinezza e anche, forse domani stesso, la vita.

Le «Selve d'amore»

Le *Selve* sono un lungo poemetto in due parti, nel quale Lorenzo si abbandona al suo sognare d'amore con libera spontaneità. Il titolo riprende quello latino di *Silvae* dato da Stazio a una raccolta di poesie che mantiene un tono di semplice ispirazione, di lirica improvvisata, colta nel suo sgorgare: quasi sfogo disordinato dell'animo. Così, i due libri delle *Selve* di Lorenzo non hanno uno schema organico, ma seguono le occasioni del suo sentire e del suo fantasticare. Il primo racconta il giorno in cui la sua donna gli apparve in un dolce scenario di giovinezza, il nascere del suo amore per lei, il suo contemplare rapito quel bel viso che gli ridestò nell'animo la pura idea della bellezza. Il secondo libro è più lungo e complesso: dapprima Lorenzo piange la partenza della sua donna, poi si abbandona al dolce sogno, ispiratogli dalla speranza del ritorno di lei, che rinnovella una divina primavera del mondo. Poi, destatosi dal sogno, ritorna con la memoria ai dolci convegni d'amore d'un tempo, e vagheggia la mitica età dell'oro, in cui serena e senza dolore scorreva la vita per gli uomini. Prega infine Amore che lo riconduca, insieme con la sua donna, a quell'età beata, o almeno gli renda costei, nella realtà o nel sogno. A questo punto madonna gli appare in una luce irreale, non sai se nella veglia o nel sonno, ma come immagine, comunque, spirituale ed in essa il poeta vede effigiata, platonicamente, l'idea pura della bellezza, della suprema Armonia del mondo, nella quale traluce una superiore Armonia celeste.

Il poemetto oscilla fra una descrizione realistica della natura e dei sentimenti del poeta e una idealizzazione dell'amore, condotta secondo la filosofia del Ficino e di Pico.

In questi dolci luoghi, in questi tempi
pommi, Amor, con la bella donna mia,
nell'età verde, ne' primi anni scempi,
sanza speranza e sanza gelosia;
5 né 'l tempo mai l'età matura adempi,
ma il nostro dolce amore eterno sia:
non più bellezza in lei, non altro foco
in noi, ma sol quel dolce tempo e loco. [...]
Se pur la bella donna non mi rendi,
10 serri un placido sonno gli occhi molli:
se dormendo la veggo, tu difendi
la vita con pensieri erranti e folli.
O sonno, che col pianto ognor contendi

Metro: *ottave* (ABABABCC). Ottave 118; 133; 135-140.

1. In questi... tempi: nei luoghi e nei tempi della mitica età dell'oro che Lorenzo ha appena finito di rievocare. Questa ottava appartiene ad un altro momento del poemetto; la riportiamo qui perché, oltre ad essere una delle più belle, è anche quella che meglio esprime l'animo del poeta nelle *Selve*.
3. ne' primi anni scempi: nei primi anni semplici, ancora ignari d'ogni male.
4. sanza speranza e sanza gelosia: è un verso che ben definisce l'animo del Magnifico, il sogno della sua esistenza: una gioia pura e tranquilla, un sereno fluire in un'eterna e limpida primavera del mondo, senza alcun sentimento che, come la gelosia o la speranza, possa turbare quest'orizzonte immoto di felicità. Da un lato vi sentiamo l'invito a godere l'attimo fuggente, proprio del *Trionfo di Bacco e Arianna*; dall'altro, la rinuncia a un sentimento come la speranza, che muove la vita verso l'avvenire, per lasciar luogo a un desiderio di rifluire in grembo alla natura, di obliarsi in lei, in una voluttà senza confini e senza mutamento.
5. né 'l tempo mai, ecc.: né il tempo porti a compimento l'età matura. Sia la nostra vita un'eterna giovinezza, illuminata da un'eterna luce d'amore.
7-8. Non desidera che cresca in lei la bellezza, e in ambedue la passione; ogni cosa rimanga com'era al tempo in cui le loro giovinezze si schiusero insieme alla luce d'amore. L'età dell'oro che Lorenzo ha rievocato è appunto il simbolo della pienezza vitale che reca in sé l'amore nel suo primo sbocciare, quando ancora ignora la gelosia, la speranza e ogni tristezza del vivere.
9. sgg.: Introduciamo qui la parte finale del poemetto, nella quale ritorna quel sogno di gioia, la prima promessa d'amore, e si riveste d'un significato nuovo: diviene il simbolo dell'ideale di suprema armonia che l'amore fa presentire. Secondo la concezione neoplatonica rielaborata da Marsilio Ficino, la Bellezza è il simbolo dell'Armonia universale, e l'Amore il mezzo che dalla contemplazione della bellezza terrena conduce alla contemplazione della Bellezza suprema, a un'intima comunione con lei.
9. non mi rendi: sta parlando con Amore; gli ha, prima, chiesto che faccia tornare a lui la sua donna lontana.
10. li occhi molli: desidera che il sonno, allietato dai sogni di lei (se non la può rivedere nella realtà, prega Amore che almeno gl'invii l'immagine sua nel sogno) doni placida quiete agli occhi molli di pianto.
11-12. tu difendi... folli: pur che il poeta la possa vedere in sogno, l'amore difenderà la sua vita, le impedirà di struggersi, anche se si servirà di erranti e fallaci immagini.
13. sgg.: Chiede al sonno, o meglio al sogno che questi reca con sé, di dissolvere gli ostacoli che lo tengono lontano dalla sua donna e di mostrargliela presente e viva in immagine. **che... contendi**: il sonno cerca di prendere gli occhi del poeta, che lo invoca perché solo da esso può avere pace, ma deve contendere col pianto nato da amore, che di quegli occhi è continuo e quasi incontrastato signore.

di prender gli occhi, spiana gli alti colli,
15 l'aspra via leva e boschi e sassi e fiumi,
e mostrami d'appresso i vaghi lumi. [...]
Sento un suave venticel, che spira
dall'aurora rutilante e rossa.
Ogni animal, ch'accieca quando mira
20 la febea luce, credo fuggir possa.
Raddoppia i baci l'amante, e sospira
che sia già della notte ogni ombra scossa;
pien di maggior disio, con gran fatica
esce di braccio alla sua dolce amica.
25 Già alcun de' più solleciti augelli
chiamono il sol con certi dolci versi,
e impongon la canzona; e segue quelli
il coro poi di mille augei diversi.
I fior, che sanza sol si fan men belli,
30 non posson più nella boccia tenersi:
pria d'un colore, poi dal sol dipinti,
si fan di mille, da niun'arte vinti.
Cacciata fugge dinanzi l'aurora:
l'aer già spoglia la cangiante vesta
35 e vestesi di luce che l'indora:
di negro quel che sanza Febo resta.
Ecco il mio Sol che vien del monte fòra,
e lascia quella parte ombrosa e mesta:
veggio la luce, e sento già il calore,
40 la luce e bellezza e 'l caldo amore.
Questa luce conforta e non offende
gli occhi, ma leva loro ogni disio
di veder altro: e 'l foco non incende,
ma scalda d'un calor suave e pio.
45 Madonna questi dua per la man prende:
dalla sinistra mena il cieco iddio,
e la Bellezza dalla destra tiene;
e lei più bella in mezzo a questi viene
Amor, che mira i dua begli occhi fiso,
50 raddoppia il foco onde sé stesso incende:
la Beltà, che si specchia nel bel viso,
più bella e più sé a sé stessa rende.
Madonna move in quello un suave riso,
dal quale ogni bellezza il mondo prende:
55 questa sola bellezza lo innamora;
in varie cose il bel principio ignora.
Cantando vengon lietamente insieme:
né sente ognun la dolce melodia;
il cor la intende, e di ridirla teme
60 agli altri: avvien della bella armonia,
come della celeste in queste estreme
parti del mondo, che par muta sia,
ché 'l basso orecchio a quel tuon non s'accorda:
così la gente a quel bel canto è sorda.

17. sgg.: D'improvviso, come evocata dalle parole del poeta, non sai se nella realtà o nell'intimità del suo spirito, appare la donna amata, in un tripudio di natura.
18. rutilante e rossa: i due aggettivi indicano il colore rosso del cielo sul far dell'aurora: ma il primo esprime l'improvvisa vibrazione luminosa, il suo espandersi nel cielo del mattino, il secondo il colore che si è ormai posato.
19-20. ch'accieca... luce: ogni essere animato che non può resistere a mirare lo splendore della luce del sole (Febo, o Apollo, era il dio del sole).
27. impongon... diversi: intonano la canzone del mattino, e gli altri uccelli compiono il coro.
29. Perdono la loro bellezza i fiori quando non sono illuminati dalla luce solare.
30. non posson più, ecc.: sbocciano.
31-32. Prima, illuminati dalla luce del sole non ancora spuntato all'orizzonte, hanno come un colore uniforme, poi la luce del sole suscita in loro mille colori, né alcun'arte può vincere la bellezza di questi.
33. Soggetto è l'aurora; chi la caccia è il sole.
34-36. L'aria si spoglia della cangiante luce dell'aurora e assume un uniforme colore dorato; nera è, invece, la parte che non riceve la luce solare. In questi tre versi e in quelli della precedente ottava, avverti un carattere tipico della poesia del Magnifico: quel descrivere minuzioso, che, se non manca di spunti vivi e di tocchi felici, si disperde in un'analisi eccessivamente frastagliata, frutto più di osservazione intellettuale che di abbandono fantastico.
37. Ecco il mio sol: È l'amata che giunge.
38. quella parte: il luogo dal quale è partita.
40-44. È una luce, quella della bellezza della sua donna, che non offende gli occhi estasiati, ma placa il loro desiderio di contemplazione della bellezza. Così il fuoco d'amore che ella ispira non brucia, ma riscalda soavemente l'anima e la rende gentile.
45. questi dua: sono la Bellezza e l'Amore (rappresentato come un arciere bendato, perché non guarda chi colpisce).
49. sgg. Amore e la Bellezza accrescono la loro virtù guardando gli occhi di madonna.
52. più sé a sé stessa rende: diviene sempre più bella.
53. in quello: nel bel viso.
54-56. dal quale... ignora: quel sorriso si spande intorno e illumina le cose, riversa su di loro la bellezza. Il mondo s'innamora di questa bellezza e ne cerca il principio in varie cose, invano perché esso è solo nel bel viso della donna. Secondo la filosofia neoplatonica, nella bellezza femminile prende forma sensibile la bellezza divina. Questa concezione spiega quel trasmutarsi in fulgida e primaverile bellezza di tutta la natura all'apparire della donna, che troviamo frequentemente espresso nella poesia di Lorenzo e del Poliziano.
57. sgg.: È uno squarcio di poesia filosofica, difficile perché racchiude ardui concetti; pure c'è in essa, a partire da quell'avvio dolcemente musicale, un sottile incanto.
58. né sente ognun: non tutti sentono quella musica intima e segreta che madonna, Bellezza, Amore effondono intorno; solo gli animi gentili possono intenderla.
60-64. avvien... sorda: Avviene di questa spirituale armonia che la bellezza di Madonna esprime, quello che avviene della musica delle sfere celesti. A noi pare muta, perché il nostro orecchio, in questa bassa parte dell'universo, non riesce a percepirla, ad accordarsi al suo tono (*tuon*). Platone e i neoplatonici pensavano che intorno alla terra ruotassero nove cieli di forma sferica (la terra era immobile al centro dell'universo), e che col loro moto perfetto producessero una musica dolcissima, espressione e simbolo della superiore Armonia dei cieli e della divinità.

La «Raccolta Aragonese»

Nel 1477 Lorenzo de' Medici inviava a Federico d'Aragona (il futuro Francesco I re di Napoli), che l'anno precedente, in un incontro a Pisa, gli aveva rivelato il suo interesse per la poesia toscana, un'antologia di essa dalle origini a quel tempo. Alla raccolta è premessa un'epistola, quasi certamente di mano del Poliziano, che ne giustifica i criteri selettivi e traccia una sintetica storia di quella letteratura. Lo schema è quello fissato da Dante nel *De vulgari eloquentia* (opera peraltro che aveva conosciuto una limitata diffusione), con l'aggiunta di alcuni giudizi petrarcheschi: la tradizione della lirica d'arte passa attraverso i Siciliani, i Siculo-toscani, gli Stilnovisti, Dante, Petrarca. Fra i non toscani sono citati Guinizzelli, Giacomo da Lentini, Pier delle Vigne, Onesto da Bologna; su Guittone pesa ancora il giudizio di rozzezza stilistica già formulato da Dante, che qui coinvolge però anche i Siciliani, secondo un'indicazione petrarchesca; nuova è invece l'esaltazione del Cavalcanti e degli stilnovisti, tipica di Lorenzo e della sua cerchia.

L'epistola è assai importante sul piano storico-letterario, perché, mentre riconosce una tradizione linguistico-espressiva, la propone, di fatto, come esemplare e quindi, secondo la poetica del tempo, degna di imitazione, preannunciando e, insieme, contribuendo a definire l'indirizzo che i letterati italiani seguiranno a partire dai primi decenni del Cinquecento: l'assunzione del toscano, o meglio, del fiorentino «illustre» come lingua della poesia (nella prosa il modello sarà Boccaccio) e l'indicazione di Dante e Petrarca come l'approdo più alto della nostra produzione letteraria.

Nel contempo l'epistola contiene un'esaltazione del volgare come lingua capace di alta poesia, rifiutando il primato del latino classico propugnato da molti circoli umanistici; anche se poi propone un modello di lingua anch'essa «classica», cioè esclusivamente letteraria e legata alla stilizzazione trecentesca, dando così inizio al distacco fra lingua scritta e lingua parlata che sarà caratteristico, per secoli, della nostra cultura.

L'invio a Napoli della *Raccolta* fu un evento di grande portata. Contribuì a diffondere nel Sud la poesia «toscana», e a unificare la lingua poetica degli scrittori della Penisola.

Per il testo seguiamo: Lorenzo de' Medici, *Opere*, a cura di A. Simioni, Bari, Laterza, 1939, vol. I.

La tradizione «toscana»

[...] Né sia però nessuno che questa toscana lingua come poco ornata e copiosa[1] disprezzi. Imperocché si[2] bene e giustamente le sue ricchezze ed ornamenti saranno estimati, non povera questa lingua, non rozza, ma abundante e pulitissima sarà reputata. Nessuna cosa gentile, florida, leggiadra, ornata; nessuna acuta, distinta, ingegnosa, sottile; nessuna alta, magnifica, sonora; nessuna finalmente ardente, animosa, concitata si puote immaginare, della quale non pure in quelli duo primi, Dante e Petrarca, ma in questi altri ancora, i quali tu, signore, hai suscitati,[3] infiniti e chiarissimi esempli non risplendino.

Fu l'uso della rima, secondo che in una latina epistola scrive il Petrarca, ancora appresso gli antichi romani assai celebrato; il quale, per molto tempo intermesso,[4] cominciò poi nella Sicilia non molti secoli avanti a rifiorire, e, quindi per la Francia sparto, finalmente in Italia, quasi in un suo ostello, è pervenuto.[5]

Il primo adunque, che dei nostri a ritrarre la vaga immagine del novello stile pose la mano, fu l'aretino Guittone, ed in quella medesima età il famoso bolognese Guido Guinizelli, l'uno e l'altro di filosofia ornatissimi, gravi e sentenziosi; ma quel primo alquanto ruvido e severo, né d'alcuno lume di eloquenzia acceso; l'altro tanto di lui più lucido, più suave e più ornato, che non dubita il nostro onorato Dante, padre appellarlo suo e degli altri suoi

miglior, che mai
rime d'amore usâr dolci e leggiadre.[6]

1. **copiosa**: ricca.
2. **si**: se.
3. **suscitati**: ridestati dall'oblio; in quanto la richiesta di Federico ha indotto Lorenzo a comporre quell'antologia che ritornerà a divulgarli. Indubbiamente la *Raccolta aragonese* contribuì a diffondere fra i letterati del Mezzogiorno la conoscenza e l'imitazione della poesia toscana.
4. **intermesso**: interrotto. «Rima» sta per «poesia rimata». L'epistola del Petrarca cui si allude è la prima delle *Familiari*.
5. Veramente la poesia francese sorse prima di quella siciliana. «Ostello» vale «dimora».
6. In *Purgatorio*, XXVI, 98-99.

Costui certamente fu il primo, da cui la bella forma del nostro idioma fu dolcemente colorita, quale appena da quel rozzo aretino era stata adombrata. Riluce dietro a costoro il delicato Guido Cavalcanti fiorentino, sottilissimo dialettico e filosofo del suo secolo prestantissimo. Costui per certo, come del corpo fu bello e leggiadro, come di sangue gentilissimo, così ne' suoi scritti non so che più che gli altri bello, gentile e peregrino[7] rassembra, e nelle invenzioni acutissimo, magnifico, ammirabile, gravissimo nelle sentenzie, copioso e rilevato nell'ordine, composto, saggio e avveduto, le quali tutte sue beate virtù d'un vago, dolce e peregrino stile, come di preziosa veste, sono adorne. Il quale, se in più spazioso campo si fusse esercitato, averebbe sanza dubbio i primi onori occupati; ma sopra tutte l'altre sue opere è mirabilissima una canzona, nella quale sottilmente questo grazioso poeta, d'amore ogni qualità, virtù e accidente descrisse, onde nella sua età di tanto pregio fu giudicata, che da tre suoi contemporanei, prestantissimi filosofi, fra li quali era il romano Egidio, fu dottissimamente commentata.[8] Né si deve il lucchese Bonagiunta e il notaro da Lentino con silenzio trapassare: l'uno e l'altro grave e sentenzioso, ma in modo d'ogni fiore di leggiadria spogliati, che contenti doverebbono stare se fra questa bella masnada[9] di sì onorati uomini li riceviamo. E costoro e Piero delle Vigne nella età di Guittone furono celebrati, il quale ancora esso, non senza gravità e dottrina, alcune, avvenga che piccole, opere compose: costui è quello che, come Dante dice:[10]

tenne ambe le chiavi
del cor di Federigo, e che le volse,
serrando e disserrando sì soavi.

Risplendono dopo costoro quelli dui mirabili soli, che questa lingua hanno illuminata: Dante, e non molto drieto ad esso Francesco Petrarca, delle laude de' quali, sì come di Cartagine dice Sallustio, meglio giudico essere tacere che poco dirne.

Il bolognese Onesto[11] e li siciliani, che già i primi furono, come di questi dui sono più antichi, così della loro lima più averebbono bisogno, avvenga che né ingegno né volontà ad alcuno di loro si vede essere mancato. Assai bene alla sua nominanza risponde Cino da Pistoia, tutto delicato e veramente amoroso, il quale primo, al mio parere, cominciò l'antico rozzore in tutto a schifare, dal quale né il divino Dante, per altro mirabilissimo, s'è potuto da ogni parte schermire.[12] Segue costoro di poi più lunga gregge di novelli scrittori, i quali tutti di lungo intervallo si sono da quella bella coppia allontanati.

Questi tutti, signore, e con essi alcuni della età nostra,[13] vengono a renderti immortal grazia, che della loro vita, della loro immortal luce e forma sie stato autore, molto di maggior gloria degno che quello antico ateniese di chi avanti è fatta menzione [...].[14]

7. **peregrino**: originale.
8. La canzone è *Donna me prega*, una canzone-trattato sull'origine e natura d'amore, che ebbe numerosi commenti anche nei secoli seguenti. Qui si allude a quello attribuito a Egidio Colonna; degli altri due non espressamente nominati si conosce soltanto quello di Dino del Garbo.
9. **masnada**: schiera.
10. **avenga che... dice**: La citazione di Dante è tratta da *Inferno*, XIII, 58-60. **avenga che**: sebbene.
11. **Onesto**: Onesto da Bologna, citato da Dante, ma anche dal Petrarca, da cui è ripreso qui quasi alla lettera il giudizio: «Onesto bolognese e i Ciciliani / che fur già primi e quivi eran da sezzo» (cioè ultimi); cfr. *Trionfo d'Amore*, IV, 35-36.
12. Nonostante il primato attribuitogli poco sopra, Lorenzo trova in Dante tracce di rozzezza (con allusione allo stile «comico» usato nell'*Inferno*), prefigurando un giudizio che diverrà quasi unanime nel Cinquecento e proporrà il Petrarca come supremo modello di lingua e di stile.
13. Fra questi Lorenzo, nella raccolta, aveva compreso anche se stesso.
14. Pisistrato, che raccolse e tramandò i libri di Omero, citato all'inizio dell'epistola, nell'ampia introduzione che abbiamo omesso.

Angelo Poliziano

La vita e le opere

Angelo Ambrogini nacque nel 1454 a Montepulciano, e preferì poi chiamarsi Poliziano dal nome latino della patria (*Mons Politianus*). Era ancora fanciullo quando suo padre fu assassinato, vittima di una vendetta. Fu mandato poi, nel 1469, a Firenze, presso un congiunto, data anche l'indigenza in cui era piombata la famiglia, e quivi si dedicò agli studi umanistici, sotto la guida di alcuni fra i più celebri filosofi e letterati del tempo: il Ficino e l'Argiropulo per la filosofia, Andronìco Callisto e il Calcòndila per il greco, Cristoforo Landino per lo studio dei poeti latini e italiani. Ma soprattutto, come afferma egli stesso, imparò dai libri, cioè dalla lettura e dallo studio personale.

Ben presto il precoce giovinetto compì progressi sorprendenti: a sedici anni traduceva dal greco in esametri latini i libri dal secondo al quinto dell'*Iliade* d'Omero, meritando l'ammirazione e le lodi dei suoi maestri. Non minore studio rivolgeva alle opere di Dante e Petrarca e degli altri poeti in volgare, l'eco dei quali avvertiamo frequente nelle sue poesie.

Nel 1473 Lorenzo de' Medici, signore di Firenze e infaticabile animatore della vita culturale fiorentina, lo accolse nella sua casa, gli affidò l'educazione del figlio Piero e gli schiuse la via dell'agiatezza e degli onori: nel 1477 il Poliziano ebbe la prioria della collegiata di S. Paolo, con ricche prebende, e poco dopo un canonicato nella chiesa di Santa Maria del Fiore e fu ordinato sacerdote.

Negli anni trascorsi in casa Medici egli compose la maggior parte delle sue opere in italiano: le *Rime* (29 canzoni a ballo, 1 canzone, 4 sonetti, 1 lauda, 9 *rispetti continuati* in gruppi di ottave, un centinaio di *rispetti spicciolati*, composti cioè d'una singola ottava), e il suo capolavoro, le *Stanze per la giostra*, incominciate nel 1475, in occasione d'una giostra nella quale trionfò Giuliano de' Medici, fratello di Lorenzo, e rimaste interrotte quando Giuliano, cui il poemetto era dedicato, cadde vittima della congiura dei Pazzi.

Nutrita fu anche, in questi anni, la produzione latina. Fra le opere principali ricordiamo le *Elegie*, le più importanti delle quali sono *In violas* (*Per le viole*), *In Lalagen* (*A Lalage*), *In Albieram Albitiam puellam formosissimam morientem* (*Per la morte di Albiera degli Albizzi, fanciulla bellissima*), del 1473 (le altre elegie, oltre alle citate, dovrebbero appartenere agli anni '73-'78); la *Sylva in scabiem* (*Selva sulla scabbia*; intendendosi per «selva», secondo l'accezione data alla parola dal poeta latino Stazio, un componimento libero da regole codificate); e, in prosa, il *Pactianae coniurationis commentarium* (*Memoria storica intorno alla congiura dei Pazzi*), che è, piuttosto che opera storica, un libello polemico filomediceo, interessante, tuttavia, letterariamente, in quanto assumeva a modello la *Congiura di Catilina* di Sallustio. La poesia latina del Poliziano assume, come quella italiana, un numero notevole di modelli classici, anche di scrittori latini e greci della tarda antichità, rivelando la raffinatissima educazione letteraria del nostro scrittore e la sua abilità nel far propria la lingua latina e usarla in poesia e in prosa come una lingua viva.

Più tardi i rapporti coi Medici s'incrinarono. In seguito a contrasti sorti con Clarice Orsini, moglie di Lorenzo, sull'educazione da impartire al figlio Piero, e forse con Lorenzo stesso, il Poliziano lasciò Firenze. Fu a Ravenna, a Venezia, poi (1480) a Mantova, invitato dal cardinale Francesco Gonzaga. Qui, in due giorni, compose, in occasione d'una festa, l'altro suo capolavoro, l'*Orfeo*, una favola mitologica scritta in forma teatrale. Nello stesso anno, riconciliatosi con Lorenzo, rientrò in Firenze, dove ottenne la cattedra di eloquenza greca e latina nello studio fiorentino, e la tenne fino alla morte.

Ha così inizio una nuova fase di studi filologici ed eruditi e una produzione affidata soprattutto al latino, nonostante che quella in italiano non fosse del tutto interrotta, anche se l'autore affermava, con modestia in parte affettata, che si trattava d'un esercizio minore, per impegno e dignità. L'anno di quasi esilio aveva dato alla sua vita una maggior concretezza pratica, lo aveva messo in contatto con ambienti culturali diversi, inducendolo a una verifica del suo sapere e a un confronto. Ora l'attività di docente gli dava anche una più decisa autonomia nei confronti di Lorenzo, sebbene la riconciliazione fra i due fosse piena, e gli consentiva una propria iniziativa culturale che Lorenzo, peraltro, accolse favorevolmente, come mostrano in parte le sue ultime opere, ad esempio, l'*Ambra*, ispirata a un maggiore classicismo e a una più nitida cura lessicale e stilistica. In questi anni il Poliziano effettuò numerosi interventi filologici, su questioni testuali e interpretative in senso generale, nate in margine ai suoi commenti ai classici, i *Miscellaneorum centuria prima* (*Primi cento scritti miscellanei*), raccolti nel 1489; una seconda centuria, non pubblicata, è stata rinvenuta di recente dal Branca. Vennero poi composte nuove *Sylvae* poetiche, prolusioni in esametri ai suoi corsi sui classici, *Manto* (1482), sulla poesia di Virgilio, *Rusticus* ('83), introduzione allo studio della poesia bucolica di Virgilio e forse di Teocrito, *Ambra* ('85), che, partendo dall'elogio d'Omero, presenta poi la poetica polizianesca della molteplicità dei registri e dei modelli poetici; *Nutricia* ('86), che significa «compenso dato alla balia», ed è un altissimo elogio della poesia come fondatrice di bellezza e civiltà, e dunque plasmatrice degli animi. In prosa latina sono invece le introduzioni (*Praelectiones*) ai corsi su Aristotele, la *Lamia* (*La strega*), scritta contro i propri denigratori, ma soprattutto per difendere l'esercizio umanistico-filologico come necessaria introduzione alla comprensione delle opere filosofiche; e il *Panepistemon* (1490), introduzione al corso sull'*Etica* di Aristotele (si accentua, infatti, in questi anni, come vedremo, l'interesse del Poliziano per Aristotele e il suo distacco dal Ficino, cui si era ispirato nella prima produzione italiana). Altri corsi importanti furono tenuti sui *Fasti* di Ovidio, le *Georgiche* di Virgilio, le *Satire* di Orazio, Persio, Giovenale, l'*Iliade*, l'*Odissea*, l'*Eneide*, l'*Institutio oratoria* di Quintiliano, la *Fisica* di Aristotele e le opere di logica del filosofo, le *Tusculanae disputationes* di Cicerone, un commento a Saffo. Questo elenco incompleto dà già un'idea adeguata dell'impegno profuso dal Poliziano.

La sua fama crebbe costantemente, in questi anni, in Italia. Non mancarono però dissensi e gelosie anche meschine che diedero luogo a polemiche accese con Paolo Cortese, Giorgio Merula, Michele Marullo, e altri.

Il Poliziano morì a Firenze, nel 1494, subito dopo la prima cacciata dei Medici (Lorenzo era morto nel 1492).

Il Poliziano e la filologia umanistica

Grande importanza, come riconosce la critica recente (soprattutto Vittore Branca) ebbe il soggiorno del Poliziano a Venezia. Qui entrò in contatto con Ermolao Barbaro, studioso della *Poetica* di Aristotele, che intendeva unificare scienza della natura e scienza dell'uomo, filosofia e poesia, partendo da un'interpretazione corretta dei testi di Aristotele, di là dai commenti spesso deformanti dei secoli precedenti. Questo contatto lo indusse a una revisione critica del proprio sapere. Incomincia così per lui una fase di progressivo distacco dal platonismo idealizzante del Ficino e dai suoi entusiasmi misticheggianti, diffusi, peraltro, nella cerchia medicea e per buona parte condivisi dallo stesso Lorenzo. All'idea ficiniana della poesia come «furore» o trascinante entusiasmo divinamente ispirati, il Poliziano oppone ora sempre più decisamente (nonostante qualche oscillazione, ispirata anche dall'amicizia con Pico della Mirandola) la concezione aristotelica della poesia imitatrice della natura e dotata di valore conoscitivo, in una prospettiva, tuttavia, intellettuale e non mistica. Il filosofo (*philosophus*) era pertanto considerato naturalmente amante delle favole poetiche (*philomythos*), in quanto la meraviglia suscitata in lui dal mito si traduceva nell'approfondita ricerca della verità che i miti racchiudevano.

La poesia, dunque, come ispiratrice della ricerca del vero, e, di conseguenza, matrice delle scienze, della filosofia, dell'approfondita coscienza dell'uomo: queste persuasioni ispirano i corsi universitari del Poliziano, e appaiono evidenti nelle *Sylvae*. Ma soprattutto ispirano il suo importantissimo magistero filologico, che porta a compimento le istanze più valide della filologia umanistica quattrocentesca.

La filologia instaurata dal Poliziano è veramente, come dice l'etimologia greca, «amore della parola», attraverso la quale, com'egli fermamente pensava, l'uomo consegue piena coscienza di sé e delle sua facoltà, entrando, nel contempo, nel dialogo con gli altri, di là dalle limitazioni dello spazio e del tempo, che è sviluppo di sapere e di civiltà. I testi antichi — non solo quelli letterari, ma anche quelli, come s'è visto, filosofici e scientifici — vengono così studiati non come modelli di bello scrivere, ma come insegnamento e messaggio di vita; lo studio, l'interpretazione della parola diviene studio della «cosa», dell'esperienza che l'uomo ha espresso nel linguaggio: incentivo a un'organica enciclopedia del sapere. Come ha osservato Eugenio Garin, il Poliziano acquista ora il senso d'una sorta di santità della parola: se l'uomo è, come afferma il Ficino, la *copula*, o elemento di congiunzione del cosmo, la parola è, per il nostro poeta, la *copula* degli uomini. I monumenti letterari, o meglio, tutte le parole scritte condizionano questo vincolo, e vanno quindi restituiti nella loro integrità dalla filologia, che corregge gli errori accumulatisi durante la loro trasmissione, li libera dalle interpolazioni, li interpreta con sicura scienza linguistica e storica. Mentre il Ficino e Pico tendevano a ricondurre la poesia alla teologia, bruciandola, in tal modo, nella fiamma dell'amor divino, l'afferrarsi del Poliziano al testo, ai singoli termini interpretati secondo il loro significato preciso, esprimeva una fedeltà rigorosa al linguaggio e, attraverso esso, alla ragione e alla storia dell'uomo.

Filologia e poesia

Quanto s'è detto nel paragrafo precedente riguarda essenzialmente l'attività del Poliziano dopo il definitivo ritorno a Firenze nell'80. Nella prima parte della sua vita, la lettura dei classici era stata intesa soprattutto a una comunione diretta col mondo grande del passato latino e anche greco (le traduzioni da Omero, poi del *Manuale* di Epitteto); un dialogo di umanità, saggezza, poesia, presente anche nella sua poesia originale, che può apparire, a volte, come un mosaico di citazioni. Si ha l'impressione, leggendo le opere poetiche del Poliziano, sia italiane, sia latine, che ci fosse in lui la costante esigenza di evadere dalla realtà quotidiana, di ritrovarsi nel mondo di bellezza ideale creato dai grandi poeti del passato. La filologia, nella prima fase dell'impegno polizianesco, è appunto questo impadronirsi d'un mondo lontano sul quale intonare la propria parola, in un gioco sapiente di echi e consonanze, attraverso il quale si veniva compiendo un'imitazione avvivata però da un senso originale di nostalgia. Le reminiscenze classiche appaiono così legate all'ispirazione genuina del poeta, novello Orfeo, che cerca nel regno d'ombra del passato una poesia da riportare alla luce e da continuare. Come spiega nella sua lettera al Cortese (già qui riportata), il Poliziano leggeva a lungo i Classici, li studiava, li «digeriva», e riempiva in tal modo l'animo di ritmi e di immagini; ma soprattutto ritrovava, attraverso la bellezza, un'immagine eletta dell'uomo: quella che i grandi antichi avevano espresso in forme perfette e perennemente valide. Compiuta quest'opera di affinamento e arricchimento interiore, egli sentiva il bisogno di inserire la propria voce nel grande coro della poesia: armonizzata con esso, e tuttavia personale. La sua parziale adesione al platonismo ficiniano, nel primo momento della sua attività poetica e il suo aristotelismo della filologica concretezza alla fine, sono due momenti distinti ma complementari d'un culto costante della poesia, attraverso la quale egli ricercava se stesso e l'umanità di tutti e di sempre come costante fondazione di civiltà.

Per i testi seguiamo le edizioni critiche: A. Poliziano, *Stanze di messer A. Poliziano*, a cura di V. Pernicone, Torino, Loescher-Chiantore, 1954; *Le Rime*, a cura di D. Branca Delcorno, Firenze, Accademia della Crusca, 1986; A. Tissoni Benvenuti, *L'Orfeo del Poliziano*, Padova, Antenore, 1986. Per *Nutricia*, il testo e la traduzione in *Poeti latini del Quattrocento*, a cura di F. Arnaldi, L. Gualdo Rosso, L. Monti Saba, Milano-Napoli, Ricciardi, 1964.

Da «Nutricia»: Poesia e civiltà

La tematica originaria del passo non è nuova; risale, per lo meno (questa la fonte immediata più probabile) a Cicerone. Si vede un'umanità primitiva, ignara d'ogni civiltà, d'ogni forma di organizzazione e di patto sociale; sono i bestioni primitivi, dai quali partirà, poco meno di tre secoli dopo, la meditazione del Vico nella *Scienza nuova*: una topica, dunque, ricorrente e fortunata. Ma mentre Cicerone fa incominciare la civiltà da *ratio* e *oratio*, cioè dalla razionalità e dall'eloquenza come persuasione e comunicazione dei ritrovati della ragione, il Poliziano pone qui in primo piano, come forza civilizzatrice, la poesia. Il potere di essa, sembra affidato in primo luogo alla «musica», alla dolcezza dell'eloquio e del ritmo che «domano» le orecchie degli uomini barbari e li inducono a seguire la «bellezza dell'onestà». La fonte diretta sembra essere Marsilio Ficino, che parla di poesia come uno dei «furori» che conducono l'uomo al divino, fondendola sempre con la musica, come proporzione e armonia. Ma la poesia esaltata dal Poliziano non conduce a Dio, bensì all'ordinato vivere terreno; è sapienza che coincide con la civiltà, secondo un atteggiamento vicino all'aristotelismo. In questi versi si assommano gli spunti filosofici sui quali il Poliziano, nella maturità, orientò la sua cultura, di cui la meditazione sulla poesia è il punto finale e decisivo. Per questo si è iniziata la scelta con questo passo dell'86, che suona come conclusivo di un'esperienza.

Intulerat terris nuper mundoque recenti
35 cura dei sanctum hoc animal, quod in aethera ferret
sublimes oculos; quod mentis acumine totum
naturae lustraret opus causasque latenteis
eliceret rerum et summum deprenderet aevi
artificem nutu terras, maria, astra regentem;
40 quod fretum ratione animi substerneret uni
cuncta sibi ac vindex pecudum domitorque ferarum
posset ab ignavo senium defendere mundo,
neu lento squallere situ sua regna neque aegram
segnitia pateretur iners languescere vitam.
45 Sed longum tamen obscuris immersa tenebris
gens rudis atque inculta virum, sine more, sine ulla
lege propagabant aevum passimque ferino
degebant homines ritu; visque insita cordi,
mole obsessa gravi, nondum ullos prompserat usus;
50 nil animo, duris agitabant cuncta lacertis.
Nondum relligio miseris (si credere fas est),
non pietas, non officium; nec foedera discors
norat amicitiae vulgus; discernere nulli
promptum erat ambiguo susceptam semine prolem,
55 non torus insterni genio; non crimina plecti
iudicio, nulla in medium consulta referri;
non quaeri commune bonum, sua commoda quisque
metiri, sibi quique valere et vivere sueti.
Et nunc, ceu prorsus morientem, vespere sero
60 ignari flevere diem; nunc, luce renata,
gaudebant ceu sole alio; variosque recursus
astrorum, variam Phoeben sublustris in umbra
noctis et alternas in se redeuntibus annis
attoniti stupuere vices; insignia longum
65 spectabant coeli pulchroque a lumine mundi
pendebant causarum inopes, rationis egentes.
Donec ab aetherio genitor pertaesus Olympo
socordes animos, longo marcentia somno
pectora, te nostrae, divina Poetica, menti
70 aurigam dominamque dedit. Tu flectere habenis
colla reluctantum, tu lentis addere calcar,
tu formare rudes, tu prima extundere duro
abstrusam cordi scintillam, prima fovere
ausa Prometheae coelestia semina flammae.

La sollecitudine divina aveva da poco fatto nascere sulla terra e sul mondo giovane questo animale sacro (35) capace di alzare gli occhi verso il cielo, capace di abbracciare colla forza della sua mente tutta l'opera della natura e di scoprire le cause riposte delle cose e di riconoscere il massimo artefice del tempo, colui che con un cenno governa la terra, le stelle e i mari; capace, colla sola forza della ragione, di sottomettere a se stesso ogni cosa (40) e, vindice di bestie domestiche, domatore di fiere, di allontanare la vecchiaia dal mondo impigrito, non lasciando, per abbandonarsi in inerte pigrizia ad una vita languida e malsana, che il suo regno fosse invaso da un lento squallore. Ma tuttavia a lungo la stirpe rozza ed inesperta degli uomini, (45) immersa nelle oscure tenebre, doveva trascinare la sua vita senza costumi e senza leggi; gli uomini vivevano sparsi alla maniera delle fiere; la forza chiusa nel loro animo, oppressa sotto il peso di una grave mole, non aveva ancora manifestato la sua potenza: nulla essi facevano colla mente, ma si servivano solo dei loro duri muscoli. (50) Gli infelici non avevano ancora una religione (se dobbiamo crederlo), non affetti, non senso del dovere; né quella folla discorde conosceva i legami dell'amicizia. Nessuno poteva riconoscere i propri figli concepiti a caso; non avevano letti consacrati da riti nuziali, non tribunali per punire i delitti; (55) non avevano pubbliche deliberazioni, né si occupavano del bene comune; ciascuno commisurava tutto ai propri comodi, abituati com'erano a pensare soltanto per se stessi. Ed ora, ignari, a tarda sera piangevano la luce del giorno, come se morisse per sempre; ora al rinascere della luce (60) ne godevano come di un nuovo sole; e si stupivano dei vari ricorsi degli astri, delle varie fasi della luna, che rompe col suo chiarore l'ombra della notte; si stupivano dell'alternarsi delle stagioni di anno in anno; a lungo contemplavano le bellezze del cielo (65) e, ignari di ogni causa, privi di ragione, dipendevano in tutto dalla bella luce del mondo.

Alla fine il Padre, infastidito dall'ottusità delle loro menti e dal lungo sonno dei loro cuori, fece scendere dal celeste Olimpo te, o divina Poesia, come guida e padrona della nostra anima. (70) Tu hai potuto guidare gli uomini riottosi, spronare i pigri, educare gli ignoranti; tu per prima hai saputo risvegliare la scintilla racchiusa nel profondo del cuore e ridestare il seme divino della fiamma di Prometeo. Infatti non appena, con

75 Nam simul ac, pulchro moderatrix unica rerum
suffulta eloquio, dulcem sapientia cantum
protulit et refugas tantum sonus attigit aures,
concurrere ferum vulgus; numerosque modosque
vocis et arcanas mirati in carmine leges,
80 densi humeris, arrecti animis, immota tenebant
ora catervatim; donec didicere quid usus
discrepet a recto, qui fons aut limes honesti;
quive fide cultus, quid ius aequabile, quid mos,
quid poscat decor et ratio; quae commoda vitae
85 concilient inter se homines, quae foedera rebus;
quantum inconsultas ultra solertia vires
emineat; quae dein pietas praestanda parenti
aut patriae, quantum iuncti sibi sanguinis ordo
vindicet, alternum quae copula servet amorem;
90 quod gerat imperium, fractura Cupidinis arcus
atque iras domitura truces, vis provida veri,
vis animae, celsa quae sic speculatur ab arce,
ut vel in astrigeri semet praecordia mundi
insinuet magnique irrumpat claustra Tonantis.
95 Agnorant se quisque feri pudibundaque longum
ora oculos taciti inter se immotique tenebant.
Mox cunctos pariter morum vitaeque prioris
pertaesum; ritusque ausi damnare ferarum,
protinus exseruere hominem. Tum barbara primum
100 lingua novos subiit cultus arcanaque sensa
mandavere notis, multaque tuenda virum vi
moenia succinctus populis descripsit arator;
tum licitum vetitumque inter discrimina ferre
et pretium laudi et noxae meditantia poenam
105 vindicibus coeptum tabulis incidere iura;
mox et dictus hymen, et desultoria certis
legibus est adstricta venus; sic pignora quisque
affectusque habuere suos; bellique togaeque
innumeras commenti artes, etiam aethera curis
110 substravere avidis, etiam famulantibus altum
inseruere apicem stellis animoque rotatos
percurrere globos mundi; et sacra templa per orbem
plurima lustrato posuerunt denique coelo.
Sic species terris, vitae sua forma suusque
115 dis honor, ipsa sibi tandem sic reddita mens est.
An vero ille ferox, ille implacatus et audax
viribus, ille gravi prosternens cuncta lacerto,
trux vitae, praeceps animae, submitteret aequo
colla iugo aut duris pareret sponte lupatis,
120 ni prius indocilem sensum facundia victrix
vimque reluctantem irarum flatusque rebelles
carmine mollisset blando pronisque sequentem
auribus ad pulchri speciem duxisset honesti?

l'aiuto della bella parola, la sapienza, unica ordinatrice delle cose, (75) creò un dolce canto, non appena quel suono sfiorò le orecchie ribelli, si raccolse quel volgo feroce e, ammirando i versi e i suoni della voce e le arcane leggi della poesia, stretti omero ad omero, l'animo proteso, rimanevano col volto immobile; (80) finché impararono come la consuetudine sia diversa dalla giustizia, quale sia l'origine e il confine dell'onestà; impararono il rispetto della parola data, e cosa richiedano il buon diritto, il costume, la dignità e la ragione; impararono quali comodità della vita, quali patti leghino tra loro gli uomini, (85) quanto una saggia operosità sia superiore alla forza incontrollata, quale affetto si debba avere verso i genitori e verso la patria, quanto contino i rapporti di sangue, quale legame serbi a lungo il reciproco amore; quanta potenza, capace di infrangere l'arco di Cupido (90) e di domare l'ira feroce, abbia la forza dell'animo ansioso di verità, di quell'animo che è così elevato da poter penetrare nei misteri del mondo stellato e irrompere attraverso le porte del grande Tonante. Quei selvaggi si riconobbero tra di loro (95) e, taciti e immobili, restarono lì a lungo vergognosi cogli occhi abbassati. Poi tutti ad un tratto provarono fastidio dei costumi e della vita di prima e, respingendo le abitudini delle belve, finalmente rivelarono la loro umanità. Allora per la prima volta la loro barbara lingua ebbe una raffinatezza nuova, (100) ed affidarono alle lettere i loro arcani pensieri, ed un aratore dalla veste succinta segnò ai popoli il tracciato delle mura che avrebbero dovuto difendere col loro coraggio.

Allora separarono il lecito dall'illecito; allora cominciarono ad incidere nelle vigili tavole le leggi che premiavano la virtù e minacciavano pene alla colpa; (105) allora furono celebrate le nozze e il libero istinto fu contenuto nei limiti della legge: così ciascuno ebbe i suoi figli ed i suoi affetti. Colla loro avida curiosità, inventarono innumerevoli arti di pace e di guerra e dominarono perfino il cielo, (110) innalzando il capo fino alle stelle ridotte al loro servizio e percorrendo con la mente le ruotanti sfere dell'universo. Ed esplorato che ebbero il cielo, consacrarono per tutto il mondo innumerevoli templi. Così la terra fu abbellita, la vita ebbe una sua forma, agli dei furono resi gli onori dovuti e quindi l'anima prese coscienza di se stessa. (115)

Ma forse quell'uomo feroce, implacabile, e reso audace dalle sue forze, quell'uomo dalla vita primitiva e piena di rischi che tutto piegava col suo robusto braccio, avrebbe mai piegato il collo ad un giogo ed ubbidito spontaneamente ad un duro freno, se l'eloquenza vittoriosa non avesse prima placato (120) colla dolce poesia i sensi indocili, la forza riottosa e l'impeto ribelle dell'ira, se, domando le sue orecchie, non lo avesse indotto a seguire la bellezza dell'onestà?

Le «Stanze per la giostra»

L'occasione e la trama

Le *Stanze* sono un poemetto in ottave scritto dal Poliziano per celebrare il trionfo di Giuliano de' Medici in una giostra (era un giuoco di armati a cavallo, nel quale riportava la vittoria colui che riusciva a disarcionare l'avversario), concepite come un'esaltazione di Giuliano e della donna da lui amata, Simonetta Vespucci. Dovevano quindi essere uno dei poemetti encomiastici, ristretti a una spicciola cronaca cittadina, che si componevano in occasione di tali feste. Ma il Poliziano ha completamente trasfigurato fatti e personaggi, proiettandoli in un'atmosfera favolosa. Il poemetto, che rimase incompiuto molto probabilmente per la morte di Giuliano, caduto sotto il pugnale dei congiurati, si arresta proprio dove avrebbe dovuto cominciare la descrizione della giostra, e quindi la parte encomiastica, e svolge un lungo antefatto, poeticamente concluso perché in esso il poeta dà voce ai fantasmi più cari del suo cuore.

La trama è la seguente: Iulio, giovinetto dedito alla caccia e alle armi, ignora, anzi, dispregia l'amore, e vive in una comunione semplice e serena con la natura. Cupido, dio d'amore, sdegnato, propone di vendicarsi. In un mattino di primavera, mentre Iulio è impegnato coi compagni in una partita di caccia, fa apparire davanti a lui una candida cerva, frutto d'incantesimo. Il giovane a lungo l'insegue, allontanandosi dai compagni, ma, giunta in un prato fiorito, la cerva sparisce, e in luogo di essa Iulio scorge, seduta sull'erba fresca, una bellissima donna, Simonetta, e se ne innamora. Cupido, trionfante, corre a Cipro, il favoloso regno di Venere sua madre, e a lei racconta la sua vittoria (*Libro primo*). Venere stabilisce che Iulio deve cercare di suscitare a sua volta amore in Simonetta con qualche nobile impresa, e gli manda, per questo, un sogno (nel quale c'è anche il presentimento della prossima morte dell'amata), atto a suscitare in lui un desiderio di prodezza e di gloria. Iulio, destatosi, si propone di dare fulgida prova di sé nella prossima giostra. A questo punto, il poemetto resta interrotto.

Nel secondo libro, evidentemente interrotto (46 ottave contro le 125 del primo; le ultime presentano il protagonista che si propone una nuova azione), si riscontra tuttavia una compiutezza dei singoli episodi, presentati in chiave esplicitamente allegorica. All'inizio si ha una sorta di ricominciamento, con le lodi a Lorenzo e alla famiglia medicea e l'unificazione di «Venere», «Minerva» e «Marte» (Amore, ma anche Cultura e Poesia unite alla forza attiva e al valore guerriero, come ideale di una vagheggiata civiltà fiorentina) da ispirare in Iulio, ma anche negli altri giovani di Firenze. Il sogno inviato a Iulio completa, infine, la sua iniziazione a una vita veramente nuova e armonicamente umana. Iulio vede Simonetta, divenuta «rigida e proterva», legare Cupido alla pianta sacra a Minerva (è figura della castità, della virtù in genere che trionfa sull'eros-passione); ma a questo punto scende la Gloria, accompagnata da Storia e Poesia, che toglie a Simonetta le armi di Minerva e ne riveste Iulio. Si assiste poi a una misteriosa morte di Simonetta, che richiama quella di Beatrice nella *Vita nuova*, e alla sua resurrezione in forma di Fortuna, che regola la vita umana, spesso dolorosamente. Ma — avverte il poeta —, non giova lamentarsi: la vera risposta e dignità dell'uomo consistono nella fermezza con cui la virtù s'accampa, intatta e invitta, contro la vicenda fluida e sovente irrazionale dei beni mondani. Ridestatosi, Iulio conclude di voler seguire «Amor, Minerva e Gloria», i tre ideali personificati apparsi nel sogno; il poemetto si conclude così esaltando un entusiasmo, o, potremmo dire, un *eros* vitale e spirituale profondo, che trova nella prudenza e nella virtù attiva la possibilità di dominio dell'uomo su se stesso, sul destino e sulla morte; questo gli consente di aspirare alla gloria e ad ulteriori avventure dell'animo verso la propria perfezione.

Problemi interpretativi

Di contro ad analisi intese soprattutto a esaltare la poesia nativa e un po' come trasognata in una sorta di prospettiva botticelliana dell'incontro di Iulio e Simonetta, trascurando come impoetiche le parti allegoriche, la critica più recente s'è studiata di ancorare tutto il poemetto a una significazione organica, coerente con la cultura coeva. Fondandosi su motivi della cultura filosofica e letteraria dell'epoca, da Marsilio Ficino, a Pico della Mirandola, a Cristoforo Landino (il filosofo delle *Disputationes Camaldulenses*, allegoristico commentatore di Virgilio e Dante), a Domenico da Prato e Girolamo Benivieni, poeti della cerchia medicea, Mario Martelli ha interpretato Simonetta come l'anima razionale o virtù attiva; un secondo stadio nell'amore spirituale, secondo la prospettiva ficiniana e neoplatonica in genere, dopo il primo, che è la deludente ricerca di appagamento nella bellezza sensibile (la cerva). L'animo, in questo stadio, si rivolge dall'esteriorità all'intuizione della pura bellezza che ritrova come memoria del divino in sé, e quindi al culto delle virtù, soprattutto di quelle politiche e civili. Solo così potrà, più oltre, tentare l'ardua ascesa al terzo grado, la bellezza angelica (il platonico mondo delle idee) e al quarto (la Bellezza divina in sé). L'«avventura» di Iulio sarebbe, pertanto, una iniziazione alla vita attiva nella città, da compiere poi nell'azione emblematica e rituale della giostra. La *fera*, ossia la cerva, Simonetta, Venere sono manifestazioni, o meglio, rivelazioni progressive della bellezza, che culminano nel «paradiso terrestre», rappresentato con reminiscenze dantesche, del regno di Venere.

A questa interpretazione il Branca ha aggiunto il raffronto di essa con tematiche del Boccaccio e del Petrarca; soprattutto coi *Trionfi* di quest'ultimo, dato che il racconto del poemetto tende per lo più a frangere il ritmo narrativo in visioni emblematiche che configurano, come nel poema petrarchesco, uno svolgimento di moralità progressiva: il passaggio dall'amore alla castità, alla gloria, alla morte, e così via. Domenico De Robertis riconosce anch'egli nelle *Stanze* un romanzo di formazione, sottolineando la funzione centrale che la poesia — proprio quella italiana e la sua storia — assume nell'ideologia del poemetto.

Si ha tuttavia la sensazione che, come nell'invenzione narrativa, stilistica e formale l'opera si presenta come un mosaico che combina numerose suggestioni, così anche sotto l'aspetto ideologico vengano combinate fonti e suggestioni svariate e con una certa libertà inventiva: basta pensare a Dante e al neoplatonismo. Quest'ultimo appare una componente che si esprime in una versione liberamente fantastica, piuttosto che congruentemente filosofica. A ogni modo il Martelli stesso sottolinea il fatto che «la storia ultraterrena dell'uomo adombra *qui* quella terrena»; e in effetti, piuttosto che di platonica liberazione dal corpo, si può parlare di dominio della sfera istintiva, inteso alla creazione d'un armonico mondo umano: la virtù civile, la gloria attinta nella vicenda comune della città e la poesia come perpetuo ritrovamento del profondo significato del vivere appaiono i punti fissi dell'orizzonte spirituale o culturale del poemetto.

La struttura poetica delle «Stanze»

La poesia del Poliziano tende a condensarsi in immagini di statica perfezione, di là dalle insorgenze sentimentali e narrative. Iulio e Simonetta sembrano emergere per una sorta d'incantesimo dal limpido sfondo primaverile, privi di consistenza drammatica. In Iulio si condensa un'immagine di adolescenza, colta nel suo aprirsi all'amore; Simonetta appare come il sogno d'una vita più bella, d'una dimensione più alta del vivere, che balena nel suo spontaneo atteggiarsi nella natura, nella voluta di canto che la sua voce esprime. I gesti di entrambi, su uno sfondo di natura immota nel suo fascino perenne, assumono cadenze mitiche, la vicenda psicologica (l'innamoramento di Iulio) diviene immagine dello stupore di sempre davanti alla bellezza. Il Platonismo del Poliziano, che fu sempre seguace tiepido del Ficino, è in questo raffigurare l'amore come presentimento d'una mèta più alta, come entusiasmo vitale creativo attraverso il quale l'uomo tende a identificarsi progressivamente con la divina armonia del mondo, o con una perenne poesia della vita.

Non si tratta d'una mera metafora. I paesaggi, che costituiscono alcuni dei momenti più intensi delle *Stanze*, immergono la natura in un'immagine di bellezza inesauribile e conclusa perché non risultano — o non risultano soltanto — dall'impressione viva, attuale degli oggetti, ma dal coro delle grandi immagini dei poeti del passato, che insegnarono all'uomo, come dirà *Nutricia*, a vedere le cose, a comprenderle, a legarle a un'immagine di perfezione e di eternità implicita arcanamente nell'animo. Così, quando leggiamo «*La notte che le cose ci nasconde*/tornava ombrata di stellato ammanto/e l'usignuol, *sotto le amate fronde*/cantando ripetea l'antico pianto», vi ritroviamo: a) un verso di Dante e un'altra reminiscenza dantesca (le parti in corsivo), il tema virgiliano e petrarchesco del canto-pianto dell'usignuolo, e, dietro a esso, l'allusione all'antico mito di Filomena, o meglio, la suggestione di esso. La realtà è, dunque, per il Poliziano avvivata dalle scoperte dei poeti, che hanno ritrovato un senso dietro il suo fluire e perdersi: la bellezza, come balenare dell'armonia che rinnova di continuo il mondo; la poesia, voce di essa che lo immerge nella fissità, ma anche nel perenne significato del mito. L'ispirazione profonda delle *Stanze* è il continuo riproporsi di quest'ultimo come incontro fra l'animo e le cose, interpretazione e solidarietà col mondo ritrovate dai poeti e condensate in una religione della bellezza che dell'armonia cosmica e spirituale è la ricorrente manifestazione; si potrebbe dire la fondazione di essa nella coscienza degli uomini. A questa vicenda mondana si ferma la poesia del Poliziano, senza «sublimarla», per così dire, nei platonici entusiasmi del Ficino. Quale che sia la misura del platonismo delle *Stanze*, i loro momenti poeticamente e ideologicamente più alti si placano in una dimensione terrena. Se mai vi s'insinua una vena tenue di malinconia che nasce dal senso della fugacità della giovinezza e della bellezza, dall'abbandono a un sogno che sa di sognarsi, e che pure vuol vivere fino in fondo il proprio fascino.

Le *Stanze* ignorano, nella vicenda d'amore che raffigurano, l'intensità assorta e meditativa del Petrarca, quel suo legare i limpidi, essenziali paesaggi, esterni e interiori, alla sofferta consapevolezza d'una felicità sognata e impossibile, dissolta in uno spazio d'illusione. I personaggi vivono i gesti, e la poesia, di sempre: quella di Iulio, all'inizio, è la storia di Eco e Narciso, poi segue la vicenda stilizzata dalla nostra lirica d'amore; Simonetta riassume la bellezza della natura e appare circonfusa di erbe e di fiori come, nei loro trionfi, le donne di Dante e del Petrarca.

Numerose sono le fonti delle *Stanze*: le *Metamorfosi* di Ovidio, Claudiano (*Epithalamium Honorii et Mariae*), Valerio Massimo, fra gli antichi, e poi Dante, Petrarca, Boccaccio. L'elenco aumenta se dai moduli dell'invenzione si passa a quelli stilistici e figurativi, di cui s'è dato or ora un esempio. Si ha così una composizione a mosaico; o meglio, una poesia della poesia, che celebra se stessa proprio in questo riproporre immagini, ritmi, evocazioni fantastiche attraverso i quali una lunghissima tradizione poetica da sempre ha scoperto la bellezza e dato forma alla vita.

Il vagheggiamento d'una vita contemplativa, vissuta in comunione con la natura, fino a compenetrarsi della e nella sua armonia, costituisce il genere di poesia che chiamiamo *idillio*, particolarmente caro al Rinascimento. Esso aveva dietro una lunga storia, dai Greci (Teocrito, Mosco, Bione) ai latini (Virgilio), e durerà ancora a lungo, per secoli, come espressione del bisogno di evadere dai limiti del quotidiano, ritrovando il contatto fresco e non mistificato con le cose. In questo senso le *Stanze* sono poesia idillica, riscoperta dell'entusiasmo che avvince l'uomo alla natura, gli rivela la sua coerenza con quella che veniva allora chiamata l'«anima del mondo».

La vita felice di Iulio

Nelle prime sette ottave, che tralasciamo, il Poliziano propone l'argomento del poemetto, prega Amore che ispiri il suo canto, dedica infine l'opera a Lorenzo de' Medici.

Nel vago tempo di sua verde etate,
spargendo ancor pel volto il primo fiore
né avendo il bel Iulio ancor provate
le dolce acerbe cure che dà Amore,
5 viveasi lieto in pace e in libertate;
talor frenando un gentil corridore
che gloria fu de' ciciliani armenti,
con esso a correr contendea co' venti;

Metro *ottave*: di endecasillabi (schema: ABABABCC). Libro I, ott. 8-21.

1-2. Nel vago... fiore: Nel tempo dolce e leggiadro della giovinezza (*verde*, come le fronde primaverili), quando sulle guance di Iulio appariva la prima lanugine giovanile.

6-8. talor... venti: talora Iulio guidava un nobile corsiero, gloria degli armenti sicilia-

or a guisa saltar di leopardo
10 or destro fea rotarlo in breve giro:
or fea ronzar per l'aere un lento dardo,
dando sovente a fere agro martìro.
Cotal viveasi il giovene gagliardo:
né pensando al suo fato acerbo e diro,
15 né certo ancor de' suoi futuri pianti,
solea gabbarsi degli afflitti amanti.

Ah quante ninfe per lui sospirorno!
Ma fu sì altero sempre il giovinetto,
che mai le ninfe amanti nol piegorno,
20 mai poté riscaldarsi il freddo petto.
Facea sovente pe' boschi soggiorno,
inculto sempre e rigido in aspetto;
e 'l volto difendea dal solar raggio
con ghirlanda di pino o verde faggio.

25 Poi, quando già nel ciel parean le stelle,
tutto gioioso a sua magion tornava;
e 'n compagnia delle nove sorelle
celesti versi con disio cantava,
e d'antica virtù mille fiammelle
30 con gli alti carmi ne' petti destava:
così, chiamando amor lascivia umana,
si godea con le Muse o con Dïana.

E se talor nel ceco labirinto
errar vedeva un miserello amante,
35 di dolor carco, di pietà dipinto
seguir della nemica sua le piante,
e dove Amor il cor gli avesse avvinto
lì pascer l'alma di dua luci sante
preso nelle amorose crudel gogne,
40 sì l'assaliva con agre rampogne:

— Scuoti, meschin, del petto il ceco errore,
ch'a te stesso te fura, ad altrui porge.
Non nudrir di lusinghe un van furore,
che di pigra lascivia e d'ozio sorge.
45 Costui che 'l volgo errante chiama Amore
è dolce insania a chi più acuto scorge;
sì bel titol d'Amore ha dato il mondo
a una ceca peste, a un mal giocondo.

Ah, quanto è uom meschin, che cangia voglia
50 per donna o mai per lei s'allegra o dole;
e qual per lei di libertà si spoglia
o crede a sui sembianti e sue parole!
Ché sempre è più leggier ch'al vento foglia,
e mille volte el dì vuole e disvuole:
55 segue chi fugge, a chi la vuol s'asconde
e vanne e vien, come alla riva l'onde.

Giovane donna sembra veramente
quasi sotto un bel mare acuto scoglio,

ni (gli allevamenti di cavalli siciliani erano famosi) e gareggiava col vento nella corsa.
9-10. Ora faceva (*fea*) saltare il cavallo con l'agilità d'un leopardo, ora, destramente (*destro*) lo faceva girare in angusto cerchio.
11. lento: flessibile.
12. agro martìro: dolorosa morte.
14-15. Il fato acerbo e crudele (*diro*) potrebbe essere la morte immatura di Giuliano de' Medici; altri pensa soltanto alle pene che lo attendono per colpa d'amore. A queste allude senz'altro il v. 15.
16. solea gabbarsi: soleva deridere gli innamorati travagliati dalla loro passione.
17-18. ninfe: fanciulle; ma nella fantasia del Poliziano si tramutano in divinità naturali, per suggestione della poesia classica. **sospirorno**: sospirarono.
19. piegorno: piegarono.
22. inculto... aspetto: disadorno, per quel che riguarda le vesti e scontroso e rude (*rigido*) nei modi.
23-24. Quel cingersi con un ramo di pino o di faggio la fronte per difendere il capo dalla vampa del sole, unito ai particolari precedenti di una vita in contatto con la natura, dà l'idea di una comunione beata e inconsapevole fra Iulio e le cose, lo avvicina alle divinità silvane della mitologia classica.
25. parean: apparivano.
27-30. Il canto di Iulio è espressione di sentimenti virili e guerrieri. Le *nove sorelle* sono le Muse, divinità ispiratrici del canto, della poesia.
31-32. Così, chiamando l'amore errore e debolezza degli uomini, viveva pago dei doni delle Muse (la poesia) e di Diana (dea dei cacciatori).
33-34. E se talvolta vedeva un misero amante errare nel labirinto cieco d'amore. Dice *labirinto* alludendo al cammino errante e malsicuro dell'anima innamorata, sovente prigioniera dei propri sogni, dubbi, desideri, e lo chiama *cieco*, perché non illuminato dalla luce della ragione, ma offuscato dalla passione.
35. di pietà dipinto: il volto, col suo pallore, manifesta l'intimo affanno (**pietà**).
36. Seguire costantemente le orme della donna amata, detta *nemica* perché cagione di dolore tormentoso.
37-39. e dove... gogne: e in quel viso (*dove*) al quale Amore aveva indissolubilmente legato il suo cuore, pascere la sua anima mirando rapito gli occhi dell'amata (chiamati *luci sante* perché, per l'innamorato, sono cosa divina), preso nei lacci crudeli d'amore, che spesso rendono oggetto di scherno e di vergogna (la gogna era l'anello di ferro che veniva cinto intorno al collo del reo esposto alla berlina). In questi versi il Poliziano esprime l'animo di Iulio, non il proprio sentire, anticipa le *rampogne* che questi rivolge ai miseri amanti. **dua**: due.
42. che ruba (*fura*) te a te stesso per darti in completa signoria di altri (cioè dell'amata).
43-44. Non nutrire con vane lusinghe, cioè con illusioni e sogni, una vana follia (la passione amorosa) che nasce dal pigro ozio e dal voluttuoso rilassamento.
46. L'amore è dolce, sì, ma è una follia, e tale appare a chi la esamini più acutamente.
47-48. Gli uomini hanno dato il nome, così bello, d'amore a una rovinosa e cieca malattia, a una cosa che, anche se offre qualche gioia, resta pur sempre un male.
49. Ah, quanto è uom meschin, ecc.: Ah, quanto è misero l'uomo che, ecc.
53. Ché sempre è più leggier, ecc.: infatti la donna è sempre incostante, cioè più leggera di una foglia in balìa del vento. La polemica di Iulio contro l'amore e contro le donne è un contesto di luoghi comuni letterari.
57-60. Le massime contenute nei versi precedenti si stemperano, secondo un procedimento caratteristico della poesia polizianesca, in un giuoco di immagini, che riducono fatti, sentimenti, considerazioni a leggiadre visioni di natura. Il concetto è sempre quello della donna incostante in amore e quindi bella ma insidiosa, anzi, tanto più insidiosa quanto più forte è il fascino della sua bellezza. Questo ribadire un concetto per via d'immagini è proprio della poesia popolare, e cadenze popolaresche si avvertono nel poemetto, costantemente ingentilite da un'arte dosatissima e sapiente.
58. Il mare è bello (nota la ripresa dell'immagine del v. 56), e per questo non lascia intravedere l'insidia dello scoglio che può infrangere la nave. Così, nei vv. seguenti, il giovane serpente, uscito rinnovato dalla

o ver tra' fiori un giovincel serpente
60 uscito pur mo' fuor del vecchio scoglio.
Ah quanto è fra' più miseri dolente
chi può soffrir di donna el fero orgoglio!
Ché quanto ha il volto più di biltà pieno,
più cela inganni nel fallace seno.

65 Con essi gli occhi giovenili invesca
Amor, che ogni pensier maschio vi fura:
e quale un tratto ingozza la dolce esca
mai di sua propria libertà non cura:
ma, come se pur Lete Amor vi mesca,
70 tosto oblïate vostra alta natura;
né poi viril pensiero in voi germoglia,
sì del proprio valor costui vi spoglia.

Quanto è più dolce, quanto è più securo
seguir le fere fuggitive in caccia
75 fra boschi antichi fuor di fossa o muro,
e spïar lor covil per lunga traccia!
Veder la valle e 'l colle e l'aer più puro,
l'erbe e' fior, l'acqua viva chiara e ghiaccia!
Udir li augei svernar, rimbombar l'onde
80 e dolce al vento mormorar le fronde!

Quanto giova a mirar pender da un'erta
le capre, e pascer questo e quel virgulto;
e 'l montanaro all'ombra più conserta
destar la sua zampogna e 'l verso inculto;
85 veder la terra di pomi coperta,
ogni arbor da' suo' frutti quasi occulto,
veder cozzar monton, vacche mugghiare,
e le biade ondeggiar come fa il mare!

Or delle pecorelle il rozzo mastro
90 si vede alla sua torma aprir la sbarra:
poi, quando move lor co 'l suo vincastro,
dolce è a notar come a ciascuna garra.
Or si vede il villan domar col rastro
le dure zolle, or maneggiar la marra;
95 or la contadinella scinta e scalza
star con l'oche a filar sotto una balza.

In cotal guisa già l'antiche genti
si crede esser godute al secol d'oro;
né fatte ancor le madri eron dolenti
100 de' morti figli al marzïal lavoro;
né si credeva ancor la vita a' venti;
né del giogo doleasi ancora il toro:
lor case eran fronzute querce e grande,
ch'avean nel tronco mèl, ne' rami ghiande.

105 Non era ancor la scelerata sete
del crudel oro entrata nel bel mondo:
viveansi in libertà le genti liete;
e non solcato il campo era fecondo.

pelle (*scoglio*) che ha deposto, ha nuovo e più mortale vigore, ma nessuno supporrebbe che si trovasse nascosto fra i soavi fiori primaverili.
62. fero: crudele, impietoso.
65-66. Con essi... vi fura: Amore, servendosi degli inganni della donna, invischia, ammalia gli occhi dei giovani e ruba (*fura*), dal loro animo ogni pensiero virile.
67-68. e quale un tratto... non cura: e colui che una volta (*un tratto*) ingozza avidamente la dolce esca delle lusinghe femminili (come un pesce vorace che venga preso all'amo), rimane poi schiavo per sempre.
69. come se pur Lete, ecc.: come se Amore vi mescesse una bevanda che dà l'oblio. Tale si credeva che fosse la proprietà delle acque del Lete, fiume che, secondo i poeti classici, si trovava agl'Inferi.
70. vostra alta natura: l'uomo innamorato diviene schiavo della passione e dimentica la propria natura umana, nobile in quanto dotata di razionalità.
73-112. A questo punto il discorso di Iulio s'avviva, diventa il canto dolce e abbandonato della giovinezza. Il Poliziano vagheggia una spontanea e felice innocenza che aveva sognato leggendo le pagine dei poeti antichi celebranti nostalgicamente l'età dell'oro.
73-80. Gli elementi del quadro sono in gran parte appena accennati (la valle, il colle, l'erbe, i fiori), ma culminano in quella rappresentazione dell'*aer puro* e soprattutto dell'*acqua viva chiara e ghiaccia*, che immette nel paesaggio immoto il senso di una vita sempre nuova. L'ottava si conclude con una impressione di musica di uccelli, di chiare correnti, di fronde mosse dal vento: tutta la natura è come una melodia che penetra dolcemente nel cuore.
75. fra boschi antichi: fra i boschi antichi, fuori della città, circondata di mura e di fosse.
76. spïar lor covil, ecc.: spiare, seguendo accuratamente le loro orme, dove sia la loro tana.
79. svernar: cantare, come fanno a primavera, usciti dall'inverno.
80. dolce: dolcemente.
81. Quanto giova a mirar, ecc.: quanto è gradito vedere le capre che, arrampicate sulle rupi, sembrano come sospese fra la rupe e il cielo. È immagine ricorrente nella poesia idillica dei classici, come molte altre delle ottave seguenti.
83. più conserta: più densa, formata dai rami intrecciati degli alberi dove il bosco è più denso. Sottintendi, all'inizio del verso, *Quanto giova a mirar*.
84. destar... inculto: suonare la zampogna e intonare i suoi rustici carmi.
86. quasi occulto: quasi nascosto; simbolo della fecondità della natura che offre copiosamente all'uomo i suoi frutti.
88. e le biade ondeggiar, ecc.: un altro verso di ampio respiro, che esprime la gioia con la quale il poeta si perde nella contemplazione del possente soffio di vita che pervade la natura.
89-90. Or delle pecorelle... sbarra: ora si vede il rozzo pastore aprire la sbarra per fare uscire le pecore dagli stazzi.
91. vincastro: è il bastone del pastore.
92. come a ciascuna garra: come inciti e richiami con grida ognuna di esse.
93. domar col rastro: spezzare col rastrello, prima della semina.
98. si crede esser godute, ecc.: si crede che abbiano goduto al tempo della mitica età dell'oro. Questa ottava e quella seguente sono conteste di immagini tratte dalla poesia dei classici. In quelle favole belle il Poliziano viveva il suo sogno di un mondo innocente e sereno.
100. marzïal lavoro: è la guerra; l'aggettivo deriva dal nome di Marte.
101. né si credeva: né ancora si affidava ai venti la propria vita, cioè non si solcavano ancora i mari con le navi per commerciare e arricchire.
103. grande: grandi.
104. Secondo i poeti antichi, gli uomini primitivi si cibavano delle ghiande che cadevano dalle querce, i cui tronchi stillavano miele.
106. crudel oro: crudele è detto l'oro perché cagione di contese e di guerre fra gli uomini, e soprattutto perché, una volta nata nei loro animi la brama di ricchezza, tramontò la primitiva innocenza.
107. viveansi in libertà, ecc.: le genti liete vivevano libere, perché nessuno imponeva sugli altri il proprio dominio.
108. non solcato: sebbene non arato.

Fortuna invidïosa a lor quïete
110 ruppe ogni legge e pietà mise in fondo:
lussuria entrò ne' petti e quel furore
che la meschina gente chiama amore. —

109. Fortuna invidïosa, ecc.: la Fortuna, invidiando la serena pace degli uomini, infranse le leggi della natura e distrusse ogni loro virtù.

La caccia e l'insidia di Cupido

Cupido, offeso dalle parole di Iulio, decide di vendicarsi, di vedere cioè se Iulio, «il meschin, ch'Amor riprende / da due begli occhi se stesso difende».

Zefiro già di be' fioretti adorno
avea de' monti tolta ogni pruina:
avea fatto al suo nido già ritorno
la stanca rondinella peregrina:
5 risonava la selva intorno intorno
soavemente all'ôra mattutina:
e la ingegnosa pecchia al primo albore
giva predando or uno or altro fiore.

L'ardito Iulio al giorno ancora acerbo
10 allor ch'al tufo torna la civetta,
fatto frenare il corridor superbo,
verso la selva con sua gente eletta
prese il cammino (e sotto buon riserbo
seguìal de' fedel can la schiera stretta);
15 di ciò che fa mestieri a caccia adorni,
con archi e lacci e spiedi e dardi e corni.

Già circundata avea la lieta schiera
il folto bosco; e già con grave orrore
del suo covil si destava ogni fera;
20 givan seguendo e bracchi il lungo odore.
Ogni varco da lacci e can chiuso era:
di stormir, d'abbaiar cresce il romore:
di fischi e bussi tutto el bosco suona:
del rimbombar de' corni el cel rintruona.

25 Con tal romor, qualor più l'aer discorda,
di Giove il foco d'alta nube piomba;
con tal tumulto, onde la gente assorda,
dall'alte cateratte il Nil rimbomba;
con tale orror del latin sangue ingorda
30 sonò Megera la tartarea tromba.
Quale animal di stizza par si roda,
qual serra al ventre la tremante coda.

Spargesi tutta la bella compagna,
altri alle reti, altri alla via più stretta.
35 Chi serba in coppia i can, chi gli scompagna;
chi già 'l suo ammette, chi 'l richiama e alletta.
Chi sprona il buon destrier per la campagna:
chi l'adirata fera armato aspetta:
chi si sta sovra un ramo a buon riguardo:

Libro I, ottave 25-36.

1-8. È una delle ottave più celebri del poemetto, anche perché ha in sé alcune caratteristiche costanti della fantasia e dello stile del Poliziano. I primi quattro versi descrivono, con tocchi lievi, la primavera incipiente, gli altri, l'ora nella quale si dischiude un mattino sereno. I due vezzeggiativi (i **fioretti**, la **rondinella**) danno alla descrizione della stagione una tonalità aggraziata. Zefiro, che toglie ogni brina e neve (**pruina**) dai monti, appare come una figura di giovane, appena delineata, avvolta da un nembo di fiori che il suo tepore ha dischiuso: la rondinella *peregrina* è ritornata dai paesi caldi al suo nido, stanca del lungo viaggio, ma più, si direbbe, della sua lunga nostalgia. Come il Poliziano immerge l'uomo nella natura, così dà a questa voce e sensi umani. Anche l'ora del giorno è descritta con colori vaghissimi: l'aria del mattino (**ôra**) si diffonde intorno soave, come una musica lenta, sottolineata dal sussurro, che si percepisce distinto in questo silenzio, dell'ape (**pecchia**) ingegnosa che di fiore in fiore va libando il suo nettare. Ognuno dei quattro elementi della rappresentazione si distende in una coppia di versi, non fusa sintatticamente con le altre, ma posta accanto ad esse come un'immagine distinta e autonoma.

9-16. In questa, e nelle stanze seguenti, fino al v. 56, si svolge la scena della caccia, piena di movimento agile e festoso. È il tema di Iulio, prima dell'incontro con Simonetta; quello cioè della giovinezza esuberante e serena.

9. al giorno... acerbo: nelle prime ore del mattino, sul far dell'aurora.

10. allor ch'al tufo, ecc.: quando la civetta torna al nido, scavato nel tufo.

11. fatto frenare: fatto bardare.

12. con sua gente eletta: con una scelta schiera di compagni.

13. riserbo: custodia.

15. adorni: provvisti. È riferito a Iulio e ai compagni.

18. con grave orrore: con fiero spavento.

20. givan seguendo, ecc.: i bracchi andavan seguendo le tracce della selvaggina, fiutandole da lungi (*il lungo odore*).

23-24. L'ottava, dal movimento vivacissimo, termina con la descrizione del rumore che dilaga e si conclude in un rimbombo di corni. I **fischi** e i **bussi** (colpi) dei cacciatori servono, rispettivamente a chiamare i cani e a cercare di stanare le fiere battendo sui cespugli e le macchie.

25-30. Continua il *crescendo* della caccia fragorosa. Dopo la pausa silenziosa della prima ottava, erompe nella selva una carica vertiginosa di movimento, di dinamicità. Questa strofa è un mosaico di reminiscenze letterarie, che conducono la vicenda quotidiana nella sfera del mito.

25. qualor... discorda: quando c'è nell'aria battaglia di venti contrari.

26. di Giove il foco: il fulmine.

27. con tal tumulto: è il tumultuoso e fragoroso cadere delle cascate del Nilo, il cui rumore assorda la gente.

29-30. Con tale... tromba: provocando simile orrore, la furia Megera, dopo avere scatenato la guerra fra Latini e Troiani, suonò la tromba infernale (allude a un passo dell'*Eneide* di Virgilio - VII, 513-15). L'orrore è quello suscitato nelle belve.

33. la bella compagna: la compagnia, *bella* perché costituita da giovani forti e destri. Alcuni di essi corrono alle reti, per catturare la selvaggina che vi incappasse, altri si recano *alla via più stretta*, cioè ai punti di passaggio obbligato per sorprendere le fiere che tentino la fuga.

36. ammette: manda avanti.

39. a buon riguardo: per spiare i movimenti della selvaggina.

40 chi in man lo spiede e chi s'acconcia il dardo.
Già le setole arriccia e arruota i denti
el porco entro 'l burron; già d'una grotta
spunta giù 'l cavriuol; già i vecchi armenti
de' cervi van pel pian fuggendo in frotta:
45 timor gl'inganni della volpe ha spenti:
le lepri al primo assalto vanno in rotta:
di sua tana stordita esce ogni belva:
l'astuto lupo vie più si rinselva.
E rinselvato le sagace nare
50 del picciol bracco pur teme il meschino:
ma 'l cervio par del veltro paventare,
de' lacci el porco o del fero mastino.
Vedesi lieto or qua or là volare
fuor d'ogni schiera il gioven peregrino:
55 pel folto bosco el fer caval mette ale;
e trista fa qual fera Iulio assale.
Quale el centaur per la nevosa selva
di Pelio o d'Emo va feroce in caccia,
dalle lor tane predando ogni belva;
60 or l'orso uccide, ora il lion minaccia:
quanto è più ardita fera, più s'inselva:
e 'l sangue a tutte drento al cor s'agghiaccia:
la selva triema; e gli cede ogni pianta:
gli arbori abbatte o sveglie, o rami schianta.
65 Ah quanto a mirar Iulio è fera cosa
romper la via dove più il bosco è folto
per trar di macchia la bestia crucciosa,
con verde ramo intorno al capo avolto,
con la chioma arruffata e polverosa,
70 e d'onesto sudor bagnato il volto!
Ivi consiglio a sua bella vendetta
Prese Amor, che ben loco e tempo aspetta;
e con sue man di leve aier compuose
l'imagin d'una cervia altera e bella,
75 con alta fronte, con corna ramose,
candida tutta, leggiadretta e snella.
E come tra le fere paventose
al gioven cacciator s'offerse quella,
lieto spronò il destrier per lei seguire,
80 pensando in brieve darli agro martire.
Ma poi che in van dal braccio el dardo scosse,
del foder trasse fuor la fida spada,
e con tanto furor il corsier mosse
che 'l bosco folto sembrava ampia strada.
85 La bella fera, come stanca fosse,
più lenta tuttavia par che sen vada;
ma, quando par che già la stringa o tocchi,
picciol campo riprende avanti alli occhi.
Quanto più segue in van la vana effigie,
90 tanto più di seguirla in van si accende:
tuttavia preme sue stanche vestigie,
sempre la giunge e pur mai non la prende:
qual fino al labro sta nell'onde stigie
Tantalo, e 'l bel giardin vicin gli pende,
95 ma, qualor l'acqua o il pome vuol gustare,
subito l'acqua e 'l pome via dispare.

42. el porco: il cinghiale.
45. Il timore ha privato la volpe della capacità d'ingannare i cacciatori.
48. si rinselva: si nasconde nel fitto della selva.
51. paventare: temere. Il *veltro* è un cane da caccia assai veloce.
54. il gioven peregrino: è Iulio, il giovane dotato di virtù peregrine, eccelse. Col suo ritorno si ha di nuovo un'immagine di fresco vigore di giovinezza e si allontana il tono descrittivo un po' esteriore delle tre ultime stanze.
55. mette ale: corre velocemente, come se fosse alato.
56. e trista fa, ecc.: il soggetto è Iulio.
57-58. el centaur: il Centauro. Il *Pelio* è un monte della Tessaglia, l'*Emo,* una catena montuosa a nord della Tracia.
61. quanto... s'inselva: anche le fiere più ardite cercano scampo nel cuore della selva.
64. sveglie: svelle, sradica.
68. con verde ramo, ecc.: ancora questo particolare che rende Iulio simile a un giovane dio silvano.
70. onesto sudor: sudore onorevole, perché attesta la fatica spesa nell'impresa virile.
71-72. A questo punto Amore decise di compiere la propria vendetta, lui che sa bene attendere il tempo e il luogo più propizi.
73-76. e con sue man, ecc.: Cupido compone con le sue mani una cerva, fatta d'aria leggera; un simulacro, dunque, ma che ha in sé una sorta di grazia femminile (*candida tutta, leggiadretta e snella* — aggettivi che ritorneranno nella figura di Simonetta); c'è già nella figura magica un presentimento della candida ninfa che Iulio ritroverà dopo la caccia affannosa e vana.
77. paventose: spaurite, terrorizzate.
78. s'offerse: si presentò innanzi a lui.
81. dal braccio... scosse: lanciò contro di essa un giavellotto.
83-84. Preso da quello strano *furore*, Iulio si getta a cavallo fra le macchie, aprendosi prepotentemente la via, come il Centauro di una precedente ottava.
88. picciol campo, ecc.: fugge, ma lo distacca di un brevissimo spazio, per invitarlo a inseguirla ancora, a non abbandonare la caccia.
90. Tanto più cresce il suo ardente e vano desiderio d'inseguirla.
91. tuttavia: sempre più.
92. la giunge: la raggiunge. Sembra prefigurato, in questa vicenda, un amore difficile e travagliato.
94. sgg. **Tantalo**: re della Frigia, fu condannato, negl'Inferi, a soffrire eternamente la fame e la sete, esasperato dal fatto di trovarsi legato accanto a pomi fragranti e a limpide acque che fuggono non appena egli vi avvicini le labbra.

L'incontro di Iulio con Simonetta

Era già drieto alla sua disïanza
gran tratta da' compagni allontanato;
né pur d'un passo ancor la preda avanza,
e già tutto el destrier sente affannato:
5 ma pur seguendo sua vana speranza,
pervenne in un fiorito e verde prato:
ivi sotto un vel candido li apparve
lieta una ninfa, e via la fera sparve.
La fera sparve via dalle suo ciglia;
10 ma il gioven della fera ormai non cura;
anzi ristringe al corridor la briglia,
e lo raffrena sovra alla verdura.
Ivi tutto ripien di maraviglia
pur della ninfa mira la figura;
15 pargli che dal bel viso e de' begli occhi
una nuova dolcezza al cor gli fiocchi. [...]
Tosto Cupido entro a' begli occhi ascoso
al nervo adatta del suo stral la cocca,
poi tira quel col braccio poderoso
20 tal che raggiugne e l'una e l'altra cocca;
la man sinistra con l'oro focoso,
la destra poppa con la corda tocca:
né pria per l'aer ronzando esce 'l quadrello,
che Iulio drento al cor sentito ha quello.
25 Ahi qual divenne! ah come al giovinetto
corse il gran foco in tutte le midolle!
Che tremito gli scosse il cor nel petto!
d'un ghiacciato sudor tutto era molle;
e fatto ghiotto del suo dolce aspetto
30 giammai gli occhi dagli occhi levar puolle;
ma tutto preso dal vago splendore
non s'accorge el meschin che quivi è Amore.
Non s'accorge che Amor lì drento è armato,
per sol turbar la suo lunga quïete;
35 non s'accorge a che nodo è già legato;
non conosce suo piaghe ancor segrete:
di piacer, di disir tutto è invescato;
e così 'l cacciator preso è alla rete.
Le braccia fra sé loda e 'l viso e 'l crino;
40 e 'n lei discerne un non so che divino.
Candida è ella, e candida la vesta,
ma pur di rose e fior dipinta e d'erba:
lo inanellato crin dall'aurea testa
scende in la fronte umilmente superba.
45 Rideli attorno tutta la foresta
e quanto può sue cure disacerba.
Nell'atto regalmente è mansueta;

Libro I, ottave 37-62.

1. drieto: dietro; **disïanza**: è l'oggetto del suo desiderio, cioè la cerva; ma la parola è propria del linguaggio amoroso. Così la cerva candida prefigura Simonetta, anch'ella avvolta in un luminoso candore, e l'inseguimento vano e appassionato di Iulio fa presentire il suo desiderio d'amore.
2. gran tratta: per un gran tratto.
3. né pur... avanza: non riesce ad avvicinarsi neppure d'un passo alla preda agognata.
5. sua vana speranza: espressioni come questa insinuano nel mondo di estatica contemplazione della bellezza che è proprio del poemetto, una vena sottile di malinconia. Non si dimentichi che Simonetta Vespucci morì giovanissima, e così pure Giuliano (e Iulio, in sogno, avrà il presentimento della morte di lei).
6-8. Ha termine la corsa affannosa: l'incontro fra Iulio e Simonetta, la prima rivelazione dell'amore, hanno luogo in uno scenario primaverile. Svanisce per incantesimo la magica cerva, e al suo posto appare una visione incancellabile di bellezza. Nota quel *vel candido* che cinge di una luce limpidissima la *ninfa*: e questa è *lieta*, come una promessa d'amore e di felicità. Come Iulio appariva simile a un dio silvano, così Simonetta è una ninfa, una divinità naturale; sembra emergere dalla natura, accoglierne e sublimarne nel viso e negli occhi la bellezza.
11-12. ristringe... raffrena: tira la briglia al cavallo e lo arresta sopra l'erba verde.
15-16. Il verbo *fioccare* dà l'impressione di qualcosa che, come la neve, cada lenta e silenziosa e risolva ogni cosa nel suo aspetto e nel suo colore.
17. Tosto Cupido, ecc.: All'ammirazione trasognata segue fulmineo l'innamoramento. Questo è rappresentato nella forma mitologica tradizionale di Cupido, dio d'Amore, che, nascosto negli occhi della donna, lancia una freccia nel cuore di Iulio.
18. al nervo... cocca: adatta alla corda dell'arco (*nervo*) la freccia (la *cocca* è la parte terminale di essa, opposta alla punta).
19. tira quel: tende il nervo dell'arco; poderoso è detto il braccio di Cupido con allusione alla forza e potenza d'amore.
20. tal che raggiugne, ecc.: Cupido fa sì che l'una e l'altra estremità dell'arco (dette qui anch'esse cocche) si tocchino.
21-24. la man... quello: tocca con la sinistra la punta d'oro della freccia, «focosa» perché porta nel cuore ferito il fuoco della passione, con la corda la mammella destra; e la freccia (*quadrello*) è appena uscita sibilando per l'aria che già ha trafitto il cuore di Iulio. La rappresentazione allegorica vuole indicare la forza e il nascere immediato di quest'amore.
25. Ahi qual divenne! ecc.: queste esclamazioni danno al racconto un senso di vivacità e di partecipazione da parte dell'autore che il Poliziano ha appreso dai *cantari* popolareschi. La fresca vena popolare, che scorre per tutte le *Stanze*, impedisce alla poesia del Poliziano, così satura di reminiscenze letterarie, di cadere nel manierato.
26. il gran foco: il fuoco della passione amorosa.
29. del suo dolce aspetto: *suo* va riferito a Simonetta.
30. puolle: le può.
35-36. non s'accorge... ancor segrete: Ancora inconsapevole è l'amore di Iulio, che non sa di essere ormai indissolubilmente legato a Simonetta e non s'accorge della ferita amorosa che porta nascosta nell'animo.
37. invescato: invischiato. Il cacciatore è divenuto a sua volta preda.
41-48. Simonetta appare circonfusa da una natura soave, sintesi di tutta la bellezza del mondo. Il primo verso insiste sulla nota di candore che l'avvolge, espressione di purezza e di grazia; il secondo, che ci mostra la sua veste trapunta di rose, fiori, erba, unisce al suo candore luminoso le forme più gentili della natura.
43-44. lo inanellato crin... umilmente superba: i capelli biondi e ricciuti scendono sulla fronte umile e dolce, pur nella sua superba, folgorante bellezza.
45-46. Rideli... disacerba: attorno a lei ride tutta la foresta, vivificata e, insieme, ammaliata dalla sua bellezza, e, per quanto possibile, lenisce i propri affanni. Simonetta emana intorno a sé bellezza e dolcezza che rendono la natura più bella, le tolgono asprezza e ferinità. Fra donna e natura corre un'intima armonia: la persona umana accoglie in sé la bellezza del mondo, la potenzia in una luce di grazia e torna ad espanderla intorno.
47-48. Nell'atto... acqueta: il suo atteggiamento è quello d'una regina, ma umile, al tempo stesso, e gentile: con lo sguardo acqueta le tempeste, fa risplendere sul mondo un'eterna primavera.

e pur col ciglio le tempeste acqueta.
Folgoron gli occhi d'un dolce sereno,
50 ove sue face tien Cupido ascose:
l'aier d'intorno si fa tutto ameno,
ovunque gira le luce amorose.
Di celeste letizia il volto ha pieno,
dolce dipinto di ligustri e rose;
55 ogni aura tace al suo parlar divino,
e canta ogni augelletto in suo latino.
Con lei sen va Onestate umile e piana
che d'ogni chiuso cor volge la chiave:
con lei va Gentilezza in vista umana,
60 e da lei impara il dolce andar soave.
Non può mirarli il viso alma villana,
se pria di suo fallir doglia non have.
Tanti cuori Amor piglia fere o ancide,
quanto ella o dolce parla o dolce ride.
65 Sembra Talia, se in man prende la cetra;
sembra Minerva, se in man prende l'asta:
se l'arco ha in mano, al fianco la faretra,
giurar potrai che sia Dïana casta.
Ira dal volto suo trista s'arretra;
70 e poco avanti a lei Superbia basta.
Ogni dolce virtù l'è in compagnia:
Biltà la mostra a dito e Leggiadria.
Ell'era assisa sovra la verdura
allegra, e ghirlandetta avea contesta
75 di quanti fior creassi mai natura,
de' quai tutta dipinta era sua vesta.
E come prima al gioven puose cura,
alquanto paurosa alzò la testa:
poi colla bianca man ripreso il lembo,
80 levossi in piè con di fior pieno un grembo.
Già s'inviava, per quindi partire,
la ninfa sovra l'erba lenta lenta,
lasciando il giovinetto in gran martìre
che fuor di lei null'altro omai talenta.
85 Ma non possendo el miser ciò soffrire,
con qualche priego d'arrestarla tenta;
per che, tutto tremando e tutto ardendo,
così umilmente incominciò dicendo:
— O qual che tu ti sia, vergin sovrana,
90 o ninfa o dea, ma dea m'assembri certo;
se dea, forse se' tu la mia Dïana;
se pur mortal, chi tu sia fammi aperto:
ché tua sembianza è fuor di guisa umana;
né so già io qual sia tanto mio merto,
95 qual dal cel grazia qual sì amica stella,
ch'io degno sia veder cosa sì bella. —
Volta la ninfa al suon delle parole,
lampeggiò d'un sì dolce e vago riso
che i monti avre' fatto ir, restare il sole;
100 ché ben parve s'aprissi un paradiso.
Poi formò voce fra perle e viole,
tal ch'un marmo per mezo avre' diviso;
soave, saggia e di dolcezza piena,
da innamorar non ch'altri una Serena:
105 — Io non son qual tua mente invano auguria,
non d'altar degna, non di pura vittima;

49-50. Folgoron... ascose: gli occhi di Simonetta sfolgorano per una dolce luce serena e Cupido tiene in essi nascosti i suoi dardi infiammati.
54. dolce... rose: dipinto dolcemente di un colorito candido e roseo (i ligustri sono piccoli fiori candidi).
56. in suo latino: nel suo linguaggio.
57-58. Con lei sen va Onestate, ecc.: Va con lei Onestà, umile e semplice, che sa disserrare i cuori più chiusi. I primi sei versi di questa ottava sono una ripresa di modi stilnovistici, gli ultimi due derivano dal Petrarca (anzi, l'ultimo riprende la trascrizione petrarchesca di un verso d'Orazio).
61-62. Non può... non have: Un animo villano, cioè ignobile, privo di cortesia e di virtù non può neppure guardarla in viso, se prima non sente dolore per le proprie colpe e miserie. È questo il motivo stilnovistico più evidente.
63. fere o ancide: ferisce o uccide; si tratta naturalmente di ferite amorose.
64. quanto ella... ride: quante volte ella parla e ride dolcemente.
65. Talia: una delle nove Muse. **Minerva** è la dea della saggezza, **Diana** della caccia.
70. La superbia poco resiste davanti a lei.
73. Ell'era assisa: riprende qui la raffigurazione poetica di Simonetta. I suoi gesti sono armonici e misurati, il tripudio di fiori, la freschezza vivida dell'erba la cingono di un incanto di primavera.
74. allegra: va riferito a *verdura*; l'erba è come allietata dalla presenza luminosa della ninfa. **contesta**: intrecciata.
77. E come... cura: non appena rivolse la sua attenzione a Iulio.
81-82. Già... lenta: Già la ninfa s'avviava per partire di lì, camminando lenta lenta sopra l'erba. Ma il secondo verso dà l'impressione di un incedere armonioso, e vi si sente anche lo sguardo di Iulio affascinato.
84. talenta: desidera. Osserva il contrasto fra questa bellezza di sogno e l'umanità trepida e accorata di Iulio, quel suo parlare *tutto tremando e tutto ardendo, umilmente*, come se sentisse inadeguata ogni parola ad esprimere la piena dell'affetto.
89-96. Lo spunto iniziale della preghiera è la stupenda invocazione che Ulisse rivolge a Nausicaa nell'*Odissea* di Omero. Ma l'accento è nuovo: le parole di Iulio nascono da quella sua contemplazione smemorata. Soprattutto l'ultimo verso rende bene il suo tremore davanti alla rivelazione del miracolo della bellezza.
90. m'assembri certo: mi sembri veramente.
91. se dea: se sei una dea.
92. fammi aperto: rivelami.
93. è fuor di guisa umana: ha in sé qualcosa di sovrumano.
94-96. né so già io... bella: né io certamente so quale mio merito tanto grande, quale grazia del cielo, qual benigno destino mi rendano degno di vedere cosa tanto bella.
98. lampeggiò: il suo sorriso è come un improvviso balenare di luce. Le iperboli che seguono (avrebbe fatto, quel sorriso, muovere i monti, fermare il sole) culminano in un'immagine di paradiso che esprime il soverchiare della dolcezza.
101. Poi formò voce fra perle e viole: poi formò voce, parlò; e le parole uscirono fra i candidi denti (**perle**) e le labbra rosse (**viola** equivale a garofano).
104. da innamorar... Serena: da far innamorare non solo gli uomini, ma anche una Sirena.
105. Io non son... auguria: Non sono una dea, come la tua mente invano si augura.

ma là sovr'Arno innella vostra Etruria
sto soggiogata alla teda legittima:
mia natal patria è nella aspra Liguria
110 sovra una costa alla riva marittima,
ove fuor de' gran massi indarno gemere
si sente il fer Nettunno e irato fremere.
Sovente in questo loco mi diporto
qui vegno a soggiornar tutta soletta:
115 questo è de' mia pensieri un dolce porto,
qui l'erba e' fior, qui il fresco aier m'alletta:
quinci il tornare a mia magione è accorto:
qui lieta mi dimoro Simonetta,
all'ombre, a qualche chiara e fresca linfa,
120 e spesso in compagnia d'alcuna ninfa.
Io soglio pur negli ocïosi tempi,
quando nostra fatica s'interrompe,
venire a' sacri altar ne' vostri tempî
fra l'altre donne con le usate pompe.
125 Ma, perch'io in tutto el gran desir t'adempi
e 'l dubio tolga che tua mente rompe,
maraviglia di mie bellezze tenere
non prender già, ch'io nacqui in grembo a Venere.
Or poi che il sol sue rote in basso cala
130 e da questi arbor cade maggior l'ombra,
già cede al grillo la stanca cicala,
già il rozo zappator del campo sgombra,
e già dall'alte ville il fumo essala;
la villanella all'uom suo 'l desco ingombra;
135 omai riprenderò mia via più corta:
e tu lieto ritorna alla tua scorta. —
Poi con gli occhi più lieti e più ridenti,
tal che 'l ciel tutto asserenò d'intorno
mosse sovra l'erbetta e passi lenti
140 con atto d'amorosa grazia adorno.
Fecion e boschi allor dolci lamenti,
e gli augelletti a pianger cominciorno.
Ma l'erba verde, sotto i dolci passi,
bianca, gialla, vermiglia e azurra fassi. [...]
145 La notte che le cose ci nasconde
tornava ombrata di stellato ammanto:
e l'usignuol sotto l'amate fronde
cantando ripetea l'antico pianto;
ma sola a' sua lamenti Ecco risponde,
150 ch'ogn'altro augel quetato avea già il canto:

108. sto soggiogata, ecc.: sono sposata. **Teda** è la fiaccola nuziale, usata, presso i Romani, nel corteo che accompagnava la sposa alla casa dello sposo.
109. aspra: perché montuosa.
112. il fer Nettunno: il mare impetuoso. Simonetta Cattaneo, genovese, era andata sposa al fiorentino Marco Vespucci. Morì a ventitré anni nel 1476, e forse la sua morte fu una delle cagioni per cui le *Stanze*, cominciate nel 1475, rimasero interrotte. Osserva come anche in questa ottava, dove il Poliziano è costretto a dire particolari concreti e definiti, il tono mantenga sempre qualcosa di fantasioso e di irreale.
113. mi diporto: vengo per diporto.
114. tutta soletta: Simonetta resta una figura solitaria e in sé raccolta, che respira, si direbbe, la natura primaverile, e in essa trova un **dolce porto**, un rifugio sereno.
117. quici: di qui. **magione**: casa; **è accorto**: la via per ritornare è agevole.
118. Quel nome acquista una risonanza delicata e dolcissima. Forse anche per quel *lieta* che dà il senso del fluire libero e armonioso della sua vita.
119. a qualche... linfa: presso qualche corso d'acqua chiaro e fresco.
121. negli ozïosi tempi: nei giorni di festa.
124. con le usate pompe: con l'elegante acconciatura che si usa nei giorni di festa.
125. t'adempi: soddisfi pienamente.
126. rompe: travaglia. È il dubbio se ella sia creatura divina o mortale.
128. ch'io nacqui in grembo a Venere: sono nata sul mare. Venere, dea della bellezza, era sorta dal mare; per questo, Simonetta si considera in qualche modo simile alla dea. Così molti interpreti. Per il Martelli, invece, allude al fatto di essere figlia di Venere, nel senso (allegorico) che ella rappresenta il secondo grado dell'amore celeste, che punta a Dio (rappresentato da Venere); è, cioè, emblema dell'amore per le virtù politiche e civili (cfr. introduzione).
129-136. Il discorso di Simonetta si conclude con una lenta elegia del morire del giorno; sembra che al suo partirsi la luce venga meno e si dissolva in un crepuscolo melanconico. Con lei svanisce l'incanto di quel giorno breve, radioso, per Iulio, e troppo fugace. Simonetta non dice nulla di triste, eppure quella sua bellezza che appare d'incanto e sparisce, lascia dietro di sé un rimpianto, il senso del fugace svanire e sfiorire d'ogni cosa bella. L'ottava è intessuta di reminiscenze virgiliane e petrarchesche, ancora una volta risolte dal Poliziano in una sintesi personale.
129. il sol sue rote in basso cala: allude al mitico carro del sole, che percorre la fase discendente del suo viaggio nel cielo.
130-131. La descrizione dell'ora è qui vaghissima; s'allungano le ombre proiettate dagli alberi, il tempo è scandito dal canto del grillo che succede a quello della cicala ormai stanca. Questo canto diffuso prima nel giorno luminoso e poi sulla notte raccolta dà il senso di un tempo favoloso che trascorre indefinito nello scenario immoto della natura.
133. e già dall'alte ville, ecc.: già il fumo esala dalla sommità dei tetti. Il verbo esalare esprime bene questo svanire della luce e delle cose nell'ombra della sera. La fonte, liberamente rimaneggiata, è Virgilio (*Bucoliche*, I, 82-83): «et iam summa procul villarum culmina fumant, / maioresque cadunt altis de montibus umbrae» («e già lontano fumano i tetti delle case e maggiori vengono giù le ombre dagli alti monti»).
134. 'l desco ingombra: apparecchia la tavola.
136. alla tua scorta: alla tua compagnia.
138. asserenò d'intorno: rasserenò tutt'intorno.
139. e passi: i passi. Riprende l'interrotto cammino, col suo incedere pieno di una *amorosa grazia*, cioè di una grazia che suscita amore.
141-144. Fecion e boschi, ecc.: Simonetta era come la vita e l'anima della bella natura. Solo quand'ella s'allontana questa sembra sentire la malinconia del morire del giorno. Ma prima che la ninfa sparisca c'è ancora uno sprazzo di luce: quel ridestarsi e illuminarsi dei fiori (visti come puri colori) fra l'erba, al suo passare. **Fecion**: fecero. **cominciorno**: cominciarono.
143. l'erba verde: L'aggettivo non è superfluo: s'avviva il fresco colore dell'erba al balenare di quell'ultima luce. Poi l'erba trascolora in un incanto di primavera; si fa *bianca, gialla, vermiglia, azzurra.* Forse sono i fiori che cadono dal grembo di Simonetta, o i fiori del prato che si ridestano al suo passare. Ma è meglio lasciare all'immagine il suo tono di miracolo indefinito. Come sembrava essere uscita da un sogno, così nel sogno Simonetta scompare, e con lei la melodia di primavera. Subentra la notte, e il suo silenzio, la sua solitudine inducono l'anima di Iulio a un raccoglimento che il Poliziano non esprime in una confessione lirica, ma stempera in un paesaggio di diffusa malinconia.
146. ombrata di stellato ammanto: *ombrata* perché il cielo è presentato come un manto oscuro, anche se variegato di stelle.
148. l'antico pianto: secondo la mitologia classica, Filomena, dopo atroci sventure, era stata trasformata in usignuolo, e continuava a piangere nella notte ricordando l'angosciosa vita passata.
149. Ecco: Eco, la ninfa che si consu-

dalla chimmeria valle uscian le torme
de' Sogni negri con diverse forme.
E gioven che restati nel bosco erono,
vedendo il ciel già le sue stelle accendere,
155 sentito il segno, al cacciar posa ferono:
ciascun s'affretta a lacci e reti stendere:
poi con la preda in un sentier si schierono;
ivi s'attende sol parole a vendere,
ivi menzogne a vil pregio si mercono.
160 Poi tutti del bel Iulio fra sé cercono.
Ma non veggendo il car compagno intorno,
ghiacciossi ognun di subita paura,
che qualche cruda fera il suo ritorno
non gl'impedisca o altra ria sciagura.
165 Chi mostra fochi, chi squilla el suo corno;
chi forte il chiama per la selva oscura:
le lunghe voci ripercosse abondono;
e Iulio Iulio le valli rispondono.

I compagni a lungo e invano cercano Iulio, il quale, nel frattempo è tornato a casa tutto assorto nei suoi pensieri d'amore. Ivi lo ritrovano gli amici e si rallegrano, mentre egli nasconde al loro sguardo la sua pena. Frattanto Cupido, lieto della sua vendetta, si reca a Cipro per informare la madre Venere.

mò d'amore struggente e non ricambiato per Narciso, finché di lei non rimase che la voce (è la leggenda dell'eco).

151-152. dalla chimmeria valle, ecc.: Sempre secondo gli antichi, i sogni avevano dimora nel favoloso e remoto paese dei Cimmerii. Uno di questi sogni, come abbiamo detto nell'introduzione, sarà inviato da Venere a Iulio.

155. sentito il segno: sarà un corno che chiama i cacciatori a raccolta. I giovani smettono di cacciare e raccolgono i loro arnesi (v. 156).

157. si schierono: si schierano.

158-159. «Ivi non si fa altro che vendere parole, e si vendono menzogne a poco prezzo (*a vil pregio*)». Allude alle consuete bugie e vanterie dei cacciatori.

160. fra sé cercono: si interrogano a vicenda per sapere se qualcuno l'ha visto.

165. Chi mostra fochi: chi accende fuochi, affinché Iulio, qualora si fosse smarrito, sappia dove si trovano i compagni.

167. le lunghe voci, ecc.: lo chiamano a lungo e le voci si espandono riecheggiando per la selva.

168. e Iulio Iulio, ecc.: il nome risuona nell'eco solitaria delle valli, si carica di una indefinita tristezza, quella stessa che é nell'animo del giovane dopo il sogno svanito.

ESERCIZIO DI ANALISI

Gli «intarsi» del Poliziano

1. Tutti i critici hanno riscontrato, nelle *Stanze*, la presenza continua di citazioni, esplicite o implicite, di poeti, dalla piena e tarda Classicità al nostro ultimo Duecento e al Trecento; a volte combinate nella singola ottava con una sapiente tecnica d'intarsio. Nonostante questo, tutti riconoscono la sostanziale originalità del Poliziano, indicano in queste imitazioni apertamente esibite un carattere tipico della sua ispirazione e della sua poetica. Sembra opportuno procedere a un riscontro, attraverso l'analisi di tre ottave dell'episodio letto or ora. Ne muteremo, per opportunità didattica, l'ordine, incominciando da quella in cui il mosaico appare più esplicito:

2. Soffermiamoci sui vv. l29-137, in particolare sui primi sei versi:

1 Or poi che il sol sue rote in basso cala
2 e da questi arbor cade maggior l'ombra,
3 già cede al grillo la stanca cicala,
4 già il rozo zappator del campo sgombra,
5 e già dall'alte ville il fumo essala;
6 la villanella all'uom suo 'l desco ingombra;
7 omai riprenderò mia via più corta
8 e tu lieto ritorna alla tua scorta.

I vv. 2 e 5 riprendono, invertendone l'ordine, Virgilio, *Bucoliche*, 82-83 (se ne veda testo e traduzione alla nota 133). Il v. 5 è un calco del corrispondente verso virgiliano, in 3 abbiamo una variante: l'ombra non cade dagli alti monti, ma dagli alberi intorno. I prestiti, pur con questa vicenda di imitazione e variazione, non sono tuttavia finiti. Il v. 3 rivela uno schema dantesco («come la mosca cede alla zanzara», *Inferno*, XXVI, 28), i vv. 4 e 6 utilizzano un modello petrarchesco, la canzone *Ne la stagion che 'l ciel rapido inchina*, stanza seconda: «Come 'l sol volge le 'nfiammate *rote*/per dar luogo a la notte, onde *discende/dagli altissimi monti maggior l'ombra,*/ l'*avaro zappator* l'arme riprende,/et con parole et con alpestri note,/ogni gravezza del suo petto *sgombra;*/ et poi *la mensa ingombra*/di povere vivande...» (sono in corsivo le consonanze più esplicite). Si osservi che uno dei due versi virgiliani mutuato dal Poliziano è anche nel testo petrarchesco.

È facile rilevare le affinità fra i testi presi in esame, con variazioni, peraltro, che intonano gli stilemi antichi a una nuova situazione: il prato circondato da alberi, come spazio teatrale o scena di questa sacra rappresentazione della bellezza; il richiamo a *grilli* e *cicala* come a fonte di suono più «nobile» di mosche e zanzare (ma Dante usa uno stile «basso», adeguato alla realtà infernale). Per quel che riguarda Petrarca, a parte l'inserimento della «villanella», il Poliziano riprende, oltre all'immagine generale, stilemi e rime specifici: *sgombra*, *ingombra*, le *rote* del *sol*.

Il tramonto d'un giorno sembra così divenire un tramonto di sempre, ritrovato non tanto nell'impressione diretta dei sensi, quanto in una sorta di musica antica, di ricorrente struttura mitica del giorno. L'originalità del Poliziano è nella gioia con cui ricanta le parole antiche e immette la sua voce nel coro dei poeti, in quella che fu, a suo avviso, la loro scoperta e fondazione del mondo in una luce di bellezza. E va anche sottolineata la finezza dell'«intarsio», l'armonizzazione delle «fonti», la loro assunzione in una «musica» verbale nuova. Parla Simonetta, prendendo commiato da Iulio, e diventa la voce del giorno che declina, di quella natura che si è come raccolta e conclusa nella sua bellezza. Ogni possibilità di formulazione drammatica, d'un dialogo, cioè, effettivo fra i due personaggi, o di avventura narrativa (un evento che instauri un nuovo ritmo d'azione), è trascurata. In primo piano resta il quadro — e la celebrazione — del finire del giorno, contemplato senza tristezza, come movimento e ritmo armonico delle cose, assunto da colei che tale armonia della natura impersona. Quello che Simonetta doveva dire a Iulio, in un dialogo reale, è qui ai vv. 7 e 8, e certo non aveva bisogno di amplificazioni e pitture d'ambiente. La voce della donna, come i gesti fisici e verbali di lei e di Iulio, sono assunti in cadenze ritmiche che alludono a una vicenda mitica esemplare; il loro dialogo diviene una sorta di scoperta, o meglio, riscoperta del mondo, dietro le suggestioni dei poeti antichi, creatori di parole, modi e schemi esemplari di percezione e testimonianza.

3. Il secondo esempio è caratterizzato da allusioni, piuttosto che da citazioni dirette; da un ripercorrere schemi e moduli fantastici, ed è altrettanto significativo. Si prendano i vv. 73-80:

1 Ell'era assisa sopra la verdura
2 allegra, e ghirlandetta avea contesta
3 di quanti fior creasse mai natura
4 de' quai tutta dipinta era sua vesta.
5 E come prima al gioven puose cura,
6 alquanto paurosa alzò la testa:
7 poi colla bianca man ripreso il lembo,
8 levossi in piè con di fior pieno il grembo.

Qui le suggestioni sono in prevalenza implicite. Per esempio, al v. 8 il grembo pieno di fiori richiama il mito antico di Proserpina che raccoglie fiori mentre sta per essere rapita all'improvviso da Plutone. E c'è ancora il ricordo di Laura che «quasi un fior siede» (sonetto: *Amore et io sì pien di meraviglia*, v. 9; ma si veda anche l'ultima terzina, dove Laura cammina inghirlandata di fiori); e una suggestione del sonetto *Stiamo, Amor, a veder la gloria nostra*, dove «erbette e fior di color mille», pregano di essere toccati dal piede di lei (vv. 9-11), che è in parte richiamata qui dai vv. 143-144: «ma l'erba verde, sotto i dolci passi,/bianca, gialla, vermiglia, azzurra fassi».
All'influenza petrarchesca s'intreccia tuttavia quella di Dante, in questa descrizione d'un *locus amoenus* (o luogo di esemplare bellezza); esso diviene, anzi, una sorta di terreno paradiso che riecheggia, a volte molto apertamente, il paradiso terrestre o Eden primitivo descritto da Dante in *Purgatorio* XXVIII, magari in forma specularmente indiretta, come in quel «lenta lenta»; in sé non del tutto giustificabile, ove non soccorra il dantesco «prendendo la campagna lento lento/su per lo suol che d'ogne parte auliva» (*Purg.*, XXVIII, 5-6). Matelda poi, la donna bellissima che raffigura l'anima umana prima della colpa, incede «e cantando e scegliendo fior da fiore/ond'era pinta tutta la sua via» (ivi, 42-43) e viene paragonata da Dante a Proserpina. Nel Poliziano è assente la simbologia religiosa medievale; ma c'è come il vago sentore d'un eden ancora possibile, d'un paradiso ritrovato quando l'uomo vive in contatto immediato e in armonia con la natura; ed è un paradiso creato e reso attuale dalla voce dei poeti.

4. Una consonanza iniziale si avverte nel terzo passo, che procede poi in forma originale. Parla Iulio a Simonetta (vv. 89-95):

1 O qual che tu ti sia, vergin sovrana,
2 o ninfa o dea, ma dea m'assembri certo;
3 se dea forse se' tu la mia Dïana;
4 se pur mortal, chi tu sia fammi certo,
5 ché tua sembianza è fuor di guisa umana;
6 né so io già qual sia tanto mio merto,
7 qual del cel grazia, qual sì amica stella,
8 ch'io degno sia veder cosa sì bella.

Due fonti indicano qui concordi i commentatori: il discorso di Enea alla madre Venere e quello di Odisseo a Nausicaa. Vediamo la prima.
Enea è appena approdato a Cartagine, ignaro dei luoghi. La madre gli si fa incontro per rincuorarlo, ma in figura umana, «travestita» da giovinetta cacciatrice, finge di avere perduto le compagne e chiede ai Troiani se le hanno viste. Risponde Enea di no, ma poi, presentendo di trovarsi davanti a una divinità, la invoca di essere d'aiuto a loro. Ci soffermiamo sulla parte del discorso più vicina al nostro testo: «o — quam te memorem, virgo? namque haud tibi voltus/mortalis nec vox hominem sonat — o dea certe;/an Phoebi soror an Nympharum sanguinis una: «o fanciulla; ma come chiamarti? ché certo non hai il volto d'una mortale, né la tua voce suona come quella umana; o [tu che sei] sicuramente dea, forse sorella di Febo, o una delle ninfe». Il raffronto è abbastanza stringente (si aggiunga che la sorella di Febo è, appunto, Diana). Quanto al discorso d'Ulisse (*Odissea*, VI 149 e seguenti), si può parlare di consonanza con la movenza iniziale, che ha probabilmente ispirato Virgilio: «Io mi t'inchino, signora: sei dea o sei mortale?/se dea tu sei, di quelli che il cielo vasto possiede,/Artemide certo, la figlia del massimo Zeus/per bellezza e grandezza e figura somigli». Il discorso dell'eroe greco continua, infatti, con immagini bellissime, che il Poliziano trascura completamente. A questo punto, anzi, inserisce una memoria della nostra poesia in volgare: in generale, il rapimento dei nostri lirici due e trecenteschi davanti alla rivelazione della bellezza femminile, con prevalenza, diremmo, del Petrarca. Il v. 6, ad esempio, fa pensare a «uno spirto celeste, un vivo sole,/fu quel ch'i' vidi» (son. *Erano i capei d'oro*, v. 12; ma anche 9-11: «Non era l'andar suo cosa mortale,/ma d'angelica forma; et le parole/sonavan altro, che pur voce humana»); va però ricordato anche Dante («e quando truova alcun che degno sia/di veder lei, quei prova sua virtute»; canzone *Donne ch'avete intelletto d'amore*, v. 37-38).
Oltre a quello che s'è osservato parlando degli altri due esempi, va qui rilevata l'originalità del ritmo delle tre ottave citate. Esse appaiono organizzate su distici, o come qui, su raggruppamenti di versi di poco più ampi, per lo più uniti paratatticamente o con congiunzioni copulative, o, comunque sia, con legami sintattici poco complessi. Ne risulta un ritmo di proclamazioni, una cadenza che sta fra il *rispetto* popolare e la poesia per musica, agile e perentoria nelle sue affermazioni, con un progressivo innalzarsi della voce, quasi riprendendo vigore dopo ogni pausa sintattico-ritmica, e modulandosi alla fine come canto spiegato. Allo stesso modo, in questa stanza, il cumulo di citazioni e ricordi poetici si condensa nel canto trionfale dell'ultima quartina, nell'impeto patetico ed esultante dell'ultimo verso.

Il regno di Venere: il giardino

Dopo l'incontro, sospeso fra realtà e sogno, di Iulio e Simonetta, la vicenda si trasferisce decisamente in un'atmosfera mitologica. Poco meno della metà delle stanze del primo libro costituiscono infatti la descrizione del regno di Venere, dove Cupido si reca per annunciare alla madre la sua nuova vittoria, riportata su Iulio.

Il regno di Venere è come un paradiso terrestre, evocato con i colori degli antichi miti: il paradiso di cui Iulio ha avuto come il presentimento contemplando la divina fanciulla. È una delle tante isole felici che, venute dalla poesia classica e trapassate poi in quella medievale, col nome di *locus amoenus* (luogo bello) e qui spesso assimilate all'Eden, si succederanno nella poesia del Rinascimento, come immagini di sognata immersione in una natura bella ed eternamente primaverile, in una felice armonia vitale. Qui nelle *Stanze* esprimono l'ideale di una bellezza che il tempo non sfiori, immobile, eterna e sempre intensa e affascinante come il mondo dei miti rivelato dall'antica poesia.

Vagheggia Cipri un dilettoso monte
che del gran Nilo e sette corni vede
e 'l primo rosseggiar dell'orizonte,
ove poggiar non lice al mortal piede.
5 Nel giogo un verde colle alza la fronte;
sott'esso aprico un lieto pratel siede;
u' scherzando tra' fior lascive aurette
fan dolcemente tremolar l'erbette.
Corona un muro d'òr l'estreme sponde
10 con valle ombrosa di schietti arbuscelli,
ove in su' rami tra novelle fronde,
cantan i loro amor soavi augelli.
Sentesi un grato mormorio dell'onde,
che fan due freschi e lucidi ruscelli
15 versando dolce con amar liquore,
ove arma l'oro de' suoi strali Amore.
Né mai le chiome del giardino eterno
tenera brina o fresca neve imbianca:
ivi non osa entrar ghiacciato verno;
20 non vento o l'erbe o gli arbuscelli stanca
ivi non volgon gli anni il loro quaderno;
ma lieta Primavera mai non manca,
ch'e suoi crin biondi e crespi all'aura spiega
e mille fiori in ghirlandetta lega.
25 Lungo le rive e frati di Cupido,
che solo uson ferir le plebe ignota,
con alte voci e fanciullesco grido
aguzzon lor saette a una cota.
Piacer e Insidia posati su 'l lido
30 volgono il perno alla sanguigna rota;
e 'l fallace Sperar col van Disio
spargon nel sasso l'acqua del bel rio.
Dolce Paura e timido Diletto,
dolce Ire e dolce Pace insieme vanno:
35 le Lacrime si lavon tutto il petto,
e 'l fiumicello amaro crescer fanno:
Pallore ismorto e paventoso Affetto
con Magrezza si duole e con Affanno:
vigil Sospetto ogni sentiero spia:
40 Letizia balla in mezo della via [...]
Cotal milizia i tuoi figli accompagna,
Venere bella madre degli Amori,

Libro I, ottave 70-81.

1-4. Vagheggia... piede: Un monte, la cui vista ispira diletto, vagheggia l'isola di Cipro (sorge cioè nell'isola sacra a Venere, sembra, cioè, contemplarne dall'alto la bellezza); esso è così alto che vede le (**e** = i; lo stesso più avanti, ad es. vv. 23 e 25) sette sorgenti del Nilo (nell'antichità e nel tempo del Poliziano erano ancora sconosciute e inesplorate: se ne parlava quindi come di cosa favolosa), e l'estrema parte orientale del mondo, dove primo rosseggia il cielo al mattino, là dove non è lecito all'uomo pervenire. Le determinazioni locali fantasiose collocano l'isola di Cipro e il monte in uno spazio mitico, come ogni paradiso terrestre, che deve essere immaginato lontano dalla realtà quotidiana.

5-8. Il Poliziano immagina che nella vetta, nella giogaia del monte, s'innalzi un verde colle primaverile. Ai piedi di questo c'è un grazioso prato, **aprico**, cioè sempre indorato dal Sole, dove venti carezzevoli (**lascive aurette**) fanno tremare le erbe dolcemente. Al tono di favola dei primi quattro versi, subentra il tono idillico (nota i diminutivi, la loro sfumata dolcezza) proprio delle *Stanze*.

9-16. Questa ottava s'intona allo scenario primaverile di tutto il poemetto. La natura è rappresentata dal Poliziano con colori teneri e vaghi; ma l'impressione fondamentale è quella di una melodia che emana dalle cose, ne esprime l'intima vita serena: mormorio di alberi e d'acque, soave cantare d'uccelli. Anche gli aggettivi dei primi sei versi: *schietti, novelle, soavi, freschi, lucidi*, danno il senso di un mondo vergine, eternamente giovane, la cui bellezza coesiste con la grazia. Il Poliziano ha una visione aurorale delle cose: canta il primo schiudersi della vita (la giovinezza), dell'anno (la primavera), e dell'amore, ancora sospeso fra realtà e sogno.

9-10. Corona... ombrosa: una muraglia d'oro cinge le sponde del prato e la valletta ombrosa che ad esso è congiunta. È il confine del giardino di Venere, al centro del quale sorge il suo favoloso palazzo.

15-16. versando... Amore: i due ruscelli fanno scorrere l'uno acque dolci, l'altro amare, e in esse Cupido intinge la punta dorata delle sue frecce. Allude al fatto che amore mescola insieme gioia e pene, dolcezza e amarezza. È un primo accenno alla rappresentazione allegorica che sarà sviluppata subito dopo l'ottava seguente.

17. le chiome del giardino eterno: le fronde degli alberi. Eterno è questo giardino che rappresenta il sogno di una natura non soggetta alle leggi del tempo e del morire.

21-22. ivi... manca: quivi non v'è il succedersi degli anni e delle stagioni, ma eterna fiorisce primavera.

26. che solo uson ferir, ecc.: gli Amori, fratelli di Cupido, usano ferire soltanto la gente più umile, mentre Cupido ferisce gli esseri più nobili.

28. cota: cote. È la pietra dura che serve per affilare.

29. Piacer e Insidia: cominciano le personificazioni, di gusto classico, dei vari momenti della vicenda amorosa.

30. volgono il perno, ecc.: fanno girare il perno sul quale gira la cote, sanguigna perché aguzza le punte delle frecce che feriranno gli uomini.

32. spargon... rio: bagnano la cote con l'acqua del ruscello.

33-40. Continuano le personificazioni. Tralasciamo due stanze. Al v. 34 si notino i plurali femminili in *e*.

41. Cotal milizia: le personificazioni precedenti; **i tuoi figli:** gli Amori, fratelli di Cupido.

Zefiro il prato di rugiada bagna,
spargendolo di mille vaghi odori:
45 ovunque vola, veste la campagna
di rose gigli vïolette e fiori:
l'erba di sue bellezze ha meraviglia
bianca cilestra pallida e vermiglia.
Trema la mammoletta verginella
50 con gli occhi bassi onesta e vergognosa:
ma vie più lieta più ridente e bella
ardisce aprire il seno al sol la rosa:
questa di verde gemma s'incappella:
quella si mostra allo sportel vezosa:
55 l'altra che 'n dolce foco ardea pur ora
languida cade e 'l bel pratello infiora.
L'alba nutrica d'amoroso nembo
gialle sanguigne e candide vïole.
Descritto ha il suo dolor Iacinto in grembo:
60 Narcisso al rio si specchia come suole:
in bianca vesta con purpureo lembo
si gira Clizia pallidetta al sole:
Adon rinfresca a Venere il suo pianto:
tre lingue mostra Croco, e ride Acanto.
65 Mai rivestì di tante gemme l'erba
la novella stagion che 'l mondo avviva.
Sovresso il verde colle alza superba
l'ombrosa chioma u' el sol mai non arriva,
e sotto vel di spessi rami serba
70 fresca e gelata una fontana viva,
con sì pura tranquilla e chiara vena
che gli occhi non offesi al fondo mena.
L'acqua da viva pomice zampilla,
che con suo arco il bel monte sospende;
75 e per fiorito solco indi tranquilla
pingendo ogni sua orma al fonte scende:
dalle cui labra un grato umor distilla,
che 'l premio di lor ombre alli arbor rende.
Ciascun si pasce a mensa non avara,
80 e par che l'un dell'altro cresca a gara.

47-48. l'erba di sue bellezze, ecc.: l'erba stessa è come stupita della bellezza dei fiori che sbocciano fra i suoi steli e la rendono or bianca, or celeste, ecc. Ricorda l'improvviso apparire di questi colori fra l'erba sotto i *dolci passi* di Simonetta.
49. Trema la mammoletta verginella, ecc.: Questa ottava è una delle più famose del poema. Con essa ha inizio la descrizione dei fiori che ornano il giardino di Venere, ma il Poliziano non ritrova più, in seguito, la felicità espressiva di questi versi. Qui i fiori, «simbolo di giovinezza si sono trasformati in creature viventi di giovinezza (Maier)»; la mammola e la rosa si tramutano come per incanto in fanciulle: la prima, è espressione del virginale pudore, la seconda del primo dischiudersi all'amore.
50. vergognosa: piena di delicato pudore.
53-56. questa... quella... l'altra: sono effigiati quattro momenti della giovinezza: l'attesa e un intimo e segreto maturarsi (la rosa che **s'incappella di verdi gemme**, chiusa ancora nel verde boccio); poi, lo schiudersi, il rivelarsi della sua semplice e fresca bellezza (la rosa che appare, come una fanciulla alla finestra — **allo sportel** — fra le foglie, appena sbocciata); infine il suo ardere nel *dolce foco*, nella prima rivelazione e gioia d'amore; e quindi il subitaneo sfiorire.
57-58. L'alba nutrica... vïole: L'alba nutre di rugiada, che scende su di esse amorosamente, le viole dai vari colori.
59. Descritto... grembo: Gli antichi miti si inseriscono armonicamente in questo scenario incantato. Qui Poliziano allude al mito di Giacinto, amato da Apollo che segnò nei petali del fiore in cui Giacinto fu tramutato, le lettere *ai ai* esprimendo così il suo dolore.
60. Narcisso al rio, ecc.: Narciso s'innamorò della propria immagine che vide rispecchiata nell'acqua di un ruscello e credette persona vera; tentò di afferrarla e annegò. Gli dèi, impietositi, lo tramutarono nel fiore omonimo.
62. Clizia: ninfa che s'innamorò del sole e fu tramutata in girasole.
63. Adon, ecc.: Adone fu un giovane bellissimo, amato da Venere e ucciso da un cinghiale aizzato contro di lui da Marte per gelosia. Fu trasformato in anemone, e Venere, guardando questo fiore, rinnova il pianto per la sua morte.
64. Croco... Acanto: Croco fu mutato nel fiore dello zafferano, che ha tre segmenti rossi sui petali; Acanto era una ninfa che Apollo mutò nel fiore omonimo. Tutti questi fiori ricordano metamorfosi conclusive di tristi storie d'amore e stanno nel giardino di Venere a simboleggiare la sua potenza.
65. gemme: i fiori brillanti fra l'erba.
66. la novella stagion, ecc.: la primavera che ravviva il mondo.
67-68. Sovresso... arriva: Sopra il prato, il verde colle innalza le folte chiome dei suoi alti, superbi alberi, dove (*u'* = *ubi*, latino) il sole non giunge mai, tanto son dense.
72. che gli occhi, ecc.: che consente agli occhi di vedere, senza alcun impaccio, il fondo del corso d'acqua.
73-74. L'acqua ... sospende: l'acqua zampilla da una roccia porosa (*pomice*), che incurva il monte in forma d'arco.
76. pingendo ogni sua orma: dipinge di fiori il suo cammino, cioè le sue sponde sulle quali crescono i fiori, e discende quindi alla limpida fontana. Dalle rive (*labra*) di questa distilla lenta e gradita l'acqua che abbevera gli alberi, come per ricompensarli delle loro fresche ombre.
79-80. Ogni albero, annaffiato abbondantemente, sembra crescere a gara con gli altri. Segue poi la descrizione delle piante e degli animali del luogo. In questo bosco vengono per diporto gli Amori, e, a volte, anche Venere.

Il regno di Venere: la reggia e gl'intagli sulle porte

In cima al colle, descritto nelle ottave precedenti, sta il palazzo di Venere, le cui porte sono istoriate di antiche leggende d'amore. Alcune di queste sono rappresentate con quella perenne carica di vitalità, con quel fascino sottile che una lunga tradizione poetica ha loro conferito; e fanno parte anch'esse di quel trionfo di giovinezza, bellezza, amore che tutto il poemetto celebra. Ne presentiamo una breve antologia.

La regia casa il sereno aier fende,
fiammeggiante di gemme e di fino oro,
che chiaro giorno a mezza notte accende:
ma vinta è la materia del lavoro.
5 Sovra a colonne adamantine pende
un palco di smeraldo, in cui già fuoro
aneli e stanchi drento a Mongibello
Sterope e Bronte ed ogni lor martello.
Le mura a torno d'artificio miro
10 forma un soave e lucido berillo,
passa pel dolce orïental zaffiro
nell'ampio albergo el dì puro e tranquillo:
ma il tetto d'oro, in cui l'estremo giro
si chiude, contro a Febo apre il vessillo:
15 per varie pietre il pavimento ameno
di mirabil pittura adorna il seno.

Il Poliziano presenta poi le porte, adorne di mirabili immagini intagliate in esse. Dapprima si vede il vecchio Cielo che viene ucciso dal figlio Saturno. Le membra del dio cadono sulla terra, e da esse nascono varie divinità. Da alcune di esse, cadute nel mare, nasce Venere.

...e drento nata in atti vaghi e lieti
una donzella non con uman volto,
da zefiri lascivi spinta a proda
20 gir sopra un nicchio; e par che 'l ciel ne goda.
Vera la schiuma e vero il mar diresti,
e vero il nicchio e ver soffiar di venti:
la dea negli occhi folgorar vedresti,
e 'l ciel ridergli a torno e gli elementi:
25 l'Ore premer l'arena in bianche vesti;
l'aura incresparle e' crin distesi e lenti:
non una, non diversa esser lor faccia,
come par che a sorella ben confaccia.

Venere, uscita dal mare, è accolta dalle tre Grazie.

Questa con ambe man le tien sospesa
30 sopra l'umide trezze una ghirlanda
d'oro e di gemme orïentali accesa:
questa una perla alli orecchi accomanda.
L'altra al bel petto e' bianchi omeri intesa
par che ricchi monili intorno spanda,
35 de' quai solien cerchiar lor proprie gole
quando nel ciel guidavon le carole.

Un altro intaglio rappresenta il ratto d'Europa:

Nell'altra in un formoso e bianco tauro
si vede Giove per amor converso
portarne il dolce suo ricco tesauro,
40 e lei volgere il viso al lito perso
in atto paventosa: e i be' crin d'auro
scherzon nel petto per lo vento avverso.
La veste ondeggia, e in drieto fa ritorno;
l'una man tien al dorso, e l'altra al corno.

Libro I, ottave dalla 95 alla 117, passim.

1. La regia casa, ecc.: la reggia di Venere, posta sulla sommità del colle, sembra perdersi negli spazi sterminati del cielo sereno.
2-3. fiammeggiante... accende: scintilla, risplende tutta di gemme e d'oro, tanto che anche nel cuore della notte diffonde intorno una luce pari a quella del giorno.
4. ma vinta... lavoro: nobilissima e bella è la preziosa materia (oro e gemme) di cui è composta, ma ancor più bella è la maestria, l'arte con la quale è costruito il palazzo.
6. in cui: nell'eseguire il quale.
8. Sterope e Bronte: sono due Ciclopi che lavorano agli ordini di Vulcano nell'officina di Mongibello, sotto l'Etna. Sono rimasti stremati dopo avere compiuto opera sì grandiosa. Vulcano è stato l'architetto del mirabile palazzo.
9. d'artificio miro: costruite con arte mirabile.
10. berillo: pietra preziosa, detta anche *acquamarina*.
11-12. Il giorno puro e tranquillo (cioè la sua limpida e serena luce) entra nell'ampio palazzo attraverso finestre di zaffiro orientale, una gemma di colore celeste.
13-14. ma il tetto... il vessillo: il tetto d'oro con cui si chiude l'ultimo piano (estremo giro) si spiega come un vessillo di fronte al sole.
15. per varie pietre: per mezzo di pietre preziose di vari colori.
16. di mirabil pittura, ecc.: è fatto a mosaico.
17. e drento nata, ecc.: sottintendi: e si vede, fra la spuma, una giovane donna andare (*gir*), ecc. È Venere che emerge dal mare, diritta su una conchiglia (*nicchio*). Così fu raffigurata dal Botticelli, nel celebre quadro *La nascita di Venere*.
22. e ver soffiar di venti: e vero il soffiare dei venti.
23. folgorar: lampeggiare di luce divina nello sguardo.
24. e 'l ciel ridergli, ecc.: la nascita di Venere rappresenta la nascita della bellezza.
25. l'Ore: secondo il racconto dei poeti antichi furono le prime ancelle di Venere.
26. l'aura... lenti: si vede l'aura che increspa i capelli loro sparsi e flessuosi (qui **lenti** è usato nell'accezione conferita da Virgilio all'aggettivo *lentus* in *Bucoliche*, I, v. 4).
27-28. Secondo la mitologia le Ore avevano un viso non uguale ma tuttavia somigliantissimo.
31. accesa: risplendente.
32. accomanda: affida; le accomoda.
33. intesa: rivolta ad adornare.
35. cerchiar... gole: portare come collane.
36. quando... carole: quando guidavano le danze celesti, fra gli altri dei.
37. Nell'altra, ecc.: nell'altra imposta della porta. Il mito rievocato è quello di Giove che si trasformò in bianco toro per rapire Europa, figlia d'un re fenicio; rapitala, la trasportò per mare fino all'isola di Creta.
39. il dolce suo ricco tesauro: è Europa (*tesauro* è forma latineggiante per *tesoro*).
40-41. e lei volgere... paventosa: si vede Europa volgere il viso (mentre il toro, recandola in groppa, solca a nuoto il mare) al lido ormai lontano, perduto (*perso*), con atteggiamento di paura.
43. La veste ondeggia, ecc.: la veste ondeggia al vento che la spinge impetuoso all'indietro.
44. l'una man tien al dorso, ecc.: soggetto è Europa; il dorso e il corno sono

45 Le ignude piante a sé ristrette accoglie
quasi temendo il mar che lei non bagne:
tale atteggiata di paura e doglie
par chiami in van le dolci sue compagne;
le qual rimase tra fioretti e foglie
50 dolenti Europa ciascheduna piagne.
— Europa, sona il lito, Europa, riedi: —
E 'l tor nuota e talor li bacia i piedi.

Un altro, il ratto di Proserpina:

Quasi in un tratto vista amata e tolta
dal fero Pluto Proserpina pare
55 sopra un gran carro, e la sua chioma sciolta
a' zefiri amorosi ventilare.
La bianca vesta in un bel grembo accolta
sembra i còlti fioretti giù versare:
lei si percuote il petto, e 'n vista piagne,
60 or la madre chiamando or le compagne.

Un altro, l'amore di Polifemo per Galatea:

Gli omer setosi a Polifemo ingombrono
l'orribil chiome e nel gran petto cascono,
e fresche ghiande l'aspre tempie adombrono:
d'intorno a lui le sue pecore pascono.
65 Né a costui dal cor già mai disgombrono
le dolce acerbe cur che d'amor nascono:
anzi tutto di pianto e dolor macero
siede in un freddo sasso a piè d'un acero.
Dall'uno all'altra orecchia un arco face
70 il ciglio irsuto lungo ben sei spanne.
Largo sotto la fronte il naso giace:
paion di schiuma biancheggiar le zanne:
tra' piedi ha il cane; e sotto il braccio tace
una zampogna ben di cento canne:
75 lui guata il mar ch'ondeggia, e alpestre note
par canti, e mova le lanose gote,
e dica ch'ell'è bianca più che il latte
ma più superba assai ch'una vitella;
e che molte ghirlande gli ha già fatte,
80 e serbagli una cervia molto bella,
un orsacchin che già col can combatte;
e che per lei si macera e flagella;
e che ha gran voglia di saper notare
per andare a trovarla insin nel mare.

Cupido entra nella reggia e si presenta a Venere. Termina così il primo libro delle Stanze.

quelli del toro cui la fanciulla si appiglia sgomenta nella vertiginosa corsa sul mare.
45-46. Europa stringe e tiene sollevati i piedi per paura del mare.
47. doglie: dolore.
48-49. Le compagne sono rimaste tra i fiori primaverili, simbolo di quella giovinezza innocente e ignara che Europa ha ormai per sempre perduta.
51. Le voci delle compagne che invocano l'amica perduta riecheggiano meste sul lido solitario.
52. E 'l tor nuota, ecc.: e il toro continua a nuotare e bacia talora i piedi della fanciulla. In questo gesto l'aspetto animalesco del toro lascia intravedere la dolcezza del dio innamorato. Il Poliziano rivive in quelle favole l'eterna vicenda d'amore, effigiata dai poeti antichi in forma esemplare e quindi sempre attuale. Europa è rappresentata ristretta in sé e sgomenta, in un atteggiamento pittorico, su di uno scenario immobile; eppure il quadro esprime la sua grazia che si prolunga nel lamento triste e soave delle compagne. Anche attraverso questo mito, il Poliziano rappresenta la giovinezza beata e inconsapevole, nel momento in cui sta trapassando alla consapevolezza nuova dell'amore. Lo stesso si può dire dell'ottava seguente, in cui il pianto di Proserpina, quel suo chiamare la madre e le compagne, il cadere dei fiori primaverili dal suo grembo esprimono il declino di una serena innocenza.
53. Quasi in un tratto, ecc.: Proserpina, figlia di Cerere, viene rapita da Plutone, dio degl'Inferi, e di questo regno diventerà regina. Il dio l'ha vista, amata e rapita simultaneamente e la porta via sul suo carro.
57. accolta: raccolta.
61. Polifemo: In questo quadro abbiamo una fantasia più realistica e corpulenta. V'è rappresentato il Ciclope Polifemo, figura gigantesca e selvatica, rozzo, eppure ingentilito dal suo amore per Galatea, ninfa marina. Il suo lamento si perde solitario sulla vasta distesa del mare.
61-62. Gli omer... cascono: Le chiome ispide e incolte ingombrano gli omeri setolosi di Polifemo e ricadono sul gran petto.
63. e fresche ghiande, ecc.: le sue ruvide tempie sono adombrate da una corona di quercia dalla quale pendono ghiande.
65. dal cor già mai disgombrono: mai escono dal cuore.
66. le dolce acerbe cur: i lamenti nati da amore, dolci e dolorosi al tempo stesso.
67. macero: molle, macerato dal lungo pianto. Il *freddo sasso* del verso seguente sottolinea la desolazione dell'amante non corrisposto.
69-70. Il Ciclope ha un solo occhio e un solo ciglio irsuto, lungo sei palmi, che va dall'una all'altra orecchia. Anche i particolari che seguono (la schiuma che biancheggia fra i denti simili a zanne animalesche) insistono sulla grottesca e selvatica figura. Ma quel suo *guatare* il mare che ondeggia, quel suo rapito protendersi verso la dimora della ninfa bella, la sua stessa solitudine dolente, danno alla sua figura un tono idillico e mescolano alla sua rozzezza la dolcezza d'amore.
77. e dica: e par che dica. Le *alpestri note*, cioè la rozza e incondita canzone del Ciclope riprendono immagini della poesia idillica greca e latina. Polifemo si esprime con una sintassi e con immagini elementari, da rozzo pastore qual è, eppure appassionate e sincere. Ne nasce un contrasto fra idillico e comico, proprio di tutta questa figurazione, che appartiene a quella vena popolaresca che corre qua e là per le *Stanze*. Frattanto, come dice l'ottava seguente, Galatea appare fra le compagne sul mare, ma *di sì rozzo cantar vezzosa ride*.

Il sogno e il progetto di Iulio

In queste, che sono fra le ottave conclusive delle *Stanze*, il Poliziano ne esprime la tematica ideologica più diretta e meglio configurabile in una trama di racconto di formazione. Amore è incentivo di vita, e dunque, mediatamente, di virtù, che è la vera vita dell'uomo; la gloria fonda l'operare virtuoso nella memoria, affidata alla Storia e alla Poesia. Accogliendo la tradizione lirica italiana, dagli Stilnovisti al Petrarca, il Poliziano vede amore come sinonimo di *cor gentile*, suscitatore in esso di quella nobiltà che ispira il retto e generoso agire. Questo nella donna è virtù etica (castità, pudore), nell'uomo è azione magnanima o prodezza, costruzione di valori. La giostra, il virile giuoco di Marte, atto di coraggio che ha di mira la gloria, è il gesto col quale Iulio si mostra degno di entrare nella vita di tutti: un'iniziazione piena, dopo quella intuitiva e sensibile dell'amore; un modo di trasformare lo stupore trasognato con cui lo ha vissuto in virtù attiva.

Iulio ha appena visto, in sogno, la sua donna, divenuta «feroce», che, con indosso la corazza di Minerva, dopo avere legato Cupido a un ulivo (sacro a Minerva), lo vilipende. Questi lo esorta ad alzare gli occhi e a guardare chi viene in loro soccorso.

Così dicea Cupido, e già la Gloria
scendea giù folgorando ardente vampo;
con essa Poesia, con essa Istoria
volavon tutte accese del suo lampo.
5 Costei parea ch'ad acquistar vittoria
rapissi Iulio orribilmente in campo,
e che l'arme di Palla alla sua donna
spogliassi, e lei lasciassi in bianca gonna.
Poi Iulio di suo spoglie armava tutto,
10 e tutto fiammeggiar lo facea d'auro;
quando era al fin del guerreggiar condutto,
al capo gl'intrecciava oliva e lauro.
Ivi tornar parea suo gioia in lutto:
vedeasi tolta il suo dolce tesauro,
15 vedea la ninfa in trista nube avolta,
dagli occhi crudelmente esserli tolta.
L'aier tutta parea divenir bruna,
e tremar tutto dello abisso il fondo,
parea sanguigno el cel farsi e la luna,
20 e cader giù le stelle nel profondo.
Poi vede lieta in forma di Fortuna
surger suo ninfa e rabbellirsi il mondo,
e prender lei di sua vita governo
e lui con seco far per fama eterno.
25 Sotto cotali ambagi al giovinetto
fu mostro de' suo' fati il leggier corso:
troppo felice, se nel suo diletto
non mettea morte acerba il crudel morso.
Ma che puote a Fortuna esser disdetto,
30 ch'a nostre cose allenta e stringe il morso?
Né val perch'altri la lusinga o morda,
ch'a suo modo ne guida e sta pur sorda.
Adunque il tanto lamentar che giova?
A che di pianto pur bagnar le gote,
35 se pur convien che lei ne guidi e muova?
Se mortal forza contro a lei non puote?
Se con sue penne il nostro mondo cova,
e tempra e volge, come vuol, le rote?
Beato qual da lei suo' pensier solve
40 e tutto drento alla virtù s'involve!

Libro II, ottave 32-37 e 46.

1-4. vampo: vampa. È sintomatica l'unione della Gloria con Istoria e Poesia. Queste, infatti, ne sono la fondazione fra gli uomini, danno nome e ricordo alle azioni gloriose. **volavon**: volavano.

5-6. Costei: la Gloria. **rapissi... campo**: trascinasse... nel terreno della giostra. Quanto a **orribilmente**, pensiamo che si riferisca alla selva irta di lance dei contendenti (*horrere* si diceva in latino della messe matura, erta e irta); più in generale all'asprezza della lotta e dell'ambiente.

7-8. e... gonna: che togliesse di dosso a Simonetta le armi, che ella aveva indossate, di Minerva (**Palla** o Pallade Atena era il suo nome in Grecia) e la lasciasse nella veste bianca che aveva quando Iulio l'incontrò. La virtù che come castità cinge Simonetta, ora cinge, come prodezza, Iulio. Già lo spogliarsi della corazza da parte di Simonetta allude alla possibilità di conquistarla non con violenza passionale e sensuale, ma con azioni virtuose.

9-12. di... spoglie: delle armi di cui aveva spogliato Simonetta. **auro**: oro, simbolo, appunto, di gloria. **oliva e lauro**: erano le piante sacre a Minerva e ad Apollo, usata, la seconda, anche per incoronare chiunque avesse conseguito gloria.

13-21. tornar: volgersi. **tesauro**: tesoro. È il presagio della morte di Simonetta. Seguono poi immagini, in parte ispirate alla *Vita nuova*, d'un turbamento di tutto il cosmo per la morte di lei.

21-24. Simonetta risorge colle sembianze della Fortuna, come a indicare, anche se il mondo si rinnova al suo apparire e ritorna alla bellezza primaverile, che amore e gloria e tutta la vita sono soggetti alla Fortuna. Il confronto fra questa e la virtù che si ha subito dopo, è un tema costante e tipico della cultura rinascimentale, da Leon Battista Alberti a Machiavelli, per far solo qualche nome. **governo**: direzione, guida. **e... eterno**: pur soggetti alla fortuna, amore e gloria possono rendere eterna la memoria di chi li ha nobilmente vissuti. Non per nulla Gloria era accompagnata da Istoria e Poesia; e il Poliziano proponeva questo poemetto come celebrazione, capace di vincere il tempo, della gloria medicea.

25-28. ambagi: ambiguità, sempre implicita nei responsi oracolari e nelle visioni. **mostro**: mostrato. **de'... corso**: il corso instabile dei suoi destini. Ma *leggiero* dovrebbe valere piuttosto 'breve', il che è spiegato, subito dopo, dall'allusione alla morte di Simonetta, che rende troppo breve l'esperienza amorosa di Iulio.

27-28. se... diletto: se nella sua amorosa gioia. **acerba**: giovanissima morì Simonetta.

29-30. puote: può. **disdetto**: impedito. **il morso**: le briglie.

31-32. né... sorda: né vale lusingarla o criticarla, perché essa continua a guidarci, sorda a ogni nostro discorso.

34-38. pur: di continuo. **ne**: ci. **rote**: ruote. Allusione alla ruota, uno dei simboli della Fortuna, connesso alla sua rapida e imprevedibile mutabilità.

39-40. Beato... s'involve!: Beato colui che scioglie da lei ogni suo pensiero e si avvolge tutto nella corazza della virtù!. — Questa appare, dunque, idealmente o moralmente superiore alla Fortuna e indipendente da essa.

O felice colui che lei non cura
e che a' suoi gravi assalti non si arrende,
ma come scoglio che incontro al mar dura,
o torre che da Borea si difende,
45 suo' colpi aspetta con fronte secura
e sta sempre provisto a sua vicende!
Da sé sol pende, e 'n se stesso si fida,
né guidato è dal caso, anzi lui guida.

Termina il sogno. Iulio si ridesta e rivolge una preghiera a Minerva, la dea della ragione pratica, del pensiero e dell'azione politica, chiedendo il suo soccorso. Invoca pure la Gloria e Amore, perché lo aiutino nella nuova impresa (la giostra, simbolo dell'azione magnanima nel mondo), che gli consenta di piegare Simonetta, ora chiusa nella virtù che ancora si nega.

Con voi me 'n vengo, Amor, Minerva e Gloria,
50 che 'l vostro foco tutto 'l cor m'avvampa:
da voi spero acquistar l'alta vittoria,
ché tutto acceso son di vostra lampa;
datemi aita sì che ogni memoria
segnar si possa di mia eterna stampa,
55 e facci umil colei ch'or mi disdegna:
ch'io porterò di voi nel campo insegna.

43-46. dura: resiste agli assalti del mare. **Borea**: il vento del Nord. **suo'... si difende**: aspetta i suoi colpi con mente serena, impavida ed è sempre pronto a prevederne i cambiamenti.
47. pende: dipende. **guida**: guida il caso o destino nel senso che lo domina spiritualmente, col coraggio con cui lo affronta.
49. Le tre divinità sono dunque unificate e non avverse fra loro. Amore è stato il primo incentivo alla virtù e alla gloria; a una vitalità magnanima e gagliarda.
51-52. l'alta vittoria: nella giostra. **lampa**: luce.
53-54. aita: aiuto. **ogni... stampa**: sì che ogni storia porti eterna la sua orma, il suo nome.
55. facci umil: (la mia vittoria) renda umile, cioè disponibile all'amore. **ch'io... insegna**: che io porterò nel torneo insegne ispirate a voi. Giuliano scese infatti in campo con uno stendardo, dipinto dal Botticelli, che rappresentava Minerva, uno scudo con la testa di Medusa e una corazza pendente come trofeo da un albero verde con bacche rosse.

La «Favola di Orfeo»

La «Favola d'Orfeo» (*fabula*, in latino indica composizione teatrale in genere) fu composta a Mantova nel 1480, forse per invito del cardinale Francesco Gonzaga, allora protettore del poeta, «in un tempo di due giorni, infra continui tumulti», come apprendiamo da una lettera del Poliziano a Giovanni Canale.

L'*Orfeo* racconta un mito classico, ispirato al racconto di Ovidio e alle pagine magnifiche di Virgilio nel IV libro delle *Georgiche*. Orfeo è il mitico poeta della Tracia, che col suo canto ammansisce le fiere, trascina persino la natura inanimata, i monti, le selve. Sua sposa è Euridice. Il pastore Aristeo s'innamora di lei, la insegue per farla sua, ma con questo ne provoca involontariamente la morte, perché la giovane donna, mentre fugge, calpesta, senza avvedersene, un serpente velenoso che col suo morso la uccide. Piange Orfeo disperato la sua morte, e non potendo vivere senza di lei decide di recarsi agli Inferi, a chiedere a Plutone, signore del tenebroso regno, che gli renda la sposa. La poesia compie il miracolo: anche Plutone viene commosso dalla dolcezza del canto, e rende Euridice ad Orfeo, a patto che egli non si rivolga indietro a guardarla finché non saranno ritornati sulla terra. Ma l'amore tradisce Orfeo: egli si volge indietro a guardare la donna e Plutone gliela riprende per sempre. Orfeo, tornato nel mondo, piange Euridice perduta, maledice il fato, maledice l'amore, e allora le seguaci invasate del dio Bacco, le Baccanti, lo fanno a brani.

La scelta dell'argomento non è senza significato: il mito di Orfeo fu particolarmente caro al Rinascimento, che in esso vedeva una simbolica esaltazione della poesia, della sua capacità civilizzatrice (Orfeo che col canto ammansisce le fiere), della sua vittoria sul tempo e sulla morte, anche se non mai definitiva; anzi qui più che nelle *Stanze* si vedono i limiti, in tal senso, anche del canto più elevato. Ma la *fabula* è soprattutto un'elegia d'amore, e in questa ispirazione trova i suoi accenti più intensi. Il lamento di Aristeo innamorato ripropone il tema della giovinezza bella e fuggitiva che va goduta e colta nel suo fiorire breve, e a tale tema si ricollega anche la figura di Euridice che appare nella sua fresca bellezza e subito dispare.

Letterariamente l'*Orfeo* ha una notevole importanza in quanto sembra che sia la prima rappresentazione in volgare d'argomento profano. Fino a quel tempo, infatti, il teatro conosceva soltanto le *sacre rappresentazioni*, di carattere religioso. Di esse il Poliziano riprende struttura scenica e movenze: cioè la frammentarietà e semplicità di costruzione, l'uso dell'ottava (mescolata però ad altri metri e persino a un carme in latino cantato da Orfeo in lode del Gonzaga), e certo andamento popolaresco nel linguaggio. Ma il tono popolaresco nasce da una raffinata scelta stilistica, in quanto il Poliziano intende qui riprendere i modi dell'elegia bucolica o pastorale, un genere letterario che dall'antichità al medioevo era stato scritto in *stile umile*, perché concepito come canto di semplici e rozzi pastori. Come nelle *Stanze*, accanto a questo realismo che culmina nel coro finale delle Baccanti, vi sono passi di letterarietà elegante.

MERCURIO *annunzia la festa.*
Silenzio! Udite. E' fu già un pastore,
figliuol d'Apollo, chiamato Aristeo.
Costui amò con sì sfrenato ardore
Euridice che moglie fu di Orfeo,
5 che sequendola un giorno per amore
fu cagion del suo caso acerbo e reo:
perché fuggendo lei vicina all'acque,
una biscia la punse, e morta giacque.
Orfeo cantando all'inferno la tolse,
10 ma non poté servar la legge data:
ché 'l poverel tra via drieto si volse,
sì che di nuovo ella gli fu rubata:
però mai più amar donna non volse,
e dalle donne gli fu morte data.
Seguita un PASTORE *schiavone.*
15 State tenta, brigata, Bono augurio:
che di cievol in terra vien Marcurio.

MOPSO *pastore vecchio.*
Hai tu veduto un mio vitelin bianco
che ha una macchia nera in sulla fronte
e duo piè rossi et un ginocchio e 'l fianco?

ARISTEO *pastor giovane.*
20 Caro mio Mopso, a piè di questo fonte
non son venuti questa mane armenti,
ma senti' ben mugghiar là drieto al monte.
Va', Tyrsi, e guarda un poco se tu 'l senti.
Tu, Mopso, intanto ti starai qui meco;
25 ch'i' vo' ch'ascolti alquanto i mie' lamenti.
Hier vidi sotto quello ombroso speco
una nympha più bella che Diana
ch'un giovane amadore avea seco.
Com'io vidi sua vista più che humana
30 subito mi si scosse el cor nel pecto
e mia mente d'amor divenne insana;
tal ch'io non sento, Mopso, più diletto,
ma sempre piango, e 'l cibo non mi piace,
e sanza mai dormir son stato in letto.

MOPSO *pastore.*
35 Aristeo mio, questa amorosa face
se di spegnerla tosto non fai pruova,
presto vedrai turbata ogni tua pace.

Metro: Il *prologo* è in ottave, i dialoghi fino alla *canzona pastorale*, in terzine.
Mercurio: nelle *sacre rappresentazioni* l'argomento veniva esposto da un angelo; qui, dato il carattere mitologico e profano dell'opera, è esposto da Mercurio, messaggero degli dèi. Anche nel teatro latino c'era un prologo nel quale veniva detto sommariamente l'argomento.

6. del suo caso acerbo e reo: della sua morte prematura e crudele; Euridice morì infatti nel fiore della giovinezza.
7. fuggendo lei: mentr'ella fuggiva.
10. non poté servar, ecc.: non fu capace di obbedire alla legge imposta da Plutone, di non volgersi, cioè, a riguardare Euridice prima di essere di nuovo nel nostro mondo.
14. dalle donne: dalle Baccanti.
15-16. La battuta viene pronunciata da un pastore slavo (**schiavone**), in un italiano rozzo e approssimativo (*cievol* = *cielo*) e con un vago sapore comico; rappresenta la voce del rozzo mondo pastorale.
19. e duo piè rossi, ecc.: coi piedi, il ginocchio e il fianco pezzati di rosso. La battuta di Mopso introduce, senza più la sfumatura comica del pastore schiavone, nella consueta vita pastorale.
23. Va', Tyrsi: Aristeo manda un suo servo a ricercare l'agnello smarrito per restare solo con Mopso e sfogarsi con lui.
29. sua vista più che humana: la giovane donna appare ad Aristeo come creatura divina. *Vista* significa *aspetto*.
31. d'amor... insana: pazza d'amore.
35. face: fiamma amorosa che arde il cuore di Aristeo.
36. non fai pruova: non tenti.

Sappi che amor non m'è già cosa nuova:
so come mal, quand'è vecchio, si regge:
40 rimedia tosto, or che 'l rimedio giova.
Se tu pigli, Aristeo, suo dure legge,
e' t'uscirà del capo e sciami et horti
e vite e biade e paschi e mandrie e gregge.

ARISTEO *pastore.*

Mopso, tu parli queste cose a' morti;
45 sì che non spender meco tal parole,
acciò che 'l vento via non se le porti.
Aristeo ama e disamar non vuole,
né guarir cerca di sì dolce doglie:
quel loda Amor che di lui ben si duole.
50 Ma se punto ti cal delle mie voglie,
deh, tra' fuor della tasca la zampogna;
e canterem sotto l'ombrose foglie:
ch'i' so che la mia nympha el canto agogna.

CANZONA PASTORALE.

Udite, selve, mie dolce parole,
55 poi che la nympha mia udir non vuole.
La bella nympha è sorda al mio lamento,
e 'l suon di nostra fistula non cura;
di ciò si lagna el mio cornuto armento
né vuol bagnare el grifo in acqua pura;
60 né vuol toccar la tenera verdura,
tanto del suo pastor gl'incresce e dole.
Udite, selve, mie dolce parole,
poi che la nympha mia udir non vuole.
Ben si cura l'armento del pastore,
65 la nympha non si cura dello amante;
la bella nympha che di sasso ha 'l core,
anzi di ferro, anzi l'ha di diamante:
ella fugge da me sempre davante
come agnella dal lupo fuggir suole.
70 Udite, selve, mie dolce parole,
poi che la nympha mia udir non vuole.
Digli, zampogna mia, come via fugge
cogli anni insieme suo belleza snella;
e digli come 'l tempo ne distrugge,
75 né l'età persa mai si rinnovella;
digli che sappi usar suo forma bella,
che sempre mai non son rose e vïole.
Udite, selve, mie dolce parole,
poi che la nympha mia udir non vuole.
80 Portate, venti, questi dolci versi
drento all'orecchie della nympha mia:
dite quant'io per lei lacrime versi,
e lei pregare che crudel non sia;
dite che la mia vita fugge via
85 e si consuma come brina al sole.
Udite, selve, mie dolce parole,
poi che la nympha mia udir non vuole.

MOPSO *pastore risponde.*

Ei non è tanto el mormorio piacevole
delle fresche acque che d'un saxo piombano,

39. so come mal, ecc.: so che l'amore, una volta che sia invecchiato, cioè una volta che lo si sia lasciato crescere, non si domina più. Bisogna quindi sopprimerlo quando è appena nato e ancor debole.
41-43. Se Aristeo si lascerà dominare dalle dure leggi d'amore, non riuscirà a pensare ad altro, non si curerà più del suo patrimonio.
44. tu parli... a' morti: le tue sono parole inutili. Aristeo sa di non potere rinunciare al suo amore.
45. sì che, ecc.: e quindi, non spendere con me parole che sarebber vane.
48. di sì dolce doglie: di dolori tanto dolci.
49. quel loda Amor, ecc.: loda Amore persino colui che avrebbe ragione veramente di dolersene.
50. Ma... voglie: ma se hai qualche sollecitudine per questa mia pena amorosa.
53. el canto agogna: ama il canto.
54. Udite, selve, ecc.: la «canzone pastorale» è svolta nel metro della *ballata*, con *ripresa* di due versi e strofe di sei (AA, BC BC, CA). Il tono e le immagini sono quelle della poesia bucolica: l'amoroso desiderio di Aristeo è proiettato sullo sfondo delle consuetudini della semplice vita pastorale. Ma la terza strofa è tutta polizianesca, col suo sentimento della bellezza dolce e fuggitiva e il conseguente invito a cogliere la gioia d'amore come un fiore primaverile.
57. fistula: è la zampogna pastorale.
58. sgg. La tristezza del pastore si comunica al suo armento, che ha pietà di lui.
64. sgg. Nota la tecnica delle ripetizioni proprie del canto popolare, che si addice perfettamente, come le immagini, al personaggio.
73. suo belleza snella: l'aggettivo ha il potere di fondere l'immagine della giovinezza con quella della vaga, sfuggente fanciulla. Euridice diventa così spontaneamente il mito dell'età bella e fugace. Ma il Poliziano non insiste tanto sulla constatazione dolorosa della caducità, quanto sulla contemplazione dell'incanto di quella vaga stagione della vita. **suo**: sua.
76. che... bella: sappia trarre gioia dalla sua bellezza, abbandonandosi all'amore.

Metro: segue ora un dialogo in ottave, fino al v. 129.
88-95. Le lodi di Mopso, consuete nella poesia pastorale, riconducono a un tono più realistico, di garbata comicità. Così dall'aggraziata elegia di Aristeo, dal suo tono vagamente sognante, passiamo al rozzo discorso di Tirsi, ritorniamo alla vita pastorale.
89. che d'un saxo piombano: che cadono giù dal monte.

90 né quando soffia un ventolino agevole
fra le cime de' pini e quelle trombano,
quanto le rime tue son sollazevole,
le rime tue che per tutto rimbombano:
s'ella l'ode, verrà come una cucciola.
95 Ma ecco Tyrsi che del monte sdrucciola.

Seguita pur MOPSO.
Ch'è del vitello? ha' lo tu ritrovato?

TYRSI *servo risponde.*
Sì ho; così gli avess'io el collo mozo!
ché poco men che non m'ha sbudellato,
sì corse per volermi dar di cozzo.
100 Pur l'ho poi nella mandria raviato;
ma ben so dirti che gli ha pieno el gozzo;
io ti so dir che gli ha stivata l'epa
in un campo di gran, tanto che crepa.
Ma io ho vista una gentil donzella
105 che va cogliendo fiori intorno al monte.
I' non credo che Vener sia più bella,
più dolce in acto o più superba in fronte;
e parla e canta in sì dolce favella
che i fiumi svolgerebbe in verso il fonte;
110 di neve e rose ha 'l volto e d'or la testa,
tutta soletta, e sotto bianca vesta.

ARISTEO *pastore.*
Rimanti, Mopso, ch'io la vo' seguire,
perché l'è quella di ch'io t'ho parlato.

MOPSO *pastore.*
Guarda, Aristeo, che 'l troppo grande ardire
115 non ti conduca in qualche tristo lato.

ARISTEO *pastore.*
O mi convien questo giorno morire
o tentar quanta forza habbia il mie fato.
Rimanti, Mopso, intorno a questo fonte,
ch'i' voglio ire a trovarla, sopra 'l monte.

MOPSO *a* Tyrsi.
120 O Tyrsi, che ti par del tuo car sire?
Vedi tu quanto d'ogni senso è fore?
Tu gli dovresti pur talvolta dire
quanta vergogna gli fa questo amore.

TYRSI *risponde.*
O Mopso, al servo sta bene ubidire,
125 e matto è chi comanda al suo signore:
Io so ch'egli è più saggio assai che noi;
a me basta guardar le vacche e' buoi.

ARISTEO *ad* Euridice *fuggente.*
Non mi fuggir, donzella,
ch'i' ti son tanto amico,
130 e che più t'amo che la vita e 'l core.
Ascolta, o nympha bella,
ascolta quel ch'i' dico;

91. trombano: risuonano, agitate dal vento, come trombe. L'espressione è poco felice, come, più sotto, quel *rimbombano* riferito al canto di Aristeo.
94. come una cucciola: l'immagine è velata di un arguto tono umoristico. Ricorda come, anche prima, Mopso rappresentasse la voce del buon senso contro l'amorosa infatuazione di Aristeo.
97-111. La risposta di Tirsi si svolge in due ottave di tono assai diverso. La prima è in stile comico, e di argomento pastorale (la ricerca del vitello smarrito); la seconda si solleva a una poesia eterea e gentile nel vagheggiamento della figura di Euridice, che appare, luminosa, nell'atto di raccogliere fiori.
97. Sì ho: sì, l'ho trovato.
98. ché poco men che non m'ha: per poco, infatti, non mi ha.
102. io ti so dir, ecc.: so soltanto dirti questo, che s'è riempito la pancia.
109. che i fiumi... fonte: farebbe scorrere i fiumi all'indietro, dalla foce alla fonte.
111. tutta soletta, ecc.: ricorda la figura solitaria e vestita di bianco di Simonetta.
117. o tentar... fato: o tentare se la mia sorte è benigna.
120-121. O Tyrsi... è fore: Che ti sembra, Tirsi, del tuo caro padrone? Vedi com'è fuori di sé?
128-140. Metro: madrigale d'endecasillabi e settenari: abC, abC, dcD, effE. Da qui al v. 212 riprendono le battute in ottave.

non fuggir, nympha, ch'i' ti porto amore.
Non son qui lupo o orso,
135 ma son tuo amatore:
dunque raffrena il tuo volante corso.
Poi che 'l pregar non vale
e tu via ti dilegui,
e' convien ch'io ti segui.
140 Porgimi, Amor, porgimi hor le tue ale!

Mentre Euridice fugge, viene punta da un serpente e muore. Giunge frattanto Orfeo, cantando al suono della cetra. Un pastore gli annuncia la morte di Euridice, ed Orfeo comincia un funebre e amoroso lamento. Poi si reca agl'Inferi, e riesce a penetrarvi, vincendo i guardiani infernali con la soavità del suo canto. Plutone stesso, dio degl'Inferi, resta stupito vedendo come tutti gli abitatori del suo regno stiano attoniti ad ascoltarlo.

ORFEO *genuflesso a* Plutone *dice così:*
O regnator di tutte quelle genti
c'hanno perduta la superna luce;
al qual discende ciò che gli elementi
ciò che natura sotto il ciel produce;
145 udite le cagion de' mie' lamenti.
Pietoso Amor de' nostri passi è duce:
non per Cerber legar fo questa via,
ma solamente per la donna mia.
Una serpe tra' fior nascosa e l'herba
150 mi tolse la mia donna, anzi il mio core:
ond'io meno la vita in pena acerba
né posso più resistere al dolore,
ma se memoria alcuna in voi si serba
del vostro celebrato antico amore,
155 se la vecchia rapina a mente havete,
Euridice mia bella mi rendete.
Ogni cosa nel fine a voi ritorna,
ogni vita mortale a voi ricade:
quanto cerchia la luna con suo corna
160 convien ch'arrivi alle vostre contrade:
chi più chi men tra' superi soggiorna;
ognun convien che cerchi queste strade:
questo è de' nostri passi extremo segno:
poi tenete di noi più lungo regno.
165 Così la nympha mia per voi si serba,
quando suo morte gli darà natura.
Hor la tenera vite e l'uva acerba
tagliata avete con la falce dura.
Chi è che mieta la sementa in herba,
170 e non aspetti ch'ella sia matura?
Dunque rendete a me la mia speranza:
io non ve 'l cheggio in don; questa è prestanza.
Io ve ne priego per le torbide acque
della palude stigia e d'Acheronte,
175 pel Caos onde tutto el mondo nacque,
e pel sonante ardor di Flegetonte;
pel pome che a te già regina, piacque,
quando lasciasti pria nostro orizzonte.
E se pur me la nieghi iniqua sorte,
180 io non vo' su tornar; ma chieggio morte.

142. la superna luce: la luce del sole, quindi la vita. **regnator**: regnatori.
143. al qual discende, ecc.: tutte le cose che vivono nel mondo son destinate alla morte, a discendere quindi al regno di Plutone.
147. non per Cerber legar: Cerbero è il cane mostruoso che fa la guardia alle porte degli Inferi. Una volta Ercole, sceso agli Inferi per liberare l'amico Teseo, incatenò Cerbero che tentava di vietargli l'ingresso.
154. Allude all'amore di Plutone per Proserpina, sua sposa, che egli un tempo rapì, preso da ardente passione per lei. È, questo ratto, una delle figurazioni della porta del palazzo di Venere, nelle *Stanze*.
157-158. Ogni cosa nel fine, ecc.: riprende il motivo dei vv. 140-41.
161. chi più chi men, ecc.: sia chi più a lungo sia chi meno a lungo dimora in terra, ecc. (superi siamo noi rispetto agli Inferi, che si trovano entro il grembo della terra).
163. extremo segno: il traguardo ultimo del nostro cammino mortale.
164. Plutone regnerà su di noi, dopo la nostra morte, un tempo ben più lungo di quello della nostra breve vita.
165-166. Così... natura: così Euridice sarà vostra comunque, anche se ora me la rendete e la lasciate giungere alla fine assegnata dalla Natura alla vita umana (mentre ora ella è stata prematuramente stroncata).
172. questa è prestanza: ve la chiedo solo in prestito (dato che è comunque destinata a voi).
174. sgg. Lo Stige, l'Acheronte, il Flegetonte (fiume di fuoco ardente) sono i fiumi infernali; su di essi giuravano gli dèi, quando volevano dare al giuramento una particolare solennità. Il Caos, secondo i miti, è l'ammasso confuso della materia primigenia, da cui sorsero le cose e la vita.
177-178. pel pome, ecc.: allude al fatto che Proserpina, rapita da Plutone, avrebbe potuto, per intercessione della madre Cerere, ritornare nel mondo se non avesse gustato alcun cibo nel regno infernale. Ma invece mangiò una melagrana e non poté più quindi uscirne.
179. me la nieghi: intendi Euridice.

PROSERPINA *a* Plutone *dice così:*
I' non credetti, o dolce mie consorte,
che pietà mai venisse in questo regno:
or la veggio regnare in nostra corte,
ed io sento di lei tutto 'l cor pregno:
185 né solo i tormentati, ma la Morte
veggio che piange del suo caso indegno.
Dunque tua dura legge a·llui si pieghi,
pel canto, pell'amor, pe' iusti prieghi.

PLUTONE *risponde ad* Orfeo*, e dice così:*
Io te la rendo, ma con queste leggi:
190 ch'ella ti segua per la cieca via,
ma che tu mai la sua faccia non veggi
fin che tra' vivi pervenuta sia.
Dunque, il tuo gran desire, Orfeo, correggi;
se non, che tolta subito ti fia.
195 I' son contento che a sì dolce plectro
s'inchini la potenzia del mio sceptro.

Orfeo si avvia dunque a ritornare sulla terra con Euridice ritrovata, ma, ad un certo punto, non sa trattenersi e si volge indietro per guardarla, infrangendo così la legge posta da Plutone e perdendo per sempre la sposa. Ritornato in terra si duole solitario della sua sorte, e rinnega l'amore, le donne, le nozze, incorrendo così nell'ira implacabile delle Baccanti.

Una BACCANTE *indignata*
*invita le compagne alla morte d'*Orfeo.
Ecco quel che l'amor nostro disprezza!
O, o sorella! o, o! diamoli morte.
Tu scaglia il tirso e tu quel ramo spezza;
200 tu piglia un saxo o fuoco, e getta forte;
tu corri, e quella pianta là scavezza.
O, o! facciam che pena il tristo porte.
O, o! caviamgli el cor del pecto fora.
Mora lo scelerato, mora, mora!

Torna la BACCANTE
con la testa di Orfeo *e dice così:*
205 O, o! o, o! morto è lo scelerato!
Evoè Bacco, Bacco! io ti ringrazio.
Per tutto 'l bosco l'habbiamo stracciato
tal ch'ogni sterpo è del suo sangue sazio:
l'abbiamo a membro a membro lacerato
210 in molti pezzi con crudele strazio.
Or vadi e biasmi la teda legittima!
Evoè, Bacco! accetta questa vittima!

Sacrificio delle BACCANTI *in onore di* Bacco.
Ognun segua, Bacco, te!
Bacco, Bacco, euoè!
215 Chi vuol bever, chi vuol bevere,
Venga a bever, venga qui.
Voi imbottate come pevere.
Io vo' bever ancor mi.
Gli è del vino ancor per ti.
220 Lascia bevere inprima a me.
Ognun segua, Bacco, te!

190. per la cieca via: per la via tenebrosa che dagli Inferi riconduce in terra.
193. correggi: reggi, modera.
195-196. Le ultime parole di Plutone sono un altissimo omaggio alla poesia.
199. tirso: era un'asta intrecciata di rami d'edera e pampini, portata dalle Baccanti, dotata di virtù magiche.
200. getta forte: contro Orfeo.
201. scavezza: sradica (per gettarla contro Orfeo).
206. Evoè: era il grido delle Baccanti invasate.
211. la teda legittima: le nozze.
213. sgg. Comincia il baccanale; le Baccanti inebriate dal vino e dal sangue cantano il *ditirambo*. Così era chiamato l'inno in onore di Bacco, il cui culto era caratterizzato da una mistica ebbrezza, da un disfrenarsi di forze istintive. Il Poliziano usa qui lo schema metrico della ballata, con *ripresa* di due versi (213-214) e strofe di sei (AA, BC, BC, CA), ma dà al componimento una forte concitazione e un andamento tumultuoso con le sillabe tronche, la sintassi spezzata, sì da dare l'impressione della folle ubriachezza delle Baccanti. Aumentano questa impressione le frasi grossolane e i termini popolareschi.
217. Voi imbottate come pevere: riempite di vino la botte (cioè il vostro ventre) come imbuti.

Bacco, Bacco, euoè!
Io ho vôto già il mio corno:
Dammi un po' 'l bottazzo in qua.
225 Questo monte gira intorno,
el cervello a spasso va.
Ognun corra in za e in là,
come vede fare a me.
Ognun segua, Bacco, te!
230 Bacco, Bacco, euoè!
I' mi moro già di sonno.
Son io ebra, o sì o no?
Star più ritte in piè non ponno.
Voi siet'ebrie, ch'io lo so.
235 Ognun facci com'io fo:
ognun succi come me:
ognun segua, Bacco, te!
Bacco, Bacco, euoè!
Ognun cridi Bacco, Bacco!
240 e pur cacci del vin giù:
po' co' suoni faren fiacco.
Bevi tu, e tu, e tu.
I' non posso ballar più.
Ognun gridi eù, oè;
245 ognun segua, Bacco, te!
Bacco, Bacco, euoè!

223. Io ho vôto, ecc.: io ho già vuotato il corno che fa da calice.
224. bottazzo: botticella.
225. sgg.: **Questo monte gira intorno**: questo e i versi seguenti descrivono i segni dell'ebbrezza: il monte sembra girare, il cervello va a spasso, ecc.
234. ebrie: ubriache.
236. ognun succi: beva golosamente (succhi) dell'altro vino.
241. po' co' suoni faren fiacco: Forse significa: poi cesseremo di cantare, nel senso che piomberanno a terra insensate.

Le «Rime»

Oltre alle Stanze e all'Orfeo il Poliziano compose numerose rime, fra le quali i *Rispetti continuati*, i *Rispetti spicciolati* (il *rispetto* è un breve componimento lirico, di otto versi, di carattere popolaresco; continuati sono quelli di più di un'ottava, spicciolati quelli di una sola), le *Canzoni a ballo e canzonette*. È una produzione, in genere, minore, nella quale solo raramente il poeta ritrova un'intensità lirica pari a quella delle due opere maggiori e continua, per lo più, la tradizione trecentesca della poesia per musica, sulle orme del Boccaccio e del Sacchetti. Si nota, nelle rime migliori, una fusione d'arte aristocratica e sottile con una spontanea semplicità popolaresca.

I' mi trovai, fanciulle, un bel mattino

È la ballata più nota del Poliziano. Una fanciulla racconta alle compagne le impressioni provate in un mattino di maggio in un giardino fiorito. Il tema è lo sbocciare della giovinezza e l'invito a goderne la gioia, prima del suo sfiorire. Ma questo significato è tutto risolto nel fascino d'una mattina di primavera, del giardino pieno di fiori che è dolce cogliere nel loro germogliare. La figura femminile che di solito il Poliziano inserisce, sintesi e conclusione, nei suoi quadri primaverili, è ridotta a una voce melodiosa.

I' mi trovai, fanciulle, un bel mattino
di mezzo maggio in un verde giardino.
Eran d'intorno vïolette e gigli
fra l'erba verde, e vaghi fior novelli
5 azzurri gialli candidi e vermigli:
ond'io pòrsi la mano a côr di quelli
per adornar e' mie' biondi capelli
e cinger di grillanda el vago crino.

Metro: *ballata* con *ripresa* di due versi e quattro strofe di sei versi (schema: *ripresa* XX, *mutazioni* AB, AB, - *volta* BX).

1-2. I' mi trovai... giardino: Già la *ripresa* con quel passato remoto, e quel collocare l'azione in un tempo e in luogo indefiniti (*un bel mattino... in un verde giardino*) introduce un ritmo di favola.
3-8. Lentamente, quasi evocati dal canto, in quello spazio indefinito si dispongono i fiori, in una varia armonia di colori puri e intensi. Osserva poi la lentezza con la quale la mano femminile li coglie (*pòrsi la mano a côr di quelli* - tesi, cioè, la mano per raccoglierne) per adornarsene.
8. e cinger di grillanda, ecc.: e cingere di ghirlanda i capelli. *Vago* indica insieme qualcosa di bello, tenero e gentile; e anche un'idea di movimento, e dunque l'impressione dei capelli fluttuanti nella lieve aria del mattino.

I' mi trovai, fanciulle...
10 Ma poi ch'i' ebbi pien di fiori un lembo,
vidi le rose e non pur d'un colore:
io corsi allor per empir tutto el grembo,
perch'era sì soave il loro odore
che tutto mi senti' destar el core
15 di dolce voglia e d'un piacer divino.
I' mi trovai, fanciulle...
I' posi mente: quelle rose allora
mai non vi potre' dir quant'eran belle:
quale scoppiava della boccia ancora;
20 qual erano un po' passe e qual novelle.
Amor mi disse allor: — Va', cô' di quelle
che più vedi fiorite in sullo spino. —
I' mi trovai, fanciulle...
Quando la rosa ogni suo' foglia spande,
25 quando è più bella, quando è più gradita,
allora è buona a mettere in ghirlande,
prima che sua bellezza sia fuggita:
sicché, fanciulle, mentre è più fiorita,
cogliàn la bella rosa del giardino.
30 I' mi trovai, fanciulle...

10. un lembo: il grembo della veste.
11. e non pur d'un colore: e non solo d'un colore.
13-15. perch'era... divino: È la vita, con le sue gioie, e l'amore in primo luogo che attirano la fanciulla. Ma il simbolo è appena suggerito, tutto calato nella freschezza e nel profumo di quei fiori. Si ha il senso della giovinezza che attende un bene presentito e ancora ignoto.
17. I' posi mente, ecc.: fermai la mia attenzione.
19-20. quale... novelle: alcune stavano allora allora schiudendosi, alcune cominciavano lievemente a sfiorire (*passe*), altre erano appena fiorite.
21. Va', cô' di quelle, ecc.: Va, cogli quelle che vedi più fiorite sul ramo spinoso.
28-29. I due versi sono come la *morale* della breve favola: godiamo la giovinezza mentre è nel suo primo fiore, prima che si dissolva.

Chi vuol veder lo sforzo di Natura

Questo e quello seguente sono rispetti spicciolati (detti così perché ognuno di essi esaurisce il proprio tema; continuati sono detti quelli che si raggruppano per svolgere un tema comune). Nel primo il Poliziano esalta la bellezza della sua donna, nel secondo ripete il motivo della ballata *I' mi trovai*. Evidente in ambedue un fresco e spontaneo tono popolare, conforme al carattere di questo tipo di componimento.

Chi vuol veder lo sforzo di Natura
venga a veder questo leggiadro viso
d'Ipolita che 'l cor cogli occhi fura,
contempli el suo parlar, contempli el riso.
5 Quand'Ipolita ride onesta e pura,
e' par che si spalanchi el paradiso.
Gli angioli al canto suo, sanza dimoro,
scendon tutti del cielo a coro a coro.

Metro: *rispetto*, corrispondente praticamente a un'ottava.

1. lo sforzo di Natura: tutta la potenza creatrice della Natura, la creatura più bella che essa abbia prodotto.
3. Ipolita: Ippolita Leoncina da Prato, amata dal poeta. **fura:** ruba, rapisce.
6. e' par che si spalanchi, ecc.: sembra che si spalanchino le porte del paradiso. La metafora è frequente nella poesia popolare.
7. sanza dimoro: senza indugio.
8. a coro a coro: scendono, uno dopo l'altro, i vari cori nei quali sono suddivisi gli angeli.

Deh non insuperbir per tuo' bellezza

Deh non insuperbir per tuo' bellezza,
donna; ch'un breve tempo te la fura.
Canuta tornerà la bionda trezza
che del bel viso adorna la figura.
5 Mentre che il fiore è nella sua vaghezza,
coglilo; ché bellezza poco dura.
Fresca è la rosa da mattina, e a sera
ell'ha perduto suo' bellezza altera.

1. tuo': tua.
2. un breve tempo te la fura: il tempo, in breve, te la ruba (*fura*).
Daniela Delcorno Branca, nella sua recente edizione critica, pur non assegnando questo componimento al Poliziano, vede in esso una testimonianza del «repertorio d'immagini e di locuzioni tipiche della tradizione toscana, al quale attinsero anche le *Rime* del Poliziano».

Ben venga maggio

Canto di calendimaggio; forse accompagnò uno dei cortei giovanili che avevano luogo a Firenze all'inizio del mese primaverile e scortavano un carro addobbato sul quale era un giovane che rappresentava il Sire d'Amore. Vi ritrovi la maniera insieme limpida e preziosa del Poliziano, il suo ispirarsi alla schiettezza del canto popolare. Ma, come nota il Russo, si tratta di popolarità solo apparente, perché la coerenza e la sobrietà delle immagini presuppongono la disciplina della grande poesia classica.

Ben venga maggio
e 'l gonfalon selvaggio!
Ben venga primavera
che vuol ch'uom s'innamori
5 e voi, donzelle, a schiera
colli vostri amadori,
che di rose e di fiori
vi fate belle il maggio,
venite alla frescura
10 delli verdi arbuscelli:
ogni bella è sicura
fra tanti damigelli;
ché le fiere e gli uccelli
ardon d'amore il maggio.
15 Chi è giovane e bella
deh non sie punto acerba,
ché non si rinnovella
l'età, come fa l'erba:
nessuna stia superba
20 all'amadore il maggio.
Ciascuna balli e canti
di questa schiera nostra.
Ecco che i dolci amanti
van per voi, belle, in giostra:
25 qual dura a lor si mostra
farà sfiorire il maggio.
Per prender le donzelle
si son gli amanti armati.
Arrendetevi, belle,
30 a' vostri innamorati;
rendete e cuor furati,
non fate guerra il maggio.
Chi l'altrui core invola
ad altrui doni el core.
35 Ma chi è quel che vola?
È l'angiolel d'amore,
che viene a fare onore
con voi, donzelle, al maggio.
Amor ne vien ridendo
40 con rose e gigli in testa,
e vien di voi caendo:
fategli, o belle, festa.
Qual sarà la più presta
a dargli e fior del maggio?
45 «Ben venga il peregrino.
Amor, che ne comandi?»
«Che al suo amante il crino
ogni bella ingrillandi;
ché li zitelli e' grandi
50 s'innamoran di maggio».

Metro: *ballata* (*schema:* xx - *ripresa* - e stanza con due *mutazioni*, ab, ab, e *volta:* bx). I versi sono settenari.

2. gonfalon selvaggio. il ramo fiorito, silvestre, detto *maggio*, che i giovani appendevano alla porta o alla finestra della casa delle loro belle, nella festa di primavera.
4. che... innamori: la quale vuole che ci si (**uom**) innamori.
11-12. sicura: sicura di trovare ciascuna il proprio amore. **damigelli:** giovani innamorati o disposti ad amare.
16. acerba: ritrosa all'amore.
24. in giostra: Nella festa di calendimaggio i giovani correvano una giostra in onore delle loro amate.
31. rendete... furati: restituite i cuori che avete rubato, cioè contraccambiate i vostri amatori.
36. l'angiolel d'amore: È un motivo stilnovistico (ricorda la ballata di Dante *Per una ghirlandetta*), divenuto puro elemento figurativo, spoglio d'ogni approfondimento meditativo, che contribuisce alla grazia stilizzata della lirica. S'identifica poi col Sire d'Amore che sta sul carro.
41. caendo: cercando.
47-50. Risponde Amore. **li... grandi:** i giovanetti e gli uomini maturi.

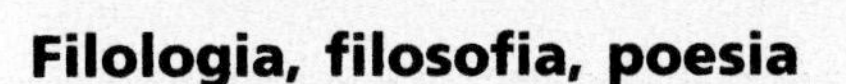

Filologia, filosofia, poesia

Nel 1492 il Poliziano «esponeva», e cioè leggeva, spiegava e commentava nelle sue lezioni universitarie, gli *Analitica priora* di Aristotele, e cioè un arduo testo di logica aristotelica, e si preparava a commentare altri testi antichi di diritto, di medicina e d'altre scienze. L'accusa dei malevoli è che si arrogasse compiti non suoi; come gli dicono, in questa *praelectio* o prolusione al corso le Streghe, ossia i detrattori (*Lamia*, cioè *La Strega* è il titolo dello scritto, assai brioso, che indulge a un tono di argomentazioni terra terra, con favolette e apologhi). La difesa è che il *grammaticus* può occuparsi d'un testo filosofico (e d'ogni altro argomento) senza essere filosofo: sua competenza sono le parole che trasmettono il pensiero. Diciamo, col Poliziano, grammatico, o anche letterato, ma dovremmo dire il filologo nel senso più comprensivo del termine. La filologia polizianesca non considera alieno da sé tutto ciò che viene espresso nel linguaggio; dovrà studiare l'autenticità dei testi, correggerne gli errori accumulati dai copisti durante la loro trasmissione, ma anche saperli comprendere, e dunque spiegare, mediante la *peritia litterarum* (esperienza linguistico-letteraria) unita alla *scientia rerum* (cultura generale) che si richiedono al filologo, interprete e custode della parola. Per questa via, in un passo successivo, il Poliziano afferma, sulle orme di Aristotele, l'unità della cultura. Amante della sapienza o *filosofo*, e amante della poesia o *filòmito* sono una cosa sola: lo stupore davanti all'ignoto che diede origine ai miti, alla prima interpretazione di esso offerta nelle loro favole dai poeti, diede origine anche alla ricerca di ridurlo in termini di razionalità: filologia, filosofia, poesia percorrono insieme il cammino della conoscenza.

Per il testo seguiamo: A. Poliziano, *Lamia*, ediz. critica e comm. a cura di A. Wesseling, Leiden, E.J. Brill, 1986.

Io mi professo interprete di Aristotele. Quanto idoneo, non sta a me dirlo, ma certo mi professo interprete. Infatti, se fossi interprete d'un re non mi considererei re per questo. [...] Forse il famoso Filopono, discepolo di Ammonio e condiscepolo di Simplicio non fu un buon interprete di Aristotele? Ma nessuno lo chiama filosofo, tutti lo definiscono «grammatico». L'ufficio dei grammatici è, infatti, questo, di interpretare ed esporre, ogni genere di scrittori: poeti, storici, oratori, filosofi, medici, giureconsulti. La nostra età, poco esperta dell'Antichità, chiuse il grammatico in un giro di competenze troppo ristretto. Ma presso gli antichi quel genere di intellettuali ebbe tanta autorità, che loro soli erano censori e giudici di tutti gli scrittori; e per questo li chiamavano anche critici. Come dice Quintiliano, essi non solo si potevano permettere di espungere i versi che apparivano loro apocrifi, ma davano agli autori che volevano la patente o lo sfratto. [...]

Ora, ecco, mi chiamano a sé i due volumi degli *Analytica priora*, in cui si contengono le leggi del ben ragionare. E sebbene essi siano qua e là complicati e con molte difficoltà di contenuto e d'espressione, tuttavia ancor più volentieri e con impegno mi accingo a commentarli, perché in quasi tutte le scuole dai filosofi dell'età nostra sono lasciati da parte non perché poco utili, ma perché troppo difficili. Ma chi potrebbe prendersela giustamente con me se mi assumo la fatica di interpretare le parti più ardue, lasciando agli altri il nome di filosofo? Chiamatemi dunque «grammatico», o se più vi piace, «filosofastro», o neppure così.

Ma voglio che questo mio discorso, semplice, come vedete, e terra terra, come cominciò, così finisca con una favola. Come dice, del resto, Aristotele, il filosofo è anche filòmito, cioè ama le favole. La favola nasce, infatti, dalla meraviglia, e da questa è nata la filosofia.

Matteo Maria Boiardo

La vita

Il conte Matteo Maria Boiardo nacque a Scandiano, possesso feudale della sua nobile famiglia, nel territorio di Reggio Emilia, nel 1441. Reggio allora era sotto la signoria degli Estensi di Ferrara, e in quest'ultima città il Boiardo trascorse la sua fanciullezza, fino a che, mortogli il padre quando aveva appena dieci anni, ritornò a Scandiano. Aveva vent'anni quando, mortogli anche lo zio paterno, si trovò a reggere il feudo, e per parecchi anni rimase nella casa avita, allontanandosene solo per brevi visite a corte, o per compiere qualche onorevole incarico al quale gli Estensi, che lo ebbero caro, lo designavano. Così, ad esempio, nel 1469 accompagnò a Roma Borso d'Este che andava a ricevere dalle mani del pontefice la corona ducale e nel 1473 scortò da Napoli a Ferrara Eleonora d'Aragona, sposa del Duca. Dal 1476 al 1478 fu iscritto nella lista dei cortigiani con stipendio fisso e fissa dimora a Ferrara; poi ebbe l'incarico di governatore a Modena (1480-82) e a Reggio (dal 1487 alla sua morte). Nel 1494, quando il re di Francia Carlo VIII discese in Italia, dovette provvedere alla sistemazione e al mantenimento delle truppe francesi di passaggio per Reggio, e forse i disagi e le preoccupazioni di quei giorni accelerarono la fine del poeta, già da tempo malato, che morì nel dicembre dello stesso anno.

Il Boiardo si dedicò agli studi umanistici con vivo fervore nell'adolescenza e li coltivò anche nei successivi anni della sua giovinezza. Ferrara era allora un importante centro culturale, dominato dalla personalità di Guarino Guarini, umanista ed educatore (Verona 1374-Ferrara 1460), e l'entusiasmo per la cultura e la letteratura dei Classici aveva pervaso il principe e la corte. Nell'ambito della sua stessa famiglia il Boiardo trovava un potente incentivo nell'esempio del nonno Feltrino, umanista, amico e corrispondente di Guarino, e dello zio materno Tito Vespasiano Strozzi, uno dei più celebrati poeti latini del tempo.

Le prime manifestazioni dell'ingegno poetico del Boiardo furono appunto versi latini: i *Carmina de laudibus Estensium* e dieci egloghe allegoriche (*Pastoralia*), scritti in lode d'Ercole d'Este; ma sono opere di scarso pregio. Altra testimonianza del suo amore per i classici sono le traduzioni dal latino dello storico Cornelio Nepote e del poeta Apuleio. Tradusse inoltre due opere di storici greci, la *Ciropedia* di Senofonte e le *Storie* d'Erodoto, servendosi di versioni latine, perché la sua conoscenza della lingua greca fu scarsa. Da un dialogo di un altro scrittore greco, Luciano, trasse infine l'argomento per una sua commedia, il *Timone*.

Le opere poeticamente più valide del Boiardo sono il *Canzoniere*, cioè la raccolta delle sue liriche amorose, e un poema cavalleresco, l'*Orlando innamorato*.

L'«Orlando innamorato»

Composizione e trama

L'*Orlando innamorato* fu iniziato dal Boiardo intorno al 1476; la prima parte, comprendente un primo libro di 29 canti e un secondo di 31, fu stampata a Reggio nell'83, col contributo finanziario del duca Ercole d'Este (la stampa è andata perduta; altre due seguirono, a Venezia, nell''87 e nel '91). Poi, il lavoro procedette a rilento, finché rimase interrotto al canto nono del libro terzo, pochi mesi prima della morte del poeta, al tempo della calata in Italia di Carlo VIII, alla quale allude dolorosamente l'ultima ottava del poema.

Il Boiardo, come si vede dal titolo, si ispira ai due grandi cicli della letteratura francese cavalleresca, quello carolingio e quello bretone. Orlando, infatti, è l'eroico paladino dell'epopea carolingia, religiosa, nazionale e guerriera, incentrata sulla lotta della Francia contro i Musulmani; ma l'aggettivo *innamorato* ci riconduce alle storie d'amore e d'avventura del ciclo bretone, di Artù, dei cavalieri della Tavola Rotonda, di Tristano e Lancillotto.

Nella secolare elaborazione di questa materia cavalleresca, nei numerosissimi poemi e rifacimenti che si erano succeduti di secolo in secolo per tutto l'Occidente, ugualmente accetti all'aristocrazia e alle classi popolari, i due cicli si erano venuti progressivamente avvicinando e fondendo. Le avventure arturiane di cavalleria e d'amore erano penetrate nello spirito epico delle storie carolinge, quanto più si affievoliva il sentimento religioso e guerriero che le aveva generate. Nel poema del Boiardo la fusione è completa: l'epopea carolingia offre la struttura, il ciclo bretone offre l'elemento avventuroso, amoroso, romanzesco, che diviene predominante e si arricchisce di altre fantasiose storie tratte dai classici. Orlando, l'eroe difensore della patria e della fede, diviene anche l'eroe innamorato, che nell'amore trova la ragione prima della sua vita e del suo agire, ma la sua vicenda rimane proiettata sull'epico sfondo della lotta fra cristiani e saraceni. In tal modo il Boiardo univa quelli che per lui erano i due supremi ideali cavallereschi: la prodezza guerriera e l'amore, l'energia e la gentilezza.

La scelta dell'argomento è legata all'orizzonte di attesa d'un pubblico, quello della corte, dove, per tutto il secolo XIV e ancora nel XV, avevano incontrato grandissimo favore i poemi cavallereschi in lingua franco-veneta o franco-padana; il fatto si spiega col perdurare del modello feudale in questa società e con la lunga tradizione di legami culturali e letterari con la Francia, che risaliva, si è visto, almeno al Duecento. L'assunzione, da parte del Boiardo, di questa materia nell'àmbito della letteratura di livello alto in lingua italiana corrisponde alla crescita culturale che si ha, a partire circa dalla metà del secolo, a Ferrara, dove il mecenatismo degli Estensi attira intellettuali d'ogni parte d'Italia, potenziando lo studio ferrarese e rendendo possibile il costituirsi, attorno alla figura di Guarino Guarini, d'un fiorente centro di studi umanistici cui s'accompagna lo sviluppo d'una letteratura di corte in lingua italiana, attestato dal favore col quale il duca Ercole seguiva la composizione dell'*Innamorato* e dall'impaziente entusiasmo col quale la corte la sollecitava.

Il Boiardo solleva la materia cavalleresca dal convenzionalismo ripetitorio frequente nei *cantàri* a una forma di intrattenimento colto e raffinato, in una lingua aperta all'influsso toscano, ma ancora legata alla parlata padana e rivolta a un pubblico ampio, mentre nelle poesie d'amore del suo canzoniere adotta un criterio linguistico-stilistico più selettivo, coerente col carattere tradizionalmente più aristocratico del «genere» lirico. Dei *cantàri* riprende l'uso dell'ottava, la ripetizione di formulari epici, l'agilità narrativa, l'esagerazione epica nelle descrizioni di duelli, battaglie, lotte con mostri, il richiamo frequente, per giustificare le invenzioni spericolate, a Turpino, presunta fonte e testimone delle vicende, e a un suo libro mai esistito, e anche certe forme ironiche verso la materia e i personaggi. All'inizio dei canti si rivolge spesso al pubblico, come i cantori sulle piazze, chiedendo partecipazione ed entrando esplicitamente nella vicenda scenica della recitazione del testo; autore e, insieme, fruitore di esso. Tutti questi modi sono peraltro non mera imitazione ma vengono assunti in una reale situazione di rapporto fra autore e materia narrata, fra autore e pubblico.

Questa è la vicenda centrale del poema. A una fastosa giostra bandita da Carlo Magno, durante un banchetto al quale intervengono oltre ventimila cavalieri cristiani e saraceni, si presenta improvvisa Angelica, figlia di Galafrone, re del favoloso regno orientale del Cataio, fanciulla di sublime bellezza che accende immediatamente d'amore l'animo di tutti i cavalieri. Ella sfida i guerrieri presenti a combattere col fratello suo Argalìa: chi vincerà la otterrà in premio, chi sarà vinto, resterà prigioniero. La sfida cela un inganno: Argalìa è munito d'armi fatate, e il padre l'ha inviato in Occidente per togliere a Carlo il fiore dei suoi guerrieri. Dopo alcune peripezie, Argalìa è ucciso dal saraceno Ferraguto, ma intanto Angelica è fuggita, inseguita, fra gli altri, da Orlando e da Ranaldo, dimentichi, per amore, del loro dovere di guerrieri cristiani. Giunto nella selva Ardenna, Ranaldo beve però a una fonte che lo fa disamorare, mentre Angelica beve l'acqua d'una fiumana che la fa innamorare follemente di lui. Seguono altre vicende, alla fine delle quali troviamo Angelica nel suo regno, rifugiata nel castello di Albraca, dove è difesa da Orlando e dal circasso Sacripante contro Agricane, re di Tartaria, che, innamorato di lei, ha cinto d'assedio la rocca. Mille episodi si intrecciano intorno a questo assedio, finché la lotta si conclude con un duello fra Orlando e Agricane, che resta ucciso. Poi l'azione si sposta di nuovo in Occidente, dove re Agramante, Mandricardo, figlio di Agricane, Rodamonte, re di Sarza, Marsilio, re di Spagna, hanno invaso la Francia per distruggere la cristianità. Quivi accorre Orlando, non per spirito patriottico o cristiano, ma perché ve lo conduce Angelica che vuole ritrovare l'amato Ranaldo. Ma i due bevono di nuovo con inversa sorte alla fonte e al fiume. Ora Angelica odia Ranaldo, questi, a sua volta, s'innamora follemente di lei, e viene, per questo, ferocemente a duello col cugino Orlando. Carlo Magno li separa e promette Angelica in isposa a quello dei due che si comporterà più valorosamente nell'imminente battaglia coi saraceni. Qui rimane interrotto il poema, che verrà ripreso e continuato da Ludovico Ariosto.

Questo rapido riassunto dà però un'idea assai vaga della vicenda, il cui carattere saliente è il continuo rampollare delle più disparate avventure (incantesimi, magie, viaggi favolosi, duelli, battaglie a non finire), vissute da un numero assai nutrito di personaggi. Può sembrare che manchi, anzi, un qualsiasi ordine nel poema; il che a volte è vero, perché la stessa impazienza con la quale la corte ne sollecitava il compimento spingeva il Boiardo a un lavoro tumultuoso e affrettato. Ma nell'ultima parte il poeta avrebbe certo svolto alcuni temi unitari già accennati: il matrimonio di Rugiero con Brandiamante, capostipiti della casa Estense, e la morte dell'eroe, la battaglia di Parigi e la sconfitta dei pagani. Ad ogni modo, nonostante la presenza evidente di un disegno prestabilito, la fantasia stessa del Boiardo è portata a muoversi vivacissima, secondo un ritmo romanzesco e avventuroso che cagiona una certa dispersione; e anche lo stile dà sovente l'impressione di qualcosa d'incompiuto. C'è comunque nel Boiardo una vena autentica di narratore colorito e vivace, scarno ma avvincente. La schiettezza impetuosa, l'energica vitalità del racconto avvincono il lettore e gli fanno meno sentire certi difetti di elaborazione.

Ispirazione e forma del poema

L'ispirazione del poema è l'ideale cavalleresco, di cortesia, valore, amore, generosità, disinteresse, spirito d'avventura. In tal senso, il Boiardo esprime, proiettandola sullo sfondo favoloso di un'età primitiva ed eroica, un'aspirazione sua e della nobiltà ferrarese, ben più vicina che non la Firenze borghese del Pulci all'ideale cavalleresco e signorile. Ma questo ideale si fonde col nuovo spirito umanistico. Il cavaliere errante diviene l'espressione dell'aristocrazia ferrarese del Rinascimento, che del proprio carattere medioevale ha mantenuto il culto dell'onore, l'ardore di prodezza e di gloria, il gusto per una consuetudine elegante e raffinata di vita, fondendoli però con le aspirazioni dell'epoca nuova: l'adesione alla natura, il libero dispiegarsi della vita dei sensi, la ricerca di una serena e armonica gioia vitale, l'affermazione della propria individualità. L'aristocrazia cavalleresca ha, insomma, perduto quel senso di sacra investitura che aveva nel Medioevo e tende a coincidere con la volontà individuale di affermazione, con l'esaltazione delle capacità costruttive del singolo.

«Armi» e «Amore» sono i perni sui quali ruota la narrazione: un susseguirsi incalzante di vicende da essi motivate con un carattere di necessità (il cavaliere non può sfuggire al loro richiamo) che non sembra ricercare una conclusione. C'è nel poema un concatenarsi inesauribile di avventure che s'intrecciano, s'interrompono, per poi svilupparsi su nuove tematiche e interrompersi di nuovo, con una tecnica raffinata che tiene desto l'interesse dell'uditorio o del lettore, impone un regime di attese che diviene una forma di partecipazione, un inserirsi del lettore nel ritmo stesso della vicenda. Ciascuna avventura ne suscita, o attraversa altre, a volte raccontate dai protagonisti (vi sono, nel poema, vere e proprie novelle in versi, raccontate da un personaggio che diviene pura voce recitante), connesse alla trama centrale da legami assai labili.

L'*Innamorato* è tuttavia incentrato su tre nodi d'azione: la lotta fra i due gruppi cavallereschi cristiano e saraceno, il trio amoroso Angelica-Ranaldo-Orlando, con amori e destini incrociati, e l'amore fra i due capostipiti estensi, Rugiero e Brandiamante, l'eroina guerriera; un'avventura, quest'ultima, encomiastica, ma assimilata persuasivamente alle altre.

Il rapporto fra il prevalente movimento dispersivo e la volontà costruttiva di concentrarlo attorno ai nodi che si sono indicati diviene la vera struttura del poema: libera e costantemente inventata, sì da divenire piuttosto un'ipotesi narrativa: quasi una sorta di garanzia che l'impianto del poema possa ritrovare, quando che sia, un ordine e una conclusione. Eppure proprio questo movimento, questa gioia senza fine dell'inventare e del narrare sono la ragione prima del fascino che l'opera esercitò e ancora esercita.

Un altro aspetto saliente della poesia del Boiardo è il suo gusto dell'energico e del primitivo, cioè delle forti passioni, amorosa, eroica, guerriera. Questo gusto si manifesta anche nel linguaggio, nella vivacità scenica e drammatica, nella rapidità dello sviluppo narrativo; e anche nella costruzione di personaggi, taluni appassionati, pronti a gettare la vita per il loro ideale di prodezza, amore, cortesia.

Il Boiardo tramandava all'Ariosto (che, nell'*Orlando furioso*, riprenderà la narrazione dal punto in cui era rimasta interrotta nell'*Innamorato*) un modello strutturale apparentemente dispersivo ma intimamente unitario, fondato su un dinamico ritmo d'avventura, con personaggi bene individuati, anche se la loro psicologia non si delinea attraverso momenti descrittivi di ripiegamento e introspezione, ma nella coerenza del gesto o dell'azione. Il più nuovo e importante fra di essi era Angelica, col suo fascino travolgente e la sua vitalità immediata, sensuale e gentile, capace anch'essa d'amore e d'avventura, oscillante fra incantesimi e magie, da un lato, con i quali combatte, e la magia invincibile della sua bellezza. Essa trascorre per il poema, in rive ora vicine ora remote, come una continua, inebriante promessa d'amore.

Anche se spesso il poeta sfumava le sue favole d'un arguto sorriso, rivelando un consapevole distacco dal suo mondo fantastico, tuttavia vagheggiava pur sempre in esso un secolare ideale comune a lui e al suo pubblico: lo riproponeva alla società cortigiana implicata oramai in una crisi che coincideva con quella politica della libertà italiana, resa evidente dalla calata in Italia di Carlo VIII.

Per il testo seguiamo: M. M. Boiardo, *Orlando innamorato, Sonetti e Canzoni*, a cura di A. Scaglione, Torino, Utet, 1951.

Alcuni proemi

Riportiamo alcuni proemi di canti scelti in vari punti del poema, perché esprimono l'ispirazione generale di esso, la nostalgia con la quale il Boiardo contemplava l'antico mondo cavalleresco, quale era stato creato e tramandato dal canto dei poeti; quel mondo, cioè, che egli, s'illudeva fosse per tornare quando contemplava la «bella baronia» ferrarese, intesa a conformare il proprio stile di vita a un rinnovato ideale di «cortesia».

Nel grazïoso tempo onde natura
fa più lucente la stella d'amore,
quando la terra copre di verdura,
e li arboscelli adorna di bel fiore,

Metro: *ottave*. I proemi sono, rispettivamente dei canti I, XIX e XVIII della II parte.

1. Nel grazïoso tempo, ecc.: È questo il proemio con cui s'inizia il primo canto della seconda parte del poema.

I primi sei versi costituiscono un arioso canto primaverile, tipico della lirica d'amore medievale, condotto con quella freschezza con cui sempre il Boiardo contempla la primavera. Seguono poi due versi che parlano del triste declino d'inverno. La bella immagine è una metafora, spiegata nell'ottava seguente: alla primavera dell'antica età cavalleresca è successo lo squallore, il grigiore di tempi pervasi di grettezza, nemica di cortesia; ma ora ritorna a vivere l'ideale d'allora, e il poeta ricanta le antiche storie perché ad esse la nuova età s'ispiri.

1. grazïoso: vago, aggraziato. **onde**: nel quale.

2. la stella d'amore: è l'astro di Venere. La fusione di primavera e giovinezza, amore e poesia è un mito caro alla poesia delle origini.

3. la terra: è complemento oggetto; soggetto è la natura.

5 giovani e dame ed ogni creatura
fanno allegrezza con zoioso core;
ma poi che 'l verno viene e il tempo passa,
fugge il diletto e quel piacer si lassa.
Così nel tempo che virtù fioria
10 ne li antiqui segnori e cavallieri,
con noi stava allegrezza e cortesia,
e poi fuggirno per strani sentieri,
sì che un gran tempo smarirno la via,
né del più ritornar ferno pensieri;
15 ora è il mal vento e quel verno compito,
e torna il mondo di virtù fiorito.
Ed io cantando torno alla memoria
delle prodezze de' tempi passati,
e contarovi la più bella istoria
20 (se con quïete attenti me ascoltati)
che fusse mai nel mondo, e di più gloria,
dove odireti e' degni atti e pregiati
de' cavallier antiqui, e le contese
che fece Orlando alor che amore il prese.

Già me trovai di maggio una matina
intro un bel prato adorno de fiore,
sopra ad un colle, a lato alla marina,
che tutta tremolava de splendore;
5 e tra le rose de una verde spina
una donzella cantava de amore,
movendo sì suave la sua bocca,
che tal dolcezza ancor nel cor mi tocca.
Toccami il core e fammi sovenire
10 dal gran piacer che io presi ad ascoltare;
e, se io sapessi così farme odire
come ella seppe al suo dolce cantare,
io stesso mi verrebbi a proferire,
ove tal volta me faccio pregare;
15 ché, cognoscendo quel ch'io vaglio e quanto,
mal volentieri alcuna fiata io canto.

Fo gloriosa Bertagna la grande
una stagion per l'arme e per l'amore,
onde ancora oggi il nome suo si spande
sì che al re Artuse fa portare onore,
5 quando e bon cavallieri a quelle bande
mostrarno in più battaglie il suo valore
andando con lor dame in aventura:
ed or sua fama al nostro tempo dura.
Re Carlo in Franza poi tenne gran corte,
10 ma a quella prima non fo sembïante,
benché assai fosse ancor robusto e forte,
ed avesse Ranaldo e 'l sir d'Anglante.
Perché tenne ad Amor chiuse le porte
e sol se dette alle battaglie sante,
15 non fo di quel valore e quella estima
qual fo quell'altra che io contava in prima;
Però che Amore è quel che dà la gloria,
e che fa l'omo degno ed onorato,
Amore è quel che dona la vittoria,
20 e dona ardire al cavalliero armato;
onde mi piace di seguir l'istoria,

6. zoioso: gioioso.
9. nel tempo che virtù fioria: quando fiorivano le virtù cavalleresche nel cuore dei nobili signori.
12. e poi fuggirno, ecc.: e poi fuggirono per lontani sentieri.
13-14. sì che... pensieri: tanto che per molto tempo smarrirono la via né più pensarono a ritornare fra noi.
15. ora... compito: ora è pienamente terminato quel cattivo vento, quell'inverno (cioè quel tempo di decadenza delle virtù cavalleresche).
19. contarovi: vi racconterò.
21. di più gloria: la più gloriosa. Nota in tutta l'ottava un suggestivo tono di favola.
24. che fece Orlando, ecc.: è riaffermato il tema centrale del poema: l'amore.

1. Già me trovai, ecc.: È il proemio del canto XIX della parte seconda. Qui non appare il motivo cavalleresco, ma il Boiardo rivela il suo sogno di poeta: dare al suo canto, che è canto soprattutto d'amore, la dolcezza che il cuore prova in un mattino radioso di maggio, udendo una fanciulla che canta d'amore. La prima ottava sembra tratta dal canzoniere boiardesco, sogno, nei momenti più belli, o nostalgia d'amore e di primavera.
3-4. La visione della marina che tremola di splendore allarga all'infinito la luce del mattino, la soavità del canto.
5. de una verde spina: di un roseto dai verdi rami.
11-14. Se io sapessi dare al mio canto il fascino che ella sapeva dare al suo, io stesso mi verrei a offrire, cioè canterei spontaneamente, mentre di solito mi faccio pregare da voi per scrivere i miei versi.
15-16. È un'affermazione di modestia: proprio perché conosce i suoi limiti il poeta scrive quasi contro voglia.

1. Fo gloriosa Bertagna la grande: È il proemio al canto XVIII della seconda parte. Qui il Boiardo prende decisamente posizione nei confronti dei due cicli francesi dai quali trae materia ed esempio del suo canto, esaltando quello bretone perché seppe unire al motivo della prodezza quello, fondamentale per il nostro poeta, dell'amore. Meno gli piace il ciclo carolingio, perché, volto ad esaltare le «battaglie sante», quelle cioè combattute per il trionfo della fede cristiana, lasciò in disparte il tema amoroso. L'esaltazione dell'amore in quanto dona la vera gentilezza, il richiamo alle storie arturiane d'amore e d'avventura, lo scarso conto in cui tiene il lato religioso e feudale della cavalleria, mostrano come il Boiardo fosse volto non tanto a vagheggiare i tempi antichi, ma un ideale di aristocrazia, più vicino al gusto del vivere raffinato della corte. **Bertagna**: Bretagna.
2. una stagion: un tempo.
4. Artuse: re Artù, capo dei cavalieri della Tavola Rotonda nei poemi bretoni.
5. bon: forti, valorosi.
7. con lor dame: insieme con le loro dame che spesso li seguono nel loro peregrinare in cerca d'avventura.
10. sembïante: simile.
12. 'l sir d'Anglante: Orlando, signore del castello d'Anglante. Egli e Rinaldo sono i più forti guerrieri di Carlomagno.
14. battaglie sante: le battaglie in difesa della fede cristiana contro i Mori.
15-16. Non mostrò quel valore, né fu degno della stima di cui furono degni i cavalieri bretoni.
17. Però che Amore, ecc.: proclama l'ideale cavalleresco espresso nel ciclo bretone.

qual cominciai, de Orlando inamorato,
tornando ove io il lasciai con Sacripante,
come io vi dissi nel cantare avante.

24. nel cantare avante: nel canto precedente.

La corte bandita di Carlo Magno

Fin dalla prima scena del poema il Boiardo delinea, in un vasto e raffinato affresco, l'ambiente aristocratico cortese, sfondo e protagonista della vicenda. Carlo Magno ha bandito una grande giostra, alla quale parteciperanno a migliaia i migliori guerrieri cristiani e saraceni; e ora si svolge attorno a lui un grande banchetto, al quale siedono i cavalieri che daranno vita alle avventure del poema. Questa scena d'insieme ne è come la sinfonia, tanto più che su di essa si delinea, con l'apparizione improvvisa e folgorante di Angelica, che vedremo nell'episodio seguente, il principio motore di tutte le complicate avventure: l'amore. E questo, a sua volta, trova la sua degna cornice nell'atmosfera cavalleresca.

Signori e cavallier che ve adunati
per odir cose dilettose e nove,
stati attenti e quïeti, et ascoltati
la bella istoria che 'l mio canto muove;
5 e vedereti i gesti smisurati,
l'alta fatica e le mirabil prove
che fece il franco Orlando per amore
nel tempo del re Carlo imperatore.
Non vi par già, signor, meraviglioso
10 odir cantar de Orlando inamorato,
ché qualunche nel mondo è più orgoglioso,
è da Amor vinto, al tutto subiugato;
né forte braccio, né ardire animoso,
né scudo o maglia, né brando affilato,
15 né altra possanza può mai far diffesa,
che al fin non sia da Amor battuta e presa.
Questa novella è nota a poca gente,
perché Turpino istesso la nascose,
credendo forse a quel conte valente
20 esser le sue scritture dispettose,
poi che contra ad Amor pur fu perdente
colui che vinse tutte l'altre cose:
dico di Orlando, il cavalliero adatto.
Non più parole ormai, veniamo al fatto [...].
25 Lasciam costor che a vela se ne vano,
che sentirete poi ben la sua gionta;
e ritornamo in Francia a Carlo Mano,
che e soi magni baron provede e conta
imperò che ogni principe cristiano,
30 ogni duca e signore a lui se afronta
per una giostra che aveva ordinata
allor di maggio, alla pasqua rosata.
Erano in corte tutti i paladini
per onorar quella festa gradita,
35 e da ogni parte, da tutti i confini
era in Parigi una gente infinita.
Eranvi ancora molti Saracini,
perché corte reale era bandita,
et era ciascheduno assigurato,
40 che non sia traditore o rinegato.

Parte I, canto I, ottave 1-3 e 8-14.

1. sgg. Signori e cavallier, ecc.: Le prime tre ottave costituiscono il *proemio* del poema e ne esprimono anche i due temi centrali: armi e amore, soffermandosi soprattutto sul secondo. I primi versi disegnano attorno al narratore un pubblico di signori e cavalieri, di quell'aristocrazia, cioè, alla quale egli rivolge il suo canto e dalla quale trae anche l'ispirazione. **ve adunati**: vi adunate. C'è, nel linguaggio del poema, una coloritura dialettale emiliana.
3. stati attenti e quïeti: la raccomandazione è ripresa dai *cantàri* popolari, che venivano recitati dal cantastorie davanti a un pubblico partecipe e appassionato.
4. la bella istoria, ecc.: la bella storia che muove, ispira il mio canto.
5. smisurati: le gesta eccezionali, fuori del consueto.
7. franco: nobile. Orlando, come ricorderete, è l'eroe di Roncisvalle.
9. Non vi par... meraviglioso: non vi paia strano, degno di stupore e di meraviglia il fatto che io canti d'Orlando innamorato. Il Boiardo insiste sull'amore, elemento nuovo del suo poema rispetto ai *cantàri* precedenti, nei quali Orlando appariva solo come eroe guerriero, difensore della fede e della «dolce Francia».
12. al tutto subiugato: completamente assoggettato.
17-20. Questa... dispettose: questa storia è nota a pochi, perché lo stesso Turpino la tenne celata, credendo, se l'avesse messa per iscritto di arrecare dispiacere a Orlando, il valoroso conte. A Turpino, arcivescovo di Reims, i *cantambanchi*, o *cantampanchi*, o cantastorie popolari fingevano di rifarsi per assicurare la veridicità delle loro storie. Gli attribuivano una *Historia Caroli Magni et Rolandi* e a quel libro ipotetico si appellavano quando le sballavano particolarmente grosse. L'accenno del Boiardo ha quindi un chiaro senso caricaturale. Spesso, però, nel poema aleggia questo sorriso dell'autore, e sembra un ritorno alla realtà, in contrasto con il suo frequente abbandonarsi al gusto della narrazione favolosa.
23. adatto: abile nelle armi.
25. Lasciam costor: Abbiamo omesso tre ottave nelle quali il poeta racconta che re Gradasso aveva armato in Oriente centocinquantamila cavalieri e si avvicinava con essi, per mare all'Europa, fermamente intenzionato a distruggere l'impero di Carlo Magno.
26. gionta: giunta, arrivo.
28. provede e conta: passa in rivista.
30. se afronta: si presenta a lui.
32. alla pasqua rosata: a Pasqua di rose, cioè a Pentecoste.
38. corte reale, ecc.: il re, o meglio, l'imperatore, ha invitato al banchetto e alla giostra tutti i guerrieri cristiani e saraceni, senza far distinzione e garantendo loro una tregua d'armi (**assigurato**: assicurato, garantito in tal senso). Solo i traditori e i rin-

Per questo era di Spagna molta gente
venuta quivi con soi baron magni:
il re Grandonio, faccia di serpente,
e Feraguto da gli occhi griffagni;
45 re Balugante, di Carlo parente,
Isolier, Serpentin, che fôr compagni.
Altri vi fôrno assai di grande afare;
come a la giostra poi ve avrò a contare.

Parigi risuonava de instromenti,
50 di trombe, di tamburi e di campane;
vedeansi i gran destrier con paramenti,
con foggie disusate, altiere e strane;
e d'oro e zoie tanti adornamenti,
che no 'l potrian contar le voci umane;
55 però che, per gradir lo imperatore,
ciascuno oltra al poter si fece onore.

Già si appressava quel giorno nel quale
si dovea la gran giostra incominciare,
quando il re Carlo in abito reale
60 a la sua mensa fece convitare
ciascun signore e baron naturale,
che venner la sua festa ad onorare;
e fôrno in quel convito li assettati
vintiduo mila e trenta annumerati.

65 Re Carlo Magno con faccia ioconda
sopra una sedia d'òr tra' paladini,
se fu posato a la mensa ritonda:
a la sua fronte fôrno e Saracini,
che non volsero usar banco né sponda,
70 anzi stérno a giacer come mastini
sopra e tapeti, come è lor usanza,
sprezando seco il costume di Franza.

A destra ed a sinistra poi ordinate
fôrno le mense, come il libro pone:
75 alla prima le teste coronate,
uno Anglese, un Lombardo ed un Bertone,
molto nomati in la Cristianitate,
Otone e Desiderio e Salamone;
e li altri presso a lor di mano in mano,
80 secondo il pregio d'ogni re cristiano.

negati ne sono esclusi, perché indegni di stare fra i cavalieri, la cui prima dote è la lealtà.
41. di Spagna: era allora in potere dei Saraceni; e saraceni sono i re citati nei versi che seguono: re Grandonio dal viso che par muso di serpente, Feraguto dagli occhi come quelli di uccello da preda, Balugante, fratello di Galerana, moglie di Carlo, ecc.
47. di grande afare: gloriosi e nobili.
49. instromenti: del suono di strumenti musicali.
53. zoie: gioie.
55. per gradir: per far piacere all'imperatore.
61. baron naturale: nobile di stirpe.
63. assettati: invitati.
65. sgg. Questa ottava dà, con rapidi tocchi, un'immagine della festa elegante: il viso giocondo di Carlo, felice di quella dimostrazione di onore e di potenza, lo sfavillare di quella sedia d'oro, i Saracini seduti sui loro tappeti (che aggiungono alla scena un carattere esotico), tutto dà l'impressione di un costume signorile.
67. la mensa ritonda: anche qui c'è una tavola rotonda, come alla mensa di re Artù. Essa sta a indicare che tutti i commensali sono pari per nobiltà e dignità (tutti hanno un posto uguale, nessuno è capotavola).
68. fôrno: furono. **e**: i.
69. banco né sponda: né sedia né tavolo.
74. come il libro pone: come dice il libro di Turpino.
75. le teste coronate: i re. Uno di essi è Lombardo, cioè italiano di stirpe longobarda (Desiderio).

L'apparizione d'Angelica

L'improvvisa apparizione di Angelica nella sala del banchetto avviene in un'atmosfera di favola e d'incantesimo. Favolosi sono i quattro giganti che la scortano e quel suo giungere, com'ella stessa dice, dalle regioni lontane dell'estremo oriente; l'incanto invece proviene da quella sua bellezza che fa restare estatici tutti i cavalieri. Su di uno sfondo di nobiltà e di gentilezza, intimamente legato con esso, si presenta così il tema dell'amore. E il primo a sentire tutta la potenza di questo sentimento è Orlando, che si trasforma da eroe guerriero in eroe innamorato.

Mentre che stanno in tal parlar costoro,
sonarno li instrumenti da ogni banda;
et ecco piatti grandissimi d'oro,
coperti de finissima vivanda;
5 coppe di smalto, con sotil lavoro,
lo imperatore a ciascun baron manda:
chi de una cosa e chi d'altra onorava,
mostrando che di lor si racordava.

Parte I, canto I, ottave 19-35.

1. costoro: i cavalieri intervenuti al banchetto.
2. sonarno li instrumenti: per annunziare l'inizio del pranzo. Ma osserva l'eleganza sfarzosa di quell'erompere di suoni, dei piatti d'oro grandissimi, delle vivande, delle coppe preziose e finemente istoriate (*con sotil lavoro*), che l'imperatore manda a que-

Quivi si stava con molta allegrezza,
10 con parlar basso e bei ragionamenti:
re Carlo, che si vidde in tanta altezza,
tanti re, duci e cavallier valenti,
tutta la gente pagana disprezza,
come arena del mar denanti a i venti;
15 ma nova cosa che ebbe ad apparire,
fe' lui con gli altri insieme sbigotire.
Però che in capo della sala bella
quattro giganti grandissimi e fieri
intrarno, e lor nel mezo una donzella,
20 che era seguita da un sol cavallieri.
Essa sembrava matutina stella
e giglio d'orto e rosa de verzieri:
in somma, a dir di lei la veritate,
non fu veduta mai tanta beltate.
25 Era qui nella sala Galerana,
et eravi Alda, la moglie de Orlando,
Clarice ed Ermelina tanto umana,
ed altre assai, che nel mio dir non spando,
bella ciascuna e di virtù fontana.
30 Dico, bella parea ciascuna, quando
non era giunto in sala ancor quel fiore,
che a l'altre di beltà tolse l'onore.
Ogni barone e principe cristiano
in quella parte ha rivoltato il viso,
35 né rimase a giacere alcun pagano;
ma ciascun d'esso, de stupor conquiso,
si fece a la donzella prossimano;
la qual, con vista allegra e con un riso
da far inamorare un cor di sasso,
40 incominciò così, parlando basso:
— Magnanimo segnor, le tue virtute
e le prodezze de' toi Paladini,
che sono in terra tanto cognosciute
quanto distende il mare e soi confini,
45 mi dan speranza che non sian perdute
le gran fatiche de duo peregrini,
che son venuti dalla fin del mondo
per onorare il tuo stato giocondo.
Et acciò ch'io ti faccia manifesta,
50 con breve ragionar, quella cagione
che ce ha condotti a la tua real festa,
dico che questo è Uberto dal Leone,
di gentil stirpe nato e d'alta gesta,
cacciato del suo regno oltra ragione:
55 io, che con lui insieme fui cacciata,
son sua sorella, Angelica nomata.
Sopra alla Tana duecento giornate,
dove reggémo il nostro tenitoro,
ce fur di te le novelle aportate,
60 e de la giostra e del gran concistoro
di queste nobil genti qui adunate;
e come né città, gemme o tesoro
son premio de virtute; ma si dona
al vincitor di rose una corona.
65 Per tanto ha il mio fratel deliberato,
per sua virtute quivi dimostrare,
dove il fior de' baroni è radunato,

sto e a quel cavaliere, segno della sua benevolenza (del suo «ricordo»).
10. con parlar basso: parlando con un tono signorile, elegante e pacato.
12. tanti re, ecc.: fra tanti re, ecc.
14. come arena, ecc.: li dispregia, li considera, dinanzi alla sua potenza, come sabbia del mare davanti al vento che la smuove a suo piacere (il vento simboleggia la sua potenza).
15. nova: l'aggettivo indica qualcosa di inatteso e straordinario.
25-27. Galerana... Alda... Clarice... Ermelina: sono celebri donne del ciclo carolingio: la prima è moglie di Carlo Magno, la seconda di Orlando, la terza di Rinaldo, la quarta di Uggieri il Danese.
28. che... non spando: intorno alle quali non mi dilungo a parlare.
33-37. All'apparizione stupenda risponde la muta e rapita ammirazione di tutti i cavalieri che si affollano intorno ad Angelica, obliando ogni altra cosa.
37. prossimano: vicino.
40. parlando basso: con voce gentile e modesta.
47. dalla fin del mondo: questo senso di distanza remotissima accresce lo stupore che circonda la figura di Angelica.
53. d'alta gesta: di nobile famiglia guerriera.
54. oltra ragione: contro giustizia.
57. Sopra alla Tana duecento giornate: Il Tanai o Don indica, nei romanzi di cavalleria, l'estremo confine orientale d'Europa: le ulteriori duecento giornate di viaggio che intercorrono fra esso e il regno di Angelica danno un senso di distanza sterminata, quasi che la bellissima creatura abitasse in un altro mondo.
58. il nostro tenitoro: il nostro regno.
60. concistoro: riunione.
64. La tenuità e gentilezza del dono è conforme alla prodezza disinteressata dei cavalieri.

ad uno ad un per giostra contrastare
o voglia esser pagano o battizato,
70 fuor de la terra lo venga a trovare,
nel verde prato a la Fonte del Pino,
dove se dice al Petron di Merlino.
Ma fia questo con tal condiziïone
(colui l'ascolti che si vôl provare):
75 ciascun che sia abattuto de lo arcione
non possa in altra forma repugnare,
e senza più contesa sia pregione;
ma chi potesse Uberto scavalcare,
colui guadagni la persona mia:
80 esso andarà con suoi giganti via. —
Al fin de le parole ingenocchiata
davanti a Carlo attendìa risposta.
Ogni om per meraviglia l'ha mirata,
ma sopra tutti Orlando a lei s'accosta
85 col cor tremante e con vista cangiata,
benché la volontà tenìa nascosta;
e talor gli occhi alla terra bassava,
ché di se stesso assai si vergognava.
«Ahi paccio Orlando!» nel suo cor dicìa,
90 come te lasci a voglia trasportare!
Non vedi tu lo error che te desvìa,
e tanto contra a Dio te fa fallare?
Dove mi mena la fortuna mia?
Vedomi preso e non mi posso aitare;
95 io, che stimavo tutto il mondo nulla,
senz'arme vinto son da una fanciulla.
Io non mi posso dal cor dipartire
la dolce vista del viso sereno,
perch'io mi sento senza lei morire,
100 e il spirto a poco a poco venir meno.
Or non mi val la forza, né lo ardire
contra d'Amor, che m'ha già posto il freno;
né mi giova saper, né altrui consiglio,
ch'io vedo il meglio ed al peggior m'appiglio».
105 Così tacitamente il baron franco
si lamentava del novello amore.
Ma il duca Nàimo, ch'è canuto e bianco,
non avea già de lui men pena al core,
anzi tremava sbigotito e stanco,
110 avendo perso in volto ogni colore.
Ma a che dir più parole? Ogni barone
di lei si accese, ed anco il re Carlone.
Stava ciascuno immoto e sbigottito,
mirando quella con sommo diletto;
115 ma Feraguto, il giovinetto ardito,
sembrava vampa viva nello aspetto,
e ben tre volte prese per partito
di torla a quei giganti al suo dispetto;
e tre volte afrenò quel mal pensieri,
120 per non far tal vergogna allo imperieri.
Or su l'un piede, or su l'altro se muta,
grattasi 'l capo e non ritrova loco:
Rainaldo, che ancor lui l'ebbe veduta,
divenne in faccia rosso come un foco;
125 e Malagise, che l'ha cognosciuta, —
dicea pian piano: «Io ti farò tal gioco,

70. fuor de la terra: fuori della città di Parigi.
76. in altra forma repugnare: continuare in altro modo il combattimento.
85. con vista cangiata: con l'espressione alterata. L'innamoramento di Orlando porta nell'animo dell'eroe un contrasto, un sentimento immediato di vergogna e di rimorso, l'uno e l'altro però vani, perché l'amore è rappresentato dal Boiardo come forza fatale alla quale non ci si può opporre; né, in fondo, si deve, perché esso è principio di prodezza e cortesia.
89. paccio: pazzo.
90. a voglia: seguendo la passione.
92. fallare: fallire, peccare.
104. È un verso petrarchesco.
107. Nàimo: è Namo di Baviera, l'eroe canuto e saggio, come il Nestore omerico, dei poemi carolingi.
112. Carlone: Carlo. È versione della forma francese *Carlun* e non ha intento parodistico.
116. vampa viva: fuoco ardente.
117. e ben tre volte, ecc.: Ferraguto è rappresentato come un giovanissimo eroe, ardente e impetuoso. Per tre volte è preso dal desiderio di rapire Angelica strappandola ai giganti, ma si frena per non recare oltraggio all'imperatore Carlo (*imperieri* è altra forma di derivazione francese); non perché gli sia devoto, ché anzi, milita in campo saraceno, ma perché è suo ospite e sarebbe viltà e fellonia o tradimento offenderlo.
121. Or su l'un piede, ecc.: Anche questi particolari realistici sono ripresi dagl'ingenui e rozzi *cantàri* popolareschi.
125. Malagise: Malagise è un esperto di magia, e riesce a scoprire che c'è sotto un incantesimo. Uberto è in realtà Argalìa, fratello di Angelica, e il padre loro Galafrone li ha invitati in Occidente, lei con un anello che rende vani gli incanti e lui con armi fatate (una lancia che abbatte chiunque tocchi, donde le condizioni del duello poste da Angelica), perché facciano prigioniero ogni barone cristiano. In un momento in cui Argalìa è senza lancia, Ferraguto lo ucciderà, Angelica fuggirà, inseguita invano da uno stuolo di cavalieri (fra i quali Orlando che diverrà suo servo e campione nel Catai senza avere alcuna ricompensa al suo fervente amore), e metterà in moto una molteplicità infinita d'avventure. Malagigi cercherà di render vani gli incanti, ma sarà fatto prigioniero e trasportato magicamente nel Catai.

ribalda incantatrice, che giamai
de esser qui stata non te vantarai».
Re Carlo Magno con lungo parlare
130 fe' la risposta a quella damigella,
per poter seco molto dimorare.
Mira parlando e mirando favella,
né cosa alcuna le puote negare,
ma ciascuna domanda li suggella,
135 giurando de servarle in su le carte:
lei coi giganti e col fratel si parte.

131. dimorare: intrattenersi.
135. giurando, ecc.: giurando sulle sacre carte (sui Vangeli) di mantenere ogni sua promessa. L'ultimo verso fa sparire Angelica con l'agilità e la leggerezza di un sogno.

La fontana dell'odio e la «riviera» dell'amore

Mentre Ranaldo innamorato insegue Angelica per la selva Ardenna, giunge là dove è la magica fontana dell'odio; beve alle sue acque ed è completamente liberato dalla sua passione. S'addormenta poi presso una fiumana. Giunge ivi poco dopo Angelica, e beve di quell'acqua; ma questa è la fiumana dell'amore, ed ella quindi, per virtù di magia, concepisce per Ranaldo una repentina passione. Lo desta, allora, gettandogli in viso petali di rose, ma egli la fugge. Risuona per la selva solitaria il lamento d'Angelica.

Dentro alla selva il barone amoroso,
guardando intorno, se mette a cercare:
vede un boschetto d'arboselli ombroso,
che in cerchio ha un fiumicel con onde chiare.
5 Preso alla vista del loco zoioso,
in quel subitamente ebbe ad intrare,
dove nel mezo vide una fontana,
non fabricata mai per arte umana.
Questa fontana tutta è lavorata
10 de un alabastro candido e polito,
e d'ôr sì riccamente era adornata,
che rendea lume nel prato fiorito.
Merlin fu quel che l'ebbe edificata,
perché Tristano, il cavalliero ardito,
15 bevendo a quella lasci la regina,
che fu cagione al fin di sua ruina.
Tristano isventurato, per sciagura
a quella fonte mai non è arivato;
benché più volte andasse alla ventura,
20 e quel paese tutto abbia cercato.
Questa fontana avea cotal natura,
che ciascun cavalliero inamorato,
bevendo a quella, amor da sé cacciava,
avendo in odio quella che egli amava.
25 Era il sole alto e il giorno molto caldo,
quando fu giunto alla fiorita riva
pien di sudore il principe Ranaldo:
ed invitato da quell'acqua viva,
del suo Baiardo dismonta di saldo,
30 e de sete e de amor tutto se priva;
perché, bevendo quel freddo liquore,
cangiosse tutto l'amoroso core.
E seco stesso pensa la viltade
che sia a seguire una cosa sì vana;
35 né aprezia tanto più quella beltade,
ch'egli estimava prima più che umana,
anzi del tutto del pensier li cade;
tanto è la forza de quella acqua strana!
E tanto nel voler se tramutava,
40 che già del tutto Angelica odïava.

Parte I, canto III, ottave 32-42.

1. il barone amoroso: è Ranaldo, innamorato di Angelica, che la ricerca nella selva delle Ardenne, sfondo di mille avventure nei romanzi cavallereschi. Nota l'agile ritmo narrativo dei primi quattro versi. L'ottava del Boiardo risente dei *cantàri* popolareschi nella semplicissima struttura sintattica: scarsa è la subordinazione, più frequentemente le proposizioni sono, come qui, semplicemente accostate.
4. che in cerchio, ecc.: il boschetto è circondato da un fiumicello.
5. Preso... zoioso: affascinato dalla visione di quel luogo che ispirava gioia, letizia.
7-8. Il ritmo fluido dei primi sei versi si arresta. Abbiamo in questi due come una sosta, un ritmo più lento e stupito che introduce la vista miracolosa di quell'opera di magia.
8. non... umana: quale l'arte dell'uomo non riuscì mai a costruire.
9. Questa fontana: la ripresa accentua il tono di favoloso stupore.
10. candido e polito: il secondo aggettivo (= *terso*) aggiunge lucentezza al candore dell'alabastro.
12. che rendea... fiorito: che irradiava la sua luce sul prato fiorito. Risplende la fontana del suo oro e del suo candore, risplende dei suoi fiori il prato sul quale s'irradia la luce della fonte.
13. Merlin: È il celebre mago dei racconti del ciclo di re Artù. Tristano, avendo bevuto un filtro magico mentre accompagnava per mare Isotta al suo signore, Marco re di Cornovaglia, che l'aveva avuta in isposa, rimase avvinto a lei da un incanto amoroso che ebbe termine solo con la rovina dei due amanti, cioè con la loro morte.
24. avendo in odio: e, al contrario, gli veniva in odio colei che amava.
25. Era il sole alto, ecc.: il meriggio sembra rendere ancor più solitaria, immobile e incantata la selva e sottolinea il rapidissimo svolgersi del magico prodigio.
29. di saldo: con gesto rapido e sicuro.
30. e de sete, ecc.: e dissetandosi, resta liberato dal suo amore per Angelica.
33-34. la viltade... vana: la bassezza del correre dietro a cosa vana come l'amore.

Fuor della selva con la mente altiera,
ritorna quel guerrer senza paura.
Così pensoso, gionse a una riviera
de una acqua viva, cristallina e pura.
45 Tutti li fior che mostra primavera,
avea quivi depinto la natura;
e faceano ombra sopra a quella riva
un faggio, un pino et una verde oliva.

Questa era la rivera dello Amore.
50 Già non avea Merlin questa incantata;
ma per la sua natura quel liquore
torna la mente incesa e inamorata.
Più cavallieri antiqui per errore
quella onda maledetta avean gustata;
55 non la gustò Ranaldo, come odete,
però che al fonte se ha tratto la sete.

Mosso dal loco, il cavalier gagliardo
destina quivi alquanto riposare;
e tratto il freno al suo destrier Bagliardo,
60 pascendo intorno al prato il lascia andare.
Esso alla ripa senz'altro riguardo,
nella fresca ombra s'ebbe adormentare.
Dorme il barone, e nulla se sentiva;
ecco ventura che sopra gli ariva.

65 Angelica, dapoi che fu partita
dalla battaglia orribile et acerba,
gionse a quel fiume; e la sete la invita
di bere alquanto, e dismonta ne l'erba.
Or nova cosa che averite odita!
70 ché Amor vol castigar questa superba.
Veggiendo quel baron nei fior disteso,
fu il cor di lei subitamente acceso.

Nel pino atacca il bianco palafreno,
e verso di Ranaldo se avicina.
75 Guardando il cavallier tutta vien meno,
né sa pigliar partito la meschina.
Era dintorno al prato tutto pieno
di bianchi gigli e di rose di spina;
queste disfoglia, et empie ambo le mano,
80 e danne in viso al sir de Montealbano.

Pur presto si è Ranaldo disvegliato,
e la donzella ha sopra a sé veduta,
che salutando l'ha molto onorato.
Lui ne la faccia subito se muta,
85 e prestamente nello arcion montato,
il parlar dolce di colei rifiuta.
Fugge nel bosco per gli àrbori spesso:
lei monta il palafreno e segue apresso.

41. altiera: più che alla superbia, allude alla riconquistata finezza dell'animo, che tende ora ad ideali più alti, di gloria e prodezza guerriera.
43. pensoso: l'eroe vaga solitario e assorto nella selva incantata. **riviera**: fiume.
44-48. Siamo alla sorgente dell'amore, le cui acque formano poi un fiume che scorre luminoso e chiaro fra rive fiorite. La scena non è dissimile da quella della fonte del disamore, ma qui non c'è una fontana opera di artificio di magia; la scena è più limpida, diremmo più naturale, dolcissimo sfondo all'improvviso avvampare d'amore nel cuore d'Angelica.
46. la natura: è soggetto.
48. Osserva il solito disegno scarno ma incisivo del Boiardo; quell'aggettivo semplicissimo (*verde*) ad esempio, porta un fresco colore di primavera che illumina la scena.
50. Già non avea Merlin questa incantata: è dunque malìa di natura, non di magia (cfr. la nota ai vv. 44-48). Anche la scena di Angelica innamorata sembra nascere dalla suggestione dell'atmosfera primaverile che dispone l'anima alla gioia e all'amore.
52. torna la mente... inamorata: quell'acqua rivolge l'animo all'amoroso incendio della passione.
55. odete: udite.
56. Ranaldo s'era già dissetato alla prima fontana.
57. Mosso dal loco: allontanatosi di un po' dal luogo, cioè dalle rive del fiume.
58. destina: decide.
59. Bagliardo: Baiardo.
61. riguardo: pensiero, preoccupazione.
63-64. e nulla... gli ariva: mentre giace profondamente immerso in quel sonno che quasi simboleggia l'oblio della precedente passione, ecco che gli avviene un caso straordinario.
66. dalla battaglia: allude al tragico duello fra Argalìa e Ferraguto, che si conclude con la morte del primo. Durante la lotta, Angelica è fuggita.
71. disteso: sdraiato.
73. Nel pino, ecc.: lascia il suo bianco palafreno (cavallo da sella, mentre il *destriero* è quello da battaglia) accanto al pino.
79. mano: mani.
80. sir de Montealbano: è Ranaldo. Il gesto di Angelica è di una grazia indimenticabile: prima indugia, non osa svegliarlo; poi quel ridestarlo lanciandogli in viso petali di fiori è una carezza insieme pudica e appassionata.
81. Pur presto: ben presto.
87. per gli àrbori spesso: folto di alberi. A lungo dura l'inseguimento, ma alla fine Angelica perde di vista Ranaldo e resta sola. I suoi lamenti durante e dopo l'inseguimento sono un poco convenzionali. Più gentile è la scena di Angelica che ritorna sul luogo dell'incontro: *E dove giacque Ranaldo sereno / Bacia quell'erbe e di pianger se appaga / Così stimando il gran foco far meno.* Per gran parte del poema Angelica ricercherà invano Ranaldo, fino a che ambedue ritorneranno a bere alla fontana, ma con mutata vicenda: lei a quella dell'odio, Ranaldo a quella dell'amore. La storia lasciata interrotta da Boiardo sarà ripresa e conclusa dall'Ariosto.

Il duello di Orlando e di Agricane

Ferve la lotta in Oriente, in terra di Paganìa, intorno alla rocca di Albraca, capitale del Catai. Agricane, re di Tartaria, a capo di un forte esercito, vuole conquistare a forza Angelica, l'innamorato Orlando difende strenuamente la fanciulla. Il duello fra i due campioni conclude la guerra.

Sono senz'altro queste fra le pagine migliori del poema, e ne rivelano l'ispirazione profonda: l'ideale cavalleresco, sentito dal Boiardo come sintesi di gentilezza e prodezza.

La gentilezza, infatti, prima di essere offuscata dall'improvvisa vampata di passione che travolge i due combattenti, è presente

in tutto l'episodio: nell'umanissimo dialogo prima della battaglia, non sentita come manifestazione di ferocia, ma come prova della propria eccellenza, poi, nella pausa nel cuore della notte, quando i due riposano vicini, sicuri della reciproca lealtà, e parlano come vecchi amici, accomunati dal culto dello stesso ideale cavalleresco. E anche dopo che la passione per Angelica li ha spinti a una lotta selvaggia e senza quartiere, quando Agricane muore, Orlando lo piange, lo battezza e lo compone sul marmo della fonte, con tutte le sue armi, rendendo un estremo omaggio al valore sfortunato.

Altro tema dell'episodio è l'amore, sentito come forza travolgente e sentimento eroico.

Orlando ed Agricane un'altra fiata
ripreso insiem avean crudel battaglia;
la più terribil mai non fo mirata:
l'arme l'un l'altro a pezo a pezo taglia.
5 Vede Agrican sua gente sbaratata,
né li pô dare aiuto che li vaglia,
però che Orlando tanto stretto il tene,
che star con seco a fronte li conviene.

Nel suo secreto fie' questo pensiero:
10 trar fuor di schiera quel conte gagliardo,
e poi che occiso l'abbia in su il sentiero,
tornar alla battaglia senza tardo;
però che a lui par facile e legiero
cacciar soletto quel popol codardo;
15 ché tutti insieme, e il suo re Galafrone,
non li stimava quanto un vil bottone.

Con tal proposto se pone a fuggire,
forte correndo sopra alla pianura;
il conte nulla pensa a quel fallire,
20 anci crede che il faccia per paura;
senza altro dubbio se il pone a seguire.
E già son gionti ad una selva oscura;
aponto in mezzo a quella selva piana
era un bel prato intorno a una fontana.

25 Fermosse ivi Agricane a quella fonte,
e smontò dello arcion per riposare,
ma non se tolse l'elmo della fronte,
né piastra, o scudo se volse levare;
e poco dimorò che gionse il conte,
30 e come il vede alla fonte aspettare,
dissegli: «Cavallier, tu sei fuggito,
e sì forte mostravi e tanto ardito!

Come tanta vergogna pôi soffrire,
a dar le spalle ad un sol cavalliero?
35 Forse credesti la morte fuggire:
or vedi che fallito hai il pensiero.
Chi morir può onorato, die' morire;
ché spesse volte aviene e de legiero
che, per durare in questa vita trista,
40 morte e vergogna ad un tratto s'acquista».

Agrican prima rimontò in arcione,
poi con voce suave rispondia:
«Tu sei per certo il più franco barone
ch'io mai trovassi nella vita mia;
45 e però del tuo scampo fia cagione
la tua prodezza e quella cortesia
che oggi sì grande al campo usato m'hai,
quando soccorso a mia gente donai.

Parte I, canto XVIII, ottave 29-55.

1. un'altra fiata: un'altra volta. Si era acceso già prima un altro duello, ma Orlando l'aveva cavallerescamente interrotto per consentire ad Agricane di recar soccorso ai suoi soldati, assaliti e disfatti da un feroce gigante.
3. la più terribil, ecc.: è questo il tono dei cantastorie; il Boiardo lo fa frequentemente sentire nel suo poema, che si riallaccia alla loro tradizione, sia pur nobilitandola letterariamente.
5. sbaratata: messa in rotta.
7. tanto stretto il tene: lo tiene così impegnato nel duello, in quanto Agricane non riesce a sbarazzarsi di lui.
9. Nel suo secreto: fra sé e sé. **fie'**: fece.
12. senza tardo: senza indugio.
13. legiero: agevole.
14. cacciar... codardo: mettere in fuga, anche da solo, quei combattenti codardi.
15. il suo re Galafrone: il loro re (di quel popolo codardo) Galafrone. Questi è padre di Angelica e re del Catai.
19. nulla pensa, ecc.: Orlando (il conte) non pensa che si tratti di uno stratagemma.
21. se il pone a seguire: si mette a inseguirlo.
22-24. È un paesaggio consueto dei poemi cavallereschi: la selva oscura, coi suoi intricati avvolgimenti, nella quale sono possibili gli incontri più impensati e avventurosi, il bel prato che si scopre improvviso allo sguardo, come un palcoscenico ideale dove si svolgono incontri e duelli e la chiara fonte che sembra invitare alla pausa, al ristoro dopo il lungo errare.
26. dello arcion: qui e nel verso seguente *dello* sta per *dallo*.
28. piastra: parte dell'armatura.
32. e sì forte mostravi, ecc.: eppure ti mostravi così forte e ardito! Non c'è iattanza nelle parole d'Orlando, e neppure il desiderio d'insultare il proprio nemico, come usano frequentemente fare gli eroi dei poemi epici o cavallereschi, ma un rimprovero pacato e signorile, fondato su di un sentimento profondo dell'onore cavalleresco, che antepone la morte al disonore.
36. or vedi che fallito, ecc.: Agricane non è riuscito nel suo intento: Orlando, infatti lo ha raggiunto ed è sicuro di abbatterlo. Eppure in queste parole di morte non c'è ferocia. Il cavaliere è avvezzo a questo continuo sottostare a un destino che gli impone di dare o ricevere morte, secondo la logica crudele della guerra. Ciò che a lui preme, ciò che è veramente suo, è l'affrontare comunque con dignità questo destino. È il supremo ideale della prodezza, che Orlando esprime nei quattro versi che seguono.
37-40. Chi può morire onoratamente, deve morire; perché spesso e facilmente (*de legiero*) avviene che, per rimanere in questa triste vita, si va insieme incontro alla morte e alla vergogna. L'accenno alla *vita trista* dà al discorso un tono di malinconia virile (cfr. la nota precedente).
41. rimontò in arcione: per mostrarsi disposto alla battaglia e non codardo; il gesto è coerente col dialogo magnanimo.
42. con voce suave: con voce e parole cortesi. Agricane non sente una provocazione nelle parole di Orlando, ma una prova ulteriore della sua cortesia e dignità di autentico cavaliere. E si tratta di parole che anch'egli sottoscrive con tutta l'anima.
43. il più franco: il più nobile.
45-48. Agricane vorrebbe ricambiare l'azione cavalleresca di Orlando, che gli ha lasciato interrompere la prima fase del duello per consentirgli di portare aiuto ai suoi soldati.

Però te voglio la vita lasciare,
50 ma non tornasti più per darmi inciampo!
Questo la fuga mi fe' simulare,
né vi ebbi altro partito a darti scampo.
Se pur te piace meco battagliare,
morto ne rimarrai su questo campo;
55 ma siami testimonio il celo e il sole
che darti morte me dispiace e duole».
Il conte gli rispose molto umano,
perché avea preso già de lui pietate:
«Quanto sei, disse, più franco e soprano,
60 più di te me rincresce in veritate,
che serai morto, e non sei cristïano,
ed andarai tra l'anime dannate;
ma se vôi il corpo e l'anima salvare,
piglia battesmo, e lasciarotte andare».
65 Disse Agricane, e riguardollo in viso:
«Se tu sei cristïano, Orlando sei.
Chi me facesse re del paradiso,
con tal ventura non la cangiarei;
ma sino or te ricordo e dòtti aviso
70 che non me parli de' fatti de' Dei,
perché potresti predicare in vano:
diffenda il suo ciascun col brando in mano».
Ne' più parole: ma trasse Tranchera,
e verso Orlando con ardir se affronta.
75 Or se comincia la battaglia fiera,
con aspri colpi di taglio e di ponta;
ciascuno è di prodezza una lumera,
e sterno insieme, come il libro conta,
da mezo giorno insino a notte scura,
80 sempre più franchi alla battaglia dura.
Ma poi che il sole avea passato il monte,
e cominciosse a fare il cel stellato,
prima verso il re parlava il conte:
«Che farem, disse, che il giorno ne è andato?».
85 Disse Agricane con parole pronte:
«Ambo se poseremo in questo prato;
e domatina, come il giorno pare,
ritornaremo insieme a battagliare».
Così de acordo il partito se prese.
90 Lega il destrier ciascun come li piace,
poi sopra l'erba verde se distese;
come fosse tra loro antica pace,
l'uno a l'altro vicino era e palese.
Orlando presso al fonte isteso giace,
95 ed Agricane al bosco più vicino
stassi colcato, a l'ombra de un gran pino.
E ragionando insieme tuttavia
di cose degne e condecente a loro,
guardava il conte il celo e poi dicia:
100 «Questo che or vediamo, è un bel lavoro,
che fece la divina monarchia;
e la luna de argento, e stelle d'oro,

50. ma non... inciampi: ma non ritornare più a darmi inciampo, a ostacolare il mio assedio ad Albraca.
51. Questo: il desiderio di risparmiare la vita d'Orlando.
52. né vi ebbi altro partito, ecc.: né avevo altro mezzo per offrirti salvezza.
56. che darti morte, ecc.: Il dispiacere di Agricane è sincero, tanto più che egli, credendosi imbattibile, è sicuro di uccidere l'avversario. Tuttavia egli sa bene che se Orlando è veramente prode e cortese come gli è apparso, e come ha ribadito nelle parole che gli ha poc'anzi rivolto, non può accettare la sua offerta (*Chi morir può onorato, die' morire*). Le parole dunque di Agricane, e quelle che pronuncia subito dopo Orlando, sono l'estremo omaggio al sentimento della cortesia prima di una battaglia che ambedue sentono ormai fatale.
57. molto umano: la pietà d'Orlando deriva anche dal suo sentimento cristiano. Di qui l'invito che rivolge ad Agricane affinché voglia ricevere il battesimo.
59. franco e soprano: nobile e superiore agli altri.
65. e riguardollo in viso: lo guarda fisso e arditamente negli occhi, perché intuisce che si tratta di Orlando, un nemico degno della sua prodezza.
66. Orlando sei: è un lampo di gioia guerriera.
67-68. Non cambierebbe la fortuna di essere fatto re del paradiso con quella di potersi misurare con Orlando. Questo duello sarà la prova di chi dei due è il più forte guerriero del mondo, una consacrazione, pensa Agricane, della propria prodezza.
69-72. Agricane ammonisce Orlando a non parlare di questioni di religione: ciascuno difenderà il suo Dio con la sua spada. Qui il Boiardo riesce ad aderire intimamente allo spirito delle antiche canzoni di gesta, a unire strettamente il tema religioso a quello guerriero, come avviene nella *Canzone d'Orlando*.
73. Tranchera: è il nome della spada di Agricane (la spada di ogni eroe aveva un nome).
76. ponta: punta.
77. ciascuno... lumera: ciascuno di loro è un luminoso esempio di valore. In questa prima parte del duello, che si svolge all'insegna dell'onore e della prodezza cavalleresca, prevale l'atmosfera di gentilezza che già il dialogo precedente ha definito. Il Boiardo quindi sorvola sull'aspetto aspro e feroce della battaglia, sul suo carattere mortale. Accadrà l'opposto nella seconda parte del duello, quando l'odio violento e feroce, nato dal loro amore per Angelica, spingerà i due guerrieri a una lotta senza quartiere.
78. e sterno insieme, ecc.: stettero insieme (l'espressione sembra volere allontanare, lenire la crudeltà della lotta) come racconta il libro di Turpino, il non mai esistito autore della storia di quei tempi, ecc.
86. Ambo... prato: La battaglia è ormai cosa remota, svanita; ritorna il motivo della gentilezza cavalleresca.
89. Orlando e Agricane parlano pacati, *come fosse tra loro antica pace*, adagiati sull'erba, nella notte silenziosa e stellata. Nel tessuto narrativo dell'episodio, questa pausa serena rende drammaticamente più intensa e violenta l'improvvisa vampata di passione che li ricondurrà alla battaglia.
98. condecente a loro: conformi alla loro signorile dignità cavalleresca.
99. guardava... dicia, ecc. Inaspettate queste espressioni di ingenua fede religiosa nel poema d'armi, d'amori e d'avventura. Si può dire che il Boiardo cominci a preparare la situazione finale, del battesimo di Agricane morente con le parole così pacate e pensose di Orlando. Ma se ripensiamo ai vv. 32-40, vediamo che tutto l'episodio, anche prescindendo dal tema religioso, è avvolto di una luce meditativa e mesta, non infrequente nel poema quando il sentimento della morte s'insinua fra le favolose avventure.
102. e la luna de argento, e stelle d'oro: è un verso quasi cantato; esprime il senso vivo e fresco della natura che fu pro-

e la luce del giorno, e il sol lucente,
Dio tutto ha fatto per la umana gente».

105 Disse Agricane: «Io comprendo per certo
che tu vôi de la fede ragionare;
io de nulla scïenzia sono esperto,
né mai, sendo fanciul, volsi imparare,
e roppi il capo al mastro mio per merto;
110 poi non si puoté un altro ritrovare
che mi mostrasse libro, né scrittura,
tanto ciascun avea di me paura.

E così spesi la mia fanciullezza
in caccie, in giochi de arme e in cavalcare;
115 né mi par che convenga a gentilezza
star tutto il giorno ne' libri a pensare;
ma la forza del corpo e la destrezza
conviense al cavalliero esercitare.
Dottrina al prete ed al dottor sta bene:
120 io tanto saccio quanto mi conviene».

Rispose Orlando: «Io tiro teco a un segno
che l'arme son de l'omo il primo onore;
ma non già che il saper faccia men degno,
anzi lo adorna come un prato il fiore;
125 ed è simile a un bove, a un sasso, a un legno,
chi non pensa allo eterno Creatore;
né ben se può pensar, senza dottrina,
la summa maiestate alta e divina».

Disse Agricane: «Egli è gran scortesia
130 a voler contrastar con avantaggio.
Io te ho scoperto la natura mia,
e te cognosco che sei dotto e saggio.
Se più parlassi, io non responderia;
piacendoti dormir, dòrmite ad aggio,
135 e se meco parlare hai pur diletto,
de arme, o de amore a ragionar t'aspetto.

Ora te prego che a quel ch'io dimando,
rispondi il vero, a fé de omo pregiato:
se tu sei veramente quello Orlando
140 che vien tanto nel mondo nominato;
e perché qua sei gionto, e come, e quando,
e se mai fosti ancora inamorato;
perché ogni cavallier che è senza amore,
se in vista è vivo, vivo è senza core».

145 Rispose il conte: «Quello Orlando sono
che occise Almonte e il suo fratel Troiano;
amor m'ha posto tutto in abandono,
e venir fammi in questo loco strano.
E perché teco più largo ragiono,
150 voglio che sappi che 'l mio core è in mano
de la figliola del re Galafrone,
che ad Albraca dimora nel girone.

Tu fai col patre guerra a gran furore,
per prender suo paese e sua castella,
155 ed io qua son condotto per amore,
e per piacere a quella damisella.
Molte fiate son stato per onore
e per la fede mia sopra alla sella;
or sol per acquistar la bella dama
160 faccio battaglia, e d'altro non ho brama».

Quando Agricane ha nel parlare accolto

prio del Boiardo. Colpisce l'improvviso slargarsi dello sguardo sulla remota immensità del cielo nella notte serena, la riconquista, da parte dei due guerrieri, di un'intimità più profonda.

109. e roppi... per merto: e ruppi il capo al mio maestro per ricompensarlo delle sue fatiche.

115. a gentilezza: a un uomo nobile.

120. io... conviene: io ho la cultura che si addice alla mia condizione di cavaliere, di guerriero. Orlando rivela maggior raffinatezza di spirito; Agricane, da buon cavaliere «pagano», è una forza istintiva.

121. Io tiro teco a un segno: io sono d'accordo con te sul fatto, ecc.

124. anzi... fiore: anzi, il sapere adorna un prode cavaliere come i fiori adornano il prato.

129-130. Agricane ammonisce Orlando che non è conforme a cortesia (la quale vuole che i combattimenti avvengano ad armi pari) voler gareggiare essendo in posizione più vantaggiosa dell'avversario. Orlando, cioè, che possiede dottrina, non si comporta generosamente con lui, che di dottrina è privo, cercando di trascinarlo in tali discussioni. Siano dunque lasciate da parte le dispute religiose.

131. Io te ho scoperto, ecc.: io ti ho rivelato la mia natura (di uomo, cioè, non colto e insensibile a certi problemi) e riconosco la tua dottrina e saggezza.

134. piacendoti... ad aggio: se vuoi dormire, dormi pure a tuo agio.

136. de arme, o de amore: sono questi gli unici argomenti degni del perfetto cavaliere, secondo Agricane, e anche secondo Orlando.

138. a fé de omo pregiato: con lealtà e sincerità degne d'un uomo onorato.

144. se in vista... core: anche se in apparenza è vivo, è vivo senza avere il cuore.

146. Almonte... Troiano: re morì. Il figlio del secondo, Agramante, per vendicarli, porterà guerra a Carlo Magno e alla cristianità.

147-148. amor... strano: Amore mi ha fatto abbandonare ogni cosa, mi ha reso dimentico d'ogni mio dovere e m'ha condotto in questa terra straniera e remota.

152. nel girone: entro la cerchia delle mura.

154. e sua castella: e le sue città.

158. sopra alla sella: a cavallo per combattere.

161. Quando Agricane, ecc.: Ormai la passione amorosa domina incontrastata la scena. Degli altri argomenti e sentimenti si poteva parlare pacatamente, ma di questo no. L'aura di gentilezza è infranta, nonostante un debole e patetico tentativo di preghiera da parte di Agricane: la battaglia si accende feroce.

che questo è Orlando, ed Angelica amava,
fuor di misura se turbò nel volto,
ma per la notte non lo dimostrava;
165 piangeva sospirando come un stolto,
l'anima, il petto e il spirto li avampava;
e tanta zelosia gli batte il core,
che non è vivo, e di doglia non muore.
Poi disse a Orlando: «Tu debbi pensare
170 che, come il giorno sarà dimostrato,
debbiamo insieme la battaglia fare,
e l'uno o l'altro rimarrà nel prato.
Or de una cosa te voglio pregare,
che, prima che veniamo a cotal piato,
175 quella donzella che il tuo cor disia,
tu la abandoni, e lascila per mia.
Io non puotria patire, essendo vivo,
che altri con meco amasse il viso adorno;
o l'uno, o l'altro al tutto serà privo
180 del spirto e della dama al novo giorno.
Altri mai non saprà, che questo rivo
e questo bosco che è quivi d'intorno,
che l'abbi riffiutata in cotal loco
e in cotal tempo, che serà sì poco».
185 Diceva Orlando al re: «Le mie promesse
tutte ho servate, quante mai ne fei;
ma se quel che or me chiedi, io promettesse,
e se io il giurassi, io non lo attenderei;
così potria spiccar mie membra istesse,
190 e levarmi di fronte gli occhi miei,
e viver senza spirto e senza core,
come lasciar de Angelica lo amore».
Il re Agrican, che ardea oltra misura,
non puote tal risposta comportare;
195 benché sia al mezo della notte scura,
prese Baiardo, e sù vi ebbe a montare;
ed orgoglioso, con vista sicura,
iscrida al conte ed ebbelo a sfidare,
dicendo: «Cavalier, la dama gaglia
200 lasciar convienti, o far meco battaglia».
Era già il conte in su l'arcion salito,
perché, come se mosse il re possente,
temendo dal Pagano esser tradito,
saltò sopra al destrier subitamente;
205 unde rispose con l'animo ardito:
«Lasciar colei non posso per nïente,
e, se io potessi ancora, io non vorria;
avèrtila convien per altra via».
Sì come il mar tempesta a gran fortuna,
210 cominciarno lo assalto i cavallieri;
nel verde prato, per la notte bruna,
con sproni urtarno addosso e buon destrieri;
e se scorgiano a lume della luna
dandosi colpi dispietati e fieri,
215 ché era ciascun di lor forte ed ardito.
Ma più non dico: il canto è qui finito.

165-166. Agricane piange e sospira come un folle, l'anima e il cuore sono accesi dalla vampa della passione e della gelosia, si sente fuori di sé dal dolore.
170. sarà dimostrato: sarà apparso.
174. a cotal piato: a tale contesa.
176. tu la abandoni, ecc.: Vuole che Orlando non pensi a lei, non l'ami, almeno per la durata di questa notte, poi, appena spunterà il giorno, le armi decideranno. È una preghiera ingenua e appassionata, che culmina in quei versi pieni di drammatico rilievo, nel loro tono semplice ed energico: *Io non puotria patire, essendo vivo / che altri con meco amasse il viso adorno*. Osserva come il parlare di Agricane proceda rotto, spezzato, con ripetizioni ansiose e appassionate. Il Boiardo rivela qui la sua capacità di esprimere quei sentimenti che chiamiamo primitivi perché sommuovono le regioni profonde dell'animo.
180. del spirto: della vita.
186. tutte ho servate: le ho tutte mantenute.
188. non lo attenderei: non lo manterrei. Nelle parole che seguono esprime tutta la forza incoercibile e fatale del suo amore. Fin qui il colloquio si mantiene su di un tono patetico e gentile. Agricane sembra suggerire ad Orlando una viltà, ma, in pratica, lo prega ansiosamente accorato; Orlando non reagisce ma parla dolorosamente della sua passione fatale. L'uno e l'altro, prima di giungere allo scoppio dell'ira e alla sfida mortale, si comprendono, per un istante, ma invano: l'amore è una forza che trascina come un destino.
194. comportare: sopportare.
196. Baiardo: è il cavallo di Ranaldo, che Agricane ha conquistato sconfiggendo Astolfo nelle cui mani si trovava temporaneamente.
197. con vista sicura: con aspetto fiero e ardito.
198. iscrida... sfidare: grida al conte la sua sfida.
199. gaglia: gaia, perché la sua bellezza dà gioia. Nota l'incisività drammatica dei gesti, delle parole risolute.
201. Era già il conte: più pausati, meno impetuosi i gesti d'Orlando, ma non meno incrollabile la sua fermezza.
208. avèrtila: averla tu.
209. Sì come il mar, ecc.: come il mare si scatena tempestoso quando sorge un grande fortunale.

La morte di Agricane

...Agrican combattea con più furore,
il conte con più senno si servava;
già contrastato avean più de cinque ore,
e l'alba in orïente se schiarava:
5 or se incomincia la zuffa maggiore.
Il superbo Agrican se disperava
che tanto contra esso Orlando dura,
e mena un colpo fiero oltra a misura.
Giunse a traverso il colpo disperato,
10 e il scudo come un latte al mezzo taglia;
piagar non puote Orlando, che è affatato,
ma fraccassa ad un ponto e piastre e maglia.
Non puotea il franco conte avere il fiato,
benché Tranchera sua carne non taglia;
15 fu con tanta ruina la percossa,
che avea fiaccati i nervi e peste l'ossa.
Ma non fo già per questo sbigotito,
anci colpisce con maggior fierezza.
Gionse nel scudo, e tutto l'ha partito,
20 ogni piastra del sbergo e maglia spezza,
e nel sinistro fianco l'ha ferito;
e fo quel colpo di cotanta asprezza,
che il scudo mezo al prato andò di netto,
e ben tre coste li tagliò nel petto.
25 Come rugge il leon per la foresta,
allor che l'ha ferito il cacciatore,
così il fiero Agrican con più tempesta
rimena un colpo di troppo furore.
Gionse ne l'elmo, al mezo della testa;
30 non ebbe il conte mai botta maggiore,
e tanto uscito è fuor di cognoscenza
che non sa se egli ha il capo, o se egli è senza.
Non vedea lume per gli occhi nïente,
e l'una e l'altra orecchia tintinava;
35 si spaventato è il suo destrier corrente,
che intorno al prato fuggendo il portava;
e serebbe caduto veramente,
se in quella stordigion ponto durava;
ma, sendo nel cader, per tal cagione
40 tornolli il spirto, e tennese allo arcione.
E venne di se stesso vergognoso,
poi che cotanto se vede avanzato.
«Come andarai, — diceva doloroso,
— ad Angelica mai vituperato?
45 Non te ricordi quel viso amoroso,
che a far questa battaglia t'ha mandato?
Ma chi è richiesto, e indugia il suo servire,
servendo poi, fa il guidardon perire.
Presso a duo giorni ho già fatto dimora
50 per il conquisto de un sol cavalliero,
e seco a fronte me ritrovo ancora,
né gli ho vantaggio più che il dì primiero.
Ma se più indugio la battaglia un'ora,
l'arme abandono et entro al monastero:
55 frate mi faccio, e chiamomi dannato,
se mai più brando mi fia visto a lato».
Il fin del suo parlar già non è inteso,

Parte I, canto XIX, ottave 3-17.

1-2. Agricane combatte con maggior furore, conforme alla sua natura impulsiva e barbarica; Orlando si difende con maggiore senno, da guerriero prode ma anche intelligente. I due impersonano i caratteri che i poemi cavallereschi attribuiscono ai cavalieri saraceni e cristiani.
6. se disperava: il suo orgoglio di guerriero che si ritiene superiore a ogni altro, non tollera che la vittoria indugi tanto a venire.
9. il colpo disperato: inferto alla disperata, con tutte le forze.
10. come un latte: come ricotta. Il tono popolaresco di questo e altri paragoni e particolari della battaglia risente dei *cantàri* popolari. Questi gran colpi, sono, del resto, per un autore colto e raffinato come il Boiardo, le cose meno credibili della tradizionale epopea.
11. piagar... affatato: non può ferire Orlando, perché è fatato, come molti eroi saraceni e cristiani.
12. ad un ponto: insieme, contemporaneamente.
20. sbergo: usbergo, corazza.
28. di troppo furore: con furore eccezionale.
38. ponto: punto; ancora per poco.
39. ma, sendo... arcione: ma proprio quando era sul punto di cadere, sente istintivamente tanta vergogna, che, per questo, si rinfranca e si tiene ben saldo in arcione.
41. venne: divenne.
42. cotanto... avanzato: di tanto superato dall'avversario.
47-48. Ma... perire: Ma chi, richiesto d'un servigio, indugia nell'ubbidire, lo procrastina, non merita più ricompensa.
50. per il conquisto: per conquistare, per vincere.
52. né gli ho vantaggio: né ho vantaggio su di lui.

ché batte e denti e le parole incocca;
foco rasembra di furore acceso
60 il fiato che esce fuor di naso e bocca.
Verso Agricane se ne va disteso,
con Durindana ad ambe mano il tocca
sopra alla spalla destro de riverso;
tutta la taglia quel colpo diverso.
65 Il crudel brando nel petto declina,
e rompe il sbergo e taglia il pancirone,
benché sia grosso e de una maglia fina,
tutto lo fende in fin sotto il gallone:
non fo veduta mai tanta roina.
70 Scende la spada e gionse nello arcione:
de osso era questo et intorno ferrato,
ma Durindana lo mandò su il prato.
Da il destro lato a l'anguinaglia stanca
era tagliato il re cotanto forte;
75 perse la vista et ha la faccia bianca,
come colui ch'è già gionto alla morte;
e benché il spirto e l'anima li manca,
chiamava Orlando, e con parole scorte
sospirando diceva in bassa voce:
80 — Io credo nel tuo Dio, che morì in croce.
Batteggiame, barone, alla fontana
prima ch'io perda in tutto la favella;
e se mia vita è stata iniqua e strana,
non sia la morte almen de Dio ribella.
85 Lui, che venne a salvar la gente umana,
l'anima mia ricoglia tapinella!
Ben me confesso che molto peccai,
ma sua misericordia è grande assai.
Piangea quel re, che fo cotanto fiero,
90 e tenìa il viso al cel sempre voltato;
poi ad Orlando disse: Cavalliero,
in questo giorno de oggi hai guadagnato,
al mio parere, il più franco destriero
che mai fosse nel mondo cavalcato;
95 questo fo tolto ad un forte barone,
che del mio campo dimora pregione.
Io non me posso ormai più sostenire:
levame tu de arcion, baron accorto.
Deh non lasciar questa anima perire!
100 batteggiami oramai, ché già son morto.
Se tu me lasci a tal guisa morire,
ancor n'avrai gran pena e disconforto. —
questo diceva e molte altre parole:
oh quanto al conte ne rincresce e dole!
105 Egli avea pien de lacrime la faccia,
e fo smontato in su la terra piana;
ricolse il re ferito nelle braccia,
e sopra al marmo il pose alla fontana;
e de pianger con seco non si saccia,
110 chiedendoli perdon con voce umana.
Poi battizollo a l'acqua della fonte,
pregando Dio per lui con le man gionte.
Poco poi stette che l'ebbe trovato
freddo nel viso e tutta la persona,
115 onde se avide che egli era passato.
Sopra al marmo alla fonte lo abandona,

58. le parole incocca: impiglia le parole. Batte i denti e balbetta, il fiato gli esce come fuoco dal naso e dalla bocca; sono tutti particolari comici, non infrequenti neppure nelle antiche canzoni di gesta.
61. disteso: direttamente e con decisione.
62. Durindana: (o *Durendal* o *Durlindana*) è il nome dalla spada d'Orlando.
63. de riverso: di rovescio.
64. diverso: strano, eccezionale.
66. pancirone: la parte della corazza che protegge il ventre.
68. gallone: fianco.
73. Da il destro... stanca: dal fianco destro all'inguine sinistro.
75. perse la vista: il pallore della morte, i sospiri allontanano l'atmosfera un po' sforzata del duello e riconducono la scena alle proporzioni umane più intime, proprie dell'episodio precedente. È stato notato che la conversione così rapida e improvvisa di Agricane è coerente con l'animo rozzo, ingenuo e impulsivo del personaggio, è come un modo elementare ma sicuro di riconoscere la propria sconfitta. Il *giudizio di Dio* è finito. Agricane, quando aveva rifiutato di parlare di religione con Orlando, aveva detto che ciascuno doveva difendere il proprio Dio con le armi in mano. Ora, il suo Dio è stato vinto con lui, quello di Orlando è vincitore.
78. con parole scorte: con parole chiare, risolute e distinte.
81. Batteggiame: battezzami.
84. de Dio ribella: ribelle a Dio, come la sua vita che è stata *strana*, cioè straniera, rispetto al vero Dio (quello cristiano).
90. e tenìa, ecc.: il viso rivolto al cielo sta ad indicare l'attesa della grazia.
93. il più franco destriero: il più nobile cavallo (Baiardo, destriero di Ranaldo, che Agricane ha sottratto ad Astolfo, da lui vinto e fatto prigioniero). Di Angelica non parla, come se non si sentisse più degno d'amarla, ora che è stato vinto.
105-112. La pietà d'Orlando, il suo chiedere perdono ad Agricane, allontanano definitivamente i toni crudi e violenti dell'episodio. L'elemento più vivo degli ultimi versi è il particolare di Agricane, composto, morto, sul marmo della fonte, con accanto le sue armi e le insegne della sua regalità. È ancora un motivo cavalleresco: il riconoscimento leale del suo valore infelice.
109. non si saccia: non si sazia.
112. gionte: giunte.
115. passato: morto.

così come era tutto quanto armato,
col brando in mano e con la sua corona;
e poi verso il destrier fece riguardo,
120 e pargli di veder che sia Baiardo.

Lo sbarco di Rodamonte in Francia

Rodamonte (che i lettori dell'Ariosto conoscono col nome di Rodomonte) è una delle creazioni fantastiche più originali e riuscite del Boiardo. È un personaggio violento, dotato di forza selvaggia, terribile e superbo, guerriero indomito e temerario. La sua caratteristica principale è l'altissima considerazione che ha di se stesso: da essa nasce il disprezzo che nutre verso gli uomini, la natura, Dio, ma anche l'impeto barbarico col quale si getta nelle imprese più temerarie, fiducioso soltanto nel suo braccio e nella sua spada. L'immagine che il Boiardo e l'Ariosto ci hanno lasciato di lui è quella di un guerriero che combatte da solo contro interi eserciti, spargendo intorno la distruzione e il terrore col suo stesso demoniaco aspetto. È un'immagine favolosa che ha in sé, al tempo stesso, qualcosa di sublime e di grottesco.

Convienmi alciare al mio canto la voce,
e versi più superbi ritrovare;
convien ch'io meni l'arco più veloce
sopra alla lira, perch'io vo' contare
5 de un giovane tanto aspro e sì feroce,
che quasi prese il mondo a disertare:
Rodamonte fu questo, lo arrogante,
di cui parlato ve ho più volte avante.

Alla città d'Algeri io lo lasciai,
10 che di passare in Franza se destina,
e seco del suo regno ha gente assai:
tutta è alloggiata a canto alla marina.
A lui non par quella ora veder mai
che pona il mondo a foco ed a roina,
15 e biastema chi fece il mare e il vento,
poi che passar non puote al suo talento.

Più de un mese di tempo avea già perso
de quindi in Sarza, che è terra lontana;
e poi che è gionto, egli ha vento diverso,
20 sempre Greco o Maestro o Tramontana;
ma lui destina o ver di esser sumerso,
o ver passare in terra cristïana,
dicendo a' marinari ed al patrone
che vôl passare, o voglia il vento, o none.

25 — Soffia, vento, — dicea — se sai soffiare,
ché questa notte pure ne vo' gire;
io non son tuo vassallo e non del mare,
che me possiati a forza retenire;
solo Agramante mi può comandare,
30 ed io contento son de l'obidire:
sol de obedire a lui sempre mi piace,
perché è guerriero, e mai non amò pace. —

Così dicendo chiamò un suo parone
che è di Maroco ed è tutto canuto;
35 Scombrano chiamato era quel vecchione,
esperto di quella arte e proveduto.
Rodamonte dicea: — Per qual cagione
m'ha tu qua tanto tempo ritenuto?
Già son sei giorni, a te forse par poco,
40 ma sei Provenze avria già posto in foco.

Seconda parte, canto VI, ottave 1-15 e 28-31.

1-2. Convienmi... ritrovare: mi conviene alzare il tono del mio canto e trovare versi più superbi. Il Boiardo intende cioè ritrovare uno stile adeguato al personaggio di Rodamonte, dotato di un rilievo epico gigantesco.
3-4. l'arco... lira: si tratta rispettivamente dell'archetto e di una specie di viola, strumento tradizionale dei cantastorie. Il *mover l'arco più veloce* allude alla ricerca di un nuovo ritmo epico e grandioso del racconto.
6. a disertare: a spopolare.
10. se destina: si propone. Ad Algeri Agramante aveva radunato i re e gli eserciti coi quali si proponeva di passare in Francia per distruggere l'impero di Carlo Magno. È la materia tradizionale dell'epopea carolingia: la lotta fra cristiani e musulmani.
11. del suo regno: è il favoloso regno di Sarza. **gente:** guerrieri.
13-14. Questi due versi sono il *motivo* ricorrente della figura di Rodamonte, démone di rovina (*roina*) e distruzione.
15-16. e biastema... talento: e bestemmia chi ha fatto il mare e il vento (caratteristica fondamentale di Rodamonte è l'empietà, il dispregio di ogni legge divina e umana), perché, a causa delle avverse condizioni atmosferiche, non può passare in Francia subito, come vorrebbe (*al suo talento*).
18. de quindi in Sarza: per giungere da Sarza in Algeri.
19. diverso: avverso. I tre venti che nomina nel verso seguente spirano rispettivamente da Nord-est, Nord-ovest, Nord. Sono quindi contrari a chi dall'Africa vuol venire in Europa.
21-22. Ma egli è fermamente deciso o ad essere sommerso dalle onde o a passare in terra cristiana, ma subito.
23. patrone: il nocchiero che comanda la flotta dalla quale il suo esercito deve essere trasportato.
24. o none: o no. Osserva l'estrema risolutezza delle parole e la sfida selvaggia e fanatica agli elementi che continua nell'ottava seguente.
26. Voglio comunque partire stanotte.
27-28. io non... retenire: non sono vassallo né tuo né del mare, sì che possiate trattenermi con la forza. Rodamonte si riconosce vassallo solo di Agramante; solo a lui la sua volontà liberamente s'inchina, ma perché è un guerriero che odia, come lui, la pace.
33. parone: è parola veneta: capitano di nave (come *patrone* al v. 23).
40. ma sei Provenze, ecc.: è una caratteristica «rodomontata» (il termine è divenuto proverbiale), ridicola in sé, ma sulla bocca del fiero Rodamonte, così ingenuamente convinto delle sue smargiassate, diventa seria. Rodamonte ha un'esasperata coscienza del proprio valore, ma il coraggio temerario con cui si getta in ogni impresa, pagan-

Sì che provedi alla sera presente
che queste nave sian poste a passaggio,
né volere essere più di me prudente,
ché, s'io me anego, mio serà il dannaggio;
45 e se perisce tutta l'altra gente,
questo è il minor pensier che nel core aggio,
perché, quando io serò del mare in fondo,
voria tirarmi adosso tutto il mondo. —
Rispose a lui Scombrano: — Alto segnore,
50 alla partita abbiam contrario vento;
il mare è grosso e vien sempre maggiore.
Ma io prendo de altri segni più spavento,
ché il sol callando perse il suo vigore,
e dentro a i novaloni ha il lume spento;
55 or si fa rossa or pallida la luna,
che senza dubbio è segno di fortuna.
La fulicetta, che nel mar non resta,
ma sopra al sciutto gioca ne l'arena;
e le gavine che ho sopra alla testa,
60 e quello alto aeron che io vedo apena,
mi dànno annunzio certo di tempesta;
ma più il delfin, che tanto se dimena,
di qua di là saltando in ogni lato,
dice che il mare al fondo è conturbato.
65 E noi se partiremo al celo oscuro,
poi che ti piace; ed io ben vado aperto
che siamo morti, e de ciò te assicuro;
e tanto di questa arte io sono esperto,
che alla mia fede te prometto e giuro,
70 quando proprio Macon mi fésse certo
ch'io non restassi in cotal modo morto,
«Va tu, — direbbi — ch'io me resto in porto.» —
Diceva Rodamonte: — O morto o vivo,
ad ogni modo io voglio oltra passare,
75 e se con questo spirto in Franza arivo,
tutta in tre giorni la voglio pigliare;
e se io vi giongo ancor di vita privo,
io credo per tal modo spaventare,
morto come io serò, tutta la gente,
80 che fuggiranno, ed io serò vincente. —
Così de Algeri uscì del porto fuore
il gran naviglio con le vele a l'orza;
Maestro alor del mare era segnore,
ma Greco a poco a poco se rinforza;
85 in ciascaduna nave è gran romore,
ché in un momento convien che si torza;
ma Tramontana e Libezzo ad un tratto
urtarno il mare insieme a rio baratto.
Allor se cominciarno e cridi a odire,
90 e l'orribil stridor delle ritorte;
il mar cominciò negro ad apparire,
e lui e il celo avean color di morte;
grandine e pioggia comincia a venire,
or questo vento or quel si fa più forte;
95 qua par che l'unda al cel vada di sopra,
là che la terra al fondo se discopra.
Eran quei legni di gran gente pieni,
de vittuaglia, de arme e de destrieri,
sì che al tranquillo e ne' tempi sereni

do di persona, e le sue gesta grandiose, mitigano la comicità, che pur sembrerebbe implicita nella totale mancanza di discernimento con la quale le affronta. Ora, ad esempio, per la testarda risoluzione di partire ad ogni costo, fracasserà buona parte della sua flotta sulle rive di Provenza e farà affogare gran parte del suo esercito.

41. Sì che: dunque. È un tono che non ammette replica.

42. sian poste a passaggio: passino il mare.

45-48. Se morissero tutti quelli che andranno con lui non gliene importerebbe nulla: morto lui, vorrebbe potere trascinare tutto il mondo nella sua tomba.

50. alla partita: alla partenza.

52.-54. de altri segni: i segni del tempo che dice subito dopo. **novaloni**: nuvoloni.

56. di fortuna: di fortunale, di prossima tempesta.

57-64. Il vecchio nocchiero enumera gli altri segni di imminente tempesta (la fòlaga che non vola sull'onde, ma giuoca all'asciutto sulla sabbia, i gabbiani (*gavine*) e l'airone che volano alto, il delfino che emerge sull'onda) per convincere il fiero e impaziente signore.

69. alla mia fede: in fede mia.

70-72. quando... in porto: Anche se Maometto (*Macone*) in persona mi garantisse che, partendo con questo mare me la caverei, io gli direi: «Va tu, io me ne resto in porto».

73-80. È questa, finora, la più epica rodomontata di Rodamonte, così ingenua e grossolana da essere di una comicità irresistibile, tanto più che lui ci crede davvero.

75. con questo spirto: con questo spirito vitale, cioè: se giungo vivo.

82. naviglio: flotta. **le vele a l'orza**: legate con il canapo di sinistra, in modo da sfruttare il vento di maestro.

86. in un momento... si torza: in un attimo bisogna virare le vele.

88. a rio baratto: con crudele contesa.

89. cridi: grida.

90. ritorte: gòmene.

92. e lui... morte: è il verso più potente di questa viva descrizione di tempesta, che culmina nell'esagerazione fantastica dei due ultimi versi dell'ottava: l'onda che sembra sollevarsi sopra il cielo, lasciando altrove in secco il fondo marino. Anche questo tratto è comunque coerente col senso favoloso di tutta la vicenda.

97. di gran gente: di gran folla di soldati.

98. vittuaglia: vettovaglie.

99-100 sì che... mestieri: tanto che avevano bisogno (**mestieri**) di un buon pilotaggio quando il mare era calmo.

100 di bon governo avean molto mestieri;
or non vi è luce fuor che di baleni,
né se ode altro che troni e venti fieri,
e la nave è percossa in ogni banda:
nullo è obedito, e ciascadun comanda.
105 Sol Rodamonte non è sbigotito,
ma sempre de aiutarse si procaccia;
ad ogni estremo caso egli è più ardito,
ora tira le corde, or le dislaccia;
a gran voce comanda ed è obedito,
110 perché getta nel mare e non minaccia;
il cel profonda in acqua a gran tempesta,
lui sta di sopra e cosa non ha in testa.
Le chiome intorno se gli odìan suonare,
che erano apprese de l'acqua gelata;
115 lui non mostrava de ciò più curare,
come fusse alla ciambra ben serrata.
Il suo naviglio è sparso per il mare,
che insieme era venuto di brigata,
ma non puote durare a quella prova:
120 dov'è una nave, l'altra non si trova. [...]
Torniamo a Rodamonte, che nel mare
ha gran travaglia contra alla fortuna;
la notte è scura e lume non appare
de alcuna stella, e manco della luna.
125 Altro non se ode che legni spezzare
l'un contra a l'altro per quella onda bruna,
con gran spaventi e con alto romore:
grandine e pioggia cade con furore.
Il mar se rompe insieme a gran ruina,
130 e 'l vento più terribile e diverso
cresce d'ognor e mai non se raffina,
come volesse il mondo aver somerso.
Non sa che farsi la gente tapina,
ogni parone e marinaro è perso;
135 ciascuno è morto e non sa che si faccia:
sol Rodamonte è quel che al cel minaccia.
Gli altri fan voti con molte preghiere,
ma lui minaccia al mondo e la natura,
e dice contra Dio parole altiere
140 da spaventare ogni anima sicura.
Tre giorni con le notti tutte intiere
sterno abattuti in tal disaventura,
che non videro al cielo aria serena,
ma instabil vento e pioggia con gran pena.
145 Al quarto giorno fu maggior periglio,
ché stato tal fortuna ancor non era,
perché una parte di quel gran naviglio
condotta è sotto Monaco in rivera.
Quivi non vale aiuto né consiglio;
150 il vento e la tempesta ognior più fiera
ne l'aspra roccia e nel cavato sasso
batte a traverso e legni a gran fracasso.
Oltra di questo tutti i paesani,
che cognobber l'armata saracina,
155 cridando: — Adosso! adosso a questi cani! —
callarno tutti quanti alla marina,
e ne' navigli non molto lontani
foco e gran pietre gettan con roina,

104. nullo è obedito, ecc.: il verso rende la confusione che regna a bordo delle navi: ognuno dà ordini, nessuno obbedisce.
110. perché getta... minaccia: getta nel mare chi non obbedisce, e non minaccia di farlo, ma lo fa immediatamente al primo accenno di insubordinazione.
111. Cielo e mare sembravano confondersi.
112. lui sta di sopra, ecc.: sta sul ponte, a capo scoperto. Il verso disegna l'eroe in una solitaria e statuaria grandezza.
113-114. I ghiaccioli rappresi tintinnano intorno ai capelli di Rodamonte.
116. come fusse alla ciambra, ecc.: come se si trovasse in una camera ben riparata.
118. di brigata: di conserva; la flotta aveva navigato fino ad allora unita.
121. Torniamo a Rodamonte: in alcune ottave, che abbiamo omesse, il Boiardo, secondo il costume dei poemi romanzeschi, aveva lasciato da parte Rodamonte per parlare di altre avventure e di altri personaggi.
122. travaglia: travaglio. **fortuna**: tempesta.
131. non se raffina: non si mitiga.
135. ciascuno è morto: è completamente fuori di sé e come morto per il terrore.
138. minaccia al mondo e la natura: minaccia tutto: uomini, elementi. Bestemmia Dio, sì da spaventare chi lo sente. È, la sua persona, come una tempesta anch'essa, che oppone la sua furia scatenata a quella degli elementi.
140. sicura: che non si cura (di Dio); spaventerebbe, cioè, anche la persona più empia, anche un demonio.
146. ché stato tal fortuna, ecc.: ché ancora non si era avuto un pericolo (*fortuna*) così grande; infatti una parte del naviglio è spinta contro la costa alta di Monaco nella riviera e minaccia di sfasciarsi contro gli scogli.
150-152. il vento... fracasso: il vento e la tempesta sempre più fieri fra le coste rocciose e cavernose colpiscono trasversalmente le navi con grande fracasso.
153. i paesani: gli abitanti della terra.

dardi e sagette con pegola accesa;
160 ma Rodamonte fa molta diffesa.
Nella sua nave alla prora davante
sta quel superbo, e indosso ha l'armatura,
e sopra a lui piovean saette tante
e dardi e pietre grosse oltra a misura,
165 che sol dal peso avrian morto un gigante;
ma quel feroce, che è senza paura,
vôl che 'l naviglio vada, o male o bene
a dare in terra con le vele piene.

159. sagette con pegola accesa: frecce con pece ardente per incendiare le navi.

165. che sol dal peso, ecc.: avrebbero ucciso un gigante solo col loro peso.

167-168. Anche questa ottava erge Rodamonte su un piedistallo grandioso. Egli sta immoto sulla prora della nave, con la faccia al nemico, impavido e fiero. Non pensa alla sua vita né a quella della sua gente; vuole che la sua nave vada a piantarsi nella riva a vele spiegate. C'è in lui un supremo disprezzo della morte e, insieme, il bisogno di un arrivo regale e trionfale.
Invano i cristiani tentano di contrastargli il passo: egli avanza implacabile e approda, ricacciando i nemici. Più tardi, ai resti avviliti del suo esercito, tiene un fiero discorso che li rianima, con una prospettiva di guerra, bottino e strage. Comincia la grande avventura di Rodamonte in terra di Francia.

Incontro di Rugiero e Brandiamante

È il primo incontro fra Ruggiero e Brandiamante, sorella di Ranaldo e fortissima guerriera. Ruggiero ha interrotto un duello fra lei e Rodamonte, e ora, nella pausa della battaglia, nasce fra i due giovani l'amore. È un idillio fuggevole, ché tosto l'avventura guerresca li riafferra e li allontana per due diverse strade. Li riunirà poi l'Ariosto, dato che la coppia è la capostipite della famiglia d'Este.

Il Boiardo tratteggia l'incontro amoroso con mano leggera e gentile. Il gesto di Brandiamante innamorata che si toglie l'elmo per mostrare a Ruggiero il suo viso, la sua treccia bionda che si scioglie dolcemente, restano come un'impressione indimenticabile di gioventù e bellezza fra il fragore delle armi e il ritmo fuggevole delle avventure.

Non avea tratto Brandiamante un fiato,
mentre che ragionava a lei Rugiero,
e mille volte lo avea riguardato
giù dalle staffe fin suso al cimero;
5 e tanto gli parea bene intagliato,
che ad altra cosa non avea il pensiero:
ma disiava più vederli il viso
che di vedere aperto il paradiso.
E stando così tacita e sospesa,
10 Rugier sogionse a lei: — Franco barone,
volentier saprebbi io, se non ti pesa,
il nome tuo e la tua nazïone. —
E la donzella, che è d'amore accesa,
rispose ad esso con questo sermone:
15 — Così vedestù il cor, che tu non vedi,
come io ti mostrarò quel che mi chiedi.
Di Chiaramonte nacqui e di Mongrana.
Non so se sai di tal gesta nïente,
ma di Ranaldo la fama soprana
20 potrebbe essere agionta a vostra gente.
A quel Ranaldo son sôra germana;
e perché tu mi creda veramente,
mostrarotti la faccia manifesta —;
e così lo elmo a sé trasse di testa.
25 Nel trar de l'elmo si sciolse la treccia,
che era de color d'oro allo splendore.
Avea il viso una delicateccia
mescolata di ardire e di vigore;
e labri, il naso, e cigli e ogni fateccia
30 parean depenti per la man de Amore,
ma gli occhi aveano un dolce tanto vivo,
che dir non pôssi, ed io non li descrivo.
Ne lo apparir dello angelico aspetto
Rugier rimase vinto e sbigotito,
35 e sentissi tremare il core in petto,
parendo a lui di foco esser ferito.

Parte III, canto V, ottave 38-43.

1-2. Non avea... Rugiero: Brandiamante non aveva nemmeno tratto il respiro, mentre Ruggiero le aveva rivelato il suo nome e la sua stirpe, affascinata, sebbene non lo avesse ancora visto nel volto, dalla sua prodezza e dalla sua cortesia. Rugiero le aveva narrato come discendesse per parte di madre da Alessandro Magno, e per parte di padre da Ettore, l'eroe troiano.
5-6. e tanto... intagliato: così bella le sembra la sua figura, che la fanciulla resta come trasognata, dimentica d'ogni cosa. Con la stessa atmosfera di sogno e d'incanto nasce l'amore nel cuore di Rugiero quando vede il dolce viso di lei.
9. stando: mentre ella stava.
12. la tua nazïone: la tua origine, la famiglia alla quale appartieni.
15. Così vedessi tu il mio cuore, che tu non vedi, con la stessa chiarezza con cui ti svelerò la mia stirpe.
17. Chiaramonte... Mongrana: sono i genitori suoi e di Ranaldo.
18. gesta: famiglia.
20. agionta: giunta.
21. sôra germana: sorella.
22. sgg. Si offre di mostrargli il suo viso, togliendosi l'elmo che lo tiene celato, col pretesto di mostrare la sua somiglianza con Ranaldo.
27. delicateccia: delicatezza. Così, al v. 29, fatteccia vale *fattezza*.
30. depenti: dipinti.
36. di foco esser ferito: gli sembra di essere ferito da uno strale infuocato.

Non sa pur che si fare il giovanetto:
non era apena di parlare ardito.
Con l'elmo in testa non l'avea temuta,
40 smarito è mo che in faccia l'ha veduta.
Essa poi cominciò: — Deh bel signore!
Piacciavi compiacermi solo in questo,
se a dama alcuna mai portasti amore,
ch'io veda il vostro viso manifesto. —
45 Così parlando odirno un gran rumore;
disse Rugiero: — Ah Dio! Che serà questo? —
Presto se volta e vede gente armata,
che vien correndo a lor per quella strata.

41. bel signore!: era modo di dire francese.
45. Così parlando odirno: mentre così parlavano udirono. Di nuovo il ritmo incalzante dell'avventura spezza la pausa trasognata e contemplativa. È un tratto caratteristico del poema.

Il Canzoniere («Amorum libri tres»)

Il Canzoniere, intitolato latinamente, a imitazione d'Ovidio, *Amorum libri tres*, narra le vicende dell'amore del poeta per Antonia Caprara, durato dal 1469 al '71, ma contiene molto probabilmente anche poesie ispirate a vicende anteriori. È diviso simmetricamente in tre libri, ciascuno dei quali comprende sessanta componimenti. Il primo libro canta lo sbocciare della passione nel cuore del poeta e la gioia dell'amore ricambiato; il secondo, invece, esprime la desolazione del poeta abbandonato dalla sua donna; il terzo è una rievocazione nostalgica dei momenti felici dell'amore d'un tempo, unita, a tratti, a un fuggevole rinascere di speranza, e si conclude con poesie di pentimento e di meditazione morale e religiosa, secondo lo schema petrarchesco.

Il Boiardo si sforza, dunque, di dare una solida architettura esterna al suo canzoniere; questo fatto, e la presenza di frequenti suggestioni petrarchesche e classiche nello stile, rivelano che si tratta di un'opera letterariamente assai elaborata, più di quanto non lo sia l'*Orlando*. Ancor più che del Petrarca si avverte la presenza di Ovidio e dei poeti elegiaci latini, nell'esaltazione boiardesca dell'amore, ispirata a una sensualità sublimata in immagini di gioia.

La lirica del Boiardo è una delle voci più originali della poesia del Quattrocento. I temi poetici più intensi sono la fervida ammirazione della bellezza femminile e quella della bellezza della natura. L'amata appare al poeta spesso in un dolcissimo scenario naturale, che però non è fuso con lei, come avviene nella poesia del Poliziano, in un'unica, primaverile impressione di armonia e di giovinezza, ma riflette il sentimento affettuoso col quale il poeta circonda la sua donna. È soprattutto questa vena affettuosa e sognante, fantastica e cordiale il carattere distintivo delle liriche migliori del Boiardo. Rispetto al Petrarca, gli manca lo scavo nella propria interiorità, la volontà di ridurre la vicenda d'amore alla storia dell'anima intera; la sua poesia esprime piuttosto una contemplazione tenera e struggente della bellezza e dell'amore, un appassionato vagheggiamento sentimentale.

Già vidi uscir di l'onde una matina

Il poeta rievoca una mattina primaverile, col suo improvviso dilagare di luce, lo schiudersi dei fiori, lo spuntare dell'erba tenera e fresca. In quest'alba di sogno appare la sua donna, rappresentata nella semplice grazia di un gesto gentile, cioè mentre raccoglie rose. La sua bellezza vince ogni altra bellezza della natura.

Questo sonetto e il seguente sono tratti dal primo libro.

Già vidi uscir di l'onde una matina
il sol di ragi d'or tutto iubato,
e di tal luce in facia colorato,
che ne incendeva tutta la marina.

Metro: *sonetto* (schema: ABBA, ABBA, CDE, CDE).

1. Già vidi: Quel passato remoto così indefinito allontana la visione dal tempo consueto.
2. iubato: chiomato; è un latinismo.
3-4. Il sole ha il «volto» colorato di luce così intensa che il mare inondato dai suoi raggi sembra un vasto incendio luminoso. La prima quartina definisce uno spettacolo di luce infinita; la seconda quartina e la prima terzina insistono invece sul miracolo della vita che si schiude. Nell'uno e nell'altro caso la natura riflette il senso di gioia che il poeta prova dinanzi alla rivelazione della bellezza.

5 E vidi la rogiada matutina
la rosa aprir d'un color sì infiamato,
che ogni luntan aspetto avria stimato
che un foco ardesse ne la verde spina.
E vidi a la stagion prima e novella
10 uscir la molle erbetta, come sòle
aprir le foglie ne la prima etate.
E vidi una ligiadra donna e bella
su l'erba coglier rose al primo sole
e vincer queste cose di beltate.

6. la rosa aprir, ecc.: la rugiada del mattino dischiude la rosa, che ha un colore rosso, come fiamma.
7-8. che ogni... spina: ogni sguardo lontano, cioè chi avesse osservato da lungi la rosa, avrebbe creduto che un fuoco, non i petali del fiore, ardesse sul verde gambo spinoso.
9. a la stagion, ecc.: a primavera.
10-11. uscir: spuntare dal suolo. **come... etate**: come è solita, quando è novella, disciogliere dalla gemma i singoli steli.

Dàtime a piena mano e rose e zigli

Anche in questo sonetto la letizia per l'amore contraccambiato si risolve in immagini luminose di fiori, di colori freschi e vivi; anche qui c'è la tensione esultante e vorremmo dire un'espressione visiva della gioia del poeta. Più debole si fa il sonetto nelle due terzine, quando descrive la consueta vicenda dell'amore, quale da secoli ormai era stata fissata dai poeti. La voce genuina del Boiardo è da ricercare, se mai, nell'ultimo verso, in quel trasporto semplice e fresco d'affetto.

Dàtime a piena mano e rose e zigli,
spargeti intorno a me vïole e fiori;
ciascun che meco pianse e mei dolori,
di mia leticia meco il frutto pigli!
5 Dàtime e fiori e candidi e vermigli;
confàno a questo giorno e bei colori;
spargeti intorno d'amorosi odori,
ché il loco a la mia voglia se assumigli.
Perdòn m'ha dato ed hami dato pace
10 la dolce mia nemica, e vuol ch'io campi,
lei che sol di pietà se pregia e vanta.
Non vi maravigliati per ch'io avampi,
ché maraviglia è più che non se sface
il cor in tutto d'alegrezza tanta.

Metro: *sonetto* (schema: ABBA, ABBA, CDE, DCE).

1. Dàtime a piena mano: datemi a piene mani. Nelle quartine c'è un impeto di esultanza, evidente nel ritmo e negli accenti dei versi.
3-4. Vuole che tutti coloro che lo amano, che parteciparono per questo al suo dolore per l'amore non corrisposto, si rallegrino con lui. **e**: i.
5. candidi e vermigli: sono i *bei colori* preferiti dal Boiardo: freschi e intensi.
6. confàno: si addicono.
7. d'amorosi odori: (degli) amorosi odori. Pare che alluda sempre ai fiori, sentiti qui nella soavità del loro profumo.
8. Vuole che tutto intorno a lui sia conforme alla sua voglia, cioè, gioioso come il suo animo.
9. Perdòn m'ha dato, ecc.: spiega la cagione della sua esultanza. **hami**: mi ha.
10. vuol ch'io campi: vuole che io viva, mi ridona, con la sua grazia, la vita.
12-14. Non vi meravigliate se io avvampo, ardo di gioia; è degno di maggior meraviglia il fatto che il mio cuore non si strugga nell'empito (*in tutto*) di sì grande allegrezza.

Ligiadro veroncello, ove è colei

Nel terzo libro le rimembranze del tempo felice dell'amore ricambiato sono espresse in modi sospesi tra il rimpianto e la nostalgia.

Il balcone al quale un tempo appariva il viso della sua donna è ora deserto e senza luce; così l'anima del poeta. La ricordanza del tempo felice tempera appena la tristezza di questo abbandono, riconduce solo per un attimo la presenza di lei fra i fiori inariditi del verone; quanto basta, però, perché il dolore si rivesta di un'intima soavità.

Ligiadro veroncello, ove è colei
che de sua luce aluminar te sòle?
ben vedo che il tuo danno a te non dole;
ma quanto meco lamentar te déi!
5 Ché, sanza sua vagheza, nulla sei;
deserti e fiori e seche le vïole:
al veder nostro il giorno non ha sole,

Metro: *sonetto* (schema: ABBA, ABBA, CDE, DEC).

1-2. Ligiadro veroncello... sòle: leggiadro veroncello dove è ora la mia donna, che soleva (*sole*) illuminarti con la sua luce fulgida di bellezza?
3-4. ben vedo... te déi: Ben mi avvedo che non ti duoli (*a te non dole*) del tuo danno (cioè della perdita di lei); eppure dovresti ben lamentarti con me; perché, come spiega nei versi seguenti, il verone non ha più quella vaghezza che la donna riversava su di lui con la sua presenza.
5-8. Senza Antonia, il verone è «nulla», i fiori che lo adornano sono avvizziti, spenti, così come agli occhi del poeta abbandonato da lei non ha più sole il giorno, né stelle la notte.

la notte non ha stelle sanza lei.
Pur me rimembra che te vidi adorno,
10 tra' bianchi marmi e il colorito fiore,
de una fiorita e candida persona.
A' toi balconi allor se stava Amore,
che or te soletto e misero abbandona,
perché a quella gentil dimora intorno.

12-14. Allora ai tuoi balconi stava Amore, che ora ti lascia misero e solo in questo abbandono perché dimora intorno a quella creatura gentile.

Fior scoloriti e palide vïole

È un dialogo fra il poeta e i fiori del *ligiadro veroncello*; l'uno e gli altri lamentano la partenza di lei che li priva di ogni luce di bellezza e di vita. Anche qui, le cose che furono testimoni della sua gioia di un giorno, suggeriscono al poeta una mesta elegia dell'amore perduto.

— Fior scoloriti e palide vïole,
che sì suavemente il vento move,
vostra Madona dove è gita? e dove
è gito il Sol che aluminar vi sòle?
5 — Nostra Madona se ne gì co 'l sole,
che ognor ce apriva di belleze nove;
e, poi che tanto bene è gito altrove,
mostramo aperto quanto ce ne dòle.
— Fior sfortunati e vïole infelici,
10 abandonati dal divino ardore,
che vi infondeva vista sì serena!
— Tu dici il vero: e nui ne le radici
sentiamo il danno; e tu senti nel core
la perdita che nosco al fin te mena.

Metro: *sonetto* (schema: ABBA, ABBA, CDE, CDE).

1-2. Gli aggettivi, *scoloriti e palide* diffondono fin dall'inizio un tono di mesta nostalgia. Questi fiori avvizziti sono mossi dal vento sul verone solitario; eppure la tristezza dell'abbandono è lenita da quel *soavemente*, come il dolore del poeta è lenito dalla dolcezza che reca con sé il ricordo.
3-4. Dove è andato (*gito*) il Sole (cioè Antonia) che soleva (*sole*) illuminarvi con la sua presenza?
5-6. Nostra... nove: Rispondono i fiori: «La nostra donna se n'è andata col sole della sua bellezza, cioè con quella bellezza che continuamente ci rivestiva di novello fascino».
8. mostramo aperto: mostriamo apertamente (col nostro pallore).
11. vista sì serena: un aspetto così limpido, serenatore.
12-14. Dicono i fiori abbandonati che essi sentono nelle radici la perdita di ogni umore vitale, così come il poeta sente nel cuore inaridirsi la sua stessa vita.
14. nosco: con noi. **al fin**: alla morte.

Se passati a quel ponte, alme gentile

Domenico De Robertis ha indicato in questo sonetto un ideale momento di trapasso dalla lirica amorosa del Boiardo alla sua poesia narrativa, per via di quel varco (il ponte candido e marmoreo) che è luogo tipico della narrativa cavalleresca: inizio di avventura, ingresso in un mondo *altro*. Si pensi al ponte emblematico della spada, travagliosamente superato da Lancillotto per riportare Ginevra dal mondo «dal quale più non si torna»; ma altri ponti del genere si ritrovano nell'*Innamorato* e nel *Furioso*.

Il sonetto si divide in due gruppi (le quartine e le terzine) che ripetono la stessa vicenda di antifona e risposta. Ai vv. 1-4 si ha l'immagine luminosa del ponte, su uno sfondo di eterna primavera, cui segue l'immagine della «fiera» (Amore), che priva di libertà; movimento analogo si ha fra la prima e la seconda terzina. Ne consegue un'idea combattuta e ambigua dell'amore, come dolcezza e sofferenza. Piuttosto della meditazione emblematica e universalizzante dell'amore come fonte di elevazione spirituale e morale degli stilnovisti e di Dante, o fonte del dissidio petrarchesco, si ha qui un embrionale racconto d'esperienza, una tensione, appunto, narrativa.

Se passati a quel ponte, alme gentile,
che in bianco marmo varca la rivera,
fiorir vedreti eternamente aprile
e una aura sospirar dolce e ligera.
5 Ben vi scorgo sinor che v'è una fiera
che abbatte e lega ogni pensier virile,
e qualunque alma è più superba e altiera,
persa la libertà, ritorna umile.
Ite, s'el v'è in piacer, lă dove odeti
10 cantar li augei ne l'aria più serena

Metro: *sonetto* (schema: ABAB, ABAB, CDC, DCD).

1-2. passati: passate. **gentile**: gentili. **rivera**: fiume.
5-8. scorgo: avverto. **umile**: L'aggettivo non ha più l'accezione positiva che gli avevano conferito gli stilnovisti, ma allude a umiliazione.
9. odeti: udite.

tra ombrosi mirti e pini e fagi e abeti.
Ite là voi, che io son fugito a pena,
libero non, ché pur, come vedeti,
porto con meco ancora la catena.

13. pur: ancora e continuamente.

Ne la proterva età lubrica e frale

È il sonetto conclusivo del canzoniere boiardesco, che si chiude così, come quello del Petrarca, con un'invocazione di perdono religioso. Ma all'effusa confessione-implorazione petrarchesca fa qui riscontro un atteggiamento meditativo pacato, condensato in alcuni aggettivi connessi a una meditazione razionale, piuttosto che ambiguità degli impulsi dell'animo scoperti dal Petrarca. Il peccato diventa qualcosa di fatalmente implicito nella natura umana, e di qui nasce la richiesta a Dio di pietà.

Ne la proterva età lubrica e frale
de amor cantava, anci piangea più spesso,
per altrui sospirando; or per me stesso
tardi sospiro e piango del mio male.
5 Re de le stelle eterno ed immortale
soccorri me ché io son di colpe oppresso,
e cognosco il mio fallo e a te il confesso,
ma sancia tua mercè nulla mi vale.
L'alma corrotta da' peccati e guasta
10 se è nel fangoso error versata tanto
che breve tempo a lei purgar non basta.
Signor, che la copristi de quel manto
che a ritornare al ciel pugna e contrasta,
tempra il iudizio con pietate alquanto.

Metro: *sonetto* (schema: ABBA, ABBA, CDC, DCD).

1-4. Nell'età baldanzosa, priva di equilibrio e fragile (la giovinezza), cantavo d'amore, anzi, più spesso piangevo, sospirando per altri (la donna amata e impietosa); ora sospiro e piango, ma troppo tardi, per me, per il male che ho commesso.
8. sancia mercè: senza la tua pietà.
10. fangoso error: parla di amore dei sensi, e dunque portatore di macchie e di vergogna.
12-14. manto: il corpo. **che... contrasta**: che combatte e si oppone al desiderio di ritornare a Dio. **tempra:** tempera.

Jacobo Sannazaro

La vita

A Napoli l'Umanesimo ebbe la sua fioritura sotto il regno di Alfonso d'Aragona, splendido mecenate, anche per ragioni di prestigio politico, e conservò sempre un'impronta di questa origine cortigiana. Non conobbe, infatti, l'impegno civile di quello fiorentino e il suo fecondo scambio fra letteratura dotta e popolaresca; si volse piuttosto, in poesia, a delineare un mondo di idillica dolcezza, un espandersi dell'uomo nella natura, in una solitudine serena, allietata dalla bellezza del paesaggio e, al tempo stesso, dal ricordo vivo della grande poesia dei classici.

Abbiamo già ricordato i principali iniziatori della cultura umanistica napoletana: Antonio Beccadelli, detto il Panormita, e Giovanni Pontano. Il primo fu il fondatore di quella Accademia che fu poi detta *pontaniana*, nella quale si disputava di storia, di filosofia, di scienze naturali, ma soprattutto si leggevano i classici antichi, concepiti come modello di saggezza e di aperta e cordiale umanità. Il secondo fu scrittore vario e fecondissimo in lingua latina, poiché solo in questa lingua, considerata, secondo il pregiudizio umanistico, la più bella e dignitosa, scrisse, come abbiamo visto, le sue opere.

Lo scrittore napoletano più importante in lingua italiana, e senz'altro uno dei più importanti del nostro Quattrocento, fu Jacobo Sannazaro. Nacque a Napoli nel 1458 e fanciullo ancora perdette il padre. La madre allora si trasferì coi figli a San Cipriano Picentino, nel Salernitano, dove egli visse a contatto con un ambiente alpestre e pastorale che gli rimase indelebile nel cuore e nella fantasia. Ritornato a Napoli fra il '73 e il '74 acquistò una profonda cultura umanistica, e per le sue eleganti scritture latine venne nominato dal Pontano membro dell'Accademia col nome di Azio Sincero. Servì fedelmente la dinastia Aragonese e fu legato al suo re Federico da leale amicizia, tanto che quando questi perdette il trono lo aiutò, vendendo parte dei suoi beni e lo seguì nel suo esilio in Francia, assistendolo fino alla morte. Quindi, nel 1504, ritornò a Napoli, e visse in disparte, senza collaborare coi nuovi dominatori, nonostante le sollecitazioni ricevute, e per molti anni si dedicò alla composizione del suo maggior poema latino, il *De Partu Virginis* (*Il parto della Vergine*), confortato dalla tenera amicizia di una nobile e sventurata signora, Cassandra Marchese, nella cui casa morì l'anno 1530.

Ampia e letterariamente raffinata fu la produzione latina del Sannazaro. Per quel che riguarda l'ispirazione, vi troviamo dominante quello che è, come vedremo, il tema della sua opera più grande, l'*Arcadia*, cioè il vagheggiamento della natura, sentita soprattutto come un rifugio, un porto di pace, e l'amore per le belle forme letterarie con le quali i poeti classici avevano fissato in maniera, per il Sannazaro, esemplare i paesaggi idillici. Le *Eglogae piscatoriae* riecheggiano da vicino le forme della poesia latina d'argomento pastorale, sebbene il poeta cerchi di fare cosa originale sostituendo il mondo dei pescatori a quello classico dei pastori. Il *De Partu Virginis* parla della nascita di Cristo, cercando di fondere la materia evangelica con lo spirito della poesia virgiliana. Più apprezzati dai critici sono, oggi, le *Elegie* e gli *Epigrammi*, dove il Sannazaro esprime con maggiore abbandono la sua malinconia, il suo desiderio di pace, la sua fedeltà ai suoi principi: insomma la sua umanità schietta e generosa.

Fra le opere scritte in italiano ricordiamo il *Canzoniere*, di imitazione petrarchesca. Non grande pregio hanno i *gliommeri* (= gomitoli), monologhi farseschi scritti in dialetto napoletano.

L'«Arcadia»

La fama del Sannazaro è legata soprattutto all'*Arcadia*, un'opera giovanile, composta fra il 1480 e l' 85, tranne i due ultimi capitoli che furono aggiunti in seguito, e pubblicata integralmente nel 1504. È un romanzo pastorale, idealmente autobiografico, costituito da dodici prose, che sono la parte più importante e valida del libro, inframmezzate da egloghe in versi.

Protagonista del racconto è Sincero, che, per lenire la pena di un amore non corrisposto, si rifugia in Arcadia, cioè nella regione dell'antica Grecia considerata da secoli la culla della poesia pastorale. Qui prende parte alla vita dei pastori, allietata da cacce, giuochi, e soprattutto dalla poesia e dal canto. Un giorno, racconta a un pastore, Carino, la sua storia d'amore, e questi lo esorta a non disperare, narrandogli come anch'egli riuscisse ad ottenere fuor d'ogni speranza l'amore d'una fanciulla che l'aveva prima disdegnato. Sincero vive ancora per un certo tempo fra i pastori, finché una notte un sogno gli reca un doloroso presentimento, ed egli, destatosi, si avvia per la campagna solitaria. Giunto alle falde di un monte, incontra una ninfa, che per un fantastico sentiero posto sotto la superficie terrestre, lo riconduce presso Napoli, alla sorgente del fiume Sebeto; qui Sincero apprende da due fanciulle piangenti la morte dell'amata.

La favola del Sannazaro, secondo la tradizione della poesia pastorale, ha un significato allegorico a sfondo autobiografico. Sincero è il poeta stesso, la donna amata è Carmosina Bonifacio, che egli amò ancor fanciullo e che morì in tenera età, molti personaggi rappresentano gli amici più cari del poeta, uno, Massilia, sua madre, e lo stesso rifugiarsi di Sincero in quella mitica terra è come il ricordo degli anni vissuti dal poeta, al tempo dell'adolescenza, lontano da Napoli. Ma soprattutto allegorico, o meglio mitico, è il mondo stesso dell'Arcadia, elaborato da una tradizione poetica più che millenaria, risalente ai Classici latini e greci.

L'Arcadia era una regione montuosa della Grecia antica, abitata da pastori, nella quale, secondo gli storici greci, si erano mantenute a lungo una purezza di costumi, una semplicità di vita simili a quelle della mitica età dell'oro del genere umano. I poeti antichi avevano proiettato in questa terra e nella vita semplice e conforme a natura dei pastori il mito della felicità umana: l'Arcadia era divenuta la regione ideale dove più schietti si effondevano i sentimenti del cuore, in primo luogo l'amore, e dove libero e spontaneo fioriva il canto: era divenuta la terra dell'idillio, cioè di una spontanea comunione fra l'uomo e la natura, attuata in una vita semplice, lontana dal quotidiano travaglio, tutta concentrata in una interiorità sognante.

Nell'età rinascimentale rifiorì la poesia idillica e bucolica, in quanto esprimeva una delle aspirazioni fondamentali della nuova civiltà: il libero espandersi dell'uomo nella natura, il protendersi dell'anima alla ricerca di una limpida armonia vitale. Questo spiega la grandissima fortuna che ebbe in Italia e in Europa l'opera del Sannazaro; essa fu infatti salutata come il culmine e il compendio della poesia bucolica, in quanto ne accoglieva i modi, le immagini, le forme espressive quali si erano venute elaborando nel corso dei secoli, e le componeva in una struttura compatta, riflettendo temi e sentimenti consacrati dalla tradizione.

Di conseguenza, l'*Arcadia* del Sannazaro non ha vero tessuto narrativo; è rappresentazione di quadri composti e raffinati, non racconto di esperienze interiori, e tanto meno dramma. Il suo è un mondo favoloso, remoto, immutabile, già fissato da secoli nei suoi tratti essenziali; non c'è quasi situazione o immagine, nell'opera intera, che non abbia il suo antecedente in un classico greco o latino, sì che essa appare un finissimo lavoro d'intarsio. Del Sannazaro, c'è la nostalgia di quel mondo radioso e perduto, un bisogno sincero di evadere, di là dalla vita comune, nel regno incantato della poesia. Spirito melanconico e sognatore, egli si rinchiude nei ricordi dell'adolescenza e li riveste con le immagini e i suoni di quei poeti che sono parte viva e integrante di quel passato, perché furono conforto alla sua vita solitaria.

Col Sannazaro, erede della tradizione stilistica dei Classici, ma anche di quella del Boccaccio e del Petrarca, dei quali assunse il lessico, il modello linguistico toscano si diffuse e affermò nell'Italia Meridionale. L'*Arcadia* contribuì pertanto ad attuare l'unificazione linguistica su scala nazionale della nostra letteratura in prosa.

Per il testo dell'*Arcadia* seguiamo l'edizione di E. Carrara, Torino, Utet, 1952.

Paesaggio d'Arcadia

È questa la prima prosa del libro. Essa delinea già compiutamente il tipico paesaggio arcadico, lo sfondo sul quale si muove la tenue vicenda e si effondono i dialoghi e i canti dei pastori.

Evidentissimo è il carattere squisitamente letterario del passo. In primo luogo la natura è stilizzata: c'è un bosco, un praticello, un vago sentore di primavera e di pace, ma non colti nella loro immediatezza, bensì quali appaiono nella trasfigurazione fantastica della pastorale terra d'Arcadia, di un mito, cioè, creato dai poeti e ormai da secoli espresso in immagini concluse. Il Sannazaro rievoca la natura che ha imparato a conoscere e ad ammirare nelle pagine dei Classici, come spontaneamente sovrapposta alla sua esperienza vitale.

Indichiamo anche qualche carattere stilistico saliente. Ogni sostantivo è preceduto da un aggettivo, che ha il valore di un epiteto consacrato dalla tradizione, e quindi convenzionale (le pecorelle sono sempre *lascive*, *avidi* i loro morsi, ecc.); questo vale anche per i gesti, gli atti, le consuetudini della vita pastorale. La prosa ha un andamento ordinato, senza scosse o sussulti, con una vaga modulazione di canto; il ritmo latineggiante del periodo e i latinismi lessicali danno al passo il tono di un fine mosaico letterario.

Giace ne la sommità di Partènio, non umile monte de la pastorale Arcadia, un dilettevole piano, de ampiezza non molto spazioso, però che il sito del luogo no 'l consente, ma di minuta e verdissima erbetta sì ripieno, che, se le lascive pecorelle con gli avidi morsi non vi pascesseno, vi si potrebbe di ogni tempo ritrovare verdura.[1] Ove, se io non mi inganno, son forse dodici o quindici alberi di tanto strana ed eccessiva bellezza[2] che chiunque li vedesse, giudicherebbe che la maestra Natura vi si fusse con sommo diletto studiata in formarli. Li quali, alquanto distanti e in ordine non artificioso[3] disposti, con la loro rarità la naturale bellezza del luogo oltra misura annobiliscono.[4] Quivi[5] senza nodo veruno si vede il drittissimo abete, nato a sustinere i pericoli del mare;[6] e con più aperti rami la robusta quercia, e l'alto fràssino e lo amenissimo plàtano vi si distendono con le loro ombre, non picciola parte del bello e copioso prato occupando; ed èvi con più breve fronda l'albero di che Ercule coronar si solea, nel cui pedale le misere figliole di Climène furono trasformate.[7] E in un de' lati si scerne il noderoso castagno,[8] il fronzuto bòsso, e con puntate foglie[9] lo eccelso pino carico di durissimi frutti; ne l'altro lo ombroso faggio, la incorruttibile tiglia e 'l fragile tamarisco, insieme con la orientale palma, dolce e onorato premio de' vincitori.[10] Ma fra tutti nel mezzo, presso un chiaro fonte, sorge verso il cielo un dritto cipresso, veracissimo imitatore de le alte mète,[11] nel quale, non che Ciparisso ma, se dir conviensi, esso Apollo non si sdegnerebbe essere transfigurato.[12] Né sono le dette piante sì discortesi, che del tutto con le loro ombre vièteno i raggi del sole entrare nel dilettoso boschetto; anzi per diverse parti sì graziosamente gli recevono, che rara è quella erbetta che da quelli non prenda grandissima recreazione:[13] e come che di ogni tempo piacevole stanza vi sia, ne la fiorita Primavera,[14] più che in tutto il restante anno, piacevolissima vi si ritruova. In questo così fatto luogo sogliono sovente i pastori con li loro greggi da li vicini monti convenire, e quivi in diverse e non leggiere pruove[15] esercitarse: sì come in lanciare il grave palo,[16] in trarre con gli archi al versaglio,[17] e in addestrarse ne i lievi salti e ne le forti lotte piene di rusticane insidie;[18] e 'l più de le volte in cantare e in sonare le sampogne a pruova l'un de l'altro,[19] non senza pregio e lode del vincitore.

---

1. **Giace... verdura**: Il periodo si distende ampio e bene ordinato. **giace**: si estende; ma il verbo usato dall'autore, posto non a caso all'inizio del periodo, dà subito il senso di uno scenario immoto, pieno di serena pace. **non umile monte**: non basso monte; qui *umile* conserva il valore che ha in latino: basso, vicino al suolo. **però che il sito del luogo**, ecc.: poiché la natura montuosa del luogo, ecc. **minuta e verdissima erbetta**: il fresco colore dell'erba, il diminutivo danno alla descrizione un senso di grazia che è proprio dei paesaggi arcadici. **lascive pecorelle**: errabonde; è anche questo un latinismo. **di... tempo**: in tutte le stagioni; **verdura**: erba (verde).
2. **di tanto... bellezza**: di bellezza così insolita e straordinaria.
3. **in ordine non artificioso**: in ordine spontaneo.
4. **annobiliscono**: nobilitano col loro pregio straordinario, il luogo già di per sé così bello. Eppure, nonostante la ricerca di una grazia nativa, i paesaggi arcadici, come questo, hanno un tono artefatto, che deriva dall'eccessivo ordine, dalla troppo composta e compiaciuta simmetria.
5. **Quivi**, ecc.: comincia la descrizione dei singoli alberi, stilizzatissima, nella quale si può ben dire che l'arte sopraffaccia la natura. Lo si vede dagli aggettivi tradizionali assegnati a ciascun albero e nel ricordo di antichi miti legati alle singole piante.
6. **nato... mare**: in quanto il legno d'abete era preferito per la costruzione di imbarcazioni.
7. **l'albero... trasformate**: Allude al pioppo, delle cui fronde Ercole soleva incoronarsi. Le figlie di Climene (e del Sole) sono le Eliadi. Piansero la morte del fratello Fetonte che volle tentare di guidare il carro del Sole e precipitò, folgorato da Giove, nel Po, e gli dèi le tramutarono in pioppi.
8. **si scerne il noderoso castagno**: si vede il castagno, dal tronco pieno di nodi.
9. **con puntate foglie**: con foglie appuntite: allude agli aghi del pino.
10. **incorruttibile tiglia... palma... vincitori**: il tiglio è detto incorruttibile perché ha legno resistentissimo; con foglie di palma si onoravano i vincitori delle gare.
11. **veracissimo... mète**: *meta* era chiamata la colonna che indicava il traguardo nelle corse dei cocchi. L'espressione allude al fatto che il tronco del cipresso è alto, diritto e snello.
12. Nel quale non solo Ciparisso, ma persino Apollo non avrebbe sdegnato di essere tramutato, tanto grande era la bellezza di quell'albero. Apollo, secondo la mitologia, trasformò Ciparisso, bellissimo pastore, in cipresso.
13. **Né... recreazione**: Non sono questi alberi così scortesi da vietare completamente ai raggi del sole di entrare nel dilettoso boschetto. Anzi, li accolgono, fra l'intrico dei rami, *graziosamente*, sì che le erbette ne ricevono grande *ricreazione* o conforto. La natura è come umanizzata: a questo hanno alluso i richiami alle antiche metamorfosi, che hanno inserito in essa il senso di una presenza umana.
14. **come che... Primavera,** ecc.: sebbene in ogni tempo dell'anno sia piacevole dimorare in quel luogo, lo è ancor di più al tempo della primavera.
15. **e non leggiere pruove**: e non facili gare (alla descrizione di esse sarà dedicata un'intera *prosa*).
16. **il grave palo**: un pesante giavellotto.
17. **in trarre con gli archi al versaglio**: nel tirare con gli archi al bersaglio.
18. **lievi salti... forti lotte... insidie**: agili salti (*lievi* è un latinismo) e lotte che richiedono robustezza e sono piene di rusticane insidie, nel senso che fra questi rozzi pastori si ha una specie di moderna lotta libera.
19. **a pruova l'un de l'altro**: a gara fra loro. Una *prosa* è appunto dedicata, secondo la tradizione, a una gara di canto e poesia fra due pastori.

Ma essendo una fiata tra l'altre[20] quasi tutti i convicini pastori con le loro mandre quivi ragunati, e ciascuno varie maniere cercando di sollacciare,[21] si dava maravigliosa festa. Ergasto solo[22] senza alcuna cosa dire o fare, appié di un albero, dimenticato di sé e de' suoi greggi giaceva, non altrimente che se una pietra o un tronco stato fusse, quantunque per adietro solesse oltra gli altri pastori essere dilettevole e grazioso. Del cui misero stato Selvaggio mosso a compassione, per dargli alcun conforto, così amichevolmente ad alta voce cantando gli incominciò a parlare.[23]

20. una fiata tra l'altre: una volta fra le altre.
21. sollacciare: prendere sollazzo, diporto.
22. Ergasto solo: con questa silenziosa e solitaria figura penetra nella serena natura arcadica il tema tradizionale della pena d'amore, che spesso si effonde in malinconico canto per boschi e selve silenti. La solitudine, lo sfondo grazioso e gentile del paesaggio invitano i pastori àrcadi al libero sfogo dei loro sentimenti, delle pene e gioie d'amore. La terra dove vige una natura ancor vergine e incorrotta diviene così una terra di pastori-poeti.
23. gli incominciò a parlare: qui termina la prima prosa. Segue un canto alterno, un dialogo poetico in terzine fra Selvaggio ed Ergasto. Quest'ultimo racconta il sorgere di un suo amore infelice e le pene nate da esso.

L'amore di Sincero

È questo il momento centrale nella tenue trama narrativa dell'*Arcadia*: Sincero narra ai pastori la sua malinconica storia d'amore. Si possono distinguere nel passo due momenti. Dapprima Sincero racconta il sorgere in lui dell'amore, quando era ancora fanciullo, per una compagna di giuochi, e successivamente il crescere di questo sentimento con gli anni, il pudore che gli impedisce di confessarlo, il suo sentirsi incompreso dall'amata, fino al desolato proposito di fuggire da Napoli per rifugiarsi in Arcadia. In questa prima parte si avverte l'influsso del Boccaccio, nella capacità di precisa introspezione psicologica. Più viva è però la seconda parte, nella quale Sincero rivela la sua presente infelicità, che la lontananza dalla sua donna non ha fatto altro che accrescere: ogni cosa, infatti, gli parla ora di lei, gli presenta la favola bella d'un giorno come irrimediabilmente perduta. In questo senso di inappagamento e di nostalgia sta la voce più nuova del libro; qui l'Arcadia appare non come evasione serena, conquista di pace e di felicità, ma come nostalgia di un beato e irraggiungibile mondo d'infanzia.

(...) appena avea otto anni forniti,[1] che le forze di Amore a sentire incominciai; e de la vaghezza di una picciola fanciulla,[2] ma bella e leggiadra più che altra che vedere mi paresse già mai, e da alto sangue discesa, inamorato, con più diligenzia, che ai puerili anni non si conviene,[3] questo mio desiderio teneva occolto.[4] Per la qual cosa colei, senza punto di ciò avvedersi, fanciullescamente meco giocando, di giorno in giorno, di ora in ora più con le sue eccessive[5] bellezze le mie tenere medolle accendeva; intanto che con gli anni crescendo lo amore, in più adulta età et a li caldi desii più inclinata[6] pervenimmo. Né per tutto ciò la solita conversazione[7] cessando, anzi quella ognor più domesticamente ristringendosi, mi era di maggior noja cagione. Perché parendomi lo amore, la benivolenzia e la affezione grandissima da lei portatami non essere a quel fine,[8] che io avrei desiderato; e conoscendo me avere altro ne lo petto,[9] che di fuori mostrare non mi bisognava; né avendo ancora ardire di discoprirmeli in cosa alcuna, per non perdere in un punto[10] quel, che in molti anni mi parea avere con industriosa fatica racquistato; in sì fiera malinconia e dolore intrai, che 'l consueto cibo e 'l sonno perdendone, più ad ombra di morte,[11] che ad uom vivo assomigliava. De la qual cosa molte volte da lei domandato qual fusse la cagione, altro che un sospiro ardentissimo in risposta non gli rendea. E quantunque nel lettucciuolo de la mia cameretta molte cose ne la memoria[12] mi proponesse di dirli, niente di meno, quando in sua presenza era, impallidiva, tremava, e diveniva mutolo; in maniera che a molti forse, che ciò vedeano, diedi cagione di sospettare. Ma lei, o che per innata bontà[13] non se ne avvedesse già mai, o che fusse di sì freddo petto, che amore non potesse ricevere, o forse, quel che più credibile è, che fusse sì savia, che migliore di me sel sapesse nascondere, in atti et in parole sovra di ciò semplicissima[14] mi si mostrava. Per la qual cosa io né di amarla mi sapea distraere,[15] né dimorare in sì misera vita mi giovava. Dunque per ultimo rimedio di più non stare in vita deliberai; e pensando meco del modo, varie e strane condizioni di morte andai immaginando: e veramente o con laccio, o con veleno, o vero con la tagliente spada avrei finiti li miei tristi giorni, se la dolente anima da non so che viltà sovrapresa non fusse divenuta timida di quel, che più desiderava.[16] Tal che, rivolto il fiero proponimento in più regulato consiglio,[17] presi per partito di abandonare Napoli e le paterne case, credendo forse di lasciare amore e i

Prosa settima.

1. avea... forniti: avevo compiuti.
2. una picciola fanciulla: è Carmosina Bonifacio, vicina di casa e lontana parente del Sannazaro, anch'ella di nobile famiglia (*da alto sangue discesa*).
3. con più diligenzia... conviene: con maggiore intensità affettiva di quel che ci si aspetterebbe da un bambino.
4. occolto: occulto, nascosto.
5. eccessive: straordinarie, fuori del comune.
6. a li caldi... inclinata: più naturalmente disposta all'amore.
7. conversazione: lo stare insieme, il frequentarci amichevolmente.
8. non essere a quel fine, ecc.: a Sincero sembra che il sentimento nutrito da Carmosina nei suoi confronti sia un'amicizia affettuosa, non amore come egli vorrebbe.
9. me avere altro ne lo petto, ecc.: cioè comprendendo che io provavo in cuore un autentico sentimento amoroso.
10. per non perdere in un punto, ecc.: Il dramma di Sincero è questo: il timore che il suo sentimento non sia condiviso da lei. In tal caso, il confessarlo significherebbe porre fine anche a quella loro affettuosa consuetudine, alla loro amicizia, e non vedersi più.
11. più ad ombra di morte: l'espressione rende con incisività il deperimento, il languore fisico e spirituale dell'innamorato infelice.
12. ne la memoria: nella mente.
13. bontà: semplicità, ingenuo candore.
14. sovra di ciò semplicissima: si mostrava a lui completamente ingenua e inconsapevole di amorosi pensieri.
15. io né... distraere: non riuscivo a distogliermi dall'amarla.
16. non fusse divenuta... desiderava: non fosse divenuta timorosa di quella morte che pure ardentemente desiderava.
17. rivolto... consiglio: mutato il feroce

pensieri insieme con quelle. Ma, lasso! che molto altrimente, ch'io non avvisava, mi avvenne;[18] però che se allora veggendo e parlando sovente a colei, ch'io tanto amo, mi riputava infelice, sol pensando che la cagione del mio penare a lei non era nota; or mi posso giustamente sovra ogni altro chiamare infelicissimo, trovandomi per tanta distanza di paese absente da lei,[19] e forse senza speranza di rivederla già mai,[20] né di udirne novella, che per me salutifera sia. Massimamente ricordandomi in questa fervida adolescenzia de' piaceri de la deliciosa patria, tra queste solitudini di Arcadia, ove, con vostra pace il dirò, non che i gioveni ne le nobili città nodriti, ma appena mi si lascia credere che le selvatiche bestie vi possono con diletto dimorare: e se a me non fusse altra tribulazione, che la ansietà de la mente, la quale me continuamente tene suspeso a diverse cose, per lo fervente desìo ch'io ho di rivederla, non potendolami né notte né giorno, quale stia fatta, riformare ne la memoria, si sarebbe ella grandissima. Io non veggio né monte, né selva[21] alcuna, che tuttavia non mi persuada[22] di doverlavi ritrovare, quantunque a pensarlo mi paia impossibile. Niuna fiera, né uccello, né ramo vi sento movere, ch'io non mi gire paventoso[23] per mirare se fusse dessa in queste parti venuta ad intendere la misera vita, ch'io sostegno per lei: similmente niuna altra cosa vedere vi posso, che prima non mi sia cagione di rimembrarmi con più fervore e sollicitudine di lei; e mi pare che le concave grotte, i fonti, le valli, i monti, con tutte le selve la chiamino, e gli altri arbusti risoneno sempre il nome di lei.[24] Tra i quali alcuna volta trovandomi io, e mirando i fronzuti olmi circondati da le pampinose viti, mi corre amaramente ne l'animo con angoscia incomportabile,[25] quanto sia lo stato mio difforme da quello degli insensati[26] alberi, i quali, da le care viti amati, dimorano continuamente con quelle in graziosi abracciari; et io per tanto spazio di cielo, per tanta longinquità[27] di terra, per tanti seni di mare, dal mio desìo dilungato,[28] in continuo dolore e lacrime mi consumo. O quante volte e' mi ricorda, che vedendo per li soli boschi[29] gli affettuosi colombi con suave mormorio basciarsi, e poi andare desiderosi cercando lo amato nido, quasi da invidia vinto ne piansi, cotali parole dicendo: — O felici voi, ai quali senza suspetto alcuno di gelosia è concesso dormire e veghiare con secura pace![30] Lungo sia il vostro diletto, lunghi siano i vostri amori: acciò che io solo di dolore spettaculo possa a' viventi rimanere —.

proposito di suicidio in un più ragionevole consiglio.

18. molto altrimente... mi avvenne: mi accadde cosa molto diversa da quella che pensavo.

19. absente da lei: lontano da lei.

20. già mai: mai più. Nel periodo che segue: **Massimamente ricordandomi** va collegato a **or mi posso chiamare infelicissimo** di questo; e vale: 'soprattutto perché mi ricordo'.

21. Io non veggio né monte, né selva, ecc.: Comincia la parte liricamente più intensa del passo, il lamento di Sincero, patetica effusione del cuore sconsolato, dominata dalla consapevolezza della vanità della tentata evasione. L'Arcadia, la natura bella e raccolta, invitano alla meditazione solitaria, al ricordo, al sogno, che non leniscono, ma accrescono la pena d'amore.

22. che tuttavia non mi persuada, ecc.: che ad ogni istante non mi persuada, ecc. La fantasia, il cuore gli fanno presagire di rivederla, in quei luoghi ormai tanto pieni del suo sognare di lei, da dargli l'impressione che ella gli debba da un momento all'altro apparire, evocata dal suo desiderio.

23. ch'io non mi gire paventoso: che io non mi volti turbato. Ma in quel *paventoso* è ancor vivo il timore di rivelarsi, quell'intimo pudore caratteristico della prima parte del racconto. È quello di Sincero un amore patetico e triste, che reca in sé fin dal suo sorgere la consapevolezza di una felicità irraggiungibile, un senso di delusione che spinge il giovane a ritrovare rifugio e compenso nel sogno.

24. le concave grotte... risoneno... il nome di lei: Tutta la natura diviene una mesta e melodiosa elegia.

25. incomportabile: insopportabile.

26. insensati: insensibili.

27. longinquità: lontananza.

28. dal mio desìo dilungato: lontano dal mio amore. Prima gli alberi, poi tutta la natura assumono il carattere dell'amorosa ossessione di Sincero. Nota la cadenza molle e abbandonata, del periodo, con quel verbo finale che acquista un tono di accorata tristezza.

29. per li soli boschi: per i boschi solitari. Ed è proprio la solitudine che spinge Sincero al suo dolce e amaro fantasticare.

30. dormire e veghiare con secura pace: dormire e star desti, immersi sempre in una pace senza affanno o tristezza.

Ritratto di fanciulla

La stessa grazia stilizzata che caratterizza i paesaggi dell'*Arcadia* si ritrova in questo ritratto di fanciulla. Anche qui è evidente l'influsso dei Classici: il gesto centrale della descrizione, la fanciulla smarrita che lascia cadere i fiori dal grembo, è esemplato su quella di Proserpina quando venne rapita da Plutone, secondo il racconto di Ovidio nelle *Metamorfosi*. Ma più di quanto non avvenga nelle descrizioni di paesaggi, si avverte qui una vena di dolcezza voluttuosa, un'atmosfera incantata che il ritmo lento e musicale del periodo scandisce e che è la tonalità propria e originale del Sannazaro. La bellezza della fanciulla non è qui vista come una sintesi di primaverile natura e giovinezza, come nella poesia del Poliziano, ma avvolta da una vaga sensualità.

Ma io, che non men desideroso di sapere chi questa Amaranta si fusse, che di ascoltare l'amorosa canzone era vago,[1] le orecchie alle parole de lo inamorato pastore, e gli occhi ai volti de le belle giovinette teneva intentissimamente fermati,[2] stimando per li movimenti di colei,[3] che dal suo amante cantare si udiva, poterla senza dubitazione alcuna comprendere. E con accorto sguardo or questa, or quella riguardando, ne vidi una, che tra le belle bellissima giudicai; li cui capelli[4] erano da un sottilissimo velo coverti, di sotto al quale duo

Prosa quarta.

1. Ma io... era vago: Il pastore Galicio ha cantato un canto d'amore, e Sincero, avendo compreso che è dedicato a una delle fanciulle che si trovano accanto al gruppo dei pastori, vuole scoprire quale di esse sia.

2. teneva intentissimamente fermati: guardava fissamente, con grande attenzione.

3. per li movimenti di colei, ecc.: Sincero pensa che colei la quale si sente inaspettatamente cantare dal suo amante non saprà reprimere un moto di sorpresa e di turbamento, come infatti avviene più avanti. Ma il racconto si snoda lentissimo, perché non tanto la vicenda interessa al Sannazaro, quanto la creazione di atmosfere.

4. li cui capelli, ecc.: È caratteristica dello stile dell'*Arcadia* la vaghezza, l'evitare ogni accento realistico. Così avviene nella descrizione di questo viso, apparentemente condotta con ordine minuzioso (i capelli, gli occhi, l'ovale e l'incarnato, la bocca, i denti), ma tale, in realtà, da non determinare affatto una figura concreta. Gli agget-

occhi vaghi e lucidissimi scintillavano, non altrimente che le chiare stelle[5] sogliono nel sereno e limpido cielo fiammeggiare; el viso alquanto più lunghetto che tondo, di bella forma, con bianchezza non spiacevole, ma temperata, quasi al bruno dechinando,[6] e da un vermiglio e grazioso colore accompagnato, reimpiva di vaghezza gli occhi, che 'l miravano: le labbra erano tali, che le matutine rose avanzavano;[7] fra le quali, ogni volta che parlava o sorrideva, mostrava alcuna parte de' denti, di tanto strana e maravigliosa leggiadria, che a niuna altra cosa, che ad orientali perle gli avrei saputo assomigliare.

[...] Et ella delicatissima e di gentile e rilevata statura, andava per li belli prati con la bianca mano cogliendo i teneri fiori;[8] de 'quali avendo già il grembo ripieno, non più tosto ebbe dal cantante giovene udito Amaranta nominare, che abandonando le mani e 'l seno,[9] e quasi essendo a se medesma uscita di mente, senza avvedersene ella, tutti gli caddero, seminando la terra di forse venti varietà di colori.[10] Di che poi quasi ripresa accorgendosi,[11] divenne non altrimente vermiglia nel viso, che suole talvolta il rubicondo aspetto de la incantata luna, o vero ne lo uscire del Sole la purpurea Aurora mostrarsi a' riguardanti. Onde ella, non per bisogno, credo, che a ciò la astringesse, ma forse pensando di meglio nascondere la sprovveduta rossezza, che da donnesca vergogna li procedea, si bassò in terra da capo a coglierli, quasi come di altro non gli calesse, sciegliendo i fiori bianchi[12] dai sanguigni, e i persi dai violati. Da la qual cosa io, che intento e sollicitissimo vi mirava, presi quasi per fermo argomento, colei dovere essere la pastorella, di cui sotto confuso nome[13] cantare udiva: ma lei, dopo brieve intervallo di tempo, fattasi de' raccolti fiori una semplicetta[14] corona, si mescolò tra le belle compagne; le quali similmente, avendo spogliato l'onore ai prati, e quello a sé posto,[15] altere con suave passo procedevano, sì come Najade o Napee[16] state fusseno, e con la diversità de' portamenti oltre misura le naturali bellezze augmentavano.[17] Alcune portavano ghirlande di ligustri con fiori gialli, e tali vermigli interposti: altre aveano mescolati i gigli bianchi e i purpurini con alquante frondi verdissime di arangi[18] per mezzo:[19] quella andava stellata[20] di rose, quell'altra biancheggiava di gelsomini; tal che ogniuna per sé e tutte insieme più a' divini spirti,[21] che ad umane creature assomigliavano: per che[22] molti con maraviglia diceano: — O fortunato il posseditore di cotali bellezze! —.

tivi e le comparazioni sono quelle tradizionali, si potrebbe persino dire convenzionali (gli occhi *vaghi* e *lucidi*, cioè lucenti, come stelle, le labbra del colore delle rose); se non che il Sannazaro conferisce al periodo una dolcezza musicale. E si noti poi come sappia, a volte, innovare con un tocco di nuova freschezza la grazia di un'immagine tradizionale: basta un superlativo, assaporato con estatica lentezza (*sottilissimo - lucidissimi*), un aggettivo (quel *matutine* aggiunto a *rose*, quasi per dare il senso di una nuova freschezza di fiori che si schiudono all'aurora), e così via.

5. chiare: luminose.
6. quasi al bruno dechinando: quasi volgente al bruno.
7. avanzavano: superavano.
8. belli prati... bianca mano... teneri fiori: Questa continua aggettivazione ingenera a volte fastidio, ma qui ha una sua grazia.
9. abandonando... 'l seno: lascia andare il lembo ripiegato della veste sul quale aveva riposto i fiori raccolti.
10. seminando... colori: il rapido gesto è descritto con studiata lentezza.
11. quasi ripresa accorgendosi: dopo il primo gesto istintivo di turbamento, ritorna in sé e arrossisce. Il particolare è fresco e vivo, appesantito però dalle comparazioni della luna che diviene rossastra in seguito ad evocazioni magiche (*incantata Luna*) e dell'aurora.
12. sciegliendo i fiori bianchi, ecc.: più che accennare a un fatto preciso, il poeta intende qui circondare la figura gentile della fanciulla di colori vividi e freschi. Il *perso* era un colore fra il rosso cupo e il nero. **sollicitissimo**: con grande cura.
13. sotto confuso nome: Amaranta era lo pseudonimo, sotto il quale il pastore ha celato la fanciulla amata.
14. semplicetta: semplice.
15. avendo... posto: hanno spogliato i prati della loro bellezza, cioè dei fiori e di essi hanno fatto ghirlande che si sono poste sul capo.
16. Najade o Napee: Ninfe, rispettivamente, delle sorgenti e dei boschi. Per questo le dice *altere*; ma l'aggettivo allude non tanto a contegno superbo, quanto alla loro sublime bellezza.
17. con la diversità... augmentavano: accrescevano la loro naturale bellezza mediante il loro vario ornamento di fiori, coi quali, come vedi nel periodo seguente, sembra confondersi la grazia del loro viso.
18. arangi: aranci.
19. per mezzo: in mezzo agli altri fiori.
20. stellata: le rose l'adornavano come luminose stelle.
21. a' divini spirti: agli angeli.
22. per che: per la qual cosa.

Letture critiche

La poesia di Lorenzo il Magnifico

Il Magnifico aprì gli occhi della mente alle cose dell'arte, e forse cominciò a tentare qualche verso, mentre il vecchio Donatello attendeva all'estrema impresa dei pulpiti in San Lorenzo. A suo tempo, che del resto giunse prestissimo, fece largamente lavorare per sé e la sua casa il Botticelli, il Verrocchio e il Pollaiuolo. Il poemetto delle *Selve d'Amore* suole riferirsi al momento fantastico della *Giostra* polizianesca e della *Primavera* del Botticelli, in un getto più rozzo. Ma si pensi ai contorni del disegno pollaiolesco, scavati come nell'acciaio. Alla scontrosa, nevrastenica malinconia botticelliana. E si pensi alla cristallina preziosità del Poliziano; e alla franca e massiccia brutalità e beceraggine del Pulci. Ciascuno di questi artisti e poeti s'era buttato a capofitto nella propria scelta. Vi s'era chiuso come in un fortilizio, o magari come in una gloriosa prigione. L'ideale estetico di Lorenzo è meno esclusivo. E nella misura in cui siano legittimi i ragguagli fra arti diverse, si potrebbe piuttosto ravvicinarlo a quel gusto che, nella prima metà del secolo, s'espresse insuperabilmente nei marmi della cantoria di Luca della Robbia, con i fanciulli e le bambinette che battono i cembali e scuotono i sistri; le più grandine ravviate e compunte come monacelle; i più piccoli, ignudi, che scalpitano come faunetti, ma faunetti ancora senza le corna e che vanno alla dottrina: un delizioso miscuglio di grecità senza pretese, e d'una nuova civiltà ancora un po' rustica, paesana. Uno dei quadri di più sana felicità che mai artista abbia concepito, d'una felicità non inaccessibile, d'una bellezza tutta di questo mondo.

I limiti della persona artistica di Lorenzo, più o meno, sono questi. Ma dentro a tali limiti non è luogo che ad un'ammirazione più aperta, in quanto suscitata con tanta serenità di mezzi, con un tratto così sensibile anche in certe imperfezioni, con una qualità di successi sempre superiori all'intensità dell'impegno. Dalla sintassi mobilissima e quasi parlata, dai vocaboli più che in fermi contorni lineari, adoperati per sovrapposizioni, impasti e trasparenze, si producono straordinari effetti di musica. Al confronto, per esempio, del Poliziano, si avrà talvolta il senso d'una lieve sfocatura, quasi d'un impercettibile strabismo, che ha pure una sua grazia curiosa. E se tali condizioni determinano una minore unità del linguaggio, un che d'incerto e poco saldo nella costruzione di poemi come l'*Ambra* e le *Selve*, più ambiziosi e più vasti; se il verso non ha il gemmeo stacco e nitore del verso polizianesco: tanto peggio alla fine per tutte queste e altre cose; purché al tempo stesso non pretenda farsi di Lorenzo come artista il prototipo e la somma del genio rinascimentale fiorentino, che risponde ad altre leggi, ed ha altra coesione e prepotenza.

Freddezza e un certo stento qua e là trapelano nel *Canzoniere* per la Donati. Altrettanto si dica, per diversi motivi, delle *Landi* divote e dell'*Altercazione*. Ed il fiore di questa poesia sta nelle *Selve*; sta soprattutto nel *Corinto* e nell'*Ambra*, che Lorenzo aveva passata la trentina, già piena età per una esperienza di vita come la sua: l'*Ambra* e il *Corinto*, frondosi innesti sul bel platano ovidiano, e lievemente li ombreggia una mestizia come di occaso. Mai forse l'immaginazione plastica di Lorenzo e il suo senso della vita si mescolarono intimamente, come nelle terzine delle rose, che chiudono il *Corinto*.

È il poeta dell'azione felice e della fiorente giovinezza, che d'improvviso si raccoglie su se stesso, nell'accoramento della bellezza che passa, del desiderio, dello slancio fatalmente delusi. È lo stesso accento del famoso: «Quant'è bella giovinezza», dove più forte dell'entusiasmo epicureo trema il presentimento di cotesto destino. E lo stesso tema, rovesciato nella nota elegiaca, di quel grido sublime e quasi forsennato di Goethe: «Rendimi la mia giovinezza». Se non che anche di Goethe si sente dire sottovoce, che lui pure, in fondo, fu dilettante.

La pacata onda malinconica che percorre tutto il poemetto del *Corinto*, come deliziosamente s'increspa, si frange e spumeggia, in brevi tocchi realistici e carnali, che derivano un vezzo di più dalla loro leggiadra sforzatura.

Vedrai per l'erba il candido pie' muovere
ballando e dare al vento qualche calcio.

E quell'odore di latticini, quel belare di pecore, e il vivo rosso delle fragole sul prato. Nell'*Ambra* o *Descrizione del verno*, il disegno è più ampio, con certe sbavature ed approssimazioni che Lorenzo concede alla propria fretta o repugnanza a organizzare e costruire. E anche nell'*Ambra*, come nel *Corinto*, è il lamento dell'amore, dello slancio deluso; benché con minore ansietà di passione, e con qualche compiacimento di particolari ornativi e situazioni episodiche; come quella, conosciutissima, della piena improvvisa nel torrente. Ma basterebbero le ottave della ninfa che vien cangiandosi in sasso:

... Così lo dio ferma la veloce orma;
guarda pietoso il bel sasso crescente,
il sasso, che ancora serba qualche forma
di bella donna, e qualche poco sente...

Lorenzo è in questa trepidità di segno; in questo accennare il fantasma poetico più che fissarlo e rifinirlo. Che ci spiega come altre sue cose più felici debbano ricercarsi fra le canzoni a ballo e i canti carnascialeschi; dove la parola è sollevata e portata da un soffio musicale, e quasi vi si dissolve oltre il proprio significato figurativo e ideologico.

Emilio Cecchi

(Da *Ritratti e profili*, Milano, Garzanti, 1957, pp. 55-59).

Le «Stanze» del Poliziano

La poesia delle *Stanze* non va ricercata in ciò che un tempo i retori dicevano «l'invenzione», e nemmeno nella struttura compositiva, o nel filo narrativo (in verità quanto mai esile), bensì nei diversi momenti lirici più significativi, in certi episodi ravvivati dall'intima partecipazione spirituale dell'autore, in certi spunti descrittivi: quella del Poliziano è poesia d'illuminazioni liriche, riconducibile esclusivamente ad una sequenza ideale, o ad uno svariare, di visioni, o ad un seducentissimo florilegio di miti. Eppure sarebbe sbagliato parlare, a proposito delle *Stanze*, di «poesia frammentaria», poiché sempre uno è l'afflato poetico di quei quadri o di quei momenti lirici, i quali si compongono in una interiore unità (e perfettamente si adeguano all'accento fondamentale di tutta la poesia del Poliziano latino, greco e volgare). Né, d'altra parte, diversa può essere l'unità artistica di ogni opera di poesia, che non è mai unità materiale e di contenuto, ma sempre unità lirica di spirito animatore. Anzi, il Poliziano è uno di quei pochi poeti, il cui accento artistico è così netto, e dotato di una sua cristallina trasparenza e limpidezza, da poter essere sicuramente distinto dall'apparato letterario, dalla «macchina» strutturale, dal semplice esercizio di stile, spinto sino al limite dell'artificiosa abilità e del compiaciuto virtuosismo formale. E tale accento va ricercato nel fondamentale sentimento ispiratore del nostro poeta, ossia nella sua visione e intuizione della vita sotto specie di bellezza, e cioè come una festa di suoni e di colori, come un sogno d'amore e di giovinezza, come una favola, che ci riconduce idealmente alla primavera del mondo ed all'età dell'oro: in una parola come «mito». Sicché gli aggettivi che ci aiutano a definire il mondo poetico e l'atteggiamento spirituale dell'Ambrogini sono olimpico, gioioso, sereno.

Tuttavia, se nel Poliziano si volesse scorgere unicamente un poeta dell'esultanza, del tripudio e dell'immutabile serenità, non s'intenderebbe ancora compiutamente lo spirito della sua poesia: poiché c'è in lui, con il sogno, e con l'abbandono spontaneo alla favola e al mito, la consapevolezza di sognare e di mitizzare e di favoleggiare: e proprio questa consapevolezza, ossia questa coscienza del poeta umanista che la vita ideale da lui creata con i fantasmi e con il «leve aier» della sua arte è essa stessa un suggestivo sogno ed un dorato miraggio, immette nel beato mondo polizianesco una segreta nota di tenue melanconia. Melanconia che non increspa od offusca la bellezza di quel mondo, ma lo rende, anzi, più umano e complesso, e come variegato da un più profondo sentimento. La favola è anche più bella, in quanto si sa che è, appunto, favola; e la melanconia, appena percettibile, della poesia dell'Ambrogini è non già frutto di romantico tormento, o d'un dissidio tra ideale e reale, bensì è la voce ed il timbro stesso di quella difficile armonia di reale e d'ideale, cui è pervenuto il poeta: è, più ancora che una sfumatura delle nitide immagini polizianesche, l'ombra che quelle immagini proiettano.

Nella protasi delle *Stanze* non c'è più dell'inizio di circostanza, con l'elogio convenzionale, anche se permeato d'un vivo affetto, del Magnifico Lorenzo; ma nella stanza 2, in cui è invocato Amore, ad onta di certi riecheggiamenti stilnovisti e petrarcheschi, c'è qualcosa di sincero e di vivo: e non a caso, infatti, le *Stanze* nascono sotto il segno d'Amore e sono, per eccellenza, il poema dell'amore e della giovinezza, del «vago tempo» della «verde etate», al quale ci riconducono i due protagonisti, Iulio e Simonetta [...]. Iulio, dominato dalla passione venatoria, considera polemicamente l'amore «lascivia umana» ed accusa di leggerezza ed instabilità, in un'ottava famosa, l'intero sesso femminile; ma gli accenti poeticamente migliori del suo lungo discorso sono da ricercare nella descrizione — o piuttosto lirica, vagheggiata rievocazione — della caccia e della vita felice dei contadini e dei pastori: vita contemplata in una luce d'Arcadia e come identificata col mito dell'età dell'oro.

In questa esaltazione della serena esistenza georgica e bucolica, che il poeta risente attraverso gli echi letterari di Teocrito, Virgilio e Ovidio, ma ravvivati da un sentimento d'individuale, commossa nostalgia, ben si manifesta la poesia delle *Stanze*. In particolare, l'ottava 17 è indicativa del poetico descrittivismo del Poliziano e giova a farci intendere la maniera di «comporre», propria del nostro autore. Alla base della sua poesia si colloca, assieme alla memoria della tradizione letteraria classica e italiana, la nuova esperienza naturalistica del Rinascimento, quell'amore per la vita e per la natura, ch'è peculiare di tale periodo; ed è appunto questo gioioso possesso del mondo fisico, questo voluttuoso assaporamento delle sue varie bellezze, che diventa il motivo ispiratore dell'ottava citata, come pure dell'intero poema. E la poesia consiste non solo nel risolvere in immagini le diverse impressioni ed emozioni, che destano nell'Ambrogini la variopinta natura e l'amore della vita, ma anche nel conferire a queste immagini un'aura, come si diceva, di favola e di mito. Ma questa favola e questo mito non hanno nulla di sfuggente, di evanescente, d'indefinito: ché il Poliziano, anche quando più si abbandona all'iridata grazia del suo sogno ed alla maliosa esultanza dei suoni e dei colori, ama sempre i contorni netti e precisi, sì da farci pensare per qualche analogia al musicale e sentimentale linearismo botticelliano ed alla tradizione disegnativa della pittura fiorentina del Quattrocento. Quello dell'Ambrogini è un magico idealismo, che conserva, liricamente trasfigurato, il sapore della realtà [...].

La descrizione della primavera, con cui si apre la scena della caccia, è uno dei punti d'arrivo della poesia polizianesca:

Zefiro già, di be' fioretti adorno.
avea de' monti tolta ogni pruina;
avea fatto al suo nido già ritorno
la stanca rondinella peregrina;
risonava la selva intorno intorno
soavemente all'ôra mattutina,
e la ingegnosa pecchia al primo albore
giva predando ora uno or altro fiore.

È facile notare la presenza d'uno spunto petrarchesco ed osservare che il tema dell'ape proviene al poeta, si è accennato, da una lunga tradizione letteraria. Eppure il Poliziano ha saputo ricavarne qualcosa d'inconfondibilmente suo: così, egli ha fatto di Zefiro un nume gentile, adorno di fiori, che toglie le brine dai monti; ed ha visto ritornare col tempo sereno la stanca rondinella, e rianimarsi la foresta all'alba nascente, mentre l'ape comincia il suo vagabondaggio di fiore in fiore. È un quadro compiuto e perfetto, in cui acquistano risalto la vaghezza lirica e insieme la precisione realistica delle notazioni, musicalmente intervallate dalle pause ed accentuate dalle tre rime alterne, e come trionfalmente concluse dalla rima baciata finale, che sottolinea con una sapientissima allusione di movimento — e vorrei dire di danza — l'errabonda fatica quotidiana della pecchia «ingegnosa». Questa del Poliziano è, ad un tempo, una primavera concreta e ideale: una primavera tutta risolta in quel senso di freschezza e di luminosa letizia, che in noi suscita l'immagine della bella stagione ritornata: una primavera-mito.

In una luce di rivelazione e di prodigio appare Simonetta. La descrizione della bella donna, che comincia con un'impressione di candore, ha dei precedenti letterari: le donne degli stilnovisti, Beatrice, Laura, la Mensola del *Ninfale fiesolano*. Ma queste suggestioni liriche si uniscono alla commozione del nostro poeta innanzi alla bellezza femminile, sicché la figura di Simonetta, ornata di fiori, dai biondi capelli inanellati, attorniata dal riso della bella natura, ha un accento tutto nuovo, e diventa la personificazione stessa del mito della giovinezza e dell'amore, tanto caro all'Ambrogini, sì da apparire il motivo dominante della sua poesia. Simonetta è insieme donna e ninfa: la sua qualità di divinità boschereccia non estingue cioè la sua gentile e delicata femminilità, che si rivelerà anche più avanti, nel dialogo con Iulio. Non, dunque, una fredda statua marmorea, di tipo neoclassico: ma una creatura viva e terrena, pur se sembra aver gustato l'ambrosia degli dèi. Tale è la figura di questa vaghissima donna; e tale l'umano classicismo polizianesco.

Bruno Maier

(Da *Angelo Poliziano*, in AA.VV., *I Maggiori*, Milano, Marzorati, vol. I, pp. 275-280).

L'ispirazione del «Morgante»

Il *Morgante*, impostato e condotto sul canovaccio di due antichi poemi... dichiara la sua novità più autentica non in un accento che da quella materia si innalzi in un universo di poesia a sfondo etico, ma in un esercizio d'arte di diverso impegno e di diversa indole. Cavalleria e religione, ideali umani e miti della più flagrante contemporaneità, lasciano moralmente indifferente l'anima di Luigi, e valgono solo se considerati su di un piano di esclusivo interesse estetico, come pretesti, contenutisticamente via via mutevoli, di una libera ricerca di colori e di impasti nuovi e sempre variati. L'originalità del poeta consiste in quel suo perpetuo cercare esperienze intentate, approdi in terre sconosciute o poco conosciute, in zone ancora vergini: in quel suo anticipare passaggi su materie e forme, temi e modi prima trascurati o timidamente accostati dalla cultura poetica. Essa consiste soprattutto nell'avere vagheggiato nella loro molteplicità cotesti diversi e talora opposti motivi e nell'averli audacemente accostati e rimescolati, traendone effetti di contrasto e sorprendenti esiti. La freschezza pungente del *Morgante* sta proprio in quel gusto, che lo anima, dell'irregolare e dell'inconsueto, in quel bisogno di evasione dagli schemi tradizionali, in quell'avventura di forme strane: nella necessità, intrinseca al sentire del Pulci, di spezzare i confini soliti e, attraverso gli sconvolti profili delle cose e dei rapporti o, semplicemente, le sagome meno abusate o più dimenticate della realtà, di percorrere strade e sentieri più pittoreschi e ameni, di immettere insomma un'aria più fresca e stimolante, aria di boschi e di campi, sulle carte polverose della letteratura tradizionale, cortese e scolastica [...].

Il situare storicamente il poema nel clima di civiltà del Quattrocento costituisce un'operazione tutt'altro che facile, tanto complesso è il modulo al quale siamo costretti a riportare il respiro di questa lirica, e tanto sfuggente e ribelle ad ogni troppo precisa determinazione è il senso segreto di questa poesia. Poiché evidentemente non può più soddisfare l'abusata prospettiva, impiantata sul concetto che riduce il rapporto fra il poema e il suo secolo al tema dell'ironia, esercitata da un'età adulta nei confronti dei vecchi ideali cavallereschi e religiosi dell'età appena tramontata o ancora al tramonto: che è visione completamente estranea ai valori più intimi della poesia del Pulci. Cotesta famosa ironia che, con quella del Boiardo e soprattutto dell'Ariosto, ha procurato tanta fatica agli esegeti, rappresenta in effetti un semplice residuo proprio di un ambiente culturale, di una civiltà che non poteva evidentemente, al di fuori della sfera incantata della poesia, non considerare con sorriso un mondo ormai fatto lontano e irreale da tante leggende di popoli e da tante voci di poeti. Il problema non consiste nello scoprire la natura di quel sorriso, il quale è, nel suo contenuto immediato, nient'altro che sorriso ironico, ma nel vedere la funzione di cotesto elemento nella poesia, come cioè questo contenuto divenga forma, come questo dato della cultura di tutta un'età si trasformi, nel fuoco dell'individualità del poeta, in linguaggio personale. Ora, tale sorriso nel Pulci, quando non rimanga, come avviene in qualche caso, nella condizione di un puro riecheggiamento acquista il valore di un estroso svolazzo, di una sorprendente ditata di gaio colore su un delicato impasto di tinte. Ma, detto questo, rimaniamo ancora sempre alla periferia dell'ispirazione del Pulci, e soprattutto del rapporto di essa con lo spirito del Quattrocento. Né d'altra parte converrà troppo insistere sul terreno di una esclusiva considerazione formale, poiché, alla luce del gusto costituitosi nel clima della nuova cultura letteraria e del canone dell'imitazione dei classici antichi, saremmo costretti ad escludere senz'altro il Pulci dal mondo della Rinascenza, e a confinarlo nei più rigorosi limiti dell'età medievale. La disadorna scrittura di Luigi rimane in effetti completamente estranea a ogni ideale di classica armonia e a ogni senso di eleganza e di raffinato decoro. Essa conserva ancora qualcosa di gotico (e del resto non soltanto per quel che riguarda il gusto della forma): tanto che, se per un'inverosimile astrazione fosse concesso nella lettura prescindere da quegli accenti caratteristici della nuova età che qua e là evidentemente affiorano, noi dovremmo negare ogni possibilità d'inserzione di cotesta opera nel quadro della cultura del suo secolo [...].

Non in un'eventuale ironia rivolta contro il mondo cavalleresco e religioso o in un appassionato consenso ai temi della nuova civiltà, deve essere riposto l'accento umano e moderno della poesia del Pulci. Poiché quel sentimento (e, con esso, tutti gli svariati motivi della mitologia contemporanea) potrà essere accolto dal poeta soltanto come occasionale pretesto e provvisoria tappa di quella mutevolissima vicenda d'immaginazione in cui egli si adagia e placa, così come il bimbo si accontenta e si perde nel girare il magico cilindro del caleidoscopio, che l'incanta a guisa di un reale viaggio e di una autentica avventura. Il Pulci, al di sopra di quella folta trama di legami e di suggestioni che stringono la sua opera con la civiltà contemporanea, si libra in uno spazio senza tempo, smarrendosi negli irreali rabeschi della sua bizzarria fantasiosa, ma proprio qui egli sembra ritrovare un misterioso affiatamento con lo spirito della Rinascenza, e per quel suo irrequieto gusto di ulisside dei continenti dell'immaginazione rivelare la stretta parentela con esso. Il Pulci appartiene non a quegli umanisti della forma, di cui fu principe il Poliziano, i quali verso l'antichità esularono a cercarvi un'eloquenza e una poesia nuova, né a quegli altri umanisti del contenuto, dei quali può essere scelto ad illustre rappresentante Giovanni Pico, che all'antichità mirarono per scoprirvi una dottrina e una sapienza più attiva, ma sì a quel gruppo di grandi personalità cui possiamo assegnare uomini come Leonardo e Colombo, romantici e irrequieti esploratori della natura, i quali a scoprire il presente e il futuro posero lo stesso impegno che quegli altri ponevano a cercare nel passato. A questi più che a quelli, e sia pure rimanendo in un ambito tutto d'immaginazione e senza la complessa spiritualità del primo e la incandescente azione del secondo, dovrebbe essere avvicinato, per una certa affinità, Luigi Pulci. Egli sembra accostarsi soprattutto a Leonardo; che, nei suoi appunti (dove tra schizzi a penna d'uomini e d'animali, tra delicate figure e ceffi caricaturali, accanto a disegni anatomici e a dimostrazioni scientifiche, si trovano precetti sull'arte e pensieri sulla morale e abbozzi di paesaggi, e favole e allegorie e facezie) ci offre, fra tanta varietà di modi, un esempio insigne di irrequieto gusto di esperienze e di esplorazioni. Anche se poi, sotto la luce dell'intelligenza leonardesca, tutto (e la stessa arte) sembra acquistare un severo sigillo scientifico, e in Pulci, all'opposto, perfino l'intelligenza pare trasformarsi nel ridente giuoco di un fantasioso immaginare.

Giovanni Getto

(Da *Studio sul «Morgante»*, Firenze, Olschki, 1967, pp. 189-90; 195-96; 198-200).

Armi e amore nell'«Orlando innamorato»

[...] La ricerca dell'unità, l'esigenza di una motivazione generale, è alla cima dei pensieri dell'autore dell'*Innamorato*, e risulta evidente anche a una considerazione macroscopica del testo [...]. La ripresa, al principio del II libro, delle stesse parole dell'inizio («e contarovi la più bella istoria, / Se con quïete attenti me ascoltati, / Che fusse mai nel mondo, e di più gloria, / Dove odireti e degni atti e pregiati / De' cavallier antiqui, e le contese / Che fece Orlando alor che amore il prese». — «Signori e cavallier che ve adunati / Per odir cose dilettose e nove, / Stati attenti e quïeti, et ascoltati / La bella istoria che 'l mio canto muove; / E vedereti i gesti smisurati, / L'alta fatica e le mirabil prove / Che fece il franco Orlando per amore...»), questa ripresa, proprio al momento di introdurre Ruggiero «terzo paladino» e di dilatare il racconto col grande passaggio in Francia di Agramante, avrà anche una funzione esteriore di richiamo e di ricollegamento al già fatto, come a prenderne fiato alla seconda impresa; ma fa tutt'uno e trae senso dal ricongiungimento a una stagione ideale di «allegrezza e cortesia», a una primavera del mondo, a cui quella dell'anno, coll'accresciuto splendore della «stella d'amore» e il trionfo della «gioia» nei cuori, fornisce gli inequivocabili contrassegni, e di cui il poema rappresenta il ritorno. Nonché allentarsi, lo sforzo di motivazione, e il motivo, si fanno sempre più decisi e coscienti col progredire del racconto, il poeta tiene sempre più fede al suo avvio. E il ricongiungimento ha più avanti il suo definitivo, storico riconoscimento, canto XVIII del II libro, nel famoso confronto tra Bretagna e Francia che più che simboleggiare quella che è l'operazione fondamentale attribuita al Boiardo, la fusione dei due cicli, dell'epopea carolingia col romanzo arturiano, praticamente già avvenuta col sempre più evidente piegare dell'epica verso l'avventuroso, ha significato di ricerca di una continuità, di riduzione ad un unico principio, di conferimento a quell'immensa attività dell'immaginazione di un contenuto e di una ragione: l'unica ragione, l'unico ideale che non fosse nei secoli mai tramontato, e in cui la moderna «cortesia» poteva trovare il suo legame con la tradizione e ritrovarsi, e che la stessa nuova cultura, con le *Stanze* del Poliziano, aveva finito coll'appropriarsi [...]. Ma l'accettazione dell'incredibile e dell'infinito, l'innamoramento di Orlando, trova forza solo nella proclamazione della soggezione dell'un tema all'altro, delle armi all'amore.

Quell'*innamoramento*, nella persona del più famoso campione della gesta di Francia, era infine un'ipotesi della fantasia; più che l'assegnazione o l'accettazione di una parte era l'affermazione della propria vocazione poetica. Questa subirà, nella lunga vicenda della composizione e del racconto, più d'un aggiustamento. La nuova materia del II libro, col lasciare tanta parte alle armi, e col dare contemporaneamente avvio al motivo della celebrazione dinastica, tenderà, specie sul principio, a contrapporsi all'altra, a occupare più spazio, e metterà del tempo ad essere riassorbita o per lo meno a trovare il suo controbilanciamento [...].

Ma per il Boiardo non si tratta in realtà di scegliere tra una ed altra materia: si tratta, in ciò che viene narrando, nella stessa arbitrarietà e fatalità degli eventi e degli incontri, di riconoscere un senso. E l'amore è il primo termine di questo riconoscimento. Ciascun personaggio, per quanto abbandonato alla corrente dell'esistere e coinvolto nell'evento, tende quanto si voglia oscuramente a realizzare la propria natura. L'amore non è che la prima misura (anche storicamente) di questa approssimazione. Il poema del Boiardo è un poema nostalgico (l'ultimo dei quattrocentisti, verrebbe fatto di dire di lui, parafrasando il De Sanctis); e non per via degli elementi arcaici, tardogotici riscontrabili nella rappresentazione, ma per questa fede in una natura dell'uomo, nella possibilità della sua rappresentazione secondo tale sua natura; e il prodigio è quello, di volta in volta, di riuscire a farla parlare, di farle prender carne. Ma amore, coraggio, virtù, amicizia, fortuna, sono queste, ancora, le grandi guide del racconto. E l'una o l'altra, volta a volta, prevale. La vicenda umana è vista alla luce di queste categorie, trascende i personaggi. Ed è questo che dà loro quella portentosa riconoscibilità. Non per nulla il primo di essi è Angelica: assolutamente senza precedenti come invenzione, come è senza precedenti l'iniziativa lasciata alla donna nel poema; e decisiva non tanto della vicenda (si direbbe che alla lunga il Boiardo finisca collo strumentalizzarla), ma di una certa presenza nella vicenda (Ariosto sentirà il bisogno di ricuperarla sin dalle prime battute, ponendola al centro di un incrocio di mosse e di motivi che gli permettono d'impadronirsi d'un colpo delle fila lasciate in sospeso). Ma quello di Angelica, nell'*Innamorato*, non è un incontro, è un'apparizione: la vista prima dell'oggetto amato; e se è lei a muovere verso di noi e a parlare e a dare l'avvio all'avventura, intorno a lei, su tutti i registri, si apre il fatale colloquio lirico dell'uomo con se stesso. I precedenti ci sono, ma in altri termini da quelli di una ricerca di fonti o di somiglianze. Cioè Angelica non crea tanto un movimento, ma uno spazio. La Bretagna, come del resto la Francia, proprio questo significa (ed è, nelle parole del Boiardo): una regione e una stagione dell'immaginazione. E amore era il termine di riconoscimento di questa. La presenza e l'azione di amore significa materia e impulso all'immaginazione, la *quête* amorosa è questa prima dilatazione prodigiosa dello spazio, questo spalancarsi dei confini del mondo. La scelta, alla fine, era anche qui quella della parte dell'immaginazione: quella che già era stata la scelta del poeta lirico. Diciamo che la nostalgia del Boiardo trova in questa sua fedeltà alla propria natura, in questo non separarsi da sé, la sua prima espressione.

Domenico De Robertis

(Da *Esperienze di un lettore dell'«Innamorato»*, in AA.VV., *Il Boiardo e la critica contemporanea*, Firenze, Olschki, 1970, pp. 198-99; 203-204, con tagli).

I «generi» della tradizione in volgare

Caratteri generali

Scrittori come Lorenzo, Poliziano, Pulci, Boiardo riprendono, come s'è visto, temi e forme della tradizione letteraria in volgare quale si era venuta costituendo fra Due e Trecento, componendoli con le suggestioni della cultura umanistica e portandoli a una più matura coscienza letteraria. Parallelamente al culto, che si viene per loro merito delineando, per gli Stilnovisti e per i tre grandi Trecentisti, si afferma così nel Quattrocento l'interesse per le forme più vive della letteratura popolare, anch'essa avviata a una codificazione in «generi» (è il caso, ad esempio, dei *cantàri* di argomento cavalleresco); anche se il progressivo distacco dei letterati dalla vita politica della comunità aumenta il solco che la separa dalla letteratura dotta.

La lirica

La lirica d'amore del Quattrocento è dominata dal grande modello petrarchesco, sul piano dell'invenzione e su quello formale: comincia, anzi, a delinearsi il fenomeno letterario chiamato *petrarchismo*, che avrà una codificazione e un ulteriore, grande sviluppo nel Cinquecento.

Si definisce oggi questa produzione come «poesia cortigiana», perché fiorita in gran parte nelle corti, soprattutto del Nord, e ispirata a una raffinatezza di forme e di espressione coerente col gusto dei ceti intellettuali e sociali che le frequentavano. L'influenza del Petrarca è evidente anche nella lingua, nonostante il perdurare di influssi dialettali. La volontà di emulare l'alto magistero stilistico del modello conduce spesso questi poeti a un gioco letterario difficile e compiaciuto. Ricordiamo Giusto de' Conti di Valmontone, Benedetto Gareth, detto il Cariteo, nato a Barcellona ma vissuto quasi sempre a Napoli, il ferrarese Antonio Tebaldeo e Serafino de' Cimminelli dell'Aquila, detto Serafino Aquilano. Più ricchi di elementi originali appaiono i canzonieri del napoletano Giannantonio Petrucci e del pesarese Pandolfo Collenuccio.

La poesia cortigiana continua anche la tradizione comico-realistica e satirica. Uno dei poeti più interessanti in questo genere è Antonio Cammelli detto il Pistoia. A parte va considerato Domenico di Giovanni detto il Burchiello che discende più direttamente dalla tradizione burlesca popolare fiorentina; interessante per la fin esasperata inventività linguistica, non priva di intenti parodistici, connessa alla sperimentazione linguistica quattrocentesca.

Un esempio dell'interesse per le forme della poesia popolare e della loro assunzione a livello di stile più elevato, indipendente però dalla tradizione toscana, è quello del veneziano Leonardo Giustinian.

Leonardo Giustinian

Leonardo Giustinian (1388-1446) appartenne a nobile famiglia veneta, e salì a Venezia, dov'era nato, ai più alti gradi delle cariche pubbliche, fino a divenire capo del Consiglio dei Dieci e Procuratore di San Marco. Fu dotto umanista, amico e corrispondente coi maggiori letterati del tempo, quali il Filelfo e il Guarini, e autore di opere scritte in latino che rivelano la sua profonda cultura classica.

La rinomanza maggiore, però, gli venne dalle canzonette e strambotti di argomento amoroso e di tono popolare che egli stesso musicò e che presero il nome di *giustiniane* o *veneziane*, diffondendosi per molte regioni italiane con vivo successo. Adoperò il dialetto veneziano, rivestendolo però di una patina illustre. Il tono delle sue poesie, pur aderendo ai modi e allo spirito della letteratura popolare, rivela un'impronta aristocratica personale.

Per il testo seguiamo: *Il Quattrocento*, a cura di G. Ponte, cit.

Non ti ricordi quando me dicevi

Non ti ricordi quando me dicevi
che tu m'amavi sì perfettamente?
Se stavi un giorno che non mi vedevi,
con gli occhi mi cercavi fra la gente,
5 e risguardando s' tu non mi vedevi,
dentro de lo tuo cor stavi dolente.
E mo' mi vedi e par non mi conosci,
come tuo servo stato mai non fossi.

Metro: strambotto, formato da un'ottava.

5. risguardando: riguardando, guardando attentamente. **s' tu**: se tu.
7. mo': ora. **non mi conosci**: non mi conosci più. Fa, naturalmente, finta di non conoscerlo; ma l'espressione del Giustinian ha una immediatezza più patetica.

Ogni notte pur convegno

Ogni notte pur convegno — ch'io me insoni
de ti sola, o zentil fiore;
fra le braccia io te tegno — e tu rasoni,
tu conforti el mio dolore.
5 Poi tremante e pien d'amore
talor baso el viso adorno.
Stesse un anno a venir zorno
quando son su tal dormir!
Stesse un anno adormenzato — in tal solazzo
10 quando in sogno tu me vien!
Tu rasoni e sta' me a lato — io t'abrazzo;
de dolcezza e' vengo men.
El tuo bel volto seren
tuto onesto tu mel dai;
15 quel che in sogno tu me fai
fùssel vero e poi morir!

È questo un frammento di una canzonetta, che canta la situazione consueta di un sognato convegno d'amore, col desiderio che il bel sogno non abbia mai fine.
1-2. pur convegno... zentil fiore: conviene che io sogni di te, fiore gentile.
3. rasoni: ragioni, mi parli.
7-8. Stesse un anno, ecc.: Trascorresse un anno prima che venisse il giorno, prima cioè che io mi ridestassi, quando ti sogno così!
9-12. Ripete quanto ha già detto nella strofa precedente (ripetizione caratteristica della poesia popolare).
16. fùssel vero, ecc.: Fosse vero quello che tu mi doni in sogno (cioè il bel viso, indice dell'amore teneramente corrisposto), e poi potrei anche morire.

Domenico di Giovanni detto il Burchiello

Domenico di Giovanni, detto il Burchiello (1404, circa, - 1449) fu un poeta e barbiere fiorentino. Dopo la cacciata degli Albizi, per i quali parteggiava, dovette prendere anch'egli la via dell'esilio, e si recò a Siena dove visse vita sregolata. Fu anche in carcere per essersi arrampicato di notte fino alla finestra di una camera dove dormivano due sposi tedeschi, per impadronirsi di due cuffie stese ad asciugare, né si sa bene se si trattasse di furto o piuttosto di beffa come la sua indole fa sospettare. Liberato, si recò a Roma dove morì poco dopo.

I suoi versi rivelano un temperamento estroso e strambo; e in tal senso il Burchiello si ricollega alla tradizione della poesia burlesca, viva soprattutto in Toscana, comica, fantasiosa e bizzarra e volta a delineare l'immagine della vita dissipata del poeta. Ma fu famoso soprattutto per il suo verseggiare *alla burchia* (a vanvera; di qui il suo soprannome), unendo cioè frasi accozzate e senza senso, con un gusto estroso della parola e dell'immagine fine a se stessa, che a volte rivela un proposito di satira letteraria, più spesso, è un puro gioco comico. Su questa strada il Burchiello ebbe a lungo seguaci e imitatori.

Per i testi seguiamo: *Il Quattrocento*, a cura di G. Ponte, cit.

La Poesia combatte col Rasoio

La Poesia combatte col Rasoio
e spesso hanno per me di gran quistioni;
ella dicendo a lui: — Per che cagioni
mi cavi il mio Burchiel dello scrittoio? —
5 Ed ei ringhiera fa del colatoio,
e va in bigoncia a dir le sue ragioni,
e comincia: — Io ti prego mi perdoni,
donna, s'alquanto nel parlar ti noio.
S'io non fuss'io, e l'acqua e 'l ranno caldo,
10 Burchiel si rimarebbe in sul colore
d'un moccolin di cera e di smeraldo. —
Ed ella a lui: — Tu se' in grande errore:
d'un tal disio porta il suo petto caldo,
che non ha in sì vil bassezza il core. —
15 Ed io: — Non più romore,
che non ci corra la secchia e 'l bacino:
ma chi meglio mi vuol mi paghi il vino.

Metro: *sonetto* caudato. Ai quattordici versi del sonetto è aggiunta una «coda» di tre versi: un settenario, che rima col v. 14 e due endecasillabi che rimano fra loro. Lo schema è: ABBA, ABBA, CDC, DCD, dEE.

1. La Poesia, ecc.: In questo, che è il più noto dei suoi sonetti, il B. rappresenta un dialogo, o meglio, un «contrasto», secondo una delle forme tradizionali della poesia burlesca, fra il suo desiderio di dedicarsi alla poesia e le necessità del mestiere che gli è necessario per vivere.
4. mi cavi... scrittoio?: impedisci a Burchiello di dedicarsi alla scrittura, alla composizione poetica?
5-6. ringhiera... bigoncia: Il Rasoio decide di rispondere con una dignitosa orazione, e come un oratore cerca una *ringhiera*, o *bigoncia*, cioè una tribuna. Essa è costituita dal **colatoio**, il vaso di terra cotta bucherellato nel fondo, nel quale si preparava il ranno (acqua calda mescolata a cenere) che serviva ad ammorbidire il volto prima della rasatura.
7-8. Io ti prego, ecc.: Il Rasoio snocciola un'eloquenza forbita: chiama la Poesia *Donna*, le chiede scusa se l'annoierà col suo umile discorso.
10-11. Burchiello resterebbe al verde e pallido come cera, cioè affamato. Nelle aste si accendeva una candela colla base tinta di verde; quando la fiamma giungeva al limite della parte tinta di verde si chiudeva l'asta.
14. in sì vil bassezza: nel vile desiderio del guadagno.
16. che non ci corra: che non corrano pericolo di rompersi.
17. chi meglio mi vuol, ecc.: chi di voi due mi ama di più, mi paghi da bere.

Sospiri azzurri di speranze bianche

Questo sonetto è un tipico esempio di poesia «burchiellesca», fatto di immagini strane, di accostamenti impensati, di parole accozzate, di acrobazie fantastiche (evidenti dopo la prima quartina), di un linguaggio allusivo e furbesco. Qui appare però evidente un filo conduttore, anche se qualche parte del sonetto resta oscura: la satira contro la poesia dotta, sentita dal Burchiello come sostanzialmente vuota, nonostante il suo tono pretenzioso. Ma più che di satira, è opportuno parlare di parodia.

Sospiri azzurri di speranze bianche
mi vengon nella mente, e tornan fuori,
seggonsi a piè dell'uscio con dolori,
perché dentro non son deschetti o panche.
5 Così le mosche, quando sono stanche
nelle selve de i Barbari e de' Mori,
seguitate da fieri cacciatori,
nelle gran nebbie par lor esser franche.
Quei nugoli che dormon co i piè mezzi,
10 fanno al liuto mio sì lunga guerra,
che corda non vi sta che non si spezzi.
Tanto fe' Diomede in Inghilterra,
ch'arebbe fatto di lui cento pezzi,

Metro: *sonetto* caudato come il precedente. Schema: ABBA, ABBA, CDC, DCD, dEE.

1-4. I critici hanno avvertito in questi versi la parodia di una canzone allegorica di Dante (*Tre donne intorno al cor mi son venute / e seggonsi di fuori / ché dentro siede Amore*, ecc.).
7. seguitate: perché inseguite.
8. nelle gran nebbie, ecc.: Le mosche pare che simboleggino i poeti, che disdegnano i Barbari e i Mori, cioè si appartano sdegnosamente dal volgo, per sentirsi liberi (*franche*); ma sono liberi solo nel loro regno, che è quello delle nebbie, delle nuvole. Sono, in fondo, degli «acchiappanuvole».
9. co i piè mezzi: coi piedi bagnati. I *nugoli*, o nuvoli, sono probabilmente i poeti stessi che disdegnano i versi umili dell'autore.
13. di lui: del liuto. Non si sa chi sia il Diomede di cui parla. Allude probabilmente a un personaggio noto e a un episodio che noi ora non possiamo ricostruire. Bisogna tener presente che la poesia del Burchiello è composta per essere recitata fra un uditorio conosciuto, che può afferrare al volo certe allusioni.

se non che un nibbio lo levò di terra.
15 Dice Cato, e non erra,
se una pecchia cacasse quanto un bue,
rinvilierebbe il mele a due a due.

16. una pecchia: un'ape.
17. rinvilierebbe, ecc.: il valore del miele subirebbe un tracollo (essendocene tanta abbondanza!).

15. Cato: La sentenza attribuita a Catone (cioè ai *Distica Catonis*, raccolta medioevale di massime morali) è probabilmente una presa in giro dei poeti che scrivono troppi versi vuoti e sciocchi.

Nominativi fritti e mappamondi

È il più bizzarro esempio, fra i tre che riportiamo del rimare «alla burchia». È impossibile ricavare da esso un significato, anche se non è da escludere la presenza di qualche allusione umoristica, per noi, comunque, indecifrabile. Qui domina il gusto dell'invenzione verbale gratuita, che acquista ulteriore comicità dall'apparenza logica e consequenziale dello svolgimento. Andremmo però cauti nell'affermare, come fanno altri, che si tratti d'un processo di liberazione dal contenutismo medievale. C'è qui piuttosto l'esasperazione grottesca del tradizionale stile comico-realistico.

Nominativi fritti e mappamondi,
e l'arca di Noè fra due colonne
cantavan tutti «Chirielleisonne»
per l'influenza de' taglier mal tondi.
5 La luna mi dicea: — Ché non rispondi? —,
ed io risposi: — Io temo di Giansonne,
però ch'io odo che 'l Diaquilonne
e buona cosa a fare i capei biondi. —
Per questo le testuggini e i tartufi
10 m'hanno posto l'assedio alle calcagne,
dicendo: — Noi vogliam che tu ti stufi. —
E questo sanno tutte le castagne:
pei caldi d'oggi son sì grassi i gufi,
ch'ognun non vuol mostrar le sue magagne.
15 E vidi le lasagne
andare a Prato, a vedere il Sudario,
e ciascuna portava l'inventario.

Metro: *sonetto caudato* (schema: ABBA, ABBA, CDC, DCD, dEE).

1-4. Dobbiamo rinunciare a una spiegazione logica, come per tutto il sonetto. Resta comunque spesso il dubbio che vi siano allusioni in linguaggio furbesco. **Chirielleisonne**: *kyrie eleison*: è l'invocazione posta all'inizio delle litanie della Madonna e della Messa. **taglier... tondi**: i piatti mal tondi, e cioè mal fatti. Per loro influenza nominativi e mappamondi cantano le litanie.
6-7. Giansonne: Giasone. **Diaquilonne**: empiastro di olio e litargirio, con virtù terapeutiche.

Antonio Cammelli detto il Pistoia

Antonio Cammelli, detto il Pistoia dal luogo di nascita, visse dal 1436 al 1502. Verso il 1480, stretto dal bisogno, lasciò la Toscana e cominciò a peregrinare fra varie corti, a Correggio, a Mantova, a Ferrara, alla ricerca di una sistemazione, ma rimase in condizioni sempre precarie. Nei suoi sonetti affrontò temi molto simili a quelli del Burchiello: la descrizione della propria povertà e della propria vita disordinata e vagabonda, secondo quelli che erano i luoghi comuni della rimeria burlesca, quadretti comici, caricature, polemiche con letterati. Un certo interesse presentano i sonetti politici, soprattutto quello riportato, scritto all'indomani della battaglia di Fornovo (1495), nella quale l'esercito riunito dei maggiori stati italiani non riuscì a impedire a Carlo VIII di aprirsi la strada verso la Francia e di ritornarvi col proprio esercito pressoché intatto. Il sonetto ha un vigoroso tono polemico e sarcastico, al quale danno vivacità le schiette espressioni popolaresche.

Per il testo seguiamo: *Il Quattrocento*, a cura di G. Ponte, cit.

Passò il re Franco, Italia, a tuo dispetto

Passò il re Franco, Italia, a tuo dispetto,
(cosa che non fe' mai 'l popul romano)
col legno in resta e con la spada in mano,
coi nemici alle spalle e inanti al petto.
5 Cesare e Scipïon, di cui ho letto,
i nimici domâr di mano in mano;
e costui, come un can che va lontano
mordendo questo e quel, passò via netto.
Madre vituperata de' 'taliani
10 se Cesare acquistò più non si dica
insubri, galli, cimbri, indi e germani!
Concubina di Mida, al ciel nimica,
che hai dato a Vener Marte nelle mani,
discordia con un vel gli occhi t'intrica.
15 Ché, con poca fatica,
in sul transirte il Gallo le confine,
tutti i tuoi figli diventâr galline.
Sia come vuole il fine:
se ben del mondo acquistasti l'impero,
20 mai non si estinguerà il tuo vitupero!

Metro: *sonetto caudato* (schema: ABBA, ABBA, CDC, DCD + la *coda*: dEE, eFF).

1. il re Franco: Carlo VIII, che attraversò tutta l'Italia e giunse fino a Napoli senza colpo ferire. Questo fatto rivelò l'estrema debolezza della struttura politica italiana e segnò l'inizio della crisi della libertà nella penisola.

2. 'l popul romano: Questo richiamo alla gloria antica di Roma per sferzare maggiormente la viltà presente è tanto più giustificato in quanto gli Umanisti avevano orgogliosamente affermato che l'Italia era erede della grande tradizione di Roma.

3. col legno: con la lancia.

4. coi nemici, ecc.: circondato dai nemici. Nella raffigurazione di Carlo VIII il poeta esalta il coraggio di cui diede prova il re. Ma la strofa seguente mostra che egli è apparso grande solo per la viltà e meschinità degli Italiani.

6. di mano in mano: dopo lunghe e difficili campagne.

7-8. e costui, ecc.: Carlo VIII, come un cane, ma un cane che va lontano, è passato fra le città italiane mordendo questo e quello (spadroneggiando, imponendo taglie) e senza subire perdite.

9-11. O Italia, madre disonorata dagli Italiani! Si smetta di celebrare le antiche vittorie di Giulio Cesare su Galli e Germani! (Ci si vergogni piuttosto della presente viltà).

12. Concubina di Mida: Mida è il re di Francia, avido solo di ricchezze, e l'Italia gli ha ceduto come una donna svergognata. **al... nimica**: perché ha sovvertito ogni valore morale e la grandezza donatale da Dio.

13. che hai dato, ecc.: che hai sacrificato le virtù militari (*Marte*) alla corruzione, ai piaceri (*Venere*).

14. discordia... intrica: la discordia che regna tra i tuoi principi ti acceca. Fu proprio questa discordia la ragione della troppo facile conquista di Carlo VIII.

15-17. «Infatti non appena il Gallo (Carlo VIII) passò senza fatica (senza incontrare ostacoli) i tuoi confini, i tuoi figli diventarono galline».

18-20. «Comunque vadano a finire le cose, anche se tu acquisterai l'impero del mondo, non riuscirai mai a cancellare questa vergogna».

Memorialisti e narratori

Accanto alla prosa di un Alberti o d'un Sannazaro, di grande impegno stilistico, intesa com'è a nobilitare il volgare immettendo in esso il lessico e la sintassi del latino classico, si ha nel Quattrocento un'ampia produzione di prosa memorialistica, di scritture d'argomento famigliare, di trattati sulle arti scritte da artisti. Caratteristica di questa prosa è lo stile agile, la tendenza all'osservazione concreta, il linguaggio assai vicino al parlato. Ricordiamo le lettere di Alessandra Macinghi Strozzi (1407-71) ai figli, interessanti come documento del costume del tempo, le *Vite d'uomini illustri* di Vespasiano da Bisticci (1421-98), i *Commentari* di Lorenzo Ghiberti, pittore, scultore, architetto (1378-1455), tutti fiorentini.

Sul piano della narrativa vera e propria il grande modello è il Boccaccio. I narratori più interessanti sono Giovanni Gherardi da Prato, autore d'un romanzo al quale i critici moderni hanno imposto il titolo di *Paradiso degli Alberti* e i novellieri Gentile Sermini, senese, Giovanni Sabbadino degli Arienti, bolognese, autore delle *Porretane*, Tommaso Guardati, detto Masuccio Salernitano, autore del *Novellino.*

Masuccio Salernitano

Tommaso Guardati, detto Masuccio Salernitano, nacque da nobile famiglia salernitana verso il 1415. Visse alla corte di re Ferdinando I d'Aragona ed occupò cariche importanti. Morì nel 1476. Scrisse il *Novellino*, raccolta di cinquanta novelle, dedicata a Ippolita Sforza.

Masuccio segue il modello del Boccaccio, dal quale deriva certe particolarità di struttura e di stile. Le novelle più originali sono quelle sarcastiche e polemiche, soprattutto quelle contro gli ecclesiastici corrotti e contro le perfidie delle donne. Ma più che quest'estro mordace e amaro, è interessante certo suo gusto per le rappresentazioni di sfondi cupi e tenebrosi, di storie fosche.

Seguiamo il testo pubblicato in *Prosatori volgari del Quattrocento*, a cura di C. Varese, Milano-Napoli, Ricciardi, 1955.

L'amalfitano e gli impiccati

Nel tempo che 'l famoso maestro[1] Onofrio de Iordano avea pigliata la impresa del mirabile edificio del Castello Nuovo,[2] la maior parte de' maestri e manipuli de la Cava[3] se conduceano a Napoli, per lavorare a la ditta opera; ove tra gli altri fuorno dui giovini del casale de Priato,[4] quali,[5] non meno disiderosi de vedere Napoli, ché anco stati no vi erano, che per vaghezza de guadagno, una domenica matina dietro ad un maestro se avviarno. E caminando con multi altri cavoti a la sfilazzata,[6] avvenne che costoro, che de caminare non erano usi, remasero una gran via dietro, e per la pista[7] degli altri, ancora che[8] non sapessero il camino, tanto si affaticorno che quasi a tardi[9] gionsero a la Torre del Greco. E uno de loro, che era assai più de l'altro stracco, prepose[10] ivi albergare; l'altro, dandose core, e credendosi forsi giongere[11] i compagni, affrettando il passo quanto possea, non ebbe tanto potere,[12] che tra 'l mezzo camino tra la Torre e Napoli non gli sopragiongesse scura la notte. De che lui, molto pentito d'avere il compagno lassato, pur trottando, senza sapere ove si fusse, gionse al Dritto de Ponte Rizziardo;[13] del quale vedendo le mure e la porta, se crese[14] albergo, e vinto da stracchezza, e anco per fuggire una menuta pioggia che facea[15] in quella ora, se accostò al detto uscio, e avendo con un sasso pur assai picchiato, e niuno respondendoli, convertito il bisogno in pazienza[16] sentatosi[17] in terra e appoggiata la testa a la porta, con deliberazione[18] infino al matino ivi aspettare il compagno, con debole sonno se adormentò. Era per aventura quel medesimo dì partito da Amalfi un poveretto sarto, con uno sacco in spalla de giopponi,[19] per venderli la seguente matina a Napoli in sul mercato; al quale similmente la notte e la stracchezza lo avea a la Torre sopragionto,[20] e ivi albergato,[21] con proposito de la matina a bona ove retrovarse a luoco e a tempo de spacciare sua povera mercanzia.[22] Ed essendo poco più che passata mezza notte, se destò, e ingannato da la luna, credendosi esser vicino al dì, intrò in camino; e caminando tuttavia[23] e non vedendo farsi giorno, cominciò ad intrare a l'arena passati gli Orti,[24] e ivi essendo, sentì sonare matutino de' frati, per la quale cagione s'accorse anco esservi gran parte de notte. E in questo se venne recordando degli appiccati, che erano a Ponte Rizziardo, e, come colui che[25] amalfitano era, che de natura sono timidi e de poco core,[26] cominciò a temere forte, e, con lento passo caminando, non ardeva[27] de passare, e de volgersi indietro avea gran paura: e così abbagliato[28] e pauroso, che ad ogne passo gli parea che uno degli appiccati gli si facesse intorno, gionto appresso al sospetto luoco,[29] ed essendo de rimpetto a le forche, e anco non veduto niuno appiccato moverse, gli parve aver già gran parte del pericolo passata; e per dare pur a se medesimo animo, disse: — O appiccato, vòi venire a Napoli? — Il cavoto, che avea male e poco dormito, avendo sentito prima la pista[30] e credutose il compagno,[31] e poi udendosi invitare a lo andare a Napoli, lo ebbe per certissimo, e subito respuose: — Eccome che vengo! — Quando l'amalfitano si sentì respodere, tenne per fermo che fusse l'appiccato; per la cui cagione fu de tanta paura territo che portò pericolo de lì cascar morto.[32] Pur, in sé tornando, e vedendo colui verso de sé venire, non gli parve tempo d'aspettare, e bottato via il sacco, cominciò fieramente[33] a fuggire verso la Maddalena, sempre con alte voci gridando Iesù.[34] Il cavoto, udendo il gridare e lo sì rattamente[35] correre, credea che da

1. **maestro**: noi diremmo oggi architetto.

2. **pigliata... Nuovo**: aveva assunto l'impresa relativa alla costruzione di Castel Nuovo a Napoli, per incarico di Alfonso I d'Aragona.

3. **maestri e manipuli de la Cava**: i maestri muratori e manovali di Cava dei Tirreni, che erano particolarmente rinomati.

4. **del casale de Priato**: della località di Pregiato, presso Cava dei Tirreni.

5. **quali**: i quali.

6. **a la sfilazzata**: sparsi qua e là.

7. **per la pista**: seguendo le orme.

8. **ancora che**: sebbene.

9. **quasi a tardi**, ecc.: giunsero a sera a Torre del Greco, presso Napoli.

10. **prepose**: decise.

11. **e credendosi... giongere**: e credendo forse di raggiungere.

12. **non ebbe tanto potere**, ecc.: non riuscì ad accelerare tanto il passo che non sopraggiungesse la notte, ecc.

13. **Dritto... Rizziardo**: all'Ufficio del dazio presso Ponte Rizziardo.

14. **se crese**: lo credette.

15. **che facea**: che cadeva. La minuta pioggia, la notte scura, e, più avanti, il lume della luna, sono note rapide eppure essenziali al racconto, che si fonda non sulla singolarità della vicenda o sui personaggi (scarsamente delineati, incolori) ma sull'atmosfera notturna, che diviene poi paurosa nella sua indeterminata solitudine e macabra per la presenza, anch'essa appena accennata, di quelle forche e di quegli impiccati, agli occhi sgomenti del solitario viandante amalfitano.

16. **convertito... pazienza**: adattatosi alla necessità.

17. **sentatosi**: sedutosi.

18. **con deliberazione**: avendo stabilito di.

19. **giopponi**: giubboni.

20. **sopragionto**: sorpreso.

21. **e ivi albergato**: e qui si era fermato in un albergo.

22. **retrovarse... mercanzia**: giungere nel luogo e nel tempo adatto a vendere la povera mercanzia.

23. **tuttavia**: continuamente.

24. **intrare... Orti**: procedere lungo la spiaggia, dopo avere oltrepassata la località detta degli Orti.

25. **come colui che**: poiché.

26. **timidi... core**: paurosi e di poco coraggio.

27. **ardeva**: ardiva.

28. **abbagliato**: fuori di sé. Il timore gli impediva di vedere le cose, di rendersene conto esattamente.

29. **al sospetto luoco**: al luogo che gli incuteva paura.

30. **la pista**: il rumore dei passi. Il *cavoto* è il muratore di Cava dei Tirreni che si è ivi addormentato.

31. **credutose il compagno**: avendo creduto che si trattasse del compagno.

32. **territo... morto**: fu così atterrito che corse il pericolo di morire sul colpo.

33. **fieramente**: a gran velocità.

34. **gridando Iesù**: invocando Gesù. Crede, infatti, che si tratti di un fantasma.

35. **rattamente**: velocemente.

alcun altro fusse stato assalito; e seguendolo appresso, pur gridando, dicea:[36] — Eccome a te, aspettame, non dubitare![37] — quali parole davano al fuggente de maior timore cagione. Il cavoto, pure seguendolo,[38] se trovò dinanzi il sacco da colui gittato; e quello preso, ed estimandolo de miglior roba pieno[39] e sappiendo che 'l compagno non avea tale sacco, conobbe colui che fuggea non esser desso; e non curandose più ultre,[40] col fatto guadagno se ne ritornò dove la notte con non piccolo disagio era dimorato, e quivi sentatosi, aspettava in sul fare del giorno o dal compagno o da altri essere a Napoli condutto. Lo malfitano con spaventivoli gridi e solluzzi assai,[41] gionse a le taberne del Ponte,[42] al quale fattisi incontro gli gabelloti, il domandarno de la cagione del suo gridare; a' quali lui affermava del certo avere visto un appiccato moverse da le forche e dargli la caccia infino a l'urlo[43] del fiume. Il che da tutti fu facilmente creduto, e non meno de lui impauriti, il racolsero dentro, e serrate le porte, e signatisi de croce,[44] infino a dì chiaro[45] non uscerono di casa. Il compagno cavoto, che rimasto era a la Torre insiemi con un altro pur de la Cava, essendo ormai dì, arrivarno al Dritto de Ponte Rizziardo; a' ragionamenti de' quali furono dal compagno conosciuti, e fattosi loro incontro, racontò il suo avvenimento.[46] De che l'altro, che prattico al paese[47] era, subito estimò come il fatto possea essere intravenuto,[48] e per non perdere la preda del sacco, deliberaro per la via de Somma ritornarsene a casa; e così fecero; e diviso tra loro il bottino, non dopo multo a Napoli si ritornarno. La novella[49] in pochi dì fu per tutto 'l paese divulgata, e de vero[50] se racontava che gli appiccati de notte davano la caccia agli omini che suli[51] passavano per Ponte Rizziardo, ognuno sopra di ciò componendo varie e diverse favole; per accagione[52] de le quali, non v'era paesano alcuno, che per quelli loco avanti dì passasse, che non signasse la bestia e lui[53] con croci, e con altri assai percanti[54] passavano il pirigliosо passo.

36. **pur gridando**: gridando continuamente.
37. **non dubitare!**: non aver paura.
38. **pure seguendolo**: continuando a inseguirlo.
39. **de miglior roba pieno**: di oggetti di maggior pregio.
40. **ultre**: oltre.
41. **con spaventivoli... assai**: con grida piene di spavento e molti singhiozzi. Anche quello dei singhiozzi è particolare molto efficace, delineato, come tutta questa scena di sgomento, con agile sobrietà.
42. **a le taberne**, ecc.: alle osterie del Ponte della Maddalena, dove stavano i dazieri o *gabellotti*.
43. **urlo**: orlo.
44. **signatisi de croce**: fattisi il segno della croce.
45. **infino a dì chiaro**: finché non fu giorno fatto.
46. **il suo avvenimento**: ciò che gli era accaduto.
47. **prattico al paese**: pratico del paese.
48. **intravenuto**: accaduto.
49. **La novella**: la notizia.
50. **de vero**: con convinzione, come se fosse cosa vera.
51. **suli**: soli.
52. **accagione**: cagione.
53. **e lui**: e se stesso.
54. **percanti**: scongiuri.

Letteratura di devozione

La letteratura di devozione del Quattrocento è, in gran parte, una scolorita ripetizione dei temi della letteratura trecentesca; non vi è più, infatti, il fervore spirituale che animava gli scritti del secolo precedente, ad esempio le *vite dei Santi*, e c'è una minore adesione al tema eroico dell'ascesi e della rinuncia. Anche i drammi religiosi, le *sacre rappresentazioni*, sono pieni di elementi fiabeschi e avventurosi, di scene e figure della vita d'ogni giorno.

L'estenuarsi della più ricca tematica trecentesca è evidente nelle laude e negli scritti in prosa di Feo Belcari, pur sorvegliato e limpido nell'espressione. Un interesse maggiore offrono le prediche di San Bernardino da Siena, testimonianza della tendenza dell'epoca a una religiosità meno ascetica e più legata alla semplice vita quotidiana.

Figura assai diversa, tormentata e complessa, è fra Girolamo Savonarola, col suo drammatico dialogo con la nuova civiltà umanistica; ma è, sostanzialmente, una personalità solitaria.

San Bernardino da Siena

Bernardino degli Albizzeschi nacque a Massa Marittima, nel territorio di Siena nel 1380, da nobile famiglia. A ventidue anni entrò nell'ordine francescano, e in esso trovò indirizzi di pensiero e di sensibilità che rispondevano alle sue tendenze profonde: il concetto della dignità dell'uomo fondato sul primato della volontà, la rivalutazione della natura ammirata come opera mirabile di Dio, il desiderio di conciliare umano e divino. Di qui nasce il particolare atteggiamento della sua predicazione, volta a penetrare nel cuore dell'ascoltatore con semplicità e schiettezza, mantenendosi sempre aderente alla concretezza dell'esperienza.

Dal 1405, San Bernardino si dedicò alla predicazione, e percorse a piedi gran parte dell'Italia settentrionale e centrale, pacificando le fazioni e promuovendo fra i suoi ascoltatori un vivo ardore di carità. Riuscì ad avere profonda influenza sulla società del tempo e anche sui príncipi, spingendoli ad eliminare abusi e leggi ingiuste. Fu anche accusato di eresia, ma riuscì a vincere ogni accusa e cercò di unificare l'Ordine francescano, ancora in preda a dissensi.

Più che le opere latine, di carattere teologico e religioso, interessano le sue prediche, che sono state conservate e tramandate, sia pure in forma imperfetta, da alcuni fedeli che le stenografarono. C'è in esse un'estrema vivacità, un contatto immediato con l'uditorio. Particolarmente efficaci sono i numerosi apologhi, gli esempi, le novellette in cui il significato della predica si condensa in forma concreta e persuasiva. Ogni fatterello che S. Bernardino racconta è ridotto a dialogo, a un'incisiva rappresentazione ricca di acuti riferimenti psicologici. La serenità dell'oratore, il suo ottimismo vitale, non disgiunto da una solida moralità, costituiscono il fascino maggiore delle sue pagine.

Il testo che riproduciamo è in *Prosatori volgari del Quattrocento*, cit., che riproduce un'edizione di L. Banchi (1880).

La cicerbita

Elli me venne una volontà di volere vivare come un angelo, non dico come uno uomo. — Deh, state a udire,[1] che Iddio vi benedica! — Elli mi venne uno pensiero di volere vivare d'acqua e d'erbe,[2] e pensai di andarmi a stare in uno bosco, e cominciai a dire da me medesimo: — che farai tu in uno bosco? Che mangiarai tu? — Respondevo così da me a me, e dicevo: — bene sta, come facevano 'e santi padri: io mangiarò dell'erba quando io arò fame; e quando io âro sete, berò dell'acqua. — E così deliberai di fare; e per vivare sicondo Iddio, deliberai anco di comparare una Bibbia per lègiare[3] e una schiavina[4] per tenere indosso. E comparai la Bibbia, e andai per comparare uno quoio di camoza,[5] perché non passasse l'acqua dallato dentro, perché non si mollasse la Bibbia. E col mio pensiero andava cercando dove io mi potesse appollaiare,[6] e delibêrami d'andare[7] vedendo in sino a Massa; e quando io era per la valle di Bocheggiano,[8] io andavo mirando quando su questo poggio quando su quell'altro; quando in questa selva, quando in quell'altra; e andavo dicendo da me a me: — oh, qui sarà il buono essere![9] Oh, qua sarà anco migliore! — In conclusione, non andando dietro a ogni cosa,[10] io tornai a Siena e deliberai di cominciare a provare la vita che volevo tenere. E andâmi costà fuore dalla Porta a Follonica, e incominciai a cogliere un'insalata di cicerbite[11] e altre erbuccie, e non avevo né pane né sale né olio; e dissi: cominciamo per questa prima volta a lavarla e a raschiarla, e poi l'altra volta faremo solamente a raschiarla[12] senza lavarla altromenti; e quando ne saremo più usi,[13] e noi faremo senza nettarla, e dipoi poi[14] e noi faremo senza còglarla. E col nome di Iesu benedetto cominciai con un boccone di cicerbita, e messamela in boca cominciai a masticarla. Mastica, mastica, ella non poteva andare giù. Non potendola gollare,[15] io dissi: oltre,[16] cominciamo a bere un sorso d'aqua. Mieffe![17] l'aqua se n'andava giù; e la cicerbita rimaneva in boca. In tutto, io ebbi parechi sorsi d'aqua con un bocone di cicerbita, e non la potei gollare. Sai che ti voglio dire? Con uno bocone di cicerbita io levai via ogni tentazione: ché certamente io cognosco che quella era tentazione. Questa che è seguitata poi,[18] è stata elezione, non tentazione. Oh, quanto si vuole bilanciare,[19] prima che altri seguiti quelle volontà che talvolta riescono molto gattive, e paiono cotanto buone!

---

1. «Deh, state a sentire». Frequenti sono queste interruzioni nelle prediche del Santo, e sono una manifestazione del suo colloquio immediato con gli ascoltatori.
2. volere vivare d'acqua e d'erbe: voler vivere bevendo solo acqua e cibandomi solo di erbe, come facevano i santi padri negli eremi della Tebaide, secondo il racconto di Domenico Cavalca.
3. lègiare: leggere.
4. schiavina: era una veste di panno ruvido usata dai pellegrini.
5. per comprare... camoza: per comperare un cuoio di camoscio per custodire il libro e impedire che la pioggia penetrasse nel suo interno (**dallato dentro**) e ammollasse la Bibbia. Già dall'inizio è evidente la divertita caricatura di se stesso, di quell'intenzione di divenire santo ad ogni costo. Ma vedi come il santo guardi con indulgenza serena, anche se non disgiunta da fermezza di giudizio morale, quella sua ingenua vocazione fanciullesca.
6. appollaiare: ritirarmi in contemplazione, lontano dal mondo. Spesso nei testi della letteratura religiosa gli eremiti sono paragonati ad uccelli; ma qui la metafora è ricondotta all'intonazione comica e realistica del passo.
7. deliberâmi d'andare, ecc.: stabilii di compiere una ricognizione fino a Massa per trovare il luogo più opportuno.
8. Bocheggiano: Boccheggiano, fra Siena e Massa Marittima.
9. qui sarà il buono essere: qui me ne starò bene!
10. non andando dietro a ogni cosa: a farla breve.
11. cicerbite: erbe comuni.
12. e poi... raschiarla: la raschierò soltanto. **altromenti**: altrimenti, in altro modo.
13. quando ne saremo più usi, ecc.: quando ci saremo meglio abituati non la netteremo neppure.
14. e dipoi poi, ecc.: e infine smetteremo anche di coglierla, cioè la mangeremo carponi brucandola come fanno le bestie. Tutto il periodo è fondato su di una vivace progressione caricaturale.
15. gollare: ingollare.
16. oltre: orsù.
17. Mieffe: In fede mia! È un'esclamazione popolare.
18. Questa è seguitata poi, ecc.: Tentazione era quello scimmiottare esteriormente la pratica di vita eremitica; quella che poi è seguita, è stata *elezione*, cioè volontà consapevole e deliberata. La vera religione è interiorità: questa la morale dell'arguto e cordiale racconto.
19. Oh, quanto si vuole bilanciare, ecc.: Oh, come bisogna meditare, soppesare il pro e il contro, prima di seguire quegli impulsi che sembrano tanto buoni, ma riescono, in realtà, cattivi!

Feo Belcari

Feo Belcari nacque a Firenze, intorno al 1410. Partecipò alla vita pubblica, ricoprendo importanti cariche, fra le quali, nel 1454, quella di Priore. Morì nel 1484. Nelle sue opere vediamo trasfuso uno schietto zelo religioso: fu autore di laudi, di inni, di sacre rappresentazioni e tradusse dal latino numerose opere della letteratura devota dei secoli precedenti, fra le quali il *Prato spirituale*, una raccolta di vite di Santi. Le sue opere originali più importanti sono la sacra rappresentazione di *Abraam e Isaac* e la *Vita del beato Giovanni Colombini*, che egli compose rielaborando una fonte in latino, una versione toscana di questa e le lettere del beato Colombini, delle quali inserisce ampi squarci nella sua narrazione.

L'*Abraam e Isaac* prosegue un po' stancamente la tradizione delle *sacre rappresentazioni*, composizioni drammatiche e teatrali derivate dalle *laudi drammatiche*, diffusesi dal Duecento in poi. Sono spettacoli edificanti, rappresentati con una messa in scena elementare, che raccontano episodi della storia sacra o vite di Santi. Ma mentre nel Quattrocento assistiamo per così dire ad una secolarizzazione di codeste rappresentazioni, che danno sempre maggior rilievo a elementi comici, fiabeschi, spettacolari (ricordiamo il *Miracolo di S. Uliva*), l'opera del Belcari ricalca le linee severe della tradizione trecentesca. Qualche cosa di simile si può dire della *Vita del beato Giovanni Colombini*, che continua la tradizione trecentesca delle vite di Santi. La fama dell'opera è affidata alla schiettezza del sentimento religioso dell'autore e alla sua prosa limpida e immediata.

Il testo che presentiamo è tratto dal volume: *Prosatori del Quattrocento*, a cura di C. Varese, cit., che a sua volta riproduce: F.B., *Prose edite ed inedite*, raccolte e pubblicate da O. Gigli, Roma, Salviucci, 1843-45.

La conversione di Giovanni Colombini

Nell'anno del Signore mille trecento cinquantacinque, essendo un giorno tornato Giovanni a casa con desiderio di prestamente mangiare, e non trovando, com'era consueto, la mensa e' cibi apparecchiati, s'incominciò a turbare[1] colla sua donna e colla serva, riprendendole della loro tardità;[2] allegando che per strette cagioni gli conveniva sollecitarsi di tornare alle sue mercanzie.[3] Al quale la donna benignamente rispondendo, disse: — Tu hai roba troppo e spesa poca;[4] perché ti dai tanti affanni? — E pregollo ch'egli avesse alquanto di pazienza, che prestissimamente mangiare potrebbe; e disse: — Intanto ch'io ordino le vivande, prendi questo libro, e leggi un poco —; e posegli innanzi un volume, che conteneva alquante vite di sante. Ma Giovanni scandalizzatosi prese il libro e, gittandolo nel mezzo della sala, disse a lei: — Tu non hai altri pensieri, che di leggende; a me convien presto tornar al fondaco.[5] — E dicendo queste e più altre parole, la coscienza lo cominciò a rimordere in modo che ricolse[6] il libro di terra e posesi a sedere. Il qual aperto, gli venne innanzi per volontà divina la piacevole storia di Maria Egiziaca[7] peccatrice per maravigliosa pietà di Dio convertita. La quale[8] in mentre che Giovanni leggeva, la donna apparecchiò il desinare, e chiamollo che a suo piacere[9] si ponesse a mensa. E Giovanni le rispose: — Aspetta tu ora un poco per infino che [10] questa leggenda io abbia letta. — La quale, avvenga che fusse di lunga narrazione,[11] perché era piena di celeste melodia,[12] gli cominciò addolcire il cuore: e non si volle da quella lezione[13] partire, per infino che al fine pervenisse.[14] E la donna, vedendolo così attentamente leggere, tacitamente ciò considerando, n'era molto lieta, sperando che gli gioverebbe a edificazione della sua mente,[15] però che non era già usato leggere tali libri. E certo adoperando[16] la divina grazia, così avvenne; però che quell'istoria in tal modo gli s'impresse nell'anima che di continuo il dì e la notte la meditava. E in questo fisso pensiero il grazioso[17] Iddio gli toccò il cuore in modo che incominciò a disprezzare le cose di questo mondo e non essere di quelle tanto sollecito; anzi a fare il contrario di quello ch'era usato:[18] imperocché in prima si era sì tenace[19] che rade volte faceva

1. **s'incominciò a turbare**, ecc.: cominciò ad adirarsi con la moglie e la fantesca.
2. **tardità**: lentezza.
3. **allegando... mercanzie**: affermando che doveva affrettarsi a tornare ai suoi affari per urgenti ragioni. Il Colombini era un ricco mercante. Visse dal 1304 al 1367.
4. **hai... poca**: tu sei fin troppo ricco e spendi poco.
5. **convien... fondaco**: a me è necessario tornare al più presto al *fondaco*, la bottega dove si vendevano tessuti al minuto.
6. **ricolse**: raccolse.
7. **Maria Egiziaca**: una peccatrice di Alessandria d'Egitto, del sec. V o VI d.C., convertitasi al cristianesimo.
8. **La quale**: la quale storia. È complemento oggetto.
9. **a suo piacere**: quando gli piacesse.
10. **per infino che**: fino a quando.
11. **avvenga che... narrazione**: nonostante che fosse lunga.
12. **piena di celeste melodia**: piena di una soave, divina dolcezza. Nella narrazione elementare, l'espressione balza inattesa. Vi senti un'eco del candore e della soavità che pervadono i testi del Trecento.
13. **lezione**: lettura.
14. **per infino... pervenisse**: finché non fosse giunto alla fine.
15. **a edificazione... mente**: per il suo miglioramento spirituale. La figura appena accennata della moglie diffonde un senso di bontà e di pace nella narrazione; è in fondo più viva di quella del beato.
16. **adoperando**: operando. Per opera della Grazia divina.
17. **grazioso**: datore di grazie.
18. **di quello... usato**: di quello ch'era stato solito fare fino ad allora.
19. **tenace**: avaro.

limosina, né voleva che in casa sua si facesse; e per cupidità ne' suoi pagamenti s'ingegnava di levar qualche cosa del patto fatto,[20] ma dopo la detta salutifera[21] lezione, per vendicarsi della sua avarizia,[22] dava spesso due cotanti di elemosina che non gli era addimandato:[23] e a chi gli vendeva alcuna cosa pagava più danari che non doveva avere. E così incominciò a frequentar le chiese, digiunare spesso e a darsi all'orazione e all'altre opere divote.

20. di levar... patto fatto: di togliere qualcosa da quello che si era pattuito.
21. salutifera: spiritualmente salutare.
22. per vendicarsi... avarizia: per liberarsi dalla sua avarizia.
23. due cotanti... addimandato: il doppio di quello che gli veniva chiesto.

♦

Girolamo Savonarola

Girolamo Savonarola nacque a Ferrara nel 1452. Entrò a ventitré anni nell'ordine dei domenicani, a Bologna, e fu quindi trasferito, nel 1482, nel convento di San Marco a Firenze, dove iniziò la sua carriera di predicatore, che si svolse a Brescia, a Genova e in altre città dell'Italia settentrionale, ma soprattutto a Firenze.

Firenze fu il centro del suo fervido apostolato. Il Savonarola levò la sua voce contro i corrotti costumi dei fiorentini, la loro sfrenata brama di godimento, soprattutto durante la signoria di Lorenzo il Magnifico, di cui volle essere l'antagonista, e cercò di combattere la tendenza paganeggiante e irreligiosa delle classi più colte.

Il Savonarola si rendeva ben conto dell'importanza della nuova civiltà rinascimentale, ma vagheggiò un umanesimo cristiano (per questo volle proclamare Cristo Re di Firenze), un rinnovamento spirituale che comprendesse sia la gerarchia ecclesiastica sia il popolo. Egli volle far della religione il fondamento della vita collettiva, portare lo spirito genuino del Vangelo nei rapporti fra gli uomini, nella società, nello stato.

Vide negli avvenimenti gravi della vita italiana del tempo, culminati nella discesa di re Carlo VIII, il segno di una punizione divina. In questi anni partecipò attivamente alla vita politica di Firenze, fu anzi, dopo la cacciata di Piero de' Medici, avvenuta nel 1494, uno dei protagonisti del governo della Repubblica fiorentina, per la quale elaborò il disegno di una nuova costituzione. Ma ben presto si schierarono contro di lui i partigiani dei Medici, sostenuti da papa Alessandro VI, avverso anche alla politica filofrancese del Savonarola.

Nel 1497 il frate era colpito da scomunica, e la fortuna sua e dei suoi sostenitori cominciò a declinare, finché la fazione medicea, impadronitasi del governo di Firenze, lo fece arrestare, impiccare e poi ardere in piazza della Signoria il 23 maggio 1498, con la connivenza del pontefice.

Il Savonarola scrisse lettere e trattati ascetici, e anche un *Trattato circa il reggimento e governo della città di Firenze*, ma la sua opera più importante sono le prediche, raccolte dai suoi seguaci. Dominano in esse un tono profetico, un'oratoria calda e travolgente, un impeto morale appassionato. Il frequente tono biblico e apocalittico è spontaneo: c'è nel Savonarola l'angoscia che nasce dal vedere l'umanità corrotta e l'immancabile punizione divina che incombe; ma questa angoscia non lo spinge a rinchiudersi in se stesso, nel suo dolore, bensì a combattere vigorosamente per il rinnovamento delle coscienze e del mondo.

Con la morte del Savonarola venne meno l'ultimo tentativo di una riforma della Chiesa (avverrà poco dopo, con la Riforma protestante, la scissione definitiva della cristianità); e anche quello di arrestare l'involuzione civile e politica della società italiana avviata alla crisi irreparabile del Cinquecento.

Per il testo seguiamo: *Prosatori volgari del Quattrocento*, cit., che riproduce: G.S., *Prediche italiane ai fiorentini*, a cura di F. Cognasso, Perugia-Venezia, La Nuova Italia, 1930 (vol. I e II) e a cura di R. Palmarocchi, Firenze, La Nuova Italia, 1935 (vol. III).

La predica delle profezie

Nella predica del 13 gennaio 1495, della quale riportiamo alcuni passi, il Savonarola vuole mostrare come egli avesse già da tempo profetizzato i recenti e gravi avvenimenti della vita politica fiorentina e italiana (la calata di Carlo VIII, la morte di alcuni principi, il mutamento del regime politico fiorentino). Lo spirito profetico ha un'importanza fondamentale nell'azione del Savonarola: la certezza di essere ispirato da Dio dà alla sua opera e alla sua parola quell'ardore incrollabile e quella fede sicura che furono il fascino

maggiore della sua figura e della sua eloquenza. Il tema fondamentale delle sue profezie è il prossimo rinnovamento spirituale della Chiesa e della cristianità; in relazione a questo le gravi sciagure politiche sono viste come una prova che Dio manda agli uomini per disporli, attraverso il dolore e la penitenza, a una rigenerazione spirituale. Il fatto poi che alcune sue profezie si siano avverate dà al frate la certezza di essere, per quanto indegno, il portatore di un messaggio divino.

Ricòrdati[1] quando io dissi, ora sono tre anni,[2] che verrà uno vento a similitudine di quella figura di Elìa,[3] e che questo vento concuterìa[4] li monti: questo vento è venuto, e questo è stata la fama che si sparse, anno,[5] per l'Italia e dicevasi di questo re di Francia; e per tutto questa fama volava come il vento, e concuteva i monti, cioè e príncipi d'Italia, ed hagli tenuti questo anno commossi in credere e non credere che questo re debbe venire: ed ecco che è venuto! E tu dicevi: — E' non verrà; e' non ha cavalli; egli è il verno. — Ed io mi ridevo di te, ché sapevo la cosa come aveva a andare. Ecco che egli è venuto! ed Iddio ha fatto di verno estate,[6] come allora ti dissi. Ricòrdati ancòra che io ti dissi che non varrebbono niente le gran fortezze e le gran mura. Vedi se è tutto verificato! Dimmi, Firenze, dove sono le tue fortezze? e le tue ròcche, che ti sono valute? Ricòrdati ancòra che io ti dissi che non ti varrebbono niente la tua sapienza né la tua prudenzia, e che tu piglieresti ogni cosa a rovescio; e che non sapresti né che ti fare, né quello che ti pescassi, come un ebro e fuor de' sensi. Ed ora è venuto, ed èssi verificato! E a me non volesti mai credere, e ancòra non credi! Io dico a te, ostinato.[7] Tu non crederai ancòra il resto, perché Iddio non ti vorrà dare tanta grazia che tu creda, perché la tua ostinazione non lo merita.

Ricòrdati che altre volte, già tre o quattro anni sono, quando ti predicavo, avevo tanto fiato e tanto fervore e tanta veemenzia nel dire che si dubitava che non mi scoppiasse la vena del petto. Tu non sapevi perché, figliuolo mio; e' non si poteva fare altro.[8]

Ricòrdati della domenica di Lazzaro, già sono passati tre anni, quando cadde la saetta[9] sopra la cupola, quello che io ti dissi quella mattina, e che quella notte io non mi ero mai potuto riposare, e che io avevo voluto pigliare la notte quello evangelio di Lazzaro per predicarlo, e mai non era stato possibile adattarlo alla fantasia.[10] E sai che allora mi uscì di bocca questa parola: *Ecce gladius Domini super terram cito et velociter.*[11] Ed allora ti predicai quella mattina, e dissiti che l'ira di Dio era commossa e che la spada era apparecchiata e presto. E così di nuovo ti dico: tu doverresti pur credere...

Ricòrdati ancòra[12] che io ti dissi che pel passato io ero stato il padre verso di te e Dio era stato la madre, perché io t'avevo ripreso acremente ed acerbamente, e gridato con alta voce che tu ti convertissi, come fa il padre che riprende con diligenza e figliuoli; e che io volevo essere ora la madre, e che Iddio vuole esser il padre, sì come la madre, quando vede il figliuolo che erra, ella lo minaccia e grida e dice di dirlo al padre come verrà, e di farlo castigare; di poi, quando il padre è venuto, lei non lo accusa, ma dice: — Se tu cadi mai più in questo errore, io ti farò castigare da tuo padre; — così, benché io vi riprendo adesso, io non vi riprendo con quella veemenza ed asprezza che facevo, perché veggo il padre, cioè Iddio, ch'è venuto per castigare. E però vi dico e prego con voce umile e bassa: — Figliuoli mia, fate penitenzia, fate penitenzia! —

Praeterea,[13] se tu se' cristiano, ti bisogna credere che la chiesa si ha a rinovare. Danièl[14] dice che Anticristo ha a venire e che ha a perseguitare là in Jerusalem, li cristiani; adunque, bisogna che là vi sieno cristiani; adunque bisogna che quelli che son là si battezzino. Ma a fare questo effetto bisogna altri uomini che non ha oggi la chiesa. *Ergo*[15] la chiesa si ha a rinovare, acciò che li uomini si faccino buoni ed abbino a andare là a convertire li infedeli al cristianesimo.

Va, e leggi li dottori sopra[16] quello evangelio di Matteo, dove dice: «*Evangelium hoc praedicabitur in toto mundo et tunc erit consumatio*».[17] Credimi, Firenze; tu doverresti pure credermi perché di quello che io t'ho detto non hai mai veduto fallire uno iota[18] sino a qui, ed ancòra per l'avvenire non ne vedrai mancare niente. Io predissi, parecchi anni innanzi, la morte di Lorenzo de'

1. **Ricòrdati**: si rivolge a Firenze.
2. **ora sono tre anni**: nella Quaresima del 1492.
3. **Elìa**: profeta biblico che fu rapito in cielo da un turbine di vento.
4. **concuterìa**: avrebbe scosso. Allude alla calata in Italia di Carlo VIII, un avvenimento che sconvolse dalle fondamenta tutta la situazione politica italiana.
5. **anno**: l'anno scorso.
6. **ho fatto di verno estate**: gli ha reso facile la spedizione d'inverno, come se fosse estate.
7. **Io... ostinato**: Si rivolge a chi ancora non gli crede. Il *tu* dà alla perorazione un tono più vibrante e drammatico.
8. **e' non si poteva fare altro**: Il Savonarola non poteva agire diversamente: quella veemenza appassionata nasceva da diretta ispirazione divina.
9. **cadde la saetta**: il 5 aprile 1492 cadde una folgore sulla cupòla di Santa Maria del Fiore. Il Savonarola vede in questo fatto la conferma di quel versetto della Bibbia su cui aveva fondato la sua predica della mattina precedente. È il versetto latino ricordato più sotto, che allude a una tremenda punizione divina.
10. **adattarlo alla fantasia**: Avrebbe voluto il S. parlare della resurrezione di Lazzaro, una pagina del Vangelo piena di speranza, in quanto allude alla resurrezione finale dell'uomo, ma non riuscì a farlo; Dio lo spinse a dire, invece, parole tremende.
11. **Ecce gladius Domini**, ecc.: Ecco la spada di Dio (che viene) sulla terra, presto e fulminea.
12. **Ricòrdati ancòra**, ecc.: In passato il S. è stato, verso i Fiorentini, come un padre, che è severo verso i figli più della madre. Ma ora la funzione del padre è esercitata da Dio, che si appresta a far piombare sui Fiorentini il fulmine della Sua giustizia, e il S., come una madre trepidante, li esorta con voce umile e bassa, con tenerezza e amore, a pentirsi, per evitare l'ira di Dio.
13. **Praeterea**: inoltre.
14. **Danièl**: Il profeta Daniele nella Bibbia parla dell'avvento futuro dell'Anticristo, che perseguiterà i fedeli a Gerusalemme. Il S. ne arguisce che gli Ebrei si convertiranno alla fede cristiana, prima dell'avvento dell'Anticristo persecutore. Ma gli infedeli non potranno certo essere convertiti dalla Chiesa presente, intimamente corrotta. Dovrà dunque venire un rinnovamento della Chiesa che renda possibile la conversione di tutti gli infedeli. È il tema dominante delle profezie del S.
15. **Ergo**: dunque.
16. **li dottori sopra**, ecc.: l'interpretazione che i dottori della Chiesa danno a quel passo del Vangelo secondo Matteo.
17. **Evangelium... consumatio**: Questo Vangelo sarà predicato in tutto il mondo, e allora sarà la fine dei secoli.
18. **uno iota**: nulla.

Medici, la morte di Innocenzio papa: *item*,[19] il caso, che è stato adesso qui a Firenze della mutazione di questo stato;[20] *item*, dissi che quello dì che sarebbe il re di Francia a Pisa, che qui sarìa la renovazione di questo stato. Io non ho detto queste cose quassù pubblicamente; ma l'ho dette a quelli che sono qui a questa predica, ed ho li testimoni qui a Firenze. Io conosco che questa mattina io sono pazzo, *et quod omnia haec in insipientia dico*; ma voglio che tu sappi che questo lume non mi fa iusto;[21] ma, se sarò umile, ed arò carità, sarò iusto. E questo lume non mi è stato dato per me, né per mio merito; ma per te, Firenze; e però, Firenze, questa mattina io t'ho dette queste cose così apertamente, ispirato da Dio ch'io te le dica così acciò che tu sappi el tutto; acciò che tu non abbi poi escusazione alcuna quando verrà il flagello, e non possa dire: — Io non lo sapevo! — Io non ti posso dire più chiaro; e cognosco che questa mattina io sarò tenuto pazzo. Se tu dirai che io sia pazzo, arò pazienzia. Io ti ho parlato così perché Iddio ha voluto che io ti parli così. Da poi che io ti cominciai questo Apocalissi[22] abbiamo avute molte contradizioni;[23] parte ne sai tu, parte Iddio, parte gli angeli suoi. Bisogna combattere contro duplice sapienzia, cioè contro quelli che hanno el Vecchio e Nuovo Testamento, contra duplice scienzia, *id est* contra la filosofia e contra la astrologia e scienzia delle scritture sacre, *et contra duplicem malitiam, id est* contro al male che fanno oggidì e' tiepidi, e quali conoscono che fanno male e vogliono farlo.[24] Il che non fu così[25] al tempo di Cristo, perché era solamente il Testamento Vecchio; e, se erravano, credevano fare bene. E però ti dico che se Cristo oggi tornassi quaggiù un'altra volta, sarìa di nuovo crocefisso. Io ti dico che io non ho scoperto[26] quasi nulla, perché ti dico che se io scoprissi ogni cosa, ci starei almanco sei dì. Credimi che io sono stato già parecchie volte a pericolo della morte.[27]

Io ti ho detto: «*Gladius Domini super terram cito et velociter*». Credimi che il coltello di Dio verrà, e presto. E non ti fare beffe di questo *cito*,[28] e non dire ch'e' sia un *cito* dell'Apocalisse, che sta centinaia d'anni a venire. Credimi che fia presto.

19. **item**: e similmente (predissi).
20. **mutazione... stato**: Allude alla cacciata di Piero de' Medici (1494) e alla restaurazione, in Firenze, di un governo repubblicano. **et... dico**: e che dico tutte queste cose da stolto. La frase è di S. Paolo.

21. **che questo lume non mi fa iusto**, ecc.: Intende dire che la capacità profetica di cui Dio lo ha fornito non è affatto merito suo, ma dono divino, che Dio elargisce anche al più indegno peccatore, come si vede in parecchi episodi della Bibbia. Il S. non vuole essere considerato come un Santo: egli sarà giusto davanti a Dio se si atterrà ai suoi comandamenti; le doti profetiche non c'entrano. Dio gliele ha date per il bene di Firenze, ad esse, e non alla sua persona i fiorentini debbono rivolgersi con venerazione.
22. **questo Apocalissi**: queste mie prediche fondate sui testi apocalittici, cioè sulle rivelazioni, contenute dalla Bibbia, sul futuro destino del mondo sino alla fine dei secoli.
23. **contradizioni**: contrasti.
24. **Bisogna... farlo**: Indica, in blocco, i suoi nemici. Essi sono i teologi, che ritengono di avere una duplice sapienza, quella del Vecchio e del Nuovo Testamento; i filosofi che credono di avere una *duplice scienza*, relativa cioè (**id est**), alla filosofia e astrologia e alle scritture sacre; infine i religiosi *tiepidi*, rivolti cioè a cure mondane che hanno una duplice disposizione al male (**duplicem malitiam**), cioè sanno di fare il male e vogliono farlo. La frase è involuta, ma le allusioni che essa contiene erano chiare per il pubblico: il S. si scaglia contro papa Alessandro VI e la curia romana.
25. **Il che non fu così**, ecc.: Diversamente andavano le cose al tempo di Cristo: allora c'era solo il Vecchio Testamento, che doveva ancora essere integrato dal Vangelo. Gli errori di allora erano quindi scusabili e ammessi in buona fede. Non così oggi. Oggi la Chiesa è nell'errore, ma perché lo vuole e sarebbe pronta a crocifiggere di nuovo Cristo.
26. **scoperto**: rivelato.
27. **a pericolo della morte**: Allude alle macchinazioni dei suoi numerosi nemici, laici ed ecclesiastici, contro di lui.
28. **cito**: presto.

Il bruciamento delle «vanità

Prendiamo questo passo della predica tenuta dal Savonarola il 6 novembre 1494, prima di recarsi, come componente di un'ambasceria, a Carlo VIII, fermo a Pisa col suo esercito. È un momento difficile per lo stato fiorentino, e il frate incita i cittadini a fare penitenza per impetrare da Dio l'aiuto onde sfuggire al pericolo incombente.

In questo passo, il Savonarola prende decisamente posizione contro la cultura laica e umanistica, responsabile, a suo avviso, dell'affievolirsi dello spirito cristiano in Firenze. Ammette che nei libri dei filosofi antichi possano trovarsi utili ammaestramenti morali, ma afferma che la cultura secolare va subordinata alla scienza cristiana, fondata sulla rivelazione e sulla grazia. Quanto ai Classici nei quali più evidente sia una visione pagana e sensuale della vita, esorta senz'altro a bruciarli; e in effetti, ebbero luogo a Firenze in seguito al suo ammonimento, i «roghi delle vanità», in cui furono bruciati libri ed opere d'arte ritenuti spudoratamente dannosi.

O Italia, o Firenze, fa penitenzia; *quia propter peccata tua venient tibi adversa*;[1] per li tuoi peccati si apparecchiano grandi tribulazioni. Fa penitenzia, dico, acciò che Dio abbia misericordia di te; voi tenete molti libri in casa che non li doverresti tenere, perché v'è scritto di molte cose inoneste.[2] Ardili questi tali libri, che non sono cose da cristiani. Se tu vuoi esser cristiano, ti bisogna esser unto del Spirito Santo, non di cose pagane e disoneste;[3] bisogna che in te sia il lume sopranaturale della grazia di Dio; a questo si cognoscerà se tu sei vero cristiano, tenendo[4] le cose che ti illuminino della fede e della grazia del Spirito Santo. E filosofi cercorno solo col lume naturale le cose che loro andarono meditando; al vero cristiano appartiene cercare di empiersi del lume sopranaturale, e della grazia di Dio.[5] Sono alcuni altri libri che sono buoni in sé e sono utili perché sono morali. Io non reprobo[6] la scienza e dottrina che è in quelli.

1. **quia... adversa**: perché a causa dei tuoi peccati piomberanno su te sciagure.
2. **inoneste**: disoneste. Allude soprattutto alle opere letterarie dei classici.
3. Devi essere ispirato, consacrato (**unto**) dallo spirito santo, non ispirarti alle opere degli antichi, spesso in contrasto con la visione cristiana del mondo.
4. **tenendo**, ecc.: se tu conserverai solo i libri e gli oggetti che ti possono illuminare nelle verità della fede.
5. I (**E**) filosofi antichi cercarono soltanto con la ragione (*lume naturale*) la verità; ma la ragione umana è imperfetta se non è illuminata dalla rivelazione e dalla grazia.
6. **Io non reprobo**: Io non condanno.

Tu di' Seneca ed Aristotile e Filone:[7] dico che sono buoni, ma non profittano alla religione cristiana che vive col lume sopranaturale: dicoti che sono molti libri al mondo che quando fussino spenti ed estinti sarebbe grande utilità alla fede nostra ed alla religione cristiana, benché e' parino utili a qualche altra cosa. Quando non erano[8] tanti libri e tante ragioni naturali e tante dispute, multiplicò più la fede che non ha fatto di poi, ma ha ben fatto el contrario di poi, che si vede esser mancato el fervore e la vivacità della fede e religione cristiana e ridotta più in cerimonie che in altro. Nelle naturali,[9] quanto una è più superiore, tanto ha più virtù; così el lume sopranaturale, col quale debba vivere el vero cristiano, ha più virtù che 'l naturale e che non hanno le ragioni naturali; anzi le ragioni naturali ti tirano al basso, el lume sopranaturale è quello che ti eleva in alto.

Vedi e martiri che erano pieni di questo lume, che si elevano tanto in alto che disprezzano tutte l'altre cose ed insino alla vita propria per amor di Cristo e della sua fede. Questo bene solo hanno fatto queste dottrine di questi savi del mondo, come fu Aristotile e Platone, che hanno insegnato molte ragioni da sapersi difendere dagli eretici;[10] e questo è vero che sono state buone le dottrine di molti savi filosofi, ma essi filosofi non hanno già saputo per sé trovare la via, ed el modo del ben vivere cristiano. Dice San Tommaso nella Prima parte[11] che tutte le ragioni de' filosofi hanno poca forza nella fede, e santo Agostino dice che la Chiesa nel suo principio si difese senza questa scienzia; se tu vuoi esser cristiano, da' opera alla scienzia cristiana e non alla seculare, ché farai più frutto all'anima tua; datti tutto a Cristo, perché Lui s'è dato tutto a te, per te, *qui est benedictus in saecula saeculorum. Amen.*

7. Seneca, Aristotile, Filone: Filosofi antichi, latino il primo, greci gli altri due. Sono quelli ai quali il Savonarola riconosce una certa bontà e validità in quanto i loro libri contengono precetti morali non discordanti da quelli cristiani.

8. Quando non erano, ecc.: È una chiara presa di posizione contro l'umanesimo laico, che nei libri degli antichi vide una voce insopprimibile ed essenziale dell'umana civiltà. Ma il Savonarola avverte nella nuova concezione laica e mondana della vita un pericolo per la religione. **ma ... poi**: ma si è invece affievolita col sorgere della nuova cultura, riducendosi a pratiche meramente esteriori.

9. Nelle naturali, ecc.: Tra le cose naturali, sono maggiormente considerate quelle che rivelano maggiore utilità e perfezione. Dovremo quindi tenere nella massima considerazione la luce della grazia che è di gran lunga superiore alla ragione, che è pure l'opera più perfetta della natura.

10. da sapersi... eretici: Il Savonarola ritorna qui a una impostazione medioevale: la cultura profana va subordinata a quella religiosa, i libri degli antichi hanno valore solo se possono in qualche modo servire all'edificazione cristiana. Ma era, la sua, una battaglia perduta in partenza.

11. nella Prima parte: nella prima parte della *Summa Theologiae*, l'opera più importante di S. Tommaso d'Aquino, il grande filosofo cristiano del Medioevo.

Bibliografia

Questa bibliografia si propone d'offrire un primo quadro orientativo agli allievi che intendano approfondire lo studio della letteratura italiana; eviterà dunque di citare i saggi più rigorosamente specialistici, quelli difficilmente reperibili in biblioteche non specializzate e quelli scritti in lingua straniera o, comunque, di lettura troppo ardua per un giovane dei nostri istituti medi superiori. È articolata in tre parti: la prima comprende i *testi*, la seconda le *opere di consultazione di carattere generale*, la terza una bibliografia essenzialissima dei singoli *autori* e delle *correnti letterarie* più importanti.

1. TESTI

I testi riportati nell'antologia (se ne veda l'indicazione in calce alla trattazione dei singoli autori) sono conformi a quelli delle edizioni più recenti e filologicamente attendibili e offrono già un primo repertorio bibliografico. Indichiamo invece qui le principali collane dedicate ai nostri classici. Fra di esse va in primo luogo ricordata la collezione degli *Scrittori d'Italia*, Bari, Laterza, iniziata sotto la guida di Benedetto Croce, che comprende poeti, filosofi, storici e critici, con testi filologicamente rigorosi, privi però di commento (parecchi volumi sono ora esauriti, ma la collana è in pieno sviluppo). Provvisti di introduzione e di note esplicative sono invece i volumi della collana dei *Classici Mondadori* di Milano, che pubblica sempre tutte le opere d'un autore (per il periodo di cui ci occupiamo, si vedano le edizioni delle opere del Boiardo e del Boccaccio). Altra importante collana è *La Letteratura Italiana, Storia e testi*, Milano-Napoli, Ricciardi, che offre, in una vasta antologia che comprenderà un centinaio di volumi, l'essenziale della nostra letteratura, in testi accuratissimi, con ottime introduzioni e note storico-linguistiche. Di minor mole, ma ottimamente curate altre collane, ispirate a criteri consimili, quali i *Classici UTET* (Torino), *i Classici Rizzoli* (Milano), i *Classici italiani* (Milano, Mursia), i *Classici italiani* dell'editore Zanichelli di Bologna, di cui ricordiamo i volumi, DANTE, *Opere*, a cura di M. Porena e M. Pazzaglia, e G. PONTE, *Il Quattrocento* (le ultime tre collane sono ora interrotte). Testi ampiamente commentati sono quelli della *Biblioteca nazionale*, Firenze, Le Monnier, che comprende, fra l'altro, il *Decameron* del Boccaccio a cura di V. Branca, e, presso lo stesso editore, quelli in formato grande del *Convivio*, del *De vulgari eloquentia*, delle *Rime* di DANTE; quelli della *Biblioteca dei classici italiani*, già diretta dal Carducci (Firenze, Sansoni), e, sempre del Sansoni, i *Classici italiani* in edizione di lusso, fra i quali ricordiamo la *Monarchia* di DANTE, *Il Trecentonovelle* del SACCHETTI, I *primi tre libri della Famiglia* di L.B. ALBERTI, *Il Decameron* del BOCCACCIO; la nuova serie della «Biblioteca Nazionale» del Le Monnier, «I Grandi Classici della Letteratura Italiana», con introduz., commento e bibliografia; segnaliamo qui i *Poeti del Dolce Stil Nuovo*, a cura di M. MARTI (1969).

Si tengano inoltre presenti i classici commentati pubblicati dall'Editore Ricciardi (per es., i commenti di D. DE ROBERTIS alla *Vita nuova* di DANTE e alle *Rime* di GUIDO CAVALCANTI); la «Nuova raccolta di classici italiani annotati», dell'Editore Einaudi, e, dello stesso, la collana «Nuova Universale Einaudi» (con, fra l'altro, le *Rime* di DANTE, curate da G. CONTINI, e il *Canzoniere* del PETRARCA, a cura di G. CONTINI e D. PONCHIROLI); e collane monografiche come «Nuova corona», dell'Editore Bompiani e «Biblioteca medievale», Edizioni Pratiche di Parma, entrambe dedicate a testi medievali di area romanza.

Comprendono molti autori importanti le collane economiche, fra le quali vanno ricordate «I grandi libri Garzanti» e la «Biblioteca universale Rizzoli», per l'accuratezza dell'edizione dei testi e per i commenti. Ma si vedano anche la «Universale Mursia» e gli «Oscar Mondadori», oltre ai «Meridiani» dello stesso Mondadori (più rivolti alla letteratura contemporanea). A parte questi ultimi, nelle collane economiche citate si ritrovano le opere più significative degli autori trattati in questo volume.

Fra le antologie sono particolarmente importanti quelle curate da G. CONTINI (per il periodo che qui interessa, *Letteratura italiana delle origini* e *Letteratura it. del Quattrocento*, Firenze, Sansoni, 1970 e 1976).

2. OPERE DI CONSULTAZIONE DI CARATTERE GENERALE

Una prima guida, sia per la problematica letteraria in genere, sia per le varie posizioni della critica su autori e correnti, è costituita da opere come *Guida allo studio della Letteratura it.*, a cura di E. PASQUINI, scritta da autori diversi, Bologna 1985, e dal *Dizionario critico della lett. it.*, sempre di autori diversi, diretto da V. BRANCA, Torino 1986², volumi 4, con ampia bibliografia. Accanto a queste opere più generali, ne indichiamo altre, suddivise secondo il particolare aspetto trattato.

a) **Storie della letteratura**. Può essere definita come uno specifico «genere» letterario, oggetto oggi di controversie e discussioni. Importante esempio d'una storia organica e orientata in una direzione che può essere definita, nel contempo, di gusto e di impegno etico-politico, è uno dei capolavori della nostra storiografia risorgimentale, la *Storia della letteratura it.* di FRANCESCO DE SANCTIS, scritta fra il 1870 e il 1871 (cfr. fra le ediz. moderne, quella di Einaudi, Torino 1875), da integrare coi *Saggi critici*. Dopo di essa è venuta sempre più prevalendo un'impostazione manualistica e scolastica, che ha contribuito a sollevare discussioni sulla validità e sulla stessa possibilità d'una storia letteraria. Su questi problemi teorici vedi: G. PETRONIO, *Invito alla storia lett.*, Napoli 1970; P. BAGNI, *Storia d. lett.*, in «Enciclopedia Feltrinelli-Fischer», Milano 1977; H.R. JAUSS, *Perché la storia d. lett.?*, Napoli 1977; *Inchiesta sulla storia lett.*, a cura di C. OSSOLA e M. RICCIARDI, Torino 1978; M. PAZZAGLIA, *Letteratura e storia d. lett.*, Bologna 1978, e *Considerazioni sulla storiografia lett. attuale in Italia*, nel volume di vari autori *Storiografia lett. in Italia e in Germania*, Firenze 1990; R. CESERANI, *Raccontare la letteratura*, Torino 1990.

Fra i manuali più usati si ricordano: N. SAPEGNO, *Compendio di storia d. lett. it.*, uscita fra il 1936 e il 1947, più volte ampiamente rimaneggiata, in tre volumi. L'ultima ediz. è Firenze 1984; G. PETRONIO, *L'attività letteraria in Italia*, Palermo 1964; C. SALINARI, *Sommario di storia d. lett. it.*, Napoli 1966; G. FERRONI, *Storia d. lett. it.*, Torino 1991, in 4 voll. Furono assai diffuse in passato e non prive di meriti le storie letterarie di A. MOMIGLIANO, Milano-Napoli 1936, di M. SANSONE, ivi 1938, di F. FLORA, Milano 1940. Importante per l'influsso esercitato su tutta la nostra cultura, soprattutto nel primo cinquantennio del secolo, la vasta attività critico-letteraria di B. CROCE, di cui si può consultare *La lett. it. per saggi storicamente disposti*, a cura di M. SANSONE, Bari 1956, voll. 4. Sui problemi inerenti la storiografia letteraria, fondamentale C. DIONISOTTI, *Geografia e storia della lett. it.*, nel volume con lo stesso titolo, Torino 1967, che, senza addentrarsi nella discussione teorica, instaura prospettive storiografiche originali e persuasive sulla nostra tradizione letteraria. L'opera del Dionisotti andrebbe completata su scala più ampia. Per ora fra gli studiosi sembra prevalere una ricognizione attenta delle testimonianze letterarie e degli ambienti culturali da cui nasce la produzione artistica.

Tale esigenza ha portato alla compilazione di storie scritte da un numero nutrito di specialisti e destinate soprattutto alla consultazione. Vanno segnalate in proposito: la serie di monografie pubblicate dall'Editore Marzorati di Milano nella collana *Orientamenti culturali. Letteratura italiana*, in 19 volumi, usciti fra il 1956 e il 1974, suddivisi nelle sezioni *Tecnica e teoria lett.*, *I maggiori*, *Le correnti*, *I minori*, *I contemporanei*, *I critici* (cui vanno aggiunti i voll. *Momenti e problemi di storia dell'estetica*); la *Storia d. lett. it.*, dell'Editore Garzanti di Milano, coordinata da E. CECCHI e N. SAPEGNO, di cui fra il 1987 e il 1989 è uscita una seconda ediz. rinnovata e ampliata (la citeremo, d'ora innanzi, con la sigla LIG); *La lett. it. storia e testi*, diretta da C. MUSCETTA, uscita per l'Editore Laterza di Bari fra il 1970 e il 1980, in dieci volumi per complessivi venti tomi (LIL); la *Letteratura it.*, diretta da A. ASOR ROSA, uscita, per l'Editore Einaudi di Torino, fra il 1982 e il 1990 in dieci voll. (LIE), in cui, accanto alla ricostruzione di ambienti letterari e culturali, si ha anche la presentazione e discussione dei metodi di ricerca e delle recenti teorie della letteratura. Ancora utile è la *Storia letteraria d'Italia* dell'Editore Vallardi di Milano, uscita nella sua prima versione negli anni 1898-1926, ma più volte aggiornata e rifatta, modificando gli autori dei singoli volumi. Ora ne sta uscendo una nuova edizione del tutto rifatta, diretta da A. BALDUINO per la Casa editrice Piccin Nuova Libraria di Padova.

Va infine ricordata l'opera, destinata alla scuola, ma ricca di suggerimenti nuovi, R. CESERANI e L. DE FEDERICIS, *Il materiale e l'immaginario*, uscita per l'Editore Loescher di Torino fra il 1979 e il 1988, in dieci voll.

Segnaliamo infine la *Storia d'Italia* uscita presso l'Editore Einaudi a partire dal 1972, con numerosi saggi dedicati alla storia della lingua e della cultura, e agli ambienti culturali e letterari. Per un'analisi succinta ma acuta in tal senso si veda anche G. PROCACCI, *Storia degli Italiani*, Bari 1972.

b) **Bibliografia e storia della critica**. I principali repertori bibliografici sono: G. PREZZOLINI, *Repertorio bibliografico della storia e della critica della lett. it.; 1902-1932*, Roma 1936, voll. 2, e *1933-1942*, New York 1946-48, voll. 2; N.D. EVOLA, *Bibliografia degli studi della lett. it. (1920-1934)*, Milano 1938-41; J.G. FUCILLA, *Universal Author Repertoire of Italian Essay-Literature*, New York 1941; *Repertorio bibl. della lett. it.*, diretto da U. Bosco, vol. I (1948-49) e vol. II (1950-53), Firenze 1956 e 1960. — Come si vede, manca una bibliografia aggiornata della lett. it.; si potrà supplire con le bibl. contenute nelle opere citate qui alla lettera *a*) e consultando la rivista «La Rassegna della lett. it.», pubbl. dall'edit. Sansoni, che contiene in ogni numero una rassegna bibl. ragionata divisa per secoli.

Per la storia d. critica relativa agli autori maggiori cfr. *I classici it. nella storia d. critica* a c. di W. BINNI, Firenze 1964-77, voll. 3, e la collana *Storia d. critica* in più voll. dell'edit. Palumbo, Palermo; vedi anche L. CARETTI e G. LUTI, *La lett. it. per saggi storicamente disposti*, Milano 1973-75, 5 voll.

c) **Linguistica, metrica, retorica**. Fondamentali per la *storia della lingua italiana*, e dunque anche di quella letteraria, B. MIGLIORINI, *Storia d. lingua it.*, Firenze 1988 (1960); G. DEVOTO, *Profilo di storia linguistica it.*, Firenze 1953; C. SEGRE, *Le caratteristiche d. lingua it.*, in CH. BALLY, *Linguistica generale e linguistica francese*, Milano 1963, pp. 437-479; A. SCHIAFFINI, *Momenti di storia della lingua it.*, Roma 1965 e *I mille anni della lingua it.*, Milano 1961; G. VIDOSSI, *L'Italia dialettale fino a Dante*, in *Le origini*, della collana cit. dell'editore Ricciardi, Milano-Napoli 1956. Vedi anche B. MIGLIORINI-I. BALDELLI, *Breve storia della lingua it.*, Firenze 1965. Per la secolare questione della lingua, uno dei temi di fondo della nostra storia letteraria, cfr. M. VITALE, *La questione della lingua*, Palermo 1960.

Per la **metrica**: R. SPONGANO, *Nozioni ed esempi di metrica italiana*, Bologna 1966; W.TH. ELWERT, *Versificazione italiana dalle origini ai giorni nostri*, Firenze 1973; M. PAZZAGLIA, *Manuale di metrica it.*, Firenze 1990; P. G. BELTRAMI, *La metrica it.*, Bologna 1991. Fra i manuali non più in commercio, ottimi E. GUARNERIO, *Manuale di versificazione it.*, Milano 1893; F. FLAMINI, *Notizia storica dei versi e metri it. dal medioevo ai tempi nostri*, Livorno 1919).

Per la **metricologia e l'analisi metrica**: *La metrica*, testi a cura di R. CREMANTE e M. PAZZAGLIA, Bologna 1972; M. FUBINI, *Metrica e poesia*, Milano 1970²; M. PAZZAGLIA, *Teoria e analisi metrica*, Bologna 1974 e *Rassegna di studi di metrica italiana*, in «Lettere italiane», 2, 1977; G.L. BECCARIA, *L'autonomia del significante*, Torino 1975; C. DI GIROLAMO, *Teoria e prassi della versificazione*, Bologna 1976. Cfr. infine i saggi di A. MENICHELLI, G. GORNI, M. MARTELLI, in LIE (*Le forme del testo. I Teoria e poesia*).

Per la **retorica**: H. LAUSBERG, *Elementi di retorica*, Bologna 1969; B. MORTARA GARAVELLI, *Manuale di retorica*, Milano 1988. Su **linguistica, retorica, stilistica** cfr. infine T. TODOROV, *Dizionario enciclopedico delle scienze del linguaggio*, Milano 1972.

d) **Metodologia critica e teoria letteraria**. Per **l'estetica**, intimamente connessa alla critica letteraria, si veda innanzitutto, per la sua importanza storica, B. CROCE, *Estetica come scienza dell'espressione e linguistica generale*, Bari 1958¹⁰, e *La poesia*, ivi 1963⁶, e anche M. FUBINI, *Critica e poesia*, ivi 1951. Utili i *Momenti e problemi di storia dell'estetica*, cit., e A. BORLENGHI, *La critica lett. dal De Sanctis ad oggi*, in *Le correnti*, cit. Per un primo orientamento: A. RUSCHIONI, *Sommario di storia della critica lett.*, Milano 1952; A. SIMONINI, *Storia dei movimenti estetici nella cultura it.*, Firenze 1968; ma vedi ora le due antologie con ampia introduz. G. VATTIMO, *Estetica moderna*, Bologna 1977 e L. ROSSI, *Situazione d. estetica in Italia*, Torino 1976, oltre a M. PAZZAGLIA, *Letteratura e storia della letteratura*, cit. Molto utile, anche se giunge soltanto alla fine del Settecento, W. TATARKIEWICZ, *Storia dell'estetica*, Torino 1979-80, voll. 3; importante, anche per il continuo riferimento a una situazione europea R. WELLEK, *Storia della critica letteraria*, Bologna 1958-1969, voll. 4.

Insieme col rinnovamento delle prospettive estetiche si è avuto, soprattutto a partire dagli anni Sessanta, un rinnovamento della metodologia dell'analisi critica e il costituirsi d'una nuova teoria della letteratura, connessa alla riscoperta dei formalisti russi e della scuola di Praga, allo strutturalismo, alla semiologia, ai nuovi criteri dell'analisi formale ispirati anche ai nuovi orizzonti della linguistica. Ne è derivata un'idea nuova della complessità e specificità del testo letterario, considerato come un tipo di testo connotato da una propria struttura organizzativa e semantica, da analizzare con metodi pertinenti. Sarebbe qui lungo seguire il dialogo metodologico in tutte le sue implicazioni e sfumature; ci limitiamo pertanto ad alcune indicazioni, cominciando da un gruppo di testi che comprendono, spesso, anche utili antologie ragionate: R. WELLEK-A. WARREN, *Teoria della letteratura e metodologia dello studio letterario*, Bologna 1956; V. ERLICH, *Il formalismo russo*, Milano 1966; T. TODOROV, *I formalisti russi*, Torino 1968; *I metodi attuali della critica in Italia*, a cura di M. CORTI e C. SEGRE, Torino 1970; D.S. AVALLE, *L'analisi letteraria in Italia*, Milano-Napoli 1970; V. BRANCA-J. STAROBINSKI, *La filologia e la critica letteraria*, Milano 1977; G. CATALANO, *Teoria della critica letter. Dalla stilistica allo strutturalismo*, Napoli 1974; *Letteratura e semiologia in Italia*, a c. di G.P. CAPRETTINI e D. CORNO, Torino 1979; P.L. CERISOLA, *Trattato di retorica e semiotica letteraria*, Brescia 1983; F. BRIOSCHI-C. DI GIROLAMO, *Elementi di teoria letteraria*, Milano 1984. Sull'argomento si consulterà con profitto la LIE, ai voll. 1, 2, 3 (*La letteratura e le istituzioni*; *Produzione e consumo*; *Le forme del testo, I La poesia, II la prosa*; *L'interpretazione*).

Diamo qui altre succinte indicazioni. Per un'**analisi sociologica**, spesso ispirata alla metodologia marxista: G. LUKÁCS, *Il marxismo e la critica letteraria*, Torino 1953; G. DELLA VOLPE, *Critica del gusto*, Milano 1960; W. BENJAMIN, *Angelus novus*, Torino 1962; B. BRECHT, *Scritti sulla letteratura e sull'arte*, ivi 1973; L. GOLDMANN, *Per una sociologia del romanzo*, Milano 1976; R. ESCARPIT, *Scrittura e comunicazione*, Milano 1976 e *Sociologia del-*

la letteratura, Napoli 1977; A. HAUSER, *Sociologia dell'arte*, Torino 1977, voll. 3; E. KOEHLER, *Per una teoria materialistica della letteratura*, Napoli 1980. Su **letteratura e psicanalisi**: F. ORLANDO, *Per una teoria freudiana d. letteratura*, Torino 1973; M. DAVID, *La psicoanalisi nella cultura italiana*, Torino 1974. Per la **critica stilistica**: G. DEVOTO, *Studi di stilistica* e *Nuovi studi di stilistica*, Firenze 1950 e 1952; A. PAGLIARO, *Saggi di critica semantica* e *Nuovi saggi di critica semantica*, Firenze 1953 e 1956; E. AUERBACH, *Mimesis*, Torino 1956; L. SPITZER, *Studi italiani*, Milano 1976 e *Critica stilistica e semantica storica*, Bari 1966[2]; B. TERRACINI, *Analisi stilistica*, Milano 1966; D. ALONSO, *Saggi di metodi e limiti stilistici*, Bologna 1966. Su **strutturalismo e semiologia**: R. JAKOBSON, *Saggi di linguistica generale*, Milano 1966; J. TYNJANOV, *Il problema del linguaggio poetico*, ivi 1968; C. SEGRE, *I segni e la critica*, Torino 1969; J.M. LOTMAN, *La struttura del testo poetico*, Milano 1972; J. MUKAŘOVSKÝ, *Il significato dell'estetica*, Torino 1973; G. GENETTE, *Figure*, Torino 1976, voll. 3; M. CORTI, *Principi della comunicazione letteraria*, Milano 1976; M. BACHTIN, *Estetica e romanzo*, Torino 1979; M. RIFFATERRE, *Semiotica della poesia*, Bologna 1983. Sulla **narratologia**: AA.VV., *L'analisi del racconto*, Milano 1969[2]; R. SCHOLES-R. KELLOG, *La natura della narrativa*, Bologna 1970; *Dal «Novellino» a Moravia. Problemi della narrativa*, a c. di E. RAIMONDI e B. BASILE, ivi 1979.

3. BIBLIOGRAFIA PARTICOLARE

Medioevo. Per un'introduzione storica: *Questioni di storia medievale*, a cura di E. ROTA, Milano s.a.; M. BLOCH, *La società feudale*, Torino 1962[4]; L. SALVATORELLI, *Italia comunale*, Milano 1940; R. MORGHEN, *Medioevo cristiano*, Bari 1958; G. VOLPE, *Medioevo italiano*, in ediz. economica, Firenze 1965; G. PEPE, *Il Medioevo barbarico e l'Italia*, Torino 1963 (ediz. econ.); G. FALCO, *La santa romana repubblica*, Napoli 1964; H. PIRENNE, *Le città del Medioevo*, Bari 1971; R. LOPEZ, *La nascita dell'Europa*, Torino 1966; G. DUBY, *Le origini dell'economia europea*, Bari 1978, *L'arte e la società medievale*, ivi 1977, *Il cavaliere, la donna, il prete*, ivi 1982; J. LE GOFF, *La civiltà dell'Occidente medievale*, Torino 1981; O. CAPITANI, *Storia dell'Italia medievale*, Bari 1988. Per una sintetica e pregnante visione della concezione mediev. della realtà: E. GILSON, *Lo spirito della filosofia medievale*, Brescia 1947, e *La filosofia del medioevo*, Firenze 1973; C. VASOLI, *La filosofia mediev.*, Milano 1961. Per un'idea della civiltà mediev. relativamente al gusto, al costume letterario e di vita, cfr. il bellissimo saggio J. HUIZINGA, *Autunno del medioevo*, Firenze ult. ediz. 1951, e anche J. LE GOFF, *Genio del M.*, Milano 1959. — Per le istituzioni letterarie e la continuità con la tradizione classica, cfr. E. AUERBACH, *Lingua letteraria e pubblico nella tarda antichità latina e nel M.*, Milano 1960; E.R. CURTIUS, *Letteratura europea e Medio Evo latino*, Firenze 1992 [Berna 1948]; S. BATTAGLIA, *La coscienza letteraria del Medioevo*, Napoli 1965; G. VECCHI, *Poesia latina mediev.*, Parma 1952 (un'agile antologia con traduz.); A. GRAF, *Roma nella memoria e nelle immaginazioni del M. E.*, Torino 1882-83; D. COMPARETTI, *Virgilio nel M. E.* (1872), rist. a c. di G. PASQUALI, Firenze 1937-41, voll. 2; C.H. HASKINS, *La rinascita del XII secolo*, Bologna 1972. — Per l'estetica: U. ECO, *Sviluppo dell'e. mediev.*, e G. BÀRBERI SQUAROTTI, *Le poetiche del Trecento*, ambedue in *Momenti e problemi di storia dell'estetica*, I, cit.; R. ASSUNTO, *La critica d'arte nel pensiero mediev.*, Milano 1961. — Per la teoria della letteratura: P. ZUMTHOR, *Semiologia e poetica medievale*, Milano 1974, e *Leggere il Medio Evo*, Bologna 1980. — Per la poesia provenzale e francese delle origini e il suo influsso sulla nostra, si veda: A. VISCARDI, *Letteratura in lingua d'oc e d'oil*, Milano 1952; *Poesia dell'età cortese*, a c. di A. RONCAGLIA, ivi 1961; CHRETIEN DE TROYES, *Romanzi*, a c. di C. PELLEGRINI, Firenze 1962; F.A. UGOLINI, *La poesia provenzale e l'Italia*, Modena 1949[2]; *Trovatori di Provenza e d'Italia*, a c. di G.L. TOJA, Parma 1965 (antologia con traduz. e note); E. KÖHLER, *Sociologia della fin' amor*, Padova 1976, e *L'avventura cavalleresca*, Bologna 1985; A. VARVARO, *Letterat. romanza nel M. E.*, Bologna 1985; M. MANCINI, *La gaia scienza dei trovatori*, Parma 1984, e *Il punto sui trovatori* (a cura di M.M.), Bari 1991; C. DI GIROLAMO, *I trovatori*, Torino 1989.

Importanti, infine, per la definizione della mentalità medievale, J. LE GOFF, *Tempo della Chiesa e tempo del mercante. Saggi sul lavoro e la cultura nel Medioevo*, Torino 1977, e *L'immaginario medievale*, Bari 1988; A.JA. GUREVIČ, *Le categorie della cultura medievale*, Torino 1983; J.J. MURPHY, *La retorica nel Medioevo*, Napoli 1983; O. VON SIMSON, *La cattedrale gotica. Il concetto medievale di ordine*, Bologna 1988. Per la letteratura allegorica si veda C.S. LEWIS, *L'allegoria d'amore. Saggio sulla tradizione medievale*, Torino 1969.

Origini: A. RONCAGLIA, *Le Origini*, in LIG I, e *Le corti medievali*, in LIE I; E. PASQUINI, *Cultura e lett. delle orig.*, in LIL I; e anche: A. VISCARDI, introduz. all'antologia *Le Origini*, Milano-Napoli 1956, e *Le origini della tradizione lett. it.*, Roma 1959; C. TAGLIAVINI, *Le origini delle lingue neolatine*, Bologna 1972; M. CORTELAZZO (a cura di), *Profilo dei dialetti italiani*, Pisa 1977; C. BOLOGNA, *L'Ordine francescano e la letteratura nell'Italia pretridentina*, in LIE I; G. PETROCCHI (a cura di), *Gli scritti e la leggenda*, Milano 1983 (per S. Francesco); C. DELCORNO, *Exemplum e letteratura*, Bologna 1989; A. PAGLIARO, *Poesia giullaresca e poesia popolare*, Bari 1958. Più in generale: A. MONTEVERDI, *Studi e saggi sulla poesia it. dei primi secoli*, Milano-Napoli 1977; G. AGAMBEN, *Stanze, La parola e il fantasma nella lett. occidentale*, Torino 1977.

Scuola siciliana. *Atti del convegno nazionale di studi federiciani*, Palermo 1952; G. FOLENA, *Cultura e poesia dei Siciliani*, LIG I; D. MATTALIA, *La scuola siciliana*, in *I minori*, cit.; A. MONTEVERDI, *Poesia politica e poesia amorosa del Duecento*, in *Saggi e studi sulla lett. it. dei primi secoli*, cit., da tenere presente anche per altri autori e correnti del secolo, come L. RUSSO, *Studi sul Due e Trecento*, Bari 1951; A.E. QUAGLIO, *I poeti della «Magna Curia» siciliana*, in LIL I.

Guittone e la scuola toscana. Oltre ai saggi di A. TARTARO, in LIG I e di A.E. QUAGLIO, in LIL I, si veda M. MARTI, *Guittone d'Arezzo*, in *I minori*, cit.; G. DE ROBERTIS, *Le rime di Guittone*, in *Studi*, Firenze 1944; A. SCHIAFFINI, *Tradizione e poesia nella prosa d'arte it. dalla latinità mediev. a G. Boccaccio*, Roma 1943[2]; M. CORTI, *Studi sulla sintassi della lingua poetica avanti lo Stilnovo*, Firenze 1954; C. SEGRE, *La sintassi del periodo nei primi prosatori it.*, ora in *Lingua, stile e società*, Milano 1963. Cfr. anche l'importante monografia (in francese) C. MARGUERON, *Recherches sur Guittone d'Arezzo*, Parigi 1966; D.S. AVALLE, *Ai luoghi di delizia pieni. Saggio sulla lirica it. del XIII secolo*, Milano-Napoli 1977; V. MOLETA, *Guittone cortese*, Napoli 1987.

Letteratura religiosa, didascalica, comico-realistica. Oltre alla Garzanti, alla Laterza e ai *Minori* e ai citt. saggi del Russo e del Monteverdi, si veda: l'introduz. di G. PETRONIO a *Poemetti del Duecento*, Torino 1951; B. CEVA, *Brunetto Latini. L'uomo e l'opera*, Milano-Napoli 1965; G. GETTO, *La letterat. religiosa*, in *Letterat. e critica nel tempo*, Milano 1954; M. MARTI, *Cultura e stile nei poeti giocosi del tempo di Dante*, Pisa 1953.

Dolce stil novo. Oltre ai saggi di G. PETROCCHI in LG I e di A.E. QUAGLIO in LIL, e ai *Minori* cit., si veda: N. SAPEGNO, *Il Trecento*, Milano 1960[2]; B. NARDI, *Filosofia dell'amore nei rimatori del Duecento e in Dante*, in *Dante e la cultura medievale*, Bari 1949; A. DEL MONTE, *Il d. s. n.*, in *Civiltà e poesia romanza*, Bari 1958; S. PELLEGRINI, *Saggi di filologia it.*, Bari 1962; A. RONCAGLIA, *Precedenti e significato dello «Stil novo» dantesco*, in *Dante e Bologna nei tempi di Dante*, Bologna 1967; M. MARTI, *Con Dante fra i poeti del suo tempo*, Lecce 1966; le introduzioni di G. CONTINI all'antol. *Poeti del Duecento*, Milano-Napoli 1960; G. FAVATI, *Inchiesta sul Dolce Stil Nuovo*, Firenze 1975; M. CORTI, introduzione a G. CAVALCANTI, *Rime*, Milano 1978, e *La felicità mentale*, Torino 1983.

Prosa del Duecento. Un agile ed esauriente profilo è l'introduz. di C. SEGRE a *Prosa del Duecento*, a c. di C. SEGRE e M. MARTI, Milano-Napoli 1959 (dello stesso si veda *Lingua, stile e società*, cit.); ma va ricordato anche A. SCHIAFFINI, *Tradizione e poesia*, cit., oltre ai *Minori*, LIG e LIL.

Dante Alighieri. Fondamentale per qualsiasi ricerca è *l'Enciclopedia dantesca* in sei volumi (Roma 1970-78), con voci che illustrano ogni aspetto del mondo dantesco, dalle opere ai personaggi alla cosmologia ai critici alla lingua (vocaboli e sintassi) alla biografia, sempre con bibliografia puntuale. Numerose sono le introduzioni generali a D., di cui citiamo le più importanti nell'ultima ristampa: M. BARBI, *D.: vita, opere e fortuna*, Firenze 1965; F. MAGGINI, *Introduzione allo studio di D.*, Pisa 1965; U. COSMO, *Guida a D.*, a c. di B. MAIER, Firenze 1965; M. CASELLA, *Introduz. alle opp. di D.*, Milano 1965; M. PAZZAGLIA, Introduzione a *Dante. Opere*, a cura di M. PORENA e M. PAZZAGLIA, Bologna 1966; G. PADOAN, *Introduzione a D.*, Firenze 1975; G. PETROCCHI, *Vita di D.*, Bari 1983; e si vedano inoltre il cap. del SAPEGNO in LIG, e in *Storia letteraria del Trecento*, Milano-Napoli 1963, e quello di N. MINEO, in LIL I, tomo II, cit. Notevole valore conserva anche N. ZINGARELLI, *La vita, i tempi e le opp. di D.*, Milano 1948; ma si veda ora A. VALLONE, *D.*, e *Storia della critica dant. dal XIV al XX sec.*, voll. 2 nella nuova *Storia letteraria d'Italia*, Vallardi, cit. Una buona antologia scolastica della critica è T. DI SALVO, *D. nella critica*, Firenze 1965.

In occasione del VII centenario della nascita del poeta sono apparse notevolissime raccolte di saggi, riguardanti i principali aspetti e problemi della sua opera. Ricordiamo: *D. nella critica d'oggi*, a c. di U. BOSCO, Firenze 1965 (utilissimo per una succinta ma essenziale informazione); *Atti del congresso Internazionale di studi danteschi*, Firenze 1965-66, voll. 2; *D. e Roma*, Firenze 1965; *D. e la cultura veneta*, ivi 1966; *D. e Bologna nei tempi di D.*, cit.

Per le singole opp. di D. ci limitiamo qui a una bibliografia succinta: *Vita nuova*: B. NARDI, *Filosofia dell'amore nei rimatori it. del Duecento e in D.*, in *D. e la cultura medievale*, cit.; N. SAPEGNO, *La «V. N.»*, ora in *Pagine di storia letteraria*, Palermo 1960; C.S. SINGLETON, *Saggio sulla V. N.*, Bologna 1968; D. DE ROBERTIS, *Il libro della «V. N.»*, Firenze 1970[2]; M. PAZZAGLIA, *La «V. N.» fra agiografia e letteratura*, in *Letture classensi*, 6, Ravenna 1977; B. TERRACINI, *Analisi dello «stile legato» della V. N.*, e *Analisi di toni narrativi della V. N.*, in *Pagine e appunti di linguistica storica*, Firenze 1957, e *La prosa poetica d. V. N.*, in *Analisi stilistica*, Milano 1966; A. VALLONE, *La prosa della V. N.*, Firenze 1963 (ma v. anche A. SCHIAFFINI, *Tradizione e poesia*, cit.); M. PICONE, *V. N. e tradizione romanza*, Padova 1979; — *Rime*: N. SAPEGNO, *Le rime di D.*, in «La cultura», 1930; E. AUERBACH, *La poesia giovanile di D.*, in *Studi su D.*, Milano 1963; G. CONTINI, introduz. a D. A., *Rime*, Torino 1965[3] (fondamentale); V. PERNICONE, *Le rime*, in *D. nella critica d'oggi*, cit.; U. BOSCO, *Il nuovo stile della poesia dugentesca secondo D.*, in *D. vicino*, Caltanissetta-Roma 1966; M. MARTI, *Con D. fra i poeti del suo tempo*, cit.; I. BALDELLI, *D. e i poeti fiorentini del Duecento*, Firenze 1968; M. PAZZAGLIA, *Note sulla metrica delle prime canzoni dant.*, in «Lingua e stile», 3, 1968; P. BOYDE, *Retorica e stile nella lirica di D.*, Napoli 1979. — *Convivio*: Per il pensiero di D. si vedano i saggi di B. NARDI, (*Saggi di filosofia dant.*, Firenze 1967[2]; *D. e la cultura mediev.*, cit.; *Nel mondo di D.*, Roma 1944; *Dal «Convivio» alla «Commedia»*, Roma 1960); E. GARIN, *Il pensiero di D.*, in *Storia della filosofia it.*, Torino 1966; M. BARBI, *Razionalismo e misticismo in D.*, in *Problemi di critica dant.*, II, rist. Firenze 1965; E. GILSON, *D. e la filosofia*, Milano 1987; sulla prosa del *C.*, A. SCHIAFFINI, *Tradiz. e poesia*, cit.; C. SEGRE, *Lingua, stile e società*, cit.; A. VALLONE, *La prosa del C.*, Firenze 1957. — *De vulgari eloquentia*: oltre all'introd. di A. MARIGO alla sua ediz. con traduz. e comm. del trattato (Firenze 1957[2]), A. PAGLIARO, *I «primissima signa»*, ecc., in *Nuovi saggi di critica semantica*, Messina-Firenze 1956; S. PELLEGRINI, *Saggi di filologia it.*, Bari 1962; B. TERRACINI, *Pagine e appunti*, cit.; P.V. MENGALDO, introduz. all'ediz. del *De v. e.*, Padova 1968, e *Linguistica e retorica di D.*, Pisa 1978; M. PAZZAGLIA, *Il verso e l'arte della canzone nel De v. e.*, Firenze 1967. — *Monarchia*: oltre ai saggi del NARDI cit., A. PASSERIN D'ENTREVES, *D. politico e altri saggi*, Torino 1955; G. VINAY, *Interpretazione della M. di D.*, Firenze 1962; P.G. RICCI, *D. e l'Impero di Roma*, in *D. e Roma*, cit. — Per le altre opp. rimandiamo ai saggi complessivi citati all'inizio; ma soprattutto al commento che si trova nei due volumi (a cura di vari specialisti) di D., *Opere minori*, Ricciardi, Milano-Napoli 1979 e 1984.

Sterminata è la bibl. sulla *Divina Commedia*. Ci limitiamo qui a segnalare le raccolte principali di «letture» dedicate a singoli canti e anche ad aspetti dell'opera dant.: *Letture dant.*, a c. di G. GETTO, Firenze 1961; *Nuova «Lectura Dantis»*, a c. di S.A. CHIMENZ, edita dal 1950 in Roma; *Lectura Dantis romana*, edita dal 1959, Torino-Palermo; *Lectura D. scaligera*, Firenze 1965-68, voll. 3; *Nuove lett. dant.*, a c. della Casa Dantesca in Roma, Firenze 1966-69, voll. 4 (fino al VI del *Purg.*); *Letture classensi*, Ravenna, ecc. — Ricordiamo infine alcuni saggi di notevole importanza per l'interpretazione della figura e della poesia di D.: F. DE SANCTIS, il cap. su D. della *Storia d. lett. it.* e gli altri saggi dant.: la migliore silloge è *Lezioni e saggi su D.*, a c. di S. ROMAGNOLI, Torino 1953; B. CROCE, *La poesia di D.*, Bari 1921; E. AUERBACH, *Studi su D.*, cit.; M. BARBI, *Problemi di critica dant.*, voll. 2, cit., *Con D. e i suoi interpreti*, Firenze 1941, *Problemi fondamentali per un nuovo commento della D. C.*, Firenze 1956; G. GETTO, *Aspetti della poesia di D.*, Firenze 1947; E.G. PARODI, *Poesia e storia nella D. C.*, rist. Venezia 1965, e *Lingua e letteratura*, ivi 1957; G. CONTINI, *D. come personaggio poeta della Commedia*, e *Un'interpretazione di D.*, ora in *Varianti e altra linguistica*, Torino 1970 (dove si trovano altri importanti saggi dant.); R. MONTANO, *Introduzione a D.*, Napoli 1959, e *Storia della poesia di D.*, ivi 1962-63; M. MARTI, *Realismo dant. e altri studi*, Milano-Napoli 1961; E. SANGUINETI, *Tre studi dant.*, Firenze 1961, *Interpretazione di Malebolge*, ivi 1962, *Il realismo di D.*, ivi 1965; S. BATTAGLIA, *Esemplarità e antagonismo nel pensiero di D.*, Napoli 1966; A. PAGLIARO, *Ulisse. Ricerche semantiche sulla D. C.*, Messina-Firenze 1967; F. MAZZONI, *Saggi di un nuovo commento alla D. C.*, Firenze 1967; G. PETROCCHI, *Itinerari dant.*, Bari 1968; F. MONTANARI, *L'esperienza poetica di D.*, cit.; E. RAIMONDI, *Metafora e storia. Studi su D. e su Petrarca*, Torino 1970; G. PADOAN, *Il pio Enea, l'empio Ulisse*, Ravenna 1977; CH.S. SINGLETON, *La poesia della D. C.*, Bologna 1978; M. CORTI, *D. a un nuovo crocevia*, Firenze 1981 e *La felicità mentale*, cit.; P. BOYDE, *L'uomo nel cosmo. Filosofia della natura e poesia in D.*, Bologna 1984; J. LE GOFF, *La nascita del Purgatorio*, Torino 1982; J. FRECCERO, *Dante. Una poetica della conversione*, Bologna 1989; M. PAZZAGLIA, *L'armonia come fine*, ivi 1989.

Il Trecento. Per la situazione storico-economica: R. ROMANO, *Tra due crisi: l'Italia del Rinascimento*, Torino 1971, e *La storia economica: dal sec. XIV al Settecento*, nella *Storia* Einaudi cit.; sul piano della mentalità: J. HUIZINGA, *L'autunno del Medioevo*, cit.; A. HAUSER, *Storia sociale dell'arte*, Torino 1955-56, volumi 2; G. WEISE, *L'Italia e il mondo gotico*, Firenze 1956. Vedi inoltre: J. LARNER, *L'Italia nell'età di Dante, Petrarca, Boccaccio*, Bologna 1982. Per la letteratura: N. SAPEGNO, *Il Trecento*, nella Storia letteraria d'Italia Vallardi, nuova ediz. Piccin Nuova Libraria, Padova 1982; G. PETROCCHI, *Cultura e poesia nel Trecento*, in LIG II.

Francesco Petrarca. Storie della critica: E. BONORA, in *I classici it. nella storia d. critica*, cit.; B.T. SOZZI, *P.*, Palermo 1963. — Studi introduttivi: C. CALCATERRA, *P. e il petrarchismo*, in *Questioni e correnti*, cit.; U. BOSCO, *P.*, in *I maggiori*, cit.; N. SAPEGNO, *Il Trecento*, cit., il cap. nel *Trecento* della LIG, e *Prefazione al P.*, in *Pagine di storia lett.*, Bari 1960; A.E. QUAGLIO, *F. P.*, Milano 1967; R. AMATURO, *P.*, in LIL. — Saggi: U. FOSCOLO, *Saggi e discorsi critici*, a c. di C. FOLIGNO, Firenze 1953 (i saggi fosc. sono: *Saggio sopra l'amore del P.*, *Saggio sopra la poesia del P.*, *Saggio sopra il carattere del P.*, *Parallelo fra Dante e P.*); F. DE SANCTIS, *Saggio critico sul P.*, a c. di N. GALLO e N. SAPEGNO, Torino 1952 (e vedi anche il cap. sul P. nella *Storia della lett. it.*); N. FESTA, *Saggio sull'«Africa» del P.*, Palermo-Roma 1926; V. ROSSI, *Studi sul P. e il Rinascimento*, Firenze 1930; B. CROCE, *La poesia del P.*, in *Poesia popolare e poesia d'arte*, Bari 1933, e *P.: Il sogno dell'amore sopravvivente alla passione*, in *Poesia antica e moderna*, Bari 1941; C. CALCATERRA, *Nella selva del P.*, Bologna 1942; A. TOFFANIN, *Storia dell'Umanesimo dal XIII al XVI secolo*, Bologna 1943[3]; R. DE MATTEI, *Il sentimento politico del P.*, Firenze 1944; G. CONTINI, *Saggio d'un commento alle correzioni del P. volgare*, Firenze 1943, e *Preliminari sulla lingua del P.*, ora in

Varianti e altra linguistica, cit.; A. MOMIGLIANO, *Intorno al «Canzoniere»*, in *Elzeviri*, Firenze 1945, e *Introduzione ai poeti*, Roma 1946; G. DE ROBERTIS, *Valore del P.*, in *Studi*, Firenze 1944; G. BILLANOVICH, *P. letterato, I, Lo scrittoio del P.*, Roma 1947; J.H. WHITFIELD, *P. e il Rinascimento*, Bari 1947; M. FUBINI, *Il P. artefice*, in *Studi sulla lett. del Rinascimento*, Firenze 1947; E. BIGI, *Dal P. al Leopardi*, Milano-Napoli 1954; G. DI PINO, *Poesia e tecnica formale nel «Canzoniere» petr.*, in *Stile e umanità*, Bari 1957; F. MONTANARI, *Studi sul Canzoniere del P.*, Roma 1958; E. CARRARA, *Studi petr. e altri scritti*, Torino 1959; U. BOSCO, *F. P.*, Bari 1961²; A. NOFERI, *L'esperienza poetica del P.*, Firenze 1962; E.H. WILKINS, *Vita del P. e la formazione del canzoniere*, Milano 1964; F. TATEO, *Dialogo interiore e polemica ideologica nel «Secretum» del P.*, Firenze 1965; D. ALONSO, *La poesia del P. e il Petrarchismo*, in *Saggi di metodi e limiti stilistici*, Bologna 1965; E. RAIMONDI, *Metafora e storia*, cit.; F. CHIAPPELLI, *Studi sul linguaggio del P. La canzone delle visioni*, Firenze 1971; F. RICO, *Vida u obra de P. I. Lectura del Secretum*, Padova 1974, e *Precisazioni di cronologia petrarchesca: Le Familiari VIII 2-5 e i rifacimenti del «Secretum»*, in «Giornale storico della letteratura italiana», 1978; B. MARTINELLI, *P. e il ventoso*, Bergamo 1977, e *Il «Secretum» conteso*, Napoli 1982; M. GUGLIELMINETTI, *L'autobiografia da Dante a Cellini*, Torino 1977; U. DOTTI, *P. e la scoperta della coscienza moderna*, Milano 1978; M. SANTAGATA, *Dal Sonetto al Canzoniere*, Padova 1979, *Per moderne carte. La biblioteca volgare del P.*, Bologna 1990, e *I frammenti dell'anima*, ivi 1992; G. ORELLI, *Il suono dei sospiri. Sul P. volgare*, Torino 1990. — Sulla poetica del P. cfr. anche L. RUSSO, *La poetica del P.*, in «Belfagor», 1948; G. BÀRBERI SQUAROTTI, *Le poetiche del Trecento*, e C. VASOLI, *L'estetica dell'Umanesimo e del Rinascimento*, in *Momenti e problemi di storia dell'estetica*, cit. — Sui *Trionfi*: R. SERRA, *Dei «Trionfi» di F. P.*, in *Scritti*, Firenze 1938, II; C.F. GOFFIS, *Originalità dei Trionfi*, Firenze 1951. — Vedi infine gli «Annali della Cattedra petr.», pubbl. ad Arezzo fra il 1930 e il 1940 (nove voll.) e gli «Studi petr.», diretti da C. CALCATERRA e poi da U. BOSCO, 1948-63 (sette voll.).

Giovanni Boccaccio. Per la storia della critica bocc. cfr. G. PETRONIO, *G. B.*, in *I classici it. nella storia d. critica*, cit. — Profili essenziali sono quelli di V. BRANCA, in *I maggiori*, cit.; N. SAPEGNO, in *Storia letteraria del Trecento*, cit.; C. MUSCETTA nella LIL. — Saggi: E.G. PARODI, *Lingua e letterat.*, II, cit.; U. BOSCO, *Il «Decameron», saggio*, Rieti 1929; B. CROCE, *Il B. e F. Sacchetti*, in *Poesia popolare e poesia d'arte*, cit., e *La novella di Andreuccio da Perugia*, in *Storie e leggende napoletane*, Bari 1942; S. BATTAGLIA, *Elementi autobiografici nell'arte del B.*, e *Schemi lirici nell'arte del B.*, raccolti con altri saggi sul B. in *Coscienza lett. del medioevo*, cit.; G. PETRONIO, *Il Decamerone*, Bari 1935 e la bella introduz. all'ediz. del *Dec.*, Torino 1950; A. MOMIGLIANO, *Il tema del Dec.*, in *Elzeviri*, Firenze 1945; L. RUSSO, *Questioni allotrie sul Dec.*, e *Motivi di poesia del Dec.*, in *Ritratti e disegni storici*, serie terza, Bari 1951, *Letture critiche del Dec.*, Bari 1956; F. MAGGINI, *Il B. traduttore dei classici*, in *I primi volgarizzamenti dei classici latini*, Firenze 1952; E. AUERBACH, *Frate Alberto*, in *Mimesis*, Torino 1956; G. GETTO, *Vita di forme e forme di vita nel Dec.*, Torino 1958; V. BRANCA, *B. medievale*, Firenze 1958 (1965²); M. MARTI, introd. al *Dec.*, Milano 1958; G. PADOAN, *L'ultima opera di G. B. Le sposizioni sopra Dante*, Padova 1959; N. SAPEGNO, *Prefazione al B.*, in *Pagine di storia lett.*, cit.; F. TATEO, *Il «realismo» nella novella bocc.*, in *«Retorica» e «poetica» fra Medioevo e Rinascimento*, Bari 1960; *Scritti su B.* (di R. RAMAT, A. ROSSI, C. PELLEGRINI, B. BECHERINI, V. BRANCA, G. DI PINO, U. BARDI), Firenze 1964; G. PADOAN, *Mondo aristocratico e mondo comunale nell'ideologia e nell'arte di G. B.*, in «Studi sul Boccaccio», II, 1964 (fra virgolette, qui e più avanti, indichiamo le riviste); C. SEGRE, *Lingua, stile e società*, cit.; *Studi su B.*, dir. da V. BRANCA, voll. 2, Firenze 1963 e 1964; V. RUSSO, *Il senso del tragico nel Dec.*, in «Filologia italiana», 1965; A. MORAVIA, *B.*, in *L'uomo come fine*, Milano 1964; P.G. RICCI, *Studi sulle opp. lat. e volg. del B.*, Milano 1966; V. SKLOVSKIJ, *Lettura del Dec.*, Bologna 1969; M. BARATTO, *Realtà e stile nel Dec.*, Venezia 1970 (1984²); R. BARILLI, *Semiologia e retorica nella lettura del Dec.*, in «Il Verri», 35-36, 1974; M. PICONE, *Codici e strutture narrative nel Dec.*, in «Strumenti critici», 20, 1973; G. MAZZACURATI, *Alatiel ovvero gli alibi del desiderio*, in *Forma e ideologia*, Napoli 1974; C. SEGRE, *Funzioni, opposizioni e simmetrie nella Giorn. VII del Dec.*, in *Le strutture e il tempo*, Torino 1976; M. LAVAGETTO (a cura di), *Il testo moltiplicato. Lettura di una novella del Decameron*, Parma 1982; A. ROSSI, *Il «Decameron». Pratiche testuali e interpretative*, Bologna 1982; G. BÀRBERI SQUAROTTI, *Il potere della parola. Studi sul Decameron*, Napoli 1983; F. FIDO, *Il regime delle simmetrie imperfette. Studi sul Decameron*, Milano 1988; F. BRUNI, *B. L'invenzione della letteratura mezzana*, Bologna 1990.

Il Quattrocento. Per un primo orientamento sulla cultura umanistico-rinascimentale, F. CHABOD, *Il Rinascimento*, in *Questioni di storia moderna*, a cura di E. ROTA, Milano 1948; C. VASOLI, *Umanesimo e Rinascimento*, Palermo 1969 (storia della critica): G. DE BLASI, *Problemi critici del R.*, in *Le correnti*, I, cit. Sull'aspetto propriamente storico: R. ROMANO-A. TENENTI, *Alle origini del mondo moderno (1350-1550)*, in *Storia universale*, XII, Milano, 1967, e *La nascita della civiltà moderna*, Torino 1972; R. ROMANO, *Fra due crisi: l'Italia del Rin.*, Torino 1971. Sul pensiero e la cultura dell'Umanesimo, importanti sono i saggi di E. GARIN, *Umanesimo e Rin.*, in *Questioni e correnti*, cit.; *L'Um. ital.*, Bari 1952; *Medioevo e Rin.*, ivi 1954; *Il pensiero pedagogico dell'Um.*, Firenze 1958; *Scienza e vita civile nel Rin.*, ult. ediz., Bari 1965; *La cultura filosofica del Rin. it.*, ivi 1961; l'antologia *Prosatori latini del Quattrocento*, Milano-Napoli 1954; l'introd. a un classico della storiografia ottocentesca, J. BURCKHARDT, *La civiltà del Rin. in Italia*, Firenze 1962. Si vedano inoltre: C. ANGELERI, *Il problema religioso del Rin.*, Firenze 1952; E. CASSIRER, *Individuo e cosmo nella filosofia del Rin.*, Firenze 1935; A. TENENTI, *Il senso della morte e l'amore della vita nel Rin.*, Torino 1957; G. WEISE, *L'ideale eroico nel Rin.*, Napoli 1961; F. CHABOD, *Scritti sul Rin.*, Torino 1967; H. BARON, *La crisi del primo Rin. ital.*, Firenze 1970; J. MACEK, *Il Rin. ital.*, Roma 1972; M.P. GILMORE, *Il mondo degli umanisti*, Firenze 1977. Su aspetti specifici della cultura umanistica: R. SABBADINI, *Il metodo degli umanisti*, Firenze 1920, e *Le scoperte dei codici latini e greci ne' secoli XIV e XV*, Firenze 1902, voll. 2; G. NENCIONI, *Fra grammatica e retorica*, Firenze 1953; U. BOSCO, *La letteratura del Rin.*, in *Il Rin. Significato e limiti*, Atti del III Congresso internaz. di studi sul Rin., Firenze 1953; P.O. KRISTELLER, *La tradizione classica nel pensiero del Rin.*, ivi 1969; C. DIONISOTTI, *Gli umanisti e il volgare fra Quattro e Cinquecento*, ivi 1968; P. ROSSI, *I filosofi e la macchina (1400-1700)*, Milano 1962; H. BUTTERFIELD, *Le origini della scienza moderna*, Bologna 1962; M. BOAS, *Il Rin. scientifico*, Milano 1973; H.M. MCLUHAN, *La Galassia Gutenberg. Nascita dell'uomo tipografico*, Roma 1976; L. FEBVRE-H.J. MARTIN, *La nascita del libro*, con introd. di A. PETRUCCI, Bari 1977; E. L. EISENSTEIN, *La rivoluzione inavvertita. La stampa come fattore di mutamento*, Bologna 1985; F. CHASTEL, *Arte e umanesimo a Firenze al tempo di Lorenzo il Magnifico*, Torino 1964, *I centri del Rin. Arte italiana (1460-1500)*, Milano 1965, e *La grande officina. Arte italiana (1460-1500)*, Milano 1966; E. PANOFSKY, *Studi di iconologia*, Torino 1975; C. VASOLI, *La dialettica e la retorica dell'Um.*, Milano 1968.

Sulla letteratura del Quattrocento: R. SPONGANO, *La prosa letteraria del Quattrocento*, Firenze 1941, e *Due saggi sull'Um.*, ivi 1964; C. VARESE, *Storia e politica nella prosa del Q.*, Torino 1961. Per uno sguardo d'assieme si veda D. DE ROBERTIS, *L'esperienza poetica del Q.* in LIG III; G. PONTE, introduz. a *Il Quattrocento*, cit. — Sulla Firenze medicea: N. RUBINSTEIN, *Il governo di Firenze sotto i Medici*, Firenze 1971; A. CHASTEL, *Arte e umanesimo a F. al tempo di Lorenzo il Magnifico*, Torino 1964: P.O. KRISTELLER, *Il pensiero filosofico di Marsilio Ficino*, Firenze 1953.

Luigi Pulci. G. GETTO, *Studi sul Morgante*, Firenze 1967; D. DE ROBERTIS, *Storia del «Morgante»*, ivi 1958; P. ORVIETO, *P. medievale*, Roma 1978.

Lorenzo il Magnifico. E. BIGI, *Lorenzo lirico*, in *Dal Petrarca al Leopardi*, cit.; P. ORVIETO, *L. De' M.*, Firenze 1976; M. MARTELLI, *Studi laurenziani*, Firenze 1963; T. ZANATO, *Saggio sul «Comento» di L. de' M.*, Firenze 1979; D. DE ROBERTIS, LIG, cit.

Angelo Poliziano. G. GHINASSI, *Il volgare letterario del Quattrocento e le «Stanze» del P.*, Firenze 1957; E. BIGI, *La cultura del P. e altri studi umanistici*, Pisa 1967; *Il P. e il suo tempo*, Firenze 1957; V. BRANCA, *P. e l'umanesimo della parola*, Torino 1983; N. BORSELLINO, *Orfeo e Pan*, Parma 1986; D. DE ROBERTIS, LIG, cit.

Matteo Maria Boiardo. AA.VV., *Il Rinascimento nelle corti padane. Società e cultura*, Bari 1977; R. BRUSCAGLI, *Stagioni della civiltà estense*, Pisa 1983; A. QUONDAM, *La corte e lo spazio. Ferrara estense*, Roma 1982; E. BIGI, *La poesia del B.*, Firenze 1941; P.V. MENGALDO, *La lingua del B. lirico*, Firenze 1963; R.M. RUGGIERI, *L'umanesimo cavalleresco it.*, Roma 1962; AA.VV., *Il B. e la critica* (Atti del convegno 1969), Firenze 1970; A. FRANCESCHETTI, *L'«Orlando innamorato» e le sue componenti tematiche e strutturali*, Firenze 1975; R. PETTINELLI, *L'immaginario cavalleresco nel Rinascimento ferrarese*, Roma 1984.

Jacobo Sannazaro. G. FOLENA, *La crisi linguistica del Quattrocento e l'«Arcadia» di J. S.*, Firenze 1952; M. CORTI, *Il codice bucolico e l'«Arcadia» di J. S.*, e *Rivoluzione e creazione stilistica nel S.*, in *Metodi e fantasmi*, Milano 1969.